Le **dictionnaire**

historique
et géopolitique
du 20ᵉ siècle

Dans la même collection

L'ÉTAT DU MONDE (annuel).

L'ÉTAT DE LA FRANCE (annuel).

LE NOUVEL ÉTAT DU MONDE. 80 IDÉES-FORCES POUR COMPRENDRE LES NOUVEAUX ENJEUX INTERNATIONAUX, 2002 (nouv. éd.).

L'ÉTAT DU MONDE EN 1945, 1994.

Ainsi que la série « Les Dossiers de L'état du monde ».

Et aussi, de Jean et André Sellier,

ATLAS DES PEUPLES D'EUROPE CENTRALE, 2002 (éd. revue et mise à jour).

ATLAS DES PEUPLES D'ORIENT, 2002 (éd. revue et mise à jour).

ATLAS DES PEUPLES D'EUROPE OCCIDENTALE, 2000 (éd. revue et mise à jour).

Et de Jean Sellier,

ATLAS DES PEUPLES D'ASIE MÉRIDIONALE ET ORIENTALE, 2001.

Le dictionnaire
historique
et géopolitique
du 20e siècle

Sous la direction de
Serge Cordellier

Deuxième édition augmentée

La Découverte

Éditions La Découverte • 9 *bis*, rue Abel-Hovelacque • 75013 Paris

Conception et coordination éditoriales
Serge Cordellier, Béatrice Didiot, Élisabeth Lau

Préparation et révision
Hélène Teillon

Lecture-correction
Carole Mathiot

Assistant de la réalisation
Vincent Maillet

Traductions
Béatrice Didiot (anglais), Marc Saint-Upéry (espagnol)

Fabrication
Andreas Streiff

Nous remercions pour leurs conseils avisés et leur aide précieuse :
Tewfik Allal, Karel Bartosek, Sylvie Baudet, Jean Bernier, Paul Blanquart,
Pierre Boilley, Carole Boutin, Véronique Chaumet, Caroline Douki,
Christian Lechervy, Christophe Prochasson, Patrick Quantin, Marc Saint-Upéry,
Jean Sellier, François Sirel, Charles Urjewicz.

Conception de la couverture et de la maquette intérieure,
création typographique : Agence Papous (Paris)

Catalogage Électre-Bibliographie

Cordellier, Serge (dir.)
Le dictionnaire historique et géopolitique du 20e siècle
Nouv. éd. augmentée. Paris : La Découverte, 2002. - (L'état du monde)

ISBN 2-7071-3707-3

Rameau :	géopolitique : histoire : 20e siècle : dictionnaires
	histoire universelle : 20e siècle : dictionnaires
Dewey :	320.3 : Science politique (politique et gouvernement). Dictionnaire.
	Encyclopédies
	903 : Dictionnaires. Encyclopédies. Chronologies
Public concerné :	Tout public

Avant-propos

Le *Dictionnaire historique et géopolitique du 20e siècle* est avant tout le fruit d'une aventure collective, commencée vingt ans plus tôt avec l'invention de l'annuaire économique et géopolitique mondial *L'état du monde*. C'est en effet grâce à l'entreprise éditoriale poursuivie année après année autour de cet annuaire et des collections qui sont venues l'accompagner que s'est progressivement constitué un réseau d'auteurs spécialisés très ramifié et de grande qualité. Ce sont eux qui ont rendu la réalisation de ce dictionnaire possible. Qu'ils en soient vivement remerciés. **Si ce dictionnaire couvre** l'ensemble du XXᵉ siècle, il évoque également des questions antérieures. En effet, comment comprendre le Proche-Orient ou les Balkans sans aborder la « question d'Orient » ? Il est à la fois « historique et géopolitique », c'est-à-dire qu'il permet d'articuler le temps (le siècle) et l'espace (le monde). Il mobilise des savoirs disciplinaires multiples, relatifs non seulement à l'histoire et à l'analyse politique, mais aussi à la stratégie et à la diplomatie, à la géographie et au droit public, à la sociologie et à l'économie. Les séquences historiques qui ont marqué le siècle sont bien entendu largement traitées, mais ce dictionnaire ne se limite pas aux événements et aux personnages. **Tous les États souverains** actuels font l'objet d'un article, plus ou moins développé selon leur poids géopolitique dans le siècle. De même, des articles et des notices sont consacrés à toutes les organisations internationales et régionales significatives. **Deux originalités distinguent** en outre ce dictionnaire. D'une part, des dizaines d'articles définissent des concepts, des doctrines et des théories : démocratie, populismes, État de droit, nationalisme, propagande, marxisme, travail, minorités, nettoyage ethnique, keynésianisme, justice pénale internationale, guerre psychologique, totalitarisme, « village global », isolationnisme, souveraineté, etc. L'ouvrage est donc en quelque sorte « autosuffisant ». D'autre part, une attention particulière a été portée aux institutions et régimes politiques. Le lecteur dispose ainsi de clés de lecture supplémentaires. **Ce dictionnaire est** celui des cinq générations qui ont fait le siècle. Les plus jeunes des protagonistes de l'année 1968, à Paris, Prague, Berlin, Mexico, Tokyo, Turin ou sur les campus américains deviennent grands-parents, tandis que les jeunes Européens de l'âge d'Internet sont les arrière- (ou arrière-arrière-) petits-enfants des combattants de la boucherie appelée « Grande Guerre » et qu'en Ukraine les jeunes du même âge sont les petits-enfants des enfants qui ont survécu à la Grande Famine de 1932-1933. Quant aux jeunes Africains, ils sont les petits-enfants des témoins des indépendances. **Il appartient aux lecteurs** de découvrir les multiples ressources et usages de ce dictionnaire, conçu en mariant les savoirs, dans une approche résolument internationale qui refuse tout ethnocentrisme.

Serge Cordellier, LE 18 OCTOBRE 2000 ET LE 13 FÉVRIER 2002

Présentation

Le *Dictionnaire historique et géopolitique du 20e siècle* est un outil de culture générale accessible à des lecteurs ne disposant pas de connaissances spécialisées. Il est notamment très utile pour les études. Sa visée est double :

– proposer une lecture *critique* du vingtième siècle, nourrie des recherches internationales les plus récentes dans les domaines de l'histoire, des sciences politiques, de la géographie, de l'économie, de la sociologie et de la philosophie politiques ;

– fournir un très grand nombre d'informations factuelles vérifiées, au fil des articles et dans de petites notices caractérisant événements, institutions, accords internationaux, etc.

Le dictionnaire compte environ **1 500 entrées** correspondant, individuellement ou en lien avec d'autres, à divers ensembles. **Séquences historiques** (les deux guerres mondiales, le communisme, le mouvement d'émancipation des femmes, les fascismes, la Guerre froide et la Détente, les décolonisations et l'émergence du tiers monde, la construction européenne, la crise et l'implosion du système soviétique, etc.). **Pays**, territoires et peuples. **Conflits,** guerres et grandes crises. **Traités,** accords, conférences et conventions. **Organisations** et institutions internationales et régionales. **Grandes figures** du siècle (dirigeants, révolutionnaires, dissidents et résistants, syndicalistes, féministes). **Lieux** ayant marqué l'histoire et devenus enjeux de mémoire (Amritsar, Auschwitz, Hiroshima, Jérusalem...). **Concepts,** doctrines et théories appartenant aux champs politique, stratégique, diplomatique, économique, sociologique, idéologique.

Mode d'emploi

L'organisation générale de l'ouvrage et ses principes de rédaction permettent aussi bien une *circulation libre* (recherche spontanée facile) qu'une *consultation guidée* (à l'aide d'un système de *renvois*). Deux index complètent le dispositif (voir p. 737 et suiv.).

Effectuer une recherche. Les articles sont classés par ordre alphabétique. Leur *entrée* (ou intitulé), lorsqu'elle se présente sous la forme d'une séquence de mots, est construite de la manière suivante : le premier mot est celui qui identifie le sujet dans l'usage courant. Ainsi, les guerres dont la dénomination comporte un nom propre seront à chercher à ce nom ; dans tous les autres cas, elles seront classées sous le mot « guerre ».

Exemples :
ABYSSINIE (guerre d')
CORÉE (guerre de)
GUERRES ISRAÉLO-ARABES

Par ailleurs, le dictionnaire comporte, en plus des entrées faisant l'objet d'un article, des **« entrées sèches »** correspondant à des mots clés ou à des appellations alternatives permettant d'aiguiller le lecteur vers l'article contenant l'information recherchée.

Exemples :
PALESTINIENS > QUESTION PALESTINIENNE.
HAUTE-VOLTA > BURKINA FASO.
PCI (Parti communiste italien) > SOCIALISME ET COMMUNISME (ITALIE).
TCHEKA > POLICE POLITIQUE (URSS).

Approfondir une recherche. Dans chaque article sont signalés les sujets faisant l'objet d'un article propre, et ce de deux manières :
1. Les mots ou expressions correspondant à un article sont <u>soulignés</u> lorsqu'on les ren-

contre pour la première fois dans l'article ou dans la notice. Lorsqu'il s'agit d'une expression, on trouvera soulignés : *toute l'expression*, lorsque celle-ci reprend à l'identique l'entrée de l'article correspondant (*exemple* : <u>guerres israélo-arabes</u>) ; *le mot par lequel commence l'entrée* lorsque celui-ci n'apparaît pas en premier (*exemple* : guerre d'<u>Abyssinie</u>). Il est à noter que le soulignement est dans certains cas sélectif. Ainsi, lorsque les deux guerres mondiales ne sont évoquées que pour dater un événement, il n'a pas semblé utile d'introduire un renvoi. Par ailleurs peuvent se trouver soulignées des formes différant légèrement de l'entrée réelle, mais aisément reconnaissables (*exemple* : <u>fascis-te</u> pour **FASCISMES** ou <u>Église</u> pour **ÉGLISE CATHOLIQUE (Espagne)**, dans un article consacré à l'Espagne).

2. Des renvois apparaissent en fin d'article, signalant des entrées thématiquement liées.
Exemple : **> HUTU ET TUTSI, RWANDA.** (à la fin de l'article **GÉNOCIDE RWANDAIS**)

Les États souverains. Pour ne pas surcharger les articles en renvois, le nom des États souverains actuels n'est pas souligné dans le texte. Tous font pourtant l'objet d'un article, qu'il s'agisse d'« États-continents » comme la Chine ou l'Inde, ou de minuscules pays comme le « Rocher » de Monaco ou les micro-États du Pacifique (Nauru, Tuvalu...). En tête d'article sont mentionnés le nom officiel du pays lorsqu'il diffère de l'entrée (par exemple : « République fédérative du Brésil » pour **BRÉSIL**), la capitale, la superficie et la population. La graphie des noms de pays et des capitales suit la nomenclature de l'annuaire *L'état du monde*.

Sigles. Les entrées correspondant à des institutions ou à des locutions ayant un sigle peuvent être présentées soit sous leur sigle soit sous l'intitulé développé en entier, selon que le sigle est plus ou moins consacré.
Exemples :
ALENA pour **Accord nord-américain de libre-échange** ;

NEP pour **Nouvelle Politique économique** ;
mais **COMMUNAUTÉ EUROPÉENNE** pour **CE**. Dans le dernier cas, une « entrée sèche » permet généralement de faire le lien avec l'article.
Exemple :
CE > COMMUNAUTÉ EUROPÉENNE.

Transcriptions de graphies ou de caractères étrangers. Pour les alphabets non latins, les translittérations savantes ont été évitées au profit de formes plus accessibles et plus facilement reconnaissables. L'alphabet phonétique dit « *pinyin* » a été utilisé pour transcrire les caractères chinois, à l'exception des mots relatifs à Taïwan, qui n'applique pas cette convention. Pour les personnages ou les lieux liés à l'histoire de la première moitié du siècle, l'ancienne graphie, plus familière, a été maintenue.
Exemple :
SUN ZHONGSHAN > SUN YAT-SEN. (L'article est classé à **SUN YAT-SEN**, mais une entrée « sèche » fait le lien entre les deux graphies.)
Par ailleurs, pour tous les personnages appartenant aux aires de culture « sinisée » (Chine, Japon, Corée...), les patronymes mentionnés au fil des textes viennent avant les prénoms, comme il est d'usage dans ces pays. De ce fait, les prénoms ne sont jamais abrégés. Pour les aires de culture islamique, les patronymes précédés de **el-** ou **al-** faisant l'objet d'une entrée sont classés à la lettre *suivant* ces préfixes.
Exemple : Hassan al-Banna est classé à **BANNA Hassan al-**.

Signature des articles et intertitres. La plupart des articles et notices sont signés des initiales de leur auteur. Pour identifier les noms et prénoms complets, on se reportera pages 8 à 10. Une très petite minorité d'articles a fait l'objet d'une première publication dans les collections associées à *L'état du monde*. De courtes notices ne comportent pas de signature. Tous les articles non signés, de même que tous les intertitres, relèvent de la responsabilité de l'éditeur.

Sous la direction de **Serge Cordellier**

Auteurs

ASSÉO Henriette (**H. A.**), historienne. **ASSIDON** Elsa (**E. A.**), économiste. **ATTAL** Frédéric (**F. A.**), historien. **AWENENGO DALBERTO** Séverine (**S. A. D.**), histoire.

BADIE Bertrand (**B. B.**), politologue. **BARTOSEK** Karel (**K. B.**), historien. **BATEL** Loïc (**L. B.**), historien. **BERTON–HOGGE** Roberte (**R. B.-H.**), *Le Courrier des pays de l'Est*. **BERTRAND** Maurice (**M. B.**), essayiste. **BESSARABSKI** Nicolas (**N. B.**), sociologue. **BESSIS** Sophie (**S. B.**), historienne et journaliste. **BIANCO** Lucien (**L. Bi.**), historien. **BILLION** Didier (**D. B.**), politologue. **BLANQUART** Paul (**P. Bl.**), philosophe et sociologue. **BOILLEY** Pierre (**P. Bo.**), historien. **BOLTANSKI** Christophe (**C. B.**), journaliste. **BOTIVEAU** Bernard (**B. Bo.**), politologue. **BOUGAREL** Xavier (**X. B.**), historien. **BOYER** Jean-Claude (**J.-C. B.**), géographe. **BOZARSLAN** Hamit (**H. B.**), historien. **BRENNAN** Paul (**P. B.**), études irlandaises. **DE BROUCKER** José (**J. d. B.**), journaliste. **BURRIN** Philippe (**P. Bu.**), historien.

CADOUX Charles (**C. C.**), juriste. **CAHEN** Michel (**M. C.**), historien. **CANDAR** Gilles (**G. Ca.**), historien. **CAROIT** Jean-Michel (**J.-M. C.**), journaliste. **CAYRAC–BLANCHARD** Françoise (**F. C.-B.**), politologue. **CAZACU** Matei (**M. Ca.**), historien. **CHAMBERLAIN** Greg (**G. C.**), journaliste. **CHANTEAU** Jean-Pierre (**J.-P. Ch.**), économiste. **CHEVALLIER** Jacques (**J. C.**), juriste et politologue. **CHÉVRIER** Yves (**Y. C.**), historien, sinologue. **CHICHLO** Boris (**B. C.**), ethnologue. **CHUNG** Bertrand (**B. Ch.**), sociologie politique. **CLERC** Denis (**D. Cl.**), économiste. **COLAS** Dominique (**D. C.**), politologue. **COMBEMALE** Pascal (**P. C.**), économiste. **CONSTANTIN** François (**F. C.**), politologue. **COPEAUX** Étienne (**É. Co.**), historien. **CORDELLIER** Serge (**S. C.**). **CROWLEY** John (**J. Cr.**), politologue.

DELANNOI Gil (**G. D.**), politologue. **DELÉAGE** Jean-Paul (**J.-P. D.**), physicien et historien des sciences. **DELMAS** Jean (**J. D.**), historien militaire. **DOLBEAU** Jean-Michel (**J.-M. D.**), politologue. **DOMENACH** Jean-Luc (**J.-L. D.**), historien. **DORRONSORO** Gilles (**G. Do.**), politologue. **DRWESKI** Bruno (**B. D.**), historien. **DUBREUIL** Richard (**R. D.**), langue et histoire japonaises. **DUCLERT** Vincent (**V. D.**), historien. **DUPUIS** Renée (**R. Du.**), avocate.

ELLYAS Akram B. (**A. B. E.**), journaliste. **ENGUELEGUELE** Maurice (**M. E.**), politologue. **ESLIN** Jean-Claude (**J.-C. E.**), philosophe et sociologue.

FEIGELSON Kristian (**K. F.**), sociologue. **FERRO** Marc (**M. F.**), historien. **FONTENOY FERNÁNDEZ** Carlos (**C. F. F.**), politologue et sociologue. **FORLIN** Olivier (**O. F.**), histoire. **FOUCHER** Michel (**M. Fo.**), géographe. **FOURNIAU** Vincent (**V. F.**), historien. **FREYSSENET** Michel (**M. Fr.**), sociologue.

GALY Michel (**M. G.**), politologue et sociologue. **GAMBLIN** Sandrine (**S. G.**), science politique. **GAUTIER** Xavier (**X. G.**), journaliste (†). **GAUVRIT** Éric (**É. G.**), science politique. **GENTELLE** Pierre (**P. Ge.**), géographe et archéologue. **DE GEOUFFRE DE LA PRADELLE** Géraud

(G. L. P.), juriste. **Gervais-Lambony** Philippe (P. G.-L), géographe. **Ghalioun** Burhan (B. G.), sociologue et islamologue. **Goergen** Marie-Louise (M.-L. G.), historienne. **Gomane** Jean-Pierre (J.-P. G.), histoire de l'Asie-Pacifique. **Gomá Pinilla** Daniel (D. G. P.), science politique. **Gousseff** Catherine (C. G.), historienne. **Grangereau** Philippe (P. Gr.), journaliste. **Grundmann** Pierre (P. G.), journaliste. **Guichaoua** André (A. G.), sociologue.

Habel Janette (J. H.), politologue. **Harbi** Mohammed (M. Ha.), historien. **Haski** Pierre (P. H.), journaliste. **Hémery** Daniel (D. H.), historien. **Hernández Alvarado** Joaquín (J. H. A.), philosophe. **Heyman-Doat** Arlette (A. H.-D.), juriste. **Holzman** Marie (M. H.), essayiste. **Horel** Catherine (C. H.), historienne.

Jadot Yannick (Y. J.), économiste. **Jaffrelot** Christophe (C. J.), politologue. **James** Duncan H. (D. J.), économiste. **Joubert** Millie (M. J.), professeur d'histoire-géographie. **Jouineau** Sophie (S. J.), science politique. **Juillard** Patrick (P. J.), juriste.

Kapeliouk Amnon (A. K.), journaliste et essayiste. **Kassapov** Valentin (V. K.), sociologue. **Kende** Peter (P. K.), politologue. **Kouamouo** Théophile (T. K.), journaliste. **Krulic** Joseph (J. K.), histoire et droit public.

Labbé Dominique (D. L.), politologue. **Labertit** Guy (G. L.), africaniste. **Lafargue** Jérôme (J. L.), politologue. **Laignel-Lavastine** Alexandra (A. L.-L.), science politique et histoire. **Lautard-Balme** Stéphanie (S. L.-B.), sinologie. **Le Bot** Yvon (Y. L. B.), sociologue. **Lechervy** Christian (C. L.), politologue. **Leducq** Anne (A. L.), professeur d'histoire-géographie. **Le Gloannec** Anne-Marie (A.-M. L. G.), politologue. **Legrain** Jean-François (J.-F. L.), politologue. **Leverrier** Ignace (I. L.), consultant. **Lima** Éric (É. L.), professeur d'histoire-géographie. **Lindenberg** Daniel (D. Li.), politologue. **Linteau** Paul-André (P.-A. L.), historien. **Longuet** Claire-Emmanuelle (C.-E. L.). **Lowi** Theodore J. (T. J. L.), politologue. **Luizard** Pierre-Jean (P.-J. L.), histoire du monde arabe.

Mandé Issiaka (I. M.), historien. **Mandrillon** Marie-Hélène (M.-H. M.), histoire. **Marange** Valérie (V. M.), philosophe. **Marchal** Roland (R. M.), sociologie politique. **Margolin** Jean-Louis (J.-L. M.), historien. **Martin** Denis-Constant (D.-C. M.), politologue. **Marx** Roland (R. Ma.), historien (†). **Mastalski** Gilles (G. Ma.), histoire et géopolitique. **Mattelart** Armand (A. M.), sociologue. **Maupeu** Hervé (H. Ma.), africaniste. **Mayrargue** Cédric (C. Ma.), science politique. **Médard** Henri (H. Me.), histoire. **Michel** Marc (M. Mi.), historien. **Minczeles** Henri (H. M.), historien. **Mink** Georges (G. M.), sociologue et politologue. **Mohammad** Aminah (A. Mo.), anthropologue. **Monclaire** Stéphane (S. Mo.), politologue. **Mormanne** Thierry (T. M.), historien du Japon. **Morsy** Magali (M. Mo.), historienne du monde arabe. **Moser-Karagiannis** Emmanuelle (E. M.-K.), École française d'Athènes. **Mouradian** Claire (C. M.), historienne.

ABANE Ramdane (1920-1957)

Homme politique algérien. Le FLN (Front de libération nationale) aurait-il réussi à rassembler la grande majorité des Algériens s'il n'avait trouvé en Abane Ramdane la tête politique qui lui faisait alors défaut ? Né le 20 juin 1920 à Azouza en Grande Kabylie, Abane Ramdane passe son baccalauréat au collège de Blida (1941). Son service militaire terminé, il obtient, grâce à l'intercession d'un notable, un emploi de secrétaire adjoint à la commune mixte de Chateaudun du Rhummel. Il ne l'occupera pas longtemps. Son adhésion au Parti du peuple algérien (PPA) lui vaudra des tracasseries après le succès recueilli par cette organisation indépendantiste aux élections municipales (octobre 1947). Il en devient permanent et en applique scrupuleusement les orientations. Lorsque la direction décide l'exclusion d'un de ses membres les plus connus, le Dr Lamine Debaghine (1917-), et des militants soupçonnés de « berbérisme » (culturalisme berbère), c'est Abane qui défend le point de vue de celle-ci dans la région de Skikda. Arrêté en 1950, jugé et condamné, il est libéré le 19 janvier 1955. « Vous êtes des criminels », dit-il au colonel Omar Ouamrane quand celui-ci l'informe des conditions dans lesquelles a eu lieu l'insurrection du 1er novembre 1954 qui inaugure la guerre d'indépendance, mais il s'y engage sans réserve et entre dans la clandestinité. Grâce à lui, le FLN occupe le terrain politique, intègre en son sein tous les éléments des partis qui acceptent de se dissoudre, et mène contre son rival le MNA (Mouvement national algérien) de Messali Hadj une guerre implacable, refusant toute discussion sur son monopole. Au congrès de la Soummam dont il est l'organisateur (août 1957), Abane fait adopter un programme et une formule de direction qui

l'opposent à Ahmed Ben Bella et à Mohamed Boudiaf. Membre du CNRA (Conseil national de la Révolution algérienne) et du CCE (Comité de coordination et d'exécution), il est mis en minorité en août 1957 lors du premier coup de force des militaires du FLN-ALN (Armée de libération nationale). Il refuse de se soumettre et d'accepter leur suprématie sur les politiques. Responsable du journal *El Moudjahid*, il décide seul que la reconnaissance de l'indépendance est un préalable à toute négociation. Craignant à tort ou à raison son influence sur l'Aurès et l'Algérois, les chefs militaires l'attirent dans un guet-apens au Maroc sous prétexte de régler des problèmes avec le roi Mohammed V (1909-1961) et l'assassinent fin décembre 1957, supprimant ainsi toute alternative à leur mainmise sur le FLN-ALN.
M. Ha. **> ALGÉRIE.**

ABBAS Ferhat (1899-1985)

Homme politique algérien. Issu d'une famille de la région de Taher en voie d'ascension sociale après avoir été ruinée par la colonisation, Ferhat Abbas entre à douze ans à l'école. Boursier de l'État colonial, il s'établit, ses études terminées, comme pharmacien à Sétif (1933). C'est dans le syndicalisme étudiant – il a présidé aux destinées de l'Association des étudiants musulmans d'Afrique du Nord pendant quatre ans (1927-1931) – qu'il commence à s'interroger sur l'avenir de son pays. Conquis par les idéaux de la Révolution française, admirateur de Mustafa Kemal (Atatürk), il brûle de faire entrer l'Algérie musulmane dans la modernité. Son destin politique bascule après le rejet de la revendication d'égalité des droits dans la citoyenneté française demandée par le premier rassemblement national, le Congrès musulman (1936), et du projet Blum-Violette qui donnait des droits de citoyen à

24 000 musulmans. L'autisme de la France rapproche F. Abbas de l'Association des ulama – en renonçant à l'assimilation (1938) –, puis du PPA (Parti du peuple algérien) en reconnaissant la nécessité d'un État algérien (1943). Résolument hostile à la politique de l'Axe, il rédige après le débarquement anglo-américain le *Manifeste du peuple algérien* et crée avec le PPA et les Ulama les Amis du Manifeste et de la liberté (AML) « pour rendre familière en Algérie l'idée d'une nation algérienne et désirable la constitution d'une république autonome fédérée à une République française rénovée ». Il ne sera pas entendu. Assigné à résidence en 1943, emprisonné en 1945 après les massacres du 8 mai à Sétif et Guelma, il fonde après sa libération l'Union démocratique du Manifeste algérien (UDMA), dont la démarche est guidée jusqu'en novembre 1954 (déclenchement de l'insurrection inaugurant la guerre d'indépendance) par la peur des débordements d'un mouvement de masse plébéien activiste. Ignoré après l'insurrection par la France, il se rallie au FLN (Front de libération nationale) fin 1955 et devient le premier président du Gouvernement provisoire de la République algérienne (GPRA) en septembre 1958. Écarté fin août 1961, il se rapproche des militaires par ressentiment. Nommé président de l'Assemblée constituante, il tente d'infléchir le projet constitutionnel dans un sens plus libéral. Assigné à résidence pour s'être opposé à Ahmed Ben Bella (août 1964-juin 1965), puis à Houari Boumediène (mars 1976-juin 1977), il s'associe à une conspiration armée (l'« affaire de Cap Sigli »), mais le président Bendjedid Chadli (1979-1992) lui évite le tribunal. Réhabilité en 1984, il publie ses mémoires sous le titre *Autopsie d'une guerre*. Représentant du libéralisme politique, F. Abbas préconisait l'adoption de la pensée occidentale pour réévaluer l'héritage national. Ce n'était pas un simple occidentaliste. Il lui a manqué pour affirmer ses idées le support d'un groupe social. L'éparpillement en un nombre incalculable d'intérêts des classes moyennes a lourdement pesé sur son destin. **M. Ha.** ➤ ALGÉRIE.

ABDEL-AZIZ IBN SAOUD (1876-1953)

Fondateur du royaume d'Arabie saoudite, roi de 1932 à 1953. Abdel-Aziz ben Abdel-Rahman al-Saud, dit Ibn Saoud, reconquiert et élargit, entre 1902 et 1934, le royaume sur lequel ses ancêtres ont déjà régné de 1750 à 1818 et de 1821 à 1880. Audacieux et habile, il s'appuie dans son entreprise sur les *ikhwans*, des bédouins réislamisés et sédentarisés qu'il a acquis à ses objectifs politico-religieux, mais dont le fanatisme contrarie bientôt la politique d'équilibre et de conciliation qu'il entend mener à l'intérieur comme à l'extérieur. Il se voit donc contraint en 1929 de réduire leur influence. Au plan intérieur, Ibn Saoud s'attache alors à unifier les provinces conquises, à faire coexister les tribus soumises à son autorité, et à mettre en place les infrastructures administratives, éducatives, sociales et économiques requises par le développement du pays. Il fait du texte coranique la source unique de la législation. Au plan extérieur, il s'efforce de gagner la reconnaissance, par les grandes puissances et les pays arabes et islamiques, de la légitimité de son régime et de sa dynastie. En 1951, il conclut un important accord d'assistance mutuelle avec les États-Unis, dont les compagnies pétrolières ont obtenu dès 1932 des concessions dans le royaume. À sa mort, en 1953, il laisse derrière lui une nombreuse descendance, fruit des alliances matrimoniales conclues avec les principales tribus de son royaume. Son fils Saoud (1902-1969) lui succède. **I. L.** ➤ ARABIE SAOUDITE.

ABDUH Muhammad (1849-1905)

Théologien et intellectuel égyptien. Muhammad Abduh est l'un des principaux initiateurs du réformisme musulman. Nommé par les autorités politiques au poste clé de *cheikh* al-Azhar, au Caire, l'un des plus prestigieux centres de théologie islamique, il est à l'origine d'importantes réformes religieuses. Sa pensée est fon-cièrement libérale. Principaux écrits : *Traité de l'unicité divine, Islam et christianisme face à la science et à la civilisation ; Interprétation du noble Coran ; Mémoires.* **B. G.** ➤ RÉFORMISME MUSULMAN.

ABORIGÈNES (Australie)

À l'arrivée des Européens, à la fin du XVIIIe siècle, l'Australie abritait de 300 000 à 1 million d'habitants, les Aborigènes. En 1900, ils sont moins de 95 000. Massacres, alcoolisme, maladies, déplacements forcés vont continuer de décimer cette population jusque dans les années 1930 (ils sont alors 70 000. En l'an 2000, ils sont 390 000 (2 % de la population totale), dont 40 000 Islanders (Mélanésiens des îles du détroit de Torres). En 1937, les autorités mettent en place une triple politique, dont le but est de « régler le problème aborigène » : établissement de réserves pour les Aborigènes « *full blood* » (non métissés) tribalisés ; regroupement des Aborigènes détribalisés dans les missions ; assimilation forcée des métis.   En 1967, un référendum donne aux Aborigènes l'équivalent de la nationalité australienne : droit de vote, liberté de circuler, prestations sociales. La gestion des affaires aborigènes est fédéralisée. Le Premier ministre travailliste Gough Whitlam (1972-1975) et son successeur conservateur Malcolm Fraser (1975-1983) font passer une série de lois reconnaissant aux Aborigènes la jouissance totale des 250 000 km² de réserves du Territoire du Nord (1972-1977). Ces terres sont administrées par des *Land Councils*, les conseils fonciers. Des crédits sont accordés pour des programmes sociaux (santé, logement, éducation, justice). En 1988, le travailliste Bob Hawke (1983-1991) promet un « traité négocié avec le peuple aborigène ». La notion de traité sera remplacée par celle de « réconciliation », un terme que l'Italie reprendra à son compte le gouvernement conservateur de John Howard (1996-). En 1990, Canberra regroupe les administrations chargées des Aborigènes au sein de l'ATSIC (Aborigenal and Torres Strait Islanders Commission).   **L'arrêt Mabo de 1992.** En 1992, la Haute Cour de justice prononce l'arrêt Mabo qui annule deux siècles de jurisprudence britannique considérant l'Australie comme *terra nullius* (inoccupée à l'arrivée des Européens) et reconnaît la propriété antérieure des Aborigènes sur leurs terres ancestrales. En 1993, une loi précise les conditions – très contraignantes – encadrant les procédures de revendication de ces terres devant un tribunal spécial. Ces procédures sont durcies par le gouvernement Howard en 1997. En 1999, 6 000 procédures étaient en cours et les Aborigènes contrôlaient 15 % du territoire australien. Ils commencent à trou-

ver leur place dans la société (arts, sport, politique). Mais leur situation globale reste catastrophique : taux de mortalité infantile trois fois supérieur à la moyenne nationale, espérance de vie inférieure de quinze à vingt ans, taux de chômage cinq fois plus élevé (40 %), revenus moyens inférieurs d'un tiers.
P. G.   > AUSTRALIE, GÉNÉRATION VOLÉE.

ABYSSINIE (guerre d')   Entamée en 1935, la conquête de l'Éthiopie, seul pays d'Afrique resté indépendant avec le Libéria, est pour <u>Mussolini</u> le moyen de réussir ce que l'Italie libérale a manqué en 1896 à Adoua et de convertir les Italiens aux idéaux guerriers. L'énorme supériorité matérielle, l'usage du gaz de combat, les bombardements de civils assurent la victoire italienne en mai 1936. Si à Paris, Laval laisse les mains libres au « *duce* », si Moscou peut désirer se le concilier face à <u>Hitler</u>, Londres ne tolère pas cette conquête. En effet, celle-ci prépare un empire continu depuis la Libye et menace donc le Soudan. Accepter la destruction d'un de ses membres serait un suicide pour la <u>SDN</u> (Société des Nations), qui vote des sanctions pour isoler l'agresseur. Mais États-Unis et Allemagne en sont absents. D'autres, dont l'URSS, continuent un commerce à peine clandestin jusqu'à l'été 1936 et décident la levée des sanctions qui ont surtout resserré les rangs des Italiens autour du régime. Tandis que l'Italie se heurte à la France et à l'Angleterre en Afrique, elle met fin à sa concurrence avec l'Allemagne par l'abandon de l'Europe centrale et se rapproche du régime hitlérien. Enfin, si la conquête a débuté avec l'idée d'assimiler les Abyssins au nom d'un mythique colonialisme latin métissant, leur résistance amène des mesures discriminatoires et un discours raciste. Ce dernier, renforcé par le rapprochement avec Berlin et une stratégie anti-anglaise (appui sur l'islam, dénonciation du foyer national juif de Palestine), mène, en 1938, du colonialisme au racisme d'État. **É. V.**
> ÉTHIOPIE, ITALIE.

ACCORD DE LIBRE-ÉCHANGE CENTRE-EUROPÉEN   Fondé en 1992 par les pays du Groupe de Visegrad (Hongrie, Pologne, République tchèque, Slovaquie), l'Accord de libre-échange centre-européen

(ACELE, CEFTA – Central European Free Trade Agreement) regroupait à la mi-2001 les pays fondateurs rejoints par la Bulgarie, la Roumanie et la Slovénie.

ACCORDS ISRAÉLO-ARABES

Imposé à la région par la force des armes et les soutiens extérieurs, Israël s'est retrouvé en guerre déclarée avec ses riverains à cinq reprises, sans parler des heurts, bombardements épisodiques et représailles de part et d'autre des lignes de front. Avide de reconnaissance et d'intégration régionale, il a toujours privilégié le mode bilatéral aux négociations multilatérales sous égide de l'ONU dans un monde qu'il perçoit à tort ou à raison comme lui étant hostile. L'affaiblissement constant de l'URSS puis sa disparition, joints à l'irrésolution de l'ONU, ont laissé place à une omniprésence américaine. Si les États-Unis parvenaient enfin à ce que certains accords de paix soient signés, par leur engagement pro-israélien ils échouaient néanmoins à jeter les bases d'une véritable réconciliation tandis que plusieurs traités de paix étaient encore à attendre cinquante ans après la création d'Israël. **Les conventions d'armistice de 1949.** Proclamé unilatéralement le 14 mai 1948, même s'il pouvait se réclamer de la résolution de l'ONU du 29 novembre 1947 sur le partage de la Palestine, Israël aura dû attendre trente ans avant de signer son premier traité de paix avec l'un de ses voisins. Le lendemain même de la « déclaration d'indépendance » prononcée par David Ben Gourion, les armées arabes entrent en Palestine. C'est la première guerre israélo-arabe (1948-1949), dont Israël sort victorieux. Les conventions d'armistice de 1949 signées sous les auspices de l'ONU entre Israël et chacun des États riverains pris séparément, l'Égypte (24 février), le Liban (23 mars), la Jordanie (3 avril) et la Syrie (20 juillet) ne fixent en effet que des « lignes de démarcation » entre belligérants. Si tous acceptent de participer à une conférence de conciliation réunie à Lausanne (avril-septembre 1949) par l'ONU au cours de laquelle ils acceptent le plan de partage de 1947 comme base de discussion, Israël seul rejetant la résolution sur les droits des réfugiés au retour ou à compensation, rien pourtant ne permet de déboucher sur la paix. L'ONU dès cette époque renonce à imposer ses propres résolutions et assiste, impuissante, à la dégradation rapide du régime des armistices. En pleine Guerre froide et à l'heure des décolonisations, Israël devient un élément essentiel de la politique occidentale face à un monde arabe éclaté qui se tourne vers l'URSS. Placée au cœur des rivalités internationales, la région ne peut espérer la paix. La deuxième guerre israélo-arabe, également qualifiée d'« affaire de Suez », dans laquelle la France et le Royaume-Uni sont également parties prenantes (29 octobre-6 novembre 1956) comme la guerre des Six-Jours (5-10 juin 1967) ne s'achèvent que par des cessez-le-feu sous égide de l'ONU, une fois encore sans traité de paix. La quatrième guerre israélo-arabe dite « du Kippour » ou « du Ramadan » (6-24 octobre 1973), en revanche, par sa victoire arabe en demi-teinte ouvre la voie aux premières négociations directes israélo-arabes sous l'égide de l'ONU mais avec une forte implication américaine. Des accords sont ainsi signés concernant le désengagement des troupes israéliennes et égyptiennes (11 novembre 1973, 18 janvier 1974 et 4 septembre 1975) et celui des armées syrienne et israélienne (31 mai 1974). **La base de la résolution 242.** Sur le plan juridique, la base d'un éventuel règlement demeure la résolution 242 (22 novembre 1967) du Conseil de sécurité à laquelle renvoie la résolution 338 (22 octobre 1973), dorénavant acceptées par les quatre États intéressés et qui exigent le retrait des forces israéliennes « des » (selon la version française ou « de » selon la version anglaise) Territoires occupés en 1967 et garantit le droit de chaque État de la région à vivre en paix à l'intérieur de frontières sûres et reconnues. Il faudra attendre les années 1990 pour que l'OLP (Organisation de libération de la Palestine) accepte de reconnaître la validité de ces résolutions, leur reprochant l'ignorance des droits nationaux palestiniens (reconnus fin 1970 par l'Assemblée générale de l'ONU). Écrasée par le poids économique du conflit, l'Égypte décide de tenter d'y mettre un terme en optant pour l'approche bilatérale encouragée par les États-Unis. La visite du président Anouar al-Sadate (1970-1981) à Jérusalem, les 19-21 novembre

1977, débouche sur la signature des accords de Camp David le 17 septembre 1978 et sur celle du traité de paix entre l'Égypte et Israël le 26 mars 1979. Le Sinaï est évacué par l'armée israélienne mais, rejeté par la quasi-totalité des autres États arabes qui mettent l'Égypte à leur ban, le traité ne débouche que sur une « paix froide » et séparée. L'invasion israélienne du Liban en juin 1982 (cinquième guerre israélo-arabe) conduit à la signature d'un deuxième accord de paix sous l'égide des États-Unis le 17 mai 1983. Obtenu sous la contrainte, il n'est cependant pas ratifié et est abrogé par le Liban dès le 5 mars 1984. En dépit de la multiplication de « plans de paix », il faudra attendre la fin de la seconde guerre du Golfe (janvier-février 1991) et le désir des États-Unis d'établir un nouvel ordre mondial dans le contexte de la disparition de l'URSS pour que de nouveaux accords puissent être signés. Une fois encore, le bilatéral sous égide américaine l'a emporté au détriment des divers projets de conférence internationale convoquée par l'ONU. **De la conférence de Madrid aux négociations d'Oslo.** Le 30 octobre 1991, une conférence de paix sur le Proche-Orient s'ouvre à Madrid à l'initiative des États-Unis, réunissant des délégations israélienne, libanaise, syrienne et jordano-palestinienne. Un système de pourparlers à deux niveaux y est inauguré. **Des** négociations multilatérales, appelées à mettre en place des mesures de confiance, se répartissent en cinq forums indépendants concernant des sujets d'intérêt commun aux États et peuples de la région (eau, environnement, contrôle des armements, réfugiés et développement économique). Ces multiples conférences et équipes de négociation auront mobilisé une quarantaine de parties, les principaux pays concernés et les bailleurs de fonds. Elles ont néanmoins été boycottées par la Syrie et le Liban qui jugèrent que ces sujets ne pourraient être abordés qu'après l'établissement de traités de paix. Le résultat de ces négociations est limité et quasi exclusivement d'ordre technique du fait de ce découplage des problèmes. **L'**ensemble des questions touchant à la souveraineté et aux frontières relevait de négociations bilatérales. Seule la Jordanie parviendra à s'entendre avec Israël, un traité de paix étant signé le 26 octobre 1994. L'OLP, pour sa part, après être parvenue à siéger en tant que telle, a signé avec Israël le 13 septembre 1993 une « Déclaration de principes sur des arrangements intérimaires d'autonomie » (dits « accords d'Oslo » où se sont déroulées les négociations) visant à mettre en place des structures politiques censées déboucher en cinq ans sur la matérialisation du principe de l'échange de « la terre contre la paix » ; plusieurs accords de mise en œuvre de ces principes ont ensuite signés sans néanmoins déboucher sur un accord définitif dans le calendrier imparti. **T**andis que les discussions avec la Syrie semblaient se rapprocher d'un accord début 1996, l'arrivée au pouvoir de la droite conduite par Benyamin Netanyahou en Israël mettait un terme aux pourparlers qui avaient bien du mal à reprendre avec le retour des travaillistes aux affaires en 1999. Les discussions israélo-libanaises, entièrement suspendues aux résultats des négociations entre Israël et la Syrie, ne connaissaient aucune avancée significative même si Israël annonçait en 1999 sa décision de se retirer unilatéralement du pays du Cèdre au printemps 2000. **J.-F. L.**

> AUTONOMIE PALESTINIENNE, GUERRES IS-RAÉLO-ARABES, ISRAËL, QUESTION PALESTI-NIENNE.

ACP (Afrique, Caraïbes, Pacifique)
Le Groupe des États ACP (secrétariat général à Bruxelles), qui regroupait 77 pays à la mi-2000, s'est constitué de manière formelle en 1992, pour promouvoir le développement de ses membres (d'Afrique, des Caraïbes et du Pacifique) dans le cadre de la convention de Lomé, puis de l'accord de Cotonou signé en juin 2000, qui règlemente les relations commerciales avec l'Union européenne.

ADAMS Gerry (1948-) Homme politique irlandais. Gerry Adams est né à Belfast (Irlande du Nord) dans une famille républicaine. Très tôt, il s'engage dans le mouvement en faveur des droits pour la minorité nationaliste-catholique. La rumeur dit qu'il aurait joué un rôle actif au sein de l'IRA (Armée républicaine irlandaise) dans les années 1970. Il a effectivement fait de la prison pour ses activités au sein de l'organi-

sation. Artisan, avec d'autres, de la prise de contrôle du mouvement républicain par des militants du Nord (parvenus à évincer, au début des années 1980, la vieille garde originaire du Sud), il engage le mouvement plus avant dans le combat politique. Devenu responsable du parti républicain Sinn Féin en 1983, il met en place une stratégie visant à trouver une issue politique au conflit. L'accord du « vendredi saint » (10 avril 1998) sera le fruit de sa collaboration avec John Hume (leader nationaliste catholique), le gouvernement irlandais et la Présidence américaine.
P. B. **> IRLANDE DU NORD.**

ADENAUER Konrad (1876-1967)

Premier chancelier de la RFA (1949-1963). Catholique rhénan, patriote allemand raisonnable, européen convaincu, le « vieux » aura vécu d'une main autoritaire l'Allemagne fédérale de sa naissance jusqu'à l'orée de son âge adulte. Pour ce pragmatique, la RFA devait être édifiée avec les éléments jugés utilisables des régimes antérieurs. Il s'agissait de développer un État de droit et de consolider la démocratie. L'ancien maire de Cologne, démis puis pourchassé par les nazis en 1933, sait très rapidement s'imposer sur le devant de la scène allemande de l'après-guerre. Président du comité parlementaire (chargé de l'élaboration de la Loi fondamentale) en 1948, Konrad Adenauer s'impose à la tête du Parti chrétien-démocrate, la future CDU – Union démocrate-chrétienne. Il est élu chancelier en novembre 1949, à soixante-treize ans. Il devient alors l'un des artisans les plus acharnés de l'unité européenne. K. Adenauer a une obsession, celle de rétablir la confiance des Alliés dans l'Allemagne, après treize ans de nazisme. Ainsi fait-il rapidement le choix d'ancrer son pays à l'Ouest – en le faisant entrer notamment à l'OTAN –, aux dépens d'une recherche immédiate de l'unification allemande. Le rapprochement avec la France culmine en 1963, lorsqu'il signe avec le général de Gaulle le traité franco-allemand de l'Élysée. Deux ans avant de quitter le pouvoir, le « vieux » doit subir l'édification du Mur de Berlin. K. Adenauer restera le chancelier de la Guerre froide, du « miracle économique allemand » et de la

souveraineté déjà partiellement retrouvée sur la scène internationale. **X. G.** **> ALLE-MAGNE.**

AEC L'Association des États de la Caraïbe (AEC, ACS – Association of Caribbean States –, secrétariat à Trinidad et Tobago), créée en 1994, comprenait à la mi-2001 25 pays de la région, dont le Mexique, le Vénézuéla et la Colombie. La France est membre associé pour la Guyane française, la Guadeloupe et la Martinique.

AEF Redécoupés à plusieurs reprises à partir de 1888, au gré des intérêts des compagnies concessionnaires, les territoires français du Gabon, du Congo et de l'Oubangui-Chari (actuelle Centrafrique), grossis du Tchad, sont organisés en 1910 en une fédération d'Afrique équatoriale française (AEF), administrée par un gouverneur général résidant à Brazzaville. Redessinés à nouveau à plusieurs reprises jusqu'en 1946 en fonction d'impératifs économiques et administratifs, ils sont placés sous l'autorité d'administrateurs nommés par la métropole, tandis qu'une assemblée territoriale réunissant un double collège (statut métropolitain et statut autochtone) débat des questions purement locales. La Constitution de 1946 introduit la citoyenneté française, un Grand Conseil de l'AEF et une représentation à l'Assemblée de l'Union française. En 1946, les discours de Brazzaville du général de Gaulle ont préparé les esprits à cette émancipation, mais, contrairement à l'AOF (Afrique occidentale française), la dynamique de l'indépendance ne joue pleinement qu'avec la loi-cadre de 1956, suivie du référendum sur la Communauté franco-africaine en 1958. Les intérêts en Afrique centrale s'accommodent mal de la formation du grand ensemble politique souhaité par le Centrafricain Barthélemy Boganda, qui avait fondé le Mouvement d'évolution sociale de l'Afrique noire (MESAN) pour fédérer l'AEF, le Congo belge et l'Angola dans des États-Unis d'Afrique latine et qui est mort en mars 1959 dans un accident d'avion inexpliqué. Comme pour l'AOF, c'est d'ailleurs en entités étatiques distinctes que les territoires de l'AEF accèdent à l'indépendance en 1960.
B. N. **> EMPIRE FRANÇAIS.**

AELE L'Association européenne de libre-échange (AELE, EFTA – European Free Trade Association –, siège à Genève) a regroupé à partir de 1958 et à l'initiative du Royaume-Uni les pays européens ne souhaitant pas adhérer à la construction européenne (Communautés européennes). En 2001, il ne comptait plus que quatre membres : Islande, Liechtenstein, Norvège, Suisse.

AFGHANI Djamal al-Din al- (1838-1897) Philosophe et homme politique afghan. Djamal al-Din al-Afghani est exilé après la chute de l'émir Muhammad Azam, dont il fut le ministre. Il voyage dans le monde musulman avant de s'installer en Égypte où il crée son propre cercle de réformateurs. Chassé par les autorités du Caire, il s'installe à Paris où il fonde la revue arabe *al-Urwa al-Wuthqa* (« le lien indissoluble »). En 1892, espérant pouvoir aider à la création d'une ligue des pays musulmans, il accepte l'invitation du sultan ottoman Abdulhamid II (1876-1909). Mais il tombe rapidement en disgrâce et passe le reste de sa vie en résidence surveillée. Dans ses écrits qui exaltent la civilisation arabo-musulmane, s'affirme la foi en la future renaissance de l'islam moderne. D. al-Afghani a exercé une très grande influence sur Muhammad Abduh. Principal écrit : *La Réfutation des matérialistes*. **B. G.** **> RÉFORMISME MUSULMAN.**

AFGHANISTAN Émirat d'Afghanistan. Capitale : Kaboul. Superficie : 647 497 km². Population : 21 923 000 (1999). L'Afghanistan est né, au XVIIIᵉ siècle, de la décomposition des empires persan et moghol, dont les confédérations tribales pachtounes Ghilzai puis Durrani, en forte croissance démographique, ont profité pour s'imposer aux ethnies voisines (Tadjiks, Ouzbeks, Hazaras, etc.). Les Britanniques renoncent à coloniser l'Afghanistan après deux échecs cinglants (1839-1842 et 1878-1880), mais imposent leur protectorat jusqu'en 1919, quand, à l'issue d'un bref affrontement, l'Afghanistan acquiert une pleine reconnaissance internationale. La stabilisation du territoire afghan à la fin du XIXᵉ siècle tient largement au rôle des impé-

rialismes britannique et russe, qui ont fait de celui-ci un « État tampon », en délimitant ses frontières par une série d'accords internationaux. Ces tracés, souvent effectués dans une optique purement militaire, ont notamment entraîné la division des tribus pachtounes entre l'Empire britannique et le royaume de Kaboul, ce qui sera à l'origine des revendications afghanes sur les territoires frontaliers appartenant aujourd'hui au Pakistan. Du fait de sa position géographique et de sa faiblesse militaire, l'Afghanistan a adopté une position de stricte neutralité, de son indépendance jusqu'au coup d'État communiste de 1978. **Tentatives de modernisation.** L'histoire politique de l'Afghanistan au XXᵉ siècle est marquée par la construction de l'État, ébauchée par Abdul Rahman Khan (1880-1901), et par des tentatives, généralement contrariées, pour moderniser le pays. Ainsi, le roi Amanoullah (1919-1929) tente de transformer son pays à marche forcée, sur le modèle turc kémaliste, mais se heurte à l'opposition conservatrice des religieux. Ceux-ci jouent un rôle décisif dans la révolte tribale de 1929 qui entraîne l'abdication d'Amanoullah et l'occupation, durant quelques mois, de la capitale par un fondamentaliste tadjik, Habiboullah, avant le rétablissement d'une nouvelle dynastie pachtoune en 1930 avec Nader Shah (1929-1933). Après la Seconde Guerre mondiale, dans le contexte de la Guerre froide, l'Afghanistan joue sur la concurrence entre l'Est et l'Ouest pour obtenir les financements nécessaires à son développement. Dès lors, la modernisation est principalement orientée vers les grands travaux, qui satisfont les donateurs, au détriment de la petite agriculture, pourtant essentielle dans un pays à 90 % rural. Les résultats sont plus probants dans le domaine militaire, où la mécanisation permet à l'État de réprimer les révoltes tribales à partir des années 1950. Cependant, les accords de coopération militaire avec l'URSS, signés en 1955, marquent le début de l'infiltration soviétique dans l'armée afghane. Par ailleurs, l'aide internationale permet le développement du système éducatif. Celui-ci favorise une rupture culturelle entre les élites urbaines éduquées et la population rurale. **La monarchie constitutionnelle,** mise en place en 1966 par le roi

Zâher (1933-1973), permet une relative ouverture politique et notamment l'élection d'un Parlement, même si les partis ne sont pas autorisés. Cependant, le système politique afghan entre dans une phase d'instabilité en raison des revendications des jeunes étudiants politisés, islamistes, communistes ou maoïstes, peu nombreux, mais organisés. Le régime est par ailleurs discrédité pour son inefficacité, patente lors de la sécheresse de 1972. Le coup d'État d'Ali Muhammad Daoud (1909-1978), en 1973, installe un régime centralisateur et autoritaire, qui réprimera durement l'opposition libérale et islamiste. D'abord allié aux communistes, A. M. Daoud réoriente ensuite sa politique intérieure, en écartant ses anciens alliés, et extérieure, en se rapprochant de l'Iran et du Pakistan. En réaction, l'URSS favorise alors la réunification des communistes du PDPA (Parti démocratique du peuple afghan, alors divisé en deux factions), qui organise le coup d'État d'avril 1978. M. Daoud est assassiné. **L'intervention soviétique.** Les réformes du nouveau régime, appliquées par la force, déclenchent des révoltes dans les campagnes, bientôt hors de contrôle du gouvernement. Pour éviter la remise en cause du dogme de l'irréversibilité du socialisme, la direction soviétique, sous la présidence de Leonid Brejnev, décide alors une intervention militaire, qui aura lieu le 27 décembre 1979. Dès lors, la crise afghane prend une ampleur internationale dans le contexte de la seconde guerre froide. Les modjahedin (combattants de la « guerre sainte »), appuyés par le Pakistan, les pays occidentaux et les monarchies du Golfe, tiennent tête aux forces soviéto-afghanes, ce qui décide dès 1986 le « numéro un » soviétique, Mikhaïl Gorbatchev, à retirer ses troupes. En avril 1989, les accords de Genève officialisent ce retrait, mais le régime de Kaboul ne s'effondrera qu'en avril 1992, quelques mois après la fin de l'URSS. **U**ne nouvelle phase de la guerre civile commence alors avec les affrontements entre groupes de modjahedin pour le contrôle de la capitale et, au-delà, de l'État. Des clivages idéologiques, ethniques et sociaux complexes divisent les partis, dont le discrédit est patent au sein de la population. Une nouvelle force politique apparue en 1994, les taliban, s'impose fina-

lement sur la majeure partie du territoire, à l'exception du quart nord-est, toujours tenu par le chef de guerre Ahmed Shah Massoud. Les taliban ont reconstruit les bases d'un État clérical sans équivalent dans le monde musulman, sous l'autorité, en principe absolue, de leur leader mollah Muhammad Omar (1961 ? –), avec une application extrêmement fermée de la charia (législation islamique) limitant considérablement les libertés individuelles. Mis au ban de la communauté internationale en raison des violations des droits de l'homme, de la production de drogue et de la présence d'Oussama ben Laden (1957-) – considéré par les États-Unis comme dirigeant un réseau de terrorisme international sur le territoire afghan –, l'Afghanistan faisait figure d'État paria sur la scène internationale. La configuration allait brutalement changer en septembre 2001 ; A. S. Massoud était assassiné puis, le 11, se produisaient les attentats contre les tours jumelles de New York et contre le Pentagone américain, attribués aux réseaux de ben Laden. Une intervention militaire américaine, avec l'accord d'une large « coalition antiterroriste » internationale, renversait en deux mois le régime taliban. **G. Do.** ➤ **AFGHANISTAN (GUERRE D').**

AFGHANISTAN (guerre d') La guerre d'Afghanistan présente le double caractère d'une guerre civile et d'une invasion étrangère. Le coup d'État communiste d'avril 1978 porte au pouvoir quelques milliers de militants inexpérimentés et utopistes. Pour surmonter les réticences d'une société encore largement rurale et conservatrice, ils utilisent la violence, notamment contre les notables traditionnels et les religieux. Dès l'été 1978, les premières révoltes éclatent dans les campagnes. Le gouvernement communiste, en proie à de fortes tensions internes, est incapable de pacifier le pays, ce qui décide le Bureau politique du Parti soviétique à intervenir directement. L'invasion a lieu le 27 décembre 1979 : 100 000 Soviétiques environ pénètrent en Afghanistan. Sur la scène internationale, la décision de Moscou entraîne un regain de tension entre l'Est et l'Ouest, alors que la question des euromissiles empoisonne déjà les rapports soviéto-américains. **L'**incapacité des Soviétiques à briser la résistance tient à une conjonction de facteurs : très forte mobilisation populaire au nom du *jihad* (« guerre sainte »), importance de l'aide occidentale relayée par le Pakistan, qui offre un sanctuaire à la résistance, nature du terrain propice à la guérilla et, enfin, faiblesse de l'armée soviétique, notamment d'un point de vue logistique. La résistance est organisée par des partis basés à Peshawar (Pakistan) pour les sunnites ou en Iran pour les chiites, mais la conduite effective de la guerre revient aux commandants dont certains (Ahmed Shah Massoud, Ismaïl Khan, Zabioullah, Haqqani, etc.) deviendront célèbres. Dès 1986, Mikhaïl Gorbatchev décide du retrait de ses troupes, la guerre d'Afghanistan soulevant des critiques internes et la restructuration de l'économie soviétique nécessitant l'appui des Occidentaux. Le retrait, formalisé par les accords de Genève d'avril 1989, marque alors en pratique la fin de l'« internationalisme prolétarien » (doctrine politique d'assistance communiste) et annonce même la fin prochaine de l'URSS. Contrairement à la plupart des prévisions, le régime de Kaboul, sous la direction (1986-1992) de Muhammad Najibullah (1947-1996), tient tête aux *modjahedin* (combattants de la « guerre sainte »), divisés et mal préparés aux opérations militaires d'envergure. La disparition de l'Union soviétique, fin 1991, scelle le destin du régime de Kaboul. Celui-ci s'effondre en avril 1992, à la suite de l'alliance passée entre les milices du Nord et le commandant Massoud. Malgré la mise en place d'un gouvernement, la victoire des *modjahedin* ouvre en fait un autre chapitre de la guerre, avec des luttes complexes de factions, notamment dans la capitale, qui est en grande partie détruite. En 1994, l'émergence des taliban marque un tournant décisif : ceux-ci, grâce à l'appui du Pakistan et au soutien d'une partie de la population, s'emparent en quelques années de la majeure partie du territoire (Hérat 1995, Kaboul 1996, Mazar-i-Charif 1998). Seul A. S. Massoud, grâce à l'aide russe, iranienne et occidentale, parvint à résister dans le quart nord-est du pays. Désormais maîtres de toutes les grandes villes, les taliban mettaient en place un régime religieux ultrafondamentaliste. Leur principal problème était dorénavant leur absence de reconnaissance internationale et l'image désastreuse de leur régime, qui abritait Oussama ben Laden (1957-), soupçonné d'avoir organisé les attentats contre les ambassades américaines au Kénya et en Tanzanie, en août 1998 ; contre le destroyer américain *USS Cole* au large du Yémen, le 12 octobre 2000 ; puis contre les tours jumelles de New York et le Pentagone américain, le 11 septembre 2001. Ces derniers attentats entraînaient une intervention militaire américaine qui renversait le régime taliban. **G. Do.** **> AFGHANISTAN.**

AFLAK Michel (1910-1989) **T**héoricien et militant du nationalisme arabe. Michel Aflak naît à Damas dans une famille chrétienne (orthodoxe). Dans les années 1930, il travaille à fonder une idéologie politique de l'unité arabe en démarcation des influences occidentales et avec une forte connotation antisioniste. Il fonde, avec Salah Bitar en 1943, le Parti de la renaissance arabe (Baas). Ses conceptions de l'arabisme et du « socialisme arabe » auront une influence considérable dans tout le Moyen-Orient. En 1958, la République arabe unie (RAU), formée par la Syrie et l'Égypte, semble concrétiser ses thèses, mais elle échoue bientôt. Des régimes se réclamant du baassisme parviennent au pouvoir au moyen de coups d'État en Irak et en Syrie, mais l'essence du mouvement ne sera cependant pas maintenue. **N. B.**

AFRICAINS-AMÉRICAINS **> QUESTION NOIRE (ÉTATS-UNIS).**

AFRIQUE DU SUD République d'Afrique du Sud. Capitale : Pretoria. Superficie : 1 221 037 km². Population : 39 900 000 (1999). **L**ors de la guerre des Boers (1899-1902), les descendants des colons calvinistes hollandais et français menés par Paul Kruger (1825-1904), président de la république du Transvaal, se soulèvent contre les Britanniques, mais sont vaincus. Herbert Kitchener (1850-1916) inaugure à cette occasion le regroupement des populations hostiles dans les cantonnements surpeuplés appelés « camps de concentration ». La paix de Vereeniging, signée en 1902, s'inscrit dans la politique menée par l'homme d'affaires Cecil Rhodes (1853-1902), désireux d'unir sous la Couronne britannique les territoires africains s'étendant « du Cap au Caire ». L'État d'Orange et le Transvaal, riches en diamants et en or, sont associés au Natal et à la province du Cap pour former l'Union sud-africaine (1910) après des négociations entre Afrikaners (d'origine néerlandaise parlant l'afrikaans) et anglophones. Lors de ces tractations émergent deux personnalités d'origine afrikaner, Jan Christiaan Smuts (1870-1950) et James B. M. Hertzog (1866-1942). Ils représentent les deux tendances qui vont marquer le pays tout au long du XXᵉ siècle. Tandis que J. C. Smuts prône une étroite collaboration avec la Grande-Bretagne, J. B. M. Hertzog, fondateur du Parti national en 1914, défend le repli identitaire.   **Les Afrikaners et les autres.** Le nouvel ensemble respecte les particularités des Afrikaners, tandis qu'une fraction significative des Noirs, Métis et Indiens, qui représentent les trois quarts de la population et sont dépourvus de droits politiques, placent leurs espoirs dans l'African National Congress (ANC), un mouvement multiracial embryonnaire (créé en 1912), comprenant aussi des Blancs libéraux.   **M**embre du Commonwealth, l'Union sud-africaine s'aligne aux côtés des Alliés durant la Première Guerre mondiale, malgré l'opposition d'une partie des nationalistes. Elle s'empare du Sud-Ouest africain allemand (actuelle Namibie) et reçoit par la suite un mandat de la Société des Nations (SDN) sur ce territoire. En 1919, J. C. Smuts succède au Premier ministre Louis Botha (1862-1919). Il brise les grandes grèves des mineurs blancs du Witwatersrand, dans le Transvaal, mais échoue dans sa tentative d'intégrer la Rhodésie du Sud (futur Zimbabwe) à l'Union sud-africaine. Après sa défaite en 1924 au profit de J. B. M. Hertzog, qui s'était appuyé sur les mineurs blancs, le pays s'enfonce dans une politique raciale à l'encontre des Noirs, et, dans une moindre mesure, des Métis.   **Le** clivage entre J. C. Smuts et J. B. M. Hertzog, alliés en 1934 après l'accession de l'Union sud-africaine à la souveraineté *(Status of the Union Act)* au sein de l'United Party, porte essentiellement sur l'attitude à adopter envers l'Allemagne.

Aussi, à l'annonce de l'invasion de la Pologne, en 1939, la coalition afrikaner éclate. J. C. Smuts forme un gouvernement avec les anglophones (Dominion Party) et les partisans d'un engagement aux côtés des Alliés. Une fraction extrémiste, détachée du Parti national en 1934 par Daniel F. Malan (1874-1959), prend alors ouvertement parti pour l'Allemagne nazie qui est soutenue par les colons allemands du Sud-Ouest africain.   **Le pouvoir pâle de l'apartheid.** Après la guerre, la volonté affichée par la Grande-Bretagne de faire évoluer certaines revendications politiques dans ses dominions (indépendance de l'Inde en 1947) suscite la peur des fermiers et des mineurs blancs en contact avec la majorité noire. En 1948, le parti de D. F. Malan, qui prône ouvertement la théorie d'un développement séparé (« apartheid »), arrive au pouvoir, tandis que J. C. Smuts est accusé d'être un agent britannique et de mettre sa communauté en péril par son esprit de conciliation.   Institutionnalisé par différentes lois, l'apartheid accentue la séparation des communautés et l'isolement de l'Afrique du Sud dans un monde qui s'apprête à voir les colonies européennes accéder à l'indépendance. Le Parti national est alors le grand maître de la politique sud-africaine, attisant la peur des Blancs et l'impatience des Noirs. Johannes G. Strijdom (1893-1958) succède à D. F. Malan en 1954, avant de laisser la place à Hendrik F. Verwoerd (1901-1966), Premier ministre de 1958 à 1966. Jouant, à leur profit, la carte anticoloniale, les nationalistes blancs proclament la République sud-africaine en 1961 et se retirent du Commonwealth.   **P**endant les deux guerres mondiales, l'Afrique du Sud a montré son importance économique pour les économies alliées. En 1948, l'éclatement de la Guerre froide en fait un enjeu économique et stratégique entre les deux blocs. Les nationalistes blancs ont beau jeu de mettre en avant le « danger communiste » pour marginaliser l'ANC et mettre en place leur politique raciale. Jusqu'en 1975, l'Afrique du Sud constitue le bastion d'un « pouvoir pâle » protégé par les colonies portugaises, que sont l'Angola et le Mozambique jusqu'à leur indépendance en 1975, et par la Rhodésie du Sud, qui deviendra le Zimbabwe indépendant en 1980. **P**ourtant, dès 1966, la pression internationale a mis le nouveau Premier ministre Balthazar J. Vorster (1915-1983) sur la défensive. Un procès spectaculaire a fait surgir un nouveau visage, symbole de la lutte contre la discrimination, Nelson Mandela. Aux tentatives de lutte armée s'ajoutent, beaucoup plus efficaces, grèves et grandes manifestations. **L**e massacre d'écoliers à Soweto en 1976 et l'assassinat de Steve Biko (1946-1977), leader du mouvement activiste Conscience noire, marquent le début d'une remise en question radicale d'un système condamné par le monde entier. Successeur de B. J. Vorster au poste de Premier ministre en 1978, Pieter W. Botha (1916-) tente de préserver l'esprit du système par une répression très dure. À la fin des années 1980, l'effondrement de l'Union soviétique enlève toute justification politique au maintien de l'apartheid, et fait paraître au grand jour l'opposition des milieux d'affaires à la marginalisation de près de 40 millions de consommateurs potentiels. **L'abolition de l'apartheid.** En 1989, P. W. Botha laisse la place à Frederik W. De Klerk (1936-) qui démantèle peu à peu les structures raciales. N. Mandela est libéré de prison en 1990 après sa renonciation à la lutte armée en échange de l'abolition de l'apartheid. Celui-ci laissait néanmoins des traces profondes dans le clivage, exacerbé par le pouvoir blanc, entre l'ANC multiracial et le parti zoulou Inkhata Freedom Party (IFP), qui s'opposèrent souvent les armes à la main. En 1994, les bantoustans sont réintégrés à l'administration de Pretoria. En avril, les premières élections multiraciales (« un homme, une voix ») sont remportées par l'ANC. Son leader, N. Mandela, accède à la présidence avec F. W. De Klerk comme vice-président. La Commission vérité et réconciliation (« Truth and Reconciliation Commission », TRC) est chargée de tenir des audiences publiques pour liquider les années passées, tandis que l'Afrique du Sud revient à des problèmes plus universels comme la pauvreté, le chômage, l'insécurité et la corruption. En juin 1999, Thabo Mbeki (1942-), président de l'ANC et dauphin de N. Mandela, lui succède, réservant une place dans son gouvernement à Mangosuthu Gatsha Buthelezi

(1928-), chef de l'IFP. **P**roductrice d'un tiers de ses richesses et de la moitié de son électricité, l'Afrique du Sud se présente désormais comme le géant économique du continent africain, un poids qu'elle a commencé à traduire en termes politiques par une intrusion souvent mal supportée dans les problèmes de ses voisins, comme ce fut notamment le cas lors des conflits en Afrique centrale ou de crises d'instabilités en Afrique australe. **B. N.**

AFRIQUE ÉQUATORIALE FRANÇAISE
> AEF.

AFRIQUE OCCIDENTALE FRANÇAISE
> AOF.

AIEA **N**ée en 1957, l'Agence internationale de l'énergie atomique (AIEA, IAEA – International Atomic Energy Agency –, siège à Vienne) est une organisation liée à l'ONU par un accord spécial. L'Agence s'efforce de hâter et d'accroître la contribution de l'énergie atomique à la paix, la santé et la prospérité du monde. Elle s'assure par ailleurs que son aide n'est pas utilisée à des fins militaires.

AÏNOU **P**euple autochtone, minorité ethnique, ou membres de la société japonaise, les Aïnou, quels que soient les points de vue, ont une identité complexe. Si quelque 25 000 habitants de Hokkaido acceptaient encore de se définir comme tels lors d'un recensement de 1986 (soit 0,5 % seulement de la population de l'île), bien rares étaient ceux qui auraient pu prétendre avoir conservé intact le sang de leurs ancêtres. D'autres au contraire, par crainte de discrimination, préfèrent encore dissimuler leurs origines, et le nombre de ressortissants « japonais » issus partiellement de cette souche varie, selon les estimations, entre 50 000 et 100 000. **L'**origine ethnique des Aïnou fait l'objet de controverses. Une thèse caucasienne fut longtemps avancée en raison d'attributs (peau claire, yeux ronds, pilosité abondante) exagérément soulignés. Des études hématologiques ultérieures ont plutôt tendu à les rattacher, avec les Japonais, à une famille mongoloïde septentrionale. **S**ur le plan linguistique, le rapprochement avec les langues paléo-sibériennes est contesté par les tenants d'une étonnante relation austronésienne. Beaucoup de chercheurs s'accordent cependant à penser que les Aïnou descendent d'hommes présents sur l'Archipel dès l'ère paléolithique (vers 10 000 ans avant notre ère), tandis que des hommes d'une autre origine, ancêtres des Japonais d'aujourd'hui, seraient venus du continent il y a quelque 2 000 ans, à l'époque néolithique. **R**epoussés vers le nord ou installés là depuis longtemps, les Aïnou occupaient au Moyen Âge les îles de Hokkaido, de Sakhaline, des Kouriles et le sud du Kamtchatka. Assemblés en Kotan (villages), ils vivaient principalement de chasse, de pêche et de cueillette. Ils ont développé une culture originale. Soumis à la domination progressive du clan Matsumae, installé à Hokkaido depuis le XVᵉ siècle, et malgré de nombreuses révoltes comme celle de Shakushain en 1669, ils subirent l'exploitation des marchands japonais et les effets d'une pacification forcée. **L**e gouvernement de Meiji, en adoptant en 1899 une « loi sur la protection des anciens aborigènes de Hokkaido », ne fit qu'accentuer le processus : loin de respecter les spécificités culturelles, cette loi, encore partiellement en vigueur, visait, comme son nom l'indique, à fondre la communauté aïnou dans la population nationale. **L**es Aïnou des Kouriles du Nord ont ainsi été déportés à proximité de Hokkaido et contraints à pratiquer l'agriculture : ils ont aujourd'hui disparu. Quant à ceux de Sakhaline et des Kouriles du Sud, ils durent eux aussi quitter leurs îles pour Hokkaido à la fin de la Seconde Guerre mondiale. **P**rofondément atteinte par la mixité et l'acculturation, l'identité aïnou est devenue largement incantatoire, et la culture résiduelle utilisée à des fins touristiques. Malgré les efforts de l'association Utari qui les regroupe, les Aïnou les plus actifs ont dû attendre le 8 mai 1997 pour qu'une « loi sur la promotion de la culture aïnou » reconnaisse leur identité et abroge celle de 1899. Mais cette loi ne leur a pas accordé le statut de « peuple autochtone » (*senju minzoku*). En 1998, un jugement rendu pour l'île de Hokkaido a cependant reconnu les Aïnou comme peuple autochtone, interdisant désormais à Tokyo de prétendre qu'il

n'existe pas de minorités au Japon. **T. M.** **> JAPON.**

AJUSTEMENT STRUCTUREL Les programmes d'ajustement structurel (PAS) mis en place à partir du début des années 1980 à la demande des institutions internationales (FMI, Banque mondiale) comme condition d'un rééchelonnement de la dette de pays en développement (PED) comportent en général deux volets, l'un portant sur les « grands équilibres » (stabilité de la monnaie, finances publiques, comptes extérieurs...), l'autre sur des réformes structurelles (désengagement de l'État, libéralisation du commerce extérieur...). Ils ont en général induit une diminution de l'investissement, des transferts sociaux (au détriment notamment des services de santé et d'éducation), une diminution des effectifs d'agents de l'État, l'abandon des monopoles publics et la réduction de la protection aux frontières.

ALAOUITES La communauté alaouite, schisme de l'islam chiite, issue d'une secte fondée au IXᵉ siècle, est essentiellement présente dans la région montagneuse qui borde la côte syrienne et représente, selon les estimations, de 7 % à 12 % de la population syrienne. C'est une minorité paysanne pauvre, souvent persécutée par la majorité sunnite. Le mandat français (1920-1946) en Syrie a modifié ses rapports souvent difficiles avec le pouvoir central en créant une éphémère autonomie de la région alaouite et en encourageant la carrière militaire chez les communautés minoritaires. L'armée est ainsi devenue l'instrument de promotion sociale privilégié des alaouites. La présidence de Hafez al-Assad (1971-2000), dont le destin est à cet égard exemplaire, a renforcé leur présence à tous les échelons du pouvoir. **L. V.** **> SYRIE.**

ALBANIE **R**épublique d'Albanie. Capitale : Tirana. Superficie : 28 748 km². Population : 3 113 000 (1999).
L'Albanie est déclarée indépendante en 1913 par la conférence de Londres, réunie pour régler les problèmes territoriaux posés par les guerres balkaniques de 1912-1913. Au cours de celles-ci, la Serbie, le Monténégro, la

Grèce et la Bulgarie coalisés ont conquis les dernières possessions européennes (sauf la région d'Istanbul) de l'Empire ottoman. Les Albanais, eux-mêmes en lutte pour obtenir l'autonomie dans le cadre de ce dernier, avaient alors proclamé leur indépendance (Vlora, 1912), espérant une reconnaissance internationale qui éviterait la partition de leurs territoires ethniques. **Or**, le nouvel État, fruit de marchandages entre les puissances, laisse échapper près de la moitié de ceux-ci : Kosovo, Macédoine occidentale, Çamérie. Les frustrations qui s'ensuivent pèsent sur les rapports de Tirana avec ses voisins comme sur son évolution politique. Celle-ci peut se diviser en cinq périodes : 1. Théâtre d'opérations de la Première Guerre mondiale, l'Albanie connaît ensuite une forte instabilité politique, aggravée de manipulations extérieures ; 2. Ayant pris le pouvoir par un coup d'État (1924), le chef de clan Ahmet Zogu (1895-1961), président de la République (1925), puis roi (1928) sous le nom de Zog 1er, favorise la pénétration des intérêts italiens ; 3. Ayant conquis l'Albanie en 1939, l'Italie fasciste, alliée de l'Allemagne nazie, réalise après le démantèlement de la Yougoslavie une Grande Albanie incluant le Kosovo. Le pays sera libéré par les partisans communistes d'Enver Hoxha, soutenus par les Partisans yougoslaves ; 4. Le Parti communiste (rebaptisé ensuite Parti du travail d'Albanie) dirige l'Albanie de 1945 à 1992 de façon dictatoriale avec à sa tête E. Hoxha puis Ramiz Alia (1925-). **Un isolement croissant.** L'Albanie s'appuie successivement sur des alliés privilégiés avec lesquels elle rompt ensuite : Yougoslavie (1948), URSS (1961), Chine (1978). Cette attitude, qui s'explique par la crainte de la mainmise étrangère, camouflée en prétention à incarner l'orthodoxie marxiste-léniniste de Staline, la voue à un isolement croissant et conduit ses efforts de développement dans une impasse, alors que sa population a triplé ; 5. La période postcommuniste commence, un an après l'instauration du multipartisme, avec la victoire du Parti démocratique de Sali Berisha (1944-) sur les socialistes (ex-communistes). C'est d'abord l'effondrement économique, lié à une décollectivisation agraire brutale et à la paralysie d'une industrie obsolète. Toutefois,

l'Albanie trouve des sources de revenus dans les remises de devises de ses émigrés, les trafics mafieux transadriatiques et le contournement de l'embargo de l'ONU sur la Yougoslavie (1992-1996) pendant les guerres yougoslaves. Le tarissement de cette dernière source conduit à l'effondrement de « pyramides » financières spéculatives, entraînant un mécontentement social qui tourne à l'insurrection et provoque l'effondrement des institutions et la démission du président Berisha. Après les élections de 1997, les socialistes dirigent le pays mais en contrôlent mal la partie nord, fief de S. Berisha et base de l'UCK (Armée de libération du Kosovo) pour ses opérations au Kosovo (1998-1999). **L'Albanie**, qui a dû faire face à l'afflux momentané de 450 000 réfugiés kosovars lors de la guerre au Kosovo (printemps 1999), demeurait en 2000 un pays sous-développé, dont l'instabilité apparaissait préoccupante mais qui, en raison de sa faiblesse même, ne semblait pas en mesure d'entraîner les Albanais du Kosovo et de Macédoine dans une dynamique d'unification politique. **M. R.** > SOCIALISME ET COMMUNISME, SOVIÉTISATION DE L'EUROPE DE L'EST.

ALENA L'Accord de libre-échange nord-américain (ALENA, NAFTA – North American Free Trade Agreement) est entré en vigueur le 1er janvier 1994 entre les États-Unis, le Canada et le Mexique. Depuis le 1er janvier 1989, un Accord de libre-échange (ALE) liait déjà le Canada et les États-Unis. Lors des négociations de l'ALENA, la question des normes environnementales et de la législation du travail a été un point d'achoppement. L'ALENA, qui visait en termes géopolitiques à constituer un bloc nord-américain susceptible de rivaliser avec l'Union européenne, est une zone de libre-échange et non une union douanière.

ALGÉRIE **R**épublique algérienne démocratique et populaire. Capitale : Alger. Superficie : 2 381 741 km². Population : 30 774 000 (1999). **P**artie centrale du Maghreb, l'Algérie a connu, sur fonds originel berbère, une succession d'invasions et de dominations. Elle a majoritairement acquis le visage qui est le sien au VIIᵉ siècle avec l'islamisation, l'arabisation linguistique et l'adoption par les Berbères des cadres mentaux caractéristiques des populations sémitisées de l'Orient. Les frontières du pays se sont fixées au XVIᵉ siècle. Quand la Méditerranée cesse d'être un lac musulman sous la pression du mouvement de reconquête chrétien européen, les Algériens font appel aux Turcs ottomans pour conjurer la menace espagnole. **Le transfert des centres de l'activité de la Méditerranée vers l'Atlantique** à partir de la fin du XVᵉ siècle les contraint à se replier sur eux-mêmes, à regarder vers l'Est. Alger et non pas l'Algérie vit de la course en mer (piraterie), réponse, nous disent les historiens, à une marginalisation par rapport à des courants d'échanges principaux. L'Europe conquérante forge le mythe du péril barbaresque. Les projets de conquête foisonnent et aboutissent en 1830 à l'occupation de l'Algérie par la France, mettant ainsi fin à la suzeraineté fictive du sultan ottoman sur la régence d'Alger. L'arrachement violent à la « demeure de l'islam » crée une série de blocages dont le pays sera victime. « Désormais, note judicieusement Gilbert Meynier, les modèles du Nord ne furent plus librement recherchés comme ce fut le cas pour les élites turques, égyptiennes et tunisiennes. » **Le clivage citoyen/non-citoyen.** En détruisant l'État précolonial et ses institutions, la colonisation ne laissa aux Algériens d'autre patrie que l'islam. En effet, les clichés et les sentiments hostiles que faisaient naître autrefois les mots « chrétien », « infidèle », « croisé », mots à connotation péjorative, tapis au fond des consciences collectives, structurent l'imaginaire politique des classes populaires. De leur point de vue, le phénomène colonial s'inscrit dans la continuité du conflit islamchrétienté depuis les croisades. Tout dans la gestion de l'Algérie, colonie de peuplement, conforte cette vision quand il s'agit du traitement réservé à l'islam et à la langue arabe. Au plan juridique, de 1830 à 1950, la France a longtemps hésité entre plusieurs politiques. Colonie, royaume arabe, annexion à la France ou entité administrative autonome, tous ces projets ont présidé à la mise en place des institutions coloniales, mais ce qui prévaudra en définitive, c'est la distinction

citoyen/non-citoyen, pour être plus clair vainqueur-vaincu, dominants (Européens et Juifs algériens naturalisés en bloc en 1870) et dominés (Algériens musulmans). Cette stratification domine tout et occulte une différenciation sociale très prononcée au sein de chaque communauté. **Le processus de modernisation de la société** est mené d'en haut par un État entre les mains des colons. C'est dans ce contexte qu'apparaît, dans le cadre d'une domination étrangère et en l'absence d'une société civile développée, une intelligentsia divisée culturellement et socialement. Les francophones y constituent l'acteur hégémonique. Cette intelligentsia conçue comme une force intermédiaire est coupée de la grande masse du peuple qui reste attachée à la tradition et affiche un net ressentiment à l'égard de cette élite. C'est que la modernisation, fondée sur une dépossession massive et la déculturation, abandonne sur le côté de la route l'essentiel des populations. Après une longue période de résistance armée (1830-1847) conduite à l'Ouest et au Centre par l'émir Abdelkader (1807-1883) et à l'Est par Hadj Ahmed (1784-1850), bey de Constantine, et plusieurs insurrections (1856-1916), les Algériens entrent dans une phase politique et essaient, malgré le code régressif de l'indigénat, d'utiliser les maigres espaces de liberté. **Réformisme et national-populisme.** De 1830 à 1954, le réformisme politique des élites algériennes incarné par les assimilationnistes, puis à partir de 1925 par les Ulama, bute sur deux écueils. D'une part, les Européens défenseurs du *statu quo* bloquent toute issue pacifique. D'autre part, le sentiment de victimisation et la vision millénariste du devenir, dominante dans les classes pauvres des villes et chez les ruraux, rendent inopérante la démarche réformatrice des élites politiques. On comprendra mieux pourquoi leur éveil politique, au cours de la Seconde Guerre mondiale, se traduit par une adhésion massive au national-populisme de Messali Hadj, en scène depuis 1926, minoritaire jusqu'en 1940, mais toujours intransigeant sur son but, l'indépendance du pays. Sa bataille contre les assimilationnistes (Mohammed Bendjelloul et Ferhat Abbas jusqu'en 1940) et contre la recherche d'une formule de protectorat (Cheikh Ben Badis et

Bachir El Ibrahimi [1889-1965]) portera ses fruits. En effet, en 1947, à l'issue des élections municipales d'octobre, son parti, le Mouvement pour le triomphe des libertés démocratiques (MTLD), autre dénomination du PPA (Parti du peuple algérien), deviendra la première force politique.   Le radicalisme, un moment amorti par la répression, sera relancé en 1954 par la scission du MTLD et surtout par la montée des luttes au Maghreb et l'intérêt manifesté pour cette zone par le nassérisme. C'est ainsi que Messali, encore aux prises avec les conséquences d'une scission qu'il a voulue et organisée, est dépassé par ses propres disciples qui, du point de vue idéologique, lui empruntent l'idée de l'identification du peuple au parti et du parti à sa direction. Mais, l'hégémonie qu'il voulait acquérir sur les partis adverses par la politique et l'appui populaire, ses enfants illégitimes qui créent le FLN (Front de libération nationale), lui abandonnant l'étiquette de Mouvement national algérien (MNA), l'obtiendront d'une manière autoritaire et en militarisant la vie politique. Dans leur optique, les éléments gênants dont il faut se débarrasser, ce sont les concurrents qui refusent leur monopole, même s'ils sont d'accord pour la lutte armée.   **Une classe politique instrumentalisée et marginalisée.** Avec l'insurrection du 1er novembre 1954 et la décision du FLN de marginaliser la classe politique formée depuis le début du siècle tout en l'instrumentalisant, l'Algérie connaît, pour la seconde fois de son histoire, un désencadrement massif, la France ayant la première détruit les élites précoloniales militairement ou en les condamnant à l'exil dans les pays islamiques. Les nouvelles élites politiques, recrutées dans le monde rural, sont parties d'un niveau très bas. On va dès lors assister à la genèse de nouvelles formes politiques où le factionnalisme militaire, le clientélisme et le népotisme jouent un rôle déterminant. Le FLN et son centre, l'ALN (Armée de libération nationale), connaissent une crise chronique. L'intransigeance des Européens et de l'armée coloniale se conjugue avec ce phénomène pour prolonger pendant près de huit ans la guerre d'indépendance. Les accords d'Évian y mettent fin par un cessez-le-feu le 19 mars 1962. Le 3 juillet, l'Algérie accède finalement à l'indépendance

après le référendum d'autodétermination du 1er juillet dont le général de Gaulle avait accepté le principe le 16 septembre 1959.   **La** France, qui a échappé de peu au déchirement après la chute de la IVe République consécutive à la révolte de son armée (13 mai 1958), peut enfin panser ses plaies. Mais, l'Algérie, elle, a vécu entre mars et septembre 1962, une crise grave qui prend fin avec l'éclatement du FLN et l'accession, avec la caution de l'armée, d'Ahmed Ben Bella au pouvoir. Du FLN, il ne reste que des factions. Celle qui s'empare du pouvoir en gardera le nom. La société, elle, dont près de trois millions d'âmes ont subi les camps de regroupement, de réfugiés, d'internement ou les prisons, connaît un nivellement sans précédent. Sous l'impact de la guerre, le déchaînement des forces de désintégration a accompli son œuvre. Facteur aggravant, l'élite intellectuelle « rase les murs » et a perdu tout sens de l'autonomie. L'anti-intellectualisme, illustré par les purges sanglantes dont francophones et arabophones unis dans le malheur ont été victimes au cours de la guerre, a eu raison de leur esprit critique. Ce vide bénéficie à l'armée. L'appareil dirigeant de la guerre ne pouvait pas s'ériger sans délai en couche sociale dominante. Il dut composer avec les tendances qui animaient les travailleurs et s'appuyer sur eux en décrétant l'autogestion des domaines agricoles et des entreprises vacantes.   **De Ben Bella à Boumediène.** De 1962 à 1965, A. Ben Bella fait face aux défis politiques (insurrection en septembre 1963 du FFS – Front des forces socialistes – dirigé par Hocine Aït Ahmed [1926-], démission en 1963 du secrétaire général du FLN Mohammed Khider [1912-1967], révolte du colonel Mohammed Chaabani en 1964) remise en marche de l'économie, intégration des forces politiques et militaires des wilayas (régions politico-militaires). Cela aura en quelque sorte balisé le terrain à Houari Boumediène, qui l'écarte du pouvoir par un putsch militaire le 19 juin 1965 et qui aura lui-même raison d'une tentative de putsch, le 1er décembre 1967, sans grand danger, d'un chef d'état-major fictif, le colonel Tahar Zbiri (1930-). Dès lors, aucune institution, aucun groupe social ne sont en mesure de s'opposer à Boumediène. Mettant un terme dans les faits à l'autogestion, il situe son projet volontariste de modernisation autoritaire à l'intérieur d'un mouvement plus vaste, celui du tiers monde étatiste. Le « socialisme algérien » séduit. Les nationalisations – mines (1966), cimenteries (1968), contrôle à 51 % des parts des sociétés pétrolières (1971) – et la réforme agraire (1971) donnent à un État algérien réorganisé sur des bases bureaucratiques une grande autonomie de décision. Excessif pour les uns, insuffisant pour les autres, le socialisme laisse à tous un arrière-goût d'inachèvement quand Boumediène meurt en 1978. Son successeur Bendjedid Chadli (1979-1992), représentant médiocre de l'armée, essaye de corriger, sans y réussir, les mauvais côtés du système. **Affrontement entre l'État et la mouvance islamiste.** Après les émeutes d'octobre 1988, le gouvernement Mouloud Hamrouche (1989-1991), seul espoir de réforme réelle, est contrecarré dans ses projets par les réseaux clientélistes liés aux clans militaires. L'ouverture au pluralisme politique, opérée dans une totale improvisation après les émeutes et l'adoption d'une Constitution nouvelle (février 1989) permettent l'émergence de deux forces, communautaires dans leur démarche, le culturalisme berbère – avec le FFS et le Rassemblement pour la culture et la démocratie (RCD) – et l'islamisme, avec notamment le Front isalmique du salut (FIS), une force d'opposition frontale au pouvoir qui va donner naissance à des maquis armés. Après l'interruption du processus électoral (janvier 1992), dont les présidents Boudiaf (1992) et Bouteflika (1999) vont être appelés à gérer les conséquences, l'affrontement entre l'État et la nébuleuse islamiste aura fait en huit ans près de 100 000 victimes, dont des milliers de disparus et de détenus. Et tout cela dans un contexte social qui a fait de la majorité des Algériens des marginaux et des pauvres, sur fond d'enrichissement débridé d'une minorité. **M. Ha.**

ALLEMAGNE République fédérale d'Allemagne. Capitale : Berlin. Superficie : 357 050 km². Population : 82 178 000 (1999). Entrée dans le XIXᵉ siècle sous le double signe de l'occupation napoléonienne et d'un morcellement territorial consacré par

la dissolution de l'Empire romain germanique (1806), l'Allemagne offre au seuil du XXᵉ siècle un tout autre visage : celui, tout d'abord, de l'unité, réalisée sous la houlette de la Prusse et de son chancelier Otto von Bismarck (1815-1898). Celui-ci, après avoir éliminé l'Autriche des affaires allemandes par la victoire de Sadowa (1866), a su réunir sous la bannière du nationalisme antifrançais (guerre de 1870) la Confédération de l'Allemagne du Nord, réalisée en 1867, et les quatre États du Sud, restés jusque-là à l'écart de l'unification. Le IIᵉ Reich est proclamé à Versailles, le 18 janvier 1871. Le roi de Prusse est président héréditaire du nouvel Empire. Doté d'une armée et d'une monnaie communes aux États qui le composent, celui-ci paraît en 1900 une indéniable réussite. Mené depuis la mort de l'éphémère Frédéric III en 1888 par le jeune Guillaume II (1859-1941), le IIᵉ Reich est devenu un géant politique, soutenu par une croissance démographique sans précédent (41 millions d'habitants en 1871, 65 millions en 1910), autant qu'une puissance économique de premier ordre, dont les banques et l'industrie rayonnent sur le monde. **Des ambitions de Guillaume II au traité de Versailles.** Pourtant, si le Reich possède des signes extérieurs de la modernité, il reste étonnamment archaïque dans ses structures sociales et ses mentalités. Des valeurs telles que la sacralisation de l'État, le respect de l'autorité *(Obrigkeit)* ou la moindre importance de l'individu face au collectif constituent ainsi autant de traits dont se souviendront, après 1945, les tenants de la thèse du *Sonderweg* (qui considèrent que l'Allemagne a suivi un chemin particulier, se distinguant de celui des démocraties occidentales). Par ailleurs, la croissance extérieure du Reich s'accompagne d'ambitions extérieures : après s'être débarrassé de Bismarck en 1890, Guillaume II a peu à peu abandonné le traditionnel système d'alliances visant à rassurer la puissance britannique et à maintenir un équilibre européen, pour prêter une attention accrue aux tenants du pangermanisme et de l'expansion coloniale. La construction d'une puissante flotte sous l'impulsion de l'amiral von Tirpitz (1849-1930) ainsi que les crises marocaines de 1905 et 1911 devaient ainsi rapprocher une Angleterre inquiète d'une France qui, dès 1894, s'était assuré l'alliance de la Russie. **L'**entrée en guerre aux côtés de l'Autriche dans la crise bosno-serbe en août 1914 allait mettre un terme aux ambitions de Guillaume II. Malgré les succès foudroyants de l'été 1914 ou la paix séparée de Brest-Litovsk qui consacre, en mars 1918, sa victoire sur le front russe, l'Allemagne finit par signer l'armistice le 11 novembre 1918. Elle doit se soumettre, à l'issue d'un traité de Versailles (28 juin 1919) vite qualifié de « Diktat », à des conditions de paix très dures : outre la perte de nombreux territoires et la suppression de son armée, le Reich se voit contraint d'accepter d'énormes réparations en même temps que la responsabilité morale et financière de la guerre. **La république de Weimar (1918-1933).** Proclamée dès l'abdication de l'empereur le 9 novembre 1918, la République est d'emblée frappée d'un double handicap. D'une part, en signant le traité de Versailles, elle entérine en effet la thèse du « coup de poignard dans le dos » donné à une armée soi-disant invaincue. D'autre part, en réprimant très durement la révolution spartakiste, le régime du social-démocrate Friedrich Ebert (1871-1925) – qui, le 11 août 1919, ratifie la nouvelle Constitution – se prive du soutien d'une large partie de la classe ouvrière. La crise économique de 1923 et l'hyperinflation qui l'accompagne, l'occupation de la Ruhr par les Français furieux de l'arrêt du paiement des réparations (1923-1925), l'hostilité de l'aristocratie et des milieux nationaux-conservateurs devaient nourrir une instabilité politique certaine dont témoignent les tentatives de putsch de Wolfgang Kapp (1920) ou d'Adolf Hitler (Munich, novembre 1923) et les assassinats des ministres Matthias Erzberger (1921) et Walter Rathenau (1922). **L**es années 1925-1929 marquent le retour à une prospérité et à une stabilité relatives. Alors que les crédits américains accordés après le plan Dawes (1924) relancent momentanément l'économie, le gouvernement allemand normalise ses relations avec la France par la signature à Locarno (1925) d'un pacte de non-agression, pierre angulaire de la collaboration entre les ministres des Affaires étrangères Aristide Briand et Gustav Stresemann (1878-1929), consacrée, en 1926, par

l'entrée de l'Allemagne à la Société des nations (SDN). Âge d'or des arts et des lettres dont rendent comptent les chefs-d'œuvre du cinéaste Fritz Lang, de l'écrivain Heinrich Mann ou du peintre Otto Dix, la république de Weimar demeure cependant parcourue de lignes de faille que l'instabilité parlementaire et surtout la crise de 1929 finissent par réveiller. Le chômage qui s'abat sur l'Allemagne et touche, dès 1932, six millions de personnes, la violence qui s'empare de la rue, enfin l'utilisation par A. Hitler et son Parti national-socialiste des travailleurs allemands (NSDAP, Nazionalsozialistische Deutsche Arbeiterpartei) des peurs et des rancœurs accumulées contre le régime né de la défaite emportent finalement l'édifice. Le 30 janvier 1933, le maréchal Hindenburg (1847-1934), président de la République, appelle Hitler à la chancellerie. **Le III⁰ Reich (1933-1945).** Les années 1933-1935 sont l'occasion pour le nouveau régime d'asseoir son pouvoir sur l'ensemble de la vie politique. Les Églises sont mises au pas et les communistes, accusés de l'incendie du Reichstag (27 février 1933), systématiquement pourchassés. Le Parlement accorde, au lendemain des élections de mars 1933 remportées par le parti nazi (qui n'a cependant pas atteint, avec 43,9 % des suffrages, la majorité absolue), les pleins pouvoirs à Hitler, entérinant ainsi le suicide d'une République déjà moribonde et consacrant la transformation de l'Allemagne en « État lié au *Führer* » (*Führerstaat*). Après avoir, lors de la « Nuit des longs couteaux » (juin 1934), éliminé l'opposition interne de ses propres troupes d'assaut (SA, Sturmabteilung), Hitler endosse les fonctions de chef de l'État, en succédant à Hindenburg, mort en août. Il peut alors entamer la nazification de l'Allemagne et préparer celle-ci à la revanche. **La** société est organisée selon le principe d'obéissance absolue au chef (*Führerprinzip*), embrigadée dans des organisations telles que les Jeunesses hitlériennes ou le Front du Travail, surveillée par l'appareil de la SA, de la SS (Schutzstaffel, escadrons de protection), ou de la Gestapo (Geheime Staatspolizei, police secrète). Elle se voit également régie par les notions de race et d'eugénisme : avec les lois de Nuremberg (1935) ou le vaste pogrom de la Nuit de cristal (novembre 1938), les Juifs font ainsi l'objet d'une persécution constante tandis que les handicapés et les malades mentaux sont exécutés dès 1938. À l'extérieur, l'Allemagne montre enfin depuis son départ de la SDN en 1933 un autre visage : la réintroduction d'un service militaire (1935), la remilitarisation de la Rhénanie (1936), l'intégration de l'Autriche au Reich (Anschluss, 1938), enfin l'annexion de la région des Sudètes après les accords de Munich ne sont que le prélude à une guerre de reconquête qui éclate en septembre 1939 avec l'invasion de la Pologne. Mais les victoires retentissantes du Blitzkrieg (« guerre éclair », 1939-1941) et la mobilisation de toute une nation ne permettent pas d'éviter l'effondrement : le 8 mai 1945, l'Allemagne accepte une capitulation sans condition. **La transition de l'après-guerre (1945-1949).** C'est une Allemagne à la société destructurée par douze ans de nazisme, bouleversée par les mouvements de réfugiés, anéantie par cinq ans d'une guerre totale, bref, selon l'œuvre du cinéaste Roberto Rossellini, une Allemagne année zéro qui aborde l'année 1945. Amputé d'un quart de son territoire, divisé en quatre zones à l'issue des accords de Potsdam (2 août 1945) qui prévoient en outre la démocratisation, la démilitarisation et la dénazification du territoire et de sa population, le Reich a vécu. **L'**unité des Alliés, toutefois, ne dure pas. L'avènement de la Guerre froide, le refus par la zone soviétique du plan Marshall (juin 1947) consacrent de fait la partition de l'Allemagne, que le blocus de Berlin par l'URSS (1948) ou l'introduction, la même année, d'une réforme monétaire dans les zones occidentales ne rendent que plus évidente. En 1949, l'Allemagne a désormais deux visages : issue des zones anglaise, américaine et française, la République fédérale d'Allemagne (RFA) s'est en effet dotée le 23 mai 1949 d'une Loi fondamentale (texte au statut volontairement provisoire qui, à la différence d'une Constitution, laissait ouverte la question de la réunification), la République démocratique allemande (RDA), ex-zone d'occupation soviétique, adoptant le 7 octobre sa Constitution. **La RFA (1949-1990).** Premier chancelier, reconduit au pouvoir jusqu'en 1963, cofondateur de l'Union chrétienne

démocrate (CDU), Konrad Adenauer ancre rapidement l'Allemagne de l'Ouest dans le bloc occidental, soutenant sans faille la politique américaine, rejoignant l'OTAN (Organisation du traité de l'Atlantique nord) dès 1955, refusant enfin de reconnaître une RDA qualifiée de « zone ». L'avènement de la Détente et la peur d'une entente entre les deux « grands » au détriment des intérêts allemands devaient toutefois pousser K. Adenauer à rechercher dans l'alliance française (traité franco-allemand de 1963) et dans l'Europe une possible troisième voie. En effet, si les prêts américains puis la guerre de Corée (1950-1953) étaient au départ responsables du « miracle économique », l'économie allemande – baptisée par l'économiste et homme politique allemand Ludwig Erhard (1897-1977) « économie sociale de marché » – avait également bénéficié d'une évidente intégration européenne, marquée par l'entrée en 1951 dans la CECA (Communauté du charbon et de l'acier) et la signature en 1957 du traité de Rome. Le départ d'Adenauer marque la fin des certitudes. Le gouvernement (1963-1966) de L. Erhard puis la « grande coalition » (1966-1969) du chancelier Kurt Kiesinger (1904-1988) – regroupant chrétiens-démocrates (CDU-CSU), sociaux-démocrates (SPD) et libéraux (FDP) – coïncident avec une première récession (1966) et de violentes manifestations étudiantes dans le sillage de la guerre du Vietnam. L'accession de Willy Brandt à la chancellerie (1969-1972) consacre cette rupture avec l'ère chrétienne-démocrate, particulièrement en politique extérieure : partisan de l'ouverture, initiateur de l'Ostpolitik, ce dernier prend acte dès 1971 de la partition de l'Allemagne et, en 1972, normalise les relations de la RFA avec la plupart des pays de l'Est, reconnaissant même officiellement, par le Traité fondamental de décembre 1972, l'existence de la RDA. **A**vec la démission de W. Brandt (1974) s'achève le temps des réformes et des expériences. Le social-démocrate Helmut Schmidt, qui lui succède de 1974 à 1982, doit affronter les années 1970 marquées par le retour de la crise (les chocs pétroliers de 1973 et 1979) et du chômage. Il fait face à une société dominée par de nouvelles formes de contestation faisant suite à l'opposition extraparlementaire de la fin des années 1960 (développement des mouvements alternatifs, émergence du parti des Verts – Die Grünen – à partir de 1979, mais aussi terrorisme de certains groupes comme la Fraction armée rouge [RAF]). Les Allemands sont moins dociles qu'auparavant à l'égard du pouvoir. Temps d'incertitude, mais aussi de plus grande maturité politique, ces années 1970 sont également celles d'un retour de la France et de l'Europe dans les préoccupations allemandes, facilité par la relation privilégiée unissant H. Schmidt et le président Valéry Giscard d'Estaing (1974-1981). La création du Système monétaire européen (SME) en est le symbole. **Le** retour de la CDU au pouvoir en 1982 n'apporte guère de rupture. Perçu au départ comme un chancelier de transition, Helmut Kohl (au pouvoir de 1982 à 1998) impose lentement un style pragmatique, sachant allier à l'extérieur intégration européenne (reposant toujours sur le lien privilégié franco-allemand) et soutien de l'allié américain – ainsi lors de l'installation des missiles Pershing-II en 1983 ou de l'Initiative stratégique de défense (IDS) lancée par le président américain Ronald Reagan. Si la première moitié des années 1980 reste dominée par la peur d'une menace nucléaire et une vague de pacifisme sans précédent, les années 1985-1989 marquent un retour en force du problème allemand, dont témoignent l'octroi à la RDA de crédits significatifs (un milliard de Deutsche Mark en 1983), le rachat de prisonniers politiques ou le départ pour la RFA de plus de 1 % de la population est-allemande entre 1983 et 1988. L'arrivée au pouvoir de Mikhaïl Gorbatchev, puis la fin de l'URSS conduisent finalement à la chute du Mur de Berlin (9 novembre 1989) et à une rapide réunification des deux États allemands (3 octobre 1990). **La RDA (1949-1990).** Malgré le maintien d'autres formations politiques tels la CDU ou le LDPD (Parti libéral-démocratique d'Allemagne), le Parti socialiste unifié (SED, communiste) de Walter Ulbricht règne sans partage depuis 1947 sur une RDA qui, jusqu'en 1953, s'inscrit dans la droite ligne de la politique stalinienne : les Églises sont violemment attaquées (1950-1953), la RFA est qualifiée d'État fasciste et le soulèvement ouvrier de

Berlin (17 juin 1953), essentiellement provoqué par les ratés de l'économie est-allemande et un brutal accroissement des normes de production, est violemment réprimé par les chars soviétiques. La mort de Staline (1953) et le choc du rapport Khrouchtchev au XXe congrès (1956) du Parti communiste de l'Union soviétique (PCUS) entraînent une réorientation de la politique du SED : le sort de la population s'améliore nettement et une plus grande importance est accordée aux biens de consommation. La répression, menée de façon plus subtile, demeure toutefois omniprésente, aussi bien dans les propres rangs du SED (exclusion du contestataire Karl Schiderwann en 1957) que dans la société (accroissement des effectifs de la police politique (Stasi), mise en place d'une confirmation laïque (Jugendweihe) pour concurrencer les Églises. **S**ubissant durement les conséquences d'une émigration constante vers la RFA (2,7 millions de personnes de 1949 à 1961), la RDA décide, en construisant entre les deux Allemagnes un rempart hermétique le 13 août 1961 (le Mur de Berlin), de mettre un terme à l'hémorragie et de contraindre la population à s'accommoder du nouveau régime. La période de consolidation ainsi ouverte (1961-1970) devait également s'accompagner, à partir de 1966, d'une timide tentative de distanciation vis-à-vis du modèle soviétique. L'acceptation par l'URSS de l'Ostpolitik allait précipiter la chute de W. Ulbricht, hostile à l'ouverture, et l'avènement d'Erich Honecker (mai 1971) qui, rapidement, applique une politique de strict alignement : renforcement des liens avec l'URSS, acceptation de la détente, notamment avec la RFA –, en témoignent l'accord de mai 1972 sur la circulation entre les deux pays et le Traité fondamental de décembre 1972 sur leur reconnaissance mutuelle. Ces succès extérieurs, consacrés par l'entrée de la RDA à l'ONU le 18 septembre 1973 – en même temps que la RFA –, s'accompagnent en outre d'une indéniable stabilité intérieure, favorisée par la relative bonne marche de l'économie. **L**es années 1976-1977 marquent la fin de cet « âge d'or ». Les accords d'Helsinki (1975) dans le cadre de la Conférence sur la sécurité et la coopération en Europe (CSCE) ont en effet ravivé les oppositions au sein des pays de l'Est. La RDA ne fait pas exception : au mouvement intellectuel de 1977 succède à partir de 1980 celui des pacifistes soutenus par les Églises. La dégradation des relations entre l'URSS et les États-Unis, les regains de faiblesse de l'économie entraînent alors une nouvelle période de crispation d'un régime qui, de moins en moins soutenu à partir de 1987 par un Mikhaïl Gorbatchev tout à sa _perestroïka_, s'écroule finalement au mois de novembre 1989. **P**ortée au pouvoir lors des élections libres de mars 1990, la CDU orientale de Lothar de Maizière accélère le processus d'une unification politique réalisée le 3 octobre 1990. **L'Allemagne réunifiée.** Premier chancelier de l'unité, H. Kohl est reconduit au pouvoir en 1994. Il s'agit pour lui de rassurer des pays voisins inquiets, de confirmer l'engagement européen et atlantique de l'Allemagne, d'intégrer enfin une RDA marquée dans ses mentalités et son économie par quarante ans de socialisme. Battu en septembre 1998 par le social-démocrate Gerhard Schröder, H. Kohl laisse une Allemagne aspirant à n'être plus le « nain politique » de naguère et appelée à d'évidentes responsabilités internationales, à l'image de son engagement militaire dans la crise du Kosovo (1999). **L. B. >** DÉMO-CRATIE-CHRÉTIENNE (ALLEMAGNE), FÉDÉ-RALISME (ALLEMAGNE), QUESTION ALLE-MANDE, SOCIAL-DÉMOCRATIE ALLEMANDE.

ALLENDE GOSSENS Salvador (1908-1973) **H**omme politique chilien, président de la République de 1970 à 1973. Salvador Allende, homme de gauche doublé d'un épicurien, s'impose dans l'histoire chilienne du XXᵉ siècle par la dignité qu'il démontra jusqu'à sa fin tragique. **N**é à Valparaíso dans la bonne bourgeoisie d'obédience radicale, il milite dès ses études de médecine, et devient franc-maçon en 1929. Emprisonné sous la dictature de Carlos Ibañez (1927-1931) et après l'éphémère « République socialiste » de juin 1932, il est cofondateur du Parti socialiste du Chili en avril 1933, puis son secrétaire général en 1942. Il fait son apprentissage politique au sein du Front populaire, constitué en mai 1936, d'abord comme député (1937), ensuite comme ministre de la Santé (1939-

1942). Élu au Sénat en 1945, puis à nouveau en 1953, 1961 et 1969 il en devient président de 1966 à 1969, et se montre habile négociateur. **I**nlassable bâtisseur de l'union de la gauche, d'abord au Front du peuple (1951), puis au Front d'action populaire (1956), il constitue en octobre 1969 l'Unité populaire (UP), avec les communistes, les socialistes, les radicaux et les dissidents de la gauche démocrate-chrétienne. **A**près avoir échoué à trois reprises aux élections présidentielles (1952, 1958 et 1964), il arrive en tête au premier tour le 4 septembre 1970, avec 36,3 % des suffrages. Il est élu par le Congrès le 24 octobre, grâce au soutien de la Démocratie chrétienne (DC) et malgré l'assassinat du commandant en chef de l'armée de terre René Schneider (1913-1970). S. Allende succède au démocrate-chrétien Eduardo Frei (1911-1982). L'UP entend transformer les structures économiques et sociales sans rompre avec la démocratie représentative. Les mines de cuivre et les entreprises étrangères sont rapidement nationalisées et la réforme agraire approfondie. L'UP remporte 50,8 % des voix aux municipales d'avril 1971, mais dès juillet, l'extrême gauche – notamment le MIR (Mouvement de la gauche révolutionnaire) – tente de déborder le gouvernement et la DC bascule dans l'opposition. Avec le soutien, notamment, de la CIA (Central Intelligence Agency) américaine, l'extrême droite entretient l'agitation, et le patronat, grèves et pénuries. **À** partir des élections législatives de mars 1973 (43,4 % des voix pour l'UP) un coup d'État est en marche. Le 11 septembre, S. Allende doit annoncer la tenue d'un référendum sur sa politique économique pour débloquer la crise politique. Ce mardi matin d'hiver, il adresse au pays un discours-testament depuis le palais présidentiel bombardé. À l'instar du président José Manuel Balmaceda (1838-1891), il refuse l'exil et se donne la mort. Avec lui, c'est la démocratie qui est renversée au Chili. **S. J. >** CHILI.

ALLIANCE ATLANTIQUE > PACTE NORD-ATLANTIQUE.

ALSACE-LORRAINE Par le traité de Francfort, le 10 mai 1871, la quasi-totalité de l'Alsace (hors région de Belfort) et les territoires lorrains de dialecte germanique, ainsi que d'autres territoires non germanophones, dont la ville de Metz pour raisons militaires, sont cédés à l'Empire allemand par la France vaincue. Plus de 100 000 habitants sur les 1 500 000 optent pour le maintien de leur nationalité française et quittent la région. Ces territoires (Elsass-Lothringen) qui forment désormais un *Reichsland* (une terre d'Empire) sont administrés par un *Statthalter* à partir de 1879, représentant de l'empereur à Strasbourg.   Au début du xxᵉ siècle, l'Alsace-Lorraine bénéficie d'une politique de libéralisation et de l'essor économique du Reich. Mais cette terre se bat pour affirmer son particularisme et lutte contre les tentatives de germanisation. Pour de nombreux Français, l'Alsace et la Lorraine restent les provinces perdues.   Dès le début de la <u>Grande Guerre</u>, l'armée française lance une offensive sur ces deux territoires où l'état de siège a été instauré. Mais ce n'est qu'en novembre 1918, après l'armistice, que les troupes alliées font leur entrée dans les villes de Mulhouse, Colmar, Strasbourg et Metz où elles sont accueillies avec enthousiasme.   Le traité de <u>Versailles</u>, le 28 juin 1919, consacre le retour de l'Alsace-Lorraine à la France. Cette réintégration ne se fait pas sans difficulté. La politique de centralisation de l'État français se heurte entre les deux guerres à la volonté d'autonomie des Alsaciens qui restent attachés à une liberté scolaire et religieuse (maintien du Concordat). La Lorraine se dote de fortifications le long de la frontière franco-allemande : c'est la ligne Maginot, qui sera contournée par les Allemands en juin 1940.   L'Alsace et la Lorraine sont de nouveau annexées par le Grand Reich au lendemain de l'armistice du 22 juin 1940, et administrées par un *Gauleiter*, chargé de germaniser le territoire. Les jeunes Alsaciens et Lorrains sont, à partir de 1942, incorporés de force (les « Malgré-nous ») dans la Wehrmacht (l'armée allemande) et envoyés sur le front russe. Toute résistance mène aux <u>camps de concentration</u> de Schirmeck et du Struthof. L'Alsace et la Lorraine redeviennent finalement françaises après la très dure campagne des Alliés qui a lieu pendant l'hiver 1944-1945.   Terres frontalières ayant subi trois guerres et quatre changements de régime depuis 1871, l'Alsace et la Lorraine privilégient depuis la seconde moitié du xxᵉ siècle leur situation de carrefour au cœur de l'Europe occidentale dans une région densément peuplée et maillée de voies de communication. Strasbourg accueille le Conseil de l'Europe et abrite le siège du Parlement européen, et la Lorraine noue des relations économiques transfrontalières avec la Sarre et le Luxembourg voisins (SarLorLux). **M. J., A. L.**

AMÉRINDIENS (Amérique latine)
> INDIENS (AMÉRIQUE LATINE).

AMÉRINDIENS (Canada) > INDIENS (CANADA).

AMÉRINDIENS (États-Unis) > INDIENS (ÉTATS-UNIS).

AMRITSAR   Ville du <u>Pendjab</u> (Inde du Nord), située à 58 km de Lahore, qui abrite le principal sanctuaire des <u>Sikhs</u>, le Temple d'Or. La ville est entrée dans l'histoire en 1919, lorsque les Britanniques y réprimèrent dans le sang une manifestation pacifique des nationalistes indiens. Surtout, le Temple d'Or servit de refuge aux séparatistes partisans de Sant Jarnail Bhindranwale (1947-1984), chef de la révolte sikh en 1984. Indira Gandhi (1917-1984), Premier ministre, le fit alors prendre d'assaut, un geste qui indigna bien des membres de la communauté et qui amena ses gardes du corps à fomenter le complot à l'origine de sa mort le 31 octobre 1984. **C. J.**   > INDE.

AMSTERDAM (traité d')   Adopté par le Conseil de l'<u>Union européenne</u> (UE) les 16-17 juin 1997, le traité d'Amsterdam, signé le 2 octobre, modifie le traité de <u>Maastricht</u>. Il porte notamment sur de nouveaux transferts de responsabilité des États vers l'UE (justice et affaires intérieures [JAI], notamment concernant la libre circulation des personnes et le contrôle des frontières extérieures) et sur l'utilisation potentielle de la règle de la majorité qualifiée (au lieu de celle de l'unanimité) pour certaines décisions relatives à la Politique étrangère et de sécurité commune (PESC). Le traité d'Amsterdam

entre en vigueur le 1ᵉʳ mai 1999.
> **CONSTRUCTION EUROPÉENNE.**

ANARCHISME   « Absence d'autorité
ou de pouvoir ». L'idée même renfermée
dans l'étymologie grecque d'anarchisme
s'oppose à la tendance à la construction de
grandes machines de pouvoir qui a marqué
tout le XXᵉ siècle. Les thèmes principaux de
l'anarchisme furent définis par des penseurs
du XIXᵉ siècle et du début du XXᵉ siècle –
notamment par Michel Bakounine (1814-
1876), Pierre Kropotkine (1842-1921), Pierre
Joseph Proudhon (1809-1865), Fernand
Pelloutier (1867-1901), Élisée Reclus (1830-
1905) et Errico Malatesta (1853-1932) – de
façon divergentes : certains insistant sur la
violence nécessaire à la fin du vieux monde,
d'autres sur l'idéal individualiste, tandis que
s'élaboraient des utopies de collectivisme et
de pacifisme. Les mouvements politiques
anarchistes du XXᵉ siècle ont été universellement présents, et universellement vaincus,
de la Russie à l'Espagne, de la Chine aux
États-Unis. Des drapeaux noirs (ou noirs et
rouges des mouvements communistes libertaires) ont été brandis par des organisations
puissantes comme la CNT (Confédération
nationale du travail) en Espagne ou se sont
multipliés en Europe autour de 1968 avec
des mouvements extra-parlementaires. Mais
les anarchistes ont plus été capables de proposer des thèmes de mobilisation (ils furent
en pointe dans la lutte pour le droit à l'avortement ou l'objection de conscience) que de
structurer des luttes de longue durée :
l'anarcho-syndicalisme français du XIXᵉ siècle
a été comme étouffé par le réformisme et le
bolchevisme. Ce qui est en cause est moins
la difficulté pour tout mouvement anarchiste à s'organiser, ce qui suppose des formes d'autorité, que la puissance des appareils politiques totalitaires et, par ailleurs, la
capacité des démocraties industrielles à
satisfaire certaines aspirations individualistes. Cependant, l'anarchisme, sans avoir
trouvé de théoriciens de la fécondité de ceux
du XIXᵉ siècle, à partir des années 1980 a su
réussir un renouvellement, du moins intellectuel, par sa connexion avec l'écologie
politique. **D. C.**   > **ANARCHISME (ESPA-
GNE), ANARCHISME (ITALIE), ANARCHISME
(RUSSIE).**

ANARCHISME (Espagne)   Dès le
milieu du XIXᵉ siècle et avec la naissance de
la Iʳᵉ Internationale (l'Association internationale des travailleurs, AIT), le courant anarchiste anti-autoritaire prend une place
importante dans le mouvement ouvrier en
Espagne. Il se manifeste particulièrement en
Catalogne, où ses dirigeants vont prôner une
transformation radicale de la société (l'École
nouvelle de Francisco Ferrer Guardia (1859-
1909), notamment), ainsi que dans les zones
rurales du Sud (Andalousie et Estrémadure).
Prônant l'abstention dans les consultations
électorales, l'anarchisme espagnol recourt à
l'action directe (occupations illégales de terres, attentats terroristes). En 1911, la puissante Confédération nationale du travail
(CNT) regroupe déjà plusieurs centaines de
milliers d'adhérents. En 1936, les anarchistes
de cette organisation et de la FAI (Fédération
anarchiste ibérique) sont au cœur de la résistance populaire au *pronunciamiento* (coup
d'État de juillet), notamment en Catalogne
et en Aragon ; ils suscitent ou imposent un
vaste mouvement de collectivisation qui se
maintiendra dans beaucoup de secteurs
jusqu'à la fin de la Guerre civile (1936-
1939) et en dépit de la réaction gouvernementale (journées de mai 1937). La défaite
et l'exil ne mettent pas fin au courant
anarchiste ; il se retrouve cependant profondément divisé et perd incontestablement de
son influence dans un pays en pleine transformation. **É. T.**   > **ANARCHISME, ESPA-
GNE.**

ANARCHISME (Italie)   Stimulé en
1864 par l'arrivée de Michel Bakounine
(1814-1876), l'anarchisme italien conserve
ses liens avec les radicaux et les socialistes
même après son rejet du réformisme électoral en 1892. Il reste cependant divisé entre
les tenants de l'organisation ouvrière et les
individualistes que la répression mène à la
propagande « par le fait ». Les assassinats
du président français Sadi Carnot par Sante
Caserio en 1894 à Lyon et du roi
Umberto 1ᵉʳ par Gaetano Bresci en 1900 à
Monza traduisent la violence d'un activisme
terroriste. Après 1900, l'activité légale redevient possible avec l'anarcho-communisme
d'Errico Malatesta (1853-1932) et l'engagement syndical. Mais l'exaltation de la rébel-

lion, voire le bellicisme révolutionnaire en 1911, lors de la conquête de la Libye, et en 1914, conduisent certains au fascisme. En 1919, si la vague révolutionnaire occasionne le rêve d'un front unique, le reflux, le rejet de la réalité russe, la répression après les dérives terroristes et la violence fasciste balayent le mouvement, usé ensuite par les querelles d'exil et l'échec des formations armées ou des attentats contre Mussolini. Malgré sa présence dans les combats de la guerre civile d'Espagne et dans la Résistance, l'anarchisme italien est marginalisé pendant la Guerre froide, épuisé par d'infinies querelles entre les « organisationistes » et les « spontanéistes » renforcés par l'influence italo-américaine. Après 1969, faute de génération intermédiaire née sous le fascisme, le lien se fait mal avec les révoltés « autonomes » et l'anarcho-syndicalisme, avec la gestion pansyndicaliste de la société, s'éteint dès le début des années 1970 car les partis reprennent l'initiative. Malgré souvenirs et références, l'échec semble définitif. **É. V.**
> ANARCHISME, ITALIE.

ANARCHISME (Russie)   Les deux plus grandes figures de l'anarchisme au XIXe siècle, Michel Bakounine (1814-1876) et Pierre Kropotkine (1842-1921), étaient russes. Mais, en dehors de brefs moments de luttes violentes communes, comme lors des journées insurrectionnelles de juillet 1917 à Saint-Pétersbourg, les bolcheviks considéraient les anarchistes comme des rivaux et des ennemis. La victoire du communisme léniniste en Russie conduisit donc à l'écrasement totale de l'anarchisme en Russie et dans les territoires qu'il contrôlait. Le mouvement de Nestor Makhno (1889-1935), en Ukraine, sorte de vaste rébellion surtout paysanne au début de la révolution fut, quand cela les arrangeait, soutenu par les communistes, puis réprimé et calomnié par eux. Les anarchistes étrangers, notamment l'Américaine Emma Goldman (1869-1940), qui avait soutenu la révolution russe et était même venue y contribuer sur place, prirent rapidement leur distance. La fin du communisme en URSS vit la réapparition de petits groupes : un symbolique drapeau noir marqué d'un A rouge flottait sur une des barri-

cades entourant le Parlement russe lors de la tentative de coup d'État communiste en août 1991. Mais, pas plus du reste qu'aucune autre force politique ou syndicale, les anarchistes en Russie à la fin du XXe siècle n'ont pu trouver les moyens d'acquérir une efficacité politique. **D. C.**

ANC (Afrique du Sud)   Le Congrès national africain (African National Congress), organisation politique sud-africaine multiraciale, est créé en 1912 pour s'opposer à la discrimination raciale et à la mainmise des colons sur les terres. Influencé au début par l'action non violente de Gandhi en faveur des Indiens du Natal, il se radicalise avec l'instauration de l'apartheid en 1948. Le mouvement s'engage dans la lutte armée au début des années 1960, après la répression violente de la population noire par le régime au pouvoir et l'accession des autres pays africains à l'indépendance. Cette orientation plus activiste est due à de jeunes leaders comme l'avocat Nelson Mandela, condamné à la prison à vie en 1962 pour terrorisme, en compagnie du leader plus modéré Walter Sisulu. En exil en Zambie sous la direction d'Oliver Tambo (1917-1993), ami de longue date de N. Mandela, l'ANC conserve son orientation multiraciale pendant la lutte contre l'apartheid. Sa branche militaire est dirigée par Joe Slovo (1926-1995), membre du Parti communiste sud-africain (SACP), une composante influente de l'ANC. Elle compte également parmi ses dirigeants de nombreux Blancs libéraux, ainsi que des Métis et des Indiens.   Devenu président de l'ANC après sa libération en 1991, N. Mandela laisse la place à son dauphin Thabo Mbeki (1942-) en 1994 pour prendre la présidence du pays. Après six ans d'exercice du pouvoir, l'ANC s'est vue contestée au plan social par son ancienne alliée, la COSATU (Congrès des syndicats d'Afrique du Sud). Elle a également retrouvé à sa gauche son adversaire, le Congrès panafricain (Pan African Congress, PAC), né dans les années 1950 du départ d'une fraction anti-Blancs de l'ANC, opposée à son orientation multiraciale et à la présence de communistes dans ses instances (une « idéologie importée »). **B. N.**
> AFRIQUE DU SUD.

ANDORRE Principauté d'Andorre. Capitale : Andorre-la-Vieille. Superficie : 468 km². Population : 66 000 (1999). Minuscule pays sur la ligne de frontière pyrénéenne entre France et Espagne, la principauté d'Andorre date du XIIIᵉ siècle. Quand s'ouvre le XXᵉ siècle, c'est une seigneurie féodale (au sens littéral du terme) dépendant à la fois de l'évêque d'Urgel en Espagne et du président de la République française, successeur légal du comte de Foix. La principauté devient officiellement indépendante en 1993. Elle se dote d'une Constitution et est admise à l'ONU (Organisation des Nations unies). **N. B.**

ANDREOTTI Giulio (1919-) Homme d'État italien. Né à Rome, Giulio Andreotti, issu d'une famille liée à la Curie, remplace en 1942 Aldo Moro à la tête de la Fédération des étudiants catholiques et participe, début 1943, au journal clandestin d'Alcide De Gasperi, *Il Popolo*. Député dès 1946, secrétaire d'État à la présidence du Conseil (1947-1954), ministre au Trésor (1958), à la Défense (1959-1966), à l'Industrie et au Commerce (1966-1968), au Budget, au Plan et au Mezzogiorno (1974-1976), aux Affaires étrangères (1983-1989), chef de sept gouvernements (1972-1973, 1976-1979, 1989-1992), il aime dire que « le pouvoir use... celui qui ne l'a pas ». Situé à la droite de la Démocratie chrétienne (DC), ce pragmatique dissuade pourtant Pie XII d'imposer en 1952 une alliance avec le néo-fascisme. Il accepte en 1962 l'ouverture au PSI (Parti socialiste italien) et est soutenu de 1976 à 1979 par le Parti communiste italien, au nom du compromis historique. Il devient le meilleur allié du socialiste Bettino Craxi (1934-2000) avec lequel il s'oppose en 1985 aux États-Unis, quand ceux-ci, contre la parole donnée, veulent intercepter le commando palestinien qui vient de détourner le paquebot *Achille Lauro* – dès les années 1950 G. Andreotti relayait l'intérêt du Vatican pour le monde arabe. À partir de 1968, à son fief clientélaire du Latium et à ses liens avec Pie XII puis Paul VI, il ajoute l'appui de la DC de Sicile, notoirement liée à la mafia. Surnommé « Belzébuth », il prétend qu'on lui impute tout ce qui ne va pas en Italie, sauf les guerres puniques « parce qu'alors [il était] trop jeune ». Si les bases de son pouvoir sont suspectes, l'usage qu'il en fait l'est beaucoup moins. Ainsi, en 1989, il relance une lutte énergique contre le crime organisé, contre les intérêts de ses principaux obligés. Exclu du pouvoir en 1992 par l'effondrement de la DC, alors qu'il visait la présidence de la République et menait une politique alliant libéralisme et intégration européenne, il reste sénateur à vie et la justice le lave en 1999 d'accusations de complicité avec la mafia. **É. V.** **> DÉMOCRATIE CHRÉTIENNE (ITALIE), ITALIE.**

ANGLETERRE > ROYAUME-UNI.

ANGLETERRE (bataille d') En 1940, durant la Seconde Guerre mondiale, au lendemain de la défaite française, après un bref sursis que Winston Churchill a refusé de mettre à profit pour négocier une paix de compromis, l'offensive allemande prend la forme d'une bataille aérienne. Elle est destinée en principe à créer les conditions favorables à un débarquement (opération *Seelöwe*). En fait, selon l'historien français François Bédarida, « la bataille d'Angleterre a changé continuellement de forme, de cible, de tactique ». Aux attaques contre les infrastructures militaires (ports, aérodromes), qui ont failli mettre le Royaume-Uni à genoux, succèdent des bombardements de terreur sur les villes. Le « blitz » sur Londres commence le 7 septembre, avec l'attaque de 625 bombardiers. Les risques d'un débarquement s'estompent alors, mais la maîtrise de l'air demeure largement allemande et la Luftwaffe peut bombarder « à sa guise », jusqu'au printemps 1941, les cibles qu'elle privilégie désormais, provoquant par exemple, dans la nuit du 10 au 11 mai 1941, 1 436 morts à Londres. Par la suite, une grande partie des forces germaniques sont détournées vers l'opération *Barbarossa* contre l'URSS. 200 000 maisons détruites, près de 4 millions endommagées et 23 000 morts constituent le bilan de la bataille d'Angleterre. Il faudra attendre les V1 et les V2, en 1944-1945, pour enregistrer chiffres plus tragiques. Le salut est venu de la capacité industrielle britannique : au cours de l'année 1940, ont été produits 4 283 nouveaux chasseurs contre 1 870 en Allemagne. Paradoxalement, la guerre aérienne qui a créé un véritable « front » anglais, par le fait même des destructions et des pertes humaines, a contribué à renforcer l'union nationale. Un patriotisme tout neuf rassemble les citoyens de toutes catégories sociales dans une véritable « guerre du peuple », avec le sentiment exaltant d'un destin universaliste de sauvegarde des libertés et avec l'orgueil inspiré par la qualité des combattants. Malgré les revers ultérieurs, il prépare les conditions de la victoire finale. **R. Ma.** ▷ ROYAUME-UNI, SECONDE GUERRE MONDIALE.

ANGOLA République d'Angola. Capitale : Luanda. Superficie : 1 246 700 km². Population : 12 479 000 (1999). Colonie portugaise jusqu'en 1975, puis État indépendant, l'Angola a traversé le siècle sans qu'y éclose un espace politique, seule la force armée décidant de l'exercice du pouvoir. Premières tentatives d'émancipation, le Parti national angolais et la Ligue angolaise sont dissous en 1926, dès le putsch instaurant la dictature salazariste au Portugal. **MPLA, FLNA, UNITA.** Ce n'est que dans la seconde moitié des années 1950 que se forment des groupes indépendantistes. En Angola, des intellectuels influencés par le communisme fondent le Mouvement populaire de l'Angola (MPLA), présidé par Mario de Andrade et, à partir de 1962, par Agostinho Neto (1922-1979), fils d'un pasteur méthodiste, médecin de formation. En 1957 est créé en exil, au Congo belge, par Holden Roberto (Bakongo du nord de l'Angola, également protestant), le précurseur du Front national de libération de l'Angola (FNLA). Les nationalistes déclenchent, en février 1961 à Luanda puis en mars de la même année au nord-ouest, l'insurrection anticoloniale. Issue en 1966 d'une scission du FNLA, l'Union nationale pour l'indépendance totale de l'Angola (UNITA) de Jonas Savimbi (1934-2002), fils d'un chef de gare, originaire du plateau central, établit son propre maquis, implanté dans le sud-est du pays. Œuvrant d'abord chacun pour son propre compte face à la puissance coloniale, puis se trouvant en rivalité dans les temps situés autour de l'indépendance – qui donne lieu à une guerre civile et interna-

tionale –, les trois mouvements font l'histoire du pays à partir de leurs faits d'armes. Ils parviennent, au début des années 1970, à fixer en Angola 50 000 soldats portugais dans la plus importante possession africaine de Lisbonne, grande comme la péninsule Ibérique et la France réunies. Mais ils ne sont jamais, dans les faits, près de défaire l'armée coloniale. Quelque 300 000 Portugais se sont installés en Angola en raison de la douceur du climat, de richesses agricoles et minières exceptionnelles : café, sisal, coton, fer, pétrole, diamants... En 1971, à peine 500 000 élèves « indigènes » sont scolarisés dans le primaire, 50 000 dans le secondaire, 2 600 dans le supérieur. Le 25 avril 1974, la révolution des Œillets ouvre la voie à l'indépendance. Signés en janvier 1975, les accords d'Alvor consacrent les modalités d'une transition que mettent en œuvre, à Lisbonne, le général António de Spínola et, à Luanda, l'« amiral rouge » Rosa Coutinho. Cependant, faute de s'entendre au sein d'un gouvernement intérimaire, les mouvements de libération se combattent, le FNLA marchant sur Luanda, bastion du MPLA, pendant que l'UNITA s'empare du chemin de fer de Benguela et du port de Lobito, avec l'aide de l'armée sud-africaine. L'enclave du Cabinda, très riche en pétrole, protectorat portugais depuis 1885 et qui a été rattachée à l'Angola, voit ses tentations sécessionnistes entretenues par des pays voisins. **Guerre civile et internationale.** Le 11 novembre 1975, le MPLA proclame l'indépendance mais ne peut défendre le régime qu'il met en place avec l'aide de soldats cubains, au prix de l'exode des colons portugais. 50 000 au plus fort de leur engagement, les « *barbudos* » resteront jusqu'à la signature des accords de New York, en décembre 1988, qui lient leur retrait à l'indépendance de la Namibie, jusqu'alors sous administration sud-africaine. L'intervention militaire du bloc communiste aura mis à profit la paralysie de l'armée récente défaite dans la guerre du Vietnam et du scandale du Watergate suivi de la démission du président Richard Nixon (1974). Mais, l'Afrique du Sud par des incursions répétées et, à partir de 1985, les États-Unis par une aide financière (250 millions de dollars entre 1986 et 1991) vont soutenir l'UNITA pour faire pièce au MPLA – qui contrôle la rente pétrolière devenue significative dans les années 1970 –, le FNLA ayant perdu son influence. Admise en novembre 1976 à l'ONU (Organisation des Nations unies), la République populaire d'Angola nationaliste, ouvre des « magasins du peuple », signe avec Moscou un traité d'amitié de vingt ans. En 1977, le MPLA devient « Parti du travail ». La même année, une tentative de coup d'État est durement réprimée, des milliers de civils et de militaires étant tués ou torturés en prison. En mars 1977, puis en mai 1978, le pays frôle la guerre avec le Zaïre voisin (Congo-Kinshasa), ayant permis le retour armé des anciens « gendarmes katangais » dans la province méridionale de l'ex-Congo belge. Les parachutistes français et marocains ayant sauvé le régime de Mobutu en sautant sur Kolwezi, Luanda se réconcilie d'abord avec le Portugal, puis avec le Zaïre et, enfin, avec la France. En septembre 1979, à cinquante-sept ans, le président A. Neto meurt d'un cancer dans un hôpital de Moscou. Un ingénieur du pétrole formé en URSS, âgé de trente-sept ans, José Eduardo dos Santos, lui succède. **Tentatives de paix.** Dans les années 1990, sous l'égide de l'ONU, deux tentatives pour mettre fin à l'interminable guerre civile en Angola échouent. Militairement en position de force, l'UNITA, après avoir signé en mai 1991 les accords de Bicesse qui prévoient la tenue d'élections en septembre 1992, perd celles-ci et conteste sa défaite par les armes. N'ayant pu imposer à l'UNITA l'acceptation d'un accord en mai 1993 à Abidjan, Washington abandonne l'UNITA qui, à partir de 1992, se finance par le contrôle des mines diamantifères, et noue des relations diplomatiques avec le régime de Luanda. Celui-ci s'impose militairement, obligeant l'UNITA à accepter, en novembre 1994, le protocole de paix de Lusaka. Mais la mise en œuvre de ce dernier échoue également, malgré le déploiement de 7 000 casques bleus. S'étant retirée du pays à la demande du gouvernement, qui s'engage, en décembre 1998, dans ce qu'il veut être la dernière « guerre pour la paix », l'ONU adopte des sanctions contre l'UNITA, tenue pour principale responsable de l'échec. **S. S.**

ANGUILLA Cette île plate et longue (comme une anguille) située dans la Caraïbe a été rattachée à la colonie britannique de Saint Kitts pendant cent cinquante ans, puis, en 1956, à la colonie de Saint Kitts and Nevis. Ses habitants se sont révoltés en 1967 contre cette tutelle qu'ils trouvaient contraignante, exigeant la gouvernance directe du Royaume-Uni. Les hésitations de ce dernier ont conduit en 1969 à une déclaration d'indépendance et à une mini-invasion des policiers britanniques pour réprimer l'étrange rébellion. Une administration coloniale autonome a été rétablie en 1971 et l'île a pris le statut de « territoire dépendant » de la Couronne en 1982. Elle vit de la pêche et des services bancaires *off shore*. **G. C.**

ANNAN Kofi (1938-) Fonctionnaire international d'origine ghanéenne. Fils d'un chef coutumier fante (une ethnie proche des Ashanti) de Kumasi, Kofi Annan est diplômé de l'université du Minnesota, aux États-Unis (1961). Nommé secrétaire général de l'ONU où il succède à Boutros Boutros-Ghali (1992-1996) en 1997 pour quatre ans, il fait toute sa carrière dans les institutions internationales (administration, OMS – Organisation mondiale de la santé –, forces du maintien de la paix) dont il s'efforce de donner une image moins bureaucratique. Ses qualités de négociateur ont été reconnues dans le dénouement de la crise des otages en Irak en 1990, lors de la crise du Golfe consécutive à l'invasion du Koweït par l'Irak. Il n'a pas eu les moyens d'imposer l'autorité de l'ONU pour mettre un terme à la guerre en Bosnie, et son rôle de responsable international au Rwanda en 1994 a fait l'objet de critiques. De même, la guerre du Kosovo (1999), où l'ONU a été contournée par les États-Unis et l'OTAN, a montré les limites de l'organisation internationale, et par là même celles de son secrétaire général, dès lors qu'une crise d'importance cherche sa solution par les armes. K. Annan se verra confier un second mandat en 2001 et sera cette même année distingué par le prix Nobel de la paix. **B. N.**

ANNÉES DE PLOMB (Italie) Les « années de plomb » couvrent en Italie la décennie 1970 caractérisée par le recours à la violence politique visant à déstabiliser l'État démocratique. À la fin des années 1960 se développe un ample mouvement de mobilisation étudiante et sociale (l'« automne chaud » de 1969) et naissent des groupes d'extrême gauche activistes comme Lotta continua ou Potere Operaio. Mais le recours à la violence politique est lancé par l'extrême droite, dont des activistes, plus ou moins liés aux services secrets, amorcent fin 1969 la « stratégie de la tension », visant à empêcher le rapprochement entre Parti communiste italien (PCI) et démocrates-chrétiens (DC) et à instaurer un régime autoritaire, au moyen d'attentats aveugles, dont les plus meurtriers sont ceux de la piazza Fontana à Milan (1969, 19 morts) et de la gare de Bologne (1980, 89 morts). Inauguré en 1974, le terrorisme des Brigades rouges atteint son paroxysme avec le rapt, puis l'assassinat (mars-mai 1978) du leader de la Démocratie chrétienne, Aldo Moro. Vivant son épreuve la plus difficile depuis sa restauration, la démocratie italienne reprend le dessus grâce à la fermeté et à la rencontre des principales forces politiques du pays (DC et PCI), sans que les principes démocratiques soient remis en cause. L'action violente est vaincue mais la stratégie terroriste bloque le compromis historique PCI/DC qui aurait pu conduire à une rénovation de la vie politique et, plusieurs drames n'ayant jamais été complètement élucidés (l'affaire Moro notamment), la mémoire des années de plomb est restée brûlante. **O. F.** **> ITALIE.**

ANSCHLUSS Considéré par Adolf Hitler comme une « tâche vitale » dès la rédaction de *Mein Kampf* (1923-1924), le rattachement de l'Autriche au Reich avait une première fois échoué en juillet 1934 devant les réactions franco-britanniques et les menaces d'intervention de Benito Mussolini. Lorsque A. Hitler, en février 1938, revient à la charge, c'est à l'état d'un Reich consolidé à l'intérieur, offensif à l'extérieur et désormais fort de l'appui italien (axe Rome-Berlin). Après avoir tenté de s'opposer à l'ultimatum allemand, le chancelier autrichien Kurt von Schuschnigg (1897-1977), isolé diplomatiquement, cède finalement devant la menace d'invasion. Le 12 mars, les troupes allemandes franchissent la frontière et le 13, Hitler annonce l'annexion de l'Autriche au Reich, confirmée par le plébiscite organisé le 10 avril suivant. **L. B.** **> ALLEMAGNE, AUTRICHE, NAZISME.**

ANSEA L'Association des nations du Sud-Est asiatique (ANSEA, ASEAN – Association of South East Asian Nations, siège à Jakarta, Indonésie) a été créée en 1967. Elle s'est d'abord constituée sur des bases politiques et diplomatiques, puis a mis en place, à la fin des années 1970, des droits de douane préférentiels pour certains produits. En 1991, un accord a été conclu prévoyant la mise en place d'une zone de libre-échange pour 2003. Membres à la mi-2001 : Birmanie, Brunéi, Cambodge (admis en avril 1999), Fédération de Malaisie, Indonésie, Laos, Philippines, Singapour, Thaïlande, Vietnam (depuis juillet 1995). La Papouasie-Nouvelle-Guinée avait le statut d'observateur, tandis que la Corée du Sud disposait d'un statut spécial.

ANTIFASCISME (Italie) Dans les années 1920, en dehors des communistes qui considèrent comme fasciste tout ce qui n'est pas leur parti, l'Italie est le seul pays où l'antifascisme a revêtu un sens concret. Il s'oppose à la violence du premier fascisme, à la Marche sur Rome et à l'installation de la dictature. Le combat commun et l'exil, surtout en France, rapprochent quelques catholiques et libéraux, des anarchistes, les républicains, les socialistes réformistes ou maximalistes. Groupés dans la Ligue italienne des droits de l'homme et un cartel, la Concentration antifasciste, ils veulent, non pas agir vers l'Italie, du fait d'échecs douloureux, mais alerter une Europe indifférente. Leur expérience les conduit à réévaluer la démocratie formelle et à insister sur ses bases économiques. En 1934, le danger nazi et l'émeute du 6 février en France font converger communistes et non-communistes. Si l'antifascisme camoufle les divergences, longtemps les socialistes, voire certains libertaires, condamnent les procès de Moscou ou la répression menée à Barcelone, en mai 1937, par les communistes staliniens contre des courants révolutionnaires, sans renier cependant une alliance jugée nécessaire.

Malgré l'enthousiasme pour l'Espagne républicaine et la mobilisation de 5 000 volontaires dans les Brigades internationales qui combattent dans la guerre civile, les espoirs déçus, la durée de l'exil et l'intégration au pays d'accueil usent l'antifascisme. Il forme pourtant des cadres pour l'après-fascisme, dont les présidents de la République Giuseppe Saragat (1964-1971) et Sandro Pertini (1978-1985). Un pensant antifasciste existe bien dans le pays. Il est incarné par des groupes épars et pourchassés, une opposition « dormante », réduite au cadre familial, qui se réveille en 1943 dans la Résistance.

É. V. **> FASCISMES, ITALIE.**

ANTIGUA ET BARBUDA Capitale : St. John's. Superficie : 442 km². Population : 67 000 (1999). Ancienne colonie sucrière britannique des Caraïbes, le pays, pendant la seconde moitié du siècle, aura été le fief de la famille Bird. Le patriarche, Vere Bird (1909-1998), a conduit la lutte pour l'indépendance, octroyée en 1981. Les Bird ont transformé l'économie pour faire d'Antigua et Barbuda un des premiers lieux de tourisme de la région caraïbe. Des éléments louches – trafiquants de drogue et blanchisseurs d'argent sale – ont également été séduits par la famille gouvernante. **G. C.**

ANTILLES NÉERLANDAISES Cet archipel de cinq îles éparpillées à travers les Petites Antilles se voit octroyer une large autonomie par les Pays-Bas en 1954. L'île la plus prospère, Aruba, quitte la fédération (1986). Curaçao avait trouvé son salut dès le début du siècle, comme site de raffinage du pétrole importé du Vénézuela voisin, et, dans les années 1970, comme lieu de stockage de l'or noir arabe et africain destiné au marché des États-Unis. Cette industrialisation a suscité des manifestations des partisans du « pouvoir noir » en 1969 et une instabilité politique. Ces îles (surtout Sint Maarten), dépendent désormais du tourisme, des activités bancaires *off shore* et du trafic de drogue. **G. C.**

ANTISÉMITISME Le projet, naguère illustré par Léon Poliakov, d'une histoire continue de l'antisémitisme, de Moïse à Hit-

ler (*Histoire de l'antisémitisme*, publiée à partir de 1953), est aujourd'hui moins évident. Car comme le disait Hannah Arendt : « Il faut bien se garder de confondre deux choses très différentes : l'antisémitisme, idéologie laïque du XIXᵉ siècle, mais qui n'apparaît sous ce nom qu'après 1870, et la haine du Juif, d'origine religieuse, suscitée par l'hostilité réciproque de deux fois antagonistes » (*Sur l'antisémitisme*, 1973). Si cette analyse est parfaitement correcte, il n'est cependant pas exact d'en conclure que le « racisme » antijuif a attendu la modernité pour apparaître. On n'attendit pas le déclin de l'État-nation (la clé selon H. Arendt) et Darwin pour inventer la « question juive ». Chaque grande famille de pensée issue de la Révolution de 1789 avait sa façon de la poser. Les libéraux, héritiers de Voltaire, s'impatientaient de voir ce peuple persister dans ses coutumes « barbares » et son isolement. Les premiers socialistes reprochent au contraire aux Israélites émancipés d'incarner les plus sombres aspects des temps nouveaux : « féodalités financières », règne de l'argent, individualisme marchand. Comme Balzac l'avait déjà fait à travers son *Nuncingen*, le fouriériste Alphonse Toussenel (1803-1885) lance le mythe Rotschild (*Les Juifs rois de l'époque*, 1884). Mais chez A. Toussenel, Jules Michelet (1798-1874), le jeune Marx et tant d'autres, une équivoque subsiste, puisque le Juif est attaqué non pas tant pour lui-même que comme symbole du bourgeois (« J'appelle Juif tout trafiquant d'espèces » écrit A. Toussenel). Quant aux contre-révolutionnaires, ils s'en prennent surtout aux francs-maçons, aux protestants, aux « jacobins », et, accessoirement aux Juifs. La « supériorité aryenne ». Tout va changer avec les progrès de la philologie. La théorie linguistique passionne les romantiques allemands, surtout lorsque la parenté des langues européennes avec celles de l'Inde est reconnue. Par ailleurs l'hébreu est déchu dans le même temps de sa position de langue originelle et rapproché de l'arabe et d'autres idiomes moyen-orientaux. Un obscur savant allemand, Adolphe Lassen, donne au milieu du XIXᵉ siècle une formulation définitive à cette rupture épistémologique en distinguant langues européennes (ou « japhétiques ») et langues « sémitiques » (dans le *Pentateuque*,

Japhet, Cham et Sem sont les fils de Noé). Quelques années plus tard, Ernest Renan, dans son *Histoire générale et comparée des langues sémitiques* (1855), passe de la langue à l'« esprit de la race » (le mot race conserve alors son sens vague de « lignée », « descendance »). Les sémites, ou du moins leur « esprit », sont une « combinaison inférieure de l'esprit humain »... La supériorité des aryens est réaffirmée simultanément dans un autre livre dû au « comte » Joseph de Gobineau : *De l'inégalité des races humaines* (1856). Certes J. de Gobineau n'est pas hostile aux Juifs ; de plus, il considère les Européens modernes, et singulièrement les Allemands, comme affreusement métissés... Mais c'est à travers la « réception » de Gobineau par Richard et Cosima Wagner, puis par leur disciple anglais de nationalité allemande Houston Chamberlain, que l'idée de la supériorité aryenne, étayée sur un darwinisme vulgarisé, rencontrera les préjugés qui s'étaient enracinés en Allemagne depuis la naissance du nationalisme allemand « romantique ». **Foyer allemand, foyer russe**... Depuis 1800 environ, des armées de folliculaires, de romanciers, voire de philosophes répétaient sur tous les tons que les Juifs étaient une race étrangère, qu'ils étaient « asiatiques », « orientaux », « inassimilables ». Après que R. Wagner ait dénoncé leur influence polluante sur la culture allemande (*Le Judaïsme dans la musique*, 1850), il ne restait plus qu'à appuyer tous ces préjugés sur la « science » et à passer du scientifique au politique à la première occasion. Comme H. Arendt l'a noté, l'antisémitisme politique allait devenir un des premiers « mouvements politiques de masse » caractéristique de la modernité. L'épicentre de l'antisémitisme politique moderne sera donc l'Allemagne. C'est de là que partiront des brochures comme celle de l'Allemand Wilhelm Marr, inventeur du mot « *Antisemitismus* » (1879), qui vont inonder toute l'Europe en quelques années. Mais le « foyer » russe est également capital. L'Empire tsariste, qui avait semblé un moment prendre la direction d'une modernisation autoritaire, choisit après 1881 la voie de l'antisémitisme d'État. Les conséquences de ce choix sont incalculables. D'une part, il provoquera la naissance des diverses variétés juives de nationalisme ;

d'autre part, il armera l'antisémitisme moderne, assuré désormais d'un grand arrière, de méthodes d'action (le pogrom) et de doctrines. L'antisémitisme allemand et français (Édouard Drumont, *La France juive*, 1886) avait en effet un déficit d'idées-forces. Dire que les Juifs étaient « notre malheur », dénoncer leur « conquête » ne suffisait pas à étancher ceux qui avaient besoin d'une « causalité diabolique » claire. C'est de Russie que viendra la solution, sous le double impact de l'affaire <u>Dreyfus</u> (1894-1899), dont H. Arendt pensait qu'elle était la préhistoire du <u>totalitarisme</u> et de la « solution finale », et du premier Congrès sioniste (1899). Comme l'ont montré Henri Rollin, puis Pierre-André Taguieff, les *Protocoles des Sages de Sion* (1901) sont la pierre angulaire d'un antisémitisme politique d'une simplicité et d'une clarté redoutables. Ce faux composé en 1901 par un agent de la police tsariste explique comment un mystérieux directoire de rabbins et de banquiers a décidé et planifié la domination juive mondiale. Ce « complot » diabolique est censé réunir les financiers et les révolutionnaires, Rotschild et Marx. D'où la redoutable efficacité d'un pamphlet qui réunissait l'antisémitisme « de droite » et le vieil antijudaïsme socialiste issu de Charles Fourier (1772-1837), Pierre Joseph Proudhon (1809-1865) et A. Toussenel, illustré par les <u>guesdistes</u> en France, et déjà mis à contribution par É. Drumont. **Le génocide nazi**. Depuis l'apparition de l'antisémitisme moderne, une dimension « exterminationniste » existait parmi ses promoteurs, au nombre desquels Eugène Dühring (1833-1921) ou même P. J. Proudhon. Mais on ne prêtait guère attention à ce qui apparaissait comme des intempérances verbales ne portant pas à conséquence. De même *Mein Kampf* et ses allusions homicides n'avait guère attiré l'attention. Le <u>génocide des Juifs</u> par les nazis (1941-1945) fut un passage à l'acte inouï qui eut du mal à être cru sur le moment. Était-il fatal ou résulte-t-il d'un croisement entre les circonstances du conflit mondial (Hitler se rendant compte qu'il a perdu son pari d'une guerre courte en Russie) et la nature même du projet nazi, incompatible avec une présence juive dans l'Europe future ? On en discute encore. Le génocide nazi va discréditer durablement l'antisémitisme, du moins en Occident, car la distinction entre antisémitisme de « simple » exclusion et antisémitisme d'extermination apparaît bien fragile après les chambres à gaz. Mais l'antisémitisme d'État, non avoué, subsiste jusqu'à la fin en URSS et dans d'autres pays du bloc soviétique, dissimulé sous la feuille de vigne de l'« antisionisme ». C'est encore plus vrai dans le monde arabo-musulman, où l'antisémitisme moderne avait eu peu d'impact avant que la question palestinienne ne vienne brouiller les cartes. Au tournant du siècle, si un véritable antisémitisme d'État était encore pratiqué en Iran, beaucoup de pays de ladite aire sont un véritable sanctuaire de l'antisémitisme (diffusion massive et souvent officielle des *Protocoles des Sages de Sion*, appui aux thèses négationnistes...). En Europe de l'Est, la « concurrence des victimes » ravive l'antisémitisme au nom de la souffrance des peuples ayant vécu sous le joug communiste (Hongrie, Roumanie...). Par ailleurs, le mythe de la « puissance juive » produit des effets contradictoires : recherche de relations avec l'État d'Israël, supposé bastion du judaïsme mondial, ou développement de l'antisémitisme sans Juifs (Japon). **D. Li.**

ANTONESCU Ion (1882-1946)   Maréchal roumain, Premier ministre et dictateur de 1940 à 1944. Officier de cavalerie, Ion Antonescu est chef d'état-major durant la Première Guerre mondiale, puis attaché militaire à Paris (1922-1923) et à Londres (1923-1926), chef d'État-Major général (1933), ministre de la Guerre (1937-1938). Il devient Premier ministre du roi Carol II (1930-1940) qu'il oblige à abdiquer en faveur de son fils Michel (1940-1947). Investi des pleins pouvoirs, I. Antonescu proclame la révolution nationaliste, déclare la Roumanie « État national-légionnaire » et gouverne avec la Garde de fer (Légion de l'archange Michel), organisation terroriste d'extrême droite. Il abroge la Constitution de 1938 et les corps législatifs, restructure l'armée et organise l'élimination des Juifs et des francs-maçons de la vie économique et politique par la politique de « roumanisation » qui aspire à créer une bourgeoisie « nationale ». En conflit avec la Garde de fer, qui multiplie as-

sassinats et pillages et fait régner la terreur, il l'écarte du pouvoir (23 janvier 1941) et gouverne avec des militaires et des spécialistes civils.   Sur le plan extérieur, il propose la récupération des territoires perdus en 1940 à l'est (Bessarabie, Bucovine du Nord) et à l'ouest (Transylvanie du Nord), fait adhérer la Roumanie à l'Axe (23 novembre 1940) et participe à la guerre contre l'URSS à partir du 22 juin 1941. Après la libération des territoires roumains, il continue la « croisade contre le bolchevisme » jusqu'à Stalingrad et au Caucase et organise la déportation des Juifs et des Tsiganes en Transnistrie (1941-1943). La déportation a touché environ 250 000 personnes, dont la moitié a péri sur place.   **D**estitué et arrêté à la suite du coup d'État qui donne le pouvoir au roi Michel (23 août 1944), il est livré aux Soviétiques. Jugé à Bucarest et condamné à mort dans le « procès de la trahison nationale », il est exécuté avec trois de ses ministres le 1er juin 1946.   Il sera partiellement « réhabilité » à partir de 1985-1986 par des cercles d'extrême droite en tant que « sauveur de la nation » et « combattant antisoviétique ». **M. Ca.**   **> ROUMANIE.**

ANZUS   Pacte militaire signé le 1er septembre 1951, dans le contexte de la Guerre froide et du développement du communisme en Asie, entre l'Australie, la Nouvelle-Zélande et les États-Unis. Cette alliance voit les États-Unis reprendre le rôle, jusqu'alors tenu par le Royaume-Uni, de puissance tutélaire dans le Pacifique. En tant qu'alliées, l'Australie et la Nouvelle-Zélande participent à la guerre du Vietnam. En 1984, le pacte est dans les faits désactivé à cause du refus de la Nouvelle-Zélande de voir mouiller dans ses ports des navires américains portant des armes nucléaires.

AOF   Fédération organisée à partir de 1895, l'Afrique occidentale française réunit les colonies françaises de Côte-d'Ivoire, de Guinée, du Sénégal et du Soudan (actuel Mali), sous l'autorité d'un gouverneur général résidant à Dakar. Elle est par la suite élargie au Dahomey (actuel Bénin), au Niger, à la Mauritanie, puis, en 1921, à la Haute-Volta (actuel Burkina Faso). Créée pour satisfaire les intérêts coloniaux, elle connut bien des vicissitudes (démembrement de la Haute-Volta, 1932-1947) et finit par ouvrir ses institutions à des collèges électoraux autochtones, sans pour autant mettre ces derniers à égalité avec les droits politiques dans la métropole. En 1946, l'Union française est créée avec un haut-commissaire assisté d'un Grand Conseil pour chaque fédération (AOF et AEF – Afrique équatoriale française), et un corps électoral réduit envoie des députés à l'Assemblée nationale française. Sous la pression du Rassemblement démocratique africain (RDA) et de ses sections locales, les Africains élargissent leur représentativité jusqu'à l'adoption de la loi-cadre de 1956 qui institue un collège unique. La création de la Communauté franco-africaine, deux ans plus tard, fait partie du processus aboutissant à l'indépendance des territoires en entités étatiques distinctes en 1960. **B. N.** **> EMPIRE FRANÇAIS.**

APARTHEID « Développement séparé » en langue afrikaans. Théorie d'organisation de la société fondée sur la ségrégation raciale et spatiale, qui a marqué l'Afrique du Sud au XXe siècle. La cohabitation entre les descendants des fermiers hollandais, les Boers, établis en Afrique du Sud à partir du XVIIe siècle, et leurs serviteurs noirs, pour la plupart hottentots (khoi), mais aussi javanais, donne naissance à des groupes de Métis (Métis du Cap, Gricquas, etc.) et à une langue créole, l'afrikaans, un néerlandais émaillé de mots africains, portugais et malais. Il en va différemment de la couche urbanisée, installée au Cap et sur la côte, puis des Britanniques arrivés à partir de 1820. Fuyant les Britanniques et leurs lois interdisant l'esclavage, les Boers s'enfoncent dans l'intérieur, à la recherche de terres nouvelles (« Grand Trek », 1837-1850). De cette époque date l'émergence d'un nationalisme afrikaner ombrageux, fondé sur le refus de la colonisation britannique et sur la volonté de créer un peuple aux caractéristiques culturelles et physiques homogènes. Le métissage n'épargne pas les grandes figures de la nation, comme l'ancien gouverneur Van der Stel (fin du XVIIe siècle), métis d'Indien, et le président Paul Kruger (1825-1904), dont le métissage noir remonte au XVIIe siècle. Dans la seconde moitié du XIXe siècle, le repli sur soi est accentué par la cohabitation conflictuelle, dans les mines du Transvaal, entre ouvriers métis, noirs et « petits blancs » accrochés à leurs avantages. Au tournant du XXe siècle, la défaite de ceux-ci dans la guerre des Boers et leur intégration dans une Union sud-africaine britannique (1910) consacrent la mise en place d'un échafaudage communautaire que des lois vont rendre imperméable. Le « passage » rendu obligatoire d'une communauté à une autre, à l'occasion d'une naissance révélant un « secret de famille » soigneusement occulté, a été un drame pour beaucoup d'Afrikaners (originaires néerlandais parlant l'afrikaans) qui se sont trouvés du jour au lendemain rejetés dans la communauté métisse et contraints, de ce fait, de changer de domicile, sinon de travail et de relations (100 000 cas litigieux ont été examinés entre 1950 et 1957). **L'influence du national-socialisme allemand.** Le système puise ses fondements idéologiques dans les liens tissés, entre les deux guerres, par les extrémistes afrikaners avec les colons allemands du Sud-Ouest africain (actuelle Namibie) qui avaient adhéré en masse aux idées nazies (le premier administrateur du territoire en 1885, H. E. Goering, était le père d'Hermann Goering, futur maréchal du IIIe Reich). L'administration de ce territoire, conquis pendant la Première Guerre mondiale par le gouvernement sud-africain pro-britannique de Jan Christiaan Smuts (1870-1950) malgré l'opposition d'une partie des Afrikaners, avait été confiée à titre de mandat par la Société des Nations (SDN) à l'Afrique du Sud. Le Parti national purifié, créé en 1934 par le Dr Daniel F. Malan (1874-1959) qui allait accéder au pouvoir à Pretoria en 1948 et instaurer l'apartheid, y tisse des liens étroits avec les organisations pronazies. En 1939, en Namibie, cent cinquante de leurs leaders sont internés par le probritannique J. C. Smuts. Un tiers des hommes adultes d'origine allemande (1 200 personnes) les rejoignent un an plus tard par mesure de sécurité. À son arrivée au pouvoir, le gouvernement de D. F. Malan fait voter plusieurs lois pour mettre en place l'apartheid (interdiction des relations sexuelles et des mariages mixtes, classification raciale et ethnique, contrôle de l'installation et des déplacements de la population, séparation physique imposée dans les espaces et services publics). Parallèlement à cet arsenal juridique, un effort est mené dans l'enseignement et la presse pour justifier la mainmise de la minorité blanche sur la majorité du territoire et sur ses richesses en faisant valoir que Blancs et Noirs sont arrivés à la même époque en Afrique du Sud. L'archéologie, encore peu développée, démontre toutefois l'antériorité évidente du peuplement autochtone par les Khoi-San (Hottentots et Bochimans) et d'autres populations noires. Idéologie ayant largement puisé dans le national-socialisme, l'apartheid trouve de sérieux soutiens dans des cercles de droite et d'extrême droite, en Europe et aux États-Unis. En revanche, il est politiquement combattu à gauche et dans les milieux libéraux qui organisent des campagnes de boycottage et, de plus en plus, par les cercles financiers qui y voient un blocage à l'extension du marché. **B. N.**

Le démantèlement des lois raciales. Après la libération en février 1990 de Nelson Mandela, le leader du Congrès national africain (ANC), organisation combattant depuis 1912 la discrimination raciale, l'Afrique du Sud se trouve confrontée aux difficultés de la recherche d'une sortie négociée de l'apartheid. N. Mandela et le président Frederik W. De Klerk (1936-) seront les deux personnages clés de l'ouverture politique. Comme il l'avait promis, le chef de l'État sud-africain ira jusqu'au bout du démantèlement de la législation d'apartheid. Les principaux « piliers » législatifs tombent progressivement entre mars et juin 1991 : le *Group Areas Act* (ségrégation résidentielle), le *Land Act* (répartition des terres entre Blancs et Noirs), et même le *Population Registration Act* de 1950 (classification des Sud-Africains en fonction de leur appartenance à un groupe racial). Pour cette dernière loi, cependant, des mesures transitoires sont proposées, en attendant l'élaboration d'une nouvelle Constitution. L'abolition du *Land Act*, une loi remontant à 1913 et qui interdisait à la majorité noire d'être propriétaire de plus de 13 % des terres du pays, est l'une des réformes les plus significatives. Désormais, chacun pourra donc acquérir des terres où il l'entend, quelle que soit sa

« race ». Cependant, l'enjeu passe très vite de l'abolition des discriminations raciales – un fait désormais acquis et sans doute irréversible – au terrain politique : 23 millions de Noirs n'ont toujours pas le droit de vote. Une réforme constitutionnelle est alors adoptée qui permet l'organisation des premières élections multiraciales les 26-29 juillet 1994, au terme desquelles N. Mandela est élu président. Dans les mois précédents, la réintégration à l'administration de Prétoria du Bophuthatswana, du Ciskei, du Transkei et du Venda a mis fin aux bantoustans. **P. H.** ➤ **AFRIQUE DU SUD.**

APD L'APD (aide publique au développement) s'est constituée historiquement après la Seconde Guerre mondiale. Les États-Unis financèrent la reconstruction du Japon et de l'Europe occidentale (plan Marshall) ainsi que le développement de certains pays estimés pouvoir basculer vers le bloc de l'Est. L'APD avait donc à l'origine une importante dimension géopolitique. Très rapidement, les décolonisations ont fait évoluer la nature et la gestion de l'aide orientée vers les pays en développement (PED).

APEC La Coopération économique en Asie-Pacifique (APEC, Asia Pacific Economic Cooperation, siège à Singapour) a été suscitée par l'Australie à la conférence de Canberra (Australie) de 1989. Elle est née de la prise de conscience du développement des interdépendances au sein de la zone transpacifique, mais sa mise en œuvre a été fortement stimulée par les difficultés rencontrées dans les négociations du cycle d'Uruguay du GATT (Accord général sur les tarifs douaniers et les échanges). L'APEC entend promouvoir la coopération en divers domaines, mais les efforts ont surtout porté sur la libéralisation des échanges commerciaux et des investissements ; l'APEC professait sa foi en un régionalisme ouvert, non contradictoire avec le multilatéralisme. Membres à la mi-2000 : Australie, Brunéi, Canada, Chili, Chine, Corée du Sud, États-Unis, Fédération de Malaisie, Hong Kong, Indonésie, Japon, Mexique, Nouvelle-Zélande, Papouasie-Nouvelle-Guinée, Philippines, Singapour, Taïwan, Thaïlande, ainsi que Pérou, Russie et Vietnam (adhésions en 1998).

ARABIE SAOUDITE   Royaume d'Arabie saoudite. Capitale : Riyad. Superficie : 2 149 690 km². Population : 20 899 000 (1999).   Du Koweït où son père a trouvé refuge en 1892, Abdel-Aziz ben Abdel-Rahman al-Saoud entame, en 1902, la reconquête du royaume que ses ancêtres ont déjà par deux fois conquis et perdu. Après Riyad et le Nejd, au centre du pays (1906), il s'empare du Hassa, à l'est (1913), d'une partie de l'Assir, au sud-ouest (1921), du Jabal Chammar, au nord (1923), et du Hedjaz, à l'ouest (1925). En 1932, il réunit ses conquêtes dans un État unique, le Royaume d'Arabie saoudite, auquel le traité de Taëf (1934) adjoint les trois provinces yéménites de l'Assir, Najran et Jizan. En 1945, il conclut avec le président Franklin D. Roosevelt, dont il partage l'aversion pour le communisme, un accord qui place l'Arabie saoudite dans l'orbite économique et sous la protection militaire américaine. Il meurt en 1953, laissant à son fils aîné Saoud (1902-1969) un État stable et unifié, riche des promesses de son pétrole, mais paralysé par un centralisme excessif.   Sous le règne de Saoud, l'Arabie saoudite commence à profiter de revenus pétroliers croissants. Le royaume soutient les régimes conservateurs du Yémen du Nord et d'Oman, ébranlés par des menées d'inspiration progressiste. Mais il est écarté pour incurie, en 1964, au profit de son frère Faysal. Ce dernier profite des chocs pétroliers, à partir de 1973, pour se poser en champion de l'islam sunnite dans le monde et pour contrer l'influence du panarabisme et du nationalisme nassérien.   **Rempart contre le « chiisme révolutionnaire ».** En 1979, le règne de Khaled, successeur de Faysal assassiné en 1975, est troublé par deux événements : la prise de la mosquée de La Mecque par des wahhabites fanatiques réclamant plus de rigueur religieuse (l'Arabie saoudite suit le rite islamique wahhabite), et le retour victorieux de l'ayatollah Ruhollah Khomeyni à Téhéran, qui inaugure l'ère du « chiisme révolutionnaire ». Craignant l'influence des mollahs sur sa communauté chiite (qui représente 10 % de la population), concentrée dans sa province pétrolière du Hassa, l'Arabie appuie l'Irak dans sa guerre contre l'Iran (première guerre du Golfe, 1980-1988).   En 1991, alors que la chute du prix des hydrocarbures affecte le niveau de vie de la population, le royaume connaît des troubles, suscités par la présence sur son territoire de centaines de milliers de soldats occidentaux accourus pour délivrer le Koweït envahi par l'Irak (seconde guerre du Golfe). Pour calmer les opposants, qui profitent de l'occasion pour réclamer des réformes, le roi Fahd, au pouvoir à compter de 1982, promulgue une Loi fondamentale et crée un Conseil consultatif (1992). Mais l'agitation se poursuit : des manifestations ont lieu à Bourayda (1994) et des attentats anti-américains secouent Riyad et Khobar (1995 et 1996).   Fin 1995, le roi Fahd est frappé par une embolie cérébrale. Le prince héritier Abdallah exerce la régence, mais l'opposition de ses demi-frères du clan Sudayri l'empêche d'accéder au trône et d'assumer la totalité du pouvoir. Il s'efforce malgré tout d'impulser les réformes d'inspiration libérale dont le royaume, premier producteur mondial de pétrole et pivot de l'OPEP (Organisation des pays exportateurs de pétrole), ne peut faire l'économie pour être admis dans l'OMC (Organisation mondiale du commerce). **I. L.**

ARABISME   Le concept de « nation arabe » apparaît à la fin du XIXᵉ siècle comme une conséquence de l'élan modernisateur qui ébranle l'Empire ottoman. Du fait de l'appartenance des Arabes à l'Empire ottoman, alors incarnation de la nation islamique, le point de départ du nationalisme n'est pas la revendication d'un État, mais l'affirmation d'un particularisme culturel. La renaissance littéraire donne consistance à la notion d'« arabité ». À cette préhistoire du nationalisme participe al-Kawakibi (1849-1902) qui propose le transfert du Califat des Turcs aux Arabes.   **Du culturalisme à l'arabisme.** Dans *Le Réveil de la nation arabe dans l'Asie turque* (1905), Najib Azouri préconise la formation, plus la péninsule Arabique et le Croissant fertile, d'un royaume arabe indépendant et séculier lié à l'Occident et d'un califat musulman, l'équivalent d'une papauté en somme. Ce projet rencontre deux obstacles : la vivacité du sentiment de solidarité islamique et l'espoir des nationalistes arabes de réaliser, en commun avec les Jeunes-Turcs, l'autonomie administrative et culturelle des peuples de l'Empire. La montée du « turquisme » et l'échec de l'« ottomanisme » poussent les nationalistes arabes à la sécession. **C**ependant, contrairement aux Jeunes-Turcs portés par une base sociale cohérente – le milieu bureaucratico-militaire –, ils évoluent dans un monde marqué par la diversité, notamment religieuse. D'autres facteurs pèseront sur leurs mouvements : la formation d'États territoriaux par les puissances coloniales, le développement du sionisme et le problème de la cohabitation entre Juifs et Arabes en Palestine, le triomphe du wahhabisme en Arabie et, plus tard, la compétition des États-Unis et de l'Union soviétique pour la prépondérance au Moyen-Orient, réservoir de pétrole et zone stratégique. Ces événements donneront au nationalisme arabe une tournure plus anti-occidentale qu'anti-impérialiste, exacerbant son jacobinisme et hypothéquant son option séculaire. **S**ati al-Husri (1880-1969), l'idéologue le plus éminent du panarabisme avec Constantin Zurayq et Edmond Rabbath, ne diffère guère de son homologue turc Nemik Kemal. Il attribue la désintégration de l'Empire à la diversité des langues et aux rivalités des nations qui le composaient, puisant son inspiration chez Johann Fichte (1762-1814) et Johann Herder (1744-1803). **Une nation définie par la langue et l'histoire.** S. al-Husri exclut la religion des facteurs constitutifs de la nation, ne retenant de l'Islam que les aspects culturels. Il fonde la nation sur le critère d'identification linguistique. Est donc arabe quiconque parle arabe, quelles qu'en soient l'ethnie ou la confession. Confronté à la réalité d'États territoriaux, S. al-Husri distingue la « patrie générale », la nation arabe à laquelle doit aller l'allégeance première, de la « patrie spéciale », la région. Les États ne constituent donc pas des nations, contrairement à ce qu'affirment Lufti al-Sayyid et Taha Hussein (1889-1973) pour l'Égypte, mais des pouvoirs, qui assument provisoirement la souveraineté dans l'attente de l'unité. S. al-Husri rêve de l'avènement d'un Bismarck arabe et voit dès 1940 en l'Égypte le « leader naturel de la patrie arabe », le pays qui doit réaliser « l'unité arabe comme

la Prusse le fit pour l'Allemagne et le Piémont pour l'unité italienne ». **P**endant des décennies, la question nationale arabe a hanté la conscience collective sans trouver de solution. La révolte arabe (1916-1918), suscitée et soutenue par l'Angleterre, n'a pas tenu ses promesses. La Ligue des États arabes (créée en 1945), lieu de débats et de négociations plus qu'instance supranationale, n'a pu faire avancer le rêve unitaire, brisé, dit l'un des mythes fondateurs du nationalisme arabe, par les accords Sykes-Picot (1916). **Baassisme, nassérisme…** Au cours de la période récente, trois pôles d'attraction formés d'éléments socialement apparentés (enseignants, étudiants, employés et officiers de l'armée) allaient se disputer l'hégémonie du mouvement national arabe. Le Baas, fondé en 1943 en Syrie et influencé par la pensée de S. al-Husri, incarnait les élites nouvelles désireuses de se substituer aux anciennes classes compromises avec les impérialismes. Second à entrer en lice, le Mouvement des nationalistes arabes, créé par les étudiants de l'université américaine de Beyrouth, visait à encadrer les réfugiés palestiniens chassés de leurs terres en vue de venger la défaite humiliante de 1948 face à Israël. Dernier venu, le nassérisme, rassemblement autour de l'Égypte et de son chef, Gamal Abdel Nasser, de tous ceux qui après la conférence de Bandung (1955) et la crise de Suez (1956) voulaient en finir avec la domination étrangère et se frayer une troisième voie entre capitalisme et socialisme. **J**usqu'en 1967, date de la défaite contre Israël, cette constellation de forces divisée sur les voies et moyens de réaliser l'unité, sur les rapports devant être instaurés entre l'État et les organisations politiques et sur la place respective que devaient occuper les civils et les militaires, reconnaît en Nasser le leader de l'arabisme. En 1958, l'unité entre la Syrie et l'Égypte au sein de la République arabe unie (RAU) marque un apogée. La rupture qui intervient trois ans plus tard met en lumière les limites d'une conception romantique de la nation qui ne tient aucun compte des données matérielles de l'évolution et sacrifie les libertés individuelles à l'omnipotence de l'État. Les changements intervenus en 1962 au Yémen (création de la république) et en Algérie (indépendance), puis en 1967 au Sud-Yémen (instauration de la république) et en 1969 en Libye (abolition de la monarchie et prise du pouvoir par Mouammar Kadhafi) orientent le nationalisme arabe contre les souverains et les régimes conservateurs liés à l'Occident. C'est dans ce contexte que resurgissent, contre le nationalisme arabe, les communautarismes. Les tentatives faites par les Palestiniens pour refonder l'unité sur de nouvelles bases, après la défaite de 1967 face à Israël suivie de la disparition de Nasser (1970), apparaissent, malgré les drames qu'elles ont suscités (« septembre noir » en Jordanie en 1971, guerre civile au Liban à partir de 1975, etc.), comme les batailles pour arracher le nationalisme palestinien à ses tuteurs arabes et fonder à leur tour un État territorial.   Depuis le début du XIXᵉ siècle, les nationalistes arabes ont été les agents actifs de la modernisation. Cependant, ils concevaient leurs projets d'une manière volontariste et jacobine, sans jamais prendre en considération la question démocratique, les droits des minorités linguistiques, ethniques ou religieuses (Berbères en Afrique du Nord, Kurdes au Moyen-Orient, Négro-Africains au Soudan ou en Mauritanie, chiites en Arabie saoudite) ni la réalité plurielle de sociétés arabes soumises à des « règles du jeu » définies à l'extérieur. C'est que la nation n'était pas un donné, contrairement à ce qu'ils croyaient, mais une communauté à construire.   **Surenchère pour s'approprier le rêve unitaire.** Le passé colonial, avec ses hypothèques spécifiques, et l'implantation d'un foyer juif en Palestine expliquent en partie les impasses du nationalisme arabe. Toutefois, l'obstacle essentiel à la réalisation du mythe national reste le cadre réel, dans lequel s'organisent la vie matérielle et les intérêts, qui est celui de vingt et un États plus liés économiquement à l'Occident qu'entre eux.   En effet, alors que le discours et les thèmes de mobilisation prennent le cadre arabe comme référence, les stratégies s'esquissent à l'intérieur des États existants. À mesure que les nationalismes d'État se renforcent, les tendances à l'expansion ou à l'hégémonie régionale se développent chez les plus forts et se juxtaposent à un anti-impérialisme très populaire. La tentative d'annexion du Koweït par l'Irak

en 1990 et ses suites l'ont montré. Dans ces conditions, le rêve unitaire a pour fonction de suppléer au déficit de légitimité des États et à la fragmentation du corps social, et d'alimenter les conflits sur les tracés des frontières. Il s'ensuit une surenchère permanente pour l'appropriation de l'idéal panarabe. **M. Ha.**

ARAFAT Yasser (1929-)   **Homme** politique et combattant palestinien. Yasser Arafat (dit « Abou Amar ») est né au Caire d'un père commerçant de Gaza et d'une mère issue d'une grande famille de Jérusalem. Étudiant, il milite aux côtés des Frères musulmans (islamistes égyptiens). En 1957, il s'installe au Koweït et fonde, deux ans plus tard, un mouvement de libération nationale, le Fatah, qui revendique une première attaque contre Israël le 1ᵉʳ janvier 1965. Après la guerre de 1967, Y. Arafat tente en vain de mener une lutte clandestine en Cisjordanie occupée. Replié en Jordanie, il parvient à repousser une colonne blindée israélienne à Karameh, le 21 mars 1968. Fort de sa victoire, il est élu à la présidence d'une l'OLP rénovée, en février 1969. En septembre 1970, le roi Hussein de Jordanie (1935-1999) écrase la résistance palestinienne qui menace son trône. À l'issue des combats, qui font plusieurs milliers de morts, Y. Arafat et ses troupes se réfugient au Liban. Il approuve, sans y prendre part, les attentats perpétrés par ses compagnons et revendiqués par l'organisation Septembre noir en souvenir des massacres commis en Jordanie en septembre 1970.   Entraîné dans la guerre civile libanaise qui éclate le 13 avril 1975, il prend la tête du camp dit « progressiste » après le meurtre de son leader Kamal Joumblatt (1917-1977). Assiégé par l'armée israélienne, il quitte Beyrouth en 1982. Exilé à Tunis, il ne voit pas venir l'*intifada* (révolte des pierres) dans les Territoires occupés qui débute fin 1987, mais s'empresse de la canaliser et d'en recueillir les dividendes. En 1988, il fait approuver par l'OLP le principe de deux États, l'un juif, l'autre arabe, sur la Terre sainte et entame un dialogue avec les États-Unis. L'appui qu'il apporte à Saddam Hussein, pendant la guerre du Golfe de 1991, lui fait perdre une partie de ses gains diplomatiques, ainsi que l'aide financière des pays du Golfe. Les négociations secrètes qui aboutissent aux accords d'Oslo avec Israël (1993) lui permettent de mettre en place un pouvoir autonome sur une fraction de la Palestine, première étape vers l'indépendance. Mais au terme de six accords intérimaires, il ne dirigeait, en qualité de président (à partir de 1996), qu'un embryon d'État et un territoire morcelé. **C. B.** **> QUESTION PALESTINIENNE.**

ARAL (mer d') La fin du XXᵉ siècle a vu disparaître la mer d'Aral (située entre le Kazakhstan et l'Ouzbékistan) qui constituait jusqu'en 1960 le quatrième lac de la planète. Mais il ne s'est pas agi d'un phénomène géologique comme ceux qui ont affecté par le passé le lac Salé en Amérique du Nord ou la mer Morte au Proche-Orient. La mer d'Aral a été délibérément sacrifiée à une politique d'irrigation démesurée mise en œuvre par les autorités communistes de l'URSS et qui visait à consacrer en Asie centrale sept millions d'hectares à la monoculture extensive du coton. Au nom de l'« or blanc » qui devait apporter la prospérité aux populations musulmanes des cinq républiques soviétiques de l'Asie centrale (Kazakhstan, Turkménistan, Ouzbékistan, Tadjikistan, Kirghizstan), on a entrepris en 1960 de ponctionner le débit des fleuves Amou-Daria et Syr-Daria qui prennent leur source dans les massifs himalayens du Pamir et du Tian Chan et se jettent dans la mer d'Aral après un cours de plus de 1 000 kilomètres. L'ampleur des prélèvements fut telle que, dès les années 1980, plus aucune quantité d'eau ne parvenait à la mer. Celle-ci a commencé à se rétracter, découvrant sur des dizaines de milliers d'hectares un désert de type nouveau fait d'une croûte de sel que les vents soulèvent et dispersent dans la région. L'eau résiduelle de la mer, comme celle du cours inférieur des fleuves, a vu sa teneur en sels augmenter et s'est chargée en résidus chimiques et bactériologiques dus notamment à l'utilisation abusive d'engrais, de pesticides et de défoliants. Devenu le quatrième producteur mondial et le deuxième exportateur de coton, l'Ouzbékistan était la vitrine des succès de l'agriculture soviétique, un phare socialiste pour le tiers monde, au prix de la disparition de l'indus-

trie de la pêche, d'atteintes irréversibles à la biodiversité, de terres impropres à la culture et à l'élevage, de l'empoisonnement de la chaîne alimentaire, de la raréfaction de l'accès à l'eau potable et, au bout du compte, de la santé puis de la survie de cinq millions de sinistrés kazakhs, ouzbeks, turkmènes et karakalpaks, anciens riverains de la mer et des deltas, qui figuraient déjà parmi les habitants les plus pauvres de l'URSS. Parallèlement, la « fièvre du coton » s'était accompagnée dans l'ensemble de la région d'un cortège classique de corruption des élites, de réactivation de litiges portant sur la délimitation de territoires ou le partage de l'eau, du travail des enfants. L'accession à l'indépendance des républiques soviétiques d'Asie centrale à la faveur de l'effondrement de l'URSS en 1991 a suscité des espoirs vite déçus. Les programmes d'assistance mis en œuvre par des organisations internationales (Programme des Nations unies pour l'environnement – PNUE –, Banque mondiale) se sont révélés de peu d'effet. Des organisations non gouvernementales humanitaires ont tenté de combattre la propagation de la tuberculose, des maladies du système digestif et la généralisation de l'anémie dont étaient frappées 90 % des femmes. Leur présence sur place a notamment permis d'alerter l'opinion mondiale en faveur d'une solidarité avec les victimes de la catastrophe de la mer d'Aral, victimes dont les droits humains fondamentaux n'étaient toujours pas assurés à la fin du XXᵉ siècle. **M.-H. M.**

ARENDT Hannah (1906-1975) Théoricienne de philosophie politique. Née dans une famille juive d'Allemagne, Hannah Arendt reçoit une formation dans la tradition phénoménologique, notamment auprès de Martin Heidegger (1889-1976) avec qui elle sera intimement liée, et de Karl Jaspers (1883-1969). Elle fuit le nazisme en 1933 pour la France, puis s'installe en 1941 aux États-Unis où elle devient une figure de la gauche intellectuelle. Son ouvrage capital, *Les Origines du totalitarisme* (1951), comprend trois parties, publiées séparément en France : *L'Impérialisme, L'Antisémitisme, Le Système totalitaire.* Selon elle, le nazisme ne fut pas un accident, mais s'explique notamment par la transformation des classes en masses atomisées qui permet le succès de l'entreprise de domination totale. Cependant, le <u>totalitarisme</u> n'est pas un phénomène imposé aux hommes d'en haut et auquel ils ne peuvent pas résister. Dans sa conception, le « totalitarisme » s'applique à l'URSS de <u>Staline</u> et à l'Allemagne de <u>Hitler</u>, mais ni à la Russie de <u>Lénine</u> ni à la Chine des années 1960. Son œuvre dans son ensemble pourrait être qualifiée de réflexion sur *La Condition de l'homme moderne*, selon le titre d'un de ses livres : la politique est la sphère où l'homme peut donner un sens à son action dans la réciprocité avec d'autres hommes, mais elle se révèle de plus en plus difficile à mettre en œuvre. **D. C.**

ARGENTINE République argentine. Capitale : Buenos Aires. Superficie : 2 776 889 km². Population : 36 577 000 (1999). **L'**Argentine acquiert sa structure fédérale au tournant des années 1880, grâce au général Julio Argentino Roca (1843-1914), le vainqueur de la « conquête du désert » sur les indigènes qui doubla la surface agricole du pays. L'afflux d'immigrants européens dès les années 1870 permet le développement des infrastructures et de l'industrie locale. L'Union civique radicale (UCR), premier parti de l'Argentine moderne, naît à la suite de la crise économique des années 1890. En 1912, la loi Sáenz Peña établit le suffrage masculin, secret et obligatoire. **Modernisation économique et sociale.** En 1916, le radical Hipólito Irigoyen (1852-1933) est ainsi le premier président élu par les citoyens, et non coopté au sein de l'oligarchie. Il récupère à son profit le clientélisme traditionnel et fait de l'UCR la force électorale dominante. Il étend le droit du travail avec le concours des syndicats modérés, soutient les fermiers contre les grands propriétaires et modernise le système universitaire. Très largement réélu en 1928 malgré l'hostilité des classes dominantes, sa position est rendue plus fragile par la <u>crise de 1929</u>, car l'économie agro-exportatrice (viande, céréales) dépend des prêts américains et du marché britannique. En septembre 1930, un coup d'État militaire le renverse. **La** « décade infâme » (1930-1943) voit une restauration conservatrice

s'appuyant sur l'armée. Sous la présidence du général Agustín P. Justo (1876-1943, modéré) le pacte Roca-Runciman de 1933 garantit à l'Argentine ses parts de marché au Royaume-Uni. La Seconde Guerre mondiale divise les groupes de pouvoir, et le conservateur Ramón Castillo (1873-1944) est renversé en juin 1943 par ceux qu'inquiète le réarmement, par les États-Unis, du Brésil, rival traditionnel de l'Argentine. **La décennie** « **Perón** ». Le colonel Juan Domingo <u>Perón</u>, leader du Groupe des officiers unis à l'origine du coup d'État, construit, à partir de son poste aux affaires sociales, une relation étroite avec les syndicats et devient en 1945 ministre de la Guerre puis vice-président. Il accorde l'autonomie aux universités et légalise les partis. Malgré ses penchants <u>fascistes</u>, il déclare la guerre à l'Allemagne, afin de faciliter l'entrée de l'Argentine aux Nations unies. **La** libéralisation politique renforce l'agitation sociale en septembre 1945. Écarté par la Marine, J. D. Perón revient au pouvoir le 17 octobre à la faveur d'une grève générale, qui mobilise les nouvelles masses urbaines. Élu président en 1946, il institue une relation directe avec les syndicats qui deviennent le pilier central du système politique et forment le Parti justicialiste en 1948. Le péronisme est une forme de <u>populisme</u>. Son épouse María Eva Duarte (1919-1952) dite Evita, madone des « sans chemises », a la haute main sur la politique de redistribution, grâce à la prospérité due aux créances accumulées sur l'Europe grâce aux exportations réalisées pendant la Seconde Guerre mondiale puis la guerre de Corée. **Réélu** en 1951, J. D. Perón doit gouverner dans des circonstances économiques moins favorables. Le décès d'Evita en 1952 affaiblit le lien avec les secteurs populaires et l'hostilité des conservateurs s'ajoute à celle de l'Église et des étudiants. En septembre 1955, les militaires réussissent leur deuxième tentative de coup d'État. J. D. Perón part en exil et le péronisme est proscrit. **Instabilité politique et développement de la violence.** Pendant dix ans, les gouvernements se succèdent au gré des interventions militaires. La division politique des forces armées, ouverte à partir de 1962, et l'incapacité à réduire la puissance électorale péroniste aboutissent à la « révolution argentine » de juin 1966. Juan Carlos Onganía (1914-1995), commandant en chef de l'armée de terre, instaure un régime à la fois militaire et technocratique. **L'**échec de la stabilisation de l'économie alimente les grèves ouvrières et étudiantes, notamment en 1969 à Córdoba, la deuxième ville du pays. Parallèlement, les groupes péronistes révolutionnaires – Armée révolutionnaire du peuple (ERP, trotskiste à son origine) et Montoneros (« péroniste de gauche », marxistes et nationalistes) – entrent en action. J. C. Onganía est remplacé en juin 1970, et le général Alejandro Lanusse (1918-1996) promet des élections pour 1973. **D**epuis son exil, J. D. Perón ne cesse d'encourager l'ensemble des groupes péronistes et cherche une entente avec l'UCR. Proscrit, il fait élire en mars 1973 le modéré Héctor Cámpora (1909-1980). En juin, son retour officiel d'exil est marqué par une bataille rangée entre factions péronistes. H. Cámpora démissionne et J. D. Perón est réélu en septembre 1973. La violence entre péronistes et le terrorisme urbain accentuent les difficultés dues au choc pétrolier. À la mort de J. D. Perón en juillet 1974, sa veuve Isabel (1931-) lui succède à la Présidence et le chaos empire. Le 24 mars 1976, les militaires, déjà engagés dans la « sale guerre » contre les guérillas révolutionnaires, la déposent. **Sept années de répression dictatoriale.** Le « processus de réorganisation nationale » (auto-appellation de la dictature militaire) bannit toute activité politique et prend le contrôle des syndicats et des pouvoirs locaux, persécutant férocement les militants de gauche. La violence de la répression conduit à l'apparition des <u>mères de la place de Mai</u>, seules en 1977 à protester publiquement contre les « <u>disparitions</u> » de personnes arrêtées. Les élites traditionnelles tentent une politique néo-libérale, mais la surévaluation du peso empêche toute reprise et gonfle considérablement l'endettement extérieur. **L**e successeur du général Jorge Videla (1925-), premier président du régime militaire, est rapidement écarté par le général Leopoldo Galtieri (1926-) en décembre 1981. Face à la mobilisation sociale, celui-ci tente de conforter son pouvoir par la prise des <u>Malouines</u> (Falkland) le 2 avril

1982, mais l'Argentine est vaincue le 14 juin par la *Task Force* britannique. Le général Reynaldo Bignone (1928-), dernier président militaire, rétablit les partis en vue des élections du 30 octobre 1983. **De Raúl Alfonsín à Carlos Menem.** La victoire de Raúl Alfonsín (1926-), de l'aile progressiste de l'UCR, interrompt plusieurs décennies de domination électorale péroniste. Dès sa prise de fonctions, il annule l'amnistie décrétée par les militaires. En 1985, neuf hauts responsables de la dictature sont ainsi condamnés, dont le général J. Videla et l'amiral Emilio Massera, à perpétuité ; le général Eduardo Viola (17 ans) et l'amiral Armando Lambruschini (8 ans). L. Galtieri est acquitté. Les commandants en chef condamnés seront gráciés en 1989 et 1990. Cependant, une série de soulèvements militaires ont pour conséquence l'adoption des lois de « point final » et d'« obéissance aux ordres » visant à faire cesser les procès. Les plans d'austérité accompagnés de dévaluation ne parviennent pas à réduire l'inflation ni à contenir la dette, et les syndicats péronistes mènent, quant à eux, la vie dure au gouvernement. **L**e néo-péroniste Carlos Saúl Menem (1930-), élu en mai 1989, est intronisé par anticipation le 9 juillet 1989, après la démission de R. Alfonsín pour calmer les tensions sociales dues à l'effondrement économique. Il gracie les militaires condamnés, s'entoure de représentants des grandes entreprises et rétablit les relations diplomatiques avec le Royaume-Uni. D'importantes réformes structurelles sont entreprises à partir de 1991 par Domingo Cavallo (1946-), ministre des Finances. Celui-ci lie notamment l'émission monétaire au volume des réserves en devises et lance un vaste programme de privatisation des services publics. Il entérine ainsi l'abandon de la tradition dirigiste qui avait permis à l'État, depuis la Seconde Guerre mondiale, d'orienter le développement du pays, notamment par l'intermédiaire des entreprises publiques. En 1991, l'Argentine, définitivement réconciliée avec le Brésil depuis 1985, lance avec celui-ci le <u>Mercosur</u> (Marché commun du sud de l'Amérique), auquel s'agrègent le Paraguay et l'Uruguay. **A**yant obtenu la rééligibilité du président par une réforme constitutionnelle en 1994, C. Menem est reconduit en mai 1995 face à une opposition affaiblie et en dépit de la crise financière due à la dévaluation du peso mexicain fin 1994. En 1996, il congédie D. Cavallo, père de la « convertibilité ». **L**e radical Fernando de la Rúa (1937-), candidat de l'Alliance pour le travail, la justice et l'éducation, qui regroupe la vénérable UCR et l'opposition de gauche, est élu président en octobre 1999. L'Argentine sort de la décennie « ménémiste » plus proche que jamais du Brésil et des États-Unis, mais aussi plus dépendante des flux de capitaux et des marchés mondiaux. Les syndicats et les militaires sont profondément affaiblis. En 2000-2001, de drastiques plans d'austérité ne peuvent juguler une très violente crise économique et financière. Le pays est au bord de la faillite. Des émeutes éclatent qui conduisent le chef de l'État à la démission et à la proclamation de l'état de siège. **S. J.**

ARMÉE ROUGE **L**a création de l'Armée rouge, à la fin de l'hiver 1918, répond à un besoin urgent : doter la Russie soviétique d'une capacité de défense à même d'endiguer une offensive des troupes allemandes et austro-hongroises. Elle s'inscrit également dans la logique d'un régime en train d'imposer son empreinte à la Russie en prenant le contrôle des structures issues de la révolution, soviets, Garde rouge ou mouvement des partisans. Lorsque Léon Trotski prend la tête du commissariat aux Affaires militaires, le 14 mars 1918, il s'attelle à la construction d'une armée qui sera bientôt confrontée à la guerre civile, avant de devenir un instrument de la reconstitution de l'empire. Trotski la professionnalise, faisant appel à de nombreux officiers de l'armée impériale. L'industrialisation permet la constitution d'un puissant complexe militaro-industriel et une modernisation rapide de l'Armée rouge. Cette dernière occupe bientôt une place centrale dans la société soviétique. Mais les purges staliniennes déciment son commandement (1938). Devenue Armée soviétique pendant la Seconde Guerre mondiale, afin de marquer le caractère patriotique du conflit, elle retrouve ensuite sa place tout en restant sous le contrôle étroit du pouvoir. La disparition de l'URSS en 1991 met fin à l'existence de l'Armée soviétique,

laquelle laisse la place à des armées nationales. **C. U.** **> RUSSIE ET URSS.**

ARMÉNIE **R**épublique d'Arménie. Capitale : Erevan. Superficie : 29 800 000 km². Population : 3 525 000 (1999). L'expansion de l'Empire russe au Caucase et dans les Balkans, à partir de la fin du XVIIIᵉ siècle, constitue un tournant de l'histoire des Arméniens, sans État depuis la fin du XIVᵉ siècle, et alors partagés entre l'Empire ottoman et la Perse. Les chassés-croisés de réfugiés qu'elle provoque – chrétiens vers l'Empire russe, musulmans vers la Perse et surtout l'Empire ottoman modifie, au détriment des chrétiens, l'équilibre démographique en Anatolie orientale où vivait l'essentiel de la population arménienne. D'abord hostile aux mouvements de populations, le pouvoir ottoman y verra bientôt un moyen d'islamiser et de turquifier des territoires que le rétrécissement de l'empire rend de plus en plus stratégiques. **Massacres et déportations.** En 1894-1896, les premiers massacres à grande échelle ordonnés par le sultan Abdulhamid II (1876-1909) sont destinés à éviter que ne se renouvelle le scénario de l'indépendance bulgare (1878), avec l'intervention des grandes puissances européennes et surtout de la Russie. En 1915, lorsque le sort des armes laisse entrevoir la défaite et le démembrement de l'empire, la dictature nationaliste jeune-turque ordonne une déportation et une extermination systématiques qui achèvent de vider l'Anatolie de sa population arménienne, jugée suspecte. Le génocide des Arméniens aura fait entre 1 et 1,5 million de victimes sur les 2,1 millions que comptait l'Empire ottoman en 1914. **D**ésormais, le centre de gravité de l'Arménie se situe définitivement à l'Est de l'Araxe, au Caucase, annexé par la Russie en 1828-1829. Là, tout au long du XIXᵉ siècle, la politique impériale s'est manifestée par des découpages successifs, visant à éviter la constitution d'entités homogènes pouvant nourrir des tentations séparatistes ou autonomistes. **L**orsque les défaites et la révolution russe provoquent la balkanisation de l'empire tsariste, l'Arménie orientale accède à une éphémère indépendance (28 mai 1918-2 décembre 1920). Les difficultés de toutes sortes (guerres frontalières avec les voisins, blocus, famine, épidémies), le désengagement de l'Entente, l'alliance de la Turquie kémaliste et de la Russie soviétique prenant le pays en tenailles aboutissent à la soviétisation (décembre 1920). Les Arméniens s'y résignent comme à un moindre mal (« mieux vaut les Russes que les Turcs ») après une ultime tentative d'insurrection contre les bolcheviks (18 février 1921). **Ultime foyer national.** Dès lors, l'histoire de la République socialiste soviétique (RSS) d'Arménie se démarque peu de celle de l'URSS. Sa spécificité réside dans une question nationale non résolue, dont témoignent les mutilations territoriales et l'existence d'une diaspora. La dispersion actuelle est en effet la conséquence directe du génocide et du règlement de la Première Guerre mondiale. L'incapacité des Alliés à faire appliquer les clauses du traité de Sèvres (10 août 1920) – consacrant le démembrement de l'Empire ottoman par la création d'entités indépendantes en Asie Mineure –, l'évacuation du foyer arménien de Cilicie par les Français (1921) et le traité de Lausanne (1923) reconnaissant la nouvelle République turque de Mustafa Kemal, qui chasse les derniers rescapés, transformeront en effet les survivants en « apatrides ». **En** trois générations, les orphelins et les paysans déracinés d'Anatolie et leurs descendants se sont intégrés dans les sociétés d'accueil d'une diaspora émiettée sur les cinq continents, tout en cherchant à conserver leur identité et en entretenant l'idée du retour. Celle-ci s'est d'ailleurs concrétisée par diverses campagnes de « rapatriement » en Arménie soviétique, dont la plus importante a été celle de 1946-1948 (plus de 100 000 « retours »). La déception a été à la mesure de la nostalgie et des promesses non tenues de la propagande. Répression, discrimination, difficultés matérielles ont poussé à l'émigration une grande partie des « rapatriés », dès 1956. **A**près 1945, la mise en place des démocraties populaires dans les Balkans, ainsi que les révolutions et la déstabilisation des États du Proche et du Moyen-Orient où s'étaient regroupés les réfugiés, à la périphérie immédiate de l'ancien Empire ottoman, ont déclenché de nouvelles migrations, vers l'Occident. Parallèlement à cet éclatement de la société

arménienne dans l'espace (moins de la moitié des Arméniens vivent sur leur territoire), on constate, tout au long de la période soviétique, une concentration dans l'ultime foyer national. L'Arménie détient le record d'homogénéité ethnique de l'ex-URSS (94 % de nationaux au recensement de 1989), y compris dans sa capitale Erevan. **De la crise du Haut-Karabakh à l'indépendance.** Cette homogénéité a été encore renforcée par les nouveaux chassés-croisés de réfugiés arméniens et azéris provoqués par la crise du Haut-Karabakh (« Karabagh » en arménien) à partir de 1988. Dans le contexte de la perestroïka, les autorités du Haut-Karabakh voisin, territoire peuplé à 80 % d'Arméniens, mais administrativement attribué à l'Azerbaïdjan sous Staline, votent en février 1988 en faveur du rattachement à l'Arménie. Un pogrom anti-arménien s'ensuit à Soumgaït (près de Bakou, en Azerbaïdjan), ainsi que des heurts sanglants avec les Azéris et de gigantesques manifestations contre le pouvoir soviétique. Malgré le séisme de décembre 1988 à Spitak et Leninakan (actuelle Gumri), qui a fait officiellement 25 000 morts, la question du Haut-Karabakh continue de catalyser les revendications nationales et démocratiques. L'indépendance est plebiscitée lors du référendum du 21 septembre 1991 et Levon Ter Petrossian (1945-), l'un des leaders du Comité Karabakh est élu président au suffrage universel. **La** Constitution de 1995, inspirée de la Constitution française de 1958, instaure un régime présidentiel fort qui facilite un exercice autoritaire du pouvoir, tandis que le redressement économique tarde, sur fond d'inégalités sociales croissantes et de dérives mafieuses, en dépit de l'aide extérieure et de diverses réformes comme la privatisation des terres et des entreprises. Le blocus imposé par l'Azerbaïdjan et la Turquie du fait du conflit du Haut-Karabakh a conduit notamment à une importante crise énergétique dans ce pays enclavé. Le conflit a aussi permis à la Russie de se rendre indispensable (traité militaire de coopération et d'assistance mutuelle le 29 août 1997). L'Arménie, qui a adhéré à la CEI (Communauté d'États indépendants) dès décembre 1991 et au traité de sécurité collective de Tachkent en mai 1992, a néanmoins tenté de développer ses liens avec les États-Unis et l'Europe (adhésion au Conseil de l'Europe en juin 2000). L'assassinat en plein Parlement du Premier ministre et du président de l'Assemblée, le 27 octobre 1999, a illustré les risques d'instabilité politique. **C. M.**

ARUBA La plus riche des six îles qui composaient la fédération des Antilles néerlandaises, Aruba, s'en est séparée en 1986 tout en restant sous l'autorité nominale des Pays-Bas. Sa grande raffinerie de pétrole, de 1920 à 1955, a attiré des milliers d'ouvriers de la région. Nombre de futurs dirigeants politiques des îles anglophones de la Caraïbe s'y sont formés par le syndicalisme. Par la suite, Aruba s'est mise à vivre plutôt du tourisme. **G. C.**

ASSAD Hafez al- (1930-2000) Homme politique syrien, président de la République arabe de Syrie de 1971 à 2000. Né à Qardaha, issu de la communauté alaouite, Hafez al-Assad, stratège redoutable, s'impose au cours de sa longue dictature comme l'un des acteurs majeurs d'un Proche-Orient déchiré. Il rejoint à seize ans le parti Baas, socialiste et panarabe (au pouvoir à partir de 1963), et intègre l'armée en 1952. Il se hisse au pouvoir par un coup d'État le 12 novembre 1970 contre le président Noureddine al-Atassi (1966-1970) et le chef du Baas, Salah Jedid (1926-1993). Plébiscité président en mars 1971, il met en place un régime autoritaire, appuyé sur l'armée et les services secrets, que la tentative de coup d'État de son frère Rifaat, en 1983, ne parvient pas à fragiliser. Le « mouvement de rectification » qu'il promeut s'illustre dans la lutte contre toutes les oppositions et culmine avec la répression sanglante des Frères musulmans en 1982. Se voulant le champion de la cause arabe, la lutte contre Israël domine les choix stratégiques du « caïd ». Si la guerre israélo-arabe de 1973, destinée à laver la défaite de 1967, est un semi-échec, elle le propulse sur la scène internationale. La guerre civile au Liban (1975-1991), où la Syrie s'engage dès 1976, lui permet d'étendre son hégémonie sur le pays des Cèdres grâce au « traité de fraternité et de coopération » (1991). Confrontée à une situation économique dégradée et à

la fin du soutien de l'URSS, la recherche de la « parité stratégique » (militaire) avec Israël se transforme, après avoir soutenu les Alliés dans la seconde guerre du Golfe (1991), en un objectif « stratégique » de paix. Après la conférence de Madrid pour la paix de 1991, H. al-Assad est resté intraitable sur le principe de solidarité de tous les Arabes engagés dans les négociations avec l'État hébreu. Jusqu'à la fin de sa vie, alors qu'il préparait son fils Bachar à lui succéder, il n'a eu de cesse de faire du retour du Golan, occupé (1967) puis annexé (1981) par Israël, la condition première à toute négociation. **L. V.** ➤ SYRIE.

ASSAM Aux confins de l'Himalaya oriental, l'Assam (78 523 km², 22 millions hab.), après l'indépendance de l'Inde (1947), perd peu à peu ses marges tribales montagnardes, qui gagnent leur autonomie, parfois par la violence. L'afflux de migrants du Pakistan oriental (actuel Bangladesh), paysans musulmans en quête de terres dans la vallée du Brahmapoutre à majorité hindoue, ajoute aux frustrations d'une population locale ne profitant guère des richesses du thé et du pétrole, et s'estimant exploitée par New Delhi. L'Union des étudiants d'Assam lance en 1979 un vaste mouvement de protestation, identitaire et régionaliste. Les élections de 1985 portent au pouvoir un nouveau parti régionaliste, l'Asom Gana Parishad (Association des peuples d'Assam). Récusant son constitutionnalisme, une frange dure, le Front uni de libération de l'Assam (ULFA), engage un combat armé pour l'indépendance. Réprimé par l'armée indienne, l'ULFA échoue, mais conserve un pouvoir local de nuisance, marqué par racket et attentats. Il a noué des liens avec d'autres guérillas séparatistes des États indiens voisins (Armée de libération populaire du Manipur, Conseil socialiste national du Nagaland, Front de libération nationale du Tripura), ni victorieuses, ni totalement réduites. L'émergence au sein même de l'Assam d'un mouvement pour l'autonomie de la tribu des Bodos a ajouté à la confusion du Nord-Est indien, mosaïque ethnique et religieuse en attente d'un meilleur développement, à proximité de la frontière sensible de la Chine. **J.-L. R.** ➤ INDE.

ASSEMBLÉE GÉNÉRALE (ONU)

L'assemblée générale est le principal organe de délibération de l'ONU. Chaque État membre (189 à l'automne 2001) dispose d'une voix. L'Assemblée se réunit en sessions. Le fonctionnement repose sur les séances plénières et sur sept grandes commissions. Première commission : questions politiques et de sécurité ; Commission politique spéciale : questions politiques diverses ; Deuxième commission : questions économiques et financières ; Troisième commission : questions sociales, humanitaires et culturelles ; Quatrième commission : territoires sous tutelle et territoires non autonomes ; Cinquième commission : questions administratives et judiciaires ; Sixième commission : questions juridiques. **> ONU.**

ATATÜRK > KEMAL MUSTAFA.

ATJEH

Au nord de Sumatra (Indonésie), sur le détroit de Malacca, la province d'Atjeh (Aceh selon la graphie indonésienne), tôt islamisée, est un ancien sultanat qui fut le dernier bastion de résistance au pouvoir colonial néerlandais. Dans les années 1950, sous la direction de Daud Beureueh (1900-1987), une rébellion contre la république d'Indonésie qui jugeait la neutralité religieuse de l'État indispensable à l'unité nationale, fut déclenchée et elle se joignit au Darul Islam qui se battait pour un État islamique. Atjeh est une région riche grâce au gaz naturel de Lhokseumawe et à la forêt. À compter de 1990, une féroce répression militaire, visant à réduire le mouvement séparatiste GAM (Gerakan Aceh Merdeka), l'a en fait stimulé. Malgré des violences croissantes (5 000 morts entre 1990 et 2000), Abdurrahman Wahid, lorsqu'il fut nommé président en 1999, a refusé d'instaurer à Atjeh la loi martiale réclamée par l'armée. Renonçant à y tenir un référendum sur le modèle de Timor oriental comme le demandaient les Atjihais, il a donné priorité au maintien de l'unité nationale, tout en négociant avec les différentes tendances indépendantistes et en promettant justice aux victimes. L'armée a traîné les pieds, mais une trêve a pu être conclue en mai 2000. **F. C.-B. > INDONÉSIE.**

ATTLEE Clement Richard (1883-1967)

Homme politique britannique, chef du Labour Party (Parti travailliste) (1935-1955), vice-Premier ministre (1942-1945), Premier ministre (1945-1951). Né en 1883, avocat, puis professeur à la London School of Economics, soldat courageux qui termine la Grande Guerre avec le grade de major, Clement Richard Attlee entre en politique comme député travailliste en 1922. Il sert à des postes relativement mineurs sous Ramsay MacDonald (1924, 1929-1935), mais doit à ces portefeuilles ministériels, et aussi à des convictions idéologiques claires, de prendre, quatre ans après la grande scission de 1931, la tête du Labour Party. Il entre dans le cabinet d'union nationale constitué par Winston Churchill le 10 mai 1940 et en devient en 1942 le vice-Premier ministre. Il révèle alors ses grandes capacités d'organisateur en tant que véritable responsable de la politique intérieure. Les élections législatives de juillet 1945 le portent au 10, Downing Street, et il dirigera le cabinet travailliste, après une nouvelle – mais précaire – victoire électorale en mars 1950, jusqu'à sa défaite d'octobre 1951. Une nouvelle fois vaincu en mai 1955, il quitte alors la direction du parti et, élevé à la Chambre des pairs avec le titre de comte, il meurt en 1967. C. R. Attlee a été le constructeur de l'État-providence et le grand responsable de la socialisation du monde et du mouvement ouvriers. Il a su, avec Ernest Bevin, engager la décolonisation de l'Inde à temps. Il a conduit une politique extérieure d'alliances, en résistance au communisme, et, fidèle au Commonwealth, a été un antieuropéen. Son apparence modeste et son attachement au travail en équipe l'ont fait à tort sous-estimer. **R. Ma. > ROYAUME-UNI.**

AUSCHWITZ

Auschwitz occupe une place à part dans les camps d'extermination nazis. Ce lieu vit mourir le plus grand nombre de personnes, dans leur immense majorité juives, 1,1 million selon le travail de Franciszek Piper, historien au musée d'Auschwitz, publié en 1991 (*Auschwitz, How many perished Jews, Poles, Gipsies*, Cracovie, 1991). Il s'agit donc du plus grand centre de mise à mort de tous les temps. Près de la ville d'Oświęcim, rebaptisée du nom germanique qui fut périodiquement le sien, Auschwitz, à proximité de Katowice, important nœud ferroviaire en Haute-Silésie alors annexée au Reich, un premier camp commença à être aménagé en avril 1940 dans des casernes abandonnées de son faubourg de Zasole, sous la direction de Rudolf Hess (1894-1987). Il était prévu pour interner 10 000 Polonais. Le 1er mars 1941, lors de sa visite d'inspection, le « *Reichsführer* » SS Heinrich Himmler (1900-1945) décida d'agrandir le camp principal *(Stammlager)* pour porter sa capacité à 30 000 détenus, de créer à Birkenau un vaste camp pour 100 000 prisonniers de guerre, que la campagne militaire en Union soviétique ne manquerait pas de faire tomber aux mains des Allemands, et de mettre à la disposition du Konzern IG Farben 10 000 détenus pour installer dans un autre faubourg d'Auschwitz, Dwory, à Monowitz, une usine de caoutchouc (Buna) et d'essence synthétique dite la Buna. À la mi-juin 1941, des Juifs commencent à être dirigés vers Auschwitz. C'est le 4 juillet 1942 qu'a eu lieu, à la rampe, la première sélection, sur un convoi de Juifs slovaques. Dès lors, à des rythmes différents, on ne cessa de gazer à Auschwitz, l'assassinat atteignant son point culminant entre avril et juillet 1944 avec l'arrivée de près de 400 000 Juifs hongrois. Le 27 janvier 1945, l'Armée soviétique atteint le camp qui a été déserté les SS depuis le 24. **Enjeux de mémoire.** Des camps du complexe d'Auschwitz, seul le camp souche, Auschwitz I, est demeuré intact, avec son portail portant l'inscription *« Arbeit macht frei »*, qui semble marquer la limite entre le monde des vivants et la planète Auschwitz. Très vite après la guerre, Auschwitz est devenu musée d'État dépendant du ministère de la Culture polonais. Dans les vingt-huit bâtiments en briques rouges d'Auschwitz I ont été installées une exposition permanente et des expositions dites « nationales ». Auschwitz-Birkenau, qui appartient aussi au musée, est resté jusqu'au début des années 1990 livré à lui-même. Les baraques en bois ont pour l'essentiel disparu, démontées par les paysans des environs qui ne laissèrent sur place que les cheminées en briques. Des chambres à gaz-crématoires, il ne reste que des ruines. C'est à Birkenau, où désormais des panneaux et des photos expliquent ce qui s'y déroula, qu'a été érigé le monument international aux victimes du camp. La mémoire d'Auschwitz ne se résume pas à celle de son site, même s'il est de plus en plus visité. Auschwitz est devenu le symbole de la destruction des Juifs d'Europe et sert encore à désigner le mal le plus extrême que l'homme peut faire à l'homme. **A. W.** **> CAMPS D'EXTERMINATION NAZIS, GÉNOCIDE DES JUIFS, SYSTÈME CONCENTRATIONNAIRE.**

AUSTRALIE Commonwealth d'Australie. Capitale : Canberra. Superficie : 7 682 300 km^2. Population : 18 705 000 (1999). En 1890, l'Australie est une mosaïque de six colonies autonomes ; chacune dispose de ses propres institutions et reste liée directement à la Couronne et à la jurisprudence britanniques. Après une période d'expansion forcenée alimentée par la ruée vers l'or, la chute des cours des matières premières (1890-1894) entraîne une crise financière et une montée du chômage. Les syndicats répondent par des grèves massives et créent le Labor Party, le Parti travailliste australien (1891). Le profond sentiment nationaliste, antibritannique et populaire débouche sur l'émancipation et la fédération. Deux conventions constitutionnelles (1891, 1897-1898), et deux référendums (1898, 1899) sont nécessaires pour aboutir à une nouvelle Constitution, ratifiée par Westminster en 1899. Fédération. Le 1er janvier 1901, le Commonwealth (Communauté) d'Australie est proclamé. Le souverain du Royaume-Uni reste le chef du nouvel État, sous le nom de roi ou reine d'Australie, représenté par un gouverneur général. Mais la fédération est indépendante de Londres. Le gouvernement et le Parlement fédéral s'installent à Melbourne en 1901 puis déménagent à Canberra, en 1927. Face au Labor, une coalition conservatrice se forme, avec le Parti unioniste puis le Parti libéral et le Parti agrarien (futur Parti national). L'alternance Labor/Coalition dominera la vie politique jusqu'à la fin du siècle. Dès ses premiers jours, le gouvernement fédéral alterne les mesures progressistes (droit de vote pour les femmes – blanches – en 1902, salaire minimum garanti en 1907) et conservatrices (loi de 1901 interdisant l'immigration non européenne et instaurant la politique de l'« Australie blanche », maintien des Aborigènes dans l'exclusion). La politique extérieure est liée à celle du Royaume-Uni. En 1899-1902, l'Australie participe aux guerres des Boers en Afrique du Sud ; en 1906, l'Angleterre lui confie l'administration coloniale du sud de la Nouvelle-Guinée. **Guerres mondiales.** En 1914, les volontaires australiens s'engagent en masse pour défendre l'Angleterre et ses alliés. Trois cent trente mille *diggers* (soldats australiens) participent aux combats (6,6 % de la population). Soixante mille d'entre eux sont tués, de la Somme (1916) à la Palestine (1917), en passant par les Dardanelles (Gallipoli, 1915). Les Australiens refusent la conscription par deux référendums (1916, 1917). Après la guerre, l'Australie se voit attribuer la partie nord de la Nouvelle-Guinée, qui était allemande ; l'ensemble du territoire restera sous administration australienne – mandats de la Société des Nations (SDN) puis de l'ONU – jusqu'à son indépendance, en 1975, sous le nom de Papouasie-Nouvelle-Guinée. Dans les années d'après-guerre, une période de prospérité artificielle précède la crise de 1929, qui frappe durement l'Australie. Un Australien sur trois est au chômage. Au début de la Seconde Guerre mondiale, les Australiens participent à la défense du Royaume-Uni. En 1941, la guerre se rapproche. Le Japon attaque Hawaii, puis Singapour, la Nouvelle-Guinée et les îles Salomon. En 1942, Darwin, Broome et Wyndham, au nord, sont bombardées. Des sous-marins de poche japonais coulent un ferry-boat à Sydney. John Curtin (1885-1945), Premier ministre travailliste (1941-1945), se tourne vers les États-Unis. Douglas MacArthur établit son quartier général à Melbourne. Le service militaire est obligatoire. Les troupes américano-australiennes reprennent une à une les positions japonaises dans le Pacifique. Trente mille Australiens sont tués. Après guerre, l'Australie conclut une alliance défensive avec les États-Unis et la Nouvelle-Zélande (ANZUS, 1951) puis participe à l'OTASE (Organisation du traité de l'Asie du Sud-Est) formée en 1955. **L'âge d'or.** Avec un chômage qui restera au-dessous de 2 % jusqu'en 1974, l'Australie a l'un des niveaux de vie les

plus élevés du monde. L'Angleterre a perdu une partie de son influence, au profit des États-Unis, tant sur le plan diplomatique que commercial et culturel. Le Premier ministre libéral ultraconservateur, Sir Robert Menzies (1894-1978), est réélu de 1949 à 1966. Hanté par le communisme, R. Menzies envoie des troupes se battre dans la guerre de Corée (1950-1953), puis dans la guerre du Vietnam (1965-1973) ; en 1951, il fait voter une loi déclarant le minuscule Parti communiste australien illégal. Elle sera cassée par la Haute Cour de justice, puis repoussée par un référendum. En 1956, Melbourne accueille les jeux Olympiques. R. Menzies se retire après seize ans de pouvoir ; la coalition conservatrice lui survit sept ans. **Réformes et modernisation.** En 1972, les travaillistes gagnent les élections. Conduit par un Premier ministre ultraréformateur, Gough Whitlam (1916-), le gouvernement retire ses soldats du Vietnam, établit des relations diplomatiques avec la Chine de Mao Zedong, instaure un système de protection sociale universelle et lance une politique culturelle ambitieuse. Mais le choc pétrolier de 1973, la crise économique globale, l'inflation et le chômage rattrapent le pays. L'Australie subit leurs effets, aggravés par la sécheresse (1979-1982), jusqu'au début des années 1990. Dans cette période, l'Australie découvre qu'elle est aussi asiatique. Le Japon est devenu son premier partenaire économique. À partir de 1974, l'immigration asiatique devient autorisée tandis qu'une politique d'intégration des Aborigènes se met peu à peu en place (multiculturalisme). En 1975, le gouverneur général, Sir John Kerr (1914-1991) démet G. Whitlam de ses fonctions, installe à sa place le leader de l'opposition conservatrice, Malcolm Fraser (1930-) et dissout le Parlement. M. Fraser, un conservateur modéré, gagne les élections et sera réélu deux fois. En 1983, les travaillistes reviennent au pouvoir à Canberra, sous la conduite de Bob Hawke (1929-), réélu en 1984, 1987 et 1990, puis, à partir de 1991, de Paul Keating (1944-), qui remporte les élections de 1993. En 1989 est née, notamment à l'initiative de l'Australie (conférence de Canberra), la Coopération économique en Asie-Pacifique (APEC). B. Hawke et

P. Keating sont les pionniers de la nouvelle idéologie travailliste, *economic rationalism* (« réalisme de gauche ») : privatisations, accords avec les syndicats, démantèlement des barrières douanières et contrôle de l'inflation. P. Keating annonce un référendum sur l'adoption du statut de république. En 1996, la coalition conservatrice retrouve le pouvoir sous la conduite de John Howard (1939-), qui est réélu en 1998. Le gouvernement accélère les réformes d'inspiration ultralibérale : désengagement de l'État, réforme fiscale (introduction de la TVA en 1999). Monarchiste convaincu, J. Howard s'oppose à la république ; mais il convie les électeurs à se prononcer par référendum en novembre 1999 (rejeté par 55 % des votants). Portée par une croissance soutenue, l'Australie a retrouvé un certain dynamisme et un fort sentiment nationaliste, parfois exacerbé, qui allait avoir l'occasion de s'exprimer lors des jeux Olympiques de Sydney, en 2000. **P. G.**

AUSTRO-MARXISME Nom donné à une variante du marxisme qui se développa au début du XXᵉ siècle dans l'Empire austro-hongrois, dont la capitale, Vienne, était alors au centre de la modernité. L'austro-marxisme est surtout resté fameux par la construction d'une théorie originale de la nation notamment par Karl Renner (1870-1950) et Otto Bauer (1882-1938). Celui-ci dans *La Social-Démocratie et la Question nationale* (1907) proposait de distinguer entités politiques nationales et groupes culturels qui ne devaient pas obéir à un découpage territorial : on aurait ainsi pu avoir des lycées hongrois à Vienne, allemands à Budapest. Ce modèle, l'« autonomie culturelle », fut importé en Russie par le Bund (La Ligue des ouvriers juifs révolutionnaires de Pologne, Lituanie et Russie) et par les mencheviks. Il fut violemment rejeté par Lénine et Staline, favorables aux mécanismes de centralisation et fusion nationale. La guerre de 1914 (et le triomphe du wilsonisme en 1918) vida de son sens cette construction théorique. Dans leur ensemble, les austro-marxistes, comme la plupart des socialistes européens, s'opposent au bolchevisme. **D. C.** **> SOCIALISME ET COMMUNISME.**

AUTOCHTONES (Canada) Les Indiens et les Inuits vivant au Canada seraient les descendants de chasseurs venus de la Sibérie vers l'ouest, il y a plusieurs milliers d'années. Quoique l'origine de ces peuples reste à établir, leur présence est attestée au moment où divers peuples européens (Espagnols, Portugais, Hollandais, Français et Anglais) ont entrepris la conquête du continent américain. Disséminés sur l'ensemble du territoire canadien, les Indiens et les Inuits du Canada constituent des peuples totalement différents, notamment sur le plan culturel et linguistique. Les Autochtones du Canada ont survécu collectivement à plus de trois siècles de souverainetés successives qui se sont imposées à eux. Du Régime français (1608-1760) au régime actuel (depuis 1867) en passant par le Régime britannique (1760-1867), ils ont été assujettis à des règles particulières qui en ont fait peu à peu des sujets de l'État canadien, mais avec un statut spécial de pupilles de l'État, tant sur le plan individuel que sur le plan collectif. Élaborées au XIXᵉ siècle, des politiques visant leur assimilation ont, paradoxalement, contribué chez eux à l'expression d'un discours contemporain d'émancipation. Depuis les années 1970, les Autochtones réclament que leur droit à l'autodétermination soit reconnu par le Canada et sur le plan international. Ils sont très actifs dans les forums internationaux, notamment dans les travaux de l'ONU entourant le projet de *Déclaration des droits des peuples autochtones*. Les pressions politiques des Autochtones ont mené à la reconnaissance, en 1982, de l'existence de trois peuples autochtones au Canada (Indiens, Inuits et Métis) et de leurs droits constitutionnels particuliers. Les Indiens et les Inuits sont sous la compétence constitutionnelle du Parlement et du gouvernement fédéral. Les Métis n'ont pas de statut juridique clairement défini ; ils sont assujettis à la compétence des provinces ou des territoires dans lesquels ils résident. Des communautés métisses, issues à l'origine de mariages mixtes entre des Autochtones et des Français, se sont vues attribuer des terres dans l'Ouest canadien (dans les provinces du Manitoba, de la Saskatchewan et de l'Alberta) au XIXᵉ siècle (99 000 personnes recensées en

1991). **Des droits territoriaux ancestraux.** Les revendications contemporaines
des Autochtones sont axées sur la reconnaissance de leur droit à l'autodétermination et
la concrétisation de leurs droits ancestraux
territoriaux maintenant reconnus par la
Constitution (droits fondés sur leur occupation antérieure du territoire canadien). C'est
la structure même du <u>fédéralisme canadien</u>
(dont la souveraineté de l'État est répartie
entre le gouvernement fédéral et les gouvernements provinciaux) qui est en cause par la
reconnaissance du droit inhérent des
Autochtones à leurs propres institutions
gouvernementales, indépendantes des deux
autres paliers du gouvernement. C'est également au principe de la propriété du territoire
à la Couronne (fédérale ou provinciale) que
se heurtent les revendications territoriales
des Autochtones, dont le gouvernement
fédéral a décidé de négocier le règlement à
compter de 1973, négociations d'autant plus
ardues, quand elles portent sur le territoire
appartenant aux provinces. L'échec des
pourparlers destinés à définir concrètement
les droits constitutionnels reconnus en 1982
a provoqué des tensions qui ont conduit à
des affrontements violents entre les Indiens
et les forces de l'ordre dans plusieurs régions
du Canada, notamment à Kanesatake (Oka
au Québec) en 1990, à la suite du rejet de
l'accord du Lac Meech, qui devait réconcilier
le <u>Québec</u> avec le rapatriement de la Constitution canadienne, effectué sans son
accord en 1982. **L'**Assemblée nationale
du Québec, qui n'a pas de compétence
directe sur les Autochtones, a reconnu, en
1985, l'existence de onze nations autochtones distinctes au sein du Québec : dix
nations indiennes et la nation inuite.
R. Du. **>** CANADA, INDIENS (CANADA),
INUITS (CANADA).

AUTOCHTONES (Russie du Nord)

Plus de trois millions de personnes vivent sur
le territoire de l'Arctique russe, de la
presqu'île de Kola, à l'ouest, à la
Tchoukotka, à l'est. Les peuples autochtones
y sont minoritaires. Selon le recensement de
1989, dans la région de Mourmansk vivaient
1 600 Saams dont l'acculturation est quasi
totale. Le bourg de Lovozero, qu'ils considèrent comme leur capitale, est resté, après la

destruction, entre 1930 et 1980, de tous les
villages saams engendrée par la politique
soviétique de collectivisation et de regroupement de l'habitat, leur seule agglomération
nationale. Ils ne pratiquent plus l'élevage des
rennes, à la différence des peuples samoyè-
des. **P**armi ces derniers, les plus nombreux sont les Nenets (estimés à 34 000 personnes) que le découpage administratif
soviétique a isolés dans trois arrondisse-
ments, lesquels sont rattachés à trois régions
ou territoires différents (Arkhangelsk, Tiou-
men et Krasnoïarsk). Sur la presqu'île de Taï-
mir vivent également les Ents, l'un des plus
petits peuples de la planète (deux cents personnes), ainsi que les Nganassan (estimés à
1 300), voisins des Dolganes (dont le nombre s'élève à 7 000) avec qui ils partagent
l'élevage des rennes, mais dont ils se distinguent par la culture et surtout par la langue.
En effet, le dolgane appartient comme le
iakoute au groupe des langues turques. **A**u nord de la République
iakoute-sakha vivent également plusieurs
peuples autochtones, dont les plus anciens
sont les Ioukaguir (1 100) qui ne parlent
pratiquement plus leur langue, laquelle
constituait une énigme pour les linguistes.
Depuis le XIXᵉ siècle, ils ont adopté celle des
Évènes. Ces derniers sont nombreux (9 000
en Iakoutie et 17 000 dans toute la Sibérie)
et tendent à les assimiler. Les Évènes sont
proches des Evenkis, que l'on appelait jadis
« Toungouses » ; la moitié de ce peuple vit
en Iakoutie-Sakha (14 000 personnes) et le
reste est dispersé à travers toute la Sibérie,
de l'océan Arctique au nord jusqu'en Chine
au sud et du bassin de l'Ob à l'ouest
jusqu'au Kamtchatka à l'est. Si bien que
l'arrondissement national des Evenkis, situé
au nord du territoire de Krasnoïarsk, ne rassemble que 10 % d'entre eux. **À**
l'extrême nord-est de la Sibérie vivent les
Tchouktches, le seul peuple autochtone à
avoir préservé son indépendance vis-à-vis de
l'<u>Empire russe</u> jusqu'à la soviétisation, dans
les années 1920. Aussi, dès 1990, l'arrondissement de la Tchoukotka a-t-il fait sécession
d'avec la région administrative de Magadan
pour se proclamer république autonome au
sein de la Fédération de Russie. Néanmoins,
sur les 155 000 habitants de la Tchoukotka,
les Tchouktches ne sont que 12 000 (3 000

autres vivent ailleurs en Sibérie). Sur les rives de l'océan Arctique et celles du détroit de Béring, la plupart d'entre eux pratiquent, comme leurs voisins esquimaux, la chasse aux animaux marins, tandis que les autres nomadisent toujours à travers la toundra jusqu'en Iakoutie et au Kamtchatka. Dans l'Arctique russe, deux autres peuples se considèrent comme autochtones : ce sont les Komis à l'ouest et les Iakoutes à l'est. Des groupes descendant des cosaques et installés dans le nord de la toundra depuis le xviiᵉ siècle font de même. Dans les vallées de la Kolyma et de l'Indiguirka, ces communautés ont conservé leur parler slave sans se distinguer en rien des Tchouktches ou des Ioukaguirs. Toutes les sociétés de cette part de l'Arctique ont souffert, à des degrés divers, depuis les années 1920, de la collectivisation forcée, de la lutte des bolcheviks contre les « traditions sauvages » et l'« absence de culture », ainsi que de l'industrialisation forcenée qui a mené à la destruction de millions d'hectares de toundra et de taïga, à la pollution des fleuves et des lacs par le pétrole et de l'océan Arctique par les déchets radioactifs. Libérés par la glasnost de la peur de l'autorité soviétique, les peuples arctiques ont fondé des associations pour faire reconnaître leur droit à la terre de leurs ancêtres, à leur mode de vie, à leur langue. Dans ce mouvement qui visait à faire revivre les traditions menacées de disparition, deux peuples, dont les frontières ethniques dépassent le cadre des frontières politiques, ont joué un rôle majeur. Les Saams, à l'ouest, ont bénéficié de leurs contacts avec les communautés saams de Finlande, de Suède et de Norvège. À l'est, les Esquimaux de la Tchoukotka, que la Guerre froide avait coupés des membres de leur famille qui vivaient en Alaska, ont pu à nouveau leur rendre visite. Mais surtout, les Esquimaux sibériens iuits ont pu assister pour la première fois, en 1989, à la Conférence circumpolaire des Inuits, puis en devenir membres à part entière en 1992. **B. C.** ＞ RUSSIE ET URSS.

AUTOCRATIE Pouvoir (cratos en grec) d'un seul (auto en grec). L'autocratie doit être distinguée des monarchies (le terme étant linguistiquement identique par son sens) qui, tout en étant elles aussi liées à l'autorité d'un individu, sont en Europe occidentale insérées dans un cadre juridique. Au terme de leur histoire, les monarchies sont en effet devenues constitutionnelles au xviiiᵉ et au xixᵉ siècle, puis au xxᵉ siècle, les monarques vont apparaître comme des garants et des symboles de l'unité politique (comme dans l'Espagne d'après Franco). L'autocrate prétend, lui, que toute la souveraineté réside en sa personne. Le terme « autocrate » peut s'appliquer à tous les souverains qui ont à la fois une certaine légitimité dans la tradition (contrairement au tyran) et qui refusent toute limitation de droit à leur pouvoir. La figure la plus typique en fut celle des tsars russes. Même ébranlé par la défaite face au Japon dans la guerre russo-japonaise de 1904-1905 (face à ce qui était encore une petite puissance), et par la mobilisation politique démocratique de la révolution de 1905, le tsar Nicolas II ne concède l'existence qu'à une assemblée (la Douma) dont le pouvoir de voter la loi et de contrôler l'exécutif est très limité. De plus, l'autocrate russe est aussi investi d'une autorité religieuse puisqu'il préside le Saint-Synode. En refusant de remettre en cause son caractère autocratique, le tsarisme se condamnait, mais il prédisposait la Russie à voir naître une forme de pouvoir, la dictature de parti unique, qui déniait elle aussi toute souveraineté au peuple. Celle-ci ne sera reconnue au peuple russe qu'avec la Constitution de 1993. **D. C.** ＞ RÉGIMES POLITIQUES.

AUTODÉTERMINATION DES PEUPLES Détermination du statut politique d'un territoire, par la population de celui-ci, fondée sur le droit des peuples à disposer d'eux-mêmes, principe admis depuis 1917, sous la double influence du président américain Woodrow Wilson et de Wladimir Ilitch Lénine, mais qui résulte de la logique de la Déclaration française des droits de l'homme du 26 août 1789. Cette définition est conforme à la résolution nº 1514 (XV) de l'Assemblée générale de l'ONU en 1960. Quel est le plus petit sujet pensable de l'autodétermination ? Lors de la guerre des Malouines de 1982 qui a opposé l'Argentine au Royaume-Uni, puissance tutélaire de ces îles, beaucoup d'analystes ont dénié aux quelques milliers d'anglophones installés au XIXᵉ siècle sur ce petit territoire au large de l'Argentine le droit à l'autodétermination, acceptant les arguments historiques et géographiques avancés par Buenos Aires, ce que d'autres avaient également fait contre les Ibo sécessionnistes du Biafra (Nigéria) lors de la guerre qui a sévi entre 1967 et 1970. **Droits historiques et logique démographique.** Derrière ce débat se profilait la question de la viabilité d'un nouvel État et celle de la contradiction entre les droits historiques et la logique démographique et/ou démocratique d'une population donnée dans une région donnée. Certains cumulent la double revendication comme ont pu le faire les dirigeants serbes après 1991 : historique là où ils sont minoritaires (Kosovo) et « démographique » là où ils sont nombreux (quelques communes croates et une partie de la Bosnie-Herzégovine en 1991). La question de la viabilité est vaine : le Luxembourg est prospère, même si cela n'a pas empêché un ministre luxembourgeois de s'interroger publiquement sur la viabilité de la Slovénie en juillet 1991, État quatre fois plus peuplé et huit fois plus étendu. Une autre contradiction se situe au cœur de la dynamique de l'autodétermination : fondée sur la contestation de l'ordre établi, international et interne, il s'appuie en cas de succès sur un nouvel ordre établi. Mais la dynamique multiséculaire, dont est issu la revendication de l'autodétermination, ne s'arrête jamais : on peut la rattacher à la grande vague du « désenchantement du monde » qui ôte leur légitimité à toutes les constructions impériales de droit divin, mais aussi à tous les empires idéocratiques comme les fédérations communistes ou même aux empires coloniaux des démocraties européennes, idéologiquement fondées sur la suprématie de la « civilisation » industrielle, mais dont les sujets retournent les principes contre leurs maîtres. Enfin, la logique de l'autodétermination des peuples conduit à la multiplication des États. Ils étaient environ 50 en 1914, plus de 60 en 1920, plus de 150 en 1974, à la suite des décolonisations, près de 200 en 2000. Le principe d'autodétermination des peuples qui veut pacifier les relations internationales en les fondant sur un principe de légitimité moderne aboutit, con-

trairement aux espoirs de Giuseppe Mazzini et de Victor Hugo, à multiplier les guerres par un effet pervers bien connu des sociologues : depuis 1914, cela a abouti à des « guerres en chaîne » : seuls des principes immoraux (arme nucléaire, bipolarisation créée par la double réalité de l'arme nucléaire et de la conquête stalinienne de l'Europe centrale et orientale) ont consolidé des parenthèses de paix dans certaines régions (Europe en 1945-1990), de même que le « concert des puissances » impériales avait permis en Europe une paix presque générale en 1815-1914, que la victoire du principe de l'autodétermination, fondateur du XXᵉ siècle de 1914 à 1989, a interrompue. Là est la plus grande contradiction de ce principe. **J. K.**   ▷ **EMPIRE, ÉTAT-NATION.**

AUTOGESTION   Doctrine socialiste ayant fait l'objet de peu d'expériences historiques, aux notables exceptions de la Yougoslavie de Josip Broz Tito, à partir de 1950, et de l'Algérie de Ben Bella, à partir de 1962. Les principes de l'autogestion représentent une tentative ou une intention d'échapper à la bureaucratisation du socialisme par l'État et à la planification centralisée de type soviétique, par l'instauration de formes de participation des travailleurs, représentés par des conseils (ou comités) de délégués élus, sur l'organisation de la production et du travail ainsi que sur la gestion des unités économiques. Mais le rêve d'un contrôle des travailleurs est difficilement conciliable avec la tutelle de l'État. **V. K.**   ▷ **SOCIALISME ET COMMUNISME.**

AUTONOMIE PALESTINIENNE

Mise en place à partir de l'été 1994, l'autonomie palestinienne trouve son cadre juridique dans la « Déclaration de principes sur des arrangements intérimaires d'autonomie » (dite « accords d'Oslo ») du 13 septembre 1993. Initialement prévue pour ne s'exercer que durant cinq années précédant la conclusion d'un accord définitif censé intervenir au plus tard le 4 mai 1999, elle connaît ensuite une tacite prorogation dans l'attente d'un tel accord. Son organe suprême est un Conseil de 88 membres élus au suffrage universel direct par la population palestinienne des territoires autonomes et occupés, Jérusalem-

Est comprise. Le président de l'Autorité d'autonomie est lui aussi élu au suffrage universel. Ces deux élections ont été organisées en janvier 1996 ; Yasser Arafat, président du Comité exécutif de l'Organisation de libération de la Palestine (OLP), a été élu président de l'Autorité. Les compétences territoriales du Conseil s'étendent aux seules zones autonomes (moins de 30 % de la superficie des Territoires occupés en 1967) mais ne sauraient y concerner les Israéliens de passage. Déléguées par Israël, elles comprennent la plupart des domaines civils à l'exception de ce qui ressortit au statut final à négocier (Jérusalem, colonies, frontières, réfugiés) et de toute autre matière expressément réservée (eau). Le Conseil n'a, par ailleurs, aucune compétence en matière de défense, pas plus qu'en matière de politique étrangère. **J.-F. L.** **> ACCORDS ISRAÉLO-ARABES, QUESTION PALESTINIENNE.**

AUTRICHE République d'Autriche. Capitale : Vienne. Superficie : 83 850 km². Population : 8 177 000 (1999). La défaite de l'Empire austro-hongrois dans la Grande Guerre va permettre son démembrement, organisé par les Alliés. Ceux-ci distinguent deux pays vaincus, l'Autriche et la Hongrie, et entendent redistribuer la majeure partie de l'ex-empire entre divers États, nouveaux ou agrandis (Tchécoslovaquie, royaume des Serbes, Croates et Slovènes, Roumanie, Pologne, Italie). L'empire des Habsbourg n'étant plus, sa population de langue allemande se tourne vers l'Allemagne : dès novembre 1918 est proclamée une République d'« Autriche allemande », « élément » de la République allemande. Les Alliés s'y opposent : le traité de Saint-Germain (1919) fixe les nouvelles frontières de l'Autriche et lui interdit l'Anschluss (réunion de l'Autriche à l'Allemagne). L'Autriche ainsi formée ne rassemble pas toutes les populations de langue allemande de l'ex-empire : en sont notamment exclues celles de Bohême et de Moravie, incorporées à la Tchécoslovaquie, et celles du sud du Tyrol, incorporées à l'Italie. La Constitution autrichienne adoptée en 1920 instaure un régime fédéral (neuf *Länder*). Les chrétiens-sociaux (catholiques, les « noirs ») gouvernent le pays, les sociaux-démocrates (les

« rouges ») étant pour leur part majoritaires. Les années 1920 sont dominées par la figure du chancelier Ignaz Seipel (1876-1932), qui redresse la situation économique et financière tout en s'opposant durement aux sociaux-démocrates. **Montée en puissance du nazisme.** La crise de 1929 frappe l'Autriche de plein fouet. Dès lors, les luttes politiques se durcissent : aux milices de droite (Heimwehren) font face des milices de gauche (Schutzbund), tandis que naît un parti nazi autrichien. En 1932, Engelbert Dollfuss (1892-1934) devient chancelier. Il entend lutter à la fois contre les nazis (qui réclament l'*Anschluss*) et contre les sociaux-démocrates. E. Dollfuss a l'appui de Mussolini, alors encore attaché à l'indépendance de l'Autriche. En 1934, le chancelier fait réprimer au canon des émeutes ouvrières à Vienne, puis interdit le Parti social-démocrate. La même année, une nouvelle Constitution instaure un État corporatiste. Les nazis font assassiner E. Dollfuss, mais leur tentative de coup d'État échoue parce que Mussolini s'y oppose. À E. Dollfuss succède Kurt von Schuschnigg (1897-1977). La pression des nazis s'accentue d'autant qu'en 1937, Mussolini, allié à Hitler, déclare ne plus s'intéresser à l'Autriche. En 1938, K. von Schuschnigg envisage un plébiscite sur la question de l'indépendance, mais Hitler le prend de court : des troupes allemandes pénètrent en Autriche et l'*Anschluss* est prononcé le 13 mars. Un plébiscite organisé par les nazis approuve le fait accompli à plus de 99 % des voix. L'Autriche disparaît en tant que telle, totalement incorporée au Reich allemand. Elle va partager les destinées de celui-ci jusqu'en 1945. Les Autrichiens, à l'égal des Allemands, participent à l'État nazi, servent dans la Wehrmacht, etc. **En 1943,** les Alliés décident que l'Autriche devra recouvrer son indépendance. À l'issue de la guerre, ils la découpent néanmoins en quatre zones d'occupation, comme l'Allemagne. Dès avril 1945, toutefois, avec l'appui du commandement soviétique, un gouvernement provisoire est mis en place à Vienne, sous la direction du socialiste Karl Renner (1870-1950), qui avait déjà dirigé l'Autriche en 1918-1920. La Constitution de 1920 est remise en vigueur. En revanche, la dénazification marque le pas, nettement moins poussée qu'en Allemagne. Des élections de 1945 aux élections de 1966, l'Autriche sera gouvernée par une « grande coalition » réunissant populistes (ex-chrétiens-sociaux) et socialistes, le chancelier étant un populiste. **Le traité d'État de 1955.** Les négociations en vue d'un traité de paix entre les Alliés et l'Autriche piétinent jusqu'à la Détente Est-Ouest de 1955. L'URSS déclare alors qu'elle évacuera ses troupes si l'Autriche s'engage à rester neutre. Le traité que signe cette dernière à Vienne le 15 mai 1955 avec les quatre puissances occupantes est dit « traité d'État », car certaines de ses dispositions sont inscrites dans la Constitution autrichienne : ne pas contracter d'alliance militaire, ne pas restaurer la dynastie des Habsbourg. La même année, le pays proclame sa neutralité et en fait le pilier de sa politique étrangère. **S**ur la question du Tyrol du Sud, les relations entre l'Autriche et l'Italie se tendent. Les Autrichiens considèrent que les garanties prévues pour les germanophones par l'accord austro-italien de 1946 ne sont pas appliquées. Une vague de terrorisme affecte le Tyrol du Sud dans les années 1960. Rome et Vienne ayant repris les négociations, un nouveau statut entre en vigueur en 1972. Il faudra toutefois attendre jusqu'en 1992 pour que l'Autriche considère le contentieux comme définitivement clos. **De** 1966 à 1970, les populistes gouvernent seuls. De 1970 à 1983, c'est au tour des socialistes, Bruno Kreisky (1911-1990) étant chancelier. L'Autriche développe ses relations avec les pays communistes, se voulant un « pont » entre l'Ouest et l'Est. Après 1983, les socialistes gouvernent avec les « libéraux » (Freiheitliche Partei Österreichs, FPÖ, parti de droite non catholique fondé en 1949). En 1986, le passé autrichien ressurgit : Kurt Waldheim (1918-), ancien secrétaire général de l'ONU mais aussi ancien nazi, est élu président de la République. Par ailleurs, le leader d'extrême droite Jörg Haider prend le contrôle du FPÖ. Le chancelier socialiste Franz Vranitzky (1937-) écarte aussitôt ce parti du gouvernement. En 1987, une « grande coalition » associant socialistes et populistes est reformée sous la direction de F. Vranitzky. **Les exigences de l'adhésion à l'UE.** La chute du Mur de Berlin (1989) puis la fin de l'URSS (1991) réduisent

la portée de la neutralité autrichienne. En 1994, par référendum, les Autrichiens approuvent l'adhésion de leur pays à l'Union européenne (UE) avec plus de 65 % de « oui ». Celle-ci est effective en janvier 1995. En 1999, le pays participe à la mise en œuvre de l'euro. **En** politique intérieure, toutefois, la « grande coalition » des deux « éléphants » s'essouffle, taxée d'immobilisme. J. Haider exploite la situation de façon ambiguë, en présentant le FPÖ à la fois comme le parti du renouvellement et comme celui de « valeurs » autrichiennes aux connotations nazies. À la suite des élections du 3 octobre 1999, la « grande coalition » n'est pas reconduite. Les populistes forment au contraire un gouvernement avec le FPÖ, ce qui soulève un tollé dans les capitales européennes. **J. S.**

AUTRICHE-HONGRIE > EMPIRE AUSTRO-HONGROIS.

AWOLOWO Obafemi (1909-1987)
Homme politique nigérian. Négociant, journaliste, homme de loi, Obafemi Awolowo fonde l'Association des vendeurs de produits nigérians à la fin des années 1930. Il est l'un des leaders du Congrès de l'union des négoces nigérians créé en 1943 et l'un des chefs du mouvement culturel pan-yoruba Egbe Omo Oduduwa. En 1951, lassé de la mainmise des Ibo sur les affaires politiques, il fonde le Groupe d'action (AG) qui, la même année, remporte les élections régionales dans l'Ouest. Il devient le premier chef de gouvernement de la région en 1954, mais démissionne en 1959 pour concourir aux élections fédérales. À la suite de violences politiques intervenues dans l'Ouest, il est emprisonné en 1962, mais entre au gouvernement pendant la guerre civile. Il occupe ensuite le poste de ministre des Finances jusqu'en 1971. Leader incontesté des Yorouba, il fonde le Parti de l'unité du Nigéria pour participer aux élections présidentielles de 1979 et de 1983, qu'il ne parvient toutefois pas à remporter. **D. J. >** NIGÉRIA.

AXE En 1936 est formé l'Axe Rome-Berlin, protocole d'amitié entre l'Allemagne nazie et l'Italie fasciste. Celle-ci vient d'agresser l'Éthiopie (guerre d'Abyssinie). Ce rapprochement se transforme en 1939 en pacte militaire et politique (Pacte d'acier) et deviendra Pacte tripartite en 1940 (avec le Japon). Celui-ci sera rejoint par la Hongrie, la Roumanie, l'État fantoche slovaque de Mgr Tiso, la Bulgarie et l'État indépendant de Croatie.

AYODHYA Ville d'Uttar Pradesh (Inde du Nord), connue dans la mythologie hindoue comme la capitale de Ram, l'un des avatars de Vishnou. Les Moghols avaient fait construire en 1528 une mosquée sur un site que les nationalistes hindous revendiquaient comme étant celui de la naissance de Ram. Cet enjeu a dominé la politique indienne à la fin des années 1980 et au début des années 1990, contribuant ainsi à la montée en puissance des partis nationalistes hindous. Les militants hindous ont fini par raser la mosquée en 1992, un coup de force à l'origine d'une vague d'émeutes sans précédent depuis la partition de l'Inde.
C. J. **> NATIONALISME HINDOU.**

AZAÑA Y DÍAZ Manuel (1880-1940) Président de la République espagnole (1936-1939). Né à Alcalá de Henares, Manuel Azaña y Díaz partage son temps, après des études juridiques, entre sa ville natale et Madrid. Fortement influencé par les idées françaises (il réside en France à plusieurs reprises), il s'engage en politique et fonde en 1926 le groupe d'Action républicaine, qui adhère au pacte de Saint-Sébastien, dirigé contre la monarchie. Tout naturellement, il devient en 1931 le premier chef de gouvernement de la IIe République. Son anticléricalisme militant, qui le pousse à engager des réformes radicales en matière d'éducation et de société, son désir de mettre de l'ordre dans l'armée lui valent des inimitiés durables. Il quitte le pouvoir en 1933 et sera arrêté en octobre 1934, au moment de l'insurrection des Asturies. En février 1936, après la victoire électorale du Front populaire, il devient président de la République. Surpris par le soulèvement militaire et horrifié par le déchaînement des violences de la Guerre civile (1936-1939) qui embrase l'Espagne, il voit son influence très limitée. En 1938, il prononce un discours resté célèbre sur le thème *Paix, pitié et pardon*. En février 1939, réfugié en France, il se démet de ses fonctions, et meurt en exil à Montauban l'année suivante. Homme politique parfois abrupt, souvent haï par ses adversaires, également écrivain (*La Veillée à Benicarlo*), ce démocrate intransigeant sera considéré comme un précurseur par la classe politique qui accédera au pouvoir après la chute du franquisme (1975).
É. T. **> ESPAGNE.**

AZERBAÏDJAN République azerbaïdjanaise. Capitale : Bakou. Superficie : 86 600 km^2. Population : 7 697 000 (1999). La conquête russe de l'Azerbaïdjan, en Transcaucasie, commence au début du xixe siècle. En 1806, les troupes du tsar pénètrent à Bakou. Certaines principautés de ce territoire musulman turcophone opposent une forte résistance à l'« infidèle », d'autres s'accommodent de la domination russe. Le traité de Turkmentchaï (1828) pérennise la domination russe sur l'Azerbaïdjan occidental. Le pays va bientôt être intégré dans le cadre administratif de l'Empire russe. Les guerres du Caucase (1785-1859), qui se poursuivent au nord, en particulier au Daghestan, ont un impact limité. Les musulmans chiites ne se sentent pas concernés par une lutte menée par des sunnites ; seuls les Azéris sunnites se porteront à la rescousse des hommes de l'imam Chamil (1797-1871). Leurs rangs vont s'éclaircir à la suite de leur émigration massive vers l'Empire ottoman. Le xixe siècle voit un début d'affirmation d'une identité turque sur cette terre où sont nés quelques-uns des plus grands poètes persans, en particulier Nizami (1141-1209) : une intelligentsia voit le jour sous la double influence de la Russie et de l'Empire ottoman. Dans la seconde moitié du xixe siècle, cette province oubliée est saisie par la fièvre de l'or noir. Le naphte, dont Bakou est devenu le symbole et le premier producteur mondial, va désormais être le nerf de l'économie transcaucasienne. La ville se transforme rapidement en une métropole industrielle et commerciale cosmopolite, dominée par une bourgeoisie arménienne dynamique et expérimentée. Les Azéris forment les bataillons d'un sous-prolétariat pauvre et marginalisé. Aux yeux de plus d'un Azéri, l'Arménien est devenu le symbole d'un capitalisme étranger exploiteur. Il sera la victime privilégiée de pogroms, en particulier en 1905. **Le mouvement national azéri** se construit avec retard : ce n'est qu'en 1911 qu'est créé le Parti turc des fédéralistes (Moussavat) sous la direction de Mehmet Emin Rasul Zade (1884-1954). Consacré premier parti du pays aux élections à la Constituante (décembre 1917), il se trouvera à la tête de l'Azerbaïdjan jusqu'en avril 1920. Le 27 mai 1918, la jeune république d'Azerbaïdjan naît dans des conditions difficiles ; le Moussavat tente de gérer une indépendance à laquelle le pays est mal préparé et doit faire face à une guerre dure et cruelle avec la république d'Arménie pour le contrôle des provinces du Karabakh, de Nakhichevan et du Zanguezour. Le 27 avril 1920, le pouvoir soviétique est proclamé à Bakou qui s'est rendue à l'Armée rouge sans réelle résistance. L'Azerbaïdjan deviendra partie intégrante de l'URSS. Cette même année 1920, le Congrès des peuples de l'Orient, réuni à Bakou par le Komintern, lance un appel à la « guerre sainte » contre l'impérialisme. Dans un Orient déstabilisé par la défaite de l'Empire ottoman et la faiblesse de l'Iran, l'Azerbaïdjan occupe, pour les bolcheviks, une position géopolitique de premier plan : les Azéris devront être les agents de l'*aggiornamento* de l'islam soviétique. **Une identité nationale mal assurée.** Au début des années 1930, l'identité azérie est encore mal assurée ; si les Azéris se considèrent comme des « Turcs » et sont qualifiés de « Turcs » dans les documents officiels, le pouvoir soviétique tente de couper tous les liens qui unissent l'Azerbaïdjan à la Turquie ; il s'agit de créer une identité originale. **Les purges des années 1930 déciment les élites intellectuelles. Coupée de ses références culturelles et religieuses, la jeune nation azérie est durement frappée. La russification apparaît dès lors comme le seul moyen d'accéder à la promotion sociale et à la « connaissance ». D**ans les années 1960, Moscou recentre son terrain d'action vers le tiers monde. Il faut offrir une vitrine à ces jeunes États. L'Azerbaïdjan perd son rôle de leader au profit de l'Ouzbékistan. La république s'installe dans une corruption devenue système : postes et fonctions se négocient. En 1969, un haut dignitaire du KGB, Geïdar [Heïdar] Aliev (1923-), est chargé de reprendre le contrôle de l'appareil. En 1982, il part exercer d'importantes responsabilités à Moscou (il y sera membre du Bureau politique). L'héritage est lourd : la corruption n'a reculé qu'en apparence et le niveau de vie est médiocre. **A**u terme d'un long et contradictoire processus, l'identité azérie a peu à peu supplanté l'identité turque. Mais il faudra le choc provoqué par le conflit du Haut-Karabakh, à la fin des années 1980, pour qu'elle voie enfin le jour. **Fin** 1987, à la faveur de la perestroïka, les Arméniens de la région autonome du Haut-Karabakh exigent leur rattachement à l'Arménie, tandis que de nombreux Azéris fuient l'Arménie. Fin février 1988, un pogrom anti-arménien, premier d'une série, se déroule près de Bakou. Alors que Moscou hésite, les autorités de Bakou sont incapables de maîtriser la radicalisation d'une opinion menée par le Front populaire d'Azerbaïdjan (FPA). L'indépendance (août 1991) ouvre une période de turbulences politiques. La guerre s'exacerbe au Karabakh. Elle débouche sur une série de défaites qui conduisent à l'occupation d'un cinquième du territoire par les combattants arméniens. Un million de réfugiés ont pris la route de l'exil. Le 25 juin 1993, le président élu un an plus tôt, Aboulfaz Eltchibey, président du FPA, est destitué à la suite d'une courte guerre civile. H. Aliev opère son retour dans un pays qui croit être devenu un « nouveau Koweït ». Le pétrole de la Caspienne semble désormais un enjeu stratégique majeur. Mais, à la fin des années 1990, sur fond d'autoritarisme et de népotisme, les attentes des Azerbaïdjanais sont déçues : le pétrole, dont la production est bien en deçà des attentes, ne parvient pas à améliorer une situation économique et sociale difficile, alors que la question du Karabakh reste pendante. Bakou a tenté, dès lors, de préserver ses amitiés turques et occidentales tout en ménageant l'ancienne puissance tutélaire. **C. U.**

AZERBAÏDJAN IRANIEN (crise de l')

La crise de l'Azerbaïdjan iranien, qui se cristallise immédiatement après la Seconde

Guerre mondiale de novembre 1945 à décembre 1946, constitue le premier conflit de la Guerre froide. Le problème commence en réalité le 25 août 1941, lorsque l'Iran est simultanément envahi par le Royaume-Uni au sud, et par l'URSS au nord. Profitant de cette occupation, Moscou tente de reconquérir ses positions économiques et politiques d'antan en soutenant le Parti démocratique d'Azerbaïdjan (PDA, autonomiste). De plus, les Soviétiques exigent l'octroi de concessions pétrolières dans la zone qu'ils occupent. Le PDA se transforme vite en administration politique, avec sa propre milice équipée par l'Armée rouge. En novembre 1945, il proclame la « république autonome d'Azerbaïdjan », sans pour autant rompre totalement avec l'État iranien. Si les grandes puissances semblent se résigner à la création d'une république autonome en Azerbaïdjan, les Iraniens n'acceptent aucune division de leur pays. Le nouveau Premier ministre Ahmad Qavam Saltaneh va négocier directement avec Staline, tout en s'appuyant sur le conseil de sécurité de l'ONU. Les troupes soviétiques se retirent le 10 mai 1946, en échange de la constitution d'une société irano-soviétique pour l'exploitation des pétroles du Nord. A. Qavam Saltaneh fait traîner la ratification de l'accord jusqu'à ce qu'une nouvelle majorité parlementaire refuse de valider les documents signés par les deux parties. Le Premier ministre entre ensuite en négociation avec les autonomistes azerbaïdjanais et, en juin 1946, obtient la réintégration formelle d'une province que d'aucuns considéraient comme perdue. Puis, sous de fallacieux prétextes, il fait entrer les troupes iraniennes dans Tabriz

le 12 décembre 1946, provoquant plus de 500 morts, malgré une faible résistance. Le mouvement autonomiste est écrasé. **D. B.   ▶ IRAN.**

AZIKIWE Nnamdi (1904-1996)

Homme politique nigérian, chef de l'État de 1960 à 1966. L'un des pères de l'indépendance du Nigéria, Nnamdi Azikiwe se heurte à la soif de pouvoir des autres leaders nigérians et au tribalisme qui entraîne son pays dans la guerre civile du Biafra (1967-1970). Homme politique d'origine ibo, N. Azikiwe est diplômé de la Lincoln University aux États-Unis, où il séjourne de 1925 à 1935. À son retour, il fonde plusieurs journaux, s'engage dans la lutte anticoloniale, puis crée le Mouvement de la jeunesse nigériane (1945). Leader charismatique des Ibo, dont beaucoup sont installés comme petits commerçants dans les régions musulmanes habitées par les Haoussa-Fulani, et à Lagos, en pays yorouba, sa popularité heurte le leader local Obafemi Awolowo. Président du pays à l'indépendance, son intention de faire du Nigéria un État unitaire suscite également l'opposition des chefs militaires du Nord. En 1965, la paralysie de la vie politique, causée par l'autonomie manifestée par les trois grandes régions du pays (celles des Ibo, des Haoussa et des Yorouba), le pousse à proposer un redécoupage administratif pour réduire les féodalités régionales. Il s'ensuit une longue période de troubles à laquelle N. Azikiwe ne parvient pas à mettre un terme, et qui culmine avec le coup d'État de 1966 du général Johnson Aguyi Ironsi (1934 ?-1966), suivi de la sécession du Biafra qu'il avait appuyée. **B. N.   ▶ NIGÉRIA.**

B

BÂ Amadou Hampaté (1901-1991)
Écrivain et historien malien. Né à Bandiagara
dans une famille de notables proche de la
confrérie musulmane Tidjaniya, Amadou
Hampaté Bâ passe par l'école normale
William Ponty de Dakar en 1921. En 1933,
il embrasse les idées politiques et religieuses
de Cheikh Hamaloullah (dit « Cherif Hamallah »), qui promeut un mouvement de rénovation de la confrérie. Il n'évite d'être arrêté
que par son entrée en 1939 à l'Institut français d'Afrique noire (IFAN), à l'initiative de
l'explorateur et naturaliste français Théodore
Monod (1902-). Sa connaissance du monde
africain en fait le collaborateur privilégié de
chercheurs, notamment ethnologues et
anthropologues, comme Germaine Dieterlen
et Denise Paulme, pour recueillir les traditions orales menacées par les nouveaux
médias (écrit, radio). Nommé ambassadeur
du Mali à l'<u>UNESCO</u> en 1960, il lance un
appel à recueillir de toute urgence les traditions orales, faisant valoir que, dans les civilisations sans écriture, « Quand un vieillard
meurt, c'est une bibliothèque qui brûle. » Il
s'est aussi fortement impliqué dans le dialogue interreligieux, y compris avec les
« animistes ». Il est l'auteur de plusieurs
ouvrages, dont certains autobiographiques,
sur l'éducation traditionnelle (*Amkoullel,
l'enfant peul*, 1991), l'administration coloniale (*L'Étrange Destin de Wangrin*, 1973),
l'histoire (*L'Empire peul du Macina*, 1955), les
textes initiatiques (*Kaïdara*, 1943 ; *Koumen*,
1961). **B. N.**

BAASSISME Mouvement politique né
en Syrie au milieu du XXᵉ siècle autour des
idées de Michel Aflak (1909-1989), chantre
d'un nationalisme panarabe volontariste et
humaniste inspiré par la littérature politique
française. Il se fixe pour objectif de créer les
conditions d'une résurrection dans la vie et

l'action des sociétés arabes leur permettant
de réintégrer l'Histoire. Le Baas en arabe (ou
ba'ath en prononciation littérale) signifie justement résurrection.   Contre les nationalismes territoriaux qui pullulaient à l'époque,
le baassisme défend la thèse d'une seule et
même nation arabe *(qawmiyya)* regroupant
toutes les populations arabophones du golfe
Arabo-Persique à l'Atlantique. Il attribue à la
division de cette nation l'état et les conditions misérables dans lesquels se trouvent les
Arabes. Pour vaincre les trois fléaux (ignorance, maladie et pauvreté) qui rongent la
nation arabe, il n'y a pas d'autre moyen
qu'une grande révolution impliquant la prise
de conscience par les Arabes de leur identité
commune, le bouleversement de l'état
d'esprit et des choses *(inqilab)* et la réalisation
de l'unité arabe.   Le parti Baas adopte le
socialisme après une fusion en 1953 avec le
Parti socialiste arabe d'Akram Hourani, leader
antiféodal basé à Hama (centre de la Syrie),
et devient le Parti du Baas socialiste arabe. Le
parti Baas qui étend son influence sur toutes
les capitales du Croissant fertile (Syrie, Liban,
Jordanie, Irak, Palestine) et accessoirement
sur le Yémen, le Soudan, la Tunisie et la
Mauritanie, peut être appelé simplement le
Parti de l'unité arabe, car c'est à elle qu'il
s'attachait le plus. C'est au nom de celle-ci
qu'il accepte, à la demande de Gamal Abdel
<u>Nasser</u> devenu en février 1958 président de
l'Union syro-égyptienne (République arabe
unie – <u>RAU</u>) et chef reconnu du nationalisme
arabe, son autodissolution. Ce fut également
la fin du Baas et du baassisme de la première
génération.   Le néobaassisme qui naîtra
après l'éclatement de la RAU en 1961 est en
totale opposition avec le baassisme initial. Il
s'agit tout simplement de l'utilisation du legs
nationaliste et arabiste pour légitimer des
pouvoirs militaires se constituant en opposition au <u>nassérisme</u> qui semblait seul en

mesure de réaliser l'unité arabe. Privé de sa base sociale traditionnelle (intellectuels, étudiants, enseignants et artisans) qui rejoint le nassérisme, le mouvement baassiste se trouve très vite récupéré par des élites rurales en quête du pouvoir. Le nationalisme idéaliste et généreux d'Aflaq et de ses compagnons de route cède alors la place à un opportunisme usant de toutes les idéologies et les pratiques traditionnelles pour se maintenir au pouvoir et préserver l'état de division : tribalisme, confessionnalisme, régionalisme, clanisme, etc. À l'orée du xxiᵉ siècle, le parti Baas, au pouvoir en Syrie depuis mars 1963 et en Irak depuis juillet 1968, n'existait plus en tant que parti politique dans le véritable sens du terme. C'est une simple fiction maintenue délibérément, là où l'on parle encore d'un pouvoir baassiste, pour masquer le vide politique et idéologique qui entoure des régimes policiers en rupture totale avec leurs administrés. **B. G.**   **> ARABISME, NATIONALISME.**

BABY YAR   Le 29 septembre 1941, moins de trois semaines après la conquête de Kiev, les troupes nazies procèdent à l'un des premiers massacres de masse de la Seconde Guerre mondiale. En deux jours, à Baby Yar (la ravine des Bonnes-Femmes), à la périphérie de la capitale ukrainienne, quelque 33 000 Juifs tombent mitraillés sous les balles des SS. Mais les autorités soviétiques préfèrent occulter le caractère antisémite de cette action ; après la libération de Kiev, en novembre 1943, les victimes juives sont présentées comme des « citoyens soviétiques pacifiques » que l'on a assassinés. Dans L'URSS de Staline ou de Khrouchtchev, la singularité de la souffrance juive, ou arménienne, doit être gommée, noyée dans un vécu partagé avec la totalité du peuple soviétique. La publication en 1961 de *Baby Yar*, un poème de Evgueni Evtouchenko (1933-), a l'effet d'un électrochoc. En URSS, comme dans le reste du monde, la ravine des Bonnes-Femmes est devenue un symbole. En 1966, les autorités érigent un monument qui ne mentionne pas les victimes juives. Ce n'est qu'en 1991 que justice leur sera rendue. **C. U.**   **> SECONDE GUERRE MONDIALE.**

BAD   La Banque africaine de développement (BAD, ADB – African Development Bank –, siège à Abidjan, Côte-d'Ivoire) a été créée en 1963. Elle regroupait, à la mi-2001, 77 États d'Afrique, d'Asie et d'Europe.

BAHAMAS   **C**ommonwealth des Bahamas. Capitale : Nassau. Superficie : 13 930 km². Population : 301 000 (1999). **C**et archipel britannique de 700 îlots situé dans les Caraïbes est devenu dans les années 1920 un important centre de contrebande du fait de la prohibition de l'alcool aux États-Unis voisins. À partir des années 1950, deux grandes îles – New Providence et Grand Bahama – sont transformées par les entrepreneurs américains en pôles de tourisme. L'archipel obtient son indépendance en 1973 sous la houlette de Lynden Pindling (1930-2000), le leader noir charismatique qui, en 1967, à la tête du Parti libéral progressiste, a évincé aux élections le parti des Blancs, gouvernants traditionnels. Il allait rester au pouvoir jusqu'à sa défaite aux élections de 1992, face à l'opposition dirigée par Hubert Ingraham (1947-). Les principales ressources de l'archipel sont le tourisme, les activités bancaires *off shore* et le narcotrafic. Le revenu par habitant y est nettement supérieur à celui des autres territoires anglophones de la région. **G. C.**

BAHREÏN   **É**mirat du Bahreïn. Capitale : Manama. Superficie : 678 km². Population : 606 000 (1999). **E**n 1971, Bahreïn, territoire insulaire du golfe Arabo-Persique, s'émancipe d'un siècle de protectorat britannique. La dynastie sunnite des Al Khalifa, qui règne depuis 1782 sur cet État minuscule (678 km²), fait face aussitôt à une agitation sociale et politique. Pour la réduire, en 1975, Cheikh Issa bin Salman, qui a accédé au trône en 1961, dissout le Parlement. Il lui substitue un Conseil consultatif. Ce dernier est rejeté par la population dont la majorité chiite souffre de marginalisation politique, d'exclusion sociale et des difficultés économiques liées à l'épuisement des ressources pétrolières de l'émirat. À la mort de Cheikh Issa, le 6 mars 1999, son fils Hamad entame un lent processus d'ouverture politique. **D**épendant de l'Arabie saoudite, qui a financé le pont (achevé en 1986) reliant l'île principale au continent et qui lui fournit le pétrole indispensable à son industrie, Bahreïn amorce au milieu des années 1990 un rapprochement prudent avec l'Iran, dont il redoute les menées et l'influence sur sa population chiite. **I. L.**

BAIE DES COCHONS Le 30 janvier 1961, deux ans après la prise du pouvoir à Cuba par les insurgés dirigés par Fidel Castro et Ernesto Che Guevara, le président américain John F. Kennedy déclare que « la domination communiste dans cet hémisphère n'est pas négociable ». Cette intransigeance impériale est réaffirmée avec force lors de l'invasion de la baie des Cochons. En mars 1961, à Miami (États-Unis), deux organisations d'exilés cubains proclament l'ancien Premier ministre (janvier-février 1959) José Miro Cardona chef d'un « Conseil révolutionnaire ». Son objectif est d'établir un gouvernement provisoire sur l'île, susceptible d'être reconnu par les États étrangers. Des sabotages sont organisés pour déstabiliser le régime. À La Havane, on se prépare à une invasion imminente. Le 7 avril le *New York Times* évoque les « experts » de la CIA (Central Intelligence Agency) américaine qui ont entraîné des « forces anticastristes » au Guatémala, en Floride et en Louisiane. Le renversement du régime en place à La Havane est à l'ordre du jour. Le 15 avril, des B-56 décollent du Nicaragua et attaquent la défense cubaine. Le 16 avril, F. Castro annonce l'arrivée imminente des envahisseurs et proclame le caractère socialiste de la Révolution « à la barbe des États-Unis ». 1 200 hommes débarquent à la baie des Cochons. Ils se heurtent à une résistance populaire massive et imprévue. Le 19 avril, 72 heures après l'invasion, la victoire cubaine est totale. Plus d'un millier d'envahisseurs sont faits prisonniers. Ils seront rendus aux États-Unis en échange de médicaments et d'aliments pour bébés. La débâcle américaine est le plus grand échec subi par Washington sur le continent. **J. H. > CUBA.**

BALFOUR (déclaration) « Le gouvernement de Sa Majesté envisage favorablement l'établissement en Palestine d'un foyer national pour le peuple juif et emploiera tous ses efforts pour faciliter la réalisation de cet objectif étant clairement entendu que rien ne sera fait qui puisse porter atteinte aux droits civils et religieux des communautés non juives en Palestine [...] ». Cette déclaration, en date du 2 novembre 1917, de sir Arthur James Balfour (1848-1930), secrétaire au Foreign Office britannique sera approuvée par le président américain Woodrow Wilson et par la France (février 1918). Elle aura une importance considérable pour la création de l'État d'Israël en 1948, sachant que la Grande-Bretagne va exercer le mandat de la SDN (Société des Nations) sur la Palestine après la Première Guerre mondiale. On notera que la déclaration Balfour ne dit mot des droits *politiques* des communautés non juives (notamment les Arabes) de Palestine.

BANDE DES QUATRE Dénomination péjorative donnée, après leur arrestation en octobre 1976, aux quatre principaux responsables de la Révolution culturelle : Jiang Qing, la femme de Mao Zedong, Zhang Chunqiao (1917-1991 ?), cadre politique et théoricien de la gauche maoïste, Yao Wenyuan (1931-), critique littéraire devenu responsable de la propagande, et Wang Hongwen (1933 ?-1992), un ouvrier devenu « numéro trois » du Parti communiste chinois en 1973, ces trois derniers étant jusquelà connus comme constituants du groupe de Shanghai. **A. R. > CHINE, MAOÏSME.**

BANDUNG (conférence de) La conférence de Bandung (1955) fut convoquée à l'invitation de cinq pays strictement asiatiques : Inde, Indonésie, Pakistan, Ceylan (actuel Sri Lanka) et Birmanie. Parmi les vingt-quatre autres participants, on dénombrait dix autres pays de l'Asie de l'Est et du Sud : Afghanistan, Népal, Siam – actuelle Thaïlande –, Laos, Cambodge, les deux Vietnam, Chine, Japon, Philippines ; quatorze pays appartenant à l'aire arabo-musulmane : outre l'Afghanistan, le Pakistan et l'Indonésie déjà cités, l'Égypte, le Soudan, l'Iran, la Turquie, l'Irak, la Syrie, la Jordanie, le Liban, la Libye, l'Arabie saoudite et le Yémen ; et, classés comme africains : outre l'Égypte et le Soudan déjà cités, l'Éthiopie qui ne fut jamais colonisée hormis l'occupation mussolinienne, le Libéria (république fondée par des Noirs américains affranchis, indépendante depuis 1847) et la Côte de l'Or (Gold Coast, actuel Ghana, qui sera indépendant en 1957 et où le leader Kwame Nkrumah jouait déjà un rôle considérable). Si les prémices des mouvements régionaux qui ont permis à la conférence de Bandung de se tenir remontent à plusieurs décennies et s'ancrent politiquement dans une revendication d'altérité culturelle, cette conférence n'en marque pas moins une étape majeure. Elle est généralement considérée comme le symbole de l'« émergence des peuples du tiers monde sur la scène internationale ». À vrai dire, l'histoire qui va suivre sera bien plutôt une affaire d'États. Intervenant en pleine Guerre froide, peu après la fin de la guerre de Corée (1953) et la défaite de l'armée française à Dien Bien Phu au Vietnam, la conférence de Bandung vise notamment à affirmer les principes de coexistence pacifique. L'heure est au débat sur le « non-engagement » et le neutralisme. Des contradictions opposent les pays qui, à l'instar de l'Inde, défendent le choix d'une indépendance – notamment militaire – à l'égard des blocs à ceux qui, comme le Pakistan, la Turquie ou l'Irak, justifient les alliances militaires qu'ils ont récemment passées (pacte de Bagdad, OTASE – Organisation du traité de l'Asie du Sud-Est) dans le cadre de la politique de sécurité alors déployée par les États-Unis. Un compromis ambigu est finalement trouvé qui permet la rédaction d'une Charte de la coexistence pacifique, laquelle n'exclut pas totalement la possibilité pour les pays signataires de nouer des alliances militaires. D'autres contradictions se manifestent qui expriment la difficulté pour les participants de se « positionner » vis-à-vis des deux « grands ». Ainsi, certains d'entre eux (Ceylan, Pakistan) souhaitent ne pas limiter leur dénonciation du colonialisme aux seuls empires occidentaux, mais également mettre l'empire soviétique sur la sellette pour ce qui concerne « ses » républiques asiatiques. La conférence de Bandung adopte aussi une série de grands principes qui apparaissent rétrospectivement comme autant d'anticipations sur ce que seront dans le futur les préoccupations du mouvement, notamment en ce qui concerne la stabilisation du prix des matières premières, la nécessité d'assurer le développement économique, la condamnation des ségrégations raciales et du colonialisme

« dans toutes ses manifestations » (y compris le néocolonialisme), le droit des peuples à l'autodétermination, le désarmement, etc. **S. C.** **>** NON-ALIGNEMENT, TIERS MONDE.

BANGLADESH République populaire du Bangladesh. Capitale : Dacca. Superficie : 143 998 km². Population : 126 947 000 (1999). Le Bangladesh correspond au territoire de l'ex-Pakistan oriental ayant résulté de la partition de l'Inde, en 1947, entre hindous et musulmans (le Pakistan était alors constitué de deux territoires séparés par l'Inde). Le Pakistan occidental a mené une politique hégémonique qui ne tarda pas à susciter au Pakistan oriental une aspiration à une plus large autonomie. Aux élections de décembre 1970, la Ligue Awami, porte-parole de la contestation bengali, remporte la majorité des sièges. Islamabad, refusant le verdict des urnes, réagit par une intervention meurtrière au Pakistan oriental. Appuyés par l'Inde dans leur guerre d'indépendance, les Bengalis proclament l'indépendance du Bangladesh le 16 décembre 1971. Mujibur Rahman (1920-1975), dirigeant de la Ligue Awami, devient chef du gouvernement en janvier 1972 (président en 1975). Il assume tous les pouvoirs, exerçant une quasi-dictature. Il est renversé en août 1975 par un coup d'État, et exécuté. De 1975 à 1990, le pays est gouverné par des militaires : Zia ur-Rahman (1935-1981) de 1975 (président en 1977) à son assassinat en 1981, puis Muhammad Ershad (1929-), de 1982 (président en 1983) à 1990. Ce dernier renforce la politique d'islamisation engagée par son prédécesseur : l'islam devient ainsi religion d'État en 1988. La dégradation de la situation économique provoque de graves conflits sociaux qui obligent M. Ershad à démissionner en décembre 1990. Les élections législatives de février 1991 (les premières élections démocratiques depuis l'indépendance) voient la victoire du Bangladesh Nationalist Party (BNP) dirigé par Khalida Zia, veuve de Zia ur-Rahman. La bégum Zia devient Premier ministre. Son règne est marqué par une progression des mouvements islamistes (dont la Jamiat-e Islami fondée par Abul ala-Mawdudi). Ils menacent de mort l'écrivain

Taslima Nasreen (1994), la contraignant à l'exil. **S**ur le plan extérieur, les relations du Bangladesh avec l'Inde se sont détériorées dès la mort de M. Rahman. L'explosion démographique au Bangladesh a provoqué, à la grande irritation de New Delhi, une émigration massive vers l'Inde, tant dans les provinces frontalières (Assam, Mizoram, Tripura), que vers des villes comme Bombay. L'Inde, de son côté, a mené une politique hégémonique, notamment sur la question du partage des eaux du Gange et du Brahmapoutre. La montée en puissance des nationalistes hindous du Bharatiya Janata Party (BJP) en Inde a compliqué davantage encore les relations entre New Delhi et Dacca. Ces tensions du Bangladesh avec l'Inde ont rapproché Dacca, d'une part, de Pékin, qui voit dans ce territoire une ouverture potentielle sur l'océan Indien, de l'autre, du Pakistan, en raison notamment de l'avancée des islamistes au Bangladesh. **La** détérioration de la situation économique et l'accroissement des inégalités sociales font tomber le gouvernement de la bégum Zia en 1996. Les élections amènent au pouvoir la Ligue Awami conduite par la fille de M. Rahman, Sheikh Hasina Wajed. Sur le plan interne, les réformes engagées par cette dernière semblent porter leurs fruits à compter de 1997. Toutefois, deux problèmes majeurs ont continué de contrarier le développement du pays : une démographie élevée et des inondations catastrophiques, fléau permanent, qui font des ravages considérables chaque année (destruction des récoltes, morts par centaines, sans-abri par milliers, voire par millions). **P**ar un traité de paix, Sheikh Hasina a mis un terme en décembre 1997 à la guerre civile qui sévissait dans les collines de Chittagong (Chittagong Hills) : elle opposait, depuis vingt-cinq ans, des tribus d'origine tibéto-birmane aux Bengalis qui s'étaient approprié leurs terres. **À** compter de 1996, le Bangladesh a tenté de rétablir un équilibre dans ses relations avec l'Inde, le Pakistan et la Chine. Ses rapports avec l'Inde ont connu une nette amélioration, grâce à une politique réciproque de bon voisinage. La visite officielle au Bangladesh du Premier ministre indien, Atal Bihari Vajpayee, en juin 1999, lors de laquelle un traité économique a été signé, a consolidé le rapprochement entre Dacca et New Delhi. À l'aube du XXIᵉ siècle, le Bangladesh, devenu relativement démocratique, restait exposé aux problèmes des eaux et à ceux engendrés par sa dynamique démographique, d'une part, et par la confrontation entre groupes laïques et éléments fondamentalistes propakistanais, d'autre part. **A. Mo.**

BANGLADESH (guerre du) > GUERRE D'INDÉPENDANCE DU BANGLADESH.

BANNA Hassan al- (1906-1949)
Dirigeant islamiste égyptien. Hassan al-Banna fonde, en 1928, l'organisation des Frères musulmans en Égypte. Il insiste surtout sur les méfaits de la séparation de l'État et de la religion qui constitue à ses yeux la cause de la corruption du système politique et social. Il développe l'idée d'un gouvernement islamique fondé sur les principes de responsabilité des gouvernants et du parlementarisme islamique. Dans la pratique, le parti des Frères musulmans met l'accent sur l'indépendance nationale, la justice sociale, voire le « socialisme islamique ». H. al-Banna meurt assassiné par les services secrets du roi Farouk (1936-1952). Principal écrit : *Recueil des lettres de Hassan al-Banna.* **B. G.** > FONDAMENTALISME ISLAMIQUE, ISLAMISME.

BANQUE MONDIALE La création de la Banque mondiale (siège à Washington) a été décidée en même temps que celle du FMI, lors de la conférence monétaire et financière de Bretton Woods en 1944. Le groupe de la Banque mondiale comprend aujourd'hui : – La BIRD, Banque internationale pour la reconstruction et le développement (IBRD, International Bank for Reconstruction and Development), créée en 1945 ; – L'AID, Association internationale pour le développement (IDA, International Development Association), fonds créé en 1960 ; – La SFI, Société financière internationale (IFC, International Finance Corporation), créée en 1956 ; – L'AMGI, Agence multilatérale de garantie des investissements (MIGA Multilateral Investment Guarantee Agency), créée en 1988 ; – Le CIRDI, Centre international pour le règlement relatif aux investissements (ICSID, International Center for Settlement of Investment Dispute).

BANTOUS, BANTU Groupe linguistique regroupant la majeure partie des populations d'Afrique centrale, d'Afrique orientale et d'Afrique australe. Le terme de « bantou » a été élaboré en 1860 par le linguiste W. C. Bleck pour nommer les langues africaines dans lesquelles le terme « ba-ntu » désigne « les hommes » (mu-ntu au singulier). Comme pour l'indo-européen et le hamitique, le mot a ensuite servi à nommer les individus, donnant de la substance aux grandes théories diffusionnistes sur les civilisations et les techniques, mises à mal par la suite. On situait ainsi le foyer originel des Bantous au sud-est du Nigéria, d'où ils se seraient dispersés à travers l'Afrique centrale à la veille de notre ère, emportant avec eux les techniques métallurgiques élaborées à Nok, sur le plateau de Jos (Nigéria), 500 ans auparavant. Tandis que se seraient poursuivis ces mouvements de populations, les Zoulous se seraient heurtés aux fermiers hollandais sur les rives du Limpopo en Afrique du Sud. Les recherches archéologiques menées depuis les années 1960 n'ont pu confirmer cette théorie de la « dispersion des Bantous » à partir du foyer originel nigérian, la mise en place des populations apparaissant beaucoup plus complexe. Ces recherches ont notamment mis en évidence que la métallurgie du fer était pratiquée dans la région des Grands Lacs (Afrique centrale) dès le début du 1er millénaire avant notre ère. En plus de sa parenté linguistique, le « monde bantou » n'en constitue pas moins un ensemble culturel spécifique, décrit dans La Philosophie bantoue (1949), ouvrage du père Placide Tempels qui eut une forte influence sur les intellectuels africains à la veille des indépendances. **B. N.**

BANTOUSTAN Conséquence logique de l'idéologie du « développement séparé » (l'« apartheid ») et de l'ethnisme juridique, les bantoustans, régions autonomes bantoues, couronnent l'échafaudage racial institué par le régime blanc sud-africain aux mains des nationalistes afrikaners de 1948 à 1991, date de la suppression de l'apartheid. En 1913, le Native Land Act délimite des zones (7,3 % du territoire) réservées à la population noire, largement majoritaire (elles sont étendues par la suite pour constituer 13,7 % de la superficie totale). Souvent contiguës des zones industrielles pour servir de cités-dortoirs aux travailleurs noirs, dont les familles restent confinées dans des parcelles lointaines souvent incultes, elles ne disposent d'aucune continuité territoriale, ce qui facilite leur contrôle. Un an après l'arrivée au pouvoir des nationalistes purs et durs, en 1948, les mariages mixtes sont interdits. Cette loi annonçait l'Immorality Amendment Act (1950) prohibant les relations sexuelles entre races différentes, complété par une loi invalidant les mariages mixtes contractés à l'étranger (1962). Le début des années 1950 est consacré au classement racial de la population en Blancs, Métis, Indiens et Noirs, avec la promulgation du Population Registration Act (1950). Une seconde classification ethnolinguistique, destinée à fractionner la forte majorité noire bantouphone, aboutit à la création de neuf groupes destinés à constituer les futurs « bantoustans », appelés « homelands » dans la terminologie officielle : Bophutatswana pour les Tswana, Basotho Qwaqwa pour les Sotho du sud, Ciskei pour les Xhosa, Gazankulu pour les Tsonga, Kwazulu pour les Zoulous, Lebowa pour les Sotho du nord, Swazi pour les Swazi, Transkei de nouveau pour les Xhosa, Venda pour les Venda. Le propre des communautés africaines étant la complémentarité des activités, les populations, souvent imbriquées, doivent migrer vers les bantoustans qui leur sont affectés. La sortie du <u>Commonwealth</u> et la proclamation de la République sud-africaine en 1961 favorisent l'évolution logique de la politique des homelands. En 1971 sont mises en place des assemblées locales. L'année suivante, leur autonomie est proclamée. Certains accèdent à l'indépendance (Bophutatswana, Transkei). Cette « indépendance » rigoureusement encadrée dans les domaines économiques et militaires, et non reconnue par la communauté internationale, prendra fin en 1994 après le démantèlement des lois de ségrégation raciale. **B. N.** **> AFRIQUE DU SUD.**

BAO DAI (1913-1997)   Dernier empereur du Vietnam. Nguyen Vinh Thuy succède à son père Khai Dinh en 1925, mais n'est intronisé qu'en 1932, sous le nom de règne de Bao Dai, après avoir achevé ses études en France. Il choisit de nouveaux ministres (Pham Quynh, Ngo Dinh Diem) et esquisse des réformes destinées à préparer une monarchie constitutionnelle, mais il capitule vite devant l'opposition du Gouvernement général. Il se contente dès lors d'un rôle de figurant jusqu'au renversement de l'administration française par les Japonais le 9 mars 1945.   À l'instigation de ces derniers, il proclame l'indépendance du Vietnam le 11 mars 1945 dans le cadre de la « Grande Asie orientale » prônée par le Japon. Au lendemain de la révolution d'août 1945, il abdique et remet le grand sceau impérial, emblème de la légitimité dynastique, aux mains du gouvernement de Ho Chi Minh qui le nomme « conseiller suprême » du gouvernement. En 1946, il gagne Hong Kong, reste en retrait des événements, puis revient, négocie avec les Français les accords de la baie d'Along des 6-7 décembre 1947 et cherche à se poser à la fois en médiateur dans la guerre d'Indochine et en chef de l'État associé du Vietnam. Sans véritable pouvoir, il fait pression sur Paris pour obtenir l'indépendance qui lui est reconnue par les accords du 8 mars 1949. Mais ceux-ci n'entrent dans les faits que très lentement et le contrôle effectif de l'État du Vietnam reste limité aux zones tenues par le CEFEO (Corps expéditionnaire français en Extrême-Orient) jusqu'à ce que les accords de Genève de 1954 – que la délégation de son gouvernement refuse de signer – fassent passer le Sud-Vietnam sous l'autorité de ce dernier. Les États-Unis, qui trouvent Bao Dai trop lié à la France, parient sur Ngo Dinh Diem, qu'ils lui ont imposé comme Premier ministre en 1954. Après le référendum de 1955, Diem l'oblige à abdiquer. Bao Dai s'exile alors en France. Il meurt à Paris le 4 août 1997. **D. H.**   **> VIETNAM.**

BARBADE   Capitale : Bridgetown. Superficie : 430 km^2. Population : 269 000 (1999).   La plus ancienne colonie britannique de la région caraïbe (depuis 1627), la Barbade, a obtenu son indépendance en 1966. Elle a longtemps vécu de la culture de la canne à sucre, mais dans la seconde moitié du siècle, le tourisme à grande échelle a pris le relais. Le calme politique et le conservatisme de ses habitants ont valu à la Barbade le sobriquet de « Petite Angleterre ». La qualité de vie y est élevée et ses Premiers ministres ont toujours joué un rôle important à l'échelle régionale, notamment Sir Grantley Adams (1898-1971), numéro un du pays de 1946 à 1958, puis chef de l'éphémère Fédération des Indes occidentales (1958-1962). Son fils, Tom Adams (1931-1985), a gouverné de 1976 jusqu'à sa mort. La prospérité s'est maintenue, à partir de 1994, sous le mandat de l'un de ses successeurs à la tête du Parti travailliste, Owen Arthur. **G. C.**

BARZANI Mustafa (1903-1979)   Homme politique et combattant nationaliste kurde. Mustafa Barzani (dit Mollah), dont plusieurs proches ont été exécutés pour avoir participé aux révoltes kurdes des années 1910, devient lui-même une figure combattante des années 1930 et 1940. Figurant parmi les dirigeants de la révolte kurde de 1943 en Irak, il participe activement à la République autonome kurde de Mahabad en 1946. La même année, il fonde le PDK (Parti démocratique du Kurdistan). Après la chute de cette république, il bat en retraite vers l'URSS où il demeure jusqu'en 1958. Il retourne en Irak après le renversement de la monarchie et lance une nouvelle révolte contre le régime du général Abdul Karim Kassem (1958-1963). Cette longue insurrection (1961-1970), ponctuée de conflits internes, notamment avec Jalal Talabani, l'un des futurs dirigeants kurdes irakiens (Union patriotique du Kurdistan, UPK), et de négociations avec les régimes successifs de Bagdad, aboutit à l'accord du 11 mars 1970 sur l'autonomie de la région kurde. Après le refus de Bagdad de respecter l'accord, M. Barzani, soutenu militairement par l'Iran et les États-Unis, reprend les hostilités en 1974. La réconciliation entre Bagdad et Téhéran en 1975 marque cependant la fin du soutien iranien et américain. M. Barzani décide alors d'arrêter la lutte armée et de se retirer de la politique. Cette

décision provoque des polémiques, aussi bien parmi les Kurdes qui critiquent sa politique pro-occidentale, que dans la presse américaine qui dénonce la « trahison de Henry <u>Kissinger</u> ». **Figure** charismatique, M. Barzani laisse une image mitigée. Tout en symbolisant la résistance kurde durant plusieurs décennies, il est critiqué pour sa brutalité et son « tribalisme ». Il meurt aux États-Unis en 1979 et sera enterré en Iran. En octobre 1993, sa dépouille est transférée, lors d'une cérémonie officielle, à Barzan, son village natal au Kurdistan d'Irak.
H. B.   **> IRAK, QUESTION KURDE.**

BAsD La Banque asiatique de développement (BAsD, ADB – Asian Development Bank –, siège à Manille, Philippines) a été créée en 1965. Elle comptait, à la mi-2001, 59 États membres d'Asie, d'Europe et d'Amérique et intervenait dans 40 États.

BASQUES > QUESTION BASQUE.

BASUTOLAND > LÉSOTHO.

BEAUVOIR Simone de (1908-1986)
Écrivain et féministe française. Née dans une famille bourgeoise catholique, Simone de Beauvoir (1908-1986) décide très tôt qu'elle sera une intellectuelle et ne se mariera pas. Elle rencontre Jean-Paul <u>Sartre</u> en 1929 en préparant l'agrégation de philosophie, où il est reçu premier et elle deuxième. Leur entente est immédiate et totale. Partenaires dans le travail – chacun relit les manuscrits de l'autre –, ils forment un couple libre qui choque. Elle publie en 1943 *L'Invitée*, roman de leur trio amoureux avec une jeune femme. **Le** couple est un pilier de la vie intellectuelle de l'après-guerre, marquée par l'existentialisme sartrien, et fonde en 1946 la revue *Les Temps modernes*. Reine mère de la ruche sartrienne, S. de Beauvoir, baptisée « Castor », se tient au centre de tous les réseaux et de toutes les œuvres, tout en poursuivant la sienne. En 1947, à Chicago, elle tombe amoureuse d'un écrivain, Nelson Algren, qui se lasse vite de sa place de « second ». Elle raconte cette histoire dans *Les Mandarins* qui obtient le prix Goncourt en 1954. **En** 1949, paraît *Le Deuxième Sexe*, qui fait scandale. L'oppression des femmes, dit S. de Beauvoir, est le résultat d'une hiérarchisation établie par la société, qui donne l'homme comme la norme positive et la femme comme l'Autre. Une seule condition pour s'en libérer et accéder au monde de la conscience et de la création : l'indépendance économique. Elle interroge : « Peut-être que les femmes ont des enfants à défaut d'enfanter des œuvres ? » **Traduit** dans le monde entier, *Le Deuxième Sexe* inspire tout le féminisme contemporain. Sa fameuse phrase : « On ne naît pas femme, on le devient » annonce le concept de « genre » des années 1980 qui décrit la construction sociale des rôles de sexe. **Ses** autres œuvres majeures, dans les années 1950, sont plus autobiographiques : *Mémoires d'une jeune fille rangée*, *La Force de l'âge*, *La Force des choses*. Dans les années 1970, elle s'engage dans le nouveau mouvement féministe. Quand J.-P. Sartre disparaît en 1981, elle décrit les dix dernières années de sa vie dans *La Cérémonie des adieux*. **M. P.-L.**   **> FEMMES (ÉMANCIPATION DES), FRANCE.**

BEGIN Menahem (1913-1992)
Militaire et homme politique israélien. Né à Brest-Litovsk (Russie), Menahem Begin est vite gagné par les idées <u>révisionnistes</u> de Zeev Jabotinsky (1880-1940), le leader ultranationaliste qui a fait scission avec le courant majoritaire du <u>sionisme</u>. Il rejoint son mouvement de jeunesse, le Betar, et gagne la <u>Palestine</u> en 1942. Il devient commandant de l'<u>Irgoun</u>, l'aile armée du mouvement révisionniste, et organise à partir de 1944 des attentats antibritanniques. Il s'oppose à la direction sioniste, qui a accepté le plan onusien de partage de la Palestine. Après la création d'Israël, il transforme l'Irgoun en parti, le Hérout, qui se fondra plus tard dans le Likoud (droite nationaliste). Longtemps paria, il entre au gouvernement à la veille de la guerre israélo-arabe de 1967. Grâce au vote séfarade, il remporte les élections législatives de 1977 et devient Premier ministre. Il conclut avec le président égyptien Anouar al-<u>Sadate</u> un traité de paix en 1979 (accords de <u>Camp David</u>). Cela lui vaut, ainsi qu'à son cosignataire, le prix Nobel de la paix. Mais il ignore le volet palestinien de l'accord et accélère la colonisation des <u>Terri-</u>

toires occupés. Espérant en finir avec l'OLP, il ordonne l'invasion du Liban en 1982. Affaibli par la mort de sa femme et l'enlisement de son armée au Liban, il finit par démissionner en 1983. Il meurt le 9 mars 1992. **C. B.** **> ISRAËL.**

BELGIQUE **R**oyaume de Belgique. Capitale : Bruxelles. Superficie : 30 500 km². Population : 10 152 000 (1999). **S**i le nom de *Belgica* est attesté dès l'Antiquité, l'existence d'un État belge ne remonte qu'au XIXᵉ siècle. Les Pays-Bas historiques, qui incluent la Belgique actuelle, tombent sous la domination des Habsbourg à la fin du XVᵉ siècle ; mais la guerre d'indépendance des Provinces-Unies (fin du XVIᵉ siècle) coupe en deux ce territoire : le Sud va rester possession d'Empire jusqu'à la période révolutionnaire. Le congrès de Vienne (1815) le réunit à nouveau au Nord dans un « royaume des Pays-Bas ». Mais les conflits religieux et politiques s'enveniment et la Belgique se soulève en 1830 ; son indépendance est reconnue par les grandes puissances en 1831, par les Pays-Bas en 1839. Le nouvel État choisit pour roi le prince Léopold de Saxe-Cobourg (1790-1865). **S**on fils Léopold II (1835-1909) lui succède en 1865. La Belgique est déjà dotée d'une puissante industrie (Wallonie), mais la vie politique repose sur le clivage traditionnel entre libéraux et catholiques, qui vont alterner au pouvoir jusqu'en 1884. Les catholiques prennent alors le dessus et confirment leur audience populaire après l'instauration du suffrage universel (1918), malgré les progrès du nouveau « parti ouvrier » (fondé en 1885). **A**lbert Iᵉʳ (1875-1934), le neveu de Léopold II, monte sur le trône en 1909. La Belgique est alors un pays agricole et industriel prospère qui multiplie les investissements à l'étranger. Léopold II lui a légué le Congo, qui était sa propriété personnelle depuis le congrès de Berlin (1885). **Le temps des difficultés.** Mais l'ère des difficultés va commencer. Les deux guerres mondiales, qui touchent de plein fouet le pays, malgré sa neutralité proclamée, sont séparées par la crise de 1929, durement ressentie, et une période de troubles politiques et sociaux (scandales financiers, revendications sociales et linguistiques, poussée de l'extrême droite). Léopold III (1901-1983),

qui a accédé au trône en 1934, doit faire face après la guerre à l'opposition d'une partie de l'opinion ; en 1951, il préfère abdiquer au profit de son fils Baudouin Iᵉʳ (1951-1993). **Le redressement économique est rapide, même si les premiers symptômes de la crise des industries vieillissantes surgissent très vite. Les sociaux-chrétiens dominent les coalitions gouvernementales, sur fond de conflits scolaires (l'enseignement chrétien sera subventionné à partir de 1958), sociaux et linguistiques (durcissement du mouvement flamand). Faute d'une majorité des deux tiers, il faudra attendre les années 1970-1971 pour qu'une révision de la Constitution amorce l'évolution vers le fédéralisme. **E**n 1960, avec la disparition de l'Empire belge, l'indépendance accordée au Congo-Kinshasa (futur Zaïre) avait ouvert une période de guerre civile (tentative de sécession du Katanga), prélude à l'installation du régime autoritaire du général Mobutu (1965) et à des relations houleuses avec l'ancienne métropole. **B**ruxelles devient peu à peu un siège international d'importance. En 1967, le retrait de la France du commandement militaire intégré de l'OTAN (Organisation du traité de l'Atlantique nord) avait entraîné le transfert en Belgique du siège de l'organisation. Avec les progrès de l'intégration européenne, la Commission, sise dans la capitale belge, acquiert un poids croissant, notamment à partir de la présidence du Français Jacques Delors (1985-1995) ; désormais « Bruxelles » symbolise le pouvoir européen, malgré la dispersion des institutions communautaires. **Une formule fédérale.** La vie politique belge traverse de nombreuses crises dans les dernières décennies du XXᵉ siècle. Le conflit entre Flamands et Wallons entraîne une série de révisions constitutionnelles qui aboutissent en 1993 à une fédéralisation de l'État. Celle-ci n'a pourtant pas apaisé les esprits ; les Flamands réclament une plus grande autonomie et la recherche d'un nouveau compromis apparaît difficile. Affaibli par la fédéralisation, l'État belge souffre aussi d'un discrédit croissant. Le partage du pouvoir entre sociaux-chrétiens et sociaux-démocrates suscite de plus en plus de réserves ; les pots-de-vin versés à des partis politiques lors de la passation de marchés publics, les dysfonctionnements de la police et de la justice révélés par l'affaire du pédophile Marc Dutroux déclenchée en 1996, le scandale du « poulet à la dioxine » (1999) entraînent une perte de confiance en l'État. La disparition du roi Baudouin (1993) affaiblit une des dernières institutions communes, même si son frère Albert II assume efficacement la succession. L'économie belge parvient cependant à engager sa reconversion, mais plus au profit de la Flandre que de la Wallonie. Le taux de chômage, qui avait fortement augmenté dans les années 1980, est resté par la suite à un niveau élevé. La pénétration étrangère s'est accrue, avec notamment l'installation d'établissements français et néerlandais. La coalition gouvernementale, dirigée par un social-chrétien flamand (Wilfried Martens de 1979 à 1992, Jean-Luc Dehaene de 1992 à 1999), a longtemps réussi à désamorcer les conflits et à se maintenir au pouvoir, au prix d'un accroissement considérable de la dette publique. Mais les élections législatives de 1999 ont témoigné de la désaffection des citoyens à son égard. Les sociaux-chrétiens sont alors passés dans l'opposition, le libéral flamand Guy Verhofstadt (1953-) parvenant à constituer un nouveau gouvernement, composé des libéraux, des socialistes et, pour la première fois, des écologistes. **J.-C. B.**

BÉLIZE Capitale : Belmopan. Superficie : 22 960 km^2. Population : 235 000 (1999). Îlot de démocratie à l'anglaise en Amérique centrale, le Honduras britannique – Bélize à partir de 1973 – a fourni du bois de luxe à l'empire à partir du XVIIIe siècle, plus tard du sucre et des agrumes. Son différend avec le Guatémala, qui le considère comme partie de son propre territoire, que l'on croyait réglé par un traité de 1859, a été réactivé dans les années 1960. Bélize est devenu indépendant en 1981 sous la direction de George Price (1919-), qui menait la lutte nationaliste depuis trente ans. Au tournant du siècle, le problème de la reconnaissance de souveraineté par le Guatémala n'était pas réglé, mais se trouvait supplanté par celui né du trafic de la drogue. **G. C.**

BEN BADIS Abdelhamid (1889-1940)
Penseur musulman et homme politique algérien. Le 16 avril de chaque année, l'Algérie rend hommage lors de la journée du Savoir *(yom el ilm)* à Cheikh Ben Badis. Son rayonnement posthume ne doit pas nous faire oublier l'étroitesse de ses bases sociales dans les années 1920 quand son combat religieux s'en prit aux vues de l'école maraboutique. Descendant d'une famille princière d'origine berbère célèbre au Xe siècle, protégé par des parents liés au système colonial, A. Ben Badis entame une carrière d'enseignant et de prédicateur dès 1912 après avoir obtenu son diplôme à la Zitouna (Tunis). L'état de la communauté musulmane en crise le conduit à repenser dans le sillage de l'école réformiste de Muhammad Abduh (1849-1905) les modalités d'adaptation de l'islam à son temps. Séduit par son libéralisme, il ouvre la première école de filles à Constantine en 1919, une partie de l'élite occidentalisée le soutient. Avec ses premiers compagnons, il lance après l'interdiction de son journal Le Censeur (Al Muntaqid, 1925), une autre publication intitulée Le Météore (Al Shihab). Convaincu que seule la religion est capable d'unifier les Algériens, il s'oppose à toute séparation du politique et du religieux et défend la primauté de l'instruction et de l'éducation sur l'action politique. Sous sa houlette naît en 1931 l'Association des Ulama musulmans algériens où se retrouvent réformistes et maraboutiques. Leur séparation en 1932 contraint A. Ben Badis à ne plus éluder la politique. Désormais, la propagande des réformistes en faveur d'un islam rénové, de l'enseignement de la langue arabe et de la séparation du culte et de l'État sera jugée dangereuse pour l'ordre public. Du loyalisme à l'égard des autorités coloniales, A. Ben Badis s'engage dans la voie de la revendication nationale en distinguant la « nationalité » politique (française) de la « nationalité » ethnique (communautaire) et en mettant l'accent sur les fondements islamique et arabe de la personnalité algérienne. Tout en prêchant le gradualisme, et en adhérant au projet Blum-Violette de 1936 (le droit de vote pour 21 000 Algériens musulmans remplissant certaines conditions), il admet l'existence d'une nation algérienne sans pour autant apporter sa caution au nationalisme. Avec A. Ben Badis

s'esquisse une vision religieuse de la société et du devenir de l'Algérie. Son option en faveur du bilinguisme aurait pu favoriser une plus grande ouverture sur le monde, mais l'opposition conjuguée des colons et des syndicats laïcs d'instituteurs ne l'a pas permis. **M. Ha.**   **> ALGÉRIE.**

BEN BARKA Mehdi (1920-1965)

C'est dans une famille profondément imprégnée de traditions populaires que vient au monde, à Rabat, Mehdi Ben Barka. Son père, *fqih* de *zaouia* (juriste), lui insuffle la passion du savoir. Après de brillantes études de mathématiques à l'université d'Alger, il rentre au Maroc. Brûlant de patriotisme, il s'engage dans le parti nationaliste de l'Istiqlal et signe en 1944 le *Manifeste de l'indépendance*, ce qui lui vaut deux années d'emprisonnement. À sa libération, il enseigne au collège Moulay Youssef et au collège impérial où il a comme élève le futur roi Hassan II. Il est en résidence surveillée (1951-1954) au moment où se durcit le conflit avec la France et quand Mohammed V est déposé (août 1953). Il participe cependant aux négociations d'Aix-les-Bains et reste fidèle à l'unité du couple sultan-Istiqlal.   **M.** Ben Barka organise les manifestations lors du retour de Mohammed V, mais il ne fera pas partie de son gouvernement. La dynastie alaouite voyait en lui un danger et un adversaire potentiel. Sa conception de l'allégeance conçue comme une délégation de la volonté générale, révocable en cas de violation du contrat, est une interprétation audacieuse du droit traditionnel. Trois idées guident l'action de M. Ben Barka : l'hégémonie de l'Istiqlal sur le mouvement politique, le renouvellement politique des générations et une vision autonome et dirigiste du développement. Le premier de ses objectifs lui aliène une partie des organisations de la résistance et notamment le Croissant noir d'Abdelkrim Ben Abdallah (communistes) et l'Armée de libération marocaine d'Abdallah el-Messaadi dit « Abbès », allié du FLN (Front de libération national algérien). La liquidation physique des deux hommes, dont il se sentait responsable et, qu'il regrettera amèrement, jouera au profit de la monarchie. Les deux autres objectifs lui attireront la faveur de la jeu-

nesse et des intellectuels. Il veut accélérer la marche en compagnie de l'Union marocaine du travail (UMT) de Mahjoub Ben Seddik (1922-) et des organisations de la résistance armée (notamment Mohammed el-Basri, Abderrahmane Yousfi – né en 1924). Il se sépare de son parti en 1959 et crée l'UNFP (Union nationale des forces populaires) dont l'un des leaders, Abdallah Ibrahim (1918-), prend la direction du gouvernement. L'expérience échoue rapidement. L'UNFP se trouve en mauvaise posture avant même d'avoir sédimenté ses forces. Début 1960, une partie de ses dirigeants est accusée de complot alors que M. Ben Barka se trouve à l'étranger.   C'est l'exil forcé. De retour au Maroc en 1962, il est victime d'un attentat qui faillit lui coûter la vie. Dans le même temps, son rapport au congrès de mai 1962 *Option révolutionnaire au Maroc*, est mis sous le boisseau. Ses idées rayonnent, mais il n'a pas d'appareil pour les mettre en œuvre. En juillet 1963, faisant l'objet d'une nouvelle accusation de complot. M. Ben Barka quitte le Maroc. Définitivement. Condamné à mort par contumace pour avoir condamné la guerre dite « des sables » avec l'Algérie (1963), il se met au service du tiers monde et se bat contre l'instrumentalisation par l'URSS et la Chine de l'Organisation de solidarité des peuples d'Afrique, d'Asie et d'Amérique latine (OSPAAL). D'une activité débordante, ce « feu follet » selon Jean Lacouture, est le maître d'œuvre de la préparation de la conférence Tricontinentale qui se déroulera à Cuba en janvier 1966. Trop de forces avaient intérêt à sa disparition. Enlevé le 29 octobre 1965, à Paris, devant la Brasserie Lipp, il perd la vie dans des conditions non élucidées. Défendre sa mémoire est assimilé par la conscience démocratique à la lutte contre l'impunité. **M. Ha.**   **> MAROC.**

BEN BELLA Ahmed (1916-)

Homme politique algérien, chef de l'État de 1962 à 1965. D'Ahmed Ben Bella, l'histoire retiendra surtout la mise sous autogestion du domaine colonial et l'action en faveur du tiers monde. Né le 25 décembre 1916 dans une bourgade limitrophe du Maroc, Marnia, A. Ben Bella grandit dans une famille de *fellahin* (paysans) très pieux qui s'est donné les moyens de lui faire poursuivre des études secondaires à Tlemcen. Durant la Seconde Guerre mondiale, il s'illustre à la bataille de Cassino en Italie comme adjudant. Après 1945, il préfère quitter l'armée où on lui promettait une promotion, délaisse ensuite une carrière prometteuse de footballeur à l'Olympique de Marseille pour rentrer à Marnia. Idéologiquement proche de l'Association des ulama fondée par Cheikh Ben Badis, il choisit d'adhérer au PPA (Parti du peuple algérien, nationaliste), qui le fera élire conseiller municipal en octobre 1947. Les nécessités de l'équilibre régional dans le parti et sa combativité le font accéder au Comité central.   En 1949, A. Ben Bella succède à Hocine Aït Ahmed (1926-), soupçonné de « berbérisme » (ethnicisme berbère), à la tête de l'Organisation spéciale (OS, structure militaire clandestine du parti nationaliste). Arrêté en 1950, il revendique son engagement dans la préparation de la lutte armée. Le parti, soucieux d'éviter la dissolution, le désavoue et, quand en 1952 il s'évade en compagnie d'Ahmed Mahsas de la prison de Blida, la direction de l'organisation l'envoie au Caire. Lors de la scission du MTLD (Mouvement pour le triomphe des libertés démocratiques), il appuie Mohamed Boudiaf et lui promet l'aide militaire de l'Égypte, dont il sera l'interlocuteur privilégié jusqu'à son arrestation, le 22 octobre 1956, lors du premier détournement d'avion de l'histoire (par l'armée française). On lui a reproché comme on lui a reproché, mais à tort, de n'avoir pas alimenté la guérilla en armes. C'est une des multiples raisons pour lesquelles le congrès de la Soummam (août 1956) ne l'a pas porté à la direction exécutive du FLN (Front de libération nationale). Opposé au CCE (Comité de coordination et d'exécution) puis au GPRA (Gouvernement provisoire de la République algérienne) sur la question des alliances, il contestera en permanence la direction et, à sa libération après le cessez-le-feu (mars 1962), il s'alliera à l'État-Major de l'armée dirigé par Houari Boumediène et prendra le pouvoir avec son appui à l'issue d'une très longue crise. Adversaire résolu du nationalisme élitaire, A. Ben Bella veut exprimer le pouvoir des masses qui descendent dans la rue et récusent les privilèges. Son pouvoir est ainsi

l'expression d'une formidable poussée anarchique et contestataire, sans structure et sans but à même de lui donner cohésion. Les élites militaires, renforcées par les révoltes et l'insurrection du FFS (Front des forces socialistes de H. Aït Ahmed) en septembre 1963, auxquelles elles font face, veulent un homme qui gouverne. A. Ben Bella est destitué le 19 juin 1965 au profit du colonel Boumediène. Il ne retrouve sa liberté qu'en 1980. Exilé en 1981, il fonde le Mouvement démocratique algérien (MDA), s'allie au FFS, mais ne parvient pas à retrouver la faveur populaire. Il soutiendra en 1999, ô paradoxe, la candidature à la Présidence d'Abdelaziz Bouteflika, l'homme dont l'élimination du ministère des Affaires étrangères a servi de catalyseur au coup d'État de juin 1965. **M. Ha.   > ALGÉRIE.**

BEN GOURION David Gryn, dit (1886-1973)   À l'âge de dix ans, dans son village natal de Plonsk (actuelle Pologne), alors située dans la Russie tsariste, David Gryn voit passer un homme à la barbe noire qui lui fait le même effet que s'il avait rencontré le Messie. C'est Theodor Herzl, ce journaliste autrichien qui, à la fin du XIXe siècle, après avoir vécu en France les déchirements de l'affaire Dreyfus, jeta les bases du sionisme et du projet de création d'un État juif situé en « terre sainte » de Palestine. En 1948, c'est à l'obstination et à la détermination de David Gryn, devenu David Ben Gourion, qu'Israël, l'État juif dont rêvait T. Herzl, doit d'être devenu réalité. **D.** Ben Gourion a dix-sept ans, en 1906, lorsqu'il décide de quitter l'Europe, ses ghettos et ses pogroms, pour rejoindre en Palestine, alors province de l'Empire ottoman, le noyau des pionniers qui allaient fonder l'État juif. Il travaille la terre, puis devient journaliste, mais il est d'abord et surtout un militant sioniste et socialiste, prêt à s'opposer à tous ceux, Arabes, Turcs ou Britanniques, qui s'opposeraient au projet de création du foyer juif.   C'est à D. Ben Gourion qu'il revient, le 14 mai 1948, de proclamer à Tel Aviv, devant un portrait de T. Herzl, la naissance de l'État d'Israël, dont il devient aussitôt le premier chef du gouvernement et ministre de la Défense. À ce titre, il réunifie sans ménagement les différentes composantes armées juives rivales

pour créer les forces de défense d'Israël :
Tsahal. La première querre israélo-arabe
éclate le 15 mai 1948, entraînant l'exode de
centaines de milliers de Palestiniens. D. Ben
Gourion suit de front les questions de sécurité et celles qui touchent à l'économie, dans
un pays exsangue. Mais, en 1953, cet
homme austère décide de quitter le pouvoir
et se retire à Sde Boker, un kibboutz (ferme
collective) situé en bordure du désert du
Neguev, une zone aride qu'il espère développer. Deux ans plus tard, il sort toutefois de
sa retraite pour reprendre le ministère de la
Défense, en plein scandale politique. Il restera encore dix ans à la tête du pays, tiraillé
entre sa volonté de fer et les divisions de la
gauche israélienne, dans lesquelles il prend
sa part de responsabilité. En 1965, il tire
finalement sa révérence, et retourne à Sde
Boker. Il démissionne de son mandat de
député en 1970 et s'éteint en 1973. Sa
tombe, au côté de celle de sa femme Paula,
est située en bordure du kibboutz, face au
désert. Il est resté toujours vénéré en Israël
comme le « père fondateur », même si le
pays s'est bien éloigné du rêve égalitaire et
socialiste qui était le sien. **P. H.**
> ISRAËL.

BENEŠ Edvard (1884-1948)   Homme politique tchécoslovaque, président de la
République de 1945 à 1948. Sociologue de
formation, francophile, Edvard Beneš s'est
engagé comme collaborateur très proche de
Tomáš Garrigue Masaryk dans la politique
tchèque pendant la Grande Guerre et est l'un
des fondateurs de la République tchécoslovaque en 1918. Ministre des Affaires étrangères de 1918 à 1935, très impliqué dans la
Société des Nations (dans son Conseil et son
Comité de sécurité), E. Beneš veut assurer la
sécurité de la Tchécoslovaquie grâce aux
accords de la Petite Entente (avec la Yougoslavie et la Roumanie) ou avec la France et
l'URSS (1935). Élu président de la République après T. G. Masaryk fin 1935, traumati-
sé par les accords de Munich (1938) et par
les critiques sur son incapacité à les refuser,
E. Beneš part en Occident début octobre
1938. Pendant la guerre, il forme un gouvernement tchécoslovaque en exil à Londres, et
déploie beaucoup d'énergie pour « défaire
Munich ». Il devient ainsi partisan de la

« révolution nationale » anti-allemande, liée
à des changements radicaux dans le domaine économique et social ; son concept
« tchécoslovaque » l'empêche cependant de
comprendre les Slovaques en tant que
nation, composante importante de la nouvelle République née en 1945, dont il est le
président jusqu'à son abdication, début
juin 1948. Sa reponsabilité dans le « coup de
Prague » de 1948 est peu à peu nuancée
dans les nouvelles analyses, fondées sur
l'ouverture complète des archives. **K. B.**
> TCHÉCOSLOVAQUIE.

BÉNIN   République du Bénin. Capitale : Porto Novo. Superficie : 112 622 km^2.
Population : 5 937 000 (1999).   La colonie du Dahomey est créée par la France en
1894 à la suite de la défaite du roi daho-
méen Béhanzin (1844-1906), mais le territoire qu'elle recouvre dépasse les frontières
du royaume vaincu. Le Dahomey obtient un
statut d'autonomie et devient une république au sein de la Communauté franco-africaine le 4 décembre 1958. L'indépendance
est proclamée le 1er août 1960, à Porto
Novo, la capitale du nouvel État. Hubert
Maga (1916-) est le premier président de la
République.   De 1960 à 1972, le Dahomey connaît une période de forte instabilité
politique, liée à la rivalité entre les trois principaux leaders (H. Maga, Sourou Apithy et
Justin Ahomadegbé) et à de fréquentes interventions de l'armée. Les régimes se succèdent tandis qu'alternent au pouvoir civils et
militaires. En 1970, un Conseil présidentiel
regroupant les trois grands leaders est institué, avec une présidence tournante. H. Maga
dirige l'institution à partir du 7 mai 1970 et
J. Ahomadegbé lui succède en 1972.   Le
26 octobre 1972, des militaires s'emparent
du pouvoir. Le nouvel homme fort du pays,
le commandant Mathieu Kérékou (1933-),
tient un discours nationaliste et révolutionnaire. Le 30 novembre 1974 est officialisé le
choix du « socialisme scientifique » comme
orientation idéologique du régime. Le 30 novembre 1975, la République du Dahomey devient la République populaire du Bénin et un
parti unique, le PRPB (Parti de la révolution
populaire du Bénin), est institué. Une certaine décrispation apparaît à partir du début
des années 1980. Mais, la fin de la décennie

est marquée par une grave crise et de fortes mobilisations sociales qui culminent durant l'année 1989. En décembre, M. Kérékou rejette l'orientation marxiste et convoque une « conférence nationale ». Celle-ci, regroupant environ 500 délégués, se déroule en février 1990 à Cotonou. Présidée par Mgr de Souza, elle proclame sa souveraineté, élit un Premier ministre, Nicéphore Soglo, et débouche sur une période de transition. Le terme « populaire » est supprimé de l'appellation officielle de la République. Une nouvelle Constitution, garantissant le pluralisme politique et établissant un régime de type présidentiel, est adoptée par référendum le 2 décembre 1990. Des élections locales, législatives puis présidentielle (large victoire de N. Soglo, opposé au second tour à M. Kérékou, le 24 mars 1991) sont organisées. Le scrutin législatif de 1995 voit la victoire de l'opposition, et M. Kérékou remporte l'élection présidentielle de 1996 face à N. Soglo. **C. Ma.**

BERD La Banque européenne pour la reconstruction et le développement (BERD, EBRD – European Bank for Reconstruction and Development –, siège à Londres) vise à favoriser la transition des pays de l'Est vers l'économie de marché. Elle a été fondée en 1990 par 30 pays (Canada, États européens, États-Unis, Japon, Mexique, Corée du Sud, Australie, Nouvelle-Zélande, Israël, Égypte, Maroc), ainsi que par la Banque européenne d'investissement et la Commission européenne. Elle comptait 62 membres à la mi-2001.

BERLIN (blocus de) Dès 1947, Berlin était devenu à la fois le point de cristallisation d'une Guerre froide à ses débuts et le laboratoire des tensions qui, à l'échelon allemand, avaient lentement miné l'alliance quadripartite (États-Unis, Royaume-Uni, France, Union soviétique). Trois mois après avoir quitté le Conseil de contrôle, les Soviétiques décident ainsi le 24 juin 1948 la mise en place d'un blocus en règle, probablement autant afin d'évincer les Occidentaux de la ville que de ralentir la création d'un État ouest-allemand. La rapidité de la réaction occidentale, l'exploit accompli par les pilotes anglo-américains qui, durant les 462 jours du siège, approvisionnent la ville, ont sans nul doute surpris Staline qui, le 12 mai 1949, ordonne la levée des restrictions. Au total, si la crise a rapproché les Occidentaux, le soutien sans faille à l'enclave berlinoise a également, de façon plus essentielle encore, uni les alliés et la population allemande autour d'un même credo anticommuniste et, avant même sa fondation, préparé la future République fédérale d'Allemagne (RFA) à se voir en bastion des libertés. **L. B.** ➤ ALLEMAGNE, GUERRE FROIDE (PREMIÈRE).

BERLINGUER Enrico (1922-1984) Homme politique italien. Né en Sardaigne dans une famille d'origine aristocratique, Enrico Berlinguer adhère pendant la Résistance, à l'âge de vingt et un ans, au Parti communiste italien (PCI). Sa carrière y est fulgurante : membre de la direction en 1948, à la tête des Jeunesses communistes (1949-1956), député en 1968, il succède en 1972 à Luigi Longo (1900-1980) au poste de secrétaire général du parti. Intellectuel d'une haute exigence morale, intègre, parfois autoritaire, il lance en 1973, à partir de son analyse du coup d'État d'Augusto Pinochet au Chili, la formule du « compromis historique », visant à associer au pouvoir communistes et démocrates-chrétiens pour réaliser des réformes socio-économiques, défendre la démocratie face au terrorisme et, en intégrant le PCI au pouvoir national dont il est écarté depuis 1947, instituer une véritable alternance politique. Ainsi, de 1976 à 1979, le PCI soutient-il au Parlement les gouvernements démocrates-chrétiens de Giulio Andreotti, mais la stratégie terroriste (assassinat d'Aldo Moro) fait échouer le compromis historique. E. Berlinguer développe aussi l'eurocommunisme pour rapprocher le PCI de ses homologues français et espagnol et encourager le processus d'autonomisation de ces formations par rapport à l'URSS, dont il condamne l'intervention en Afghanistan en 1979. Sous sa direction, le PCI atteint son apogée électoral (34,4 % aux législatives de 1976) mais amorce aussi son déclin quatre ans plus tard. Sa mort soudaine en juin 1984 suscite un vif émoi en Italie. **O. F.** ➤ ITALIE, SOCIALISME ET COMMUNISME (ITALIE).

BERMUDES   La position des Bermudes dans l'océan Atlantique leur a fait jouer un rôle clé dans le réapprovisionnement des flottes alliées jusqu'au milieu du siècle. Depuis lors, cet archipel britannique est devenu un pôle touristique et un paradis fiscal. Sa population est formée en majorité de Noirs issus de la Caraïbe. John Swan (1935-) est devenu le premier chef de gouvernement noir en 1982 (jusqu'en 1995). Deux femmes ont gouverné le pays par la suite : Pamela Gordon (1955-), à partir de 1997, et Jennifer Smith (1949-), à compter de 1998. **G. C.**

BESOINS FONDAMENTAUX   Réunie en 1976 sous l'égide de l'Organisation internationale du travail (<u>OIT</u>), la Conférence mondiale sur l'emploi avait promu les besoins fondamentaux (encore appelés « besoins essentiels » ou « besoins de base », en anglais *basic needs*) comme objectifs à atteindre pour la fin du XXe siècle. Ces besoins sont ceux dont l'insatisfaction rend impossible le <u>développement humain</u> des sociétés. Ils concernent notamment la nourriture (niveau calorique, prévention des carences), la santé (besoins primaires, qui ont fait l'objet d'une conférence à Alma-Ata – actuelle Almaty – en 1978, à l'initiative de l'<u>OMS</u> et de l'<u>UNICEF</u>), l'accès à l'eau potable, le logement et l'habillement, l'éducation de base.

BESSARABIE   D'une superficie de 45 630 km², ayant pour capitale Chisinau, la Bessarabie est la moitié orientale de la principauté de Moldavie délimitée par les rivières Prut et Dniestr et le littoral de la mer Noire. Le nom de « Bessarabie » tout comme celui de « Boudjac » (« coin », du turc *bucak*) désignait à l'origine le sud de la province. Occupée par les Ottomans en 1484 et agrandie jusqu'à Tighina (Bender) en 1538, la Bessarabie et le reste de la Moldavie orientale furent cédés à la Russie (traité de Bucarest, 1812). Rétrocédé à la Moldavie par le Congrès de Paris (1856), le Bugeac fut repris par la Russie en 1877. Après la <u>révolution russe</u> de février 1917, la Bessarabie proclame son autonomie (21 octobre), puis l'indépendance (6 février 1918), enfin l'union avec la Roumanie (9 avril et 10 décembre 1918). La Russie soviétique refuse de reconnaître

l'union. Après la signature du <u>Pacte germano-soviétique</u> (23 août 1939), l'URSS occupe la Bessarabie, ainsi que la <u>Bucovine du Nord</u> et Herța (ces dernières comme « dédommagements » pour l'occupation roumaine). Dépecée par <u>Staline</u>, qui lui soustrait, au bénéfice de l'Ukraine, des territoires au nord et au sud (15 000 km²), la Bessarabie est proclamée République socialiste soviétique de Moldavie par l'union avec une partie de la république autonome de Moldavie, à l'est du Dniestr, qui faisait déjà partie de l'URSS (2 août 1940). Reconquise par les troupes roumaines et allemandes (juillet 1941), la Bessarabie est reconstituée dans ses anciennes frontières et réunie à la Roumanie. Réoccupée par l'URSS (août 1944), elle est à nouveau redécoupée dans ses frontières de 1940-1941 (23 avril 1947). Cette date marque la fin de la Bessarabie historique.   **D**urant les années 1940-1947, la Bessarabie connaît d'importants mouvements de populations : déportation d'environ 25 000 Roumains en Union soviétique (1940-1941), retour dans le Reich d'environ 90 000 colons allemands (septembre 1941), migration pour refuge d'environ 150 000 Juifs en Union soviétique (juin-juillet 1941), déportation d'environ 110 000 Juifs bessarabiens en <u>Transnistrie</u> (1941-1943), migration pour refuge d'environ 50 000 Bessarabiens en Roumanie (1944-1945), déportation d'environ 250 000 Bessarabiens en Sibérie (1944-1952). **M. Ca.**   **> MOLDAVIE, ROUMANIE, UKRAINE.**

BEVAN Aneurin (1897-1960)   Homme politique britannique. Né en 1897, fils de mineur gallois, Aneurin Bevan est élu député en 1929. Orateur inspiré, il incarne longtemps la gauche du <u>Labour Party</u>. Ministre de la Santé et de l'Administration locale en 1945, il est l'un des pères de l'<u>État-providence</u> et fonde le Système national de santé (National Health Service, NHS). Ministre du Travail en janvier 1951, il démissionne dès avril pour protester contre les dépenses militaires et l'abandon de quelques grands projets socialistes, et devient ainsi l'idole des « neutralistes » européens. Entré en 1957 comme responsable des Affaires étrangères dans le cabinet fantôme travailliste (le « con-

tre-gouvernement » de l'opposition), il affiche dès lors des positions moins radicales. Il meurt en 1960 sans avoir accédé au 10, Downing Street, résidence du Premier ministre, qu'il convoitait manifestement. **R. Ma.**
> ROYAUME-UNI.

BEVIN Ernest (1881-1951) Homme politique britannique, ministre du Travail (1940-1945), ministre des Affaires étrangères (1945-1951). Né en 1881, à la tête dès 1921 du puissant Syndicat des transports et des travailleurs, Ernest Bevin devient en 1940 ministre du Travail. Il est le grand organisateur de la mobilisation civile. Après la victoire du Labour Party en 1945, il devient un inattendu mais brillant ministre des Affaires étrangères. E. Bevin définit une doctrine violemment antisoviétique, insiste sur les alliances en temps de paix et sur le partenariat prioritaire avec les États-Unis et l'Empire britannique ; il est l'un des artisans du nouveau « Commonwealth des nations ». Hostile à tout fédéralisme européen, il se résigne à un Conseil de l'Europe consultatif. Démissionnaire pour raisons de santé en mars 1951, il meurt au mois d'avril suivant. **R. Ma.** **> ROYAUME-UNI.**

BHOUTAN Royaume du Bhoutan. Capitale : Thimbou. Superficie : 40 077 km². Population : 2 064 000 (1999). À la fin du XVIIᵉ siècle, Ngawang Namgyal, un moine tibétain exilé, fonde le Bhoutan et le dote d'une théocratie bouddhiste qui durera 300 ans. Le régime résiste à plusieurs interventions militaires des dalaï-lamas (XVIIᵉ-XVIIIᵉ siècles). Les dissensions internes et les intérêts britanniques provoquent sa chute en 1907. Émerge alors une monarchie sous l'égide de Ugyen Wangchuk. En 1910, celui-ci obtient qu'en échange d'un droit de regard sur la politique extérieure du royaume les Britanniques lui accordent une pleine liberté dans les affaires intérieures. Après 1947, les relations entre le Bhoutan et l'Inde indépendante se conformeront à ce principe. Malgré quelques timides réformes institutionnelles, le Bhoutan à l'aube du XXᵉ siècle reste régi par une monarchie absolue. Dans les années 1980, des mesures de « bhoutanisation » ont contraint 100 000 Bhoutanais d'origine népalaise à fuir leur pays. **P. R.**

BHUTTO Zulfikar Ali (1928-1979) Homme politique pakistanais. Né à Larkana (Sind), ministre des Affaires étrangères (1963-1966) dans le cabinet du général Ayub Khan (1958-1969), Zulfikar Ali Bhutto est limogé après la deuxième guerre indo-pakistanaise (1965), au cours de laquelle le Pakistan essuie une cuisante défaite. Il forme, en 1967, le Parti du peuple pakistanais (PPP), dont le programme populiste puise dans le nationalisme, le socialisme et l'islam. Après la guerre d'indépendance du Bangladesh en 1971, il prend la tête de l'État pakistanais. Sa politique économique et sociale, qui soulève un immense espoir au sein des classes populaires, lui attire l'opposition des hommes d'affaires et des islamistes. Z. A. Bhutto fait quelques concessions à ces derniers, notamment en déclarant les Ahmadi (une secte hérétique) apostats en 1974. Initiateur de la politique de rapprochement du Pakistan avec la Chine, Z. A. Bhutto est aussi à l'origine d'une réorientation d'Islamabad vers les pays du Golfe et du Proche-Orient. En 1977, à la suite d'élections contestées, il est renversé par le général Mohammed Zia ul-Haq (1924-1988), chef d'État-Major des armées, et emprisonné. Il est pendu le 4 avril 1979 après un simulacre de procès. Son exécution sommaire lui a conféré une image de martyr, largement exploitée par sa fille Benazir (1953-). Écrits : *The Great Tragedy* (« La Grande Tragédie »), 1971 ; *The Myth of Independence* (« Le Mythe de l'indépendance »), 1976 ; *If I am Assassinated* (« Si je suis assassiné »), 1979. **A. Mo.** **> PAKISTAN.**

BIAFRA (guerre du) Petits commerçants et fonctionnaires établis sur l'ensemble du Nigéria, les Ibo, chrétiens ou adeptes de la religion traditionnelle africaine, ont été les premiers partisans d'un État unitaire, comme leurs voisins les Yorouba, chrétiens, adeptes de la religion traditionnelle ou musulmans. Ce sont pourtant eux qui furent à l'origine de la guerre de sécession du Biafra (1967-1970) qui fit près d'un million de morts. À cette époque, la raison essentielle du ressentiment des « sudistes » est la domination des musulmans du Nord (Haoussa-Fulani), dont l'engagement dans l'armée à l'époque coloniale leur a assuré une position dominante à l'indépendance en 1960. Un projet de découpage territorial, destiné à amoindrir les pouvoirs locaux au profit d'un centralisme fort, et touchant surtout les « sudistes », provoque en 1966 le coup d'État du général ibo Johnston Aguyi Ironsi. Il coûte la vie au Premier ministre fédéral Tafawa Balewa (1912-1966), nordiste, ainsi qu'à d'autres personnalités politiques du Nord, déchaînant de sanglantes émeutes contre les Ibo qui se replient sur le Biafra, leur région d'origine, au sud-est du pays. Peu après, J. Aguyi Ironsi est assassiné. L'armée met à sa tête le général Yakubu Gowon (1934-). Au Biafra, le colonel Odumegwu Ojukwu (1933-) proclame l'indépendance (30 mai 1967), en incluant les petits peuples de la côte, comme les Ogoni, qui y sont opposés, et dont les territoires regorgent de gisements de pétrole *off shore*. D'emblée, les sécessionnistes reçoivent le soutien occulte de groupes pétroliers concurrents des compagnies ayant pignon sur rue et sont approvisionnés par un pont aérien à partir de Libreville (Gabon). De son côté, l'État fédéral s'appuie sur le Royaume-Uni, qui tient à rester dans la légalité comme dirigeant du <u>Commonwealth</u>, et sur les pays du tiers monde opposés à toute idée sécessionniste. Le conflit bénéficie d'une large couverture médiatique. Trois ans de guerre, un blocus grignotant un territoire toujours plus exigu où la famine décime la population, ont raison des Biafrais. Malgré une réintégration de la communauté ibo dans l'ensemble fédéral, les raisons profondes du conflit – la mainmise des militaires nordistes sur le pouvoir– n'ont pas disparu avant la fin de la sinistre dictature (1993-1998) du général Sani Abacha (1943-1998) en 1998. **B. N.** **> NIGÉRIA.**

BID (Banque interaméricaine de développement) La Banque interaméricaine de développement (BID, IDB – Inter-American Development Bank –, siège à Washington), créée en 1959, comptait, à la mi-2001, 46 États membres américains et européens ainsi que le Japon. Son objectif est le développement économique de l'Amérique latine et des Caraïbes.

BID (Banque islamique de développement) Créée en 1974, la Banque islamique de développement (BID, IDB –Islamic Development Bank –, siège à Jeddah [Arabie saoudite]) comptait, à la mi-2001, 53 États membres. Elle finance des projets de développement dans les pays islamiques.

BIÉLORUSSIE République de Biélorussie. Capitale : Minsk. Superficie : 207 600 km^2. Population : 10 274 000 (1999). Située entre Moscou et Varsovie, liée au début de son histoire à Kiev, lituanienne pendant cinq siècles puis rattachée à la Russie, la Biélorussie émerge comme nation moderne lors de la <u>révolution de 1905</u>. La langue biélorussienne actuelle, écrite en alphabet cyrillique, est formée à partir de dialectes et de la vieille langue officielle du grand-duché de Lituanie. La société biélorussienne se mobilise lors des révolutions de 1917. La république populaire de Biélorussie est proclamée en mars 1918, pendant l'occupation allemande, puis la république soviétique est créée en janvier 1919, l'ouest du pays étant annexé par la Pologne. La Biélorussie participe au puissant mouvement culturel de l'<u>URSS</u> (Union des républiques socialistes soviétiques) des années 1920, brutalement interrompu après 1929. Réunifiée en 1939 dans le cadre de l'Union soviétique, elle est ensuite ravagée par les troupes nazies. Elle devient alors le théâtre d'un puissant mouvement de résistance soviétique, en récompense de quoi elle est admise à l'<u>ONU</u> (Organisation des Nations unies) en 1945. Devenue après la guerre l'une des régions les plus développées de l'URSS, la Biélorussie s'engage peu dans la <u>perestroïka</u> des années 1980. La catastrophe nucléaire de <u>Tchernobyl</u> (1986), dont le site est limitrophe, la touche de plein fouet. La désagrégation de l'URSS (1991) engendre l'indépendance, mais la société biélorussienne hésite à s'engager dans la voie du capitalisme et de la rupture définitive avec l'espace postsoviétique. Cela favorise l'élection, en 1994, du président Alexandre Loukachenko (1954-), qui établit un pouvoir autoritaire se heurtant à une opposition décidée mais demeurant largement hétéroclite et minoritaire. **B. D.**

BIRMANIE Union de Birmanie (ou Union de Myanmar). Capitale : Rangoon.

Superficie : 676 552 km^2. Population : 45 059 000 (1999). **A**u terme de trois guerres (1824-1826, 1852, 1883-1886), les Britanniques s'emparent de l'ensemble du pays et l'annexent à l'empire des Indes. Ils abolissent la monarchie et instaurent un système fédéral au sein duquel les minorités (Karen, Shan, Kachin, Chin) disposent d'une autonomie administrative limitée. La Birmanie retrouve un gouvernement en 1923, mais ce n'est que le 1er avril 1937, après l'adoption du *Government of Burma Act* (1935), que le pays, proclamé colonie de la Couronne, est définitivement séparé de l'Inde. Un Parlement à deux chambres, dont la majorité des membres sont élus, est instauré. **U**ne résistance nationale contre le colonisateur s'est perpétuée, comme en témoignent l'Association des jeunes gens bouddhistes (1906), la grève des étudiants de Rangoon en 1920, la révolte du Dr Saya San (1930-1932) ou encore les actions du mouvement Dohbama Asiayone (« Nous, la société birmane ») à partir de 1930. De l'université de Rangoon et de son Union des étudiants dirigée à partir de 1935 par Maung Nu (U Nu 1907-1995), Aung San (1915-1947) et Shu Maung (Ne Win, 1911-) sont issus les principaux acteurs de la lutte pour l'indépendance. **« Les trente camarades ».** En septembre 1939, Aung San crée avec le Premier ministre sortant, Ba Maw, le Bloc de la liberté et s'embarque pour le Japon afin d'y établir les bases de la lutte armée contre les Britanniques. U Saw devenu Premier ministre (1940-1942) cherche à convaincre, sans succès, Londres de la nécessité d'accorder plus d'autonomie. Ayant recruté d'anciens condisciples, Aung San forme avec eux Les trente camarades et à Bangkok (décembre 1941) le noyau de l'Armée de l'indépendance birmane (BIA). En janvier 1942, quand les forces japonaises envahissent la Birmanie, la BIA les soutient les armes à la main. Le 1er août 1943, le Japon reconnaît l'indépendance, Ba Maw dirige le gouvernement et Aung San le ministère de la Défense. Toutefois, en 1944, les nationalistes déçus de la coopération avec les Japonais fondent, avec des socialistes, des communistes et de nombreux militaires, la Ligue antifasciste pour la liberté du peuple (AFPFL) ayant pour objectif l'indépendance totale et l'instauration d'un régime socialiste. Aung San dirige sa branche armée, l'Armée nationale birmane, et déclenche, le 25 mars 1945, le soulèvement contre l'occupant japonais. Ce revirement politique lui permet de demander la reconnaissance de son « gouvernement provisoire ». Au lendemain de la guerre, pour minimiser l'influence de l'AFPFL, le gouverneur britannique rappel U Saw, de son exil en Ouganda. Pendant et après la guerre, Aung San, qui s'est employé à tisser des liens avec les minorités réticentes (tels les Karen) à la perspective d'un État indépendant unitaire, s'impose comme un interlocuteur légitime. Ouvertes le 13 janvier 1947, les négociations aboutissent dès le 27 à un accord entre le Premier ministre britannique Clement <u>Attlee</u> et Aung San, faisant de la Birmanie un <u>dominion</u>. Le 12 février à Panglong (État shan), Aung San signe de son côté un accord avec les représentants des minorités ethniques shan, kachin et chin, prévoyant leur participation à l'Union dans le cadre d'un État fédéral indépendant. Coup de théâtre, le 17 juillet 1947, Aung San et sept de ses ministres sont assassinés par des partisans de U Saw en pleine réunion du gouvernement. U Nu, qui a échappé au massacre, est appelé à former le nouveau gouvernement. L'indépendance de l'Union birmane en dehors du <u>Commonwealth</u> est proclamée le 4 janvier 1948 à 4 h 20 du matin, pour respecter les calculs des astrologues. L'indépendance ne met pas un terme aux contestations armées, communiste (les Drapeaux blancs de Thakin Than Tun (1911-1968) et les Drapeaux rouges de Thakin Soe (1905-), et karen. Malgré un certain apaisement des rébellions après 1954, U Nu demande, en octobre 1958, au commandant en chef de l'armée, le général Ne Win, de rétablir l'ordre pour procéder à des élections au plus tôt. Le 6 février 1960, les élections législatives sont organisées et consacrent la victoire de U Nu et de son Parti de l'union *(Pyidaungzu)*. **La dictature xénophobe et autarcique du général Ne Win.** Face à la recrudescence des violences communautaires, le général Ne Win s'empare du pouvoir à la faveur d'un coup d'État (2 mars 1962). Un régime autoritaire, xénophobe et autarcique s'installe. Les partis sont dissous en

1964, des centaines de milliers d'Indiens et de Pakistanais sont expulsés, tandis que la communauté chinoise est persécutée en juin 1967. La Constitution de 1974 assigne à l'État le rôle dirigeant dans l'édification d'une société socialiste et confirme le système de parti unique. L'Assemblée nationale, élue pour quatre ans, délègue ses pouvoirs au Conseil d'État que préside le général Ne Win, cumulant cette fonction avec celle de président du Parti du programme socialiste birman (BSPP). Tout au long de la dictature, Ne Win doit faire face à des contestations : manifestation des étudiants, en décembre 1974, lors des obsèques de l'ancien secrétaire-général des Nations unies (1962-1971), U Thant, suivie de l'instauration de la loi martiale, tentative de putsch de jeunes officiers en 1976... Ce sont des émeutes sociales et estudiantines réprimées dans le sang qui entraînent l'effondrement du régime en 1988. Ne Win, qui a abandonné en 1981 la tête du Conseil d'État, démissionne de la présidence du parti unique. Le 18 septembre, le général Saw Maung (1929-1997) s'empare des institutions, proclame la loi martiale et instaure avec dix-huit autres officiers un Comité d'État pour la restauration de la loi et de l'ordre (SLORC). Face aux putschistes, une opposition s'est organisée. **Une junte au ban des nations.** Bien qu'orchestrée par U Nu, rentré au pays en 1980, les généraux Tin U et Aung Gyi, elle est incarnée par une nouvelle venue en politique, Aung San Suu Kyi (1946-), la fille du « père » de l'indépendance et des forces armées. Cofondatrice de la Ligue nationale pour la démocratie (NLD), Suu Kyi est assignée à résidence en 1989 quelques jours après que la junte a annoncé son intention d'organiser des élections législatives multipartites et de transférer le pouvoir à un gouvernement civil élu. Dans ce contexte particulier, les élections se tiennent le 27 mai 1990. La NLD remporte 396 des 485 sièges de l'Assemblée. Faute de permettre au Parlement de se réunir, la junte se place durablement au ban des nations, même si le SLORC se rebaptise « Conseil pour la paix et le développement » (SPDC), et la Birmanie « Myanmar ». La loi martiale est levée en 1992, la plupart des mouvements insurgés depuis quarante ans, y compris ceux qui, au

cœur du Triangle d'Or, confondent leurs revendications ethniques avec le commerce illicite des stupéfiants (Armée shan unifiée de Khung Sa), cessent alors la lutte armée. Rangoon devient membre de l'ANSEA (Association des nations du Sud-Est asiatique) en 1997. De son côté, Suu Kyi reçoit le prix Nobel de la paix 1991 et incarne par la suite, en Birmanie comme à l'étranger, une lutte opiniâtre et non violente pour la démocratie. **C. L.**

BIT (Bureau international du travail) > OIT.

BLACK MUSLIMS > NATION DE L'ISLAM (ÉTATS-UNIS).

BLACK POWER (États-Unis) Jusqu'au milieu des années 1960, le mouvement pour les droits civiques des Noirs était surtout mené par des organisations vouées à la non-violence, dont la figure emblématique était le pasteur Martin Luther King. Mais la fin des « sixties » voit une radicalisation du mouvement noir. De nombreux groupes font irruption sur la scène politique, qui ont en commun un style combatif et une détermination à s'imposer en tant que force politique, économique et sociale. Leur discours, avec notamment le slogan « black is beautiful » inspiré du poète Langston Hughes (1902-1967), développe le thème de la fierté de l'appartenance à la race noire. L'expression « black power » entre dans le vocabulaire politique en 1966, dans un discours prononcé par Stokeley Carmichael (1941-), lors d'une marche pour les droits civiques dans le Mississippi. Ce dernier prendra ensuite le nom de Kwame Touré. Le parcours politique de ce militant de la cause noire est emblématique. Il débute au sein du Student Non-violent Coordinating Committee (SNCC, dont il est élu président en 1966) pour se terminer au Black Panther Party for Self-Defense. **Les Panthères noires.** Le parti des Panthères noires, créé à Oakland (Californie) en 1966 constitue en effet le prototype de ce militantisme d'un genre nouveau. Le discours est révolutionnaire et justifie la violence au nom de l'autodéfense, en particulier face à la brutalité policière et à l'« oppression » du gouvernement. Ses membres patrouillent dans les ghettos, l'arme à la ceinture. La position suprême au sein du parti est celle de « ministre de la Défense », poste occupé par Huey Newton, avec Bobby Seale l'un des cofondateurs du parti en 1966. Au discours d'intégration des mouvements noirs traditionnels, ils opposent un discours fondé sur le séparatisme et la redécouverte des origines africaines. La plate-forme du parti fixe en effet comme « objectif principal » un « plébiscite supervisé par l'ONU se déroulant dans la "colonie" noire, et auquel ne pourront participer que les sujets noirs "colonisés", afin de déterminer la volonté du peuple noir quant à sa destinée nationale. » Le Black Power se développe dans un contexte de turbulences politiques et sociales : l'embrasement des ghettos noirs de Watts (une banlieue de Los Angeles) en 1965 et dans une centaine de villes lors de l'été 1967 (« *the long hot summer* »), en particulier à Newark (New Jersey) et à Detroit (Michigan) ; l'assassinat du pasteur M. L. King en mars 1968 ; l'escalade de la guerre du Vietnam à laquelle les soldats noirs participent en nombre important ; la révolte estudiantine et l'essor de la « contre-culture », etc. Très médiatisé, le phénomène s'étend aussi bien aux coiffures, qu'au langage et aux modes vestimentaires. Mais dès 1971 le parti n'est plus que l'ombre de lui-même : le FBI (Federal Bureau of Investigation) lui livre une lutte sans merci. Le thème du Black Power n'a toutefois pas disparu de l'imaginaire collectif américain. **I. A. W.** **> ÉTATS-UNIS, QUESTION NOIRE (ÉTATS-UNIS).**

BLAIR Anthony Charles Lynton, dit Tony (1953-) Homme politique britannique, Premier ministre (1997-). Issu d'une famille conservatrice et passé par des écoles privées prestigieuses et par Oxford, Tony Blair adhère au Parti travailliste en 1975. L'année suivante, il est admis au barreau. Après une candidature infructueuse à une élection partielle en 1982, il est élu à la Chambre des communes en 1983 comme représentant de la circonscription de Sedgefield (comté de Durham, dans le nord-est de l'Angleterre), pour laquelle il va siéger sans interruption. Il s'investit rapidement aux côtés des modernisateurs qui entourent le leader travailliste Neil Kinnock (1942-) dans la lutte pour recentrer un parti critiqué pour son extrémisme et son irréalisme politique. Élu au « Cabinet fantôme » (cabinet d'opposition) travailliste dès 1988, puis au comité exécutif du parti en 1992, il devient l'un des principaux animateurs d'un courant qui considère que, face aux échecs électoraux répétés (1979, 1983, 1987, 1992), seule une rupture radicale avec ses traditions peut permettre au Labour de survivre politiquement. À la mort de John Smith en 1994, T. Blair est élu leader du parti et engage aussitôt une profonde révision des symboles et du programme travaillistes. En 1995, contre l'avis général régnant dans l'appareil, il impose une modification des statuts destinée à marquer la rupture avec le socialisme traditionnel. La victoire éclatante à l'élection générale de 1997 donne à T. Blair, devenu Premier ministre, une assise renforcée. Si son gouvernement, hormis en matière de réformes institutionnelles (décentralisation en Écosse et au pays de Galles, réforme de la Chambre des lords), se montre prudent dans l'action, T. Blair propose un discours très ambitieux de réinvention de la gauche qu'il offre à l'adhésion du monde et non du seul Royaume-Uni. Cela lui vaut de solides inimitiés au sein des partis socialistes européens, mais le place également au centre de gravité des grands débats idéologiques à gauche au tournant du siècle. **J. Cr.** **> ROYAUME-UNI.**

BLOODY SUNDAY Le 30 janvier 1972, lors d'une manifestation pacifique organisée par le Mouvement pour les droits civiques à Derry, en Irlande du Nord, l'armée anglaise ouvre le feu, abattant treize manifestants dont aucun n'était armé. S'ensuivra une escalade de la violence. Le Premier ministre de la République d'Irlande évoque une « attaque incroyablement sauvage » et, à Dublin, 30 000 manifestants expriment leur colère quant aux événements de ce « dimanche sanglant ». L'ambassade du Royaume-Uni est incendiée. La réaction internationale est unanime dans sa condamnation. Une première enquête officielle blanchira les soldats impliqués dans l'affaire. Vingt-six ans après, faisant suite à une mobilisation constante pour demander justice et pour que les morts soient reconnus innocents, le gouvernement britannique autorisera en 1998 une nouvelle enquête dont les travaux n'ont que lentement progressé. **P. B.**

BLUM Léon (1872-1950) Homme politique français. Étudiant en lettres et en droit, normalien, auditeur au conseil d'État, Léon Blum appartient au milieu des « petites revues » littéraires et artistes de la fin du XIXe siècle, aux tendances libertaires. Dreyfusard, il s'engage dans le mouvement socialiste et collabore à l'*Humanité* fondée par Jean Jaurès (1904). Juriste et critique dramatique, il revient à la politique active pendant la Grande Guerre avec l'Union sacrée, comme chef de cabinet de Marcel Sembat (1862-1922), ministre des Travaux publics (1914-1916). Il défend des positions « centristes » au sein de la SFIO (Section française de l'Internationale ouvrière) et s'impose en 1919 comme théoricien avec la rédaction du programme législatif. Au congrès de Tours (décembre 1920), contre la majorité des délégués qui vont fonder le Parti communiste français (PCF), il s'oppose vigoureusement à l'adhésion à l'Internationale communiste. Député de Paris (1919-1928), puis de l'Aude (1929-1940), leader parlementaire de la SFIO, il dirige aussi le journal quotidien du parti, *Le Populaire*. Il souhaite maintenir la doctrine traditionnelle de la « vieille maison », léguée par Jules Guesde et J. Jaurès, face au communisme comme aux tentatives de révision des « néos ». Il engage son parti dans l'alliance avec le PCF et les radicaux, en riposte aux manifestations d'extrême droite du 6 février 1934 et aux risques de dictature. Président du Conseil (1936-1937 et 1938), il symbolise les espoirs, les succès et les échecs du Front populaire, mais aussi la dévaluation et la non-intervention dans la guerre civile d'Espagne. Partisan d'une politique de fermeté face à l'Allemagne nazie, contestée dans son parti, il est isolé après le désastre de 1940 dans son refus des pleins pouvoirs confiés au maréchal Pétain. Emprisonné, il s'illustre par une défense éblouissante au procès de Riom (février-avril 1942) et par son soutien à la France libre et à l'action du général de Gaulle. Déporté en Allemagne,

libéré en 1945, à nouveau chef du gouvernement en décembre 1946-janvier 1947, il occupe une magistrature morale au sein de la IVe République, mais il ne peut convaincre son parti d'engager la rénovation souhaitée dans *À l'échelle humaine* (1941, publié en 1945). **G. Ca.** **> FRANCE, SOCIALISME ET COMMUNISME (FRANCE).**

BOCHIMANS, BUSHMEN Ces chasseurs-cueilleurs du désert du Kalahari (Botswana et Namibie) sont probablement les plus anciens habitants de l'Afrique australe. Leur nom de Bochimans, ou *Bushmen* (hommes de la brousse), terme péjoratif, leur a été donné par les Blancs. Ils se nomment eux-mêmes San et appartiennent à la famille linguistique khoisan caractérisée par des langues à clicks. Occupant autrefois l'Afrique australe, comme en témoignent de nombreux décors rupestres (la « dame blanche de Brandberg », 1500 avant notre ère), ils ont été repoussés dans les régions arides par les pasteurs nama (ou « hottentots », autre terme péjoratif) au cours du Ier millénaire de notre ère. Leur adaptation à ces milieux déshérités par l'utilisation de techniques voisines de celles des chasseurs-cueilleurs de la préhistoire, de même que leur intégration au monde moderne, a fortement intéressé les anthropologues. **B. N.**

BOERS (guerres des) L'éviction des Hollandais (Boers) de leur colonie du Cap par les Anglais, en 1814, et l'arrivée de colons anglais en 1820 entraînèrent une forte opposition des Boers en Afrique du Sud. Calvinistes austères pratiquant l'esclavage domestique, ils sont les premiers touchés par les mesures anti-esclavagistes des missionnaires anglicans. S'identifiant aux Hébreux en route vers la Terre promise et aux Pèlerins du *Mayflower* fuyant jusqu'en Amérique les persécutions religieuses (1620), ils entreprennent une grande migration *(trek)* vers le nord qui les mène jusqu'aux plaines fertiles du Transvaal (le « Grand Trek », 1837-1850). Après avoir vaincu les Zoulous du chef Mzilikazi sur le Limpopo (1837), ils se heurtent à ceux de Dingaan, écrasés à la bataille de Blood River (1840). Ces premières « guerres cafres » assurent aux porteurs de « la Bible et du fusil » la domination sur la région. Pour s'assurer un accès à la mer, ils s'installent dans les riches plaines du Natal (1843). Sous la menace britannique, ils doivent franchir de nouveau les montagnes abruptes du Drakensberg (Lésotho), pour retrouver les pâturages du Transvaal, où ils fondent la république du même nom (1852) puis l'État libre d'Orange (1854).   Les diamants découverts en 1867 à Kimberley (Transvaal) susciteront l'intérêt de l'homme d'affaire britannique Cecil Rhodes (1853-1902) puis de la Grande-Bretagne qui annexera le Transvaal en 1877. La résistance des Boers face aux Anglais leur vaut la reconnaissance de leur indépendance par la reine Victoria, bien qu'ils restent formellement sous son autorité. Peu après, la découverte de riches filons d'or réactive l'intérêt de C. Rhodes qui doit affronter les Matabele de la future Rhodésie du Sud (Zimbabwe), où les gisements se révèlent aussi fructueux. En 1895, l'échec du « raid Jameson » lancé par les colons anglais contre le Transvaal pousse le président Paul Kruger (1825-1904) à l'affrontement avec les Britanniques. La guerre qui ravage le Transvaal, de 1899 à 1902, est meurtrière. Conduite du côté anglais par Herbert Kitchener (1850-1916), elle inaugure les premiers « camps de concentration » dans lesquels les civils boers, soupçonnés d'aider la guérilla, meurent par centaines. La mainmise britannique sur l'Afrique du Sud est scellée peu après (1910) par la création de l'Union sud-africaine. **B. N.   ➤ AFRIQUE DU SUD.**

BOLCHEVIKS (Russie)   Le départ d'une partie des délégués modérés du IIᵉ congrès (1903) du POSDR (Parti ouvrier social-démocrate de Russie) permet aux amis de Lénine d'emporter une majorité fragile. Les bolcheviks (le mot en russe signifie « majoritaire ») vont dès lors s'atteler à la construction d'un parti de type nouveau, outil selon eux indispensable à la révolution. Établis sur des principes organisationnels rigides, armée de militants, ils s'érigent en état-major d'un mouvement révolutionnaire dont ils prennent en charge le destin. Majoritairement russes, à la différence des mencheviks (minoritaires) plus représentatifs de la composition multinationale de l'empire, ils font preuve d'une radicalité qui s'exprimera particulièrement durant la révolution de

1905. C'est au cours de ces années que se forge l'image du bolchevik incorruptible et porteur de l'étendard de la révolution. Cette image, magnifiée pendant la guerre civile, sera revendiquée après 1917 tant par les amis de Staline que par ceux de Trotski. **C. U.   ➤ BOLCHEVISME,   RÉVOLUTION RUSSE, RUSSIE ET URSS, SOCIALISME ET COMMUNISME.**

BOLCHEVISME   Doctrine et mouvement politiques des bolcheviks qui, au sein du marxisme, se présentaient comme orthodoxes par rapport aux « révisionnistes » et radicaux face aux mencheviks qui constituaient l'autre grande tendance (le marxisme révolutionnaire) de la social-démocratie russe. L'apparition du bolchevisme - né d'une querelle avec un autre groupe de révolutionnaires -, son but premier - la création d'un parti fortement discipliné -, sa trajectoire - sa clandestinité à la prise du pouvoir en tant que parti unique en octobre 1917 -,   ses méthodes d'action - l'insurrection   armée,   la   terreur   et l'épuration -, sa volonté de s'universaliser - avec la création de la IIIᵉ Internationale (Komintern), forment un tout cohérent dont l'impulsion et la théorisation sont dues à Lénine.   Celui-ci est le premier leader des bolcheviks lorsqu'en 1903, au IIᵉ congrès du Parti ouvrier social-démocrate russe (POSDR), ils se séparent des mencheviks. Ces derniers imaginaient un parti rassemblant tous ceux qui se reconnaissaient dans les objectifs des marxistes révolutionnaires. Mais pour Lénine, le parti doit solidement unir des révolutionnaires professionnels. Le parti remplit deux fonctions : multiplier, tel un levier, la force des ouvriers en les organisant, et importer la conscience de classe socialiste en leur sein. En effet, et à la différence de la théorie de la conscience de classe que Karl Marx (1818-1883) a formulée dans Le *Manifeste du parti communiste* (début 1848), Lénine ne croit pas que la conscience de classe puisse naître de la lutte de classe des ouvriers contre les patrons car, en Russie, les prolétaires ne se trouvent pas en face d'une bourgeoisie éclairée comme celle des pays européens. Il faut donc, selon lui, que la conscience de classe vienne de l'extérieur (amenée par le parti) et qu'ainsi les combats des ouvriers revêtent un sens politique. Cette situation est liée à la spécificité de la société en Russie, pays capitaliste mais dont les rapports sociaux sont imprégnés par l'« asiatisme » de l'autocratie. **Division du travail, discipline et hiérarchie.** Pourvoyeur de la conscience de classe, le parti doit aussi démultiplier les forces de ses membres par une technique similaire à celle de l'usine capitaliste : division du travail, discipline et hiérarchie dans un groupe réuni par une « volonté unique » (concept clé de Lénine). Mieux vaut un parti avec peu de membres, mais semblables aux rouages d'une machine, qu'un club de discussion de style parlementaire. Ce mode d'organisation est en accord avec le moyen privilégié d'accès au pouvoir, non pas l'élection mais l'insurrection. Aussi les bolcheviks se distinguent-ils des autres marxistes lors de la révolution de 1905 en incitant à la violence armée et en regrettant que la « terreur de masse » ne soit pas plus développée. **En 1912**, à Prague, la fraction bolchevique du POSDR se proclame seule organisation légitime du parti : Lénine n'acceptera jamais le principe d'un parti divisé en tendances (ou en groupes par nationalité). Les bolcheviks publient légalement, à Moscou, la *Pravda*, mais ils ne représentent qu'un petit groupe de militants avec une poignée d'élus à la Douma (Assemblée) quand éclate la Première Guerre mondiale. Lénine engage alors une bataille contre les socialistes ralliés à la défense de la patrie : pour lui la guerre extérieure, entre deux impérialismes, doit être transformée en révolution contre son propre gouvernement. Position ultra-minoritaire mais qui vaudra aux communistes, après 1918, le ralliement de pacifistes, en France par exemple. D'autant que la révolution de février 1917 semble donner raison aux bolcheviks. Lénine impose, en avril 1917, à ses camarades réticents le mot d'ordre d'un passage immédiat à la dictature du prolétariat, alors que, selon le schéma marxiste du développement historique par stades, la Russie devrait d'abord connaître une « révolution bourgeoise ». Et il soutient que si les bolcheviks prennent le pouvoir, ils pourront le garder, seuls. **A**près la révolution d'Octobre, ce pronostic se réalise. Les bolcheviks éliminent tous les concurrents possibles : en

dissolvant l'Assemblée constituante (en janvier 1918), ou en s'assurant le contrôle des syndicats et des soviets. La guerre civile et l'intervention étrangère de l'Entente ne sont pas des surprises pour les bolcheviks. Ils savent faire preuve d'une grande détermination, lors de la répression de l'insurrection des marins de Cronstadt en mars 1921 ou de la campagne de persécution contre l'Église orthodoxe en 1922. Mais ils peuvent aussi se montrer souples, par exemple en mettant un terme au début de l'été 1918 à la « campagne d'extermination des vampires koulaks » ou en lançant, en mars 1921, la Nouvelle Politique économique (NEP), qui réintroduit certains éléments de l'économie de marché, au moment du Xe congrès du Parti. En même temps, les règles de fonctionnement du Parti sont modifiées : les tendances n'y sont plus admises, et il doit être purgé des « déviants ». **Parti unique et recours à la terreur.** Le bolchevisme a instauré un dispositif de pouvoir inédit : un parti unique, lui-même épuré, met en œuvre l'épuration de la société pour la débarrasser de ses éléments nuisibles. La justification de la terreur est la construction d'une société où disparaîtront les classes sociales et où naîtra un « homme nouveau ». Un modèle qui sera appliqué et diffusé par les partis communistes qui naissent à partir des années 1920, souvent de scissions avec des partis socialistes, et se rassemblent dans la IIIe Internationale (Komintern). Les socialistes – le Français Léon Blum ou l'Allemand Karl Kautsky (1854-1938) – ne sont pas les seuls à critiquer le bolchevisme. Sa conception des rapports entre la classe ouvrière et le Parti avait été attaquée, dès 1903, par des militants radicaux, telle Rosa Luxemburg. De la même façon, les partisans du communisme des conseils reprochent aux bolcheviks d'avoir imposé le primat de l'organisation autoritaire sur le mouvement spontané des masses. Ce à quoi Lénine répondra qu'aucune action n'est possible sans chef. **L**'éloge de la violence, de la nécessité de l'autorité explique que le bolchevisme ait pu faire figure de modèle aux yeux des révolutionnaires conservateurs, en Allemagne particulièrement. Lénine lui-même avait dit, en 1922, qu'il n'y aurait bientôt plus le choix qu'entre la terreur rouge et la terreur blanche (<u>fasciste</u>). De ce duel annoncé entre les deux <u>totalitarismes</u>, le communisme allait sortir provisoirement vainqueur, au prix d'une alliance temporaire avec les démocraties. C'est aussi un compromis – l'intégralité du pouvoir politique confié au Parti, mais une forme de liberté économique – qui permettra à l'héritage du bolchevisme de se perpétuer à la fin du xxᵉ siècle en Chine. **D. C.** **> RÉGIME SOVIÉTIQUE, RÉVOLUTION RUSSE, RUSSIE ET URSS, SOCIALISME ET COMMUNISME.**

BOLIVIE République de Bolivie. Capitale : Sucre. Superficie : 1 098 581 km². Population : 8 142 000 (1999). **L**e territoire de l'actuelle Bolivie, alors peuplé par les ethnies pukina et aymara et siège de la culture Tiahuanaco (500-1000), fut soumis par les Incas un peu moins d'un siècle avant la colonisation espagnole (1535-1538). L'exploitation des fabuleux gisements d'argent de Potosí marqua la période coloniale de la région du Haut-Pérou, qui obtint son indépendance en 1825 sous l'égide du maréchal Antonio José de Sucre (1793-1830), lieutenant de Simón Bolívar (1783-1830). **A**près une tentative de confédération avec le Pérou (1836-1839), qui se heurte à l'hostilité du Chili et de l'Argentine, la Bolivie connaît une alternance constante de *caudillos* occasionnels, tyranniques et peu soucieux de modifier les structures coloniales qui maintiennent la majorité indigène de la population dans la plus totale exclusion. Elle subit une grave défaite dans la guerre contre le Chili (1879-1883), qui la prive de son littoral et des riches gisements de nitrate qu'il recèle. Les séquelles de cette guerre du Pacifique, qui coïncide avec l'épuisement progressif des mines d'argent, marqueront toute l'histoire nationale. Elles obligent l'oligarchie minière et latifundiste à assumer directement la responsabilité du pouvoir. Le siège du gouvernement est transféré de Sucre à La Paz, tandis que s'amorce l'essor de l'exploitation du minerai d'étain. **U**ne nouvelle défaite de la Bolivie dans la sanglante guerre du Chaco contre le Paraguay (1932-1935) déstabilise cependant le pouvoir de l'oligarchie et ouvre une période d'agitation qui débouche sur la révolution nationaliste et populaire de 1952,

dirigée par le Mouvement nationaliste révolutionnaire (MNR) de Victor Paz Estenssoro (1907-2001) et Hernán Siles Suazo. Ceux-ci entreprennent de profondes réformes sociales, impulsent la réforme agraire et nationalisent les mines d'étain, propriété de trois familles richissimes, les Hochschild, les Patiño et les Aramayo. **L**es conflits au sein du MNR et entre celui-ci et ses anciens alliés, en particulier les puissants syndicats miniers de la Centrale ouvrière bolivienne (COB), affaiblissent le régime. En 1964, le général René Barrientos – qui écrasera en 1967, avec l'aide des États-Unis, la petite guérilla d'Ernesto Che <u>Guevara</u> – prend le pouvoir, inaugurant dix-huit ans de coups d'État et de dictatures militaires dont les plus répressives seront celles des généraux Hugo Banzer (1971-1978) et Luis García Meza (1980-1981). Ce dernier sera en outre fortement impliqué dans le trafic de cocaïne. **L**e retour à la démocratie en 1982 ne résout pas les problèmes économiques et sociaux du pays. Après l'échec de la coalition de centre-gauche de H. Siles Zuazo (1982-1985), le vieux leader du MNR, Paz Estenssoro (1985-1989), amorce un virage néo-libéral largement suivi par ses successeurs, dont son brillant ex-ministre Gonzalo Sánchez de Lozada (1993-1997), vainqueur d'une inflation à cinq chiffres. Mais les inégalités sociales s'aggravent. **L**a fin du xxᵉ siècle est marquée par le retour légal au pouvoir du général Banzer (1997), l'agitation des secteurs populaires contre les réformes néo-libérales et celle des petits producteurs de coca contre la politique d'éradication des cultures, tandis que de nouveaux partis populistes constitués autour de figures charismatiques du monde des affaires et des médias canalisent la participation politique des populations aymara et quechua urbanisées. **W. O. O.**

BONGO Omar (1935-) **H**omme politique gabonais, chef de l'État (1967-). Né près de Mazuku, président d'un pays peu peuplé aux richesses agricoles (forêt) et minières (pétrole, manganèse, uranium) qui l'ont fait qualifier de « Koweït d'Afrique centrale », Omar Bongo s'est lié aux grands intérêts financiers dans la région (compagnies minières et pétrolières, etc.). Directeur de cabinet du président de la République Léon Mba en 1962, il accède à la Présidence après la mort de celui-ci en 1967. Originellement prénommé Albert-Bernard, converti à l'islam en 1973, au moment du premier choc pétrolier, O. Bongo est perçu comme l'homme des compagnies exploitantes (Shell, Elf), qui sont parfois accusées de l'aider à juguler toute opposition au PDG (Parti démocratique gabonais, parti unique jusqu'en 1990). Provisoirement ébranlé dans son pouvoir par le multipartisme qu'il doit concéder en 1990, il est réélu en 1993 avec 51,07 % des voix malgré les protestations de l'opposition. O. Bongo est resté proche des dirigeants des deux autres pays pétroliers de la région, le Congo et l'Angola. **B. N.** **> GABON.**

BONHOEFFER Dietrich (1906-1945) **T**héologien allemand. Né à Breslau, Dietrich Bonhoeffer bénéficie dès le départ d'une formation exceptionnelle autant due à son environnement familial (son père Karl, psychiatre berlinois renommé, recevait ainsi à sa table le physicien Max Planck ou l'historien Friedrich Meinecke, tandis que son frère aîné Karl Friedrich allait devenir un physicien-chimiste des plus reconnus) qu'à ses voyages (Rome, Barcelone, puis l'Amérique en 1930-1931). Il termine en 1930 des études de théologie avant de s'engager dans la bataille que se livrent dès 1933 l'Église protestante et le nouveau régime hitlérien. Aumônier universitaire à Berlin (1931-1933), puis pasteur d'une communauté allemande à Londres de 1933 à 1935, il dirige de 1935 à 1939 un des séminaires de l'Église confessante fondée en 1934 au synode de Barmen, dont il devient rapidement, à côté des théologiens suisse Karl Barth (1886-1968) ou du pasteur Niemöller (1892-1984), un des théoriciens. Le caractère inhumain et antichrétien de l'ordre nouveau nazi, puis la guerre et les atrocités commises le convaincront d'adhérer aux projets de renversement du régime, tout en maintenant de nombreux contacts avec l'étranger. Arrêté en 1943, il est exécuté le 9 avril 1945 avec d'autres conjurés tel l'amiral Wilhelm Canaris (1887-1945), chef de l'Abwehr (service de renseignement militaire). Son exemplarité, son aura internationale autant que la vision qu'il laisse, dans ses derniers écrits, d'un monde « areligieux » à

venir (ainsi dans *Widerstand und Ergebung*, publié en 1951) influenceront considérablement, et des deux côtés du Mur, l'aile « rénovatrice » du protestantisme allemand d'après-guerre. **L. B.** **> ALLEMAGNE, RÉSISTANCES ALLEMANDES AU NAZISME.**

BOSNIE-HERZÉGOVINE Capitale : Sarajevo. Superficie : 51 129 km². Population : 3 839 000 (1999). Jusqu'à la fin du XXᵉ siècle, la Bosnie-Herzégovine a conservé une société de type pluricommunautaire héritée de la période ottomane (1463-1878), comme l'atteste la présence sur son sol de trois grandes communautés – musulmane (43,7 % de la population au recensement de 1991), serbe (31,4 %) et croate (17,3 %) – auxquelles s'ajoutent plusieurs minorités plus réduites. Sous occupation de l'Empire austro-hongrois depuis 1878, la Bosnie-Herzégovine est annexée par Vienne en 1908. À l'issue de la Première Guerre mondiale, en 1918, elle est intégrée au royaume des Serbes, Croates et Slovènes, qui devient en 1929 le royaume de Yougoslavie. À la suite du démantèlement de cette première Yougoslavie en avril 1941, elle est absorbée par l'État croate oustachi, avant de devenir l'une des six républiques constitutives de la nouvelle Yougoslavie créée le 29 novembre 1945. L'insertion de la Bosnie-Herzégovine dans des ensembles plurinationaux (successivement Empire ottoman, Autriche-Hongrie, Yougoslavie) ne la préserve pourtant pas complètement de la montée des nationalismes. Dès le début du XXᵉ siècle, les nationalistes serbes et croates la revendiquent comme partie d'une Grande Serbie ou d'une Grande Croatie à venir. Le premier Parlement provincial, élu en 1911, est dominé par les partis communautaires. Dans l'entre-deux-guerres, l'existence de la Bosnie-Herzégovine en tant qu'entité territoriale spécifique est menacée, le compromis serbo-croate signé le 26 août 1939 se soldant par son partage territorial. Enfin, entre avril 1941 et mai 1945, la politique d'extermination des Juifs, des Tsiganes et des Serbes conduite par les oustachis, les violences intercommunautaires et les combats entre troupes d'occupation et mouvements de résistance entraînent la mort de quelque 320 000 personnes, soit plus de 10 % de la population. **Le** mouvement des Partisans, dirigé par le Parti communiste yougoslave de Josip Broz Tito, parvient à rétablir un certain équilibre intercommunautaire en restaurant la Bosnie-Herzégovine comme entité territoriale spécifique, mais ne peut effacer les peurs et les rancœurs nées de la Seconde Guerre mondiale. Dans la période communiste, la modernisation rapide de la société bosniaque, l'application de quotas dans la répartition des postes et la reconnaissance des Musulmans comme nation à part entière, en 1968, n'empêchent pas la reproduction des clivages communautaires au sein même de la Ligue des communistes. Quand, en novembre 1990, les premières élections libres sont organisées en Bosnie-Herzégovine, elles sont remportées par les partis nationalistes que sont le Parti de l'action démocratique (SDA, musulman), le Parti démocratique serbe (SDS) et la Communauté démocratique croate (HDZ). **L'**éclatement de la deuxième Yougoslavie, en juin 1991, exacerbe les conflits entre ces partis, le SDA voulant faire de la Bosnie-Herzégovine un État unitaire que les Musulmans domineraient par leur nombre, tandis que le SDS et le HDZ cherchent à obtenir son partage territorial. La reconnaissance de l'indépendance de la Bosnie-Herzégovine par la Communauté européenne (6 avril 1992) coïncide avec le début d'un conflit qui, en provoquant le déplacement forcé (« nettoyage ethnique ») de 2 100 000 personnes (soit plus de la moitié de la population), sonne le glas de la société pluricommunautaire bosniaque. **Con**clus le 21 novembre 1995 à Dayton (Ohio, États-Unis), les accords de paix entérinent la création en Bosnie-Herzégovine de deux entités territoriales distinctes : la République serbe et la Fédération de Bosnie-Herzégovine (croato-musulmane), elle-même divisée en cantons musulmans et croates. À partir de cette date, la Bosnie-Herzégovine est, en outre, placée sous tutelle internationale, comme l'attestent le déploiement de 60 000 soldats de l'OTAN et la nomination d'un haut représentant de l'ONU dont les pouvoirs ne cesseront ensuite de se renforcer. Cette tutelle n'empêche cependant pas les partis nationalistes de maintenir leur hégémonie sur les territoires qu'ils contrôlent, et de s'opposer à tout retour massif des populations déplacées. **X. B.** **> QUESTION SERBE, YOUGOSLAVIE.**

BOSPHORE > DÉTROITS.

BOTSWANA **R**épublique du Botswana. Capitale : Gaborone. Superficie : 600 372 km². Population : 1 597 000 (1999). **Le** territoire des Tswana a été partagé en 1885 entre le Transvaal et le protectorat britannique du Bechuanaland, et constitue une zone stratégique dans la colonisation des Rhodésies. **Les** questions du statut du territoire et de la coexistence des systèmes politiques traditionnels et européens alimentent les débats au sein des conseils consultatifs qui administrent le protectorat. Les oppositions s'insèrent dans un cadre institutionnel et juridique élaboré et prennent rarement des formes violentes. Les partis politiques n'apparaissent que dans les années 1960 et la Constitution de 1965 instaure le suffrage universel. **A**près l'indépendance en 1966, le Parti démocratique du Botswana (BDP) du président Seretse Khama (1921-1980) domine l'État et redresse une situation économique désastreuse. La découverte d'importants gisements de cuivre et de diamants bouleverse la situation économique dans les années 1970. S. Khama joue un rôle moteur dans l'intégration économique régionale. Sous le régime d'apartheid de son puissant voisin, il résiste aux menaces sud-africaines et accueille les mouvements de libération. En 1980, son successeur Quett Masire (1925-) maintient un État interventionniste et un service public autonome, mais doit affronter une série de scandales financiers éclaboussant son gouvernement. Durant les années 1990, le régime s'essouffle, non au profit de l'opposition divisée, mais du fait d'une désaffection croissante du corps électoral face à l'omnipotence du BDP. En 1998, Festus Mogae (1939-) remplace Q. Masire. La forte croissance économique n'occulte pas les revendications locales des autres groupes ethniques nationaux. **Le** Botswana demeure vulnérable aux conflits des pays frontaliers, mais doit surtout faire face à la pandémie de sida, qui s'intensifie dans les années 1990. **J.-M. D.**

BOUDIAF Mohamed (1918-1992)

Homme politique algérien, chef de l'État de janvier à juin 1992. Issu d'une famille arabe de chefs traditionnels du Hodna, les Ibn Abou Diaf, Mohamed Boudiaf appartient à la branche pauvre du lignage. Né à Msila le 23 juin 1919, il y fréquente l'école primaire avant de s'inscrire au cours complémentaire du collège de Bou Saada. Le manque de ressources et une mauvaise santé le contraignent à mettre un terme à ses études. Employé au parc d'artillerie de Constantine (1941), puis au service des contributions de Djidjelli (1942), il effectue son service militaire en Algérie (1943-1945) et obtient le grade d'adjudant. De ses origines sociales, M. Boudiaf a gardé le port altier et un sens aigu du rang. Il l'a perdu dans la société, mais va le retrouver dans un parti politique, le Parti du peuple algérien (PPA), qui, après les massacres de mai 1945, attire les éléments les plus radicaux. Il y gravit très rapidement les échelons et se retrouve chef de son organisation paramilitaire (Organisation spéciale, OS) pour le Constantinois sous les ordres de Mohammed Belouizdad (1924-1952), de Hocine Aït Ahmed (1926-) et Ahmed Ben Bella. C'est dans sa région que le bras armé du PPA est découvert (1950). Condamné par contumace à dix ans de prison, M. Boudiaf entre dans la clandestinité. On lui donne pour mission l'inventaire matériel et humain de l'OS avant de l'envoyer en France où il fait partie de la direction du Mouvement pour le triomphe des libertés démocratiques (MTLD). Il est au centre, à l'insu de ses chefs, de toutes les tentatives de regroupement des activistes. Les circonstances répondent à ses visées au moment de la crise du MTLD. Il prend position contre le chef du parti Messali Hadj et s'associe à ses adversaires au sein du Comité révolutionnaire pour l'unité et l'action (CRUA) avant de s'en séparer et de se rassembler autour de lui les partisans de l'insurrection immédiate, le Comité des 22. Seize d'entre eux, dont Larbi Ben M'hidi (1923-1957) et Mourad Didouche (1922-1955) avaient été ses subordonnés dans le Constantinois. Lors de la répartition des tâches entre les préposés à la direction militaire du territoire, ils sont six. M. Boudiaf est nommé coordonnateur et quitte l'Algérie le 25 octobre 1954 pour s'installer au Nador avec pour mission d'œuvrer à la formation d'une armée de libération du Maghreb. Le retour de Mohammed V au Maroc met prématurément un terme à cette entreprise. Exclu de la direction du FLN (Front de libération nationale) en août 1956, il est arrêté à l'occasion du détournement, par l'armée française, de l'avion Air-Atlas, le 22 octobre. Membre du CNRA (Conseil national de la Révolution algérienne), ministre, il se place à sa libération au centre, avec Krim Belkacem (1922-1970), dans la crise du FLN. Plus hostile à Ben Bella qu'à l'armée, il fonde le 20 septembre 1963, le Parti de la révolution socialiste (PRS) et cautionne les révoltes armées contre le pouvoir en place. Assigné à résidence puis libéré, il s'exile au Maroc. Son mouvement, qui se dissoudra en 1979, animera un journal El Jarida, de tendance maoïsante. Le 14 janvier 1992, il remplace, à la demande des chefs militaires qui veulent en faire un rempart contre le Front islamique du salut (FIS), le président Chadli Bendjedid (1979-1992). Trop indépendant pour être instrumentalisé, il est assassiné le 29 juin 1992, en public, par un officier de sa garde. **M. Ha.**   ➤ ALGÉRIE.

BOUKHARINE Nicolas (1888-1938)

Théoricien communiste et dirigeant soviétique. Fils d'instituteur, Nicolas Boukharine s'engage dans l'activité étudiante révolutionnaire dès 1905 et rejoint les bolcheviks, d'abord comme propagandiste. Il poursuit aussi des études d'économie à Moscou. Après deux arrestations (1909,1910), il est exilé, puis émigre en Allemagne. Il rencontre Lénine en 1912 et commence à écrire régulièrement pour divers journaux révolutionnaires. Il se rend en Scandinavie et aux États-Unis. Après la révolution de Février 1917, il rentre à Moscou où il joue un rôle de premier plan dans le coup d'État d'Octobre. Il s'oppose à la paix séparée du traité de Brest-Litovsk. Élu au Comité central du Parti, il en restera membre jusqu'en 1934 et devient leader du groupe des « communistes de gauche ». Il dirige la rédaction de plusieurs journaux, dont la Pravda (« vérité ») et exerce un rôle dirigeant dans le Komintern. À la mort de Lénine (1924), celui que ce dernier avait qualifié comme le « plus précieux et le plus fort théoricien » et le « camarade le plus aimé » du Parti, se trouve à la tête du pouvoir soviétique avec Staline, jusqu'en 1928. Il défend la NEP (Nouvelle Politique économique) et critique la collectivisation agraire forcée, considérant que le régime ne peut se passer de l'alliance avec la paysannerie. Ses positions lui vaudront d'être taxé de « déviationnisme de droite ». Exclu du Parti, il est accusé de complot dans les procès de Moscou et exécuté en 1938. Le procureur Andreï Vichinski avait qualifié l'accusé de « produit maudit du croisement d'un renard et d'un porc ». N. Boukharine est non seulement l'auteur de l'*ABC du communisme* (1920), mais aussi de très nombreux autres ouvrages, dont *La Théorie du matérialisme historique* (1920) et *La Politique économique du rentier* (1919). **V. K.** **> RÉGIME SOVIÉTIQUE, RUSSIE ET URSS.**

BOUMEDIÈNE Houari (1932-1978)

Homme politique algérien, chef de l'État de 1965 à 1978. Né le 23 août 1932 dans une famille rurale pauvre de la région de Guelma, Mohammed Boukharouba s'est donné un nom de guerre associant les saints patrons d'Oran (Sidi El Houari) et de Tlemcen (Sidi Boumediène). Après avoir fréquenté l'école primaire française et l'école coranique, il poursuit ses études dans les institutions islamiques, El Kettania (Constantine), la Zitouna (Tunis) et El-Azhar (Le Caire). Nationaliste de conviction, son adhésion à une organisation politique commence avec le FLN (Front de libération nationale). Son premier mentor, Ahmed Ben Bella, l'envoie au Maroc en 1955 dans un yacht transportant des armes. « Prends-le avec toi, dit Larbi Ben M'hidi (1923-1957) à Abdelhafid Boussouf (1926-1982), il en sortira peut-être quelque chose ». Paroles prémonitoires. **B**oumediène, qui suivra A. Boussouf comme son ombre jusqu'en 1960, devient un des chefs marquants de l'ALN (Armée de libération nationale). Il participe aux côtés de son patron au premier coup de force contre la direction désignée par le congrès de la Soummam (août 1956) et cautionnera comme président du tribunal la condamnation à mort des colonels Amouri et Nouaoura des Aurès (1958). Deux mutineries

mettant en cause les aptitudes militaires de Boumediène, celle du capitaine Arbaoui (1957) et celle du capitaine Hamadia Tahar dit Zoubir (1959), sont réglées à son avantage par le colonel Lakhdar Bentobbal (1923-), juge et médiateur. Après avoir assuré le commandement de l'Ouest, H. Boumediène est nommé chef de l'État-Major général de l'ALN extérieure à l'issue d'une longue crise. La mission de faire entrer les contingents armés en Algérie étant restée sans suite, il choisit en compagnie de ses adjoints les commandants Ali Mendjili (1922-1998) et Kaïd Ahmed (1921-1978) la fuite en avant et, avec la caution de A. Ben Bella, alors emprisonné, se pose en alternative au GPRA (Gouvernement provisoire de la République algérienne). Démis de ses fonctions le 30 juin 1962, il sera un des principaux acteurs de la crise du FLN après les accords d'Évian qui reconnaissent l'indépendance. Vice-président et ministre de la Défense dans l'Algérie indépendante, il s'oppose à l'autogestion et à toute séparation entre le FLN et l'armée rebaptisée Armée nationale populaire (ANP). La redistribution des cartes à son détriment à l'intérieur du gouvernement le pousse au coup d'État au nom de la « lutte contre le pouvoir personnel ». Il cumule cependant le poste de chef de l'État, le ministère de la Défense, la présidence du Conseil de la Révolution et celle du Conseil des ministres. Il marque, plus que tout autre, le destin des Algériens. Tiers-mondiste convaincu et dirigiste, il préside à la récupération des richesses nationales et prend ses distances à l'égard de ses alliés du 19 juin en gauchissant son action (étatisation de l'économie, réforme agraire, gratuité des soins, salarisation massive, arabisation de l'enseignement et de la justice, etc.). Mal conçus et mal appliqués dans le cadre d'un système autoritaire et donc incontrôlé, ses projets seront après sa mort en 1978 perçus négativement. Il a pour successeur Bendjedid Chadli (1979-1992), désigné par l'armée. **M. Ha.** **> ALGÉRIE.**

BOURGUIBA Habib (1903-2000)

Homme politique tunisien, chef de l'État de 1957 à 1987. Étonnante longévité politique que celle de Habib Bourguiba qui, au bout de soixante ans de carrière et trente ans de pouvoir sans partage, s'est vu signifier sans violence par une nuit de novembre 1987 sa mise à la retraite par son Premier ministre Zine el-Abidine Ben Ali (1936-). Si les Tunisiens éprouvèrent un réel soulagement à l'annonce de sa destitution, épuisés qu'ils étaient par l'interminable agonie d'un régime qui n'avait depuis longtemps plus rien à leur offrir que des incertitudes, il n'en aura pas moins en grande partie forgé la physionomie de la Tunisie de la fin du XXᵉ siècle.   **N**é officiellement en 1903 dans la petite bourgade sahélienne de Monastir, H. Bourguiba entre relativement tard en politique, la trentaine presque atteinte, après des études de droit à Paris. Il passe quelques années au sein du Destour, le parti nationaliste créé en 1920, avant de fonder en 1934, avec d'autres militants, son propre parti, le Néo-Destour. Il lui faudra vingt-deux années de luttes contre la France d'abord, mais aussi contre les autres tendances nationalistes et nombre de ses rivaux, pour atteindre les deux objectifs qu'il s'était très tôt fixés : conduire son pays à l'indépendance et assurer sa propre suprématie au sein du mouvement nationaliste, puis du jeune État souverain.   **L**e 20 mars 1956, la Tunisie est certes indépendante, mais H. Bourguiba n'en devient le véritable maître que le 25 juillet 1957, avec l'abolition de la monarchie et la proclamation de la République dont il est aussitôt élu président. Tout en affirmant son pouvoir, il met en chantier une série de réformes qui vont constituer l'essentiel de son héritage. Le 13 août 1956, un code du statut personnel est promulgué qui donne aux femmes des droits inédits dans le monde arabe en supprimant la polygamie et la répudiation, en instituant le divorce par consentement mutuel et en autorisant l'adoption. Il entreprend en même temps de laïciser l'État - en marginalisant les autorités religieuses et en les soumettant au pouvoir temporel -, de créer une administration moderne et de généraliser la scolarisation qui était réservée à une minorité durant la période coloniale.   **E**n politique étrangère, il amarre solidement son pays à l'Occident et demeure insensible aux sirènes nasséristes de l'unionisme arabe.   **M**ais partisan d'une soumission totale de la

société civile à l'État et convaincu de sa propre supériorité, il concentre rapidement tous les pouvoirs entre ses mains, ne laissant de place à aucune forme de contestation. Après l'échec de l'expérience « socialiste » menée jusqu'en 1969, et avec la longue maladie du leader vieillissant qui accentue jusqu'à la caricature le caractère personnel de son pouvoir et l'influence d'un « sérail » sans scrupules, les Tunisiens tentent de secouer sa pesante tutelle et accueillent comme une « divine surprise » le « coup d'État constitutionnel » du 7 novembre 1987 qui voit Zine el-Abidine Ben Ali accéder au pouvoir.   **D**ans les treize années qui ont séparé sa mise à l'écart de son décès, le 6 avril 2000, la réclusion à laquelle l'a soumis son successeur a pu donner à penser que ce dernier mettrait l'héritage en pièces. Mais, tout en amplifiant encore la dérive autoritaire du régime, il en a gardé l'essentiel, de l'originalité du statut des femmes tunisiennes par rapport au reste du monde arabe à la permanence d'un exécutif fort dont tout pouvoir en Tunisie procède. Il ne fait pas de doute que le vieux chef charismatique laissera, et pour longtemps, son empreinte sur l'histoire d'un pays qu'il aura voulu remodeler profondément. **S. B.   > TUNISIE.**

BOUTEFLIKA Abdelaziz (1937-)

Homme politique algérien. Né en 1937 dans une famille algérienne installée à Oujda, Abdelaziz Bouteflika s'est engagé très jeune dans la résistance. Familier du colonel <u>Boumediène</u>, il sera l'un de ses plus proches collaborateurs. Celui-ci lui confie à ce titre le commandement d'un contingent installé à la frontière algéro-malienne (1960) en compagnie d'officiers impliqués dans le complot Lamouri (novembre 1958) contre le GPRA (Gouvernement provisoire de la République algérienne) et amnistiés en 1960, Abdallah Belhouchet, Ahmed Draïa et Mohammed Cherif Messaadia. C'est également à ce titre que A. Bouteflika, de son nom de guerre « Abdelkader Mali », est chargé de la délicate mission d'obtenir d'Ahmed <u>Ben Bella</u> sa caution dans le conflit qui oppose l'État-Major dirigé par le colonel Boumediène au GPRA. Il la mène à bien et en tirera bénéfice lors de la constitution du premier gouvernement d'A. Ben Bella (septembre 1962).   **D**'abord ministre de la Jeunesse et des Sports (septembre 1962), il est appelé, après la mort de Mohammed Khemisti (mai 1963), à diriger la diplomatie algérienne, A. Ben Bella nourrissant le projet illusoire de le détacher de son protecteur le colonel Boumediène. Quand le président veut l'écarter en juin 1965, c'est lui qui est renversé à l'issue d'un coup d'État militaire (19 juin 1965). A. Bouteflika récupère son poste et l'occupe jusqu'à la mort du colonel Boumediène (fin 1978). Leurs rapports ne furent pas aussi harmonieux qu'on l'a dit. Les relations de l'Algérie avec le Maroc, la politique d'industrialisation menée par Belaïd Abdesslam (1967-1977) et la réforme agraire (1971) ont nourri leurs divergences. Mais les brouilles qui incitent A. Bouteflika à diriger parfois son ministère depuis l'étranger n'ont jamais été jusqu'à la rupture. Il est le seul des compagnons de Boumediène à rester à ses côtés jusqu'à sa mort. Le président Chadli Bendjedid (1979-1992), qui ne le tenait pas en haute estime, l'écartera dans des conditions dégradantes et par étapes. Il fera l'expérience du traitement jusqu'alors réservé aux opposants (confiscation de sa villa, persécution de ses collaborateurs, traduction devant la Cour des comptes, etc.). Pressenti une première fois par l'armée pour faire face au délitement de l'État après l'interruption des élections de décembre 1991, il se récuse en 1994 malgré l'insistance de Liamine Zéroual (1941-), alors ministre de la Défense. Il accepte l'offre des militaires en 1999. Impuissant et dans l'attente d'un sauveur, la société algérienne, ou du moins ses classes moyennes, ne font pas obstacle à sa consécration, malgré une élection contestée. Aurait-il les moyens de sortir l'Algérie d'une crise très profonde ? Ses partisans l'espéraient, mais l'Algérie de l'an 2000 n'était pas celle de 1965. Par ailleurs, la scène internationale a été bouleversée au détriment du tiers monde. Dans ces conditions, sa marge de manœuvre est apparue étroite. **M. Ha.** **> ALGÉRIE.**

BOXEURS (révolte des) Une expédition internationale se déroule de mai 1900 à juin 1901 en Chine du Nord, pour protéger les intérêts occidentaux et japonais contre une révolte fomentée par une société secrète

xénophobe : les Boxeurs (Boxers), soutenus secrètement par l'impératrice régente. Un premier contingent modeste est envoyé par les navires des puissances, croisant dans le golfe du Petchili ; elles atteignent Pékin sans obstacle fin mai et défendent efficacement les légations et les missions où se sont réfugiés des chrétiens chinois. Une colonne de renfort, commandée par un amiral britannique, la « colonne Seymour » est bloquée devant Tien-Tsin où se déroulent en juin et juillet de violents combats. Renforcés de troupes envoyées d'Europe et du Japon, les coalisés, dont le commandement est assuré par le maréchal allemand Alfred von Waldersee (1832-1904), libèrent Pékin le 15 août, rétablissent l'ordre et les communications avant de rembarquer pendant l'été 1901, tandis qu'une lourde indemnité est imposée à la Chine. **J.-P. G.** **> CHINE.**

BRANDT Willy (1913-1992) Chancelier de la RFA (1969-1974). L'année 1971 est une date historique pour l'Allemagne : le chancelier Willy Brandt (de son vrai nom Herbert Karl Frahm) reçoit le prix Nobel de la paix, en reconnaissance de sa politique d'ouverture à l'Est. Entré au Parti social-démocrate (SPD) en 1930, il s'exile trois ans plus tard en Norvège (dont il devient citoyen, après avoir pris le nom de Willy Brandt). En 1945, il retourne en Allemagne et, en 1957, est élu, pour la première fois, maire de Berlin-Ouest. Après avoir été l'artisan de la « grande coalition » (CDU-Union démocrate chrétienne – SPD), W. Brandt en devient ministre des Affaires étrangères en 1966, avant d'être élu chancelier en 1969 ; c'est le premier social-démocrate à ce poste depuis quarante ans. Les cinq ans qu'il passe à la tête du gouvernement sont dominés par son *Ostpolitik* (ouverture à l'Est), autant louée à l'étranger que critiquée en Allemagne. Trois accords la ponctuent : celui du 12 août 1970 avec l'URSS, celui du 7 décembre 1970 avec la Pologne et l'accord du 21 décembre 1972 avec la RDA. Il se voit décerner le prix Nobel de la paix en 1971. L'image marquante de cette période demeurera sa génuflexion devant le mémorial du ghetto de Varsovie. W. Brandt donne ensuite l'impression de ne plus s'intéresser à la politique. Il est réélu en 1973, mais la découverte d'un espion de l'Est, Günter Guillaume, au sein de son cabinet, l'amène à démissionner en 1974. Vient le temps de l'engagement à la présidence du SPD, puis à celle de l'Internationale socialiste (1976-1980) et celui des plaidoyers en faveur de rapports <u>Nord-Sud</u> équilibrés (il dirige le rapport *Nord/Sud, un programme de survie* – 1980). En 1989, à peine le <u>Mur de Berlin</u> tombé, il est l'un des premiers à appeler à l'unification allemande. **X. G.** **> ALLEMAGNE.**

BRASILIA Déjà la Constitution brésilienne de 1891 ordonnait la construction d'une nouvelle capitale fédérale au centre du pays. L'objectif était alors d'apaiser les rivalités entre les oligarchies de Rio de Janeiro (vieille capitale) et celles de l'État de São Paulo en pleine expansion économique. Au fil du temps vint aussi la nécessité de repousser le front pionnier plus à l'ouest. En 1956, le président Juscelino <u>Kubitschek</u> confie à l'urbaniste franco-brésilien Lúcio Costa (1902-1998) et à l'architecte brésilien Oscar Niemeyer (1907-), admirateur du Suisse Le Corbusier (1887-1965), le soin de bâtir une capitale aux lignes futuristes. Conçues pour la voiture, Brasilia et ses cités satellites comptent aujourd'hui deux millions d'habitants. Pour nombre de Brésiliens, elle incarne le fossé existant entre le pays légal (« *ordem et progresso* » [ordre et progrès], la devise de l'État) et le pays réel (corruption et injustices). **S. Mo.**

BRAZZAVILLE (conférence de)
En 1944 (30 janvier-4 février) sont réunis à Brazzaville les gouverneurs des colonies de la France et des représentants de l'Assemblée consultative. Charles de <u>Gaulle</u> évoque l'« émancipation » des colonies et esquisse les fondements de l'<u>Union française</u>. L'aspiration à une reconnaissance politique est grande parmi les peuples de l'empire, qui viennent d'apporter leur contribution à la victoire sur le <u>fascisme</u> (40 000 Nord-Africains et tirailleurs dits « sénégalais » ont été tués dans les rangs de l'armée française). Malgré cela, l'ordre colonial sera, pour l'essentiel, maintenu. **> EMPIRE FRANÇAIS.**

BREJNEV Leonid Ilitch (1906-1982)
Dirigeant politique soviétique. Né en Ukraine à Kamenskoe (Dnieprodzerjinsk), Leonid Brejnev effectue des études supérieures à l'école agronomique de Koursk, puis à l'institut métallurgique de Dnieprodzerjinsk, qu'il quitte en 1935. Membre du Parti à partir de 1931, il devient secrétaire du district de Dniepropetrovsk en 1938. Au cours de la Seconde Guerre mondiale, il assure la direction politique du front sud en tant que colonel, puis général-major. Son ascension politique se confirme après guerre où il devient responsable de district en Ukraine, puis premier secrétaire du Parti de la République socialiste soviétique de Moldavie en 1950. En 1952, il entre au Comité central du <u>PCUS</u> (Parti communiste de l'Union soviétique) comme membre du Présidium. La disparition de <u>Staline</u> en 1953 entraîne son retrait temporaire des organes centraux pour un poste de premier secrétaire du Parti communiste du Kazakhstan. Mais, dès 1956, il est réélu au Comité central, dont il devient membre titulaire en 1957 avant de remplacer Klement Iefremovitch Vorochilov (1881-1969) à la tête de l'État en 1960. Actif partisan de l'éviction de Nikita <u>Khrouchtchev</u>, il participe, en 1964, au complot qui renverse le premier secrétaire du Comité central, dont il prend la succession. Après les réformes économiques des années 1960 et la relative phase de croissance qui s'ensuit, l'équipe conduite par L. Brejnev se révèle avant tout soucieuse de maintenir les privilèges des cadres du régime. Son nom est associé à la doctrine dite de « souveraineté limitée », qui veut que Moscou se mêle des affaires intérieures d'un « pays frère » s'il lui apparaît que l'intérêt du socialisme le commande. Il assume ainsi la responsabilité de l'intervention des troupes du <u>pacte de Varsovie</u> contre le printemps de <u>Prague</u>. Foncièrement conservateur sur le plan idéologique et politique, entouré de personnalités vieillissantes comme lui, Brejnev incarne, à partir des années 1970, la « stagnation » (*zastoj*), telle que les Soviétiques désigneront cette période qui s'achève avec la mort du secrétaire général en 1982, alors que la <u>guerre d'Afghanistan</u>, dans laquelle il a engagé le pays en 1979, se révèle un bourbier. Iouri Andropov (1982-1984) lui succède brièvement. **C. G.** **> RUSSIE ET URSS.**

BRÉSIL **R**épublique fédérative du Brésil. Capitale : Brasilia. Superficie : 8 511 965 km². Population : 167 988 000 (1999). **É**vénement charnière de l'histoire du Brésil, l'abolition de l'esclavage, en 1888, précipite ce pays dans la modernité. Un an plus tard (soit 67 ans après l'indépendance à l'égard du Portugal), la monarchie est renversée par une armée éprise de positivisme et par des élites ouvertes aux idées libérales. Pour la première fois, une République est instaurée. Mais ni ce régime, ni les suivants, qu'ils fussent démocratiques ou autoritaires, n'ont su ou voulu réduire significativement les profondes inégalités sociales héritées de la société esclavagiste et mercantiliste. **Des inégalités criantes.** Certes, au fil du XXᵉ siècle, le pays a tiré profit de ses richesses naturelles : sols et climats propices à l'agriculture ou à l'élevage, abondance de minerais, de pétrole et de sources hydroélectriques. L'expansion du secteur secondaire (sidérurgie dans les années 1940, pétrochimie et automobile dix et vingt ans plus tard), le programme de substitution d'importations lancé en 1969, puis la tertiarisation de son économie ont porté son PIB au huitième rang du monde en fin de siècle. Toutefois, l'écart séparant riches et pauvres est demeuré colossal. Dans les années 1990, la part des revenus détenue par le cinquième de la population le plus pauvre était trente fois moindre que celle dont jouissait le cinquième le plus riche. Le Brésil est ainsi l'un des pays les plus inégalitaires de la planète. À ne considérer que le <u>Nordeste</u>, région la moins économiquement intégrée du pays, le ratio n'est plus que de trente mais de trente-cinq. Selon les historiens, cette situation est comparable à celle du début du XXᵉ siècle. **S**i l'analphabétisme a reculé (65 % de la population âgée de quinze ans et plus déclaraient en 1900 ne savoir ni lire ni écrire, contre 56 % en 1940 et 33 % en 1970), il n'a pas disparu : 17 % en 1996 (37 % en zone rurale). L'éducation demeure un privilège et reproduit, plus qu'elle ne le réduit, les écarts entre les couches sociales. La question de la terre, faute de véritable réforme agraire, est elle aussi restée entière. En l'an 2000, sur ce vaste territoire (8,5 millions de km², soit 47 % de l'Amérique du Sud) dont les frontières sont demeurées stables depuis 1864 (date du dernier conflit frontalier avec l'un de ses dix voisins), 500 familles de *fazendeiros* possédaient 43 % des surfaces agricoles alors que 57 % de la population rurale ne disposait que de 3 % des terres. D'où un massif exode rural et l'existence d'un mouvement des « <u>paysans sans-terres</u> ». **Rivalités entre élites économiques.** En un siècle, la population a été multipliée par douze, passant de quatorze millions en 1900 à 167 millions en l'an 2000. Concentrée sur le front atlantique, elle s'entasse dans des agglomérations dont les infrastructures et services ne peuvent absorber un tel afflux de déshérités. Le Brésil compte aujourd'hui seize mégapoles de plus d'un million d'habitants et 166 villes de plus de 100 000 habitants. La violence qui fut longtemps rurale (les bandes armées n'ont disparu que dans les années 1920) s'est déplacée dans les zones urbaines. La criminalité n'a cessé d'y croître. Le sentiment d'insécurité y est d'autant plus fort que l'impunité demeure trop fréquente et que les trafics de drogues et d'armes supplantent, dans les années 1980, les activités illégales traditionnelles. **L**a permanence de telles inégalités et l'insatisfaction chronique des demandes d'État en matière de sécurité, d'accès à la terre, aux soins et à l'éducation ont miné la légitimité de tous les gouvernements. Mais ce sont avant tout les rivalités entre élites économiques pour le contrôle de l'État et leur incapacité à trouver une formule politique apte à concilier leurs propres intérêts et ceux des groupes urbains ascendants qui expliquent la relative brièveté de ces régimes. **A**insi la Iʳᵉ République (1889-1930) succombe aux tensions entre, d'une part, des oligarchies rurales, politiquement favorisées par un fédéralisme peu centralisateur mais économiquement fragilisées par la crise du café (alors première source de richesses du pays) et, d'autre part, des bourgeoisies modernisatrices lasses de cette partition du pouvoir. Ces élites régionales aspirent souvent au séparatisme. De surcroît, privés de toute représentation politique (seuls 3 % de la population disposent alors du droit de vote), les fonctionnaires et les ouvriers des premières régions à s'industrialiser (Sud-Est et Nord-Est) multiplient les mouvements sociaux. **Les années Var-**

gas. Face aux risques de sécession, voire de guerre civile, face aux surenchères des groupes communistes, une junte militaire confie, en 1930, le gouvernement à Getúlio Vargas. Sept ans plus tard, sous la menace de mouvements fascistes, il instaure un régime autoritaire : dissolution des partis, censure, répression, interdiction des grèves, mais législation du travail favorable aux salariés. Ce populiste accélère l'industrialisation, soumet les syndicats au corporatisme et rationalise l'administration. L'État, désormais qualifié, emprunt au salazarisme, de « nouveau » (Estado Novo), connaît une nette centralisation. Mais au lendemain de la Seconde Guerre mondiale et bien que le Brésil ait soutenu les Alliés dès 1942, G. Vargas est contraint à la démission. La République « libérale », fondée en 1946, rend aux États fédérés une partie des prérogatives confisquées. Les élites rurales que G. Vargas avait su neutraliser trouvent d'autant plus leur revanche dans ce régime démocratique qu'il refuse le droit de vote aux analphabètes, donc aux pauvres des villes (l'exode rural s'accentue), et que les États peu industrialisés bénéficient d'une représentation avantageuse au Congrès. **U**ne nouvelle fois les élites économiques rivales ne sauront contenir le mécontentement des couches populaires et moyennes, nourri de la timidité des réformes sociales et de l'aggravation des désordres financiers, en partie dus à la construction de la nouvelle capitale, Brasilia, décidée par le président Juscelino Kubitschek (1956-1961). Certes, en 1961, des progressistes (Jânio Quadros (1917-1992), populiste fantasque, et surtout João Goulart (1918-1976), syndicaliste, proche du travailliste Leonel Brizola) accèdent à la présidence et à la vice-présidence de la République. Mais le Congrès reste majoritairement conservateur. En 1962, J. Quadros démissionne, espérant être rappelé au pouvoir par le peuple et forcer ainsi le Congrès à suivre sa politique. Cette stratégie échoue ; J. Goulart assure l'intérim. Toutefois, le Congrès et l'armée ne tolèrent sa présence que si le régime présidentiel est immédiatement remplacé par un régime parlementaire qui a pour effet de le priver des moyens de réaliser les réformes sociales de son souhait. **L'armée à nouveau au pouvoir.** Ce « golpe blanc » (coup d'État) accroît

encore les tensions. En 1964, face à la gauchisation qui menaçait ses rangs, l'armée reprend le pouvoir, suscitant une nouvelle avancée de l'industrialisation et un retour à plus de centralisation. Toutefois, ce régime autoritaire, bien moins répressif que les dictatures argentines ou chiliennes des années 1970, tolère une vie politique au pluralisme limité et des élections pour les postes législatifs. Engagée par le général Geisel en 1974, une interminable et graduelle transition commence. Elle est menée par des acteurs collectifs nouveaux (syndicats ouvriers, associations de quartiers...) ou plus anciens (Église catholique d'où émerge la figure de dom Helder Camara, Ordre des avocats), tous soucieux de se démarquer de l'État et d'un pouvoir exécutif désormais critiqué par les États-Unis. En 1988, elle débouche sur la promulgation d'une nouvelle Constitution (la huitième du pays) qui organise un fédéralisme décentralisé, limite les prérogatives de l'exécutif, accroît les droits sociaux, donne le droit de vote aux analphabètes et rétablit l'élection du chef de l'État au suffrage universel direct. Néanmoins, les forces conservatrices modérées, malgré la lenteur avec laquelle l'économie brésilienne est alors stabilisée (de 1985 à 1994 une inflation annuelle à trois ou quatre chiffres pénalise la croissance et l'investissement), restent au pouvoir grâce à des alliances avec des sociaux-démocrates vite convertis au néo-libéralisme. **Brutale soumission au marché.** La soumission au marché et aux impératifs de la mondialisation aura été brutale. Jusqu'aux années 1990, l'État avait toujours été protectionniste et souverainiste. Les entreprises publiques ont même contribué, comme en 1976, jusqu'à 25 % du PIB. Les présidents Fernando Collor (1949-), libéral, destitué pour corruption en 1992, puis Fernando Henrique Cardoso, gauche modérée, ont lancé le Mercosur (Marché commun du sud de l'Amérique), privatisé et déréglementé l'économie du pays. Les syndicats, n'ayant pu empêcher cette grande réforme structurelle, ont perdu leurs militants malgré l'audience du leader Lula. L'ampleur et la soudaineté du changement ont aussi fortement déstabilisé la population. En perte de repères, les couches moyennes s'adonnent de plus en plus à l'individualisme, quittant le catholicisme pour les mouvements évangéliques et pentecôtistes, applaudissant aux dérives sécuritaires. Dans leurs réserves (dont les superficies ont été augmentées sous F. H. Cardoso) les derniers Indiens meurent des maladies des Blancs. **S. Mo.**

BREST-LITOVSK (traité de) Après deux mois de pourparlers entre la république des Soviets et l'Empire allemand (les deux pays s'affrontent depuis le déclenchement de la Grande Guerre), la délégation russe signe à Brest-Litovsk, citadelle allemande à l'est de la Pologne, un traité de paix, le 3 mars 1918. L'arrêt définitif des combats paraissant à <u>Lénine</u> indispensable à la survie de la <u>révolution russe</u>, les <u>bolcheviks</u> acceptent des clauses très dures. Le pays est amputé d'une partie de la Biélorussie et doit accepter le principe de l'indépendance de l'Ukraine, de la Finlande et des Pays baltes. Il doit verser une lourde indemnité de guerre et s'abstenir de toute <u>propagande</u>. Le répit est bref, car le gouvernement soviétique doit déjà faire face aux armées contre-révolutionnaires (armées blanches) et aux problèmes des nationalités sur son territoire. Le traité de Brest-Litovsk est annulé par les Alliés après l'armistice du 11 novembre 1918. **M. J., A. L.** **> GRANDE GUERRE.**

BRETTON WOODS Dès 1941, les États-Unis et le Royaume-Uni entreprennent de jeter les bases d'un nouvel ordre international devant éviter le retour des désordres monétaires, des dévaluations compétitives et des crises économiques et sociales – notamment la <u>crise de 1929</u> – qui ont marqué les années 1930 et fortement contribué au déclenchement de la Seconde Guerre mondiale. Au nom de leurs gouvernements respectifs, un économiste anglais de renom, John Maynard Keynes (1883-1946), et un haut fonctionnaire du Trésor américain, Harry White, commencèrent chacun à diffuser leur projet de réforme monétaire internationale. L'un et l'autre prônaient le retour à la stabilité des changes et à la convertibilité des monnaies, et préconisaient la création d'organisations internationales pour assurer la multilatéralisation des échanges, la coopé-

ration monétaire et le contrôle des mouvements internationaux de capitaux. Pour le reste, les deux plans étaient en opposition, qu'il s'agit du système de financement ou bien du mode d'ajustement. Londres souhaitait relancer l'activité économique du pays et des autres États européens épuisés par la guerre. Le Royaume-Uni préconisait la création d'une Banque supranationale qui aurait émis une monnaie (le « bancor ») en fonction des besoins réels du commerce international courant, la mise en place d'un système de financement qui aurait fourni des liquidités internationales aux pays déficitaires, des mécanismes d'ajustement qui auraient amené les pays excédentaires à réduire leurs surplus commerciaux et leurs excédents financiers. Pour Washington, la priorité était de relancer le commerce mondial, de rétablir le libre-échange et d'assurer la stabilité du système monétaire international (<u>SMI</u>). Le plan Keynes paraît trop expansionniste et porteur d'inflation, trop interventionniste et favorable aux pays déficitaires. Les États-Unis préconisent, au contraire, de rigoureuses politiques de stabilisation, le retour à l'étalon-or sous la forme d'un « étalon-dollar », la mise en place d'un système monétaire international sans droit de tirage inconditionnel de liquidités, avec des changements de parité admis seulement à titre exceptionnel et transitoire. Pendant toute l'année 1943, un compromis est recherché entre les deux plans. Lorsque la Conférence monétaire et financière des Nations unies se réunit à Bretton Woods (États-Unis), le 1er juillet 1944, le plan White l'a déjà emporté. Les États-Unis détiennent alors les deux tiers des réserves mondiales d'or, ils fournissent les pays européens en armement et financent leur effort de guerre, et le Royaume-Uni doit s'incliner. **Les vocations respectives du FMI et de la Banque mondiale.** Le 22 juillet 1944, les 44 pays participant à la Conférence de Bretton Woods se séparent après avoir arrêté les objectifs et les statuts de deux nouvelles institutions : le Fonds monétaire international (<u>FMI</u>), la Banque internationale pour la reconstruction et le développement (BIRD, appelée plus tard la « <u>Banque mondiale</u> »). Le FMI a pour objectif d'améliorer la stabilité des taux de changes, d'établir un système multilatéral de règlement des transactions courantes, de mettre à la disposition des États, pour une période limitée, les ressources financières leur permettant de résoudre des difficultés conjoncturelles dans l'équilibre de leur balance des paiements. **Un** système de parités fixes est établi autour du dollar, seule monnaie entièrement convertible en or à un cours fixe (35 dollars l'once). Les États membres doivent communiquer au FMI une parité centrale pour leur monnaie et s'engager à maintenir le cours à l'intérieur d'une marge de fluctuation étroite (à 1 % autour de la parité déclarée). Toute modification de parité nécessitera l'accord préalable du Fonds. Les États membres devront effectuer des versements en or ou en devises (pour au moins 25 %), le solde en monnaie nationale. La définition de leurs quotas détermine à la fois le montant des tirages autorisés en cas de besoin et le nombre de voix dont ils disposent dans le système de prise de décision. **A**lors que les négociations sur le projet de Fonds monétaire avaient occupé l'essentiel de la conférence, la création de la BIRD est décidée assez rapidement, un peu par surprise, beaucoup sous l'influence de J. M. Keynes. L'institution est conçue pour aider au financement des projets d'investissement dans les pays pauvres et à la reconstruction des infrastructures dans les États ruinés par la guerre. La Banque mondiale doit agir essentiellement comme un intermédiaire financier accordant des prêts à moyen et long terme, financés par des emprunts levés sur le marché des capitaux, et veiller, par conséquent, à la rentabilité des projets financés. Il apparaît rapidement que la Banque n'a pas les ressources suffisantes pour sortir l'Europe de son marasme économique et que le FMI ne peut pas répondre aux besoins de ces pays dont la balance des paiements est déficitaire. Les États-Unis, avec le plan Marshall, se substituent aux deux institutions de Bretton Woods en apportant, entre 1948 et 1952, 13,6 milliards de dollars à l'Europe occidentale à la fois sous forme de dons et de prêts. **A**vec la création de la Société financière internationale (SFI) au milieu des années 1950, puis de l'Association internationale de développement (AID) en 1960, le groupe de la Banque mondiale se consacre essentiellement au financement des projets de développement dans les pays du tiers monde. **Découplage avec les problématiques de l'ONU.** Parallèlement à la création des deux grandes instances, les États-Unis œuvrent à l'établissement d'une organisation politique universelle. Le président Franklin D. Roosevelt (1932-1945) considère l'entreprise comme « le couronnement de toute sa vie ». L'obstination du département d'État fut déterminante dans la création de l'Organisation des Nations unies (ONU), avant même la fin des hostilités. Très vite, la prolifération institutionnelle à l'intérieur de la « famille des Nations unies » rend illusoire toute tentative de rationalisation des activités opérationnelles dans le secteur économique et social. **L'**ensemble du système mis en place au lendemain de la Seconde Guerre mondiale a été conçu pour rendre impossible la prise en considération *simultanée* des questions politiques, financières, commerciales, économiques et sociales dont l'interdépendance est pourtant évidente. Les compétences sont réparties entre de multiples institutions, plus ou moins spécialisées, revendiquant toutes leur autonomie. Lorsque, au temps des indépendances, les pays du tiers monde intègrent en masse l'ONU et font en sorte que l'essentiel des ressources en hommes et en moyens soit consacré aux questions de développement, ils cherchent également à utiliser leur nombre à l'Assemblée générale pour faire de cette organisation l'instrument de leurs revendications. **La** Conférence des Nations unies sur le commerce et le développement (CNUCED), créée en 1964, puis un programme de « négociations globales » soumis à l'Assemblée générale (1974-1981) devaient jeter les bases d'un Nouvel ordre économique international (NOEI) plus favorable aux pays en développement (PED). Un semblant de dialogue Nord-Sud parut s'établir à l'ONU à l'occasion du premier choc pétrolier en 1973, interrompu dès lors que le retournement du cours des matières premières aura rassuré les pays occidentaux sur leurs approvisionnements. **L'ONU comme « filet de sécurité ».** Paradoxalement, c'est au moment où les pays en développement contestent le fonctionnement inégalitaire des institutions de Bretton Woods, et où s'écroule le système qu'elles étaient censées garantir, qu'elles acquièrent leur pouvoir et leur autorité au détriment de toute l'organisation onusienne. En effet, au milieu des années 1960, après vingt ans de stabilité, le système de Bretton Woods commence à donner ses premiers signes de faiblesse. Malgré les tentatives de sauvetage (amendement des statuts du FMI et création d'un système de financement fondé sur les droits de tirage spéciaux – DTS) entre 1969 et 1975, la suspension de la convertibilité du dollar en or décidée par les États-Unis en août 1971, puis une nouvelle dévaluation du dollar en février 1973 entraînent le démantèlement du système de parités fixes et l'effondrement de l'ordre mis en place à l'après-guerre. Jusque-là, le Fonds monétaire et la Banque mondiale avaient bénéficié de moyens financiers et d'une autorité politique restreints. En concentrant l'essentiel de leur activité sur les plans d'ajustement structurel des économies des pays du Sud et sur le traitement de la crise de la dette, ces deux institutions trouvent bientôt une vocation nouvelle, devenant les « gendarmes du tiers monde ». Dans le même temps, toutes les instances onusiennes où le tiers monde peut bénéficier du principe de l'égalité des voix sont progressivement vidées de leur substance. À partir du début des années 1980, la suprématie des organisations de Bretton Woods sur l'ensemble des institutions onusiennes a instauré une sorte de division du travail : au FMI et à la Banque mondiale le soin de définir les termes de l'ajustement structurel et les modalités du traitement de la dette dans les pays en développement ; aux différents programmes et agences de l'ONU (en particulier le Programme des Nations unies pour le développement – PNUD) le soin de pallier les effets les plus nocifs de ces potions amères. **M.-C. S.**

BRI La Banque des règlements internationaux (BRI, BIS – Bank for International Settlements –, siège à Bâle) a été créée en 1930. Elle regroupait, à la mi-2001, 50 banques centrales (49 pays et la Banque centrale européenne – BCE). Elle agit comme banque des banques centrales et joue un rôle de coopération financière et monétaire internationale.

BRIAND Aristide (1862-1932)
Homme politique français. Avocat, journaliste politique, Aristide Briand milite d'abord dans les rangs du syndicalisme révolutionnaire avant de se rapprocher de Jean Jaurès. Mais, partisan d'une participation des socialistes au gouvernement, il rompt avec ce dernier en 1906. Élu comme socialiste indépendant à la Chambre des députés sans interruption de 1902 jusqu'à sa mort, il mène une longue carrière en se plaçant à la charnière des partis de gauche et de droite. D'abord ministre de l'Instruction publique et des Cultes de 1906 à 1909, il devient président du Conseil pour la première fois en 1909. Il l'est ensuite à dix reprises, notamment pendant la Première Guerre mondiale (1915-1917), puis avec le soutien du « Bloc national » (1921-1922), ensuite avec l'appui du « Cartel des gauches » (1925-1926).
En tant que ministre des Affaires étrangères de 1925 à 1932, il cherche à développer un système de sécurité collective où l'Allemagne, sortie de son isolement, ne serait plus une menace. Cette politique se traduit en 1925 par le traité de Locarno (l'Allemagne reconnaît les frontières occidentales imposées en 1919 et entre à la SDN – Société des Nations), puis en 1928 par le pacte Briand-Kellog de renonciation à la guerre signé par 60 nations. Couronné par le prix Nobel de la paix en 1926, A. Briand propose en 1930 une « union européenne ». Mais le « pèlerin de la paix » se heurte en France à la droite nationaliste. Candidat malheureux à la présidence de la République en 1931, il se retire de la vie politique peu de temps avant sa mort. **F. S.** **> FRANCE.**

BRIGADES INTERNATIONALES
Dès le déclenchement de la guerre civile en Espagne (juillet 1936), des volontaires étrangers viennent combattre « pour la liberté » dans les rangs des milices républicaines espagnoles. À partir d'octobre, les Brigades internationales vont jouer, sous l'impulsion des partis communistes, un rôle important dans le conflit, en dépit d'effectifs modestes (35 000 à 40 000 hommes, venus d'une base militaire à Albacete, où l'on forme rapidement les combattants). Elles sont présentes sur tous les fronts, depuis la bataille de

Madrid en 1936 jusqu'à la bataille de l'Èbre fin 1938. Elles subissent de lourdes pertes (plus de 5 000 tués) et sont officiellement dissoutes en septembre 1938. Mais des volontaires continuent le combat jusqu'à la fin de la guerre, et beaucoup d'entre eux se retrouveront dans les mouvements de résistance au nazisme pendant la Seconde Guerre mondiale. **É. T.** **> ESPAGNE.**

BRIZOLA Leonel (1922-) Homme politique brésilien. Leonel Brizola est originaire du Rio Grande do Sul (comme Getúlio Vargas dont il se réclame). Son ascension y est fulgurante : membre de la chambre locale de 1947 à 1955 pour le Parti travailliste brésilien (PTB) ; puis, toujours sous la même étiquette, député fédéral en 1955 ; maire de Porto Alegre (capitale de l'État fédéré) en 1955 et gouverneur en 1958 (il lance alors une ambitieuse réforme agraire). En 1962, il aide João Goulart à obtenir l'intérim de Janio Quadros (1917-1992). Voulant élargir son assise électorale pour remporter la future présidentielle, il s'implante à Rio et en devient député fédéral en 1963. Le coup d'État de 1964 brisera son rêve. Les militaires annulent son mandat, suspendent ses droits. Il s'exile. Amnistié en 1979, L. Brizola tente, quand le multipartisme est rétabli, de récupérer le sigle (encore prestigieux) du PTB. En vain. Il fonde alors le Parti démocratique travailliste (PDT, populiste de gauche). Élu gouverneur de Rio en 1982, il sort affaibli de la transition démocratique. Candidat à la présidentielle de 1989, il arrive troisième, talonnant Lula ; ce qui le prive d'un second tour dont il fut longtemps donné favori. À nouveau gouverneur de Rio en 1990, il perd ensuite toute dimension nationale. **S. Mo.** **> BRÉSIL.**

BRUNDTLAND (rapport) Le rapport Brundtland, publié en 1987, a été rédigé par la Commission sur l'environnement et le développement de l'ONU (Organisation des Nations unies), présidée par Mme Gro Harlem Brundtland (1939-), alors Premier ministre de Norvège. Son titre *Our Common Future* a été traduit en français par *Notre avenir à tous*. Ce rapport identifie les problèmes environnementaux les plus importants qui menacent et entravent le développement de nombreux pays du Sud : croissance démographique, prélèvements excessifs sur les sols pâturés ou cultivés, déforestation, destruction des espèces, modification de la chimie de l'atmosphère qui déplace le point d'équilibre du climat mondial, etc. Selon ce rapport, la protection de l'environnement doit être une priorité internationale qui implique une vaste redistribution des ressources financières, scientifiques et techniques à l'échelle de la Planète. Le rapport Brundtland souligne la nécessité de diminuer la consommation des ressources, notamment énergétiques, dans les pays industrialisés ; de réviser à la baisse la dette extérieure des pays les plus pauvres ; de réorienter « des ressources consacrées à un gaspillage gigantesque, celui des budgets militaires ». L'avenir dépend de l'adoption immédiate de mesures politiques décisives pour gérer les ressources de « manière à assurer un progrès durable et à garantir la survie de l'humanité ». L'imbrication et la synchronisation mondiales des crises sociales, économiques et écologiques de cette fin de siècle sont analysées. Des solutions sont esquissées. Il appartient donc désormais à l'ensemble des nations de modifier en profondeur leurs relations avec la Planète, de rectifier le système économique international afin de diminuer les inégalités et le nombre des pauvres et des affamés. **J.-P. D.** **> ÉCOLOGIE POLITIQUE.**

BRUNÉI Sultanat de Brunéi. Capitale : Bandar S. B. Superficie : 5 770 km². Population : 322 000 (1999). Le sultan Hashim Jalilul Alam Aqamaddin (1885-1906) avait signé en 1888 un accord de protectorat avec la Grande-Bretagne. Cela n'a pas empêché Charles Brooke, radjah du Sarawak, de s'emparer en 1890 de la vallée du Limbang, coupant ainsi le Brunéi en deux et séparant le Temburong du reste du pays. Après les premières découvertes de pétrole, en 1906, Londres nomme un résident, « conseiller » du sultan Muhammad Jamalul Alam II (1906-1924). Le premier forage pétrolier eut lieu en 1889, mais c'est seulement le 5 avril 1929, à Séria, sous le règne du sultan Ahmad Tajuddin (1924-1950) que la société Shell fait jaillir le pétrole. En décembre 1941, devant l'avancée

japonaise, la société anglo-néerlandaise préfère détruire ses installations plutôt que de les abandonner à l'ennemi. En juin 1945, ce dernier fait de même avant l'arrivée des troupes australiennes. **A**près la libération se pose la question de l'indépendance du sultanat, comme celle des territoires voisins. En janvier 1956, A. M. Azahari (1928-) fonde le Parti du peuple de Brunéi (PPB) et fait campagne pour l'indépendance dans le cadre d'une Fédération des territoires du Nord-Bornéo. La Constitution adoptée en 1959 circonscrit les fonctions du résident britannique à la défense et à la politique étrangère. Favorable au projet d'une fédération unissant la Malaisie, Singapour, le Sarawak, le Sabah et Brunéi, porté par le Premier ministre malaisien Tunku Abdul Rahman (1903-1990), le sultan Omar Ali Saifuddien III (1950-1967) s'oppose au PPB. **U**ne révolte éclate le 7 décembre 1962, rapidement écrasée par l'intervention des troupes britanniques. En 1967, alors que des revendications en faveur de l'indépendance s'affirment à nouveau, le sultan abdique en faveur de son fils aîné, Hassanal Bolkiah (1946-). Jusqu'à sa mort, en 1986, le *Begawan Sultan* (« sultan loué ») restera très influent et c'est en son honneur que le 29ᵉ sultan donne son nom à la capitale, Bandar Seri Begawan. Après s'être assuré de la bienveillance de ses voisins et obtenu le maintien d'un régiment de ghurkas britanniques pour se prémunir de toute nouvelle rébellion, le sultan trouve un accord avec Londres, en 1979, pour proclamer l'indépendance le 31 décembre 1983 à minuit. À peine indépendant, Brunéi Darussalam, monarchie islamique malaise devient le sixième État membre de l'ANSEA (Association des nations du Sud-Est asiatique).
C. L.

BUCOVINE DU NORD Bucovina (« forêt de hêtres ») est le nom donné par l'Autriche à la partie septentrionale de la Moldavie qu'elle occupe en 1774 après la Transylvanie (1699) et la Galicie (1772). Duché autonome autrichien (1849), la Bucovine (10 441 km²) est le théâtre d'une intense colonisation par des Ruthènes et des

Allemands. Réunie à la Roumanie (28 novembre 1918), la Bucovine comporte une forte minorité ukrainienne (27,7 % de la population en 1930) et une majorité roumaine relative. **O**ccupée par l'URSS en même temps que la Bessarabie, la Bucovine du Nord (6 000 km²) sera réunie à l'Ukraine (2 août 1940). Réoccupée par les troupes roumaines et allemandes (juillet 1941), elle est reconquise par l'URSS (août 1944) et réunie de nouveau à l'Ukraine (24 avril 1947). Entre 1941 et 1943, les Juifs de Bucovine (environ 75 000) sont soit massacrés sur place, soit déportés par le gouvernement Antonescu en Transnistrie, où la moitié environ périt. **M. Ca.** **> ROUMANIE, UKRAINE.**

BUDAPEST (soulèvement de)

Après la mort de Staline, le Kremlin impose un « nouveau cours » aux dirigeants des pays de l'Est. Les tenants du stalinisme sont écartés et, en Hongrie, Imre Nagy devient président du Conseil en juin 1953. Il met en œuvre une politique de réformes qui demeure modeste mais représente néanmoins une libéralisation considérable. Ses adversaires reviennent cependant au pouvoir dès 1955 à la faveur d'un durcissement de la politique extérieure soviétique. Le souvenir de l'expérience reste toutefois présent dans les esprits, et la contestation, personnifiée par l'Union des écrivains et le cercle Petőfi composé d'étudiants, gagne du terrain, encouragée par la dénonciation des crimes staliniens et les progrès des réformistes polonais. **La manifestation du 23 octobre et ses suites.** En juillet 1956, Mátyás Rákosi est limogé mais son successeur, Ernö Gerö (1898-1980), fait l'unanimité contre lui ; l'opinion réclame le retour de I. Nagy. La cérémonie des funérailles officielles réhabilitant László Rajk (1909-1949) le 6 octobre 1956 – date anniversaire de l'exécution de Lajos Batthyány (1809-1849) en 1849 – représente le principal signe avant-coureur de la révolution. Les références à la révolution de 1848 se multiplient. Une manifestation se déroule le 23 octobre 1956, qui rassemble près de 300 000 personnes. À la fin de la journée, les manifestants attendent un geste des autorités, mais E. Gerö prononce un discours dogmatique interprété comme une provocation. Dans la nuit, les affrontements commencent. Le 24 octobre, le gouvernement fait appel aux blindés soviétiques et nomme I. Nagy président du Conseil. Ce dernier incarne aussi bien l'espoir des insurgés et de la majorité de l'opinion que celui du Parti, qui attend un rétablissement de l'ordre. I. Nagy demande le retour au calme. Il annonce l'application des réformes de la période 1953-1955 et, le 28 octobre, quitte le siège du Parti pour s'installer au Parlement. Entre-temps, E. Gerő est remplacé à la tête du Parti par János Kádár. **A**près la visite à Budapest des dirigeants Anastase Mikoyan (1895-1978) et Mikhaïl Souslov (1902-1982), les troupes soviétiques se retirent, les combats cessent, la police politique est dissoute et, le 3 novembre, I. Nagy donne à son gouvernement de coalition avec les représentants des anciens partis politiques sa forme définitive. Après le 28 octobre, la vie a repris son cours mais I. Nagy doit composer avec les insurgés, les conseils ouvriers et comités nationaux. Les premiers, issus de tous les milieux, soutiennent son action même si des voix discordantes, très anticommunistes, se font entendre. Les conseils ouvriers ou comités nationaux sont des organes d'autogestion présents sur tout le territoire mais peu coordonnés. Le 1er novembre, J. Kádár annonce la refonte du Parti, rebaptisé Parti socialiste ouvrier hongrois, puis disparaît. Il resurgira le 7 novembre après avoir formé un gouvernement ouvrier-paysan. **L'invasion soviétique.** La décision soviétique de mettre fin à l'insurrection hongroise a été prise le 30 octobre, en accord avec les autres pays communistes, et J. Kádár a été choisi pour en être l'exécuteur. L'expérience hongroise menait à un rejet du communisme et à une sortie du bloc soviétique, ce que le Kremlin ne pouvait tolérer. Au matin du 4 novembre, l'invasion soviétique débute ; après une dernière intervention à la radio, I. Nagy se réfugie avec ses proches à l'ambassade de Yougoslavie, mais le maréchal Tito, fraîchement réconcilié avec Nikita Khrouchtchev, est l'un des principaux soutiens des Soviétiques dans le dénouement de la crise. Malgré la promesse de pouvoir quitter l'ambassade yougoslave, I. Nagy et les personnes qui l'accompagnent sont kidnappés par les Soviétiques. En une semaine, l'Armée soviétique vient à bout des insurgés : on dénombre près de 2 000 morts et 20 000 blessés à Budapest, 700 morts et 1 500 blessés en province. La répression s'abat sur la Hongrie mais, entre-temps, quelque 200 000 Hongrois se sont rués à l'Ouest. **Exécutions et procès.** La police politique arrête des milliers de personnes et plus de deux cents d'entre elles seront exécutées (il faudra attendre 1962 pour que des remises de peine ou des amnisties interviennent et 1964 pour que la majorité des condamnés soient libérés). Un procès est ordonné par les Soviétiques, mais ce sont des magistrats hongrois qui l'instruisent et jugent neuf accusés : I. Nagy, Ferenc Donath (1913-1986), Zoltán Tildy (1889-1961), Pál Maléter (1917-1958), Sándor Kopácsy (1922-), Ferenc Jánosi, Miklós Gimes (1917-1958), József Szilágyi, et Miklós Vásárhelyi (1917-). Le 16 juin 1958, I. Nagy, P. Maléter et M. Gimes sont pendus. La révolution de 1956 (23 octobre-4 novembre) devient l'un des tabous du régime, on parle au mieux d'« événements » mais plus volontiers de contre-révolution. Une cérémonie officielle de ré-inhumation de I. Nagy et de ses co-accusés aura lieu le 16 juin 1989, donnant lieu à une réévaluation de l'insurrection et provoquant le réveil de la mémoire historique au moment où le pays s'achemine vers la transition démocratique. **C. H.** **> DISSIDENCE ET OPPOSITIONS (EUROPE DE L'EST), HONGRIE.**

BULGARIE République de Bulgarie. Capitale : Sofia. Superficie : 110 912 km². Population 8 230 000 (1999). **S**ous domination ottomane depuis le Moyen Âge, la Bulgarie s'émancipe à l'issue de la guerre russo-turque de 1877-1878. Mais l'accord préliminaire de San Stefano (1878), qui prévoyait la création d'un État s'étendant de la vallée du Vardar à la mer Noire, est révisé lors du congrès de Berlin (1878). Au Nord, une principauté autonome est établie, tandis qu'au Sud, la Roumélie orientale devient une région autonome. En septembre 1885, un coup d'État, auquel le prince Alexandre Battenberg de Hesse (1820-1893), à la tête de la principauté depuis avril 1879, se rallie, permet l'union entre Nord et Sud. La Serbie, entrée en guerre pour protester contre cette modification des équilibres régionaux, est défaite par la jeune armée bulgare. Désapprouvé par la Russie, A. Battenberg doit abdiquer le 7 septembre 1886. La consolidation de l'autorité de son successeur, Ferdinand de Saxe-Cobourg-Gotha (1844-1900), qui accède au trône le 26 août 1887, doit beaucoup à Stefan Stambolov (1854-1895), Premier ministre (1887-1894) qui assume la rupture du cordon ombilical avec la Russie. L'assassinat de S. Stambolov et l'avènement d'un nouveau souverain en Russie, Nicolas II, valent au prince Ferdinand d'être reconnu par Saint-Pétersbourg en 1896. Autoproclamé tsar en 1908, au moment où la Bulgarie déclare son indépendance, il introduit un régime personnel, loin des espoirs libéraux suscités par la Constitution de Turnovo (1879). Société assez égalitaire dominée par de petits propriétaires terriens, la Bulgarie connaît alors une esquisse de développement industriel, obéré par la faiblesse de la bourgeoisie et du capital local. **Guerres et frontières.** La politique extérieure du pays est dominée par l'objectif de reconquête des terres promises dans l'accord de San Stefano. En 1912, Sofia participe activement, aux côtés de la Serbie et de la Grèce, à une première guerre balkanique pour les dépouilles de l'Empire ottoman. Se jugeant lésée lors des partages territoriaux, elle se retourne contre ses anciens alliés – (seconde guerre balkanique) et, vaincue, perd l'essentiel de ses acquis en Macédoine – au profit de la Serbie – et la Dobroudja méridionale – au profit de la Roumanie – (traité de Bucarest, 1913). En 1918, la défaite de l'Allemagne, sur laquelle la Bulgarie avait misé pendant la Première Guerre mondiale pour satisfaire ses objectifs nationaux, la prive de la Thrace égéenne et des régions limitrophes occidentales (traité de Neuilly, 1919). Ferdinand abdique en faveur de son fils, Boris III (1874-1943), le 3 octobre 1918, tandis qu'un gouvernement de salut national est établi par le leader agrarien, Alexandre Stamboliiski. Son réformisme autoritaire et sa diplomatie non irrédentiste valent à A. Stamboliiski d'être assassiné le 14 juin 1923. Le nouveau Premier ministre, Alexandar Tsankov (1879-1959), engage une répression d'envergure contre les agrariens et les communistes qui avaient tenté

un soulèvement avorté en septembre 1923. Après l'interdiction de leur parti (avril 1924) et l'attentat meurtrier de l'église Sveta Nedelia (16 avril 1925), les communistes entrent dans la clandestinité et/ou émigrent en URSS. La scène politique reste marquée par les règlements de compte de l'Organisation révolutionnaire intérieure macédonienne (ORIM), dévoyée, jusqu'à l'introduction d'une dictature royale en 1935, au lendemain d'un nouveau coup d'État de la Ligue militaire (19 mai 1934). **Soviétisation poussée.** Économiquement dépendante de l'Allemagne, la Bulgarie rejoint à contrecœur le Pacte tripartite en mars 1940, mais s'abstient de déclarer la guerre à l'URSS et s'opposera à la déportation de la population juive de Bulgarie ; par ailleurs, elle reprend la Dobroudja (décembre 1940) et occupe pendant quatre ans la Macédoine et la Thrace. L'entrée des troupes soviétiques en Bulgarie, le 9 septembre 1944, donne le pouvoir au Front de la patrie. De 1945 à 1949, le pays connaît une soviétisation poussée sous le leadership de Georges Dimitrov, avec de grands procès à l'issue desquels périssent le leader agrarien Nikola Petkov et le communiste Traicho Kostov (1897-1949). Après la phase stalinienne de Vulko Chervenkov (1950-1956), Todor Jivkov affermit son emprise sur le Parti entre 1956 et 1962. Il restera au pouvoir jusqu'en 1989, supervisant le développement industriel et l'urbanisation à marche forcée d'un pays par ailleurs allié très sage de l'URSS. Fragilisé par plusieurs affaires (l'assassinat du dissident Georgi Markov à Londres en 1978, les soupçons d'implication dans l'attentat contre le pape Jean-Paul II en 1981) et de plus en plus endetté, le régime réhabilite le nationalisme bulgare dès les années 1970 avant d'entreprendre, en décembre 1984, la bulgarisation forcée de quelque 800 000 Turcs bulgares. Cette assimilation violente, conjointe à des problèmes environnementaux grandissants, favorise la formation en 1988-1989 d'une opposition, dont le philosophe Jeliou Jelev (1935-), président entre 1990 et 1996, constituera la principale figure. **Tardive transition post-communiste.** Le 10 novembre 1989, une révolution de palais organisée par des réformateurs du Parti a raison du régime Jivkov. Dominée par l'ancienne nomenklatura, la transition tarde à apporter de véritables changements. En janvier 1997, une vaste mobilisation populaire met un terme au gouvernement socialiste (ex-communiste) de Jan Videnov (1995-1997), alors que le pays est au bord du gouffre économique. L'Union des forces démocratiques (UFD, anticommuniste), consolidée sous la houlette de l'économiste Ivan Kostov (1949-) revient au pouvoir en mai 1997. Elle prône alors une politique extérieure résolument proeuropéenne et pro-atlantiste, tout en administrant, sous l'égide du FMI (Fonds monétaire international), des réformes de structure socialement coûteuses. En décembre 1999, le Conseil européen d'Helsinki a invité la Bulgarie à entamer des pourparlers d'adhésion à l'Union européenne. **N. R.**

BUND   Premier parti socialiste juif de l'Empire russe, né à Vilnius (Lituanie) en 1897, le Bund (Union) entraîna derrière sa bannière, dans l'enthousiasme, des dizaines de milliers de travailleurs juifs surexploités et en butte à un violent antisémitisme d'État. **O**rganisation non sioniste, internationaliste, marxiste et démocratique, le Bund prit une part prépondérante lors de la révolution de 1905. Ses militants et ses théoriciens, tel Vladimir Medem (1879-1923), partisans d'une autonomie nationale et culturelle juive en diaspora, solidaires de tous les combats de la classe ouvrière, participèrent activement aux deux révolutions russes de 1917. Le Bund fut finalement éliminé en 1921 par les bolcheviks de Lénine.   **R**eplié en Pologne, il joua un grand rôle dans la République indépendante (1918-1939), créant des syndicats, des écoles, des mouvements de femmes, de jeunesse et d'enfants, s'impliquant dans la vie sociale et culturelle en faveur du yiddish. Fin 1938, il remporta un vif succès aux élections municipales. Durant la Shoah, il a lutté contre l'extermination des Juifs par les nazis, notamment lors de la révolte du ghetto de Varsovie en avril 1943. Il fut cependant liquidé sous la démocratie populaire polonaise en 1948. **M**ouvement généreux, il insuffla aux masses populaires juives un sentiment aigu de la dignité. Pratiquant un socialisme au quotidien, malgré des conditions de vie et de survie très défavorables, son culturalisme axé sur le yiddish subsiste encore aujourd'hui. **H. M.   > LITUANIE, POLOGNE, RUSSIE, SOCIALISME ET COMMUNISME.**

BUREAUCRATIE   **D**omination exercée par le personnel des bureaux. Le terme « bureaucratie » (apparu au XVIIIᵉ siècle et construit sur le même modèle que ceux d'« aristocratie » ou de « démocratie ») a deux significations opposées. Une bureaucratie peut être un groupe qui fait fonctionner à son profit une institution (hôpital, école) sans se préoccuper, d'abord, des finalités propres de celle-ci (soigner, éduquer). Karl Marx (1818-1883) dénonçait ainsi dans l'État bonapartiste (celui de Napoléon III) un État bureaucratique, parasite vivant aux dépens de la société civile. Dès les premières années du système soviétique, un danger de bureaucratisation du Parti communiste, et donc de l'État, est dénoncé, par Lénine notamment. Il sera un argument essentiel dans la vision qu'aura Léon Trotski de l'URSS de Staline, dénoncée comme un « État ouvrier dégénéré » où la bureaucratie est une sorte de caste. Tout un courant pessimiste estime, par ailleurs, que les démocraties sont rongées par des bureaucraties qui en contredisent le principe. En France, la critique de la bureaucratie dans les entreprises et l'État est souvent reliée au jacobinisme et au style militaire de la chaîne de commandement.   **M**ais la bureaucratie peut aussi apparaître comme un système reposant sur un ensemble de professionnels de l'organisation qui appliquent des règles et sont des agents de la rationalisation qui caractériserait le monde moderne. C'est l'approche de Max Weber (1864-1920) pour qui la bureaucratie, groupe fonctionnel dans les entreprises, les syndicats, les Églises, permet de gagner en efficacité et d'éviter de nombreux maux : par exemple le fonctionnaire est payé par l'État et ne rend pas ses services (remplir le registre d'état civil, délivrer un diplôme, établir une fiche de paie) aux plus offrants ou d'abord à ses proches.   **L'**apparition de la bureautique (bureau + informatique), dans les années 1970, a profondément modifié les techniques de travail. Elle peut ainsi faire disparaître à terme des tâches peu qualifiantes (dactylographie) ou les multiplier (saisie de bases de données européennes en Asie contre de bas salaires). Et remplacer la bureaucratie par le pouvoir d'entreprises d'informatique et de télécommunication, préoccupées d'abord de leur profit. **D. C.**

BURKINA FASO République du Burkina Faso. Capitale : Ouagadougou. Superficie : 274 200 km². Population : 11 616 000 (1999). **L**a fin du XIXᵉ siècle au Burkina Faso (ex-Haute-Volta) est marquée par la consolidation des identités et des mutations géopolitiques. Les stratégies de conquête des royaumes y font place au brassage des populations à organisations sociopolitiques différentes. Après la conférence de Berlin de 1885, ce territoire suscite la convoitise des puissances coloniales. Des missions européennes signent des traités avec les souverains et accélèrent les opérations militaires. Les Français, par la conquête du Mossi et l'arrestation de Samory Touré (1830 ?-1900), confortent leur position. Ils créent la colonie du Haut-Sénégal-Niger qui intègre les deux territoires militaires de la Haute-Volta en 1904. Les mutineries de 1914 à 1917 dans l'ouest et le nord du territoire suscitent en partie la création de la colonie de Haute-Volta en 1919. Mais la pression de l'impôt de capitation et les recrutements forcés de main-d'œuvre favorisent la migration des populations au Ghana. Pour des raisons d'économies budgétaires la colonie est dissoute en 1932. Afin d'endiguer la montée du nationalisme africain dans le contexte de l'abolition du travail forcé et du code de l'indigénat en 1946, l'administration reconstitue la colonie « dans ses limites de 1932 » en 1947. Malgré la tentative du Moro Naba (souverain mossi) d'instaurer en 1957 une monarchie constitutionnelle, la Haute-Volta devient une république autonome dans la Communauté franco-africaine en 1958 et Maurice Yaméogo (1921-) proclame son indépendance le 5 août 1960. Sa gestion du pouvoir est très controversée et suscite des mouvements de protestation. En janvier 1966, l'armée prend le pouvoir et proclame le colonel Sangoulé Lamizana chef de l'État. Celui-ci instaure une politique économique draconienne et assainit les finances

publiques. Une Constitution adoptée en 1970 associe les civils à la gestion du pouvoir. Mais las de gérer les rivalités personnelles, les militaires fomentent un coup d'État en février 1974 et doivent gérer le conflit frontalier avec le Mali, les effets de la sécheresse du Sahel et le premier choc pétrolier. Les manifestations ne faiblissant pas, les militaires sont contraints à l'adoption d'une nouvelle Constitution en 1977 qui instaure le multipartisme limité à trois partis. En 1978, le général S. Lamizana est élu chef de l'État. Les syndicats poursuivent les grèves qui offrent le prétexte à l'armée pour s'emparer du pouvoir en novembre 1980. Le colonel Sayé Zerbo ne règle pas les dissensions internes à l'armée et est à son tour renversé par le médecin-commandant Jean-Baptiste Ouédraogo en 1982. **É**cartée de la gestion du pouvoir, l'aile progressiste de l'armée opère un coup d'État le 4 août 1983 sous la direction du capitaine Thomas Sankara (1950-1987). La révolution qu'il instaure exacerbe le nationalisme et le conflit frontalier avec le Mali ressurgit en 1985. Après son assassinat le 15 octobre 1987, le capitaine Blaise Compaoré (1951-), prônant une « rectification », engage sous la pression le pays dans un processus démocratique par l'adoption d'une nouvelle Constitution. Élu président en 1991, il aura cependant du mal à juguler l'hostilité envers son pouvoir, accrue après l'assassinat du journaliste Norbert Zongo en 1998. **I. M.**

BURUNDI République du Burundi. Capitale : Bujumbura. Superficie : 27 830 km². Population : 6 565 000 (1999). **L**es frontières actuelles de l'ex-royaume du Burundi, colonisé à la fin du XIXᵉ siècle par l'Empire allemand puis par la Belgique en 1916, ne furent définitivement fixées qu'en 1919 par la seconde et le Royaume-Uni. Au cours du mandat (conséquence de la Première Guerre mondiale), puis de la tutelle belge, une administration indirecte de la colonie prévalut, des chefs et notables locaux formés par le colonisateur encadraient les populations sous les ordres d'un administrateur belge. **A**vec l'indépendance (1962), les nouvelles autorités héritèrent des contraintes économiques que représentait le défi de la diversification des activités extra-agricoles dans un contexte de monoexportation caféière. Comptant plus de cinq millions d'habitants lors du recensement de 1990, le Burundi figurait en 2000 au deuxième rang des pays africains en termes de densité de population (250 hab./km²). Celle-ci, rurale à plus de 90 %, se concentre sur les hautes terres de la crête Zaïre-Nil où domine une agriculture extrêmement intensive dont les performances reposent essentiellement sur l'apport en travail faute de facteurs de production modernes accessibles. Les efforts sans cesse accomplis par les producteurs pour couvrir leurs besoins alimentaires bénéficient d'un environnement relativement favorable sur le plan des infrastructures économiques et sociales. Ils ont toutefois souvent été compromis ou anéantis par la répétition de troubles politiques majeurs. Les clivages ethniques entre population hutu (environ 85 % de la population) et tutsi (15 %), utilisés par la colonisation belge pour consolider son autorité, furent dès 1959 exacerbés par la présence de nombreux réfugiés rwandais tutsi. Entre 1961, date des premières élections législatives, qui accordèrent le pouvoir au prince Louis Rwagasore (?-1962), fondateur de l'Uprona (Unité pour le progrès national), et 1976, date du coup d'État du colonel Jean-Baptiste Bagaza (1946-) et de l'instauration de la Seconde République, les luttes pour le contrôle du pouvoir furent incessantes : assassinats de L. Rwagasore en 1962 et du Premier ministre hutu Pierre Ngendandumwe en 1965, proclamation de la République en 1966. La violence politique atteignit un paroxysme en 1972 avec le génocide des Hutu (entre 100 000 et 300 000 victimes). Dès lors, la suprématie tutsi s'ancra solidement à tous les niveaux de la société. La « décennie Bagaza » débuta par de nombreuses mesures d'apaisement politique, fit une priorité du développement économique comme de l'ouverture régionale et internationale, mais s'acheva, en 1987,

dans un climat de divisions internes extrêmes et de grande tension régionale. Le major Pierre Buyoya (1949-), qui s'empara alors du pouvoir, prit très vite la mesure des défis qui s'imposaient au pays en matière de démocratisation. Avec le Premier ministre Adrien Sibomana ([1953-] Hutu) à la tête de gouvernements ethniquement rééquilibrés, l'ensemble des institutions fut profondément remanié et une nouvelle Constitution adoptée en 1992. Ce processus déboucha sur l'organisation des premières élections législatives et présidentielle démocratiques en juin 1993 qui virent la victoire des candidats du Frodébu (Front pour la démocratie au Burundi, opposition à dominante hutu) et l'élection à la présidence de Melchior Ndadaye ([1953-1993] Hutu). La réaction de l'armée (monoethnique tutsi) fut brutale : trois mois après les élections, le président et les principaux dignitaires du régime furent assassinés. La guerre civile s'installa. Il fallut ensuite trois autres années aux divers mouvements extrémistes pour achever la déstabilisation des institutions et voir P. Buyoya s'emparer à nouveau du pouvoir en juillet 1996. Après la mise en place en juin 1998 d'un gouvernement qui réintégrait des membres de l'ex-majorité, l'embargo international imposé au Burundi après le coup d'État fut levé (janvier 1999), dans un contexte régional très dégradé du fait des guerres civiles au Rwanda et au Congo-Zaïre. Depuis lors, de difficiles négociations ont été engagées entre toutes les parties en conflit à Arusha sous la présidence du « père fondateur » de la Tanzanie Julius Nyerere. Elles avaient à charge de définir les réformes institutionnelles et le nouveau cadre constitutionnel pouvant garantir une paix civile durable. Au début de l'année 2000, l'ancien président sud-africain Nelson Mandela a succédé à J. Nyerere, décédé.
A. G.   **> EMPIRE BELGE, EMPIRE COLONIAL ALLEMAND, GÉNOCIDE RWANDAIS, HUTU ET TUTSI, RWANDA.**

C

CABINDA Territoire du nord de l'Angola d'une superficie de 7 200 km^2, possédant une façade maritime, enclavé entre les deux Congo (-Brazzaville et -Kinshasa). Le Cabinda produit du café, du cacao et de l'huile de palme, mais il est surtout riche en pétrole *off shore*. Il a été séparé du reste de la colonie portugaise de l'Angola lors de la conférence de Berlin qui, en 1885, partagea l'Afrique en zone d'influences commerciales européennes. Sa création découla de la nécessité d'accorder à l'État libre du Congo de Léopold II, roi des Belges, un accès à la mer par l'internationalisation de l'embouchure du fleuve Congo et l'attribution d'une fenêtre maritime. Au début des années 1960, il abrite les premiers guérilleros du Mouvement populaire de libération de l'Angola (MPLA) qui ont établi leur base arrière au Congo-Brazzaville marxiste-léniniste. La découverte de gisements pétroliers au large de l'enclave, qui assurent aujourd'hui à l'Angola l'essentiel de ses ressources à l'exportation et soutiennent son effort de guerre, a donné au Cabinda une importance accrue. Un Front de libération de l'enclave de Cabinda (FLEC), né dans les années 1970, revendique l'indépendance, mais surtout une meilleure répartition des revenus de son sol. Il s'est par la suite scindé (FLEC-FAC, FLEC renovada). En 1999, l'aide apportée par l'Angola au Congo-Brazzaville visait notamment à mieux contrôler ces mouvements qui y trouvaient refuge. **B. N.** **> ANGOLA.**

CABRAL Amilcar (1924-1973)
Anticolonialiste africain. Toute la vie d'Amilcar Cabral, né d'un père cap-verdien et d'une mère bissau-guinéenne, est un engagement dans la lutte anticoloniale. C'est en Guinée-Bissau qu'il applique ses idées avec succès.

Son internationalisme l'amène à fonder le Mouvement populaire de libération de l'Angola (MPLA) avec Agostinho Neto et Mario de Andrade et à pousser à la création du Front de libération du Mozambique (Frelimo) avec Eduardo Mondlane. C'est à Lisbonne, où il fait des études d'agronomie, puis fonde un Centre d'études africaines destiné à collecter des informations sur les territoires portugais d'outre-mer, qu'il rencontre la plupart de ceux qui s'engagent dans la lutte pour l'indépendance. Au début des années 1950, il s'installe comme ingénieur agronome en Guinée-Bissau et fonde avec d'autres militants, dont certains originaires des îles du Cap-Vert, le Parti africain de l'indépendance de la Guinée et du Cap-Vert (PAIGC). **S**a connaissance de l'économie et de l'agriculture persuade A. Cabral que la lutte armée est la seule voie possible pour obtenir l'indépendance et, avec elle, les transformations économiques et sociales. Il entre dans la clandestinité, pourchassé par la police politique du régime de Salazar, qui maintient sous une chape de plomb un empire colonial tenu depuis longtemps à l'écart de l'évolution du monde. Il cherche des appuis auprès des hérauts du non-alignement tout en se gardant de trop s'impliquer dans le conflit Est-Ouest. La Guinée de Sékou Touré offre une base arrière aux militants du PAIGC, ainsi que les populations sœurs de Casamance (Sénégal). À l'écoute des revendications paysannes, la guérilla force l'ennemi à évacuer ses garnisons en brousse, et convainc souvent avec succès officiers et conscrits du bien-fondé de son action politique et sociale (écoles, promotion féminine, organisations paysannes dans les zones libérées). C'est d'abord dans ces petits postes soumis à la propagande du PAIGC qu'est née la révolution des Œillets de

1974 qui mettra fin à la dictature salazariste. A. Cabral ne verra pas son adversaire le général António de Spínola (1910-1996), représentant de Salazar à Bissau, présider à la décolonisation de l'empire. C'est peut-être sur l'ordre de celui-ci qu'il est assassiné à Conakry (Guinée) en 1973. **B. N.** **> CAP- VERT, EMPIRE PORTUGAIS, GUINÉE-BISSAU.**

CACHEMIRE > QUESTION DU CACHEMIRE.

CAEM

Le Conseil d'assistance économique mutuelle (ou Comecon – Council for Mutual Economic Assistance – en anglais) est créé en janvier 1949, en réponse au plan Marshall, lancé en juin 1947 et boycotté par l'Union soviétique. Il comprend à l'origine six pays : l'URSS, la Tchécoslovaquie, la Hongrie, la Pologne, la Bulgarie et la Roumanie. L'Albanie se joint au groupe en 1949 et la RDA (République démocratique allemande) en 1950. L'Albanie quitte l'organisation en 1961 après avoir pris le parti de la Chine dans le schisme sino-soviétique. Le CAEM s'élargit hors de l'Europe en 1962 en admettant la Mongolie. Cuba devient membre en 1972 et le Vietnam en 1978. La candidature du Mozambique (1981) sera rejetée. À l'Ouest, le CAEM est décrit comme étant une zone de libre-échange, un club ou un bloc composé d'un très grand et de plusieurs petits pays, ou bien comme un système dont les pays membres ont recherché une expansion protégée de leur production, ou encore comme un mécanisme qui a permis à l'URSS de tirer des gains spécifiques ou non conventionnels (de nature politique) de l'échange. À l'Est, le CAEM est décrit comme un groupement qui assure une coordination de la planification visant à une intégration économique socialiste, par le biais d'une accélération du développement économique des pays membres et de l'établissement d'une division du travail plus rationnelle entre eux. **Résistances à une planification supranationale.** En réalité, cette coordination des plans ne sera jamais mise en œuvre, en raison notamment de l'opposition de la Roumanie (rejointe à la fin des années 1960 par la Tchécoslovaquie et par la Hongrie) à la planification supranationale qu'une telle coordination aurait impliquée.

La plupart des analystes, occidentaux notamment, soulignent l'inefficacité du mécanisme des échanges extérieurs planifiés et du système primitif des règlements internationaux fondé initialement sur le clearing (compensation) bilatéral et puis, avec la création de la Banque internationale de coopération économique (1963), sur les compensations multilatérales. Certains nient un quelconque rôle du CAEM dans la spécialisation des pays membres, mais d'autres reconnaissent qu'une spécialisation a bien eu lieu, en la qualifiant généralement de « contre-productive » car découlant de décisions politiques et non pas des mécanismes du marché. Pour exemples de spécialisation sont citées les productions d'autobus en Hongrie, de navires en Pologne, de véhicules industriels en Bulgarie, de machines destinées à l'industrie chimique et à l'industrie textile en RDA, d'équipements pour l'industrie pétrolière en Roumanie, d'équipements pour l'industrie chimique en Russie et en Tchécoslovaquie. À cela il faut ajouter la réalisation de projets d'investissements communs, les plus importants concernant les infrastructures énergétiques : l'oléoduc Druzhba (« Amitié », 5 500 km), qui relie les puits de pétrole de l'URSS aux pays d'Europe centrale, le gazoduc Soyuz (« Union », 2 750 km) relié aux pays européens et le Mir (« Paix »), énorme réseau électrique allant de la Mongolie jusqu'en Europe. Le CAEM ne pouvait survivre à l'effondrement du système soviétique. Le choix d'effectuer désormais les échanges mutuels aux prix mondiaux (dès janvier 1991) et les paiements en devises convertibles s'est traduit par une chute brutale des échanges intrabloc. La dissolution du CAEM est décidée le 28 juin 1991. **L. P.**

CALIFAT

Le calife (littéralement « lieutenant ») fut le chef politique et spirituel de la communauté de l'islam après la mort du prophète Muhammad en 632. Après que le Califat cessa d'être l'unique État musulman, les califes abbassides – au pouvoir depuis 751 – continuèrent d'accorder l'investiture aux différents souverains musulmans. Il est conventionnellement admis que le dernier calife abbasside transféra ses pouvoirs au sultan ottoman Selim Iᵉʳ quand celui-ci conquit l'Égypte en 1517. Toutefois, les Ottomans ne firent pas état de leurs prérogatives en tant que califes avant la perte de territoires peuplés par des musulmans au profit de puissances chrétiennes. Ce fut notamment le cas en 1774 lorsque, avec le traité de Kaynardji, la Crimée sortit de la vassalité ottomane pour entrer dans l'orbite de la Russie. Le traité mentionne les prérogatives spirituelles du sultan calife sur ses anciens sujets. Ce n'est qu'à la fin du XIXᵉ siècle que le sultan ottoman Abdulhamid II (1876-1909) met en avant son rôle de calife pour contrebalancer un pouvoir politique évanescent par un pouvoir spirituel dans le cadre du mouvement panislamiste lancé par lui-même. Après la défaite ottomane en 1918, le dernier sultan Mehmed VI (1918-1922) cherche à mettre son titre de calife au service des Britanniques. Le mouvement national turc, en abolissant la monarchie en 1922, conserve le titre de calife à la dynastie ottomane, mais l'abolit à son tour en février 1924. Malgré les velléités de certains leaders du monde musulman, comme Cherif Hussein ibn Ali de La Mecque (1853 ?-1931) ou Fouad (1868-1936) le roi d'Égypte (1922-1936), personne ne s'est arrogé depuis le titre de calife. **S. Y.** ➤ **EMPIRE OTTOMAN.**

CAMARA dom Helder (1909-1999)
Ecclésiastique brésilien, défenseur des droits de l'homme. Monseigneur dom Helder Pessoa Camara fut l'une des personnalités les plus notables du Nordeste brésilien des années 1930, puis de Rio de Janeiro et de l'ensemble du Brésil dès les années 1940, enfin de l'Église catholique et du forum international jusqu'à sa retraite en 1985. Il est né en 1909 à Fortaleza, capitale du Céara dans le Nordeste. Son père était comptable d'une entreprise de négoce et franc-maçon, sa mère institutrice et croyante. Élevé dans la foi et la pratique chrétiennes, il est ordonné prêtre en 1931. Il est très vite engagé par son évêque dans le combat politique du moment : il mène avec succès une campagne de la Ligue électorale catholique, accepte d'être secrétaire à l'éducation de l'État du Céara, coopère avec

l'intégralisme et la légion d'Octobre, version brésilienne du salazarisme. En 1936, il prend ses distances avec ces engagements. Appelé à Rio, il est chargé de l'enseignement religieux et de l'Action catholique naissante. Dans le même temps, il est nommé expert fédéral pour l'éducation et devient une grande voix radiophonique. Avec la création en 1952 de la Conférence nationale des évêques du Brésil (CNBB), dont il a été le promoteur et restera le premier secrétaire jusqu'en 1964, puis du Conseil épiscopal latino-américain (1955), et avec le Congrès eucharistique international de Rio en 1955 qu'il met brillamment en scène, dom Helder, alors nommé archevêque auxiliaire de Rio, voit son audience égaler celle des autorités civiles avec lesquelles il traite sur un pied d'égalité. Dès ce moment, il entreprend de mettre son prestige et son savoir-faire au service de ceux qu'il appellera plus tard les victimes du « désordre établi » : les habitants des favelas de Rio, les « paysans sans-terres », les peuples du tiers monde. Lors du concile Vatican II (1962-1965) qui procède à un *aggiornamento*, il est un des avocats les plus éloquents des réformes nécessaires de l'Église et de ses rapports au monde. Sa nomination en 1964 au siège archi-épiscopal d'Olinda et Recife (État de Pernambouc) coïncide avec le coup d'État qui installe la dictature militaire. Durant les vingt ans que dure celle-ci, il sera l'infatigable dénonciateur des arrestations arbitraires, des tortures, des exécutions sommaires. Quand il se voit interdit de parole chez lui, il profite des innombrables invitations qui lui sont adressées des États-Unis au Japon, en passant par l'Europe, pour se faire l'avocat des droits de l'homme. Son éloquence verbale et gestuelle, la véracité de son témoignage et la transparence évangélique de son refus à la fois de l'injustice et de la violence lui valent d'immenses audiences, particulièrement chez les jeunes, mais aussi marginalisation et menaces pour sa vie. Ceux qui demandaient pour lui le prix Nobel de la paix ou la distinction de cardinal ne seront jamais entendus. Appelé à se retirer en 1985, à l'âge de soixante-quinze ans, il a vécu les quatorze dernières années de sa vie à Recife dans l'acceptation silencieuse de la « reprise

en main » orchestrée par son successeur.
J. d. B. **> BRÉSIL.**

CAMBODGE Royaume du Cam-
bodge. Capitale : Phnom Penh. Superficie :
181 035 km². Population : 10 945 000
(1999). Protectorat de la France depuis
1863, le Cambodge est au début du
XXe siècle un État pacifié. À la mort du roi
Norodom Ier (1834-1904), lui succède son
frère Sisowath (1904-1927) qui bénéficie de
l'aide de la France pour récupérer les provinces occidentales occupées par le Siam. Son
fils, le roi Monivong (1927-1941), entretient
les mêmes relations étroites avec un protecteur qui a permis au Cambodge de survivre
comme nation et d'amorcer la modernisation de ses institutions. Mais à l'intérieur du
royaume, une contestation latente persiste.
À la fin des années 1930, elle s'élargit chez
les bonzes et les jeunes intellectuels sous
l'influence de Son Ngoc Thanh (1908-
1975 ?), fondateur du premier journal en
khmer, *Nagaravatta*. À l'extérieur, exploitant
la défaite de la France en juin 1940, la
Thaïlande, soutenue par le Japon, remet en
cause les traités franco-siamois (1907, 1925,
1937) et engage une épreuve de force militaire qui se traduit pour le Cambodge par la
perte de la province de Battambang (9 mai
1941). À la mort du roi, le représentant du
régime de Vichy choisit le prince Norodom
Sihanouk pour succéder à son grand-père
maternel. **Occupation japonaise.** Le
pays est occupé par le Japon pendant la
Seconde Guerre mondiale. Sous l'influence
nipponne, le 12 mars 1945, Sihanouk
dénonce les traités franco-cambodgiens,
proclame la souveraineté de son pays et
affirme les droits du Cambodge sur la
Cochinchine. À la capitulation du Japon
(2 septembre 1945), un *modus vivendi*
franco-khmer est signé (1946) et Paris
obtient le retour des territoires sous souveraineté thaïlandaise, sauf le site du temple de
Preah Vihear qu'un arrêt de la Cour internationale de justice de La Haye rétrocédera au
Cambodge en 1962. Après guerre, le
pays peine à se stabiliser. Les premières élections législatives donnent la victoire au Parti
démocrate (1947), mais le mouvement issa-
rak (guérilla nationaliste), soutenu par la

Thaïlande et par le Vietminh, réclame l'indépendance les armes à la main. Le Cambodge
obtient sa pleine souveraineté par la négociation à l'issue de la « croisade royale pour
l'indépendance » menée par Sihanouk en
1952-1953. Anticommuniste et neutraliste,
celui-ci renonce au trône au profit de son
père pour mieux s'imposer sur la scène politique. Son pouvoir s'organise autour du Sangkum Reastr Niyum (Communauté socialiste
populaire), mouvement pour lequel il nourrit
le projet de mobiliser en un seul parti toutes
les énergies, sans idéologie bien définie. **Les Khmers rouges, de la guérilla au
génocide.** Cependant, le Cambodge est
happé par la guerre du Vietnam. Sihanouk
rompt les relations diplomatiques avec le
Sud-Vietnam (1963), renonce à l'aide économique et militaire des États-Unis et entretient des relations bienveillantes avec Hanoi
et les Vietcong. Ses efforts pour maintenir la
neutralité du pays, dans le contexte de la
guerre du Vietnam, échouent et le 18 mars
1970, le Parlement le destitue. Le lieutenant-général Lon Nol (1913-1985) est l'inspirateur du coup d'État de droite qui l'écarte,
avec le soutien des États-Unis. Le prince
rejoint les rangs de la guérilla dirigée par les
communistes (Khmers rouges) et forme avec
eux, le 5 mai 1970, le Gouvernement royal
d'union nationale du Kampuchéa (GRUNK).
La guerre se généralise et le gouvernement
de Lon Nol fait plus directement appel aux
troupes américaines. Ce conflit a déjà fait
600 000 victimes à l'heure où les Khmers
rouges de Pol Pot entrent dans Phnom Penh
(17 avril 1975) et proclament l'État du Kampuchéa démocratique. Après trois ans,
huit mois et vingt jours de terreur, pendant
lesquels la révolution totale des Khmers rouges s'est traduite par un génocide, l'intervention de l'armée vietnamienne (25 décembre 1978) chasse les partisans de Pol Pot du
pouvoir. **Après l'intervention vietnamienne.** La République populaire du Kampuchéa (RPK) est proclamée, Heng Samrin
(1934-) devient chef de l'État et Hun Sen
(1951-) Premier ministre à partir de 1985.
Les Khmers rouges poursuivent la lutte militaire et politique contre un régime
accusé de faciliter une vietnamisation irréversible du pays. Ils bénéficient du soutien

de la Chine et des États de la région – en particulier de la Thaïlande –, s'allient aux nationalistes de Son Sann (1911-) et aux partisans du prince Norodom Sihanouk. Cette alliance politico-militaire se traduit par la formation (1982) d'un gouvernement de coalition en continuité du Kampuchéa démocratique, lequel continuera à bénéficier de la légitimité accordée par l'ONU, qui n'a pas reconnu la RPK. Sur le terrain, la guerre continue. Pour sortir du *statu quo*, en décembre 1987, Sihanouk rencontre Hun Sen. Les négociations intercambodgiennes se poursuivent par des rencontres informelles de toutes les parties, mais la première conférence internationale de paix, coprésidée par la France et l'Indonésie, échoue en 1989. Cependant, la RPK devient l'État du Cambodge et, en septembre 1989, les Vietnamiens retirent leurs dernières troupes. En 1990, les factions se mettent d'accord pour constituer un Conseil national suprême, présidé par le prince Sihanouk. Celui-ci sera dépositaire de la légitimité du Cambodge, mais ne sera pas reconnu comme la seule source d'autorité pendant la période transitoire. Beaucoup craignent alors une solution « rouge », un accord politique entre Khmers rouges et « pro-Vietnamiens ». **Vers un règlement politique.** C'est pourquoi, après la proclamation du cessez-le-feu (1er mai 1991), puis la signature d'un règlement politique global à Paris (23 octobre 1991), les Nations unies installent une autorité provisoire sur le Cambodge (Apronuc), chargée de démilitariser les factions, d'assurer le retour des réfugiés et d'organiser des élections libres, qui auront effectivement lieu du 23 au 28 mai 1993. Le roi retrouve alors son trône (24 septembre 1993), mais en dépit de la victoire de ses partisans, il impose un gouvernement bicéphale avec deux Premiers ministres : le prince Ranariddh (1944-), l'un de ses fils, et Hun Sen. Cette cohabitation survit tant bien que mal jusqu'au coup de force du 5 juillet 1997. Hun Sen écarte alors son rival et s'impose seul à la tête de l'exécutif, ce que confirment les législatives du 26 juillet 1998. Pauvre et agité de soubresauts politiques, le Cambodge revient par étapes dans le concert des nations. Il est admis, en avril 1999, comme le dixième État membre de l'Association des nations du Sud-Est asiatique (ANSEA). Pour la première fois depuis plus d'un siècle, les Cambodgiens sont d'abord face à eux-mêmes. **C. L.**

CAMEROUN République du Cameroun. Capitale : Yaoundé. Superficie : 475 440 km². Population : 14 693 000 (1999). En marge de l'AEF (Afrique équatoriale française) comme de l'AOF (Afrique orientale française), le Cameroun a été à partir de 1844 colonie allemande avant d'être placé après la Première Guerre mondiale sous mandat de la Société des Nations (SDN), puis sous tutelle de l'Organisation des Nations unies (ONU), administré par la France et la Grande-Bretagne. Il accède à l'indépendance dans la violence en 1960. En 1961, le sud du territoire occidental (ex-britannique) opte par référendum pour le rattachement au Cameroun oriental (ex-français), tandis que le Nord intègre le Nigéria. Cela explique le bilinguisme franco-anglais, constitutionnellement garanti. En 1972, le pouvoir central substitue à la république fédérale une république unitaire. La diversité humaine (plus de cent ethnies ; coexistence du christianisme, de l'islam et de la religion traditionnelle), linguistique (six grands groupes ethnolinguistiques) et écologique compose une véritable mosaïque et pose le problème de l'existence d'une nation camerounaise. L'État post-colonial camerounais a connu le pluralisme. À partir de 1955 se développe une rébellion de la branche armée de l'Union des populations du Cameroun (UPC), parti progressiste militant pour l'indépendance dans l'unité des territoires de l'Est et de l'Ouest et ayant pour leader charismatique Ruben Um Nyobe (1913-1958), qui sera assassiné par un commando militaire franco-camerounais. L'expérience pluraliste des débuts de l'indépendance prend fin avec la création d'un parti unique (1966), l'Union nationale camerounaise (UNC), justifiée par Amadou Ahidjo (1924-1989, Premier ministre du Cameroun oriental en 1958, puis président de la République à l'indépendance) par la nécessité de réaliser l'unité nationale. L'ordre politique monolithique qui perdure à la fin de la rébellion de l'UPC (1971) est autoritaire. La démission d'A. Ahidjo et son remplacement en 1982 par le Premier ministre Paul Biya (1933-) ne changent rien. Après une crise (tentative de coup d'État de 1984), l'UNC change de nom en 1985, devenant le Rassemblement démocratique du peuple camerounais (RDPC). La concurrence introduite en son sein pour les élections de 1987 et 1988 consacre une stratégie de renouvellement du personnel politique. P. Biya met en avant la lutte contre la crise économique et contre le « tribalisme » pour résister aux revendications démocratiques. Le rétablissement légal du pluripartisme (1990) a laissé entières les questions de l'irrédentisme anglophone et de la libéralisation du régime. P. Biya a été réélu en 1997, lors d'élections boycottées par l'essentiel de l'opposition. L'économie camerounaise est soutenue par une agriculture exportatrice diversifiée (cacao, café...), une industrie en essor (agroalimentaire, métallurgie...), ainsi que par l'exploitation pétrolière et forestière. Elle a cependant connu des difficultés à partir de 1988. L'échec du plan d'ajustement structurel (1988) a alors contraint les autorités à engager un plan de redressement (1997) et à compter sur l'allégement de la dette. La prise en compte de sa spécificité géopolitique et la préservation de sa souveraineté sont des constantes de la politique étrangère du Cameroun. Ses partenariats bilatéraux sont diversifiés (France, Grande-Bretagne, États-Unis, Chine...) et il a adhéré au Commonwealth en 1995, après plus de deux décennies de refus. Ce nationalisme se retrouve dans sa contribution contrastée à la dynamique sous-régionale et dans ses relations souvent conflictuelles avec ses voisins (Nigéria). **M. E.**

CAMP DAVID (accords de) Placés sous l'arbitrage des États-Unis, les accords tripartites de Camp David (5-17 septembre 1978) règlent le contentieux entre l'Égypte et Israël, hérité des guerres israélo-arabes (notamment de 1967 et 1973). Ils comportent deux textes majeurs, le premier portant sur la paix au Moyen-Orient, le second sur les relations entre Israël et l'Égypte. Face à l'attitude hostile des pays arabes et à

l'absence de consensus concernant la question palestinienne, ils établissent pour l'essentiel les conditions du retrait des troupes israéliennes du Sinaï (qui était occupé depuis la guerre des Six-Jours de 1967 et de la reprise des relations diplomatiques entre les deux pays. Grâce à la médiation américaine, le traité de paix est définitivement signé à Washington le 26 mars 1979 par Anouar al-Sadate et Menahem Begin, qui seront tous deux lauréats du prix Nobel de la paix en 1978. Ce traité inaugure une étape décisive et fondatrice d'un long processus de normalisation des relations entre Israël et l'Égypte, laquelle devient le second partenaire privilégié des États-Unis dans la région. **S. G.** ➤ ÉGYPTE, ISRAËL.

CAMPS D'EXTERMINATION NAZIS

Parmi les camps nazis, six remplissent une fonction particulière. Munis d'installations de gazage, ce sont des camps de concentration que l'historien américain Raul Hilberg, dans *La Destruction des Juifs d'Europe* (1985), appelle les « centres de mise à mort ». Ces six camps sont situés en Pologne, dans une zone s'étendant des territoires incorporés les plus occidentaux, rattachés au Reich, jusqu'au Bug. De toute l'Europe y convergent des milliers de trains. De décembre 1941 à octobre 1944, près de trois millions de Juifs y sont assassinés. Jamais on n'avait ainsi drainé toute une population dans un but unique : tuer à la chaîne. Le centre de mise à mort est composé du camp proprement dit et des installations de mise à mort placées à l'intérieur du camp. De ces deux parties, note R. Hilberg, « aucune n'était entièrement nouvelle. Le camp de concentration et la chambre à gaz existaient depuis un certain temps, mais isolément. La grande innovation consista à fusionner les deux systèmes ». En effet, si les premiers camps de concentration avaient été ouverts dès l'arrivée au pouvoir de Hitler (1933), le gazage avait, quant à lui, été utilisé dès 1939 pour l'« euthanasie » consistant à mettre fin aux vies qui, selon le nazisme, ne valaient pas la peine d'être vécues (*Lebensunwert*). Ainsi, 70 000 Allemands vieillards, infirmes, handicapés mentaux, furent assassinés avant la guerre et, pendant la guerre elle-même, des détenus de camps de concentration jugés trop faibles sont eux aussi gazés. S'y ajoutent les Tsiganes du Grand Reich. Selon R. Hilberg, il s'agit de « la préfiguration conceptuelle, en même temps que technique et administrative de la "solution finale" qui allait être mise en œuvre dans les camps de la mort ». **Kulmhof, Belzec, Sobibor, Treblinka, Majdanek, Auschwitz.** Ces centres de mise à mort entrent en activité en 1941-1942. En décembre 1941, trois camions à gaz acheminés dans les bois de Chelmno, rebaptisé Kulmhof, commencent à fonctionner. C'est le premier centre de mise à mort. Dans le même temps, dans des sites isolés, à proximité de voies ferrées, trois camps sont en construction : Belzec et Sobibor dans le district de Lublin, Treblinka dans celui de Varsovie, respectivement en fonctionnement en mars, avril et juillet 1942. Dans le camp de Lublin construit en septembre 1942, appelé plus couramment Majdanek après la guerre, où avaient été principalement internés des prisonniers de guerre juifs polonais, trois petites chambres à gaz sont construites. Le plus grand de ces centres de mise à mort aura été Auschwitz-Birkenau, en Haute-Silésie, au sud-ouest de Cracovie. Tout comme le site de Majdanek, le site d'Auschwitz est mixte ; c'est un camp à la fois de concentration et d'extermination. **A. W.** **> CAMPS DE CONCENTRATION, GÉNOCIDE DES JUIFS, GÉNOCIDE DES TSIGANES, NAZISME, NUREMBERG (TRIBUNAL DE), SYSTÈME CONCENTRATIONNAIRE.**

CAMPS DE CONCENTRATION Les camps de concentration sont des sites d'incarcération inaugurés au tournant du XXᵉ siècle dans la guerre des Boers. Les Britanniques y parquent les civils boers soupçonnés d'aider la guérilla. L'Allemagne hitlérienne emprisonne d'abord dans des camps des opposants politiques, puis le système de déportation s'étend et se généralise, frappant, avec le déclenchement de la guerre, des populations de diverses nationalités. Avec la mise en œuvre du génocide, six camps sont équipés en centres de mise à mort pour l'extermination des Juifs et des Tsiganes. Le Goulag et le système des camps soviétiques ont suscité des réflexions sur les

parentés entre univers concentrationnaires. **> CAMPS D'EXTERMINATION NAZIS, SYSTÈME CONCENTRATIONNAIRE.**

CANADA Capitale : Ottawa. Superficie : 9 976 139 km². Population : 30 857 000 (1999). Le Canada rassemble toutes les anciennes possessions britanniques d'Amérique du Nord, hors les États-Unis. Constitué en fédération (appelée Confédération) par l'Acte de l'Amérique du Nord britannique de 1867, il compte sept provinces en 1900 à savoir la Nouvelle-Écosse, le Nouveau-Brunswick, l'Île-du-Prince-Édouard, le Québec, l'Ontario, le Manitoba et la Colombie-Britannique. Le gouvernement fédéral gère les Territoires du Nord-Ouest, dont sont détachés le Yukon (1898), puis les provinces de Saskatchewan et d'Alberta (1905). Terre-Neuve ne se joindra à la fédération qu'en 1949. **L'époque de Laurier.** Les trente premières années du régime fédéral avaient été dominées par le Parti conservateur. Au XXᵉ siècle, le Parti libéral détient le pouvoir les deux tiers du temps. Le renversement se produit grâce à Wilfrid Laurier (1841-1919). Son administration (1896-1911) coïncide avec une forte croissance du Canada qui devient alors un des grands producteurs et exportateurs mondiaux de matières premières : blé et bovins de l'Ouest, bois destiné à la fabrication de pâte à papier et minéraux. W. Laurier met fin aux tensions entre le gouvernement fédéral et ceux des provinces dont les tribunaux ont reconnu l'autonomie constitutionnelle dans leurs champs de responsabilité. Il est surtout préoccupé de maintenir un équilibre fragile entre anglophones et francophones et entre protestants et catholiques. **Le Canada et l'Empire britannique.** Les relations avec l'Empire britannique sont au cœur des tensions politiques. Colonie autonome sur le plan intérieur, le Canada dépend de la Grande-Bretagne pour ses relations étrangères. Celle-ci veut que les dominions participent à la défense collective. Soumis aux pressions contradictoires des impérialistes anglophones et des nationalistes francophones, W. Laurier souhaite une position canadienne autonome, ce qui contribue à sa défaite en 1911. Robert Laird

Borden (1854-1937), Premier ministre conservateur (1911-1920), fait entrer le Canada en guerre aux côtés de la Grande-Bretagne en 1914. La contribution du pays est substantielle et ses militaires s'illustrent notamment à Vimy (Pas-de-Calais, France). Cela permet à R.L. Borden de réclamer plus d'autonomie. Il obtient que le Canada participe à la conférence de paix, signe le traité de Versailles et devienne membre de la SDN (Société des Nations). L'indépendance complète est bientôt acquise, ce que Londres reconnaîtra par le statut de Westminster (1931). **Fractures.** La guerre accentue les tensions entre francophones, moins enclins à s'enrôler, et anglophones. Elles culminent avec la Crise de la conscription (manifestations contre la loi d'enrôlement obligatoire de 1917), qui favorise la prise du pouvoir par les libéraux (1921-1926 ; 1926-1930), dirigés par William Lyon Mackenzie King (1874-1950). La guerre exacerbe aussi les tensions sociales, alimentées ensuite par les difficultés de l'après-guerre, parmi les ouvriers (grève générale de Winnipeg, 1919) et les agriculteurs. Dans l'Ouest, le mécontentement face à la domination des intérêts industriels et financiers de l'Est se manifeste à travers le Parti progressiste en 1921, puis pendant la décennie suivante, à travers la Commonwealth Cooperative Federation (CCF) et le Crédit social. **A**près l'euphorie économique de la fin des années 1920, la crise de 1929 frappe durement le Canada, très dépendant du commerce international des matières premières - momentanément paralysé - et des échanges avec les États-Unis, eux-mêmes en crise. Richard Bedford Bennett (1970-1947), Premier ministre conservateur (1930-1935), ne réussit pas à redresser la situation, malgré sa tentative de lancer son propre New Deal. Les provinces, responsables de l'aide sociale, sont débordées et obtiennent l'aide financière du gouvernement fédéral. Cela conduit à une remise en question du fonctionnement du fédéralisme canadien, où le partage des ressources fiscales ne correspond pas à celui des responsabilités sociales. **La Seconde Guerre mondiale.** Revenu au pouvoir (1935-1948), W. L. M. King se joint aux Alliés dès le début de la guerre. La production de den-

rées et d'armements entraîne une très forte croissance économique et le gouvernement fédéral contrôle les prix, la production et la main-d'œuvre. La conscription divise à nouveau francophones et anglophones : après un plébiscite (1942), négatif au Québec, mais positif ailleurs, elle est imposée en 1944. Les Canadiens protègent les convois dans l'Atlantique nord et participent aux combats en Europe, notamment pour la libération des Pays-Bas. La guerre amène un rapprochement avec les États-Unis, d'abord pour la défense conjointe de l'Amérique du Nord (1940), puis pour la fourniture d'armements à la Grande-Bretagne (déclaration de Hyde Park, 1941). Ces ententes marquent le passage du Canada de l'orbite britannique à l'orbite américaine. **L'après-guerre.** Les relations économiques deviennent aussi plus étroites, surtout avec l'accroissement des investissements américains dans l'après-guerre, marqué par la prospérité et la hausse du niveau de vie. Dirigé de 1948 à 1957 par le libéral Louis Saint-Laurent (1882-1973), le gouvernement fédéral veut être le maître d'œuvre du nouvel État-providence, mais son intervention ébranle les rapports traditionnels avec les provinces et le Québec résiste à une telle centralisation. Aux Nations unies, le Canada tente de donner une voix aux puissances moyennes ; il participe à la guerre de Corée, puis se fait le champion des missions de paix. **D**e 1957 à 1963, le conservateur John George Diefenbaker (1895-1979) gouverne en période de crise économique et se met à dos les Américains en refusant les ogives nucléaires. Son successeur libéral (1963-1968), Lester Bowles Pearson (1897-1972) est à la tête de gouvernements minoritaires, avec la montée du Nouveau parti démocratique (ex-CCF) au Canada anglais et du Crédit social au Québec. Il doit composer avec les revendications du Québec et accepter de tempérer le centralisme fédéral. **L'époque de Trudeau.** Le libéral Pierre Elliott Trudeau (1919-2000) prend la direction du pays (1968-1979 ; 1980-1984) avec l'objectif de contrer le nationalisme québécois et ses visées autonomistes. Il renforce le bilinguisme dans les institutions fédérales, reconnaît le multiculturalisme et affirme l'égalité des provinces en niant tout caractère particulier au Québec. Pendant les tractations pour rapatrier la Constitution canadienne – alors encore loi britannique – il refuse au Québec la décentralisation des pouvoirs et insiste pour ajouter une Charte des droits et libertés ; il obtient gain de cause en 1982, malgré le refus du Québec, alors dirigé par René Lévesque. Le gouvernement Trudeau, sensible aux pressions des nationalistes canadiens-anglais alarmés par l'emprise économique américaine, adopte des mesures pour renforcer la propriété canadienne et tamiser les investissements étrangers. **Fin de siècle.** Brian Mulroney (1939-), Premier ministre conservateur (1984-1993), remet en question l'héritage de Trudeau. L'accord du lac Meech (1987) reconnaît le caractère distinct du Québec, mais deux provinces (Manitoba et Terre-Neuve) refusent de l'entériner. Une négociation élargie pour tenir compte des demandes de l'Ouest (réforme du Sénat) et des Autochtones (autonomie gouvernementale) mène à l'accord de Charlottetown (1992), rejeté par la population lors de référendums. B. Mulroney a plus de succès sur le plan économique. En 1989, entre en vigueur l'Accord de libre-échange avec les États-Unis (ALE), élargi au Mexique (ALENA, Accord de libre-échange nord-américain) en 1994. Mulroney amorce aussi le virage néolibéral en favorisant les privatisations et la déréglementation. **A**ux élections de 1993, deux nouveaux partis émergent : le Bloc québécois, souverainiste, rafle la majorité des sièges au Québec, et le Parti réformiste fait de même dans l'Ouest. Le Premier ministre libéral, Jean Chrétien (1934-), poursuit à partir de 1993 la politique économique des conservateurs et réussit à éliminer le déficit budgétaire. Contre le Québec, il adopte une ligne dure, mais évite de justesse la défaite au référendum québécois sur la souveraineté, en 1995. Les divisions entre anglophones et francophones apparaissent donc encore plus marquées qu'elles ne l'étaient au début du siècle. **M**oins dépendant de l'exploitation des matières premières, le Canada est devenu une puissance industrielle et financière, membre du G-7. Il y est parvenu au prix d'une intégration économique poussée avec les États-Unis. Les

forces de la mondialisation menacent toutefois l'intégrité de l'État-providence, auquel les Canadiens restent très attachés, et l'autonomie culturelle, composante essentielle d'une identité distincte. En outre, de profondes inégalités entre les régions du pays sont sources de tensions récurrentes, tandis que la question du Québec n'a pas encore trouvé de solution satisfaisante. **P.-A. L.**

CANAL DE PANAMA Reliant les océans Atlantique et Pacifique à travers l'isthme centre-américain, le canal de Panama, d'une longueur de 80 km, conserve son importance stratégique et commerciale près d'un siècle après le début de sa construction. Vaincu par les épidémies et les scandales financiers, le Français Ferdinand de Lesseps, le constructeur du canal de Suez, n'a pu mener à bien son nouveau projet à Panama. Après avoir obtenu en 1903 le contrôle d'une bande de terre à travers l'isthme, les États-Unis inaugurent le colossal ouvrage en 1914. La rétrocession définitive par Washington de la Zone du canal aux autorités panaméennes a lieu le 31 décembre 1999 en application du traité Torrijos-Carter de 1977. La voie d'eau reste la principale source de revenus pour le Panama qui a l'intention de développer l'activité de transbordement de conteneurs avec l'aide d'une société de Hong-Kong, Hutchinson Whampoa. **J.-M. C.** > PANAMA.

CANAL DE SUEZ Reliant la mer Rouge à la mer Méditerranée, l'isthme de Suez a suscité, dès l'époque de l'expédition de Bonaparte en Égypte (1798), l'idée d'un canal qui permettrait de relier par la mer l'Europe à l'Asie (sans contourner l'Afrique). Réalisé sur les plans du Français Ferdinand de Lesseps (1805-1894), le canal, d'une longueur de 160 kilomètres, est inauguré en 1869. Ayant racheté les intérêts de l'Égypte, la Grande-Bretagne devient en 1875 le principal actionnaire de la Compagnie du canal. Le statut international de celui-ci est fixé par la convention de Constantinople (1888). En 1956, sa nationalisation par le leader égyptien Gamal Abdel Nasser déclenche la crise dite de « Suez » qui implique le Royaume-Uni, la France et Israël. Fermé à la suite de la guerre israélo-arabe des Six Jours en

1967, qui voit Israël en occuper la rive orientale, il ne rouvrira qu'en 1975.

CAP-VERT République du Cap-Vert. Capitale : Praïa. Superficie : 4 030 km². Population : 418 000 (1999). Archipel volcanique situé dans l'Atlantique au large du Sénégal et découvert par les Portugais en 1460, le Cap-Vert est principalement peuplé de métis. L'importante diaspora cap-verdienne (aux États-Unis surtout) s'explique par la rudesse climatique (longues périodes de sécheresse) et la pauvreté des îles. Bénéficiant d'un niveau culturel moyen assez élevé, nombre de Cap-Verdiens ont joué un rôle décisif dans la dynamique nationaliste au sein des colonies lusophones. Après la guerre de libération nationale, menée à partir de 1959 par le PAIGC – Parti africain pour l'indépendance de la Guinée-Bissau et du Cap-Vert (dirigé par les frères Amilcar et Luis Cabral originaires des îles et essentiellement sur le territoire bissau-guinéen) et suite à la révolution des Œillets (1974), l'archipel a accédé à l'indépendance (1975) sous la direction de ce mouvement. Le PAIGC sera remplacé par le Parti africain de l'indépendance du Cap-Vert (PAICV) en 1980, après la rupture provoquée par un coup d'État en Guinée-Bissau. Premier président de la République du Cap-Vert, Aristides Pereira (1923-) conduira une politique pragmatique teintée d'orientations marxistes en s'appuyant sur le PAIGC puis le PAICV. Ce dernier renoncera en 1990 à la monopolisation de la vie politique et, lors des premières élections pluralistes de février 1991, le Cap-Vert sera le premier pays du continent africain à expérimenter l'alternance démocratique. Menant une politique de réformes résolument libérale et soucieux de diversifier les partenariats internationaux du Cap-Vert, le président Antonio Mascarenhas Monteiro (1944-), membre du Mouvement pour la démocratie, a été réélu en 1996. L'économie du Cap-Vert est principalement fondée sur l'agriculture (vivrière), la pêche, l'exploitation de salines et elle n'a bénéficié ni de la colonisation portugaise ni des orientations socialistes postcoloniales. Elle dépend très largement des transferts de fonds de la diaspora et de l'aide internationale. L'image économique du pays est restée tributaire du fait qu'il est l'une des plates-formes du trafic de cocaïne en Afrique de l'Ouest. **M. E.**

CÁRDENAS Lázaro (1895-1970)

Homme politique mexicain, président de 1934 à 1940. Né à Jiquilpan (État de Michoacan), Lázaro Cárdenas deviendra l'un des dirigeants les plus populaires du pays. Ayant pris part à la Révolution mexicaine (1910-1920) à partir de 1913, il est nommé général en 1923. À la fin des années 1920, il lutte contre les Cristeros, paysans catholiques en révolte contre les mesures anticléricales du pouvoir. Président du Parti national révolutionnaire de 1930 à 1931, il le transforme en Parti de la révolution mexicaine en 1938. Durant son mandat présidentiel, socialiste convaincu, il met fin aux persécutions religieuses et encourage l'accélération des réformes agraires et la lutte contre l'analphabétisme. Il réforme les syndicats et nationalise les chemins de fer en 1937. La grande mesure de son mandat reste pourtant l'expropriation (contre indemnisation) et la nationalisation des compagnies pétrolières américaines et britanniques en 1938. Il est également le premier président à se préoccuper des minorités ethniques en créant un département autonome des Affaires indiennes en 1936. Cultivant l'image d'un homme austère, intègre et solitaire, L. Cárdenas a laissé le souvenir d'un président éclairé qui lutta également contre la corruption. Son fils, Cuauhtémoc Cárdenas (1934-), élu maire de Mexico en 1997, devra une grande partie de son aura politique à l'image de ce père charismatique. **É. S.** **> MEXIQUE.**

CARDOSO Fernando Henrique

(1931-) Homme politique brésilien, chef de l'État (1994-). Né d'une famille aisée, Fernando Henrique Cardoso devient, très jeune, professeur d'histoire économique et de sociologie. En 1964, les militaires veulent l'emprisonner pour ses sympathies à l'égard de dirigeants communistes. Il s'expatrie au Chili, y écrit son livre le plus fameux (*Dépendance et développement en Amérique latine* [1970]) et gagne une renommée internationale en énonçant la théorie de la dépendance (il nuance des affirmations marxistes sur les relations pays capitalistes/pays pauvres et sur les chances de transformations politiques). De retour au Brésil, il entre en 1973 au MDB (Mouvement démocratique brésilien, seul parti d'opposition toléré par le régime) et y joue un rôle d'intellectuel. Il dispute sa première élection en 1978 comme candidat suppléant au Sénat. Il l'emporte et devient titulaire du siège en 1983, un an après avoir échoué, de peu, à la mairie de São Paulo. Par son sens du dialogue, F. H. Cardoso œuvre au rapprochement des partisans de la démocratie. Réélu sénateur en 1987, il est un membre très actif de l'Assemblée constituante. Mais ne pouvant améliorer sa position dans son parti, il cofonde le PSDB (Parti de la social-démocratie brésilienne) en 1988. Entré au gouvernement en 1992, il est chargé des Finances un an plus tard. Une opportune alliance avec la droite modérée et le succès de son plan de stabilisation économique (plan « real ») l'aident à remporter le scrutin présidentiel de 1994 et à succéder à Itamar Franco. De plus en plus sensible aux thèses libérales, il est facilement réélu en 1998. **S. Mo.**

CARICOM   La Communauté des Caraïbes (CARICOM – Caribbean Community –, siège à Georgetown, Guyana) a été créée en 1973 par la Barbade, le Guyana, la Jamaïque et Trinidad et Tobago. Outre les fondateurs, elle regroupait, à la mi-2001, dix autres pays en majorité anglophones : Antigua et Barbuda, Bahamas, Bélize, Dominique, Grenade, Montserrat, St. Kitts et Nevis, Sainte-Lucie, Saint-Vincent et les Grenadines, le Suriname (Haïti était en cours d'accession).

CARVALHO Otelo Saraiva de
(1937-)   Commandant et principal stratège du coup d'État militaire du 25 avril 1974, connu aussi sous le nom de « révolution des Œillets », qui renversa la dictature salazariste au Portugal.   Né à Maputo (alors Lourenço Marques), au Mozambique, où son père est fonctionnaire, Otelo Saraiva de Carvalho entre à l'Académie militaire de Lisbonne à l'âge de dix-neuf ans et part combattre en Angola dès le début de la guerre coloniale, en 1961. Lors d'une mis-

sion de trois ans en Guinée-Bissau, il s'engage dans le Mouvement des capitaines qui aboutira à la révolution des Œillets. De retour à Lisbonne en 1973 avec le grade de major, il se voit confier par les autres officiers conspirateurs la planification et le commandement du coup d'État du 25 avril 1974, qui se déroule sans effusion de sang. En juillet 1975, O. de Carvalho est nommé commandant de la région militaire de Lisbonne et commandant du Copcon (Commandement opérationnel du continent), dominé par l'aile la plus radicale de l'armée – celle-là même qui envoie les soldats dans des campagnes d'alphabétisation partout dans le pays.   Le Portugal vit alors une période d'agitation politique et sociale extrême. Impliqué dans une tentative de putsch gauchiste le 25 novembre 1975, O. de Carvalho accepte finalement de ne pas faire courir au pays le risque d'une guerre civile. Mis aux arrêts, il est libéré trois mois plus tard et se porte candidat aux présidentielles de 1976. Arrêté et suspendu du service actif en octobre 1976, le major Saraiva de Carvalho passe à la réserve en 1979. Amnistié, il est réintégré au service actif en 1982, après qu'il a été prouvé que sa mise à l'écart résultait d'une manœuvre politique. En juin 1984, il est arrêté à nouveau, accusé d'être le « mentor intellectuel » du groupe d'extrême gauche FP-25 (Forces populaires du 25 avril) auquel sont attribués dix-huit homicides entre 1980 et 1986. Il passe cinq ans en prison, d'abord sans jugement formel ni condamnation. Il est condamné en 1987 à quinze ans de prison. Libéré en 1989, il est amnistié par le Parlement en 1996. Les Portugais l'appellent affectueusement par son prénom, Otelo. **A. N. P.**   **> PORTUGAL.**

CASAMANCE   Région du Sénégal isolée par l'enclave de la Gambie, la Casamance (28 350 km²), traversée par le petit fleuve du même nom, est couverte par la forêt humide dans sa partie occidentale. De petits peuples, comme les Diola, chasseurs et pêcheurs, y cultivent le riz local et des palmiers à huile. Différente du reste du Sénégal, situé en zone tropicale sèche tendant à l'aridité et peuplé d'une majorité de musulmans, la Casamance abrite des populations prati-

quant le christianisme et la religion traditionnelle. Séparées de leurs frères de Guinée-Bissau par une frontière perméable traversant la forêt, elles ont été solidaires de leur combat contre le colonisateur portugais jusqu'à son départ en 1975.   L'opposition des agriculteurs locaux à l'installation sur les sols fragiles d'immigrants wolof, venus du reste du Sénégal pour cultiver l'arachide, a fait renaître d'anciennes tendances sécessionnistes. Elles s'expriment à travers le Mouvement des forces démocratiques de Casamance (MFDC) créé en 1947 et dirigé par l'abbé Augustin Diamacoune. Le projet politique du MFDC est de regrouper, au sein d'une « fédération du Gabou » (nom d'un empire du XVIIIᵉ siècle), la Gambie, la Casamance et la Guinée-Bissau. En 1982, une marche pacifique de plusieurs milliers de manifestants réclamant une égalité d'investissements avec les autres régions est violemment réprimée. Arc-boutées sur un centralisme intangible, les autorités de Dakar ont engagé des négociations en traînant les pieds, tablant sur les divergences (réelles) entre séparatistes. Cette guerre larvée, qui a fait des milliers de morts, a poussé Dakar à intervenir en Guinée-Bissau dans le conflit qui a abouti à l'éviction du président João Bernardo Vieira (1939-) en mai 1999.
B. N.   **> SÉNÉGAL.**

CASTRISME   C'est de la victoire de la révolution cubaine en 1959, première « révolution socialiste » à n'être pas dirigée par un parti communiste, qu'est né le castrisme. Cette voie cubaine au socialisme fut d'abord une stratégie révolutionnaire anti-impérialiste à vocation continentale. La guerre de guérilla stimule les mobilisations populaires contre la dictature de Fulgencio Batista (1901-1973) et culmine par une grève générale qui provoque sa chute. Se différenciant des partis communistes latino-américains, qu'ils jugent enlisés dans la coexistence pacifique et dont ils condamnent les stratégies électoralistes et légalistes, Fidel Castro et Ernesto Che Guevara affirment que « le devoir de tout révolutionnaire est de faire la Révolution ». Selon eux, face à l'impérialisme, seule la lutte armée peut permettre d'y parvenir. Les années 1960 verront l'essor des mouvements de guérillas. Le *foco* (foyer insurrectionnel) doit permettre de mettre en œuvre cette stratégie sur tout le continent.   En plein schisme sino-soviétique, le castrisme apparaît alors comme une troisième voie possible pour les pays du tiers monde qui refusent de choisir entre l'URSS ou la Chine et qui sont solidaires du Vietnam attaqué par les États-Unis. Ce nouveau pôle de ralliement semble prendre corps avec la conférence Tricontinentale de solidarité anti-impérialiste qui réunit à La Havane en janvier 1966 des Latino-Américains, des Africains et des Asiatiques provenant de 82 pays et qui donne naissance à l'OSPAAL (Organisation de solidarité des peuples afro-asiatiques et d'Amérique latine). En août 1967, l'OLAS (Organisation latino-américaine de solidarité) pré-conise une stratégie révolutionnaire continentale unifiée. Elle se réunit à La Havane quelques semaines avant la mort de E. Che Guevara en Bolivie. Elle ne lui survivra finalement pas.   Les tensions entre La Havane et les partis communistes latino-américains s'aggravent ; des scissions se produisent au sein des mouvements des Jeunesses communistes, qui donneront naissance à des formations d'obédience castriste, envenimant les relations avec les partis prosoviétiques. La mort de E. Che Guevara et l'échec des autres foyers de guérillas sur le continent, l'approbation de l'intervention soviétique en Tchécoslovaquie contre le printemps de Prague en 1968 et l'intégration dans le CAEM (Conseil d'assistance économique mutuelle, ou Comecon) signifient la fin du castrisme comme idéologie autonome et sonnent le glas des espoirs qu'il avait suscités.   Après la chute du Mur de Berlin, F. Castro axe sa stratégie internationale sur la lutte contre l'hégémonie américaine et la défense du tiers monde. Il condamne ainsi l'intervention contre l'Irak (seconde guerre du Golfe) en 1991 et les bombardements de l'OTAN (Organisation du traité de l'Atlantique nord) durant la crise du Kosovo en 1999, et se prononce en faveur de l'annulation de la dette des pays du tiers monde. **J. H.**   **> CUBA, SOCIALISME ET COMMUNISME.**

CASTRO Fidel (1927-)   Homme politique cubain, Premier ministre (de 1959 à

1976), puis président. « Condamnez-moi. L'histoire m'acquittera ! » C'est par cette prophétie que le jeune avocat cubain Fidel Castro termine sa plaidoirie face à ses juges en 1953. Accusé d'avoir attaqué la caserne de la Moncada à Santiago (province d'Oriente) le 26 juillet 1953 pour renverser la dictature de Fulgencio Batista (1901-1973), il assume lui-même sa propre défense. L'insurrection est légitime face à l'usurpateur. Sa défense est un discours-programme. Cuba doit parachever son indépendance, instaurer un régime démocratique, chasser la corruption et faire régner la justice sociale. Un demi-siècle d'histoire commence.   Il quitte le Parti orthodoxe, nationaliste <u>populiste</u>, pour fonder un mouvement de libération nationale – le Mouvement du 26 juillet. De 1953 à 1959, il met en œuvre une stratégie révolutionnaire sans inquiéter les États-Unis qui, jusqu'à la prise du pouvoir par l'Armée rebelle, sous-estiment la dynamique sociale révolutionnaire de la lutte engagée. Le génie politique de F. Castro est déjà à l'œuvre. Dans cette première phase, il apparaît comme un nationaliste révolutionnaire anti-américain. « *Patria o Muerte, venceremos* » (La patrie ou la mort, nous vaincrons) est son cri de guerre face à l'ostracisme et à l'agressivité de Washington. L'application de mesures sociales très progressistes lui permet de rassembler massivement le peuple cubain autour de lui. Dès 1961, il se proclame <u>marxiste-léniniste</u> et affirme l'être depuis longtemps. Des historiens américains croiront voir cette filiation confirmée par le rapprochement avec l'URSS. Mais alors même qu'il a sacrifié le Mouvement du 26 juillet sur l'autel de la fusion nécessaire avec le PSP (Parti socialiste populaire, ancien parti communiste), F. Castro marginalise le courant prosoviétique en janvier 1968 et fait le procès public de la « micro-fraction » accusée de faire le jeu du Kremlin. Ne voulant pas être pris en tenailles, il assure ses arrières. On peut douter de la solidité de ses convictions marxistes. L'histoire ultérieure illustre le pragmatisme du « *leader máximo* », son sens de la *realpolitik* et sa grande flexibilité tactique. Obligé, dans les années 1970, d'obtempérer aux ordres de Moscou qui lui imposent de mettre fin au désordre économique et à l'anarchie institutionnelle en instaurant un régime de parti unique/parti d'État, il s'adapte et devient ainsi secrétaire du nouveau Parti communiste lors de son premier congrès, en 1975.   **F.** Castro se montre peu enclin au respect des programmes et de la discipline partidaire. Ses principes sont souvent à géométrie variable et ses méthodes empreintes du caudillisme latino-américain. Il ne tolère aucune critique et se révèle un dirigeant despotique imposant une discipline de fer à ses fidèles. En 1989, l'exécution du général Arnaldo Ochoa et de trois autres officiers, condamnés pour « trafic de drogue », dément ses engagements. N'avait-il pas promis que « la Révolution ne sera[it] pas comme Saturne, [qu']elle ne dévorera[it] pas ses propres enfants » ?   L'implosion de l'URSS en 1991 le contraint à procéder à une ouverture économique sous couvert d'orthodoxie. Son double langage affecte un charisme désormais routinisé. Tacticien hors pair, il pouvait se targuer, lorsque s'est ouvert le xxᵉ siècle, d'avoir « survécu » à neuf présidents des États-Unis. Du libérateur ou du « *caudillo* », que retiendra l'histoire ? **J. H.   ➤ CASTRISME, CUBA.**

CATALOGNE/CATALANISME

Région située au nord-est de la péninsule Ibérique, entre les Pyrénées, l'Èbre et la Méditerranée, la Catalogne est soumise à la couronne de Castille au xvᵉ siècle, mais conserve ses privilèges jusqu'à la fin du xviiᵉ. L'autorisation donnée à Barcelone de faire commerce avec l'Amérique et la naissance d'une industrie manufacturière favorisent son enrichissement dans le courant du xixᵉ siècle. Les revendications régionalistes, qui s'appuient d'abord sur une élite, débutent avec la réouverture de l'université de Barcelone en 1833 et la renaissance du catalan comme langue littéraire. L'idée d'une patrie catalane, c'est-à-dire d'un mouvement politique, est plus tardive. On peut la dater de la création du centre Catalá en 1882. Dès lors, les revendications catalanistes se multiplient. Une évolution se dessine vers un véritable nationalisme. Le gouvernement de la IIᵉ République accorde à la généralité de Catalogne un statut d'autonomie

assez large en 1931. Le catalanisme devient alors franchement républicain, et l'Esquerra (gauche catalane) adhère au Front populaire de 1936. La région, qui connaît, au début de la Guerre civile (1936-1939), une vague révolutionnaire intense, subit, par contre-coup, une répression très dure sous le régime franquiste, allant jusqu'à l'interdiction de l'enseignement en langue catalane. Mais la résistance s'organise très vite, tant dans les milieux ouvriers qu'à l'Université. À la mort de Franco (1975), la Catalogne est la pre-mière région espagnole à recevoir le statut d'autonomie ; son développement écono-mique, soutenu par un capitalisme très dyna-mique, donne les moyens à Jordi Pujol, pré-sident de la généralité à partir de 1980, de faire pression sur les gouvernements succes-sifs pour obtenir des privilèges de plus en plus larges. Région espagnole ou nation catalane, l'avenir de la Catalogne se trouve sans doute entre les deux... **É. T.**
> ESPAGNE.

CAUCASE DU NORD (peuples du)

Bordant la Transcaucasie, la mosaïque des peuples du Causase du Nord n'a pas été au xxe siècle épargnée par les conflits et la vio-lence. Le souvenir des « guerres du Caucase » qui ont vu les peuples que l'on nomme « montagnards » se dresser contre la coloni-sation russe tout au long du xixe siècle n'a pas suffi à surmonter les divisions nées des découpages administratifs et des humilia-tions de la période soviétique. Avec l'effon-drement de l'URSS, la volonté pancauca-sienne affichée s'est heurtée à la montée des affirmations nationales et ethniques ainsi qu'à la résurgence de litiges, anciens ou récents. Des prétentions hégémoniques se sont fait jour, venant tantôt des Géorgiens qui arguaient de leur rôle traditionnel de suzerains du Caucase, tantôt des Tchétchè-nes qui faisaient valoir que leur territoire constituait le cœur du Caucase. **Conser-vatoire de langues.** Extraordinaire conserva-toire de langues et de populations d'origines diverses, qui ont traversé le temps, le Cau-case du Nord est le berceau de la famille des langues caucasiennes qui ont gardé intact le secret de leurs origines. Resté longtemps à l'abri du monde extérieur grâce aux monta-

gnes qui flanquent sa partie septentrionale, il a relativement peu souffert des grandes invasions. Se contentant de payer tribut au vainqueur du moment, ses peuples, à la dif-férence de ceux de Transcaucasie, n'ont pas véritablement vécu organisés dans des struc-tures étatiques jusqu'à la conquête russe. Très hiérarchisées dans le Caucase tcherkesse (Caucase occidental), les sociétés ont une constitution plus souple dans la montagne tchétchène, et revêtent des formes très diverses dans le Daghestan. **À** la pointe occidentale du Caucase vivent ainsi 125 000 Adyghéens. Ceux-ci parlent une langue caucasienne du groupe adyghé-abkhaze, auquel appartiennent également les langues des Tcherkesses (50 000) et des Kabardes (400 000). De très nombreux Tcherkesses ont été déportés en Turquie pendant la seconde moitié du xixe siècle et y sont restés. Des Russes, dont de nombreux Cosaques descendants de ceux qui colonisè-rent le Caucase du Nord, vivent aussi dans cette région. Après la disparition de l'URSS, chacun a commencé d'exiger sa propre répu-blique, afin de remplacer les entités existan-tes (région autonome des Adyghéens, région autonome des Karatchaï – Tcherkesses, république autonome de Kabardino – Balk-arie), constructions qui ne répondaient plus à une composition nationale et ethnique complexe qui comprend également des populations d'origine turque, les Karatchaïs (156 000 personnes) et les Balkars (85 000 personnes). **Ossètes, Ingou-ches, Tchétchènes...** Au centre de la région, un demi-million d'Ossètes, une population à la riche épopée que le Français Georges Dumézil étudia dans ses travaux sur les mythologies indo-européennes, vivent dans la république autonome d'Ossétie, une petite entité (8 000 km²) qui entretient des rela-tions difficiles avec ses voisins ingouches pour des questions de frontières. Après avoir été collectivement accusés par Staline d'avoir collaboré avec les nazis, les Ingouches, comme d'autres peuples punis, ont été déportés et la république tchétchène-ingou-che a été supprimée. Lorsque celle-ci a retrouvé son statut, en 1958, une bande de territoire, dans la région de Vladikavkaz, donnée à l'Ossétie en 1944 n'a pas été ressituée. Les 250 000 Ingouches, comme leurs cousins tchétchènes (un million, dont environ 800 000 vivent en Tchétchénie) parlent une langue caucasienne du groupe nakh. La république de Tchétchénie, très rurale, est l'une des plus pauvres de la Fédération de Russie, malgré ses ressources pétrolières. La République ingouche a tenté en octobre 1992 de s'emparer par la force de la région de Vladikavkaz, provoquant un début de guerre civile qui a entraîné l'envoi de troupes depuis le « Centre ». À l'est du Caucase, bordant la mer Caspienne, le Daghestan, la « montagne des langues », est certainement l'une des régions du monde où se trouve l'une des plus grandes concentrations d'ethnies. Il n'est pas à l'abri des processus de désintégration qui ont frappé les autres régions et républiques du Caucase. **C. U.**

CAYMAN Possession britannique à compter de 1670, les îles Cayman, situées dans les Caraïbes, ont dépendu de la colonie voisine, la Jamaïque, jusqu'en 1959. Elles sont devenues une colonie séparée en 1962. Dans les années 1960, les activités bancaires *off shore* se développent sur une grande échelle, de même que le blanchiment de l'argent sale. Les partis politiques sont restés assez informels et peu développés. Le revenu par habitant y est le plus élevé de toute la région. **C. G.**

CCG Le Conseil de coopération du Golfe (CCG, GCC – Gulf Cooperation Council –, siège à Riyad, Arabie saoudite) a été fondé en 1981 en réaction à la révolution khomeyniste iranienne. Il regroupait, à la mi-2000, l'Arabie saoudite, Bahreïn, les Émirats arabes unis, le Koweït, Oman et le Qatar.

CDU (Union chrétienne démocrate)
> DÉMOCRATIE CHRÉTIENNE (ALLEMAGNE).

CE > COMMUNAUTÉ EUROPÉENNE.

CEAUSESCU Nicolae (1918-1989)
Dirigeant communiste roumain, secrétaire général du Parti de 1965 à 1989. Nicolae Ceausescu succède à ce poste à Gheorghe Gheorghiu-Dej (1901-1965) et cumulera cette fonction, à partir de 1974, avec celle de président de la République. Il se fait dès lors appeler « *Conducător* » (l'équivalent roumain de « *duce* »), à l'instar du maréchal Ion Antonescu, chef de l'État roumain entre 1941 et 1944. **N**é en Olténie le 26 janvier 1918 dans le village de Scornicesti, troisième né d'une famille de paysans pauvres de dix enfants, N. Ceausescu part travailler à Bucarest, la capitale, au début des années 1930 après avoir suivi l'école primaire. Il adhère à l'Union des jeunesses communistes dans la foulée des grandes grèves de Grivita (1933) et se forme dans la résistance antifasciste de l'époque. Jugé et emprisonné à plusieurs reprises, il est interné, pendant la guerre, au camp de Tîrgu-Jiu. Après 1945, il devient secrétaire général de l'Union de la jeunesse, gravit rapidement les échelons de l'appareil et accède au rang de membre du Bureau politique en 1955. **D**ès son accession au pouvoir, N. Ceausescu intensifie la politique d'autonomie vis-à-vis de l'URSS engagée par G. Gheorghiu-Dej. C'est sous sa houlette que le nationalisme sera érigé au cœur de l'idéologie officielle, ce qui fera qualifier le régime de « national-communiste ». Jusqu'à la fin des années 1960, cette manipulation de la fibre patriotique lui vaut une réelle popularité dans le pays, d'autant que ce tournant s'accompagne d'une relative libéralisation dans le domaine culturel. Cette ligne culmine en 1968 avec son refus de participer à l'invasion de la Tchécoslovaquie (printemps de Prague) aux côtés des troupes du pacte de Varsovie. **L**e durcissement du régime intervient dès 1971. N. Ceausescu renforce le contrôle du Parti sur la société et concentre entre ses mains et celles de son clan la totalité des pouvoirs. Cette période marque aussi la montée en puissance de son épouse, Elena Ceausescu, qui devient le second personnage de l'État. Un véritable culte de la personnalité est organisé autour du couple présidentiel, composante centrale du « style Ceausescu ». Le nom de Ceausescu est ainsi désormais inséparable d'un « communisme dynastique », dont le développement va de pair, tout au long des années 1970-1980, avec un despotisme ethnocentriste et ultranationaliste sans équiva-

lent dans les autres démocraties populaires. La Roumanie de N. Ceausescu de la fin des années 1980 offre l'image d'un pays plongé dans la misère et soumis à la mégalomanie de son chef. **N.** Ceausescu connaît une fin tragique, à l'image de son règne : conspué lors d'un meeting à Bucarest le 21 décembre 1989, il fuit en hélicoptère le 22, avant d'être rattrapé quelques heures plus tard, condamné pour « génocide » et exécuté le 25, avec Elena, à l'issue d'un « procès » aussi expéditif que parodique, à huis clos. **A. L.-L.** **> ROUMANIE.**

CECA La CECA (Communauté européenne du charbon et de l'acier) est créée, par traité, le 18 avril 1951 et elle entre en vigueur le 10 août 1952. Elle réunit la République fédérale d'Allemagne, la France, la Belgique, les Pays-Bas, le Luxembourg et l'Italie, soit les six États futurs fondateurs de la CEE (Communauté économique européenne). Dans l'esprit de ses promoteurs, elle doit permettre un rapprochement politique des États membres, en particulier entre la France et l'Allemagne, grâce à une gestion commune des ressources en charbon et en acier. Le traité prévoit l'abolition de tout obstacle à la libre circulation des marchandises. Les droits de douane sont abolis en 1953 pour le charbon, le minerai de fer, l'acier ; en 1954, pour les aciers spéciaux. À partir de 1980, afin de lutter contre la surproduction, la CECA met en place des contingentements autoritaires et décide, à la fin 1985, d'interdire les aides publiques nationales. **> CONSTRUCTION EUROPÉENNE.**

CED Le 27 mai 1952, le traité de Paris qui institue la Communauté européenne de défense est signé par les six États qui ont fondé, un an plus tôt, la CECA (Communauté européenne du charbon et de l'acier) : Belgique, France, Italie, Luxembourg, Pays-Bas et RFA (République fédérale d'Allemagne). Dans le contexte de la Guerre froide, alors que l'OTAN (Organisation du traité de l'Atlantique nord) a été créée trois ans plus tôt, associant notamment, aux côtés des États-Unis, ces pays - à l'exception de la RFA -, l'ambition de la CED est de créer une armée européenne comprenant des contin-

gents allemands. Le projet échoue en 1954, n'étant pas ratifié par le Parlement français. Il faudra attendre le tournant du siècle, après la crise du Kosovo notamment, pour que la question de la coopération européenne en matière de sécurité et de défense fasse de réels progrès. **> CONSTRUCTION EUROPÉENNE.**

CEDEAO La Communauté économique des États de l'Afrique de l'Ouest (CEDEAO, ECOWAS – Economic Community of West African States –, siège à Abuja, Nigéria) est entrée en vigueur en 1977. Elle comptait quinze membres à la mi-2001 : Bénin, Burkina Faso, Cap-Vert, Côte-d'Ivoire, Gambie, Ghana, Guinée, Guinée-Bissau, Libéria, Mali, Mauritanie, Niger, Nigéria, Sénégal, Sierra Léone, Togo (la Mauritanie a quitté l'organisation en 2001).

CEE La Communauté économique européenne, instituée par le traité de Rome entre la Belgique, la France, l'Italie, le Luxembourg, les Pays-Bas et la République fédérale d'Allemagne, est aussi appelée Marché commun. Elle s'élargit en 1973 au Royaume-Uni, à l'Irlande et au Danemark, en 1981 à la Grèce, en 1986 à l'Espagne et au Portugal. Elle est rebaptisée « Communauté européenne » (CE) après ratification par ses membres du traité de Maastricht. **> CONSTRUCTION EUROPÉENNE.**

CEEAC La Communauté économique des États d'Afrique centrale (CEEAC, ECCAS – Economic Community of Central African States – siège à Libreville, Gabon) a été créée en 1983. Elle comptait onze membres à la mi-2001 : Angola (adhésion en 1998), Burundi, Cameroun, Congo, Gabon, Guinée équatoriale, Rwanda, São Tomé et Principe, Centrafrique, Tchad et Congo-Kinshasa.

CEI (Communauté d'États indépendants) La Communauté d'États indépendants rassemble la Russie, l'Ukraine, la Biélorussie, la Moldavie, l'Arménie, l'Azerbaïdjan, la Géorgie, le Kazakhstan, la Kirghizstan, l'Ouzbékistan, le Tadjikistan et le Turkménistan. Elle naît sur les ruines de l'URSS le 8 décembre 1991 par une décision conjointe de la Russie, l'Ukraine, la Biélorussie, le noyau fondateur de l'URSS en 1922. Dans un premier temps, la CEI semble annoncer une « Union slave ». En fait, dès le 21 décembre, huit « nouveaux États indépendants » la rallient, tandis que la Géorgie ne l'intégrera que deux ans plus tard. Seuls parmi les anciennes républiques soviétiques, les trois États baltes préfèrent s'en tenir à l'écart.   Malgré la mise en place d'un appareil bureaucratique pléthorique, la CEI ne semble s'animer qu'à l'occasion des rares sommets qui rassemblent les présidents des États membres. Incapable de constituer un édifice économiquement et politiquement cohérent, elle n'a pas même réussi à offrir un cadre cohérent au règlement des conflits qui opposent ses membres. Cela explique les tentatives de regroupements régionaux tel le GUUAM (Géorgie, Ukraine, Ouzbékistan, Azerbaïdjan et Moldavie), voire les appels lancés par certains de ses membres à l'Occident afin de desserrer l'étau d'une Russie qui ne parvient pas à rompre avec sa tradition impériale. **C. U.**

CEMAC   La Communauté économique et monétaire en Afrique centrale (CEMAC, EMCCA – Economic and Monetary Community of Central Africa –, siège à Bangui, Centrafrique) a officiellement succédé à l'Union douanière et économique de l'Afrique centrale (UDEAC) en 1998. Celle-ci avait elle-même été créée en 1964 en remplacement de l'Union douanière de l'Afrique équatoriale. Membres à la mi-2001 : Cameroun, Congo, Gabon, Guinée équatoriale, Centrafrique, Tchad. La BEAC (Banque des États d'Afrique centrale) en est la Banque centrale.

CENT FLEURS (campagne des)

Mao Zedong constate que les résultats obtenus dans la « construction du socialisme » en Chine depuis la prise de pouvoir des communistes en 1949, en suivant le modèle soviétique stalinien, sont insuffisants. La production agricole, avec un taux de croissance tournant autour de 2 %, est à peine supérieure à la croissance de la population. Les résultats agricoles pèsent sur l'industrie qui s'essouffle, alors qu'une planification économique rigide multiplie les gaspillages. Le

Parti tend à se bureaucratiser et à faire de ses cadres une nouvelle caste privilégiée. Or, en 1956, le XXe congrès du PCUS (Parti communiste de l'Union soviétique) a vu Nikita Khrouchtchev critiquer violemment Staline et déstabiliser le « modèle ». Cette même année 1956, les troubles de l'Octobre polonais et, en Hongrie, l'insurrection populaire de Budapest prouvent que les contradictions entre le peuple et un parti communiste au pouvoir peuvent dégénérer en affrontements violents.   En février 1957, Mao Zedong prononce son rapport *La Juste Solution des contradictions au sein du peuple* et invite le Parti communiste chinois (PCC), pour renouer ses liens distendus avec la population, à susciter un vaste débat critique sur le fonctionnement du nouveau régime. La campagne des Cent Fleurs, qui tire son nom du mot d'ordre « Que cent fleurs s'épanouissent, que cent écoles rivalisent », résulte de cette initiative entre la fin avril et le 8 juin 1957. Elle surprend par la violence des critiques provenant du monde des intellectuels et des étudiants. Des paysans, silencieusement, commencent à quitter des coopératives. Le Parti, inquiet, met fin à cet épisode, et Deng Xiaoping, secrétaire général, lance la « campagne antidroitière » qui privera de liberté 400 000 personnes et en fera persécuter 1 700 000. Durant l'hiver 1958, 8 % des membres du Parti sont exclus. Mao, qui contrôle alors parfaitement l'appareil, pense pouvoir lancer son peuple dans la recherche d'une voie originale vers le socialisme, le Grand Bond en avant. **A. R.**
> CHINE, MAOÏSME.

CENTO   L'Organisation du pacte central (Central Treaty Organization) succède en 1959 au pacte de Bagdad. Alliance militaire pro-occidentale et antisoviétique au Moyen-Orient, le Cento fait le lien entre l'OTAN (Organisation du traité de l'Atlantique nord) et l'OTASE (Organisation du traité du Sud-Est asiatique). Il réunit la Turquie, l'Iran, le Pakistan et le Royaume-Uni, avec la coopération des États-Unis. La révolution khomeyniste, à la fin des années 1970, aboutit au retrait de l'Iran et précipite le délitement de l'organisation.

CENTRAFRIQUE République centrafricaine. Capitale : Bangui. Superficie : 622 980 km². Population : 3 550 000 (1999). Un siècle durant, la Centrafrique a été le cul-de-sac dans lequel s'est fourvoyé le colonialisme français. Exploré par Michel, et Albert Dolisie, qui fondent Bangui en 1889, le territoire doit permettre de faire la jonction entre l'Afrique occidentale française (AOF) et le Haut-Nil. Or, arrivée à Fachoda en 1898, la colonne du général Jean-Baptiste Marchand (1863-1934) est obligée d'amener le drapeau devant une canonnière britannique et de rebrousser chemin dans des conditions ressenties comme une humiliation nationale en France. Cette colonne s'installe dans l'Oubangui-Chari (appellation coloniale de ce territoire) et rivalise d'exactions avec les autorités du Congo belge voisin pour imposer la collecte du caoutchouc naturel. Entre 1890 et 1940, la moitié de la population périt, victime de la corvée ou de maladies nouvelles. Premier abbé centrafricain, Barthélemy Boganda (1910-1959) organise la lutte d'émancipation, mais trouve la mort dans un accident d'avion, le 29 mars 1959. Un instituteur, David Dacko (1928-), devient président de la République centrafricaine qui proclame son indépendance le 13 août 1960. Cinq ans plus tard, à la faveur du « coup d'État de la Saint-Sylvestre », un ancien enfant de troupe, tirailleur en Indochine et, pour finir, capitaine dans l'armée française, Jean Bedel Bokassa (1921-1996), prend le pouvoir à Bangui. Il s'ensuit, pendant treize années, une martingale dans la folie des grandeurs : « président à vie » en 1972, maréchal en 1974, J. B. Bokassa instaure l'empire en 1976 et organise son sacre napoléonien, avec l'aide de la France, le 4 décembre 1977. « Cher parent » du président français Valéry Giscard d'Estaing (1974-1981), il ne tombe en disgrâce à Paris qu'après la répression sanglante d'émeutes, en janvier 1979, et la mort de 26 écoliers à la prison de Ngaragba, en avril 1979. L'intervention d'un contingent français le 20 septembre 1979, l'opération *Barracuda*, met fin à son régime en son absence, Bokassa Iᵉʳ étant en visite en Libye. Après sept ans d'exil, il retourne inopinément à Bangui, où il est arrêté et jugé. Con-

damné à mort, gracié, il est libéré en 1993, en pleine effervescence démocratique qui ramène au pouvoir, par la voie des urnes, son ancien Premier ministre Ange Félix Patassé (1935-). Pauvre et abandonné, se prenant pour le « 13ᵉ apôtre du Christ », J. B. Bokassa meurt le 3 novembre 1996. Un an plus tard, à la suite de trois mutineries armées contre le pouvoir élu, la France ferme sa base militaire à Bouar, à l'intérieur du pays, et sa base à Bangui, à la mi-avril 1998. Un siècle après Fachoda, Paris évacue sa plaque tournante militaire au cœur du continent. **S. S.**

CENTRE-PÉRIPHÉRIE Formule ayant pour origine la thèse selon laquelle le tiers monde s'est formé historiquement comme « périphérie » par rapport à des pays industriels s'érigeant en « centre » dans le cadre d'une accumulation mondiale, au fil de processus successifs de domination commerciale, technologique, financière et politique. L'un de ses théoriciens a été l'économiste égyptien Samir Amin. **E. A.**

CEYLAN > SRI LANKA.

CHALAMOV Varlam (1907-1982)
Écrivain russe. Né à Vologda, au nord de la Russie, Varlam Chalamov est le cadet d'une famille de cinq enfants. Son père, ecclésiastique aisé, est ruiné par la révolution russe. Élève brillant, V. Chalamov ne peut entrer à l'Université en raison de ses origines sociales (*La Quatrième Vologda*, 1971). C'est seulement après avoir travaillé dans une tannerie qu'il est autorisé, en 1926, à étudier le droit à Moscou, où il participe au bouillonnement de la vie intellectuelle de la capitale (*Les Années 20*). En 1929, après le bannissement de Trotski, il est arrêté dans cette « époque préhitlérienne » pour avoir diffusé le *Testament* de Lénine, très critique à l'endroit de Staline. Il purge trois ans de camp à Vichera dans l'Oural (*Vichera, anti-roman*, 1961). Libéré en 1931, il vit avec sa femme à Moscou, où il est journaliste. Sa fille a deux ans quand il est arrêté une seconde fois, en 1937, pour « activité contre-révolutionnaire trotskiste », alors la plus grave des accusations. Il passe cinq ans dans les camps surpeuplés de

Kolyma, affecté aux mines d'or et brimé par les droits communs (*Essais sur le monde du crime*). Sa peine allongée de dix ans pendant la guerre, il doit son salut, en 1947, à un stage d'auxiliaire médical. À peine libéré, c'est un rescapé qui revient à Moscou après la mort de Staline en 1953. Renié par sa fille et rejeté par sa femme, il trouve quelque réconfort et encouragement auprès de Boris Pasternak (1890-1960) avec qui il correspond depuis 1951. Établi à Tver, où il travaille au service d'approvisionnement, il commence, après les poèmes des *Cahiers de Kolyma* (1949-1956), les *Récits de Kolyma* (1954-1961) qui brossent le tableau le plus insoutenable jamais écrit sur les camps de la mort du Goulag. Mais alors qu'*Une Journée d'Ivan Denissovitch* d'Alexandre Soljénitsyne est publiée en 1962, les *Récits de Kolyma* sont uniquement diffusés par le *samizdat* (feuille clandestine) avant d'être publiés à l'étranger, contre quoi la police l'oblige à écrire une lettre de protestation. Passant outre, Michel Heller (1922-1997) fait paraître en 1978, à Londres, la première édition des *Récits*. Pensionnaire depuis 1979 d'un hospice de vieillards, aveugle et sourd, il est transféré de force dans un hôpital psychiatrique, où il meurt en janvier 1982, âgé de 74 ans. Aussi importante que l'*Univers concentrationnaire* (1945) de David Rousset (1912-1997), *Si c'est un homme* (1958) de Primo Levi (1919-1987) ou *L'Espèce humaine* (1957) de Robert Antelme, l'œuvre de V. Chalamov, comme l'écrivait André Siniavski (1925-1997), témoigne qu'à ses yeux « Pour la Russie stalinienne, Kolyma est la même chose que Dachau ou Auschwitz pour l'Allemagne hitlérienne... ».
M. P. **> DISSIDENCE ET OPPOSITIONS (URSS), SYSTÈME CONCENTRATIONNAIRE.**

CHAMBERLAIN Arthur Neville (1869-1940) Homme politique britannique, ministre de la Santé (1924-1929), chancelier de l'Échiquier (1931-1937), Premier ministre (1937-1940). Fils de Joseph, apôtre de l'impérialisme, demi-frère d'Austen, prix Nobel de la paix après les accords de Locarno en 1925, Arthur Neville Chamberlain a son assise politique familiale, d'abord municipale, puis parlementaire, à Birmingham.

Entré aux Communes à quarante-neuf ans, en 1918, il devient parmi les Tories l'homme d'État le plus considéré et le plus populaire de l'après-guerre. Concepteur en 1928 de la grande réforme de l'administration locale et de l'assistance publique, sauveur de la monnaie et l'un des grands responsables, comme chancelier de l'Échiquier, du relèvement économique dans un cadre protectionniste à partir de la fin 1931, il s'impose comme Premier ministre en 1937. Aux yeux de l'histoire, A. N. Chamberlain est l'« homme de Munich », appliquant une politique de compromis (*appeasement*) avec les dictateurs pour sauver la paix, cédant les Sudètes tchèques à Hitler en échange de la promesse d'une « paix pour mille ans ». Il fonde sa politique sur la conviction que la raison empêchera, après les massacres de la Grande Guerre, tout homme d'État d'aller à la guerre ; cela ne l'empêche pas d'être aussi l'homme du réarmement aérien. Il entame son chemin de Damas le 15 mars 1939, quand l'Allemagne annexe la Bohême, et se lance alors dans une politique effrénée de pactes et d'engagements. Il n'hésite guère à entrer en guerre pour Dantzig, mais il ne sait pas être le chef d'une nation au combat. Rendu responsable, à tort, de l'échec de la campagne de Norvège, A. N. Chamberlain sait, avec dignité, s'effacer au bénéfice de Winston Churchill. Il meurt peu de temps après, à l'âge de soixante et onze ans.
R. Ma. **> ROYAUME-UNI.**

CHARIA ISLAMIQUE La *charia* islamique, dont l'application la plus large est revendiquée par les mouvements islamistes, représente l'ensemble normatif contenu dans le Coran et dans la tradition du prophète Muhammad. Dans l'histoire des sociétés islamiques, cet ensemble, destiné à guider les individus dans tous les aspects de leur vie intime et de leur vie sociale, a constitué un référent dont la force était rappelée par l'obligation faite aux croyants d'admettre le caractère inimitable du Livre. La définition islamique de la norme dépend d'une évaluation des actes humains au regard de la charia, qui opère le partage entre le licite et l'illicite sur la base des principes de vérité et de justice. Le Coran et les traditions rapportées et authentifiées du Prophète donnent à ce sujet un certain nombre d'indications précises concernant les prescriptions religieuses (dogme et culte), la morale individuelle et collective et les droits et devoirs juridiques. Pour ces derniers, le Coran contient plusieurs centaines de normes relatives essentiellement au statut des personnes, au statut des biens et aux sanctions pénales. Certaines de ces normes ont valeur de règles de droit, d'autres sont laissées à la libre appréciation du croyant et engagent son salut au-delà de l'existence terrestre.   **L'**expérience historique des premiers musulmans à Médine, puis la rencontre avec d'autres cultures lors des conquêtes ont posé très tôt la question de l'application de la charia à des conditions sociales différentes. Aux hésitations des tout premiers siècles a succédé une mise en ordre de l'enseignement et de la pratique coraniques : ce fut l'œuvre de savants dont plusieurs ont laissé leur nom à des « écoles » (madhhab), en particulier l'école malékite qui fut la plus généralement suivie au Maghreb ; ce fut l'œuvre aussi de juges chargés de l'application du droit islamique. La jurisprudence islamique (fiqh), qui est une création humaine de normes, est ainsi venue compléter les textes fondateurs, au point que les deux termes de charia et de fiqh furent étroitement associés.   **La question de l'interprétation.** On conçoit donc la centralité historique de la question de l'interprétation (ijtihad) des sources de la loi : les ulama se sont imposés comme les interprètes autorisés du consensus (ijma) de la communauté, se réservant de définir qui avait le droit, et selon quelles procédures, de dire le droit : cette question qui s'est posée dans de nombreuses sociétés, détermine, dans le cas particulier de la culture islamique, la légitimation des pouvoirs politiques institués. Une autre question concerne le statut de sources extra-islamiques du droit (en particulier le droit byzantin et de nombreuses coutumes locales) : occultées ou reconnues par les ulama orthodoxes, ces sources ont été en partie « islamisées » par la pratique judiciaire.   **D**epuis plusieurs siècles et spécialement depuis le xıxᵉ, des transferts de droits européens ont été opérés, de même qu'a été initié un processus de codification

des normes juridiques tirées de la charia (et du fiqh). Ce fut le cas avec une nouvelle législation égyptienne de 1920-1929, qui a servi de modèle à la quasi-totalité des codifications du droit de la famille dans le monde arabe. L'acculturation juridique et institutionnelle qui a résulté de ces transformations récentes des sociétés islamiques est la pierre angulaire de la contestation des régimes politiques par les mouvements islamistes. Ces mouvements, dont certains s'inspirent de l'idéologie du mouvement <u>réformiste musulman</u> égyptien – Muhammad <u>Abduh</u> (1849-1905) notamment – et d'autres, plus radicaux, d'une représentation surtout politique de l'islam, préconisent l'oubli de tout ou partie des jurisprudences humaines (le fiqh) pour inventer une modernité fondée sur la charia, c'est-à-dire une culture fondée sur la mémoire islamique de la révélation et de la tradition prophétique. **B. Bo.**

CHARTE 77 (Tchécoslovaquie)

Mouvement conçu fin 1976 en Tchécoslovaquie et qui – comme des mouvements semblables dans les autres pays du bloc soviétique européen, y compris en URSS – s'inspire des accords de <u>Helsinki</u> de 1975 et de ce qui y concerne les <u>droits de l'homme</u> et du citoyen. Sa première déclaration, signée par 243 personnes, est le fait de groupements ou individus jusqu'alors isolés, mettant l'accent sur la défense des droits de l'homme violés par les gouvernants communistes. Ce mouvement ne se définit pas comme politique, mais d'abord comme moral, et n'exclut pas le dialogue avec le pouvoir. Il s'engage à formuler des analyses et propositions, à s'ouvrir à d'autres signataires et à se doter régulièrement de trois porte-parole, représentant les courants essentiels qui l'ont formé : mouvance musicale « underground », ex-communistes, chrétiens. Les premiers porte-parole sont le philosophe Jan Patocka (1907-1977), l'ex-ministre des Affaires étrangères du printemps de <u>Prague</u> de 1968 Jiri Hajek (1913-1993) et le dramaturge Václav <u>Havel</u>. Le pouvoir réagit avec violence et par une campagne hystérique : le cœur de J. Patocka lache après des interrogatoires épuisants,

V. Havel est emprisonné, tous les signataires sont interpellés. La Charte 77 est restée un mouvement marginal ; 978 signataires l'avaient rejointe fin avril 1978 et leur nombre ne dépassait pas 2 000 en novembre 1989. Pourtant, elle a inspiré de vifs débats, en particulier entre les partisans d'une approche morale, de la « politique apolitique » (V. Havel), et ceux qui prônaient la nécessité d'une vraie opposition politique ; elle a ouvert un espace à de nouvelles initiatives civiques – comme le Comité de défense des personnes injustement persécutées – et à l'épanouissement du *samizdat*. (feuille clandestine) **K. B.** **> DISSIDENCE ET OPPOSITIONS (EUROPE DE L'EST), TCHÉCOSLOVAQUIE.**

CHARTE DE L'ONU Adoptée le 24 mai 1945 à San Francisco, la charte de l'ONU comprend un préambule et 19 chapitres divisés en 111 articles. Le préambule qui présente les grands objectifs des Nations unies, dans un style déclamatoire, débute par : « Nous les peuples... », bien qu'il s'agisse d'une organisation interétatique. Le chapitre 1 complète la formulation des buts et principes. L'article 2 §7 précise que l'ONU n'est pas autorisée à « intervenir dans les affaires qui relèvent essentiellement de la compétence nationale d'un État ». Au chapitre III, l'article 7 §1 énumère les « organes principaux » de l'ONU : l'Assemblée générale (définie au chapitre IV), le Conseil de sécurité (chapitre V), le Conseil économique et social (Ecosoc, chapitre X), le Conseil de tutelle (chapitre XIII, articles 86 à 91), la Cour internationale de justice (chapitre XIV), le Secrétariat (chapitre XV). Le cœur de la Charte se situe au chapitre VII (action en cas de menace contre la paix, de rupture de la paix et d'acte d'agression), flanqué des chapitres VI (sur le règlement pacifique des différends) et VIII (sur les accords régionaux). Comme le Pacte de la SDN (Société des Nations), la Charte repose essentiellement sur une alliance militaire qui doit assurer la « sécurité collective ». Le Conseil de sécurité (11 membres à l'origine, puis 15 en vertu d'un amendement de 1965) compte 5 membres permanents désignés à l'article 23 (Chine, France, Royaume-Uni, URSS [Russie après 1991], États-Unis). Il peut « constater l'existence d'une menace contre la paix » (article 39), prendre des mesures et décider de sanctions économiques (article 41) ou une action militaire (article 42). Des forces armées doivent être mises à sa disposition par les États membres (article 43), en vertu d'accords spéciaux à négocier « aussitôt que possible » (ils n'ont jamais été établis). L'emploi de ces forces est planifié par un Comité d'État-major qui assiste le Conseil (il n'a jamais rempli cette fonction). Le secrétaire général peut (article 99) « attirer l'attention du Conseil sur toute affaire qui, à son avis, pourrait mettre en danger le maintien de la paix et de la sécurité internationale ». La notion de maintien de la paix par interposition de casques bleus n'est pas dans la Charte. Elle a été inventée par le Suédois Dag Hammarskjöld (1905-1961) et le Canadien Lester Pearson, pour mettre fin à la guerre de Suez en 1956. **M. B.** **> ONU.**

CHASSE AUX SORCIÈRES Le 21 mars 1947, par le décret présidentiel n° 9835, le président des États-Unis Harry Truman établit un programme de vérification de la loyauté des fonctionnaires fédéraux. C'est le début d'une répression politique de grande ampleur. Les démocrates ont voulu cette croisade pour montrer leur volonté de s'opposer nettement au communisme soviétique et à son avatar national, cherchant ainsi à couper l'herbe sous le pied de l'opposition républicaine en s'emparant de son thème favori, l'anticommunisme : ils ne sont pas des victimes innocentes mais des apprentis sorciers qui tombent dans le piège qu'ils ont eux-mêmes façonné. En 1950, la Guerre froide bat son plein et la peur, encore diffuse, d'une subversion communiste généralisée s'empare des Américains. Dans ce climat, un obscur sénateur du Wisconsin, politicien roublard et menteur, se fait le champion d'un anticommunisme démagogique et parvient à provoquer un large mouvement d'opinion qui portera son nom : le maccarthysme. Car, si Joseph McCarthy (1909-1957) n'a pas « inventé » la chasse aux sorcières, c'est, à coup sûr, lui qui l'a exacerbée. Paradoxalement, le Parti communiste à ce moment ne compte qu'un nombre insignifiant de membres. Mais à l'époque, on parle de l'« influence » exercée par le parti et ses sympathisants. Dès lors, n'importe qui peut être suspecté : le libéral devient un progressiste et le progressiste un communiste, donc un espion à la solde de Moscou.   De 1950 à 1954, le climat d'inquisition se développe. Le mouvement s'accélère alors, se gonfle : de commissions en sous-commissions, les enquêtes prolifèrent, la suspicion se généralise. En quelques mois, l'épidémie atteint un nombre incalculable de citoyens. D'interminables listes noires circulent. Ceux qui y figurent seront lourdement touchés : emplois perdus, carrières brisées, vies gâchées, honneur bafoué... Tous les secteurs sont concernés : la commission de l'énergie atomique mais aussi l'enseignement, la radio et la télévision mais aussi le cinéma, les syndicats mais aussi les milieux intellectuels. Il fallut que J. McCarthy s'attaque à l'armée pour que ses excès deviennent apparents : le Sénat finira par voter contre lui, en 1954, une motion de blâme qui marque la fin du maccarthysme, à tout le moins dans ses aspects les plus virulents. **M.-F. T.   > ÉTATS-UNIS, GUERRE FROIDE (PREMIÈRE).**

CHEIKH SAID Muhammad (?-1925)

Nationaliste kurde. Muhammad Cheikh nakchibendi Said (dit de Piran) adhère à l'organisation nationaliste kurde Azadi (Liberté) en 1924 et dirige la révolte qui est connue sous son nom en 1925. Son opposition à Ankara présente deux volets : religieux (lié à l'abolition du califat en 1924) et nationaliste (« Chasser les Turcs nomades qui [...] ont transformé le Kurdistan en abri pour les hiboux et les loups gris touraniens »). Ses appels à l'insurrection, signés « l'émir des *moudjahidin* » (des combattants du *jihad*), aboutissent à la mobilisation de milliers de combattants. Les insurgés s'emparent rapidement de plusieurs villes (février 1925). Pour restaurer son autorité, le pouvoir kémaliste mobilise plus de 50 000 hommes et encercle la région en faisant transiter ses forces par la Syrie. De même, il interdit toute opposition légale et instaure le régime de parti unique.   La révolte est écrasée en

avril 1925. Dénoncé par l'un de ses proches, Cheikh Said est arrêté et condamné à mort pour avoir tenté de « séparer une partie de la patrie turque et de détruire l'unité du pays ». Il est exécuté, avec 46 de ses compagnons, le 30 juin 1925 à Diyarbakir. La répression de la révolte qui a coûté un tiers du budget annuel de la Turquie aurait fait, selon les sources kurdes, 15 000 morts parmi la population civile. Elle a également marqué le début d'un vaste programme de déportation. Enfin, sur le plan symbolique, Mustafa Kemal l'a définie comme la première guerre de l'histoire turque où « nos soldats se sont battus pour leurs idéaux, pour un but noble ».   Depuis, la figure de Cheikh Said habite la mémoire kurde comme la mémoire républicaine. Martyr de la résistance nationale pour l'une, elle incarne une double menace, kurde et « islamiste », pour l'autre. **H. B.   > QUESTION KURDE, TURQUIE.**

CHEMIN DES DAMES En 1917,
pendant le premier conflit mondial, le général français Robert Nivelle (1856-1924) propose aux Alliés de rompre le front ouest, malgré les échecs meurtriers de l'année précédente (Verdun, Somme). Il mise sur la surprise en concentrant les tirs d'artillerie et les attaques soudaines des fantassins. L'offensive est lancée le 16 avril au Chemin des Dames, ligne de crête entre Soissons et Reims. L'échec est presque immédiat. Les vagues d'assaut se brisent sur les positions allemandes bien abritées dans des casemates bétonnées. Les pertes sont colossales : 270 000 victimes du côté français, 163 000 chez les Allemands. Elles entraînent des mutineries, comme celle de Craonne, dans l'armée française. Le général Nivelle est remplacé par le général Philippe Pétain qui décide d'attendre « les tanks et les Américains ». **M. J., A. L.   > GRANDE GUERRE.**

CHIAPAS État fédéré du Mexique de
74 211 km^2 et 3 210 000 habitants (1999). Le Chiapas est un État indien rural centraméricain situé au sud du Mexique, sur l'océan Pacifique. Marquant la frontière avec le Guatémala, il appartient au monde centraméricain par ses traditions et ses popula-

tions. La réforme agraire n'a été que partiellement appliquée dans cette région où un petit nombre de propriétaires détiennent la majorité des terres. La plupart des parcelles indiennes cultivables, situées dans les zones les moins favorisées, ne comptent pas plus de 5 ha. La mainmise des caciques locaux sur la terre est à l'origine de luttes agraires qui troublent périodiquement l'ordre public. L'arrivée de nombreux réfugiés guatémaltèques dans les années 1980 avive les tensions. Le 1er janvier 1994, date de l'entrée en vigueur de l'ALENA (Accord de libre-échange nord-américain), l'Armée zapatiste de libération nationale (EZLN) occupe quatre cités du Chiapas, réclamant notamment une réforme agraire et la reconnaissance des droits et coutumes des Indiens. Ce coup de force met en lumière les difficultés de l'État le plus pauvre du Mexique. Pourtant, malgré la révolte des zapatistes et la percée politique des partis d'opposition, le PRI (Parti révolutionnaire institutionnel, au pouvoir jusqu'en 2000) restait puissant dans cette région où la population semblait prise entre son désir d'accéder à la terre et la peur de la répression. **É. S.** **> MEXIQUE.**

CHILI République du Chili. Capitale : Santiago du Chili. Superficie : 756 945 km². Population : 15 019 000 (1999). L'annexion de territoires boliviens et péruviens après la guerre du Pacifique (1879-1883) fait du Chili une économie minière (cuivre et salpêtre), et dote l'État de nouveaux revenus pour la création de services publics. La classe moyenne urbaine, apparue dès les années 1850 et représentée à partir des années 1880 par le Parti radical (1888, par scission du Parti libéral) et le Parti démocratique (1887, lié aux artisans), se renforce. Les mineurs et les ouvriers des transports forment les premiers groupes socialistes au tournant du siècle. Le Parti ouvrier socialiste, créé par les mineurs en 1912, devient en 1922 le Parti communiste. L'oligarchie terrienne, partagée entre libéraux et conservateurs, ne prend pas la mesure de ces évolutions. Après la défaite du président José Manuel Balmaceda (1840-1891) lors de la brève guerre civile de 1891, elle obtient l'instauration d'un régime

« parlementaire », ajoutant au marasme agricole et à l'endettement de l'État une instabilité politique, qui sera particulièrement forte dans les années 1920-1932. Il faudra ainsi l'intervention militaire du 11 septembre 1924 pour que soient adoptées des réformes sociales et une nouvelle Constitution (régime présidentiel, séparation de l'Église et de l'État, code du travail) sous le mandat d'Arturo Alessandri Palma (1920-1926). La crise de 1929 touche durement le secteur minier et entraîne l'intervention économique de l'État dès la présidence autoritaire du général Carlos Ibáñez del Campo (1927-1931). De l'éphémère « République socialiste » de juin 1932 naît le Parti socialiste (PS) du Chili en 1933. Les politiques palliatives sont maintenues sous le second mandat Alessandri (1932-1938). **Les réformes du Front populaire.** L'élection du radical Pedro Aguirre Cerda (1879-1941) en 1938, candidat du Front populaire formé par les radicaux, les communistes et les socialistes, et soutenu par les syndicats, permet d'engager des réformes décisives dans les domaines de l'éducation et de la santé, ainsi que dans celui de l'industrialisation. D'abord neutre, le Chili, sous la présidence du radical Juan Antonio Ríos (1942-1946), s'engage aux côtés des Alliés en 1942. La prospérité liée aux exportations de cuivre dure jusqu'au boom de la guerre de Corée (1950-1953) et favorise ainsi une nouvelle extension des politiques sociales. Le mandat du radical Gabriel González Videla (1946-1952) voit les États-Unis étendre leur influence par leurs prêts et leurs investissements miniers. Le PS refuse la reconduction du Front populaire. Sous l'effet de la Guerre froide, le gouvernement radical associe dès 1947 les libéraux et écarte le Parti communiste. Le droit de vote est accordé aux femmes en 1949. En 1952, l'ancien dictateur I. del Campo, élu président sur un programme populiste, gouverne avec la droite mais poursuit la politique des radicaux. Malgré une croissance non négligeable, les grandes inégalités sociales ne diminuent pas dans un pays désormais majoritairement urbain. **Consolidation des organisations sociales.** Avec l'extension du droit de vote aux analphabètes, une nouvelle étape commence à la fin des années 1950. La Centrale unique des travailleurs (CUT) rassemble dès sa fondation en 1953 les syndicats d'ouvriers et d'employés. En 1957, les courants du Parti conservateur, inspirés par la doctrine sociale de l'Église, créent le Parti démocrate-chrétien (PDC). Sous la houlette de Salvador <u>Allende</u>, socialistes et communistes s'associent, les premiers refusant de s'allier avec la gauche non marxiste. **La politique** d'industrialisation du président Jorge Alessandri Rodríguez (1958-1964), soutenu par la droite, ne vient pas à bout de l'inflation et du chômage. **La** victoire du démocrate-chrétien Eduardo Frei Montalva (1911-1982) à la présidentielle de 1964, avec 56 % des suffrages grâce au soutien de la droite, conduit libéraux et conservateurs à se regrouper au sein du Parti national en 1965. Une fraction du Parti radical, en déclin, se rapproche de la gauche. « La révolution dans la liberté » de E. Frei en appelle aux secteurs populaires dans une tonalité nettement antimarxiste et lance de grandes réformes structurelles. Prenant une participation dominante dans la production de cuivre, l'État assure 75 % des investissements productifs du pays, mais la réforme agraire et les mesures destinées aux secteurs défavorisés attisent l'opposition de l'oligarchie foncière et financière. **De Salvador Allende à Augusto Pinochet.** En 1969, l'Unité populaire (UP) est fondée sur l'alliance de la gauche marxiste (socialistes et communistes) avec les fractions radicalisées du PDC et du Parti radical. Son candidat, S. Allende, défend une « transition pacifique vers le socialisme ». Sans majorité absolue au premier tour, il est élu au second (24 octobre 1970) par le Congrès avec le soutien du PDC. La mise en œuvre du son programme permet à l'UP de progresser aux élections municipales de 1971. L'intransigeance du PS, les actions de débordement du Mouvement de la gauche révolutionnaire (MIR, créé en 1965) et la perte du soutien des classes moyennes devant l'effondrement économique, dû à la maladresse du gouvernement et à la déstabilisation orchestrée par la droite avec l'appui des États-Unis, augmentent la polarisation. Après la victoire relative de l'UP aux élections législatives de mars 1973

(43,4 % des suffrages), la droite, rejointe par le PDC qui refuse de négocier avec S. Allende, en appelle aux militaires. **Seize ans de dictature.** Le coup d'État militaire du 11 septembre 1973 est profondément réactionnaire. Dirigeant la Junte, le général Augusto <u>Pinochet</u>, à la tête de l'armée de terre, se fait nommer président dès 1974. Il impose l'ouverture de l'économie et une totale dérégulation sociale. La nouvelle Constitution, entrée en vigueur en mars 1981, ferme la période la plus répressive. Les quatre cinquièmes des 2 115 victimes recensées par la Commission « vérité et réconciliation », en 1991, sont morts entre 1973 et 1977. L'organe central de la répression est la Direction d'intelligence nationale (DINA, police politique), qui coordonne les « disparitions » d'opposants. Le régime surmonte la grave crise financière de 1982 et la montée des revendications sociales. **L'**opposition, malgré le soutien de l'Église, très active dans la protection des <u>droits de l'homme</u>, ne s'unit qu'à la veille du plébiscite présidentiel du 5 octobre 1988. La victoire de la Concertation des partis pour le « non », fondée sur l'alliance de centre gauche entre socialistes et démocrates-chrétiens, conduit aux élections libres de décembre 1989. Elles sont remportées par le démocrate-chrétien Patricio Aylwin (1918-), candidat de la Concertation des partis pour la démocratie. **R**econduite au pouvoir par les classes moyennes et défavorisées en 1994, puis en 2000 avec le socialiste Ricardo Lagos (1938-), la Concertation gouverne un Chili souvent cité comme bon élève de la <u>mondialisation</u> pour sa très longue période de croissance, et où les « enclaves autoritaires » de la Constitution de 1980 (sénateurs désignés, pouvoir d'arbitrage politique des militaires notamment) rendent difficile toute réforme sociale d'envergure. **S. J.**

CHINE République populaire de Chine. Capitale : Pékin (Beijing). Superficie : 9 596 961 km^2. Population : 1 255 698 000 (1999). **V**ictime durant le XIXe siècle, à partir des « guerres de l'Opium » (1840-1860), des agressions des puissances dominantes d'alors et menacé d'implosion par d'énormes soulèvements populaires (Taiping, 1851-1864), l'Empire mandchou se propose tardivement de rattraper son retard tout en préservant l'identité de la civilisation chinoise. Cette quête longtemps infructueuse de la puissance et de la modernisation scande l'histoire du siècle, avec l'agonie de l'empire (1898-1916), les années tumultueuses de l'illusion urbaine (1915-1927), l'avortement de la révolution nationaliste (1928-1949) et l'impasse meurtrière du socialisme maoïste (1949-1978). Peut-on envisager que la « réforme » lancée par Deng Xiaoping et continuée par ses successeurs ouvre enfin une « voie chinoise » de développement ? **L'agonie de l'empire mandchou (1898-1916).** Avec le « mouvement des choses étrangères » *(yangwu)*, l'empire essaie durant le dernier quart du XIXᵉ siècle de s'approprier la technologie de l'Occident, surtout militaire, tout en préservant son essence néo-confucéenne. En vain. Devant ce premier échec, l'empereur Guangxu (1875-1908), conseillé par Kang Youwei (1858-1927) veut en 1898 imposer par le haut un « Meiji » – restauration modernisatrice au Japon (1868-1912) – à la chinoise. En vain. Dans le pays, entre 1898 et 1901, l'ampleur de la révolte millénariste des « boxeurs » (société secrète adepte des formes rituelles de combat se croyant hors d'atteinte des armes modernes) témoigne du rejet populaire de toutes les intrusions « barbares », du christianisme au télégraphe, des écoles modernes aux chemins de fer. La formidable intervention militaire des huit grandes puissances d'alors (Royaume-Uni, France, Allemagne, Russie, États-Unis, Japon, Autriche-Hongrie et Italie) qui s'emparent de Pékin dans la seconde moitié de 1900, rappelle l'incapacité de la dynastie à défendre le pays. La très conservatrice impératrice douairière Cixi (1835-1908) se résigne enfin, par l'édit de janvier 1901, à autoriser des réformes institutionnelles qui ébranlent encore davantage un édifice déjà miné à la base. Les notables locaux consolident leur pouvoir entre 1909 et 1911 alors qu'un corps électoral représentant 1 % de la population élit des assemblées provinciales qu'ils dominent. Mais le 20 août 1905, un mouvement révolutionnaire avait été fondé, sous le nom de Ligue jurée, à Tokyo,

parmi les étudiants chinois et avec les fonds des Chinois de la diaspora. Cette Ligue se proposait de chasser les Mandchous et de proclamer une république qui sauverait la Chine du dépècement colonial et la moderniserait. Le président de la Ligue, Sun Yatsen (Sun Zhongshan), avait tenté sans succès divers soulèvements dans le sud de la Chine. Toutefois celui qui réussit, le 10 octobre 1911 à Wuhan, a dans les premiers temps tous les traits d'un putsch et doit peu de chose aux révolutionnaires. Enhardies par ce succès inespéré, diverses provinces de Chine centrale et méridionale se déclarent indépendantes de Pékin : les notables locaux confirment leur puissance nouvelle. Menacés par la contre-offensive des armées mandchoues commandées par Yuan Shikai (1859-1916), notables et révolutionnaires s'accordent pour confier à Sun la présidence provisoire de la République qu'ils proclament à Nankin le 1ᵉʳ janvier 1912. Mais dès le 12 février, celui-ci démissionne au profit de Yuan Shikai qui avait obtenu l'abdication de l'empereur enfant Puyi (1906-1967). Les forces du changement ne pesaient pas assez face aux notables et à l'armée. Aussi la jeune république devient-elle dès 1913 une dictature militaire sous Yuan Shikai qui cherche à fonder à son profit une nouvelle dynastie. Quand il meurt, les « gouverneurs militaires » qu'il a nommés dans les provinces commencent à se disputer le pouvoir : ce sont les « seigneurs de la guerre ». **L'illusion urbaine (1915-1927).** En fait, la Chine cherche un nouvel équilibre : l'empire est mort et nul ambitieux ne pourra plus le restaurer, mais la Chine de l'ancien régime domine encore dans les campagnes où vivent 90 % des 500 millions de Chinois. Une Chine côtière urbaine et ouverte sur le monde s'est développée, mais son influence demeure marginale et ses bases sont fragiles. La Première Guerre mondiale a entraîné l'effacement des entreprises étrangères qui dominaient le marché chinois, permettant la montée d'entrepreneurs chinois qui s'équipent : c'est l'« âge d'or de la bourgeoisie chinoise ». Cette bourgeoisie pense toutefois au-dessus de ses moyens. Elle rêve de libéralisme, en profitant paradoxalement de l'affaiblissement du pouvoir central. Dès que la crise économique de l'après-guerre survient, elle désire cependant un État fort qui la protégerait de ses redoutables rivaux étrangers de retour sur le marché chinois. Elle parle de démocratie et de liberté, mais il ne s'agit que de mots importés. L'arbre de la liberté n'a pas de racines. Dans la Chine profonde sévissent les deux millions de soldats des 1 300 seigneurs de la guerre, qui animent 170 conflits locaux entre 1916 et 1928, ainsi que quelque vingt millions de bandits permanents ou saisonniers. La famine y est quasi endémique et frappe des paysans dépourvus de réserves du fait du triple fardeau des impôts, de l'usure et de la rente foncière. La Chine compte dix-huit millions d'opiomanes endurcis qui enrichissent les réseaux des Triades (sociétés secrètes mafieuses). Dans la Chine côtière, au contraire, les idées nouvelles se répandent et on se passionne pêle-mêle pour le libéralisme anglo-saxon, l'anarchisme japonais ou russe, le socialisme de la révolution d'Octobre : est bon tout ce qui pourrait « sauver le pays ». L'utopie sociale connaît de beaux jours, notamment dans la jeunesse des écoles. Aussi, quand on apprend que les vainqueurs de la Première Guerre mondiale, par le traité de Versailles, ont attribué au Japon la province chinoise du Shandong que l'Allemagne avait contrôlée jusqu'en 1914, les étudiants et divers professeurs de la prestigieuse université de Pékin descendent dans la rue pour ce qui restera dans l'histoire comme le mouvement du 4 mai 1919. Ils dénoncent l'impérialisme et le confucianisme, causes selon eux de la faiblesse chinoise. Le mouvement fait tache d'huile dans les grandes villes et entraîne les forces nouvelles apparues depuis peu, la bourgeoisie, les professions libérales et le prolétariat industriel. Le militantisme bruyant de ces nouveaux venus en politique masque leur faiblesse numérique. Deux partis politiques cherchent à canaliser cette force nouvelle. Le Kuomintang (Guomindang), issu depuis août 1912 de la Ligue jurée, est dirigé par Sun Yat-sen qui est parvenu à établir une base territoriale dans la province de Canton. Le Parti communiste chinois (PCC), né en juillet 1921 à Shanghai et dirigé par un des professeurs qui avaient animé le mouvement du 4 mai 1919,

Chen Duxiu (1879-1942), fonde des syndicats révolutionnaires parmi les rares ouvriers qualifiés. Le 1er janvier 1924, le Guomindang admet dans ses rangs ses militants communistes : ils ne sont que quelques milliers et fournissent des cadres à cette première révolution nationaliste. Ce front uni est dopé par le succès d'un mouvement de grève développé à partir du 30 mai 1925 à Shanghai, puis à Hong Kong, contre les brutalités impérialistes. Dans ce contexte, le général Tchiang Kai-chek (Jiang Jieshi), qui succède à Sun Yat-sen décédé, commence l'expédition du Nord, en juillet 1926, qui place assez vite sous son contrôle toute la Chine au sud du Yangzi. Cependant le dynamisme d'un mouvement qui donne de folles espérances aux ouvriers, aux paysans et aux intellectuels radicaux, entraîne la rupture du front uni entre les nationalistes modérés et les communistes. Ceux-ci sont brutalement éliminés à partir du 12 avril 1927. Le 10 octobre 1928, la Chine est réunifiée sous la direction du Guomindang, dans lequel les forces de la Chine profonde reprennent le dessus dans le cadre de la dynamique de la répression. **La révolution avortée du Guomindang (1927-1949).** Le mandat implicite du nouveau régime était de fonder un État fort, susceptible de faire face aux agressions étrangères, d'unifier le pays et de relancer le processus modernisateur interrompu par la montée du chaos. Vues sous cet angle, les deux décennies de la révolution nationaliste constituent un échec patent. De 1927 à 1937, l'État fort n'est qu'une superstructure autoritaire que se disputent les cliques politiciennes du Guomindang. La République de Chine, qui a choisi Nankin comme capitale, prend très vite les traits d'un pouvoir policier et militaire utilisant les réseaux mafieux des sociétés secrètes pour contrôler la société urbaine et passant la main aux notables conservateurs dans les villages. La bourgeoisie chinoise, minée à partir de 1931 par la Grande Crise, doit se soumettre à une bureaucratie prédatrice et renoncer à ses rêves. Cet État, d'ailleurs, ne contrôle vraiment que la Chine centrale axée sur le fleuve Yangzi, laissant les provinces périphériques aux mains de « seigneurs de la guerre » ralliés, sans parler d'une partie du

Jiangxi et du Nord-Hubei où les communistes fondent une république soviétique en novembre 1931, placée sous la présidence de Mao Tsé-toung (Mao Zedong). **Pis,** les Japonais lui arrachent en septembre 1931 la riche Mandchourie et grignotent la Chine du Nord jusqu'en juillet 1937 où le mécontentement des populations urbaines oblige Tchiang Kai-chek à réagir, ce qui déclenche la guerre sino-japonaise. De 1937 à 1945, les armées japonaises s'emparent de l'essentiel de la Chine côtière, où elles établissent des régimes fantoches. Elles contraignent les forces de Tchiang à se retirer dans le lointain Sichuan avec Chongqing pour capitale de guerre. Les performances de l'immense armée nationaliste sont médiocres, alors que les communistes, réfugiés en Chine du Nord, au Shaanxi, à l'issue de la Longue Marche (octobre 1934-octobre 1935), s'affirment comme des patriotes efficaces. Dans la zone qu'ils contrôlent autour de Yan'an, ils mettent en œuvre une réforme agraire modérée, à laquelle le Guomindang avait renoncé. En 1945, à la tête d'une armée d'un million d'hommes et d'un territoire peuplé de 100 millions d'habitants, ils défient le Guomindang, usé par la guerre et englué dans le conservatisme. **De** 1946 à 1949, la guerre civile qui a repris révèle la perte d'autorité du Guomindang, lâché par les populations urbaines, alors que les paysans se tournent vers les communistes. Durant l'hiver 1948-1949, ces derniers remportent des succès militaires décisifs. Face à un Guomindang discrédité par la corruption et l'inflation, le PCC a su revêtir la forme de l'espérance. Le 1er octobre 1949, Mao Zedong proclame à Pékin la République populaire de Chine. **T**outefois, réfugié à Taïwan – redevenue chinoise après la capitulation japonaise du 15 août 1945 – le Guomindang (« Kuomintang » pour la graphie taïwanaise) prolonge l'existence de la République de Chine. Après des années très difficiles, cette République décollera économiquement durant les années 1970 et se démocratisera dans les années 1980-1990. Ce succès quasi posthume du Kuomintang sera dû, pour une large part, à la réforme agraire imposée par les alliés

américains. **L'impasse du socialisme maoïste.** De 1949 à 1956, le Parti communiste au pouvoir bâtit la Chine nouvelle en suivant le modèle de l'URSS et donne l'impression de réussir là où le Guomindang avait échoué. Le parti unique assoit sa dictature en quadrillant la société, en uniformisant la pensée et en établissant un système répressif, le Laogai, inspiré du Goulag soviétique. Des réformes de base sont faites, qui correspondent à des aspirations du peuple chinois : réforme agraire en 1950, réforme du mariage, la même année, qui fait de la femme l'égale juridique de l'homme. La paix civile est restaurée et l'économie remise sur pied. Le premier plan quinquennal, lancé en 1953, procède dès 1955 à la collectivisation des terres et dès 1956 à la nationalisation de tous les grands moyens de production et d'échange. Le capitalisme chinois meurt avant d'avoir pleinement existé. Le VIIIe congrès du PCC, en automne 1956, est un congrès de victoire, alors que la Chine a repris le contrôle de ses provinces peuplées de non-Han, comme le Tibet (août 1951), et retrouvé sa place dans la région. Intervenant en octobre 1950 dans la guerre de Corée contre les forces de l'ONU, la Chine a défié les États-Unis et conquis une autorité internationale, confirmée par son rôle à la conférence de Genève sur la Corée et l'Indochine (mai 1954) et à la conférence de Bandung des non-alignés (avril 1955). Toutefois, elle n'apparaît que comme le brillant second de l'URSS, à laquelle elle est liée depuis février 1950 par un traité, et elle a perdu le siège chinois à l'ONU, qui est allé à la République de Chine (Taïwan). Cette dernière a reçu le soutien actif des États-Unis, sa séparation d'avec le continent s'en trouvant consolidée. D'autres raisons de mécontentement amènent Mao Zedong à prendre ses distances avec le modèle soviétique. **De** 1957 à 1966, il lance la « campagne des Cent Fleurs » (février-juin 1957), terminée par la campagne antidroitière qui creuse un premier fossé entre le Parti et les intellectuels, puis le Grand Bond en avant (1958-1962), qui débouche sur l'une des plus grandes catastrophes de l'histoire du pays. Mais Mao s'obstine, tandis que le schisme sino-soviétique, consommé en 1963, et l'isolement international de Pékin rendent la situation dramatique. Il passe à l'offensive en septembre 1962 contre ses adversaires politiques fragilisés par ce contexte.　De 1966 à 1976, la <u>Révolution culturelle</u> constitue une tentative désespérée de transformer une utopie en une politique réelle. Toutefois, deux faits surviennent durant ces années sanglantes qui sont porteurs de changements considérables : la Chine se rapproche des États-Unis en février 1972 (voyage du président américain Richard <u>Nixon</u> [1969-1974] en Chine) et la « révolution verte » commence à bouleverser les campagnes chinoises.　**La « voie chinoise », enfin ?** Deng Xiaoping prend le pouvoir en décembre 1978 en profitant de ce contexte nouveau. Dans les campagnes s'opère une « révolution silencieuse », la paysannerie étant engagée dans une décollectivisation générale, ce que traduit la dissolution des « communes populaires » en 1985. Des « zones économiques spéciales » (notamment celle de Shenzhen) préparent les Chinois à l'économie de marché. Tout changement politique qui remettrait en cause la dictature du Parti communiste reste cependant impossible. Puis la réforme marque le pas. À la ville, les entreprises d'État assurent l'ordre social au détriment de la productivité, mais toute tentative pour les démanteler se heurte à une sourde résistance. Le maintien d'un système des prix fixés de façon autoritaire et le retard de l'offre sur la demande, alors que l'économie s'ouvre au marché, favorisent la corruption. Hu Yaobang (1915-1989), secrétaire général du PCC, cherche à sortir de ces dilemmes et à étendre la réforme au domaine de la politique. En 1982, le XIIᵉ congrès du PCC amorce ce changement, illustré par l'adoption d'une nouvelle Constitution. Hu Yaobang est renvoyé en 1986. Son successeur, <u>Zhao Ziyang</u> (1919-), se heurte aux mêmes problèmes, aggravés par une forte inflation. La crise de la réforme, entre 1988 et 1989, prend du 15 avril au 4 juin 1989 la forme aiguë d'une occupation de la place <u>Tian An Men</u> par des milliers d'étudiants, soutenus par la population. Les protestataires exigent le départ de Deng Xiaoping, dont l'autorité prévaut toujours sur celle des responsables

officiels, et dénoncent la corruption généralisée. Deng Xiaoping et la majorité des dirigeants communistes choisissent la répression. L'armée tue un à deux milliers de manifestants pacifiques dans la nuit du 4 au 5 juin 1989. Zhao Ziyang, favorable au dialogue avec les étudiants, est destitué, au profit de <u>Jiang Zemin</u>, qui a su maintenir l'ordre à Shanghai. Toutefois, quand le courant conservateur, avec le nouveau Premier ministre <u>Li Peng</u>, veut restaurer le contrôle de l'État sur l'économie, il échoue.　**En** janvier 1992, Deng Xiaoping fait une tournée officielle en Chine du Sud pour relancer sa « réforme ». Malgré les scandales financiers et les tensions sociales à la ville comme à la campagne, il y parvient. Le pays, dans les années 1990, connaît une croissance très forte (9,7 % par an en moyenne entre 1987 et 1997). Cette révolution capitaliste spectaculaire se réalise sur fond d'immobilisme politique. Deng assure enfin sa succession, avec le triumvirat Jiang Zemin, <u>Zhu Ronqji</u>, Li Peng. En 1997, Hong Kong est rattaché à la Chine sans difficulté. Il en est de même pour <u>Macao</u> en 1999.　**L'**avenir, au tournant du siècle, apparaissait cependant hypothéqué par l'impasse du rattachement de Taïwan, dont le président Lee Teng-hui (1988-) affirma en 1999 qu'elle formait l'autre État chinois, le refus obstiné de la reconnaissance des droits politiques d'une opposition, et les tensions centrifuges de la périphérie chinoise (Tibet et <u>Ouïgours</u> du <u>Xinjiang</u>). Le dragon chinois, affaissé au début du siècle, est à nouveau debout. Malgré ses succès, la Chine demeure toutefois une « grande puissance faible ». **A. R.**
> DISSIDENCE ET OPPOSITIONS (CHINE), MAOÏSME, MARXISME-LÉNINISME, SOCIALISME ET COMMUNISME.

CHOC PÉTROLIER　En 1973, réagissant au soutien apporté par les États-Unis et la plupart de leurs alliés occidentaux à Israël dans la guerre dite du « Kippour » (ou d'« Octobre »), l'Organisation des pays arabes producteurs de pétrole (OPAEP) décide de placer sous embargo les exportations vers les États-Unis et vers l'Europe occidentale. Il en résulte le premier « choc pétrolier » : les prix flambent et sont (en deux temps) multipliés par quatre. Un deuxième choc pétrolier intervient en 1979, dans le contexte de la révolution khomeyniste en Iran. En 1986 aura lieu un « contre-choc pétrolier » du fait du non-respect de ses quotas de production par l'Arabie saoudite, étroitement alliée aux États-Unis. Une nouvelle flambée des prix a lieu en 2000.

CHURCHILL Winston Spencer (1874-1965) Homme politique britannique, ministre de la Marine (1911-1915), chancelier de l'Échiquier (1924-1929), Premier ministre (1940-1945 ; 1951-1955). Né en 1874, fils d'un grand homme d'État, Lord Randolph, membre de l'illustre famille des Marlborough, Winston Spencer Churchill renonce en 1899 à une brève carrière militaire et, en 1900, est élu député. Alors conservateur, il rejoint les libéraux en 1904, en invoquant ses convictions de réformateur social, et entame rapidement une brillante carrière ministérielle, occupant dès avant 1914 des postes importants comme l'Intérieur, puis la Marine. Démissionnaire de ce dernier ministère en 1915 après la malheureuse expédition des Dardanelles, un temps écarté du pouvoir, il y revient à différents postes entre 1917 et 1922 et se fait alors l'apôtre d'un antibolchévisme forcené, à l'intérieur comme à l'extérieur. Désertant les libéraux divisés, il regagne le giron conservateur. Chancelier de l'Échiquier de novembre 1924 à 1929, il consacre en 1925 la pleine restauration de la livre sterling. Ses prises de position dans les années 1930 entraînent sa mise à l'écart : il sera l'avocat de l'Empire britannique opposé à toute concession au nationalisme indien, l'« ami du roi » dans l'affaire du mariage d'Édouard VIII en 1936, et un homme politique lucidement hostile à tout compromis avec les dictateurs, l'un des rares à condamner les accords de Munich. Revenu au gouvernement, et à la Marine, après le début de la guerre, organisateur, du côté britannique, de l'expédition de Narvik, dont l'échec retombera sur Arthur Neville Chamberlain, Churchill est le Premier ministre qui s'impose le 10 mai 1940. Il devient l'éclatant organisateur de la résistance à Hitler, puis de la victoire. Ses positions réactionnaires à l'intérieur lui valent

sans doute sa défaite électorale de juillet 1945, qu'il oublie un temps en devenant l'apôtre de l'idée européenne. Revenu au pouvoir en octobre 1951, il reprend son combat violemment anticommuniste et oublie ses prophéties européennes pour privilégier l'alliance américaine et l'empire. Vaincu par l'âge, il cède la place à Anthony Eden en avril 1955, sans toutefois abandonner la vie parlementaire avant 1964, et en refusant tout anoblissement. Il meurt en janvier 1965. Ses réels et précoces talents d'écrivain avaient été récompensés par un prix Nobel de littérature en 1955. **R. Ma.** ▷ ROYAUME-UNI.

CHYPRE République de Chypre. Capitale : Nicosie. Superficie : 9 521 km². Population : 778 000 (1999). En 1878, l'Empire ottoman accorde aux Britanniques le droit d'occuper et d'administrer Chypre, qui reste néanmoins sous la souveraineté ottomane. En 1914, l'empire étant entré en guerre aux côtés de l'Allemagne, les Britanniques annexent Chypre, décision entérinée par le traité de Lausanne (1924) malgré les protestations de la Grèce. L'île devient une colonie de la Couronne en 1925. Vers 1930, la population se répartit en environ 80 % de Grecs (orthodoxes) et 18 % de Turcs (musulmans), proportion qui ne variera pas pendant un demi-siècle. Depuis l'époque ottomane, l'archevêque de Nicosie est aussi ethnarque, exerçant à la tête de la communauté grecque des pouvoirs temporels (administration, éducation, etc.). En 1931, un conflit de compétences entre les autorités britanniques et l'ethnarque provoque un soulèvement des Grecs, qui réclament l'Enosis (union avec la Grèce). Les autorités britanniques réagissent durement. La coexistence des Chypriotes grecs et turcs, auparavant paisible, commence alors à se détériorer. Après la Seconde Guerre mondiale, les Britanniques tentent sans succès de doter Chypre d'institutions politiques autonomes. Un partisan de l'Enosis, Mikhaïl Mouskos (1913-1977), devient en 1950 archevêque de Chypre sous le nom de Makarios III. Autre partisan de l'Enosis, le colonel Gheorghios Grivas (1898-1974) fonde l'EOKA (Organisation nationale des combattants chypriotes), qui se livre au terrorisme et à la guérilla à partir de 1955. De leur côté, les Turcs réclament le *taksim* (partage de l'île). Les affrontements entre communautés devenant de plus en plus violents, les États-Unis incitent les États concernés (Royaume-Uni, Grèce et Turquie, tous trois membres de l'OTAN – Organisation du traité de l'Atlantique nord) à trouver une solution négociée. Les accords de Zurich et de Londres (1959) conduisent à la proclamation, en 1960, d'une République de Chypre indépendante. La Constitution organise une stricte répartition du pouvoir entre Grecs et Turcs : le président de la République est grec, le vice-président turc, etc. Makarios, élu président dès 1959, engage une politique internationale neutraliste pour accroître sa marge de manœuvre, mais, dès 1963, l'EOKA redevient active dans l'île et les affrontements entre communautés reprennent. À partir de 1967, le « régime des colonels » s'étant emparé du pouvoir en Grèce, les relations entre Makarios et Athènes se tendent. Makarios s'efforce néanmoins de relancer des négociations intercommunautaires. En 1974, Makarios exige d'Athènes le rappel d'officiers grecs opérant à Chypre. Le 15 juillet, un coup d'État suscité par la dictature grecque renverse Makarios, qui parvient à s'enfuir. Le 20, des forces turques débarquent dans le nord de l'île. Le 24, le régime des colonels s'effondre. Dès le mois suivant, les forces turques contrôlent 38 % du territoire chypriote, jusqu'à la « ligne Attila ». Il s'ensuit un exode massif de Chypriotes grecs vers le sud et de Chypriotes turcs vers le nord. Makarios retrouve ses fonctions de président de la fin de 1974 à sa mort en 1977. En 1975, les Chypriotes turcs forment un « État autonome », transformé en 1983 en une « République turque de Chypre du Nord », reconnue par la seule Turquie. De surcroît, l'immigration de colons turcs modifie la répartition ethnique de la population de l'île. Les tentatives de négociations intercommunautaires échouent ensuite les unes après les autres. Pour sortir de l'impasse, la République de Chypre présente en 1990 sa candidature d'adhésion aux Communautés européennes. Des négocia-

tions allaient s'ouvrir dix ans plus tard à ce sujet. **J. S.**

CIA La Central Intelligence Agency (CIA), créée aux États-Unis par le *National Security Act* est chargée, avec d'autres organismes comme le FBI (Federal Bureau of Investigation, contre-espionnage) et la NSA (National Security Agency, qui dépend du ministère de la Défense), de collationner et d'analyser les renseignements stratégiques obtenus sur les pays étrangers. Elle a aussi procédé à des opérations de subversion *(covert operations)* à l'étranger, avec l'autorisation présidentielle – ce dont, à compter de 1975, elle a dû rendre compte au Congrès. **> ÉTATS-UNIS.**

CISCAUCASIE Dénomination (russe) des territoires du Caucase du Nord (par distinction avec la Transcaucasie ou Caucase du Sud). **> CAUCASE DU NORD (PEUPLES DU).**

CISJORDANIE Avec 130 kilomètres du nord au sud et de 40 à 65 kilomètres de l'est à l'ouest, la Cisjordanie constitue moins du tiers de la Palestine historique. Elle connaît une seule frontière naturelle, le Jourdain à l'est. L'ancienne ligne de cessez-le-feu de la première guerre israélo-arabe (1848-1949) dessine arbitrairement ses autres limites, isolant la Galilée et la plaine du Marj Ibn Amer au nord, la plaine côtière à l'ouest ainsi que le désert du Néguev au sud de ses trois « monts » traditionnellement désignés par leur capitale respective, Naplouse, Jérusalem et Hébron. Près de deux millions de Palestiniens y vivaient en 1999 à côté d'environ 400 000 colons juifs (dont 200 000 à Jérusalem-Est). En novembre 1947, les Nations unies la promettaient, avec d'autres territoires, à constituer un État arabe à côté d'un État juif et d'une Jérusalem internationalisée. Lors de la guerre israélo-arabe de 1948, elle échappe à l'occupation israélienne sans néanmoins pouvoir s'ériger en État palestinien. L'émirat de Transjordanie l'annexe en 1951 dans le cadre d'un royaume hachémite de Jordanie. À la suite de la guerre de 1967 (dite « des Six-Jours »), Israël l'occupe militairement.

Avec l'instauration de l'<u>autonomie palesti-nienne</u> en 1994 et dans l'attente d'un règlement définitif, elle est découpée en trois zones à statuts distincts, sans parler de Jérusalem-Est annexée par Israël depuis 1967. L'ensemble de ses habitants (y compris les réfugiés) y ont conservé la nationalité jordanienne acquise depuis 1951 même si un passeport palestinien, à capacité réduite, leur a été octroyé à partir de 1994. **J.-F. L. ▸ ACCORDS ISRAÉLO-ARABES, ISRAËL, PALESTINE, QUESTION PALESTI-NIENNE, TERRITOIRES OCCUPÉS.**

CISL En 1945, l'American Federation of Labor (AFL), principale organisation syndicale américaine, refuse de rejoindre la <u>FSM</u> (Fédération syndicale mondiale), qu'elle estime dominée par les communistes. À partir de 1947, les syndicats britanniques, allemands et scandinaves quittent à leur tour la FSM. En 1948, ils reçoivent le renfort de la CGT-Force ouvrière (France) et de la Unione Italiana del Lavoro (UIL). Le congrès fondateur de la Confédération internationale des syndicats libres (CISL) se tient à Londres en 1949. Son objectif est de lutter contre le totalitarisme et pour les libertés, notamment syndicales. Durant les années 1950, elle consacre l'essentiel de ses forces à combattre le communisme et tente, avec plus ou moins de succès, d'arracher les syndicats du tiers monde à l'influence soviétique. À partir des années 1960, elle adopte un discours plus offensif à propos des multinationales, du dumping social et des libertés syndicales, en particulier dans les dictatures d'Amérique latine ou d'Asie (elle préconise l'adoption dans les accords commerciaux internationaux d'une clause permettant des rétorsions contre les pays où sévissent le travail des enfants et la violation des droits fondamentaux). Elle expulse de ses rangs les syndicats racistes d'Afrique du Sud. De même, à la faveur de la <u>Détente</u>, elle établit quelques relations avec certains syndicats des pays communistes. Ces actions lui donnent une incontestable aura et une nouvelle force d'attraction. Mais elles entraînent quelques divisions. Ainsi l'AFL quitte-t-elle la CISL en 1969 parce qu'elle la juge trop peu engagée dans la lutte anticommuniste

(elle y revient en 1982). Enfin, à partir des années 1980, la CISL accueille les syndicats indépendants du bloc de l'Est – en premier lieu le syndicat polonais <u>Solidarité</u>. Elle devient alors la seule véritable internationale syndicale. Elle revendique 120 millions de membres, affiliés à 160 centrales réparties dans 110 pays. La CISL possède plusieurs sections régionales. La Confédération européenne des syndicats (CES, fondée en 1974) est issue de sa section européenne. La CES est un acteur majeur du dialogue social européen. Elle comptait, en 1999, environ 60 millions de membres répartis dans 28 pays, tous membres du Conseil de l'Europe. **D. L. ▸ SYNDICALISME.**

CLEMENCEAU Georges (1841-1929)

Homme politique français, président du Conseil (1906-1909, 1917-1920). Né dans une famille attachée aux principes républicains, Georges Clemenceau étudie la médecine sous Napoléon III (1851-1870) puis voyage aux États-Unis. Il entre en politique en septembre 1870 en tant que maire du XVIIIe arrondissement de Paris. Pendant la IIIe république, il est élu député. Il siège à l'extrême gauche de l'Assemblée et devient le chef des républicains radicaux. C'est un parlementaire redoutable. Son talent oratoire entraîne la chute de plusieurs gouvernements. Parallèlement, il milite pour la réhabilitation du capitaine Alfred <u>Dreyfus</u> dans le journal L'Aurore où il fait publier le « J'accuse » d'Émile Zola, qui contribue à déclencher la révision du procès du capitaine. À la tête du gouvernement à partir de 1906, il ne peut pratiquer les réformes sociales de son programme. Il réprime en revanche les grèves avec fermeté (« premier flic de France »). Évincé du pouvoir en 1909, il entre dans l'opposition. Il fonde un journal, L'Homme libre, qui devient à l'automne 1914 L'Homme enchaîné. Il y dénonce la censure et critique la mollesse des gouvernements qui conduisent à la <u>Grande Guerre</u>. Nommé en 1915 président de la Commission sénatoriale de l'Armée, chargée de contrôler le Parlement, il visite régulièrement les soldats sur le front, souvent jusqu'aux premières lignes. En novembre 1917, rappelé par le président

Raymond Poincaré (1913-1920), il gouverne de manière autoritaire (d'où son surnom de « tigre »). Il restaure la confiance chez les Français en luttant contre les défaitistes, accorde la priorité à l'effort de guerre et obtient des Alliés, en 1918, que le commandement unique du front occidental soit confié au général Ferdinand Foch (1851-1929). Après l'armistice, il devient pour la nation le « père la Victoire ». En 1919, il préside la conférence de la paix à Paris où il négocie pour la France le traité de <u>Versailles</u>. Très vite, il se heurte au président des États-Unis Thomas Woodrow <u>Wilson</u>, qui recherche une paix de conciliation pour l'Europe, alors que G. Clemenceau veut dégager des responsabilités et imposer des réparations à l'Allemagne. Malgré son immense popularité, la présidence de la République lui est refusée en 1920 par les parlementaires. Il se retire alors en Vendée, où il meurt en 1929. **M. J., A. L.** **> FRANCE.**

CLINTON William Jefferson, dit Bill (1946-) Homme politique américain, président des États-Unis (1993-2001). Né dans l'Arkansas, d'origine très modeste, Bill Clinton fait ses études à Georgetown, à Yale où il obtient une bourse qui le fait passer un an à Oxford. Il participe au mouvement contre la guerre du Vietnam - à laquelle il échappe - comme aux mœurs libres de l'époque. Très tôt touché par le virus de la politique, il devient en 1976 ministre de la Justice de l'Arkansas avant d'en être gouverneur presque sans interruption de 1979 jusqu'en 1992. Il révèle à ces fonctions beaucoup d'entregent et avance des idées nouvelles, faisant partie d'un groupe d'élus formant les « nouveaux démocrates », ce qui lui vaut d'être reconnu au niveau national. Sa femme, Hillary (1947-), qu'il a épousée en 1973, est une brillante avocate : elle lui apporte des idées et un soutien durable. B. Clinton est un homme brillant, peu organisé, absorbant toutes les idées qui l'environnent et formant de nombreux projets - pas toujours cohérents. Il désire un gouvernement resserré, pour ne pas être accusé d'être dépensier, tout en voulant prendre des mesures pour la classe moyenne qu'il représente bien. Il est partisan

de la peine de mort et ne s'est pas intéressé à la politique étrangère avant de devenir président. Élu en 1992 pour succéder au républicain George H. Bush (1989-1993), lors d'une élection triangulaire, après une campagne habile, il représente une génération nouvelle à la Maison-Blanche. Alors qu'il ne parvient pas à imaginer, dans un contexte difficile, une politique étrangère ambitieuse, son projet de donner à tous les Américains l'assurance santé échoue en raison de ses maladresses et d'une opposition farouche des médecins. Finalement, en novembre 1994, les démocrates perdent la majorité au Congrès au profit d'une majorité républicaine conservatrice. B. Clinton parvient à se montrer garant du bon fonctionnement du gouvernement et est réélu en 1996 après une campagne sans hauteur, mais très efficace. Ensuite, il ruine son prestige par ses frasques sexuelles, tombant ainsi dans le piège de ses adversaires ; il échappe de justesse à la destitution *(impeachment)* au début de 1999. B. Clinton est demeuré très populaire, car son mandat aura correspondu à une période durable de prospérité. En outre, il a su trouver sa place sur la scène internationale. Cet homme politique remarquable aura toutefois semblé manquer de projets, voire de principes. **J. P.** **> ÉTATS-UNIS.**

CMA Créé en 1974 à Rome, à l'occasion de la Conférence mondiale de l'alimentation, le Conseil mondial de l'alimentation (CMA, WFC - United Nations World Food Council -, siège à Rome) est un organe de l'<u>ONU</u> composé des représentants de 36 membres des Nations unies, de rang ministériel. Il est chargé d'examiner périodiquement la situation alimentaire mondiale et d'exercer une influence sur les gouvernements et les autres organes compétents de l'ONU.

CNT (Confédération nationale du travail) > ANARCHISME (ESPAGNE).

CNUCED Créée en 1964 parce que les <u>PED</u> (pays en développement) jugeaient le <u>GATT</u> (Accord général sur les tarifs douaniers et le commerce) trop exclusivement préoccupé par les positions des pays industrialisés et insuffisamment par les problèmes du development, la Conférence des Nations unies sur le commerce et le développement (CNUCED, UNCTAD – United Nations Conference on Trade and Development –, siège à Genève) est un organe de l'ONU qui a fait progresser l'analyse et le débat Nord-Sud. Elle a pour organe permanent le Conseil du commerce et du développement.

CNUED > RIO (CONFÉRENCE DE).

COGESTION ALLEMANDE Instaurée par une loi de 1922 et fortement ancrée dans la tradition syndicale allemande, la cogestion désigne la représentation des salariés avec voix délibérative dans les organes de contrôle de l'entreprise. **L'Allemagne connaît trois régimes de cogestion.** La cogestion charbon-acier (loi de 1951) concerne les entreprises du secteur dont les effectifs sont supérieurs à 1 000 salariés et prévoit une représentation strictement égale des salariés et des actionnaires dans le conseil de surveillance présidé par un arbitre « neutre ». Ce système ne concerne plus qu'un petit nombre d'entreprises. **La** cogestion simple (loi de 1952), instaurée pour tous les autres secteurs, concerne depuis 1976 les sociétés de 500 à 2 000 salariés. Elle prévoit une représentation minoritaire (un tiers des sièges) des salariés dans les conseils de surveillance. **La** cogestion paritaire de 1976 prévoit une représentation en nombre égal des salariés dans le conseil de surveillance des sociétés de plus de 2 000 salariés. Cependant, le président du conseil de surveillance, élu obligatoirement parmi les actionnaires, dispose d'une seconde voix décisive en cas de partage des voix. **La** cogestion ne conduit pas à un réel partage du pouvoir entre capital et travail mais permet d'associer le personnel aux choix de l'entreprise et de faire de celle-ci une communauté sociale et humaine *(Betriebsgemeinschaft)*. **>** ALLEMAGNE.

COLLECTIVISATION AGRAIRE FORCÉE (URSS) Bien plus que la révolution russe, la collectivisation forcée des campagnes, lancée, à la fin de 1929, par la direction stalinienne, constitua, pour la masse de la population soviétique, composée alors à plus de 80 % de paysans, une rupture fondamentale et dramatique. **P**our Staline, la collectivisation doit régler définitivement la question du financement de l'industrialisation, donc de la « modernisation » du pays : elle doit casser les lois du marché, permettre de prélever autoritairement, à des prix dérisoires, une part toujours croissante de la production de la paysannerie, regroupée en exploitations « coopératives » (kolkhozes) ou en exploitations d'État (sovkhozes). En quelques années, cet objectif est effectivement atteint, mais à quel prix ! La collectivisation forcée débouche sur une « exploitation militaro-féodale » (Nicolas Boukharine) de la paysannerie et sur une formidable régression, qu'illustre la famine de 1932-1933, conséquence prévisible de la politique prédatrice menée par l'État. **La** collectivisation forcée constitue aussi une étape décisive dans la mise en place de pratiques répressives à grande échelle. Elle va, en effet, de pair avec la « dékoulakisation » : en trois ans (1930-1932), 500 000 familles paysannes (plus de deux millions de personnes) étiquetées « koulaks », jugées comme « socialement étrangères » à la nouvelle société kolkhozienne, sont déportées vers les régions inhospitalières de la Sibérie, du Kazakhstan et du Grand Nord. **L'hécatombe de la Grande Famine.** Collectivisation et dékoulakisation suscitent d'âpres résistances : pour la seule année 1930, on compte près de 14 000 émeutes, soulèvements, manifestations paysannes. Progressivement, l'État accroît les prélèvements sur la récolte des exploitations collectives. Entre les kolkhoziens, décidés à user de tous les stratagèmes pour conserver une partie de leur récolte, et les autorités soucieuses de remplir à tout prix le « plan de collecte », le conflit devient permanent. La conséquence ultime de ce cycle prélèvement-résistance-répression est une terrible famine, totalement passée sous silence, qui fait, principalement en Ukraine, dans le Caucase du Nord et au Kazakhstan, près de six millions de victimes (1932-1933). **En** cinq ans, 95 % des foyers paysans sont collectivisés. Seule concession, après la famine de 1932-1933 : l'octroi, à chaque famille kolkhozienne, d'un minus-cule lopin (0,25 ha), qui assure sa survie, tout en la détournant durablement du travail collectif. Globalement, toutefois, le cheptel diminue de 45 % en cinq ans, et la produc-tion céréalière de 15 %. Plus grave encore : à la formidable violence exercée contre eux, les paysans répondent en travaillant le moins possible sur une terre qui ne leur appartient plus. L'État se trouve ainsi contraint de prendre la responsabilité d'un nombre crois-sant d'activités, aggravant le caractère <u>bureaucratique</u> et policier du régime. L'agri-culture soviétique ne se relèvera jamais du séisme de 1930. **N. W.** **> RUSSIE ET URSS, STALINISME.**

COLOMBIE République de Colombie. Capitale : Bogota. Superficie : 1 138 914 km². Population : 41 564 000 (1999). C'est sur le territoire actuel de la Colombie, peuplé par des civilisations encore mal connues, que naquit la légende de l'Eldorado, liée à la présence d'un métal dont témoignent de remarquables pièces d'orfèvrerie précolombienne. La Nouvelle-Grenade coloniale est aussi le siège de mou-vements précurseurs de l'indépendance, avec la révolution dite des « comuneros », qui défend les droits de la production locale contre la métropole. Les guerres d'indépen-dance, sous l'égide d'Antonio Nariño (1765-1823) et de Simón Bolívar (1783-1830), débouchent en 1819 sur la proclamation de la République de Colombie. L'Équateur s'y joint en 1822 pour fonder la Grande-Colom-bie, qui se disloquera en 1830, mettant fin au rêve bolivarien d'unité continentale et inaugurant une fragmentation régio-nale. Le XIXᵉ siècle est marqué par les affrontements entre les libéraux fédéralistes et anticléricaux, inspirés par les révolutions françaises de 1830 et 1848, et les conserva-teurs qui consolident leur pouvoir avec, dans les années 1880 et 1890, les présidents Rafael Nuñez et Miguel Antonio Caro, auteurs de la Constitution centraliste de 1889, qui ne sera réformée qu'en 1991. C'est par un de ces affrontements que débute un XXᵉ siècle marqué par le conflit entre, d'une part, l'inertie héritée des structures colonia-les et de l'absolutisme espagnol et, d'autre part, les velléités de modernisation, dont les fréquentes défaites face à l'autoritarisme oli-garchique et religieux expliquent, d'après le prix Nobel de littérature Gabriel García Már-quez (1928-), une bonne partie des problè-mes de la Colombie. La sanglante guerre dite des « mille jours » (1899-1903) fait près de 100 000 victimes et donne lieu à une nouvelle victoire conservatrice et à la sécession de Panama, encouragée active-ment par les États-Unis. L'hégémonie con-servatrice, minée par des divisons internes, s'achève en 1934. Par la suite, le prési-dent Alfonso López (1934-1938, puis 1942-1945) impulse des tentatives de réforme agraire, sociale et éducative, mais le camp libéral se divise face à la montée en puis-sance en son sein du leader populiste Jorge Eliécer Gaitán, dont l'assassinat en 1948 provoque le « *bogotazo* », terrible vague d'émeutes qui s'étend depuis la capitale, laissant près de 3 000 morts et préludant à une guerre civile meurtrière qui fera près de 300 000 victimes et restera dans l'histoire colombienne sous le nom de « *la violencia* » (1948-1953). Les libéraux y voient la tenta-tive d'une fraction conservatrice inspirée par le franquisme espagnol de les éliminer de la scène politique, tandis que les conservateurs accusent les libéraux de conspira-tion. Meurtri par la proliféra-tion des milices et un déferlement inouï d'exactions, le pays est en partie pacifié par la dictature du général Gustavo Rojas Pinilla (1953-1957), qui cède le pouvoir aux dirigeants libéraux et conservateurs. Ces derniers ins-taurent le pacte dit du « front national », qui prévoit l'alternance au pouvoir des deux par-tis et un partage égal des charges et des mandats. Officiellement valide jusqu'en 1974, ce pacte continue en fait de régir la vie du pays, bloquant toute alternative oppositionnelle civile et favorisant la corrup-tion et l'immobilisme. Ce blocage explique en partie l'enracinement des guérillas, sou-vent héritières de milices paysannes libérales : à partir des années 1960, une guerre larvée voit s'affronter les diverses organisations rebelles, comme le M-19 (Mouvement du 19 avril, apparu dans les années 1970), plus urbain et intellectuel, qui a déposé les armes et a été légalisé comme

mouvement politique en 1990, les FARC (Forces armées révolutionnaires de Colombie, fondées en 1966) communistes et l'ELN (Armée de libération nationale, fondée en 1964) castriste, essentiellement paysannes, et l'armée colombienne. Le conflit, qui a donné lieu à plusieurs trêves et plans de paix avortés, est compliqué par l'action des paramilitaires et par le trafic de drogue, dont semble profiter à tous les participants. Le « plan Colombie », programme d'aide militaire et économique approuvé en l'an 2000 à l'initiative de Washington, se propose d'éliminer les ressources des « narcoguérillas ». **Si** l'exportation de stupéfiants semble être une importante source de devises pour la Colombie, il reste que 88 % des bénéfices restent à l'étranger et le coût humain et institutionnel en est dévastateur. Caractérisée par l'hégémonie presque absolue du café jusque dans les années 1980, l'économie colombienne s'est diversifiée grâce à l'essor du pétrole, du charbon, du nickel et de la floriculture.
J. R.

COLONISATION Le terme « colonisation » est défini comme l'« action de coloniser », dans le *Littré* de 1852 et encore dans celui de 1863, c'est-à-dire « peupler par une colonie », cette dernière étant un « établissement fondé par un pays étranger » et/ou une « possession européenne dans une autre partie du monde ». Ainsi, dès cette époque, une double signification est attachée au mot, selon que l'on privilégie le sens ancien, grec, de groupes allogènes installés dans des mondes d'« outre-mer », ou que l'on souligne son sens nouveau, insistant sur le rapport de domination établi par l'Europe à l'extérieur. **Deux acceptions.** La première acception resta longtemps la plus courante, depuis les installations latines à l'extérieur de Rome jusqu'aux colonies italiennes dans le monde méditerranéen au Moyen Âge, non sans ambiguïté cependant. Avec la découverte du Nouveau Monde, les ambiguïtés grandirent encore : la colonisation de l'Amérique répondait aux deux sens. Au sens de colonisation de domination, Littré ne peut encore guère citer, dans les deux éditions précitées de son fameux dictionnaire, que les Antilles et l'Algérie. Mais, peu à peu, l'élargissement des possessions de l'Europe hors d'Europe détermine un glissement sémantique et une « focalisation » sur la deuxième acception. Non pas, cependant, que le premier soit abandonné. **La** colonisation de peuplement (on entend par là l'installation de « colons » faisant souche sur des terres lointaines) reste et restera encore une dimension parfois capitale du phénomène colonial, si l'on songe aux présences européennes en Afrique du Nord ou en Afrique du Sud aux XIXᵉ et XXᵉ siècles, ou, de nos jours, à ce qu'on appelle la colonisation juive dans les territoires occupés par Israël, à celle du Tibet contemporain par la Chine ou encore à la colonisation de la Sibérie et du Caucase par l'Empire russe, puis soviétique. Mais toutes ont en commun le caractère de domination. En 1982, le *Grand Dictionnaire encyclopédique Larousse*, dans sa définition du terme, renvoie en premier lieu à « coloniser » c'est-à-dire « transformer un pays en une colonie, en un territoire dépendant d'une métropole », prêtant au mot une origine « probablement » anglaise par référence justement aux colonies anglaises d'Amérique. C'est d'ailleurs cette acception que les dictionnaires anglo-saxons ont toujours privilégiée. **L'exportation de modèles « civilisationnels ».** Le rapport métropole-colonies caractérisa effectivement d'une manière si essentielle la vaste expansion coloniale de l'Europe libérale et capitaliste à la fin du XIXᵉ siècle que le mot « colonisation » finit implicitement par se limiter à celle-ci. Pourtant, dans le partage du monde qui s'effectua alors entre « nations fortes » et « nations faibles », les États-Unis et le Japon jouèrent dès cette époque un rôle non négligeable. Le champ sémantique du terme s'élargit aussi. Non seulement il s'étendit à la reconnaissance de la supériorité technique et économique des unes sur les autres, mais aussi à une prétendue supériorité de civilisation. La colonisation se justifiait ainsi par un devoir d'ingérence et d'exportation de modèles « civilisationnels » (par exemple, la « mission civilisatrice » de la France, la trinité « Christianisation, civilisation, commerce » britannique), par une nécessité interne historique ou économique de la nation expansionniste (la vocation ultra-marine du Portugal, la *Welt-politik* allemande ou le destin africain de l'Italie...). **M**oins que les moyens matériels des colonisateurs, ce furent les buts et les méthodes qui les distinguèrent et à cet égard on ne peut parler de « la » colonisation mais « des » colonisations. Sur le plan matériel, on a pu dire que le Portugal, et l'Italie dans une certaine mesure, au moins avant le fascisme, ne purent pratiquer qu'une « colonisation du pauvre ». En fait, les pays colonisateurs dans leur ensemble ne cherchèrent guère, dans un premier temps, à « développer » leurs possessions par des investissements massifs et des efforts de développement systématique. Certes, le jeune économiste français Paul Leroy-Beaulieu (1843-1916) avait milité dès 1874 pour une exportation des capitaux et des techniciens, et plus tard Jules Ferry (1832-1893) avait affirmé que la colonisation était fille de la politique industrielle. Mais les capitaux, au moins ceux de la France, préféraient s'investir dans des zones de développement accéléré et déjà sorties au moins partiellement du sous-développement que de se risquer dans des parties du monde plus incertaines. Si bien que l'expansion et la « mise en valeur » restèrent longtemps largement déconnectées du développement du grand capital financier et industriel ; la colonisation européenne, surtout en Afrique tropicale, fut abandonnée dans un premier temps à l'exploitation spéculative ou à la vieille économie mercantiliste. Toutefois, il exista des degrés dans le non-engagement capitaliste. Dans l'ex-AEF (Afrique équatoriale française) et dans le Congo de Léopold II, des compagnies « concessionnaires » auxquelles la puissance coloniale avait abandonné la gestion d'immenses territoires, parfois équivalents à la superficie de la Belgique, se livrèrent à une exploitation sans investissements, qualifiée d'« économie de pillage ». Ailleurs, en Malaisie britannique, en Indonésie néerlandaise, en Afrique orientale... les grandes plantations attirèrent des capitaux. Mais, presque nulle part, y compris en Afrique du Nord, l'investissement industriel ne dépassa réellement le stade minier ou de l'infrastructure de transport, au moins jusqu'à la Seconde Guerre mondiale. Le principal exemple de colonisation d'investissement fut cependant celui de l'empire néerlandais des Indes orientales. Il est vrai que longtemps également celle-ci ne put fournir que des produits et des denrées, certes importants, mais nullement « stratégiques ». **Le modèle « assimilateur » français et le modèle de « tolérance culturelle » britannique.** Sur le plan idéologique, les colonisations ne se ressemblèrent pas, même si dans la pratique elles présentèrent bien des points communs dans les modes d'administration : les personnels « expatriés », leurs effets sociaux (apparition de nouvelles classes, irruption d'une certaine « modernité »). On a opposé ainsi assez facilement une colonisation britannique fondée sur *l'Indirect Rule* à une colonisation « à la française » d'administration directe ; en réalité, on pourrait multiplier les exemples démentant cette opposition. S'il y eut opposition, ce serait plutôt dans l'essence assimilatrice de la colonisation « à la française », ce qui ne veut pas dire du tout une assimilation *pratique* (de même pour le Portugal...) et une colonisation en principe plus respectueuse des valeurs et des structures « traditionnelles » « à l'anglaise », caractérisant aussi la colonisation néerlandaise ou... belge. Il est certain que ces conceptions fondamentales, héritées du passé propre à chaque pays colonisateur, pesèrent considérablement sur les rapports des métropoles avec les colonisés. Ainsi un sujet de la Couronne ne pouvait devenir citoyen britannique ; mais la *colony*, au sens étroit que lui conféra Londres, désignait un prolongement de la métropole, rattaché directement à la Couronne, et ne recouvrait pas les diverses formes de dépendances, protectorats formels ou non, des peuples ou des territoires à l'égard de ladite Couronne. Pour autant, la complexité des statuts juridiques ne fut pas une spécificité de l'Empire britannique ; l'Empire français n'avait rien à lui envier, ses statuts coloniaux étaient très variés : territoires assimilés comme les « vieilles colonies » (Antilles, Guyane, Réunion, départementalisées à partir de 1945) ou l'Algérie (départementalisée également avec l'avènement de la IIIe République, mais dont les habitants étaient divisés en « sujets musulmans » et « citoyens français »), colonies proprement dites d'Afrique, de Madagascar ou d'Indochine, protectorats (Maroc et Tunisie), mandats (Syrie, Liban, Cameroun, Togo), etc. **« Colonisation » et « colonialisme ».** « Colonisation » n'eut jamais – ou seulement très tardivement – un sens péjoratif. Sa valeur exemplaire était encore proclamée lors de la conférence de Brazzaville tenue en 1944 sous le contrôle du général de Gaulle comme une « œuvre de civilisation ». En 1945, lorsqu'est mise en place l'Organisation des Nations unies (ONU) à la conférence de San Francisco, il n'est pas question de condamner en bloc la colonisation, mais de l'amender et d'encourager les puissances coloniales à mener les peuples dont elles ont la charge à l'indépendance et la souveraineté. Plus tard encore, en 1954, l'orientaliste Paul Mus, interlocuteur d'Ho Chi Minh, dans un ouvrage très remarqué à l'époque intitulé *Destin de l'Union française*, constate la persistance du mot dans les esprits alors que les réalités ont déjà prononcé sa ruine. Le mot « décolonisation » – lui aussi emprunté à l'anglais – n'apparaît dans le vocabulaire français qu'au début des années 1950. Cela tient au fait qu'en français une distinction s'est établie depuis longtemps entre la « colonisation », déchargée de ses connotations trop négatives (domination, exploitation, discrimination) et le « colonialisme ». Ce dernier terme, inventé par le publiciste et écrivain socialiste Paul Louis en 1906, a servi par la suite à dénoncer les abus de la colonisation... et à justifier la possibilité d'une « bonne colonisation » qui élèverait les intérêts des colonisés au même niveau que ceux de la métropole. Dans les années 1960 et 1970, cependant, le terme de « colonialisme » désigna essentiellement l'action et l'idéologie de la colonisation, renvoyant l'une et l'autre dos à dos. La colonisation fut alors d'autant plus fortement stigmatisée que les leaders intellectuels du tiers monde lui attribuèrent la responsabilité du sous-développement, par exemple Walter Rodney dans son ouvrage *How Europe Underdevelopped Africa* (1974). **Les décolonisations** – entendues ici comme des reconquêtes de la liberté et la reconnaissance de la souveraineté des peuples colonisés par la communauté internationale – ont

paru longtemps ne concerner que les peuples qui avaient appartenu aux anciens empires coloniaux européens, plus spécialement les pays développés d'Europe occidentale. Longtemps, il ne fut pas admis que l'URSS exerçait une hégémonie assimilable à celle d'un empire colonial. Les bouleversements qui se sont développés depuis l'implosion de l'espace soviétique incitent à penser que le mot a de nouvelles perspectives devant lui. **M. Mi.** **> EMPIRE.**

COMECON > CAEM.

COMESA Le Marché commun de l'Afrique australe et orientale (Comesa – Common Market for Eastern and Southern Africa –, siège à Lusaka, Zambie) s'est substitué en 1994 à la PTA (Preferential Trade Areas, ou ZEP – Zone d'échanges préférentiels), créée en 1981 à Lusaka. 21 pays d'Afrique en étaient membres à la mi-2001. Une discussion était engagée en vue d'une fusion avec la SACU (Union douanière de l'Afrique australe).

COMMISSION DE L'OCÉAN INDIEN

La COI (IOC – Indian Ocean Commission –, siège à Maurice) a été créée en 1984. Membres à la mi-2001 : Comores, Madagascar, Maurice, France (Réunion), Seychelles.

COMMISSIONS OUVRIÈRES (Espagne) > SOCIALISME ET COMMUNISME (ESPAGNE).

COMMONWEALTH En 1949, deux ans après l'indépendance de l'Inde et du Pakistan, la conférence du Commonwealth des nations britanniques accepte d'avoir pour membres des États républicains, pour lesquels le souverain britannique ne soit plus que le chef *(Head)* du Commonwealth (il n'est pas question pour eux d'allégeance à la Couronne britannique) et que l'organisation devienne multiethnique et multilinguistique. Le terme « britannique » disparaît de son intitulé. Jusqu'en 1972, la capitale naturelle du Commonwealth est Londres, où l'on installe en 1965 un « secrétariat du Commonwealth ». Par la suite, la conférence devient itinérante. Passée de moins de

10 membres en 1950 à 54 en 2001, l'organisation tient plus d'une mini-ONU (Organisation des Nations unies) que de l'ancien « club de gentlemen ». Elle a connu d'âpres divisions : ainsi la crise de <u>Suez</u> de 1956 et les questions de l'Afrique du Sud, même après le retrait forcé de celle-ci en 1962, et de la Rhodésie du Nord (actuel Zimbabwé), de 1964 à 1980. **L'**entrée du Royaume-Uni en 1973 dans la <u>CEE</u> (Communauté économique européenne) n'a pas entraîné la fin du Commonwealth ; ses membres les moins développés, mais aussi la Nouvelle-Zélande, en ont tiré avantage. Le secrétariat de l'organisation est basé à Londres et divers organes et structures en coordonnent les activités. **R. Ma.**

COMMUNALISME Terme apparu durant les années 1920 pour désigner en Inde le chauvinisme des communautés religieuses hindoue, musulmane, <u>sikhe</u> et même chrétienne. Il a surtout été utilisé par les leaders du <u>Congrès</u>, tenants d'un nationalisme universaliste et laïc qui, comme Jawaharlal <u>Nehru</u> et d'autres représentants de l'intelligentsia de gauche, voyaient dans les communautés religieuses des corps intermédiaires propres à diviser la nation. Les communalismes se sont généralement développés sur la base de mouvements de réformes socioreligieuses, nés en réaction à des menaces extérieures. C'est ainsi que le prosélytisme des premières missions chrétiennes a suscité, au XIXe siècle, la formation du Brahmo Samaj et de l'Arya Samaj, deux mouvements de défense de l'hindouisme qui ont donné à cette religion un tour plus militant. De même, les Sikhs ont créé la Singh Sabha au <u>Pendjab</u> en réaction à la propagande de l'Arya Samaj, selon laquelle le sikhisme n'était qu'un courant de l'hindouisme. Quant aux musulmans, leur communalisme s'est d'abord incarné à la fin du XIXe siècle dans le mouvement d'Aligarh, du nom d'une ville d'Uttar Pradesh où Sayyid Ahmad <u>Khan</u> instaura des établissements éducatifs visant à moderniser sa communauté, mais aussi à la défendre contre la majorité hindoue dont il craignait la domination dans l'administration et les assemblées élues. Ces mouvements socioreligieux passeront au politi-

que au début du siècle, donnant naissance à différentes organisations nationalistes : la Hindu Mahasabha et le Rashtriya Swayamsevak Sangh (hindoues), l'Akali Dal (sikhe), et à la <u>Ligue musulmane</u>, de toutes la plus précoce puisqu'elle est née en 1906. **C. J.**

COMMUNAUTÉ ANDINE Créé le 26 mai 1969 par l'accord de Carthagène, le Pacte andin ou encore Groupe andin – dont le Chili s'est retiré en 1976 – a été relancé en avril 1996 sous le nom de Communauté andine (CAN – Comunidad andina –, Andean Community). États membres à la mi-2001 : Bolivie, Colombie, Équateur, Vénézuela et Pérou. Elle a pour objectifs de réaliser une union douanière (par l'application de droits extérieurs communs) et la réalisation d'un Marché commun.

COMMUNAUTÉ DES ÉTATS SAHÉLO-SAHARIENS Créée à l'initiative de la Libye en 1998 pour développer la coopération économique dans la région, la Communauté des États sahélo-sahariens (Comessa, Community of Sahel-Saharan States) comptait seize États membres à la mi-2001.

COMMUNAUTÉ DU PACIFIQUE La Commission du Pacifique sud (créée en 1947, siège à Nouméa, Nouvelle-Calédonie) a pris le nom de Communauté du Pacifique (Pacific Community) en 1998. Elle regroupe 22 pays et territoires de la région et cinq des six membres fondateurs : Australie, États-Unis, France, Nouvelle-Zélande et Royaume-Uni.

COMMUNAUTÉ EUROPÉENNE Après l'entrée en vigueur du traité « sur l'Union européenne », dit « de <u>Maastricht</u> » (1er novembre 1993), la <u>CEE</u> (Communauté économique européenne) est rebaptisée « Communauté européenne » (CE) et l'Union européenne (UE) est instituée, regroupant les trois communautés – CECA (Communauté européenne du charbon et de l'acier), <u>Euratom</u> et CE –, formant ainsi ce qui est appelé le « premier pilier » de la construction européenne. **> CONSTRUCTION EUROPÉENNE.**

COMMUNAUTÉ EUROPÉENNE DE L'ÉNERGIE ATOMIQUE > EURATOM.

COMMUNAUTÉ FRANCO-AFRICAINE

Succédant en 1958, avec la nouvelle Constitution de la Vᵉ République, à l'Union française, qui avait été instaurée par la Constitution de la IVᵉ République en 1946, la Communauté franco-africaine se compose, d'une part, de la République française, comprenant la France métropolitaine, ses quatre départements d'outre-mer (DOM) – Guadeloupe, Martinique, Guyane française et Réunion –, les départements d'Algérie et le Sahara (territoires alors en proie à une âpre guerre d'indépendance et où la citoyenneté n'a pas été étendue), six territoires d'outre-mer (Comores, Côte française des Somalis, Polynésie française, Nouvelle-Calédonie, Wallis et Futuna, Saint-Pierre et Miquelon) et, d'autre part, de douze territoires qui ne bénéficient pas de la citoyenneté et sont dotés d'une autonomie très limitée (la France continuant à contrôler la politique étrangère et de défense, la monnaie et la politique économique, ainsi que les matières premières considérées comme stratégiques...) : Mauritanie, Soudan (actuel Mali), Tchad, Niger, Sénégal, Haute-Volta (actuel Burkina-Faso), Côte-d'Ivoire, Dahomey (actuel Bénin), Gabon, Congo (-Brazza), Centrafrique, Madagascar. Seule la Guinée, dirigée par Sékou Touré, refuse de rejoindre la communauté et choisit l'indépendance immédiate. L'instauration de la Communauté aboutit à la disparition de l'AOF (Afrique occidentale française) et de l'AEF (Afrique équatoriale française). Leurs territoires accéderont bientôt à l'indépendance.
> EMPIRE FRANÇAIS.

COMMUNISME

Utopie fantastiquement mobilisatrice en laquelle de nombreux hommes et femmes placèrent leur espoir d'un monde meilleur, le communisme a marqué profondément l'histoire du xxᵉ siècle. Diverses sensibilités politiques égalitaristes se sont revendiqués du communisme avant ce siècle, mais après la victoire des bolcheviks en Russie, le terme a fini par recouvrir principalement l'autodésignation des courants du socialisme marxiste adhérant à

leurs thèses. Incarné dans un premier temps par le régime soviétique en URSS (Union des républiques socialistes soviétiques), le communisme étend ses conquêtes après la Seconde Guerre mondiale en Europe (constitution des démocraties populaires) et en Asie. Après la révolution castriste à Cuba en 1959, l'influence du communisme dans le tiers monde s'accroît. Avec les ruptures qui interviennent successivement au sein du « mouvement communiste international » (Yougoslavie de Tito en 1948, schisme sino-soviétique à partir de 1960), les évolutions divergent fortement. La fin du siècle voit l'effondrement de l'URSS et du bloc soviétique, tandis que la Chine fait sa révolution capitaliste en maintenant le contrôle politique du Parti. En certaines périodes et dans certains pays, le communisme a pris au cours du siècle la forme d'un totalitarisme.
V. K. > COMMUNISME (ASIE), COMMUNISME (EUROPE DE L'EST), RUSSIE ET URSS, SOCIALISME ET COMMUNISME.

COMMUNISME (Asie)

La chronologie du communisme asiatique est autrement plus complexe que celle de son pendant européen. De l'Elbe à Vladivostok, le point d'origine se situa soit en 1917, soit autour de 1945 et, à l'exception de l'Albanie, partout les inflexions décidées à Moscou se révélèrent déterminantes. En Asie, les prises du pouvoir furent singulièrement plus échelonnées : 1924 en Mongolie, 1945 au nord de la Corée, 1949 en Chine, 1954 au Nord-Vietnam, 1975 enfin pour le reste de l'Indochine (Cambodge, Sud-Vietnam, Laos). On doit, de plus, considérer la précocité de l'implantation communiste en Extrême-Orient : le Parti communiste d'Indonésie naquit en 1920, juste avant celui de Chine (1921) et, dès 1931, ce dernier contrôlait une portion du sud-est du pays et y proclama une « république des soviets ». À la fin des années 1970, on socialise le sud du Vietnam ou, de manière forcenée, le Cambodge, alors même que la Chine amorce son virage vers une économie plus libérale, et que la Mongolie, semblable aux démocraties populaires de l'Est européen, s'achemine vers le séisme gorbatchévien. **H**ormis dans ce dernier pays, partout, le milieu des années 1950, marqué plus à l'ouest par la déstalinisation, fut le signal de la radicalisation de régimes soutenus par la force propulsive de révolutions encore proches : réforme agraire meurtrière au Nord-Vietnam (1954-1956), puis relance de la guerre au Sud (1959), purges féroces en Corée du Nord et surtout, en Chine, <u>Grand Bond en avant</u> (1958-1961), responsable d'une gigantesque famine et d'un dernier pari de Mao Zedong qu'était la <u>Révolution culturelle</u>. Au Vietnam et au Laos (mais pas en Corée du Nord), les réformes de <u>Deng Xiaoping</u> (à partir de 1978) furent largement imitées, avec cependant un temps de retard : l'heure d'un « communisme du goulash » à la <u>Khrouchtchev</u> avait alors sonné.   **Le rôle central de la « Chine rouge ».** La Chine, bien plus que l'URSS, paraît au centre de l'aventure du communisme asiatique. C'est à Yanan, « capitale » de Mao entre 1936 et 1947, que sont formés bon nombre des futurs cadres des pays voisins : ainsi le PC vietnamien inscrit-il en 1951 la « pensée Mao Zedong » dans ses statuts. Surtout, à partir de 1950, la maîtrise du continent chinois permet une aide militaire directe massive, décisive, aux Nord-Coréens engagés dans la <u>guerre de Corée</u> (1950-1953) et aux forces du Vietminh jusqu'alors sur la défensive face aux Français (<u>guerre d'Indochine</u>, 1946-1954). Lors de la <u>guerre du Vietnam</u> (1959-1975), la présence de l'armée chinoise au Nord permet aux forces de Hanoi de se porter sur les champs de bataille du Sud. Et, avec le Cambodge des <u>Khmers rouges</u> (1975-1979), Pékin tente de se constituer un État-client. Il se heurte alors à l'ambition parallèle – mais concurrente – des communistes vietnamiens, dont les troupes ont permis le triomphe des « petits frères » laotiens et cambodgiens. Les comptes sont provisoirement réglés par la double guerre « communiste à 100 % » de 1979, qui voit le Vietnam occuper le Cambodge et repousser l'invasion chinoise sur sa frontière nord. Hanoi tient donc sa « fédération indochinoise », mais celle-ci se trouve ravagée par la misère et les guérillas. Si bien que, dès 1988, le Vietnam retire ses troupes d'un Cambodge qui était peu à peu sorti du communisme (sans changement de gouverne-

ment...) et lâche du lest dans un Laos en lente évolution. La Corée du Nord, elle, s'émancipe de l'emprise chinoise en se campant en gardienne du temple face au réformisme de Pékin. La Chine demeure cependant son principal soutien dans sa confrontation avec Séoul et avec Washington.   **À la fois singulier et pluriel.** Le dernier vaste lambeau de cette « mondialité » avortée que fut le communisme a été à la fois singulier, pluriel et, plus encore. Singularité : les caractères propres aux sociétés asiatiques et la réécriture du <u>marxisme-léninisme</u> par la matrice chinoise donnent à ces divers régimes un fort air de famille. La sur-idéologisation accompagnée d'un volontarisme extrême est à l'origine d'idéocraties capables de mobiliser efficacement – du moins un certain temps. Cela est d'autant plus vrai que les frontières entre Parti, État et société se brouillent plus qu'ailleurs. Cela explique la nécessité pour chacun – jusqu'au détenu des immenses archipels concentrationnaires – de se comporter en « bon communiste », sous peine de « rééducation ». Il n'y a pas ici de place pour un droit « formel » : la seule loi est celle de la « juste ligne ». La pression constante, crédibilisée par la menace de la répression, s'efforce de broyer les individualités en ne leur concédant aucun répit, aucune plage de repli : les <u>totalitarismes</u> les plus achevés de l'histoire sont à chercher dans ces régimes, dont la Corée de Kim Jong-il (1942-) est restée comme une butte-témoin.   **P**luralité : à la différence de l'URSS, la Chine ne sut pas exporter durablement son appareil politico-militaro-policier. Le Vietnam ne fut pas plus efficace que dans le petit Laos. Il est vrai que, pour des régimes qui avaient construit leur légitimité première sur la « libération nationale » et/ou l'« anti-impérialisme », toute apparence de recolonisation passait mal. Et c'est au travers d'une fuite en avant nationaliste que les directions communistes allaient tenter de se conserver un devenir. Seul le Vietnam parut reproduire pleinement le modèle chinois. Mongolie et Corée du Nord furent des créations de l'expansionnisme soviétique, la seconde ayant arrêté la pendule à l'heure de Staline. Le Cambodge prétendit construire le communisme intégral en un claquement des doigts, et cela déboucha sur un génocide. Le Laos pour sa part devait se débattre avec la construction de son État et l'organisation de son territoire. **E**nfin, les communismes d'Asie constituèrent une part de feu le « second monde ». Comme ailleurs, on décèle à l'origine un utopisme moderniste, industrialiste, unanimiste et purificateur. Comme ailleurs, après une génération, la lassitude et la désaffection ont poussé à l'affaissement de la dimension utopique, mais aussi à l'atténuation de la terreur, qui lui était consubstantielle. Comme ailleurs, enfin, tout retour à une stabilité durable en un « communisme minimum » paraît impossible une fois le processus d'ouverture lancé, malgré l'effet anesthésiant d'une réussite économique parfois notable. **J.-L. M.**

COMMUNISME (Europe de l'Est)
> SOVIÉTISATION DE L'EUROPE DE L'EST.

COMMUNISME (URSS) > RÉGIME SOVIÉTIQUE, RUSSIE ET URSS.

COMORES **R**épublique fédérale islamique des Comores. Capitale : Moroni. Superficie : 2 170 km^2. Population : 676 000 (1999). **S**ituées dans le canal de Mozambique, entre l'Afrique et Madagascar, les quatre îles (Grande Comore, Anjouan, Mohély et Mayotte) qui composaient l'archipel jusqu'en 1975 (année de la « sécession » de Mayotte) ont été colonie française, confirmée en 1912, après la mise au pas (militaire) de ceux qu'on appelait les « sultans batailleurs ». Jusqu'à la Seconde Guerre mondiale, elles sont administrativement « dépendances » de la colonie française de Madagascar. **À** partir de 1946, les Comores deviennent un territoire français d'outre-mer (TOM) bénéficiant d'une certaine autonomie politique, élargie d'ailleurs en 1961. Mais la vie politique interne est en permanence perturbée par les rivalités des grandes familles, les coups d'État et des frictions avec l'État français. Cela culmine en 1975 avec l'indépendance autoproclamée par le président Ahmed Abdallah et finalement entérinée par référendum, sauf dans l'île de Mayotte. Les années 1976-1978 sont

de grande violence politique et sociale, à la suite de l'éviction, en 1976, du président Abdallah (qui s'exile en France) par l'un de ses meilleurs ministres, Ali Sailih, qui lance une véritable révolution économique et sociale d'inspiration socialiste. L'expérience échoue (Ali Sailih est éliminé physiquement en 1978) et le président Abdallah (qui sera lui aussi assassiné en 1989) est rétabli avec l'aide de mercenaires et le soutien discret de la diplomatie française. L'adoption d'une nouvelle Constitution (1978) créant la République fédérale islamique des Comores est une incontestable ouverture politique dans un archipel où chaque île est soucieuse de son identité et n'hésite pas à contester la domination de Moroni, capitale de la Grande Comore et de la Fédération, tant sur le plan économique que politique où l'instabilité reste le trait décisif. Non seulement l'île de Mayotte repousse cette ouverture par le fédéralisme, mais elle inspire (très vraisemblablement par l'action de lobbies politiques mahorais) l'île d'Anjouan et la petite île de Mohély, qui, en 1997, rompent avec la Grande Comore et réclament leur rattachement à la France qui n'en veut pas ou plus... Un coup d'État militaire à Moroni entraîne la suspension de la coopération internationale avec ces deux îles, déjà très défavorisées économiquement. **C. C.**

COMPROMIS HISTORIQUE **S**tratégie politique dont la formule est lancée par Enrico Berlinguer en 1973 et appliquée de 1976 à 1979, le « compromis historique » a visé à associer au pouvoir communistes et démocrates-chrétiens. Analysant le coup d'État d'Augusto Pinochet au Chili, E. Berlinguer en conclut que l'obtention par la gauche de 51 % des voix ne suffit pas à garantir la survie et l'œuvre d'un gouvernement issu d'une telle majorité. L'intégration du Parti communiste italien (PCI) au pouvoir national instituerait par ailleurs une véritable alternance politique. Aldo Moro, leader de la Démocratie chrétienne (DC), est favorable à la proposition d'E. Berlinguer d'une alliance PCI/DC pour engager des réformes socio-économiques et défendre la démocratie face au terrorisme. **A**près les législatives de 1976 où les suffrages exprimés en faveur du

PCI (34,4 %) et de la DC (38,7 %) s'équilibrent, commence une phase de solidarité nationale : le PCI s'abstient au Parlement de censurer le gouvernement démocrate-chrétien de Giulio Andreotti puis, face à la radicalisation du terrorisme d'extrême gauche (« années de plomb »), soutient un nouveau gouvernement Andreotti. Mais le PCI quitte la majorité début 1979 et abandonne le compromis historique en 1980. L'échec est attribuable à la stratégie terroriste qui, par l'assassinat d'A. Moro (1978), bloque le processus, mais aussi aux réticences d'une partie des communistes devant le peu de réformes réalisées et la manière autoritaire avec laquelle E. Berlinguer a lancé puis abandonné le compromis historique. Le PCI voit s'éloigner l'accès au pouvoir national et l'Italie la perspective d'une rénovation politique. **O. F.** **> ITALIE, SOCIALISME ET COMMUNISME (ITALIE).**

CONDITIONNALITÉ
Fait de soumettre les prêts et les aides des organismes internationaux à des conditions. Avec le développement, au début des années 1980, à l'instigation du FMI (Fonds monétaire international), des plans d'ajustement structurel s'appliquant aux PED (Pays en développement), la conditionnalité a été appliquée à large échelle. Ces conditions peuvent avoir des dimensions financières, institutionnelles, sociales, politiques (gestion publique, démocratisation), environnementales.

CONFESSIONNALISME LIBANAIS
La Constitution de 1926 inaugure le « communautarisme politique » en liant la représentation parlementaire aux équilibres démographiques des différentes communautés religieuses libanaises, fixés lors de l'unique recensement de 1932. C'est avec le Pacte national (1943), non écrit, que le confessionnalisme devient la base de fonctionnement du système politique du Liban. Les charges gouvernementales, administratives, militaires, sont réparties sur une base *a priori* égalitaire entre chrétiens (maronites et autres minorités) et musulmans (sunnites, chiites et druzes). Cependant, au Parlement, six chrétiens sont élus pour cinq musulmans. Au sommet de l'État, le président de la République doit être chrétien, le Premier ministre musulman sunnite, le président du Parlement musulman chiite. Le Pacte, qui favorisait les élites maronites et sunnites, a été contesté très tôt, les musulmans étant devenus majoritaires (et notamment les chiites, première communauté du pays). Les accords de Taëf (1989), en établissant une représentation égalitaire entre chrétiens et musulmans au Parlement, ont seulement aménagé ce système fragile, source de clientélisme, de corruption, et ferment de la guerre civile qui a déchiré le pays entre 1975 et 1991. **L. V.** **> LIBAN.**

CONGO BELGE > EMPIRE BELGE.

CONGO-BRAZZAVILLE
République du Congo. Capitale : Brazzaville. Superficie : 342 000 km². Population : 2 864 000 (1999). Né d'expéditions coloniales des années 1880, le territoire du Congo-Brazzaville voit, après la Première Guerre mondiale, le surgissement d'un nationalisme puis, après 1945, la formation d'une scène politique locale. Les trente années qui suivent la proclamation d'un État indépendant (1960) correspondent à une succession de régimes autoritaires. La tentative de libéralisation politique ouverte en 1990 a été sabordée par la classe politique avec l'assentiment des réseaux d'influence étrangers qui pèsent sur le pays. Au début du siècle, la colonie du Moyen-Congo est livrée à de grandes compagnies concessionnaires dont les exactions conduisent à la réduction des emprises en 1911. La construction d'une ligne de chemin de fer reliant Brazzaville à la côte, entre 1921 et 1934, désenclave le territoire. Alors que les dernières résistances armées à l'occupation sont à peine éteintes, une nouvelle forme de contestation apparaît à travers des mouvements messianiques dont le plus célèbre est celui d'André Matswa, mort en prison en 1942. À partir de 1945, les nouvelles institutions de l'Union française ouvrent la voie à une vie politique locale mouvementée. L'épisode le plus violent provoque une centaine de morts à Brazzaville en janvier 1959 lors d'émeutes qui opposent deux partis et deux groupes ethniques. La proclamation de l'indépendance produit un élan avec

l'ouverture de perspectives de carrières inespérées pour la nouvelle élite et aussi une répartition plus équitable des ressources pour l'ensemble de la population. Cependant, le premier président, Fulbert Youlou, est renversé le 15 août 1963 par une insurrection. La radicalisation des luttes pour le pouvoir s'exprime dès lors dans la rhétorique de la révolution sous la Présidence d'Alphonse Massemba-Débat, tandis que Pascal Lissouba, Premier ministre de 1964 à 1966, introduit officiellement la référence au marxisme. En 1968, les militaires, menés par le capitaine Marien Ngouabi, s'emparent du pouvoir. Ils le garderont jusqu'en 1991. M. Ngouabi maintient l'orientation « révolutionnaire » et un nouveau parti unique est créé, le Parti congolais du travail (PCT), qui assure une composante civile et offre, par ses « organisations de masses », une assise dans la population en même temps qu'un outil de contrôle social et de répression. En 1977, M. Ngouabi est assassiné. Jacques Joachim Yhombi Opango lui succède puis est renversé, en 1979, par le colonel Denis Sassou Nguesso (1943-). À partir de 1989, le régime est fortement contesté ; d'abord de l'intérieur de l'appareil, puis par de vastes mobilisations populaires. À la fin de 1990, D. Sassou Nguesso, abandonné par la majorité de ses soutiens dans l'armée et le Parti, opte pour une stratégie plus souple et laisse se dérouler une transition au multipartisme qu'il ne peut plus enrayer. Après une « conférence nationale » dénonçant les tares du régime déchu et de son chef, des élections pourvoient à la mise en place des autorités du nouveau régime démocratique. Battu au premier tour, D. Sassou Nguesso appelle à voter au second pour P. Lissouba, qui est élu à la Présidence le 20 août 1992. Cependant, deux mois plus tard, il rejoint l'opposition dirigée par Bernard Kolélas, privant P. Lissouba d'une majorité de gouvernement et déplaçant le combat dans la rue. Durant le mandat de P. Lissouba, les phases de guerre civile alternent avec des périodes de paix armée. Sa Présidence se termine en octobre 1997, par la victoire militaire des forces de D. Sassou Nguesso appuyées par l'armée angolaise. Malgré les massacres à caractère génocidaire qu'il a laissé se déchaîner sur les populations du Sud, surtout à la fin de 1998, le général D. Sassou Nguesso, fort de solides appuis extérieurs, est parvenu à se faire admettre de nouveau sur la scène internationale. **P. Q.**

CONGO-KINSHASA **R**épublique démocratique du Congo. Capitale : Kinshasa. Superficie : 2 345 409 km². Population : 50 335 000 (1999). **L**es premiers habitants du Congo étaient des Pygmées, qui ont été dominés par d'autres populations – bantoue (en majorité), soudanaise et nilothique –, arrivées par vagues de migrations successives. Celles-ci constitueront à divers endroits des empires et royaumes (Kongo, Kuba, Luba, Lunda...), qui seront confrontés à des dominations extérieures sous la forme, notamment, de la traite esclavagiste. Les échanges restent alors commerciaux et culturels. Les Britanniques Henry Morton Stanley (1841-1904) et David Livingstone (1813-1873) ouvrent le Congo à une domination politique européenne dans la seconde moitié du XIXᵉ siècle. **L'**État du Congo « naît » avec la conférence de Berlin (1885), au cours de laquelle les puissances européennes se partagent l'Afrique. Il est d'abord propriété personnelle du roi des Belges Léopold II (1865-1909). Ses frontières sont progressivement fixées entre 1885 et 1911. L'économie du Congo se fonde alors exclusivement sur l'« exploitation en régie », principalement pour la collecte du caoutchouc et de l'ivoire. **E**n 1908, Léopold II cède le Congo à la Belgique, la gestion du pays est, dès lors, assortie d'une charte coloniale. La mise en valeur de l'espace s'accélère, surtout entre les deux guerres mondiales. L'impôt en argent remplace l'impôt en nature. L'exploitation minière suscite une économie extravertie, sans marché intérieur. **Un** **« empire du silence ».** L'autorité coloniale veille à éviter toute contestation. Elle intervient pour réorganiser les systèmes de pouvoir africain en s'assurant ainsi leur soumission. Elle astreint les Congolais qui veulent se déplacer à la détention d'un « passeport de mutation » ; elle leur refuse l'ouverture vers le monde extérieur et une formation scolaire poussée. Des contestations souvent ponctuelles et localisées sont brutalement réprimées par la Force publique. Les mouvements religieux syncrétiques (kimbanguisme, kitawala...) se montrent les plus difficiles à étouffer. Jusqu'en 1945, le Congo belge passe pour être un « empire du silence ». Cependant, l'impact de la participation à la guerre, les efforts économiques sans rétributions équitables, l'évolution de la situation coloniale dans les pays d'Asie, puis d'Afrique et le renforcement d'un courant anticolonialiste en Belgique cristallisent progressivement une contestation. Quelques améliorations sont apportées qui visent en particulier l'emploi, le développement rural (Fonds de bien-être indigène) et l'enseignement. Ainsi naît la classe dite des « évolués », celle des Congolais qui assimilent le mieux à la culture occidentale. La visite au Congo du roi des Belges Baudouin Ier (1930-1993), en 1955, renforce l'idée de création d'une communauté « belgo-congolaise ». Le Belge Anton Jef Van Bilsen met alors en place un plan de trente ans pour la décolonisation du Congo. **Une décolonisation improvisée.** En 1956, des exigences pour l'indépendance sont formulées dans le manifeste d'un groupe dirigé par Joseph Iléo et dans celui de l'Abako, une association à base ethnique impulsée par Joseph Kasavubu (1910-1969), influente à Léopoldville (actuelle Kinshasa). Des partis politiques sont créés à partir de 1957 et, pour la première fois, les Congolais de trois villes (Léopoldville, Elisabethville [Lumumbashi] et Jadotville [Likasi]) font l'expérience des élections communales. Lorsque rentre la délégation, comprenant Patrice Lumumba, qui s'est rendue (1958) à la conférence panafricaine d'Accra (Ghana), un meeting public est organisé à Léopoldville. Peu après éclatent des émeutes urbaines sanglantes (4 janvier 1959), provoquées par le refus des autorités d'autoriser un nouveau meeting. Cette année 1959 sera marquée par une contestation politique grandissante. L'autorité coloniale multiplie les initiatives en direction des populations et des élites, mais son pouvoir s'effrite. La Belgique décide de précipiter l'indépendance. En janvier-février 1960, une réunion rassemble à Bruxelles des délégués congolais et belges. La date de l'indépendance est fixée au 30 juin. Des élections législatives sont organisées en mai pour la constitution du Parlement congolais, et les chambres belges adoptent la Loi fondamentale qui régira le nouvel État. **La cérémonie de proclamation de l'indépendance de la République démocratique du Congo est marquée par trois allocutions, celles du roi des Belges, du nouveau président du Congo, Joseph Kasavubu, et du Premier ministre P. Lumumba. Le discours de celui-ci, non prévu au programme, critique vivement la gestion coloniale belge. Il indispose le roi et la Belgique, mais marque les Congolais et l'opinion internationale. P. Lumumba fait désormais figure de héros nationaliste. Le pays prend un mauvais départ avec la mutinerie de l'armée, qui intervient quatre jours seulement après la proclamation de l'indépendance. Cette situation provoque le rapatriement des Belges qui étaient demeurés au Congo et ruine l'encadrement administratif du pays. Elle suscite l'intervention de troupes belges. Le chef de l'État et son Premier ministre sont en conflit. À l'inexpérience des leaders s'ajoutent des rivalités de compétences, des pratiques politiques différentes et surtout une forte interférence extérieure (rôle de la Belgique, conflit Est-Ouest). **La « crise du Congo ».** Le 11 juillet 1960, Moïse Tshombé proclame la sécession de la riche province du Katanga. Le 13, P. Lumumba fait appel à l'ONU (Organisation des Nations unies) pour l'envoi de casques bleus. Le 8 août, c'est au tour de la partie riche du Kasai, autour des mines de diamant de Bakwanga, de se déclarer en sécession (Albert Kalondji). P. Lumumba lance un appel à l'URSS. La « crise du Congo » (1961-1963) prend la forme d'une guerre civile étendue à tout le pays. L'Union minière du Haut-Katanga (compagnie belge) soutient la sécession, qui bénéficie du renfort de mercenaires européens (les « katangais ») et où interviennent aussi les forces belges et celles de l'ONU. J. Kasavubu et P. Lumumba se révoquent réciproquement le 5 septembre et le chef de l'armée, Joseph-Désiré Mobutu, les suspend tous deux le 14. Seul P. Lumumba est emprisonné puis livré à M. Tshombé au Katanga et assassiné le jour même (17 janvier 1961). Les forces de l'ONU mettent fin à la sécession du

Katanga (fin 1962) . Entre 1963 et 1965, des « rébellions populaires » armées contrôlent près des deux tiers du territoire. J. Kasavubu nomme, en juillet 1963, M. Tshombé Premier ministre, avant d'être renversé par J.-D. Mobutu, en novembre 1965.   **Un régime despotique.** Le long règne de Mobutu (1965-1997) se caractérise par une gestion présidentielle, monopartiste et despotique. Le nouveau régime s'affirme entre 1966 et 1972. Des lois foncières attribuent à l'État toutes les terres ; la politique culturelle dite du « recours à l'authenticité » met l'accent sur la reprise des « valeurs traditionnelles africaines » ; d'autre part, l'enseignement est confié à l'État et les biens et entreprises appartenant aux étrangers sont confisqués, avec ou sans indemnisation. En 1971, le Congo-Kinshasa est rebaptisé « Zaïre » et le chef de l'État se fait désormais appeler « Mobutu Sese Seko ».   **En** 1966 et 1967, le régime Mobutu connaît des mutineries de mercenaires et d'ex-gendarmes katangais qui avaient appartenu à l'armée sécessionniste de M. Tshombé et avaient été intégrés par la suite dans l'armée nationale en 1964. En 1977 puis en 1978, le Katanga (rebaptisé « Shaba » de 1972 à 1997) sera à nouveau le théâtre de la guerre : les acteurs en sont encore une fois les « gendarmes katangais » exilés en Angola où ils appuient les troupes du MPLA (Mouvement populaire pour la libération de l'Angola). En 1984 et 1985, deux nouvelles actions guerrières sporadiques de maquisards se déroulent au Katanga, dans sa partie nord-est, au niveau de la localité de Moba. Les acteurs, des anciens des rébellions de 1964, ont installé depuis 1967 un maquis sous l'autorité de Laurent-Désiré Kabila dans les montagnes de la province voisine du Kivu.   **M**obutu décide en 1977 de rétablir le poste de Premier ministre qu'il avait supprimé dix ans auparavant et d'organiser des élections législatives, mais il n'entend pas pour autant renoncer au parti unique ou partager son pouvoir.   **De Mobutu à Kabila.** Il faut attendre 1990 pour que Mobutu autorise enfin l'exercice d'un multipartisme politique. Cette période dite de « transition démocratique » dure sept ans et

voit, de fait, l'éclosion des libertés publiques, surtout à partir de la tenue d'un forum baptisé « conférence nationale souveraine ». Cependant, la situation du pays ne fait qu'empirer : l'invocation de l'idéal démocratique masque en fait le détournement des aspirations populaires par une classe politique que déchire et rassemble à la fois la quête des honneurs, du pouvoir et de l'argent.   **U**ne rébellion/ invasion partie de l'est du Congo conduit L.-D. Kabila au pouvoir, en mai 1997. Les armées de plusieurs pays, principalement du Rwanda et de l'Ouganda, interviennent. Mobutu s'enfuit et meurt peu après. Le Zaïre est rebaptisé « République démocratique du Congo ». L.-D. Kabila instaure un régime présidentiel et un pouvoir personnel. Les activités politiques sont le monopole d'un seul mouvement : l'Alliance des forces démocratiques pour la libération du Congo (AFDL), transformée et remplacée début 1999 par les Comités des pouvoirs populaires (CPP). Mais, à compter d'août 1998, le Rwanda et l'Ouganda, sont à la base d'une nouvelle rébellion/invasion, cette fois-ci dirigée contre le régime de L.-D. Kabila et qui reçoit le soutien militaire de l'Angola, du Zimbabwé et de la Namibie. L.-D. Kabila est assassiné en janvier 2001. **J. O.**

CONGO-LÉOPOLDVILLE > CONGO-KIN-SHASA.

XXᵉ CONGRÈS DU PCUS > KHROUCHT-CHEV (RAPPORT).

CONGRÈS NATIONAL INDIEN
Mouvement fondé en 1885 à Bombay par des membres de l'intelligentsia indienne entendant se doter d'un moyen de pression pour obtenir des Britanniques un accès élargi à l'administration. Le Congrès passe du stade de club élitaire à un mouvement de masse lorsque Mohandas Karamchand Gandhi en prend la tête en 1920. Il n'est plus question, désormais, de collaborer avec les Britanniques, même si le combat anticolonial prend une forme non violente. La réforme de 1935 (*India Act*) amène cependant le Congrès à renouer avec le processus institutionnel et à disputer les élections de 1937, d'où il sort

vainqueur dans huit provinces qu'il gouvernera jusqu'en 1939. Après l'indépendance de 1947, le Congrès, sous la férule de Jawaharlal Nehru puis de Lal Bahadur Shastri (1904-1966) et de la fille de Nehru, Indira Gandhi (1917-1984), se maintient au pouvoir jusqu'en 1977. Il se divise cependant en 1969 lorsque les caciques du parti s'opposent à I. Gandhi qui, pour s'émanciper de leur tutelle, engage le Congrès sur la voie du socialisme. La personnalisation du pouvoir au sein du parti l'identifie de plus en plus à la lignée des Nehru-Gandhi, au point que Rajiv Gandhi (1944-1991) succède à sa mère après son assassinat en 1984. Il est lui-même victime d'un attentat en 1991. Orphelin, le Congrès perd le pouvoir en 1996 et, pour la première fois de son histoire, ne parvient pas à le récupérer lors des élections suivantes. **C. J.** ➤ INDE.

CONSEIL DE L'EUROPE Fondé en 1949 par dix États, le Conseil de l'Europe (Council of Europe, siège à Strasbourg) en comptait 43 à la mi-2001, avec l'adhésion de l'Arménie et de l'Azerbaïdjan (2001) : Allemagne, Albanie, Andorre, Autriche, Belgique, Bulgarie, Chypre, Croatie, Danemark, Espagne, Estonie, Finlande, France, Géorgie (avril 1999), Grèce, Hongrie, Irlande, Islande, Italie, Lettonie, Liechtenstein, Lituanie, Luxembourg, Macédoine, Malte, Moldavie, Norvège, Pays-Bas, Pologne, Portugal, République tchèque, Roumanie, Royaume-Uni, Russie, Saint-Marin, Suède, Suisse, Slovaquie, Slovénie, Turquie, Ukraine. Candidate officielle à l'adhésion : Bosnie-Herzégovine. Le champ d'action du Conseil est théoriquement très large, constituant en quelque sorte un « forum pan-européen des démocraties » qui traite de pratiquement toutes les questions concernant l'Europe à l'exclusion des problèmes de défense : droits de l'homme (garanties européennes), médias, problèmes sociaux (justice sociale), santé (normes communes), environnement, etc. La création de l'Organisation pour la sécurité et la coopération en Europe (OSCE) et la Politique étrangère et de sécurité commune (PESC) de l'Union européenne ont fortement restreint les capacités de renouveau de cette organisation.

CONSEIL DE SÉCURITÉ (ONU) La mission principale du Conseil de sécurité (Security Council) de l'ONU est de maintenir la paix et la sécurité internationales. Depuis 1963, il est composé de quinze membres (onze à l'origine), dont cinq membres permanents : la Chine, les États-Unis, la France, le Royaume-Uni et la Russie, qui a hérité du siège de l'URSS à la disparition de celle-ci en décembre 1991. Ces pays peuvent exercer un droit de veto sur les décisions du Conseil. Les dix autres membres sont élus pour une période de deux ans par l'Assemblée générale. Le Conseil de sécurité est le seul organe de l'ONU habilité à prendre des décisions. Selon la Charte des Nations unies, tous les États membres sont dans l'obligation d'accepter et d'appliquer les décisions du Conseil. ➤ ONU.

CONSEIL DE TUTELLE (ONU) Le Conseil de tutelle (Trusteeship Council) de l'ONU est chargé de superviser l'administration des territoires sous tutelle dans le but de favoriser leur évolution progressive vers l'autonomie et l'indépendance. Le dernier territoire relevant de la compétence de ce Conseil, Palau, qui était sous la tutelle des États-Unis, étant devenu indépendant en 1994, le Conseil est voué à disparaître. ➤ ONU.

CONSEIL DES ÉTATS DE LA MER BALTIQUE Le Conseil des États de la mer Baltique a été créé en mars 1992 (CBSS – Council of the Baltic Sea States –, secrétariat à Stockholm). Membres à la mi-2001 : Allemagne, Danemark, Estonie, Finlande, Islande, Lettonie, Lituanie, Norvège, Pologne, Russie, Suède, Commission européenne.

CONSEIL ÉCONOMIQUE ET SOCIAL (ONU) Placé sous l'autorité de l'Assemblée générale de l'ONU, le Conseil économique et social (Economic and Social Council ou Ecosoc) coordonne les activités économiques et sociales des Nations unies et des institutions spécialisées. Depuis 1971, il est composé de 54 membres, dont 18 sont élus chaque année pour une période de trois ans. Les décisions sont prises à la majorité simple. Le Conseil, qui se réunit deux fois par an, à Genève et à New York, est composé de plusieurs organes subsidiaires :

– Les comités permanents qui traitent des questions de programme et coordination, des organisations non gouvernementales (ONG), des ressources naturelles, des sciences et techniques au service du développement, etc. Pour leur part, la Commission des sociétés transnationales et la Commission des établissements humains sont, elles aussi, des organes permanents.

– Les cinq commissions économiques régionales : Commission économique pour l'Afrique (CEA, ECA – Economic Commission for Africa –, siège à Addis-Abéba) ; Commission économique pour l'Amérique latine et les Caraïbes (CEPALC, ECLAC – Economic Commission for Latin America and Carribean –, siège à Santiago du Chili) ; Commission économique et sociale pour l'Asie occidentale (CESAO, ESCWA – Economic and social Commission for Western Asia –, siège à Beyrouth) ; Commission économique et sociale pour l'Asie et le Pacifique (CESAP, ESCAP – Economic and Social Commission for Asia and the Pacific –, siège à Bangkok) ; Commission économique pour l'Europe (CEE, ECE – Economic Commission for Europe –, siège à Genève).

– Les six commissions techniques : Commission de la statistique, Commission de la population, Commission du développement social, Commission des droits de l'homme, Commission de la condition de la femme, Commission des stupéfiants. **> ONU.**

CONSEIL NORDIQUE   Le Conseil nordique (Nordic Council, siège à Stockholm) a été créé en 1952 par le Danemark (ainsi que les îles Féroé et le Groenland), la Finlande, l'Islande, la Norvège et la Suède. Il a pour vocation la coopération économique, sociale et culturelle.

CONSTITUTION (Allemagne)   > LOI FONDAMENTALE (ALLEMAGNE).

CONSTITUTION   (États-Unis)   Le phénomène constitutionnel, tel qu'il se présente aux États-Unis, défie la description tant sont grandes sa diversité et ses complexités : parce que les États-Unis sont une fédération, cinquante Constitutions – celles des États membres – s'y juxtaposent, et une cinquante et unième – la Constitution fédérale – s'y superpose.   **La Constitution fédérale, loi suprême.** La Constitution fédérale comprend les sept articles adoptés en 1787, ratifiés en 1789, et les 26 amendements dont l'adjonction s'est échelonnée de 1791 à 1965. Cette Constitution se donne pour la loi suprême des États-Unis (article 6, § 2) : sa valeur juridique est donc supérieure tant à celle des lois fédérales qu'à celle des conventions internationales que conclut l'État fédéral. Mais, par-dessus tout, la Constitution des États-Unis l'emporte sur l'ensemble des Constitutions et de la législation des États membres, qui doivent s'y conformer.   **Les** Pères fondateurs avaient conçu cet instrument comme un compromis entre thèses nationalistes, favorables au gouvernement fédéral, et thèses autonomistes, favorables aux États membres. Les éléments de ce compromis sont les suivants : la répartition des compétences entre gouvernement fédéral et États membres s'opère en sorte que celui-là, à la différence de ceux-ci, ne possède que des compétences d'attribution, définies de façon limitative, non exhaustive ; la distribution des compétences, au sein du gouvernement fédéral, entre le pouvoir législatif – le Congrès – et le pouvoir exécutif – le président –, est ainsi faite que ni l'un ni l'autre ne jouissent de la prépondérance de l'un sur l'autre ; et enfin, la protection des droits fondamentaux contre l'action du gouvernement fédéral doit empêcher tout empiétement des pouvoirs nationaux sur les droits des citoyens.   **L'**évolution constitutionnelle des États-Unis devait mettre en lumière le caractère illusoire de ces précautions. La répartition des compétences entre gouvernement fédéral et États membres s'est progressivement déséquilibrée : l'interventionnisme des pouvoirs nationaux, notamment en matière économique, connaît une accélération à partir de Franklin D. **Roosevelt** (1933-1945) et la progression des pouvoirs nationaux entraîne la régression des pouvoirs des États membres. La distribution des compétences, au sein du gouvernement fédéral, entre pouvoir législatif et pouvoir exécutif oscille entre gouvernement « congressionnel » et gouvernement « présidentiel ». Enfin, la protection des droits fondamentaux, assurée efficacement par la Cour suprême et les tribunaux fédéraux, s'exerce moins contre l'action des pouvoirs nationaux que contre l'inaction des États membres, génératrice d'iniquités et perpétuatrice d'inégalités. **L'enveloppe formelle** n'a pas été modifiée fondamentalement ; il n'en reste pas moins que le contenu de la Constitution fédérale n'est plus ce qu'il était en 1790. La signification du texte a évolué tout d'abord grâce à l'interprétation jurisprudentielle, qui résulte du pouvoir qu'ont les tribunaux fédéraux de contrôler la constitutionnalité des lois (*Marbury c. Madison*, 1803). Mais la Cour suprême est tenue à une certaine réserve, sans laquelle le système dériverait vers le gouvernement des juges : ceux-ci ne sauraient susciter les mutations du corps social, qui doivent passer par la procédure de l'amendement constitutionnel. Le rôle de celle-ci dans l'évolution des institutions américaines ne doit pas être mésestimé. Les 26 amendements forment la partie la plus sollicitée de la Constitution. Ainsi, la Déclaration des droits – le *Bill of Rights* – est contenue dans les amendements 1 à 10 ; son extension aux États membres s'est opérée par le 14ᵉ amendement. Mais la procédure d'amendement est d'une telle lourdeur qu'elle ne parvient que difficilement à son point d'aboutissement. L'échec de l'*Equal Rights Amendement* (ERA) dans les années 1970 a d'ailleurs illustré ces difficultés. **Les Constitutions des États, laboratoires d'expérimentation.** Les Constitutions des États membres ne sont pas, et de loin, entourées de la même vénération que la Constitution fédérale : les États membres pratiquent alertement l'art du changement. Il s'agit de documents de circonstance, dans lesquels le pragmatisme l'emporte sur le dogmatisme, et à travers lesquels s'expriment moins l'intérêt général que les intérêts spéciaux. Cependant, ces Constitutions remplissent une fonction utile : celle de laboratoires d'expérimentation constitutionnelle. En intégrant les aspirations au changement des gouvernés, elles préservent l'intangibilité

du pacte fédéral. Lorsque, à la fin du XIXᵉ siècle, les progressistes entreprirent, avec l'assentiment du président Theodore Roosevelt (1901-1909), la critique des institutions représentatives – considérées comme des instruments de conservatisme – et se firent les propagandistes de la démocratie directe, ce furent les Constitutions des États membres qui absorbèrent le choc, par l'adjonction de dispositions sur l'initiative et le référendum populaires : près de la moitié des États membres se dotèrent de ces institutions. Le mouvement s'étant exprimé sur le plan local, il a épuisé sa force de propagation avant d'atteindre les institutions fédérales. Il ne faut pas exagérer la capacité d'innovation constitutionnelle des États membres. Celle-ci demeure, en effet, limitée par la Constitution fédérale ; l'article 4, § 4, garantit à chacun des États une « forme républicaine de gouvernement ». Mais la forme républicaine de gouvernement n'exige pas l'uniformité constitutionnelle et la Cour suprême a manifesté, à plusieurs reprises, sa volonté de protéger l'autonomie des États en ce domaine, dans la mesure où cette autonomie ne s'exercerait pas au détriment des droits fondamentaux qu'énumère le *Bill of Rights*, et, notamment, au droit de libre et égal suffrage (*Baker c. Carr*). Mais on a constaté, au sein même des États membres, l'apparition d'une certaine tendance, sinon à l'uniformisation, du moins à la rationalisation. **P. J.**   **> ÉTATS-UNIS, FÉDÉRALISME (ÉTATS-UNIS).**

CONSTITUTION (France, 1958) Les institutions de la Vᵉ République française forment un assemblage original d'un régime parlementaire renforcé et d'un pouvoir présidentiel, soudés l'un à l'autre par l'apparition supérieure du peuple souverain.   **D**u régime parlementaire, caractérisé par la responsabilité du gouvernement devant l'Assemblée, la Constitution de 1958 a fait un système contrôlé du fait du renforcement du pouvoir autonome du gouvernement (qui remplace significativement l'exécutif auquel faisaient référence les constitutions antérieures), de la maîtrise par celui-ci de toute la procédure parlementaire (ce que l'on appelle le « parlementarisme rationalisé » des articles 40 à 49), de la présomption de majorité parlementaire en faveur du gouvernement (l'article 49 contraignant l'opposition à faire la preuve du contraire). **Du** pouvoir présidentiel, caractérisé initialement par les pouvoirs de crise (article 16), la tutelle sur le bon fonctionnement des pouvoirs publics (du droit de dissolution à celui du référendum, en passant par le Conseil supérieur de la magistrature), ainsi que par un pouvoir partagé avec le gouvernement (dont il nomme le Premier ministre et préside le Conseil des ministres) en matière de nomination aux principaux emplois civils et militaires, mais aussi de diplomatie et de défense, l'élection populaire du chef de l'État a fait le pouvoir dominant, si (comme cela a été le plus souvent le cas, sauf en 1986-1988, en 1993-1995, et à compter de juin 1997, dans les périodes dites « de cohabitation ») le président dispose d'une majorité à l'Assemblée nationale. **L'**élément décisif de la Constitution (surtout du fait de la pratique gaullienne et de la révision de 1962 introduisant l'élection du président par le peuple) est, en effet, le remplacement de la souveraineté parlementaire d'avant 1958 par la souveraineté populaire. Le peuple vote la Constitution et ses révisions (si le président le souhaite), il tranche par référendum sur les problèmes institutionnels et les grandes réformes économiques et sociales (article 11), élit les principaux organes de l'État (Assemblée, président de la République), tranche les conflits entre eux (dissolution). Cette conception explique que le scrutin majoritaire ait été choisi en 1958 à la place de la représentation proportionnelle et qu'il « structure l'opinion » à partir de l'élection présidentielle. **À** cette souveraineté populaire se combine l'État de droit. Depuis 1958, la Constitution est vraiment au sommet de la hiérarchie des normes juridiques et, pour la première fois, un contrôle de constitutionnalité des lois est institué, que le Conseil constitutionnel (qui, depuis 1976, peut être saisi par les parlementaires) a élargi par sa jurisprudence en incluant dans le droit constitutionnel positif les principes fondamentaux tirés de la *Déclaration des droits de 1789* (actualisée en 1946) et des grandes lois de la République. **H. P.** **➤ FRANCE.**

CONSTITUTION (Inde, 1950) Promulguée après 165 jours de débats engagés dès décembre 1946, la Constitution indienne est la plus longue du monde. Elle comportait à l'origine 395 articles et de nombreuses annexes. Elle procède directement du *Government of India Act* de 1935 – 250 de ses 395 articles en sont issus – et reproduit donc le modèle de parlementarisme anglais que les Britanniques avaient commencé à acclimater en Inde. Les constituants accordent le même poids – prépondérant – au gouvernement, et surtout au Premier ministre, que dans le *Cabinet System* de Westminster. La chambre basse du Parlement, la Lok Sabha (Assemblée du peuple), élue au suffrage universel tous les cinq ans, est la pièce maîtresse du Parlement, qui comporte aussi la Rajya Sabha, l'assemblée qui représente les États, puisque la Constitution indienne instaure aussi un système fédéral. **Ce** texte ne se contente pas d'établir un dispositif institutionnel. La liste des droits fondamentaux et celle des principes directeurs qui figurent en son début en font un document d'une tout autre envergure puisqu'ils fournissent, pour les premiers, une base juridique à l'intervention de la Cour suprême et, pour les seconds, un guide à l'action sociale et économique des États de l'Union. **La** Constitution de 1950 est mise entre parenthèses par Indira Gandhi (1917-1984) au cours de l'état d'urgence de 1975-1977, période durant laquelle d'innombrables amendements l'ont déformée pour couvrir l'emprisonnement des opposants, permettre la censure et justifier l'autoritarisme nouveau par de grands principes tels que le sécularisme, un mot inscrit dans le préambule en 1976. Le Janata Party restaure cependant la logique initiale du texte en 1977-1979. Il s'agit donc d'un des textes démocratiques jouissant d'une longévité comparable à celle de bien des Constitutions européennes. **C. J.** **➤ INDE.**

CONSTITUTION (Japon) Le régime politique japonais s'organise autour de la « Constitution du Japon », promulguée le 3 novembre 1946 et entrée en vigueur le 3 mai 1947. Bien qu'il s'agisse, formellement, d'un amendement à la Charte de Meiji de 1889, la nouvelle Loi fondamentale, très fortement marquée par l'influence des autorités américaines d'occupation, constitue une rupture politico-idéologique avec l'ancien régime de monarchie absolue. Elle comprend cent trois articles regroupés en onze chapitres et s'appuie sur trois principes. **A**ffirmé avec force dans le préambule et l'article premier, le principe de la souveraineté populaire est concrétisé par la réduction de l'empereur à une position de symbole et par le placement du statut juridique et financier de la Maison impériale sous le contrôle de la représentation nationale. Il l'est également grâce à la généralisation du suffrage universel direct pour l'élection non seulement de la Diète, qualifiée désormais d'« organe d'État le plus élevé », mais aussi des exécutifs et organes délibératifs locaux. Par ailleurs, une procédure originale de confirmation décennale par vote populaire des juges de la Cour suprême lors des élections générales est instituée. Enfin, au niveau de l'administration locale, sont introduits des mécanismes d'initiative populaire en matière de réglementation, de contrôle des élus et des services, ainsi que deux types de procédures référendaires (pour la révision de la Constitution, d'une part, pour la modification du statut légal d'une collectivité territoriale particulière, d'autre part). **I**nscrit à l'article 9, le pacifisme constitutionnel est la singularité la plus évidente et la plus discutée du régime de 1947. Il comporte en fait une triple renonciation : à la guerre, à l'usage de la force ou de la menace sur le règlement des litiges internationaux, et à la détention subséquente de tout « potentiel militaire ». Cet article a beaucoup pesé sur le débat autour de la constitutionnalité des « forces d'autodéfense » (forces armées) et des accords de sécurité conclus avec les États-Unis. Il a eu cependant également des implications politico-institutionnelles importantes : affirmation de la prédominance du « contrôle civil » sur les affaires militaires, prohibition des tribunaux militaires et de la conscription, adoption des trois principes non nucléaires (1968), plafonnement des dépenses militaires à 1 % du produit national brut (1976-1987) et limitation des exportations d'arme-

ment (1967). **L**a Loi fondamentale fait une large place aux droits fondamentaux des citoyens, auxquels elle ne consacre pas moins de 30 articles et elle définit un régime parlementaire classique organisant le pluralisme et la libre compétition entre les partis. La Diète comporte deux Chambres : la Chambre des représentants et la Chambre des conseillers. Cette Diète fonctionne sur la base du « bicamérisme inégalitaire » qui assure la prééminence de la Chambre basse pour la désignation du Premier ministre, chef en titre de l'exécutif. **É. Se.** ➤ JAPON.

CONSTITUTION (Russie, 1918)

Près d'un an après la révolution de février 1917, le 5 (18 selon le calendrier julien) janvier 1918, l'Assemblée constituante est dispersée. La veille, elle avait refusé de discuter d'une Déclaration des droits du peuple travailleur et exploité rédigée par Lénine et qui s'opposait à la Déclaration des droits de l'homme et du citoyen de 1789. Les bolcheviks sont minoritaires à l'Assemblée avec 175 sièges sur 707, mais le motif invoqué pour priver celle-ci de sa légitimité est qu'elle a été élue avant octobre 1917 et n'a donc pas pu enregistrer les effets politiques de l'événement. Lors de la révolution de 1905, Lénine avait adopté le schéma issu du XIXᵉ siècle : soulèvement populaire, gouvernement provisoire, Assemblée constituante. Mais pour lui, le point clé n'est pas dans l'élection de cette assemblée au suffrage universel que voulaient les libéraux, mais dans l'insurrection armée des masses, sa politique s'étant élaborée à partir du primat de la force sur la représentation. **L**a Déclaration des droits du peuple travailleur et exploité est votée par le IIIᵉ congrès des soviets le 12 janvier 1918, puis une commission (qui comprend Staline et Nicolas Boukharine) lui écrit une suite qui est adoptée au Vᵉ congrès des soviets, le 10 juillet 1918. La République socialiste fédérative des soviets de Russie dispose alors de sa première loi fondamentale. Dans une dénégation, qui ne sera totalement levée qu'avec la Constitution de 1977, il n'est pas question du Parti communiste : la République russe est censée être une communauté socialiste où le pouvoir appartient à la population ouvrière organisée en soviets urbains et ruraux... Le but de la dictature du prolétariat est d'instaurer le socialisme et d'écraser les exploiteurs qui sont exclus de tous les organes du pouvoir. Mais, au-delà de cette privation des droits de citoyenneté qui frappe la bourgeoisie, apparaît cette dimension du régime soviétique qu'on qualifiera de totalitaire, puisqu'il est indiqué qu'en vue de « supprimer les éléments parasites de la société et d'organiser la vie économique, le service du travail obligatoire est instauré ». À ce titre, la Constitution de 1918 exprime bien la logique épuratrice du bolchevisme, particulièrement virulente au moment où éclate la guerre civile. **D. C.** ➤ CONSTITUTION (URSS, 1924), RUSSIE ET URSS.

CONSTITUTION (URSS, 1924)

Lénine est encore vivant lorsque se prépare la Constitution qui fondera l'URSS (ratifiée par le II⁰ Congrès des soviets de toute l'Union le 31 janvier 1924). Pour l'heure, la structure territoriale du nouvel État est laissée dans le flou ; elle ne repose que sur des accords bilatéraux entre la République socialiste fédérale des soviets de Russie (régie par la Constitution de 1918) et certaines républiques fédérées. L'échec de l'Armée rouge sur la Vistule (bataille de Varsovie), en septembre 1921, a mis fin aux espoirs d'une expansion vers l'ouest, et Lénine se tourne vers l'« Asie avancée ». À la différence de celle de 1918, la Constitution de l'URSS ne met donc pas l'accent sur la « nécessité d'écraser complètement la bourgeoisie » mais sur le « libre développement national des peuples » au sein de l'URSS.   Mais comment rallier les peuples opprimés si le chauvinisme grand-russe fait des ravages dans le pays même des soviets ? Les bolcheviks n'ont-ils pas, notamment, envahi la Géorgie en 1920 ? Cette région sera au cœur d'un vif conflit. Staline rédige en août 1921 un projet constitutionnel privilégiant le centre russe et intégrant à la future URSS une République fédérative transcaucasienne (Azerbaïdjan, Arménie, Géorgie). Les communistes géorgiens réclament le statut de république à part entière et se plaignent de la « brutalité » de Staline : Lénine, alerté, les appuie juste avant de sombrer dans la maladie. Mais

la logique ultracentralisatrice, qu'il a lui-même impulsée, l'emporte.   La Constitution de 1924 sera avant tout un instrument de propagande idéologique, opposant le camp du capitalisme, où règnent l'« esclavage colonial et le chauvinisme », au camp socialiste, où triomphent la « coexistence pacifique et la collaboration fraternelle des peuples ». Rien n'y sera dit sur le rôle du Parti communiste de l'Union soviétique (PCUS) qui, pourtant, et de plus en plus sous la direction de Staline, se constitue, au nom des vertus de l'organisation et de l'« unité de la volonté » chères à Lénine, en armature de l'URSS. **D. C.** ➤ CONSTITUTION (URSS, 1936), NATIONALITÉS EN URSS, RÉGIME SOVIÉTIQUE, RUSSIE ET URSS.

CONSTITUTION (URSS, 1936)   Le

1ᵉʳ février 1935, lors d'un plénum du Comité central du Parti, Staline propose de réviser la Constitution de l'URSS (1924). Une commission se met au travail et le texte, après avoir été soumis à une « discussion nationale » des citoyens, est adopté le 5 décembre 1936 au VIII⁰ congrès des soviets. Cette disposition, obligatoire, du peuple encadré par le Parti communiste est conforme à ce que la nouvelle Constitution cherche à officialiser. Les classes exploiteuses ont été éliminées et l'accent peut être mis sur les « garanties des droits » des citoyens : droit au repos, à l'instruction, mais aussi reconnaissance du droit à la « propriété personnelle », tandis que l'« inviolabilité du domicile » et le « secret de la correspondance » sont garantis par la loi. Bien mieux, l'état d'arrestation ne peut être décidé que par un tribunal, et les organes de répression ne sont pas mentionnés, alors que la police politique (GPU) occupait un chapitre du texte de 1924.   On insiste sur le caractère direct et secret du suffrage universel qui permet d'élire des députés dont le nombre est élevé du fait de l'organisation des soviets hiérarchisés, du niveau des villages et villes jusqu'au Soviet suprême de l'URSS. Le droit de présenter des candidats est garanti à quelques organisations telles les syndicats et le Parti communiste, seulement mentionné à cet endroit du texte. Violente ironie, car l'hégémonie politique du Parti est alors totale. Mais Staline ne dissimule rien : au Congrès des soviets qui ratifie la Constitution, il légitime la réalité d'un parti unique, jadis présenté par Lénine comme l'instrument de la dictature du prolétariat et de la lutte des classes, en invoquant l'unité de la société. Car un parti étant la « part d'avant-garde » d'une classe, le pluralisme des partis suppose une pluralité des classes, selon lui. Or, en URSS, il n'existe plus que deux classes, ouvriers et paysans, dont les intérêts sont fondés sur l'amitié. Et Staline d'affirmer que si les constitutions bourgeoises instituaient la démocratie seulement pour les forts, « la Constitution de l'URSS [est] la seule au monde qui [soit] démocratique jusqu'au bout ». **D. C.** > CONSTITUTION (URSS, 1977), RÉGIME SOVIÉTIQUE, RUSSIE ET URSS, SOCIALISME ET COMMUNISME, STALINISME.

CONSTITUTION (URSS, 1977) La dernière Constitution soviétique est votée le 7 janvier 1977 par le Soviet suprême. Au XXIᵉ congrès du Parti communiste de l'Union soviétique (PCUS) en 1959, Nikita Khrouchtchev a, en effet, souligné la nécessité de remplacer la Constitution de 1936. Les travaux aboutis en 1977 sont approuvés par le Parti, et donnent lieu à une « discussion populaire ». L'URSS, affirme le long préambule, a atteint le stade de « société socialiste développée » et bénéficie d'une démocratie « authentique » : la liste des droits des citoyens, hommes et femmes de toutes les nationalités, s'allonge encore par rapport à 1936. Et pour se distinguer du passé, il est affirmé que « les organisations du Parti [exercent] leur activité dans le cadre de la Constitution ». Mais le Parti, « noyau » de la société, reste garant et référent ultime de la légalité et de la légitimité, réduisant l'État et le droit à une « souveraineté limitée ». Aussi la dictature du parti unique n'offre-t-elle d'autre alternative que sa perpétuation ou son dépérissement. En donnant à la désagrégation de l'URSS une dimension politico-juridique, Mikhaïl Gorbatchev ambitionnait, en juin 1988, d'édifier un « État de droit » socialiste » et conférait à des textes jusque-là formels une vertu opératoire. Le changement concernait l'article 6 selon lequel le PCUS était « la force qui

dirige et oriente la société soviétique ». Il fut abrogé lors de la révision constitutionnelle de mars 1990 (qui prévoyait aussi l'élection d'un président de la République) tandis que les autres États communistes d'Europe centrale et orientale allaient bientôt abandonner les formules similaires dans leurs Constitutions. L'impossibilité pour M. Gorbatchev de transférer le centre du pouvoir du Parti vers l'État et la corrélation entre la dislocation nationale totale de l'URSS et celle du Parti ont démontré la véracité de la loi fondamentale de la quatrième des constitutions qu'aura connues le régime supposé des soviets : le Parti était son infrastructure. **D. C.** > RÉGIME SOVIÉTIQUE, RUSSIE ET URSS, SOCIALISME ET COMMUNISME.

CONSTRUCTION EUROPÉENNE En 1950, sur le conseil du Français Jean Monnet, le ministre français des Affaires étrangères, Robert Schuman (1886-1963), propose de mettre en commun les ressources de charbon de la France et de l'Allemagne (plan Schuman). Cela se traduit par la signature, le 18 avril 1951, du traité instaurant la CECA (Communauté européenne du charbon et de l'acier) entre la Belgique , la France, l'Italie, le Luxembourg et la République fédérale d'Allemagne (RFA). Le 25 mai 1952 est signé un traité devant créer la Communauté européenne de défense (CED), entre les mêmes États, mais ce projet échoue en 1954, faute de ratification par le Parlement français (30 août). **Les traités de Rome.** La construction européenne s'engage dans une nouvelle et importante étape, avec les traités de Rome (25 mars 1957, entrés en vigueur le 1ᵉʳ janvier 1958), signés par les six fondateurs de la CECA, et instituant, l'un, la CEE (Communauté économique européenne), l'autre, l'Euratom (Communauté européenne de l'énergie atomique). De même que J. Monnet, le Belge Paul Henri Spaak a pris une part active à l'élaboration des traités. La CEE correspond à un projet de Marché commun, c'est-à-dire à une union douanière organisant progressivement la libéralisation des mouvements des facteurs de production en son sein. Des États ayant choisi de ne pas rejoindre les communautés européennes (Autriche, Danemark, Royaume-Uni, Norvège, Portugal, Suède et Suisse) créent l'AELE (Association européenne de libre-échange). Au sein de la CEE, une directive est adoptée, le 11 mai 1960, en faveur de la liberté de circulation des capitaux, et un rapprochement des tarifs douaniers est engagé le 1er janvier 1961. Six organisations communes de marché (OCM) vont être mises en place pour les produits agricoles, qui fondent la Politique agricole commune (PAC). Plusieurs pays ont déjà demandé à adhérer (dont le Royaume-Uni, en août 1961), mais la France du général de Gaulle s'oppose (1963) à l'entrée de celui-ci dans la Communauté. En 1968, un tarif douanier commun est mis en place, tandis que les droits de douane sont supprimés à l'intérieur de la CEE, et la libre circulation des travailleurs est établie. « Les Six » deviennent « les Neuf » en janvier 1973, avec l'adhésion du Royaume-Uni, de l'Irlande et du Danemark. En 1979, le SME (Système monétaire européen) entre en vigueur et, pour la première fois, les députés du Parlement européen sont élus au suffrage universel direct, mais ils disposent de bien moins de pouvoir. Revenus à un régime démocratique, la Grèce devient membre en 1981, l'Espagne et le Portugal en 1986.   **Du Marché unique à l'Union européenne.** Toujours en 1986, alors que Jacques Delors préside la commission de Bruxelles, le projet communautaire est relancé avec la signature par les Douze de l'Acte unique européen (17 et 26 février, entré en vigueur le 1er juillet 1987), qui prévoit l'ouverture du « grand marché intérieur » (le Marché unique européen), le 1er janvier 1993. Au 1er janvier 1990, la libéralisation complète des capitaux est consacrée et, le 19 janvier suivant, la convention de Schengen relative à la circulation des personnes, trouve ses premiers signataires ; sa mise en œuvre sera toutefois retardée. L'effondrement du bloc soviétique, à partir de 1989, conduit à l'unification politique allemande (3 octobre 1990) et ouvre la voie à des élargissements vers l'est.   Le traité de Maastricht, signé le 7 février 1992, relance, pour sa part, l'Union politique et l'Union économique et monétaire. Le traité entre en vigueur le 1er novembre 1993. La CEE se transforme en Communauté euro-

péenne (CE) et l'Union européenne regroupe les trois communautés (CECA, Euratom, CE), qui forment le « premier pilier » de la construction européenne ; la Politique étrangère et de sécurité commune (PESC) formant le deuxième et la justice et les affaires intérieures le troisième. Une zone de libre-échange commune est instituée avec l'AELE, le 1er janvier 1993, ce qui se traduit par la constitution de l'EEE (Espace économique européen). Le 1er janvier 1995, « les Douze » deviennent « les Quinze », avec l'adhésion de la Suède, de la Finlande et de l'Autriche. L'adhésion de la Norvège avait aussi été acceptée, mais le référendum de ratification a été rejeté, comme en 1992.   **Est** désormais à l'ordre du jour une réforme des institutions, destinée à renforcer leur efficacité et à faciliter un fonctionnement alourdi par l'augmentation (effective ou à venir) du nombre des États membres. Des conférences intergouvernementales (CIG) sont réunies à partir de 1996 dans ce but. Les 16-17 juin 1997 est adopté le traité d'Amsterdam (signé le 2 octobre et entré en vigueur le 1er mai 1999), qui modifie le traité de Maastricht. Un pacte de stabilité monétaire est également adopté.   **Monnaie unique, élargissements, institutions.** La Zone euro, résultat de l'union monétaire, est instaurée au 1er janvier 1999 par onze États. La Suède, le Danemark et le Royaume-Uni ont choisi de ne pas s'associer, tandis que la Grèce ne souscrivait pas aux critères posés (elle sera admise le 1er janvier 2001). Toujours en 1999, la crise du Kosovo, à la différence des guerres yougoslaves du début de la décennie 1990, suscite une intervention militaire conduite par les États-Unis et associant des forces militaires européennes. Cela accélère la coopération des États de l'UE en matière de politique étrangère, de sécurité et de défense. L'année 1999 voit, par ailleurs, établie la liste des États candidats avec lesquels des négociations d'adhésion allaient être ouvertes : Bulgarie, Chypre, Estonie, Hongrie, Lettonie, Lituanie, Malte, Pologne, République tchèque, Roumanie, Slovénie, Slovaquie, la Turquie étant, quant à elle, reconnue comme candidate officielle. La réforme des institutions se faisait toujours attendre. Le sommet de Laeken (Bruxelles), en décembre

2001, a lancé une Convention chargée de la négocier. La présidence en a été confiée au Français Valéry Giscard d'Estaing. **S. C.**

CONTAINMENT Terme anglais (« endiguement ») désignant, pendant la Guerre froide, les formes de prévention de l'extension du communisme dans la politique étrangère des États-Unis. Définie en 1947 dans un article célèbre de la revue *Foreign Affairs* par George Kennan, la politique du containment a utilisé des instruments à la fois économiques (aides financières, plan Marshall), militaires (tels que l'OTAN – Organisation du traité de l'Atlantique nord, l'OTASE – Organisation du traité de l'Asie du Sud-Est, le CENTO – Organisation du pacte central ou l'ANZUS), sans oublier les opérations de déstabilisation menées par la CIA (Central Intelligence Agency). **> ÉTATS-UNIS.**

COOK (îles) Territoire non souverain, sous tutelle néo-zélandaise. Chef-lieu : Avarna (île de Rarotonga). Superficie : 236 km^2. Population : 20 000 (1999). Découvert par James Cook (1728-1779) en 1773, l'archipel des îles Cook, situé dans le Pacifique sud au sud-ouest des îles de la Société, est proclamé protectorat de la Grande-Bretagne en 1888 par crainte d'une occupation française. La Nouvelle-Zélande en obtient l'annexion en 1901 et, à partir de 1962, y met progressivement en place un régime d'autonomie interne. Un accord de libre-association est conclu à Rarotonga le 4 août 1965. Wellington s'est réservé le domaine de la politique extérieure, les affaires internes étant gérées de manière assez peu conventionnelle par une même famille. **J.-P. G.**

COOPÉRATION ÉCONOMIQUE DE LA MER NOIRE La Coopération économique de la mer Noire (CEMN, BSEC – Black Sea Economic Cooperation –, secrétariat à Istanbul) a été fondée en 1992 à l'initiative de la Turquie. Membres à la mi-2001 : Albanie, Arménie, Azerbaïdjan, Bulgarie, Géorgie, Grèce, Moldavie, Roumanie, Russie, Turquie et Ukraine. Observateurs : Italie, Autriche.

CORÉE Bien que s'étant maintes fois déclaré garant de l'indépendance coréenne, le 17 novembre 1905, le Japon instaure son « protectorat » sur la péninsule après avoir défait militairement les Russes dans la guerre russo-japonaise (1904-1905) et obtenu leur reddition par le traité de Portsmouth. Deux ans plus tard, le roi Kojong (1864-1907) est écarté du pouvoir au profit de son fils Sunjong (1907-1910), puis la Corée est annexée en 1910. Elle cesse d'exister comme entité étatique, tous les traités signés sont abrogés et un gouverneur général nippon s'installe à Séoul. Le premier à occuper ce poste, Terauchi Masiki (1852-1919), interdit aux Coréens toute association et réunion. Mais à la faveur des funérailles du souverain déchu, le 1er mars 1919, les oppositions se dévoilent. Trente-trois lettrés signent alors une « proclamation d'indépendance », un manifeste mobilisateur qui déchaîne immédiatement une terrible répression (6 000 morts, 35 000 arrestations). Au même moment, en avril 1919, un gouvernement provisoire, exilé sur le territoire de la concession française de Shanghai, est formé sous la direction de Syngman Rhee (1875-1965). Après cette épreuve sanglante, la tutelle japonaise s'exprime avec une moindre violence, les fonctionnaires nippons doivent renoncer au port de l'épée dans lequel les Coréens voyaient le symbole d'une humiliation quotidienne et, surtout, les journaux en langue coréenne, qui avaient tous été interdits, reparaissent. Cette accalmie n'est que de courte durée. L'oppression s'intensifie après l'intervention japonaise en Chine et durant la guerre du Pacifique. La presse coréenne est interdite, les autorités prohibent le coréen en public, japonisent les noms de famille et imposent les rites shinto. Bien que, pendant la Seconde Guerre mondiale, elle soit épargnée par les combats, la péninsule est lourdement mise à contribution dans l'effort de guerre nippon. Par centaines de milliers, les Coréens sont soumis au travail obligatoire dans les usines de l'archipel, de nombreux étudiants sont enrôlés dans l'armée impériale, tandis que des milliers de Coréennes sont employées comme « femmes de réconfort » dans des bordels militaires de campagne. À la fin de la guerre, 4,1 millions de Coréens sont assignés à des emplois forcés en Corée et 1,2 million au Japon. La reddition du Japon le 2 septembre 1945 marque la fin de la colonisation, mais coïncide avec l'arrivée des troupes soviétiques au Nord et des troupes américaines au Sud, tel qu'en avaient convenu les Alliés en 1943. **Vers la partition.** Pendant l'occupation nippone, les mouvements nationalistes ont prospéré à l'étranger. Les communistes coréens, constitués en unités de partisans, se sont aguerris aux côtés des Chinois et de l'armée soviétique d'Extrême-Orient, tandis que la fraction issue du premier gouvernement de Shanghai a trouvé refuge aux États-Unis. Washington et Moscou n'ayant pu trouver une solution négociée pour réunifier la péninsule, les États-Unis en appellent à l'ONU (Organisation des Nations unies). En septembre 1947, celle-ci recommande la création d'un État coréen indépendant et souverain, et suggère d'organiser des élections. Moscou refuse aux Nations unies la responsabilité de superviser les élections au nord de la péninsule. Les élections ne se tiennent donc qu'au sud (10 mai 1948). L'Assemblée élue adopte une Constitution et proclame le 15 août 1948, trois ans jour pour jour après la décision de cessez-le-feu du Japon, la République de Corée (*Taehan minguk*), présidée par Syngman Rhee. Seul gouvernement légalement reconnu, il représente la Corée lors de l'Assemblée générale de l'ONU, en septembre 1948. En réponse, trois semaines plus tard, s'installe au Nord la République populaire (*Choson inmin konghwaguk*). Elle adoptera ultérieurement le nom de République populaire démocratique de Corée (RPDC) et Kim Il-sung est élu président du gouvernement. Pour la première fois depuis la réunion des Trois Royaumes sous la dynastie Shilla au VIIᵉ siècle, la Corée est divisée en deux entités politiques antagonistes. Dans l'année qui suit la fondation des deux républiques, l'armée soviétique et l'armée américaine se retirent des deux moitiés qu'elles occupent et laissent face à face les deux États. **La guerre de Corée.** Forte de sa supériorité militaire et des déclarations du secrétaire d'État américain selon lesquelles la Corée se trouve en dehors de la sphère d'intérêt américaine,

la Corée du Nord lance une vaste offensive militaire, le 25 juin 1950. Le conflit qui s'ensuit jusqu'en 1953, la guerre de Corée, est le premier de l'ère du nucléaire. Symbole des affrontements Est-Ouest de la Guerre froide, le conflit coréen provoque des critiques acerbes à l'encontre des États-Unis, « fauteurs de guerre ». On évoque même une guerre bactériologique qui s'avérera n'avoir jamais existé. La Corée est au cœur des polémiques politiques et des débats intellectuels. Mais, sur le terrain, plus de 1,4 million de Coréens perdent la vie. À ce bilan, il faut ajouter les destructions et les dommages causés par les combats. Au final, la Corée du Nord connaîtra non seulement le plus grand nombre de morts et de blessés (800 000), mais également les dégâts les plus importants. **A**u sortir d'une guerre sans vainqueur, les deux chefs d'État sont durement contestés. L'un comme l'autre n'en réussiront pas moins à se rétablir. Au Sud, Syngman Rhee est réélu président le 4 juillet 1952, puis à nouveau le 15 mai 1956 en employant toute sorte d'expédients pour se maintenir au pouvoir, de l'arrestation des députés de l'opposition à l'instauration de la loi martiale, ce qui lui permettra de continuer d'exercer ses fonctions jusqu'en avril 1960. Au Nord, la tentative d'unification par les armes s'étant soldée par un échec, Kim Il-sung dénonce des « les » responsables. Il s'ensuit deux grands procès politiques (août 1953, décembre 1955) et des purges. Selon les statistiques du IIIᵉ congrès du Parti des travailleurs en avril 1956, 51,7 % des membres avaient adhéré après la guerre. Pour sortir la Corée du Nord du sous-développement, tous les moyens de production sont alors collectivisés et encadrés par une planification impérative. **« Socialisme coréen » au Nord et dictatures au Sud.** Pour parvenir à un « socialisme purement coréen et autonome », Kim Il-sung invente la théorie du *djoutché* (la voie coréenne) et multiplie les mouvements d'émulation stakhanoviste qui, à l'instar du Ch'ollima, lancé en 1958, devaient permettre d'édifier le socialisme à la vitesse d'un « cheval ailé ». Tout en définissant une voie idéologique originale, la RPDC renforce ses relations avec ses deux puissants voisins. Le 6 juillet 1961, Pyongyang signe un traité d'amitié, de coopération et d'assistance mutuelle avec Moscou, et le 11 un autre avec Pékin. Ces relations ne seront toutefois jamais aussi étroites que celles entretenues entre Séoul et Washington après le Traité de défense mutuelle d'octobre 1953. Les deux Corées apprennent à vivre une paix armée, saccadée par des périodes de fortes tensions militaires, comme à l'occasion de la capture du patrouilleur américain *Pueblo* en janvier 1968, de l'assassinat de l'épouse du président Park Chunghee (1963-1979) par un agent nordiste en 1974, ou du meurtre sur la ligne de démarcation de deux officiers américains en 1976... Néanmoins, au début des années 1970, les relations intercoréennes se réchauffent : un programme de réunification en huit points est proposé par Pyongyang (1971), des contacts entre les deux représentations de la Croix-Rouge sont organisés et un communiqué commun sur la volonté de réunification est même publié en 1972 avant qu'un Comité de coordination conjoint ne soit installé. Cependant, aucun dialogue bilatéral substantiel ne s'engage et, quand la Corée du Sud propose l'entrée simultanée des deux États aux Nations unies, Kim Il-sung répond par un projet en cinq points pour constituer une seule république, la République confédérale de Koryo (juin 1973). Le dialogue est d'autant plus difficile que la Corée du Sud est régulièrement secouée par de violentes crises politiques : le président Syngman Rhee a été chassé de ses fonctions par des manifestations de rue en avril 1960 ; son successeur, le général Park Chung-hee (1917-1979), s'installe au pouvoir le 16 mai 1961 après un coup d'État militaire qui a mis un terme à la très brève IIe République. Réélu en 1967 puis en 1971, il est assassiné par son chef des services secrets, le 26 octobre 1979 ; le pouvoir échoit alors à Choi Kyu-hah à son tour renversé par les militaires en mai 1980. La IVe République instaurée en 1972 n'aura ainsi pas survécu à son président. Ensuite, la présidence du général Chun Doo-hwan (1980-1988) est émaillée, elle aussi, de violences politiques : la répression des manifestations de Kwangju, en 1980, fait plusieurs centaines de morts et le chef de l'opposition

démocratique, le futur président Kim Daejung (1924-), est enlevé au Japon (1973) puis condamné à mort. Ce début de la Ve République est toutefois marqué par la levée du couvre-feu (1982) instauré depuis la fin de la guerre froide et la réduction du service militaire obligatoire de trois ans à trente mois. **Volonté de dialogue affichée.** Les dictatures militaires qui se succèdent à Séoul affichent toutes une volonté de dialogue avec Pyongyang, invitant à intervalles réguliers Kim Il-sung pour des entretiens bilatéraux. Au début des années 1980, tout dialogue inter-coréen constructif apparaît illusoire, en particulier après l'attentat de Rangoon organisé par la Corée du Nord contre le chef de l'État sudiste dans lequel quatre ministres trouvent la mort, le 9 octobre 1983. En janvier suivant, pour sortir de son isolement, Pyongyang reprend l'initiative et propose des négociations de paix tripartites avec la Chine populaire, les États-Unis et aussi la Corée du Sud, une première. Pour donner plus de corps encore à leur bonne volonté, les Nordistes offrent l'année suivante à Séoul une aide humanitaire, après des inondations qui ont ravagé le sud de la péninsule. Nouveau pas en septembre 1985, les deux pays organisent un premier échange de visites entre des familles séparées par la guerre. L'explosion d'un Boeing 747 de la compagnie KAL le 29 novembre 1987 met un nouveau frein au rapprochement et un terme aux espoirs de voir les jeux Olympiques de 1988 organisés conjointement par les deux États. Séoul met à profit ces olympiades pour isoler un peu plus Pyongyang, en normalisant ses relations avec le bloc soviétique (1er octobre 1990) et la Chine populaire (24 avril 1992). **Succès économiques et démocratisation de la Corée du Sud.** À l'occasion des Jeux de Séoul, la Corée du Sud affiche aux yeux du monde sa prospérité économique de « nouveau pays industriel » (NPI) et les timides évolutions démocratiques illustrées par l'élection récente (16 décembre 1987) au suffrage universel direct de son chef de l'État, Roh Taewoo (1936-). Devenue la onzième puissance industrielle de la planète, la Corée du Sud poursuit son insertion internationale en devenant membre en même temps que

Pyongyang de l'ONU (17 septembre 1991), puis de l'OCDE (25 octobre 1996). Si pendant longtemps les orientations démocratiques du régime en sont restées à l'état de velléités bien théoriques, à la fin des années 1980, la démocratisation de la Corée du Sud s'inscrit dans les faits. Le 25 février 1993, pour la première fois depuis trente ans, un président issu de la société civile est élu, Kim Young-sam (1927-), puis le 18 décembre 1997, c'est au tour d'un candidat de l'opposition, par ailleurs deux fois condamné à mort pour ses idées politiques (en 1973 et en 1980), Kim Dae-jung, d'être porté à la Maison-Bleue. Une nouvelle ère politique s'ouvre. La lutte contre la corruption amène même en prison, en 1995, deux anciens présidents, Chun Doo-hwan et Roh Tae-woo. Urbanisé, démocratisé, ouvert plus que jamais au monde, le pays du Matin-Calme connaît une profonde mutation, même si ses traditions chamanes et un nationalisme exacerbé demeurent vivaces. **Survie problématique pour le régime du Nord.** *A contrario*, au tournant du siècle, le « royaume ermite » semble plongé en léthargie. Confronté, à partir du début des années 1990, à la plus sérieuse crise économique de son histoire, il lui faut apprendre aussi à vivre, depuis juillet 1994, sans son « Grand Leader ». Désigné depuis longtemps comme le successeur de Kim Il-sung, son fils aîné Kim Jong-il a été investi, après trois ans de deuil national, le 8 octobre 1997, secrétaire général du Parti. Le culte ostentatoire de la personnalité du « grand leader » et du « cher dirigeant » s'est perpétué, mais derrière cette façade sans faille, le régime pourra-t-il survivre à son fondateur ? Les inondations catastrophiques de 1995 ont aggravé la situation alimentaire entraînant tout un peuple vers la famine. Faute de témoins, il est difficile de mesurer l'ampleur de la catastrophe que certains ont estimé avoir provoqué de 1,5 à 3 millions de morts. Pays en voie de sous-développement rapide, la RPDC n'en demeure pas moins une menace militaire d'importance. L'incursion régulière de ses bâtiments dans les eaux territoriales sud-coréennes et japonaises, la modernisation de ses missiles tout comme son arsenal d'armes de destruction massive

entretiennent les inquiétudes. Néanmoins, après avoir évoqué un retrait du Traité de non-prolifération nucléaire (TNP), Pyongyang a accepté, en octobre 1994, de geler son programme nucléaire militaire en échange de la fourniture de deux centrales à eau légère et de carburant. **Reprise du dialogue.** Plus importante encore pour la stabilité de la péninsule a été la rencontre historique, du 13 au 15 juin 2000, à Pyongyang entre Kim Jong-il et Kim Dae-jung qui a ouvert la voie à une reprise fructueuse du dialogue intercoréen. Les projets d'investissements sud-coréens et la levée des sanctions américaines en vigueur depuis un demi-siècle incitaient la Corée du Nord à choisir la voie de l'ouverture. L'immigration nord-coréenne croissante vers la Chine voisine (200 000 personnes en deux ans) et la défection en février 1997 de l'un de ses leaders, Hwang Chang-yop, attestent des attentes. Au Sud, même si la récession économique qui a touché le pays à compter de l'été 1997 a été un véritable défi au mode d'organisation de la croissance, le désir de réunification demeure toujours aussi fort. **C. L.**

CORÉE (guerre de) Lors de la conférence de Yalta (février 1945), après le démantèlement de l'armée impériale japonaise, le 38e parallèle avait été choisi pour séparer les zones d'influence américaine et soviétique. Le nord de la péninsule est occupé par les Soviétiques à partir du 13 août, à la veille de la capitulation japonaise, le Sud, le 9 septembre, les Américains débarquant à Inchon et installant un gouvernement militaire. **La** guerre de Corée, déclenchée peu après la victoire des communistes de Mao Zedong en Chine, aura été l'un des épisodes les plus dramatiques de la Guerre froide, qui a fait craindre le recours à l'arme nucléaire. La « grande guerre de libération de la patrie » pour reprendre le vocabulaire nord-coréen est déclenchée le 25 juin 1950. Forte de 250 000 hommes, l'armée populaire enfonce sans difficulté les lignes de l'armée sudistes. Séoul tombe en trois jours, et presque toute la Corée est occupée en un mois, à l'exception du périmètre de Pusan où Syngman Rhee (1875-

1965) s'est replié avec son gouvernement. Le 30 juin, le président Harry Truman décide d'engager les forces terrestres américaines en Corée, en se fondant sur la résolution du Conseil de sécurité de l'ONU (Organisation des Nations unies) du 27 juin, adoptée en l'absence de l'Union soviétique, qui pratique la politique de la « chaise vide » pour obtenir l'adhésion de la Chine communiste. Celle-ci enjoint Pyongyang de se retirer sur le 38e parallèle, et appelle les États membres à soutenir la République de Corée. Avec le débarquement allié à Inchon (15 septembre), les troupes du général Douglas MacArthur entament la deuxième phase de la guerre. Elles bousculent l'armée nord-coréenne, reprennent Séoul le 28 septembre, franchissent le 38e parallèle le 1er octobre, s'emparent de Pyongyang le 19, avant d'atteindre la frontière chinoise. À partir du 2 novembre, la guerre prend une nouvelle dimension avec l'engagement de trente divisions chinoises. Pyongyang est reprise le 4 décembre, puis Séoul, le 4 janvier 1951. À la fin du mois de janvier, l'offensive communiste est arrêtée. Le général Matthew Ridgway (1893-1995), qui succédera au général MacArthur le 11 avril, lance une contre-offensive. Celle-ci permet la reprise de Séoul le 14 mars, puis de s'approcher à nouveau du 38e parallèle début avril. Peu à peu, la ligne de front se fige. Les négociations ouvertes à l'instigation des Soviétiques, débutent le 10 juillet 1951 à Kaesong mais ne s'achèveront qu'après la mort de Staline, le 27 juillet 1953. La guerre de Corée s'achève, le bilan est terrible : plus d'un million de morts des deux côtés et 57 440 dans les troupes engagées sous couvert des Nations unies. **Une zone « démilitarisée ».** Durant la guerre, la « frontière » du 38e parallèle a perdu sa base légale ; une zone démilitarisée (DMZ) lui a succédé en juillet 1953 comme ligne de démarcation cardinale. Le 27 juillet 1953, l'accord de cessez-le-feu, signé à Pan Munjom a établi une ligne de division militaire à partir de laquelle chaque armée a dû se replier de deux kilomètres. La DMZ est une bande de quatre kilomètres de large et longue de 285 kilomètres. Sur cette ligne de division ont été installées, tous les 50 mètres, des signalisations empêchant de

la franchir sans autorisation spéciale du Comité militaire chargé de superviser le cessez-le-feu. Les principales bases militaires de la République populaire démocratique de Corée, soit 70 % à 80 % des forces armées populaires, sont localisées à moins de 150 kilomètres de la DMZ. Du côté sud-coréen, la majorité des forces armées est concentrée sur une bande de 70 à 100 kilomètres au sud de la ligne de démarcation, de Suwon à Kangnung. Autrement dit, toutes les forces militaires sont concentrées dans un cercle de 250 kilomètres de diamètre. Cette surmilitarisation de la frontière traduit la violence des combats qui se sont déroulés de juin 1950 à juillet 1953 et les tensions de la paix armée qui ont ensuite subsisté. **C. L.** ➤ CORÉE.

CORÉE DU NORD (République populaire démocratique de Corée)
Capitale : Pyongyang. Superficie : 120 538 km². Population : 23 702 000 (1999). ➤ CORÉE.

CORÉE DU SUD (République de Corée)
Capitale : Séoul. Superficie : 99 484 km². Population : 46 500 000 (1999). ➤ CORÉE.

COSTA RICA
République du Costa Rica. Capitale : San José. Superficie : 50 700 km². Population : 3 933 000 (1999). L'histoire du Costa Rica entre la fin du xixe et le milieu du xxe siècle tourne autour du café, principal produit d'exportation. Mais, à la différence de ses voisins de l'isthme centraméricain, déchirés par les conflits entre libéraux et conservateurs, la moyenne bourgeoisie exportatrice y a consolidé un État national sans recourir aux « caudillos » ou à l'armée, faisant de ce petit pays la « Suisse de l'Amérique centrale ». Cette relative singularité locale s'explique entre autres par sa faible densité démographique jusqu'à la fin du xixe, la promulgation de la première réforme agraire peu après l'indépendance (1821) dans le but de coloniser les terres vierges, les petites structures agraires de l'économie caféière et, enfin, l'influence de la Grande-Bretagne, principal marché d'exportation au xixe siècle. **Au**

xxᵉ siècle, la crise économique débouche sur la formation de gouvernements <u>populistes</u>, dirigés successivement par Rafael Calderón Guardia (1940-1944) et Teodoro Picado (1944-1948) et s'appuyant sur une vaste alliance incluant le Parti communiste et les secteurs de l'Église catholique favorables aux réformes comme la création de la Sécurité sociale et la promulgation d'un Code du travail relativement avancé. En février 1948, à la suite d'un imbroglio électoral et dans le climat d'anticommunisme des débuts de la <u>Guerre froide</u>, un représentant des secteurs agro-exportateurs, José « Pepe » Figueres (1906-1990), lance une rébellion armée, tandis que Washington menace d'intervenir et que la Garde nationale somoziste du Nicaragua fait des incursions sur la frontière nord. En avril 1948, il défait le gouvernement populiste et fonde la IIᵉ République. Mais, loin d'instaurer une ère de réaction sociale, J. Figueres nationalise le secteur bancaire, crée un impôt sur le capital, consolide les réformes sociales et décrète l'abolition de l'armée. Malgré l'hostilité de l'oligarchie et une brève parenthèse conservatrice, le Parti de libération nationale (PLN) qu'il a fondé en 1951 (de tendance social-démocrate) triomphe aux élections de 1953. La bonne tenue des prix du café permet à « Don Pepe » de consolider un <u>État-providence</u> capitaliste, qui marque profondément la société costaricienne, où l'analphabétisme est vaincu grâce à la promotion de l'éducation, et qui voit alterner au pouvoir le PLN et l'opposition de droite sous l'égide du Parti d'unité sociale-chrétienne (PUSC). Paradoxalement, c'est le PLN qui, sous la présidence de Luis Alberto Monge (1982-1986), doit amorcer une politique d'<u>ajustement structurel</u>, néanmoins adoucie par les aides des États-Unis, désireux d'impliquer le Costa Rica dans la lutte contre le Nicaragua sandiniste. Malgré ces pressions, Oscar Arias (1941-), du PLN, mène entre 1986 et 1990 une politique régionale active en faveur d'une paix négociée qui lui vaut le prix Nobel de la paix (1987). Ses successeurs sociaux-démocrates et conservateurs continuent d'affronter la crise du modèle costaricien, entre les consignes du <u>FMI</u> (Fonds monétaire international) et de la

<u>BID</u> (Banque interaméricaine de développement), les privatisations et les réticences de la population. **J. H. A.**

CÔTE-D'IVOIRE République de Côted'Ivoire. Capitale : Yamoussoukro. Superficie : 322 462 km². Population : 14 526 000 (1999). **A**près les premières expéditions de « reconnaissance », à la fin du xixᵉ siècle (notamment celle de Louis Gustave Binger [1856-1936] de 1887 à 1889), vient le temps des comptoirs, tels les établissements Verdier de Grand-Bassam – qui représentent officiellement la France. Le 10 mars 1893 est constituée la colonie française de Côte-d'Ivoire, avec L. G. Binger comme premier gouverneur (1893-1897). Les frontières sont fixées dès 1905, même si la conquête militaire dure jusqu'en 1915 sous la férule du gouverneur Gabriel Angoulvant (1908-1915). **D**e 1944 à 1960, la vie politique est dominée par la figure du médecin Félix <u>Houphouët-Boigny</u>. Il fonde le PDCI (Parti démocratique de la Côte-d'Ivoire, section du RDA – Rassemblement démocratique africain) en 1946 ; il est aussi celui qui permet en 1950 l'abolition du travail forcé. La même année, il s'éloigne du PCF (Parti communiste français). En 1957, le PDCI obtient 58 élus sur 60 dans la nouvelle assemblée ; le 26 mars 1959, F. Houphouët-Boigny est nommé Premier ministre. Enfin, le 7 août 1960, la République de la Côted'Ivoire devient un État souverain. **D**ès lors, F. Houphouët-Boigny joue tous les rôles : planteur et chef traditionnel baoulé, président et vieux sage panafricain, faiseur de paix et « président-prophète »... Ses méthodes sont autoritaires : parti, syndicat et médias uniques, mise à l'écart de dauphins potentiels après des « complots » successifs en 1963 et 1964 (assassinat d'Ernest Boka), élections présidentielles avec des scores avoisinant 100 % en 1970, 1975, 1980 et 1985. Après une vive contestation étudiante, en 1980, le 7ᵉ congrès du PDCI est celui de l'ouverture interne, avec des candidatures électorales multiples. L'équilibre du pays s'explique surtout par les succès de l'agriculture de rente (café, cacao) et par l'instrumentalisation de l'ethnicité dans la répartition des postes et prébendes ; aux trois grands « blocs régionaux » regroupant 60 ethnies – Akan à l'Est, Krou à l'Ouest, « dioula » au Nord – correspondent la prépondérance baoulé dans l'appareil d'État, l'importance des Bété dans l'armée, et celle des Nordistes dans les transports et le commerce. Chaque camp a des frontières mouvantes et recherche des alliances, mais leur combinatoire explique durablement l'essentiel des rapports politiques. **S**ous la pression de la rue, une démocratisation réelle est engagée dans les années 1990. En 1991, le score (81,68 %) recueilli par F. Houphouët-Boigny contre le leader socialiste de l'opposition, Laurent Gbagbo (1945-), paraît cependant douteux et l'ouverture au multipartisme, contrainte et forcée, n'a jamais abouti à une élection ouverte. **À** la mort du « vieux », en décembre 1993, le « dauphin constitutionnel » Henri Konan Bédié (1934-) s'autoproclame président, avec l'appui de la France et contre le Premier ministre, Alassane Ouattara (1942-). Ce dernier, bien que né en Côte-d'Ivoire, se verra interdit de candidature sous prétexte de non-« ivoirité ». H. K. Bedié engage le pays dans un désastre politique, économique et ethnique (doctrine dite de l'« ivoirité », stigmatisant plus de 30 % de la population) qui aboutit à de profondes fractures dans le pays et à une banqueroute financière. L'extraversion du pays le fragilise : déficit structurel en produits vivriers, soumission totale aux conditionnalités des bailleurs de fonds. Le démantèlement de la Caisse de stabilisation (Caistab) explique la paupérisation des planteurs de cacao en période de baisse extrême des cours ; le pillage de la forêt, les vives tensions s'exerçant sur le foncier entre autochtones et migrants sahéliens, venant du Burkina Faso et du Mali, se retournent contre ceux-ci. **L**e 24 décembre 1999, de jeunes militaires, au terme d'un putsch, confient le pouvoir au général Robert Gueï (1941-). L'élection présidentielle (dont A. Ouattara reste écarté pour non-« ivoirité ») est remportée, le 22 octobre 2000, par L. Gbagbo dans un contexte de tensions et de violences ethniques. **M. G.**

CÔTE FRANÇAISE DES SOMALIS > DJIBOUTI.

COUR INTERNATIONALE DE JUSTICE (ONU) Principal organe judiciaire de l'ONU, la Cour internationale de justice (CIJ, ICJ – International Court of Justice ▪, siège à La Haye) regroupe tous les États membres de l'ONU. Les États non membres peuvent l'intégrer sur recommandation du Conseil de sécurité. L'Assemblée générale ainsi que le Conseil de sécurité peuvent demander un avis consultatif à la Cour sur les questions juridiques. Elle règle aussi les différends juridiques entre États dont elle est saisie. Elle est composée de quinze magistrats indépendants des États, élus pour neuf ans (et rééligibles) par l'Assemblée générale et le Conseil de sécurité, indépendamment de leur nationalité. **> ONU.**

CPI (Cour pénale internationale)
Le statut de la Cour pénale internationale (CPI) – première juridiction permanente de l'histoire en matière criminelle – fait l'objet d'une convention signée à Rome le 17 juillet 1998 mais ne devant entrer en vigueur que trois mois après le dépôt de la soixantième ratification. **C**omposée de dix-huit juges élus par les États signataires de la convention de Rome et dotée d'un procureur indépendant agissant sous le contrôle d'une de ses chambres, la Cour sera compétente pour les génocides, les crimes contre l'humanité, les agressions et les crimes de guerre commis où que ce soit dans le monde. Toutefois, ces crimes devront avoir été perpétrés après l'entrée en vigueur de la convention et soit sur le territoire, soit par un ressortissant, d'un État signataire. Elle devra être saisie par son procureur, l'un des États signataires ou le Conseil de sécurité de l'ONU. Ce Conseil pourra d'ailleurs paralyser toute poursuite pendant une année - renouvelable. De grands États – notamment les États-Unis – ont refusé de signer la Convention de Rome. **G. L. P.** **> JUSTICE PÉNALE INTERNATIONALE.**

CPLP La Communauté des pays lusophones (CPLP – Comunidade dos países de lingua portuguesa) a été créée le 17 juillet 1996 par le Portugal, l'Angola, la Guinée-Bissau, le Cap-Vert, le Mozambique, São

Tomé et Principe et le Brésil pour promouvoir la langue portugaise.

CRAONNE (mutineries de) Pendant le premier conflit mondial, l'offensive du Chemin des Dames en avril 1917 est terriblement dévastatrice, à tel point que des villages entiers disparaissent, à l'image de Craonne, une petite commune au sud-est de Laon (Aisne). Ces lieux deviennent le symbole des « boucheries » inutiles. La *Chanson de Craonne* exprime le désespoir des hommes : « Adieu la vie, adieu l'amour. Adieu toutes les femmes ! C'est bien fini, c'est pour toujours de cette guerre infâme. C'est à Craonne, sur le plateau, qu'on doit laisser sa peau. Car nous sommes tous condamnés. Nous sommes les sacrifiés. » Ces assauts particulièrement meurtriers provoquent une vague de mutineries dans l'armée française : deux tiers des unités sont touchées. Ces actes d'insubordination, d'abord individuels puis collectifs, témoignent de l'extrême lassitude des soldats, confrontés à un conflit qui paraît sans issue. Éloigné de toute propagande révolutionnaire ou défaitiste, le « poilu » ne rejette pas à son devoir mais refuse les attaques sanglantes et infructueuses. Il estime qu'à travers des conditions de vie épouvantables, sa dignité est touchée. Le général Philippe Pétain est chargé de rétablir l'ordre. Il convoque les conseils de guerre qui condamnent 3 427 soldats dont 49 seront exécutés. Il décide ensuite de passer à une stratégie de défense et améliore le système des permissions et l'ordinaire des soldats. Aucune armée engagée – anglaise, allemande, italienne, austro-hongroise ou russe – n'aura été exempte de telles crises. **M. J., A. L.** **> GRANDE GUERRE.**

CRIMÉE La Crimée (26 000 km², 2 500 000 habitants), presqu'île séparant la mer Noire de la mer d'Azov, reliée au continent par l'isthme de Perekop, fut « donnée » à la République soviétique d'Ukraine par la République fédérale de Russie en 1954, à l'occasion du tricentenaire de l'accord de Pereiaslavl, par lequel l'Ukraine s'était placée « sous la protection » de la Russie. La presqu'île comporte une importante colonie russe (58 % de la population totale), composée de nombreux militaires, basés dans ce qui était le principal port militaire soviétique de la mer Noire (Sébastopol), et de retraités attirés par le climat clément de la Riviera criméenne. Après la disparition de l'URSS en décembre 1991, la flotte militaire de la mer Noire (350 bâtiments) a constitué une première pomme de discorde entre la Russie et l'Ukraine, chacun des deux États en revendiquant le contrôle. Après que les deux parties ont conclu un (premier) accord sur le partage de la flotte (13 janvier 1992), les tensions se sont reportées sur la question du statut de la Crimée. Les partis russes les plus conservateurs n'ont pas manqué d'encourager le mouvement autonomisme criméen, allant jusqu'à contester la légitimité de l'Acte constitutionnel de 1954. Après d'âpres négociations, la Russie a fini par reconnaître que la presqu'île appartenait à l'Ukraine, de même que Sebastopol, en échange de la location à Moscou d'une partie de sa base navale. **N. W.** **> RUSSIE ET URSS, TATARS DE CRIMÉE, UKRAINE.**

CRIMES CONTRE L'HUMANITÉ **> GENÈVE (CONVENTIONS DE), JUSTICE PÉNALE INTERNATIONALE.**

CRIMES CONTRE LA PAIX > GENÈVE (CONVENTIONS DE), JUSTICE PÉNALE INTERNATIONALE.

CRIMES DE GUERRE > GENÈVE (CONVENTIONS DE), JUSTICE PÉNALE INTERNATIONALE.

CRISE DE 1929 De 1929 à 1936, tous les pays industrialisés et certains pays d'Amérique latine et d'Asie sont plongés dans une profonde dépression économique et financière dont les manifestations les plus marquantes sont une très forte baisse de la production (selon les pays, entre - 10 % et – 50 % entre 1929 et 1932), le krach boursier (les actifs boursiers perdent de 50 % à 80 % de leur valeur en moyenne) et la très forte montée du chômage (touchant de 15 % à 30 % de la population active selon les pays en 1933). Cette grande dépression, bien plus forte que celle de la fin du XIXᵉ siècle, débouche sur une crise majeure (d'où l'appellation de « Grande Crise ») qui bouleverse les systèmes de régulation économiques nationaux et internationaux. Si la crise peut être considérée comme à peu près résorbée à partir de 1936-1937 (de nombreux pays retrouvent à cette date leur niveau de production et d'emploi de 1929), elle ne se referme qu'après le dénouement de la Seconde Guerre mondiale. **Surproduction et instabilité financière internationale.** La crise qui éclate résulte d'une situation économique minée à la fois par la tendance à la surproduction, qui se généralise dans les années 1920, et par l'instabilité financière internationale, liée notamment à la fragilité du système bancaire et au pourrissement du règlement des dommages et des dettes de la Grande Guerre. **E**ntre 1921 et 1929, les pays industrialisés ont connu une croissance économique exceptionnelle : la production industrielle croît de plus de 70 % en Allemagne et en France, de 55 % aux États-Unis et de 36 % en Angleterre. Mais l'expansion est fragile : dès 1928 en Allemagne, 1929 pour les autres pays, cette croissance s'enraye, puis la production s'effondre, car la demande se révèle défaillante. La faiblesse des salaires limite la consommation des ménages (par exemple, aux États-Unis, près de 70 % des ménages perçoivent un revenu annuel inférieur au minimum de confort acceptable) ; dans tous les pays industrialisés, l'agriculture marchande subit une crise de surproduction à cause des investissements importants effectués à la fin de la guerre, ce qui limite d'autant les débouchés pour l'industrie ; en outre, à cause de ces tendances à la surproduction, les prix des marchés internationaux se dégradent (en moyenne, les prix du commerce mondial des produits de base perdent 25 % de leur valeur – 20 % pour les produits manufacturés – entre la période 1921-1925 et 1930). Les premiers signes de faiblesse (ralentissement ou baisse des prix et des profits) apparaissent dès 1926, mais 1929 marque un basculement général. **L**es prix de gros chutent en France de 17 % entre 1928 et 1930 ; les prix à la consommation, en Angleterre et aux États-Unis, reculent dès 1927, et plongent à

partir de 1930 (– 25 % entre 1930 et 1932 aux États-Unis). Cette baisse des prix due à la mévente entraîne une dégradation des résultats des entreprises (les profits apparaissent en baisse dès le premier trimestre 1929) : les plus fragiles font faillite, les autres réduisent leur activité, licencient et baissent les salaires. **M**ais ces ajustements, en réduisant les débouchés, ne font qu'aggraver la crise. Celle-ci se propage de secteur en secteur. En France, la production industrielle commence à baisser, selon les secteurs, entre septembre 1928 et avril 1930 : après l'industrie textile (laine, soie, puis coton) et celle du cuir, la récession frappe la sidérurgie et l'industrie automobile au deuxième trimestre 1929. Cet enchaînement cumulatif, enclenché dans tous les pays industrialisés dès le début de l'année 1929, s'emballe à partir du krach boursier américain d'octobre. **Jeudi noir à Wall Street.** Au cours de l'été 1929, de nombreux investisseurs et spéculateurs commencent à s'inquiéter du décalage croissant entre la dégradation des résultats de l'industrie et la hausse vertigineuse de la Bourse de New York (Wall Street) où le cours des principales actions a doublé entre 1926 et 1929. La panique saisit les opérateurs le jeudi 24 octobre 1929 (dit « jeudi noir », *Black Thursday*) : treize millions de titres sont présentés à la vente et le cours moyen des actions plonge de 13 %. Une accalmie s'ensuit, mais dès le mardi suivant (29 octobre), 33 millions de titres sont mis en vente, et de nombreuses actions perdent la totalité de leur valeur. En deux mois, Wall Street perd un tiers de sa valeur moyenne ; en 1932, au point le plus bas, le cours moyen ne vaudra plus que 15 % de celui de 1929. **L**e krach provoque la faillite en cascade de nombreuses banques car les spéculateurs opéraient de plus en plus à crédit : leur ruine entraîne la banqueroute d'établissements alors beaucoup trop petits pour absorber de telles pertes (on compte environ 28 000 banques aux États-Unis, déjà fragilisées par la crise agricole) ; beaucoup trop timide, le Federal Reserve System (le Fed est le système fédéral de Banque centrale chargé depuis 1913 de fiabiliser le système bancaire) ne peut enrayer la crise. **C**ette nouvelle onde de choc accentue la récession de l'industrie américaine et se répercute aussi sur des économies européennes déjà bien affaiblies. En effet, manquant de capitaux à cause du krach et des faillites bancaires, les investisseurs américains rapatrient leurs avoirs d'Europe. Cela provoque alors l'asphyxie du système bancaire européen. Le 14 mai 1931, la plus importante banque autrichienne (la Kredit Anstalt de Vienne) fait faillite, entraînant dans sa chute les banques allemandes qui lui avaient fait crédit. Seule l'intervention de l'État empêche la faillite généralisée. Mais, par contrecoup, le 6 juin, l'Allemagne se déclare incapable de payer ses dettes, bien que le paiement des réparations de guerre ait été allégé par le plan Dawes en 1925 puis par le plan Young en 1930. La conférence de Lausanne, en juin 1932, règle définitivement la question (l'Allemagne versant trois milliards de marks à la Banque des règlements internationaux [BRI] qui a succédé en 1930 à la Commission des réparations née du traité de Versailles), mais trop tard : par réaction à la décision allemande, la France a cessé d'honorer le remboursement des dettes contractées pendant la guerre. **Dévaluation de la livre sterling et du dollar.** À la suite, la Grande-Bretagne réagit en dévaluant la livre en septembre 1931 afin de restaurer sa compétitivité commerciale, décide de sa non-convertibilité en or, puis décrète par les accords d'Ottawa en 1932 la préférence impériale, c'est-à-dire une politique d'échanges commerciaux préférentiels entre la Grande-Bretagne et les dominions de l'Empire britannique (étendu aux colonies de la Couronne), et se dote d'un système général de droits de douane qu'elle avait abandonné depuis 1846. Associée à la politique protectionniste renforcée des États-Unis (le tarif Hawley-Smoot de 1930 porte les droits de douane américains en moyenne à 50 %), cette décision contribue à propager la crise à l'Amérique latine et à l'Asie, y compris le Japon : le commerce mondial entre 1932 et 1936 n'est plus que de 80 % en volume et 35 % en valeur par rapport à ce qu'il était en 1929. Elle sonne aussi le glas du système financier international instauré par la conférence de Gênes en 1922, qui reposait sur la conver-

tibilité en or des deux devises clés (le dollar et la livre sterling) : la livre est dévaluée et n'est plus convertible en 1931, le dollar est dévalué d'environ 50 % en janvier 1934. **La France,** qui avait amorti la crise grâce à son commerce privilégié avec les colonies, au poids de son secteur agricole et à l'afflux de capitaux à court terme attirés par la bonne santé du franc, se retrouve alors handicapée par la défense de la parité-or du franc Poincaré de 1928 : la crise s'aggrave et se prolonge au moment où les autres économies industrialisées redémarrent peu à peu à partir de 1934-1935. Ainsi, le produit intérieur brut (PIB) des États-Unis, qui avait atteint un niveau record en 1929 puis chuté de 34 % en volume jusqu'en 1933, se redresse dès 1934. Le PIB allemand, qui avait reculé – légèrement – dès 1928 et plongé de 18 % entre 1930 et 1932, redémarre aussi en 1934. En Angleterre, la croissance, qui avait été plus faible que dans les autres pays de 1927 à 1930, redémarre mollement dès 1932 (après un recul de 7 % en 1931). Seule la France, dont le PIB a reculé de 13 % entre 1929 et 1932, ne repart pas : le PIB stagne (avec même un nouveau recul de 4 % entre 1933 et 1936) et la croissance ne revient qu'à la fin 1937. **Rupture dans les politiques publiques.** Le chômage massif apparaît comme la conséquence la plus grave de la crise. En 1933, il atteint 24 % de la population active aux États-Unis contre 3 % en 1929, 15,5 % en Angleterre (en 1932) contre 7 % en 1929, et 29 % en Allemagne contre 4 % en 1928. L'ampleur de ce chômage et la détresse matérielle, morale et politique qu'il entraîne pèsent d'un poids décisif sur le destin de l'Allemagne (où l'arrivée au pouvoir des nazis en est la sanction immédiate), et contribue partout à imposer, entre 1932 et 1936, des politiques publiques de lutte contre la crise qui constituent une double rupture majeure avec la doctrine libérale antérieure : d'une part, l'acceptation même de l'interventionnisme public ; d'autre part, l'analyse que la crise ne résulte pas tant d'un niveau trop élevé des salaires, qui pénaliserait les entreprises et provoquerait leurs faillites, mais d'une insuffisance de la demande, ce qui limite les débouchés. Faute de l'avoir compris suffisamment tôt, la plupart des États ont multiplié d'abord les politiques déflationnistes (compression des prix, de la masse monétaire et des salaires) avant d'adopter des politiques plus expansionnistes dont John Maynard Keynes fera la théorie en 1936 et dont le New Deal (1933-1941) du président américain Franklin D. Roosevelt (1933-1945) constitue un modèle. De ce fait, la résorption du chômage est relativement rapide : dès 1937, il retombe à 9 % aux États-Unis, à 7,5 % en Angleterre et à 6,5 % en Allemagne. Pour ce dernier pays, les politiques menées ont reposé sur les « batailles du travail » lancées par les nazis en 1933-1934 (plan Reinhardt de lutte contre le chômage, programme de construction d'autoroutes...) et l'économie de guerre qui se met peu à peu en place à partir de 1935-1936, visant clairement au réarmement et à l'autosuffisance économique de l'Allemagne.   Ainsi, la Grande Dépression se comble avant la fin des années 1930 (1937 pour la plupart des grandes économies qui retrouvent leur niveau de 1929), mais la crise n'est pas terminée pour autant. Les relations internationales (système financier, échanges commerciaux) sont alors désorganisées et la stabilisation économique réussie par l'interventionnisme public n'est pas généralisée comme elle le sera après guerre, avec l'État-providence. **J.-P. Ch.**   **> CROISSANCE ÉCONOMIQUE ET CRISES.**

CRISE DES FUSÉES   La découverte de missiles à têtes nucléaires sur le territoire cubain, à moins de 200 kilomètres des côtes américaines, en octobre 1962, devait provoquer la crise « la plus dangereuse que le monde ait jamais connue » selon le secrétaire d'État américain Dean Rusk (1909-1994). Jamais en effet le monde n'avait été aussi près de la guerre thermonucléaire. Dix-huit mois après la débâcle américaine de la baie des Cochons, Washington prépare l'opération *Mongoose*. Richard Helms directeur de la CIA (Central Intelligence Agency) reconnaîtra en 1975 qu'elle avait pour but de se débarrasser de Fidel Castro. C'est dans ce climat d'extrême tension que le gouvernement cubain demande au Kremlin de garantir sa sécurité. Nikita Khrouchtchev, secrétaire du PCUS, propose d'installer des missiles nucléaires dans l'île. Ceux-ci ont une portée suffisante pour atteindre les grandes villes américaines en quelques minutes, modifiant ainsi l'équilibre stratégique. Le 22 octobre, John F. Kennedy décrète le blocus naval de Cuba, intime à l'URSS l'ordre de retirer ses missiles et met en état d'alerte le dispositif nucléaire américain. La négociation entre J. F. Kennedy et N. Khrouchtchev débouche sur un compromis. Moscou accepte de retirer ses missiles de Cuba en échange du retrait partiel des missiles américains de Turquie et de l'engagement secret de Washington de ne pas intervenir à Cuba. La négociation entre les États-Unis et l'Union soviétique se fait sans consultation du gouvernement cubain, qui aura été traité comme un pion dans cet affrontement entre les deux « grands ». La crise des fusées a marqué le point culminant de la Guerre froide. **J. H.**   **> CUBA.**

CROATIE   République de Croatie. Capitale : Zagreb. Superficie : 56 538 km². Population : 4 477 000 (1999).   La traversée du xxᵉ siècle ne fut pas exempte de tragédies pour la Croatie. Depuis la *nagodba* (accord) de 1868, la Croatie avait bénéficié d'un statut particulier en Transleithanie (partie hongroise de l'Empire austro-hongrois), avec un *ban* (vice-roi), un *Sabor* (Parlement), en vertu de l'union personnelle du pays avec le royaume de Hongrie datant de 1102. La mobilisation de 1914 se fait cependant sans problème, même si deux leaders croates de Dalmatie, Frano Supilo (1864-1917) et Ante Trumbic (1864-1938), passent à Londres et signent le 20 juillet 1917 la « déclaration de Corfou » avec le gouvernement serbe de Nikola Pasic (1845-1926), préconisant l'union des Serbes, des Croates et des Slovènes ; un Narodno Vijece (Conseil national), composé de députés croates, slovènes et serbes de Croatie se constitue le 29 octobre 1918 à Zagreb, acceptant le principe d'une union avec la Serbie. Le 1ᵉʳ décembre 1918 est proclamé le royaume des Serbes, Croates et Slovènes avec à sa tête le roi Alexandre Iᵉʳ Karadjordjevic (1888-1934).   Les Croates, qui revendiquent un « droit d'État », se révèlent d'un juridisme pointilleux. La Constitution adoptée le

28 juin 1921, dite « du Vidovdan », est votée sans l'aval du Parti paysan croate, principale force issue des élections de novembre 1920. Cette Constitution instaure un royaume centralisé, qui fait disparaître la Croatie comme entité juridique distincte. C'est la négation du droit d'État dont s'était accommodée la Hongrie. Cette contradiction entre la volonté unitaire d'un État yougoslave et la poussée fédéraliste ou indépendantiste de la Croatie est emblématique.   Le 20 juin 1928, trois leaders du Parti paysan croate, dont Stjepan Radic (1871-1928), sont tués en plein Parlement par un député nationaliste monténégrin. Les députés croates se retirent de l'Assemblée et Ante Pavelic fonde en Italie le mouvement « oustacha ». Les tentatives de compromis n'ont toutefois pas manqué. En 1925-1926, S. Radic a accepté d'entrer dans le gouvernement royal. Après l'assassinat du roi Alexandre, en 1934, le régent Paul négocie avec le nouveau président du Parti paysan croate, Vlado Macek (1879-1964), un *sporazum* (compromis), qui sera signé le 26 août 1939. Cet accord prévoit la création d'une Banovine de Croatie comprenant l'ouest et le nord de la Bosnie, dotée d'un *ban* et d'un *Sabor*, avec une logique de partage des ministères fédéraux.   La création de l'État indépendant de Croatie, qui existera de 1941 à 1945, dirigé par les oustachis, et les massacres de Serbes auxquels ils se livreront, cristallisent le moment le plus tragique de l'histoire croate du XXe siècle. La Croatie est le pays qui fit massacrer le plus fort pourcentage de sa population par ceux qui occupèrent le pouvoir de fait à cette époque. Autre singularité, la classe politique représentative refusa d'occuper le pouvoir (V. Macek fut interné au camp de Jasenovac), et les oustachis ne contrôlèrent que fort peu le pays, en butte à une résistance importante, surtout en Dalmatie occupée par les Italiens.   Au lendemain de la guerre, la Yougoslavie retrouve ses frontières, au sein desquelles la Croatie a le statut de république fédérée. Elle connaît une évolution originale à partir des années 1950. Le Premier ministre croate, communiste modéré, Wladimir Bakaric, favorise l'agriculture privée et fait pencher la balance en 1965 dans le sens d'une décentralisation économique radicale

en Yougoslavie. Mais celle-ci donne lieu, après 1967, à un vent de contestation culturelle (revendication d'une « langue croate » par l'Académie matica hrvatska), économique (monnaie croate) et politique (souveraineté). Le « printemps croate » de 1971, largement pris en charge par les leaders communistes Miko Tripalo et Savka Dabcevic-Kucar (1922-), est brisé par la répression ordonnée par Tito le 2 décembre 1971.   La vie politique des années 1971-1989 est terne, les communistes étant discrédités en Croatie. L'élection d'une majorité HDZ (Communauté démocratique croate) en avril 1990, aux premières élections libres depuis 1938, et celle de Franjo Tudjman en mai 1990 comme président de la République amènent au pouvoir un parti résolument favorable à l'indépendance, accélérant la proclamation de celle-ci (25 juin 1991). Après une guerre défensive contre l'armée fédérale (juillet 1991- 4 janvier 1992), la reconnaissance internationale du 15 janvier 1992, la reconquête de la Krajina qui était passée aux mains des Serbes pendant la guerre (4-7 août 1995 - elle s'opère en chassant de la région la grande majorité des Serbes installés de longue date) et le traité de l'Élysée (14 décembre 1995) consacrant les accords de Dayton du 21 novembre 1995 (relatifs à la Bosnie-Herzégovine) permettent la reconnaissance du principe de la souveraineté croate, devenu effectif le 15 janvier 1998 avec la récupération de Vukovar.   Mais la tension entre le sentiment qu'ont les Croates d'être des Européens (« rempart de la chrétienté » face aux Ottomans) et les exigences de l'Europe dans le domaine de l'État de droit demeurait, comme l'ont montré, entre 1996 et 1999, les tensions avec le Tribunal pénal international pour la Yougoslavie (TPIY). Après la mort du président F. Tudjman (1999), l'alternance politique consécutive aux élections législatives du 3 janvier 2000 et l'élection à la Présidence de Stipe Mesic, le 7 février suivant, ont été perçues comme une « normalisation » au regard des exigences démocratiques du Conseil de l'Europe. **J. K.**   **> FÉDÉRALISME YOUGOSLAVE, GUERRES YOUGOSLAVES, YOUGOSLAVIE.**

CROCE Benedetto (1866-1952)

Philosophe, critique et historien italien. Né à Pescasseroli, Benedetto Croce est d'abord connu pour ses écrits érudits sur Naples, où il réside, puis par ses théories sur l'esthétique. Il fonde la revue *La Critica* (1903) qui devient rapidement un haut lieu de la culture italienne. Son système de pensée repose sur l'unité-distinction du Beau, du Bien, du Vrai et de l'Utile. L'esthétique ou étude du Beau doit faire abstraction de toute forme artistique pour ne chercher que la poésie dans l'œuvre d'art. La philosophie ou étude du Vrai est le nécessaire moment méthodologique de l'histoire, qui n'est connaissable qu'à travers la reconstruction qu'en fait l'historien : toute histoire est donc histoire contemporaine. Libéral conservateur et monarchiste, B. Croce est nommé sénateur à vie en 1910. Fasciné par l'Allemagne, il s'oppose à l'intervention de l'Italie aux côtés de l'<u>Entente</u> en 1915, puis dénonce le <u>nationalisme</u> des intellectuels. En 1920-1921, il est ministre de l'Instruction publique du gouvernement Giolitti (1842-1928). Profondément attaché à l'ordre, il soutient le <u>fascisme</u> jusqu'en 1925, puis il prend la tête de l'<u>antifascisme</u> intellectuel et subit les vexations du régime. Ses œuvres écrites durant cette période, comme l'*Histoire de l'Europe de 1815 à 1915*, reflètent sa nouvelle vision du monde qui est religion de la liberté. En 1943, il participe à la reconstruction du Parti libéral italien (PLI). Quoique monarchiste, il s'oppose à la dérive conservatrice du PLI. Hostile au libéralisme économique, il se rapproche de la gauche libérale.
F. A. > ITALIE.

CROISSANCE ÉCONOMIQUE ET CRISES Après la Seconde Guerre mondiale, le monde a connu une croissance économique sans précédent : elle fut exceptionnellement forte pendant environ trente années (approximativement 1945-1975) – surnommées en France les « Trente Glorieuses » – et, à la différence des crises du xixᵉ siècle ou des années 1930, elle s'est poursuivie, quoique ralentie, pendant la crise ouverte dans les années 1970. Cette croissance a été concomitante d'un bouleversement qualitatif du travail, des politiques publiques, des modes de vie, bref, des sociétés dans leur ensemble. **De la fin du xixᵉ siècle à la crise de 1929.** La croissance économique s'amorce avec la révolution industrielle en Europe et la dynamique des pays « neufs » (États-Unis, Canada ou Australie) : de la fin du xixᵉ siècle jusqu'à la Première Guerre mondiale, le rythme de croissance double (par rapport à la première révolution industrielle de 1820 à 1870) pour atteindre en moyenne + 2 % par an et gagne l'Amérique latine, l'Europe de l'Est et du Sud. L'amélioration des moyens de transport (chemins de fer), des moyens de paiement (réseaux bancaires) et des modes de production (industrie) explique cette accélération qui, pendant les années 1920, atteint + 4,5 % par an dans les pays « neufs » et + 3,5 % en Europe. Mais, comme au xixᵉ siècle, le dynamisme de la production bute ensuite sur l'insuffisance des débouchés et l'économie mondiale entre en récession durant les années 1930 (<u>crise de 1929</u>). Les États-Unis retrouvent les clés de la croissance dès le milieu des années 1930, l'Europe après la fin de la Seconde Guerre mondiale. Mais, à la surprise des experts de l'époque, la croissance se poursuit après la reconstruction et s'accélère même entre 1965 et 1973. De 1950 à 1973, le produit intérieur brut (PIB) mondial progresse en moyenne de 4,9 % par an. Bien que de façons variables, cette croissance concerne tous les pays : moins marquée aux États-Unis ou au Royaume-Uni (+ 3 % par an) qui avaient déjà forcé leur activité économique pendant la guerre, elle dépasse 5 % en France, en Italie, en Allemagne et dans les pays méditerranéens, et même 9 % au Japon. **Les facteurs de la croissance.** La croissance démographique alimente cette envolée : le *baby boom* qui se manifeste dès 1944 dans les pays industrialisés stimule d'autant la demande. Mais il n'explique pas tout puisque l'on observe aussi une croissance du PIB par habitant (+ 2,9 % par an au niveau mondial entre 1950 et 1973), que l'Europe et une partie de l'Asie tirent vers le haut (+ 3,8 % pour l'Europe occidentale, + 4,8 % pour l'Europe du Sud, + 8 % pour le Japon et près de + 6 % pour les nouveaux pays industriels [<u>NPI</u>] des années 1970

- Corée du Sud, Hong Kong, Taïwan et Singapour). **L'**investissement constitue un deuxième facteur de croissance. Au-delà du plan Marshall dont bénéficient dès 1947 les pays de l'Ouest européen. De 1950 à 1973, la part du PIB consacrée à l'investissement fait plus que doubler (sauf aux États-Unis, où elle stagne) par rapport à la période 1870-1950 : elle atteint 20 % à 25 % en Europe et même 30 % au Japon, en Inde ou en Corée du Sud. **C**ependant, démographie et investissement ont induit moins de la moitié de la croissance économique d'après-guerre. Car celle-ci repose avant tout, à la différence du XIXe siècle, sur une plus grande productivité du travail. Cela résulte notamment d'une plus grande spécialisation du travail, de la rationalisation de l'organisation industrielle et de l'innovation technique, mais aussi de l'amélioration de la formation et des compétences de la main-d'œuvre, ainsi que de la qualité des services publics et des infrastructures. Certains de ces facteurs sont à l'œuvre depuis la première révolution industrielle, mais le rythme atteint après guerre est exceptionnel : pour les États membres de l'OCDE (Organisation de coopération et de développement économiques), les gains de productivité du travail (rapport entre la production et le nombre d'emplois) atteignent 3,8 % par an, en volume, entre 1950 et 1973 (de + 2,1 % par an pour les États-Unis à + 8 % par an pour le Japon – et + 4,7 % pour la France). **Production de masse et consommation de masse.** Cela résulte de la systématisation de l'« organisation scientifique du travail » (le taylorisme) expérimentée dès le début du siècle, notamment dans l'industrie automobile. Mais elle n'aurait pas duré sans l'articulation réussie, pour les pays industrialisés, puis pour certains NPI, entre la progression rapide de l'offre (production de masse) et celle de la demande (consommation de masse), ce qu'a permis le rapport salarial de l'époque (généralisation du salariat, consolidation du droit du travail et du statut de salarié, rémunération au temps et non plus à la pièce, règles de progression des salaires, protection sociale, etc.). Presque assurés de voir leur salaire s'améliorer et de ne pas se retrouver au chômage, les ménages

n'hésitent pas à consommer, quitte à s'endetter pour acquérir les biens durables emblématiques de la période (automobile, logement, équipement ménager) ; dans ce contexte, les entreprises n'hésitent pas, quant à elles, à anticiper une progression de la demande et, à leur tour, investissent et s'endettent pour investir plus ; d'où une progression de l'emploi, donc de la demande, etc. **A**insi, de 1950 à 1966, le pouvoir d'achat moyen des ménages (salaire direct et prestations sociales) progresse chaque année de 2,5 % aux États-Unis et au Royaume-Uni, de 5 % en RFA, de 5,3 % en France ; au Japon, le rythme de la hausse n'est que de 3,2 % jusqu'en 1961, mais atteint 7,8 % ensuite. **Le rôle des partenaires sociaux et celui de l'État.** Les partenaires sociaux ont joué évidemment un rôle important dans ce processus (pour la première fois, la classe ouvrière en est largement partie prenante), mais de façon très variable selon les pays. En France, dans la seconde moitié des années 1950, se généralisent les conventions collectives qui, de fait, relient la progression des salaires à la progression de la productivité et des prix. Aux États-Unis, le gouvernement s'appuie sur le *Wagner Act* pour imposer des négociations collectives aux employeurs récalcitrants, tout en limitant les hausses salariales excessives, et s'il restreint le droit syndical (dès 1943 avec le *War Labor Disputes Act*, puis en 1947 avec la loi Taft-Hartley), il adopte aussi un système minimal de protection sociale dans les années 1960. L'Allemagne développe, quant à elle, son modèle d'« économie sociale de marché ». **Le rôle de l'État** n'est pas moindre : État-providence, certes, mais aussi acteur économique. Fortement légitimé par la réussite des politiques de sortie de crise des années 1930 (New Deal) et par l'efficacité des économies de guerre, le principe de l'intervention publique en économie n'a plus guère été contesté avant la fin des années 1970. À partir de 1945, on voit ainsi l'État agir significativement et directement sur la production (nationalisations en France en 1944-1948, au Royaume-Uni en 1945-1951, créations d'entreprises publiques en Italie en 1953), sur l'investissement (subventions, planification incitative en France et aux Pays-Bas, coordination au Japon), sur la formation professionnelle (les dépenses d'éducation des États membres de l'OCDE s'accroissent d'environ deux points de PIB entre 1955 et 1964) ou sur la recherche (sauf au Japon où elle est quasi inexistante, la recherche publique représente environ les deux tiers des dépenses de recherche nationale). La réussite de NPI tels que Taïwan ou la Corée du Sud – comme ce fut le cas pour le Japon des années 1950-1960 – doit aussi beaucoup à l'action publique. Le rôle stabilisateur des États n'est pas moindre au plan des relations économiques internationales, sous la férule des États-Unis dans le cadre des accords de Bretton Woods et du GATT (Accord général sur les tarifs douaniers et le commerce). **La crise des années 1970, fruit de la croissance.** Ainsi, la capacité des sociétés d'après-guerre à traduire le progrès technique en progrès social pour des populations en forte croissance, *via* le partage négocié des gains de productivité et le développement de l'État-providence, a réussi à contenir les conflits d'intérêts, contrairement au capitalisme sauvage du XIXᵉ siècle qui les avait exacerbés. Il ne faut toutefois pas minimiser ces conflits, comme la révolte des ouvriers les moins qualifiés et la grogne des rentiers, non plus que les événements de Mai 68 en France ou de l'« automne chaud » (1969) en Italie, ou encore la montée des critiques de l'ordre économique international et les aspirations écologistes. Ces conflits sur fond de mutations technologiques sont gros de la crise qui éclate dans la plupart des pays industrialisés au milieu des années 1970 et qui va se traduire par une aggravation brutale du chômage puis de la précarité. Les signes avant-coureurs de cette crise apparaissent dès la fin des années 1960 (déstabilisation du dollar, poussées de chômage). Mais c'est dans les années 1970 (chocs pétroliers de 1973 et 1979, instabilité accrue sur les marchés de matières premières, abandon des taux de change fixes – 1971) qu'elle éclate. La force des institutions mises en place après guerre – notamment l'État-providence – explique que le ralentissement de la croissance économique et des gains de productivité (dont les rythmes se réduisent de moitié environ) n'ait pas provo-

qué une grande dépression comme au XIXᵉ siècle ou dans les années 1930 : la hausse des dépenses publiques amortit en partie le tassement de l'investissement privé et de la masse salariale. Pour autant, une part de l'opinion publique s'est retournée. Depuis la publication du rapport Meadows du Club de Rome en 1972 *(Limits to Growth)*, la conférence de Stockholm, la première des Nations unies sur l'environnement, le 16 juin 1972, puis un certain nombre de catastrophes écologiques – marées noires, pollutions chimiques ou encore nucléaires –, la croissance, jusqu'alors historiquement associée à la société de consommation et de production de masse, n'est plus apparue parée de toutes les vertus et s'est vue concurrencée par le concept de développement durable. **J.-P. Ch.** ➤ TRAVAIL.

CRONSTADT (insurrection de) En février 1921, les marins de la base navale de Cronstadt, dans le golfe de Finlande, à l'ouest de Petrograd, premiers partisans et soutiens de la révolution russe en 1917, orchestrent un mouvement de mécontentement, qui monte parmi les ouvriers de Petrograd, et votent une résolution exigeant la démocratisation de la vie politique (libres élections des soviets, en particulier). Après une vaine tentative de négociation avec le pouvoir, les deux parties radicalisent leurs positions : les marins forment un Comité révolutionnaire provisoire (2 mars) et les autorités ordonnent une intervention armée le 7 mars. Dix jours plus tard, Cronstadt tombe ; la répression fait des milliers de victimes. Le gouvernement prend néanmoins acte de l'insurrection en engageant, au Xᵉ congrès du Parti communiste (ouvert le 8 mars), la détente par l'instauration de la NEP (Nouvelle Politique économique). Le soulèvement des marins de Cronstadt sera par la suite hautement revendiqué par tous les mouvements anarchistes du monde. **C. G.** ➤ RUSSIE ET URSS.

CSCE La Conférence sur la sécurité et la coopération en Europe (CSCE) a résulté de la conférence d'Helsinki. Elle a donné naissance en 1994 à l'OSCE (Organisation pour la sécurité et la coopération en Europe).

CTBT > TICE.

CUBA République de Cuba. Capitale : La Havane. Superficie : 110 861 km². Population : 11 160 000 (1999). **A**lors que les principaux pays du sous continent latino-américain s'étaient affranchis de la tutelle espagnole au début du XIXᵉ siècle, l'île de Cuba, dans les Caraïbes, n'a conquis son indépendance qu'en 1902. Cette émancipation tardive s'explique par sa situation géographique exceptionnelle, au cœur de la « Méditerranée américaine ». Nécessaire à l'expansion commerciale des États-Unis, indispensable à la défense de leur environnement maritime et de leurs régions côtières, l'île fut l'objet des convoitises de Washington comme aucun autre pays hispano-américain. **La** première guerre d'indépendance – la « Grande Guerre » – fût engagée par un latifundiste, Carlos Manuel de Cespedes (1819-1874). Ce propriétaire libère ses esclaves le 10 octobre 1868 pour fonder une armée de libération dont les combattants seront appelés les « mambis ». Le « père de la nation » – c'est ainsi qu'on l'appellera – est l'auteur de la première Constitution cubaine. La guerre contre l'Espagne dure dix ans (1868-1878) : elle est sanglante et se termine par une défaite. Selon Fidel Castro, « ces sacrifices ne furent pas vains. Ils forgèrent le ciment de la patrie, créèrent une âme, une nation, un peuple ». La seconde guerre d'indépendance commence en 1895 et dure trois ans. Elle est dirigée par José Marti (1853-1895). Indépendantiste convaincu, il a fondé le Parti révolutionnaire cubain aux États-Unis. Il écrit : « Je risque tous les jours ma vie pour mon pays ; l'indépendance de Cuba doit empêcher que les États-Unis s'étendent jusqu'aux Antilles ; telle est ma mission ; tout ce que j'ai fait et ferai va dans ce sens. » Celui que l'on surnommera plus tard l'« apôtre de la nation » meurt lors de son premier combat. **Une indépendance frustrée par les États-Unis.** En 1898, les États-Unis décident d'intervenir après avoir proposé à l'Espagne d'acheter l'île (guerre hispano-américaine). Les mambis sont sur le point de gagner la guerre ; ils n'ont pas demandé cette intervention, mais ne s'y opposent pas. Mal leur en prend : les forces rebelles cubaines ne sont pas partie prenante du traité de Paris signé en 1898 par les États-Unis et l'Espagne. L'Espagne perd Porto Rico, les Philippines et l'île de Guam au profit de Washington. L'île est dévastée, la guerre a fait plus de 300 000 morts. La première Constitution de Cuba indépendante (1902) est « amendée » par le sénateur américain Hitchcock Platt et reconnaît aux États-Unis un droit unilatéral d'intervention. Dès 1906 ce droit est exercé pour protéger le président cubain Tomás Estrada Palma (1902-1906) ; ce dernier affirme préférer la « dépendance politique » de l'île à une « république indépendante et souveraine mais misérable ». Dès lors deux figures se font face dans la traversée du siècle : celle de l'« annexionniste », le « vende patria », le traître ; et celle du patriote, héritier de J. Marti. L'occupation de l'île dure jusqu'en 1909. Deux nouvelles interventions militaires ont lieu en 1912 et 1917. **Instabilité sociale et politique.** La première moitié du XXᵉ siècle est marquée par l'instabilité sociale et politique. L'économie est dominée par la canne à sucre. Le sucre bénéficie des tarifs préférentiels accordés par les États-Unis, principal débouché à l'exportation. Mais la monoculture engendre une dépendance croissante à l'égard du marché américain. Les fluctuations des cours rendent l'économie vulnérable. La crise de 1929 provoque un chômage massif ; les mobilisations sociales des ouvriers du sucre et du tabac et celles des étudiants se heurtent à la dictature du général Gerardo Machado (1925-1993). La grève générale de 1933 est le point culminant de la lutte anti-machadiste et entraîne la chute du dictateur. Le 4 septembre 1933, lors de la révolte des sergents – un mouvement issu de la base de l'armée luttant pour des revendications démocratiques – une figure émerge, celle du sergent Fulgencio Batista (1901-1973). Devenu colonel, il fait réprimer la grève générale de 1935 et assassiner le chef de l'opposition Antonio Guiteras. Grâce au soutien du Parti communiste cubain qui voit dans cet ancien sergent un partenaire ad hoc pour mettre en pratique la stratégie de front populaire élaborée par le Komintern, F. Batista est élu président de la République en 1940. Pour la première fois, un gouvernement cubain comprend des ministres communistes. Le mandat de F. Batista prend fin en 1944. Il revient au pouvoir par un coup d'État le 10 mars 1952, cinquante ans après la fondation de la république. Onze jours après le putsch, les États-Unis reconnaissent le nouveau gouvernement. Si l'indépendance frustrée représente le premier acte de l'histoire cubaine, l'échec de la révolution démocratique contre G. Machado le deuxième, F. Batista vient d'ouvrir le troisième. **Le choix de la lutte armée.** Le coup de force ne rencontre aucune résistance. Il faut attendre plus d'un an pour qu'un groupe de jeunes regroupés autour de F. Castro – un avocat membre du Parti orthodoxe – organise une protestation armée contre le tyran, en attaquant la caserne de la Moncada à Santiago (province d'Oriente) le 26 juillet 1953, dans l'espoir de renverser la dictature : il s'agit de l'acte fondateur du Mouvement du 26 juillet. Le Parti socialiste populaire (PSP, communiste) condamne très vivement les « aventuriers petits bourgeois » qui ont participé à ce combat et ne les défend pas contre la répression. Emprisonné, puis condamné à l'exil, F. Castro s'entraîne au Mexique à la guerre de guérilla. Il y rencontre un jeune médecin argentin, Ernesto Guevara, qui vient de vivre au Guatémala le renversement d'un gouvernement démocratique par des militaires entraînés par Washington. Comme F. Castro, il est convaincu de la nécessité de la lutte armée. Commencée dans la Sierra Maestra en 1956, la guérilla dure à peine plus de deux ans. Stimulés par les succès de l'Armée rebelle dirigée par F. Castro et E. Che Guevara, des étudiants, des paysans, des ouvriers se mobilisent dans la lutte contre le dictateur. En janvier 1959, une grève générale révolutionnaire paralyse le pays. L'Armée rebelle prend le pouvoir à La Havane. **Une décennie révolutionnaire.** Dans le *Livre blanc* que le département d'État publie en avril 1961, les États-Unis reconnaîtront tardivement la légitimité de ce combat : « Le caractère du régime de Batista à Cuba rendait presque inévitable une violente réaction populaire. La rapacité des chefs, la corruption du gouvernement, la brutalité de la police, l'indifférence du régime aux besoins du peuple en matière d'éducation, de soins médicaux, de logement, de justice sociale et d'emplois, tout cela à Cuba comme ailleurs était une invitation ouverte à faire la révolution. » La crise systémique d'un capitalisme parasitaire accouche en effet d'une révolution. Celle-ci met fin à une oppression nationale séculaire. Le peuple cubain bénéficie bientôt de conquêtes sociales sans précédent en Amérique latine. **La première décennie, le gouvernement révolutionnaire procède à des transformations économiques et sociales radicales. La première réforme agraire (1959) limite la propriété à 400 ha, la seconde (1963) à 67 ha. Les expropriations frappent d'abord le capital étranger, enclenchant une dynamique d'affrontement avec les États-Unis. Après le désastre américain de la baie des Cochons en 1961, puis la « crise des fusées » en 1962, le pays est isolé par l'embargo américain. Le problème de la survie du régime se pose. L'Union soviétique apparaît comme l'unique fournisseur de pétrole et le seul acheteur possible du sucre cubain. La stratégie de développement est au centre des débats impulsés par E. Che Guevara qui critique le système soviétique. **Alignement sur l'Union soviétique.** Mais à la fin des années 1960 le destin de l'île est scellé : l'approbation de l'intervention soviétique en Tchécoslovaquie contre le printemps de Prague en 1968, l'intégration dans le CAEM (Conseil d'assistance économique mutuelle, ou Comecon), puis l'adoption du modèle soviétique d'économie administrée et la consolidation du Parti communiste cubain comme parti unique favorisent la bureaucratisation et la sclérose de l'appareil d'État. Le monolithisme idéologique, la répression politique et la normalisation des activités culturelles ternissent peu à peu le prestige de la révolution cubaine. Enfin, si Cuba est sanctuarisé par la Guerre froide, sa dépendance économique et commerciale envers Moscou va lui coûter cher. **Dans les années 1960 le régime castriste bénéficie d'un immense prestige. Mais la mort de E. Che Guevara en Bolivie en 1967 sanctionne l'échec des mouvements armés. Le bref espoir né de la victoire en 1970 de Salvador Allende au Chili sera vite déçu. Dans la décennie qui suit, c'est sur le théâtre africain que les troupes cubaines se déploient avec l'aide de Moscou qui veut accroître son influence en Afrique. En 1975, le MPLA (Mouvement populaire de libération de l'Angola) assiégé dans Luanda par les troupes sud-africaines fait appel à l'aide cubaine. Mettant à profit la défaite américaine dans la guerre du Vietnam, La Havane envoie plus de 50 000 hommes. **La** crise de Mariel éclate en avril 1980. Sous l'impact des visites d'exilés, des milliers de Cubains occupent l'ambassade du Pérou. F. Castro décide alors d'ouvrir les frontières. En quatre mois, 125 000 Cubains partent pour les États-Unis. En juin 1989, le général Arnoldo Ochoa et Tony de la Guardia, hauts responsables du ministère de l'Intérieur, sont inculpés pour trafic de drogue par un tribunal militaire, condamnés à mort et exécutés, ainsi que deux autres accusés. Les motifs réels sont restés sujets à interrogation. **Après la disparition de l'URSS.** L'effondrement de l'URSS en 1990 plonge le pays dans une crise aiguë. Pour survivre, F. Castro doit adopter des réformes économiques donnant plus de place aux relations marchandes tout en se déclarant farouchement opposé à tout retour au capitalisme. Mais la légalisation du dollar comme monnaie d'échange et l'espace accordé aux investisseurs étrangers introduisent des inégalités sociales nouvelles profondément déstabilisatrices. Des milliers de Cubains choisissent l'exil au péril de leur vie. Le « socialisme de marché » couplé au régime de parti unique/parti d'État interdit toute transparence et tout contre-pouvoir. Les restrictions aux libertés démocratiques et l'absence de respect des droits de la défense – et, plus largement, d'un pouvoir judiciaire indépendant – favorisent en réalité le secret des transactions personnelles et protègent les privilégiés. **La** gigantesque remise en question entraînée par la chute du Mur de Berlin n'a pas épargné le régime cubain. Son usure, déjà perceptible dans les années 1980, s'est aggravée avec la désintégration de l'URSS et le renforcement de l'embargo américain (lois en 1992 et 1996). Lorsque s'est ouverte l'année 2000, la fin du castrisme n'était pas encore écrite. **J. H.**

CULTURE MONDIALE La question de l'homogénéisation des cultures date de la fin du xixe siècle, où la culture de masse amorçait à peine sa trajectoire (littérature de gare en Grande-Bretagne, feuilletons dans les journaux en France, *comics* – bandes dessinées – aux États-Unis). L'écrivain H. G. Wells (1866-1946) avait prédit que le problème de l'uniformisation des cultures au xxe siècle serait celui de l'issue d'un « conflit entre les langues », avec pour théâtre majeur l'industrie du livre. **Théorie et réalité de l'« américanisation ».** Les années 1920 ont vu de nombreux penseurs européens s'inquiéter de ce que le dramaturge italien Luigi Pirandello (1867-1936) dénommait déjà l'« américanisme » ou l'« américanisation de la culture ». Que l'on pense également aux analyses de l'historien et philosophe allemand Oswald Spengler (1880-1936) sur la « fin de la culture » et le « déclin de l'Occident », succombant aux assauts de la civilisation de la technique, ou bien encore aux réflexions de l'écrivain espagnol José Ortega y Gasset (1883-1955) s'insurgeant contre la culture exportée par une Amérique soumise aux seules lois de la production-distribution de masse et de la technologie. Ce n'est toutefois qu'à la fin des années 1940 que l'idée selon laquelle l'homogénéisation par voie de standardisation des produits et des comportements de leurs consommateurs est inhérente à la culture médiatique a pris son envol, c'est-à-dire dès la formulation de la première théorie critique – philosophique – de la culture de masse sous l'égide de l'école de Francfort, avec Theodor Adorno (1903-1969) et Max Horkheimer (1895-1973), qui ont créé la notion d'« industrie culturelle ». Pendant plus de deux décennies, cette idée d'uniformisation a hanté les références critiques. La domination sans partage des industries culturelles en provenances des États-Unis sur les marchés internationaux a contribué à rendre crédible le postulat qui voulait qu'on assistât désormais à une phase ultime de l'« impérialisme culturel », à une uniformisation du monde par l'entremise de l'« américanisation ». Cette représentation prenait toute sa force dans un contexte de mobilisation politique intense, alors exacerbée par les bipolarités Est-Ouest et Nord-Sud. **De** ces visions de l'uniformisation était absent le « sujet consommateur ». Sa réhabilitation s'est faite à la fin des années 1970. Dès lors, on a commencé à le percevoir autrement que comme un récepteur passif répondant à un stimulus dans le sens prescrit. Ce bouleversement des perspectives théoriques a permis de réintroduire l'analyse des différenciations culturelles, de relativiser à partir de l'interaction produit culturel/public l'« effet » uniformisant du premier. En bref, on a découvert qu'on ne regardait pas de la même façon une série télévisée selon que l'on se trouvait à Alger, à Moscou ou à Londres. Corollairement, côté émission, même si les logiques de l'internationalisation ont travaillé de plus en plus les télévisions nationales, les modes de programmation sont restés une question nationale. Sans pour autant nier la persistance de l'hégémonie mondiale des producteurs des États-Unis, cette relativisation en aval s'est trouvée renforcée en amont par la réalité de la multiplication des acteurs des industries culturelles sur le marché international. Qui aurait pu imaginer quelques années plus tôt que les *telenovelas* (séries) mexicaines ou brésiliennes feraient pleurer dans les chaumières russes ? **Des universaux culturels bien relatifs.** La logique contraire travaille pourtant, également, de plus en plus le monde. À preuve, le glissement qui s'est opéré dans les années 1980 dans les concepts qui en rendent compte : de l'internationalisation à la globalisation. Qui peut nier que nos sociétés sont de plus en plus connectées avec des produits et des réseaux de communication appelés à fonctionner à l'« universel » ? **L'**idée de « culture globale » a structuré les discours de légitimation des stratégies d'expansion des grandes entreprises, au premier chef, ceux des groupes multimédias et des grands réseaux d'agences publicitaires, tous à caractère transnational sur la *global marketplace* (marché global). Les doctrinaires d'une globalisation à tout crin, *hic et nunc*, se sont opposés à ceux pour qui l'évolution de l'économie mondiale était loin de se résumer à la seule logique de l'homogénéisation des marchés des produits, des goûts et des besoins,

pour qui aussi l'idée de la segmentation des marchés et des cibles paraissait tout aussi importante que celle de la standardisation. Au niveau des stratégies de construction de l'« économie-monde », le dilemme standardisation/segmentation s'est révélé ne pas en être un, les deux termes étant les deux faces complémentaires d'un même processus, l'un n'allant pas sans l'autre. **Le** bilan de cette décennie mégalomane, où tout comme la sphère financière, la sphère communicationnelle a fonctionné dans une bulle, est venu mettre un bémol à cette quête d'une culture globale et à la chasse aux « universaux culturels » au service du marché. **L'**échec de nombre de stratégies de diversification et d'expansion, la lenteur de la mise en place du marché unique, qui pour une grande part avait encouragé notamment la tendance à lancer des campagnes publicitaires et des chaînes de télévision paneuropéennes ne sont que quelques facteurs et exemples expliquant le déclin du discours triomphaliste de la conquête de la culture globale. **Les** années 1980 ont aussi été celles de la revanche des cultures singulières. La tension et les décalages entre la pluralité des cultures et les forces centrifuges de l'universalisme marchand a révélé la complexité des réactions à l'émergence d'un marché à l'échelle du monde. D'autant plus que la tendance de la globalisation à fonctionner selon une logique de ghettos et d'exclusion, ne travaillant qu'à partir des 20 % de l'humanité qui concentrent 80 % des pouvoirs d'achat et d'investissement, s'est dangereusement accentuée. Fait significatif : de nouveaux concepts sont apparus qui tentent d'approcher en des termes moins manichéens la rencontre des cultures dans le contexte – toujours bien présent – de l'échange inégal et des rapports de force. Ils ont pour nom « créolisation », « hybridation », ou « appropriation ». **L'**enseignement que l'on peut en tirer est qu'au lieu de ressasser les prêts-à-porter idéologiques des visions du monde comme « système global », et autre « <u>village global</u> », il vaudrait mieux, à l'instar du philosophe Maurice Merleau-Ponty (1908-1961), continuer à penser que le système est un « système baroque » et le restera sans doute encore longtemps, malgré les discours contraires de la *World Business Class* (classe mondiale des affaires), en voie de formation et qui a trop tendance à prendre la « culture des affaires » pour la « culture du monde ». **D**ans les années 1990, la question de la culture mondiale a été projetée au cœur des débats sur l'application aux « produits de l'esprit » (selon l'expression du président français François Mitterrand) des règles du libre-échangisme proposées par le GATT (Accord général sur les tarifs douaniers et les échanges). Le bras de fer entre l'Union européenne et cette institution internationale s'est terminé en décembre 1993 par la reconnaissance du principe dit de l'« exception culturelle », prôné par le gouvernement français : les productions audiovisuelles ne pouvant être assimilées à n'importe quelle marchandise, elles échappent aux règles de la libéralisation du commerce international. Sept ans plus tard, l'OMC (Organisation mondiale du commerce, qui a succédé au GATT) est revenue à la charge à l'occasion du « *millenium round* ». L'objectif de celui-ci est d'élaborer avant l'an 2002 un accord général sur le commerce dans le secteur des services (GATS : General Agreement on Trade in Services), incluant l'ensemble de la production des industries culturelles. Le gouvernement français a récidivé, proposant que cette dernière soit définitivement retirée de l'agenda des discussions. L'enjeu est de taille : la soumission des flux de produits culturels aux règles du libre-échange signifierait mettre hors la loi l'ensemble des mesures nationales et communautaires adoptées en vue de favoriser la construction d'une base de production européenne capable d'enrayer la dépendance à l'égard des *majors* d'Hollywood. Faut-il rappeler qu'au cours des années 1990 ces dernières ont empoché en moyenne plus de 70 % de la recette cinématographique de l'ensemble européen, qui reste leur marché le plus solvable ? Il s'agit donc d'enjeux très politiques. **A. M.** **> MONDIALISATION.**

D

DAHOMEY > BÉNIN.

DALAÏ-LAMA Titre donné au chef du bouddhisme tibétain. Une même personne est censée se réincarner successivement et incarne elle-même une divinité. Né en 1935, réfugié en 1959 en Inde après l'échec d'une rébellion contre la présence chinoise au Tibet, Tenzin Gyatso y est demeuré un maître incontesté. Il a reçu le prix Nobel de la paix en 1989. Dans son entreprise de déstabilisation, Pékin n'a pas hésité à mettre à l'écart le petit Gendun Choekyi Nyima, un enfant de neuf ans que le dalaï-lama a reconnu comme la réincarnation de panchen-lama, le « numéro deux » de la hiérarchie religieuse au Tibet, mort en janvier 1989. L'enfant et sa famille ont disparu au milieu de l'année 1995, vraisemblablement tenus au secret dans un camp militaire de la région de Pékin. À sa place, l'État chinois a imposé son propre panchen-lama, Gyaltsen Norbu, un enfant du même âge. Cette stratégie de Pékin s'est vu contrariée par la fuite de Lhassa, en décembre 1999, du karmapa Ugyen Trinley Dorje, âgé de quatorze ans, qui a rejoint le dalaï-lama en Inde. « Numéro trois » dans la hiérarchie du bouddhisme tibétain, le karmapa avait été reconnu à la fois par le dalaï-lama et par Pékin. **> TIBÉTAINS.**

DANEMARK Royaume du Danemark. Capitale : Copenhague. Superficie : 43 070 km². Population : 5 282 000 (1999). Au XVIIIᵉ siècle, le royaume de Danemark demeure une puissance : il inclut la Norvège, l'Islande, les duchés de Slesvig et de Holstein... Il se rétracte ensuite avec la cession de la Norvège à la Suède en 1814 (mais obtention des îles Féroé), la perte des duchés en 1864 (incorporés à la Prusse en 1866) et l'évolution de l'Islande vers l'indépendance, laquelle sera totale à compter de 1944. En 1849, le pays devient une monarchie constitutionnelle. Mais, dans la seconde moitié du XIXᵉ siècle, les conservateurs, majoritaires au Landsting (chambre haute), dominent la vie politique aux dépens du Folketing (chambre basse, élue au suffrage direct). Le Folketing l'ayant emporté en 1901, un régime parlementaire est instauré. Durant la même période, les paysans danois s'affirment : groupés en coopératives, ils se spécialisent dans un élevage (viande et lait) très performant et jouent un rôle politique croissant. En 1915, une réforme constitutionnelle introduit le suffrage universel, femmes comprises. Le Landsting sera supprimé en 1953. Comme la Suède et la Norvège, le Danemark proclame sa neutralité en 1914, puis il se tient à l'écart de la guerre. Les Alliés décident néanmoins (traité de Versailles) la restitution au Danemark du nord du Schleswig (Slesvig). Un plébiscite organisé en 1920 permet alors d'établir la nouvelle frontière. Vainqueurs des élections de 1929, les sociaux-démocrates gouvernent le pays et le dotent d'une remarquable législation sociale. En 1939, les trois États scandinaves proclament du nouveau leur neutralité. Mais, face aux Britanniques, Hitler veut s'assurer le contrôle de tout le littoral dano-norvégien. Aussi, en avril 1940, les Allemands envahissent-ils le Danemark, qui n'a d'autre choix que s'incliner. Un gouvernement d'union nationale accepte de collaborer, jusqu'à un certain point, avec les nazis. En 1943, toutefois, un début de résistance danoise conduit les Allemands à assumer directement le pouvoir. Après la guerre, le Danemark, dont le Groenland devient une province, renonce à la neutralité : il adhère au pacte nord-atlantique en 1949. Les questions européennes le tiraillent ensuite entre ses attaches scandinaves et ses deux principaux marchés, la Grande-Bretagne et l'Allemagne. Membre de l'AELE (Association européenne de libre-échange) dès 1959, le Danemark adhère à la CEE (Communauté économique européenne) en 1973, en même temps que le Royaume-Uni, mais l'opinion demeure réticente face à l'intégration européenne. En 1992, les Danois refusent par référendum la ratification du traité de Maastricht, ce qui nécessite de trouver un compromis avec les autres États membres. Le Danemark se tient ensuite à l'écart de la Zone euro instituée en 1999. **J. S.**

DANTZIG > GDAŃSK/DANTZIG.

DARDANELLES Détroit de près de 70 km de longueur reliant la mer de Marmara à la mer Égée, les Dardanelles (l'Hellespont des Anciens) forment avec le détroit du Bosphore un passage stratégique entre la mer Méditerranée et la mer Noire. Pendant la Première Guerre mondiale, l'expédition franco-britannique dite des « Dardanelles », lancée en 1915, vise à faire pression contre l'Empire ottoman (l'accès à Constantinople est commandé par le détroit) et à porter appui à la Russie coupée de ses alliés occidentaux. L'expédition se solde par un désastre militaire. En effet, un tiers de la flotte est coulé à cette occasion. **> GRANDE GUERRE, QUESTION D'ORIENT.**

DAYTON (accords de) Les accords conclus à Dayton (Ohio, États-Unis) le 21 novembre 1995, et officiellement signés à Royaumont le 14 décembre 1995, mettent fin aux guerres yougoslaves qui ont ravagé la Croatie à partir d'août 1991, et la Bosnie-Herzégovine à partir d'avril 1992. En Croatie, ces accords prévoient le retour sous souveraineté croate de la Slavonie orientale, dernière région encore contrôlée par les forces serbes. En Bosnie-Herzégovine, ils reconnaissent l'existence de deux entités distinctes, la Fédération de Bosnie-Herzégovine (croato-musulmane, 51 % du territoire bosniaque) et la République serbe (49 %), et prévoient la possibilité pour chaque entité d'établir des liens privilégiés avec l'État voi-

sin, la constitution d'institutions communes aux compétences limitées et le libre retour des personnes déplacées pendant la guerre. Une force de 60 000 hommes encadrée par l'OTAN doit garantir le respect du volet militaire de ces accords, et un haut représentant de l'ONU est chargé de superviser la mise en œuvre de leur volet civil. Enfin, sur le plan régional, les accords de Dayton prévoient un rééquilibrage des rapports de forces militaires et l'amorce d'une coopération politique (« processus de Royaumont »). **X. B. > BOSNIE-HERZÉGOVINE, CROATIE, QUESTION SERBE, YOUGOSLAVIE.**

DE GASPERI Alcide (1881-1954) Homme d'État italien. Né dans le Trentin autrichien, Alcide De Gasperi est député catholique à Vienne avant 1914 et entre en 1920 au secrétariat du Parti populaire italien (PPI), créé en 1919. Député en 1921, chef du groupe parlementaire, il soutient en 1922 le cabinet Mussolini, mais il rompt vite et dirige le parti quand don Luigi Sturzo (1871-1959), fondateur du PPI, part en exil en octobre 1924. Arrêté en 1927 au moment où il veut s'expatrier, A. De Gasperi passe seize mois en prison puis est jusqu'à la fin du fascisme bibliothécaire au Vatican. Pivot, en 1942, du nouveau parti catholique clandestin, la Démocratie chrétienne (DC), il le représente en 1943 au Comité de libération nationale (CLN). Ministre sans portefeuille puis aux Affaires étrangères en 1944, premier chef de gouvernement catholique de l'Italie en 1945, il dirige neuf gouvernements successifs. Pour conserver l'électorat modéré et l'attacher à la démocratie, il chasse les ministres socialistes et communistes en 1947. Contre la tentation intégriste, il maintient l'alliance avec les laïcs (libéraux, républicains et sociaux-démocrates), utilisant l'OTAN (Organisation du traité de l'Atlantique nord) et la CECA (Communauté européenne du charbon et de l'acier) pour lier le pays aux démocraties libérales. Oscillant entre répression et progrès social (réforme agraire, crédits au Mezzogiorno), il veut renforcer l'exécutif pour désarmer la Curie qui pousse à l'alliance avec l'extrême droite. Mais, aux législatives de 1953, la prime majoritaire inspirée des apparentements parlementaires français de la IVe République suscite un tollé, et sa coalition n'atteint pas les 50 %. Fragilisé, son dixième gouvernement n'est pas investi. Il reste président d'honneur de la DC mais meurt sans vrai successeur. **É. V. > DÉMOCRATIE CHRÉTIENNE (ITALIE), ITALIE.**

DE VALERA Éamon (1882-1975)

Homme politique irlandais, président de la République d'Irlande de 1959 à 1973. Fils d'une mère irlandaise et d'un père espagnol, Éamon de Valera est né à New York. Figurant parmi les chefs militaires lors du soulèvement de Pâques en 1916 pour l'indépendance et la république, il échappe à l'exécution. Il devient le premier président du Dáil Eirann (Parlement irlandais), instauré en 1919. Républicain convaincu, il rejette le traité anglo-irlandais (ou « traité de Londres », scellant le devenir des deux Irlandes) en 1922 et refuse, au début, de siéger au Dáil de l'État libre d'Irlande instauré au Sud. À la tête d'un nouveau parti, le Fianna Fáil, il gagne les élections législatives de 1932. Chef de gouvernement pendant une première période de seize ans, il défait les derniers liens avec la Grande-Bretagne et fait adopter une nouvelle Constitution, d'inspiration catholique, en 1937. En 1939, il déclare l'Irlande neutre pour la durée de la guerre mais adopte une attitude bienveillante envers les Alliés. Il hésite cependant à transformer l'Irlande du Sud en république dans l'espoir de parvenir à réunir le Nord et le Sud. Ayant réalisé une partie des projets des républicains irlandais, il est élu en 1959 au poste largement honorifique de président de la République d'Irlande, qu'il conserve pendant deux mandats de sept ans. É. de Valera meurt à Dublin en 1975. **P. B. > IRLANDE.**

DÉCLARATION UNIVERSELLE DES DROITS DE L'HOMME > DROITS DE L'HOMME.

DÉCOLONISATION

Passage, pour un territoire, du statut subordonné établi par la colonisation à celui d'État s'autogouvernant et souverain. La décolonisation peut s'effectuer par étapes comme ce fut le cas pour les Dominions britanniques (Canada, Australie, Nouvelle-Zélande...), ou brutalement (Congo belge). L'indépendance peut être concédée ou arrachée au terme de conflits ou de guerres (Indochine française, partition de l'Inde, Indonésie, Algérie, Angola, Mozambique, Bangladesh...). Le mouvement des décolonisations, succédant aux impérialismes du XIXe siècle et aboutissant au démantèlement des empires coloniaux et à l'émergence du tiers monde aura été l'un des faits historiques majeurs du XXe siècle. **> DÉCOLONISATION (AFRIQUE NOIRE), DÉCOLONISATION (ASIE MÉRIDIONALE ET ORIENTALE), DÉCOLONISATION (EMPIRE BRITANNIQUE), DÉCOLONISATION (EMPIRE FRANÇAIS), DÉCOLONISATION (PACIFIQUE SUD), DÉCOLONISATION (PROCHE ET MOYEN-ORIENT).**

DÉCOLONISATION (Afrique noire)

À l'issue de la Seconde Guerre mondiale, les rapports entre les métropoles et leurs territoires outre-mer ne sont plus les mêmes qu'au temps de la colonisation triomphante. Les nations européennes ont été mises en échec par un peuple non européen, le Japon, et, en Europe même, la victoire sur l'Allemagne a été acquise au prix de la mort de dizaines de milliers de soldats des colonies (40 000 Nord-Africains et tirailleurs sénégalais venant des possessions françaises et 50 000 originaires des Indes). Ces derniers s'estiment donc en droit de revendiquer plus d'égalité, sinon plus d'autonomie et d'indépendance. Au Maghreb, le réveil du nationalisme arabe et l'indépendance de la Libye, en 1951, ont dynamisé les revendications de la Tunisie et du Maroc et déclenché la guerre d'indépendance algérienne en 1954. **L'année 1956** marque un tournant dans le processus de décolonisation de l'Afrique. Alors qu'un premier pays subsaharien, le Soudan, accède à la souveraineté, le recul franco-britannique devant l'ultimatum américano-russe à l'occasion de l'affaire de Suez met en évidence l'affaiblissement des puissances coloniales. Les marchés captifs, que constituaient jusqu'alors les colonies pour les métropoles, ne jouent plus leur rôle dans une économie accrochée à la machine américaine et qui tend vers la mondialisation. Néanmoins, une partie de l'opinion publique, entraînée par le parti colonial, s'accroche encore au rêve impérial. Moins impliquée dans des guerres coloniales, la Grande-Bretagne donne l'indépendance à son fleuron, la Côte-de-l'Or, qui devient le Ghana (1957), mais la présence de colons dans ses colonies d'Afrique australe et orientale (les deux Rhodésies, le Nyassaland, le Kénya, le Tanganyika, l'Ouganda) retarde leur accession à l'indépendance (en 1979 seulement pour la Rhodésie du Sud, devenue le Zimbabwé). Dans les colonies françaises, en 1956, le vote d'une loi-cadre prévoyant une plus grande autonomie des territoires, le suffrage universel et le collège unique pour l'élection des assemblées territoriales déclenche le processus des indépendances qui seront proclamées quatre ans plus tard. Hormis la Guinée, entraînée à la rupture avec le colonisateur en 1958 par l'identité de vue entre Sékou Touré et son voisin ghanéen Kwame Nkrumah, la France conserve intacts ses intérêts. Soucieux de ne pas voir s'étendre au sud du Sahara les « événements » d'Algérie, les dirigeants français ont en effet préféré accompagner l'indépendance et n'ont pas à faire face à des soulèvements d'envergure. Cela ne se passe toutefois pas sans heurts, du fait de querelles personnelles (échec de la Fédération du Mali), ou de troubles plus ou moins graves résultant du choix par la France de leaders plus souples à son égard (Hamani Diori contre Djibo Bakary au Niger, opérations contre l'Union des populations du Cameroun [UPC] et leurs dirigeants Ruben Um Nyobé, mort au combat [1958], et Félix Moumié, assassiné à Genève). Vaste cuvette de diamants, de cuivre et de minerais stratégiques aux mains d'une masse de petits actionnaires, le Congo belge demeure la proie d'intérêts occultes, et le restera au prix de guerres civiles interminables. De leur côté, enveloppés dans le cocon d'une dictature hors du temps, ravagés par des guérillas sans fin, les territoires portugais (Angola, Mozambique, Guinée-Bissau, Cap-Vert, São Tomé et Principe) recevront leur indépendance de la révolution des Œillets (Portugal, 1974), dans laquelle leur action idéologique aura été décisive. La décolonisation du continent ne sera toutefois effective qu'après l'indépendance de la Namibie

(1990), qui précédera de peu la fin de l'apartheid chez son dernier colonisateur, l'Afrique du Sud (1990-1991), et celle de l'Érythrée, en 1993. **B. N.**

DÉCOLONISATION (Asie méridionale et orientale)
À l'issue de la Seconde Guerre mondiale, aux yeux des peuples d'Asie orientale, le Japon apparaît comme un pays incontestablement vaincu. La majeure partie des populations de la « sphère de coprospérité asiatique » en éprouve du soulagement. Pour autant, les vainqueurs auraient tort d'escompter une quelconque reconnaissance ou sympathie en leur faveur, sauf peut-être envers les États-Unis, précédés d'une réputation d'anticolonialistes. Ceux-ci ont l'habileté de tenir l'engagement pris en 1930 en accordant un statut d'autonomie aux Philippines, pays qui, le premier, accède à l'indépendance, le 4 juillet 1946, tout en ménageant des avantages, surtout d'ordre militaire, à l'ancienne puissance dominante qui demeure ainsi leur protectrice. Partout ailleurs, le piédestal du colonisateur s'est définitivement écroulé, à cause notamment des humiliations que lui a infligées l'occupation japonaise. La reconquête tardive des territoires a définitivement modifié le type de relations entre l'ancien colonisateur et l'ancien colonisé. Les uns et les autres ont éprouvé un choc sans équivalent dans le reste du monde colonial de cet immédiat après-guerre. Le sous-continent indien, quant à lui, a été relativement épargné, car les armées japonaises y ont à peine et très brièvement pénétré. Cependant, le colonisateur britannique a eu la perspicacité de comprendre l'évolution irréversible des mentalités et en a tenu compte sans tarder. Il est vrai que, dès avant la guerre, les campagnes redoutables (même si pacifiques) de la « désobéissance civile » (la « non-violence gandhienne ») ne pouvaient qu'alerter une puissance coloniale plus pragmatique que doctrinaire. Dans les territoires conquis par un Japon provisoirement victorieux, des leaders ont surgi du vide engendré par la disparition de la puissance coloniale. Les populations y souhaitaient, pour le moins, une redéfinition de leurs relations avec leurs anciens maîtres ou parfois

l'éviction définitive de ceux-ci. Le Commonwealth parvient à perpétuer un lien, soit-il ténu, au sein de ce qui avait été l'Empire britannique. L'Union française échoue dans une entreprise analogue. En Chine, la victoire des forces dirigées par Mao Zedong en 1949 marque une étape majeure du développement du communisme en Asie. Les luttes anticoloniales sont encouragées, en Asie plus qu'ailleurs, par la conjonction de deux influences – soviétique et américaine –, qui ne tardent pas, avec la Guerre froide, à se révéler conflictuelles (guerre d'Indochine, guerre de Corée, guerre du Vietnam). C'est ainsi que sur les ruines des colonies d'antan naissent des régimes antagonistes au Laos, au Vietnam et, plus durablement encore, en Corée. Ailleurs, des partis communistes parfois de deux obédiences rivales, soviétique et chinoise, influencent les jeunes pouvoirs en place, comme en Indonésie jusqu'en 1965 ou, au contraire, s'opposent à eux, souvent par la lutte armée. L'URSS a disparu, la Chine s'est rangée. Cette dernière se contente de cueillir à la fin du XXᵉ siècle les derniers vestiges d'une époque révolue : Hong Kong en 1997, Macao en 1999, comme avaient été récupérés par l'Inde, dès les années 1950, les comptoirs français et portugais. La défaillance de Lisbonne aura laissé à l'encan, durant plus de vingt ans, le territoire de Timor oriental, resté occupé par l'Indonésie jusqu'en 1999. Le système colonial a fait place à un autre système de domination, guère plus discret mais, à coup sûr, plus efficace. Après la chute de l'URSS en 1991, seuls les États-Unis tiendront le premier rôle, les Européens jouant tant bien que mal celui de « seconds ». En Asie, et là seulement, la présence et l'action du Japon, même sorti exsangue et vaincu de son aventurisme guerrier, et celles de la Chine auront conféré à la décolonisation un caractère tout à fait spécifique et radical. C'est à Bandung, dès 1955, que se produit la première prise de conscience de ce qui va devenir le tiers monde qui se voudra non-aligné. Dans cette dynamique, l'Asie – et singulièrement les dirigeants de l'Inde, de Ceylan (actuel Sri Lanka), de l'Indonésie, de la Birmanie... – apparaît déjà comme le fer de lance de l'aspect que prendra réellement la décolonisation : le reflux de l'« homme blanc ». **J.-P. G.** > COLONISATION, DÉCOLONISATION.

DÉCOLONISATION (Empire britannique)

La décolonisation de l'Empire britannique n'a pas résulté des seules évolutions du XXᵉ siècle. La conviction est née après la guerre d'indépendance américaine qu'une colonie est un fruit qui, devenu mûr, se détache de l'arbre métropolitain. Cela explique les concessions « empiriques » et sans uniformité faites aux colonies dès le XIXᵉ siècle, la constitution des dominions à partir de 1867 et l'acceptation de leur pleine souveraineté en 1931. Mais, jusqu'en 1945, l'empire ne paraît prêt à accorder l'indépendance qu'à des colonies de peuplement et de domination européens, les autres territoires, en particulier l'Inde, étant toujours jugés inaptes à se gérer eux-mêmes. La décolonisation contemporaine résulte de multiples facteurs : le déclin de la puissance britannique, les transformations des relations internationales sous l'égide de l'ONU et sa Charte, l'ampleur des revendications nationalistes, encouragées lors de la Seconde Guerre mondiale, la double pression américaine et soviétique, mais, plus encore, une résignation à l'inévitable accompagnée de la volonté de préserver l'essentiel au sein d'un Commonwealth redéfini. Les travaillistes (Labour) n'ont pas eu une approche fondamentalement différente de celle des conservateurs (Tories), même si ces derniers ont davantage inscrit, jusqu'au début des années 1960, la préservation de l'« empire » dans les motions de leurs congrès et dans leurs discours. La liquidation du système colonial a pu devenir ainsi un objet de large « consensus » dans la métropole. La décolonisation s'impose rapidement au bénéfice d'États tenus en soumission mais nominalement indépendants, tels l'Irak et l'Égypte, ou plus tardivement, dans les années 1960, dans les émirats et États du golfe Arabo-Persique. Elle résulte aussi de l'abandon de mandats, ainsi, en mai 1948, celui sur la Palestine, devenue ingouvernable. Les premières indépendances réelles sont asiatiques : l'Inde et le Pakistan en 1947, Ceylan (devenu Sri Lanka) et la Birmanie l'année suivante (celle-ci prenant le statut de république et refusant d'adhérer au Commonwealth), les territoires malais en 1957. À cette date, en Afrique, seule la Côte-de-l'Or (Gold Coast), devenue Ghana, a reçu satisfaction, le Nigéria obtenant la promesse de son émancipation pour 1960. La grande période de décolonisation se situe entre 1960 et 1965. Elle s'inscrit dans un mouvement général impliquant la plupart des anciens empires, et est accélérée par la crainte qu'un « vent nouveau » n'emporte les États émancipés dans l'orbite soviétique. La plupart des possessions d'Afrique et des Caraïbes sont rapidement libérées. Le problème de l'égalité des Noirs et des Blancs retarde jusqu'en 1980 l'indépendance légale de la Rhodésie du Nord, qui devient alors le Zimbabwé. Cas original : le 1er juillet 1997, en rétrocédant à la Chine l'archipel de Hong Kong et ses territoires sur le continent, le Royaume-Uni renonce à une possession sans lui accorder l'indépendance. La décolonisation britannique a longtemps passé pour un succès éclatant. De fait, elle n'a pas été en général le résultat de violents conflits, hormis la « guerre des Mau Mau » au Kénya en 1951-1954 et la guérilla prolongée en Malaisie dans les années 1950. La plupart des nations émancipées sont demeurées ou entrées dans le Commonwealth, structure d'accueil assez contrainte. Les liens économiques sont demeurés forts, tout en déclinant au point de convaincre le Royaume-Uni, en 1961, de choisir la voie européenne, qu'il n'a pas d'ailleurs jugée contradictoire avec ses devoirs d'aide au développement envers ses anciennes possessions (accords de Lomé, à partir de 1975). Les liens culturels sont encore considérables et les liens humains restent alimentés par les courants de migration – pourtant limités vers l'Angleterre à partir de 1962 –, par les souvenirs de fraternité d'armes au temps des guerres mondiales, par la préservation de liens de camaraderie au sein d'écoles militaires largement ouvertes à d'anciens colonisés, ainsi que dans les universités et les laboratoires en métropole et dans le monde. La langue et le droit constituent d'autres héritages communs essentiels. **R. Ma.** **> ROYAUME-UNI.**

DÉCOLONISATION (Empire français)

La Seconde Guerre mondiale a profondément ébranlé l'édifice colonial. La France, vaincue en juin 1940, est fragilisée aux yeux des peuples colonisés. Elle a alors bien du mal à résister à la propagande des courants nationalistes soutenus, directement ou indirectement, par les États-Unis et l'URSS. Au risque de disparaître, l'Empire français doit se renouveler. Là est le sens de la conférence de Brazzaville (1944), décidée par le général de Gaulle. Pour la première fois dans l'histoire coloniale française, il est question d'« émancipation ». Mais, en 1945, en dépit des résolutions nouvelles affichées, la volonté de maintien du *statu quo* dans l'empire domine. La violente répression intervenue en mai-juin 1945 à Sétif et Kherrata en Algérie, qui fera plusieurs milliers de victimes, traduit bien cette attitude de préservation des intérêts coloniaux. Dans la Constitution de 1946, l'expression « Empire français » disparaît au profit d'une Union française qui apparaît, en fait, comme un ultime replâtrage. À Madagascar, la grande insurrection de 1947 vient montrer toutes les limites de cette construction juridique. La terrible répression qui s'ensuit est la dernière remise au pas dans l'empire. **De la guerre d'Indochine à la guerre d'Algérie.** En Indochine et, plus tard, en Algérie, en Afrique noire et dans le reste du Maghreb, la France ne réussira plus à vaincre les insurrections et résistances qui secouent ses colonies. En Indochine, le mouvement Vietminh, avec son leader Ho Chi Minh, proclame l'indépendance de la République du Vietnam le 2 septembre 1945. Après l'échec des pourparlers de Fontainebleau (août-septembre 1946), le bombardement du port de Haïphong (novembre) et la riposte du Vietminh sur Hanoi (décembre) sont les premiers signes de la guerre. Pendant sept ans, le corps expéditionnaire français va se battre contre un adversaire déterminé. La guerre d'Indochine s'achève par la défaite militaire française de Dien Bien Phu, le 7 mai 1954. Les accords de Genève du 21 juillet 1954 consacrent la partition du Vietnam et le départ des troupes françaises du pays. Au Moyen-Orient, à la suite d'une crise grave avec les Britanniques, la France décide, le 9 juillet 1945, d'accéder aux demandes nationalistes en Syrie et au Liban. Elle autorise la constitution d'armées nationales et le transfert aux gouvernements syrien et libanais des unités militaires de recrutement local. C'est la fin du mandat français sur la Syrie et le Liban décidé lors de la conférence de San Remo, en avril 1920. Au Caire, le 9 décembre 1947, un Comité de libération du Maghreb arabe se forme. Il vise à la coordination des principaux partis nationalistes en Afrique du Nord : le Néo-Destour de Tunisie, animé par Habib Bourguiba ; le parti marocain de l'Istiqlal (indépendance), fondé autour de la personnalité du sultan Mohammed V, qui lance le mot d'ordre d'indépendance par son *Manifeste* du 11 janvier 1944, le Mouvement pour le triomphe des libertés démocratiques (MTLD) d'Algérie, dirigé par Messali Hadj. La Tunisie, à la suite d'un mouvement armé déclenché par des « fellaghas », accède à l'indépendance le 20 mars 1956. Le 2 mars du même mois, un protocole venait d'être signé par le roi Mohammed V et Christian Pineau, ministre des Affaires étrangères, scellant l'indépendance du Maroc. En Algérie, l'ajournement des réformes promises exaspère l'ensemble du mouvement nationaliste et détermine l'insurrection du 1er novembre 1954, dirigée par le Front de libération nationale (FLN) qui inaugure la guerre d'indépendance algérienne. L'indépendance sera proclamée le 3 juillet 1962. Cette terrible guerre a fait tomber la IVe République le 13 mai 1958. Quelques jours avant l'insurrection algérienne, en octobre 1954, la France avait cédé ses cinq comptoirs à l'Inde (Pondichéry, Mahé, Karikal, Yanaon, Chandernagor). **L'Afrique à son tour.** De façon moins spectaculaire, mais profondément, la situation évolue aussi en Afrique, à la fois dans l'AEF (Afrique équatoriale française) et dans l'AOF (Afrique occidentale française). Le nationalisme africain, avec les personnalités de Kwame Nkrumah, Léopold Sédar Senghor ou Félix Houphouët-Boigny, s'exprime à travers la création du Rassemblement démocratique africain (RDA), fondé le 21 octobre 1946, lors d'un congrès à Bamako. Le RDA proteste contre les aspects régressifs de la colonisa-

tion française en Afrique. Après la Guinée qui se sépare de la France le 2 octobre 1958 en optant pour le « non » au référendum instituant la Communauté franco-africaine, l'année 1960 voit la quasi-totalité des pays africains accéder à leur tour à indépendance successivement : Cameroun, Togo, Madagascar, Tchad, République centrafricaine, Congo-Brazzaville, Gabon, Dahomey (actuel Bénin), Niger, Haute-Volta (actuel Burkina Faso), Côte-d'Ivoire, Sénégal, Mali et Mauritanie. L'archipel des Comores (à l'exception de Mayotte) devient souverain en 1975, le Territoire des Afars et des Issas en 1977 (sous le nom de « Djibouti »), le condominium franco-britannique des Nouvelles-Hébrides en 1980 (sous le nom de « Vanuatu »). En l'an 2000, la souveraineté française s'exerçait encore sur divers territoires outre-mer : en Amérique (Guadeloupe, Martinique, Guyane, toutes trois départements français d'outre-mer [DOM], et Saint-Pierre-et-Miquelon) ; dans l'océan Indien (Réunion [DOM], et Mayotte) ; dans le Pacifique (Nouvelle-Calédonie, Wallis et Futuna, et Polynésie française) et enfin sur les Terres australes et antarctiques françaises (TAAF). **B. S.** ➤ FRANCE.

DÉCOLONISATION (Pacifique sud)

Dès le début du XXe siècle, l'Australie et la Nouvelle-Zélande, élevées au statut de dominion (respectivement en 1900 et 1906), accèdent progressivement à l'indépendance complète par étapes paisibles, gérées paritairement avec l'ancienne métropole elle-même (la Grande-Bretagne), dans le cadre du Commonwealth. Les autres territoires du Pacifique, dispersés, de faible extension territoriale (sauf la Nouvelle-Guinée), aux ressources limitées ou peu variées (essentiellement minières), demeurent à l'époque sous la dépendance de grandes puissances (Grande-Bretagne, France, Allemagne, Pays-Bas, États-Unis), selon des formes évolutives, allant du statut colonial à une large autonomie interne, débouchant même à terme, pour certains, sur une indépendance sinon réelle au moins juridique. **C'est le** sort des archipels de Micronésie (nord-ouest du Pacifique) qui apparaît le plus tourmenté. Ils sont vendus à l'Allemagne par une Espagne en détresse à la suite de la malheureuse guerre hispano-américaine de 1898 ; ceux-ci se réservent toutefois l'île de Guam, qu'ils transforment en base stratégique face au continent asiatique. À la fin de la Première Guerre mondiale, le Japon, figurant parmi les alliés victorieux, se fait attribuer le mandat de la Société des nations (SDN) sur ces anciennes colonies allemandes qu'il va utiliser, à son tour, à des fins stratégiques. En 1945, les États-Unis, auxquels les Nations unies n'ont alors rien à refuser, exercent la tutelle de celles-ci sur ces mêmes territoires où ils n'hésitent pas à effectuer des expérimentations nucléaires. Ces micro-États insulaires accèdent enfin, dans les années 1980, à des indépendances assorties de liens privilégiés, stratégiques et économiques, avec l'ancienne puissance administrante, les États-Unis. Celle-ci détient de plus deux territoires fédéraux : l'Alaska acheté à la Russie en 1867, et l'archipel des Hawaii, royaume indépendant qui a voté son rattachement à la grande république nord-américaine en 1898. Ces deux territoires seront érigés en 49e et 50e États fédérés en 1959. **Le partage des Grands.** Plus au sud, dans les parages de l'équateur et dans l'hémisphère austral, de nombreux archipels disséminés à travers l'Océan ont été découverts puis occupés, essentiellement par les Britanniques et les Français, au cours du XIXe siècle. À la fin du même siècle, les États-Unis et l'empire allemand en ont récupéré quelques-uns ou se les sont partagés (Carolines, Mariannes, Samoa, Marshall...). Ces îles ne connaissaient qu'une évolution fort lente, en marge des grands courants économiques et socioculturels. Il faut attendre le second conflit mondial et la présence de troupes des États-Unis pour amorcer une transformation des structures et des esprits qui est souvent déstabilisante. Les territoires sous obédience britannique accèdent, entre les années 1960 et 1980, dans le cadre du Commonwealth, soit à la souveraineté nationale, soit à une autonomie exercée en coopération avec la Nouvelle-Zélande. S'agissant des territoires d'outre-mer de la République française (Nouvelle-Calédonie, Polynésie française, Wallis et Futuna), l'évolution est plus lente, parfois assortie de crises graves, mais abou-

tit, elle aussi, à une très large autonomie pouvant déboucher, à terme, sur l'indépendance formelle (cas du condominium franco-britannique des Nouvelles-Hébrides qui est devenu souverain sous le nom de Vanuatu en 1980). D'une manière générale, les îles et archipels du Pacifique, même devenus États souverains, demeurent et demeureront, en raison de leur fragilité, dans une situation de dépendance réelle, soit à l'égard de leur ancienne métropole, soit à l'égard de la communauté internationale. **J.-P. G. ▷ COLONISATION, EMPIRE AMÉRICAIN, EMPIRE BRITANNIQUE, EMPIRE COLONIAL ALLEMAND, EMPIRE FRANÇAIS, EMPIRE NÉERLANDAIS.**

DÉCOLONISATION (Proche et Moyen-Orient)

La présence d'une entité politique forte au Proche et Moyen-Orient, l'Empire ottoman, empêche la colonisation précoce de cette région. Au XIXe siècle, la Grande-Bretagne voit la première l'intérêt d'établir des relais sur la route des Indes. Elle établit ainsi dès 1839 une colonie à Aden. Le percement du canal de Suez aboutit à l'établissement d'un protectorat britannique sur l'Égypte à partir de 1882. Vers la fin du XIXe siècle, le pétrole augmente considérablement l'intérêt porté à cette région, et les Britanniques signent dès 1899 un traité de protectorat avec l'émir du Koweït. **Le partage des territoires** asiatiques de l'Empire ottoman, lors des accords secrets signés (Sykes-Picot) par les Alliés pendant la Première Guerre mondiale, attribue la Syrie à la France et la Mésopotamie au Royaume-Uni. Mais l'ordre nouveau prôné par les États-Unis au lendemain de la guerre va à l'encontre de l'établissement de nouvelles colonies ou protectorats. Ils sont remplacés par des mandats assignés par la Société des Nations (SDN) à des puissances tutélaires chargées de rendre les pays en question capables d'assumer leur indépendance. Ainsi, la France obtient des mandats sur la Syrie et le Liban, et la Grande-Bretagne sur la Mésopotamie – qui prend le nom de l'Irak –, la Palestine et les territoires d'outre-Jourdain, nommés « Transjordanie ». **A**près la constitution en 1928 de l'Irak Petroleum Company, assurant l'exploitation des pétroles de Mossoul et de Kirkouk, les Britanniques accordent à l'Irak son indépendance en 1930, mais maintiennent leur influence jusqu'à la chute de la monarchie, en 1958. De même, l'éveil politique des Égyptiens oblige les Britanniques à se retirer de ce pays en 1932, conservant toutefois un contrôle militaire pour le canal de Suez. En revanche, la lutte entre Juifs et Palestiniens les oblige à maintenir leur présence en Palestine et en Transjordanie. **L'épisode des Mandats.** La France, engagée dans la formation du Grand Liban et dans les redécoupages successifs de la Syrie, se montre moins pressée de se dégager, malgré les tentatives qui débutent dès 1936. Ainsi, le déclenchement de la Seconde Guerre mondiale la trouve-t-il encore en possession de ses mandats moyen-orientaux, à l'exception du Sandjak d'Alexandrette, partie du mandat syrien, cédé à la Turquie en 1938-1939. Dans le but de soustraire le Moyen-Orient à l'influence allemande, une opération menée par les Britanniques au printemps 1941 remplace, dans les territoires sous mandat français, l'administration et les forces du gouvernement de Vichy par celles de la France libre. Ce n'est qu'en 1945, et encore sous la pression britannique, que la France quitte la Syrie. L'indépendance du Liban date pour sa part de novembre 1943. Le mandat britannique sur la Palestine et la Transjordanie prend fin en 1948 avec la proclamation de l'État d'Israël. En 1955, l'Égyptien Gamal Abdel Nasser oblige les Franco-Britanniques à évacuer Suez. En 1961, le Koweït accède à l'indépendance, suivi des Émirats arabes unis (EAU) et de Bahreïn en 1971. Aden, enfin, est évacuée par les forces britanniques en 1967, achevant ainsi la décolonisation du Moyen-Orient. **S. Y. ➤ COLONISATION, EMPIRE BRITANNIQUE, EMPIRE FRANÇAIS.**

DELORS Jacques (1925-) Homme politique français et européen. Économiste de formation, Jacques Delors travaille à la Banque de France, puis au Commissariat général du Plan, tout en militant dans le syndicalisme chrétien et dans les groupes de réflexion de la gauche chrétienne. En 1969, il entre au cabinet du Premier ministre gaulliste Jacques Chaban-Delmas (1969-1972)

pour soutenir le projet de « nouvelle société » visant à mieux répondre aux aspirations révélées par Mai 68. J. Delors est à l'origine de la relance de la négociation collective et de la loi qui fait de la formation professionnelle continue un droit nouveau. En 1974, il adhère au Parti socialiste. Élu en 1979 au Parlement européen, il en préside la Commission économique et monétaire. Devenu, avec l'arrivée de François Mitterrand au pouvoir en 1981, ministre de l'Économie et des Finances, il impose en 1982 une politique d'austérité, prix à payer pour un « franc fort » et un retour aux « grands équilibres ». De 1985 à 1994, il préside la Commission de l'Union européenne et se montre un ardent défenseur du processus d'intégration. En 1986, est signé l'Acte unique européen qui prévoit la réalisation d'un marché unique et une coopération politique élargie. Il prépare le traité de Maastricht qui institue en 1992 une union politique, économique et monétaire. À la fin de son mandat, il laisse une Europe profondément rénovée et élargie à quinze États. Invité par le Parti socialiste à se présenter en France aux élections présidentielles de 1995, il hésite longtemps avant de refuser et se place en retrait de la vie politique. **F. S. ➤ FRANCE, CONSTRUCTION EUROPÉENNE.**

DÉMOCRATIE Le XXᵉ siècle a hérité d'un *modèle démocratique libéral*, tirant son origine des révolutions américaine et française et dont les traits essentiels s'étaient progressivement affirmés au cours du siècle précédent. Ce modèle repose sur deux idées essentielles. D'une part, le *principe démocratique*, qui suppose que la source de tout pouvoir, le fondement de toute autorité réside dans la collectivité des citoyens : il n'y a de pouvoir légitime qu'émanant du peuple ; et il n'y a de contrainte acceptable que s'appuyant sur le consentement. D'autre part, le *gouvernement représentatif*, qui implique que le peuple n'a pas la responsabilité directe de la gestion des affaires publiques : ce sont des gouvernants, élus par lui, qui sont chargés d'agir et de décider en son nom ; la démocratie devient ainsi, à la différence de la démocratie antique, une démocratie « gouvernée », dans laquelle le pouvoir effectif est exercé par des « représentants ». **D'une démocratie politique à une « démocratie sociale ».** Ce modèle démocratique libéral va évoluer au cours du xxe siècle, du fait de la généralisation du suffrage et de l'éligibilité, qui a donné à chaque citoyen la possibilité, non seulement de participer, en tant qu'électeur, à l'élection des gouvernants, mais encore d'accéder, en tant qu'élu, à l'exercice des responsabilités politiques. À l'origine réservé à un nombre restreint de citoyens, le droit de suffrage avait été progressivement étendu au cours du xixe siècle (consécration en France en 1848 du suffrage universel masculin) ; il deviendra réellement universel au siècle suivant, par extension à la population féminine (Royaume-Uni en 1918, Allemagne en 1919, États-Unis en 1920, France en 1944 et Suisse en 1971 seulement) et par la suppression des procédés par lesquels certaines catégories de la population se trouvaient privées du droit de vote (24e amendement à la Constitution des États-Unis adopté en 1963). L'émergence consécutive de partis de masse, véritables « entreprises politiques » destinées à encadrer le suffrage, par la présentation de candidats et de programmes, et à attirer le maximum d'électeurs, par la mobilisation de moyens matériels et humains, s'inscrit dans le processus de démocratisation, en créant le cadre d'une compétition politique plus authentique. Corrélativement, comme le soulignait le juriste français Georges Burdeau (1956), on constatera un double bascullement, d'une démocratie « gouvernée » à une démocratie « gouvernante » et d'une démocratie « politique » à une démocratie « sociale ». La logique du gouvernement représentatif, qui aboutit à placer la réalité du pouvoir entre les mains des seuls gouvernants, sera infléchie par la réactivation des fondements de la légitimité démocratique : les gouvernants sont tenus de soumettre en permanence leurs faits et gestes au jugement critique de l'« opinion publique » et les citoyens entendent exercer une influence sur l'élaboration des choix collectifs. Par ailleurs, la logique démocratique poussera irrésistiblement à la réalisation d'une « société

démocratique », fondée sur l'égalité des droits et des chances : l'État est conçu dans cette perspective comme un agent de redistribution, dont l'action doit permettre de réduire les inégalités sociales ; et cette vision contribuera puissamment à l'avènement de l'État-providence. **Les modèles « alternatifs », paravents de l'autoritarisme.** Ce modèle libéral a été confronté au cours du xxe siècle à des *modèles alternatifs*, se réclamant de conceptions différentes de la démocratie. Dénonçant la « démocratie bourgeoise » comme le paravent et la caution de la domination de classe, les marxistes entendront créer les conditions de réalisation d'une démocratie « réelle » ; et l'avènement de régimes socialistes se traduira par l'apparition d'un modèle nouveau de *démocratie dite « populaire »*. Cependant, ce modèle n'apparaît en réalité que comme l'enveloppe politique du totalitarisme : le principe démocratique est biaisé par l'existence d'un parti unique qui dispose d'une emprise totale sur le système politique ; l'« État du peuple tout entier » n'est qu'un instrument au service d'une oligarchie dirigeante. Il en va de même du modèle d'*État total*, de type fasciste ou national-socialiste, dans lequel un chef est censé concentrer en sa personne la toute-puissance collective de la nation. Quant au modèle de la *démocratie « authentique »*, exalté par certains dirigeants des pays en développement (PED), notamment africains, après la décolonisation, il n'apparaît lui aussi que comme un instrument de légitimation de l'autoritarisme : l'« unanimisme », imputé à la persistance de certaines traditions culturelles, entraîne le refus du pluralisme et débouche sur le culte du chef. Dans tous les cas, ces modèles alternatifs se sont effondrés, comme en ont témoigné, dans la dernière décennie du siècle, l'implosion des systèmes socialistes et la crise des pays en développement : la sortie du totalitarisme ou de l'autoritarisme s'est effectuée par l'instauration du pluralisme politique, la tenue d'élections libres, le partage des pouvoirs, la garantie des droits ; le modèle démocratique libéral semble être ainsi en voie de triompher, en apparaissant comme le seul légitime. Cependant, ce dernier modèle connaît lui-même un processus de redéfinition. **Vers une démocratie « participative ».** Alors même que la démocratie représentative a connu une spectaculaire diffusion à l'Est et au Sud, elle est entrée en crise à l'Ouest, crise comportant de multiples facettes étroitement liées : crise de la représentation, exprimée par le discrédit affectant une « classe politique », stigmatisée dans de multiples « scandales » ou « affaires » ; crise de la participation, marquée par la montée de l'abstentionnisme et le reflux du militantisme ; crise du lien social et politique, illustrée par le repli sur la sphère privée, la perte des références collectives, l'approfondissement des clivages sociaux. À la faveur de cette crise se profilent certains infléchissements de la conception classique de la démocratie représentative. La démocratie ne se réduit plus aux seuls processus électifs : elle suppose encore le respect du pluralisme, la participation plus directe des citoyens au jeu politique et la garantie des droits et libertés ; la démocratie tend à devenir ainsi, non seulement une *« démocratie juridique »*, corsetée par les impératifs de l'État de droit, mais encore une *« démocratie continue »*, visant à donner aux citoyens une emprise plus directe sur les choix collectifs. Le gouvernement représentatif ne paraît plus, dans les sociétés contemporaines, suffisant pour répondre à l'exigence démocratique ; il aboutit en effet à cantonner les droits politiques de citoyenneté à la simple désignation de représentants. La crise de la représentation montre que cette conception est désormais caduque : l'idéal démocratique suppose que les citoyens disposent d'une emprise sur les choix collectifs ; la citoyenneté tend ainsi à devenir une citoyenneté active, incompatible avec toute idée de dépossession. Le développement, dans tous les pays et à tous les niveaux (national et local), de la technique référendaire s'inscrit dans cette perspective : aménagée sous des formes très diverses, l'expression populaire directe est perçue comme indispensable pour remédier à la crise de la représentation. La démocratie représentative est ainsi complétée par des éléments de démocratie semi-directe, destinés à en corriger les abus et à combler la distance qui s'est creusée entre gouvernants et gouvernés. Mais cette pratique référendaire relève elle-même d'une problématique plus générale visant à assurer une présence effective des citoyens dans les processus politiques. La démocratie relèverait ainsi de plus en plus, selon le philosophe et sociologue allemand Jürgen Habermas (1929-), d'un modèle de *« politique délibérative »*, fondée sur la communication, la discussion, la négociation. À travers cette démocratie participative et continue tendrait à se construire un nouveau lien civique, résultant d'une plus forte implication des citoyens dans les choix collectifs. **J. C.** > RÉGIMES POLITIQUES.

DÉMOCRATIE CHRÉTIENNE (Allemagne) L'histoire de la démocratie chrétienne allemande se confond au départ avec celle du parti catholique qui, après le choc de la Révolution française, s'affirme peu à peu dans le sillage du courant ultramontain de l'après 1815 pour connaître une nouvelle accélération avec les révolutions de 1848. Il faut toutefois attendre 1871 pour assister, avec la création du Centre (Zentrum) de l'Empire allemand, à l'émergence d'une formation politique majeure présente dans toute l'Allemagne. Il s'agit alors pour ce dernier de résister au centralisme prussien, d'affirmer la spécificité catholique dans un ensemble majoritairement protestant, de s'élever contre les excès du libéralisme, de défendre enfin libertés et droits civiques de l'individu contre les abus d'une administration jugée pléthorique et arbitraire. S'il réussit indiscutablement à intégrer les catholiques à l'Empire, le Centre reste toutefois jusqu'en 1914 un parti d'appoint dont le pouvoir peut à tout moment se passer. Malgré l'avènement, en 1919, d'un régime parlementaire, le Centre – toujours fermement attaché à son statut confessionnel – manque sa transformation en un parti de masse : le nombre de ses adhérents reste stable tandis que son électorat rejoint d'autres formations conservatrices, voire catholiques. Enfin, divisé en plusieurs tendances régionales, il méconnaît la réalité du nazisme et proclame finalement sa dissolution en juillet 1933 après avoir, en mars, voté les pleins pouvoirs à Hitler. L'année 1945 marque le

moment d'un incontestable renouveau : souhaitant tirer les leçons du passé, profitant de l'aura dont bénéficient alors l'Église catholique et l'aile confessante de l'Église protestante, nombre de personnalités vont s'unir afin de créer un grand parti chrétien interconfessionnel, sur lequel Konrad Adenauer va bientôt régner en maître. Fidèle à son hostilité traditionnelle au centralisme prussien, cette Union chrétienne démocrate (CDU), dont se détache d'entrée la très bavaroise CSU (Union chrétienne sociale), s'affirme alors avant tout fédéraliste, anticommuniste, attachée aux valeurs de la civilisation chrétienne et favorable à un capitalisme conscient de ses responsabilités sociales. Grisée par des succès électoraux ininterrompus jusqu'en 1965, la CDU peine cependant à nouveau à évoluer d'un parti de notables vers un réel parti de masse. Il faudra le choc de la défaite électorale et la longue traversée du désert des années 1970 pour la voir se doter d'un appareil centralisé, réorganisé, rajeuni et d'un programme lui aussi rénové et capable d'attirer un électorat nouveau. De retour aux affaires en 1982, la CDU de Helmut Kohl ne devait s'incliner qu'aux législatives de 1998, victime de l'usure du pouvoir de son chef de file. **L. B.** ➤ ALLEMAGNE.

DÉMOCRATIE CHRÉTIENNE (Italie)

Avant 1914, face à la poussée du Parti socialiste italien (PSI), le Vatican atténue le *non expedit* imposant aux catholiques italiens de n'être « ni élus ni électeurs ». En 1919, don Luigi Sturzo (1871-1959) fonde le Parti populaire italien (PPI), démocrate, « non confessionnel », mais d'inspiration catholique. Fort de 20 % des voix, mais divisé entre gauche et droite, lâché par le pape, il est dissous en 1926 par Mussolini. En 1942, d'anciens cadres autour d'Alcide De Gasperi et de jeunes intellectuels (Giulio Andreotti, Amintore Fanfani) créent la Démocratie chrétienne. D'abord clandestine, elle participe à la Résistance et aux ministères d'union nationale. Forte de l'appui exclusif du Vatican, de 35 % des voix en 1946, de 48,5 % en 1948 grâce au « vote utile » contre le Parti communiste (PCI), elle dirige tous les gouvernements de 1945 à

1981 et conserve la majorité des ministères jusqu'en 1992. Elle s'attache les modérés, surtout dans le Sud, en sus des catholiques du PPI. La Curie veut une entente à l'extrême droite, mais le « centrisme », l'alliance avec les petits partis (libéral, républicain et social-démocrate) permet à A. De Gasperi, leader incontesté, d'alterner réformes et réaction selon les signaux des électeurs. **S**on retrait en 1953 transforme la DC en une assemblée de barons autour d'un trône vide, se surveillant et s'équilibrant. Elle s'autonomise face au patronat et à la Curie en s'adossant au secteur public, ce qui engendre un clientélisme dangereux à terme. Incontournable avec 38 % à 42 % des voix jusqu'en 1979, elle se veut l'interprète de tout le corps social avec vocation à coopter toute force démocratique. Ainsi, elle s'ouvre au PSI, puis un temps au PCI. Mais le clientélisme et la corruption, acceptés tant que le Vatican impose l'unité et que la Guerre froide persiste, sont rejetés après 1989. Ses scores électoraux déclinent à 33 % en 1989, puis à 30 % en 1992. **D**écimée par la justice, victime d'une recomposition globale selon un clivage droite-gauche, la DC voit s'éloigner des groupes mettant en cause ses pratiques (*rete*, [réseau] anti-mafia à Palerme en 1992, « pacte Segni » en 1994 contre le détournement du scrutin proportionnel). Redevenue PPI en 1993, elle éclate entre droite (Centre chrétien-démocrate, Union chrétienne démocratique, 5,8 % en 1996) et gauche (PPI de Romano Prodi, 6,8 %). La « baleine blanche », qui a gouverné quarante-sept ans et piloté le développement sous l'apparence de l'immobilisme, s'est effondrée. **É. V.** ➤ ITALIE.

DÉMOCRATIE POPULAIRE

Dénomination que les partis communistes de l'Europe centrale et orientale – alliés de l'Union soviétique – choisissent durant la conférence du Kominform à Varsovie (septembre 1947) pour désigner un régime nouveau, en opposition avec la démocratie « bourgeoise ». En fait, sont concernés par cette dénomination tous les pays satellites de l'URSS, poussés dans sa zone d'influence à la faveur du rapport de forces géopolitique au sortir de la Seconde Guerre mondiale. **Le** dirigeant communiste yougoslave Edvard Kardelj (1910-1979) en donnera une définition qui par sa franchise déplaira à Staline et ses alliés : « La démocratie populaire commence là où la classe ouvrière, alliée aux autres masses laborieuses, détient les positions-clés dans le pouvoir étatique. » Mátyás Rákosi, dirigeant stalinien hongrois, affirme en février 1952 : « La démocratie populaire se réalise en deux étapes : la première a pour fonction primordiale de se charger des objectifs de la révolution démocratique bourgeoise [entendre : éliminer les élites de l'ancien régime], la seconde, celle d'établir la dictature du prolétariat et de commencer l'édification socialiste [entendre : consolider le pouvoir du parti unique] ». **La** dictature du prolétariat devait s'exercer dans les démocraties populaires dans un cadre constitutionnel. Derrière la querelle de mots transparaît une divergence de taille : les Yougoslaves, paradoxalement plus staliniens que Staline, critiquent l'hypocrisie tactique de ce dernier qui cache son jeu derrière la façade d'une démocratie formelle. L'adjectif « populaire » désigne davantage un régime totalitaire qu'une démocratie de type nouveau puisque, si élections il y a, l'absence de tout parti d'alternance en fait des manifestations plébiscitaires et de propagande. Le terme de « démocratie populaire » a été progressivement abandonné, mais la disparition de la réalité quasi totalitaire qu'il recouvrait n'est venue qu'avec l'écroulement des régimes communistes de l'Europe centrale et orientale (1989). **G. M.** **> RÉGIMES POLITIQUES, SOCIALISME ET COMMUNISME, SOVIÉTISATION DE L'EUROPE DE L'EST.**

DENG XIAOPING (1904-1997) Dirigeant communiste chinois. Visionnaire et cynique, Deng Xiaoping a été le véritable successeur de Mao Zedong à la tête de la Chine populaire. Mais seul l'avenir dira s'il aura refondé le communisme chinois ou s'il aura seulement rendu possible la transition de son pays vers le capitalisme. Dans les deux cas, il lui aura fallu une autorité (et une santé...) exceptionnelle pour parvenir à placer enfin la Chine sur les rails de la modernisation. **S**on autorité, il l'a conquise d'abord par une carrière très ancienne qui suit le court central de la révolution chinoise. Né en 1904 dans une famille paysanne du Sichuan, venu en France pour se former au début des années 1920, Deng participe aux principaux épisodes de la conquête du pouvoir, dont la Longue Marche, puis libère son Sichuan natal. **T**rois chances successives expliquent son ascension politique. La première est qu'il devient en 1954 secrétaire général du Parti communiste chinois et démontre à ce poste une force de travail, une fermeté et un réalisme dont Mao Zedong finit par prendre ombrage. Aussi – c'est sa deuxième chance – est-il éliminé par la Révolution culturelle en 1966 : la prison et l'exil sont une occasion pour lui de concevoir le nécessaire redressement. Sa troisième chance est que Zhou Enlai, malade, le rappelle au pouvoir dès 1973, ce qui lui permet de faire connaître ses options pragmatiques et d'apparaître comme le seul recours possible après la mort de Zhou et Mao en 1976. D'abord mis à l'écart, il manœuvre habilement pour revenir au centre (1977) et obtenir un changement décisif de la ligne politique (décembre 1978). Jusqu'au XIIᵉ congrès de 1982, il se débarrasse des anciens maoïstes et pose les bases de la politique de modernisation. Ensuite, jusqu'au printemps 1989, il résiste aux attaques des réformistes modérés, étend la réforme des campagnes aux villes et s'efforce d'organiser sa succession en plaçant Hu Yaobang (1915-1989) puis en 1987 Zhao Ziyang (1919-) à la tête du parti et Li Peng à la tête du gouvernement ; lui-même conservant le poste discret et décisif de président de la Commission des affaires militaires du Comité central. **À** aucun moment, il n'oublie qu'il s'agit de couler la réforme dans les grands principes communistes. Il le rappelle par les campagnes de répression successives (1979, 1983, 1987), puis finalement par le terrible massacre du 4 juin 1989, place Tian An Men, qui assassine le printemps démocratique chinois. Sa popularité s'effondre. Pourtant, Deng maintient le cap. Après avoir laissé quelque temps les rênes aux conservateurs, il les écarte en 1992 et relance l'ouverture vers le capitalisme d'une façon qui paraît bientôt décisive. Et il offre à son pays un ultime cadeau que son caractère autoritaire ne laissait pas prévoir : celui de mettre solidement en selle le successeur qu'il s'était choisi, Jiang Zemin, tout en le protégeant d'une ombre tutélaire qui ne s'effacera que lentement jusqu'à sa mort en février 1997. Tout aussi nationaliste que Mao mais plus pragmatique, Deng Xiaoping aura contribué à tous les avatars du communisme chinois, avant de lui imprimer un changement décisif. Il a laissé derrière lui une Chine moins misérable et moins malheureuse, mais dont l'avenir demeure énigmatique. **J.-L. D.** ▸ CHINE.

DÉPENDANCE Le terme anglais de « *dependance* » qualifie des territoires britanniques (mais aussi sous tutelle australienne ou néo-zélandaise) de dimension et de population parfois très faibles, surtout depuis la rétrocession de Hong Kong à la Chine en 1997, et qui n'ont pas encore obtenu (ou revendiqué) la plénitude de leur souveraineté. Outre les îles anglo-normandes et l'île de Man, directement dépendantes de la Couronne, les territoires britanniques encore dépendants à la fin du XXᵉ siècle étaient souvent des îles ou des archipels (Bermudes, Malouines, Sainte-Hélène), et aussi des points stratégiques (Gibraltar). **R. Ma.**

DÉPENDANCE (théories de la)
Ces théories attribuent les causes principales du sous-développement à des facteurs externes au pays (technologies, capitaux, spécialisation internationale, termes de l'échange). Dans les années 1950, ces thèses furent au centre des travaux de la CEPAL (Commission économique pour l'Amérique latine) de l'ONU (Organisation des Nations unies) portant sur les problèmes de développement, notamment animés par Paul Prebisch. **E. A.**

DÉSARMEMENT La course aux armements et le développement des arsenaux nucléaires engendrés par la Guerre froide ont suscité, avec la Détente, différentes négociations visant à contrôler la prolifération atomique, à limiter puis à réduire les armements nucléaires. Les principales étapes ont été l'adoption, en 1963, par les États-Unis, l'Union soviétique et le Royaume-Uni, du Traité d'interdiction partielle des armes nucléaires, puis, en 1968, du Traité de non-prolifération nucléaire (TNP), les négociations SALT (« entretiens sur la limitation des armes stratégiques »), engagées dans les années 1960, puis les négociations START (« entretiens sur la réduction des armes stratégiques »), commencées dans les années 1980, le traité sur les forces nucléaires intermédiaires (FNI) signé en 1987. Pour leur part, les négociations MBFR (« réduction mutuelle et équilibre des forces [en Europe] ») qui avaient été engagées à partir de 1973 entre le pacte de Varsovie et l'OTAN (Organisation du traité de l'Atlantique nord), ont abouti à la signature, le 19 novembre 1990, d'un important accord de désarmement des FACE (Forces armées conventionnelles en Europe).

DÉTENTE D'abord employé aux États-Unis, le mot « détente » désigne le rapprochement américano-soviétique qui, entamé après la « crise des fusées » de Cuba (1962), culmine au début des années 1970. Cette période est marquée par une volonté de dialogue se traduisant par des accords de limitation des armements et une ouverture commerciale. Cette attitude de négociation aboutit en 1975 pour l'Europe aux accords d'Helsinki. En revanche, cette entente n'empêche pas que la compétition et l'affrontement se poursuivent dans les États du tiers monde. **Les raisons de la Détente.** La crise de Cuba a fait prendre conscience des dangers du feu nucléaire et de sa prolifération. Dès septembre 1963, un télétype, le « téléphone rouge », relie Moscou et Washington et permet une communication rapide en cas de crise grave. Un mois plus tôt, les États-Unis, le Royaume-Uni et l'URSS souscrivent au traité de Moscou interdisant les essais nucléaires à l'air libre, que pratique alors la France détentrice de l'arme nucléaire depuis 1960. Ces trois mêmes États signent en 1968 un traité de non-prolifération des armes atomiques (TNP) également refusé par la France et la Chine, devenue puissance nucléaire en

1964. Les deux superpuissances doivent aussi tenir compte de l'éclatement des blocs. À l'Est, la rupture entre la Chine et l'URSS, le schisme sino-soviétique, entamée en 1960, tourne à l'affrontement limité en 1969 sur la frontière entre les deux pays. En Europe, l'URSS est confrontée à la volonté d'autonomie des démocraties populaires. La tentative réformatrice en Tchécoslovaquie, le « printemps de Prague », est ainsi brutalement interrompue avec l'intervention en août 1968 des troupes du pacte de Varsovie. À l'Ouest, les États-Unis ne sont plus le leader incontesté du « monde libre ». Le Japon et la CEE (Communauté économique européenne) se posent peu à peu en concurrents économiques. En France, le président de la République, le général de Gaulle, fait retirer en 1966 les troupes françaises du commandement intégré de l'OTAN, tout en maintenant l'adhésion de la France au pacte nord-atlantique. La République fédérale d'Allemagne (RFA), forte de ses succès économiques, s'engage dans une politique indépendante d'ouverture à l'Est, l'Ostpolitik. Le tiers monde, enfin, renforce son audience avec la création en 1961 du mouvement des non-alignés ; il dispose en outre de la majorité des sièges à l'Assemblée générale de l'ONU du fait de la récente accession de nombreux pays à l'indépendance. De plus, les deux superpuissances connaissent des difficultés internes. L'URSS, à la croissance économique ralentie, doit financer la course aux armements. Aussi la nouvelle équipe au pouvoir à partir de 1964 autour de Leonid Brejnev accepte-t-elle la Détente comme un moyen d'inaugurer des relations privilégiées et égalitaires avec les États-Unis et de s'ouvrir aux technologies occidentales. Alors que les États-Unis sont enlisés dans la guerre du Vietnam, le président Richard Nixon, élu en 1968, et son conseiller Henry Kissinger entrent aussi dans une logique de négociation. Ils se proposent de lier accords politiques et ouverture économique tout en jouant une puissance communiste (la Chine) contre l'autre (l'Union soviétique). **Les manifestations de la Détente**. La Détente passe d'abord par un renforcement des liens américano-soviétiques. Au moment où l'URSS rattrape son retard nucléaire vis-à-vis des États-Unis, les deux « grands » lancent un mécanisme permanent d'« entretiens sur la limitation des armements stratégiques » (négociation SALT). Le premier accord (SALT I) signé en mai 1972 à Moscou, en présence de R. Nixon, gèle pour cinq ans le nombre de missiles stratégiques et limite le déploiement du système antimissiles chargé de protéger les grandes villes. L'année suivante, les deux superpuissances s'engagent sur un accord de prévention de la guerre nucléaire, ce qui revient à ne pas frapper les territoires américain et soviétique. Parallèlement les États-Unis approvisionnent en céréales l'URSS, tandis que le vol spatial commun Apollo-Soyouz en 1975 symbolise la Détente aux yeux de tous. Dans le même temps, R. Nixon choisit de reconnaître la Chine communiste, soutenant son entrée à l'ONU en octobre 1971 et rencontrant à Pékin, en février 1972, le dirigeant chinois Mao Zedong (après une visite secrète de H. Kissinger en juillet 1971). En Europe, la Détente se traduit par l'acceptation des frontières héritées de 1945. En RFA, le chancelier Willy Brandt, initiateur de l'Ostpolitik, normalise à partir de 1969 les rapports de son pays avec le bloc soviétique, renonçant ainsi aux territoires perdus. En 1972, les deux États allemands se reconnaissent mutuellement, la RFA abandonnant tout droit sur Berlin-Ouest. La Conférence sur la sécurité et la coopération en Europe (CSCE), réunissant à Helsinki, à partir de 1973, les États-Unis, le Canada et tous les États européens (sauf l'Albanie), entérine en 1975 le tracé des frontières européennes. Parallèlement les principes d'une coopération économique et du respect des droits de l'homme sont posés. **Les limites de la Détente**. Les deux « grands » misent sur le dialogue Est-Ouest pour maintenir leur zone d'influence réciproque. Ainsi ni l'engagement des États-Unis au Vietnam, ni la répression du « printemps de Prague » ne donnent lieu à une crise majeure. Pourtant, la Détente ne met pas un terme à la course aux armements. L'accord SALT I n'empêche pas les Soviétiques d'équiper, à l'image des Américains, leurs missiles d'ogives nucléaires multiples. La Détente n'empêche pas non plus la compétition Est-Ouest dans le tiers monde. L'URSS y bénéficie souvent d'un *a priori* favorable, à l'inverse des États-Unis dont l'image est ternie par leur intervention dans la guerre du Vietnam. Ainsi, l'URSS se rapproche de l'Inde en 1971 et peut compter sur le soutien, à partir de 1975, du Vietnam réunifié et du Laos. Elle renforce ses positions au Proche-Orient en s'appuyant sur l'Irak et la Syrie. En Afrique, la Somalie en 1974, puis en 1975 le Mozambique et l'Angola (qui viennent d'accéder à l'indépendance) sont souvent perçus, à tort ou à raison, comme des « pions » soviétiques sur l'échiquier géopolitique. Au milieu de la décennie, la Détente se délite, l'équilibre Est-Ouest semblant rompu au profit de l'URSS, alors que la crise économique abolit les solidarités à l'Ouest et que le front des pays du tiers monde va progressivement se fissurer devant la mise en échec de ses revendications politiques en faveur d'un Nouvel ordre économique international (NOEI). Les tensions reviennent alors entre les deux superpuissances, conduisant à une seconde guerre froide. **F. S.** **> GUERRE FROIDE (PREMIÈRE), GUERRE FROIDE (SECONDE).**

DÉTROITS Les deux détroits du Bosphore et des Dardanelles, qui commandent le passage mer Noire-Méditerranée, ont été au cœur des enjeux qui ont opposé la Russie, la Grande-Bretagne et l'Empire ottoman au XIXe siècle et au début du XXe. Par leur position géostratégique exceptionnelle, les Détroits ont joué un rôle clé dans ce qu'on a appelé la « question d'Orient ». **> QUESTION D'ORIENT.**

DÉVELOPPEMENT/DÉVELOPPEMEN- TISME Au lendemain des indépendances, la volonté de rattrapage des pays développés, que les divers leaders du tiers monde ont affirmée avec force à la conférence de Bandung en 1955, bénéficiait d'un soutien unanime lors de la Conférence des Nations unies sur le commerce et le développement (CNUCED) de 1964, résumé sous la formule de Nouvel Ordre économique international (NOEI). Qu'il s'agisse des pays proches du camp socialiste au nationalisme sourcilleux ou des pays libéraux restés proches de leurs

ex-métropoles, le même postulat optimiste prévalait : l'indépendance politique devait libérer des dynamismes internes inédits et puissants. Les pays que l'on range dans la catégorie « tiers monde » ont ainsi relevé de ce que l'ONU baptisa les « décennies du développement ». Il s'agissait de promouvoir un vaste programme d'aide et de coopération international auquel toutes les nations de la planète, développées et en développement, souscrirent et qui fut reconduit quatre fois jusqu'à la fin des années 1990. La problématique du développement préconisée alors et reprise dans les plans et budgets des pays en développement repose sur des objectifs d'accumulation rapide, traduits en estimations du capital nécessaire pour soutenir des taux de croissance du revenu national au moins égaux à ceux de la croissance démographique. **Les deux présupposés de l'idéologie développementiste.** L'idéologie développementiste reposait sur deux présupposés majeurs : la croissance accélérée des forces productives grâce à la diversification des productions et à l'industrialisation – en utilisant les modèles techniques les plus productifs –, grâce aussi à l'intégration dans une division internationale du travail rééquilibrée ; le rôle majeur de l'État dans la mise en œuvre et le contrôle du processus de croissance, aussi bien au niveau des ressources nationales que de la mobilisation populaire. Les termes de « modernisation » et de « développement » sont généralement employés indifféremment, et riment avec « industrialisation » et « croissance économique ». Concrètement, des programmes de développement ont été promus avec force moyens économiques, mais aussi idéologiques et politiques, par les institutions internationales et les gouvernements des pays industrialisés. Certes, la politique des blocs occidental et soviétique avait introduit un clivage majeur, mais celui-ci ne portait pas sur les présupposés théoriques ni, pour l'essentiel, sur les fins du développement, mais sur la question de l'égalité des groupes sociaux et des nations quant aux efforts consentis pour la production et à la redistribution des richesses. **Théories de la dépendance et démarches anti-impérialistes.** Deux principaux courants s'en démarquent.

Les théories de la <u>dépendance</u>, tout d'abord, systématisées dans les travaux de la CEPAL (Commission économique pour l'Amérique latine de l'ONU), attribuent le sous-développement non pas à un retard de la croissance, mais à une structuration défectueuse des échanges avec les pays développés et en particulier à la nature inéquitable des « termes de l'échange ». Ce courant revendiqua également, reprenant les concepts de « <u>centre/périphérie</u> » utilisés par les politologues, la prise en compte de la spécificité des lois économiques et des situations sociales du tiers monde (comme l'urbanisation sans industrialisation, la marginalité sociale, etc.). Pour remédier à l'« extraversion économique », il faut ainsi accorder la priorité au « marché intérieur » et organiser des « transferts de technologie ». Les politiques réformistes que les théories de la dépendance ont inspirées en Amérique latine et en Afrique connurent un large écho au sein du <u>Groupe des 77</u> de l'assemblée générale des Nations unies. Elles furent bien entendu contestées par les courants libéraux mais aussi par les courants <u>marxistes</u> qui s'en démarquèrent vigoureusement au nom de la « déconnexion avec le marché ». Les partis anti-impérialistes, organisés au sein de la Tricontinentale (née à Cuba), prônèrent la lutte armée et la construction immédiate du socialisme. En Asie (en particulier au Vietnam et au Cambodge), ils s'installeront durablement au pouvoir. **T**outefois, à partir de la fin des années 1970, tous les modèles de développement montrent leurs limites : les déboires ou échecs des socialismes réels (Chine, Cuba, Guinée, Tanzanie...) et la multiplication des dictatures militaires pro-occidentales accroissent le déclin du tiers-mondisme. Ainsi, au terme de trois décennies de développement, le clivage fondateur entre les voies libérales ou socialistes portant sur la priorité à accorder aux droits civils et politiques d'un côté ou aux droits économiques et sociaux de l'autre, inspire un constat désenchanté : les pays « sous-développés » n'ont bénéficié, dans leur très grande majorité, ni de la <u>démocratie</u> ni du développement économique. La quatrième décennie du développement, baptisée prudemment par les Nations unies « Culture et

développement », entérine ce double échec, particulièrement net en termes de croissance des inégalités sociales. Au cours des trois dernières décennies du XXe siècle, la part des 20 % les plus pauvres dans le PIB mondial est passée de 2,3 % à 1,4 %, celle des 20 % les plus riches de 70 % à 85 %, et l'écart des revenus entre ces deux groupes a doublé. **Une double recomposition.** On assiste alors à une double recomposition. D'un côté, après l'effondrement des pays du bloc socialiste, les politiques libérales déploient sans entrave leurs logiques d'ajustement macro-économique et les institutions de <u>Bretton Woods</u> (Fonds monétaire international [<u>FMI</u>] et <u>Banque mondiale</u>) introduisent les démarches pragmatiques du « *development management* » dans toutes les sphères de l'organisation politique et sociale des pays assistés (« *capacity building* », bonne « gouvernance », promotion de la société civile, développement local, intégration régionale, prévention des conflits, conditionnalité sociale, écologique...). Les différentes organisations internationales élaborent ces nouveaux credos à partir des concepts de <u>développement durable</u>, de développement écologiquement rationnel, etc., qui ne mettent pas en cause les savoir-faire des développeurs, et proposent un nouveau cadre, vague et évolutif, susceptible d'intégrer les dynamiques du changement social venant du « haut » et du « bas », ainsi que les attentes des acteurs les plus divers. **E**n contrepoint de ces approches technocratiques, se reconstituent les bases d'une nouvelle utopie post-tiersmondiste et antidéveloppement glorifiant l'autonomie des hommes ou l'irréductibilité culturelle. Il s'agit de substituer à la tyrannie du marché et à sa rationalité instrumentale, une autre rationalité qui réintroduirait la créativité et l'imaginaire, laissant les peuples définir leurs voies et rythmes de développement. Face à la modernisation rapide, à la différenciation sociale, à l'occidentalisation du comportement des élites urbaines et à l'abolition des liens sociaux traditionnels, aussi bien les courants fondamentalistes que le militantisme communautaire ou nationaliste recréent une solidarité sublimée pour de larges couches de la population exclues du développement. **Des modes d'intervention caducs.** En fait, la volonté des organes dirigeants de l'administration économique internationale (FMI, Banque mondiale, OCDE, OMC, PNUD) de se limiter à assurer un ordre politico-économique mondial a déjà fait éclater la problématique traditionnelle du développement : d'un côté, elle tend à fondre les relations avec les pays « émergents » dans le cadre des relations économiques internationales dites normales (« *trade and not aid* » ou « *aid for trade* ») ; de l'autre, au sein des pays qui sont dans l'impossibilité de se lancer dans la voie du développement, l'engagement des grands bailleurs de fonds est motivé par le souci sécuritaire plus que par la diffusion du progrès et du bien-être : promotion de politiques antinatalistes, contrôle des flux de migrants économiques et politiques, lutte contre les nouvelles endémies et fléaux (sida, drogue), sauvegarde des équilibres naturels mondiaux. **La fin des dictatures militaires en Amérique latine**, l'éclatement des systèmes tutélaires en Afrique, la contestation démocratique en Asie, et plus généralement l'émergence de nouvelles forces et formes de mobilisation politique dans les pays du Sud ont rendu caducs les modes d'intervention économiques et militaires traditionnels des grandes puissances occidentales et les politiques d'aide publique au développement (APD), bâties sur les ressorts mêmes qui avaient conduit aux indépendances. Il reste à l'« industrie du développement », recentrée sur des tâches prioritaires (sécurité collective et protection sociale, promotion de l'éducation et de la santé, de l'état de droit et des libertés publiques), à faire la preuve de son adéquation avec le nouveau contexte international en instaurant des relations plus transparentes et bénéfiques pour les pays concernés. **A. G.** > TIERS MONDE.

DÉVELOPPEMENT AUTOCENTRÉ

Stratégie de développement donnant priorité à la valorisation des ressources nationales et au marché intérieur pour les choix d'investissement et de production. Cette stratégie théorisée dans les années 1960 et 1970 vise à limiter (ou éviter) la dépendance. Une forme radicale de développement autocentré a été théorisée sous le terme de « déconnexion » (du marché mondial), notamment par l'économiste égyptien Samir Amin. La Chine a longtemps paru incarner cette volonté de « compter sur ses propres forces ». À la fin des années 1970, elle a cependant totalement réorienté sa stratégie économique en s'ouvrant au marché mondial. L'échec du « modèle » tanzanien (*ujamaa*) a, par ailleurs, souligné combien cette perspective en apparence cohérente était difficile à concrétiser. Le sinistre bilan de la « voie » cambodgienne a tragiquement sanctionné une autre tentative historique – radicale celle-là – de déconnexion, alors que l'effondrement de l'URSS et de son système mettait fin à l'existence d'un « autre monde » qui s'était voulu autonome par rapport au premier, celui des pays industrialisés occidentaux.

DÉVELOPPEMENT DURABLE   Cette

notion (parfois intitulée « développement soutenable » – *sustainable development*) a été mise en avant dans le rapport Brundtland (*Our Common Future – Notre avenir à tous*, 1987). Elle s'est peu à peu imposée comme un objectif majeur dans de nombreuses instances internationales. Le développement durable repose sur la nécessité de trouver un équilibre dans la prise en compte respective du patrimoine naturel de la planète et de la valeur des productions marchandes. Il constitue un objectif s'articulant sur l'écologie politique et l'économie.

DÉVELOPPEMENT HUMAIN   Notion

introduite en 1990 par le PNUD (Programme des Nations unies pour le développement) et définie comme un « processus d'élargissement de l'éventail des possibilités offertes aux individus ». C'est dans cet esprit que le PNUD a proposé cette même année de prendre en compte un nouvel indice, l'Indicateur de développement humain (IDH), à la conception duquel a participé l'Indien Amartya Sen (1933-), prix Nobel d'économie en 1998. L'IDH tient compte non seulement du pouvoir d'achat moyen dans chaque pays, mais aussi de son état de santé (espérance de vie) et de son niveau d'éducation (taux d'alphabétisation et de scolarisation).

Cet indice composite permet ainsi de classer les pays de manière moins schématique que par le PIB (Produit intérieur brut) car, ne se concentrant pas seulement sur la richesse économique moyenne, il tient mieux compte des inégalités sociales. Le PNUD publie annuellement un *Rapport mondial sur le développement humain*.

DHOFAR > OMAN.

DICTATURE   Le régime politique de la dictature réduit ou supprime les libertés fondamentales et impose le pouvoir d'un homme (chef militaire ou religieux) ou d'un groupe (armée, parti). Le bolchevisme a inventé, après le coup d'État d'octobre 1917, une forme nouvelle de dictature : la dictature du prolétariat, en fait celle de parti unique qui, à l'aube du xxᵉ siècle, restait le régime du pays le plus peuplé du monde, la Chine. Entre les deux guerres, plusieurs démocraties européennes se sont transformées en dictatures, notamment fascistes. Elles se sont multipliées après 1945, avec la décolonisation, autour d'un chef charismatique (Égypte de Nasser), d'un parti unique (FLN – Front de libération nationale en Algérie) ou d'une armée (Indonésie). Dans le même temps, la démocratie était instaurée en Inde et les dictatures espagnole, grecque et portugaise s'effondraient au milieu des années 1960. Enfin, l'écroulement du communisme en Europe (1989-1991) entraînait une démocratisation inégale à l'Est (plus avancée en Pologne qu'en Russie par exemple). L'Europe, occidentale et médiane à la fin de l'an 2000, ne comprenait que des démocraties plus ou moins accomplies.   En Afrique, les progrès de la démocratie à partir des années 1990 (marquées notamment par la fin de l'apartheid en Afrique du Sud) ont souvent avorté et des dictatures ont cédé le pas au chaos (Zaïre-Congo). En Amérique latine, différentes formes de régimes autoritaires ou populistes parfois démocratiques ont été, dans les années 1960 et 1970, remplacées par des dictatures militaires, comme au Brésil, au Chili ou en Argentine. À partir des années 1980, on a assisté à un passage à la démocratie, y compris dans des pays comme le Paraguay où

la dictature régnait depuis des décennies.   Les dictatures au xxᵉ siècle sont apparues dans des sociétés très différentes (religion, niveau de développement économique, traditions politiques). Beaucoup ont fondé leur légitimité par des emprunts à la démocratie (référendum, Parlement élu...) ou sur leur nom (« démocraties populaires »), reconnaissant une validité supérieure aux démocraties que les institutions internationales (ONU, Conseil de l'Europe) cherchent, en principe, à renforcer. **D. C.**   **> DÉMOCRATIE, ÉTAT DE DROIT, RÉGIMES POLITIQUES.**

DICTATURE DU PROLÉTARIAT   Le concept de « dictature du prolétariat » forgé par Karl Marx (1818-1883) caractérise le régime succédant à l'État bourgeois et aboutissant à la disparition de l'État. Le xxᵉ siècle aura vu naître de nombreuses dictatures de parti unique, présentées comme des dictatures du prolétariat.   La formule n'est présente dans les écrits de Friedrich Engels (1820-1895) et de K. Marx qu'une cinquantaine de fois, mais ils la considèrent comme essentielle. Après la répression de l'insurrection de juin 1848 à Paris, perçue comme un effet de la « dictature de la bourgeoise », K. Marx présente ainsi la dictature du prolétariat comme une réponse nécessaire à celle de la bourgeoisie dans la transition vers le communisme. Néanmoins, il ne précise pas ce que pourrait être une dictature exercée par une classe tout entière.   Lénine proposera une réponse : la dictature du prolétariat sera celle du Parti. Dès lors, les marxistes du xxᵉ siècle se diviseront entre ceux qui admettent la dictature du prolétariat, mais refusent celle d'un parti unique et les communistes. Avant même le coup d'État d'octobre 1917 en Russie, Lénine soutient que le Parti, avec ses 400 000 membres, pourrait conserver le pouvoir, puisqu'une aristocratie aussi peu nombreuse avait dirigé l'Empire russe. Dans les faits, c'est le Bureau politique qui commande, d'abord en dehors de toute loi, par la violence et la terreur. Le pouvoir au sein du Parti se concentre dans le poste de secrétaire général du Comité central du Parti, dont Staline fut l'un des premiers titulaires et qui lui conféra un rôle clef.

Mais pour les bolcheviks, la dictature du Parti n'était pas une usurpation, car seuls sont révolutionnaires et prolétariens les ouvriers membres du Parti.   La plupart des socialistes européens refusèrent cette logique à l'image du Français Léon Blum au congrès de Tours (décembre 1920), ou du leader de la social-démocratie allemande Karl Kautsky (1854-1938). Et l'essor des dictatures communistes, avec des variantes – les « démocraties populaires » en Europe de l'Est après 1945 – détourne de plus en plus les socialistes de l'idée de dictature du prolétariat, puis même du marxisme.   La dictature communiste prétendait offrir une démocratie plus authentique que la démocratie représentative (qui serait la dictature masquée d'une minorité sur la majorité), mais son contenu est l'hégémonie d'un petit groupe s'appuyant sur la force souvent poussée à son extrême. **D. C.** **> BOLCHE-VISME, RÉGIME SOVIÉTIQUE, SOCIALISME ET COMMUNISME.**

DIEN BIEN PHU (bataille de)

Depuis 1952, l'objectif français en Indochine est l'amélioration de la carte de guerre en vue de la future négociation et la mise sur pied de l'armée et de l'État associé du Vietnam. Le plan dressé en mai-juin 1953 par le général Navarre, commandant en chef, vise à reprendre l'offensive au Tonkin en 1953-1954 afin, dans un premier temps, d'y affaiblir le corps de bataille de l'Armée populaire de libération (APL) et de l'empêcher de prendre à revers le CEFEO (Corps expéditionnaire français en Extrême-Orient) par la conquête du Laos, puis, dans un deuxième temps, d'élargir la zone tenue par les Français au Centre-Vietnam et, dans un troisième temps, de lancer une ultime offensive au Tonkin.   Le CEFEO installe donc, en novembre 1953, un « hérisson », un camp retranché puissamment armé et ravitaillé par avion, dans la cuvette de Dien Bien Phu, point de départ des pistes vers le Laos : 15 000 hommes et 25 canons lourds. C'est compter sans la rudimentaire mais efficace logistique de l'APL qui se révèle capable d'amener à pied d'œuvre à travers la jungle deux divisions d'élite ainsi qu'une artillerie très supérieure à celle des Français, ce qui

fonde la décision du chef militaire Vo Nguyen Giap et de ses conseillers chinois, en décembre, d'accepter la bataille. Celle-ci commence le 13 mars, le 15 l'aérodrome est neutralisé. Le 7 mai, le camp est submergé par les vagues d'assaut vietnamiennes, alors que s'ouvre la négociation qui aboutira aux accords de Genève : les Français décomptent 5 000 tués et 10 000 prisonniers.   Éclatante quoique militairement moins décisive que celle de Cao Bang en 1950 (l'APL a, en outre, perdu au moins 25 000 hommes), la victoire vietnamienne dans la bataille de Dien Bien Phu (20 novembre 1953-7 mai 1954) aura un retentissement politique immense. Elle sera perçue comme la revanche historique des peuples colonisés sur les impérialismes européens. Autant que la conférence de Bandung un an après, le coup de tonnerre de Dien Bien Phu fut bien l'avènement du tiers monde comme acteur majeur de l'histoire mondiale. C'est en y pensant qu'Ernesto Che Guevara préconisera quelques années plus tard de créer « Un, deux, trois Vietnam... ». **D. H.** **> INDOCHINE (GUERRE D'), INDOCHINE FRANÇAISE.**

DIKTAT   Mot allemand signifiant « exigence dictée », chose imposée. Sous la menace d'une reprise des combats, l'Allemagne ratifie le 28 juin 1919 le traité de Versailles, qui la rend responsable de la Grande Guerre (article 231). Cette paix dictée par les vainqueurs – ce *Diktat* – entame la souveraineté du pays (pertes de territoires, suppression de l'armée, lourdes réparations) ; elle est vécue comme une humiliation. L'Allemagne cherchera à s'opposer à son application et à obtenir sa révision. C'est en réaction au *Diktat* que se développeront, dans l'entre-deux-guerres, des mouvements d'extrême droite, dont le nazisme. **M. J., A. L.** **> ALLEMAGNE.**

DIMITROV Georges Mihajlov (1882-1949)

Homme politique bulgare et dirigeant du mouvement communiste international. Georges Mihajlov Dimitrov naît dans le village de Kovatchevtsi (région de Radomir), en Bulgarie. Autodidacte entré au Parti radical social-démocrate bulgare (créé

en 1892 par Dimitar Blagoev) à l'âge de vingt ans, il devient député de la tendance « étroite » des socialistes (1913-1914, 1914-1919) et connaît brièvement la prison pour son opposition à la guerre en 1918. Son rôle dans le soulèvement communiste avorté de septembre 1923 le contraint à s'exiler à Vienne où il commence son ascension dans l'appareil de l'Internationale communiste, le Komintern. Élu membre du comité exécutif de celui-ci lors de son VIe congrès (1928), il est nommé directeur du Bureau ouest-européen de l'Internationale à Berlin en avril 1929. Mais c'est son procès, où il est accusé de l'incendie du Reichstag allemand (9 mars 1933), et son discours sur la montée du fascisme en Europe qui lui vaudront une notoriété internationale. Réfugié en URSS, naturalisé soviétique, il devient secrétaire général du Komintern en 1935, un poste qu'il occupera jusqu'à la dissolution de l'organisation en 1943. En cette qualité, G. Dimitrov est l'un des principaux architectes de la politique de front populaire prônée par Staline et l'un des témoins de la purge de l'émigration communiste bulgare en Union soviétique dans les années 1930. Entre 1937 et 1945, il est également député au Soviet suprême de l'URSS. À son retour en Bulgarie, le 7 novembre 1945, G. Dimitrov supervise la soviétisation de son pays natal comme secrétaire général du Parti ouvrier bulgare (POB, rebaptisé Parti communiste bulgare en décembre 1948) et, après le 21 novembre 1946, comme président du Conseil des ministres. Internationaliste convaincu, il soutient un projet de fédération balkanique avec la Yougoslavie finalement désavoué par Staline qui lui assigne un « conseiller ». Souffrant depuis plusieurs années des suites de son alcoolisme, il décède le 2 juillet 1949, à l'âge de soixante-sept ans, dans un sanatorium à Barhiva (près de Moscou), dans des conditions laissant peser un doute sur une éventuelle « contribution » soviétique à cette issue. Son journal a été publié en bulgare en 1997.
N. R.

DIOP Cheikh Anta (1923-1986) Historien et homme politique sénégalais. L'un des chefs de file de la renaissance africaine et du panafricanisme, Cheikh Anta Diop a toujours associé culture et politique à travers l'idée maîtresse d'une antériorité des Noirs dans la civilisation égyptienne et mondiale. Secrétaire général de l'Association des étudiants africains à Paris en 1951 et 1953, il pose les principes d'une fédération d'États africains indépendants à l'échelle du continent. La parution en 1954 de Nations nègres et culture aux éditions Présence africaine (sa thèse sur la civilisation égyptienne, refusée en Sorbonne) en fait un chef de file idéologique et original qui marque le premier Congrès des écrivains et artistes noirs à Paris, en 1956. De retour au Sénégal, en 1960, il publie Fondements culturels, techniques et industriels d'un futur État fédéral d'Afrique noire, et ouvre un laboratoire dans l'enceinte de l'Institut français d'Afrique noire (IFAN) pour effectuer des datations au carbone 14. Prix du premier Festival mondial des arts nègres (Dakar, 1966) pour son œuvre en faveur de la culture africaine, il organise ensuite au Caire un colloque international sur le peuplement de l'Égypte (1974). Il tente sans grand succès une entrée en politique à travers la fondation d'un Rassemblement national démocratique (RND). La pensée de Cheikh A. Diop est devenue omniprésente chez les Africains-Américains en quête de leurs racines.
B. N.

DIPLOMATIE Le rôle essentiel des diplomates est de gérer, pour le compte de leurs gouvernements, les rapports de paix et de guerre entre les nations. Cette définition s'inspirant du philosophe Raymond Aron (1905-1983) demeure pertinente, même si les modalités de la diplomatie ont évolué au long du siècle. Dans son acception plus classique, la « diplomatique » était relative aux diplômes – du grec diploma, feuille pliée en double – qui règlent les rapports internationaux. Les termes de « diplomate » et de « diplomatie » datent, en France, du tout début de la décennie 1790 et sont contemporains de la bataille de Valmy qui marqua la transition stratégique entre l'Ancien Régime et la Révolution. À partir de cette période, l'activité politique extérieure mit aux prises un petit nombre d'entités qui se conçurent comme des États entièrement souverains dédiés à la protection et à l'affirmation de leurs intérêts nationaux. Il s'est agi, en Europe, de préserver le *status quo* européen contre une France perçue comme révolutionnaire. **Au temps des alliances et contre-alliances entre puissances.** La vie diplomatique était dominée par les relations entre les « puissances » – Grande-Bretagne, France, Prusse, Autriche-Hongrie, Russie, Empire ottoman – et faite d'un jeu d'alliances, de coalitions et de contre-alliances, construites par des négociations entre quelques responsables soucieux en priorité de l'équilibre militaire. La colonisation étendit le système diplomatique européen à d'autres continents. L'échec de cette diplomatie classique et la première guerre totale (la Grande Guerre de 1914-1918) offrirent un espace pour une diplomatie plus ouverte, incarnée par Woodrow Wilson, partisan d'une approche fondée sur le droit, le rôle des procédures, la transparence se substituant aux accords secrets et le transfert de la responsabilité de l'ordre du « concert européen » des nations vers une organisation que Wilson espérait universelle, la Société des nations (SDN). L'ordre de Versailles fut balayé par la crise de 1929, par la marginalisation de l'Allemagne et de l'Union soviétique et par l'inefficacité des institutions collectives. Il fit place à une diplomatie spectacle faite de coups réussis, mis en scène par des dictatures affirmant haut et fort leurs objectifs tout en dramatisant les enjeux, sans l'obligation de rendre compte devant les Parlements. Ce qui est resté de moins instable dans l'intense activité diplomatique de l'entre-deux-guerres fut le système de relations tissé entre les États-Unis et l'Europe occidentale, fondé sur le circuit des capitaux américains et l'amorce d'une diplomatie du dollar. C'est aussi l'émergence d'idées d'organisation européenne, présentées par Aristide Briand (1862-1932) dès 1919 (projet de fédération), que les ambitions des dictatures nationalistes rendirent impossibles. **La logique du système bipolaire.** Après 1945, le rôle des États européens est relativisé ; ils ne représentent plus le centre de gravité. Se met en place un système bipolaire mondialisé. Les diplomates

gèrent la confrontation, sa rhétorique, sa compétition et, avec la décolonisation, sa projection dans le tiers monde composé de dizaines de nouveaux États, ce qui renforce le rôle du système des Nations unies. De nouveaux principes des relations internationales s'affirment : le respect de l'intégrité territoriale et de la souveraineté – fondements toujours actuels du système international –, la non-agression, la non-ingérence dans les affaires intérieures – concept contesté –, la réciprocité des avantages dans les contrats et, jusqu'en 1989, la coexistence pacifique entre les deux superpuissances, États-Unis et URSS. La multiplication du nombre d'États a perturbé l'alignement imposé sur l'un ou l'autre camp. Le style diplomatique a changé, il a pris la forme de voyages à l'étranger des grands protagonistes (Nikita Khrouchtchev aux États-Unis en 1959, John F. Kennedy à Vienne en 1961...), contraints au dialogue, notamment sur le risque majeur représenté par l'accumulation des armes de destruction massive. L'esprit de détente culmina lors de la Conférence sur la sécurité et la coopération en Europe (CSCE) réunie à Helsinki en 1975, qui consacra de nouveaux principes, parfois d'application contradictoire : égalité des États, autodétermination des peuples, inviolabilité des frontières européennes et renonciation au recours à la force pour régler les conflits. Ce cadre de stabilité n'a joué que pour l'Europe puisque la rivalité Est-Ouest s'est en quelque sorte déplacée dans le tiers monde, soit directement – cas de l'Afghanistan (intervention soviétique en 1979) –, soit indirectement lorsque les acteurs locaux ont fait en sorte d'impliquer l'un ou l'autre des blocs dans leurs conflits (Angola, Éthiopie, Amérique centrale, Soudan, Proche-Orient, péninsule indochinoise). Les préoccupations idéologiques en sont venues à l'emporter, suscitant des rapprochements ou des ruptures dignes de la diplomatie secrète des siècles monarchiques. **Gestion des crises et des sorties de crises.** Dans la dernière décennie du XXᵉ siècle, l'échec sans appel des formules communistes et autoritaires de développement a entraîné la dislocation de l'ordre soviétique en Europe et le reflux de l'influence russe dans le monde. Ces bouleversements provoqués par les peuples ont été gérés de manière pacifiée par les diplomaties, *via* des conférences et des traités destinés à assurer la stabilité (Pacte de stabilité en Europe centrale organisant la reconnaissance des frontières et les droits des minorités, nouveau Pacte de stabilité pour l'Europe du Sud-Est [PSESE, 1999] ayant pour but de promouvoir l'« européanisation des Balkans », selon la formule du ministre français des Affaires étrangères Hubert Védrine [1947-] après l'intervention militaire occidentale au Kosovo en 1999). Par son programme d'élargissement, l'Union européenne a offert des perspectives de consolidation démocratique et de stabilité : l'essentiel des négociations décidées par les quinze États membres lors des conseils européens semestriels se déroule à Bruxelles. Les postes de représentants permanents auprès de l'Union européenne sont devenus parmi les plus prestigieux pour les diplomates, au même titre que ceux auprès des Nations unies.   La fin de la Guerre froide a en effet favorisé une reprise du rôle régulateur de l'ONU, que ce soit pour légitimer le recours à la force en cas de violations massives des droits de l'homme ou pour conduire des opérations de maintien de la paix (Bosnie-Herzégovine, Kosovo, Sud-Liban, Timor oriental...). La diplomatie de gestion de crises et de sortie de crises est essentielle ; elle est par définition collective et implique la formation de configurations *ad hoc* (par exemple, le Groupe de contact formé pour la Bosnie-Herzégovine entre États-Unis, France, Allemagne, Royaume-Uni, Italie et Russie).   **Œuvrer à une multipolarité coopérative.** Par ailleurs, dans un monde globalisé par les flux d'images, d'idées et de marchandises, il importe que de nouvelles formes de concertation et de régulations soient mises en place. C'est le rôle du G-7, groupement des grands pays industrialisés, élargi à la Russie en G-8 et dont le mandat diplomatique s'est étendu à de nouveaux sujets, comme la prévention des conflits. Le décalage existant entre l'état du monde et la composition du Conseil de sécurité de l'ONU appelle une réforme de ce dernier concernant ses membres permanents, de manière à ce qu'il devienne plus représentatif en s'ouvrant à de nouveaux

États qui conduisent de véritables politiques étrangères (Allemagne, Japon, Inde, Brésil...). L'enjeu pour les diplomaties des grands États est ici de contribuer à l'émergence d'un système mondial fondé sur la multipolarité coopérative : non pas répéter le dispositif de concert des puissances – dont on sait qu'il n'évita pas les guerres totales dans la première moitié du xxᵉ siècle – ni construire un ordre antihégémonique illusoire, mais éviter la domination d'un seul – l'hyperpuissance américaine – et établir des relations plus équilibrées entre les grands pôles, États (États-Unis, Chine, Inde, Russie) ou ensemble d'États (Union européenne dès à présent, ANSEA – Association des nations du Sud-Est asiatique – et Mercosur – Marché commun du sud de l'Amérique – plus tard).   La globalisation/mondialisation économique contraint à de difficiles négociations commerciales dans le cadre de l'OMC (Organisation mondiale du commerce). La multiplication du nombre des États et des enjeux oblige à des négociations permanentes pour construire des majorités d'idées et d'action. Loin de s'effacer dans le monde global, le rôle de la diplomatie s'enrichit et se décline selon une série de champs à la fois diversifiés et unifiés : diplomatie bilatérale classique, multilatérale, économique (chaque État soutenant ses entreprises), culturelle (langue, images), scientifique. Un autre champ diplomatique, plus neuf, est fait de l'action des États en direction de sociétés de pays dont les gouvernements et les régimes récusent la coopération internationale, de manière à favoriser des transitions démocratiques. Cela nourrit le débat sur la contradiction entre l'ingérence dans les affaires intérieures (en cas de crise grave affectant les droits de l'homme) et le respect de la souveraineté des États. S'il est vrai que la démocratisation peut être un objet légitime de la diplomatie, encore faut-il admettre que les transitions sont des processus de longue durée, impliquant des pactes ou des compromis et qu'il revient aux acteurs internes de les conduire. **M. Fo.   > GÉOPOLITIQUE.**

DISPARUS (Argentine)   Le terme « disparus » désigne à l'origine les personnes dont l'arrestation n'est pas reconnue par les autorités de la dernière dictature militaire en Argentine (1976-1983), empêchant de ce fait tout recours à la protection des tribunaux. La majorité de ces prisonniers politiques ont été exécutés après avoir été torturés, et les corps n'ont jamais été rendus à leurs proches.   La Commission nationale sur la disparition de personnes a établi qu'il s'agissait bien d'une politique d'État visant autant à éliminer la « subversion » qu'à terroriser la population. Son rapport de 1984 a recensé 8 960 cas, auxquels se sont ajoutés près de 3 000 cas déclarés postérieurement. Selon les estimations les plus crédibles, les « disparus » argentins seraient au nombre d'environ 15 000. Le total des victimes, en incluant celles décédées lors de pseudo-affrontements avec les forces de l'ordre, est compris entre 20 000 et 30 000 personnes. **S. J.**   **> ARGENTINE.**

DISSIDENCE   La seconde moitié du xxᵉ siècle a été à la fois marquée par les conquêtes du système communiste à travers le monde – soviétisation de l'Europe de l'Est, conquêtes du communisme en Asie, régimes pro-soviétiques dans le tiers monde – et par les progrès des résistances et des oppositions internes à ce système. La représentation de celles-ci a parfois été limitée aux individus ou groupes critiques ou contestataires agissant au sein ou à la marge des partis communistes au pouvoir (les révisionnistes). Les oppositions, sur des positions plus clairement anticommunistes, se distinguent de ceux-ci. **K. B.**   **> DISSIDENCE ET OPPOSITIONS (CHINE), DISSIDENCE ET OPPOSITIONS (EUROPE DE L'EST), DISSIDENCE ET OPPOSITIONS (URSS).**

DISSIDENCE ET OPPOSITIONS (Chine)   La dissidence chinoise a évolué par étapes après la fondation du régime communiste en 1949. Les premiers opposants, dans leur grande majorité, ne se plaçaient pas en dehors du système marxiste-léniniste et souhaitaient au contraire le consolider. Ce n'est qu'après le mouvement démocratique de 1989 et le massacre du 4 juin sur la place Tian An Men qu'une esquisse d'opposition, au sens occidental du terme, a commencé à se constituer.   La traduction communément admise du mot « dissident » est *chibutong zhengjianzhe*, littéralement « individu qui maintient des points de vue politiques différents ». Pour le régime communiste chinois, la moindre contestation est vue comme une dissidence, et donc combattue. Toute forme d'organisation sociale indépendante, qu'elle fût liée à la religion, à l'expression artistique, au statut social des individus et *a fortiori* à la défense des droits garantis par la Constitution, ou à un rassemblement politique, a été soit délibérément réprimée, soit canalisée dans des structures contrôlées par le Parti communiste chinois (PCC).   **Refus des critiques « constructives ».**   Le premier mouvement contestataire d'envergure explosa à l'occasion de la campagne dite des « Cent Fleurs » (1957) et fut promptement étouffé par Mao Zedong avec la condamnation de quelques centaines de milliers d'individus au statut infamant de « droitier ». Ce mouvement démarra sur un malentendu : pensant éliminer ses opposants au sein du Comité central en s'appuyant sur l'opinion des masses, Mao Zedong avait encouragé l'expression de critiques spontanées à l'égard du Parti. Il eut alors la surprise de constater que les intellectuels s'emparaient de l'occasion non pas pour soutenir ses entreprises révolutionnaires, mais pour revendiquer une plus grande autonomie, certains d'entre eux n'hésitant pas à remettre en question le « grand timonier » lui-même.   L'une des personnalités les plus flamboyantes, qui traversa l'époque comme un météore, était une jeune étudiante en droit à l'université du Peuple, Lin Xiling (1935-). Tout en vouant une admiration illimitée à Mao Zedong et en adhérant sans réserve aux idéaux du Parti, elle reprocha au système, dans une série de discours qui la rendirent célèbre, son bureaucratisme et son dogmatisme. Elle ne concevait pas que ses critiques, faites dans un but constructif, puissent lui valoir rapidement une mise au ban de la société puis, en 1959, une arrestation suivie de quinze années de camp de laogai.   Nombreux sont les intellectuels qui connurent le même sort : Wang Meng (1934-), alors jeune écrivain, devenu par la suite ministre de la Culture ; Liu Binyan (1925-), journaliste déjà célèbre, réhabilité en 1976 pour être de nouveau exclu du Parti en 1987 ; Fang Lizhi, astrophysicien, qui ne retrouva ses fonctions qu'à la fin des années 1970 et dut s'exiler en 1990 ; Ma Yinchu (1881-1982), démographe qui eut le courage de s'opposer à la politique nataliste de Mao et qui ne recouvra le droit de s'exprimer qu'en 1978. Pour chacune de ces personnalités, le but n'était pas à l'époque de renverser le pouvoir en place, mais d'ouvrir des pistes qui auraient permis une réforme de l'intérieur. Il est donc difficile de leur appliquer le qualificatif de « dissidents », même s'ils furent traités comme tels. Ils ne se considéraient d'ailleurs sans doute pas eux-mêmes comme des « opposants ». Ce processus s'est répété à plusieurs reprises au cours des divers mouvements de contestation qui suivirent, mais l'expérience des premiers ne sera guère mise à profit : une censure très stricte provoquera de véritables ruptures historiques entre ces épisodes, obligeant ainsi les acteurs du mouvement démocratique chinois à réinventer à chaque fois leur argumentation et leurs modes de fonctionnement. On n'observe pas vraiment de phénomènes de dissidence durant la Révolution culturelle (1966-1976). Les conflits qui opposent les divers camps en présence restent internes au système et ne le remettent pas en cause. Par ailleurs, les cibles de la vindicte des « gardes rouges » sont vues comme des ennemis historiques du Parti communiste : anciens propriétaires terriens, anciens membres du Guomindang, anciens bourgeois ou fils de bourgeois, etc. N'appartenant pas au système, ils deviennent les victimes des pires violences. Quelques individus s'illustrent pourtant. Yu Luoke (1941-1970), un ouvrier de vingt-cinq ans en 1966, s'opposa courageusement à la théorie maoïste qui reliait la qualité progressiste ou réactionnaire d'un individu à ses origines familiales et diffusa un article « Sur l'origine sociale » (*Chushenlun*) qui lui vaudra la peine de mort quatre ans plus tard. Il y réclamait l'égalité pour tous devant la loi. La diffusion à près de cent mille exemplaires de ses tracts peut être considérée comme l'un des actes d'opposition les plus courageux de cette période. Autre acte remarquable et précur-

seur, le manifeste de Li Yizhe, qui dénonçait la « classe privilégiée » de la société socialiste et devint l'un des dazibaos (textes affichés) les plus connus en Chine à la fin de la Révolution culturelle. Rédigé par de jeunes intellectuels, Li Zhengtian, Chen Yiyang, Guo Hongzhi et Wang Xizhe, cet écrit fut rendu public le 10 novembre 1974 à Canton. Arrêtés en 1977, ses auteurs seront libérés à la fin de l'année 1978. Le seul à être resté dans une dissidence active, Wang Xizhe (1949-), vivra aux États-Unis à partir de 1997. Le premier printemps de Pékin (1978-1979) fut tout aussi promptement réprimé par Deng Xiaoping que le mouvement des Cent Fleurs l'avait été par Mao. Toutefois les cibles de la répression se limitèrent à quelques dizaines de dissidents qui furent condamnés à des peines allant de quelques mois à quinze ans de réclusion. À la différence de Wei Jingsheng, la plupart des dissidents, et en particulier Xu Wenli, restèrent fidèles à une analyse marxiste de la situation et reprochèrent à celui-là ses positions extrêmes. **Émergence d'une véritable opposition politique.** Les revendications démocratiques se firent de nouveau entendre à la fin de l'année 1986, lorsque des manifestations éclatèrent à Pékin, Xi'an, Shanghai, Hangzhou, Hefei et d'autres villes de province. Mais ce n'est qu'à partir de 1989 qu'une véritable opposition politique commença à naître en Chine continentale. Pour la première fois depuis 1949, la population n'acceptait plus de se retourner comme un seul homme contre ceux que le gouvernement désignait à sa vindicte. La « jeune génération » de dissidents chinois, avec notamment Wang Dan, est issue de la répression, en 1989, du mouvement de la place Tian An Men. Le traumatisme collectif fut d'autant plus grand que les dernières illusions concernant la « sollicitude du Parti » à l'égard de la population civile se sont brutalement écroulées. Ensuite, en Chine comme parmi les exilés, et malgré la répression active qui ne s'est guère relâchée, le désir de structures indépendantes du Parti communiste n'a cessé de s'exprimer, dans tous les domaines. Les plus virulents à manifester ont été les dizaines de millions d'ouvriers des entreprises d'État, menacés de licenciement ou privés de salaires parfois plusieurs mois de suite, les caisses des entreprises étant vides. Ils ont réclamé activement la création de syndicats autonomes qui viendraient défendre leurs intérêts. Plus que toute autre forme de contestation, le gouvernement chinois a semblé redouter l'organisation de mouvements d'opposition structurés au sein de la classe ouvrière tels que la Fédération autonome des ouvriers de Pékin dont <u>Han Dongfang</u> fut l'un des fondateurs. Pourtant, la prudence est restée de mise : seule une minorité s'est montrée favorable à des mesures radicales, voire violentes, d'autres souhaitant engager une collaboration avec les forces réformistes au sein du Parti communiste et envoyant des signaux à répétition vers le sommet. Certains se sont engagés dans des actions d'éclat comme Wang Bingzhang, qui était établi aux États-Unis depuis plus de vingt ans quand, en mars 1998, il rentra clandestinement en Chine pour y annoncer la création du Parti démocratique de l'équité et de la liberté. Il fut cependant aussitôt arrêté et expulsé. La dissidence chinoise a retrouvé au début de 1998 une vigueur qu'elle n'avait pas connue depuis 1989. La visite du président des États-Unis, Bill <u>Clinton</u>, en juin 1998, et le dialogue public qu'il a engagé avec le président <u>Jiang Zemin</u> sur les sujets sensibles de la liberté et de la démocratie, ainsi que la floraison d'articles critiques envers le régime publiés dans la presse officielle, ont contribué à confirmer cette impression de libéralisme et d'ouverture. Pourtant, dès octobre 1998 et la fin des visites diplomatiques de haut niveau, les condamnations se sont multipliées. Xu Wenli, la plus célèbre des victimes de cette nouvelle vague de répression, fut condamné à treize ans de prison dès décembre 1998. La célébration du cinquantenaire de la République populaire de Chine, le 1er octobre 1999, a encore accru la nervosité du gouvernement, d'autant plus qu'une nouvelle forme d'opposition s'est fait connaître sous la forme d'une organisation souvent qualifiée de secte, la Falungong. Cette école de *qigong* (travail du souffle, exercices respiratoires du taoïsme), qui revendique plusieurs dizaines de millions d'adhérents et qui a été déclarée hors la loi en juillet 1999, s'élevait contre les persécutions policières et médiatiques dont ses membres s'estimaient victimes. **Tibétains, Ouïgours...** D'autres foyers de résistance sont actifs dans les régions de Chine occupées par les ethnies non <u>han</u>, notamment au <u>Tibet</u> et au <u>Xinjiang</u>. Plus que de dissidence par rapport au système, il s'agit de véritables oppositions nationalistes à un occupant considéré comme colonisateur. Dans la province orientale du Xinjiang, le mouvement ouïgour (peuple turcophone) indépendantiste, se référant souvent aux républiques indépendantes du <u>Turkestan oriental</u> créées, pour un temps très limité, en 1933 à Kashgar et à Ili en 1944, a fondé en 1990 un Parti islamique du Turkestan oriental et provoqué des émeutes dans le district de Baren. Le gouvernement chinois l'a accusé d'être à l'origine des explosions de bombes à Urumqi en 1992. En juillet 1995, l'arrestation d'un imam provoqua de violents incidents à Khotan, et le 5 février 1997, après l'interdiction faite aux Ouïgours d'organiser des rassemblements populaires appelés « meshrep », de violentes manifestations ont éclaté à Gulja, non loin de Yining. Chacune de ces manifestations a été réprimée de façon très violente par l'armée chinoise et été suivie de dizaines d'exécutions capitales et de centaines de condamnations à des peines de prison de dix ans et plus. Cette brutalité n'a fait qu'exacerber les tensions ethniques dans la région, que Pékin a tenté d'endiguer par l'envoi massif de colons han dans la province rétive. **O**n a observé la même politique d'envoi massif de colons han vers le Tibet, surtout à compter de 1980. Le <u>dalaï-lama</u>, prix Nobel de la paix en 1989, et chef du gouvernement tibétain en exil de Dharamsala en Inde, a pu jouer le rôle de porte-parole du mouvement d'opposition, prônant l'autonomie plutôt que l'indépendance. **M. H.** **> CHINE, DROITS DE L'HOMME.**

DISSIDENCE ET OPPOSITIONS (Europe de l'Est) Après 1989, l'ouverture des archives et la liberté d'expression ont permis de saisir plus profondément l'étendue et les formes des <u>dissidences</u> et des oppositions au système communiste hérité de la sovietisation de l'Europe de l'Est – conséquence de la Seconde Guerre mondiale – et de poser les premiers jalons d'une synthèse. Nous savons désormais qu'ici et là existaient des oppositions politiques ou idéologiques actives, organisées, fortes et faibles, mais aussi une opposition morale, silencieuse, inorganisée. Il est désormais possible de proposer une typologie de celles-ci, allant de l'opposition consciente, politique, intellectuelle ou spirituelle jusqu'à l'opposition sociale, spontanée ou organisée, et à l'opposition morale. **N'**ayons pas peur de qualifier cette opposition d'« anticommuniste », terme d'ailleurs couramment utilisé dans les pays concernés. Elle se dressait contre la dictature du parti communiste qui exerçait le monopole du pouvoir. Son histoire est liée à l'évolution de cette dictature, à ses crises, aux traditions et aux spécificités nationales de chaque pays. Et, bien entendu, à l'évolution de l'URSS qui imposait à ses satellites un état de soumission, ainsi qu'à la conjoncture internationale selon laquelle, de Moscou ou d'ailleurs, agissaient les dirigeants. L'opposition volontairement violente, armée, s'est limitée à la fois dans le temps (période de l'instauration des régimes communistes) et dans l'espace (Pologne, Roumanie). La lutte armée dans la Hongrie de 1956, notamment à Budapest, n'était pas programmée par les révoltés ; elle a représenté une réponse à la violence de l'intervention armée soviétique. **Révoltes et émeutes spontanées.** La forme probablement la plus répandue et la plus importante du combat oppositionnel, qui a provoqué des changements de dirigeants ainsi que des réorientations de politique économique et sociale, a été la révolte ou l'émeute sociale commençant de façon spontanée. Elle a accompagné l'évolution de ces régimes depuis leur instauration jusqu'à leur fin. Ces révoltes ont toujours été provoquées par des mesures conjoncturelles, économiques et sociales : durcissement des normes de travail, augmentation des prix et baisse des salaires réels, ou encore réforme monétaire signifiant le « vol de l'épargne ». **L'**histoire de ces révoltes commence au cours de l'été 1948 en Tchécoslo-

vaquie avec des grèves dans quinze villes tchèques et moraves, trois villes slovaques et des manifestations dans plusieurs centres industriels, puis se poursuit au cours des derniers mois de l'année 1951 avec des grèves dans toutes les régions industrielles, des réunions de protestation et quelques manifestations de milliers de personnes ; au début de juin 1953, avec des grèves et arrêts de travail dans des dizaines d'usines importantes et des manifestations qui dégénérèrent en combats de rue à Plzen (Pilsen), en signe de protestation contre la réforme monétaire. **Les** 16 et 17 juin 1953 à Berlin-Est, en République démocratique allemande (RDA), la population se dresse contre certaines mesures gouvernementales. Lors de ces émeutes, écrasées par les chars soviétiques et la milice locale, et de la répression qui suit, 51 personnes au moins trouvent la mort. **L'expérience de la Pologne.** En 1956, la Pologne devient le théâtre de ce genre de révoltes. La ville de Poznan en marque le début, en juin, avec plusieurs dizaines de victimes. À la fin de 1970, une révolte des dockers de Gdańsk, de Szczecin et de Gdynia embrase le littoral de la Baltique, accompagnée d'une répression violente. En juin 1976, des révoltes éclatent à Ursus, Radom et Płock. De l'été 1978 à l'été 1980, un millier de grèves secouent le régime, et ce déferlement culmine en août 1980 dans les villes de la Baltique, notamment Gdańsk, et en Haute-Silésie. **La** Pologne a été le seul pays du bloc soviétique européen où différents courants oppositionnels ont su donner aux mouvements spontanés une structure liant l'opposition morale et intellectuelle aux révoltes ouvrières. En septembre 1976 était fondé le KOR, Comité de défense des ouvriers, qui se transforma ensuite en Comité d'autodéfense sociale – KSS-KOR. Sont ainsi nés un mouvement de solidarité, un organisme approfondissant des liens avec les milieux des ouvriers, un programme d'auto-organisation de la société. Cette mouvance aboutissait en 1980 à la création de Solidarité, premier syndicat libre du bloc, qui regroupa jusqu'à dix millions d'adhérents. La Pologne se distingua, au cours de cette période, par une pensée politique oppositionnelle sachant théoriser l'expérience sociale et par la puissance d'une opposition politique et sociale sans équivalent dans les autres pays. **En 1977, en** Roumanie, la grève de 35 000 mineurs de la vallée du Jiu a représenté un nouvel épisode de cette forme de contestation. En 1987, dans ce même pays, après une série de grèves (en particulier en Transylvanie), le mécontentement a culminé le 15 novembre avec l'insurrection populaire de Brasov, deuxième ville roumaine. **Oppositions spirituelles et morales.** Une autre forme du combat contre le système communiste aura été l'opposition spirituelle et morale, surtout liée à l'activité des Églises. Ce furent les seules structures à avoir gardé une certaine autonomie après la destruction de la société civile consécutive à l'instauration des régimes, et ce malgré la présence de courants collaborationnistes en leur sein, plus ou moins forts selon les pays. De surcroît, les croyants ont su créer « l'Église de l'ombre », indépendante de la hiérarchie officielle. Dans les années 1970 et 1980, cette opposition spirituelle et morale a attiré de nombreux non-croyants qui cosignaient des pétitions ou participaient aux manifestations religieuses. En Europe centrale, ce mouvement s'est cristallisé non seulement autour de l'Église catholique, mais aussi des confessions protestantes, en particulier en RDA (République démocratique allemande). Ce courant s'est trouvé conforté par l'élection d'un pape slave, Jean-Paul II, en 1978. **Dans les** années 1970, grâce à la conjoncture internationale (les accords d'Helsinki), c'est la défense des droits de l'homme qui a souvent inspiré l'opposition. Le mouvement de la Charte 77 en Tchécoslovaquie, pays de la révolte de la société civile en 1968-1969 (printemps de Prague), est devenu le symbole de cette forme d'opposition, provoquant des mouvements semblables dans les autres pays, par exemple en Roumanie ou en Hongrie. À la fin des années 1970, le mouvement oppositionnel revêtait ainsi un trait nouveau très important – il s'internationalisait non seulement au niveau des idées, mais aussi au niveau des contacts et dans des manifestations de solidarité. **L'ouver-**ture des archives sur la répression a aussi permis d'apprécier l'étendue de l'opposition

s'étant exprimée par des actes individuels isolés, qui furent souvent le fait de gens appartenant au « petit peuple ». Cela a confirmé que l'individu représentait le dernier bastion de la société civile. **Les** mouvements oppositionnels ont rassemblé diverses sensibilités politiques, idéologiques et spirituelles. La majorité des opposants appartenait au courant des démocrates anticommunistes, fait qui s'est confirmé après la chute du régime. Ceux qui n'étaient pas des démocrates authentiques dans leur engagement contre le système, en particulier les ultranationalistes, étaient nettement minoritaires. **L'action oppositionnelle a** contribué à l'implosion du régime, spécialement en Pologne. Mais c'est l'évolution dans l'Union soviétique de Gorbatchev qui aura été décisive. Le message des opposants, avec leurs morts, leurs milliers d'années de prison, leur courage et leur sens de la solidarité reste surtout moral. **K. B.** **> DÉMOCRATIES POPULAIRES, SOVIÉTISATION DE L'EUROPE DE L'EST.**

DISSIDENCE ET OPPOSITIONS (URSS)

Du phénomène de la dissidence, le monde extérieur a retenu avant tout quelques images fortes : le geste symbolique de protestation de huit personnes, le 25 août 1968, au milieu de la place Rouge, contre l'intervention soviétique en Tchécoslovaquie ; l'expulsion d'Alexandre Soljénitsyne d'URSS peu après la publication de L'Archipel du Goulag (1973-1974), ouvrage qui allait, en quelques mois, devenir un best-seller mondial ; l'internement de quelques dissidents célèbres, Vladimir Boukovski (1942-), Leonid Pliouchtch (1940-) ou le général Piotr Grigorenko (1907-1987), dans des « hôpitaux psychiatriques », l'exil à Gorki (Nijni Novgorod aujourd'hui), en 1980, de l'académicien contestataire Andreï Sakharov. En réalité, la dissidence n'est que la forme la plus radicale, la plus courageuse et la plus visible de la contestation dans l'URSS brejnévienne. Durant ces deux décennies de « stagnation » du système soviétique post-stalinien, il existe toute une gamme d'attitudes et de comportements de désaccord, qui permettent de ne pas se mettre au ban de la société : participation à des associations de défense du patrimoine culturel ou religieux, écriture « pour les générations futures » de textes impubliables (*Récits de la Kolyma*, de Varlam <u>Chalamov</u>), refus de faire carrière, etc. **Des opposants d'un type nouveau.** Opposants d'un type nouveau, les dissidents ne nient pas la légitimité du régime, à la différence des émigrés et des opposants de l'extérieur. Ils exigent de l'État soviétique le strict respect des lois qu'il avait édictées, de la Constitution et des accords internationaux signés par l'URSS. Les modalités de l'action dissidente sont en conformité avec ces principes : refus de la clandestinité, ouverture au monde, transparence du mouvement, large publicité aux actions entreprises grâce au recours, aussi fréquent que possible, à la conférence de presse avec invitation de correspondants étrangers. Une telle révolution n'a été naturellement possible que parce que l'État soviétique lui-même a changé. L'État autoritaire des années 1960-1980 s'efforce de ne pas enfreindre trop ouvertement la « légalité socialiste ». Un autre facteur décisif dans l'éclosion du mouvement dissident est l'importance prise par l'opinion publique internationale dans une conjoncture marquée à la fois par la <u>Détente</u> (à son apogée au début des années 1970) et par une forte dégradation de l'image de l'URSS dans le monde. **D**ans ce contexte, les formes de contestation dissidente se développent principalement dans trois milieux : l'intelligentsia créatrice, les minorités religieuses et nationales. L'importance de la dissidence – sur le plan de la morale, de la politique, voire des relations internationales – est sans commune mesure avec le nombre des dissidents, qui ne dépassera jamais quelques milliers de personnes dans un pays de près de 250 millions d'habitants. **L'affaire « Siniavski-Daniel ».** L'arrestation (septembre 1965) puis le procès (février 1966) des écrivains Andreï Siniavski (1925-1996) et Iouri Daniel (1925-1988) sont généralement considérés comme les événements catalyseurs du phénomène de la dissidence. Le 5 décembre 1965, une manifestation de soutien aux deux écrivains emprisonnés pour avoir fait publier à l'étranger leurs écrits sous pseudonymes réunit une cinquantaine de personnes sur la place Pou-

chkine à Moscou. Pour la première fois, deux revendications inédites sont mises en avant : le respect de la Constitution et la publicité des débats lors du procès devant décider du sort des deux écrivains. Près de trois cents intellectuels adressent, en mars 1966, une lettre collective au XXIIIe congrès du Parti communiste de l'Union soviétique (<u>PCUS</u>), exigeant la mise en liberté sous caution des écrivains condamnés à de lourdes peines de camp. Au cours de cette même année, plusieurs dizaines d'intellectuels, dont Alexandre Guinzbourg (1936-), Pavel Litvinov (1925-), Gueorguï Galanskov (1924-1972), Alexandre Martchenko (1928-1984), sont arrêtés pour avoir fondé les premières revues de *samizdat* (édition clandestine). À partir d'avril 1968, la dissidence parvient à éditer régulièrement, quatre années durant, la *Chronique des événements courants*, publication clandestine recensant toutes les atteintes aux libertés en URSS. **À** la fin des années 1960, les principaux courants de la dissidence intellectuelle se regroupent en un Mouvement démocratique, aux structures très lâches, comprenant les représentants des trois « courants alternatifs » qui s'étaient constitués dans la période post-stalinienne comme autant de programmes d'action : le « marxisme-léninisme authentique », incarné par les frères Roy (1932-) et Jaurès Medvedev (1930-) ; le « libéralisme occidentaliste » (incarné par A. Sakharov) et l'« idée chrétienne et slavophile » (défendue par A. Soljénitsyne). Le premier programme part de l'idée qu'au-delà de la « déviation stalinienne » un retour à un marxisme social-démocrate doit permettre d'assainir la vie politique et sociale. Le deuxième croit possible une progressive démocratisation politique de l'URSS, par un phénomène de « convergence » avec la civilisation occidentale. Le troisième propose comme fondements de la vie sociale les valeurs morales chrétiennes, en soulignant la spécificité de la vie russe. **L'image de Soljénitsyne et de Sakharov.** Déchiré entre ces trois courants, le Mouvement démocratique reste très marginal, ne comptant tout au plus que quelques centaines de sympathisants parmi l'intelligentsia. Marginalisée et isolée à l'intérieur du pays, la dissidence repose largement sur la force de caractère de quelques personnalités d'exception, telles que A. Soljénitsyne ou A. Sakharov, qui ont acquis une stature internationale. Au-delà de quelques cercles restreints de l'intelligentsia moscovite et léningradoise, la dissidence se développe, tout en gardant des formes très marginales, dans les milieux catholiques, de Lituanie en particulier, et parmi les minorités religieuses, qui sont soumises à une forte répression. C'est le cas des baptistes, des évangélistes, des pentecôtistes, des adventistes, des khrisnaïtes, voire de certains popes « dissidents » de l'Église orthodoxe. Le mouvement se développe aussi au sein de la communauté juive pratiquante. Pour faire face à un antisionisme d'État de plus en plus marqué, des dizaines de milliers de Juifs soviétiques demandent en effet à émigrer en Israël. Le refus fréquemment opposé par les autorités cristallise le mouvement des *refuzniki*. Enfin, certains milieux intellectuels des minorités nationales, inquiets des conséquences de la politique de russification, s'organisent également. C'est le cas en Ukraine, en Géorgie, en Arménie, dans les pays baltes... Les **« groupes de surveillance des accords d'Helsinki ».** Le rapport de force est cependant très inégal face à l'État soviétique, mais le poids de l'opinion internationale devient peu à peu déterminant, surtout après l'expulsion hors d'URSS de A. Soljénitsyne (février 1974) : en quelques années, la question des droits de l'homme en URSS devient une affaire internationale de première importance, qui altère durablement l'image de l'URSS dans le monde. La Conférence sur la sécurité et la coopération en Europe (CSCE), qui s'ouvre en 1973 à Helsinki, est en partie consacrée au problème des droits de l'homme dans le bloc soviétique, et son acte final (1975) va donner aux dissidents la possibilité de défendre de nouveaux droits qui ont été reconnus par un traité international engageant l'URSS. Cet acte final relance le combat des dissidents. Ceux-ci mettent sur pied des « comités de surveillance des accords d'Helsinki » chargés de coordonner les informations sur les violations des droits de l'homme. Le contexte est désormais changé. Le KGB a beau pourchasser les dissidents, les emprisonner ou les contraindre à l'exil, la

machinerie policière cesse d'être omnipotente à partir du moment où l'opposant, repéré et identifié par les organismes de défense des droits de l'homme, est pris en charge par une organisation humanitaire étrangère. Peu à peu, les dissidents parviennent à entraîner le régime sur leur propre terrain, celui du droit. Avec la *perestroïka* (« restructuration »), les nouveaux dirigeants soviétiques se réapproprient certains thèmes du discours, et certains idéaux de la dissidence – en particulier la *glasnost* (« transparence ») – constituent le socle du projet gorbatchévien. Pour avoir fait douter le pouvoir de sa légitimité, pour l'avoir contraint à se justifier aux yeux de l'opinion internationale, pour lui avoir fait croire que le système était encore réformable de l'intérieur, la dissidence n'a pas peu contribué à la désagrégation de l'Union soviétique.
N. W. **> DROITS DE L'HOMME, RÉGIME SOVIÉTIQUE, RUSSIE ET URSS.**

DIVISION DU TRAVAIL > TRAVAIL.

DJIBOUTI République de Djibouti. Capitale : Djibouti. Superficie : 23 200 km². Population : 629 000 (1999). « Poussière d'empire », tel pourrait être le qualificatif de la petite République de Djibouti qui accède à l'indépendance le 27 juin 1977. De fait, la présence française avait débuté près d'un siècle plus tôt avec l'occupation d'Obock en 1884, puis l'installation de colons français à Djibouti en 1886. L'enjeu était alors de rivaliser avec les Britanniques et les Italiens et d'avoir accès à l'Éthiopie. Ces ambitions coloniales se limitent bientôt à la seule gestion d'un territoire appelé jusqu'en 1967 « Côte française des Somalis », puis, de 1967 à 1977, « Territoire français des Afars et des Issas ». Ce changement de nom reflète les changements du soutien au régime colonial au sein des deux plus grandes communautés du pays (les Afars et les Issas), mais également les tensions sociales ou politiques repérables dans les émeutes de 1949 ou celles de 1966-1967, durement réprimées par l'armée française. Le régime de parti unique, présidé par Hassan Gouled Aptidon et mis en place dès 1978, ne règle pas le partage du pouvoir entre communautés et un conflit armé de faible amplitude souligne, entre 1991 et 1994, la nécessité de réformes radicales, à commencer par une démocratisation et la recherche d'une viabilité économique face au retrait militaire français partiel. L'accession d'Ismael Omar Guelle, neveu du président Gouled, à la Présidence en mai 1999, traduit la profonde continuité d'une élite dirigeante peu encline à changer les règles très inégales du jeu politique. **R. M.**

DOBROUDJA La Dobrudja (zone de 15 536 km^2 en Roumanie et de 7 726 km^2 en Bulgarie) correspond à l'ancienne province romaine de Scythia minor, façade maritime entre le Danube et la mer Noire. Elle tire son nom du prince Dobrotitch (1354-1386), à l'origine indéterminée (bulgare, roumaine ou gagaouze). La Dobrudja du Nord est attribuée à la Roumanie par le Congrès de Berlin (1878) et colonisée – Roumains de Transylvanie, puis Aroumains (Vlaques) balkaniques – afin de contrebalancer le poids des Bulgares, des Turcs et des Tatars. Après la seconde guerre balkanique (1913), elle s'agrandit de la Dobrudja bulgare, rebaptisée Quadrilatère, qui sera perdue en 1916 puis récupérée (traités de Paris et de Neuilly, 1919-1920). La rivalité roumano-bulgare suscite des tensions dans l'entre-deux-guerres (lutte des irrédentistes bulgares, les *comitadjis*). Finalement, le Quadrilatère revient à la Bulgarie (traité de Craiova, 6 septembre 1940). **M. Ca.** **> BULGARIE, ROUMANIE.**

DOLLAR Les accords de Bretton Woods (1944) font du dollar la monnaie de référence quasi officielle ; convertible en or à taux fixe, le billet vert est la monnaie pivot du nouveau Système monétaire international (SMI), celle que tous les pays prennent comme référence : les taux de change – fixes, comme l'imposent les accords – sont tous déterminés à partir du dollar, si bien que, sous l'apparence d'un étalon de « change-or », c'est en réalité un « étalon-dollar » qui prévaut. Le règne de la monnaie américaine est sans partage. Les faibles réserves d'or du Royaume-Uni ne lui permettent pas de crédibiliser son ambition d'obte-

nir le statut de monnaie de réserve pour la livre sterling, si bien que, pour inspirer confiance aux détenteurs de livres et obtenir qu'ils placent leurs avoirs extérieurs dans des banques britanniques plutôt que de les convertir en dollars, Londres est contraint de jouer des taux d'intérêt. Si la livre demeure une monnaie internationale dans l'après-guerre, c'est au prix d'une sur-rémunération financière, qui étouffe la croissance britannique. Il n'est en revanche pas nécessaire pour les États-Unis de sur-rémunérer les capitaux qui se placent dans des banques américaines, puisque la soif de dollars est telle que les pays choisissent le dollar comme monnaie de réserve. Les économies européennes ne découvriront que peu à peu les effets pervers de ce rôle prééminent du dollar : les États-Unis n'ont pas à se soucier de leur taux de change. En effet, chaque pays membre du FMI (Fonds monétaire international, créé à la suite des accords de Bretton Woods) est contraint de veiller à ce que le taux de change de sa monnaie contre le dollar demeure à l'intérieur de la « fourchette » fixée officiellement. Les États-Unis n'ont donc pas cette charge : si leur propre monnaie monte – ou baisse – vis-à-vis d'une autre, c'est au pays émetteur de cette autre monnaie d'intervenir. **Une carte politique pour les États-Unis.** Certes, en contrepartie de ce rôle asymétrique – obligation d'un côté, liberté de l'autre –, les États-Unis doivent satisfaire les éventuelles demandes de conversion des dollars « officiels » (ceux détenus par des banques centrales) en or, sur la base d'une once d'or fin pour 35 dollars. Mais il ne s'agit là que de théorie : dans un premier temps, la soif de dollars est trop grande pour qu'un pays se paie le luxe de convertir ses avoirs en dollars – qui sont du pouvoir d'achat qui rapporte lorsqu'il est placé – en un poids d'or, stérile et sans débouchés commerciaux (puisque l'or ne joue plus nulle part le rôle de monnaie intérieure). **Lorsque cette soif de dollars commence à s'étancher et que, en Allemagne vers la fin des années 1950, apparaissent les premiers excédents extérieurs, les États-Unis savent habilement jouer de la carte politique pour faire pression sur les pays concernés afin qu'ils s'abstiennent d'effectuer des conversions « inamicales » : que refuser à un pays qui, en pleine Guerre froide, détient le parapluie atomique ? **Il** reste que cette asymétrie est lourde de conséquences : tandis qu'un pays « ordinaire » est contraint de gagner – ou d'emprunter – les dollars dont il a besoin pour pouvoir importer ou payer les investissements de ses firmes ou de ses particuliers à l'étranger, les États-Unis ignorent cette « contrainte extérieure ». Le monde entier est leur domaine, puisque la même monnaie circule chez eux et dans le reste du monde. C'est ainsi que l'après-guerre mondiale voit l'essor des grandes firmes américaines, qui se « multinationalisent ». Pour Coca-Cola, Esso ou Ford, s'installer à l'étranger est une façon de tourner les barrières douanières et les contrôles des changes qui fracturent l'espace économique mondial. C'est aussi une façon de prendre le train de la croissance européenne en marche. **D. Cl.**

Les problèmes financiers des États-Unis, à la fin des années 1960, conduiront le président Richard Nixon à « suspendre » la convertibilité du dollar en or (15 août 1971). Ce sera la fin du SMI de Bretton Woods et la fin des parités fixes entre monnaies. Cela incite les États membres de la CEE à limiter les marges de fluctuation des monnaies européennes entre elles ainsi que par rapport au dollar. La concertation monétaire européenne se renforcera par étapes (création du « serpent » monétaire européen [1972], puis du Système monétaire européen [SME] en 1979) jusqu'à la création d'une monnaie unique, l'euro, et d'une Zone euro, entrées en vigueur le 1er janvier 1999. **> BRETTON WOODS.**

DOMINION Le terme de « *dominion* » définit en 1867, dans le cadre de l'Empire britannique, la souveraineté interne accordée au Canada. Suivront l'Australie et la Nouvelle-Zélande (1907), l'Union sud-africaine (1910), l'État libre d'Irlande (1922). La Grande Guerre vaut aux dominions leur émancipation internationale et leur pleine égalité avec le Royaume-Uni « dans une commune allégeance à la Couronne » (1931). Le souverain britannique, à compter de 1930, ne peut nommer gouverneur géné-

ral que le candidat choisi par l'État concerné. **R. Ma.**

DOMINIQUE Commonwealth de la Dominique. Capitale : Roseau. Superficie : 750 km². Population : 71 000 (1999). **P**roductrice de bananes et d'agrumes, cette île pluvieuse et montagneuse a obtenu son indépendance du Royaume-Uni en 1978 et s'est déclarée république. Après une période mouvementée (tentatives d'invasion par des mercenaires, militants « rastafarian », coups d'État manqués), elle est dirigée de 1980 à 1990 par le Premier ministre Eugenia Charles (1919-). Cette femme de caractère, premier chef de gouvernement féminin élue de la région, a notamment prôné l'invasion américaine de la Grenade en 1983. **G. C.**

DOUBLE MONARCHIE > EMPIRE AUSTRO-HONGROIS.

DREYFUS (affaire) L'affaire Dreyfus (1894-1906) marque l'entrée de la France dans le XXᵉ siècle. En effet, et bien au-delà de la correspondance chronologique, cet événement étendu, pour sa partie judiciaire, sur près de douze années, a signifié le combat pour la reconnaissance du principe démocratique dans la cité politique. Ce principe a pris le visage d'un Juif, ou plutôt d'un citoyen, Alfred Dreyfus (1859-1935), brillant officier d'artillerie de 35 ans qui, le 22 décembre 1894, était condamné à Paris par un tribunal militaire pour un crime de haute trahison en faveur de l'Allemagne, crime dont il était innocent, mais qui lui fut attribué grâce à une machination policière, militaire et judiciaire d'ampleur dominée par l'antisémitisme. **Les** gouvernements républicains qui se succèdent jusqu'en 1898 refusent de prendre en compte les preuves de plus en plus certaines de la criminalité du jugement, si bien que des savants (Émile Duclaux), des philosophes (Élie Halévy), des écrivains (Émile Zola), des artistes (Claude Monet), autant d'intellectuels rejoints par de rares hommes politiques socialistes (Jean Jaurès), radicaux (Georges Clemenceau) ou libéraux (Pierre Waldeck-Rousseau), manifestent leur droit de citoyens et protestent contre les menaces que l'affaire Dreyfus représente vis-à-vis des droits de l'homme et du citoyen. **A.** Dreyfus est condamné une nouvelle fois par un tribunal militaire à Rennes le 9 septembre 1899, mais il est aussitôt gracié et libéré comme l'a exigé Waldeck-Rousseau – devenu entre temps le chef d'un gouvernement de « Défense républicaine » –, puis il est réhabilité le 12 juillet 1906 par la Cour de cassation. Si les leçons de ce grand combat, qui passionna également les opinions publiques étrangères, furent parfois oubliées – et particulièrement dans les années 1930 sous le régime de Vichy –, l'affaire Dreyfus ne cessa d'incarner un moment de résistance des citoyens devant la raison d'État, la violence politique et les doctrines de haine. L'affaire Dreyfus est constitutive de la mémoire démocratique nationale et internationale, elle est un événement partagé et à ce titre toujours vivante, une morale en d'autres termes. **V. D.** **> ANTISÉMITISME, FRANCE.**

DROIT DES FEMMES > FEMMES (ÉMAN-CIPATION DES).

DROIT DES PEUPLES Existe-t-il une notion de droit des peuples, différente de celle des droits de l'homme ? Les défenseurs des droits des peuples ne cherchent-ils pas, à travers ce concept, à privilégier la collectivité au détriment de l'individu ? Si la réponse à la première question doit être positive, il faut, en revanche, s'opposer avec force à la seconde affirmation. **Le** très ancien concept de droits de l'homme, issu du droit naturel, apparaît déjà au XVIᵉ siècle, alors que ce n'est qu'en 1945 que la notion de « droits des peuples » sera expressément visée par la Charte de l'ONU (Organisation des Nations unies). En 1966, l'article 1 des deux pactes d'application de la *Déclaration universelle des droits de l'homme* (1948) proclame que « tous les peuples ont le droit de disposer d'eux-mêmes. En vertu de ce droit, ils déterminent librement leur statut politique et assurent librement leur développement économique, social et culturel. Pour atteindre leurs fins, tous les peuples peuvent disposer librement de leurs richesses et de leurs ressources naturelles... En aucun cas,

un peuple ne pourra être privé de ses propres moyens de subsistance. » Ce texte affirme donc le principe de l'autonomie économique. Les deux pactes sont applicables depuis 1976. **La** seule proclamation spécifique des droits des peuples est cependant la *Déclaration universelle des droits des peuples*, adoptée à Alger, le 4 juillet 1976, par un groupe de juristes, d'économistes, d'hommes politiques et de dirigeants de mouvements de libération nationale. En même temps qu'est proclamée cette déclaration, naissait la Ligue internationale pour les droits et la libération des peuples, organisation non gouvernementale. **En** décembre 1965, l'Assemblée générale de l'ONU a reconnu « la légitimité de la lutte que les peuples sous domination coloniale mènent pour l'exercice de leur droit à l'autodétermination et à l'indépendance », puis cette reconnaissance est devenue un principe général pour tous les peuples « soumis à des régimes coloniaux ou racistes ou à d'autres formes de domination étrangère... » (résolution 3314 de l'ONU datée du 14 décembre 1974, proclamant sans ambiguïté que « le recours du peuple à la force pour se libérer du colonialisme ne constitue pas une agression »). **Ces** principes ont constamment été repris par les instances internationales (ONU, OUA – Organisation de l'unité africaine). Mais pour que l'autodétermination des peuples soit complète, il faut parvenir à l'autodétermination du peuple à l'intérieur de l'État : c'est le respect de ce que certains nomment « le noyau dur des droits de l'homme », c'est-à-dire ce minimum incompressible de droits universellement reconnus : droit d'association, liberté d'expression, droits politiques, droit à la vie, droits économiques, sociaux et culturels. L'universalité des droits de l'homme et des peuples s'accompagne ainsi de leur indivisibilité. **P. T.**

DROITS CIVIQUES Au lendemain de la guerre civile que fut la guerre dite « de Sécession » (1861-1865) le 13ᵉ amendement de la Constitution américaine (1865) abolissait l'esclavage, le 14ᵉ (1868) proclamait l'égalité des droits et le 15ᵉ (1870) octroyait le droit de vote aux Noirs. Mais cette égalité sera toute théorique, et le droit de vote restera lettre morte durant des décennies. En effet, les États américains du Sud promulguèrent au cours des années suivantes les lois dites « Jim Crow » qui institutionnalisaient la ségrégation raciale et multipliaient les obstacles à la participation électorale des Noirs. Et dans son arrêt *Plessy contre Ferguson* rendu en 1896, la Cour suprême développa la théorie dite « séparés mais égaux » *(separate but equal)*, qui eut pour effet de légitimer le système de la ségrégation raciale. **Du « Civil Rights Act » à l'« affirmative action ».** Il fallut attendre les années 1950 et surtout les années 1960 pour que le mouvement en faveur des droits civiques connaisse ses premiers succès. En 1954, l'arrêt de la Cour suprême *Brown contre Board of Education of Topeka* juge inconstitutionnelle la ségrégation raciale dans les écoles publiques. Peu de temps après, un incident d'apparence anodine connaît des répercussions inattendues : le 1er décembre 1955, dans la ville de Montgomery dans l'Alabama, une femme noire nommée Rosa Park refuse de laisser sa place à un Blanc. La communauté noire organise alors, sous la direction de Martin Luther King, un jeune pasteur qui prône la non-violence, un boycottage des autobus de la ville. En novembre 1956, la Cour suprême juge inconstitutionnelle toute ségrégation dans les transports en commun ; et, en 1957, le *Civil Rights Act* (loi sur les droits civiques) autorise le gouvernement fédéral à prendre toutes les mesures nécessaires pour protéger le droit de vote de l'ensemble des citoyens. **C**ette même année, le pasteur King fonde la Southern Christian Leadership Conference (SCLC) en vue de fédérer un certain nombre de groupes revendiquant l'égalité des droits civiques. Cette organisation, souvent en association avec le Student Non-violent Coordinating Committee (SNCC), devient le fer de lance d'un mouvement qui prend une ampleur grandissante. En 1960 et 1961, les premières grandes marches sont organisées à Washington et dans d'autres villes américaines. Elles permettent de mobiliser la population noire ainsi qu'un nombre croissant de Blancs, en particulier parmi les étudiants, lesquels se rendent en masse dans les États du Sud pour aider les populations noires à s'inscrire sur les listes électorales. **L'**autre volet du mouvement pour les droits civiques concerne l'*affirmative action*. L'expression, que l'on peut traduire par « discrimination positive » ou « traitement préférentiel », apparaît pour la première fois dans un décret signé en 1961 par le président John F. Kennedy (1961-1963). Elle signifie qu'une politique de compensation est nécessaire pour remédier à la discrimination passée, car l'égalité formelle et la reconnaissance des libertés fondamentales se sont jusque-là montrées insuffisantes pour assurer l'intégration des minorités historiquement opprimées. Ainsi, à compétences égales, le secteur public est tenu d'embaucher le candidat noir de préférence au candidat blanc. **Les avancées législatives de la présidence Johnson.** Le mouvement des droits civiques connaît ses plus grands succès sous la présidence de Lyndon B. Johnson (1963-1969), qui avait fait de l'intégration politique, sociale et économique des Noirs (lesquels allaient constituer 13 % de la population américaine en l'an 2000) l'un des éléments essentiels de son programme pour une « grande société ». Le *Civil Rights Act* de 1964 interdit toute discrimination en matière de logement, d'emploi ou de participation électorale, et autorise le département de la Justice à refuser toute subvention fédérale aux collectivités locales coupables de discrimination. La même année, le 24e amendement de la Constitution bannit le *poll tax* (taxe électorale), qui décourageait les électeurs les plus pauvres de voter. Et en 1965, le *Voting Rights Act* interdit les « tests électoraux » (ceux par exemple qui imposaient comme condition préalable à l'éligibilité de vote un certain niveau d'alphabétisation). **Le** mouvement pour les droits civiques (dont le leader incontesté, M. L. King obtient le prix Nobel de la paix en 1964) constitue alors une véritable force politique. En 1971, la Cour suprême donne son feu vert à une expérience de « *busing* », lancée en Caroline du Nord et destinée à forcer l'intégration scolaire. Le principe consiste à faire venir tous les jours, dans des autobus gratuits, les écoliers des quartiers noirs dans les écoles publiques à majorité blanche, et réciproquement. Malgré une forte opposition de la part des communautés locales, cette intégration forcée a lieu grâce à l'appui tant des tribunaux que des autorités fédérales. **D'**autres catégories de populations – ethniques (hispaniques, asiatiques, etc.) ou non (femmes, homosexuels, handicapés, etc.) – adopteront par la suite le langage et les tactiques du mouvement des Noirs pour les droits civiques, et deviendront au fil des ans les bénéficiaires des lois contre la discrimination. Mais une contre-offensive finit par prendre forme. De nombreux Américains se rangent à l'idée que l'*affirmative action* constitue une discrimination à rebours. Certains procès à grand retentissement débouchent sur la clarification du principe – sinon sur l'affaiblissement de l'impact – du traitement préférentiel. Ainsi le « cas Bakke » (du nom d'un étudiant blanc dont l'admission avait été refusée par la faculté de médecine de l'université de Californie alors que des étudiants noirs aux résultats scolaires inférieurs aux siens avaient été admis) aboutit à une interdiction des quotas d'admission sur une base raciale, sans toutefois contester le principe de l'intégration. D'autres acquis sont également critiqués. Ainsi, les opposants au « *busing* » ne manquèrent-ils pas de relever que sa conséquence principale a été la fuite des classes moyennes blanches vers l'enseignement privé ou vers les banlieues « homogènes ». En septembre 1999, un juge fédéral de Caroline du Nord a mis un terme au « *busing* », sous prétexte que la mission d'intégration était désormais accomplie. **I. A. W. > ÉTATS-UNIS, QUESTION NOIRE (ÉTATS-UNIS).**

DROITS DE L'HOMME L'affirmation des droits de l'homme a une origine très ancienne, mais c'est au XVIIe siècle qu'ils sont revendiqués comme un principe fondateur avec la *Déclaration d'indépendance* américaine de juillet 1776 et la *Déclaration des droits de l'homme et du citoyen* du 26 août 1789 en France. **A**près la Seconde Guerre mondiale, le rejet de la barbarie et la création de l'ONU (Organisation des Nations unies) marquent la volonté de fonder désormais les relations internationales sur le res-

pect de la personne humaine comme valeur essentielle. Une Commission des droits de l'homme, créée en 1946, charge un groupe de travail de rédiger un projet de déclaration en ce sens. Le 10 décembre 1948, l'Assemblée générale des Nations unies adopte à l'unanimité la *Déclaration universelle des droits de l'homme*, dont la vocation est à la fois de s'appliquer à l'ensemble des États membres de l'ONU et de couvrir tous les droits de l'homme : droits civils, politiques, économiques, sociaux et culturels. Deux conférences mondiales, à vingt-cinq ans d'intervalle, réaffirment cette universalité par deux textes : la proclamation de Téhéran (de mai 1968) et la déclaration finale et le programme d'action de Vienne (de juin 1993). **P**ourtant, lors de la conférence mondiale des droits de l'homme de Vienne, l'universalité, l'indivisibilité et la complémentarité des droits de l'homme, présentées comme une nécessité, ont été sérieusement remises en question par plusieurs pays en développement – africains et musulmans, mais surtout asiatiques –, au motif des spécificités culturelles. **Le préambule de la Charte de l'ONU, texte fondateur.** Pour amorcer une analyse du contenu de l'universalité, de l'indivisibilité et de la complémentarité des droits de l'homme au sens « onusien » de ces termes, il faut situer l'évolution de ces questions dans le contexte historique du demi-siècle écoulé. **U**n demi-siècle plus tôt, la Charte de l'ONU, signée à San Francisco le 26 juin 1945, proclamait dans son préambule la « foi dans les droits fondamentaux de l'homme, dans la dignité et la valeur de la personne humaine, dans l'égalité de droits des hommes et des femmes, ainsi que des nations, grandes et petites [et sa résolution à] créer les conditions nécessaires au maintien de la justice et du respect des obligations nées des traités et autres sources du droit international, [ainsi qu'à] favoriser le progrès social et instaurer de meilleures conditions de vie dans une liberté plus grande [...] ». **L**'universalité des droits de l'homme est encore rappelée à l'article 55, qui prône « [...] le respect universel et effectif des droits de l'homme et des libertés fondamentales pour tous, sans distinction de race, de sexe, de langue ou de religion ». Il faut évidemment se rappeler que seuls quelques États, essentiellement occidentaux, avaient signé la Charte. Les nombreux États devenus par la suite membres de l'ONU au gré des indépendances ou des soubresauts de l'histoire ont souvent continué à voir dans la *Déclaration universelle* un bréviaire des valeurs occidentales qu'un colonialisme moderne voudrait leur imposer. Il faut attendre plus de trois ans pour que l'Assemblée générale adopte la *Déclaration universelle des droits de l'homme*. Ce n'est que le 16 décembre 1966 qu'elle adopte et ouvre à la signature les deux instruments chargés de lui donner un contenu plus concret, de définir plus précisément les droits qu'elle contient et de mettre à la charge des États signataires l'obligation de les respecter et de les faire respecter : le pacte international relatif aux droits économiques, sociaux et culturels et le pacte international relatif aux droits civils et politiques (ils commenceront à s'appliquer seulement dix ans après leur adoption). Les deux pactes se fondent sur le droit de tous les peuples à disposer d'eux-mêmes, c'est-à-dire à la fois à déterminer librement leur statut politique (autodétermination) et à assurer librement leur développement économique, social et culturel (art. 1, commun aux deux pactes). C'est affirmer à la fois l'égalité des droits civils et politiques et des droits économiques, sociaux et culturels, et leur universalité, puisqu'ils concernent « tous les peuples ». C'est, en d'autres termes, dire qu'il n'y a pas de libertés individuelles lorsque les êtres humains vivent dans la misère et, à l'inverse, que l'acquisition des droits économiques et culturels ne peut se faire au détriment de la liberté. Le concept d'« universalité des droits de l'homme » recouvre donc cette double acception : tous les droits de l'homme pour tous les peuples, et même pour tous les individus. **Qu'en est-il des droits économiques, sociaux et culturels ?** Les droits économiques, sociaux et culturels sont-ils protégés de la même manière que les droits civils et politiques ? Sont-ils même réellement considérés comme de véritables droits de l'homme à caractère universel ? La réponse, en l'état actuel, reste négative. Lorsque sont adoptés les deux pactes, en 1966, la Guerre froide régit encore les relations internationales. L'attitude des États face aux deux catégories de droits de l'homme s'en ressent, et toutes les définitions données à l'époque à ces droits, souvent de façon un peu hâtive, souffrent d'un manichéisme quelque peu caricatural : il y aurait d'un côté les droits dits collectifs, d'application progressive, mieux garantis par les États communistes, et de l'autre les droits individuels, d'application immédiate, mieux assurés par les États capitalistes libéraux. Les premiers ne seraient pas « justiciables », c'est-à-dire que les tribunaux judiciaires ne pourraient garantir leur application, alors que les seconds relèveraient tout naturellement de la compétence des juges. Si ces simplifications sont aujourd'hui dépassées, l'approche de ces problèmes reste encore marquée par l'ancienne division, qui contredit le discours officiel concernant l'universalité, l'indivisibilité et la complémentarité. Dès le départ, le statut accordé aux deux pactes s'est ressenti de la prééminence de fait des droits civils et politiques. Pour veiller à l'application de ceux-ci, le pacte correspondant prévoit la création du Comité des droits de l'homme, doté d'un statut qui assure sa continuité ; un protocole facultatif est proposé à la signature des États pour permettre les recours individuels de ceux qui estiment avoir été victimes de violations de leurs droits. Rien de tel pour les droits économiques, sociaux et culturels : le pacte correspondant ne prévoit pas d'organisme indépendant de contrôle, aucun recours individuel ou collectif n'est rendu possible. Il faudra attendre 1985 pour que le Conseil économique et social de l'ONU (Ecosoc) décide de créer le Comité des droits économiques, sociaux et culturels, qui est loin d'être le pendant du Comité des droits de l'homme. Quant à la possibilité de présenter des recours devant le Comité, elle est restée à l'étude et très peu d'États sont apparus disposés à la promouvoir. **Universalisme ou particularismes ?** Qu'en est-il de l'engagement pris par les États parties aux deux pactes, en vertu de l'article 2 commun, de « garantir que les droits qui y sont énoncés seront exercés sans discrimination aucune fondée sur la race, la couleur, le sexe, la langue, la religion, l'opinion politique ou toute autre opinion, l'origine nationale ou sociale, la fortune, la naissance ou toute autre situation » » ? Les droits de l'homme sont violés partout dans le monde, à des degrés divers, à plus ou moins grande échelle, avec plus ou moins de cynisme. Mais, ce qui est sans doute plus inquiétant, c'est la revendication chaque jour moins voilée de « spécificités culturelles » qui dispenseraient des gouvernants de la respecter. Plusieurs pays d'Asie, de nombreux États musulmans et certains pays africains déclarent en effet dans les forums internationaux que les droits de l'homme ne sont pas compatibles avec leurs traditions ou qu'ils ne pourraient être respectés que très progressivement, en fonction de l'accession au développement. Le respect des droits de l'homme serait, selon une interprétation assez répandue, une sorte de luxe réservé aux démocraties occidentales. Les fondements idéologiques sur lesquels s'appuient ces réserves sont divers : religieux, sociaux, culturels ou simplement politiques. Il s'agit essentiellement de combattre le concept même de droits de l'homme considéré comme une valeur occidentale, inspirant une sorte de néocolonialisme plus ou moins déguisé qui viserait à l'uniformisation de l'idéologie, au détriment des valeurs ancestrales des civilisations non occidentales. Les notions d'égalité et de non-discrimination, qui sous-tendent tous les instruments universels adoptés depuis 1948, seraient donc des concepts « occidentaux ». C'est pourtant le combat de Nelson Mandela, de ses compagnons et de nombreux militants du monde entier qui a permis de mettre fin à la politique officielle d'apartheid en Afrique du Sud. Mais d'autres « valeurs » sont encore combattues au nom des « spécificités culturelles ». C'est ainsi que tous les régimes théocratiques ou fortement teintés de religion justifient l'infériorité des droits de la femme dans le couple, dans la famille, dans la société, dans l'accès à de nombreuses professions ou à des charges publiques ou religieuses. Cette inégalité des droits est-elle inéluctable ? Faut-il admettre les mutilations sexuelles pratiquées sur de très jeunes filles dans de nombreux pays d'Afrique au nom des « spécificités

culturelles », ou faut-il les combattre au nom des valeurs universelles et du droit de chacun à l'intégrité corporelle ? La lutte d'un nombre croissant de femmes africaines apporte un élément de réponse. **Un objet de monnayage économico-stratégique.** La question des droits de l'homme est éminemment politique. Les États membres de la Commission des droits de l'homme en sont arrivés à fonctionner en blocs géographiques soudés, dont le seul objectif semble être d'éviter toute condamnation d'un pays de la région, au prix de leur bienveillance face à des violations commises sous d'autres latitudes. Les droits de l'homme sont de plus en plus monnayés en fonction d'intérêts géopolitiques ou stratégiques. Faut-il conclure de ce rapide examen que l'universalité n'est que l'utopie entretenue par quelques militants coupés des réalités et qu'elle ne sera jamais réalisée ? Certainement pas, car ce serait faire peu de cas de toutes les avancées obtenues au cours de la seconde moitié de ce siècle : aucune violation des droits de l'homme ne peut plus se commettre à l'abri des regards de la communauté internationale et des dénonciations émanant de la société civile ; les droits de l'homme sont devenus un enjeu politique majeur qu'aucun État ne peut plus faire semblant d'ignorer. Malgré leurs imperfections, la Commission des droits de l'homme et les autres forums internationaux restent des lieux de combat, et parfois de victoire, pour tous les opprimés, les victimes, les torturés et les pauvres du monde entier. **P. T.**

DRUZES La minorité druze, schisme de l'islam chiite (xe siècle), compterait (en 2000) un million de personnes dans le monde, réparties au Proche-Orient, entre la Galilée, la Syrie et le Liban. Au Liban, où elle est estimée à 350 000 personnes, le système confessionnel lui assure une représentation parlementaire (6,5 % des sièges). Le Parti socialiste progressiste (PSP), fondé en 1949 par Kamal Joumblatt (1917-1977) – assassiné en 1977 et auquel succède son fils Walid –, devient progressivement le parti confessionnel druze. Il prend position aux côtés des Palestiniens durant la guerre civile libanaise (1975-1991), participant au camp alors autodéfini comme « progressiste ». L'affrontement entre druzes et chrétiens maronites, aux racines anciennes, culmine lors de la « guerre de la Montagne » (1983-1984) dans le Chouf, région mixte à dominante druze. Après la fin de la guerre, le PSP adhère à la politique d'union, sous égide syrienne. **L. V.**

DUBČEK Alexander (1921-1992)

Dirigeant communiste tchécoslovaque. Né à Uhrovec, Alexander Dubček a vécu de 1925 à 1938 avec sa famille en URSS. Il adhère en 1939 au parti communiste dans sa Slovaquie natale. Il participe à la résistance antinazie, puis fait une carrière rapide et devient en 1963 premier secrétaire du PC slovaque. Engagé contre le « centralisme pragois » symbolisé par le chef du Parti communiste tchécoslovaque (PCT) Antonín Novotny, il remplace celui-ci début janvier 1968 au poste de premier secrétaire du PCT. A. Dubček devient alors

le symbole du renouveau, du « socialisme à visage humain » (le printemps de Prague). Son honnêteté ne fait pas de doute, ses limites politiques (une certaine fidélité à Moscou) non plus. Très affecté par l'intervention des troupes du pacte de Varsovie d'août 1968, manipulé par les Soviétiques, il participe aux premiers pas de la « normalisation » en tant que premier secrétaire (remplacé par Gustáv Husák [1913-1991] en avril 1969), puis comme président de l'Assemblée fédérale. Exclu du PCT en 1970, devenu technicien des forêts par suite de son éviction de la scène politique, il s'engage peu dans la contestation. Après 1989 (et la révolution de Velours), il ne représente qu'un grand homme du passé, bien que promu président de l'Assemblée fédérale et du Parti social-démocrate slovaque. Il meurt des suites d'un accident de la route en se rendant de Bratislava à Prague en 1992. **K. B.** **> TCHÉCOSLOVAQUIE.**

E

EAC La Communauté d'Afrique de l'Est (ou East African Community), créée en 1967 et dissoute en 1977, a été relancée en 1994 sous le nom de Coopération est-africaine. Elle a pour objectif la coopération entre le Kénya, l'Ouganda et la Tanzanie.

EAU > ÉMIRATS ARABES UNIS.

ÉCOLOGIE POLITIQUE À Stockholm est réunie en 1972, à l'initiative de l'Organisation des Nations unies (<u>ONU</u>), une conférence internationale sur l'homme et son milieu. Aboutissement des inquiétudes et des interrogations de scientifiques et de fonctionnaires internationaux, originaires des pays les plus divers, celle-ci propose un plan de lutte contre les pollutions et pour une protection vigilante de la nature. Elle suggère en outre un plan d'action contre le sous-développement fondé sur un transfert significatif de ressources techniques et financières en faveur du tiers monde. Une nouvelle stratégie est proposée : l'*écodéveloppement,* fondé sur l'utilisation judicieuse des ressources humaines et naturelles à l'échelle locale et régionale. **En** parallèle à la conférence officielle, des milliers de jeunes se réunissent et lancent ce qui deviendra le premier grand mot d'ordre de l'écologisme : « Nous n'avons qu'une seule Terre ! » Jeunes issus des campus où a soufflé la révolte étudiante, représentants d'associations de défense de la nature ou d'ethnies écrasées par la colonisation, scientifiques critiques de la *big science,* tous témoignent des dangers d'un développement destructeur des plantes et des animaux, et surtout des humains. Au slogan « Une seule Terre ! » de la conférence officielle, ils ajoutent le non moins fondamental « Un seul peuple ! ». À Stockholm, l'écologie politique est née à l'échelle internationale. **L'émergence d'une conscience planétaire.** Les deux courants qui se sont affrontés à Stockholm, celui des experts et celui des citoyens, vont évoluer sur une ligne de front mouvante et complexe. D'une part, les réflexions sur les limites physiques de la croissance comme celles du Club de Rome (dans son rapport de 1972), politiques de protection de l'environnement par des mesures étatiques réglementaires, fiscales, s'appuyant sur une analyse technico-scientifique des seuils écologiques à risque. De l'autre, nouveaux mouvements sociaux, remettant radicalement en cause le cadre économique et social de l'industrialisation et s'inscrivant dans des démarches politiques d'ensemble pour aboutir, dans plusieurs pays, à la constitution de partis Verts ou écologistes. Né aux États-Unis, le débat sur les grands thèmes écologiques, qui avait traversé l'Atlantique au milieu des années 1960, se radicalise dans les mouvements européens. Nés en Amérique du Nord en 1969, les Amis de la Terre s'implantent au Royaume-uni puis en France, ainsi que dans la plupart des pays d'Europe du Nord pendant la décennie 1970. Dans les années 1980, certains militants de l'écologie choisissent de créer des partis se situant délibérément sur le terrain électoral, comme les Grünen en Allemagne et les Verts en France. **Le** constat est commun. Le développement du capitalisme mondial trouve ses fondements dans une exploitation sans précédent de la nature. Il aurait sans aucun doute été impossible sans la destruction massive de ressources naturelles, sols, espèces animales et végétales, sans l'installation de poisons dans les chaînes alimentaires pour des siècles, sans la consommation frénétique de combustibles fossiles, responsable de la modification globale de l'atmos-

phère et, peut-être, de changements climatiques globaux ; impossible sans infliger massivement aux humains l'entassement dans des villes de déraison, sans un total mépris de leur santé mentale et physique. D'une façon plus générale, comment expliquer que l'époque la plus florissante de production matérielle qu'ait connue l'humanité soit aussi celle qui connaisse la misère la plus extrême, celle des plus grandes et des plus injustes disparités des conditions d'existence ? Par quel paradoxe notre époque, celle des plus grands succès de la connaissance scientifique, est-elle aussi celle d'une déstabilisation sans précédent historique des conditions mêmes de la vie ? Les analyses divergent. **Repenser la civilisation.** D'un côté, l'expertise est bien souvent la caution des politiques étatiques et technocratiques. En ne soulignant que les risques encourus par la détérioration des conditions naturelles de l'accumulation du capital, elle ouvre le chemin à l'*ecobusiness*, elle prépare la modernisation écologique du capitalisme. Elle repose sur un postulat simpliste : les bases naturelles de la vie pourraient être entretenues artificiellement par une écoindustrie répondant à des critères de rentabilité identiques à ceux qui ont abouti à inonder nos sociétés d'un flot de marchandises éphémères. Il faudrait donc toujours plus de technique et de science pour résoudre les problèmes créés par la technoscience. Cette logique de la société marchande est-elle en mesure d'ouvrir les possibilités d'une gestion durable et équitable des ressources de la Planète ? C'est bien là l'objet d'une controverse centrale avec les mouvements écologiques. **D'**un autre côté en effet, ces derniers développent une argumentation forte s'appuyant sur un double constat. D'abord, plus des trois quarts de l'humanité vivent dans des conditions matérielles difficilement tolérables. Ensuite, ces conditions ne peuvent être changées en généralisant à la Planète la civilisation de gaspillage qui a triomphé de longue date dans les pays industrialisés. Les limites des ressources planétaires et des techniques disponibles l'interdisent. L'*american way of life*, fondée sur le gaspillage des ressources communes de l'humanité, ne peut être partagée que par les minorités dominantes des pays dominés. Sa généralisation aboutirait à une sorte de suicide collectif pour l'humanité. **D**ans ses formes les plus avancées, la conscience écologique est donc passée du constat de la crise à l'affirmation de la nécessité d'un véritable changement de civilisation, d'un nouveau projet universaliste respectueux tout à la fois de l'unicité du genre humain et de la diversité de ses cultures, dont l'avenir est indissociable de celui de la biosphère. L'écologie devenue politique s'efforce de penser, en des termes neufs, non seulement notre appartenance à la nature, mais encore les rapports sociaux injustes et les régulations politiques archaïques qui pèsent sur les humains. En bref, de penser l'alliance avec la nature, le contrat social, la souveraineté politique et au-delà le système de valeurs qui surplombe l'ensemble des régulations sociales et garantissent leur stabilité. **En** refusant de confier le destin commun de la Planète aux seuls savants et experts, l'écologie politique renouvelle radicalement le principe de la citoyenneté. Citoyenneté de proximité bien sûr, comme forme privilégiée d'intervention sur le monde vécu de chaque collectivité, mais plus encore citoyenneté planétaire, seule en mesure d'instaurer une gouvernabilité de la Terre mise à l'ordre du jour par la conférence de Rio en juin 1992.
J.-P. D.

ÉCONOMIE SOCIALE DE MARCHÉ

Inspirée de la doctrine sociale de l'Église, l'expression « économie sociale de marché » *(soziale Marktwirtschaft)* est employée pour la première fois en 1946 en République fédérale d'Allemagne pour désigner le système socio-économique allemand, fondé sur le rejet du collectivisme et du capitalisme débridé, l'attachement à un certain humanisme et l'importance des principes de solidarité et de subsidiarité. **C**e dernier principe, caractéristique majeure du modèle, a conduit à une nette séparation des pouvoirs dans l'État fédéral d'après-guerre. L'État fournit et garantit les règles contractuelles permettant un fonctionnement harmonieux des processus économiques dans une logique de libre entreprise. Il doit donc intervenir lorsque les mécanismes de marché sont pris en défaut. Le libéralisme allemand est néanmoins tempéré par l'importance des subventions fédérales versées aux entreprises. Le système socio-économique allemand repose également sur l'existence et le fonctionnement autonome d'une multiplicité de corps intermédiaires entre l'État et le citoyen ou l'entreprise (syndicats, comités, fondations et différentes fédérations socioprofessionnelles), associés à la production du consensus. Ce système permet non seulement un partage des compétences entre l'État et les entreprises, mais aussi entre l'État et les partenaires sociaux, qui sont souverains en matière de conventions collectives *(Tarifautonomie)*. L'unification allemande, à partir de 1989, a constitué un sérieux défi pour l'économie sociale de marché. L'État a impulsé une stratégie souple et décentralisée dans l'ex-RDA (République démocratique allemande), où les structures et la faiblesse économiques rendaient la greffe difficile. **> ALLEMAGNE.**

ÉCOSSE Le royaume d'Écosse, en Grande-Bretagne, prend forme au IXᵉ siècle. Au fond celtique de la population s'ajoute au Moyen Âge une importante immigration venue d'Angleterre. Ainsi se forme la nation écossaise, renforcée par sa constante résistance à l'Angleterre, qui tente en vain de la conquérir. La réunion de l'Écosse à l'Angleterre s'opère en deux temps. En 1603, le roi d'Écosse Jacques VI devient, par succession, le roi d'Angleterre Jacques Iᵉʳ. Les deux royaumes demeurent distincts jusqu'à l'Acte d'union de 1707 qui supprime le Parlement d'Édimbourg et donne aux Écossais une représentation au Parlement de Londres. L'Écosse conserve néanmoins des institutions propres : son Église (presbytérienne), son droit, son système d'enseignement... Les Écossais contribuent activement à la révolution industrielle et à l'épopée de l'Empire britannique (notamment aux Indes). Le particularisme écossais survit néanmoins : à partir de 1885, un membre du gouvernement britannique se consacre aux affaires écossaises. En 1939 est institué, à Édimbourg, le Scottish Office, administration distincte. Le Parti nationaliste écossais réussit une percée électorale dans les années 1970. Le projet d'autonomie soumis à référendum en 1979 ne recueille cependant pas la majorité requise. En revanche, celui présenté par Tony Blair en 1997 recueille près des trois quarts des voix, ce qui conduit à la restauration d'un Parlement à Édimbourg. Les nationalistes écossais réclament une autonomie complète, tout en la situant résolument dans le cadre de l'Union européenne. **J. S.** **> ROYAUME-UNI.**

EDEN Anthony (1897-1977) Homme politique britannique, ministre des Affaires étrangères (1935-1938 ; 1940-1945 ; 1951-1955), Premier ministre (1955-1957). Né en 1897, député conservateur en 1923, sa carrière de brillant homme d'État se dessine après 1931, avec plusieurs postes importants : Anthony Eden est ministre des Affaires de la SDN (Société des Nations) en 1935 et prend la même année la tête du Foreign Office. Homme de conviction, il démissionne en février 1938 pour protester contre le rapprochement anglo-italien après la guerre d'Abyssinie (1935-1936) et s'oppose aux accords de Munich. Revenu au gouvernement en septembre 1939, d'abord comme secrétaire d'État aux dominions, puis dans le cabinet de guerre de Winston Churchill, il devient son ministre des Affaires étrangères. Après 1945, A. Eden fonde, en total accord avec Churchill, sa politique étrangère sur la théorie des « trois cercles » : le Royaume-Uni serait au centre de trois cercles, celui du Commonwealth, l'américain et l'européen, les deux premiers primant sur le dernier, selon lui. À nouveau au Foreign Office en octobre 1951, il est coprésident de la conférence de Genève de 1954. Après l'échec de la CED (Communauté européenne de défense), il trouve la formule de compromis de l'Union de l'Europe occidentale (UEO). A. Eden est le successeur tout désigné de W. Churchill. Sa roche Tarpéienne est la crise de Suez de 1956, où ses souvenirs antimunichois l'engagent dans une campagne désastreuse contre l'Égypte de Gamal Abdel Nasser, et l'amènent en janvier 1957 à démissionner pour « raisons de santé ». Il survivra plus de vingt ans encore, promu comte d'Avon en 1961. **R. Ma.** **> ROYAUME-UNI.**

EEE L'Espace économique européen (EEE, EEA – European Economic Area) créé par le traité de Porto (1992) est entré en vigueur le 1er janvier 1994. Il associait à la mi-2000 les quinze membres de l'UE (Union européenne) et trois des quatre pays de l'AELE, l'Islande, le Liechtenstein et la Norvège, à l'exception de la Suisse.

ÉGLISE CATHOLIQUE (Espagne)

À l'aube du xxe siècle, l'Église joue un rôle éminent dans la société espagnole. Son influence est prépondérante dans le système éducatif. Son appui à la monarchie et à l'ordre social établi la fait apparaître comme une force conservatrice, qui suscite de violentes explosions anticléricales, lesquelles prennent un tour tragique en zone républicaine (à l'exception du Pays basque) au début de la Guerre civile (1936-1939). L'Église appuie alors ouvertement le mouvement nationaliste. La lettre collective des évêques qui, en juillet 1937, prend résolument parti pour l'insurrection franquiste, contribue à lui donner le sens d'une « croisade ». Le ralliement de l'Église au régime franquiste (le catholicisme est défini comme religion d'État par le concordat de 1953) va pourtant évoluer au fil des années. Les mouvements d'apostolat laïc paraissent suspects au franquisme. Après le concile de Vatican II, l'Église espagnole entreprend son *aggiornamento* et joue un rôle positif dans la « transition » démocratique. La Constitution de 1978 consacrera la déconfessionnalisation de l'État. **É. T.** **> ESPAGNE, OPUS DEI.**

ÉGLISE CATHOLIQUE (Italie)

L'unité italienne enlève au pape les deux tiers de ses États en 1860 et Rome en 1870. Le Vatican condamne l'État spoliateur et interdit aux fidèles de se mêler de politique nationale. Ce veto, écorné en 1904 contre le Parti socialiste italien (PSI) et en 1913 quand le pacte Gentiloni (chef de l'Union électorale catholique) fixe les conditions de soutien aux modérés (sur l'école, le mariage, etc.), est levé en 1919. Est créé le Parti populaire italien (PPI), ancêtre de la Démocratie chrétienne (DC). Mais entre le rejet du libéralisme et la peur de la révolution, le Vatican accepte

le fascisme, qui le ménage. En 1929, le pacte du Latran, scelle un concordat entre Église et État. Pie XI qualifie Mussolini d'« homme de la Providence », mais défend le rôle de l'Église dans la formation des jeunes en 1931 et blâme le racisme en 1938. Avec la guerre, fin 1942, Pie XII évoque une forme de démocratie, puis appuie la DC. Si des prélats préfèrent un Franco, la Guerre froide les rallie à la démocratie occidentale. L'Église promeut même la liberté féminine, face aux maris de gauche, et excommunie, en 1949, le Parti communiste (PCI) et ses alliés. Puis, la DC s'autonomise, Jean XXIII veut en 1960 un « Tibre plus large » séparant le Vatican et les ministères. L'Église intervient encore, mais sa volonté d'interdire par référendum le divorce et l'avortement en 1974 et 1981 échoue face à un pays désormais laïcisé. L'internationalisation de la Curie et le choix d'un pape polonais en 1978 l'éloignent de la politique locale. Son poids reste fort avec 19 % d'adultes pratiquants réguliers en 1990 à Milan, 15 % à Rome ou Naples. **É. V.** **> DÉMOCRATIE CHRÉTIENNE (ITALIE), ITALIE.**

ÉGYPTE **R**épublique arabe d'Égypte. Capitale : Le Caire. Superficie : 1 001 449 km^2. Population : 67 226 000 (1999). À compter de 1882, les forces militaires de l'Empire britannique occupent l'Égypte pour protéger les intérêts commerciaux et stratégiques de ce dernier dans la zone du canal de Suez. Le protectorat britannique est officiellement proclamé en 1914. Aux lendemains de la Première Guerre mondiale, Saad Zaghloul (1860-1927) et sa « délégation » (Wafd) animent la lutte nationale et revendiquent l'indépendance du pays (révolution de 1919). En 1922, le pouvoir britannique renonce au protectorat. Une monarchie constitutionnelle est promulguée en 1923. Ce n'est qu'en 1936 que l'indépendance est effective, alors que le Soudan – condominium anglo-égyptien depuis 1821 –, reste sous souveraineté britannique jusqu'en 1956. L'indépendance égyptienne est néanmoins soumise à une condition majeure : le maintien de l'armée britannique dans la zone du canal. Pendant la Seconde Guerre mondiale, cette dernière prend le contrôle de l'ensemble du territoire égyptien. **La** fin du conflit provoque une importante crise économique. Les conditions de vie de la population égyptienne sont difficiles. Les gouvernements se succèdent. Le parti Wafd est évincé du pouvoir et Farouk Ier (1920-1965), roi d'Égypte (1936-1952), est vivement critiqué pour son train de vie luxueux et ostentatoire. **Du Mouvement des officiers libres au nassérisme.** La défaite de la coalition arabe en Palestine (1948, première <u>guerre israélo-arabe</u>) est vécue par les Égyptiens comme une trahison de la part de leurs gouvernants. De ce ressentiment naît le Mouvement des officiers libres, instigateur du coup d'État du 23 juillet 1952. Le roi abdique et la république est proclamée, avec, à sa tête, le général Mohammed Neguib (1901-1984). Celui-ci est évincé en 1954 par Gamal Abdel <u>Nasser</u>, lequel interdit tous les partis politiques et instaure un régime se réclamant du socialisme. Les nationalisations, les réformes agraires (1952-1961), l'industrialisation du pays, l'alphabétisation, le contrôle des naissances et l'amélioration des conditions sanitaires sont les priorités du nouveau régime. **A**fin de financer la construction du barrage d'Assouan, Nasser décide en juillet 1956 de nationaliser la compagnie du canal de Suez, gérée depuis un siècle par les Britanniques. Cette mesure suscite une attaque conjointe britannique, française et israélienne. Les États-Unis et l'URSS interviennent et contraignent les forces franco-britanniques à se retirer définitivement du territoire égyptien. La crise de <u>Suez</u> consacre l'indépendance nationale de l'Égypte après soixante-dix ans d'occupation étrangère. **N**asser, figure marquante du <u>tiers monde</u>, va jouer un rôle majeur dans le mouvement des pays <u>non alignés</u>. Porte-parole du nationalisme arabe (<u>arabisme</u>, dont le <u>nassérisme</u> est une forme), l'Égypte crée avec la Syrie l'éphémère République arabe unie (<u>RAU</u>, 1958-1961). La défaite de la guerre des Six Jours (1967) porte un coup sans précédent au régime nassérien et au monde arabe, et place sous occupation israélienne la bande de <u>Gaza</u> et le <u>Sinaï</u>. Nasser meurt en 1970, laissant un pays accablé par la défaite. Militants <u>islamistes</u> des <u>Frères</u>

<u>musulmans</u> et communistes sont en prison, tandis que les nationalisations et les réformes agraires ont entraîné le départ de la plupart des institutions financières internationales. **Sadate, promoteur de l'« infitah ».** Anouar al-<u>Sadate</u>, vice-président et compagnon d'armes de Nasser, prend la direction du pays et s'engage dans des voies politiques et économiques radicalement opposées à celle de son prédécesseur. Une nouvelle Constitution est promulguée, renforçant les pouvoirs du président de la République. Dans l'immédiat, il s'agit de reconquérir les territoires occupés par Israël. L'attaque égyptienne du 6 octobre 1973 crée la surprise. Cette quatrième guerre israélo-arabe pèsera dans la signature des accords de paix de <u>Camp David</u> en 1979. L'Égypte est le premier pays arabe à s'engager dans un processus de normalisation de ses relations avec le voisin israélien, ce qui lui vaut d'être exclu de la <u>Ligue arabe</u>. Elle devient, avec Israël, le partenaire régional privilégié des États-Unis, bénéficiant chaque année de l'aide américaine, pour la moitié militaire. **S**adate prône l'ouverture économique (*infitah*) et favorise les investissements privés étrangers ainsi que l'ancienne bourgeoisie libérale. Le multipartisme est intauré en 1977. Écartelé entre, d'une part, une stratégie de normalisation des relations avec Israël et de rapprochement avec les États-Unis et, d'autre part, une volonté de démocratisation contrôlée en jouant la carte de l'islam afin de contrer les communistes et les nassériens, il est assassiné le 6 octobre 1981 par des membre de l'organisation islamiste radicale Al-Jihad. **H**osni Moubarak (1928-), vice-président, s'installe à la tête de l'État, comme le prévoit la Constitution. Ses choix politiques traduisent très rapidement une volonté de combiner les héritages – avec les contradictions qui en découlent – de ses deux prédécesseurs. D'emblée, il réaffirme l'adhésion de l'Égypte aux accords de Camp David – le Sinaï est rétrocédé à l'Égypte en 1982 – et relance les relations avec l'Union soviétique. Le pays est réintégré au sein de la communauté arabe, tout en maintenant sa politique de normalisation avec Israël. Le siège de la Ligue arabe revient au Caire en 1990. Durant la seconde <u>guerre</u>

du Golfe (1991), l'Égypte s'engage aux côtés de la coalition dirigée par les États-Unis. Elle va bénéficier d'une réduction de moitié de sa dette extérieure. Le gouvernement signe de nouveaux accords avec le FMI et s'engage dans un programme d'ajustement structurel et de privatisations (1991). **Une démocratisation politique sous contrôle.** En politique intérieure, H. Moubarak poursuit le processus de démocratisation contrôlée engagé par son prédécesseur. Les années 1980 sont marquées par l'activisme des groupes islamistes radicaux, tandis que les Frères musulmans occupent de plus en plus le devant de la scène politique. À partir de 1992, des attentats à l'encontre de touristes étrangers, de coptes, de représentants du pouvoir et d'intellectuels laïcs inaugurent une phase de confrontation violente entre l'État et les groupes islamistes radicaux (près de 1 370 victimes et des milliers d'arrestations entre 1992 et 1999). Le 17 novembre 1997, un attentat à Louxor (62 morts, dont 58 étrangers) crée un choc sans précédent. Les leaders islamistes, pour la plupart emprisonnés, annoncent un cessez-le-feu en mars 1998, tandis que le gouvernement module sa politique de répression. **Médiateur** régional incontournable dans le processus de paix, l'Égypte bénéficie de la bienveillance des bailleurs de fonds internationaux du fait des réformes économiques libérales qu'elle a menées. Les fortes inégalités sociales n'en persistent pas moins dans une population dont 58 % avait moins de quinze ans en l'an 2000. Le défi majeur pour le gouvernement apparaissait être la conciliation des choix économiques avec les revendications croissantes d'une population ayant grandi et mûri à l'aune du libéralisme et d'une société de consommation en pleine expansion. **S. G.**

ELTSINE Boris Nicolaïevitch (1931-)

Dirigeant communiste soviétique, puis président de la Fédération de Russie (1991-1999). Ingénieur de formation, Boris Eltsine, originaire de la région de Sverdlovsk, monte rapidement les échelons dans l'appareil du PCUS (Parti communiste de l'Union soviétique). En 1985, il accède à la direction de l'organisation de Moscou. Chassé de son

poste en 1987 par le chef du Parti Mikhaïl Gorbatchev, il devient une figure de proue du mouvement démocratique au sein du Congrès des députés élu en 1989. Élu président du Soviet Suprême (parlement) de la Russie en mai 1990, il est l'un des artisans de la déclaration de souveraineté de cette dernière (juin 1990). B. Eltsine, qui démissionne bruyamment du PCUS en juillet 1990, s'oppose désormais frontalement à M. Gorbatchev, dont il réclame la démission en février 1991. Élu le 12 juin 1991 président de la Fédération de Russie par plus de 57 % des suffrages exprimés, B. Eltsine s'inscrit dorénavant dans une stratégie de rupture avec le projet de renouveau de l'Union de M. Gorbatchev, incarnant une « Russie démocratique » et tenant tête au « totalitarisme soviétique ». L'échec de la tentative de putsch d'août 1991 propulse le président russe sur le devant de la scène soviétique et mondiale. En décembre 1991, M. Gorbatchev est contraint de s'effacer. L'URSS disparaît. **B.** Eltsine, qui proclamait son souci de « justice sociale », s'affichant « profondément étranger » au passé de l'URSS, préside à des changements qui modifient en profondeur le visage de la Russie. Les réformes économiques entreprises début 1992 plongent une partie importante de la population dans la pauvreté ; la nouvelle Russie, bien qu'affaiblie, ne renie plus son passé impérial russe et soviétique. À l'automne 1993, la crise qui couvait entre le Parlement et la Présidence débouche sur une épreuve de force. Le 21 septembre, le président, fort de l'appui que lui ont apporté les électeurs lors du référendum du 26 mars, dissout le Parlement, en violation des lois de la Constitution. Le 4 octobre, l'armée s'empare de la Maison-Blanche après un siège sanglant. Deux mois plus tard, dans le cadre de la nouvelle Constitution, les Russes accordent au président des pouvoirs élargis. En 1994, ce dernier donne le « feu vert » à la première guerre de Tchétchénie. **C**elui qui galvanisait la foule des Moscovites lors de la tentative de putsch d'août 1991 a laissé la place à un homme malade, prématurément usé. Imprévisible, souvent fantasque, il subit fortement l'influence de son entourage, la « famille » omniprésente, et des amis qui se recrutent au sein de l'oligarchie. Le 3 juillet 1996, le président est réélu à l'issue d'une campagne électorale orchestrée par des médias largement contrôlés par les oligarques. Cible de nombreuses accusations au travers des agissements de la « famille », d'une santé apparemment dégradée, il démissionne le 31 décembre 1999 au bénéfice de son Premier ministre Vladimir Poutine (1952-). **C. U.** ➤ RUSSIE ET URSS.

ÉMIRATS ARABES UNIS Capitale : Abu Dhabi. Superficie : 83 600 km². Population : 2 398 000 (1999). À l'orée du XXᵉ siècle, les émirats de la « Côte de la Trêve », ancienne « Côte des Pirates », vivent du ramassage des huîtres perlières, de la traite des esclaves et du commerce avec l'Iran. Vers 1930, la découverte du pétrole fournit une alternative économique à la pêche aux perles, mise à mal par la concurrence des perles de culture japonaises, et bouleverse la hiérarchie traditionnelle de la région. Les Al Qasimi, à Ras al-Khaimah et Sharjah, sont supplantés par les Al Nahayan, originaires de l'oasis de Liwa, qui consacrent une partie des ressources de leur pétrole à l'édification d'une capitale moderne sur la côte, Abu Dhabi, et par les Al Maktoum, qui œuvrent à faire de Dubaï le centre économique de la région. Le retrait des Britanniques du Golfe, fin 1971, pousse Abu Dhabi, Dubaï, Sharjah, Fujairah, Ajman et Umm al-Qaiwain, bientôt rejoints par Ras al-Khaimah (en 1972), à constituer la Fédération des émirats arabes unis (ÉAU). Celle-ci laisse à chaque entité une large marge d'autonomie et fonde sa cohésion sur la redistribution d'une partie des ressources. Elle vise à réunir des cités-États de poids modeste que menacent les ambitions de voisins puissants et hégémoniques, l'Arabie saoudite et l'Iran. L'émirat le plus riche, Abu Dhabi, devient la capitale et le siège du Conseil national fédéral. Son souverain, Cheikh Zayed ben Sultan al-Nahayan, qui a écarté son frère Chakhbout en 1966, est élu – et sans cesse réélu par la suite – président de la nouvelle entité par ses pairs du Conseil suprême fédéral. La Fédération redoute l'Arabie saoudite, dont les revendications territoriales, sur l'oasis de Buraïmi (au sud)

jadis, sur la crique de Khor al-Udaïd (au nord) plus tard, l'inquiètent. Elle a avec l'Iran des rapports ambigus : tandis qu'Abu Dhabi réclame la restitution des îles d'Abu Mussa et des Grande et Petite Tomb, occupées par le chah à la veille de l'indépendance de la Fédération, Dubaï, pour sa part, entretient avec Téhéran des relations économiques fructueuses. **I. L.**

EMPIRE Du latin *imperium*. Le terme « empire » peut avoir deux sens politiques. Il désigne d'une part un régime monarchique dirigé par un empereur et correspondant à un État ou à un ensemble d'États. C'est le cas, au début du XXᵉ siècle, de l'Empire allemand (IIᵉ Reich), de l'Empire austro-hongrois ou de l'Empire ottoman. Généralement, une (ou plusieurs) nation(s) est (sont) dominante(s) – Prussiens, Autrichiens et Magyars, Turcs dans les trois cas cités. Le terme désigne d'autre part des ensembles de territoires non souverains, résultant de conquêtes impérialistes et soumis à un même État. C'est le cas des empires coloniaux d'outre-mer comme l'Empire britannique ou l'Empire français. Certains de ces empires présentent toutefois la particularité d'être continentaux (cas de l'Empire russe). Au début du XXᵉ siècle, le monde était couvert d'empires. La Grande Guerre, les décolonisations, puis l'implosion de l'URSS ont abouti à la multiplication des États-nations, mais aussi à celle des minorités nationales. **S. C.** ➤ COLONISATION, RÉGIMES POLITIQUES.

EMPIRE ALLEMAND La formule « empire allemand » a désigné, au cours du XXᵉ siècle, à la fois l'Allemagne proprement dite [pour ce qui concerne le IIᵉ Reich (1867-1918) et le IIIᵉ Reich (1933-1945)] et l'empire colonial allemand.

EMPIRE AMÉRICAIN Lorsque débute le XXᵉ siècle, les États-Unis possèdent un empire colonial. Il résulte de leur victoire dans la guerre hispano-américaine de 1898. Ce conflit, mené simultanément aux Philippines et à Cuba, fait perdre à l'Espagne, outre ces deux territoires, Porto Rico et Guam. Pour s'assurer de bases navales dans le Pacifique, l'archipel de Hawaii est annexé. Cuba deviendra protectorat américain. Au cours du XXe siècle, les États-Unis n'éprouveront cependant pas le besoin de développer un véritable empire, ayant d'autres moyens de se déployer comme puissance mondiale. **> ÉTATS-UNIS.**

EMPIRE AUSTRO-HONGROIS. La fin de l'empire d'Autriche-Hongrie, en 1918, a souvent été déplorée, au vu des conflits qui ont ensuite éclaté dans la région entre les États successeurs et les minorités. Mais il est abusif d'affirmer que cet État a été brisé de l'extérieur, alors qu'il était d'une grande solidité intérieure. Inversement, prétendre qu'il a été abattu par un irrésistible mouvement de libération des peuples relève du mythe. La Double Monarchie – l'empire d'Autriche et le royaume de Hongrie – était un système dualiste existant depuis 1867. Les Habsbourg avaient été contraints au compromis par la défaite devant la Prusse à Sadowa (1866) et avaient dû céder devant les revendications du mouvement national hongrois. L'empire comprenait une partie hongroise, la Transleithanie, et une partie autrichienne, la Cisleithanie. Sa légitimité était en réalité mixte. L'empereur d'Autriche (1848-1916) et roi de Hongrie (1867-1916) François-Joseph (1830-1916) bénéficiait d'une légitimité verticale de type religieux, mais le compromis de 1867 signifiait que le consentement d'un des peuples de l'empire était nécessaire : cette seconde légitimité était horizontale, de type national ou démocratique. Pourquoi refuser aux autres peuples ce principe du consentement reconnu aux Hongrois ? **Un consentement obligé au principe des nationalités.** C'est ce que François-Ferdinand (1863-1914), héritier assassiné à Sarajevo le 28 juin 1914, avait compris. Il envisageait d'instituer le « trialisme », associant les peuples slaves à ce mécanisme. Mais les Hongrois s'opposaient à ces perspectives de partage du pouvoir politique. Le processus de destruction de l'empire était ainsi contenu dans le compromis de 1867 et l'intitulé même d'« austro-hongrois » manifestait le consentement contraint au principe des nationalités, c'est-à-dire la fin du principe dynastique et supra-national. La Grande Guerre a certes accéléré la chute. Pourtant, elle avait été voulue par l'empire, et notamment par son ministre hongrois des Affaires étrangères, pour empêcher les mouvements nationaux de gagner en influence. Il est vrai que des tentatives de mettre fin au conflit ont été menées, à partir de 1916, par le successeur de François-Joseph, l'empereur Charles (1887-1922), mais elles se sont heurtées à l'intransigeance de Georges Clemenceau, qui misait sur les exilés comme le Tchèque Tomáš Masaryk pour démembrer l'empire en cas de succès allié. Il n'y a pas eu de désertions massives parmi les peuples de la Double Monarchie et seuls des prisonniers ont eu le geste de rejoindre des armées alliées, comme la Légion tchèque sur le front russe, ou certains Croates sur le front de Salonique. Les mouvements politiques, dont l'influence avait été établie par des élections, sont restés fidèles à l'empire jusqu'à l'automne 1918. Ainsi, le Comité des Serbes, Slovènes et Croates de Zagreb regroupant les députés de ces peuples à Vienne n'a fait appel aux Alliés qu'une fois la défaite autrichienne certaine, pour éviter de favoriser, notamment, les ambitions italiennes trop affirmées. La déclaration de Corfou (juillet 1917), conclue entre les leaders croates de Dalmatie Ivan Trumbic (1864-1938) et Frano Supilo (1864-1917) et le gouvernement serbe en exil, souvent mise en avant, ne reflétait certainement pas l'opinion des Croates de Slavonie et de Zagreb, majoritaires. Certes, les Tchèques étaient les plus désireux de fonder une république indépendante, mais la Slovaquie paysanne n'a manifesté aucune dissidence particulière, même si le poids de l'emprise hongroise dans le domaine de la langue devenait pesant, comme en Croatie. **La question des minorités.** Les nouveaux États créés sur les décombres de l'empire sont tous, à l'exception de la Hongrie et de l'Autriche vaincues, fort composites. La Tchécoslovaquie compte plus d'un tiers de population non tchèque (Allemands des Sudètes, Slovaques, Ruthènes) et le nouveau royaume des Serbes, Croates et Slovènes (qui donnera naissance à la première Yougoslavie en 1929) comprend une minorité serbe (entre 36 % et 43 % selon les recensements). Au surplus, ces nouveaux États ont adopté des Constitutions de type unitaire, contraires à la tradition d'union personnelle existant dans l'empire des Habsbourg. La Hongrie a estimé être privée, par le traité de Trianon, de la moitié de son territoire et de sa population, dispersée entre la Roumanie (Transylvanie, une partie du Banat...), la Tchécoslovaquie (Slovaquie, Ruthénie subcarpatique) et le royaume yougoslave (Voïvodine). Le quiproquo le plus grave se produit à Belgrade, où la Constitution de Vidovdan (28 juin 1921) propose un royaume unitaire aux Croates alors que ceux-ci, depuis 1102, sont habitués à une forme de fédéralisme dans un cadre d'union personnelle, où leur Diète (Sabor) et leur vice-roi *(ban)* maintenaient la continuité juridique de leur État. Ils ont perçu la Constitution comme une suppression de celui-ci, situation qui a perduré jusqu'en 1939. Ce divorce initial n'a jamais été surmonté. D'une manière plus générale, nombre de problèmes géopolitiques dans l'Europe médiane du xxᵉ siècle ont eu leurs racines dans les problèmes de minorités engendrés par la fin de la Double Monarchie – et celle, parallèle, de l'Empire ottoman. **J. K.**

EMPIRE BELGE   **A**u moment du partage de l'Afrique entre les puissances européennes lors de la conférence de Berlin en 1885, la Belgique, petit pays européen, ne semblait pas en mesure de conquérir un pays vaste et stratégique comme celui qui deviendra le Congo-Kinshasa. Elle se verra de plus confier, au début du xxᵉ siècle, deux autres territoires, le Ruanda et l'Urundi (actuels Rwanda et Burundi). Au départ, c'est l'action de son roi, Léopold II (1865-1909), qui paraît déterminante.   **À** la conférence de Berlin, Léopold II obtient le Congo comme propriété individuelle, à charge pour lui de créer un État assumant la liberté du commerce de transit pour les autres pays signataires de l'acte général. Il est même envisagé un droit de préemption au profit de la France en cas de faillite. En 1908, le roi cède le Congo à la Belgique. La modernisation de l'exploitation économique est engagée avec la création de grandes entreprises minières et agricoles. Pendant la Grande

Guerre, la présence de la Belgique aux côtés des Alliés amène la colonie à apporter son concours économique et militaire à la lutte contre l'Allemagne. La défaite de celle-ci lui fait perdre ses colonies, dont le territoire alors appelé « Ruanda-Urundi » qui est confié sous mandat à la Belgique par la Société des Nations (SDN). Le rattachement administratif au Congo belge n'interviendra qu'en 1925.   **Politique « ethnique » et ségrégation sociale.** Les trois territoires dépendent du ministère des colonies à Bruxelles. Un gouverneur général est installé à Léopoldville (actuelle Kinshasa) pour le Congo et un vice-gouverneur pour le Ruanda-Urundi réside à Bujumbura. Ces deux dernières entités territoriales ont pour traits communs une même composition ethnique, un dynamisme démographique comparable sur un territoire exigu (respectivement 26 338 km² et 27 834 km²) et un manque de ressources naturelles. La Belgique organise des implantations de leurs populations dans sa colonie voisine, vaste (2 345 000 km²), riche et peu peuplée. Au Congo, elle recourt à une politique d'administration à la fois directe et indirecte, renforçant le pouvoir de certains chefs locaux, même dépourvus de légitimité. Au Ruanda-Urundi, la gestion est plus indirecte, tendant à impliquer les royautés (clans Nyiginya et Nganwa) qu'elle aide même à étendre leur pouvoir sur des régions qu'elles contrôlent encore mal, comme au nord du Ruanda. Cela favorise la minorité tutsi aux dépens de la majorité hutu, contrairement au Congo où souvent la chefferie regroupe plusieurs communautés, ce qui exige ou nécessite de doser l'octroi des privilèges.   **Les** « indigènes » des trois territoires ont un statut de sujet belge placé au plus bas de la hiérarchie sociale. Celle-ci distingue « au-dessus » les Blancs, au milieu les « sang mêlé » ou mulâtres et, au bas de l'échelle, les Noirs, avec des spécifications pour chaque cas. Au Congo, les « évolués » (les intellectuels) sont les mieux considérés ; au Ruanda-Urundi, c'est plutôt le cas de la classe dirigeante minoritaire. Les Noirs n'auront pas accès à la propriété individuelle avant 1953. « Colour bar », la politique de séparation raciale, a pour soubassement la thèse de la supériorité de la civilisation (occidentale) sur la barbarie (la culture africaine). Cette séparation n'est pas théorisée sous une forme très élaborée, comme en Afrique du Sud, mais elle est tout pratiquée : au niveau de l'emploi et des salaires, des écoles, dans les églises, les résidences... **Décolonisations bâclées.** La Belgique est poussée au cours des années 1950 à engager de faibles réformes, puis à concéder l'indépendance aux trois pays sans aucune préparation. Celle du Congo intervient le 30 juin 1960 et le pays sombre quelques jours plus tard dans l'anarchie et les guerres. Pour le Ruanda, l'organisation d'un référendum en 1958 aboutit au remplacement de la monarchie par une république ; les violences s'exacerbent, ce qui conduit une grande partie des Tutsi à s'exiler dans les pays voisins. Le Ruanda et le Burundi accèdent à l'indépendance le 1er juillet 1962. Grégoire Kayibanda, Hutu du Sud, devient le premier président du Ruanda (1962-1973), le Burundi ayant conservé la monarchie tutsi jusqu'au coup d'État de Michel Michombero (1966-1977) en 1966. Ensuite, malgré des périodes de stabilité, les trois pays ont connu de violentes crises liées au contrôle du pouvoir. Les décolonisations manquées leur auront, il est vrai, donné un mauvais départ. **J. O.** ▶ BELGIQUE, BURUNDI, COLONISATION, CONGO-KINSHASA, DÉCOLONISATION, RWANDA.

EMPIRE BRITANNIQUE Entre le XVIe siècle et le début du XXe, l'Angleterre a étendu sa domination sur le quart des terres émergées. Amorcée sous le règne d'Élisabeth Ire (1558-1603), la conquête coloniale d'abord concerné le continent nord-américain et les Caraïbes des îles à sucre. La perte des treize colonies américaines en 1783 a sonné la fin d'un premier empire. La côte ouest de l'Afrique a fourni jusqu'à l'interdiction de la traite des Noirs, en 1807, un « bois d'ébène » destiné surtout aux deux Amériques. Dès 1763, l'Inde, sous l'égide jusqu'en 1857 de la Compagnie des Indes orientales, tend à être considérée comme une « perle » autour de laquelle s'organise « empiriquement » un système territorial fait, de la Méditerranée à l'Afrique,

d'un ensemble de bases et de comptoirs. La mainmise sur l'Égypte, à partir des années 1880, détermine les grands axes de la curée africaine, à la recherche d'une continuité du Cap au Caire. Les mappemondes, dès l'époque victorienne, se teintèrent résolument de rouge, couleur des possessions britanniques. À la fin de la Grande Guerre, l'obtention de mandats au Proche-Orient et au Moyen-Orient (en Irak, en Palestine et en Transjordanie) parachèvera un ensemble alors fait de 33 millions de kilomètres carrés, sur lequel « le soleil ne se couche jamais ». **Une imposante « thalassocratie ».** La mer a uni zones tempérées et régions tropicales en une imposante « thalassocratie ». Le canal de Suez, achevé en 1869, est l'un de ses axes essentiels. **À** cet empire visible sur les cartes, les historiens ont coutume d'ajouter un « empire informel » de « colonies sans drapeau », soit parce que nombre de sujets britanniques s'y sont établis, soit parce que l'emprise économique y déterminait une domination de fait. Aux XIXe et XXe siècles, des portions de la Chine – dont la vallée du Yangzi –, l'Argentine et le Brésil, et même, avant la guerre de Sécession de 1861-1865, les États du sud des États-Unis, en auraient fait partie pour des durées variables. Le contrôle, jusqu'à la Seconde Guerre mondiale, des principaux câbles sous-marins assurant la transmission des dépêches télégraphiques a aussi valu aux Britanniques un véritable empire des communications. **L'**« exportation des hommes », quelque dix-huit millions d'émigrés entre 1840 et 1914, a contribué à garantir, par-delà des différends parfois précoces au Canada ou avec les colonies australiennes, une indéniable homogénéité de civilisation, moins sensible il est vrai aux yeux des Irlandais d'origine. Le sentiment de constituer une grande branche en exil d'une « race » britannique a souvent constitué, au bénéfice de la monarchie britannique, et par conséquent de la préservation de liens même relâchés, un facteur très original et profond. **Les** Anglais, à toutes les époques, par calcul politique ou, dans les territoires de peuplement européen, par une nécessité rendue évidente par la révolution américaine, ont conféré à leurs colonies des libertés locales plus ou moins étendues. Ils ont entendu « exporter » les principes de leur droit et de leur justice, en affichant leur respect des « coutumes », de la « jurisprudence ». La Couronne a partout été présentée comme le ciment visible de l'unité. Tous ces principes ont essentiellement été appliqués dans ce que l'on a appelé les « dominions » : le Canada, en 1867, est le premier à être doté de la souveraineté interne. L'Australie et la Nouvelle-Zélande suivent en 1907, l'Afrique du Sud en 1910, l'État libre d'Irlande en 1922. Leur souveraineté internationale est le fruit de la Grande Guerre et d'évolutions constitutionnelles qui aboutissent, en 1931, au statut de Westminster et à la création du Commonwealth britannique des nations. L'empire, considéré par ses partisans comme un espace de paix, a apporté au XXe siècle ses hommes, sa richesse et sa contribution financière aux efforts de guerre communs. **A**morcée en 1947 en Inde et au Pakistan, la décolonisation contemporaine s'accélère à partir de 1957-1965 et s'achève pratiquement le 1er juillet 1997 avec la rétrocession de Hong Kong à la Chine. Le Commonwealth des nations, nouvelle appellation à partir de 1950, inclut aujourd'hui la plus grande partie de ce qui fut l'empire, et même un territoire anciennement portugais, le Mozambique. En 2000, ce Commonwealth réunissait cinquante-quatre nations. **R. Ma.** **>** COLONISATION, DÉCOLONISATION (EMPIRE BRITANNIQUE), IMPÉRIALISME, ROYAUME-UNI.

EMPIRE COLONIAL ALLEMAND

Avant la Grande Guerre, l'Allemagne (le IIe Reich) possédait un domaine colonial qui recouvrait, en Afrique, les États aujourd'hui dénommés Rwanda, Burundi, Cameroun, Togo, Tanzanie (sans Zanzibar) et Namibie ; dans le Pacifique, les archipels des Carolines, des Mariannes et des Marshall, ainsi que Nauru, l'actuelle Papouasie-Nouvelle-Guinée et Samoa. Avec la défaite, l'Allemagne a perdu tous ces territoires. Ils ont été confiés, sous mandat de la SDN (Société des Nations), à diverses puissances (Grande-Bretagne, France, Belgique, Union sud-africaine [Afrique du Sud], Japon, Australie, Nouvelle-

Zélande). **>** ALLEMAGNE, COLONISATION, IMPÉRIALISME.

EMPIRE COLONIAL ITALIEN

À la fin du XIXe siècle, l'Italie, pauvre, n'a pas les moyens de ses ambitions, attisées par les nombreux migrants des « colonies sans le drapeau » de Méditerranée ou d'Amérique latine. La frustration croît en 1881, quand la France la « double » en Tunisie. Réduite aux restes du banquet colonial, elle conquiert l'Érythrée de 1882 à 1890, le sud-est de la Somalie à partir de 1889, mais est vaincue en 1896 à Adoua par l'Éthiopie. En 1911-1912, la faiblesse de l'Empire ottoman lui permet d'annexer le Dodécanèse, en mer Égée, et la Libye, contrôlée vers 1930. La victoire de 1918, n'amenant ni conquêtes ni mandats, éveille de nouvelles frustrations. Le fascisme prétend mieux faire : en 1936, l'Éthiopie est conquise après la guerre d'Abyssinie. En 1939, l'invasion de l'Albanie revient à une opération coloniale dans un quasi-protectorat. En 1940, les ambitions au Maghreb sont bridées par Hitler pour ménager le régime de Vichy, et l'attaque de la Somalie britannique et de l'Égypte se heurte à des contre-offensives. L'Afrique orientale italienne est perdue en 1941, et toute possession africaine en 1943. Privée de colonies au traité de paix de Paris en 1947, l'Italie ne conserve qu'une tutelle provisoire en Somalie jusqu'à l'indépendance de 1960. Les hommes de l'Italie libérale d'avant 1922 pensaient garder les terres acquises à cette date et s'estiment trahis. Mais le pays évite les drames de la décolonisation, et, lavé du péché de colonialisme, il occupe une place privilégiée face aux nouvelles nations du tiers monde. **É. V.** **>** COLONISATION, IMPÉRIALISME, ITALIE.

EMPIRE ESPAGNOL

À compter du XVIe siècle, l'Espagne vit en grande partie des richesses de son empire. Elle accepte difficilement la perte de ses colonies américaines au début du XIXe siècle et attache un grand prix à la sauvegarde des Philippines et surtout de Cuba, « perle des Antilles ». L'abandon de ces territoires ainsi que de Porto Rico et Guam, qui passent sous tutelle des États-Unis après la guerre hispano-américaine

(1898), est ressenti comme un désastre national et provoque un véritable électrochoc dans la péninsule. Le mouvement « régénérationiste » dénonce les responsabilités des gouvernants dans l'échec subi en 1898 et demande de profondes réformes de structure. Il entend redresser l'État et moderniser la société espagnole. Le rêve colonial n'est toutefois pas totalement abandonné. C'est vers l'Afrique (ou plutôt vers le Maroc) que se tournent les ambitions militaires espagnoles. Ambitions souvent déçues, campagnes mal engagées et marquées parfois par des échecs. C'est pourtant dans les campagnes du Rif que se forment les officiers « africanistes », à commencer par Franco. Les troupes africaines (Maures et Tercio – la légion étrangère espagnole) formeront les troupes d'élite de l'armée nationaliste au cours de la Guerre civile (1936-1939). Vient cependant la décolonisation des années 1960, l'Espagne doit renoncer à ses colonies africaines. Franco a rendu son indépendance au Maroc espagnol (dans le cadre d'un Maroc réunifié) en 1956 ; la Guinée équatoriale devient indépendante en 1967. Un accord tripartite, enfin, est signé en 1975 qui aboutit à la partition du Sahara occidental entre le Maroc et la Mauritanie. L'Espagne ne conserve en Afrique que les *presides* Ceuta et Melilla au nord du Maroc. **É. T.** **> COLONISATION, DÉCOLONISATION, ESPAGNE, IMPÉRIALISME.**

EMPIRE FRANÇAIS À proprement parler, il n'a jamais existé d'empire colonial français si l'on entend par « empire » une forme institutionnelle globale cohérente organisant les territoires faisant partie d'un même ensemble que la France. Le terme d'« empire », s'agissant des possessions d'outre-mer françaises, correspond seulement à un usage, d'ailleurs tardif. La France aura possédé successivement deux domaines coloniaux. Le premier, formé à partir du XVIᵉ et surtout du XVIIᵉ siècle, décline au XVIIIᵉ siècle, du fait notamment de la perte, au profit de l'Angleterre, des possessions du Canada (la Nouvelle-France), consacrée par le traité de Paris (1763). La France ne conservera de ses premières possessions que Saint-Pierre et Miquelon en

Amérique du Nord ; la Martinique, la Guadeloupe, une partie de l'île de Saint-Domingue (actuelle Haïti, qui deviendra indépendante en 1804), et quelques autres îles de la Caraïbe ; la Guyane française en Amérique du Sud ; les établissements de Saint-Louis-du-Sénégal et de Gorée en Afrique ; l'île Bourbon (actuelle Réunion) et l'île de France (actuelle Maurice) dans l'océan Indien ; enfin, les comptoirs de Pondichéry, Chandernagor, Karikal, Mahé et Yanaon en Inde. **D'un empire à l'autre.** Le second domaine colonial qui, par sa taille, est le deuxième au monde après l'Empire britannique, commence à être constitué à partir de 1830, avec l'expédition d'Alger. La conquête de l'Algérie – qui sera très difficile, rencontrant de farouches résistances – ne s'inscrit cependant pas dans un plan politique ayant pour ambition de constituer un empire. Les motifs de l'expédition relèvent d'autres considérations, notamment d'ordre intérieur. Mayotte, dans l'océan Indien, est acquise en 1841. Dans le Pacifique sud, Wallis et Futuna est sous contrôle français en 1842 (protectorat en 1885-1886), Tahiti devient protectorat en 1842-1843, la Nouvelle-Calédonie est colonisée à partir de 1843 et devient officiellement française dix ans plus tard. Des expéditions militaires de reconnaissance sont entreprises en Afrique. L'Algérie devient colonie de peuplement européen et le territoire va être divisé en trois départements. Il est considéré comme partie de la France, à cette notable exception que les Algériens musulmans n'ont pas de représentants dans les institutions. Les colons européens font, pour leur part, lorsqu'ils ne viennent pas de France, l'objet d'une politique d'assimilation. Dans la seconde moitié du XIXᵉ siècle, la politique de conquête va être stimulée par l'essor du capitalisme financier et commercial. En Extrême-Orient est entreprise la conquête du Vietnam (1858-1884) et bientôt des territoires voisins. Les protectorats et colonies de Cochinchine, Annam, Tonkin, Cambodge et Laos sont réunis en 1888 dans l'Indochine française. **Le tournant de 1879-1880.** C'est en 1879-1880, venant après la défaite face à la Prusse (1871), qu'une véritable dynamique impérialiste française est engagée, répondant à une logique de puissance et à une stratégie internationale manifeste. La marine française est rénovée et renforcée. La conférence de Berlin (1884-1885) dessine le partage de l'Afrique entre puissances européennes. Un sous-secrétariat d'État aux Colonies est créé dans les années 1880, ainsi que diverses institutions devant administrer les relations des possessions d'outre-mer avec la métropole. C'est également à cette époque qu'émergent des « théorisations »/rationalisations de la colonisation en rapport avec les valeurs fondatrices de la République. Jusqu'alors la « mission civilisatrice » de la France, héritée de la révolution de 1789, n'était pas invoquée pour justifier la colonisation, mais ses agents n'en étaient pas moins convaincus d'incarner « la » civilisation puisqu'ils appartenaient à la nation française. La République a pour ainsi dire « nationalisé » les peuples de ses possessions en les maintenant politiquement dans un statut de subordination.   En Afrique du Nord, de part et d'autre de l'Algérie, un protectorat est établi en Tunisie en 1881-1883, au Maroc en 1912, tandis que le contrôle du Sahara s'étend dans les deux dernières décennies du XIXᵉ siècle. En Afrique centrale, les possessions françaises s'agrandissent au cours de cette même période, établissant peu à peu une continuité territoriale jouxtant l'Afrique du Nord française. L'AOF (Afrique occidentale française) et l'AEF (Afrique équatoriale française) seront respectivement instituées en 1895 et 1910. Les Comores deviennent protectorat français à partir de 1886, tandis qu'à Djibouti est créé un point d'appui stratégique en 1888. Madagascar finit par être annexée en 1896.   Des mandats en héritage. La Première Guerre mondiale, qui voit la défaite de l'Allemagne et de l'Empire ottoman, redistribue leurs possessions sous couvert des mandats de la SDN (Société des Nations). La France hérite de la Syrie et du Liban au Proche-Orient, de la moitié du Togo et de la majeure partie du Cameroun en Afrique noire.   En 1931, le centenaire de l'« Algérie française » et l'exposition coloniale, malgré le développement des courants anticolonialistes dans l'empire et en France même, semblent marquer le triomphe d'une politique. L'empire colonial français apparaît

cependant, au terme de sa constitution, comme un assemblage hétéroclite (statuts divers). Les circonstances de la conquête ou de l'acquisition expliquent cette variété bien plus qu'une prétendue politique ici d'« association », là d'« assimilation ».   Partout l'assimilation est l'exception, partout l'assujetissement est la règle. Le protectorat correspond rarement à un statut d'autonomie relative. Ayant donné en exemple au monde son modèle d'État-nation, la France s'est révélée incapable de mettre en œuvre une politique coloniale cohérente en mesure de préparer une émancipation véritable des peuples. Elle se paiera, lors de la décolonisation, de deux terribles guerres où elle sera vaincue, militairement dans la première (guerre d'Indochine [1945-1954]), et politiquement dans la seconde (guerre d'Algérie [1954-1962]).   S. C.   > COLONISATION, DÉCOLONISATION (EMPIRE FRANÇAIS), FRANCE, IMPÉRIALISME.

EMPIRE ITALIEN > EMPIRE COLONIAL ITALIEN.

EMPIRE NÉERLANDAIS   Troisième en importance après l'Empire britannique et l'Empire français, l'empire des Indes néerlandaises est, quand s'ouvre le XXᵉ siècle, un héritage direct de la première génération des colonies et comptoirs européens établis de par le monde, ne datant donc pas de l'impérialisme de la fin du XIXᵉ siècle. Les Indes néerlandaises comportent, en Asie du Sud-Est, les îles et archipels de l'actuelle Indonésie, ainsi que la Papouasie occidentale et, en Amérique, les Antilles néerlandaises (Curaçao, Bonnaire, Aruba, Saba, Saint-Eustache), la moitié de l'île de Saint-Martin, ainsi que la Guyane hollandaise (actuel Suriname). La décolonisation de l'Indonésie sera longue et conflictuelle.   > INDONÉSIE, PAYS-BAS.

EMPIRE OTTOMAN   L'Empire ottoman aura été le dernier empire musulman de la Méditerranée, mais aussi le dernier empire méditerranéen. Avec l'Empire austro-hongrois et l'Empire russe, il formait un ensemble dont la dislocation, à la fin de la Grande Guerre, a créé une zone de tensions dans l'est de l'Europe et au Proche-Orient, laquelle persistera tout au long du XXᵉ siècle. L'organisation militaire et administrative de l'Empire ottoman avait permis, du XVᵉ au XVIIᵉ siècle, son expansion fulgurante au Moyen-Orient, dans l'Est méditerranéen et, au-delà de l'Europe du Sud-Est, vers l'Europe centrale. Son retard croissant en matière technologique par rapport à l'Europe engendra un déclin qui s'accentua à partir du XVIIIᵉ siècle. Le reflux se produisit d'abord face aux empires autrichien et russe jusqu'à ce que les territoires de l'Empire ottoman se trouvent pris en tenaille entre les impérialismes russe et britannique, dans le cadre de la « question d'Orient ». Au XIXᵉ siècle, tandis que les territoires asiatiques et africains de l'empire sont progressivement grignotés par les puissances coloniales (1830 : début de la conquête française de l'Algérie ; 1882 : protectorat britannique sur l'Égypte ; 1883 : protectorat français sur la Tunisie), les Balkans voient l'éclosion de nouveaux États-nations (Serbie 1815, 1830 et 1878 ; Grèce 1830 ; Bulgarie 1878 et 1908 ; Roumanie 1858-1860). En même temps, ces puissances coloniales prennent des options sur le reste des territoires en vue de l'effondrement de l'empire : la France au Liban (intervention de 1861) et en Syrie, le Royaume-Uni dans le Golfe (accord de 1899 avec le Koweït). Enfin, l'Allemagne, nouvelle venue sur la scène des grandes puissances à partir de 1871, entreprend une pénétration économique avec le projet de construction d'une ligne de chemin de fer reliant Istanbul à Bagdad. À l'orée du XXᵉ siècle, l'Empire ottoman est sous la férule du pouvoir absolutiste du sultan Abdulhamid II (1876-1909). Après la guerre désastreuse de 1877 avec la Russie, où les armées du tsar, parvenues jusqu'à la banlieue d'Istanbul, avaient imposé au sultan une Grande Bulgarie allant jusqu'à la mer Égée, le traité de Berlin (1878), conclu grâce à l'intervention des autres puissances européennes, opère une redistribution des territoires entre les États balkaniques, laissant à l'Empire ottoman la Thrace, la Macédoine et les territoires albanophones, tandis que l'Autriche-Hongrie occupe la Bosnie-Herzégovine. L'administration ottomane est chargée d'engager des réformes en Macé-

doine, posant déjà les jalons d'un futur partage de cette région convoitée par ses voisins. De même, en Anatolie, l'engagement ottoman en vue de réformes dans les provinces arméniennes représente l'amorce de la « question arménienne ». En Méditerranée, Chypre est cédée au Royaume-Uni et la Crète, devenue autonome, s'achemine vers l'union avec la Grèce. En 1885, la Bulgarie annexe sans remous la province autonome de la Roumélie orientale, mais quand la Grèce veut faire de même en 1897 avec la Crète, une guerre gréco-turque donne la victoire à l'empire. En 1894-1895, des révoltes arméniennes sont écrasées dans le sang sans réaction notable des grandes puissances. En revanche, celles-ci s'inquiètent davantage de la situation prévalant en Macédoine, où Bulgares, Grecs et Serbes, par guérillas interposées, essaient de s'approprier les derniers territoires ottomans européens. Les événements s'accélèrent au fur et à mesure que se rapprochent le Royaume-Uni et la Russie dans la perspective de la Première Guerre mondiale. L'opposition au régime d'Abdulhamid II, composée essentiellement de jeunes officiers en poste en Macédoine, jugeant que la rencontre entre le roi d'Angleterre et le tsar, le 11 juin 1908 à Reval (aujourd'hui Tallinn en Estonie), n'aboutisse au partage de l'Empire ottoman, se révolte en juillet. Cette révolution des Jeunes-Turcs établit un régime constitutionnel mais ne fait qu'accélérer la dislocation de l'empire. Profitant du changement de régime, l'Autriche-Hongrie annexe officiellement la Bosnie-Herzégovine, la Grèce fait de même avec la Crète, tandis que la Bulgarie, jusqu'alors principauté vassale, proclame son indépendance. La crainte suscitée par l'alliance russo-britannique amène un rapprochement plus étroit du régime « jeune-turc » avec l'Allemagne. En réaction, les Alliés encouragent à leur tour les États balkaniques à s'approprier les territoires européens de l'Empire ottoman, afin d'empêcher la jonction des puissances centrales (Allemagne et Autriche-Hongrie) avec les Turcs. Le résultat en est la première guerre balkanique (1912-1913), qui ne laisse à l'empire que la Thrace orientale, laquelle fait toujours partie de la Turquie actuelle. Juste avant (1911), l'Italie, réclamant sa part dans l'expansion coloniale en Méditerranée, a occupé la Cyrénaïque et la Tripolitaine (actuelle Libye), ainsi que les îles du Dodécanèse en mer Égée. En même temps, les sentiments nationaux dans le monde arabe se développent, encouragés par la France et le Royaume-Uni. Dans les provinces arméniennes, les Ottomans, contraints et forcés par la Russie et le Royaume-Uni, se résignent à accorder une relative autonomie.   La Première Guerre mondiale éclate dans ce contexte. Les Jeunes-Turcs jouent la carte du protectorat allemand contre la menace du partage en cas de victoire alliée. Sur les fronts, les Ottomans arrêtent la tentative alliée de forcer les <u>Détroits</u> le 18 mars 1915 et s'opposent avec succès au débarquement à Gallipoli. Ainsi échoue l'occupation alliée d'Istanbul, susceptible de mettre hors jeu les Turcs. Il aura fallu quatre ans aux armées britanniques, partant du canal de Suez et de Bassorah, occupée en novembre 1914, pour progresser à travers la Palestine et la Mésopotamie jusqu'à Alep et à Mossoul, villes respectivement occupées en octobre et en novembre 1918, date à laquelle l'Empire ottoman signe l'armistice. Les armées russes ont progressé à partir du Caucase vers le plateau anatolien, mais cette progression, à laquelle participent des détachements de volontaires arméniens d'Anatolie, a fourni aux Jeunes-Turcs le prétexte pour déporter et exterminer la population arménienne d'Anatolie. Ce <u>génocide armé</u><u>nien</u> est le premier du XXᵉ siècle. Une bonne part de la population grecque habitant le littoral de la mer Égée et celui de la mer Noire est déportée vers l'intérieur. Le <u>nationalisme</u> turc, exacerbé après la défaite dans la guerre balkanique de 1912-1913 et profitant de la guerre, place la machine de l'État au service de la « turquification » de l'Anatolie afin d'en faire le territoire de l'<u>État-nation</u> turc. Il signe en même temps l'arrêt de mort d'un État multiethnique, l'Empire ottoman, lequel sera liquidé par le traité de <u>Sèvres</u>. S. Y.   **> DÉCOLONISATION (PROCHE ET MOYEN-ORIENT), QUESTION D'ORIENT, TURQUIE.**

EMPIRE PORTUGAIS   Puissance en déclin, le Portugal, qui a perdu le Brésil au

XIXᵉ siècle, ne conserve plus en Asie, à l'ouverture du XXᵉ siècle, que les comptoirs/ territoires de Goa, Diû et Damao en Inde, la ville-tripot de <u>Macao</u>, en Chine, et <u>Timor</u> <u>oriental</u>. En revanche, en Afrique, il est censé contrôler les immenses territoires que sont l'Angola et le Mozambique, ainsi que l'actuelle Guinée-Bissau, le Cap-Vert, São Tomé et les îles du Prince (São Tomé et Principe). C'est une métropole en épuisement qui va devoir affronter les luttes indépendantistes armées engagées, dans les années 1960, au Mozambique, en Angola, en Guinée portugaise et au Cap-Vert. La <u>révolution</u> <u>des Œillets</u>, qui en 1974 renverse la dictature, débouche sur l'indépendance de tous les territoires, à l'exception de la moitié orientale de Timor, occupée en 1975 par l'Indonésie, et de l'enclave de Macao (qui sera restituée à la Chine en 1999). **> COLONISATION, DÉCOLONISATION, IMPÉRIALISME, PORTUGAL.**

EMPIRE RUSSE, EMPIRE SOVIÉTIQUE
En l'an 2000, moins d'un siècle après l'effondrement de la Russie tsariste (1917), près de dix ans après la fin de l'URSS (1991), le processus d'éclatement et de recomposition territoriale de la « sixième partie du monde » – ensemble multinational ou empire multiethnique ? – n'était toujours pas achevé. Un moment évacuée par le discours démocratique, la question de l'empire revenait au premier plan des préoccupations russes tandis qu'éclatait, en 1999, la deuxième guerre de <u>Tchétchénie</u>. **La Russie, un empire atypique.** La Russie est un ensemble immense et singulier constitué à l'issue d'un processus vertigineux : le Pacifique et la Caspienne avaient été atteints dès le XVIIᵉ siècle, les contreforts du Caucase le siècle suivant. Obsédée par la sécurité d'un territoire dépourvu de défenses naturelles, la nouvelle puissance impériale, enhardie par ses succès, s'était lancée à la conquête méthodique de ses marches. Un à un, empires, royautés et principautés sur le déclin, peuples et tribus avaient été assujettis à Saint-Petersbourg.   Dans un monde dominé par les grands empires européens, dont les plus puissants s'étaient constitués au-delà des mers, l'Empire russe était atypi-

que. À la différence de la France ou de la Grande-Bretagne, métropoles séparées de leurs colonies par des océans, il était d'un seul tenant. D'où ce sentiment diffus de ne pas changer de continent, de fouler un même territoire malgré les différences de langue, de religion et de climat. Dans les périphéries occidentales, la domination russe s'exerçait sur des sociétés qui avaient souvent atteint un niveau de développement plus avancé (Baltes, Finnois, Polonais). Ailleurs, la Russie était parfois perçue comme le relais indispensable aux idées et aux techniques venues d'Europe. Dans l'empire, l'image du Russe restait médiocre. Maltraité par les autorités ou ses supérieurs, il se distinguait peu des indigènes dont la condition pouvait lui être supérieure. L'intégration des élites indigènes dans l'appareil d'État impérial, qui faisait massivement appel aux étrangers, était encouragée par des mécanismes qui s'inscrivaient dans une tradition ancestrale. Curieux empire dont la capitale portait un nom à consonance étrangère (Sankt-Petersburg) et où fonctionnaires et militaires évoluaient dans un univers profondément marqué par la tradition prussienne. Le pouvoir tsariste, un temps, tentera d'imposer une identité forte fondée sur la *langue russe, la foi orthodoxe et le caractère national.* **Le national et l'universel.** Au XIXe siècle, le « géant aux pieds d'argile » a été le théâtre d'une rapide modernisation. Confronté à un « réveil des nationalités » dont il ne parviendra pas à préserver la Russie, il oscille lourdement entre la brutale placidité d'une puissance impériale parvenue au faîte de sa puissance et la recherche éperdue et brouillonne de son identité. Dans cet ensemble pluriel et bigarré, Lumières et Tradition, cosmopolitisme et enracinement se côtoient dans une confrontation féconde. Elle sera l'occasion d'un retour aux sources de l'histoire impériale de la Russie : nostalgie d'un monde détruit par Pierre le Grand, regret de vivre dans un pays de « feu et de flamme », ravissement d'évoluer dans le « merveilleux bazar de ses peuplades », les Russes s'interrogent sur la singularité de leur espace, sur leur place en Europe et dans le monde. Dans l'impossibilité de tracer, de déterminer les territoires de leur nation, ils sont souvent tentés de donner une dimension quasiment cosmique à la terre russe. Réalité étatique, « prison des peuples », espace rêvé, l'empire est producteur d'utopie : le *national* y côtoie l'*universel* : messianisme russe orthodoxe, théorie eurasiste d'une symbiose entre Slaves et peuples de la steppe. Dans un tel contexte, l'internationalisme socialiste a trouvé un terrain privilégié. Pour les uns, il était l'occasion unique de poser les bases d'une « république mondiale des travailleurs », pour les autres, il sera l'outil idéal d'une restructuration de l'espace impérial. **Sortir de la « prison des peuples ».** Au tournant du siècle, alors que l'empire compte 124 600 000 sujets (44 % de Russes, 18 % d'Ukrainiens, 6 % de Polonais, 11 % de « Turcs », 4 % de Juifs), la domination russe est de plus en plus mal acceptée. Nations détentrices d'une tradition étatique, peuples s'éveillant à la conscience nationale, populations éparpillées sur toute l'étendue d'une Russie devenue une « prison des peuples » se détournent d'un système bloqué qui opprime les Polonais, russifie les Ukrainiens, humilie les Juifs. La révolution de 1905 est un révélateur : la dimension nationale, en particulier en Pologne et au Caucase, est fortement présente au sein d'un mouvement de libération sociale et politique qui ébranle fortement la dynastie des Romanov. **M**ais l'opposition radicale au tsarisme reste divisée face au problème national. Les bolcheviks rejettent « tout ce qui pourrait diviser le prolétariat ». Mais, à la veille de la révolution de 1917, le parti bolchevique n'a pas réussi de percée massive parmi les populations « allogènes », malgré le mot d'ordre léniniste de « droit à l'autodétermination jusqu'à la séparation ». Lorsque les bolcheviks s'emparent du pouvoir, en 1917, l'Empire russe n'est déjà plus que l'ombre de lui-même. **A**u nord, la Finlande proclame son indépendance dès le 6 décembre, bientôt suivie par la Lituanie, la Lettonie et l'Estonie. À l'ouest, en novembre 1918, la Pologne s'apprête à faire renaître son État, tandis que l'Ukraine tente depuis le 22 janvier sa première expérience étatique. Au sud, fin mai 1918, les peuples de Transcaucasie, désormais privés de la protection militaire russe, croient trouver la clef d'une survie menacée par la Turquie dans l'indépendance. À l'est, en Asie centrale, notamment dans ce qu'on appelle alors le Turkestan, dans une région longtemps restée en retrait des grandes mutations, les élites urbaines hésitent entre une tradition séculaire et les formes radicales d'une modernité venue de Russie et de Turquie. Entre 1918 et 1920, la guerre civile parachève le processus de démembrement de l'empire. La Russie soviétique est le centre d'un territoire aux frontières mobiles. Mais bientôt, l'Armée rouge ne se contente plus de repousser les troupes blanches, elle impose l'ordre bolchevique hors des limites de la RSFSR (République socialiste fédérative soviétique de Russie). La reconquête des marches les plus riches s'achève en 1921 : à Moscou, on considère stratégiques le blé et le charbon d'Ukraine, le pétrole et le manganèse de Transcaucasie. Vingt ans plus tard, en 1940, c'est au tour des trois États baltes (Lituanie, Lettonie, Estonie) et de la Bessarabie d'être annexés, à la suite du pacte germano-soviétique, en même temps que la Carélie, arrachée à la Finlande à la suite de la guerre qui l'a opposée à l'URSS. Le pouvoir soviétique s'est imposé le plus souvent par la violence des armes. L'« État-monde » qui en est issu, l'Union des républiques socialistes soviétiques (URSS), est une construction inédite. L'homme russe, matrice du monde nouveau, est invité à se fondre dans une Union où, fort de sa supériorité numérique, il prête peu d'attention aux formes extérieures de la souveraineté. **La politique soviétique des nationalités.** Des structures fédérales ont été mises en place sur la totalité du territoire, y compris dans le « tiers monde » de l'empire. Au prix d'une centralisation rigoureuse imposée aux républiques et aux régions par un organisme supranational, le Parti communiste d'Union soviétique (PCUS). Moscou privilégie la solution territoriale en multipliant divisions administratives arbitraires et tracés de frontières pervers ; le « parti-État » devient l'unique arbitre d'un espace que la collectivisation agraire forcée et l'industrialisation vont bouleverser. Devenus tabous, les antagonismes traditionnels sont niés au nom de l'« amitié des peuples ». Les minorités eth-

niques et linguistiques, qui avaient bénéficié de la bienveillance des autorités, se heurtent bientôt à la volonté assimilatrice des nationalités titulaires. Centre de l'Internationale communiste, le Komintern, l'empire change de cadre et de dimension. Nonobstant toutes les objections théoriques, on y proclame bientôt que « le caractère révolutionnaire de l'expérience russe compense l'avance de l'Occident ». Creuset d'intégration, extraordinaire tremplin d'ascension sociale, l'Empire soviétique est craint par tous ceux qui débusquent derrière l'internationalisme des autorités une russification d'autant plus pernicieuse que le russe, langue du pouvoir, est le vademecum obligé de tous ceux qui accèdent aux responsabilités. En Ukraine, une république particulièrement menacée, la défense de la langue et de la culture nationale est au centre du combat que mènent, dans les années 1960 et 1970, les dissidents tels que Leonid Pliouchtch (1939-) ou Ivan Dziouba (1939-). Les luttes nationales se déroulent aussi sur d'autres fronts : les Tatars de Crimée, déportés en Asie centrale en 1944, l'un des « peuples punis », n'auront de cesse d'exiger leur retour dans leur patrie. **Un « bloc soviétique ».** Dans les années 1920 et 1930, l'URSS était le seul pays communiste au monde, avec la Mongolie. Après la Seconde Guerre, son poids a été fortement consolidé par la soviétisation de l'Europe de l'Est et la création des démocraties populaires, ainsi que par l'instauration de régimes communistes en Asie (Chine, Corée du Nord, Indochine). En 1949, la conclusion du pacte de Varsovie et l'institution du CAEM (Comité d'assistance économique mutuelle) ont permis la constitution d'un bloc d'États durablement solidaires (avant l'expression de divergences avec la Yougoslavie en 1948, puis l'Albanie et la Chine en 1961). Dans les années 1970, plusieurs États du tiers monde basculeront par ailleurs dans l'orbite soviétique. La perestroïka, engagée à partir de 1985 par Mikhaïl Gorbatchev, met fin à l'internationalisme virtuel de la période brejnévienne, exhibant une réalité sociale douloureuse. L'empire, qui bruisse bientôt des échos de plus en plus bruyants des revendications et conflits nationalistes dans les pays baltes, au Caucase ou en Asie centrale, semble désor-

mais un reliquat du passé. Tandis que monte une irrépressible aspiration à la liberté, Baltes ou Géorgiens se préparent à l'indépendance. En Russie, les « libéraux » sont en rupture de ban impérial ; en 1990, la RSFSR proclame sa « souveraineté » avec à sa tête un Boris Elt-sine qui invite les « autonomies » de Russie à « prendre autant de souveraineté qu'elles pourraient en assumer ». La fin de L'URSS, en décembre 1991, semble marquer la fin de l'idée même d'empire. **Quelle identité géopolitique pour la Russie indépendante ?** Devenue indépendante, la Russie voit se modifier sa configuration territoriale. Après des siècles de centralisation, l'importance grandissante des républiques et des régions qui constituent la Fédération de Russie a semblé marquer une véritable rupture avec toutes les traditions de l'État russe. L'euphorie est pourtant de courte durée : l'homme russe est mal à l'aise sur un espace réduit, gouverné à la diable. La Communauté d'États indépendants (CEI), cofondée le 21 décembre 1991 et dans laquelle beaucoup avaient voulu voir le premier jalon de reconstitution d'un espace impérial à la mesure des ambitions russes, a semblé échapper de plus en plus à l'emprise de Moscou. Dans ces conditions, autant être le citoyen d'un empire puissant, *voire soviétique*, plutôt que d'être un individu sans identité ni racines. Sur quelle idée fonder alors la reconstitution d'un nouvel espace impérial, alors que Vladimir Poutine (1952-), élu chef de l'État le 26 mars 2000, proclame vouloir restaurer la puissance de l'État russe ? La Russie tsariste ? Pour la majorité des Russes, elle n'est, au mieux, qu'une « image jaunie ». Pour les « autres », Baltes, Ukrainiens ou Géorgiens, elle reste cette « prison des peuples » que fustigeaient démocrates et révolutionnaires russes. L'Empire soviétique n'est plus d'actualité. Une Russie « garante » de la stabilité de ses marches ? L'image résiste mal à l'épreuve des faits. Par ailleurs, la nouvelle Russie n'est pas parue porteuse d'un projet mobilisateur, semblant étrangère à toute utopie fondatrice. Il reste que sa réalité géopolitique, celle d'un territoire de dix-sept millions de kilomètres carrés, sur lequel vivent des dizaines de peuples et d'ethnies, est à dimension d'empire.
C. U.   ➤ EMPIRE, NATIONALITÉS EN URSS

(POLITIQUE DES), RÉGIME SOVIÉTIQUE, RUSSIE ET URSS, URSS (FIN DE L').

ENTENTE CORDIALE   En 1904, la Grande-Bretagne et la France signent, sous la forme d'un traité, un accord colonial devant mettre un terme aux frictions entre les deux puissances impérialistes et reconnaissant notamment leurs intérêts respectifs en Égypte et au Maroc. Étape importante dans le rétablissement de relations de coopération entre les deux « vieux ennemis », l'Entente cordiale prépare une alliance élargie à la Russie (Triple Entente) contre la Triplice, formée depuis 1882 par l'Allemagne, l'Autriche et l'Italie. Du fait de l'évolution de l'alliance franco-britannique, on la nomme souvent simplement « Entente ».

ENVER PACHA (1881-1922)   Général et homme politique turc. Né à Istanbul dans une famille d'origine gagaouze, diplômé de l'École militaire en 1899, Enver Pacha est chargé du maintien de l'ordre en Macédoine, où il se trouve initié dès 1906 au comité révolutionnaire Union et progrès. Projeté au premier plan de la révolution des Jeunes-Turcs (juillet 1908) qui rétablit le régime constitutionnel dans l'Empire ottoman, il combat les Italiens en Tripolitaine (actuelle Libye). Auteur d'un coup d'État qui amène le parti Union et progrès au pouvoir en 1913, il est nommé ministre de la Guerre. Il est un des auteurs du pacte secret germano-turc du 2 août 1914, qui entraîne l'Empire ottoman dans la Première Guerre mondiale comme allié de l'Allemagne, et le bras militaire du triumvirat qui dirige l'Empire pendant la guerre. Responsable de l'offensive de l'hiver 1914-1915 sur le front russe qui fait 90 000 morts dans les rangs ottomans, il se lance après la révolution russe dans la conquête du Caucase, afin d'établir la jonction avec les Turcs de l'Asie centrale. Après l'armistice de 1918, il se réfugie à Berlin, où il rencontre le bolchevik Karl Radek (1885-1939). À Moscou en été 1920, il participe au Congrès des peuples d'Orient à Bakou en octobre de la même année. Après avoir essayé de fonder à Berlin l'Union des sociétés révolutionnaires islamiques au printemps 1921, il part diriger le soulèvement anti-bolchévik des Basmatchi en Asie centrale. Il est tué dans un accrochage avec l'Armée rouge le 4 août 1922. **S. Y.** **> EMPIRE OTTOMAN.**

ÉQUATEUR République de l'Équateur. Capitale : Quito. Superficie : 283 561 km². Population : 12 411 000 (1999). Berceau de nombreuses cultures aborigènes, l'Équateur est tombé sous la domination de l'Empire inca moins d'un siècle avant la conquête espagnole en 1534. Partie intégrante de la Grande Colombie au moment de son indépendance en 1822, le territoire de l'ancienne Audience de Quito est devenu république de l'Équateur en 1830. Le XIXᵉ siècle se caractérise par les luttes de pouvoir entre les factions de l'oligarchie, la faible intégration entre la côte pacifique et la région andine, et une économie fondée sur la grande propriété terrienne, l'exploitation d'une main-d'œuvre de type servile et la dépendance à l'égard des exportations agricoles. Les réformes juridico-politiques de la révolution libérale (1895), dirigée par le général Eloy Alfaro (1842-1912), accompagnent l'ascension de la bourgeoisie naissante et l'essor de l'économie cacaoyère. La révolution de juillet 1925, fomentée par de jeunes officiers progressistes, fait prévaloir l'autorité de l'État sur les intérêts traditionnels des oligarchies et suscite d'importantes réformes sociales. Mais la crise du modèle agro-exportateur aggrave l'instabilité gouvernementale pendant trois décennies. L'invasion des troupes péruviennes en 1941 oblige l'Équateur à souscrire au protocole de Rio de Janeiro (1942), qui le prive de vastes territoires amazoniens. Cet affront à l'orgueil national contribue à la révolution populaire de mai 1944. Ce n'est qu'en 1998 que sera signé un accord de délimitation frontalière définitive avec le Pérou. L'essor des exportations bananières favorise la stabilité politique entre 1948 et 1960, mais les années 1960 sont marquées par les effets de la récession, des conflits internes et l'interventionnisme larvé des États-Unis, préoccupés par l'influence de la révolution cubaine. Entre 1976 et 1979, un régime militaire nationaliste et réformiste préside au spectaculaire essor de l'économie pétrolière, stimulée par le choc pétrolier de 1973,

puis par celui de 1979, et renforce le rôle de l'État dans le développement. Dans un contexte marqué par l'aggravation de la crise économique, le poids de la dette extérieure et l'impact du néo-libéralisme et de la mondialisation, le retour à l'alternance démocratique à compter de 1979 ne permet pas de freiner la détérioration des conditions de vie de la population ni de garantir la gouvernabilité du pays. Après le soulèvement national pacifique de 1990, le mouvement indigène équatorien joue un rôle majeur dans les fréquentes réactions populaires qui entraînent, entre autres, la chute de deux gouvernements en 1997 et 2000. Cette instabilité n'a pas empêché la poursuite des débats portant sur les réformes des institutions en vue de la modernisation de l'économie et d'une plus grande participation des citoyens. **J. P. M. C.**

ERETZ ISRAËL Eretz Israël, littéralement le « pays d'Israël », souvent traduit par « grand Israël », couvre l'ensemble des territoires qui, à une époque ou une autre de l'histoire biblique, formèrent le royaume d'Israël. Il s'étend de la Méditerranée au désert, sur les deux rives du Jourdain. Pendant les années 1930 et 1940, Eretz Israël constitue l'un des principaux sujets de clivage au sein du mouvement sioniste. La majorité de gauche, emmenée par David Ben Gourion, a accepté par réalisme l'idée d'un État juif réduit à une partie de la Palestine placée sous mandat britannique. En revanche, l'opposition de droite dite « révisionniste » exclut, au nom de l'héritage biblique, tout compromis territorial. Aujourd'hui, « Eretz Israël » désigne le plus souvent deux des régions conquises durant la guerre israélo-arabe de 1967, la Cisjordanie et la bande de Gaza, et ne comprend plus la rive orientale du Jourdain. Son idée a été remise en cause par les accords intérimaires israélo-palestiniens signés à partir de 1993 (accords d'Oslo) et qui prévoient l'échange de « la terre contre la paix ». **C. B.** **> ISRAËL.**

ÉRYTHRÉE État d'Érythrée. Capitale : Asmara. Superficie : 121 444 km². Population : 3 719 000 (1999). Colonie italienne depuis 1890, l'Érythrée voit son destin basculer à cause des ambitions fascistes sur l'Éthiopie. L'invasion (guerre d'Abyssinie) semble réussir en 1936, mais l'intervention britannique change le destin de la colonie italienne dès 1941. **A**u sortir de la Seconde Guerre mondiale, l'indécision internationale sur le devenir de l'Érythrée – partition entre Soudan et Éthiopie ou intégration à l'Éthiopie – fournit un espace politique aux jeunes organisations nationalistes. Le plateau chrétien, sensible aux arguments de l'Église orthodoxe et à la propagande éthiopienne, est très majoritairement favorable à un retour sous le drapeau éthiopien. Les populations musulmanes sont pour un mandat international débouchant sur l'indépendance. En 1950, pour des raisons liées autant à cette division qu'à la Guerre froide, l'ONU propose un statut de fédération entre Érythrée et Éthiopie, mis en œuvre à partir de 1952. Cette fédération correspond en fait à une annexion rampante dont les opposants sont arrêtés ou supprimés. En 1962, le Parlement érythréen, opportunément entouré de chars éthiopiens, vote le retour de l'Érythrée dans le giron éthiopien. **Trente ans de guérilla.** Dès 1961, le Front de libération de l'Érythrée (FLE), luttant pour une indépendance totale, bénéficie de l'aide de certains pays arabes inquiets de voir l'Éthiopie chrétienne, alors alliée à Israël, marquer son influence sur la mer Rouge. Le FLE souffre d'une très forte hostilité entre chrétiens et musulmans, d'une identification de l'Érythrée au monde arabe et d'une direction en exil – au Caire ou à Khartoum. De ses convulsions naît une organisation rivale qui prend forme entre 1970 et 1973, le Front populaire de libération de l'Érythrée (FPLE). **L**a révolution éthiopienne de 1974 a un impact essentiel sur le conflit. Si les négociations tournent rapidement court, la population chrétienne bascule presque complètement dans le camp indépendantiste et, en 1977, les deux organisations nationalistes peuvent revendiquer le contrôle de l'essentiel du territoire à l'exception des plus grandes villes. Mais l'intervention soviétique aux côtés de l'Éthiopie change complètement la donne et, au prix d'offensives très coûteuses, Addis-Abéba

réussit à chasser le FLE au Soudan, où il se divise en de multiples factions. Le FPLE, replié dans le Nord montagneux, disposant du soutien financier d'une diaspora nombreuse, se montre capable de résister année après année. **L**a situation bascule en 1989 après la prise par surprise du quartier général des forces éthiopiennes. Renforcé par une aide internationale plus conséquente et par l'alliance avec l'opposition éthiopienne conduite par le Front populaire de libération du Tigré (FPLT), le FPLE sait profiter de la désorganisation de l'armée éthiopienne affaiblie par des purges sanglantes. En mai 1991, il entre dans Asmara tout en aidant ses alliés à prendre le contrôle d'Addis-Abéba. **L'**indépendance de fait, reconnue par Addis-Abéba, l'est par la communauté internationale après le référendum tenu en avril 1993. Issayas Afeworki devient officiellement chef de l'État et du gouvernement. Pourtant, le FPLE rencontre des difficultés à s'adapter à cette nouvelle situation, tant son nationalisme est teinté de chauvinisme et ses méthodes militarisées. Si la communauté internationale comprend son hostilité au Soudan islamiste, ses revendications territoriales par rapport au Yémen ou à Djibouti suscitent un réel agacement. Surtout, la guerre qui éclate en mai 1998 avec l'Éthiopie, officiellement pour un problème de frontière, met le pouvoir érythréen en difficulté, d'autant que les maigres ressources du pays sont investies dans le conflit. Le fragile accord de cessez-le-feu signé en juin 2000 signifiait-il la fin de la guerre ? **R. M.**

ESPAGNE **R**oyaume d'Espagne. Capitale : Madrid. Superficie : 504 782 km². Population : 39 634 000 (1999). **L**e XXᵉ siècle s'ouvre pour l'Espagne sur une lourde défaite, la perte des derniers lambeaux (Philippines, Cuba, Porto Rico, Guam) de son empire colonial en 1898, à l'issue de la guerre hispano-américaine. Le pays prend alors conscience de sa faiblesse et de ses retards sur le reste de l'Europe occidentale. Le régime politique, celui de la Restauration des Bourbons, est tout à fait impopulaire, miné par un système corrompu, aux mains d'une oligarchie triomphante (les Caciques). **Un pays en crise.** Les partis, conservateur et libéral, qui se partagent le pouvoir sont incapables d'assurer la nécessaire transformation de l'appareil étatique, de faire face à la montée des mouvements autonomistes dans les régions périphériques, en Catalogne et au Pays basque, et à une très grave crise sociale. Les émeutes qui éclatent à Barcelone en 1909 se traduisent à la fois par un appel à la grève générale et par une violente explosion anticléricale. La répression qui suit n'empêche pas la montée des oppositions, les socialistes s'alliant aux républicains, les anarchistes se regroupant au sein de la Confédération nationale du travail (CNT). **Malgré** la prospérité apparente autorisée par la neutralité espagnole lors de la Première Guerre mondiale, la crise de 1917 (mouvements sociaux regroupant des militants anarchistes et socialistes) atteint l'ensemble du pays. Sans doute l'armée, après avoir manifesté son mécontentement dans des « juntes de défense » assez corporatistes, va-t-elle aider à écraser le mouvement revendicatif. Mais la décomposition du régime s'accentue, aggravée par l'inégale répartition des richesses. Les actions anarchistes se multiplient. Un nouveau désastre colonial, au Maroc, ébranle le prestige de la monarchie. **La** dictature, imposée en 1923 par le général Miguel Primo de Rivera avec le consentement du roi Alphonse XIII (1886-1941), entend assurer l'ordre dans le pays tout en le modernisant. S'appuyant sur les forces nationalistes et conservatrices, M. Primo de Rivera combat les autonomismes, interdit les « organisations subversives » (la CNT et le Parti communiste espagnol – PCE – créé en 1920), tout en instituant des commissions paritaires destinées à régler les conflits du travail. Il encourage les grands travaux et crée de véritables monopoles d'État, tout en s'appuyant sur le capital étranger. Contradictions qui lui aliènent une partie de l'opinion. Devant la montée des oppositions, M. Primo de Rivera abandonne le pouvoir en 1930. L'année suivante, après un échec aux élections municipales, Alphonse XIII abdique, laissant en héritage à la Seconde République un pays profondément divisé. **La Seconde République et la Guerre civile.** La coalition qui a renversé la monarchie ne résiste pas longtemps à l'épreuve du pouvoir. Le gouvernement Manuel Azaña (1931-1933), auquel participent les socialistes, se heurte à l'opposition d'une partie de l'armée, restée fidèle à la monarchie, et qui s'inquiète, dans son nationalisme intransigeant, de l'autonomie accordée à la Catalogne (1931). Les mesures laïques prises dans les premiers temps (institution du divorce, du mariage civil, expulsion des jésuites, etc.) choquent le clergé de l'Église catholique. Et la réforme agraire adoptée en 1932 est trop timide pour satisfaire les paysans affamés de terre de l'Andalousie ou de l'Estrémadure. Le fossé se creuse entre une droite de plus en plus attirée par les extrêmes (la Phalange, créée en 1933, ne cache pas ses sympathies pour le fascisme italien) et une gauche fortement tentée par l'aventure révolutionnaire. La victoire des partis conservateurs et, surtout, l'entrée au gouvernement de ministres issus de la Confédération espagnole des droites autonomes suscitent, par réaction, en 1934, un mouvement insurrectionnel dans les Asturies, qui sera durement réprimé. Le souvenir de ces violences est encore présent dans les mémoires en 1936. **La** victoire du Front populaire (regroupant la plupart des partis de gauche et de centre gauche), aux élections législatives de février 1936, est suivie d'une période de troubles. Les extrémistes des deux camps s'affrontent dans la rue. Les meurtres répondent aux meurtres, dont celui de Calvo Sotelo (1893-1936), leader de l'extrême droite. Le *pronunciamiento* (coup d'État) déclenché les 17 et 18 juillet triomphe dans le nord-ouest du pays (à l'exception du Pays basque et des Asturies) et surtout dans le sud. Mais il échoue dans les grandes villes, à Madrid et à Barcelone notamment, où syndicats et partis politiques appellent à la résistance et organisent des milices populaires. La Guerre civile durera trois ans (1936-1939). À la fin de l'année 1936, l'Espagne est coupée en deux. Les massacres, qui ont lieu de part et d'autre, creusent un fossé qui sera bien difficile à combler. Le général Francisco Franco, proclamé chef de l'État, est maître d'un vaste territoire qui va de l'Andalousie à la Navarre ; il s'appuie sur l'Église et sur des forces conservatrices sans doute divisées, mais auxquelles il imposera finalement son autorité. L'Espagne républicaine, qui connaît un émiettement des responsabilités politiques et une véritable révolution sociale (les collectivisations se sont multipliées), voit s'opposer les défenseurs des conquêtes révolutionnaires (anarchistes et communistes du POUM – Parti ouvrier d'unification marxiste) et les partisans d'une restauration de l'État (républicains, socialistes et communistes « orthodoxes »). En mai 1937, c'est l'affrontement dans les rues de Barcelone. Le camp républicain en sortira singulièrement affaibli. Malgré une résistance héroïque, malgré l'aide de l'URSS et le renfort des Brigades internationales, malgré l'échec des franquistes devant Madrid, la guerre, qui se prolonge pendant près de trois ans, verra la défaite des républicains et le triomphe des nationalistes, appuyés par l'Italie de Mussolini, l'Allemagne de Hitler et le Portugal de Salazar, bénéficiaires réels de l'officielle « non-intervention » des grandes puissances. Le 1er avril 1939, la guerre est terminée. Mais le pays, lui, reste très profondément divisé. **Quarante années de franquisme.** Le général Franco, maître tout-puissant de l'Espagne, se refuse en effet à toute réconciliation. 150 000 Espagnols vivent en exil. Plusieurs centaines de milliers de personnes restent internées ou considérées comme suspectes. L'Espagne connaît alors sa *noche negra* (« nuit noire »). La dictature national-syndicaliste s'impose sans partage, le plus souvent avec la bénédiction de l'Église. Sans doute le gouvernement de Madrid reste-t-il neutre dans le second conflit mondial, malgré des sympathies évidentes pour les dictatures fascistes. Cette neutralité prudente est en partie due à ses difficultés économiques. Le régime autarcique qui lui est imposé ne permet pas une véritable amélioration des conditions de vie. Pour beaucoup d'Espagnols, ce sont les « années de faim ». Le pays semble même tout à fait isolé au lendemain de la guerre, après sa condamnation par l'ONU. Le franquisme va pourtant durer. Le « *caudillo* » s'appuie sur les réactions nationalistes du peuple espagnol. Dans le contexte de la Guerre froide, il tente un rapprochement avec le camp occidental, et, surtout, avec les

États-Unis. À la fin des années 1950, les difficultés économiques l'amènent à faire appel à des hommes nouveaux, technocrates issus en partie de l'Opus Dei (Institut catholique qui contrôle l'université de Navarre), favorables à l'ouverture des frontières et à la libéralisation de l'économie. Les ressources provenant du tourisme et de la main-d'œuvre émigrée s'ajoutent aux investissements étrangers pour assurer la croissance industrielle, sensible à partir des années 1960. Le contraste devient frappant entre un régime politique immuable, et qui se durcira dans les dernières années, et une société qui se transforme profondément. Il se traduit par la montée des oppositions (crise étudiante, grèves ouvrières). L'Église elle-même prend ses distances avec la dictature. Et les autonomismes s'affirment à nouveau en Catalogne et au Pays basque, où l'ETA (Euzkadi Ta Askatasuna, fondé en 1959, séparatiste) n'hésite pas à recourir à l'action terroriste (l'attentat mortel dont est victime en 1973 l'amiral Luis Carrero Blanco, alors Premier ministre, en est l'éclatante manifestation). La mort du *caudillo* », le 20 novembre 1975, même si elle ne supprime pas toutes les incertitudes, met fin à ces contradictions. Son successeur désigné, Juan Carlos Ier, le petit-fils d'Alphonse XIII, va assurer la « transition ». **Le retour à la démocratie.** Très vite s'impose en effet une réforme radicale des structures politiques. Les mesures prises en 1976 et 1977 en créent les conditions : retour au suffrage universel, légalisation des partis politiques (y compris du Parti communiste), reconnaissance des libertés syndicales et du droit de grève... **L'**accord réalisé entre les partis sur un plan d'assainissement économique et financier assure une trêve, qui permet d'élaborer, dans les meilleures conditions, une Constitution (1978) donnant naissance à un État de droit, garant des libertés publiques, se proclamant « non confessionnel », et promettant une large autonomie aux communautés régionales. Le roi reste, selon une ancienne tradition, le garant de l'unité nationale. **Les** oppositions n'ont cependant pas cessé de se manifester. Les nostalgiques du franquisme tentent même un coup d'État en 1981. Sans succès. Mais l'ETA poursuit ses actions terroristes, s'appuyant sur le mouvement indépendantiste qui se manifeste encore dans les provinces basques. Le rétablissement de la démocratie permet à l'Espagne de reprendre sa place dans la communauté internationale. Ainsi adhère-t-elle à la CEE (Communauté économique européenne) en 1985 (entrée effective au 1er janvier 1986). À l'intérieur du pays, la politique d'« ajustement » pratiquée par les socialistes (Felipe González est arrivé au pouvoir après les élections législatives de 1982) aide au relèvement économique du pays, tout en engendrant des tensions sociales durables. Les institutions démocratiques fonctionnent suffisamment bien pour permettre le passage du gouvernement socialiste au gouvernement (droite-centre droit) de José María Aznar (1953-) en 1996, sans le moindre incident. **É. T.**

ESTADO NOVO (Brésil) Régime fondé et incarné par Getúlio Vargas de 1937 à 1945. Soucieux d'instaurer une coupure radicale d'avec le « vieux Brésil » désuni des oligarchies, celui-ci œuvre, dès 1930, à l'instauration d'un État « neuf » (*novo*) et à l'émergence d'un fort sentiment national. L'Estado Novo représente une alliance des bureaucraties civile et militaire et de la bourgeoisie industrielle, dont l'objectif commun et immédiat est de promouvoir une industrialisation du pays tout en assurant la paix sociale. L'armée s'y voit confier le rôle de garant de l'ordre interne. Menaçant, emprisonnant et, parfois, torturant les intellectuels de gauche et quelques libéraux, le régime ne pratique cependant pas la persécution systématique. S'inspirant de la « Carta del lavoro » (Charte du travail) de l'Italie fasciste, il adopte le principe de l'unité syndicale, interdit grève et *lock-out*, mais en contrepartie instaure un salaire minimum, le droit aux congés, la journée de huit heures (48 heures par semaine) et une esquisse de droit du travail. Cherchant à obtenir un plus franc soutien de l'Église catholique, l'Estado Novo autorise l'enseignement religieux. Il ouvre plusieurs universités, uniformise l'enseignement secondaire et exige qu'il soit donné partout en langue portugaise. Pour amélio-

rer l'efficience de l'État et dégager celui-ci des pressions de la société, une école de la haute administration est créée. Sur le plan extérieur, l'Estado Novo est d'abord proche des dictatures européennes, mais le réalisme de G. Vargas lui fait rejoindre les Alliés, dès lors qu'il obtient des États-Unis les investissements technologiques dont le pays a besoin pour développer sa sidérurgie. De l'Estado Novo datent aussi les tentatives d'imposer le Brésil comme leader des pays latino-américains. L'envoi, en 1944, d'un corps expéditionnaire de 25 000 soldats dans la péninsule italienne en donne le signal. **S. Mo.** ➤ BRÉSIL.

ESTONIE République d'Estonie. Capitale : Tallinn. Superficie : 45 100 km². Population : 1 412 000 (1999). Au début du XXe siècle, l'Estonie actuelle fait partie de l'Empire russe depuis l'époque de Pierre le Grand (1682-1725). Elle est peuplée en grande majorité d'Estoniens (apparentés aux Finnois), pour la plupart paysans. La noblesse (les « barons baltes ») est d'origine allemande, descendant des chevaliers de l'ordre des Porte-Glaive. Le luthéranisme s'étant imposé au XVIe siècle, la Bible a été traduite en estonien, ce qui a permis de fixer la langue et favorisé l'éclosion d'une littérature nationale. En février 1918, les Allemands expulsent les troupes russes d'Estonie. En novembre de la même année, l'Allemagne étant défaite, la Russie bolchevique tente de reconquérir ce territoire, mais les Estoniens, soutenus par les Finlandais et par la flotte britannique en Baltique, s'y opposent. Au traité de Tartu (1920), la Russie reconnaît l'indépendance de l'Estonie. Dès 1919, une réforme agraire a ôté leur pouvoir aux « barons baltes ». L'année suivante est adoptée une Constitution de type parlementaire. En 1934, toutefois, la démocratie fait place à un régime autoritaire. Le Pacte germano-soviétique de 1939 place l'Estonie dans la sphère d'intérêt de l'URSS. L'année suivante, les troupes soviétiques occupent le pays, bientôt incorporé à l'URSS en tant que République socialiste soviétique (RSS). La minorité de langue allemande est transférée en Allemagne. En 1941, les opposants sont massivement

ÉTAT **ÉTA**

déportés en Sibérie. La même année, les Allemands envahissent l'Estonie, que les Soviétiques reconquièrent en 1944. La RSS ayant été reconstituée, de nouvelles déportations affectent la population estonienne. Dans les décennies suivantes, de très nombreux Russes, Ukrainiens et Biélorusses s'installent en Estonie, au point qu'au recensement de 1989 les Estoniens ne forment plus que 61 % de la population de leur propre pays. Vers la fin des années 1980, les Estoniens (comme les Lituaniens et les Lettons) réclament la restauration de l'indépendance, puis la proclament en 1991, peu avant la fin de l'URSS. Se pose alors la question du statut de la population immigrée dans le pays depuis 1940 (Russes et autres), population à laquelle les autorités ont dénié la citoyenneté estonienne. Beaucoup des enfants de ces immigrés, nés dans le pays et naturalisés, apparaissaient en voie d'assimilation, à la fin de la décennie 1990. L'Union européenne a engagé en 1998 des négociations avec l'Estonie en vue de l'adhésion de celle-ci. J. S.

ÉTAT Forme d'organisation politique nouvelle, apparue en Europe occidentale au sortir de la féodalité, l'État avait, au cours du XIXᵉ siècle, au fil du mouvement de démocratisation et de l'essor du libéralisme, consolidé son armature – symbolique (définition des attributs de l'entité étatique), juridique (constitutionnalisme et promotion de l'État de droit), politique (affirmation du principe démocratique), organique (processus de bureaucratisation) et sociale (délimitation d'une sphère d'activité relevant d'une logique d'action spécifique). Érigé comme le seul foyer de pouvoir dans l'ordre interne, l'État était progressivement devenu le seul acteur d'une société internationale construite sur le principe de souveraineté étatique. Si la forme étatique a connu au cours du XXᵉ siècle une extraordinaire diffusion, au point d'apparaître comme la figure imposée de l'organisation politique, cette « mondialisation » s'est accompagnée de sensibles dérives par rapport au modèle hérité du siècle précédent et l'avenir de l'État a été frappé au terme de ce siècle d'une incertitude nouvelle. **La diffusion de la forme étatique.**

Cette diffusion, qui a suivi une série d'étapes, a été favorisée dans le monde occidental par l'appartenance à un même univers culturel : déjà, au XIXᵉ siècle, la fragmentation de l'Amérique latine en États avait été le corollaire de la rupture avec l'ancien colonisateur européen ; au XXᵉ siècle, la création d'États-nations en Europe, au nom du « principe des nationalités », a entraîné un mouvement d'éclatement des grands empires (ottoman, austro-hongrois, russe), qui s'est achevé avec la Grande Guerre. Ailleurs, le processus a été plus complexe : sous la pression de l'Occident, le Japon s'était lancé en 1868 (l'ère Meiji) dans une modernisation à marche forcée, passant par la transposition du modèle étatique occidental ; des processus identiques se sont produits en Chine en 1911, puis en Turquie en 1923. La révolution russe de 1917 sera le point de départ de l'apparition de régimes politiques nouveaux, de type socialiste : si ces régimes rompent radicalement avec la vulgate libérale, ils n'abandonnent pas pour autant la forme étatique ; il s'agit de promouvoir, au moins dans l'attente de son dépérissement, un État nouveau, qui conserve, au moins formellement, les apparences d'un État. Enfin, et surtout, les vagues successives d'indépendances qui se succéderont après la Seconde Guerre mondiale en Asie et en Afrique emprunteront la forme étatique : chaque pays nouvellement indépendant s'empressera de transcrire, le plus fidèlement et le plus minutieusement possible, les traits caractéristiques, les signes distinctifs, les symboles (drapeau, hymne, fête nationale, journal officiel, état civil...) de l'ordre étatique ; tous se sont ralliés, sans exception aucune, au modèle d'État-nation né en Occident. Cette diffusion s'explique, notamment dans les pays en développement (PED), par plusieurs considérations : la colonisation, qui a contribué à modifier durablement les formes d'organisation politique et à acclimater les conceptions du pouvoir forgées en Occident ; le mimétisme, qui s'appuie sur la croyance en la supériorité des technologies institutionnelles empruntées à l'Occident ; la contrainte internationale, la construction d'un État étant un passeport nécessaire à l'entrée dans la société internationale, en même temps qu'un brevet de modernité. L'État apparaît ainsi au xxᵉ siècle comme la seule forme d'organisation politique concevable : il n'y a apparemment pas d'alternative à l'État qui, emblématique de la modernité, semble épuiser l'univers du pensable. **Des réalités très hétérogènes.** Cette diffusion a été cependant assortie de distorsions et d'inflexions, le pavillon étatique en étant venu à recouvrir des réalités très hétérogènes, parfois très éloignées du modèle classique, voire en rupture avec lui. Une véritable dénaturation s'est produite dès l'instant où un *déficit d'institutionnalisation* voue l'État à n'être qu'une coquille vide, derrière laquelle se profile un pouvoir omnipotent. L'*État totalitaire*, sous ses différentes variantes fasciste, national-socialiste ou socialiste, apparaît ainsi comme en opposition radicale avec le modèle étatique classique, comme génétiquement différent ; il n'a que l'apparence d'un État sans en avoir la substance ; il n'y a donc pas plus de véritable État qu'il n'y a d'économie marchande. L'*État autoritaire* contraste tout autant avec le modèle étatique classique : la faiblesse des garanties juridiques, le strict encadrement des mécanismes démocratiques, voire leur disparition, la toute-puissance des appareils répressifs, les attributions étendues, exercées notamment dans l'économie, révèlent une tout autre constitution ; l'État apparaît alors avant tout comme un instrument de domination d'une société assujettie. Le déficit d'institutionnalisation est plus évident encore pour l'*État néo-patrimonial*, fréquent dans les pays en développement, notamment africains, caractérisé par la coexistence de plusieurs principes de légitimité, la précarité du monopole de la contrainte, la relativité de la distinction public/privé, la persistance de liens d'allégeance ethnique ou tribale. S'il n'a pas subi une telle dénaturation, l'État n'en a pas moins, à l'Ouest aussi, connu certaines inflexions. Tous les États occidentaux ont connu à partir de la Première Guerre mondiale, bien qu'à un rythme et selon des modalités variables, de profonds changements, que condense et résume le terme d'« *État-providence* » : l'extension des responsabilités de l'État dans la vie sociale entraînera une transformation de la constitution de l'État, sous ses différents aspects (nouvelle image de l'État, reformulation de la problématique des droits de l'homme, infléchissement de la logique démocratique...) ; et le mouvement d'expansion étatique s'est accompagné d'une série de changements structurels, politiques (montée en puissance de l'exécutif et déclin parlementaire) et administratifs (mouvement de fragmentation des appareils d'État). **L'effet corrosif de la globalisation.** Si le modèle étatique a résisté à ces secousses, d'une part en surmontant le défi des modèles alternatifs apparus à l'Est et au Sud, d'autre part en démontrant à l'Ouest ses facultés d'adaptation, de nouveaux défis sont apparus à la fin du xxᵉ siècle, amenant à s'interroger sur son avenir. La globalisation/mondialisation en cours exerce un effet dissolvant sur la souveraineté étatique : d'abord, elle entraîne l'érosion des capacités de régulation étatique, ce qui pousse certains à pronostiquer l'« évidement » d'un État devenu « creux », du fait de la perte de certaines de ses fonctions essentielles ; ensuite, elle favorise l'apparition de nouveaux acteurs « transnationaux », qui brisent le monopole détenu par l'État sur les relations internationales et suscitent le développement de nouveaux procédés de « gouvernance » ; enfin, elle pousse à la constitution d'entités plus vastes – telle l'Union européenne –, faisant craquer le cadre désormais trop exigu de l'État-nation. Débordé et concurrencé, l'État paraît en voie d'être dépassé. Or, cette forme d'organisation politique a bâti son identité sur le concept de souveraineté, dont les deux faces, interne et externe, sont indissociables : si l'État dispose d'une puissance suprême, c'est dans la seule mesure où cette puissance est exclusive de toute autre ; dès l'instant au contraire où cette exclusivité est menacée, l'État voit sa pertinence mise en cause en tant que forme d'organisation politique. La mondialisation a donc un effet corrosif sur l'État, en sapant les fondements mêmes de son identité. Ce processus présente cependant des aspects très contrastés, voire contradictoires : alors qu'à l'Ouest, l'État subit une perte de substance, l'objectif est bien plutôt à l'Est de construire un véritable État et au Sud de restaurer un État déliquescent. Au moment même où, paradoxalement, ce modèle s'effrite dans son berceau originaire, la mondialisation du modèle étatique se poursuit donc, notamment à travers la diffusion de l'État de droit et de la <u>démocratie</u> pluraliste. **J. C.**

ÉTAT DE DROIT   Le concept d'État de droit est né à la fin du XIXᵉ siècle dans la pensée juridique allemande *(Rechtstaat)* puis française : il répond alors au besoin de fondation du droit public, par l'affirmation du principe d'*assujettissement de l'État au droit*. Pour la doctrine de l'époque, l'État de droit est un État qui, dans ses rapports avec ses sujets, se soumet à un « régime de droit » : dans un tel État, le pouvoir ne peut user que des moyens autorisés par l'ordre juridique en vigueur, tandis que les citoyens disposent de voies de recours juridictionnelles contre les abus qu'il est susceptible de commettre. Au cœur de la théorie de l'État de droit, il y a donc le principe selon lequel les divers organes de l'<u>État</u> ne peuvent agir qu'en vertu d'une *habilitation juridique*.   **La hiérarchie des normes.** Dans la mesure où les organes de l'État sont ainsi tenus au respect de normes juridiques supérieures, l'État de droit se présente sous l'aspect formel de la *hiérarchie des normes*. La théorie de l'État postule d'abord la soumission de l'administration au droit : l'administration doit obéir aux normes qui constituent à la fois le fondement, le cadre et les limites de son action et cette soumission doit être garantie par l'existence d'un contrôle juridictionnel exercé, soit par le juge ordinaire, soit par des tribunaux spéciaux. Mais la théorie postule aussi la subordination de la loi à la Constitution le Parlement doit exercer ses attributions dans le cadre fixé par la Constitution et, là encore, l'intervention d'un juge – constitutionnel celui-ci – apparaît indispensable pour faire respecter cette primauté. À la différence du *Rule of Law* britannique, la théorie de l'État de droit est donc conçue à l'origine comme d'ordre purement formel et ne comportant pas de caractère « substantiel » ou « procédural ».   **Au-**delà de considérations propres au champ juridique, la théorie comporte d'évidentes implications politiques. La pro-

motion du thème de l'État de droit s'inscrit dans une problématique plus générale d'adaptation des régimes libéraux corrodés par la poussée démocratique : il conviendrait de contrebalancer l'omnipotence des parlementaires, exposés à la pression des intérêts particuliers ; la théorie de l'État de droit apporte une caution théorique et offre une voie pratique (le contrôle de constitutionnalité) à la réévaluation nécessaire du rôle des assemblées. Alors que le *Rule of Law* privilégie les garanties politiques offertes par le système représentatif, l'État de droit mise sur les contrôles juridiques pour limiter la toute-puissance des représentants. Néanmoins, la théorie ne sera qu'imparfaitement traduite en droit positif, notamment en France, du fait de l'absence d'introduction du contrôle de constitutionnalité des lois.   **Les évolutions du XXᵉ siècle.** Au cours du XXᵉ siècle, l'État de droit a connu deux types d'évolutions. D'une part, la conception traditionnelle s'est traduite dans le droit positif par une rigueur plus grande dans la construction de l'ordre juridique et par le renforcement des mécanismes de contrôle : la montée en puissance de l'exécutif, traduite par un mouvement d'émancipation vis-à-vis de la loi, a été contenue par le recours à une conception élargie de la légalité et un élargissement du contrôle exercé par le juge sur l'action administrative. Parallèlement, aux étages supérieurs de l'ordre juridique, tandis que les contraintes de la coopération internationale et surtout de la <u>construction européenne</u> amenaient à intégrer des sources de droit externes dans la hiérarchie des normes, la suprématie constitutionnelle s'est trouvée garantie par l'introduction d'un contrôle de constitutionnalité des lois.   **D'**autre part, cette conception formelle s'est trouvée relayée par une conception substantielle, qui l'englobe et le dépasse. Ce basculement s'est produit après 1945 à la faveur de l'effondrement du <u>fascisme</u> et du <u>national-socialisme</u> : on se rend compte alors des impasses d'un formalisme abstrait qui aboutirait à considérer les États <u>totalitaires</u> comme d'authentiques États de droit ; la théorie de l'État de droit est en réalité indissociable d'un ensemble de valeurs et de représentations, avec lesquelles elle entre en résonance et qui lui donnent sa véritable signification. Ce n'est évidemment pas le fait du hasard si ce tournant capital a été pris en Allemagne après la Seconde Guerre mondiale : les <u>droits de l'homme</u> constituent pour la République fédérale une référence incontournable, un fondement nécessaire, marquant la rupture radicale avec le régime national-socialiste ; elle se traduit par la consécration d'un « État de droit », non plus seulement formel mais intégrant la protection des droits et libertés. **P**arallèlement, on assistera à l'internationalisation de ces droits : la Déclaration universelle des droits de l'homme, adoptée le 10 décembre 1948 par l'assemblée générale des Nations unies, sera le point de départ d'un mouvement international de reconnaissance, qui fera entrer les droits de l'homme dans le droit international positif. Par-delà la hiérarchie des normes, l'État de droit suppose désormais la reconnaissance d'un ensemble de *droits fondamentaux*, inscrits dans des textes de valeur juridique supérieure (constitutionnels et internationaux) et assortis de mécanismes de protection appropriés. **Une figure désormais imposée du discours politique.** L'État de droit s'est trouvé, au cours des années 1980, investi d'une portée nouvelle, en devenant la figure imposée du discours politique : tous les acteurs politiques sont tenus de sacrifier au culte de l'État de droit, en s'efforçant de capter à leur profit ce qui est devenu une ressource idéologique de première importance et un argument d'autorité dans le débat politique ; tout État qui se respecte doit se parer des couleurs avenantes de l'État de droit, qui apparaît comme un label nécessaire sur le plan international, mieux encore, comme un élément constitutif de l'État. Si la référence à l'État de droit sera à l'Ouest indissolublement liée à la crise de l'<u>État-providence</u>, elle marquera symboliquement à l'Est la sortie du système totalitaire et au Sud la fin de l'autoritarisme. Ce concept se présente ainsi dans les sociétés contemporaines comme une véritable *contrainte axiologique*, dont dépend la légitimité politique. **C**ette promotion n'est pas dénuée d'implications politiques. Elle montre qu'une conception nouvelle de la <u>démocratie</u> tend à prévaloir dans les sociétés contemporaines :

l'État de droit implique que la liberté de décision des organes de l'État soit, à tous les niveaux, encadrée par l'existence de normes juridiques, dont le respect est garanti par l'intervention d'un juge ; il présuppose que les élus ne disposent plus d'une autorité sans partage, mais que leur pouvoir est constitutivement limité. L'État de droit devient ainsi le vecteur d'une « démocratie juridique », qui est aussi une « démocratie de substance », fondée sur des droits, et une « démocratie de procédure », impliquant le respect de certaines règles par les autorités publiques. Cette conception favorise la montée en puissance du *pouvoir juridictionnel*. Le juge apparaît en effet comme la clef de voûte et la condition de réalisation de l'État de droit : la hiérarchie des normes ne devient effective que si elle est juridictionnellement sanctionnée et les droits fondamentaux ne sont réellement assurés que si un juge est là pour en assurer la protection ; le culte du droit aboutit ainsi à la sacralisation du juge. **C**oncept fondateur du droit public moderne, l'État de droit est le reflet d'une certaine vision du pouvoir, lentement forgée au fil de l'histoire de l'Occident et inhérente à une conception libérale de l'organisation politique. Donnant à voir un pouvoir limité, car assujetti à des règles, il implique que les gouvernants ne soient pas au-dessus des lois, mais exercent une fonction encadrée et régie par le droit ; la grande diffusion du thème témoigne que cette représentation s'est désormais « mondialisée » à la faveur de l'effacement des modèles alternatifs, l'État de droit devenant la caution de la légitimité de tout pouvoir. **J. C.**

ÉTAT FRANÇAIS > VICHY (RÉGIME DE).

ÉTAT INDÉPENDANT DE CROATIE

État fantoche proclamé le 10 avril 1941 sous le nom de Nezavisna Drzava Hrvatske (NDH) par la dictature fasciste des oustachis d'Ante <u>Pavelic</u> avec le soutien de l'Italie de <u>Mussolini</u> et de l'Allemagne de <u>Hitler</u>. Ce régime se livre jusqu'en 1945 au massacre des Serbes, des Juifs et des Tsiganes. **> OUSTACHIS.**

ÉTAT INDÉPENDANT DU CONGO
> EMPIRE BELGE.

ÉTAT-NATION   Au cours du XXᵉ siècle, l'État-nation a longtemps été considéré comme le seul acteur des relations internationales. L'État souverain moderne est le détenteur des principaux pouvoirs exécutif, législatif et judiciaire et il organise la participation politique de tous les citoyens sur un pied d'égalité sur un territoire aux frontières définies. Lorsque l'État moderne correspond à une seule nation supposée culturellement homogène, le couple formé par l'État et la nation définit l'État-nation. La nation coïncide alors avec l'espace territorial et la citoyenneté se superpose généralement à la nationalité.   L'État-nation a été érigé en modèle lors du démantèlement des États multinationaux qu'étaient l'Empire austro-hongrois et l'Empire ottoman, puis lors des décolonisations. Il en fut de même lors de la disparition de l'URSS (Union des républiques socialistes soviétiques), quand ses quinze républiques sont devenues indépendantes à la fin du siècle. Dans les États-nations proclamés, l'homogénéisation nationale était cependant rarement aussi poussée que dans le modèle français de la révolution centralisatrice et unificatrice de 1789. Une nation majoritaire coexistait en effet souvent avec des minorités. Il en est résulté de multiples conflits qui ont déstabilisé les Balkans et le Proche-Orient, fait le jeu des totalitarismes en Europe centrale entre les deux guerres mondiales, suscité des guerres en Afrique et au Caucase. **S. C.**
> ÉTAT, EMPIRE, MINORITÉS, NATIONALISME.

ÉTAT-PROVIDENCE   Il y avait bien eu, à la fin du XIXᵉ siècle en Allemagne, à l'instigation de Bismarck, la mise en place d'une assurance maladie obligatoire, dans un cadre professionnel. Puis, au début des années 1930 en France, un système d'allocations familiales au bénéfice de tous les salariés. Presque partout, au sein des branches les mieux organisées - fonction publique, mines, imprimerie, etc. -, des accords avaient été conclus prévoyant des mécanismes de retraite cofinancés par l'employeur et les salariés. Jusqu'en 1945, cependant, l'ensemble de ces dispositifs n'avait guère fait école. En quelques années, dans la

lignée du fameux *Livre blanc* (1942) de l'économiste britannique William Beveridge (1879-1963), la plupart des pays se dotent de systèmes de sécurité sociale (pour certains très incomplets) : ici (États-Unis, Canada, Allemagne), ils sont organisés essentiellement sur une base professionnelle et varient d'une branche à l'autre ; ailleurs (Danemark, Belgique, France, Royaume-Uni), l'échelle nationale prévaut, avec des mécanismes de financement souvent fiscalisés (sauf en France). Derrière la diversité des réalisations nationales, la tendance d'ensemble est nette : l'État-providence (*Welfare State*, qui signifie plus exactement « État de bien-être ») est le trait sans doute le plus caractéristique du nouveau panorama social qui s'ébauche après la Seconde Guerre mondiale.   **S**ans doute, les raisons économiques ne sont-elles pas étrangères à cette évolution. Organiser une redistribution plus ou moins poussée en faveur de ceux que les risques de l'existence peuvent toucher est une façon de contribuer à la stabilisation de la demande. De la même manière, en rendant solvables les personnes âgées et les familles ne disposant pas d'un patrimoine personnel, l'État-providence a sans doute mis en place des « stabilisateurs automatiques », lesquels allaient jouer un rôle dans la dynamique de croissance européenne des années 1960.   **Les racines du changement.** La raison essentielle de ces choix est cependant politique : selon l'expression de l'historien britannique Douglas Ashford, « en 1945, tout le monde a pensé qu'il fallait garantir les droits sociaux et politiques pour éviter un éventuel retour du fascisme ». Voilà qui rappelle la fameuse exclamation de Bismarck : « Messieurs les démocrates joueront vainement de la flûte lorsque le peuple s'apercevra que les princes se préoccupent de leur bien-être. » Cela explique sans doute pourquoi la terre d'élection de l'État-providence est l'Europe, et non l'Amérique du Nord.   Il ne faut pas voir dans ce constat le résultat d'options plus libérales ici et plus interventionnistes là : les États-Unis de Franklin D. Roosevelt, puis de Harry S. Truman n'avaient rien à envier à la plupart des pays d'Europe en matière d'intervention publique. Que l'on songe au New Deal... Plus vraisemblablement, le risque politique d'une résurgence de régimes autoritaires, attisée par l'inégalité et la pauvreté, y était nettement moindre, pour ne pas dire nul. L'État-providence n'y avait donc pas le même degré d'urgence. Il s'est donc limité à encourager les partenaires sociaux à compléter leurs conventions collectives pour y intégrer des formes d'assurance maladie moins incomplètes et au financement partagé. L'État n'est intervenu que pour compléter le dispositif et le financer en faveur des plus pauvres et des personnes âgées dépourvues de revenus suffisants (Medicaid et Medicare). **E**n Europe, au contraire, les systèmes mis en place ont été, d'entrée de jeu, obligatoires et centralisés. Puisque le droit d'être soigné fait partie des obligations découlant du lien social, l'obligation de s'assurer avec des cotisations indépendantes du risque spécifique de chaque catégorie est le seul moyen d'éviter de devoir choisir entre iniquité et inhumanité. **Mutualiser les risques.** Cela explique les caractéristiques des systèmes d'État-providence mis en place en Europe : couverture généralisée, obligation d'adhésion et financement indépendant du risque (avec, certes, de nombreuses exceptions à ces principes, ne serait-ce que pour tenir compte des acquis spécifiques à certaines professions ou certaines entreprises). Quant au mode de financement, certains pays – le Royaume-Uni, le Danemark – vont jusqu'au bout de la logique du lien social, et ont recours exclusivement à l'impôt : les citoyens paient en fonction de leurs revenus, et ils sont couverts en fonction de leurs besoins. En France et en Belgique, au contraire, le financement repose bien davantage sur les revenus professionnels, ouvrant ainsi la brèche à l'exclusion sociale par le chômage, puisque, en étant privée d'emploi, une personne, du même coup, ne cotise plus et donc risque de ne plus être couverte. **D**errière le projet politique – consolider la <u>démocratie</u> –, l'État-providence repose sur une vision libérale bien plus que socialiste de la société. Il s'agit de mutualiser les risques de l'existence, non de réduire la place du marché. Si l'on ne fait pas appel aux mécanismes du marché pour cette mutualisation, ce n'est pas que l'on s'en défie, mais simplement que cela

pose des problèmes techniques délicats. L'obligation et le mode de financement retenu ne relèvent pas tant d'un choix politique que d'une contrainte technique. L'obligation crée une redistribution de fait – entre bien portants et malades, jeunes et vieux, célibataires et chargés de famille – qui va provoquer des réticences croissantes de la part de ceux qui paient plus qu'ils ne reçoivent. À l'inverse, l'État-providence crée une logique de satisfaction des besoins qui pousse les couches les plus défavorisées à en demander l'extension. Cela engendre des conflits que la croissance économique, loin d'atténuer, attise. Dans une société dominée par la règle de l'échange – donnant, donnant –, l'État-providence instille une logique différente, fondée sur la notion de droit. **La crise de l'État-providence.** Cette dualité de normes et de règles explique l'ampleur de la crise que traversera à la fin du xxᵉ siècle l'État-providence : certes, cette crise est apparue essentiellement financière. C'est cependant la légitimité du prélèvement qui sera en cause, davantage que son montant : dans une société où le marché joue un rôle grandissant, les payeurs acceptent moins de payer pour d'autres qu'eux. Ou bien ils n'acceptent de le faire que dans des limites étroites, uniquement pour ceux des membres de la société qui sont réellement méritants : c'est une société de contrôle social qui se dessine ainsi, aux antipodes de l'État-providence voulu par ses initiateurs, dans laquelle tout citoyen devrait pouvoir être assuré contre les risques fondamentaux de l'existence. Un demi-siècle aurait-il suffi à épuiser les mérites de cette vision citoyenne de l'économie ? **D. Cl.** **>** ÉTAT.

ÉTATS-UNIS États-Unis d'Amérique. Capitale : Washington. Superficie : 9 363 123 km². Population : 276 218 000 (1999). **L**es États-Unis auront connu au cours du xxᵉ siècle un développement remarquable. Sur le plan politique, aucune crise majeure ne s'est produite et, immuablement, de 1900 à 2000, tous les quatre ans, le président des États-Unis aura été élu. Au tournant du troisième millénaire, ce personnage ne représente cependant ni le même pays ni les mêmes Américains que cent ans auparavant. L'évolution économique a fait passer le pays d'un rang provincial à celui d'unique superpuissance mondiale. Cette évolution politique et économique n'a pas pour autant été harmonieuse : contradictions sociales, relations internationales chaotiques, surtout à partir des années 1960, tandis que les diverses facettes de la culture américaine se sont diffusées partout dans le monde. Ce grand pays a connu une extraordinaire montée en puissance, mais des heurts, souvent terribles, l'ont accompagnée. **A**u début de ce siècle, que l'on a souvent dit « américain », suivant la formule de Henry Luce (1898-1967), fondateur des magazines *Time* et *Life*, les États-Unis disposent d'une puissance économique qui les situe dans le peloton de tête mondial – ils ont commencé à exporter des produits industriels en Europe et leur production d'acier est impressionnante –, mais ils n'ont qu'un rôle international régional, en dépit de la création d'un Empire américain autour du protectorat de Cuba et de l'archipel des Philippines, acquis en 1898 après la victoire contre l'Espagne dans la guerre hispano-américaine. Pourtant, ils constituent dans la première décennie du siècle un pôle d'attraction pour les immigrants venus de tous les pays d'Europe, au rythme d'un million par an. **Première puissance mondiale.** À la suite de la Première Guerre mondiale dans laquelle le président Thomas W. Wilson (1913-1921) a lancé son pays en avril 1917, les États-Unis s'affirment comme puissance financière et comme propagateurs des idées démocratiques : ils ont prêté des sommes considérables à la France et à la Grande-Bretagne et ont recherché – sans y parvenir – l'établissement de frontières sûres en Europe. Bien que le Sénat des États-Unis ait refusé de ratifier le traité de Versailles, les présidents – républicains à partir de 1920 –, s'ils refusent tout engagement politique, ne renoncent pas à jouer un rôle international dans le domaine économique et financier. Les modes américaines se répandent en Europe – jazz, jupes courtes, cinéma muet (déjà puissant et installé à Hollywood). **La** profondeur de la crise de 1929, qui s'ouvre à la Bourse de New York (Wall Street) et se propage dans le monde entier, ébranle ces certitudes. Pourtant, les réformes du New Deal du président Franklin D. Roosevelt (1933-1945) permettent un réel redressement du pays. Dans le même temps, les États-Unis refusent d'être entraînés dans le nouveau conflit mondial. Il faut attendre le 7 décembre 1941 et l'attaque japonaise contre la base américaine de Pearl Harbor pour qu'ils entrent en guerre. Rapidement, le président F. D. Roosevelt – en collaboration avec Winston Churchill – impose des options stratégiques : alliance avec l'URSS, débarquement en France, recherches en vue de doter le pays de la bombe atomique. De plus, les États-Unis s'organisent en grand arsenal et grand centre financier des démocraties en lutte contre le nazisme et l'impérialisme japonais. **Domination stratégique.** En 1945, les États-Unis dominent au niveau stratégique : sans leurs forces, le débarquement en Normandie (6 juin 1944) n'aurait pu avoir lieu et c'est en larguant leurs bombes atomiques sur les villes japonaises d'Hiroshima et de Nagasaki (6 et 9 août 1945) qu'ils mettent un terme à la guerre du Pacifique. Au point de vue économique, les États-Unis assurent la moitié de la production industrielle mondiale et, s'ils déplorent 400 000 morts, ils sont un des rares pays à ne pas avoir subi de dommages sur leur territoire ; ils ont largement contribué au financement de la guerre et sont à l'origine de l'ONU (Organisation des Nations unies) et des accords de Bretton Woods ayant abouti à la création du FMI (Fonds monétaire international) et de la Banque mondiale. Cette toute-puissance ne dure guère. Les intérêts divergents des États-Unis et de l'URSS et la difficile reconstruction de l'Europe amènent le président Harry Truman (1945-1953) à assumer la lutte contre le communisme. Celle-ci devient pour plus de quarante ans l'axe prioritaire de la politique étrangère américaine et sera au plan intérieur au cœur de la « chasse aux sorcières » du début des années 1950. **Guerre froide, Détente, Guerre froide...** La Guerre froide implique le pays dans nombre d'alliances internationales et le conduit à maintenir une présence militaire en Europe et en Asie. Alors que les États-Unis assurent la stabilité de l'Europe occidentale grâce à l'OTAN (Organisation du traité de l'Atlantique nord, 1949), ils s'engagent dans la guerre de Corée (1950-1953) qui montre les difficultés d'une politique mondiale. Dix ans plus tard, leur défaite dans la guerre du Vietnam (1973) prouve que les États-Unis n'ont pas résolu la contradiction entre la lutte qu'ils estiment nécessaire contre le communisme et les légitimes aspirations sociales et nationales des peuples. L'échec américain au Vietnam n'empêche pas la Détente avec l'URSS de s'installer tant bien que mal.   Les années 1980 sont marquées par une seconde guerre froide, assumée par le président Ronald Reagan (1981-1989). La fin de l'URSS et du bloc soviétique n'est pas uniquement due à la pression américaine, mais les États-Unis vont désormais devoir imaginer un rôle nouveau : défendre leur conception de l'ordre mondial sans chercher à intervenir militairement ou ne s'y résoudre qu'en étant assuré d'une victoire à moindre coût humain. C'est le cas lors de la guerre du Golfe (1991), cependant les hésitations à propos d'une intervention en Bosnie-Herzégovine (1992-1995) ou au Kosovo (1999) ont montré qu'il est difficile d'assumer un rôle dominant accepté par les autres puissances.   Au plan intérieur, l'évolution a été rythmée par des fluctuations économiques majeures et par des bouleversements sociaux considérables.   **La question noire.** Pour les Américains, la crise économique qui débute en 1929 a laissé plus de mauvais souvenirs que la guerre qui a suivi. Elle a constitué un choc qui a provoqué la réévaluation du rôle de l'État : celle-ci débute avec les réformes du New Deal de F. D. Roosevelt et se poursuit jusqu'à la fin des années 1960, quand la pression sociale augmente. En revanche, la prospérité économique des années 1950 et 1960 permet l'essor de la consommation des ménages et le développement des banlieues résidentielles. Pourtant, cette prospérité est très inégalement répartie : des poches de pauvreté subsistent dans certaines zones rurales et dans des quartiers urbains. Les Africains-Américains – les Noirs américains revendiquent désormais cette dénomination – ont connu jusqu'aux années 1960 une situation

particulière. Tous ceux qui vivaient dans le Sud – neuf sur dix en 1920, six sur dix en 1960 ; environ quatre sur dix en 1990 – ont connu la forme la plus sévère de la ségrégation raciale officielle : interdiction de tout mélange racial, séparation dans toutes les activités, ainsi que dans les lieux publics. De plus, dans le Sud, les Noirs sont par des moyens divers exclus du vote. Ceux qui vivent dans le Nord ou l'Ouest, où les a attirés l'emploi industriel, connaissent une existence moins réglementée, mais ils doivent se contenter d'un habitat dégradé et supporter des formes subtiles d'exclusion.   À partir des années 1960, la contradiction existant entre la prospérité du pays et le sort des Africains-Américains qui constituent plus de 10 % de la population éclate. Le mouvement en faveur des droits civiques se développe et la question noire s'impose. Des manifestations se multiplient pour réclamer l'égalité, de nouveaux leaders émergent tels que Malcolm X et Martin Luther King ; le premier prône la violence, le second des pressions pacifiques. À la suite des manifestations se déroulant dans le Sud, qui s'accompagnent souvent de violences, le gouvernement fédéral est amené à intervenir. De 1963 à 1965, sous cette pression, une série de lois sont votées qui détruisent l'édifice de la ségrégation dans le Sud et favorisent l'insertion des plus démunis dans la société. Ces mesures capitales ne suffisent pas, et, dans les villes du Nord et de l'Ouest, des émeutes raciales éclatent après 1965, car les effets du racisme survivent à l'interdiction de la ségrégation.   À partir de cette période, la société américaine ne connaît plus de certitudes : les autres minorités raciales – comme les Indiens ou les Mexicains – et les femmes à leur tour revendiquent leurs droits. Une politique de discrimination positive *(affirmative action)* est mise en place par le gouvernement fédéral, suivant la volonté du président Lyndon B. Johnson (1963-1969), pour donner leur chance aux victimes de la discrimination raciale ou sexuelle. L'immigration qui avait été limitée par des quotas depuis 1924 est largement relancée par une loi de 1965 : des millions de personnes d'Amérique latine et d'Asie vont entrer dans le pays, modifiant les équilibres internes de la société. Le pré-sident John F. Kennedy (1961-1963) est assassiné dans des conditions obscures le 22 novembre 1963 ; Malcolm X le 21 février 1965 ; M. L. King, sans doute par une cons-piration raciste, le 4 avril 1968 et Robert F. Kennedy (frère de J. F. Kennedy) le 6 juin, par un déséquilibré. La convention démo-crate de Chicago en août 1968 se déroule dans une atmosphère de violences policières et de *happening* : manifestations où se mêlent modes et musiques de la contre-cul-ture, opposition à la guerre du Vietnam et revendication ethnique. **Retour de flamme conservateur.** Les États-Unis connaissent alors un retour de flamme conservateur. Le président Richard Nixon (1969-1974) parvient péniblement à désen-gager le pays de la guerre du Vietnam, mais ne réussit pas à réduire les dépenses sociales. Il doit démissionner en 1974 à la suite du scandale du Watergate, qui a montré qu'il n'avait reculé ni devant le cambriolage ni devant l'écoute systématique de ses hôtes pour préserver son pouvoir hors des règles constitutionnelles. La victoire des commu-nistes au Vietnam, puis l'humiliation subie en Iran lors de la crise des otages américains en 1979-1980 prouvent que la puissance américaine est bien fragile. L'élection du républicain R. Reagan (1981-1989) signifie la volonté de beaucoup d'Américains de rétablir l'ordre intérieur et d'en finir avec l'humiliation internationale. Défenseur d'une idéologie libérale sans nuances, le président incarne une dénonciation de l'État-provi-dence – qui n'existe pourtant qu'à l'état embryonnaire aux États-Unis – et la volonté de réduire le rôle de l'État fédéral. La réacti-vation de la Guerre froide amène au contraire un accroissement des dépenses militaires qui aboutit à un formidable déficit budgétaire, en dépit de coupes dans les pro-grammes sociaux. La popularité du président est considérable et il joue à merveille de cet atout. La puissance montante du fondamen-talisme protestant confirme la polarisation de la société américaine entre un puissant courant conservateur et un tout autre sen-sibilité, représentée par nombre de citoyens qui restent attachés à la laïcité de l'État et à une certaine politique de redistribution sociale. L'élection à la Présidence du démocrate Bill Clinton (1993-2001) marque la victoire du second courant. Pourtant, le nouveau président ne parvient pas à propo-ser une voie nouvelle et doit composer au Congrès, après 1994, avec une majorité conservatrice qui cherche une revanche. Il est toutefois réélu en 1996, grâce à la pour-suite, tout au long des années 1990, d'un cycle de croissance économique très favora-ble et grâce à sa formidable habilité politi-que, mais ses écarts de conduite (des fras-ques sexuelles exploitées par les conservateurs) l'amènent à subir en 1999 une procédure d'*impeachment*. Celle-ci n'aboutit pas à sa destitution, mais affaiblit cependant les institutions américaines. Les citoyens américains ont gardé leur confiance au président en dépit de ces aléas. Aux élec-tions de novembre 2000, le vice-président Albert Gore (1948-), candidat démocrate à la Présidence, est battu de justesse par George W. Bush (1946-), fils de l'ex-président George H. Bush (1989-1993). Sa première année de mandat est marquée par les attentats-suicides perpétrés, le 11 septembre 2001, en « crashant » plusieurs avions de ligne contre les « tours jumelles » du World Trade Center de New York et contre le Pen-tagone (ministère de la Défense) à Washing-ton. Ces attentats simultanés et coordonnés, responsables de milliers de morts, causent un choc considérable dans ce pays qui se croyait jusqu'alors hors d'atteinte d'une attaque sur son propre sol. Les autorités accusent immédiatement les réseaux terro-ristes d'Oussama ben Laden (1957-), installé en Afghanistan, d'en être les auteurs. Une opération (*Justice sans limites*) présentée comme une longue « croisade contre le terrorisme » est engagée. L'Afghanistan est bombardé. Le régime islamiste des taliban est chassé du pouvoir. Les États-Unis annoncent vouloir frapper d'autres « États-voyous ». **Le xxₑ siècle sera-t-il améri-cain ?** Le xxᵉ siècle a bien été américain, mais le xxiᵉ le sera-t-il également ? Les États-Unis étaient la plus grande puissance industrielle du monde en 1914 et ils assuraient la moitié de la production mondiale en 1945 ; quand le siècle s'est terminé, ils ne contrôlaient plus qu'un cinquième de celle-ci. Ce changement n'est pas un signe de déclin économique, contrairement aux affirmations de beaucoup d'analystes : il illustre seulement l'ajustement à la montée en puissance du Japon et de l'Union européenne. Les États-Unis ont cependant perdu les recettes originales de leur réussite économique de l'après-guerre. À partir des années 1960, les entreprises n'avaient pas su maintenir le cercle vertueux de leur réussite antérieure, et le dollar était resté *la* monnaie internationale, davantage en raison du rôle de superpuissance des États-Unis que des performances économiques américaines. À partir de 1992, celles-ci se sont cependant améliorées, les entreprises et les salariés s'étant adapté à la concurrence mondiale et aux changements structurels, après quelques années difficiles. La modernisation de l'économie, à la suite de la crise des industries traditionnelles, ainsi que l'accent mis sur l'informatique, la communication et les nouvelles technologies, expliquent cette réussite. Le long cycle de croissance assurant le retour au plein emploi sans déclencher l'inflation a pu laisser penser à certains analystes, au tournant de l'an 2000, que le pays avait trouvé une voie nouvelle et stable vers la prospérité permanente. Sur le plan intérieur, la société américaine ne propose plus de modèle de développement original et porteur d'avenir, en dépit des résultats obtenus : fin de la ségrégation, extension de la protection sociale et du champ d'application des libertés. Les poches de pauvreté n'ont cependant pas été résorbées, malgré la sensible réduction du chômage, et le racisme n'a pas disparu. L'élan politique est retombé, en dépit de la popularité de R. Reagan pendant ses mandats ou de la réélection de B. Clinton en 1996 : les citoyens rejettent volontiers ce qui vient de Washington et se laissent tenter, lors des élections locales et quand ils se dérangent pour voter, par des candidats démagogues ou des slogans hâtifs dénonçant notamment l'immigration ou l'*affirmative action*. Sur la scène mondiale, les États-Unis ont repris leur place, après la période sombre de la fin des années 1960 à 1982. La nation américaine est néanmoins relativement moins puissante qu'elle ne l'était en 1945, même si

elle reste l'unique « puissance mondiale ». Un tel bilan ne confirme guère la thèse du déclin, et les États-Unis disposent d'atouts extraordinaires, qu'ils savent mettre en œuvre au besoin. La puissance économique reste impressionnante, s'appuyant sur le marché de consommateurs le plus vaste du monde, grâce à l'ALENA (Accord de libre-échange nord-américain) conclu avec le Canada et le Mexique, très dépendants de leur grand voisin. Par ailleurs, les États-Unis utilisent au mieux les instances internationales comme l'Organisation mondiale du commerce (OMC) ou les relations bilatérales pour faire respecter leurs intérêts. De plus, les Américains sont capables d'une cohésion remarquable face à des enjeux qui les mobilisent, en dépit de la diversité de leurs origines et de la fragmentation multiculturelle. Ils restent globalement satisfaits de leur pays et de son mode de fonctionnement, tout en se méfiant de leurs hommes politiques. Devant les difficultés, les Américains ont toujours prouvé cette capacité. Ce fut encore le cas après les attentats du 11 septembre 2001. Enfin, les États-Unis conservent un pouvoir d'attraction remarquable dans le monde. Ils ont su, par le cinéma et la télévision, diffuser leur culture, et si celle-ci s'est banalisée et affadie, elle n'en constitue pas moins une carte irremplaçable. On ne comprendrait pas autrement le rêve américain de nombreux immigrants d'Europe de l'Est, d'Asie ou d'Amérique centrale et du Sud. Ces atouts restent ceux des États-Unis pour le XXᵉ siècle.
J. P. **> CONSTITUTION (ÉTATS-UNIS), FÉDÉRALISME (ÉTATS-UNIS), ISOLATIONNISME/INTERVENTIONNISME.**

ÉTHIOPIE République démocratique fédérale d'Éthiopie. Capitale : Addis-Abéba. Superficie : 1 097 900 km². Population : 61 095 000 (1999). L'Éthiopie moderne prend ses marques au XIXᵉ siècle dans une expansion territoriale réalisée par les empereurs Théodoros (1853-1868), Yohaness IV (1872-1889) et Ménélik (1890-1908). Elle hérite d'une longue histoire étatique et d'une association symbiotique avec le christianisme. L'Éthiopie a été le seul État africain capable d'infliger une défaite d'ampleur à une puissance coloniale – l'Italie (à Adoua, en 1896) –, événement d'une importance symbolique cruciale. **La centralisation** du pouvoir, installé à Addis-Abéba, s'affirme lorsque Ras Tafari, le futur <u>Hailé Sélassié</u>, devient régent puis, à partir de 1930, empereur (négus). Une première Constitution adoptée en 1931 crée deux Chambres, l'État se dote d'une banque et l'Église orthodoxe, qui dépendait alors totalement de l'Église copte égyptienne, obtient peu à peu son indépendance (complète en 1959). Surtout, une bureaucratie d'État se met en place et l'armée et la police deviennent des institutions. La modernisation est gelée par l'offensive italienne (guerre d'<u>Abyssinie</u>) en 1935 et le départ de l'empereur en exil en 1936. Son amertume vis-à-vis de la <u>SDN</u> (Société des Nations), dont l'Éthiopie était membre depuis 1923, régit plus tard son scepticisme sur les Nations unies. **Annexion rampante de l'Érythrée.** Le retour de Hailé Sélassié en 1941 n'empêche pas la multiplication des soulèvements dans les régions périphériques au Tigré et en pays oromo, au Sud. Humilié par les Britanniques qui hésitent à soutenir sa restauration, il choisit alors de s'allier avec les États-Unis. S'il ne peut obtenir le retour de l'Érythrée sous son autorité, Washington ne réagit pas à l'annexion rampante à partir de 1952. Dès 1953, Addis-Abéba est son allié privilégié dans la région. Le processus de modernisation se poursuit avec une moindre vigueur. Même si une réforme constitutionnelle en 1953 accroît le pouvoir des deux Chambres et instaure des élections pour l'une d'entre elles, l'empereur paraît surtout créer des coteries et gérer le pays en s'appuyant sur leurs rivalités. Aucune modernisation économique ni agraire n'est entreprise. La tentative de coup d'État en 1960 et la multiplication de soulèvements paysans dans le Gojjam, le Bale et le Sidamo demeurent des avertissements ignorés. Déjà, le conflit en Érythrée mobilise le tiers des troupes de ce qui est alors décrit comme la première armée africaine, appuyée par Israël dans sa résistance séculaire à l'Islam et à ses voisins arabes. **La dictature de Mengistu.** Alors que les cercles dirigeants se fossilisent, l'agitation bat son plein dans les

milieux estudiantins des années 1960 qui apparaissent inspirés par le marxisme et le surgissement de la question ethnique. En janvier 1974, des mutineries éclatent et s'engage un processus révolutionnaire que les militaires essaient de chapeauter avec la création du DERG (Comité administratif militaire provisoire), présidé par Mengistu Hailé Mariam (1937-). L'empereur est déposé en septembre 1974 et assassiné quelques mois plus tard. Le nouveau régime se déclare socialiste en décembre 1974 et décide, en 1975, la nationalisation des terres. Une période de grande instabilité et de terreur ne s'achève qu'avec la consolidation du pouvoir de Mengistu en 1978 et l'élimination physique de ses rivaux potentiels. **Trois problèmes récurrents se posent à Mengistu.** Le premier est le contrôle de la paysannerie qui croit ses revendications satisfaites et n'accepte que par la répression la mise en place d'une politique étatique aux effets économiques désastreux, comme l'attestent la famine de 1984-1985 et la politique de villagisation (déplacements vers des villages collectifs) qui s'ensuit. Le deuxième est l'institutionnalisation du régime pour répondre aux vœux des alliés soviétiques qui, hésitant durant les premières années, apportent à la fin 1977 leur soutien à Mengistu. En 1984, alors que la famine fait des dizaines de milliers de morts, un Parti des travailleurs éthiopiens est fondé avec un faste qui étonne. En 1987, une Constitution fait de l'Éthiopie une République populaire. **Multiplication des fronts armés.** Enfin, sur le front militaire, les difficultés s'accumulent. Après avoir refusé tout compromis avec les nationalistes érythréens, l'armée éthiopienne reprend pied dans l'essentiel de l'Érythrée, mais sans parvenir à écraser les indépendantistes. D'autres oppositions se développent alors au Tigré et en pays oromo. La situation est également précaire sur la frontière somalienne. Une offensive de Mogadiscio, en 1977, s'est certes conclue par une défaite radicale, mais plus de 50 000 soldats éthiopiens sont mobilisés dans cette zone à cause des incursions d'opposants manipulés par la Somalie. Addis-Abéba n'hésite donc pas à soutenir des mouvements hostiles au régime de Siyad Barré (1919-1995), comme d'ailleurs au régime de Khartoum puisque le territoire soudanais sert de sanctuaire à ses opposants. La situation bascule en 1988. D'une part, l'URSS n'est plus disposée à soutenir l'Éthiopie qui doit négocier ou entreprendre des réformes, alors que des pays occidentaux prêtent attention aux oppositions armées. D'autre part, ces dernières connaissent des succès majeurs en Érythrée puis au Tigré (1989), renforcés par des alliances nouées entre les principaux mouvements. Le Front populaire de libération du Tigré (FPLT dirigé par Méles Zenawi) prend la tête d'une large coalition d'organisations éthiopiennes et se coordonne avec le Front populaire de libération de l'Érythrée (FPLE), sous la houlette des militaires soudanais désireux d'affaiblir durablement les insurgés au Sud-Soudan. Démoralisés par les défaites, les officiers supérieurs tentent un coup d'État dont l'échec provoque des purges sanglantes, désorganisant davantage une armée aux effectifs colossaux mais sans professionnalisme. Mengistu annonce l'abandon du socialisme et une libéralisation du régime, mais il est trop tard : le 28 mai 1991, le FPLT et ses alliés entrent dans Addis-Abéba. Les relations avec Asmara. Le nouveau pouvoir est à bien des égards minoritaire. C'est pourquoi il décide de coopter des élites régionales sur des bases ethniques et entreprend des réformes à tonalité libérale qui lui apportent le soutien du monde occidental. L'indépendance de l'Érythrée autant que la régionalisation suscitent l'opposition larvée à la fois des partisans d'un démembrement de l'Éthiopie et celle, au contraire, des tenants de sa réaffirmation. La question de l'enclavement de l'Éthiopie se pose (l'Érythrée la sépare de la mer Rouge), ainsi que celle des relations entre les deux groupes dirigeants. Un incident frontalier en mai 1998 dégénère en affrontement de grande ampleur. Les dirigeants d'Addis-Abéba comprennent rapidement l'usage qu'ils peuvent en faire sur la scène intérieure : le nationalisme panéthiopien après une éclipse de quelques années permet de justifier l'injustifiable. En juin 2000, la victoire est réelle au niveau militaire, mais son coût humain et financier aura été considérable pour l'un des pays ressortant parmi les plus pauvres de la planète.

R. M. **> ÉRYTHRÉE.**

EUGÉNISME « Je suis convaincu qu'au siècle prochain on s'égorgera pour un ou deux degrés en plus ou en moins dans l'indice céphalique », annonce en 1887 Georges Vacher de Lapouge (1854-1936), professeur à la faculté de droit de Montpellier où il enseigne l'anthropologie politique. À la même époque, en Grande-Bretagne, la théorie de l'évolution inspire les tenants d'un « darwinisme social ». L'éleveur Francis Galton (1822-1911), cousin de Charles Darwin (1809-1882), forge en 1883 le terme *eugenics*, issu du grec *eu* (bon, bien) et *genos* (naissance, race), défini comme la « science de l'amélioration de la lignée ». Darwin, mort un an plus tôt, admirateur de la diversité biologique et favorable à la protection sociale, ne saurait en être tenu pour responsable. Mais le terme de « sélection naturelle par la survie des plus aptes » sera source d'équivoque, allant jusqu'à désigner la « survie à l'extermination » (Georges Canguilhem [1904-1995], *Idéologie et rationalité dans les sciences de la vie*, 1988). Inspirée du modèle de la sélection artificielle de l'élevage, cette notion mènera à l'idée proprement eugéniste de « donner aux races les mieux douées un plus grand nombre de chances de prévaloir sur les races les moins bonnes », selon F. Galton. Politisation des nouvelles sciences de l'homme et du vivant. Deux prix Nobel français, Charles Richet (1850-1935) dès 1912, puis Alexis Carrel (1873-1944) dans les années 1930, élaborent des théories qui trouveront une audience institutionnelle, liée à l'idéologie raciale issue des nationalismes européens et des politiques coloniales. C. Richet imagine, avant la Première Guerre mondiale, un « despote tout-puissant, presque un Dieu, ne s'embarrassant pas de vains scrupules... [qui] pourrait, en choisissant avec une irréprochable habileté les meilleurs types humains, créer au bout de cinq cents ans une race humaine admirable ». A. Carrel, dans son best-seller *L'Homme, cet inconnu* (1935), formulera dans la foulée le projet exterminateur destiné aux criminels et déficients mentaux, en imaginant un « établissement euthanasique, pourvu de gaz approprié, permettant d'en disposer de manière humaine et économique ». **D**ans la droite ligne de ces réflexions, Hitler propose, dès août 1929, d'éliminer les enfants les plus faibles, dans une circulaire adressée aux sages-femmes. En septembre, il incite les médecins à « désigner nominativement, à l'effet de leur accorder une mort de grâce, des malades incurables ». Les nazis pratiqueront aussi l'eugénisme « positif », avec les *Lebensborn* (pépinières d'enfants « aryens ») créés dans les zones d'occupation nordiques et en Pologne, pour « améliorer la race » européenne. Le nazisme n'est pas seul en cause. Dès 1907, l'État américain de l'Indiana promulgue une loi pour la stérilisation des criminels, des « imbéciles » et des « arriérés », suivi par 32 autres États américains et plusieurs États scandinaves et européens jusqu'en 1940. La Norvège social-démocrate proclame que la « prévention raciale est une fonction de l'État ». **E**n 1945, inauguration d'une justice pénale internationale, le Tribunal international de Nuremberg définit la notion de « crime contre l'humanité ». Le crime de « génocide », visant à « détruire des groupes religieux, raciaux ou nationaux », est institué ; sa définition par la Convention de 1948 s'étendra aux « mesures visant à entraver les naissances au sein du groupe ». Après guerre, une page semble tournée. La nouvelle science génétique remplace l'idéologie eugéniste, le « conseil » supplante la mesure autoritaire, le diagnostic prénatal volontaire le certificat prénuptial obligatoire et la médecine prédictive, qui se connectera dans les années 1980 à la médecine reproductive (avec la sélection des donneurs de gamètes et le tri des embryons), visera seulement la prévention de pathologies graves. Au début des années 1990, la législation française proscrira officiellement l'eugénisme, tandis que certains analystes annonceront l'ère d'un « eugénisme démocratique » (selon l'expression du sociologue Pierre-André Taguieff), acceptable donc. **Des affaires d'État.** À cet aspect des choses s'oppose cependant une histoire récente plus complexe, mettant en jeu une grande variété de pratiques. Ainsi, dans la Suède social-démocrate, la loi de stérilisation votée avant guerre reste en vigueur jusqu'en 1976. Son application concerne dans cette période au moins 60 000 personnes, des Tsiganes, des jeunes déviants, des femmes pauvres et de « mauvaises mœurs »... Cet eugénisme de l'État-providence, porté par une intervention diffuse des acteurs éducatifs et médicosociaux, vise une normalisation sociale plus qu'une purification raciale. En Chine, une logique gestionnaire est mise en avant pour justifier la volonté étatique de réduire le nombre de handicapés de naissance, dans le cadre du contrôle quantitatif de la population. Certains États, tel Singapour, vont plus loin, mettant en œuvre une double politique de stérilisation des pauvres et d'encouragement à la procréation des riches. La stérilisation dans des pays du Sud concerne particulièrement les populations indigènes, dont les femmes et les enfants sont par ailleurs souvent touchés par des guerres de « basse intensité ». Un eugénisme de guerre ouverte, enfin, est réapparu plus récemment pendant les guerres yougoslaves, notamment avec les viols de femmes bosniaques ayant pour but de leur faire porter des enfants « serbes ». **C**es pratiques – qui font toutes de la procréation une affaire d'État – sont-elles comparables ? Et peut-on les rapprocher de celles agissant plus sur la filiation juridique que sur la filiation biologique, telles que l'adoption forcée d'enfants de militants « disparus » par des membres des forces armées durant la « sale guerre » argentine ? Peut-on leur comparer la stérilisation actuelle, en France, de plusieurs milliers de « handicapés mentaux », en dehors de tout cadre légal ? Que penser dans ce paysage éclaté de mesures qui limitent la pleine capacité parentale des personnes : conditions psychosociales d'accès à la procréation médicalement assistée, ou aux prestations parentales ? Avec de telles mesures, avec le choix sur catalogue des donneurs de gamètes aux États-Unis (dont la banque de sperme de prix Nobel), les sociétés dites avancées se situent-elles vraiment dans la rationalité techno-scientifique et démocratique ? **Une orientation assurancielle et adaptative.** Dans cette cartographie chaotique, la distinction de lignes de force, entre lutte légitime contre la souffrance et élevage maîtrisé de l'espèce – voire mythe de la naissance et de l'éducation « zéro défaut » – apparaît délicate. Entre les deux se déploie une logique assurancielle, avec la contestation judiciaire des « *wrongful lives* » (vies dommageables), qui voit des enfants poursuivre leurs parents pour leur avoir donné naissance dans de mauvaises conditions. Du côté de la procréatique prédictive, on glisse doucement des pathologies lourdes aux gènes de « susceptibilité » à certaines maladies ou troubles comportementaux. On a déjà pratiqué aux États-Unis des tests génétiques à l'embauche, et des recherches sont engagées en France sur l'adaptation génétique aux postes de travail. Aux qualifications raciales massives, succèdent des profilages d'aptitudes et de déviances biosociales. L'eugénisme du xxᵉ siècle, dans ces sociétés de contrôle, sera donc assuranciel et adaptatif, consacrant l'« homme probable », selon les mots du biologiste français Jacques Testart. L'état des sciences, sans doute, a bien changé depuis le début du xxᵉ siècle. La souplesse du système cortical est largement prouvée, les successeurs de Darwin sont enclins à une conception « neutraliste » de l'évolution, et l'écologie met au centre la réciprocité de la « coadaptation » du vivant et de son milieu. Quant à l'« erreur » de codage qui a remplacé, dans les théories génétiques, l'ancienne notion de « tare héréditaire », n'est-elle pas, comme l'indique le philosophe Michel Foucault (1926-1984), quasi identique au concept même de vie ? Reste une persistance multiforme des fantasmes et des pratiques eugéniques, indiquant que la question est plus éthico-politique que scientifique. L'obsession de la conformité, de la sécurité et de la performance oriente les recherches, quelle que soit la responsabilité des chercheurs et agents de santé. Aujourd'hui comme au début du xxᵉ siècle, le probable n'est pas certain, et la question de la résistance à la norme biosociale reste pleinement ouverte. **V. M.**

EURATOM Dite aussi CEEA (Communauté européenne de l'énergie atomique), Euratom a été créée (second traité de Rome) en même temps que la CEE (Communauté économique européenne), le 25 mars 1957. Elle entre en vigueur le 1ᵉʳ janvier 1958. Conçue à un moment où l'Europe craignait pour son approvisionnement en énergie (crise du canal de Suez), elle se donne pour but de développer l'énergie nucléaire dans les États membres. Elle participera à la réalisation de centrales. Elle a par ailleurs développé un important programme de recherches sur la fusion nucléaire. **> CONSTRUCTION EUROPÉENNE.**

EURO > ZONE EURO.

EUROPE > CONSTRUCTION EUROPÉENNE.

ÉVIAN (accords d') Au terme de négociations menées à partir du 20 mai 1961 à Évian-les-Bains par les représentants du gouvernement français et par les émissaires du Gouvernement provisoire de la République algérienne, les accords d'Évian, signés le 18 mars 1962, mettent un terme à la guerre d'indépendance algérienne. L'indépendance est reconnue par la France avec des promesses de garanties pour les Européens. Un cessez-le-feu doit intervenir le 19 mars et un référendum d'autodétermination le 1ᵉʳ juillet. Celui-ci est massivement approuvé et l'indépendance proclamée le 3 juillet. Alors que se multiplient les attentats terroristes de l'Organisation armée secrète (OAS), hostile à la politique d'autodétermination, les Européens et les Juifs d'Algérie quittent massivement le pays, tandis que la France abandonne la plupart des « harkis » (Algériens musulmans ayant combattu aux côtés des troupes françaises) à un funeste sort. **N. B.** **> ALGÉRIE.**

F

FABIANISME Mouvement socialiste anglais qui doit son nom à un club, la Société fabienne, fondée en 1884. Son nom évoque un général romain, Fabius Maximus, dit « *Cunctator* » (le Temporisateur), qui arrêta les victoires d'Hannibal en Italie tout en esquivant toute bataille frontale. Ce courant est notamment animé par le couple Webb – Sidney (1859-1945) et Béatrice (1858-1943) – et sera constitutif de l'Independent Labour Party. Il préconise une transformation graduelle de la société par des réformes sociales. Non marxiste, adepte du socialisme municipal, pratiquant la pénétration du Parti libéral et préférant tracts et conférences éducatives à l'action révolutionnaire de classe, le fabianisme réunit principalement des intellectuels. H. G. Wells (1866-1946) et George Bernard Shaw (1856-1938) en furent. Le chef de file des marxistes allemands Karl Kautsky (1854-1938) les qualifia de « socialistes bourgeois ». Il n'en eurent pas moins une très grande influence sur le socialisme britannique. **V. K. > LABOUR PARTY, SOCIALISME ET COMMUNISME.**

FAI (Fédération anarchiste ibérique) **> ANARCHISME (ESPAGNE).**

FALASHA Peuple d'Éthiopie de religion juive, les Falasha ont émigré en Israël en deux grandes vagues (1984 : opération *Moïse*, et 1991 : opération *Salomon*). Ils y forment une communauté comptant environ 60 000 personnes et sont nombreux, comme en Éthiopie, dans l'artisanat, la construction et l'armée. Se nommant eux-mêmes *Beta-Israël* (Maison d'Israël), ils pratiquent un judaïsme des origines qui ignore le *Talmud*. Lointains descendants de Juifs capturés lors des expéditions du royaume éthiopien d'Axoum, au Yémen, au VIe siècle, ils se seraient fondus dans la population africaine des plateaux au nord du lac Tana et ont reçu le nom (péjoratif à leurs yeux) de *« Falasha »* ou « exilés ». Liés à la dynastie noire des Zagwé (1135-1270), ils s'opposèrent aux empereurs chrétiens monophysites (coptes). Beaucoup ont été convertis par les pasteurs protestants au début du XXe siècle. Leur arrivée a été bien accueillie en Israël par l'intelligentsia et les hommes politiques, qui y ont retrouvé un épisode de leur histoire ancienne (Salomon et la reine de Saba) et y ont vu une occasion de nouer des alliances en terre africaine. Elle a été beaucoup moins bien perçue par les milieux religieux qui ont voulu les obliger à pratiquer une seconde conversion. **B. N. > ÉTHIOPIE, ISRAËL.**

FALKLAND > MALOUINES (ÎLES).

FANFANI Amintore (1906-1999) Homme politique italien. Né à Pieve Santo Stefano, Amintore Fanfani est à partir de 1936 professeur d'économie à l'université catholique de Milan. Proche de l'Église, favorable au corporatisme fasciste, il soutient le régime jusqu'à la guerre. En 1945, il entre à la direction de la Démocratie chrétienne, dont il représente l'aile gauche. Député d'Arezzo, il est ministre du Travail puis de l'Agriculture dans les gouvernements De Gasperi (1946-1953). Partisan de l'intervention de l'État dans l'économie, d'une troisième voie entre libéralisme et marxisme, dont les principes reposent sur une éthique catholique affirmée, il devient secrétaire de la DC au congrès de Naples (1954). Il travaille avec succès au renforcement du parti grâce à son contrôle des entreprises publiques et à des réseaux clientélaires. Président du Conseil et ministre des Affaires étrangères en 1958, son ambition est que l'Italie gagne en influence dans les pays arabes. Renversé en janvier 1959, il est remplacé à la tête du parti par Aldo Moro. Il participe à la formation du centre gauche (ralliement du PSI, Parti socialiste italien) et dirige le gouvernement de 1962 à 1963. Candidat malheureux à la présidence de la République (1964 et 1971), il veut être le « de Gaulle italien » et rallier à lui les suffrages communistes par une politique étrangère désormais indépendante de l'Amérique. Président du Sénat (1968), de nouveau secrétaire de la DC (1973), sa reconquête du pouvoir échoue en raison de sa prise de position en faveur de l'abrogation du divorce (1974). Sa carrière politique décline après son éviction du secrétariat en 1975. **F. A.   > DÉMOCRATIE CHRÉTIENNE (ITALIE), ITALIE.**

FANG LIZHI (1936-)   Dissident chinois, astrophysicien. Surnommé le « Sakharov chinois » pour ses convictions prodémocratiques et son rôle d'inspirateur des manifestations étudiantes de 1986 et 1989. Né à Hangzhou, il est expulsé du Parti communiste chinois (PCC) en 1958, persécuté dix ans plus tard pendant la Révolution culturelle (il était alors physicien nucléaire), puis réhabilité. Il occupe en 1986 le poste de vice-président de l'université des sciences et technologies, à Hefei. « La démocratie n'est pas une faveur qu'on accorde, mais quelque chose pour laquelle il faut lutter », dit-il aux étudiants. À nouveau expulsé du Parti en janvier 1987, affecté à l'observatoire de Pékin, il lance un appel public au numéro un chinois Deng Xiaoping en janvier 1989 pour la libération de tous les prisonniers politiques. Il est l'ami et le conseiller du leader étudiant Wang Dan durant le mouvement de Tian An Men (avril-juin 1989). Réfugié dans l'ambassade des États-Unis pendant la répression, il quitte la Chine en juin 1990 et enseigne ensuite à Tucson (États-Unis). **P. Gr.   > CHINE, DISSIDENCE ET OPPOSITIONS (CHINE).**

FAO   Créée en 1945, l'Organisation des Nations unies pour l'alimentation et l'agriculture (FAO – Food and Agriculture Organization of the United Nations –, siège à Rome) est une institution spécialisée du système de l'ONU, qui a pour mission d'élever le niveau de nutrition et les conditions de vie, d'améliorer le rendement et l'efficacité de la distribution des produits agricoles, d'améliorer les conditions des populations rurales et de contribuer à l'élimination de la faim dans le monde.

FASCISMES   Doctrine et régime politiques nés en Italie à la fin de la Première Guerre mondiale. Le terme « fascisme » est souvent appliqué à tout régime autoritaire ou ennemi politique que l'on entend diaboliser, ce qui tend à le banaliser.   Le fascisme naît avec la fondation du parti éponyme, place San Sepolcro à Milan le 21 mars 1919. Son créateur, Benito Mussolini, est un ancien dirigeant socialiste converti aux idées nationalistes. Le nom emprunte à la symbolique romaine antique (*fascis*, faisceau des licteurs). Le régime autoritaire évolue rapidement vers une dictature d'un nouveau type, que son inspirateur théorise dans les années 1930. Il sert de modèle pour le nazisme allemand, exerce une fascination certaine sur de nombreux hommes politiques occidentaux et voit enfin ses adversaires, d'abord hésitants, lutter victorieusement contre lui durant la Seconde Guerre mondiale.   Le fascisme connaît plusieurs phases de développement. La première correspond au fascisme-mouvement d'avant la prise du pouvoir : il mêle un programme violemment anticapitaliste et anticommuniste, antibourgeois et nationaliste. C'est le cas en Italie comme en Allemagne. Pour conquérir le pouvoir, le fascisme tait ce qui peut encore effrayer les classes possédantes. Le deuxième fascisme n'a alors plus grand chose à voir avec le premier et instaure un système de pouvoir que ses adversaires qualifient de totalitarisme.   Un totalitarisme. Le fascisme entre très bien dans la grille d'analyse des régimes totalitaires. Il comporte d'abord une idéologie, théorisation *a posteriori* de l'action politique et dogme infaillible auquel tous doivent croire et obéir. C'est un mélange de nationalisme exacerbé, d'anticommunisme quasi obsessionnel (nazisme). Révolutionnaire et radical, le fascisme emprunte ses idées à divers penseurs souvent mal compris : la violence (Georges Sorel), la manipulation des foules (Gustave Le Bon), le culte du héros (Friedrich Nietzsche), le refus de l'égalité entre les hommes, la remise en cause des principes hérités des Lumières, etc. Si le fascisme italien voue un culte à l'État devant lequel tout individu s'efface et pour lequel il se sacrifie (Hegel revu par Giovanni Gentile, idéologue du fascisme), le national-socialisme fait de l'inégalité des races humaines (Joseph Gobineau, Houston Stewart Chamberlain) le socle de son idéologie. Si l'antisémitisme, à la base du régime nazi, ne se développe que tardivement en Italie, le régime de Mussolini met en pratique un racisme d'État avec la guerre d'Abyssinie. Le fascisme se distingue de l'idéologie réactionnaire et ruraliste par son adhésion à la société industrielle et au modernisme technologique. De même, il se veut un système post-démocratique qui encadre et mobilise les masses, et non un retour à l'Ancien Régime. Enfin, le fascisme porte en germe la guerre à laquelle il prépare la société. Cela n'est pas seulement dû au nationalisme exacerbé, car il s'agit d'une réponse à une nécessité intérieure : la pression idéologique et politique qu'exerce le système totalitaire sur la société ne peut que conduire à une fuite en avant vers la conquête extérieure, substitue aux déceptions qu'engendre la non-réalisation du modèle de société promis. **« Homme nouveau » et contrôle social.** Le fascisme entend en effet transformer la société en créant un « homme nouveau », surhomme dévoué à l'État et à la nation en Italie ou Aryen « racialement » pur en Allemagne. Pour ce faire, le fascisme ne se borne pas, à l'image des régimes autoritaires, à liquider toute opposition, à supprimer les libertés et institutions démocratiques, à créer des milices ou des polices politiques qui disposent d'un fort pouvoir discrétionnaire. Toutes les activités de la vie individuelle passent sous le contrôle de l'État et d'un parti unique, auquel l'adhésion est un sésame pour qui veut faire carrière. L'État fasciste s'occupe de la famille comme de l'éducation, des loisirs comme de la culture. L'enfant est embrigadé dans des organisations contrôlées par le Parti dès son plus jeune âge. Adolescent, puis jeune adulte,

il est enrégimenté et, à une éducation de plus en plus contrôlée par l'État, s'ajoute une formation militarisée. Tout fonctionnaire doit prêter serment de fidélité au chef, dont on construit le culte de la personnalité, à l'aide d'une propagande très élaborée, où les rassemblements de masse tiennent une place essentielle. **Le rôle du chef** est en effet essentiel dans le fascisme. Certains analystes lui accordent un pouvoir absolu. D'autres soulignent la complexité des processus de décision, du fait de la multiplication des organismes de pouvoir (les différentes forces de répression en Allemagne) ou de la concurrence entre l'État et le Parti. Tous sont d'accord pour faire du chef la clef de voûte du système : il est le guide suprême, il a toujours raison, il sait tout faire (Mussolini)... et tous les hiérarques du fascisme s'y réfèrent pour justifier leur action. Si l'État contrôle la vie sociale, il n'en va pas de même de l'économie. De fait, le fascisme maintient un système capitaliste libéral et supprime les syndicats en les remplaçant par des corporations qui empêchent tout conflit social et arbitrent le plus souvent en faveur des producteurs. De même, la politique autarcique poursuivie par les régimes fascistes, les grands travaux entrepris ou la création d'organismes d'investissements, n'est pas contraire à leurs intérêts. Il faut attendre la guerre pour que l'État contrôle plus étroitement la production et que divergent les intérêts entre les acteurs économiques et l'État fasciste. **De multiples causes et contextes.** On a beaucoup glosé sur les facteurs d'explication de l'avènement du fascisme. Le rôle de la Grande Guerre et de ses conséquences (« brutalisation » des sociétés européennes) est un facteur décisif. Frustrés d'une victoire mutilée ou humiliés par les traités, les pays où le fascisme s'est installé voient s'accroître la force de courants nationalistes qui tirent parti d'une démocratie récente et fragile, que vient déséquilibrer un peu plus une grave crise économique et sociale, avec pour conséquence la montée du communisme. Il faut y ajouter la faillite des élites au pouvoir, voire la complicité de la classe dirigeante et de grands industriels qui craignent le désordre révolutionnaire, ainsi que l'habileté de chefs charismatiques, qui parviennent à fédérer autour d'eux un électorat de plus en plus large. Celui-ci dépasse le simple cadre des anciens combattants de la Grande Guerre ou des classes moyennes ruinées : ouvriers, paysans, classe moyennes en ascension, voire élites intellectuelles rejoignent les mouvements fascistes. La victoire et les premiers succès du fascisme italien font des émules ailleurs en Europe. En Allemagne, Hitler admirait grandement Mussolini et le nazisme emprunte des thèmes au fascisme, mais le totalitarisme s'y exprime plus nettement. Hitler n'a pas à composer avec la monarchie ou l'Église, à la différence du fascisme italien. La logique antisémite et la férocité de la répression dans l'Allemagne nazie en font un cas particulier. **Roumanie, Autriche, Hongrie, Croatie...** En Europe occidentale, sauf pendant la période 1940-1944, le fascisme fascine davantage les élites politiques et intellectuelles qu'il ne draine les masses (Jacques Doriot en France, Oswald Mosley en Angleterre). Le cas de la France des années 1930 est sujet à débats en raison de la très forte poussée de l'extrême droite (Ligue des Croix-de-feu), dont nombre d'historiens doutent du caractère réellement fasciste. En Roumanie (Garde de fer de Ion Antonescu), en Autriche (Parti national-socialiste, depuis 1926), en Hongrie (Croix fléchées), le fascisme progresse. Pendant la guerre, il triomphe dans ce dernier pays, en Slovaquie (le régime clérical et réactionnaire de Mgr Tiso subit l'influence du nazisme) et en Croatie (régime d'Ante Pavelic). Le régime instauré au Portugal par Antonio de Oliveira Salazar (1933) reste plus réactionnaire que fasciste, malgré le corporatisme. Salazar refuse en effet l'État totalitaire et laisse l'Église orienter le pays vers le conservatisme traditionnaliste. Impérialiste et de tendance totalitaire, le régime imposé au Japon dans les années 1930 par une caste militaire n'a que peu de points communs avec le fascisme ou le nazisme : le poids de la tradition, l'absence d'un parti unique ou de l'équivalent d'un « duce », l'anti-occidentalisme enfin l'éloignent du modèle italien ou allemand. Le qualificatif de « fasciste » est cependant employé pour le régime de Franco en Espagne et pour celui de Vichy en France. Si les points de ressemblance ne manquent certes

pas, il est difficile d'en faire des régimes fascistes au sens strict, au-delà des incontestables aspects criminels de ces régimes et malgré l'antisémitisme d'État en France, en raison notamment du poids dominant de l'Église et des valeurs réactionnaires dans ces deux pays. Il n'y a pas à proprement parler de volonté de forger un « homme nouveau » de type fasciste. On peut tenir le même discours sur la dictature des colonels en Grèce (1967-1974) ou sur celle de Pinochet au Chili (1973-1990) ; cependant que Perón en Argentine (1946-1955) a voulu imiter en partie Mussolini. Mais ce projet totalitaire s'est-il cependant réalisé en Italie ? Le débat reste ouvert. **F. A.** **> ANTIFASCISME (ITALIE),
RÉSISTANCE ITALIENNE, RÉSISTANCES ALLEMANDES AU NAZISME.**

FAYSAL BEN ABDEL-AZIZ AL-SAOUD

(1904-1975) Roi d'Arabie saoudite (1964-1975). Faysal ben Abdel-Aziz al-Saoud est le quatrième fils du fondateur du royaume d'Arabie saoudite, Abdel-Aziz Ibn Saoud. Tôt associé aux conquêtes de son père, il est Premier ministre puis régent sous le règne de son frère aîné Saoud, auquel il succède en 1964. Pour contrer les menées socialistes et nationalistes arabes du leader égyptien Gamal Abdel Nasser, qui contrôle la Ligue arabe et dont les troupes engagées au côté de la République du Yémen menacent directement le royaume, Faysal resserre les liens de l'Arabie saoudite avec les États-Unis et favorise la création ou le développement d'institutions proprement islamiques qu'il soutient financièrement : la Ligue islamique mondiale, qui est créée en 1962 (siège à La Mecque), et l'Organisation de la conférence islamique, dont les statuts sont adoptés en 1972 (siège à Jeddah). Croyant austère et despote éclairé, il tente avec prudence – et un certain succès – de faire évoluer une population très conservatrice. Mais il n'a pas le temps de tirer profit du « boom » pétrolier qu'il a contribué à provoquer en appelant l'Organisation des pays producteurs de pétrole (OPEP) à limiter leur production et à hausser les prix (choc pétrolier), à la suite de la défaite de l'Égypte et de la Syrie face à Israël en 1973 (guerre du « Kippour », encore dite guerre du

« Ramadan ») : il est assassiné en 1975 par l'un de ses neveux. **I. L.** > **ARABIE SAOUDITE.**

FÉDÉRALISME **S**ystème politique fondé sur la base d'une union volontaire d'États. La Fédération (État fédéral) assure l'exclusivité de la représentation des États fédérés dans les relations internationales, tout en leur ménageant de larges compétences en matière de politique intérieure. Les États-Unis, le Canada, l'Allemagne, le Mexique, l'Inde, le Nigéria ou le Brésil sont des États fédéraux, comme la Confédération suisse malgré son intitulé. Les fédérations socialistes qu'étaient l'URSS (Union des républiques socialistes soviétiques), la Yougoslavie et la Tchécoslovaquie ont éclaté dans les années 1990.

FÉDÉRALISME (Allemagne) **La** RFA qui naît en 1949 procède de la volonté des puissances occidentales de rompre avec l'État centralisé du IIIᵉ Reich et de respecter la diversité des identités régionales des différents Länder. La Loi fondamentale (1949) établit en RFA un système fédéral, original par son équilibre. **F**ondée sur le principe de subsidiarité, elle précise les domaines dans lesquels le pouvoir central – la Fédération – et les Länder disposent, séparément, d'une compétence exclusive en matière de législation, et ceux dans lesquels ils peuvent légiférer de façon concurrente. La Loi règle entre eux la répartition des différents impôts et veille à l'équilibre entre les Länder par une péréquation financière. Depuis 1949, les compétences et les recettes du pouvoir central se sont accrues aux dépens des Länder, ceux-ci se déchargeant de certaines tâches au profit de la Fédération. **O**n retrouve le même souci d'équilibre sur le plan politique. Par l'intermédiaire du Conseil fédéral (Bundesrat), composé de délégués de leurs gouvernements, les Länder prennent part à la législation et à l'administration de la Fédération. Le Bundesrat participe à l'élaboration et à l'adoption de toutes les lois fédérales : son accord est requis pour les lois touchant les intérêts administratifs et financiers des Länder, et pour toute modification constitution-nelle. Ce dernier cas est fréquent, et avec lui le risque de conflit entre Bundestag (la Diète fédérale) et Bundesrat, surtout si leurs majorités sont différentes. Ce système de poids et de contrepoids oblige au compromis et facilite l'intégration des partis dans le système politique allemand. **L'**unification de l'été 1990 a permis le rétablissement des cinq Länder qui avaient existé en RDA jusqu'en 1952 et a contribué par là à renforcer le système fédéral ; mais elle a aussi affaibli l'autorité des Länder, faute de moyens suffisants, face au pouvoir central. Avec les progrès de l'intégration européenne, ceux-ci ont craint la perte de compétences au profit du gouvernement fédéral et ont réagi par différentes stratégies : obtention d'un Comité des régions en janvier 1994, ajout à la Loi fondamentale du droit d'être consultés par le gouvernement fédéral sur toutes les questions relevant de la construction européenne... > **ALLEMAGNE.**

FÉDÉRALISME (Belgique) **E**n l'an 2000, la Belgique était divisée en trois communautés, trois régions, dix provinces et 589 communes. La Constitution de 1831 avait instauré un État unitaire décentralisé, où les provinces et les communes disposaient d'une relative autonomie. L'adoption du principe de territorialité linguistique, au début des années 1960, conduit à un profond remaniement de cette organisation : les révisions constitutionnelles de 1970 et de 1980 créent trois communautés culturelles (flamande, « française », germanophone) et trois régions (Flandre, Wallonie, Bruxelles-Capitale, cette dernière étant bilingue). La région et la communauté flamandes décideront ultérieurement de fusionner. L'accroissement des pouvoirs dévolus à ces composantes conduit à l'adoption formelle du fédéralisme en 1993 (l'élection des nouvelles assemblées ayant lieu en 1995). Il s'agit donc d'un fédéralisme « de dissociation » et non d'association, qui ne reflète qu'imparfaitement les caractéristiques habituelles de ce système. **Quelles compétences pour les communautés ?** Les compétences des communautés concernent surtout les matières culturelles et l'enseignement. Celles des régions comprennent l'aménagement du territoire et l'urbanisme, l'environnement, le logement, les travaux publics, les transports. Des compétences sont par ailleurs partagées avec l'État fédéral : l'économie, le commerce extérieur et l'emploi. Les régions exercent la tutelle des provinces et des communes. Régions et communautés peuvent signer des traités internationaux.　　**Ce** fédéralisme n'apparaît pas stabilisé, les Flamands demandant une plus large autonomie, notamment une régionalisation de l'impôt et de la Sécurité sociale que les Wallons ne sont pas disposés à consentir. La menace d'une sécession a ainsi été évoquée, au cas où un nouveau compromis ne pourrait pas être trouvé. **J.-C. B.　　▷ BELGIQUE, FLAMANDS ET WALLONS.**

FÉDÉRALISME (Canada)　　De par sa taille, 9 millions de km², de par son peuplement peu homogène, il est somme toute assez logique que le Canada ait pris le statut d'une fédération. L'Acte de l'Amérique du Nord britannique établit en 1867 la Confédération canadienne et l'amendement de ce texte en 1982 ne changera rien à ce principe. Alors que dans les États-Unis voisins, la Constitution indique que tout ce qui n'appartient pas à l'État fédéral appartient aux États, le texte canadien spécifie que tous les pouvoirs qui ne sont pas du domaine des provinces reviennent à l'État fédéral. Cette différence n'a pas fait du Canada une fédération centralisée, mais l'équilibre entre le gouvernement d'Ottawa et celui des provinces a été changeant. Au cours du XXᵉ siècle, le gouvernement fédéral a été le moteur de la modernisation du pays, mais depuis que la question québécoise est posée, cette tendance a été contestée et les bases de la confédération remises en cause.　　**D**ans le principe, les dix provinces sont strictement égales dans la répartition des pouvoirs : contrôle des lois civiles (Code Napoléon au Québec), de l'éducation, des ressources naturelles. Le gouvernement central dispose de tous les attributs classiques de la souveraineté – défense, monnaie, immigration, douanes –, mais détient également l'autorité sur les populations autochtones. Cette structure a été modifiée du fait de la montée en puissance du gouvernement fédéral. À

l'occasion des deux guerres mondiales et de la crise de 1929, c'est d'Ottawa que sont venues orientations et décisions. Ainsi, les provinces, sauf le Québec, ont-elles accepté de laisser le gouvernement fédéral lever seul l'impôt ; ainsi, au lendemain de la Seconde Guerre mondiale, les projets d'État-providence – système de retraite – ont-ils été mis au point par Ottawa et partagés avec les provinces. De même, le gouvernement fédéral a entrepris la construction d'autoroutes à travers le pays, comme il a subventionné l'enseignement universitaire ou pratiqué un complexe système de péréquation financière entre les provinces. Une telle évolution a été facilement acceptée par la plupart des provinces, lesquelles se sont en effet délestées de certaines tâches et ont reçu, en contrepartie des prélèvements financiers effectués par Ottawa, des services réels et tangibles.　　**La revendication québécoise.** La province de l'Ontario, la plus riche, a retardé ce mouvement, mais c'est du Québec qu'est venue la contestation. Dans le fond, les Québécois n'avaient jamais admis de constituer une province identique aux autres ; pour eux, le Canada avait été créé par les deux peuples fondateurs – Français et Anglais – et leur ambition a toujours été de participer à un ensemble dans lequel ils auraient autant de droits que toutes les autres provinces réunies. Cette attitude explique que le gouvernement conservateur et nationaliste de Maurice Duplessis (1944-1959) ait refusé de participer aux programmes conjoints relatifs à l'Université ou aux routes. Elle explique aussi que les gouvernements de la Révolution tranquille (période de réformes accélérées réalisées par le Parti libéral, 1960-1966) aient cherché, sans le dire explicitement, à obtenir un « statut particulier » en négociant avec Ottawa au sujet de toutes les questions communes. Sous l'impulsion du Premier ministre Pierre Elliott Trudeau (1968-1984), le gouvernement central a entrepris de freiner cette évolution et repris la force de proposition : affirmation du nationalisme canadien, programme de bilinguisme et biculturalisme national (1969), pour répondre à la revendication québécoise, rapatriement de la Constitution – qui était toujours un document britannique – en l'amendant pour que soient reconnus les droits de l'individu, mais pas ceux des collectivités (1982). Cette politique a contribué à isoler le Québec, mais a aussi provoqué des protestations dans le reste du pays du fait de son coût excessif et de sa relative inefficacité. À partir de 1984, le Premier ministre Brian Mulroney (1984-1993) a tenté de trouver une solution à l'impasse du système fédéral, mais le projet de reconnaître la « société distincte » du Québec n'a pas abouti en 1990, et la réforme des institutions, envisagée dans le référendum de 1992, a été refusée par la majorité des électeurs du pays.   En ce tournant de siècle, le fédéralisme canadien aurait un bilan positif – au point de vue social et économique – s'il avait résolu la contradiction qui le mine : une province n'accepte pas d'être identique aux autres et la centralisation ne peut être la réponse. **J. P.   ▷ CANADA.**

FÉDÉRALISME (États-Unis)   La
Constitution des États-Unis consacre le principe de séparation et d'équilibre entre les pouvoirs législatif, exécutif et judiciaire. Elle définit les grandes lignes de leur organisation interne et établit les règles régissant leurs relations réciproques. L'article 1 de la Constitution institue le Congrès qui se compose du Sénat et de la Chambre des représentants. Chaque État est obligatoirement représenté à Washington par deux sénateurs (soit 100 au total depuis 1960), et par des représentants (435 depuis 1910), dont les circonscriptions varient en fonction de l'importance de la population (mesurée par le recensement constitutionnel effectué tous les dix ans). Chaque représentant est élu dans une circonscription d'environ 500 000 habitants et chaque État dispose d'au moins un élu. La Cour suprême intervient pour faire respecter le principe d'égalité de suffrage entre tous les citoyens. Tous les deux ans, le Sénat est renouvelé par tiers tandis que la Chambre des représentants est intégralement élue. À l'origine, les sénateurs (dont le mandat est de six ans) étaient nommés par les législatures des États ; depuis 1913 (17e Amendement), ils sont élus au suffrage universel direct. Tant au Sénat qu'à la Chambre, le

scrutin est uninominal à un tour. Les deux Chambres contrôlent l'éligibilité de leurs membres, le respect des règles d'incompatibilité et veillent à la régularité des élections.   Le Sénat est présidé par le vice-président des États-Unis qui ne participe que très rarement aux débats et ne vote qu'en cas d'égalité des suffrages. La présidence (dont le rôle est mineur) est en fait assurée par un président *pro tempore* élu par les sénateurs. La Chambre est présidée par le *speaker* (deuxième personnage de l'État) élu par ses pairs. Dans les deux assemblées, les partis disposent d'une organisation très hiérarchisée mais le vote est strictement personnel. Les commissions et les sous-commissions spécialisées et permanentes (respectivement au nombre de 22 et 140 à la Chambre et de 16 et 85 au Sénat depuis 1988) ont pour mission l'étude des propositions de loi.   **Le Congrès : deux Chambres également puissantes.** Le Congrès exerce l'intégralité du pouvoir législatif. Les deux assemblées détiennent seules et partagent également l'initiative législative. Elles sont compétentes pour élaborer les lois fédérales dont le domaine est défini par la Constitution. Outre une compétence explicite, le Congrès peut faire toutes les lois nécessaires à la mise en œuvre de ses pouvoirs. En revanche, il ne peut traiter de certaines affaires qui relèvent des États. La loi est votée lorsque les deux Chambres sont parvenues à une même rédaction résultant de la conciliation réalisée en commission mixte paritaire. Le texte est alors soumis au président qui doit le signer et le transmettre à l'administration.   Le Congrès peut contrôler l'administration soit en nommant des commissions spécialisées, soit à l'occasion du vote du budget. Le Congrès dispose, en effet, de pouvoirs financiers importants. Sur proposition du président, il vote le budget soumis prioritairement à l'examen de la Chambre des représentants. Au titre des compétences spécialisées, les deux assemblées peuvent conjointement proposer un amendement à la Constitution en adoptant une résolution à la majorité des deux tiers.   Si la procédure d'*impeachment* tendant à autoriser le jugement et la destitution des plus hautes personnalités de l'État (y compris du président) pour trahison, concussion et autres crimes ou délits majeurs est mise en œuvre par la Chambre, il appartient au Sénat de se prononcer sur le fond. Enfin, les nominations des hauts fonctionnaires proposées par le président doivent être ratifiées par le Sénat à la majorité des deux tiers ainsi que les traités les plus importants. **Le président, seul responsable de l'exécutif.** En application de l'article 2 de la Constitution, le pouvoir exécutif est confié au président. Né citoyen américain et au moins âgé de trente-cinq ans, il est désigné tous les quatre ans par un collège électoral de 538 membres élus au suffrage universel direct. Les candidats à la Présidence et à la Vice-Présidence – formant le *ticket* (le couple candidat) – sont choisis au terme d'un long processus d'élections primaires et de conventions nationales. Depuis 1951, le président ne peut exercer plus de deux mandats. En cas de destitution, de décès ou de démission, le vice-président devient président. Politiquement, l'accession à la Maison-Blanche conduit le président à assumer le rôle de leader de parti, fonction d'autant plus importante que la majorité du Congrès ne le soutient pas obligatoirement. Le président assume seul la responsabilité de l'exécutif : il n'existe pas de chef de gouvernement et les ministres dépendent directement du président qui n'est pas pour autant responsable devant le Congrès. Le président est chef de l'État et dispose d'un important pouvoir de nomination. Il est commandant en chef des armées (même si ce pouvoir a été considérablement réduit depuis l'adoption en 1973 de la loi sur les pouvoirs en temps de guerre). Il peut user du droit de veto soit de façon explicite, soit en refusant de se prononcer sur un texte de *loi (pocket veto)*, et bloquer le processus législatif. Toutefois, les effets de cette intervention peuvent être annihilés par un vote acquis à la majorité des deux tiers des membres de chacune des assemblées. **L'indépendance de la Cour suprême.** Constitutionnellement, la Cour suprême incarne le pouvoir judiciaire. Depuis 1869, elle se compose de neuf juges (huit *Associate Justices* et le *Chief Justice*), nommés après consultation du ministre de la Justice par le président, dont les proposi-

tions doivent être ratifiées par le Sénat. Leur nomination à vie permet de garantir leur indépendance. En outre, si les décisions de la Cour sont prises à la majorité, les observations de chaque juge sont publiées, y compris celles de la minorité. La Cour juge en premier ressort des affaires fédérales. Elle traite en dernier ressort des affaires qui lui sont soumises en appel, sous réserve que leur importance le justifie (sur ce point l'accord de quatre juges est nécessaire). Enfin la Cour peut se prononcer sur la constitutionnalité des lois. Cette compétence résulte de l'arrêt *Marbury c. Madison* de 1803 en vertu duquel la Constitution est la loi suprême des États-Unis et il appartient à la Cour d'interpréter la loi et de prononcer la nullité des textes (fédéraux ou fédérés) incompatibles avec la Constitution. La Cour ne peut toutefois se saisir elle-même de ces questions et dépend à cet égard de la pugnacité des requérants. Le principe de séparation des pouvoirs ne doit pas s'interpréter comme un strict cloisonnement mais comme la recherche d'un équilibre, ce qui explique que l'on ait pu successivement qualifier le régime politique des États-Unis de « gouvernement des juges » ou de « république impériale ». Ainsi se manifeste dès que nécessaire le mouvement de balancier et la réaction à la primauté de l'une des trois branches du pouvoir sur les deux autres. **C.-E. L.** **> CONSTITUTION (ÉTATS-UNIS), ÉTATS-UNIS.**

FÉDÉRALISME YOUGOSLAVE Les structures de la Fédération yougoslave furent établies par les communistes pendant la Seconde Guerre mondiale (en 1943, par le Conseil antifasciste de libération nationale yougoslave – AVNOJ). Les nouveaux dirigeants du pays rejetèrent la formule unitariste qui avait prévalu dans la première Yougoslavie de 1918 à 1939 (le Royaume des Serbes, des Croates et des Slovènes) et ne reconnaissaient l'existence que d'une nation yougoslave. Ils créèrent un État fédéral comprenant six républiques : Bosnie-Herzégovine, Croatie, Macédoine, Monténégro, Serbie et Slovénie. La Serbie y occupait une position particulière dans la mesure où elle comprenait deux régions autonomes la Voïvodine au nord, peuplée d'une importante minorité magyare, et le Kosovo au sud, peuplé majoritairement d'Albanais. La Constitution de la République populaire socialiste de Yougoslavie, adoptée en 1946, reconnaissait cinq nations constitutives : Serbes, Croates, Slovènes, Monténégrins et Macédoniens. En 1968, une nation musulmane fut instituée en Bosnie-Herzégovine, complétant ainsi la famille des peuples slaves du Sud constitutifs de l'État fédéral.   Dans la réalité, l'autonomie des républiques fut limitée de 1945 à la seconde moitié des années 1960. La Yougoslavie s'imposa comme un État centralisé, en dépit des mesures de décentralisation liées à l'introduction de l'autogestion en 1950. De 1968 à 1974, la Ligue des communistes de Yougoslavie, dirigée par Jozip Broz Tito, procéda à une réforme de la Fédération yougoslave, qui accrut sensiblement l'autonomie des républiques, notamment en matière économique. Les provinces socialistes autonomes de Voïvodine et du Kosovo devinrent des unités fédérales à part entière, des quasi-États (gouvernement, assemblée, cour constitutionnelle), au sein de la République socialiste de Serbie. Toutefois, les provinces ne constituaient pas des États souverains. Seules les républiques étaient fondées sur la souveraineté de la nation, tandis que les provinces étaient définies comme des « communautés socio-politiques socialistes autogestionnaires de travailleurs et de citoyens, de nations et de nationalités, égales en droits ». Dès les années 1970, les dirigeants de Belgrade tentèrent de remédier à la fragmentation et à la désintégration de leur république. Néanmoins, la lenteur du règlement de la question constitutionnelle favorisa l'émergence du courant dirigé par Slobodan Milosevic qui opta pour une révision constitutionnelle sans concertation avec les provinces. C'est ainsi qu'en mars 1989 des amendements constitutionnels réduisirent l'autonomie des provinces, avant qu'une nouvelle Constitution n'entérine ce choix en septembre 1990. Si la perte de l'autonomie fut moins conflictuelle en Voïvodine, peuplée majoritairement de Serbes, elle suscita au Kosovo la désapprobation et un mouvement de révolte de la part des Albanais. La Fédération yougoslave

éclata en juin 1991 avec la proclamation de l'indépendance des républiques de Slovénie et de Croatie. La désintégration du pays se poursuivit avec la proclamation de l'indépendance de la Macédoine en septembre 1991 et de la Bosnie-Herzégovine en avril 1992. Les républiques de Serbie et du Monténégro instituèrent, en avril 1992, une fédération se proclamant l'héritière de l'ancienne : la République fédérale de Yougoslavie (RFY). **Y. T.**   **> YOUGOSLAVIE.**

FÉDÉRATION D'AFRIQUE CENTRALE

Créée en 1953, la Fédération d'Afrique centrale groupait la Rhodésie du Nord (actuelle Zambie), la Rhodésie du Sud (actuel Zimbabwé) et le Nyassaland (actuel Malawi), tous trois possessions britanniques. La Rhodésie comportait une forte minorité blanche (environ 150 000 sur 1 700 000 habitants) politiquement dominante et dominatrice. Avec cette fédération, les autorités britanniques espéraient faire contrepoids à l'influence de l'Afrique du Sud sur la Rhodésie. La Fédération n'a pas survécu aux sécessions du Nyassaland et de la Rhodésie du Nord qui sont peu après devenus indépendants (1964).

FÉDÉRATION DE BOSNIE-HERZÉGOVINE (croato-musulmane) > BOSNIE-HERZÉGOVINE.

FÉDÉRATION DES INDES OCCIDENTALES

Conçue par le Royaume-Uni et ses colonies de la Caraïbe, la Fédération des Indes occidentales, union très peu contraignante (1958-1962), est censée jeter les bases de la future indépendance de ses dix membres. La Fédération est dominée par les trois plus grands territoires (Jamaïque, Trinidad et Tobago et Barbade) et son gouvernement social-démocrate dirigé par Sir Grantley Adams (1898-1971), qui a cédé son poste de Premier ministre de la Barbade. La Fédération sera condamnée par la rivalité entre Trinidad et Tobago, d'une part, et la Jamaïque, d'autre part. Elle est dissoute lors de l'accession à l'indépendance de ces deux pays, en 1962. **G. C.**

FÉDÉRATION DU MALI

Constituée en janvier 1959 et regroupant le Sénégal et

le Soudan français (actuel Mali) issus tous deux de l'Afrique occidentale française (AOF), la Fédération du Mali sera dissoute dès août 1960, minée par des problèmes de leadership.

FEMMES (émancipation des)

Quand s'ouvre le XXᵉ siècle, des femmes luttent pour leurs droits dans tous les pays où les filles ont accès à l'éducation, clef de toute émancipation : en Occident, où l'instruction primaire féminine est généralisée (aux États-Unis, les filles représentent déjà un tiers des étudiants, ce qui explique l'avance des féministes américaines), en Amérique latine et en Asie, où elle est accessible aux classes aisées. **S**ur le plan social, les ouvrières sont de plus en plus nombreuses dans les pays industrialisés, mais le mouvement ouvrier renâcle à intégrer les droits des travailleuses, malgré l'action de féministes socialistes – comme l'Allemande Clara Zetkin (1857-1933), qui lance en 1910 la Journée internationale des femmes, plus tard fixée au 8 mars. Des femmes créent leurs propres organisations, telle la Women's Trade Union League aux États-Unis en 1911 ; des pionnières forcent l'entrée des professions libérales et les employées investissent le secteur tertiaire naissant. **S**ur le plan politique, des féministes militent pour le droit de vote sur tous les continents (sauf dans les colonies), surtout aux États-Unis et au Royaume-Uni, où Emmeline Pankhurst (1858-1929) crée en 1903 l'Union sociale et politique des femmes et où les suffragettes vont jusqu'à faire la grève de la faim. Elles réclament aussi l'abrogation de leur statut de mineures légales. **La** guerre fait naître des vocations de pacifistes : en plein conflit (1915), elles sont mille, dont certaines venues de pays belligérants, à assister à La Haye au Congrès pacifiste des femmes qui donne naissance à la Ligue internationale des femmes pour la paix et la liberté, présidée par l'Américaine Jane Addams (1860-1935), qui recevra le prix Nobel de la Paix en 1931. **La** Révolution russe va apparaître comme un bouleversement : elle décrète l'égalité des sexes, autorise le divorce et l'avortement et accorde le suffrage universel. Des féministes révolutionnaires comme Alexandra Kollontaï entendent faire changer les comportements. Mais les mentalités ne suivent pas, et les femmes soviétiques gagnent surtout le droit de travailler à égalité dans les secteurs les plus pénibles de la production, en plus des tâches domestiques. **Les effets de la Première Guerre mondiale.** La Première Guerre mondiale a fortement contribué à légitimer le droit au travail des femmes, qui ont remplacé les hommes partis au front, et l'obtention du suffrage féminin s'accélère. Au début du siècle, il est déjà acquis en Australie et en Nouvelle-Zélande. Dans les années 1910 et 1920, il s'étend à tous les pays nordiques et anglo-saxons, à l'Europe centrale et aux pays baltes, puis aux pays d'Europe occidentale au cours des deux décennies suivantes. **D**ans les pays industriels principalement, la guerre a opéré une rupture radicale avec l'ordre moral du XIXᵉ siècle. Dans les années 1920, le corps féminin acquiert une liberté de mouvement sans précédent : abandon du corset, jupes raccourcies et fluides, cheveux coupés court. Le modernisme des « garçonnes » de Paris, Berlin et New York s'exporte, *via* le cinéma, en Amérique latine, Égypte, Liban, Asie, et des lesbiennes s'affichent. Mustafa Kemal laïcise la Turquie et la dote d'un Code civil égalitaire en 1926. L'information sur la contraception se diffuse en Occident, excepté en France où elle est réprimée par la loi « scélérate » de 1920. Elle est légalisée en 1921 en Grande-Bretagne et en 1936 aux États-Unis. **La** crise de 1929 porte net cet élan. Les années 1930 revalorisent le modèle de la femme soumise à l'autorité de l'homme et mère au foyer, qui est exalté par le nazisme et les fascismes. Le franquisme retire aux Espagnoles les nombreux droits accordés par le Front populaire (1936-1939) et sonne le glas du mouvement des anarchistes indépendantes Mujeres libres (Femmes libres). **P**endant la Seconde Guerre mondiale, les femmes remplacent massivement (18 millions aux États-Unis) les hommes au travail, mais une pression très forte contraindra la plupart à « rentrer à la maison », où elles élèvent les enfants du baby boom. **Le « deuxième sexe ».** « À travail égal, salaire égal » déclare l'ONU en

1945, qui proclame l'égalité entre les sexes en 1948 (dans les articles 1, 2, 16 de la *Déclaration universelle des droits de l'homme*, à l'élaboration de laquelle Eleanor Roosevelt prend une part active). En 1949 paraît *Le Deuxième Sexe* qui inspire le féminisme moderne. Simone de Beauvoir y affirme que l'« infériorité » féminine n'est pas biologique mais sociale, et prône l'indépendance économique. Le succès est phénoménal, mondial et durable. En Amérique latine et en Asie, le droit de vote des femmes est acquis dans les années 1950, et à partir des années 1960 dans les pays arabes. En Afrique noire, il se généralise avec les indépendances, mais le droit coutumier continue de régir la vie des Africaines, limitant leur accès à la terre et à l'héritage. En 1963, dans *La Femme mystifiée*, l'Américaine Betty Friedan (1921-) analyse le malaise des femmes au foyer, rivées à leurs appareils ménagers, et la culpabilisation des salariées. Le mari, « chef de famille », détient toujours l'autorité alors que les femmes étudient, travaillent, fument et conduisent et, surtout, ont accès à la contraception. La pilule est commercialisée à partir de 1960 aux États-Unis, permettant enfin aux femmes de maîtriser leur destin par le contrôle de leur fécondité. Dans l'Amérique et l'Europe contestataires des années 1960 et dans les mouvements anti-impérialistes au Nord et au Sud, les militantes poussent jusqu'au bout la logique de libération et dénoncent l'oppression patriarcale derrière le capitalisme. Elles créent des « groupes femmes », et le mouvement de libération des femmes (MLF, *Women's lib* en anglais) explose en 1968. **La nouvelle vague féministe.** D'emblée, le mouvement féministe moderne est mondial. La parole des femmes s'exprime en une foisonnante production philosophique, littéraire et artistique. *La Politique du mâle* de l'Américaine Kate Millett (1934-) en 1970 donne le ton. La domination masculine passant par le contrôle de la sexualité des femmes, les luttes portent d'abord, en Occident, sur le droit à disposer de son corps et l'homosexualité est revendiquée. La contraception et l'avortement sont peu à peu autorisés et l'union libre transforme les rapports de couple. Le divorce est peu à peu

légalisé, sauf dans les pays musulmans et dans certains pays catholiques, comme l'Irlande et dans les pays d'Amérique latine. En organisant une Décennie pour les femmes (1976-1985) et quatre conférences mondiales, l'ONU (Organisation des Nations unies) institutionnalise le féminisme et légitime les combats des femmes, renforçant leurs innombrables réseaux internationaux, comme Femmes sous lois musulmanes, la Coalition contre le trafic sexuel des femmes, Women's Environment and Development Organization ou le Réseau sur les droits reproductifs, parmi des milliers d'autres. L'action militante s'appuie sur la Convention sur l'élimination de toutes les discriminations contre les femmes (CEDAW), adoptée par l'ONU en 1979 (ratifiée par 98 pays à l'automne 2000). La procréation assistée repousse les limites de la reproduction, posant des problèmes éthiques inédits, tandis que le développement alarmant de l'industrie du sexe ouvre un nouveau front de lutte. **Femmes du tiers monde.** Les priorités des groupes de femmes dans le tiers monde apparaissent spécifiques. Ils luttent pour l'accès à l'éducation et à la santé, y compris reproductive (600 000 femmes meurent chaque année de causes liées à la grossesse et à l'accouchement, dont 99 % dans les pays du Sud), contre la stérilisation obligatoire (Brésil) et contre l'analphabétisme et la pauvreté dont les victimes sont pour 70 % des femmes. Des Africaines obtiennent petit à petit l'interdiction des mutilations sexuelles (excision, infibulation). Des Indiennes luttent contre l'élimination des fœtus féminins par avortement et contre les meurtres de jeunes femmes pour insuffisance de dot. En 1979, le puissant mouvement féministe iranien est anéanti par la révolution khomeyniste. L'islamisme, en conquête dans les années 1980, s'oppose à l'émancipation des femmes. En Afghanistan, à la fin du XXᵉ siècle, elles sont exclues par les taliban de l'éducation et de toute vie sociale et publique, y compris professionnelle. À partir des années 1980, dans le monde entier les chercheuses féministes et les *« women's studies »* (études sur les femmes, universitaires ou non) utilisent le concept de « genre » pour décrire la construction des rapports sociaux de sexe. Dans les années 1990, les féministes donnent la priorité aux revendications d'égalité en politique. Des pays prennent des mesures en faveur d'un rééquilibrage de la représentation politique, soit par l'instauration de quotas d'élues (comme en Inde) ou de la parité (comme en France). Au tournant du siècle, les droits des femmes, bien que formellement reconnus (sauf dans les pays islamistes et dans certains pays africains), n'étaient toujours pas acquis. Depuis 1980, l'ONU publie régulièrement les mêmes chiffres : sur la Terre, les femmes sont la moitié de l'humanité, mais accomplissent les deux tiers du travail, gagnent 10 % des revenus et possèdent 1 % des biens. **M. P.-L.**

FÉROÉ (îles) Archipel de 22 îles situées au nord de l'Écosse, les îles Féroé ont été accordées au Danemark par le traité de Kiel qui sépara celui-ci de la Norvège en 1814. Elles forment une communauté autonome au sein du royaume et ont refusé en 1972 d'entrer dans la CEE (Communauté économique européenne).

FIDA Créé en 1977, le Fonds international de développement agricole (FIDA, IFAD – International Fund for Agricultural Development –, siège à Rome) est une institution spécialisée de l'ONU, qui cherche à mobiliser de nouveaux fonds pour le développement agricole dans les PED (pays en développement).

FIDJI (îles) République des Fidji. Capitale : Suva. Superficie : 18 274 km². Population : 806 000 (1999). Situé dans le Pacifique sud à plus de 3 000 kilomètres à l'est de l'Australie et composé de centaines d'îles et d'îlots, l'archipel des Fidji fut un repère de trafiquants européens jusqu'à ce que la Grande-Bretagne en fit une colonie de la Couronne en 1874. Londres y encourage les plantations de canne à sucre nécessitant une abondante main-d'œuvre bientôt recrutée dans l'empire des Indes. Base des forces armées des États-Unis pendant la Seconde Guerre mondiale, la colonie obtient le statut d'autonomie interne en 1948 et accède à l'indépendance en 1970,

demeurant dans le Commonwealth. Le système parlementaire bipartite alors mis en place épouse la division ethnique de la population, alimentant des tensions entre Mélanésiens, propriétaires de la majorité des terres – en particulier dans l'île principale de Viti Levu –, et Indiens, qui assurent l'essentiel de la transformation et de la commercialisation de la canne. La victoire électorale du parti indien en avril 1987 provoque une réaction violente de l'armée, laquelle est essentiellement composée de Mélanésiens. Le pouvoir militaire proclame la république en 1990. L'adhésion de Fidji au Commonwealth est suspendue sur proposition de l'Inde. La nouvelle Constitution assure la prépondérance de la fraction mélanésienne alors même que la communauté indienne se développe au plan démographique et économique. Fidji se rapproche de la Nouvelle-Zélande, tandis que les relations intercommunautaires se dégradent, alimentant une violence endémique que l'armée, dont l'attitude est loin d'être impartiale, s'efforce de maîtriser. **J.-P. G.**

FINLANDE République de Finlande. Capitale : Helsinki. Superficie : 337 010 km². Population : 5 165 000 (1999). Possession suédoise depuis le Moyen Âge, le grand-duché de Finlande est rattaché à l'Empire russe en 1809. Au XIXᵉ siècle, il jouit d'une autonomie qui favorise la renaissance de la culture finnoise. Le régime tsariste alterne ensuite russification et libéralisme : dès 1906, les femmes finlandaises obtiennent le droit de vote. En 1917, les Finlandais se divisent en « blancs » (conservateurs), qui proclament l'indépendance (le 6 décembre), et « rouges », qui déclenchent une révolution en 1918. Sous la conduite du général Carl Mannerheim (1867-1951), les « blancs » l'emportent. Une Constitution républicaine est adoptée en 1919. En 1920, le traité de Tartu fixe la frontière avec la Russie soviétique. Dans l'entre-deux-guerres, la résolution de la question agraire (la plupart des paysans deviennent propriétaires) consolide les institutions démocratiques. Après la signature du Pacte germano-soviétique (1939), l'URSS attaque la Finlande. S'engage alors la « guerre d'hiver », conduite du côté finlandais par C. Mannerheim. La Finlande s'incline en 1940 et cède à l'URSS l'isthme de Carélie avec Viipuri (Vyborg) – entre le lac Ladoga et le golfe de Finlande –, d'autres territoires contigus à la Carélie soviétique et le territoire de Petsamo (Petchenga), qui donne accès à l'océan Arctique. Quand l'Allemagne attaque l'URSS en 1941, la Finlande reprend les hostilités (« guerre de continuation »). En 1944, C. Mannerheim (président de la République de 1944 à 1946) négocie un armistice. L'URSS recouvre alors les territoires obtenus en 1940 et expulse de l'isthme de Carélie plus de 400 000 Finnois. Le traité de Paris (1947) entérine la nouvelle frontière. L'URSS n'impose pas à la Finlande un régime communiste, mais elle surveille de près sa politique extérieure (on nomme cette tutelle « finlandisation »). Juho Paasikivi (1870-1956), président de la République de 1946 à 1956, et son successeur Urho Kekkonen (1900-1986), président de 1956 à 1982, mènent une politique alliant stricte neutralité, affirmation d'indépendance et coopération (notamment économique) avec l'URSS. La pression soviétique se relâche peu à peu : dès 1956, la Finlande est entrée dans le Conseil nordique, aux côtés des pays scandinaves. En 1991, l'effondrement de l'URSS affranchit la Finlande. Elle adhère à l'Union européenne en janvier 1995. Quatre ans plus tard, elle fait partie des onze pays qui fondent l'euro. La Finlande a deux langues officielles : le finnois et le suédois. Cette dernière est celle de populations installées en Finlande à partir du Moyen Âge, notamment sur le littoral. Les Finlandais de langue suédoise (comme l'était Mannerheim) forment un peu plus de 6 % de la population du pays. **J. S.**

FISE (Fonds des Nations unies de secours d'urgence à l'enfance)
> UNICEF.

FIUME   La ville de Fiume (en serbo-croate Rijeka) se situe au nord de la Dalmatie croate, sur l'Adriatique ; elle doit sa renommée historique à un épisode intervenu en 1919-1920. Gabriele D'Annunzio (1863-1938), romancier italien et ancien combattant de la Première Guerre mondiale, prend la tête d'une brigade de volontaires italiens, en septembre 1919, pour occuper ce port que les Alliés destinent au nouveau royaume des Serbes, Croates et Slovènes, et ce contrairement aux promesses faites à l'Italie avant son entrée en guerre en 1915.   Cette expédition, menée sans l'aval du gouvernement italien, alors que D'Annunzio a accepté d'évacuer la ville, atteint cependant son objectif puisque le 12 novembre 1920, le traité de Rapallo transforme Fiume en ville libre, dont le gouvernement fasciste fait reconnaître l'annexion, le gouvernement yougoslave gardant le faubourg de Susak. Après la Seconde Guerre mondiale, elle revient à la Yougoslavie (traité de Paris, 1947) et reprend le nom de Rijeka. **J. K.**   **> EMPIRE AUSTRO-HONGROIS, ITALIE, YOUGOSLAVIE.**

FLAMANDS ET WALLONS   Dans le nouvel État belge de 1830, dont la langue officielle est le français, les Flamands sont déjà majoritaires, mais ils n'obtiendront le bilinguisme qu'en 1898. En 1998, on comptait en Belgique six millions de Flamands (dont un peu moins de 150 000 à Bruxelles, ville flamande à l'origine), 3,3 millions de Wallons, et quelque 800 000 francophones bruxellois, dont la solidarité avec les Wallons n'est pas sans faille. La fédéralisation de la Belgique a conduit à un monolinguisme régional (sauf dans la région de Bruxelles-Capitale, restée bilingue) et au déclin de l'usage du français en Flandre, où l'anglais est aujourd'hui souvent choisi comme première langue étrangère.   La coupure entre Flamands et Wallons dépasse le seul domaine linguistique. Les premiers sont plus attachés à la religion (catholique) et à la tradition, moins enclins à la contestation syndicale et politique (le vote de droite y est majoritaire) ; les seconds, imprégnés d'une longue tradition ouvrière accompagnée d'une forte déchristianisation, placent le parti socialiste en tête à chaque élection. L'antagonisme entre les deux communautés s'est développé dans un contexte de reconversion économique qui a plus profité à la Flandre, jadis à dominante rurale, qu'à la Wallonie, handicapée par la présence d'industries traditionnelles. Le PIB par tête est nettement plus élevé en Flandre. Si les écarts de revenus sont moins marqués, c'est grâce aux transferts sociaux (allocations chômage, invalidité, vieillesse...) qui profitent surtout à la Wallonie. Aujourd'hui, ce sont les Flamands qui veulent accentuer le fédéralisme ; une minorité d'entre eux songe même à l'indépendance, sous l'impulsion de l'extrême droite xénophobe (Vlaams Block), qui obtient ses meilleurs résultats électoraux en Flandre. Les ponts ne sont cependant pas rompus entre les deux communautés : beaucoup d'intellectuels belges regrettent une division qui risque d'affaiblir le rayonnement de leur pays sur la scène culturelle internationale. **J.-C. B.** **> BELGIQUE, FÉDÉRALISME (BELGIQUE).**

FLANDRE (Belgique) > FLAMANDS ET WALLONS.

FLN (Algérie) Le FLN (Front de libération nationale) n'est pas, contrairement à ce que son nom pourrait faire croire, une union volontaire entre des partis organisationnellement autonomes. Ce n'est pas non plus un parti unique au service d'une classe ou d'une idéologie comme le sont les partis communistes, même quand il impose son monopole politique. C'est une formule autoritaire de regroupement de forces politiques et sociales dans un contexte où la structure sociale est impuissante à produire une communauté politique de type contractuel. De son géniteur le PPA-MTLD (Parti du peuple algérien – Mouvement pour le triomphe des libertés démocratiques), ce surgeon, produit d'une scission (1954), a hérité du concept d'une nation algérienne de langue arabe et de religion musulmane et d'un projet politique rejetant le conflit et les antagonismes de classe. Du 1er novembre 1954 (début de la guerre d'indépendance) à février 1989, le FLN a traversé plusieurs périodes bien tranchées. De novembre 1954 à août 1956, les fondateurs, devenus des chefs militaires, incarnent à eux seuls la cause nationale. Du congrès de la Soummam (août 1956) à la réunion du Conseil national de la Révolution algérienne (CNRA) au Caire (août 1957), le FLN est mar-

qué par une tentative d'institutionnalisation, le ralliement des anciens partis, à l'exception du Mouvement national algérien (MNA) de Messali Hadj, et la création de courroies de transmission (Union générale des travailleurs algériens – UGTA, Union générale des commerçants, Union générale des étudiants). La période 1957-1962 est celle de la suprématie des militaires (Krim Belkacem [1922-1970], Lakhdar Bentobbal [1923-], Abdelhafid Boussouf [1926-1982]). Tout au long de la guerre d'indépendance, le FLN a été secoué par des luttes factionnelles ou régionales qui n'ont fait qu'exacerber sa tendance à l'autoritarisme. En 1962, à l'indépendance, le FLN éclate non sur le programme adopté à Tripoli (juin 1962), mais sur le choix de la direction à mettre en place. Une faction, appuyée sur l'armée et ayant pour leader Ahmed Ben Bella, quitte le Gouvernement provisoire de la République algérienne (GPRA) et crée un « Bureau politique ». Inexistant indépendamment des wilayas (régions politico-militaires) qui, entre 1957 et 1962, avaient absorbé les organisations dites de masse (syndicats, etc.), le FLN se reconstitue par le haut en drainant en son sein des éléments peu qualifiés pour accéder à la gestion de l'État. Entre 1962 et 1965, son hégémonie sur la société après l'interdiction du PRS (Parti de la révolution socialiste fondé par Mohamed Boudiaf), du FFS (Front des forces socialistes fondé par Hocine Aït Ahmed [1926-]), des Ulama (Bachir El Brahimi) et du PPA (Messali Hadj) se combine avec le pouvoir de l'armée. A. Ben Bella ne parvient pas à subordonner cette institution au Parti. Et c'est le chef de cette armée, le colonel Houari Boumediène, qui, en prenant le pouvoir (coup d'État du 19 juin 1965), met un terme au sempiternel débat sur la nécessité de la suprématie du Parti sur l'État. Désormais, et jusqu'en février 1989 – date de la fin de son monopole –, le même homme est à la fois chef de l'État et chef du Parti. Le discours sur l'option socialiste a empêché de voir que, dans ce mouvement, la réflexion sur les problèmes de l'islam, de l'histoire et de la culture « sont les lieux où se forge la légitimité politique du pouvoir sur le long terme » (Abelkader Djeghloul). **M. Ha.** **> ALGÉRIE.**

FMI Créé en 1945, en même temps que la Banque mondiale, en application des décisions de la Conférence monétaire et financière de Bretton Woods en 1944, le Fonds monétaire international (FMI, IMF – International Monetary Fund, siège à Washington) conseille les gouvernements dans le domaine financier. Le Fonds peut aussi vendre des devises et de l'or à ses membres afin de faciliter leur commerce international. Il a créé une monnaie internationale, le DTS (droits de tirage spéciaux), que les membres peuvent utiliser pour leurs paiements internationaux. Le Fonds comprend un Conseil des gouverneurs nommés par chacun des États membres, les administrateurs et un directeur général. Les politiques d'ajustement structurel qu'il a fait appliquer dans les pays en développement (PED) ont suscité de nombreuses critiques le présentant comme un gendarme gardien de l'orthodoxie libérale.

FNI (forces nucléaires intermédiaires) Les négociations entre États-Unis et Union soviétique portant sur les forces nucléaires intermédiaires, souvent dites « euromissiles » – basées à terre et d'une portée de 500 à 5 000 kilomètres –, ont abouti en décembre 1987. La signature par Ronald Reagan et Mikhaïl Gorbatchev, le 7 décembre 1987, du traité FNI prévoyant l'élimination de ces forces nucléaires aura été le premier important accord de désarmement entre les deux superpuissances augurant de la réduction des arsenaux qui va suivre. **> DÉSARMEMENT.**

FNUAP Créé en 1967, le Fonds des Nations unies pour les activités en matière de population (FNUAP, UNFPA – United Nations Population Fund –, siège à New York) est un organe de l'ONU financé par des contributions volontaires gouvernementales et privées. Il est chargé d'entreprendre des activités de coopération dans le domaine démographique : collecte de données de base, étude de l'évolution de la population, service de planification familiale, programme de régulation de la fécondité, etc.

FONDAMENTALISME ISLAMIQUE Terme d'origine théologique qui a été utilisé aux États-Unis d'Amérique entre les deux guerres et repris en Europe après la publication, entre 1910 et 1918, des doctrines fondamentales du christianisme. Depuis la Seconde Guerre mondiale et surtout depuis la montée des mouvements islamistes partout dans le monde dès 1980, le fondamentalisme désigne l'attitude de certains secteurs de l'opinion musulmane qui se tiennent à une interprétation stricte et littérale des textes coraniques, et refusent toute interprétation historique ou critique. Cette position théologique rigide pousse le fondamentalisme musulman à rejeter la laïcité et à revendiquer l'application de la charia (droit canonique musulman) dans l'État. Il se fonde sur un verset coranique : « Ceux qui n'appliquent pas les jugements que Dieu a révélés sont les incrédules » (sourate 5, 44). Le fondamentalisme musulman, dont Hassan al-Banna dans le monde arabe, Abul ala-Mawdudi en Inde sont les plus illustres représentants, s'oppose au modernisme musulman, courant minoritaire mais prédominant au sein des élites depuis l'émergence du réformisme musulman à la fin du XIXe siècle. Au sein du fondamentalisme se regroupent des attitudes très diverses : du simple attachement à l'interprétation littérale au militantisme virulent. L'islamisme est une forme radicale et hyperpolitisée du fondamentalisme musulman. **B. G. > ISLAMISME.**

FORDISME Le fordisme, du nom du constructeur automobile américain Henry Ford (1863-1947), a été présenté, à partir des années 1970, comme ayant contribué à la consommation de masse, voire comme l'ayant suscitée, avant d'entrer lui-même à son tour en crise, en raison de son incapacité à répondre à une demande devenue diversifiée et variable et aux aspirations des salariés à un travail moins parcellisé. Ce faisant, il a été confondu avec le taylorisme en un même modèle dit « taylorien-fordien », alors qu'ils se sont opposés historiquement, et il a masqué le modèle sloanien qui a eu industriellement et socialement plus d'importance que lui. Autant la préoccupation première de Frederick W. Taylor (1856-1915) avait été le rendement du travail et les rapports patrons-salariés dans le cadre d'une production diversifiée, autant celle d'H. Ford a été la constitution d'un marché de masse et la mise en place d'un processus de production pouvant y répondre. C'est sa stratégie exclusive d'économies d'échelle qui l'a amené à une politique-produit caractérisée par un modèle unique de voiture fortement standardisé (la fameuse Ford T), à une organisation productive intégrée, linéarisée, mécanisée et spécialisée (le travail à la chaîne) et à une relation salariale basée sur de hauts salaires (cinq dollars par jour) à la fois comme contrepartie à un travail parcellisé et comme condition à l'automobilisation des salariés. Ce n'est pas en effet le taylorisme qui est à l'origine du travail parcellisé, mais le travail à la chaîne, qui en imposant aux opérateurs des temps de cycle de travail uniformes a conduit à leur donner des opérations sans lien logique entre elles, pour que le temps de chaque opérateur soit pleinement utilisé. **L'intuition d'un marché de masse.** H. Ford a dû sa spectaculaire et courte réussite, non à sa politique salariale que les autres entreprises n'ont pas adoptée, mais à son intuition première d'un marché de masse potentiel parmi les fermiers et les professions indépendantes. En revanche, il savait que sa stratégie de volume ne demeurerait pertinente que si la demande des salariés prenait le relais. Mais elle présupposait une contractualisation nationale des augmentations de salaire avec les syndicats, auquel il s'opposa au nom d'une autorité patronale qui ne pouvait qu'être sans partage. C'est pourquoi il se retrouva très vite en difficulté, la clientèle solvable se tournant vers des modèles plus adaptés à ses besoins propres et exprimant mieux son statut social. **Ce** fut Alfred Sloan (1875-1966), futur président de General Motors, qui comprit qu'il était possible de faire des économies d'échelle avec une gamme complète de véhicules, en leur faisant partager le plus grand nombre possible de pièces qui ne se voient pas, et en les distinguant en revanche par la carrosserie et l'équipement intérieur. Pour cela, il a fallu que General Motors conçoive des équipements polyvalents, forme la main-d'œuvre à une production variée et variable, et mette en place un sys-

tème de salaire et de promotion favorisant la polyvalence. La firme fut la première à signer avec les syndicats, après une grève de 119 jours, le compromis salarial qui par sa diffusion et son institutionnalisation allait être au fondement d'une exceptionnelle période de croissance économique après la Seconde Guerre mondiale. Ford se ralliera finalement, non sans de nombreuses difficultés, au modèle sloanien. C'est également ce modèle qui prévaudra en Europe, à l'exception notable de Volkswagen qui, avec la Coccinelle et son usine géante de Wolfsburg, a incarné le modèle fordien le plus durablement (jusqu'en 1973), et de la manière la plus complète et la plus profitable, alors qu'au Japon, au même moment, les constructeurs automobiles exploraient d'autres voies connues sous le nom de toyotisme. **M. Fr.** **>** TRAVAIL.

FORMOSE > TAÏWAN.

FORUM DU PACIFIQUE SUD Créé en 1971 par les États riverains (à l'exclusion des grandes puissances), le Forum du Pacifique sud (SPF – South Pacific Forum –, siège à Suva, Fidji) a été à l'initiative du traité de Rarotonga (1985) sur la dénucléarisation du Pacifique sud et de l'Équateur. La France a été à nouveau admise comme partenaire en 1996 (elle avait été exclue en 1995 lors de la reprise de ses essais nucléaires dans le Pacifique).

FRA **Le** Forum régional de l'ANSEA (FRA, ART – Asian Regional Forum) a été créé en 1996. Membres à la mi-2001 : les dix pays de l'ANSEA, ainsi que Australie, Canada, Chine, Corée du Nord, États-Unis, Hong Kong, Inde, Japon, Mongolie, Nouvelle-Zélande, Papouasie-Nouvelle-Guinée, Russie, Taïwan et Union européenne sur les questions de sécurité dans la zone Asie-Pacifique.

FRANCE **R**épublique française. Capitale : Paris. Superficie : 547 026 km^2. Population : 58 900 000 (1999). **A**u début du xxe siècle, la IIIe République, installée depuis 1870, s'est imposée. En se montrant soucieux de garantir l'ordre établi, les républicains font accepter un régime parlementaire, marqué par un idéal démocratique et laïque, en rupture avec l'Église catholique. Le pouvoir appartient à la Chambre des députés, issue du suffrage universel masculin, qui contrôle l'action du gouvernement. Un ensemble de lois, votées à partir des années 1880, garantit l'ensemble des libertés individuelles et collectives. L'instruction gratuite, laïque et obligatoire est étendue à tous les Français. Le modèle républicain s'enracine dans toute la société française puisqu'il semble garantir à chacun des chances d'ascension sociale et l'accès à la propriété. La IIIᵉ République revendique d'ailleurs l'héritage révolutionnaire de 1789 en faisant de *La Marseillaise* l'hymne national (à partir de 1879) et du 14 juillet le jour de la fête nationale (à partir de 1880). Ce projet politique à mi-chemin entre réaction et transformation brutale est porté par le premier parti politique français, le Parti radical, fondé en 1901. Jean Jaurès, figure dominante au sein du socialisme français de la SFIO (Section française de l'Internationale ouvrière) créée en 1905, défend cette démocratie parlementaire capable, selon lui, de réformes pour améliorer le sort des ouvriers. L'affaire Dreyfus, qui se déroule de 1894 à 1906 (du nom d'Alfred Dreyfus [1859-1935], officier juif accusé à tort de trahison), confirme que l'idéal républicain est celui de la défense des droits de l'homme en opposition à la raison d'État et au secret de l'armée. Enfin, à partir de 1905, l'État laïc ne subventionne plus aucun culte. Il n'y a plus de religion d'État. La conquête coloniale entamée au XIXᵉ siècle semble marquer la supériorité du modèle français. En effet, la France possède le deuxième empire colonial, essentiellement centré sur l'Afrique (avec l'Algérie, sa seule colonie de peuplement, les protectorats imposés à la Tunisie et au Maroc, l'AOF et l'AEF – Afrique occidentale et équatoriale françaises), Madagascar et l'Indochine. **L'« union sacrée » de la Grande Guerre.** La Première Guerre mondiale va démontrer la force du modèle républicain cimenté par le patriotisme qu'entretient le culte de l'Alsace-Lorraine, « provinces perdues » après la guerre franco-prussienne de 1870-1871. En 1914, tous les partis politi-

ques font taire leurs divergences : c'est l'« union sacrée » devant l'« agression » allemande. La guerre est perçue comme la défense du droit et de la civilisation contre des États autoritaires. Cette thématique permet d'accepter le renforcement de l'État. Le gouvernement agit pratiquement sans contrôle, encadrant l'ensemble de l'économie et la population. Plus de 8,5 millions d'hommes sont mobilisés, dont 600 000 dans les colonies. La bataille de Verdun, en 1916, symbolise particulièrement, par l'acharnement des combats et la souffrance des soldats (162 400 morts, 216 000 blessés), l'engagement d'une nation. Devant la lassitude exprimée en 1917 tant par les soldats que par les civils, un gouvernement autoritaire est en place sous la conduite de Georges Clemenceau qui personnifie la victoire en 1918. **A**près la Première Guerre mondiale, le modèle républicain est ébranlé. La vie politique française dépend désormais en partie de la résolution des problèmes extérieurs. Durant les années 1920, la difficile application des traités de paix et les difficultés financières liées à l'inflation affaiblissent les partis de droite (le Bloc national, 1919-1924) et de gauche (le Cartel des gauches, 1924-1926) qui se sont succédé au pouvoir avec le même président du Conseil, Aristide Briand. Né de la rupture avec la SFIO au congrès de Tours en 1920, le parti communiste, SFIC (Section française de l'Internationale communiste), se démarque en menant, selon les consignes de Moscou, un violent combat antimilitariste et anticolonialiste. Les années 1930, marquées par la crise de 1929 et l'essor des totalitarismes en Europe, voient la montée de l'antiparlementarisme incarné par les ligues, mouvements paramilitaires d'inspiration nationaliste ou fasciste. En réaction, les partis de gauche, socialistes, communistes et radicaux, unissent leurs forces dans un Front populaire que conduit de 1936 à 1937 le leader socialiste Léon Blum. Malgré son échec, le Front populaire apparaît comme novateur en donnant à l'État un rôle d'arbitre et de législateur dans le domaine social et en réintégrant le monde ouvrier dans la vie politique française. Durant cette période, la grandeur de l'empire colonial est célébrée, alors que les premiers mouvements nationalistes s'affirment, parfois violemment comme au Maroc (guerre du Rif, 1925-1926) ou en Indochine (1930-1931). **De la défaite au régime de Vichy.** La IIIᵉ République tombe en 1940 à la suite de la défaite devant les armées allemandes en mai-juin. L'armistice, signé le 22 juin 1940 à la demande du maréchal Philippe Pétain, impose une partition de la France en deux zones. Le gouvernement et le Parlement se replient à Vichy, dans la zone sud, dite « libre » car non occupée par les Allemands jusqu'en novembre 1942. Par 569 voix contre 80 et 17 abstentions, le Parlement, députés et sénateurs réunis, accorde les pleins pouvoirs à P. Pétain qui instaure l'État français. En rupture complète avec le régime républicain, le gouvernement de Vichy appelle à une « révolution nationale » capable, autour d'un pouvoir personnel, de restaurer les « valeurs éternelles » de la France. Il collabore ouvertement avec l'Allemagne nazie, participant activement à la déportation des Juifs. Parallèlement, de nombreuses entreprises travaillent pour l'effort de guerre allemand, tandis que des intellectuels défendent l'idéologie nazie. La fin de la « zone libre » (11 novembre 1942) et les exigences croissantes de l'occupant déconsidèrent le gouvernement de Vichy et renforcent les mouvements de la Résistance qui, issus de tous les milieux, refusent en France la logique de la défaite. Depuis son appel de Londres le 18 juin 1940, le général Charles de Gaulle n'a de cesse de continuer la lutte militaire aux côtés des Alliés et de faire reconnaître la légitimité d'une France résistante. Sa force provient du ralliement des mouvements clandestins, des anciens partis politiques et syndicats. À la Libération, à partir de juin 1944, le Gouvernement provisoire de la République française (GPRF), sous la conduite de De Gaulle, restaure l'autorité de l'État républicain. La France retrouve son rang de puissance internationale. **La** nécessaire reconstruction du pays entraîne, dès 1945, de nouvelles structures économiques et sociales fondées sur l'action d'un État-providence (création de la Sécurité sociale et nationalisations). En s'appuyant sur les entreprises nationalisées

et la réorganisation du crédit, l'État oriente l'activité économique à travers les indications du Commissariat au Plan. Dans le domaine politique, les hommes issus de la Résistance affirment leur volonté de rénover la république, comme le prouve l'extension du droit de vote aux femmes en 1944. Trois partis dominent alors la vie politique : le Parti communiste français (PCF) à l'influence grandissante, la SFIO rénovée et le MRP (Mouvement républicain populaire), expression des démocrates-chrétiens. Ils affirment que les représentants du peuple doivent avoir la prééminence du pouvoir. De Gaulle est le seul à soutenir que le pouvoir doit revenir au chef de l'État. Faute d'appui, il se retire en janvier 1946 et laisse le champ libre à la mise en place de la IVᵉ République. La Constitution d'octobre 1946 instaure un régime d'assemblée vite affaibli par la double opposition des gaullistes et des communistes exclus du pouvoir en 1947 dans le contexte du début de la Guerre froide. **La** IVᵉ République ne durera que douze ans et laissera un bilan en demi-teinte. La modernisation économique, avec l'aide du plan Marshall (1948-1952), est une réussite réelle, même au prix de l'inflation. Si le contexte de la Guerre froide ne leur laisse pas d'autre choix que d'adhérer au camp atlantique, les hommes de la IVᵉ République optent aussi, à l'initiative de Jean Monnet, pour la construction européenne, malgré les réserves de l'opinion publique. Ainsi la France est au nombre des six signataires du traité de Rome en mars 1957. En revanche, le régime ne réussit pas à se déterminer face au processus de décolonisation, marqué par deux conflits coloniaux majeurs. Il faut pourtant mettre à l'actif de Pierre Mendès France en 1954 la préparation de l'indépendance de la Tunisie et reconnaître à Gaston Defferre (1910-1986) le mérite d'avoir lancé la décolonisation pacifique de l'Afrique noire. Dans la guerre d'Indochine, après la défaite de Dien Bien Phu (7 mai 1954), le gouvernement de P. Mendès France conclut les négociations sur l'indépendance. Dans la guerre d'indépendance algérienne, les gouvernements successifs se coupent de plus en plus de l'opinion publique en mobilisant le contingent et se retrouvent débordés par l'armée

qui généralise torture et violences. Refusant toute négociation, les Européens d'Alger se soulèvent le 1er mai 1958 avec l'aide de l'armée. Devant le danger de guerre civile, le général de Gaulle est rappelé au pouvoir. **La Ve République.** La nouvelle <u>Constitution</u> fondant la Ve République en octobre 1958 renforce nettement l'exécutif. Le président de la République nomme le Premier ministre et peut dissoudre l'Assemblée nationale. Jouissant d'un prestige renforcé pour avoir mis fin à la guerre d'Algérie, de Gaulle fait accepter le principe de l'élection du président de la République au suffrage universel. Il instaure ainsi un lien personnel avec les Français, renforcé par l'emploi du référendum, les nombreux voyages en province et l'utilisation de la télévision comme moyen de propagande. Pourtant, les contestations étudiante et ouvrière de <u>Mai 68</u> soulignent l'écart grandissant entre le pouvoir politique et la société. Seul un rapport de force permet des avancées sociales entérinées par les « accords de Grenelle ». **A**près le retrait volontaire de De Gaulle en 1969, la question de la longévité de la Ve République se pose. Le gaulliste Georges Pompidou (1911-1974), puis Valéry Giscard d'Estaing (1926-), plus libéral et plus mondialiste, assurent une certaine continuité. La Ve République s'ancre plus durablement en 1981 avec l'« alternance ». François <u>Mitterrand</u>, premier secrétaire du Parti socialiste (PS), est élu président de la République et obtiendra un second mandat en 1988. Les socialistes et les communistes, qui ont signé un programme commun de gouvernement d'Union de la gauche en 1972, font l'expérience du retour au pouvoir. Les institutions de la Ve République prouvent même leur souplesse avec les différentes « cohabitations ». En effet, par deux fois, F. Mitterrand doit nommer, à la suite d'élections législatives amenant à l'Assemblée nationale une majorité de droite, un Premier ministre qui n'est pas de son camp politique – en 1986 Jacques Chirac (1932-) et en 1993 Édouard Balladur (1929-), tous deux se réclamant du gaullisme. La situation se répète en 1997. J. Chirac, élu président de la République en 1995, après avoir dissous l'Assemblée, reconnaît la défaite des partis de droite en désignant en 1997 comme Premier ministre Lionel Jospin (1937-), socialiste, chef de file de la « gauche plurielle » (comprenant des communistes et des écologistes). **S**ur le plan politique, de Gaulle a imposé sa marque, peu contestée par la suite : mise en place d'une politique de coopération avec les anciennes colonies d'Afrique noire, dont la plupart accèdent à l'indépendance en 1960, affirmation de l'indépendance nationale avec la détention de l'arme nucléaire, et création d'un axe franco-allemand, moteur de la construction européenne. Mais la fin de la Guerre froide ne permet plus à la France de jouer de l'affrontement entre l'URSS et les États-Unis pour se faire autant entendre sur le plan mondial. L'exercice de la puissance passe désormais par l'intégration européenne et des partenariats négociés avec les autres États membres et les États-Unis. De même, sur le plan économique, l'État choisit dans les années 1980 de libéraliser le marché des capitaux et de se désengager du secteur public, en en acceptant la réduction (privatisations). Cette double évolution politique et économique met désormais en porte-à-faux les deux courants politiques porteurs depuis 1945 de la tradition interventionniste : le gaullisme et le communisme.
F. S. **> GAULLISME, RADICALISME, SOCIALISME ET COMMUNISME (FRANCE).**

FRANCO BAHAMONDE Francisco (1892-1975) **C**hef d'État espagnol (1939-1975). Francisco Franco naît au Ferrol (Galice). Il entre à l'Académie militaire de Tolède, où il fait des études moyennes. Adolescent aux mœurs rigides et sans prestance, il va s'affirmer comme officier par sa rigueur, par la discipline qu'il impose à ses hommes et aussi par un indiscutable courage, qui lui vaudra une grave blessure (1916) et une promotion rapide. Commandant de la première *bandera* du Tercio (légion étrangère espagnole) en 1920, il est à trente-quatre ans général de brigade et devient directeur de l'Académie militaire de Saragosse. Le gouvernement de droite qui s'impose en 1934 lui confie les plus hautes responsabilités. Chargé de la répression de l'insurrection asturienne (1934), il devient chef d'État-

Major général en 1935. **M**is à l'écart par le Front populaire victorieux en 1936, Franco reste longtemps en marge du complot préparé par l'Union militaire (groupe d'officiers supérieurs conspirant contre la République). Il vient cependant prendre la tête des troupes insurgées au Maroc le 17 juillet 1936. La mort accidentelle du général Sanjurjo (1872-1936), qui avait organisé le *pronunciamiento* (coup d'État), l'échec du coup de force dans les grandes villes vont le propulser au premier rang. S'appuyant sur des troupes disciplinées (le Tercio et les Maures), il remporte dans un premier temps des succès faciles, parvenant même jusque dans les faubourgs de Madrid. La résistance inattendue de la capitale espagnole annonce ensuite une prolongation du conflit qui profitera en définitive à Franco. **D**ésigné comme généralissime, puis comme chef de l'État, « caudillo » (guide) d'Espagne, chef du parti unique qui regroupe autour de la Phalange toutes les forces nationalistes, Franco, qui reçoit des armes et l'appui de troupes envoyés par l'Allemagne de Hitler et l'Italie de Mussolini, dispose d'une supériorité militaire qui le mène à la victoire totale. S'appuyant sur l'armée, sur l'Église catholique et sur l'Espagne traditionnelle des petits propriétaires et des grands latifundiaires, il refuse toute réconciliation avec l'autre Espagne, celle de l'exil, du libéralisme politique et de la révolution sociale. **D**ans un premier temps, il impose un « national-corporatisme » de style fasciste, et manifeste sa sympathie à l'Allemagne hitlérienne et à l'Italie mussolinienne. La défaite des fascismes et les nécessités économiques le conduisent par la suite à amorcer un rapprochement avec les États-Unis, engagés dans la Guerre froide avec l'URSS. **A**près 1956, le « caudillo » confie la gestion économique du pays à des technocrates, qui engagent des réformes profondes, ouvrent largement les frontières au capital - et aux touristes - étrangers. La société se transforme, tandis que le dictateur vieillissant et physiquement affaibli entretient, par sa seule présence, un pouvoir absolu (ne désigne Juan Carlos 1ᵉʳ de Bourbon comme son successeur qu'en 1969). Franco meurt en 1975, après une longue agonie, sans avoir modifié en apparence les formes d'un régime qu'il avait fondé quarante ans plus tôt. **É. T.** **> ESPAGNE.**

FRANCOPHONIE > ORGANISATION INTERNATIONALE DE LA FRANCOPHONIE.

FRÈRES MUSULMANS (Égypte)

Créée en 1928 par Hassan al-Banna, l'association des Frères musulmans veut promouvoir l'idée d'un État panarabe islamique. Interdite et réprimée par Gamal Abdel Nasser à partir de 1954, l'association réapparaît sur la scène politique dans les années 1970-1980. Elle s'affirme lors des élections de 1987, en coalition avec le Parti du travail. Celui-ci lui fournit une couverture politique et un espace d'expression. Dans le même temps, les Frères musulmans réussissent à contrôler les principales organisations professionnelles (ingénieurs, médecins, avocats) et à s'implanter dans le tissu associatif local. À compter de 1995, nombre de Frères musulmans font l'objet d'arrestation pour complicité avec les groupes islamistes radicaux. En 1996, en opposition à la direction de l'association, de jeunes militants soumettent le projet de création d'un parti, lequel est rejeté par le gouvernement. Restée interdite, l'association est sans nul doute une force d'opposition incontournable de la scène politique égyptienne. **S. G.** **> ÉGYPTE, FONDAMENTALISME ISLAMIQUE.**

FREYRE Gilberto (1900-1987)

Intellectuel brésilien. Formé à l'université de Columbia, aux États-Unis, et originaire du Nordeste, ce sociologue se considère avant tout écrivain. Frappé par les différences entre le sud des États-Unis et sa région natale, deux sociétés autrefois esclavagistes mais dont seule la première connaît alors une ségrégation raciale, il repense la construction de la nation brésilienne. Ses ouvrages (dont le célébrissime *Maîtres et Esclaves*), fondés sur une érudition très sélective, dessinent une plantation en partie imaginaire, une nation idéale, un esclavage plus doux qu'ailleurs qui aurait enfanté une démocratie raciale. D'où son éloge d'une supposée « brasilianité » (identité faite du métissage des cultures lusitaniennes, indiennes et africaines qui transpirerait dans le folklore, la sexualité, la cuisine, les danses, etc.). D'où aussi son appel au « lusotropicalisme », idéologie nationaliste suggérant à la patrie brésilienne de devenir le centre du monde portugais (discours qui fut plus repris à Lisbonne et dans les restes de l'empire que par les autorités brésiliennes. Considérant que la société patriarcale a été suivie d'une modernisation appauvrissante sur le plan matériel et moral, il soutiendra le régime militaire (1964-1985). **S. Mo.** **> BRÉSIL.**

FRONT POPULAIRE (France)

Alliance politique passée entre les partis de la gauche française, le Front populaire est conclu en 1935 dans un contexte de crise économique et de montée de l'extrême droite. Les socialistes, les communistes et les radicaux, unis, remportent les élections législatives d'avril-mai 1936. Le socialiste Léon Blum forme un gouvernement que les communistes soutiennent sans y participer.   **La** victoire de la gauche donne de l'ampleur à un vaste mouvement de grève, où les usines sont spontanément occupées dans une ambiance de fête. L. Blum organise des négociations entre patronat et syndicats. Les accords de Matignon, signés le 8 juin, octroient la liberté syndicale et des hausses de salaires. Le gouvernement fait ensuite voter une série de lois sociales dans l'espoir de relancer l'emploi (deux semaines de congés payés, semaine de travail de 40 heures). Il cherche à réduire l'influence des « forces de l'argent » (nouveau statut de la Banque de France, création d'un office du blé régulant le marché, nationalisations des industries de guerre). Le Front populaire réforme l'éducation (obligation scolaire élevée à quatorze ans), promeut la pratique du sport, les loisirs et la culture en soutenant les initiatives des associations.   **A**lors que les oppositions se multiplient, le Front populaire rencontre des difficultés économiques insurmontables (fuite des capitaux, relance économique restreinte et inflation, besoin de financer le réarmement en pleine guerre d'Espagne). L. Blum démissionne le 22 juin 1937. Le Front populaire s'achève lorsque les

radicaux passent une alliance avec la droite en 1938. **F. S.** **> FRANCE, SOCIALISME ET COMMUNISME (FRANCE).**

FSM   En février 1945, à l'initiative du Congrès des trade-unions britanniques (TUC), une conférence syndicale mondiale se tient à Londres pour mettre fin à la division en trois internationales (sociale-démocrate, communiste et chrétienne). En octobre 1945, la FSM (Fédération syndicale mondiale) est créée à Paris. Mais ses statuts excluant le pluralisme, les syndicats chrétiens refusent d'y participer et reforment leur propre internationale. Dès l'origine également, la Fédération américaine du travail (AFL) rejette la FSM, l'accusant d'être sous la coupe des communistes, et mène une vigoureuse campagne contre elle. L'échec de la FSM s'explique essentiellement par la Guerre froide, mais aussi par la volonté centralisatrice des Soviétiques. En effet, l'activité syndicale internationale se déroulait surtout au niveau des secrétariats professionnels par branches dont certains étaient très actifs. Les Soviétiques ont exigé que ces secrétariats deviennent de simples départements de la FSM. Ceux-ci ont refusé et ont obtenu de la plupart des fédérations concernées qu'elles se maintiennent en dehors de la FSM de telle sorte que, en dehors du bloc soviétique, seules les centrales dirigées par les communistes – notamment la CGT (Confédération générale du travail) française et la CGIL (Confédération générale italienne du travail) – ont finalement rejoint la FSM, qui est apparue dès l'origine comme un simple appendice du pouvoir soviétique.   **D**ans les années 1960, les syndicats chinois l'ont quittée, puis les italiens (CGIL), les espagnols (Commissions ouvrières), le portugais (Confédération générale des travailleurs portugais – CGTP), etc. À la fin des années 1980, en dehors de la sphère soviétique, il ne reste à la FSM que la CGT française et quelques syndicats d'État (Syrie, Irak). Après la chute du Mur de Berlin et l'effondrement du bloc soviétique, tous les syndicats d'Europe de l'Est l'ont quittée. La CGT française sera la dernière à le faire, en 1995. **D. L.** **> SYNDICALISME.**

G

G-7, G-8 Le Groupe des sept pays les plus industrialisés a rassemblé, à partir de 1975, les États-Unis, le Japon, l'Allemagne, la France, le Royaume-Uni, l'Italie et le Canada. Le président de l'Union européenne est associé à ses « sommets ». En juin 1997, le G-7 a accueilli officiellement la Russie, se transformant en G-8, sauf pour les questions économiques et financières. Le G-7 ne dispose pas de secrétariat permanent.

G-15 Le Groupe des quinze, ou Groupe au sommet de coopération Sud-Sud, a été constitué en 1989 à Belgrade par quinze PED (pays en développement) pour promouvoir un dialogue avec le G-7 des pays industrialisés. À la mi-2000, le G-15 comptait dix-sept membres : Algérie, Argentine, Brésil, Chili, Égypte, Inde, Indonésie, Jamaïque, Kénya, Fédération de Malaisie, Mexique, Nigéria, Pérou, Sénégal, Sri Lanka (adhésion en 1998), Vénézuela, Zimbabwé.

GABON République gabonaise. Capitale : Libreville. Superficie : 267 670 km². Population : 1 197 000 (1999). Le Gabon est marqué à partir de 1839 par la présence de la France. Rattaché à l'Afrique équatoriale française (AEF) et membre de la Communauté franco-africaine (1958), il accède à l'indépendance en 1960. Diversité ethnique (plus de quarante ethnies, huit ensembles ethnolinguistiques) et influence des groupes de pression (franc-maçonnerie, réseaux français...) y contrastent avec le faible nombre d'habitants. La stabilité politique du Gabon dissimule la récurrence de violences : le pouvoir autocratique du premier président, Léon Mba (1902-1967), est confronté à une mutinerie (1964) et ne doit son maintien qu'à l'intervention militaire de la France. À partir de 1967, le régime autoritaire de son successeur Omar Bongo, fondé sur un parti unique (Parti démocratique gabonais) et de subtils dosages ethniques, connaît successivement une tentative de coup d'État (1985), des manifestations xénophobes, le décès suspect d'un opposant et des émeutes circonscrites par l'armée française (1990). O. Bongo devance les revendications démocratiques pour conserver son pouvoir (« conférence nationale » et instauration du multipartisme en 1990, accords de Paris entre pouvoir et opposition approuvés par référendum en 1995). Il est réélu lors d'élections contestées en 1998. Doté d'une économie de rente (pétrole, minerais, bois tropicaux), le Gabon connaît une prospérité inégalée dans la région. Du fait de son extraversion et du poids des compagnies pétrolières (Elf-Aquitaine, Shell, Amoco...), cette prospérité est vulnérable. La redistribution des richesses est très inégalitaire. Le Gabon a préservé des rapports privilégiés mais non exclusifs avec la France (base militaire française, rapprochement avec les États-Unis, rôle pionnier dans le dialogue avec l'Afrique du Sud raciste...). Sa diplomatie est prolongée par un activisme politique, économique et culturel (Centre international des civilisations bantou). **M. E.**

GAGAOUZES Population turque (Seldjouk) de confession chrétienne orthodoxe (conversion datant de l'époque byzantine) habitant principalement le sud de la république de Moldavie. Ils étaient environ 150 000 au recensement de 1989, soit 3 % de la population totale, sur des terres spécialisées dans la culture du tabac et de la vigne. D'autres Gagaouzes, environ 30 000, habitent dans la région de Bolgrad et Reni (Ukraine), d'autres encore en Thrace grecque et turque (environ 10 000), ainsi qu'au Kazakhstan, en Ouzbékistan et au Kirghizstan (également environ 10 000 au total). Lors de la « cascade des indépendances » des ex-républiques soviétiques, en réaction à l'indépendance déclarée par la Moldavie, est proclamée une « république gagaouze » (19 août 1990). Le Parlement moldave votera par la suite (28 juillet 1994) la création d'un « État national autonome Gagaouz-Yeri » (capitale Comrat), sans grandes compétences institutionnelles. **M. Ca.**

> MOLDAVIE.

GAMBIE **R**épublique islamique de Gambie. Capitale : Banjul. Superficie : 11 300 km². Population : 1 268 000 (1999). **L**e territoire de la Gambie fut englobé au XVIᵉ siècle dans le vaste empire du Mali. Sa position stratégique et son fleuve, navigable sur 300 kilomètres à l'intérieur des terres, en firent un enjeu des rivalités franco-anglaises au XVIIᵉ siècle. Le petit territoire enclavé dans l'espace sénégalais devint en 1821 colonie de la Couronne britannique. À la fin du XIXᵉ siècle, ses frontières furent définies. Préparée depuis 1962, l'indépendance est accordée en 1965. La Gambie devient république en 1970. « Père de l'indépendance », Dawda Jawara (1924-) dirige le micro-État à la tête du Parti populaire progressiste, sans museler l'opposition. De 1982 à 1989, la Gambie se lie au Sénégal dans le cadre de la Confédération de Sénégambie. **D**énonçant la corruption du régime, le lieutenant Yaya Jammeh (1965-) renverse Dawda Jawara le 22 juillet 1994. Il est légitimé par les urnes en 1996. Politicien habile, il sait satisfaire à la fois la Libye et le FMI. Ses opérations anti-corruption l'ont rendu populaire, mais le climat politique et social est resté tendu. **S. A. D.**

GANDHI Mohandas Karamchand (1869-1948) **P**hilosophe et homme politique indien. Mohandas Karamchand Gandhi est né au Gujarat dans une famille de caste marchande. Son père, malgré cette origine, servit de Premier ministre à un prince de la région. Le jeune Gandhi est très tôt influencé par le jaïnisme, doctrine religieuse proche du bouddhisme qui prône la non-violence et dont l'implantation est particulièrement forte dans l'Inde de l'Ouest. **I**l étudie le droit en Angleterre, avant de revenir exercer le métier d'avocat à Bombay. C'est ce qui l'entraîne en Afrique du Sud en 1893 pour défendre les intérêts de clients indiens. Il prend alors fait et cause pour les victimes du racisme blanc et façonne à cette fin une technique de résistance à l'oppression qu'il baptise le *satyagraha* (littéralement « l'étreinte de la vérité »). Fondée sur la non-violence, cette méthode doit presque autant aux traditions indiennes qu'à la morale chrétienne. **D**e retour en Inde en 1915, Gandhi s'illustre dans des mouvements de lutte paysans et ouvriers tout en s'efforçant de restaurer l'harmonie des rapports sociaux. Parallèlement, il établit un ashram (monastère) sur le modèle de celui qu'il avait déjà conçu en Afrique du Sud et acquiert les traits d'un renonçant – d'où sa popularité auprès des foules et son titre, Mahatma, littéralement « la grande âme ». **M**ais Gandhi est un véritable homme politique. Il prend la tête du Congrès national indien en 1920 et le réorganise de fond en comble avant de lancer son premier mouvement de non-coopération la même année. Il le suspend dès les premières violences, mais maintient cette ligne anticoloniale déterminée et lance une agitation analogue dix ans plus tard avec le mouvement de désobéissance civile. Il se résigne à ramener le Congrès dans le processus électoral en 1937, mais renoue avec le combat dans la rue en 1942 avec la campagne *Quit India* (Quittez l'Inde). **L**es Britanniques se retirent effectivement en 1947, mais pour Gandhi ce succès est terni par l'ombre de la Partition. Il a toujours lutté pour l'unité entre hindous et musulmans et les émeutes des années 1940 le plongent dans un abîme de désespoir. Il sera lui-même victime de ce déchaînement de violence puisque son assassin, Nathuram Godse, n'est autre qu'un nationaliste hindou qui voit en lui le véritable responsable de la Partition. **C. J.** > INDE, NON-VIOLENCE GANDHIENNE.

GARVEY Marcus (1887-1940) **D**éfenseur américain de la cause noire. C'est en Jamaïque, où il est né, puis en Amérique centrale, que Marcus Garvey fait ses premières armes de militant pour la cause des travailleurs noirs. Dès son arrivée aux États-Unis en 1916, il développe des thèmes – les Noirs doivent être fiers de leur race et doivent connaître l'autosuffisance économique – qui font de lui l'un des défenseurs les plus influents de la cause noire. Il crée une association pour le progrès des Noirs (The Universal Negro Improvement and Conservation Association), qui se développe rapidement sur l'ensemble du territoire américain, ainsi qu'un réseau d'entreprises (journaux, compagnie de navigation, etc.) qui, après une rapide ascension, connaît de graves difficultés financières. Il est également l'instigateur du mouvement pour un retour en Afrique (Back to Africa Movement), destiné à fonder une nation dirigée par les Noirs sur le continent africain. Controversé, même au sein de la communauté noire (dont les chefs traditionnels lui reprochent ses doctrines séparatistes), il est condamné à cinq ans de prison pour fraude, ce qui met fin à sa carrière politique. Après deux années d'emprisonnement, le président Calvin Coolidge (1923-1929) lui accorde son pardon et il est déporté à la Jamaïque. Il meurt à Londres en 1940. Ses cendres seront par la suite ramenées dans son pays d'origine, qui le considère comme son premier grand héros national. **I. A. W.** **> ÉTATS-UNIS, JAMAÏQUE, QUESTION NOIRE (ÉTATS-UNIS).**

GATT À la fin de la Seconde Guerre mondiale, la coopération économique internationale est considérée comme un moyen essentiel de promotion du développement économique et de maintien de la paix. Après les institutions de Bretton Woods (Banque mondiale et Fonds monétaire international – FMI) en 1944, c'est l'Organisation internationale du commerce (OIC) qui doit voir le jour. Plus de 50 pays travaillent à l'élaboration d'une charte de l'OIC qui sera adoptée par les Nations unies en mars 1948 à La Havane. L'OIC doit devenir une instance spécialisée des Nations unies, avec un mandat large qui dépasse la seule définition des disciplines en matière de commerce international pour couvrir aussi les questions

d'emploi, d'accords de produits, d'investissement et de services. Parallèlement à l'élaboration de la charte, 23 pays décident d'en anticiper le volet commercial et lancent un cycle de négociations commerciales qui aboutit en janvier 1948 à un premier accord de réduction des barrières tarifaires, appelé Accord général sur les tarifs douaniers et le commerce (GATT en anglais). En 1950, les États-Unis décident de ne pas ratifier la charte de La Havane et, ce faisant, enterrent l'OIC. En dépit de son caractère transitoire, le GATT devient alors l'instrument multilatéral de régulation du commerce. Sans instance permanente, les négociations commerciales se déroulent dans le cadre de cycles de négociation (*rounds* en anglais). Après celui de Genève en 1947, huit cycles se succèdent et le nombre des pays participants passe de 23 à 123 en 1994. L'objectif premier est l'élimination des entraves au commerce (les droits de douane moyens sur les produits industriels passent de 40 % en 1947 à moins de 4 % en 1994). Deux principes essentiels guident toutes les négociations : la suppression des discriminations entre pays (un avantage commercial accordé à un pays doit être accordé à l'ensemble des partenaires commerciaux) et la suppression des discriminations entre produits importés et produits locaux (les produits importés doivent être traités de la même manière que les produits locaux). Des dérogations à ces principes existent, mais tendent à disparaître. Le dernier cycle de négociation, le cycle d'Uruguay, est conclu à Marrakech en mars 1994 par la signature de l'accord créant l'OMC (Organisation mondiale du commerce). **Y. J.**

GAULLE Charles de (1890-1970) Général et homme politique français, chef de la France libre pendant la Seconde guerre mondiale, chef du gouvernement provisoire de 1944 à 1946, président de la République de 1958 à 1969. Né à Lille, élève de Saint-Cyr, officier, Charles de Gaulle est blessé et fait prisonnier à Douaumont (1916) pendant la Première Guerre mondiale. En 1920, il participe aussi à la défense de la Pologne contre l'Armée rouge. Théoricien militaire, favorable à l'utilisation autonome des blindés, il écrit des ouvrages remarqués, mais ne peut convaincre ni les responsables de l'État-Major, comme son ancien chef et protecteur, le maréchal Pétain, ni les hommes politiques sollicités, à l'exception notable de Paul Reynaud (1878-1966). Président du Conseil, celui-ci nomme à titre temporaire sous-secrétaire d'État à la Guerre en juin 1940 le général de brigade qui s'est illustré dans les combats de 1940. **De** Gaulle refuse l'armistice et, réfugié à Londres, appelle les Français à continuer la lutte (appel du 18 juin). Il organise la France libre et parvient progressivement à faire reconnaître sa légitimité et son autorité par la Résistance intérieure comme par les puissances alliées. Chef du Gouvernement provisoire (juin 1944), il rétablit l'État et entreprend après la Libération de profondes réformes (nationalisations, lois sociales, droit de vote des femmes...). Il se retire cependant le 20 janvier 1946, n'acceptant pas le retour au premier plan des partis politiques. Il se prononce à Bayeux en faveur d'un pouvoir exécutif renforcé et fonde le RPF – Rassemblement du peuple français (1947) –, qui obtient des succès électoraux avant de refluer. De Gaulle se retire de la politique active et écrit *Mémoires de guerre* pendant la « traversée du désert » (1954-1958). La guerre d'indépendance algérienne lui permet de revenir au pouvoir : les émeutes d'Alger du 13 mai 1958 appuyées par l'armée font craindre une guerre civile et le président René Coty (1954-1958) fait appel au « plus illustre des Français » pour diriger le gouvernement. De Gaulle fonde la V\ᵉ République (Constitution approuvée par 80 % de « oui ») qui renforce le poids de l'exécutif et il est élu président de la République (1959-1969). Il met fin à la guerre d'Algérie (accords d'Évian, 1962) après avoir brisé le putsch des généraux (avril 1961) et le terrorisme de l'OAS (Organisation armée secrète). Il parachève la décolonisation (1960) et affirme l'indépendance de la politique étrangère de la France à l'égard des États-Unis dans le contexte d'une croissance soutenue. En revanche, les attentes sociales de la population sont déçues et il n'est réélu qu'avec 55 % des voix en 1965, face à François Mitterrand. Son autorité est contestée aux élections de 1967

et, plus profondément, par le mouvement de Mai 68 (manifestations étudiantes et grève générale). Malgré la victoire de ses partisans aux législatives de juin 1968, il ne parvient pas à rétablir son emprise sur le pays et il échoue finalement lors d'un référendum le 27 avril 1969 (47 % de « oui »). Il démissionne aussitôt et se retire de la vie publique. Il meurt à Colombey-les-Deux-Églises (Haute-Marne) en 1970. **G. Ca.** **> CONS-TITUTION (FRANCE, 1958), FRANCE, GAUL-LISME, RÉSISTANCE FRANÇAISE.**

GAULLISME (France)   Courant politique se réclamant après la Seconde Guerre mondiale du général de Gaulle, le gaullisme se distingue d'abord par son attachement à la France et à son indépendance. Cela se traduira notamment par la création d'une force de frappe nucléaire. Ce nationalisme est marqué par le refus de toute forme de supranationalité et, s'agissant de la construction européenne, refuse la dilution de la nation et l'abandon des prérogatives de l'État. L'appel aux Français à se rassembler, au-dessus des partis, autour d'un exécutif fort est un autre trait original. Le gaullisme s'engage à garantir le progrès pour tous (tant par le biais d'un État-providence défini en 1945-1946 que par la politique de participation – forme d'intéressement des salariés aux résultats de l'entreprise). Le gaullisme, enfin, est marqué par l'action de l'homme « providentiel » surmontant les crises. La conjonction de ces éléments aboutit à la construction d'images fortes : le mythe d'une France résistante, le lien direct entretenu avec le peuple, la croissance économique garantie par l'intervention de l'État et les responsabilités mondiales d'une « grande nation ». La personnalité du général de Gaulle, son action pendant Seconde Guerre mondiale, expliquent la présence d'hommes de droite comme de gauche au sein du mouvement gaulliste, qu'il s'agisse du RPF – Rassemblement du peuple français – (1947-1953), de l'UNR – Union pour la nouvelle République – (1958-1967) ou de l'UDR – Union des démocrates pour la V\ᵉ République – (1967-1968). Après 1969, le mouvement gaulliste se transforme en parti. Principal groupe parlementaire sous

Georges Pompidou (président de la République de 1969 à 1974), il devient une force d'opposition face au projet libéral de Valéry Giscard d'Estaing (président de 1974-1981) puis devant la gauche au pouvoir (à partir de 1981). L'Union des démocrates pour la République, nouveau nom de l'UDR (1971-1976), est devenue en 1976 le Rassemblement pour la République (RPR) avec pour premier but de remporter les élections présidentielles de 1981 avec Jacques Chirac (1932-) comme candidat. Son succès attendra 1995, non sans évolutions politico-idéologiques successives. Les thèmes gaullistes sont apparus à la fin du siècle en porte-à-faux avec la réalisation de l'Union européenne, les remises en cause de l'État nées avec la « crise » et le nouveau contexte géopolitique. **F. S.** **> FRANCE.**

GAZA (bande de) Triste témoin des déchirements politiques, la bande de Gaza n'est qu'une entité artificielle de 45 kilomètres de long sur 5 à 12 kilomètres de large où s'entassent plus d'un million de Palestiniens, réfugiés pour la plupart de la plaine côtière et du Néguev d'où ils furent chassés lors de la création d'Israël en 1948. Quelque 5 000 colons juifs s'y réservent le quart du territoire et ses principales terres arables. Comme la Cisjordanie, le Néguev et la Galilée, elle appartenait aux zones promises par les Nations unies en 1947 à constituer sur la terre de Palestine un État arabe à côté d'un État juif et d'une Jérusalem internationalisée. Au sortir des combats de la première guerre israélo-arabe de 1948-1949, elle n'est qu'un immense camp de réfugiés sous le contrôle de l'armée égyptienne. Contrairement à la Cisjordanie, objet de toutes les convoitises jordaniennes, elle échappe à l'annexion de son puissant voisin qui y établit un gouvernorat militaire dans l'attente de la résolution définitive de la question de Palestine. À compter de 1967, elle concentre tous les maux nés de la répression et du « dé-développement » économique planifié par l'occupation militaire israélienne qui y rencontre ses ennemis les plus décidés. Minée par l'explosion démographique, l'absence de toute ressource propre et la pollution de ses nappes aquifères, elle fait

l'objet, avec l'enclave de Jéricho, de la première expérience d'autonomie palestinienne à partir de 1994. Dans l'attente d'un règlement final, les principales institutions de l'Autorité palestinienne s'y sont installées. **J.-F. L.** **> ACCORDS ISRAÉLO-ARABES, ISRAËL, QUESTION PALESTINIENNE, TERRITOIRES OCCUPÉS.**

GDAŃSK, DANTZIG Ville portuaire polonaise, située sur la mer Baltique. Gdańsk (Dantzig en allemand) fut contrôlée par l'ordre Teutonique avant de devenir, au milieu du XIVe siècle, une cité libre sous protection polonaise. De 1793 à la Première Guerre mondiale, elle est rattachée à la Prusse, presque sans interruption. Les traités de paix de 1919-1920 permettent la reconstitution de la Pologne. En application de la convention de Paris relative à la question de Dantzig, l'Allemagne doit abandonner un couloir (le « corridor de Dantzig ») permettant à la Pologne d'accéder à la mer entre Poméranie et Prusse orientale. Dantzig, de population allemande, n'est toutefois pas accordée à la Pologne, mais devient une ville libre sous le contrôle de la SDN (Société des Nations). Les prétentions de rattachement affichées à partir de 1938 par l'Allemagne hitlérienne et les pressions exercées sur la Pologne pour qu'elle se joigne au bloc antisoviétique cristallisent une crise qui débouche sur le déclenchement de la Seconde Guerre mondiale. Le 1er septembre 1939, l'Allemagne attaque la Pologne et annexe le couloir de Dantzig et la Pologne occidentale. Le 3, la France et la Grande-Bretagne, alliées à Varsovie depuis les 6 et 9 avril précédents, déclarent la guerre à l'Allemagne. À l'issue du conflit mondial, en 1945, les frontières sont redessinées et la ville est attribuée à la Pologne. **G**dańsk va marquer l'histoire du bloc soviétique à deux reprises. Fin 1970, des émeutes ouvrières contre la vie chère y éclatent, ainsi qu'à Gdynia et Sopot, embrasant le Littoral. Un jeune délégué des chantiers navals s'y fait remarquer, Lech Wałęsa. L'émeute du Littoral, violemment réprimée, coûte son poste de premier secrétaire du Parti à Wladysław Gomułka. Dix ans plus tard, la grève historique des chantiers navals « Lénine » de Gdańsk aboutit à la légalisation du syndicat indépendant <u>Solidarité</u> qui instaure un contre-pouvoir. **V. K.**

GEISEL Ernesto (1907-1996) Militaire et homme politique brésilien, président de 1974 à 1979. Marqué par les événements des années 1930, Ernesto Geisel, né dans l'État de Rio Grande do Sul, a un goût prononcé de l'action politique. Rompu à l'idéologie lors de son passage à l'École supérieure de guerre où il côtoie nombre des officiers qui dirigeront le régime militaire (1964-1995), il intègre l'état-major de l'armée de terre en 1957. Au lendemain du putsch de 1964, le général-président Castelo Branco (1900-1967) l'appelle à ses côtés. Au Tribunal militaire supérieur, il fait appliquer avec rigueur la loi dite « de sécurité », notamment contre les leaders étudiants. Nommé en 1969 à la tête de Petrobrás (compagnie nationale du pétrole), il en défend le monopole et y démontre une fine connaissance de la macroéconomie. En 1974, soutenu au sein de l'armée tant par les modérés que par les partisans de la ligne dure (répression accrue), il devient chef de l'État. Son gouvernement, très technocrate, renforce le secteur public et relance la croissance. S'il fait accepter aux plus conservateurs le principe d'un retour graduel à la démocratie, il sait aussi, en suspendant provisoirement le Congrès et par des manipulations des règles électorales, en imposer le rythme et les étapes à l'opposition civile. C'est au terme du mandat (1979-1985) de son successeur, le général Joas Baptista de Figueiredo (1918-), que la transition aboutira. **S. Mo.** ➤ BRÉSIL.

GÉNÉRATION VOLÉE (Australie)
L'expression « génération volée » *(stolen generation)* s'applique à la politique officielle du gouvernement australien visant à l'assimilation forcée des <u>Aborigènes</u> et, en particulier, à la séparation des enfants de leurs parents et de leurs familles, entre 1880 et 1966. De 30 000 à 100 000 enfants, selon les estimations, en majorité des métis, ont été séparés, souvent de force, et parfois avec violence, de leurs familles vivant dans les réserves et les campements aborigènes, pour être confiés à des institutions (missions, écoles gouvernementales) ou à des

familles européennes. Cette politique, appliquée au niveau fédéral et au niveau des États, était liée à la volonté des autorités de « régler le problème aborigène ». Selon les théoriciens néo-darwinistes de l'époque, la population *« full blood »* (non métissée) était condamnée à disparaître naturellement. La question des métis, en revanche, nécessitait une politique volontariste globale, visant à diluer le sang et les cultures indigènes dans la population blanche australienne. L'objectif final était une assimilation totale, raciale, économique et culturelle. Les survivants de cette génération volée ont engagé des procédures judiciaires pour obtenir des réparations financières. **P. G.** ➤ AUSTRALIE.

GENÈVE (accords de) Le jour de la chute du camp retranché de <u>Dien Bien Phu</u> au Vietnam, le 7 mai 1954, la conférence de Genève sur la <u>guerre d'Indochine</u> aborde, en présence de toutes les parties intéressées, Chinois et Vietnamiens inclus, la question indochinoise. Toutes les délégations, sauf celles des États-Unis et de l'État du Vietnam (<u>Bao Dai</u>, <u>Ngo Dinh Diem</u>), sont d'ores et déjà acquises à l'idée d'une partition du Vietnam au 16e, 17e ou 18e parallèle, et que les représentants de la RDV (République démocratique du Vietnam) admettent, en fait, secrètement dès les 10 et 11 juin. Après plus d'un mois de négociations et la menace du président du Conseil français, Pierre <u>Mendès France</u>, d'envoyer le contingent en Indochine – ce qui signifierait l'entrée des États-Unis dans la guerre –, les pressions de la Chine populaire (rencontre secrète entre le Chinois <u>Zhou Enlai</u> et le Vietnamien <u>Ho Chi Minh</u> du 3 au 5 juillet), qui cherche précisément à tout prix à écarter les États-Unis de la péninsule, et de l'URSS sur la RDV vont obtenir son acceptation résignée. Les accords, signés le 21 juillet à Genève, prévoient un armistice en Indochine, le regroupement des forces du <u>Pathet Lao</u> (proche du Vietminh) dans deux provinces du Laos septentrional, ainsi que le regroupement respectif des forces et des partisans du Vietminh, et des forces et des partisans du CEFEO (Corps expéditionnaire français en Extrême-Orient) et de l'État du Vietnam de part et d'autre de la ligne provisoire du 17ᵉ parallèle. Les accords prévoient aussi des élections générales démocratiques au Cambodge et au Laos en 1955, la réunification du Vietnam au moyen d'élections générales libres prévues pour juillet 1956, la neutralisation de l'Indochine et la création d'une Commission internationale de contrôle. Ils comportent aussi une déclaration finale.   **Le** gouvernement de Saigon (Ngo Dinh Diem) récuse officiellement les accords. Les États-Unis ne les signent pas, ils « prennent note » des textes et de la déclaration finale, tout en s'engageant à ne pas chercher à les modifier par la force.   **Le** compromis de Genève devait rapidement échouer en raison de l'opposition du Sud-Vietnam et des États-Unis à la réunification et de l'installation au Nord-Vietnam d'un régime stalinien classique. Dès 1955-1956, au Sud, la répression anticommuniste et la résistance armée des partisans de la RDV amorcent la reprise de la guerre. Bientôt commencera effectivement la seconde guerre d'Indochine, communément appelée « guerre du Vietnam ». **D. H.** **> CAMBODGE, FRANCE, LAOS, VIETNAM.**

GENÈVE (conventions de) En 1949 sont adoptées quatre conventions qui fondent le droit international humanitaire. Ces conventions codifient le droit de la guerre et le droit d'assistance aux blessés et aux malades (première et deuxième conventions), aux prisonniers de guerre (troisième convention), aux civils (quatrième convention). En 1977, deux protocoles additionnels sont adoptés, le premier relatif à la protection des victimes des conflits armés internationaux, le second aux victimes des conflits armés non internationaux.

GÉNOCIDE **D**u grec *genos* (race) et du latin *caedere* (tuer). Le terme de génocide a été introduit en 1944 par le juriste américain d'origine polonaise Raphael Lemkin dans son ouvrage *Axis Rule in Occuped Europe* pour désigner l'extermination méthodique d'un groupe ethnique, les Juifs. Adoptée par l'Assemblée générale de l'ONU le 9 décembre 1948, la Convention pour la prévention et la répression du crime de génocide est entrée en vigueur en 1951. Elle définit ainsi ce

crime : « Le génocide s'entend de l'un quelconque des actes ci-après, commis dans l'intention de détruire, tout ou partie, un groupe national, ethnique, racial ou religieux, tels [les] meurtres de membres du groupe ; [l']atteinte grave à l'intégrité physique ou mentale de membres du groupe ; [la] soumission intentionnelle du groupe à des conditions d'existence devant entraîner sa destruction totale ou partielle ; [les] mesures visant à entraver les naissances au sein du groupe ; [le] transfert forcé d'enfants du groupe à un autre groupe. » Le caractère intentionnel (délibéré et systématique) de la destruction caractérise ainsi la spécificité du crime de génocide, déclaré imprescriptible par la convention de 1968 sur l'imprescriptibilité des crimes de guerre et des crimes contre l'humanité.   **> GÉNOCIDE CAMBODGIEN, GÉNOCIDE DES ARMÉNIENS, GÉNOCIDE DES JUIFS, GÉNOCIDE DES TSIGANES, GÉNOCIDE RWANDAIS.**

GÉNOCIDE CAMBODGIEN Le second conflit d'Indochine (dit « guerre du Vietnam ») s'achève sur la victoire des communistes. Au Cambodge, avant la chute de Phnom Penh, le 17 avril 1975, le nationalisme exacerbé et l'utopie meurtrière khmère rouge ne sont pas perçus. Nombreux sont ceux qui fêtent alors l'héroïsme des soldats aux pieds nus, le succès de leur « juste cause », l'effondrement du régime fantoche et corrompu inféodé aux États-Unis. Pourquoi les Khmers rouges auraient-ils continué à tuer après leur victoire ? Bien sûr, les traditions militaires commandent l'épuration des « ennemis intérieurs »... Mais le renvoi à la campagne pour (re)trouver la « vraie » valeur des choses fascine. Il inquiète d'autant moins qu'il se déroule sans aucune révolte, dans la plus totale résignation des intéressés et en l'absence d'observateurs étrangers. On n'entend pas les slogans terribles tels que « Il vaut mieux tuer un innocent que de garder en vie un coupable » ou « Un à deux millions de Khmers suffisent pour construire la Révolution ».   **A**u début de 1976, les témoignages réunis par le père François Ponchaud et publiés dans deux articles du quotidien français *Le Monde* démontrent la réalité d'une gigantesque épuration. Les

850 000 morts dont il est question font l'objet d'une vive polémique, mais la communauté internationale commence à prendre conscience de l'horreur du régime de Phnom Penh. **« Cambodge année zéro ».** En février 1977, le réquisitoire de F. Ponchaud, *Cambodge année zéro*, dévoile un peu plus le fonctionnement discriminatoire du régime et ses camps de travail forcé. Les témoignages sont si accablants que l'essayiste français Jean Lacouture signe en 1978 un livre indigné : *Survive le peuple cambodgien !* Pour lui, ceux qui ont combattu le colonialisme français en Indochine et dénoncé l'impérialisme américain ne peuvent cautionner un tel régime autogénocidaire. Au cours des années 1980, les témoignages poignants des survivants se multiplient : Pin Yathay (*L'Utopie meurtrière*), Molyda Szymusiak (*Les Pierres crieront*), etc. **A**lors que les organisations de défense des droits de l'homme sont longtemps restées silencieuses sur ces événements, ils deviennent un enjeu politique et partisan. Les Vietnamiens et leurs alliés au pouvoir à Phnom Penh dénoncent un génocide qui aurait fait trois millions de morts. Les premiers entendent légitimer leurs actions politico-militaires au Cambodge, les seconds se démarquer des partisans de <u>Pol Pot</u>, qu'ils condamnent par contumace, début 1979, pour crime de <u>génocide</u>. **L**'origine, l'ampleur des massacres et les responsabilités individuelles et collectives sont autant de sujets à controverse. De nombreux Cambodgiens rejettent sur l'étranger la responsabilité des excès de cette révolution. Les dirigeants khmers rouges n'ont-ils pas fait leurs études supérieures en France, leurs haines n'ont-elles pas été attisées par la guerre américaine, leur programme politique n'a-t-il pas été influencé par la Chine communiste et le Vietnam ? Sans contester ces réalités, les racines proprement khmères de la tuerie ne doivent pas être occultées. À la différence des communistes chinois et vietnamiens qui ont tenté de « convertir » l'homme en « rééduquant » les « réactionnaires », considérés comme des « frères égarés », chez les Khmers rouges il n'y a pas de rémission possible. Pire : en les tuant, on donne une « chance

nouvelle » aux victimes, la doctrine karmique voulant que l'individu coupable subisse son châtiment sans possibilité de rachat tandis que la conception cyclique de la réincarnation engendre un rapport moins tragique à la mort. Mais ces réalités sociales et religieuses diminuent-elles en quoi que ce soit la responsabilité des Khmers rouges dans la mort de 1,7 million de Cambodgiens ? **Quel tribunal ?** Une chose est sûre : l'accueil à Phnom Penh, à la Noël 1998, dans un esprit de réconciliation nationale, avec des bouquets de fleurs, de Nuon Chea et Khieu Samphan, deux des principaux dirigeants du régime polpotiste, a pu légitimement choquer, tout comme par le passé la volonté de certains d'associer sans barguigner les Khmers rouges à un gouvernement de large union nationale. Ce n'est que sous la pression de la communauté internationale que le gouvernement de Phnom Penh s'est résigné à juger les chefs khmers rouges. Deux options s'offraient à lui : faire juger ces hommes par un tribunal cambodgien ou les faire comparaître devant la juridiction d'un État tiers, dont la compétence à titre universel sur le crime de génocide serait établie. Hun Sen (1951-), chef de gouvernement à partir de 1985, a fait le choix d'un tribunal mixte pour juger les dirigeants coupables des plus graves violations des droits de l'homme au cours de la période 1975-1979, malgré les recommandations des experts nommés par le secrétaire général des Nations unies en faveur d'un tribunal international créé par le Conseil de sécurité. Vingt ans après avoir été chassés du pouvoir, certains chefs khmers rouges devaient donc être jugés. Ta Mok, arrêté le 6 mars 1999 puis inculpé sur la base de la loi de 1994 qui met les Khmers rouges hors la loi et Kang Kek Ieu, dit Deuch, le tortionnaire de <u>Tuol Sleng</u>, se trouvaient en tête de la liste.
C. L. **> CAMBODGE.**

GÉNOCIDE DES ARMÉNIENS Premier <u>génocide</u> de l'époque contemporaine, précurseur de la destruction des Juifs d'Europe pendant la Seconde Guerre mondiale ou conséquence malheureuse d'un processus d'évacuation des populations arméniennes mal maîtrisé par les autorités turques ? Près d'un siècle après, tandis que les Arméniens invoquent le « devoir de mémoire » face à une Turquie arc-boutée dans le déni de la responsabilité des autorités ottomanes, la tragédie des Arméniens de l'Empire ottoman continue à interpeller la conscience universelle.   C'est le 24 avril 1915 qu'une vague d'arrestations s'abat sur les élites arméniennes d'Istanbul, la capitale de l'Empire ottoman. Les autorités, par la voix du Ittihad (Unité et progrès), le parti nationaliste au pouvoir qui affiche des velléités modernisatrices, invoquent l'existence d'un « complot arménien » destiné à affaiblir l'empire en guerre depuis près de six mois avec les puissances de l'Entente (Russie, France et Royaume-Uni). En effet, dans un empire en proie à un déclin continu depuis plusieurs décennies, qui accumule défaites et pertes territoriales, en particulier au profit de la Russie, les Arméniens, objets de la sollicitude apparente des puissances chrétiennes, apparaissent à beaucoup sous les traits d'une cinquième colonne. Sur le front oriental, les Ottomans subissent une cuisante défaite face à l'armée russe. Alors que les troupes des deux empires rivaux se combattent violemment dans une guerre sans pitié, la tension est à son comble dans les régions à forte population arménienne.   **Purifier ethniquement l'Anatolie.** L'intention d'un « nettoyage ethnique » de l'Anatolie par la déportation des populations arméniennes semble s'être concrétisée début janvier 1915 parmi les dirigeants Jeunes-Turcs au pouvoir dans la capitale. À la fin janvier, alors que leur communauté est l'objet d'accusations de trahison au profit des Alliés et plus particulièrement de la Russie, les soldats arméniens de l'armée ottomane sont désarmés et affectés à des bataillons de travail chargés de travaux de terrassement et de voirie. Des dizaines de milliers d'hommes périssent, victimes des mauvais traitements et des terribles conditions climatiques auxquelles ils sont confrontés dans les zones désertiques et montagneuses. Dans les mois qui suivent, des fusillades achèvent de décimer leurs rangs. Début avril, la communauté arménienne de Zeytun (Cilicie) est déportée à la suite des graves affrontements qui l'ont opposée aux gendarmes ottomans. Quelques

jours plus tard, le 20 avril, la population arménienne de Van, galvanisée par l'avance russe, se soulève. La ville résiste jusqu'à l'arrivée des troupes russes, le 16 mai. La présence de nombreux volontaires arméniens originaires de Turquie parmi les troupes russes semble avoir levé les dernières hésitations de ceux qui, au sein du pouvoir ottoman, cherchaient un prétexte pour en finir avec la communauté arménienne. Les Jeunes-Turcs au pouvoir considèrent en effet les Arméniens comme un frein majeur à l'indispensable unité des Turcs. Déjà, au cours des années 1894-1896, sous le règne du sultan Abdulhamid II (1876-1909), des dizaines de milliers d'Arméniens avaient été massacrés. Il s'agit dès lors de « purifier » ethniquement l'Anatolie.   **Razzias, incendies, tortures et massacres.** La campagne se déroule dans une atmosphère d'apocalypse, sur fond de massacres, de destructions et de règlements de comptes intercommunautaires. À la mi-mai, le gouvernement ottoman ordonne le « déplacement » des populations arméniennes résidant près de la frontière russe et des zones de combats. Les Arméniens des provinces orientales sont désormais projetés dans un véritable enfer. Jusqu'en juillet, razzias, incendies, viols, meurtres et massacres sont systématiquement perpétrés par les nomades kurdes et les mercenaires tchétchènes, auxquels les gendarmes et les troupes régulières prêtent la main. Des milliers d'enfants sont enlevés et confiés à des familles turques ou kurdes. Les exactions se poursuivront tout au long de l'année ; elles toucheront jusqu'aux communautés les plus éloignées du théâtre de la guerre. 600 notables y sont arrêtés le 24 avril et déportés en Anatolie avant d'y être assassinés. Au cours de l'année 1916, l'hécatombe continue parmi les déportés, dont beaucoup survivent difficilement dans des conditions d'extrême précarité dans des zones désertiques du Moyen-Orient où ils ont été envoyés. À l'issue de ce cauchemar, la communauté arménienne, qui comptait entre 1 200 000 (chiffre officiel des autorités ottomanes) et 2 100 000 personnes (données du Patriarcat de l'Église arménienne), et qui constituait environ le tiers de la population totale des provinces orientales, ne compte plus que quelques dizaines de milliers d'individus. 200 000 Arméniens ont trouvé refuge en Transcaucasie. L'importante communauté d'Istanbul, forte de 150 000 personnes, a été épargnée, protégée par la présence des missions étrangères dans la capitale de l'empire. Les alliés allemands, malgré l'action d'hommes tels que le pasteur Johannes Lepsius (1858-1926) et les protestations de nombreux fonctionnaires et diplomates témoins des massacres, ont privilégié l'alliance ottomane. **La** défaite de l'Empire ottoman provoque l'effondrement du gouvernement Jeune-Turc. Le procès intenté aux responsables du régime déchu ne débouche pas sur le châtiment espéré par les survivants. Les militants du parti Dachnak (parti nationaliste créé en 1890 dans la tradition de la social-démocratie, qui a mené l'Arménie russe à l'indépendance en 1918) décident de se faire justice eux-mêmes ; les dirigeants du comité Unité et progrès tombent sous les balles de ceux qui veulent faire payer la « dette de sang » à ceux qu'ils considèrent comme coupables du crime de génocide : Talat Pacha (ministre de l'Intérieur) et Saïd Halim Pacha (grand vizir) sont abattus en 1921, Djemal Pacha en 1922. Enver Pacha, qui s'est retourné contre ses alliés bolcheviks, est abattu en Asie centrale par des bolcheviks arméniens. **La** récusation turque. Outil efficace de propagande aux mains des Alliés pendant la Première Guerre mondiale, le génocide passera rapidement au second rang des préoccupations des opinions publiques occidentales. En 1923, le traité de Lausanne fixe les frontières de la nouvelle Turquie dirigée par Kemal Atatürk. En Union soviétique, où la République socialiste soviétique d'Arménie peut donner l'illusion de l'existence d'un foyer national arménien, les autorités imposent un silence pesant. Le régime kémaliste se refuse à toute démarche critique, interdisant l'accès aux archives. Alors que le génocide des Juifs d'Europe et la reconnaissance de la responsabilité allemande entraînent les Arméniens à revendiquer la reconnaissance du génocide de 1915, en Turquie, l'idée même de génocide est récusée : l'Empire ottoman, confronté à la guerre et à une sédition massive, aurait dû se résoudre à

déplacer les Arméniens. Malgré les difficultés climatiques et les pénuries responsables d'une importante mortalité, ils auraient été « traités humainement ». **A**u cours des années 1970 et 1980, des groupes radicaux tentent d'arracher la reconnaissance du génocide par des attentats qui prennent pour cible des fonctionnaires et des objectifs turcs. Mais la démarche est essentiellement politique. En 1984, l'organisation non-gouvernementale nommée Tribunal permanent des peuples, réunie à Paris, considère que « le gouvernement des Jeunes-Turcs est coupable de génocide ». **C. U.**

GÉNOCIDE DES JUIFS   Le génocide des Juifs est devenu le symbole de la politique criminelle du régime nazi, au point de faire oublier parfois qu'il fut la manifestation extrême d'un ensemble de politiques meurtrières, depuis la mise à mort des Allemands « indignes de vivre » (il est établi qu'au moins 70 000 personnes souffrant de troubles psychiques en furent victimes) jusqu'à l'extermination des Tsiganes (estimation de 250 000 morts), en passant par le mouroir concentrationnaire (environ 550 000 morts de 1939 à 1945), l'hécatombe des prisonniers de guerre soviétiques (environ 3 330 000 morts), sans oublier les projets de transfert de populations slaves qui, aboutis, auraient fait des millions de victimes. Dans l'enfer nazi, tout comme dans le cercle des génocides, l'extermination des Juifs garde pourtant une place spécifique pour avoir été une entreprise idéologiquement motivée, administrativement réalisée et industriellement exécutée. **L**'extermination est advenue à la fin d'une chaîne de discriminations parfois zigzagante, mais allant dans une seule direction : le départ des Juifs d'Allemagne, du Grand Reich, et si possible de toute l'Europe. La persécution débuta en 1933 par l'exclusion des Juifs de certains emplois, en particulier de l'administration. Elle se poursuivit en 1935 (lois de Nuremberg) par la séparation sexuelle et la réduction de leur statut à celui de citoyens de seconde zone et aboutit en 1938 à leur exclusion de toute la vie économique et à la spoliation de leurs biens (au nom de l'« aryanisation »). Cette politique fut appli-

quée par la suite aux populations juives tombées sous la domination allemande, en y ajoutant, pour celles de l'Est européen, le confinement dans des ghettos. La « **solution finale** ». Sur la « solution finale » à donner au « problème juif », les conceptions évoluèrent. Pendant près de huit ans, le régime nazi encouragea l'émigration. À partir de 1938, il commença à évoquer publiquement l'idée de rassembler dans une sorte de réserve, située si possible dans un territoire lointain, la population juive d'Europe ; en 1939-1940, il fut question d'utiliser à cette fin la région de Lublin en Pologne, puis l'île de Madagascar. À partir de l'été 1941, l'extermination vint prendre la relève de solutions que l'extension de la guerre rendait de moins en moins réalisables. À défaut, les Juifs disparaîtraient du sol européen par la mort, une hypothèse probablement inscrite dès le départ sur l'horizon mental de <u>Hitler</u>, sans devenir une priorité indiscutable avant 1941. La guerre contre l'URSS entraîna le passage à des fusillades à grande échelle (au moins 750 000 victimes entre l'été 1941 et le printemps 1942). À partir de l'automne 1941, la SS (Schutzstaffel) mit en place des installations de gazage industriel qui permettaient d'éviter les inconvénients des fusillades (le manque de secret, la faible efficacité, les « tensions psychologiques » chez les bourreaux). Mi-1942, la machine de destruction tournait à plein régime. De toute l'Europe nazie, de l'arc atlantique jusqu'aux îles grecques, mettant à profit le contexte de guerre totale et utilisant l'aide des administrations des pays occupés et de certains régimes alliés ou satellites, la SS déporta une grande partie de la population juive d'Europe vers six <u>camps d'extermination</u>, dont quatre étaient exclusivement des camps de la mort (Chelmno, Belzec, Sobibor, Treblinka) et deux à la fois des camps de travail et des camps d'extermination (Lublin-Majdanek et <u>Auschwitz</u>-Birkenau). Au total, un bilan d'un peu plus de cinq millions de victimes juives : 800 000 personnes mortes à la suite des conditions de vie effroyables dans les ghettos ; environ 1,3 million assassinées par fusillades (en URSS principalement, mais aussi en Serbie) ; 2,7 millions exterminées par gaz (dont un million à

Auschwitz) ; enfin 300 000 décédées dans les camps de concentration (allemands, mais aussi roumains et croates). **P. Bu.**

Le monde yiddish anéanti. Sur les 3,25 millions de Juifs de Pologne qui constituaient en 1939 la communauté la plus nombreuse et la plus dynamique du monde juif ashkénaze, à peine 35 000 à 80 000, selon les estimations, ont survécu aux ghettos et aux camps tandis que 154 000 ont été rapatriés d'Union soviétique où ils s'étaient réfugiés ou avaient été déplacés. Leur retour porte à environ 250 000 le nombre de survivants sur cette terre dévastée. Les Juifs de Hongrie et de Roumanie ont été proportionnellement un peu moins touchés que ceux de Pologne. La destruction du judaïsme hongrois a été tardive puisqu'elle débuta en avril 1944, mais d'une extrême brutalité. Sur quelque 800 000 Juifs que comptait la Hongrie au début des années 1940, 260 000 environ ont survécu. Quant à la Roumanie, 270 000 de ses Juifs ont été assassinés. En Union soviétique, le génocide a fait entre 650 000 et 800 000 victimes, mais il subsiste encore une population juive nombreuse d'environ deux millions de personnes en 1945. En Allemagne, le nombre de morts fut d'au moins 120 000, en Tchécoslovaquie de 260 000, en Lituanie d'au moins 130 000, en France de 75 000, en Lettonie de 70 000, en Grèce de 60 000, en Yougoslavie de 60 000, en Italie de 9 000 et en Estonie de 2 000. La population juive de Bulgarie a, quant à elle, été globalement épargnée. La communauté juive des Pays-Bas a été détruite à 80 %, celle de Belgique à 43 %, celle de la France à 20 %. C'est, au sortir de la guerre, au Royaume-Uni que vit le plus grand nombre de Juifs (410 000) en Europe. **Un retentissement durable dans les mémoires.** Beaucoup de Juifs allemands, polonais, hongrois notamment, qui ont survécu aux camps de concentration, aux camps de travail ou aux ghettos, ont refusé d'être rapatriés dans leurs pays d'origine. Ils se sont entassés dans des conditions difficiles dans des camps, attendant qu'un nouveau pays veuille bien les accueillir. Selon une estimation du Joint Distribution Committee, ils étaient 237 150 en février 1947, principalement dans les zones d'occupation américaines d'Allemagne et d'Autriche. Il faut attendre 1948, avec la création de l'État hébreu et le *Displaced Persons Act* de 1949 aux États-Unis, suivi du *Refugee Relief Act*, pour que ces survivants puissent enfin se rendre aux États-Unis ou en Israël, alors qu'une minorité d'entre eux choisit d'autres destinations : France, Royaume-Uni, Suède, Amérique latine, Australie, Afrique du Sud. Le génocide a profondément modifié le judaïsme. Avec l'annihilation des grandes communautés de l'Europe centrale et orientale, le monde yiddish a été anéanti. Les grands centres du judaïsme seront désormais (pour l'essentiel) les États-Unis et Israël. La perte de leurs populations juives marque également les pays dans lesquels elles vivaient et où leur absence est aujourd'hui source de débat. Elle pose aussi à la communauté internationale une série de questionnements présents jusqu'à nos jours. **A. W.** **> ANTISÉMITISME, NAZISME, NÉGATIONNISME, NUREMBERG (TRIBUNAL DE), SYSTÈME CONCENTRATIONNAIRE.**

GÉNOCIDE DES TSIGANES

La persécution nazie à l'encontre des Tsiganes d'Europe présente un caractère complexe. Ils se trouvèrent en effet placés, bien malgré eux, au centre du débat sur la redéfinition de la citoyenneté biologique allemande. Ce débat opposait alors les tenants d'une origine raciale pure, qui faisait des Tsiganes des miraculés de la race indo-européenne primitive, et les partisans d'une origine douteuse, provoquée par l'intense métissage des bas-fonds. La police criminelle combattait ce qu'elle appelait le « fléau tsigane » *(Zigeunerplage)* en fichant les Tsiganes avec l'aide de l'Office central pour la lutte contre le péril tsigane de Munich. Or le second volet de lois de Nuremberg de 1935 prévoyait la mise à l'index de cette population en s'appuyant sur la « loi sur les criminels irrécupérables » : les Tsiganes devenaient des « asociaux » *(Asozialen)* par leur mode de vie (qu'ils fussent sédentaires ou itinérants) et une population hybride, mélangée de tous les sangs inférieurs, selon la « biologie raciale » *(Rassenbiologie)*. Le docteur Robert Ritter et son assistante Eva Justin, chargés des exper-

tises, préconisèrent l'« extinction » par la stérilisation de masse. Le nombre d'arrestations de *Zigeuner* avait été croissant entre 1933 et 1939. Tandis que les experts débattaient dans le sérail des instituts de recherche, les administrations locales étaient passées à l'acte. Arguant de la plainte des administrés, les maires avaient ouvert des camps municipaux *(Zigeunerlager)* dans toutes les grandes villes d'Allemagne. Ils pressaient les services de Heinrich Himmler (1900-1945), chef de la Gestapo et de la Police, de les débarrasser des internés. **Rafles méthodiques dans l'« Allemagne nouvelle » et le Grand Reich.** Le couplage effectué entre l'indexation criminelle traditionnelle et le marquage biologique des Tsiganes comme « métis » *(Mischlinge)* offrait la possibilité d'assimiler leur traitement à celui des Juifs. Ce fut d'ailleurs recommandé par H. Himmler à partir du décret en date du 16 décembre 1942, dit *Auschwitz Erlass*, dans lequel il ordonne la déportation des Tsiganes du Grand Reich à <u>Auschwitz</u>. Il étend par la suite ces ordres, mais leur application rencontre des difficultés. **D**ans l'« Allemagne nouvelle », agrandie des annexions, en particulier l'Autriche, la part de la Slovénie, le *Wartheland*, la Silésie polonaise, le Schleswig, la région de Białystok, le Luxembourg, les rafles sont méthodiques. Il en va de même dans le protectorat de Bohême-Moravie, en Norvège ou aux Pays-Bas. **D**u fait du double statut de la Pologne (à la fois zone du Grand Reich et « Territoire occupé de l'Est »), les Tsiganes sont aussi internés dans les ghettos. Ceux parqués dans le <u>ghetto de Varsovie</u> sont « traités » avec les Juifs à Treblinka. **E**n revanche, dans l'*Ostland*, les pays baltes, la Biélorussie et l'Ukraine, les massacres sont perpétrés par l'armée. Ils s'effectuent en rase campagne et l'enregistrement de ces actes criminels ne constitue pas, à l'évidence, la priorité des officiers de la Wehrmacht. En Serbie, l'armée a déclaré la population tsigane collectivement responsable de la mort de soldats allemands. **D**ans les États satellites du Reich, les massacres de masse varient selon la politique locale. En Croatie, les <u>oustachis</u> se livrent à un véritable génocide des Tsiganes. En Roumanie, les fascistes locaux les

pourchassent. L'arrivée des Allemands en 1943 est fatale aux Roms slovènes réfugiés dans le nord de l'Italie. Dans les régions stratégiques comme la Belgique et le nord de la France, l'initiative appartient aussi à l'armée.   En France, l'internement des « nomades » est décidé par un ordre allemand du 14 octobre 1940. Les 6 000 internés (répartis dans une douzaine de camps) sont, en très grande majorité, de nationalité française. Ce n'est qu'en 1946 que les autorités songent à libérer ces familles qui ont tout perdu.   **Le « camp de famille » de Birkenau.** Le destin tragique du « camp de famille » (*Zigeunerfamilienlager*) situé à l'intérieur du camp de Birkenau montre à la fois la volonté exterminatrice et l'indécision quant à la chronologie des opérations de mort. Dans ce camp créé fin 1942 – un groupe de 32 baraques séparées par des barbelés – sont détenues 20 000 personnes, les familles n'étant pas séparées. Des enfants frappés du sigle « matériel de guerre » servent aux expériences du docteur Josef Mengele. Himmler donne l'ordre de gazer les survivants du « camp de famille » dans la nuit du 1er au 2 août 1944.   **L'**évaluation d'ensemble de l'extermination demeure difficile, faute de recherches systématiques. On l'estime à la moitié du million de Tsiganes qui vivaient en Europe en 1939.   Le génocide des Tsiganes présente des singularités juridiques, chronologiques et géographiques, et il ne fut pas un simple complément de la politique d'extermination des Juifs d'Europe. L'expertise menée par les adeptes de la « science allemande de la séparation », à la fois insistante dans ses pratiques et hésitante dans ses conclusions, entraîna un phénomène de « radicalisation sélective », alors que les polices et les municipalités opéraient pour leur compte un internement massif. L'analyse du traitement infligé aux Tsiganes n'inscrit pas seulement une meilleure connaissance des victimes au triste catalogue des crimes du nazisme ; elle permet d'en apprendre beaucoup sur le rapport de la société allemande à elle-même, car l'expertise des *Zigeuner* fut placée au cœur de la requalification biologique et sociale du peuple allemand. Ces derniers ne furent pas considérés comme des étrangers totalement extérieurs à la communauté du peuple, mais comme une sorte de « cinquième colonne » du métissage prolifique. Cela explique que dans la pratique, l'extermination des familles ait été menée de façon sélective visant, au premier chef, l'extinction physique définitive des Tsiganes du Grand Reich.   **H. A.**
> CAMPS D'EXTERMINATION NAZIS, GÉNO-CIDE, GÉNOCIDE DES JUIFS, NAZISME, SYSTÈME CONCENTRATIONNAIRE.

GÉNOCIDE RWANDAIS   La guerre civile rwandaise d'avril-juillet 1994 figure parmi les événements majeurs de l'histoire du monde contemporain. Certes, depuis la période des indépendances, la région des Grands Lacs a été marquée par de nombreux épisodes meurtriers (1959, 1963, 1973, pour le Rwanda ; 1965, 1972, 1988, 1993 pour le Burundi), qui firent au total des centaines de milliers de morts et entre un et deux millions de réfugiés, mais les massacres des opposants rwandais et le génocide des Tutsi prirent une dimension sans précédent.   Au terme de quatre années de guerre civile, le régime du président Juvénal Habyarimana (au pouvoir depuis 1973) sortait très affaibli des négociations d'Arusha (août 1993) qui accordaient au Front patriotique rwandais (FPR, composé majoritairement d'exilés tutsi réfugiés en Ouganda entre 1959 et 1973) un poids politique et militaire décisif dans les nouvelles institutions. La logique de la révolution de 1959 qui accordait l'ensemble du pouvoir au « peuple hutu », soit 85 % de la population, était définitivement rejetée. La mobilisation ethnique et la violence, systématiquement entretenues depuis le début de la guerre, demeuraient donc la première arme politique du pouvoir. Lors de la reprise de la guerre civile en avril 1994, après l'attentat qui coûta la vie au président Habyarimana, et parallèlement au conflit entre les deux armées – FAR (Forces armées rwandaises, gouvernementales), et FPR (insurgé) –, un plan visant à l'élimination physique de l'opposition démocratique et des populations tutsi de l'intérieur fut mis en œuvre de manière systématique par les proches du clan présidentiel (civils et militaires) et par le gouvernement intérimaire. Ils s'appuyèrent principalement sur la Garde présidentielle et sur les dizaines de milliers de miliciens de l'ex-parti unique (Mouvement révolutionnaire national pour le développement), organisés et entraînés à partir de 1993 et notamment le mouvement des jeunesses interahamwe (littéralement « ceux qui conjuguent leurs efforts »). **Une campagne d'extermination méticuleusement organisée.** La campagne d'extermination débuta dès le 7 avril à Kigali et dans les préfectures contrôlées par le pouvoir (qui avaient déjà connu pour la plupart des pogromes au cours des années précédentes), et s'étendit une dizaine de jours plus tard à l'ensemble du pays après l'élimination des autorités administratives ou militaires hostiles. L'essentiel des tueries (vraisemblablement plus de 500 000 personnes) eut lieu en avril et mai, avec un regain dans les dernières semaines de la guerre alors que la victoire du FPR (en juillet) apparaissait certaine. Les principales caractéristiques de ce génocide (dont de nombreux aspects demeuraient mal connus à la mi-2000) furent son organisation méticuleuse par les autorités au niveau central (en utilisant systématiquement la radio) et au niveau des collines et l'implication directe d'une partie de la population. **S**ur le plan international, malgré les rapports accablants du juriste ivoirien René Degni-Segui devant la Commission des droits de l'homme des Nations unies, le Conseil de sécurité refusa de qualifier de génocide les massacres, du fait du blocage des États-Unis. Le 22 juin, le Conseil de sécurité votait la résolution 929, prévoyant la mise en place d'une opération humanitaire multinationale d'assistance aux civils, autorisée à recourir à la force. Sous commandement français, l'opération *Turquoise* fut mise sur pied pour durer deux mois, le temps que l'ONU déploie les 5 500 hommes de la Minuar II (Mission des Nations unies d'assistance au Rwanda), dont l'envoi avait été décidé le 17 mai (résolution 918). Le 5 juillet, après la chute de Kigali et Butare, passées aux mains du FPR, les forces françaises établirent dans le quart sud-ouest du pays une « zone humanitaire sûre ». Très vite, des centaines de milliers de civils s'y réfugièrent, accompagnés de quelques milliers de miliciens et militaires accusés de

« génocide programmé et systématique » par le rapport de la Commission des droits de l'homme de l'ONU publié le 30 juin, qui dénonça tout aussi explicitement la responsabilité de plusieurs États étrangers dans le conflit (la France, notamment, ayant armé et encadré, au cours des années précédentes, les forces gouvernementales). À la mi-juillet, la victoire du FPR mit fin au génocide. **Banalisation des pratiques génocidaires.** Les conséquences du génocide sont demeurées au cœur des destinées des quelque 500 000 rescapés, tous obligés de faire face individuellement à la double nécessité d'assumer les traumatismes vécus et d'entretenir la mémoire des victimes de la barbarie. Confrontées au devoir de justice et à la nécessité de mettre fin à la tradition d'impunité, les nouvelles autorités devaient d'abord reconstruire un appareil judiciaire décimé : à la mi-2000, plus de 100 000 prisonniers attendaient encore de comparaître devant la justice. Problème plus lourd de conséquences, elles se sont révélées largement incapables de surmonter la nouvelle exclusive ethnique qui faisait de tous les Hutu des coupables avérés ou complices du génocide et des massacres. Quant aux acteurs publics et privés de la communauté internationale, ils ont tenté de faire oublier, au travers des politiques d'aide à la reconstruction et de prévention des conflits, l'impuissance et la démission collectives d'alors. **L**e génocide des Rwandais tutsi n'a pas pour autant mis fin au cycle des massacres dans la région. Des centaines de milliers de nouvelles victimes pouvaient être recensées au Burundi, au Rwanda et surtout au Congo-Zaïre en 1996. Massacres dans lesquels l'appartenance ethnique a continué de jouer un rôle prépondérant : d'une certaine façon, les pratiques génocidaires ont semblé se banaliser, bénéficiant, si ce n'est de l'impunité assumée des États mis en cause et du silence de la communauté internationale, du moins d'une justice ou d'une indignation sélectives. **A. G.** ➤ BURUNDI, HUTU ET TUTSI, RWANDA.

GENSCHER Hans-Dietrich (1927-)

Chef de la diplomatie ouest-allemande (1974-1992), Hans-Dietrich Genscher, sur-

nommé par Henry Kissinger « le maître d'œuvre de l'Allemagne », a mis toute sa carrière au service de l'unification allemande. En 1969, ce libéral, né sur le territoire de la future RDA, qu'il a quitté en 1952, devient ministre de l'Intérieur de la « grande coalition », Willy Brandt étant chancelier. Cinq ans plus tard, devenu chef du FDP (Parti libéral), il passe aux Affaires étrangères dans le gouvernement de Helmut Schmidt avec une priorité : assurer la continuité de la politique d'ouverture à l'Est. C'est lui qui parvient à imposer à Helmut Kohl les acquis de l'Ostpolitik après le changement de coalition en 1982, affirmant le premier qu'il faut « prendre Gorbatchev au mot » (1985). Le dialogue qu'il maintient avec l'« autre Europe » permet de nourrir la discussion interallemande. À l'aube de la « révolution » de l'automne 1989, il gère la crise des ambassades, permettant à des milliers d'Allemands de l'Est de gagner la RFA. Après la chute du Mur de Berlin, « super Genscher » caracole en tête des sondages. Mais sa « politique du chéquier » ne parvient pas à convaincre les Allemands durant la guerre du Golfe (1991). Ardent défenseur de la reconnaissance internationale de la Croatie qu'il impose à la Communauté européenne fin 1991, il s'attire les foudres des Européens qui accusent la diplomatie allemande d'avoir précipité la guerre en Bosnie-Herzégovine. Les critiques à l'égard du genschérisme augmentent. Ce qu'il sait faire et ses méthodes semblent mieux adaptés à la Guerre froide qu'aux soubresauts du postcommunisme. Au printemps 1992, âgé de soixante-cinq ans, il démissionne. X. G.
> ALLEMAGNE.

GÉOPOLITIQUE Le terme « géopolitique » évoque depuis longtemps en Europe une discipline au nom sonore. Cette sonorité même suscite trois interrogations. La fréquence de son usage public est souvent proportionnelle à l'absence de précision de sa définition. La récurrence, à travers le siècle, des cartes mentales implicites qu'il véhicule, jusque dans les cercles de la décision, ne laisse pas d'étonner. Enfin, la tension entre une fonction d'analyse méthodique et objective de l'état du monde et une autre

fonction de production ou de réserve d'argumentaires pour la décision dans les matières internationales devrait inciter lecteurs et auteurs à une attitude plus critique. Malgré les relents de déterminisme que présentent encore bien des dictionnaires spécialisés et des raisonnements fréquents (la géopolitique y est présentée, à tort, comme l'influence des milieux, de la « géographie », sur les jeux politiques), des progrès ont été accomplis dans la définition de cette notion, notamment sous l'effet des travaux de géographes considérant que les questions politiques et internationales relevaient de leur champ d'investigation. La démarche géopolitique vise essentiellement à élucider les interactions entre les configurations spatiales et ce qui relève du politique. **Analyser la complexité de l'état du monde.** La diffusion du concept de géopolitique dans le dernier quart du XXᵉ siècle répondait à la nécessité d'analyser la complexité de l'état du monde, dont chacun apercevait qu'il n'était plus entièrement contenue dans une grille de lecture bipolaire, exprimée par une représentation Est-Ouest. L'échec politique américain dans la guerre du Vietnam, en 1975, les deux chocs pétroliers de 1973 et 1979 – crise pour les pays consommateurs, opportunité pour les pays producteurs –, les guerres israélo-arabes, les guerres afghanes (à partir de 1973), la force de contestation de l'islamisme radical (qui succédait à celle inspirée de l'idéologie marxiste appliquée aux changements révolutionnaires), la première guerre du Golfe (Irak-Iran), les décolonisations violentes en Afrique lusophone (Angola, Mozambique surtout), et bien d'autres crises très localisées, ont rappelé, notamment en raison de leur impact sur les sociétés développées, le besoin impératif de penser les crises et les intérêts d'État de manière plus spatialisée. Les transitions difficiles et les conflits ouverts dans l'est de l'Europe après 1989 (guerres yougoslaves, Kosovo notamment) ont confirmé cette utilité, argumentaires cartographiques à l'appui. **L'**analyse géopolitique ne se limite pas à l'étude des rivalités territoriales et de leurs répercussions sur l'opinion. Ce n'est pas une conflictologie, qui aurait pour prémisses que les représentations territoriales seraient contradictoires et antagonistes. Ce dualisme limite l'objet à l'étude des rivalités de pouvoir sur les territoires. La connaissance des conflits les plus contemporains (ancienne Yougoslavie, Afrique centrale, Proche-Orient, Caucase, Asie du Sud et du Sud-Est) montre que cette analyse est réductrice et sous-estime le jeu des dynamiques sociales, politiques, économiques. Elle n'est d'ailleurs pas très éloignée de certaines théories élaborées à la fin du siècle précédent selon lesquelles, sous l'effet du déterminisme scientifique ambiant et du poids des luttes nationales, l'État était assimilé à un organe cherchant à fixer, à l'intérieur de frontières favorables pour un seul, un espace décrit comme vital – Friedrich Ratzel (1844-1904), Karl Haushofer (1869-1946). Il est certes indispensable de rendre compte des conflits les plus actuels qui intègrent des dimensions territoriales, mais il convient d'éviter de généraliser, à partir de ces types particuliers de conflits, une démarche scientifique globale. **Pensées de la contention et du refoulement.** Une autre forme de récurrence des représentations géopolitiques à travers le siècle a trait à une lecture d'un monde structuré en puissances soit « maritimes » soit « continentales » – à la suite de Halford Mackinder (1861-1947), de Nicholas Spykman (1893-1943) mais aussi de George Kennan (1904-) et de Zbignew Brzezinski. Les puissances dites « maritimes » étaient assimilées à des répliques d'Athènes, démocratiques par position, en rivalité avec des États continentaux voués au despotisme (à l'exemple de Sparte). Dans ce schéma explicatif, l'enjeu central de l'hégémonie mondiale était présenté comme celui du contrôle de l'Eurasie, par la contention/endiguement (_containment_, qui a justifié l'absurde guerre du Vietnam), l'installation de bases navales et aériennes sous contrôle américain de la Norvège aux îles Aléoutiennes – en passant par la Méditerranée, le golfe Arabo-Persique, les îles de l'océan Indien, les Philippines, les îles du Pacifique occidental, la Corée du Sud et le Japon –, avec ses répliques plus continentales chez l'adversaire soviétique. À la fin du siècle, l'avancée des structures de sécurité, présentées comme « euro-atlantiques »,

en direction de la mer Baltique, de la mer Noire, de la mer Caspienne a coïncidé avec un projet de refoulement de l'influence russe, selon une logique de « grand échiquier », tel que décrit par Z. Bzreziński, qui fonde sa stratégie sur la notion d'une « lutte géopolitique pour l'Eurasie ». On trouve une référence stratégique comparable chez Henry Kissinger lorsqu'il écrivait, dans son ouvrage _Diplomatie_ : « Sans l'Europe, l'Amérique risquerait de devenir une île au large de l'Eurasie. » De ces représentations géopolitiques à vocation globale se déduisent des stratégies plus concrètes d'expansion de l'OTAN (Organisation du traité de l'Atlantique nord) vers le centre et l'est du continent européen et des tentatives d'instrumentalisation de l'élargissement de l'Union européenne. **Le simplisme des thèses civilisationnistes.** Enfin, une récurrence est plus surprenante à l'heure des réseaux globalisés, à savoir l'écho, et souvent le succès, des thèses civilisationnistes. Au début du siècle, le discours dominant sur le vaste monde opposait la supériorité de la civilisation occidentale aux espaces et aux sociétés à coloniser. Les termes d'« Europe » et d'« Occident » connotaient sans ambiguïté cette mission civilisatrice. Dans la dernière décennie du siècle, une carte mentale simplifiée tend à s'imposer, selon laquelle un bloc solidaire incluant l'Amérique du Nord, l'Europe et la Russie devrait se constituer face aux menaces issues des autres mondes, définis selon des critères univoques d'origine religieuse : mondes musulman, hindouiste, confucéen. Cette vision simpliste, défendue par l'Américain Samuel Huntington, sert de support à deux attitudes contrastées : soit une posture défensive, puisque le monde globalisé fait peur à ceux qui, pourtant, en sont les premiers promoteurs et les grands bénéficiaires, soit, à l'inverse, une volonté d'ingérence où des organisations non gouvernementales (ONG) et certains États se comportent parfois, non sans arrogance, comme des missionnaires laïcs, dans un esprit guère différent sur le fond de celui qui anima les entreprises coloniales à la fin XIXe et au début du XXe siècle. **Discours de la méthode et aide à la décision.** Il n'est pas surprenant que la globalisation/mondialisation induise de

nouvelles grilles de lecture simplificatrices, destinées à répondre aux inquiétudes qu'engendrent la méconnaissance de l'Autre avec qui on entre en relation, ne serait-ce que pour des raisons commerciales ou par le truchement des images des médias, et l'insuffisance des mécanismes de dialogue et de régulation. C'est pourtant dans l'explication de la complexité, de la diversité du monde réel que la démarche d'analyse géopolitique trouve sa raison d'être. Elle apparaît partagée entre deux exigences : celle de fournir des grilles de lecture pertinentes, objectives, critiques de l'état du monde, sans pouvoir s'abstraire complètement du contexte sociopolitique singulier dans laquelle elle s'énonce ; celle de son articulation avec les cercles opérationnels. L'analyse géopolitique a ainsi une fonction pédagogique essentielle : elle est un discours de la méthode sur le monde en tant que tel – unifié et diversifié – ; elle décrit le rôle des facteurs et des acteurs structurants dans des situations localisées et concrètes. Elle peut aussi contribuer à éclairer opérateurs et décideurs en leur fournissant analyses et gamme d'options. En tout état de cause, sa fonction doit être de présenter les éléments objectifs du débat démocratique sur les grands enjeux planétaires qui ont des impacts sur les sociétés nationales et les modes de gestion de leurs territoires. **D**ans le cas particulier de l'Europe, des enjeux aussi divers que l'élargissement géographique de l'Union européenne, la nature des relations politiques entre nations singulières et institutions supranationales, la promotion d'un ordre multipolaire de type coopératif et régulé, et la mise en place des facteurs d'une mondialisation civilisée sont des champs de réflexion majeurs. La tâche civique des spécialistes de l'analyse géopolitique est alors d'en éclairer les termes aux yeux des opinions et de diffuser les données objectives des débats, préalables aux décisions collectives. Une géopolitique ainsi conçue devient une pédagogie pour l'action – une praxéologie – et à tout le moins pour le débat public, fondement d'une citoyenneté renouvelée devenant capable d'un rapport constructif au monde du XXIᵉ siècle.
M. Fo. ➤ DIPLOMATIE.

GÉORGIE **R**épublique de Géorgie. Capitale : Tbilissi. Superficie : 69 700 km². Population : 5 006 000 (1999). **E**n 1801, dix-huit ans après avoir signé un accord de protectorat avec la Russie, le royaume de Kartli et de Kakhétie (Géorgie orientale), l'un des plus anciens royaumes chrétiens d'Orient, est annexé à l'<u>Empire russe</u>. Dix ans plus tard, l'autocéphalie de son Église orthodoxe est supprimée. En 1810, c'est au tour du royaume d'Imérétie (Géorgie occidentale) de tomber. Une à une, les principautés géorgiennes sont annexées à l'empire. La Géorgie devient la base avancée de Petersbourg dans la région, elle deviendra bientôt un pivot essentiel de sa politique orientale. En 1832, une conjuration de la noblesse tente de chasser l'occupant. Son échec et la dure répression qui s'ensuit, alors que la Russie se heurte à la résistance farouche des peuples musulmans du Nord-Caucase, auront des effets durables : la Géorgie, qui dispose d'une noblesse pléthorique et pauvre, se verra assigner une place de choix alors que les guerres du Caucase (1785-1859) mettent l'armée impériale en difficulté. Tiflis (Tbilissi), devenue *de facto* le centre politique du Caucase, est le siège d'une « vice-royauté du Caucase » à partir de 1845 ; le tsar tente ainsi d'intégrer plus profondément les élites locales. Mais cette terre frondeuse rêve de liberté. **La brève indépendance de 1918-1921.** Dans la seconde moitié du XIXᵉ siècle, la Géorgie est tentée par la révolution. Terre d'élection d'une <u>social-démocratie</u> d'obédience <u>menchevik</u>, elle voit se développer un mouvement révolutionnaire puissant où le social rejoint le national ; la <u>révolution de 1905</u> y est l'occasion d'une remise en cause radicale de l'ordre tsariste. Au cours des élections à la première Douma d'empire (1906), les quatre députés élus par la Géorgie sont tous sociaux-démocrates. Le 26 mai 1918, l'indépendance est proclamée par une Chambre où les sociaux-démocrates sont largement majoritaires. Le gouvernement, présidé par Noé Jordania (1869-1953), menchevik de longue date, tente de rapprocher la Géorgie de l'Europe. Cette expérience est rapidement brisée. Les <u>bolcheviks</u>, qui ont entrepris la reconquête militaire de la <u>Transcaucasie</u>, chassent le gouvernement légal en février 1921 à l'aide de l'Armée rouge qui envahit la république sous prétexte d'une révolution. La Géorgie devient partie intégrante de l'URSS. Plusieurs années durant, la population résiste à l'ordre bolchevik, en particulier sous l'impulsion du Parti social-démocrate de Géorgie. Le 28 août 1924, la Géorgie occidentale se soulève. En quelques jours le mouvement est écrasé, au prix de milliers de morts, par Lavrenti Beria (1899-1953), un Géorgien originaire de Mingrélie, vice-président de la Tcheka (police politique) de Transcaucasie. Staline, géorgien lui aussi, qui, trois ans plus tôt, avait déclaré qu'il « fallait labourer la Géorgie afin d'en extirper le menchévisme » a eu le dernier mot. Meurtrie, exsangue, la Géorgie rentre dans le rang, retrouvant le chemin de l'empire. Nombreux dans l'appareil du PCUS (Parti communiste de l'Union soviétique) et de l'État, les Géorgiens jouent alors un rôle important aux côtés de Staline (L. Beria, S. Ordjonikidzé – 1886-1937). Pendant la période stalinienne, alors que les purges déciment l'intelligentsia et le personnel politique, le « centre » tolère l'expression d'un nationalisme qui prend pour cible les minorités nationales, en particulier les Abkhazes, qui sont alors soumis à une vigoureuse campagne d'assimilation. Après la mort de Staline (1953), que ses compatriotes ont par trop pleuré aux yeux de Nikita Khrouchtchev, de nombreux Géorgiens sont écartés des responsabilités. À nouveau échaudée, la Géorgie tente alors de se protéger d'un empire au sein duquel elle cultive sa singularité et ses espaces de liberté, en particulier dans le domaine culturel. En 1971, Édouard Chevardnadzé (1928-) est chargé par le « centre » de prendre le contrôle d'une république où corruption et nationalisme ont dépassé les limites du tolérable. En fait, le nouveau chef du Parti poursuit la politique de son prédécesseur, se posant en protecteur de la langue et de la culture nationales. Gérant avec mesure et habileté, le futur ministre des Affaires étrangères de Mikhaïl Gorbatchev acquiert une réputation de réformateur. **Séparatisme abkhaze et ossète.** Dans un premier temps, la *perestroïka* sem-

ble une affaire essentiellement russe. Bientôt, les changements qu'elle induit inquiètent une population qui découvre la vigueur des séparatismes abkhaze et ossète. L'incapacité d'un Parti communiste corrompu à gérer la crise précipite la Géorgie dans la tragédie du 9 avril 1989 (21 manifestants massacrés par les troupes du ministère de l'Intérieur). La revendication d'indépendance, jusque-là apanage des mouvements nationalistes, est désormais à l'ordre du jour. Le 31 octobre 1990, la coalition dirigée par Zviad Gamsakhourdia (1941-1994) l'emporte aux élections législatives. Le 9 avril 1991, la Géorgie « rétablit son indépendance », le 26 mai, Z. Gamsakhourdia est élu président de la République. Imprévisible, autoritaire et brouillon, le nouveau pouvoir s'aliène bientôt une part importante de l'opinion. Le 6 janvier 1992, Z. Gamsakhourdia fuit son pays à la suite d'un coup d'État armé. Le 7 mars, É. Chevardnadzé rentre de Moscou ; il sera élu à la tête de l'État en octobre. Le 14 août 1993, l'entrée des troupes géorgiennes en Abkhazie provoque un conflit armé. En octobre, les troupes géorgiennes sont défaites. Quelque 200 000 Géorgiens fuient la république séparatiste, victimes d'un véritable « nettoyage ethnique ». Acculé à l'adhésion à la CEI (Communauté d'États indépendants) pour prix du soutien militaire de Moscou contre les partisans de Z. Gamsakhourdia, É. Chevardnadzé tente d'accrocher son pays au train de l'Occident en faisant valoir l'importance stratégique de la Géorgie, en particulier pour le transit des produits pétroliers de la Caspienne. **C. U.**

GHANA **R**épublique du Ghana. Capitale : Accra. Superficie : 238 537 km². Population : 19 678 000 (1999). **E**n 1901, les Britanniques dévoilent explicitement qu'ils entendent faire de la Gold Coast, en Afrique de l'Ouest, sur le golfe de Guinée, qu'ils occupent plus ou moins, une colonie de l'empire. Au cours de cette même année, la Couronne décapite définitivement le royaume ashanti, qui jusqu'alors contestait sa suprématie sur les territoires du sud côtier, liés à elle par des traités d'amitié pour le moins ambigus depuis la troisième décennie du xixe siècle. **Les** Britanniques commencent l'exploitation industrielle du territoire. Des chemins de fer permettant l'exportation de l'or du pays ashanti sont construits. Dès les années 1920, la Gold Coast devient première productrice de cacao au monde. Elle exporte aussi du manganèse, de la bauxite et du diamant. Elle devient la colonie africaine la plus prospère. **En** août 1947, le premier parti politique local, plutôt modéré, l'United Gold Convention (UGCC), est créé par le Dr John B. Danquah (1895-1965). Deux ans plus tard, le Dr Kwame Nkrumah fonde un parti plus radical, le Convention People's Party (CPP), dont le slogan est *« Self government now »*, « L'autonomie politique tout de suite ». **L'**indépendance est proclamée le 6 mars 1957. K. Nkrumah devient Premier ministre du pays qu'il baptise « Ghana », puis président de la République le 1er juillet 1960. Il se lance dans une politique ambitieuse de grands travaux et de démocratisation de l'éducation, et appelle à l'unité africaine (panafricanisme) à travers ses ouvrages. On observe cependant un glissement vers un certain autoritarisme. Le 25 février 1966, il est renversé par un coup d'État. Il s'ensuit une longue période d'instabilité politique et de banqueroute – en 1976, sous le régime du colonel Ignatius Kutu Acheampong (1972-1978), l'inflation est galopante. Pendant quinze ans, six gouvernements se succèdent au rythme de putsches de plus en plus fréquents. **A**près un premier coup d'État, en juin 1979, à la suite duquel il remet le pouvoir aux civils, le capitaine d'aviation Jerry John Rawlings (1947-) récidive en décembre 1981, avec l'intention de s'installer. Après quelques années de discours « gauchistes », sous la tutelle de la Libye de Mouammar Kadhafi, il se convertit aux idées des institutions financières internationales. De 1983 à 1990, le Ghana connaît la plus forte croissance d'Afrique subsaharienne. L'inflation est maîtrisée et l'aide internationale afflue. **À** la fin du xxe siècle, la baisse des cours de l'or et du cacao favorise la chute du cedi, la monnaie nationale. Les mesures d'austérité prescrites par le Fonds monétaire international (FMI) sont mal perçues par la population. Le

7 décembre 2000, le Ghana allait connaître ses troisièmes élections générales pluralistes depuis la réintroduction du multipartisme en 1992. La Constitution interdisait à Jerry Rawlings de se présenter une fois de plus. Pour la première fois, le pays pouvait connaître une alternance démocratique.
T. K.

GHASSEMLOU Abdul Rahman (1930-1989)

Dirigeant nationaliste kurde d'Iran. Après des études d'économie à Prague, il enseigne à l'INALCO (Institut national des langues et civilisations orientales, Paris). En 1973, il est élu secrétaire général du PDK-I (Parti démocratique du Kurdistan-Iran), qu'il transforme en une formation social-démocrate. Le PDK-I participe à la révolution de 1979 en Iran, mais A. R. Ghassemlou décide de s'opposer militairement au refus du nouveau pouvoir d'accorder une autonomie à la région kurde et de reconnaître le système d'élections démocratiques. Dans un deuxième temps, les opérations militaires iraniennes l'obligent à abandonner les centres urbains et à mener une lutte de guérilla. Le soutien de fait qu'il obtient de l'Irak durant la guerre Iran-Irak (1980-1988) lui vaut de vives critiques. **La** fin de cette guerre et la mort de l'ayatollah Khomeyni le poussent à privilégier la voie diplomatique, la seule pouvant selon lui porter la question kurde sur l'agenda international. Il est, par ailleurs, convaincu que la question kurde en Iran peut être résolue par des voies militaires, que la recherche d'une voie politique s'impose et passe nécessairement par des négociations. **T**éhéran accepte l'offre, mais A. R. Ghassemlou et deux de ses compagnons sont assassinés à Vienne le 13 juillet 1989 à la table des négociations, des sources non confirmées attribuant l'acte à Mohammad Jafari Sahraroudi, officier iranien. En octobre 1989, la Conférence internationale de Paris sur les Kurdes dont il a été l'un des architectes est dédiée à sa mémoire.
H. B. ➤ IRAN, QUESTION KURDE.

GHEORGHIU-DEJ Gheorghe (1901-1965)

Dirigeant communiste roumain, « numéro un » du Parti de 1945 à 1965. Issu du monde ouvrier, ancien employé des chemins de fer, Gheorghe Gheorghiu-Dej appartient à cette catégorie de militants formés dans la clandestinité. Le Parti communiste roumain (PCR) est interdit (depuis 1924) quand il en devient membre, en 1932. Il est arrêté en 1933 pour sa participation aux grèves de Grivita, à Bucarest. Incarcéré tout au long de la Seconde Guerre mondiale, il est libéré par les Soviétiques en 1944. Auréolé du prestige du combattant illégal, il travaille, dès le printemps 1944 et sous l'égide de Moscou, au renversement du système politique en place. Sa promotion au sein du Parti est fulgurante. Staline, qui voit en lui un chef issu de la classe ouvrière, un « vrai Roumain », le préfère en effet à Ana Pauker (1893-1960), d'origine juive et issue du groupe des « internationalistes ». Il est élu à la tête du Parti lors de la conférence nationale d'octobre 1945. Au plan interne, il procède, en 1952, à un véritable coup d'État, en procédant à la mise à l'écart du groupe formé par A. Pauker, Vasile Luca et Teohari Georgescu.   Stalinien loyal à Moscou, en particulier lors de la crise hongroise de 1956 (soulèvement de Budapest), il obtient le départ des troupes soviétiques de Roumanie en 1958 et engage la fameuse « voie nationale » vers le communisme, poursuivie ensuite par Nicolae Ceausescu, son successeur. Il s'oppose ainsi, en 1963, à une intégration plus étroite de la Roumanie au sein du CAEM (Conseil d'assistance économique mutuelle, ou Comecon). **A. L.-L.   > ROU-MANIE.**

GHETTO DE VARSOVIE   Le 12 octobre 1940, les Allemands annoncent la création à Varsovie, qu'ils occupent depuis septembre 1939 et où habitent 393 000 Juifs, d'un « quartier juif », autrement dit un ghetto, comme ils en avaient déjà établi à Piotrków en octobre 1939 ou à Łódź en février 1940. Le ghetto est très vite entouré de murs hauts de trois mètres et surmontés de barbelés. En 1941, après la déportation dans le ghetto des Juifs des bourgades environnantes, celui-ci enferme, dans une promiscuité mortelle, quelque 550 000 habitants. Malgré la faim et le typhus, qui font quelque 70 000 morts, toute une vie cultu-

relle, cultuelle et sociale s'organise.   À l'été 1942 commence la « réinstallation des Juifs » de Varsovie, autrement dit leur déportation dans le cadre du génocide, vers le centre de mise à mort de Treblinka, à cent vingt kilomètres. Au rythme de 5 000 à 7 000 par jour, la déportation dure sept semaines. Quand elle se termine provisoirement, il reste 334 000 Juifs dans le ghetto. Quelque 8 000 ont réussi à passer dans la partie « aryenne » de la ville.   En octobre 1942 est créée dans le ghetto l'Organisation juive de combat (OJC) qui fédère divers mouvements de résistance. Elle mène ses premières opérations contre la police juive du ghetto, contre des membres du Conseil juif et contre des Juifs agents de la Gestapo. Le 18 janvier 1943, alors que Heinrich Himmler (1900-1945) a donné l'ordre de déporter 8 000 Juifs, un groupe de combattants est disposé le long d'une colonne qui se dirige vers l'Umschlagplatz, la gare d'embarquement vers Treblinka, et, au signal, ouvre le feu. C'est la première opération d'envergure. Les pertes sont lourdes pour l'OJC, mais la déportation est arrêtée. Elle doit reprendre le 19 avril 1943. Pendant trois semaines, 750 jeunes combattants, armés de pistolets, de grenades, de cocktails Molotov tiennent tête, dans la plus grande des solitudes, à une armée de 2 000 soldats allemands, entraînés à la guerre et armés d'un matériel moderne. Le 16 mai 1943, le général SS Jurgen Stroop détruit la plus grande synagogue de Varsovie et proclame la fin du quartier juif de la ville.   L'insurrection du ghetto de Varsovie a longtemps été la seule date de commémoration du sort des Juifs pendant la Seconde Guerre mondiale. Le souvenir des combattants permettait de réintégrer les Juifs dans l'humanité combattante et, par là même, dans l'humanité dont le nazisme avait voulu les retrancher. **A. W.   > POLOGNE.**

GIAP > VO NGUYEN GIAP.

GLASNOST   Terme russe signifiant « transparence » et désignant l'entreprise de revivification de la société soviétique proposée par le secrétaire général du PCUS (Parti communiste d'Union soviétique), Mikhaïl

<u>Gorbatchev</u>, lorsqu'il accède au pouvoir en 1985. La « *glasnost* » s'inscrit dans le cadre plus large des réformes de la « *perestroïka* » (restructuration). Elle se traduit notamment par une libéralisation de la presse, par la création d'un espace public libre et par la reconstitution progressive d'une société civile. **> PERESTROIKA, RUSSIE ET URSS, URSS (FIN DE L').**

GLOBALISATION > MONDIALISATION.

GOLAN À la fois château d'eau, forteresse, frontière naturelle et verger, ce plateau volcanique syrien, qui culmine à environ 1 000 mètres d'altitude et domine la plaine de Damas et la vallée de la Galilée, revêt une grande importance stratégique. Région maraîchère et d'élevage, il sert également à la Syrie de bastion militaire, protégé par des bunkers et des batteries d'artillerie. L'État d'Israël s'en empare le 9 juin 1967, à la fin de la guerre des Six-Jours, et y livre un combat acharné durant la <u>guerre israélo-arabe</u> d'octobre 1973. Il en restitue une petite partie en 1974, conformément à l'accord de désengagement négocié par le secrétaire d'État américain Henry <u>Kissinger</u>, et annexe le reste le 14 décembre 1981. Le Golan, qui comptait avant cette occupation plus de 100 000 habitants, était à l'aube de l'an 2000 peuplé de 17 000 Syriens de confession druze, regroupés au pied du mont Hermon, et d'un nombre équivalent de colons israéliens, répartis dans 33 localités. Il abrite une des sources du Jourdain, ainsi que les rivières qui alimentent le lac de Tibériade, et couvre un tiers des besoins hydrauliques de l'État hébreu. La Syrie, exigeant sa restitution totale jusqu'à la ligne de juin 1967, a repris en décembre 1999 les négociations de paix avec Israël. **C. B. > ISRAËL, SYRIE, TERRITOIRES OCCUPÉS.**

GOMUŁKA Wladisław (1905-1982) Dirigeant communiste polonais, premier secrétaire du Parti de 1956 à 1970. Détenu en prison en Pologne avant la Seconde Guerre mondiale, Wladisław Gomułka a ainsi la vie sauve lorsque <u>Staline</u> liquide le Parti communiste polonais (KPP) à Moscou. En 1944, il prend une part active à l'installation du régime communiste stalinien dans son pays. Il appelle à « instaurer la démocratie en renforçant la terreur ». Il a ce mot hasardeux en 1946 à propos de la réutilisation communiste des camps <u>nazis</u> en Pologne d'après-guerre : « <u>Hitler</u> a fait des camps de travail. Vous trouvez que c'est une idée fasciste. Hitler y a mis une idée fasciste, et nous, nous pouvons y mettre une idée populaire. » Plus le parti organise la terreur, plus il a peur du pays. Les purges finissent par atteindre le parti lui-même. W. Gomułka est emprisonné. Lorsqu'il est libéré, il a compris que le communisme a « violé les principes démocratiques et la loi », comme il le déclare publiquement au VIIIe plénum du parti en 1956. « Dans ce système, dit-il, on brisait les caractères et les consciences, on piétinait les gens. La calomnie, le mensonge, la falsification et la provocation servaient d'instruments de pouvoir. On a envoyé à la mort des innocents... Des gens innombrables ont été soumis à des tortures bestiales. On a semé la peur et la démoralisation. » Cette expérience a conduit W. Gomułka à résister fermement aux menaces soviétiques lors de l'<u>Octobre polonais</u> (1956), à promouvoir le « printemps en octobre » tout en empêchant une effusion de sang. Il instaure une ère de <u>révisionnisme</u> communiste qu'on appellera « gomulkisme », mais dont les stratégies intellectuelles marxistes-léninistes internationales le dépassèrent, l'irritèrent et finirent par l'écarter de leur chemin. **A. V. > POLOGNE.**

GONZÁLEZ MÁRQUEZ Felipe (1942-) Premier ministre d'Espagne (1982-1996). Né à Séville dans une famille modeste, Felipe González fait ses études « chez les frères » avant d'entrer à la faculté de droit ; il milite dans les associations catholiques avant de rompre avec la démocratie chrétienne. En 1962, il devient membre du PSOE (Parti socialiste ouvrier espagnol) ; il figure dès lors parmi les avocats qui défendent les organisations ouvrières « illégales ». À l'intérieur du Parti socialiste, il est le chef de file des « rénovateurs », qui s'opposent aux dirigeants historiques de l'exil. En 1974, il devient le secrétaire du PSOE qui entend, après la mort de <u>Franco</u> (1975), aider à la démocratisation et à la modernisation du pays. En 1982, les socialistes obtiennent la majorité des sièges au Parlement. F. González accède au poste de Premier ministre et y demeurera pendant quatorze ans, malgré les critiques des syndicalistes et les attaques liées aux affaires de corruption (qui contraignent à la démission l'un de ses proches, Alfonso Guerra). Le PSOE perd les élections législatives de 1996, au profit du Parti populaire de José María Aznar (1953-). F. González quitte le pouvoir, certain d'avoir contribué à la croissance économique du pays et d'avoir accru son rayonnement politique international. **É. T.** **> ESPAGNE, SOCIALISME ET COMMUNISME (ESPAGNE).**

GORBATCHEV Mikhaïl Sergueievitch (1931-) **H**omme politique soviétique, secrétaire général du PCUS (Parti communiste de l'Union soviétique) de 1985 à 1991, chef de l'État de 1990 à 1991. Mikhaïl Sergueievitch Gorbatchev naît en 1931 dans une famille paysanne de la région de Stavropol (au Nord-Caucase, Russie). En 1955, il achève ses études de droit à l'université de Moscou, s'étant initié à la vie politique à travers ses responsabilités au Komsomol (Jeunesses communistes) de la faculté dans les années du dégel khrouchtchévien. Spécialisé dans les questions agricoles, M. Gorbatchev retourne dans sa province d'origine où il poursuit très progressivement son ascension dans les rangs du Komsomol, puis dans ceux du PCUS, devenant, en 1970, secrétaire régional de Stavropol. **E**n 1971, il est promu au Comité central, dont il prend en charge les questions agricoles à partir de 1978. Membre postulant du Bureau politique en 1979, puis membre titulaire à partir de 1980, M. Gorbatchev bénéficie de la nouvelle conjoncture ouverte par l'arrivée de Iouri Andropov (1914-1984) au poste de secrétaire général du Parti en 1982, qui favorise le renouvellement des élites au profit de la jeune génération. Lors de la succession de celui-ci en 1984, M. Gorbatchev apparaît comme le « numéro deux » du Parti ; il est élu secrétaire général immédiatement après la mort de l'éphémère successeur de I. Andropov, Konstantin Tchernenko (1911-1985), en mars 1985. **C**onvaincu

de la possibilité de démocratiser le système politique et de réorganiser l'économie soviétique dans le cadre du socialisme, M. Gorbatchev engage, sous les mots d'ordre de *perestroïka* (restructuration) et de *glasnost* (transparence), un vaste mouvement de réformes qui bouleverse la société soviétique et les relations de l'URSS avec les puissances occidentales. Devenu président de l'URSS en 1990, il tente d'imposer la réforme de l'Union des républiques soviétiques. Il se voit décerner le prix Nobel de la paix (1990) pour sa contribution à la disparition de la Guerre froide. Se heurtant à la fois à la montée des forces centrifuges, à l'opposition d'une société de plus en plus radicalisée et au groupe conservateur du Parti, il se trouve de plus en plus menacé. Les responsables des principales institutions tentent de le renverser en août 1991. Sa démission, en décembre, scellera la disparition de l'URSS. Adulé en Occident, il était devenu très impopulaire dans son pays. **C. G.** **> GLASNOST, PERESTROÏKA, URSS (FIN DE L').**

GORÉE Île des côtes du Sénégal, « belle rade » *(Goed Reed)* pour les Hollandais qui s'en emparèrent en 1588 et l'occupèrent pendant près d'un siècle, Gorée a été, jusqu'au début du XIXᵉ siècle, le principal comptoir entre Saint-Louis, sur le fleuve Sénégal, et les comptoirs britanniques et portugais de Gambie et de Guinée. Elle a conservé ses entrepôts et ses maisons du XVIIIᵉ siècle, jadis habitées par les traitants et leurs *signares* (femmes métisses des Européens établis sur place). Devenue française en 1815, année de l'interdiction du « commerce honteux », l'île est devenue un lieu de repos pour les fonctionnaires de la colonie. L'une des maisons-entrepôts d'esclaves a été transformée en musée de l'Esclavage et accueille de nombreux touristes, notamment africains-américains, qui en ont fait un lieu de pèlerinage concernant la traite esclavagiste. **B. N.**

GOTTWALD Klement (1896-1953) **D**irigeant communiste tchécoslovaque. Né à Dedice hors mariage, d'une ouvrière agricole, Klement Gottwald est menuisier à Vienne avant la Grande Guerre, où il sert comme

soldat de l'armée austro-hongroise. Cet autodidacte a marqué profondément l'histoire de la Tchécoslovaquie. Engagé dans le mouvement communiste d'abord en Slovaquie, puis promu par l'Internationale communiste, le Komintern (il est membre de son Comité exécutif depuis 1928), il devient en 1929 le chef (secrétaire général) du Parti communiste de Tchécoslovaquie (PCT), et le restera jusqu'à sa mort. Grand tacticien, ce qu'il allait démontrer avec le « coup de Prague » de février 1948, toujours strictement fidèle à Moscou, K. Gottwald conduit son parti de masse au pouvoir. Il devient Premier ministre en 1946, quand le PCT gagne les élections, puis président de la République de 1948 à 1953. L'instauration d'un régime dictatorial est étroitement liée à son activité ; sa responsabilité est grande dans l'enchaînement de la terreur et des procès politiques qui ont touché essentiellement des non-communistes, mais se sont aussi abattus sur ses camarades les plus proches (« procès Slánský », 1952). Atteint d'une maladie vénérienne mal guérie, K. Gottwald boit beaucoup à la fin de sa vie. Il meurt à Prague en 1953. Son destin, dont certaines dimensions tragiques restent peu connues, attend toujours un biographe sérieux.
K. B.   > TCHÉCOSLOVAQUIE.

GOULAG   Avec le Laogai maoïste, le Goulag (*Glavnoïé oupravlénié laguerei* : Administration centrale des camps) stalinien représente le plus vaste système de camps de travail forcé du XXᵉ siècle. Ces initiales sont devenues célèbres dans le monde entier grâce au best-seller d'Alexandre Soljénitsyne, *L'Archipel du Goulag*, paru en Occident en 1973-1974. Le temps d'une génération, entre 1930 et 1953, environ quize millions de personnes passent par les camps et les colonies de travail du Goulag. À son apogée, au début des années 1950, il compte environ deux millions et demi de détenus, surveillés par un immense appareil d'encadrement de plus de 200 000 personnes. Outre les détenus condamnés à une peine de travail forcé par une juridiction ordinaire ou à l'issue d'une procédure d'exception, le Goulag gère des millions de « déplacés spéciaux » ou « colons de

travail », déportés collectivement, sur un pseudo-critère de classe (« koulaks », « ci-devant ») ou sur une base ethnique, et assignés à résidence dans des « villages » et « peuplements spéciaux » des régions inhospitalières de l'URSS. Cet espace dit de « la zone », aux marges du camp, à mi-chemin entre l'univers libre et celui des détenus, constitue l'une des particularités les plus fortes du système goulaguien. Un univers à plusieurs cercles, où la gabegie, le laisser-aller, l'abandon, le hasard semblent jouer un rôle plus important qu'une volonté systématique d'extermination de victimes expiatoires. Les recherches récentes font état d'un taux de mortalité annuel moyen de 4 % environ (soit près de un million et demi de décès en une vingtaine d'années) avec, toutefois, de très grands écarts, selon les années (20 % en 1942, entre 0,5 % et 2 % dans les années 1948 à 1953) et selon les types de camps. **Les détenus politiques, une minorité.** Contrairement à une opinion répandue, les « politiques », condamnés pour « activités contre-révolutionnaires » au titre de l'un des 14 alinéas du tristement célèbre article 58 du Code pénal soviétique ne constituent qu'une minorité (environ 25 %) des détenus. La majorité des *zeks* (détenus) sont en fait des « citoyens ordinaires », condamnés en moyenne à cinq ans de travail forcé pour avoir enfreint l'une des innombrables lois répressives qui criminalisent une multitude de petits délits et pénalisent un nombre croissant de comportements sociaux (« abandon du poste de travail », « parasitisme », « spéculation », « non-accomplissement du nombre minimal de journées-travail dans les kolkhozes », etc.). Vingt années durant, les immenses complexes pénitentiaires du Goulag fournissent une main-d'œuvre abondante pour d'immenses chantiers pharaoniques : canal Baltique-mer Blanche, canal Moscou-Volga, second Transsibérien (BAM), mines de nickel de Norilsk, combinat charbonnier du Kouzbass, gisements aurifères de la Kolyma. Au début des années 1950, toutefois, la rentabilité économique du Goulag est mise en question. La disparition de Staline en 1953 amène ses successeurs à démanteler rapidement un système devenu trop lourd, secoué par une vague de révoltes et d'émeutes. Dès avril 1953, une large amnistie permet la libération de la moitié des détenus. La majorité des « politiques » est relâchée après le xxᵉ congrès du Parti communiste de l'Union soviétique (PCUS) en février 1956. Le Goulag ne survivra pas à la déstalinisation. **N. W.** **> RÉGIME SOVIÉTIQUE, RUSSIE ET URSS, STALINISME.**

GPU > POLICE POLITIQUE (URSS).

GRAMSCI Antonio (1891-1937)

Intellectuel et homme politique italien, théoricien marxiste. D'origine sarde et fils d'employé, Antonio Gramsci effectue ses études à l'université de Turin où il se rapproche des socialistes et se lie d'amitié avec Palmiro Togliatti. Il anime avec ce dernier l'hebdomadaire *Ordine nuovo* (1919), puis est l'un des artisans de la scission du congrès de Livourne (1921), donnant naissance au Parti communiste italien (PCI). Membre de son comité central, il s'oppose à la tendance de gauche d'Amadeo Bordiga (1889-1970), surtout après son séjour en URSS et son passage au Komintern en 1922. De retour en Italie, il fonde avec P. Togliatti l'organe du PCI *L'Unità* (1924), devient secrétaire général du parti (1924-1926) et peut imposer ses « thèses » au congrès clandestin de Lyon (1926) sur l'alliance – sous la houlette du PCI – entre ouvriers et paysans. Mais, arrêté en 1926 et condamné à vingt ans de réclusion, il meurt dans les geôles fascistes de maladie et d'épuisement. L'objectif du régime d'« arrêter ce cerveau de fonctionner » n'est toutefois pas atteint, car c'est en prison qu'il écrit une grande partie de son œuvre (*Lettres et Cahiers de prison*), d'une portée considérable : les questions du Sud (Mezzogiorno), de la culture, des intellectuels, de l'État... sont analysées, conférant au marxisme de la souplesse et aux superstructures (l'idéologie, la culture...) un rôle décisif dans le processus historique. Intégrées à partir de 1945 au patrimoine idéologique du PCI, ses théories contribuent à l'originalité de celui-ci dans le communisme international. **O. F.** **> ITALIE, MARXISME, SOCIALISME ET COMMUNISME (ITALIE).**

GRAND BOND EN AVANT Lancé en Chine communiste à partir de mai 1958, le Grand Bond en avant se veut une voie originale vers le socialisme, directement inspirée des idées de Mao Zedong. Il donne naissance au mois d'août de la même année aux « communes populaires ». L'objectif est de tirer avantage des handicaps apparents du pays. La Chine est pauvre ? Son peuple est à l'abri de la corruption de l'abondance et plus apte à se mobiliser pour les travaux collectifs, générateurs de progrès : « Sur une page blanche, on écrit de beaux poèmes. » Les Chinois sont trop nombreux ? « Une bouche, c'est deux bras. » 26 000 communes populaires doivent être créées, vastes ensembles de 15 000 à 25 000 personnes où seront intégrées les activités des anciennes coopératives agricoles regroupées, ce qui permettra aux plus pauvres d'être aidées par les plus riches, les activités industrielles étant décentralisées et mises au service de l'agriculture (« marcher sur deux jambes », avec les célèbres « petits hauts fourneaux » [sidérurgie villageoise]). Les collèges, la milice, les infrastructures de santé sont censées compléter l'autosuffisance des communes. Mao rêve d'une Chine devenue fédération de ces communes, où régneraient discipline, unité idéologique, frugalité, égalitarisme, et où la nourriture serait gratuite. Pour des millions de paysans, que la réforme agraire (à partir de 1950) avait laissés trop pauvres et que la collectivisation dans des coopératives agricoles minuscules et sans moyens maintenait dans la disette, le rêve millénariste ressurgissait : encore quelques années d'efforts, et ce serait l'abondance et le bonheur. La Chine parviendrait au communisme (« À chacun selon ses besoins. ») avant les Soviétiques. Dès l'hiver 1958-1959, on comprit qu'il fallait déchanter. Les statistiques truquées avaient abusivement multiplié une récolte simplement bonne, gâtée en partie par des catastrophes naturelles, mais surtout par l'absence de dizaines de millions de paysans retenus loin de leur village par de gigantesques et souvent inutiles travaux de terrassement. Néanmoins, le montant des livraisons obligatoires est augmenté très au-delà du tolérable. Le maréchal Peng Dehuai (1898-

1974), lors de la réunion du Comité central de Lushan, en juillet-août 1957, critique le projet et demande à Mao de faire marche arrière. Il est destitué et remplacé par Lin Biao (1907-1971). Durant les « trois années noires », de l'hiver 1959 à l'hiver 1961, la famine reparaît dans les campagnes, coûtant la vie à 13 millions (chiffre reconnu en Chine) ou 30 millions (évaluation américaine) de personnes. Il fallait trouver des responsables. D'autant plus que le schisme sino-soviétique, la progressive rupture avec l'URSS, accusée de « révisionnisme », était consommé en 1963, alors que la Chine n'hésitait pas à provoquer l'« impérialisme américain » : la crise d'août 1958, dans le détroit de Formose, faisant croire que Pékin voulait réunifier la Chine par la force, est contemporaine du lancement des communes populaires. Tout cela interdisait la marche arrière : la Chine devait devenir le nouveau centre rouge de la révolution mondiale. Le maoïsme, condamné au succès, aura gravement frappé le pays. **A. R.   > CHINE, MAOÏSME.**

GRANDE FAMINE (URSS) > COLLECTIVISATION AGRAIRE FORCÉE (URSS).

GRANDE GUERRE   La Grande Guerre donne naissance au XXᵉ siècle. Pendant plus de quatre ans, les puissances dominantes s'affrontent sur plusieurs fronts et doivent mobiliser l'intégralité de leurs ressources. La durée et l'intensité du conflit transformeront le cadre de vie des hommes, militaires mais aussi civils, dans tous les domaines : idéologique, économique, social... On peut parler pour la première fois d'une guerre totale.   **La guerre en germe.** Les origines de la guerre, bien que complexes, sont essentiellement politiques, liées à l'exacerbation des nationalismes en Europe depuis le XIXᵉ siècle. On relève des antagonismes prépondérants : la France veut reprendre l'Alsace-Lorraine perdue en 1871 au profit du jeune Empire allemand. Les peuples balkaniques qui s'émancipent de l'emprise de l'Empire ottoman accèdent difficilement à l'indépendance à la suite des guerres balkaniques (1912-1913), car l'Empire austro-hongrois (minorités ethniques) et l'Empire

russe cherchent à étendre leur zone d'influence sur les peuples slaves. Parallèlement, le Royaume-Uni manifeste des inquiétudes face à l'émergence de la puissance économique allemande. Le partage du monde achevé à la fin du siècle précédent est aussi un terrain de rivalité entre les impérialismes européens, comme en témoignent notamment les incidents entre la France et l'Angleterre à Fachoda (actuel Soudan) en 1898, et entre la France et l'Allemagne à Agadir, au Maroc, en 1911. Ces tensions multiples ont d'ailleurs poussé les puissances européennes à une course aux armements.   Le 28 juin 1914, le prince héritier de l'Empire austro-hongrois, François-Ferdinand (1863-1914), est assassiné à Sarajevo en Bosnie par Gavrilo Princip (1894-1918), révolutionnaire bosniaque membre d'une organisation terroriste serbe : la Main noire. Bien que cet événement ne semble pas d'importance capitale, il va susciter un enchaînement d'oppositions diplomatiques.   Le 28 juillet 1914, l'Autriche-Hongrie déclare la guerre à la Serbie. Le système des alliances, construit par les différents États pour se protéger des visées nationales voisines, opposant la Triplice (Allemagne, Autriche-Hongrie, Italie) à la Triple-Entente (France, Russie, Royaume-Uni) entraîne début août la mobilisation puis l'entrée en guerre de tous les partenaires, à l'exception de l'Italie qui reste neutre jusqu'en 1915. La Roumanie, les États-Unis et l'Italie rallieront plus tard le camp de l'Entente, l'Empire ottoman et la Bulgarie celui des empires centraux.   **Sur tous les fronts.** Sur le front occidental, dès les premières offensives, l'inefficacité des plans d'attaque est évidente, tant dans le camp allemand (plan Schlieffen) que français (plan XVII). Les troupes allemandes envahissent la Belgique et le nord de la France, mais sont arrêtées lors de la bataille de la Marne en septembre 1914 par la contre-attaque du général Joffre (1852-1931), commandant en chef de l'armée française. Puis les armées cherchent mutuellement à se déborder par l'ouest lors d'une course à la mer. Un premier front en novembre 1914 s'établit de la mer du Nord à la frontière suisse, mettant fin à la guerre de mouvement. L'équilibre des forces oblige les États-Majors à tenter d'enfoncer constamment le front, mais ces percées échouent, en Artois et Champagne en 1915, à <u>Verdun</u> et sur la <u>Somme</u> en 1916, au <u>Chemin des Dames</u> en 1917. La guerre de position révèle alors la supériorité de la stratégie défensive sur l'offensive et l'incapacité de chacun des camps à l'emporter militairement sur l'autre. **D**ans les Balkans, les Alliés essaient en octobre 1915 une stratégie de contournement en franchissant le détroit des <u>Dardanelles</u>, contrôlé par l'Empire ottoman ; elle se solde également par un échec. **E**n Extrême-Orient, le Japon se rallie à l'Entente et s'approprie les intérêts allemands en Chine et dans le Pacifique. **C**omptant sur leurs réserves d'hommes et de matières premières grâce aux ressources coloniales, les Alliés décident d'asphyxier les empires centraux par un blocus maritime en 1915. L'Allemagne ripostera par une guerre sous-marine à outrance en 1917. **À** l'est, l'immensité de l'espace russe rend le front plus mobile. Dès le mois d'août 1914, l'armée du tsar subit une grave défaite face aux troupes allemandes des généraux Hindenburg (1847-1934) et Ludendorff (1865-1937) à <u>Tannenberg</u>. Cet échec en annonce d'autres et oblige la Russie à se retirer de la Pologne, de la Lituanie et de la Galicie. Face aux assauts autrichiens, le pays résiste mieux. **S**ur le front sud, la Serbie affronte avec ténacité les troupes austro-hongroises qui, par ailleurs, doivent faire face aux troupes italiennes. Ces dernières seront défaites à Caporetto en octobre 1917. **Le tournant de la guerre.** Ainsi, les années 1915-1916 voient-elles la domination des empires centraux sur tous les fronts, mais l'année 1917 marque un tournant dans le conflit. Les intérêts commerciaux des Américains sont touchés par la guerre sous-marine menée par l'Allemagne. Le président Thomas Woodrow <u>Wilson</u> propose, en avril 1917, une association avec les Alliés qui entraîne la participation armée du pays. La plupart des pays d'Amérique latine rompent alors leurs relations diplomatiques avec l'Allemagne. Désormais le conflit prend une dimension mondiale : les troupes américaines arriveront massivement sur le front ouest en juillet 1918. L'État-Major alle-

mand, conscient du danger, souhaite concentrer ses forces sur le front occidental, en terminant la guerre à l'est. La Russie est justement en effervescence depuis février 1917 et les idées pacifistes gagnent du terrain. Les révolutionnaires <u>bolcheviks</u>, <u>Lénine</u> à leur tête, ont pris le pouvoir le 7 novembre 1917 (25 octobre selon le calendrier russe). Ils signent avec l'Allemagne la paix de <u>Brest-Litovsk</u> en mars 1918. **L**ibérée du front russe, l'armée allemande peut reprendre les hostilités à l'ouest, mais les Alliés, sous le commandement unique du général Ferdinand Foch (1851-1929), contiennent les attaques et reprennent les offensives en juillet 1918, galvanisés par l'utilisation des blindés. L'Allemagne est abandonnée peu à peu par ses alliés. L'Empire ottoman a été battu par les Anglais en septembre-octobre 1918 au Proche-Orient. Les Bulgares ne peuvent résister aux assauts des armées française et serbe en septembre 1918. Alors qu'à l'intérieur du pays, les différentes nationalités ont proclamé leur indépendance, l'Autriche-Hongrie est écrasée sur le front sud par les Italiens lors de la victoire de Vittorio-Veneto (octobre 1918). L'Allemagne demande l'armistice, signé le 11 novembre à Rethondes, en se référant aux propositions de paix américaines, les <u>Quatorze Points</u>. **Une paix explosive.** Une conférence réunit à Paris les vainqueurs sous la direction des États-Unis (T. W. Wilson), du Royaume-Uni (David <u>Lloyd George</u>), de l'Italie (Vittorio Emanuele Orlando – 1860-1952) et de la France (Georges <u>Clemenceau</u>). Elle aboutit à la signature de traités séparés, entre 1919 et 1920, qui n'ont pas été négociés avec les vaincus (<u>Versailles</u> pour l'Allemagne ; <u>Saint-Germain-en-Laye</u> pour l'Autriche ; <u>Neuilly</u> pour la Bulgarie ; <u>Trianon</u> pour la Hongrie ; <u>Sèvres</u> pour la Turquie). Les cartes de l'Europe et du Proche-Orient sont totalement modifiées. Les Empires austro-hongrois et russe regroupant de très nombreuses nationalités sont démembrés. Afin de sauver son trône, le sultan ottoman Mehmed VI (1861-1926) accepte le contrôle de son empire par les Alliés. Mais la défaite a engendré une puissante réaction nationale qui affirme l'indépendance absolue de l'État et de la nation et se termine par la prise du pouvoir en 1923 du général Mustafa Kemal, dit Atatürk, premier président de la République turque. L'Empire allemand est jugé responsable du conflit (article 231) et doit verser en conséquence une lourde indemnité. Il perd l'Alsace-Lorraine et subit une occupation militaire sur la rive gauche du Rhin. La Prusse orientale allemande est isolée du reste du pays par la création du corridor polonais de Dantzig. Ces lourdes sanctions donnent naissance à un sentiment de frustration au sein du peuple allemand : il n'accepte pas ce *Diktat*. Il n'y a plus d'empires : à leur place, de nouveaux États voient le jour, au sein desquels vivent encore des minorités mal intégrées. C'est le cas en Finlande, dans les États baltes, en Pologne, en Tchécoslovaquie et dans la future Yougoslavie. La démocratie et la république semblent triompher. **Une organisation internationale voit le jour** : la Société des nations (SDN), chargée de gérer les conflits entre États et de préparer le désarmement qui mènerait à la paix universelle. Créée par le traité de Versailles que le Congrès américain refuse de ratifier, assimilée à un « club de vainqueurs », elle n'aura qu'une audience très limitée. **L'horreur au berceau du XX* siècle.** Cet espoir d'une « der des der » (la dernière des dernières) était né dans les tranchées, réseaux de boyaux parallèles creusés à ciel ouvert, séparés de quelques centaines, voire quelques dizaines, de mètres des lignes adverses par un *no man's land* recouvert de barbelés. Enterré dans la boue, victime du froid, des privations, de l'absence d'hygiène, le « poilu » de première ligne est confronté à une existence quotidienne terrible, mal compensée par ses cantonnements en troisième ligne, sa correspondance privée ou ses rares permissions à l'arrière. La mortalité est extrêmement élevée. Commencé en février 1916, le siège de Verdun coûte la vie à plus de 500 000 hommes, ramenant en fait chaque camp à sa position de départ en décembre. **Peu à peu, les valeurs morales** s'effritent dans l'horreur quotidienne : blessés non évacués, « nettoyages » de tranchée à l'arme blanche... Les armes, caractéristiques de la révolution indus-

trielle, font d'immenses ravages : bombardement d'obus, chars, avions, sous-marins, gaz asphyxiants (employés pour la première fois par les Allemands à Ypres en avril 1915) et ajoutent à la terreur des combattants. Les soldats des colonies, réquisitionnés, commencent alors à douter de la supériorité de la civilisation occidentale enseignée par la métropole et prennent conscience de leur identité et de leurs différences. Dans l'Empire ottoman, par centaines de milliers, les Arméniens sont déportés et massacrés en 1915. Le génocide arménien rappelle des exactions entre ethnies différentes datant de la fin du XIXᵉ siècle et des guerres balkaniques : le nettoyage ethnique a ainsi commencé bien avant que le terme ne soit en usage. **L'économie de guerre.** L'État devient omniprésent, s'occupe de la logistique tant sur le front qu'à l'arrière. Désormais, il dirige totalement l'économie (dirigisme) par l'intermédiaire de nouveaux ministères de l'Armement (Albert Thomas [1878-1932] en France et Walter Rathenau [1867-1922] en Allemagne), fixant les normes de la production, contrôlant la main-d'œuvre. L'État encourage le développement des nouvelles méthodes d'organisation scientifique du travail (taylorisme/fordisme) dans les entreprises publiques ou privées afin de produire en masse munitions, véhicules... Les industriels de l'armement réalisent des profits non négligeables permettant d'accumuler un capital important. **Le départ** des hommes au front nécessite le recours à une main-d'œuvre de remplacement, les femmes notamment. À l'usine, elles sont employées à des travaux d'exécution (les « munitionnettes ») mais l'encadrement reste aux mains des hommes, ouvriers qualifiés souvent retirés du front pour les besoins de l'industrie de guerre. Ce front intérieur paie lui aussi son tribut à la guerre : inflation, réquisitions, rationnement, pénurie... Les puissances centrales sont plus particulièrement touchées par la famine dès 1916. **De l'« union sacrée » au pacifisme.** Au début du conflit, la guerre est très largement acceptée : la *Burgfrieden* (trêve des partis) en Allemagne, l'« union sacrée » en France font taire les oppositions politiques dès août 1914 : partout des crédits de guerre exceptionnels sont votés. Les élections sont suspendues, la presse est contrôlée, l'information est censurée, les nouvelles du front sont filtrées. Les autorités, parfois sous le commandement de l'armée - c'est le cas en Allemagne - galvanisent l'opinion publique par une propagande dans la vie quotidienne et à l'école. **M**ais les idées pacifistes gagnent peu à peu du terrain. Des socialistes internationaux (Internationale) rassemblés à Zimmerwald en 1915 et à Kienthal en 1916 en Suisse - pays resté neutre - lancent un appel à la paix. Le Saint-Siège tente lui aussi de faire cesser les combats, en vain. L'agitation sociale fermente sous forme de grèves dans la plupart des États européens même si l'opinion reste déterminée. Seuls les bolcheviks russes optent pour le choix de sauver la première révolution socialiste du monde, par la signature de la paix. La peur de la défaite marque la fin du consensus et précipite la contestation. En Allemagne, l'empereur Guillaume II fuit l'insurrection grandissante : c'est le début d'une révolution sur le front et à l'arrière dont essaient de profiter les militants communistes (les spartakistes) pour prendre le pouvoir et étendre la révolution. **A**u combat, la situation est comparable. Parti résigné pour une guerre courte, décidé à défendre la patrie en danger, le soldat de la Grande Guerre a du mal à supporter cette barbarie interminable. Certains désertent, notamment en Russie, d'autres refusent le combat suite à des massacres jugés inutiles : les mutineries françaises éclatent après l'offensive suicidaire du Chemin des Dames menée par le général Robert Nivelle (1856-1924). Pourtant, jusqu'au bout le devoir l'emporte, la haine de l'ennemi renforçant la détermination. **L'après-guerre.** En 1918, l'Europe sort bouleversée de la guerre et pleure ses dix millions de morts, dont huit millions de combattants. Les blessés, mutilés, gazés, « gueules cassées », les orphelins et les veuves sont une nouvelle charge pour les États. Les régions des combats sont dévastées : champs minés, villages rasés... Commence alors la phase de reconstruction, possible grâce aux emprunts patriotiques. La guerre a joué le rôle d'accé-

lérateur. La production en série devient un modèle proposé par une puissance qui assoit sa récente domination : les États-Unis. Déjà première puissance industrielle avant guerre, ce pays a fourni un appoint décisif tout au long du conflit et apparaît incontournable lors des négociations de paix. Par ailleurs, les États-Unis sont devenus le banquier du monde, par le transfert des réserves d'or européennes (système monétaire). Cette prépondérance américaine commence à être ressentie par quelques rares Européens dénonçant le vieillissement et le déclin de l'Europe. Le Royaume-Uni n'est plus désormais la première puissance mondiale. **C**e conflit représente aussi une rupture d'un autre ordre. C'est la première fois qu'un tel degré de violence est atteint et que toute la société, civils y compris, est impliquée, engendrant un univers culturel spécifique : une culture de guerre apparaît, qui remet en cause les valeurs traditionnelles de la bourgeoisie. Cette culture perdurera tout au long du XXᵉ siècle à travers ses hommes (la solidarité des soldats s'exprimant dans les associations d'anciens combattants), à travers ses paysages (cimetières militaires, monuments aux morts), à travers ses commémorations (11 novembre), mais aussi à travers de nouvelles expériences politiques (totalitarisme). **M. J., A. L.**

GRANDE TERREUR STALINIENNE

La « Grande Terreur » (1937-1938) constitue, de très loin, l'épisode le plus sanglant de la dictature stalinienne. En deux ans, plus d'un million et demi de personnes sont arrêtées par la police politique (le NKVD) et jugées au terme d'une procédure sommaire. Plus de 45 % d'entre elles (682 000) seront condamnées à mort et aussitôt fusillées ; les autres seront envoyées pour dix ans au Goulag. **L**ongtemps centrées sur la « paranoïa » et la « soif de pouvoir » de Staline, sur les grands procès publics des « vieux-bolcheviks » – les « procès de Moscou » –, sur la répression des cadres communistes et de l'intelligentsia, en somme sur la « face publique » de la Terreur, les études consacrées au cataclysme des années 1937-1938 s'orientent désormais vers les mécanismes de la répression, la sociologie des groupesvictimes, la « face conspirative » de la Terreur. **La** Grande Terreur fut en effet, pour l'essentiel, le résultat de grandes opérations terroristes secrètes et centralisées mises au point, au plus haut niveau, par Staline et Nikolaï Iejov (1888-1940), le commissaire du peuple à l'Intérieur. Ces opérations prévoyaient, région par région, des quotas d'individus à fusiller et d'individus à interner en camp de travail. Elles étaient dirigées contre un ensemble hétérogène d'« ennemis », définis arbitrairement sur la base de critères géographico-ethniques (populations frontalières non russes), politiques (« ex-communistes », « ex-<u>mencheviks</u> ») ou pseudo-sociaux (« ex-<u>koulaks</u> », « ex-nobles », « ex-propriétaires fonciers »). Par bien des aspects, ces grandes opérations répressives s'inscrivaient dans la lignée des opérations de déportation inaugurées avec la dékoulakisation qui accompagna la <u>collectivisation agraire forcée</u>. Mesures extrêmes d'ingénierie sociale, elles n'eurent d'autre objectif que l'éradication de tous les éléments jugés « étrangers » à la « nouvelle société » en cours d'édification, considérés comme autant de recrues potentielles pour une mythique « cinquième colonne », dans un contexte de fortes tensions internationales, de sacralisation des frontières, de résurgence du nationalisme russe, de hantise de la guerre. **N. W.** **> RÉGIME SOVIÉTIQUE, RUSSIE ET URSS, STALINISME, TOTALITARISME.**

GRANDE-BRETAGNE > ROYAUME-UNI.

GRÈCE République de Grèce. Capitale : Athènes. Superficie : 131 944 km^2. Population : 10 626 000. **La** Grèce actuelle a été fondée en six étapes. Le premier royaume de Grèce, créé sous la protection de la Grande-Bretagne, de la France et de la Russie en 1830, correspond aux régions contemporaines du Péloponnèse, de la Grèce centrale, et aux îles Cyclades. En 1863 viennent s'ajouter les îles Ioniennes, auparavant sous protectorat britannique. En 1881, la Grèce annexe la Thessalie ; en 1912, l'Épire, la plus grande partie de la Macédoine, les îles proches de l'Asie Mineure et la Crète ; en 1920, la Thrace et, enfin, en 1947, le Dodé-

canèse, possession italienne. **Les** trois puissances garantes de l'indépendance grecque conservent officiellement leur tutelle jusqu'à la fin de la Première Guerre mondiale. Elles contrôlent le pays par le biais des finances et de l'institution royale appuyée par une oligarchie foncière. Les libéraux font leur révolution en 1909, amenant au pouvoir un homme charismatique, Eleuthérios Vénizélos (1864-1936). Celui-ci, tout en entreprenant une réforme agraire – la première des pays européens méditerranéens – destinée à briser les grandes propriétés et réalisée en une vingtaine d'années, se lance dans l'accomplissement du grand dessein national : la réunion des Grecs des Balkans et de l'Asie Mineure sous le drapeau hellénique. **Frontières et échanges de population.** Les <u>guerres balkaniques</u> (1912-1913) permettent la récupération de l'Épire et de la Macédoine grecque actuelle ; à l'issue de la Première Guerre mondiale, la Grèce annexe par ailleurs la Thrace occidentale. Mais la grande aventure engagée en Asie Mineure (1919-1922) se solde par une catastrophique défaite face aux troupes de Mustafa <u>Kemal</u>. Les Turcs rétablissent leur frontière de Thrace (traité de <u>Lausanne</u>, 1923). Les populations grecques de Turquie et turques de Grèce sont échangées (à l'exception des Grecs d'Istanbul et des Turcs de la Thrace occidentale). Au terme de cette décennie, la quasi-totalité des Grecs des Balkans, de la Turquie et de la Russie (environ un million et demi au total) sont regroupés sur le sol hellénique, forgeant ainsi l'unité grecque. **Le** choc de la guerre et l'arrivée des réfugiés projettent le pays en avant (proclamation de la Ire République en 1924, fondation d'un important Parti communiste), mais le retour des périls et la dégradation de l'environnement général dans les Balkans contribuent à une reprise en main par les puissances occidentales. La royauté est de retour en 1935. L'année suivante, une dictature est instaurée. Dirigée par Ioannis <u>Metaxas</u>, elle est d'inspiration <u>fasciste</u> mais pro-Alliés. **Les** ambiguïtés de l'entre-deux-guerres traversent la Seconde Guerre mondiale et se prolongent au-delà. La résistance à l'occupation allemande est notamment communiste et anti-royaliste, tandis que les Britanniques, de nouveau tuteurs de la Grèce, maintiennent la vieille tradition de contrôle du pays par le biais de l'institution royale. **De la guerre civile à la dictature des colonels.** Le conflit, alimenté par la <u>Guerre froide</u>, éclate au grand jour sous l'aspect d'une guerre civile qui durera de décembre 1944 à août 1949 et comportera deux phases aiguës. Les partisans communistes affrontent les troupes monarchistes soutenues par les Britanniques et les Américains. L'évolution d'après guerre s'opère non plus sous hégémonie britannique, mais américaine, ce que confirment le <u>plan Marshall</u> en 1947 et l'entrée de la Grèce dans l'<u>OTAN</u> (Organisation du traité de l'Atlantique nord) en 1951. L'économie se développe sans que soient modifiées les structures politiques. Ainsi, quand, au début des années 1960, le « miracle économique » débouche sur une libéralisation de la vie politique par le simple jeu électoral, la vieille classe politique, groupée autour du palais, ne trouve d'autre solution qu'un coup d'État militaire (le 21 avril 1967), qui chasse le roi. Le « régime des colonels » (1967-1974), dirigé par Giorgios Papadopoulos (1919-1999), veut poursuivre le développement économique en gelant toute évolution politique et sociale. Les dégâts provoqués par cette course contre l'évolution ont privé le pays des forces vives capables de prendre en charge et de poursuivre la modernisation aussi bien économique que sociale. La politique économique libérale menée dans les années 1974-1981, puis celle des gouvernements socialistes dans les années 1981-1989 ont sans doute réussi à former une société plus libre, plus égalitaire et plus aisée, mais elles tardèrent à renouer avec l'élan, cassé par des années de répression ou de simple pusillanimité, seul capable de lancer la Grèce dans une aventure européenne. **Démocratisation et normalisation.** Le retour de la démocratie en 1974 avec l'arrivée au pouvoir de Constantin <u>Karamanlis</u> voit la naissance du Parti socialiste panhellénique (PASOK) et la légalisation du Parti communiste, interdit depuis 1936. Mais l'héritage historique n'est pas sans conséquence pour ces partis. Le Parti communiste grec est le seul en Europe, avec celui du Portugal, à approuver la tenta-

tive de coup d'État conservateur à Moscou en août 1991, et du PASOK dirigé par Andreas <u>Papandréou</u> sort un pouvoir aussi personnel, aussi clientéliste et en fin de compte aussi sclérosé que de ses prédécesseurs conservateurs. Les élections de 1990 montrent en outre que la droite grecque n'a pas vraiment réussi pour sa part à se transformer en un parti libéral ou démocrate-chrétien moderne. L'adhésion à la <u>CEE</u> (Communauté économique européenne), effective en 1981, n'a pas non plus semblé donner tout le stimulant nécessaire à une véritable intégration. La crise chypriote, qui débute dans les années 1950 comme la dernière phase de l'irrédentisme grec, devant aboutir à l'union de l'île avec la mère patrie, suscite une très vive réaction turque (la population de Chypre comporte une minorité turque). Cette réaction culmine en 1974 lorsque, après une tentative du régime grec (alors dictatorial) d'organiser un putsch dans l'île, l'armée turque envahit sa partie nord. L'ancestral contentieux gréco-turc est ainsi remonté en surface. À la fin des années 1980, le danger en provenance de l'est (Turquie) devient, dans la doctrine de défense grecque, une préoccupation ayant priorité sur la menace venant du nord (pacte de Varsovie), même si Grèce et Turquie continuent à appartenir toutes deux à l'OTAN. **Inquiétudes balkaniques.** La chute des régimes communistes dans les Balkans et l'éclatement de la Yougoslavie à partir de 1990 ravivent en Grèce les craintes d'une résurgence des conflits balkaniques. On s'y inquiète de l'influence turque auprès des musulmans de la région (Albanais, Kosovars, Bosniaques) et de revendications territoriales émanant de l'Albanie, de la Macédoine et de la Bulgarie. Ces craintes conduisent à un rapprochement avec la Serbie, pays chrétien orthodoxe comme la Grèce et ancien allié des guerres balkaniques. Cela oppose Athènes à l'Union européenne (<u>UE</u>) et à l'OTAN lors des <u>guerres yougoslaves</u>, notamment celle de Bosnie-Herzégovine (1992-1995) et au <u>Kosovo</u> (1999). La réaction grecque aux modifications du *statu quo* dans les Balkans se manifeste notamment envers la République de Macédoine. L'utilisation de ce nom est perçue en Grèce comme une spoliation de son patrimoine. Cela conduit à une politique agressive envers les voisins du nord, qui les lui aliène et risque de les pousser dans les bras de la Turquie. La mort en 1996 du leader historique du PASOK, A. Papandréou, contribue à une décrispation notable, tant dans la politique intérieure qu'extérieure. Malgré le maintien de la sympathie de son opinion publique pour la Serbie, la Grèce s'aligne sur la politique menée par l'UE dans les Balkans. Les investisseurs publics et privés ainsi que les organisations non gouvernementales grecques tissent des liens étroits avec les pays balkaniques, contribuant ainsi à briser la glace des relations diplomatiques. Le gouvernement grec, menant une politique d'austérité, réussit à redresser les finances publiques et à réduire l'inflation, permettant à la Grèce d'entrer dans la Zone euro à partir du 1er janvier 2001, tandis qu'un rapprochement s'opérait avec la Turquie à partir de l'automne 1999, la Grèce paraissant s'intégrer pleinement à l'Europe. **S. Y.**

GRENADE Capitale : St. George's. Superficie : 344 km². Population : 93 000 (1999). Grenade assure à elle seule le tiers de la production mondiale de noix de muscade. T. A. Marryshow (1885-1958) a dominé la scène politique de cette île caraïbe pendant un demi-siècle à partir des années 1910. Il est considéré comme le père de l'éphémère Fédération des Indes occidentales (1958-1962). Son successeur politique est le fougueux et autoritaire Éric Gairy (1918-1997), fils de paysan ayant mené la lutte contre les gouvernants britanniques jusqu'à l'indépendance acquise en 1974. Un coup d'État est organisé en 1979 par des jeunes militants de gauche dirigés par Maurice Bishop (1944-1983). Pendant quatre ans, ils œuvrent à créer un État marxiste-léniniste, allié à Cuba et à l'Union soviétique, ainsi qu'à encourager l'émergence d'un nationalisme culturel et politique dans la région. Cette évolution suscite une grande hostilité de la part du président américain Ronald Reagan. Des querelles internes aboutissent en 1983 à l'exécution de M. Bishop par ses rivaux et au débarquement de 7 000 soldats américains, chaleureusement

accueillis par les habitants. Les assassins de M. Bishop, dont son adjoint, Bernard Coard (1944-), sont condamnés à la pendaison, mais ces peines seront commuées en prison à perpétuité. **G. C.**

GROENLAND Immense île de 2 186 000 km² située dans l'Atlantique nord, au large du Canada, le Groenland occupe une position stratégique. Celle-ci a été exploitée par les États-Unis pendant la Seconde Guerre mondiale (installation de bases militaires, dont celle de Thulé), puis par l'OTAN (Organisation du traité de l'Atlantique nord) pendant la Guerre froide. Sous tutelle danoise, le Groenland accède au statut d'État autonome de la Couronne par référendum en 1979. En 1982, à la suite d'un nouveau référendum, il se retire de la CEE (Communauté économique européenne). L'île est majoritairement peuplée d'Inuits.

GROUPE DE RIO Créé en 1986, le Groupe de Rio a d'abord eu une vocation politique, en tant que dispositif permanent de consultation et de concertation politique, puis de plus en plus économique. Des réunions ministérielles ont régulièrement lieu avec l'Union européenne. Il comptait à la mi-2000 douze membres : Argentine, Bolivie, Brésil, Chili, Colombie, Équateur, Mexique, Panama, Paraguay, Pérou, Uruguay, Vénézuela, ainsi que deux représentants par roulement, respectivement de l'Amérique centrale et des Caraïbes.

GROUPE DES 77 Le groupe des 77 fut constitué par les pays en développement (PED) – alors au nombre de 77 – lors de la Ire CNUCED (Conférence des Nations unies pour le commerce et le développement), en 1964. Il réunit tous les pays en développement (PED), 133 à la mi-2001, à la différence du mouvement des pays non alignés. Le « groupe des 77 » s'est opposé aux conceptions libre-échangistes des institutions internationales. **> TIERS MONDE.**

GUADELOUPE Comme ce fut le cas aussi en Martinique, cette colonie française des Antilles productrice de bananes a été transformée en département d'outre-mer (DOM) en 1946 : ses habitants sont citoyens français. Les subventions de la métropole affectées à l'île ont engendré une prospérité remarquable pour la région et permis un système de Sécurité sociale n'existant pas dans les autres îles. Les institutions ont été dominées jusqu'aux années 1970 par les Blancs de la métropole, ce qui a suscité l'émergence de courants nationalistes et des bouffées de violence (attentats dans les années 1980). Les forces de l'ordre ont tué 49 militants indépendantistes lors d'une manifestation à Pointe-à-Pitre en 1967. Cependant, les habitants ne se sont jamais exprimés électoralement pour une rupture avec la France (le vote indépendantiste est resté plafonné aux environs de 5 %). Dans les années 1970, la France a reconnu le droit à une certaine autonomie politique et à l'identité culturelle. À partir de 1982, la vie politique de l'île a été marquée par la fougueuse Lucette Michaux-Chevry (1929-) qui a été tour à tour député, sénateur, maire, président des conseils général et régional. Mais à compter de 1996, son étoile a pâli du fait de poursuites pour diverses affaires de corruption. **G. C.**

GUAM Territoire non souverain, sous tutelle des États-Unis. Chef-lieu : Agana. Superficie : 541 km^2. Population : 150 000 (1999). Île du Pacifique située entre les Mariannes du Nord au nord, les Carolines (actuels États fédérés de Micronésie) à l'est et les Palau au sud-ouest, Guam est possession espagnole, comme l'ensemble de la Micronésie, avant d'être, seule, cédée aux États-Unis par le traité de Paris du 10 décembre 1898 à l'issue de la guerre hispano-américaine. Les autres îles et archipels sont vendus par l'Espagne à l'Allemagne l'année suivante. Guam est occupée par les Japonais de 1941 à 1944. Hormis cet intermède, l'île est administrée par la Marine américaine jusqu'en 1970, puis par le département de l'Intérieur. Le gouverneur est élu à partir de 1972. Territoire fédéral, peuplé de nombreux militaires et de leurs familles, l'île semble de dimension trop modeste pour pouvoir accéder au statut d'État fédéré, comme ce fut le cas de l'Alaska et de Hawaii en 1959. L'importance de Guam est exclusi-

vement stratégique. Une base navale et une base aérienne y sont installées. **J.-P. G.**

GUATÉMALA République du Guatémala. Capitale : Guatémala. Superficie : 108 890 km^2. Population : 11 090 000 (1999). Au XIXe siècle, malgré les réformes économiques et politiques libérales de Justo Rufino Barrios (1873-1885), l'ancienne Capitainerie générale du Guatémala, en Amérique centrale, reste largement marquée par des rapports sociaux précapitalistes fondés sur une main-d'œuvre indigène extrêmement peu coûteuse favorisant l'exportation du café à bas prix plutôt que les investissements productifs. Au début du XXe siècle, la dictature de Manuel Estrada Cabrera (décrite par le prix Nobel Miguel Angel Asturias dans son roman *Monsieur le Président*), qui se maintient au pouvoir de 1898 à 1920 au moyen de plébiscites frauduleux, essaye de maintenir l'équilibre entre les forces modernisatrices et la structure latifundiste héritée de l'époque coloniale. Rompant avec la monoculture caféière, M. Estrada Cabrera octroie des concessions sans conditions à des entreprises bananières et ferroviaires étrangères, inaugurant le règne omnipotent de la United Fruit Company (États-Unis). La consolidation d'une bourgeoisie agro-exportatrice ne met pas fin à la surexploitation des masses indigènes, tandis que les conflits internes au régime culminent en 1920 avec la « semaine tragique », entraînant la chute du dictateur. Après une série de coups d'États, le général Jorge Ubico Castañeda (1931-1944) est élu président et instaure un pouvoir autoritaire fondé sur un parti unique et étroitement lié à l'ambassade des États-Unis. J. Ubico est chassé du pouvoir par un coup d'État qui ouvre la voie au premier régime véritablement démocratique. Le président Juan José Arévalo (1945-1951), élu avec 86 % des suffrages, accorde le droit de vote aux analphabètes et aux femmes, la liberté de presse et l'autonomie municipale. Son successeur, le colonel Jacobo Arbenz Guzmán (1951-1954) amorce une profonde réforme agraire dans un pays où 2 % des propriétaires accaparaient plus de 70 % des terres cultivables, exproprie la United Fruit et stimule la concurrence privée en matière de concessions ferroviaires. Cette tentative de consolider un capitalisme national amène la <u>CIA</u> (Central Intelligence Agency) américaine à organiser en 1954, depuis le Honduras, une invasion armée dirigée par le colonel Carlos Castillo Armas. Il instaure un régime de terreur systématique contre tous les secteurs oppositionnels, contestataires ou récalcitrants, qui frappe en particulier les populations indigènes, dont certains villages sont bombardés. Après l'assassinat de C. Castillo Armas en 1957, et sous les divers régimes militaires qui se succèdent jusqu'en 1985, ainsi que sous les régimes civils de Vinicio Cerezo Arévalo (1986-1991) et Jorge Serrano Elias (1991-1993), le Guatémala connaît trente-six ans de guerre civile entre les forces gouvernementales assistées par les États-Unis et une guérilla pourvue de faibles moyens. Opérations génocidaires contre les populations civiles, tortures et disparitions caractérisent un conflit qui ne s'achève qu'avec les accords de paix signés en 1996 entre le gouvernement d'Alvaro Arzú Irigoyen et la guérilla de l'UNRG (Union nationale révolutionnaire guatémaltèque) et aura fait plus de 200 000 victimes. Le retour à la paix et à l'alternance démocratique n'a pas éliminé la culture de violence qui règne dans ce pays (qui, en 1998, connaissait le plus fort indice de criminalité après la Colombie), la répression des campagnes, l'exclusion des 60 % d'indigènes et les profondes inégalités sociales, tandis que les terribles crimes commis pendant la guerre civile ont toutes les chances de rester impunis. **J. H. A.**

GUÉPÉOU > POLICE POLITIQUE (URSS).

GUERNICA   Alors que l'Espagne est en proie à la <u>guerre civile</u> depuis un an, le bombardement de Guernica, véritable capitale religieuse du Pays basque, par les avions allemands de la légion Condor le 26 avril 1937, soulève une vague d'indignation dans le monde entier et suscite une émotion particulière dans les milieux catholiques français. Guernica, « ville martyre », devient le symbole d'une volonté de destruction bestiale qu'illustrera le tableau de Picasso, aujourd'hui exposé à Madrid. **É. T.   > ESPAGNE.**

GUERRE CIVILE (Espagne)   L'Espagne a connu à l'époque contemporaine bien des affrontements politiques. Mais le terme de « guerre civile » est généralement réservé pour désigner le conflit qui oppose, de 1936 à 1939, les « nationalistes », appuyés par une grande partie de l'armée, au gouvernement républicain légal – issu de la victoire électorale du Front populaire en février 1936 – et aux milices populaires formées spontanément pour lutter contre le coup de force (*pronunciamiento*) militaire du 18 juillet 1936.   L'insurrection a commencé le 17 juillet par un soulèvement au Maroc espagnol, qui s'est étendu à toute l'Espagne dans les jours suivants. Elle a partiellement réussi dans le nord-ouest de la péninsule (à l'exception du <u>Pays basque</u> et des Asturies qui résistent jusqu'au milieu de 1937) et dans une partie de l'Andalousie, mais elle échoue dans le reste de l'Espagne, notamment à Madrid et à Barcelone. Dans les premiers mois, les militaires, aidés des <u>phalangistes</u> et des *requetes* (groupes armés carlistes) remportent des victoires, coupant l'Espagne républicaine en deux zones distinctes. Mais la lenteur de leur progression permet aux républicains d'organiser leur défense de Madrid. La résistance de la capitale marque le début d'un long affrontement.   Dans la zone nationaliste, le « gouvernement » de Burgos, dirigé par <u>Franco</u>, devenu généralissime et chef de l'État, bénéficie du soutien de l'<u>Église d'Espagne</u> (qui prend position, dans son immense majorité, en faveur de la « croisade ») et des formations politiques regroupées dans un parti unique autour de la Phalange. Il assure une restauration de l'ordre social ancien et brise toutes les oppositions par une répression sans merci. Dans la zone républicaine, l'unité est plus difficile à établir entre <u>anarchistes</u>, <u>socialistes et communistes</u>, qui participent au gouvernement formé par Francisco Largo Caballero (1869-1946). Une véritable révolution sociale, souvent accompagnée d'exécutions sommaires, permet de procéder, surtout en

Aragon et en Catalogne, à des collectivisations massives. **M**ais, après les journées de mai 1937, le gouvernement républicain rétablit l'autorité de l'État. **C**haque camp bénéficie d'une aide étrangère considérable, en dépit de l'accord de non-intervention signé par les grandes puissances, à l'initiative de la France et du Royaume-Uni. L'Italie, l'Allemagne et le Portugal envoient en quantité troupes et matériel militaire, qui assureront aux franquistes une évidente domination, notamment dans les airs. Le bombardement de la ville basque de Guernica par les avions allemands de la légion Condor en avril 1937 restera dans les mémoires. Les républicains reçoivent aussi un secours matériel, surtout en provenance d'URSS. Des « brigades internationales » de volontaires viennent combattre en Espagne « pour la liberté ». La Guerre civile se transforme ainsi en un conflit international, qui préfigure la Seconde Guerre mondiale. Mais, dès 1937, les nationalistes disposent d'une réelle supériorité. Les forces républicaines s'épuisent en des offensives localisées (Brunete et, surtout, Teruel). Les difficultés économiques, la diminution de l'aide étrangère font définitivement basculer la guerre. Malgré une dernière réaction sur l'Èbre, la République est vaincue. Des centaines de milliers de réfugiés passent la frontière française. Beaucoup, certes, reviendront dans une Espagne appauvrie et dont le chef se refuse à toute réconciliation avec ses adversaires. Il faudra attendre plusieurs décennies pour que s'effacent les séquelles de la Guerre civile. É. T. **> ESPAGNE.**

GUERRE CIVILE (Russie) La ligne de partage entre la révolution russe et la guerre civile n'est pas aisée à situer dans le temps, tant les tensions se sont exacerbées lors de la prise du pouvoir par les bolcheviks. Dès novembre 1917, la résistance au nouveau régime s'organise, dans le Sud essentiellement : en Ukraine dont le Parlement (Rada) proclame l'indépendance du pays et dans les régions cosaques du Kouban et du Don où se forme la première armée des Volontaires, embryon de la future Armée blanche menée par l'opposition libérale et conservatrice. Cependant, les troupes du général Anton Dénikine (1872-1947), numériquement peu importantes, ne représentent encore qu'un faible danger. La signature d'un accord de paix (traité de Brest-Litovsk) avec les puissances centrales en mars 1918 prélude au véritable affrontement. Dégagées du conflit mondial, les armées russes vont désormais se partager entre les forces en présence. Le retrait de la Russie de la Grande Guerre décide les Alliés à intervenir, pour contrer, dans un premier temps, les positions allemandes autour de la Russie, puis pour soutenir les offensives des Blancs. Ceux-ci constituent progressivement trois principaux fronts : au sud, avec le général Dénikine, à l'est, avec l'amiral Alexander Koltchak (1874-1920) et, à l'ouest, avec le général Nicolas Youdenitch (1866-1935). **Formation de l'Armée rouge.** L'année 1919 est celle des grandes offensives conjuguées des Blancs pour la reconquête du centre du pays. Mais elles échouent successivement. Le gouvernement bolchevik, fortement menacé à l'été 1918, s'est rapidement ressaisi. L'instauration de la dictature politique qui accompagne la mise en place du communisme de guerre, la formation de l'Armée rouge (plus de un million et demi d'hommes en mai 1919), renforcent l'assise du nouveau régime dans le centre du pays et lui permet d'engager l'offensive contre les forces « rebelles ». La débâcle des armées blanches s'amorce dès le début de 1920 et s'achève en novembre lors du départ précipité des troupes du général Piotr Wrangel (1878-1928) des rives de la mer Noire. Si la lutte continue jusqu'en 1922 en Russie orientale et dans le Caucase, la victoire du nouveau régime paraît acquise en 1921, lors de l'ouverture, en mars, du Xᵉ congrès du Parti communiste qui sanctionne la fin du communisme de guerre et annonce une certaine « détente » à l'intérieur du pays. C. G. **> RUSSIE ET URSS.**

GUERRE D'AFGHANISTAN > AFGHA-
NISTAN (GUERRE D').

GUERRE D'ALGÉRIE > GUERRE D'INDÉ-
PENDANCE ALGÉRIENNE.

GUERRE D'ESPAGNE > GUERRE CIVILE
(ESPAGNE).

**GUERRE D'INDÉPENDANCE ALGÉ-
RIENNE**   Dans la nuit du 31 octobre
au 1er novembre 1954, des incendies, attaques de postes de police, dépôts de bombes
sont signalés en différents points du territoire algérien. Le Front de libération nationale (FLN) revendique toutes ces actions. La
guerre commence en Algérie. La principale
organisation indépendantiste algérienne, le
Mouvement pour le triomphe des libertés
démocratiques (MTLD), animée par Messali
Hadj, est dissoute. En France, le président du
Conseil, Pierre Mendès France, et le ministre
de l'Intérieur, François Mitterrand, décident
le 1er décembre l'envoi de renforts militaires
dans les trois départements français d'Algérie. La mort de Didouche Mourad le
15 janvier 1955, les arrestations de Mostefa
Ben Boulaïd et de Rabah Bitat les 11 février
et le 16 mars 1955, tous trois acteurs importants du FLN, ne signifient pas pour autant
la fin de l'insurrection. Après la chute du
cabinet Mendès France, le gouvernement
Edgar Faure promulgue le 31 mars une loi
sur l'état d'urgence en Algérie.   **L'insurrection du Nord-Constantinois.** Le 20 août
1955, la guerre entre dans une nouvelle
phase. Un soulèvement massif de la paysannerie se produit dans le Nord-Constantinois,
sous la conduite de Zighoud Youssef (1921-
1956), responsable de l'Armée de libération
nationale (ALN), branche militaire du Front.
Tout s'accélère : violente répression,
rappel des 60 000 disponibles, première
manifestation des appelés français contre la
guerre le 11 septembre, et, le 30 septembre,
la question algérienne est inscrite à l'ordre
du jour de l'ONU. Jacques Soustelle, gouverneur général de l'Algérie depuis janvier 1955,
prône l'intensification de la guerre, son projet de réformes pour l'Algérie passe au
second plan.   Le 31 janvier 1956, Guy
Mollet est investi comme président du
Conseil. À la suite d'un voyage en Algérie le
6 février, il cède aux revendications des
« ultras » européens. Il nomme Robert
Lacoste ministre résident en Algérie le
9 février, et fait adopter par l'Assemblée des
« pouvoirs spéciaux » le 12 mars qui renforcent la législation répressive en Algérie.   Dans le même temps, les 2 et
20 mars 1956, le Maroc et la Tunisie accè-

dent à l'indépendance ; le FLN se renforce
également par le ralliement des mouvements
religieux (Association des Ulama) et
« réformistes » de Ferhat Abbas. Les nationalistes s'organisent dans un congrès tenu
dans la vallée de la Soummam le 20 août
1956. Abane Ramdane y joue un rôle
considérable. Sa volonté d'assurer la primauté du « politique » sur le « militaire », de
l'« intérieur » des maquis contre l'armée de
l'« extérieur » lui vaut de solides inimitiés. Il
sera assassiné sur ordre d'autres dirigeants
du FLN, en décembre 1957. Avec ce congrès
de la Soummam, le FLN se dote d'un programme, met en place une direction baptisée
Conseil national de la Révolution algérienne
(CNRA), et refuse toute alliance avec le Mouvement national algérien (MNA) dirigé par
Messali Hadj. Les affrontements entre les
deux organisations, FLN contre MNA, feront
plusieurs milliers de morts dans l'immigration en France et dans les maquis en Algérie.   **Victoire politique pour les indépendantistes.** Le kidnapping de l'avion royal
marocain le 22 octobre 1956 par l'armée de
l'air française (avec à son bord les leaders
algériens Ahmed Ben Bella, Hocine Aït
Ahmed, Mohamed Boudiaf et Mohammed
Khider, ainsi que Mostefa Lacheraf) et
l'intervention franco-anglaise le 4 novembre
à Suez contre Nasser ne parviennent pas à
enrayer le mouvement insurrectionnel.   Une autre épreuve de force, terrible, se déroule à partir de janvier 1957. La
« bataille d'Alger » commence par une grève
de huit jours, décidée par le FLN, le
28 janvier. Au terrorisme des groupes de
choc du FLN, dépôt de bombes faisant des
victimes civiles parmi les Européens d'Alger,
répond la torture pratiquée à une grande
échelle par des unités spécialisées de l'armée
française. La « bataille d'Alger », conduite
par le général Massu, s'achève le
24 septembre 1957 par l'arrestation de Yacef
Saadi, responsable pour le Front de la Zone
autonome d'Alger. Mais la guerre n'est pas
finie.   Le 8 janvier 1958, l'aviation française bombarde le village tunisien de Sakiet
Sidi-Youssef. La réprobation internationale
est grande. Le 9 mai, le FLN annonce l'exécution de trois militaires français. Cet événement agit comme un catalyseur. Le 13 mai,

l'armée prend le pouvoir en Algérie, un Comité de salut public se forme. À Paris, le général de Gaulle devient président du Conseil le 1er juin. Il entreprend une tournée en Algérie, offre la « paix des braves », que le FLN rejette. Le 19 septembre, les Algériens constituent le Gouvernement provisoire de la République algérienne (GPRA). La guerre atteint son paroxysme dans l'année 1959, avec le plan mis au point par le général Challe. Les opérations *Jumelles* déclenchées par l'armée française affaiblissent les maquis de l'intérieur. Dirigée par Houari Boumediène, une « armée des frontières », stationnée au Maroc et en Tunisie, ne parvient pas à pénétrer sur le territoire algérien du fait du dispositif installé par les militaires français dans les zones frontières. Cette situation exacerbe la rivalité entre « armée des frontières » et maquis de l'intérieur privés de ravitaillement et d'armes.   Alors que la victoire militaire semble se dessiner, le général de Gaulle prononce le 16 septembre 1959 un discours préconisant l'autodétermination. Les « pieds-noirs » (Européens) et les partisans de l'« Algérie française » hurlent à la trahison. Alger se couvre de barricades, le 24 janvier 1960, contre cette politique. Mais, en cette fin d'année 1960, ce sont les nationalistes algériens qui font entendre leur voix : du 9 au 13 décembre, de grandes manifestations pour l'indépendance se développent dans les principales villes d'Algérie.   **Vers l'autodétermination.** L'annonce de l'ouverture de négociations entre le GPRA et le gouvernement français provoque, le 22 avril 1961, le « putsch des généraux » : Salan, Jouhaud, Zeller et Challe, qui veulent le maintien de l'Algérie française, se rallient aux positions de l'Organisation armée secrète (OAS) constituée en février 1961. Le contingent français refuse, dans sa majorité, ce coup de force. L'initiative tourne court. Le 20 mai 1961, les négociations s'ouvrent à Évian. La fin de guerre est dramatique. L'OAS multiplie les attentats en Algérie et en France. Le 17 octobre 1961, la police parisienne, sous les ordres du préfet Maurice Papon, réprime très brutalement une manifestation d'Algériens, plusieurs dizaines de morts sont dénombrés. Le 8 février 1962 à Paris, une manifestation anti-OAS provoque la mort de huit personnes au métro Charonne.   **Un** accord intervient à Évian. Le 19 mars 1962, le cessez-le-feu est proclamé pour préparer un scrutin d'autodétermination. Le 26 mars, une fusillade éclate rue d'Isly, à Alger, contre les partisans de l'Algérie française. Un accord entre le FLN et l'OAS est signé le 17 juin. Il est vraiment trop tard. Massivement, les « pieds-noirs » quittent alors l'Algérie. Le 1er juillet 1962 se déroule le référendum sur l'autodétermination en Algérie. Le 3 juillet, c'est la proclamation de l'indépendance algérienne. Les historiens chiffrent à près de 500 000 (dans leur écrasante majorité Algériens musulmans) le nombre des morts du fait de la guerre d'indépendance. **B. S.   > ALGÉRIE, FRANCE.**

GUERRE D'INDÉPENDANCE DU BANGLADESH

Lors de la partition de l'Inde en 1947, le Bengale oriental est inclus dans le nouvel État du Pakistan et devient le Pakistan oriental. Plus de 1 700 kilomètres le séparent du Pakistan occidental. Il compte davantage d'habitants que celui-ci (41,9 millions contre 33,7 millions en 1951), ce qui suppose *a priori* une représentativité équivalente, voire supérieure, dans les institutions de la jeune nation pakistanaise. Or, deux groupes ethniques, les Punjabis (du Pendjab) et les Muhajir (musulmans indiens ayant migré au Pakistan après la Partition), dominent l'aile occidentale et n'entendent pas partager équitablement le pouvoir avec les Bengalis.   **En** 1955, Ghulam Ahmad, le gouverneur général (punjabi) fait adopter une loi destinée à faire du Pakistan occidental une entité de poids comparable au Pakistan oriental : c'est le *One Unit Scheme* qui fond les provinces du Pakistan occidental en une seule. Sur le plan linguistique, Muhammad Ali Jinnah, le fondateur du Pakistan, a annoncé, dès 1948, que l'ourdou sera la seule langue nationale du pays, suscitant chez les Bengalis le sentiment que leur identité culturelle est menacée. Ces derniers subissent en outre une exploitation économique du Pakistan occidental.   **Cette** situation aboutit à l'émergence d'un mouvement régionaliste bengali, représenté par la Ligue Awami que dirige Mujibur Rahman

(1920-1975). En décembre 1970, le général Agha Muhammad Yahya Khan (1917-1980), le président du Pakistan (1969-1971), annonce des élections : elles sont un triomphe pour la Ligue Awami. Refusant le verdict des urnes, Islamabad lance une offensive meurtrière contre le Pakistan oriental. M. Rahman est arrêté, des milliers de civils sont assassinés et quelque dix millions de Bengalis se réfugient en Inde. Invoquant le problème des réfugiés, l'Inde, appuyée par l'Union soviétique, entre en guerre contre le Pakistan (lui-même soutenu par la Chine et les États-Unis) et envahit le Pakistan oriental le 3 décembre 1971. Dès le 16 décembre, les troupes indiennes s'emparent de Dacca. M. Rahman est alors libéré et devient le premier chef de gouvernement du Bangladesh indépendant. **A. Mo.** ➤ **BANGLADESH, PAKISTAN.**

GUERRE D'INDOCHINE ➤ **INDOCHINE (GUERRE D').**

GUERRE DE CORÉE ➤ **CORÉE (GUERRE DE).**

GUERRE DU GOLFE (première) La dénonciation, le 17 septembre 1980, par l'Irak de l'accord d'Alger en 1975 portant sur la délimitation de la frontière avec l'Iran dans le Chatt el-Arab est à l'origine de l'une des guerres les plus longues et plus meurtrières de la seconde moitié du XXᵉ siècle. L'armée irakienne pénètre au Khouzistan iranien le 23 septembre. La contre-offensive iranienne commence le 24 mars 1982. L'Irak propose à plusieurs reprises un armistice, mais l'Iran poursuit ses offensives de reconquête. En mars 1988, l'Irak est dénoncé pour avoir employé des armes chimiques pour reprendre la ville kurde irakienne de Halabdja. Le 18 juillet 1988, l'Iran accepte la résolution 598 (1987) du Conseil de sécurité de l'ONU et n'exige plus que l'Irak soit désigné comme l'agresseur. Un cessez-le-feu entre en vigueur le 20 août et des pourparlers de paix commencent à Genève le 25 août. La guerre aurait fait entre 500 000 et 1 000 000 de morts. Pendant le conflit, quoique agresseur, l'Irak de Saddam Hussein a profité de la bienveillance des puissances

occidentales et de leurs alliés régionaux inquiets de la révolution khomeyniste de 1979 en Iran. ➤ **IRAK, IRAN.**

GUERRE DU GOLFE (seconde)
Ouverte par l'invasion du Koweït par l'Irak le 2 août 1990, prenant prétexte d'un litige sur l'exploitation d'une nappe pétrolière frontalière, la seconde guerre du Golfe va marquer un tournant dans l'histoire de la fin du XXᵉ siècle. Le régime de Saddam Hussein s'est fondé sur une vieille revendication territoriale irakienne pour tenter de renforcer son pouvoir dans son propre pays, l'Irak étant sorti financièrement exsangue de « sa » première guerre du Golfe contre l'Iran (1980-1988). L'agression irakienne suscite une vive réaction des États-Unis qui, avec l'aval du Conseil de sécurité de l'ONU, organisent une vaste riposte. Ce sera l'opération *Bouclier du désert*, mobilisant une vaste coalition de trente-deux autres pays dont le Royaume-Uni et la France, mais aussi des pays arabes et musulmans, comme l'Égypte, la Syrie, le Pakistan, le Bangladesh, le Maroc... Au total, 750 000 hommes sont engagés, dont 510 000 soldats américains. La guerre proprement dite (opération *Tempête du désert*) se résume à 42 jours d'intenses bombardements aériens, du 17 au 28 février 1991 ; puis à 100 heures de combats terrestres, du 24 au 28 février. D'après des sources américaines, la coalition aurait perdu 350 hommes et il y aurait eu 130 000 morts en Irak. D'autres estimations ont fait état d'un nombre de victimes beaucoup plus élevé, notamment parmi la population civile irakienne. Les infrastructures du pays ont été détruites. Dix ans après le déclenchement du conflit, l'Irak était toujours frappé par un embargo dont souffraient essentiellement les catégories modestes. Saddam Hussein était, quant à lui, toujours au pouvoir. La seconde guerre du Golfe aura marqué un tournant. En Irak même, la coalition a encouragé les opposants à se soulever (insurrections chiite au sud et kurde au nord). Ils sont vivement réprimés, ce qui suscite un exode massif vers les frontières. Une intervention militaire finit par être organisée au nom du « devoir d'ingérence humanitaire », sous couvert du Conseil de

sécurité de l'ONU. Une « zone de protection » est créée, qui donne aux Kurdes d'Irak une grande autonomie. Dans le monde arabe, cette guerre « post-guerre froide » a totalement redistribué les cartes. Enfin, les États-Unis apparaissent plus que jamais comme la puissance dictant l'ordre du monde. La guerre du Golfe n'a pas, pour autant, donné la preuve qu'un « nouvel ordre mondial » était né. **N. B.** **> IRAK.**

GUERRE DU PACIFIQUE La guerre du Pacifique (1941-1945) a opposé le Japon aux États-Unis, à l'Angleterre et à l'Australie en Asie orientale. Le Japon, présent en Corée (1910), sur les îles Mariannes, Marshall et Carolines (1918) et en Mandchourie (1931), entre en guerre contre la Chine en 1937. En 1940-1941, les troupes japonaises s'implantent en Indochine française, tandis que le Premier ministre Konoe Fumimaro (conciliant vis-à-vis des États-Unis) cède la place au général Tojo Hideki, un expansionniste qui convoite le pétrole des Indes néerlandaises. Le 7 décembre 1941, dans les îles Hawaii, une attaque aérienne détruit la flotte américaine de Pearl Harbor. L'année 1942 débute par de foudroyants succès japonais : Guam, Wake, Malaisie, Singapour, Indes néerlandaises, Birmanie, Philippines. Cette progression est arrêtée par les Américains en mai 1942 (bataille de la mer de Corail) et en juin (Midway). En août, les *marines* débarquent à Guadalcanal (archipel des Salomon). Le général Douglas MacArthur et l'amiral Chester William Nimitz (1885-1966) reconquièrent le Pacifique en « saute mouton » (Philippines, octobre 1944), tandis que les Britanniques de l'amiral Mountbatten (1900-1979) libèrent la Birmanie (17 mai 1945). Le Japon, privé de matières premières et de pétrole, pilonné par les raids des B 29 américains, capitule peu après les bombardements atomiques d'Hiroshima et de Nagasaki (6 et 9 août 1945). **R. D.** **> ÉTATS-UNIS, JAPON, SECONDE GUERRE MONDIALE.**

GUERRE DU VIETNAM **> VIETNAM (GUERRE DU).**

GUERRE FROIDE (première) Cette formule est couramment employée à partir de 1947 pour désigner, une fois la Grande Alliance contre le nazisme dissoute, l'affrontement entre les États-Unis et l'Union soviétique. La rivalité entre les deux superpuissances se traduit d'abord par une compétition idéologique. Elles se posent comme les deux seuls modèles universels de référence. C'est ensuite la course aux armements tandis que chacun cherche à conforter son propre camp, d'où la création des deux blocs Est-Ouest. Les conflits armés limités se déroulent toujours à la périphérie des deux camps. Jamais les deux « grands », détenteurs de l'arme nucléaire, ne basculent dans un affrontement direct, comme le démontre la « crise des fusées » de Cuba en 1962. À la première Guerre froide (1947-1962) succédera une période qualifiée de « Détente » puis, après 1975, une seconde guerre froide. **De la Grande Alliance de 1945 à la rupture de 1947.** En 1945, face aux États européens alors ruinés, deux superpuissances émergent. L'Union soviétique a acquis sur le continent européen une force militaire et un prestige politique considérables. Les États-Unis détiennent le monopole nucléaire et disposent à l'échelle mondiale de tous les attributs de la puissance. La négociation qui prévaut encore en 1945 entre les deux superpuissances, comme le montre la création de l'ONU, laisse place en deux ans à une situation de blocage. Ainsi, le souci du dirigeant soviétique Joseph Staline est de protéger les frontières de son pays. À la conférence de Yalta (février 1945), il obtient le déplacement des frontières de la Pologne vers l'Ouest et y fait reconnaître un gouvernement dominé par les communistes. Pour Staline, c'est la première étape d'un « glacis défensif » contrôlé par l'URSS, idée que rejette le président américain Franklin D. Roosevelt au nom du principe d'élections libres dans les pays libérés. Le sort de l'Allemagne révèle aussi les difficultés d'une collaboration. À la conférence de Potsdam (juillet-août 1945), où Harry Truman remplace F. D. Roosevelt, mort le 12 avril 1945, l'Allemagne est partagée en quatre zones d'occupation administrées en commun par l'URSS et les trois puissances occidentales – les États-Unis, le Royaume-Uni et la France. Berlin, la capitale, au cœur de la zone d'administration soviétique, est également partagée en quatre. Mais très vite, l'arrivée, à l'Ouest, de millions de réfugiés, victimes du déplacement des frontières en Europe de l'Est, fait comprendre aux Occidentaux la nécessité de restaurer au plus vite l'unité de l'Allemagne. C'est ce que refuse Staline qui veut éviter un bloc pro-occidental au contact de sa zone d'influence. Dans le même temps, les États-Unis ferment la porte à toute coopération avec les Soviétiques dans le domaine de l'atome. L'URSS intensifie ses recherches pour obtenir la bombe A en 1949.   En 1946, alors que l'URSS accroît son contrôle sur l'Europe de l'Est, l'ancien Premier ministre britannique Winston Churchill, en visite aux États-Unis, dénonce le « rideau de fer » qui s'est abattu sur l'Europe, en présence et avec l'accord de H. Truman, témoignant ainsi des inquiétudes américaines. Staline, lui, reproche aux Anglo-Saxons   l'annonce,   pour   le 1er janvier 1947, de l'union économique des zones britannique et américaine en Allemagne.   Quand, en février 1947, les Britanniques indiquent qu'ils n'ont plus les moyens de soutenir la monarchie hellénique en lutte contre les communistes grecs dans la guerre civile qui déchire le pays, H. Truman   annonce   publiquement   le 12 mars 1947 que son pays prend le relais pour défendre le « monde libre » et « endiguer » l'expansion de l'URSS (politique de   _containment_).   La   « doctrine Truman » est suivie en juin 1947 de la proposition financière du secrétaire d'État, le général George Marshall (1880-1959) d'aider toute l'Europe à sa reconstruction. Ce sera le plan Marshall. Staline refuse cette aide et oblige les États d'Europe de l'Est à en faire autant. En septembre 1947, la « doctrine Jdanov », du nom du troisième secrétaire du Parti communiste de l'URSS, reconnaît la disposition du monde en deux camps : les forces « anti-impérialistes et démocratiques » sont conduites par l'URSS pour combattre les États-Unis et leurs alliés. Aussi Moscou accentue son contrôle sur tous les partis communistes en créant une nouvelle Internationale, le Kominform. La rupture est désormais complète.   **La mise en place des deux blocs.** L'URSS impose

aux démocraties populaires d'Europe de l'Est son modèle politique et économique, que seule la Yougoslavie refuse. La Tchécoslovaquie est la dernière à passer sous contrôle communiste, c'est le « coup de Prague » : les milices ouvrières du Parti communiste encerclant Prague le 25 février 1948 imposent un gouvernement presque exclusivement communiste.   Le   pacte   nord-atlantique d'avril 1949 donne naissance à l'Organisation du traité de l'Atlantique nord (OTAN) assurant à l'Europe de l'Ouest la protection américaine. Il répond aux traités de coopération signés en 1948 à l'Est, puis transformés en pacte de Varsovie (1955) quand la RFA (République fédérale d'Allemagne, fondée en 1949) rejoint l'OTAN. Face à l'OECE (Organisation européenne de coopération économique) gérant les crédits du plan Marshall, les Soviétiques créent en 1949 le CAEM (Conseil d'assistance économique mutuelle, encore appelé Comecon) organisant les échanges commerciaux avec l'Europe de l'Est.   Les États-Unis posent ensuite de nouveaux « verrous » dans les autres parties du monde. Dès 1947, avec le traité de Rio, l'Amérique latine s'est rangée du côté des États-Unis. En 1951 est conclu un pacte de défense régionale, l'ANZUS du nom des trois signataires : l'Australie, la Nouvelle-Zélande et les États-Unis. L'OTASE (Organisation du traité d'Asie du Sud-Est) est instaurée en 1954 pour contrer les victoires communistes en Chine (1949) et au Nord-Vietnam (1954). Le pacte de Bagdad couvre le Moyen-Orient en 1955 avec le Royaume-Uni, l'Iran et l'Irak.   Cette mise en place s'accompagne de la diabolisation de l'adversaire et du recours à la guerre psychologique. Intellectuels et médias sont mobilisés pour dénoncer la menace d'une invasion associée à une guerre nucléaire que rendent possible les progrès parallèles des deux « grands ». L'« ennemi intérieur », ou ce qui est considéré comme tel, est aussi visé. Les opposants politiques sont criminalisés. À l'Est, les polices politiques veillent à limiter les défections. Aux États-Unis, est déclenchée la « chasse aux sorcières » (1950-1954).   **Les crises de la Guerre froide.** Les divergences portant sur l'évolution de l'Allemagne se traduisent par la première crise de Berlin (juin 1948-

mai 1949) qui voit la partie de la ville occupée par les Occidentaux interdite de toute relation terrestre par les Soviétiques ; l'Allemagne en finalement divisée en deux États concurrents, qui se partagent Berlin selon les anciennes zones d'occupation. Alors que, dans la guerre civile chinoise, les communistes viennent de l'emporter en 1949, la Guerre froide rebondit en Asie quand la Corée du Nord communiste envahit en 1950 la Corée du Sud et que se développe la guerre de Corée. Les États-Unis interviennent, se heurtant aux « volontaires » chinois, mais ils n'utilisent pas l'arme nucléaire. L'armistice signé en 1953 laisse pour des décennies les deux Corées face à face dans un contexte de développement du communisme en Asie. En 1954, l'armée française est défaite à Dien Bien Phu dans la guerre d'Indochine. Cette logique d'affrontement s'estompe après la mort de Staline en 1953. Son successeur, Nikita Khrouchtchev, parle en 1956 de « coexistence pacifique ». Désormais en mesure de frapper les États-Unis par ses missiles, il propose d'écarter tout risque d'affrontement nucléaire. Mais il maintient l'idée d'une compétition idéologique et technologique, le lancement du premier satellite dans l'espace, en 1957, n'étant qu'une première étape de la course spatiale. De plus, les deux « grands » doivent tenir compte de divergences existant dans leur propre camp : à l'Est le soulèvement de Budapest en 1956 et le schisme sino-soviétique en 1960, à l'Ouest la construction européenne. Surtout, les pays nouvellement indépendants d'Asie et bientôt d'Afrique s'affirment comme de nouveaux acteurs au plan géopolitique : le tiers monde se cherche une identité politique non alignée sur les deux superpuissances, tout en sachant à l'occasion se servir de leur rivalité, comme l'a montré l'Égypte nassérienne dans la crise de Suez en 1956. Dans ce contexte, N. Khrouchtchev cherche à prendre l'avantage. Ainsi, en août 1961, le Mur de Berlin coupe en deux la ville symbole des relations Est-Ouest. Parallèlement, l'URSS soutient la révolution cubaine menée à partir de 1959 par Fidel Castro, qui obtient la mise en place de rampes de lancement de missiles. Leur découverte en octobre 1962 par les Américains pousse le président John F. Kennedy à se déclarer prêt à utiliser l'arme nucléaire, tout en ouvrant la porte à des discussions. La résolution négociée de cette « crise des fusées » par les deux « grands » – l'URSS ne dote pas l'île d'armes nucléaires, les États-Unis n'attaquent pas Cuba – montre finalement la volonté d'éviter un conflit ultime. Ainsi la crise de Cuba marque-t-elle un tournant dans la Guerre froide. Désormais les deux superpuissances admettent la discussion, tout en conservant une capacité de frappe dissuasive. S'ouvre alors une nouvelle période de coexistence pacifique, la Détente. **F. S.** ➤ DÉTENTE, GUERRE FROIDE (SECONDE).

GUERRE FROIDE (seconde) Après la période de Détente qui avait, à partir de 1963, succédé à la Guerre froide instaurée en 1947, le retour des tensions entre les États-Unis et l'URSS s'apparente à une seconde guerre froide. Celles-ci sont provoquées par les avancées soviétiques dans le tiers monde avec l'invasion de l'Afghanistan en 1979, puis la crise des euromissiles (1979-1983) et enfin l'annonce américaine de l'Initiative de défense stratégique (IDS) en 1983. Pourtant, à partir de 1985, Mikhaïl Gorbatchev, qui vient d'accéder au pouvoir suprême en Union soviétique, va choisir de relancer les négociations sur le désarmement et d'engager l'URSS dans un processus de réformes (perestroïka et glasnost), tout en concédant plus de libertés aux démocraties populaires. Cette double évolution conduit à la fin de la Guerre froide mais aussi à la fin de l'URSS et du bloc soviétique (1989-1991). **Le retour des tensions.** Profitant du recul des États-Unis après leur défaite dans la guerre du Vietnam (1973), l'URSS de Leonid Brejnev étend son influence. Onze traités d'amitié sont signés avec des États du tiers monde. Après l'Asie du Sud-Est – où son allié, le Vietnam, envahit en 1979 le Cambodge pour en chasser le régime des Khmers rouges – et l'Afrique, l'Union soviétique pousse ses pions en Amérique centrale. Elle soutient au Nicaragua les sandinistes arrivés au pouvoir en 1979 au terme d'un mouvement de guérilla ayant chassé le dictateur Anastasio Somoza, et elle arme les guérillas au Salvador et au Guatémala. Parallèlement, l'Union soviétique déploie en Europe de l'Est, à partir de 1977, des missiles à portée intermédiaire (3 500 kilomètres) : ces SS-20, non comptabilisés dans les accords de désarmement SALT, rendent possible une guerre nucléaire limitée. Puis c'est l'intervention en l'Afghanistan en décembre 1979, par laquelle l'URSS vient soutenir militairement le régime communiste installé lors d'un coup d'État en 1978. Tenté d'abord de poursuivre la logique de la Détente, le président des États-Unis Jimmy Carter (1977-1981) choisit une politique de fermeté. En Europe, l'OTAN (Organisation du traité de l'Atlantique nord) prévoit l'installation de missiles équivalents aux SS-20, les Pershing-2, tout en ouvrant la porte à des négociations sur ces euromissiles. Face à l'implication de l'URSS dans la guerre d'Afghanistan, J. Carter annonce l'arrêt des livraisons de céréales à l'URSS et le boycottage des jeux Olympiques de Moscou de 1980. Le Sénat américain refuse quant à lui de ratifier les accords SALT II qui, signés en 1979, prévoyaient la limitation du nombre des missiles intercontinentaux soviétiques et américains. Le successeur de J. Carter, Ronald Reagan, élu président en 1980, relance la course aux armements. La proposition de l'« option zéro » (abandon simultané des SS-20 et des Pershing-2) ayant été rejetée par l'URSS, les Pershing sont installés comme prévu malgré les intenses campagnes pacifistes menées en Europe occidentale. Surtout, en mars 1983, R. Reagan annonce la réalisation d'un système d'armes antimissiles, placé en orbite au-dessus des États-Unis : l'Initiative de défense stratégique (IDS). Le projet, estimé à plus de 30 milliards de dollars sur les sept premières années, représente un défi technologique et financier que l'URSS ne peut relever. Dans le même temps, les États-Unis arment la résistance afghane et les forces antisandinistes au Nicaragua. L'armée américaine intervient, en octobre 1983, dans l'île de la Grenade (Caraïbes) pour renverser un gouvernement marxiste proche de Cuba. Le dialogue direct entre les deux superpuissances est interrompu jusqu'en 1985. **Le tournant de la « perestroïka ».** L'arrivée au pouvoir en URSS

de M. Gorbatchev en mars 1985 marque un tournant dans les rapports Est-Ouest. L'URSS est confrontée à des éléments de déstabilisation. En Pologne, le pouvoir communiste est rejeté par deux importantes forces d'opposition : l'Église catholique, dont l'un de ses membres du clergé a été élu pape en 1978 sous le nom de Jean-Paul II, et le syndicat indépendant Solidarność (Solidarité), reconnu en août 1981 avant d'être interdit lors de la déclaration de l'« état de guerre » en Pologne en décembre de la même année. Alors que l'armée soviétique est tenue en échec en Afghanistan, l'opinion publique soviétique s'inquiète du nombre croissant de morts. L'URSS, enfin, se ruine à suivre la course aux armements. Aussi M. Gorbatchev veut-il diminuer les dépenses militaires pour restructurer l'économie soviétique et engager un processus de réformes (perestroïka). De son côté, le président américain R. Reagan, réélu en 1984, est favorable à une politique d'apaisement : les besoins militaires creusent le déficit budgétaire et freinent la productivité de l'industrie civile concurrencée par les productions japonaises et européennes. Le dialogue américano-soviétique, renoué à partir de 1985, aboutit au premier véritable accord de désarmement, signé en décembre 1987 : le traité de Washington sur les forces nucléaires intermédiaires (FNI) prévoit la destruction réciproque des euromissiles. Les discussions sur la réduction des armes stratégiques bloquées depuis 1983 reprennent également. Elles aboutissent à la signature en juillet 1991 de l'accord START 1 (« entretien sur la réduction des armements stratégiques ») par M. Gorbatchev et le successeur de R. Reagan, George H. Bush (1989-1993). Les deux superpuissances prévoient l'élimination de près du tiers de leurs missiles intercontinentaux. Selon la même logique, la deuxième Conférence sur la sécurité et la coopération en Europe (CSCE) a annoncé en décembre 1990 la réduction des armes conventionnelles de l'OTAN et du pacte de Varsovie. Parallèlement, l'URSS se dégage de la guerre d'Afghanistan où elle a été mise en échec. Le retrait de ses troupes est effectif le 15 février 1989. Elle n'est plus en mesure, politiquement et économiquement, de soutenir les sandinistes nicaraguayens, ni le Vietnam, ni Cuba, ni les régimes africains prosoviétiques. **G.** Bush et M. Gorbatchev peuvent annoncer officiellement en décembre 1989 au sommet de Malte la fin de la Guerre froide, au moment même où le bloc soviétique éclate. **La fin du système soviétique.** Les années 1989-1990 voient la fin des démocraties populaires d'Europe de l'Est sans que l'URSS s'y oppose. En juin 1989, en Pologne, à la suite de négociations entre Solidarité et le pouvoir, des élections libres ont lieu, permettant, pour la première fois, à un non-communiste d'accéder au pouvoir. La Hongrie suit l'exemple polonais en préparant un régime démocratique et des élections libres pour mars 1990. Surtout, elle ouvre sa frontière avec l'Autriche, créant une première brèche dans le « rideau de fer ». À partir de septembre 1989, en République démocratique allemande (RDA), les manifestations se multiplient ainsi que les départs vers l'Allemagne de l'Ouest en passant par la Hongrie. Ces mouvements de protestation ne sont pas découragés par M. Gorbatchev qui dénonce à Berlin, le 7 octobre, l'attitude conservatrice du dirigeant est-allemand Erich Honecker. Ce dernier démissionne le 18 octobre, le 9 novembre le Mur de Berlin est démantelé ; le régime communiste se disloque. **La** chute du Mur de Berlin accélère le mouvement dans les autres pays : transition en douceur, mais non sans une opiniâtre résistance des communistes, en Bulgarie, « révolution de velours » en Tchécoslovaquie où Vaclav Havel est élu président de la République en décembre, renversement brutal de Nicolae Ceausescu par un simulacre de révolution en Roumanie. **L'**onde de choc qui touche les démocraties populaires accentue l'ébranlement de l'Union soviétique elle-même, déjà fortement fragilisée par l'échec de M. Gorbatchev à réformer l'économie. Les républiques baltes sont les premières à proclamer leurs indépendances (effectives en 1991). La république de Russie proclame sa propre souveraineté en juin 1990, puis élit en juin 1991 son président au suffrage universel : Boris Eltsine (1931-) se pose en leader alternatif face à M. Gorbatchev. À la veille de la signature d'un nouveau traité de

l'Union, en août 1991, les communistes conservateurs tentent un coup de force. B. Eltsine s'y oppose. Sa légitimité se renforce dans l'opinion publique. Le Parti communiste d'Union soviétique (PCUS) est dissous. Le 8 décembre, les présidents de Biélorussie, de Russie et d'Ukraine annoncent la création de la Communauté d'États indépendants (CEI), élargie à huit autres républiques. Le 25 décembre 1991, M. Gorbatchev, président d'un État qui n'existe plus (l'URSS), démissionne. **A**insi la Guerre froide se termine-t-elle brutalement par la disparition de l'un de ses deux protagonistes. Une situation inédite apparaît avec le maintien d'une seule superpuissance, les États-Unis, tandis que la carte politique de l'Europe – et du monde – se transforme. **F. S.** **> DÉTENTE**, GUERRE FROIDE (PREMIÈRE), URSS (FIN DE L').

GUERRE HISPANO-AMÉRICAINE

Ce conflit entre les États-Unis et l'Espagne en 1898 est illustratif du basculement du monde que va opérer le XXᵉ siècle. L'Espagne, métropole européenne en déclin, a perdu l'essentiel de ses colonies américaines (Amérique latine) au début du XIXᵉ siècle, tandis que les États-Unis apparaissent comme une nouvelle puissance mondiale. Dans le contexte d'une guerre d'indépendance à Cuba, les États-Unis coulent deux flottes espagnoles, l'une devant Santiago de Cuba, la seconde dans la rade de Manille (Philippines). Par le traité de Paris, l'Espagne renonce à Cuba où un protectorat américain va s'exercer. Porto Rico dans la Caraïbe, les Philippines (où ils vont combattre par les armes le mouvement nationaliste) et Guam dans le Pacifique deviennent américains. **> ESPAGNE**, ÉTATS-UNIS.

GUERRE IRAN/IRAK **>** GUERRE DU GOLFE (PREMIÈRE).

GUERRE PSYCHOLOGIQUE

« Le rôle de barrage que joue l'artillerie dans la préparation de l'attaque de l'infanterie sera assumé dans l'avenir par la propagande révolutionnaire. Il s'agit de briser psychologiquement l'ennemi avant que les armées commencent est-à entrer en action. » Ce leitmotiv de *Mein Kampf* (1924) marque la naissance de la notion de « guerre psychologique » et de la stratégie qu'elle inspire. À cause de cette origine nazie, les états-majors des forces alliées continueront longtemps à utiliser le terme de propagande ou lui substitueront, comme les militaires britanniques, l'expression de « guerre politique » *(Political Warfare)*. La Seconde Guerre mondiale voit, en effet, se mettre en place dans les camps belligérants un ensemble de dispositifs de propagande et de contre-propagande. À cette guerre psychologique, le parti national-socialiste s'est préparé dès son accession au pouvoir. En 1933, il inaugure des émissions radiophoniques en ondes courtes, en direction des États-Unis, en anglais et en allemand. L'Union soviétique s'était montrée pionnière en lançant, dès 1929, des émissions régulières en allemand et en français et, l'année suivante, en anglais et en néerlandais. **BBC, Radio Liberty, Radio Free Europe, Radio Moscou...** Ce n'est qu'en 1938 que la *BBC* (British Broadcasting Corporation) – appelée à jouer un rôle de catalyseur dans le combat contre les puissances de l'Axe – crée un service en langue allemande pour ensuite diffuser en espagnol et en portugais vers l'Amérique latine. La même année, la Maison-Blanche entreprend de mobiliser les grands réseaux radiophoniques privés des États-Unis pour combattre l'influence grandissante de l'Allemagne dans les pays situés au sud du Rio Grande. La propagande allemande vise en effet à rallier les colonies d'Allemands installés à l'étranger (évaluées à quatorze millions de personnes), pour les inciter à former des clubs et des associations, voire à constituer des mini-partis nationaux-socialistes avec un chef local. Il faudra toutefois attendre février 1942 pour que le gouvernement américain prenne le relais en se dotant d'une radio officielle, *Voice of America*. Les opérations de propagande à l'extérieur du territoire national sont confiées à deux organismes : l'Office of War Information (OWI), chargé de la propagande non déguisée *(overt propaganda)*, et l'Office of Strategic Service (OSS), compétent en matière d'opérations clandestines *(covert propaganda)*. À la fin des hostilités, ce dernier se

métamorphosera en CIA (Central Intelligence Agency), tandis que l'autre deviendra l'Office of International Information, socle de la future USIA (US Information Agency), créée au début des années 1950. L'embrigadement de la Guerre froide ajoutera au dispositif de propagande symbolisé par *Voice of America* deux radios clandestines : *Radio Liberty* (1953) et *Radio Free Europe* (1950), lancées directement par la CIA avec la mission exclusive de « pilonner » respectivement l'Union soviétique et les pays d'Europe centrale et orientale. **P**our empêcher ce « pilonnage », l'Union soviétique renforce son dispositif de brouillage des émissions. Dans les milieux du renseignement occidental, tout le monde s'accordait à colporter l'idée que l'Union soviétique disposait d'un potentiel d'émissions radiophoniques en direction de l'étranger sans commune mesure avec celui des États-Unis. Dans les années 1970, *Radio Moscou* diffusait par exemple une moyenne de 235 heures par semaine en quinze langues vers l'Afrique ; *Voice of America* n'était créditée que de 130 heures en quatre langues seulement (anglais, français, arabe et swahili). Ce déséquilibre flagrant entre le potentiel de la *dezinformatsia* et celui de la propagande américaine sera compensé par le manque d'impact des programmes de radio venus de Moscou, jugés par trop « propagandistes ». **Les débats sur la régulation des flux d'information.** C'est dans ce contexte que reprennent les débats sur la régulation des flux internationaux d'information, amorcés dans les années 1930 lorsque, pour se défendre des émissions en provenance de Berlin, le chancelier d'Autriche Engelbert Dollfuss (1892-1934), pour la première fois dans l'histoire, avait décidé de recourir au brouillage du spectre radiophonique. Deux thèses commencent à s'affronter : d'une part, le principe du *free flow of information*, défendu par le département d'État américain, fidèle à la doctrine libérale de libre circulation des marchandises, culturelles ou non, et farouchement hostile à toute restriction à l'usage international des communications ; de l'autre, la doctrine du Kremlin qui, soucieux de soustraire les citoyens soviétiques à la propagande occidentale, invoque la « souveraineté nationale » et interprète l'intromission des ondes internationales comme l'« ingérence d'une puissance étrangère dans les affaires intérieures d'un État-nation », comme une « agression idéologique », justifiant de la sorte sa politique de perturbation des émissions étrangères. Le Kremlin traita même l'écoute individuelle de ces radios de « crime idéologique ». Ces débats se dérouleront dans les hémicycles de l'Organisation des Nations unies. En 1947, l'Union internationale des télécommunications (UIT), fondée en 1932 pour réguler les relations internationales en cette matière, est rattachée à l'ONU ; elle sert de plate-forme aux premiers affrontements entre l'Est et l'Ouest sur la question de la réglementation des usages du spectre radiophonique. En marge de ces discussions sur l'utilisation de la radio à « des fins pacifiques », les États-Unis mettront à profit les innovations réalisées en temps de guerre, construisant les bases de leur complexe militaro-industriel dans le cadre du *National Security Act* (1947). Le développement et la recherche des technologies d'information et de communication (dont est issu Internet) y tiendront une place privilégiée, comme le révélera, dans les années 1960, le formidable essor des machines à communiquer, l'ordinateur et le satellite de télécommunications, bientôt enjeu de la conquête spatiale, autre facette de la guerre, non déclarée, livrée par « communication » interposée. **A. M.**

GUERRE RUSSO-JAPONAISE

L'attaque surprise lancée par le Japon contre la flotte russe stationnée à Port-Arthur, le 27 janvier 1904, marque le début des hostilités entre les deux pays après plusieurs années de fortes tensions liées à la politique ambitieuse du tsar Nicolas II en Extrême-Orient. L'autorisation, reçue en 1896 du gouvernement chinois, de faire passer le *Transsibérien* à travers la Mandchourie, la cession à bail de Port-Arthur en 1898, le rôle de la Russie en Mandchourie lors de la guerre des Boxeurs (du nom d'une société secrète hostile à la présence étrangère en Chine) en 1900, constituaient autant de menaces pour la puissance japonaise en

pleine expansion. Tout au long des années 1904-1905, l'armée russe accumule les revers (Port-Arthur, Vladivostok, Moukden), qui contribuent à rendre la guerre particulièrement impopulaire en Russie et alimentent les griefs contre le tsarisme lors de la révolution de 1905. Fragilisé à l'intérieur et à l'extérieur par les défaites successives, le gouvernement russe fait appel à la médiation des États-Unis. Les négociations menées par le président Theodore Roosevelt (1858-1919) entre les deux États conduisent à la signature du traité de Portsmouth (5 septembre 1905). La Russie sort du conflit en obtenant des conditions moins rigoureuses qu'elle ne pouvait le craindre : renoncement à Port-Arthur en faveur des Japonais, au chemin de fer sud-mandchourien, à la moitié sud de Sakhaline et à toute prétention sur la Corée. **C. G.** ➤ **JAPON, RUSSIE ET URSS.**

GUERRE SINO-JAPONAISE Les

Japonais l'appellent *« Nichu senso »* pour la différencier de la guerre sino-japonaise de 1894-1895 (*Nisshin senso*). Déclenchée par l'incident du triple 7 (7 juillet 1937) au Pont Marco Polo, près de Pékin, elle s'achève le 15 août 1945. Depuis 1901, les Japonais patrouillaient autour de Pékin en vertu d'un protocole consécutif à la guerre des Boxeurs (1900-1901). Un soldat japonais peut-être parti uriner dans un buisson, disparaît un jour d'une manœuvre. Ses camarades le cherchent et échangent des coups de feu avec les Chinois. Il s'ensuit une escalade généralisée. Les Japonais occupent Pékin, gagnent le Sud, investissent Shanghai, remontent la vallée du Yangsi, forçant Tchiang Kai-chek (Jiang Jieshi) à transférer sa capitale à Chongqing. Bientôt maîtres de 20 % de la Chine, les Japonais subissent la guérilla des maquis communistes. Localement, ils forment des gouvernements fantoches. Celui de l'ancien leader nationaliste Wang Jingwei (1884-1944), à Nankin, est érigé par Tokyo en gouvernement officiel de la Chine. En décembre 1942, le Japon tente de compenser ses reculs dans le Pacifique par une politique de séduction à l'égard de celle-ci : c'est la « nouvelle politique pour la Chine ». Après 1944, les troupes japonaises soutiennent les nationalistes chinois qui affrontent désormais les communistes. Quand Douglas MacArthur reçoit la capitulation nippone sur le cuirassé *Missouri* (2 septembre 1945), un représentant chinois est présent. Mais la paix séparée avec la Chine nationaliste (Taïwan) n'interviendra qu'en 1952. Avec Pékin, les relations seront normalisées en 1972. **R. D.** **> CHINE, IMPÉRIALISME JAPONAIS, JAPON.**

GUERRES BALKANIQUES Les guerres balkaniques ont illustré les limites de la coopération politique et militaire entre les pays de la péninsule balkanique au début du XXᵉ siècle. En effet, leur alliance contre l'Empire ottoman s'est révélée fragile et a éclaté au moment du partage des territoires conquis. Entre mars et septembre 1912, la Serbie, la Bulgarie, la Grèce et le Monténégro signent des accords bilatéraux établissant une alliance balkanique, dont le but est d'obtenir la libération des territoires de la péninsule sous domination ottomane, mais aussi de contrer les visées impérialistes de l'Empire austro-hongrois et de l'Empire russe sur cette région. La dénomination de « guerre balkanique » s'appliquera à deux conflits armés. Le premier (octobre 1912-mai 1913) oppose la Serbie, le Monténégro, la Bulgarie et la Grèce à l'Empire ottoman. Le Monténégro est le premier à déclarer la guerre à l'Empire ottoman le 8 octobre 1912 ; il est rejoint par les trois autres États les 17 et 18 octobre 1912. Les victoires rapides des alliés balkaniques contraignent les autorités turques à chercher les bons offices des grandes puissances : un armistice est conclu le 3 décembre 1912 et des négociations sont entamées à Londres. En vertu de l'accord de paix du 30 mai 1913, l'Empire ottoman ne conserve qu'une partie de la Thrace, un État albanais est créé, la Bulgarie obtient une partie de la Thrace et l'est de la Macédoine, la Grèce se voit attribuer le sud-ouest de la Macédoine, tandis que la Serbie et le Monténégro se partagent les territoires à l'ouest de la Macédoine et au nord de l'Albanie. La seconde guerre balkanique (fin juin 1913-début août 1913) éclate après la victoire des alliés balkaniques sur l'Empire ottoman à propos du partage des territoires libérés. La Serbie et la Grèce se trouvent alors confrontées à la Bulgarie. Ces deux pays signent une convention militaire à caractère défensif le 1ᵉʳ mai 1913 et obtiennent le soutien de la Roumanie qui n'avait pas été impliquée dans le conflit contre l'Empire ottoman. La Bulgarie, soutenue par l'Autriche-Hongrie, renonce à une solution d'arbitrage et attaque les armées serbe et grecque dans la nuit du 29 au 30 juin 1913. Le 10 juillet 1913, la Roumanie déclare le guerre à la Bulgarie. L'Empire ottoman entre également en action et tente de reconquérir des territoires en Thrace orientale. La Bulgarie se retrouve prise dans un étau et n'a pas d'autre solution que de demander la paix. Les négociations se déroulent à Bucarest où l'accord de paix est signé le 10 août 1913. Cette seconde guerre marque la fin de l'alliance militaire balkanique. Les guerres balkaniques ont contribué à une redéfinition territoriale de la péninsule des Balkans, surtout de sa partie méridionale, au profit des États nés dans la région au cours du XIXᵉ siècle. L'un des résultats majeurs est la naissance d'un État albanais dont les frontières sont fixées à l'automne 1913. La Macédoine se retrouve morcelée et divisée entre la Serbie, la Bulgarie et la Grèce. La question macédonienne suscitera des tensions entre les États concernés tout au long du XXᵉ siècle. **Y. T.**

GUERRES ISRAÉLO-ARABES Cinq conflits militaires ont opposé Israël à ses voisins arabes après la création de l'État hébreu en 1948. Dès l'expiration du mandat britannique sur la Palestine et la déclaration d'indépendance d'Israël, les armées arabes interviennent. Cette première guerre s'achève le 7 janvier 1949, sur une défaite arabe. En 1956, la nationalisation du canal de Suez par l'Égyptien Gamal Abdel Nasser déclenche une intervention franco-anglo-israélienne en octobre-novembre (crise de Suez). L'armée israélienne s'empare du Sinaï. En 1967, au terme de la guerre « des Six-Jours », Israël occupe la Cisjordanie (dont Jérusalem-Est), la bande de Gaza, le Sinaï et le Golan. Le sort de ces Territoires occupés sera désormais au cœur du conflit. En 1973 (6-24 octobre), une nouvelle guerre oppose

Israël à ses voisins, c'est la guerre du « Kippour », ou guerre d'« Octobre ». Enfin, en 1982, après avoir commencé à bombarder le Liban, Israël envahit celui-ci, le 6 juin, puis fait le siège de Beyrouth pour en chasser les forces palestiniennes qui sont évacuées fin août. **> ACCORDS ISRAÉLO-ARABES.**

GUERRES MONDIALES > GRANDE GUERRE, SECONDE GUERRE MONDIALE.

GUERRES YOUGOSLAVES (1991-1995)

Les guerres yougoslaves font suite à l'éclatement de la deuxième Yougoslavie et aux indépendances de la Slovénie (25 juin 1991), de la Croatie (25 juin 1991) et de la Bosnie-Herzégovine (1er mars 1992). Elles ont pour enjeu principal la constitution d'États-nations homogènes, dans un espace yougoslave jusqu'alors caractérisé par l'imbrication de ses populations. La première de ces guerres oppose brièvement l'armée populaire yougoslave à la défense territoriale slovène (juin 1991, 49 morts). La deuxième oppose l'armée croate à l'armée yougoslave et aux forces de la « république serbe de Krajina » (août 1991-janvier 1992, 10 000 à 11 000 morts). La troisième, enfin, qui est de loin la plus longue (avril 1992-décembre 1995) et la plus meurtrière (150 000 à 250 000 morts), se déroule en Bosnie-Herzégovine et met aux prises une armée bosniaque majoritairement musulmane, les forces de la « république serbe » de Bosnie-Herzégovine soutenue par la Serbie, et les forces du Conseil de défense croate (HVO) soutenu par la Croatie. Cette troisième guerre yougoslave s'accompagne d'une brève mais brutale reprise des combats en Croatie (août 1995). En Slovénie, la défense territoriale slovène tient en échec une armée yougoslave mal préparée et peu motivée. En Croatie et en Bosnie-Herzégovine, en revanche, les « républiques serbes », fortes des cadres et de l'armement hérités de l'armée yougoslave, s'emparent d'une partie importante des territoires croate (30 % environ en janvier 1992) et bosniaque (65 % environ en mars 1993). De mai 1993 à mars 1994, l'éclatement d'affrontements croato-musulmans en Bosnie-Herzégovine conforte encore cette supériorité militaire serbe. Plusieurs années sont nécessaires aux armées croate et bosniaque pour renforcer leur cohésion et acquérir les armes dont elles ont besoin, en contournant l'embargo décrété le 25 septembre 1991 par le Conseil de sécurité de l'ONU. La création de la Fédération croato-musulmane, en mars 1994, se double d'une coopération militaire croissante et annonce un renversement du rapport de forces. Celui-ci a finalement lieu au cours de l'été 1995 : peu après la prise des enclaves musulmanes de Srebrenica et de Zepa par les forces serbes (14-26 juillet), une première offensive éclair de l'armée croate raye pratiquement de la carte la « république serbe de Krajina » (août) et une seconde offensive croato-bosniaque réduit la « république serbe » de Bosnie-Herzégovine à la moitié du territoire bosniaque (septembre-octobre). Cette vaste redistribution territoriale est sanctionnée par les accords de paix conclus à Dayton le 21 novembre 1995. En Croatie comme en Bosnie-Herzégovine, les guerres yougoslaves sont marquées par le recours à des milices de type politico-mafieux qui se substituent à une armée yougoslave déliquescente ou à des armées croate et bosniaque en cours de constitution. Par leurs pratiques de racket et de pillage, ces formations miliciennes accentuent encore le caractère « anti-civils » des guerres yougoslaves, qui se reflète aussi dans le siège et la destruction de plusieurs villes (Vukovar : août-novembre 1991 ; Sarajevo : avril 1992-octobre 1995 ; Mostar : mai 1993-mars 1994) et dans la pratique massive de « nettoyage ethnique », c'est-à-dire l'expulsion violente des populations civiles en fonction de critères ethniques (400 000 réfugiés et personnes déplacées en Croatie, 2 100 000 en Bosnie-Herzégovine). Enfin, les guerres yougoslaves sont caractérisées par une implication croissante des organisations internationales, comme l'illustrent le déploiement d'une Force de protection des Nations unies (Forpronu) en Croatie (février 1992) puis en Bosnie-Herzégovine (juillet 1992) et l'intervention militaire de plus en plus directe de l'OTAN (surveillance de la zone d'exclusion aérienne au-dessus de la Bosnie-Herzégovine en mars 1993, ultimatum aux forces serbes en avril 1994, bombardement des positions serbes en septembre-octobre 1995). Toutefois, les facteurs extérieurs qui ont le plus contribué au renversement du rapport de forces interne restent l'adoption par le Conseil de sécurité de l'ONU de sanctions économiques contre la partie serbe, en mai 1992, les pressions américaines pour la création de la Fédération croato-musulmane, dans les premiers mois de 1994, et la violation massive de l'embargo sur les armes par certains pays musulmans (avec l'aval implicite des États-Unis), à partir de mars 1994. **X. B.** **> BOSNIE-HERZÉGOVINE, CROATIE, QUESTION SERBE, SLOVÉNIE, YOUGOSLAVIE.**

GUESDE Jules Bazile, dit (1845-1922)

Homme politique français. Jules Guesde est l'une des principales figures de l'histoire du mouvement ouvrier français. Issu d'un milieu de petite bourgeoisie, il passe son baccalauréat. Hostile au Second Empire dès sa jeunesse, il devient rapidement républicain. Il est en 1870 l'un des fondateurs du journal républicain, *Les Droits de l'homme*. En 1871, il est condamné à cinq années de prison et à une lourde amende pour le soutien qu'il a apporté aux communeux. Étant parvenu à s'échapper en Suisse, il y fréquente les milieux anarchistes proches de Michel Bakounine (1814-1876). Ses lectures le tournent alors du côté de Pierre Joseph Proudhon (1809-1865). À son retour en France en 1876, il se prétend collectiviste. Il fonde *L'Égalité* et rédige en prison pendant l'hiver 1878-1879 un manifeste très inspiré de Marx. Cependant, c'est comme organisateur et homme d'action que s'illustre surtout le remarquable orateur qu'est J. Guesde, dont le marxisme est réputé dogmatique. En 1882, il crée son propre parti, le Parti ouvrier, qui prend en 1893 le nom de Parti ouvrier français (POF). La même année, il est élu député à Roubaix, mais est battu en 1898 et 1902. Pendant l'affaire Dreyfus, J. Guesde se démarque de Jean Jaurès et de plusieurs dirigeants socialistes en refusant de s'engager en faveur de la révision du procès de 1894 qui avait condamné le capitaine. Si la création de la SFIO (Section française de l'Internationale socialiste) en 1905 semble d'abord lui donner l'avantage, l'ascendant que prend J. Jaurès réduit sensiblement l'importance politique de J. Guesde, son principal opposant. En 1914, ce socialiste révolutionnaire devient ministre d'État sans portefeuille dans un cabinet de défense nationale. Il le reste jusqu'en 1916. **C. P.** **> FRANCE, SOCIALISME ET COMMUNISME (FRANCE).**

GUEVARA Ernesto, dit « Che » (1928-1967)

Révolutionnaire latino-américain. « Je suis né en Argentine ; ce n'est un secret pour personne. Je suis Cubain et Argentin aussi [...] et je me sens aussi patriote d'Amérique latine [...] Je serai prêt au moment opportun à donner ma vie pour la libération d'un pays d'Amérique latine, sans rien demander à personne, sans rien exiger, sans exploiter personne. » C'est ainsi que celui qu'on appelle familièrement « Che » répond en 1964 à l'ONU à l'interpellation d'un diplomate portant sur sa double nationalité. Engagé pour la première fois dans la lutte révolutionnaire en 1956 comme médecin à bord du bateau *Granma* qui se dirige du Mexique vers Cuba, Ernesto Guevara n'avait jamais été membre d'un parti communiste. Il prend part aux combats de la Sierra Maestra et devient commandant de l'Armée rebelle. Artisan de la prise de la ville de Santa Clara – qu'il ne connaît pas –, il inflige une défaite décisive aux troupes du dictateur Fulgencio Batista y Zaldivar (1901-1973). En janvier 1959, après la victoire, le guérillero, devenu président de la Banque nationale puis ministre de l'Industrie, voyage en URSS. Il apparaît très vite préoccupé par les problèmes que rencontre l'économie soviétique et il critique les conceptions mises en œuvre, dont il pressent l'échec. Il prend conscience de la décomposition du « socialisme réel » et en recherche les raisons dans les choix économiques plus que dans l'absence de démocratie. Il s'interroge sur la transition vers le socialisme et réfléchit à la stratégie de développement applicable dans un pays de monoculture. Face aux difficultés qui s'accumulent à Cuba, le « Che » fustige l'absentéisme, le manque de conscience professionnelle et les privilèges. Mais il propose une centralisation excessive de l'économie. Convaincu qu'il faut changer non seulement les rapports de production, mais aussi l'être humain pour donner naissance à un « homme nouveau », il s'interroge sur la façon de construire une société désaliénée. Loin d'une tentation totalitaire, son engagement se caractérise par le volontarisme et l'exemplarité, par lesquels il cherche à forcer les rythmes de l'évolution historique. **C**he Guevara est un homme pressé. Il est de plus en plus isolé au sein du groupe dirigeant castriste qui se rapproche des Soviétiques dont Guevara est la « bête noire ». Il rend publique sa critique de l'URSS dans un discours prononcé à Alger en février 1965. De retour à La Havane, et après une discussion secrète avec Fidel Castro, il ne réapparaîtra jamais publiquement jusqu'à son départ pour le Congo(-Kinshasa), puis pour la Bolivie. Tout en réaffirmant sa conviction « que les révolutions ne s'exportent pas, [elles] naissent dans le sein des peuples » (1964), il est convaincu qu'il faut « créer un, deux, trois Vietnam » pour disperser les forces de l'impérialisme. Il espère ainsi rompre l'isolement de la révolution cubaine et ouvrir un deuxième front pour aider la lutte des Vietnamiens contre les États-Unis. **Il** meurt le 9 octobre 1967 assassiné par un officier bolivien. L'ordre de l'exécution a été donné par la CIA (Central Intelligence Agency) américaine. Il avait été trahi par le Parti communiste bolivien contrôlé par Moscou et abandonné de tous, une tragédie évoquée à demi-mots dans son *Journal de Bolivie*. Plus de trente ans après, les raisons de son départ de Cuba n'étaient toujours pas élucidées. Parmi ses nombreux écrits, beaucoup n'ont pas été publiés. Ses restes ont été rapatriés à Cuba en 1997, ensevelis dans un mausolée lugubre à Santa Clara. **L'**aura du combattant, son refus des honneurs et des privilèges, sa conception éthique de dirigeant politique mettant en accord ses paroles et ses actes, son humanisme et son internationalisme font de Che Guevara une des grandes figures révolutionnaires du XXe siècle. **J. H.** **> CUBA.**

GUINÉE République de Guinée. Capitale : Conakry. Superficie : 245 860 km². Population : 7 360 000 (1999). **Ex**-colonie d'Afrique occidentale française (AOF), la Guinée est la seule à opter pour le « non » au référendum instituant la Communauté franco-africaine et accède à l'indépendance dès 1958. Son territoire se compose de quatre ensembles régionaux peuplés de groupes particulièrement individualisés : la Haute-Guinée, qui correspond à la partie méridionale des plateaux mandingues, dominée par les Malinké ; la Moyenne-Guinée, formée par les plateaux étagés du Fouta-Djalon, bastion des pasteurs peuls ; la Guinée-Maritime, abritant la capitale (Conakry), majoritairement soussou ; la Guinée-Forestière, prenant appui sur la Dorsale guinéenne (massif montagneux frontalier du Libéria et de la Sierra Leone) et territoire de différentes ethnies dont l'implantation déborde les frontières. **La** trajectoire politique de la Guinée est marquée par les conditions de sa rupture avec la France. Ancien leader syndical charismatique, auréolé du prestige lié à son statut de champion de l'anticolonialisme et du panafricanisme, Sékou Touré instaure à partir de 1958 un régime totalitaire, labellisé « révolution guinéenne », censé conduire à une décolonisation intégrale des structures du pays et à l'avènement d'une société socialiste grâce à l'action d'un parti-État, le Parti démocratique de Guinée. C'est en réalité une dictature civile des plus brutales qui s'impose. Tensions avec les pays voisins (Côte-d'Ivoire, Sénégal), tentatives externes de déstabilisation (attaque de Conakry par un commando portugais en 1971) et paranoïa de S. Touré (menace permanente supposée de la France, pseudo-complot peul en 1976) font glisser le régime vers la tyrannie (près de 50 000 victimes et 2 millions d'exilés, dont la majorité des intellectuels). Le décès de S. Touré en 1984 entraîne l'effondrement de son régime et, à la suite d'un coup d'État, la proclamation d'une IIe République dirigée par un Comité militaire de redressement national à la tête duquel est porté le colonel Lansana Conté (1934-). Une tentative de coup d'État contre cette dictature militaire, en 1985, est suivie d'une sanglante répression principalement dirigée contre les Malinké. La relative démilitarisation du régime à partir de 1991 (mue du CMRN en

Comité transitoire de redressement national ouvert à des civils, approbation par référendum d'une réforme constitutionnelle) et l'organisation des premières élections pluralistes (1993 et 1995) aboutissent à un système politique dominé par le Parti de l'unité et du progrès. L'opposition étant entravée, le régime fait face à des remous récurrents dans l'armée ainsi qu'aux contraintes (réfugiés, trafics d'armes...) liées à l'instabilité régnant dans les pays voisins. L. Conté est réélu en 1998 lors d'élections contestées.   Dotée d'un riche potentiel minier, hydraulique et agro-pastoral, l'économie guinéenne a été sinistrée : départ des entreprises françaises et suspension de toute aide de Paris en 1958, sortie de la <u>Zone franc</u>, étatisation de l'économie et exode des forces vives, détournement des ressources par les clans au pouvoir. Ayant normalisé ses relations avec la France en 1975, le pays s'est efforcé à partir de 1984 de sortir de ce marasme avec l'aide des bailleurs de fonds internationaux.   La politique extérieure guinéenne se caractérise par un neutralisme envers les grandes puissances et des relations tendues avec les voisins (Libéria, Sierra Léone). **M. E.**

GUINÉE-BISSAU   République de Guinée-Bissau. Capitale : Bissau. Superficie : 36 120 km². Population :   1 187 000 (1999).   Colonie portugaise, la Guinée-Bissau accède à l'indépendance en 1974 à la suite de la <u>révolution des Œillets</u> (1974) qui met fin à la dictature <u>salazariste</u> et après une longue lutte de libération menée, à partir de 1959, par le Parti africain pour l'Indépendance de la Guinée et du Cap-Vert (PAIGC), dirigé par une figure emblématique du combat révolutionnaire anticolonialiste : Amilcar <u>Cabral</u>. Entouré du Sénégal et de la Guinée, son territoire abrite une population composite (Balantes, Peuls, Manjaks, Mandingues).   Originaire du Cap-Vert, A. Cabral se voulait le chantre de l'association entre ce pays insulaire et la Guinée-Bissau continentale par l'intermédiaire du PAIGC. Après son assassinat (1973), son demi-frère Luis Cabral (1931-) lui succède à la tête du parti avant de devenir président de la République à l'indépendance. Appliquant des options

socialistes, réminiscences de l'aide obtenue des pays de l'Est pendant la guerre de libération, il sera accusé d'accorder trop d'importance aux Cap-Verdiens et renversé par un coup d'État militaire dirigé par le commandant Bernardo João Vieira (1939-) en 1980. Ce putsch entraîne la rupture avec le Cap-Vert et débouche sur l'instauration d'une dictature militaire s'appuyant jusqu'en 1991 sur le PAIGC. La relative démilitarisation du régime (premières élections pluralistes en 1994, nominations de civils aux postes de responsabilité) consacre la volonté de B. Vieira d'adopter des orientations plus libérales et d'ouvrir le pays aux partenaires occidentaux sans se mettre fin à la domination de l'ex-parti unique. À partir de 1998, la Guinée-Bissau traverse une crise institutionnelle liée à des facteurs externes (irrédentisme <u>casamançais</u>) et internes (tradition d'intervention en politique des militaires, trafics d'armes, poids des anciens combattants membres du PAIGC et opposés à la démocratisation). Ni les tentatives de règlement sous-régional, ni la destitution de B. Vieira par une junte militaire et encore moins l'élection de Coumba Yalla lors d'un scrutin pluraliste en 1999 ne rétablissent la stabilité.   Sans autres ressources d'exportation que l'arachide et la noix de cajou et n'ayant tiré aucun profit ni de la colonisation portugaise ni de la période socialiste, l'économie bissau-guinéenne est l'une des plus pauvres et des plus dépendantes d'Afrique. **M. E.**

GUINÉE ÉQUATORIALE   République de Guinée équatoriale. Capitale : Malabo. Superficie :   28 050 km². Population : 442 000 (1999).   Colonie espagnole (1778), la Guinée équatoriale a accédé à l'indépendance en 1968. Partiellement continentale (Rio Muni) et insulaire (Bioko), elle est peuplée de Fang et de Bubi. Ce pays est passé de la dictature civile instaurée en 1969 par Macias Nguema (1924-1979) à la dictature militaire du colonel Teodoro Obiang Nguema (1979). L'instauration du multipartisme par référendum (1991) n'a pas entraîné la libéralisation de la vie politique qui reste dominée par le Parti démocratique de Guinée équatoriale. T. Obiang Nguema est réélu en 1995 lors d'élections contestées. Sinistrée par vingt ans de gestion anarchique, la Guinée équatoriale a intégré sans succès la Zone franc en 1985. Sa croissance économique a été fortement dynamisée quand a commencé l'exploitation pétrolière. Ce boom s'est accompagné de poussées xénophobes. Attachée depuis 1979 à ne pas limiter son ouverture diplomatique à l'Espagne (France, Maroc, normalisation avec les voisins...), la Guinée équatoriale aspire à jouer un rôle sous-régional plus significatif. **M. E.**

GUOMINDANG, KUOMINTANG

Issu d'un groupe révolutionnaire chinois formé dès 1911, le Parti des nationalistes, ou Kuomintang (Guomindang dans la transcription *pinyin*), est mis hors la loi en 1913 par la dictature militaire de Yuan Shikai (1859-1916). Un premier gouvernement dirigé par Sun Yat-sen, entre 1917 et 1923, aboutit à la domination de presque toute la Chine, entre 1923 et 1927, grâce à l'alliance avec les communistes. Sun Yat-sen mort (1925), l'un de ses généraux, Tchiang Kai-chek (Jiang Jieshi), prend le pouvoir, rompt avec les communistes (mars 1927) mais ne parvient pas à mater les derniers « seigneurs de la guerre » (*dujun*). Les nationalistes développent alors surtout les régions qu'ils contrôlent, le Sud et la basse vallée du Yangzi (Shanghai-Nankin). En 1931, les Japonais envahissent la Mandchourie, créent en 1932 l'État du Mandchoukuo avec Pu Yi, l'héritier de l'impératrice Cixi renversée en 1911. Ils annexent la province du Jehol (elle disparaîtra en 1955) et tentent, en 1935, de constituer un gouvernement à leur solde en Chine du Nord. Dès lors, nationalistes et communistes n'ont plus qu'à s'unir pour se battre contre le Japon (Front uni). En 1937, la guerre sino-japonaise éclate et, dès l'année suivante, le Japon conquiert militairement toutes les villes côtières et industrielles. Les nationalistes se réfugient dans l'intérieur, au Sichuan, tout comme l'avaient fait les communistes après la Longue Marche de 1934-1935 du Jiangxi au Shaanxi. Après la défaite du Japon dans la Seconde Guerre mondiale, les nationalistes installent à nouveau leur gouvernement à Nankin en 1945. La guerre civile avec les communistes reprend en 1946 et se termine par l'exode des nationalistes à Taïwan, en 1949. La « République de Chine » y est proclamée. Le Kuomintang, longtemps parti unique, va y exercer pendant un demi-siècle un pouvoir absolu. L'alternance politique n'interviendra qu'à l'issue des élections du 18 mars 2000. **P. Ge.** **> CHINE, TAÏWAN.**

GUSMAO José Alexandre, dit Xanana (1946-) Résistant et homme politique timorais. Né le 20 juin 1946, à Manatuto (Timor oriental), José Alexandre Gusmao qui se fera connaître sous le nom de « Xanana », fils d'instituteur, qui a étudié au séminaire des jésuites et utilise le registre de la poésie, rejoint à la fin des années 1970 le Fretilin (Front révolutionnaire pour l'indépendance de Timor oriental), mouvement indépendantiste timorais en lutte contre l'occupation indonésienne. Divisé, le mouvement est alors presque exsangue. Son chef, Nicolau Lobato, est abattu en 1979. Lui succédant, Xanana, partisan de la modération, négocie en 1983 un cessez-le-feu qui n'aboutit pas. Préférant l'union nationale à l'orthodoxie révolutionnaire, il crée en 1987 le Conseil national de la résistance timoraise (CNRT) qui réunit toutes les tendances et mobilise la jeunesse contre la répression. Le charisme généreux de Xanana devient source d'inspiration. Bête noire des militaires indonésiens, il est capturé en 1992 et condamné à la prison à vie. Le chef de l'État indonésien Suharto commue cette peine en vingt ans de réclusion. Emprisonné à Jakarta, il participe après la chute de Suharto (1998) aux négociations préparant le référendum sur l'indépendance du 30 août 1999. Dans la crise qui suit, il fait preuve de ses qualités d'homme d'État en appelant à la réconciliation et en condamnant l'esprit de revanche. Libéré en septembre, il reçoit un accueil triomphal à son retour à Timor en octobre. Président du CNRT, il aide l'ONU à faire face à l'immense tâche de reconstruction, dans ce pays où le chômage provoque des explosions sociales. **F. C.-B.** **> TIMOR ORIENTAL.**

GUUAM Lancé en 1996 par la Géorgie, l'Ukraine, l'Azerbaïdjan et la Moldavie pour renforcer la coopération politique, économique et stratégique entre ces pays, le GUAM (sigle reprenant l'initiale du nom de chaque État membre) est devenu GUUAM avec l'adhésion de l'Ouzbékistan en 1999.

GUYANA République coopérative de Guyana. Capitale : Georgetown. Superficie : 214 970 km². Population : 855 000 (1999). Considéré depuis le XIXᵉ siècle comme une plantation de canne à sucre géante appartenant à la compagnie britannique Booker, ce pays d'Amérique du Sud est limitrophe du Vénézuela, du Brésil et du Suriname. Vaste mais peu peuplé, il connaît, en 1953, étant encore colonie britannique, un des premiers gouvernements marxistes librement élu dans l'histoire. Mais l'administration, dirigée par Cheddi Jagan (1918-1997), leader charismatique de la communauté hindoue, est renversée au bout de quatre mois par des troupes britanniques débarquées et appuyées par les États-Unis. On est alors en pleine Guerre froide. C. Jagan, grand défenseur d'une identité postcoloniale de la Caraïbe, revient au pouvoir par les urnes en 1957, mais est évincé en 1964 par les manœuvres du leader des Afro-Guyanais, Forbes Burnham (1923-1985), notamment aidé par la CIA (Central Intelligence Agency) américaine. F. Burnham est Premier ministre à l'indépendance (1966) et commence un règne faisant référence dans la région et dans le tiers monde, procédant à des nationalisations et défendant des thèses combatives. Mais le régime est de plus en plus gagné par la corruption et l'autoritarisme. Il se maintient au pouvoir par des fraudes électorales. Finie la Guerre froide, C. Jagan triomphe aux élections de 1992 et, converti social-démocrate, gouverne jusqu'à sa mort. Sa veuve Janet (1920-) lui succède en 1997. En 1999,

Bharrat Jagdeo (1964-) qui était considéré comme dauphin, est devenu à son tour président à l'âge de trente-cinq ans. Les relations entre les deux grandes communautés ethniques, dont la tension avait été entretenue par les colonisateurs, se sont détériorées dans les dernières années du siècle. **G. C.**

GUYANE FRANÇAISE Utilisée principalement par la France comme bagne tropical jusqu'en 1937, cette colonie limitrophe du Brésil et du Suriname est devenue en 1946 un département français d'outre-mer (DOM). Sa dépendance vis-à-vis de la métropole était particulièrement aiguë faute de production locale, malgré les potentialités des sols et des forêts. Un mouvement nationaliste de gauche s'est développé dans les années 1970, en réaction à l'indifférence de la France et à une forte immigration illégale venant des pays voisins (Brésil, Suriname), ainsi que de Haïti et de Sainte-Lucie. Un projet français de colonisation assistée, le Plan vert, a été lancé en 1975, mais sa mauvaise conception l'a vite fait échouer. Le Parti socialiste guyanais (PSG) a pu conserver le pouvoir pendant la dernière partie du siècle. Les activités liées à l'agriculture, à la pêche et aux minéraux se sont développées, mais l'économie de ce territoire est dominée par la base de lancement de satellites ouverte à Kourou en 1968 (le lanceur européen Ariane étant leader mondial). Des manifestations et des attentats, émanant des partisans de l'indépendance ou des tenants d'une large autonomie, ont illustré, à partir des années 1970, les blessures existant dans l'esprit des Guyanais. Trois indépendantistes ont été élus au Conseil régional en 1998, pour la première fois. **G. C.**

HACHED Ferhat (1914-1952)   Dirigeant nationaliste et syndical tunisien. Le syndicalisme en Tunisie a pris corps à l'initiative d'organisations françaises. Il a dépendu avant 1940 des socialistes de la CGT (Confédération générale du travail) et après 1943 des communistes qui la dominaient. Il faudra attendre le 20 janvier 1946 pour voir naître une centrale syndicale dirigée par les Tunisiens, l'Union générale tunisienne du travail (UGTT). Ce tournant marque le passage d'une vision ethnocentriste à une autre. On ne doit pas oublier pour autant que désormais les particularités du développement de la Tunisie sont prises en compte. On le doit à Ferhat Hached. Employé dès l'âge de quatorze ans à Sfax après de brillantes études primaires, ce leader syndical est né dans une famille de pêcheurs déshérités de l'île de Kerkennah. Sa trajectoire exprime le dynamisme et les limites de travailleurs à la recherche d'une émancipation nationale et sociale. F. Hached sait neutraliser l'islamo-nationaliste Cheikh Fadel Ben Achour (1909-1970), qui voulait mettre le monde ouvrier à la remorque des classes privilégiées. Il sait également mettre à profit la rivalité entre communistes et socialistes à l'échelle de la France pour se frayer un chemin en toute indépendance et sans compromission. Le chantage de la Fédération syndicale mondiale (FSM), qui préfère à l'UGTT, syndicat non aligné, l'Union syndicale tunisienne du travail (USTT), est pris en défaut quand F. Hached fait adhérer en 1949 l'UGTT à la Confédération internationale des syndicats libres (CISL) et projettera la création et l'unification de syndicats dégagés de l'influence communiste dans tout le Maghreb. Après l'arrestation de Habib Bourguiba et des dirigeants du Néo-Destour en janvier 1952, il apparaît comme le leader du nationalisme tunisien et le conseiller le plus écouté de Lamine Bey (1879-1964). Animateur de premier ordre, les autorités coloniales n'osent pas l'arrêter par crainte des réactions américaines. Le 5 décembre 1952, F. Hached est assassiné par des membres de « La Main rouge ». Aidé par les investigations du professeur anticolonialiste Charles-André Julien (1891-1997), l'historienne tunisienne Juliette Bessis a pu établir que derrière ce sigle se cachait les milieux de la Résidence (administration coloniale). Ce n'est donc pas un mystère si les pistes qui menaient à ses assassins ont été délibérément brouillées. **M. Ha.** ➤ TUNISIE.

HAILÉ SÉLASSIÉ Ier (1892-1975)
Empereur d'Éthiopie (1930-1974). Né prince Ras Tafari Makonnen, souverain autocrate, Haïlé Sélassié n'en est pas moins resté le symbole de l'Afrique indépendante. Régent, puis empereur (négus) d'Éthiopie en 1930 (negusa-nagash ou « roi des rois »), il poursuit la politique de modernisation de son prédécesseur Ménélik II et préserve son pays des entreprises coloniales. En 1935, il est victime de l'apathie des démocraties occidentales qui laissent l'Italie fasciste de Mussolini envahir l'Éthiopie (guerre d'Abyssinie). Symbole traditionnel de légitimité (la capitale et le pouvoir se trouvent là où est l'empereur), Haïlé Sélassié défend de l'extérieur les intérêts éthiopiens, en particulier dans un discours à la Société des nations (SDN) demeuré célèbre. L'ennemi chassé en 1941 avec l'aide des Britanniques, il recouvre la presque totalité du territoire et annexe l'Érythrée en 1962. Mais le monde de l'après-guerre a changé, et malgré le succès remporté par l'établissement à Addis-Abéba du siège permanent de l'Organisation de l'unité africaine (OUA), le maintien de structures politiques

d'un autre âge, l'inertie gouvernementale devant la sécheresse de 1973 et la guérilla indépendantiste érythréenne débouchent sur le coup d'État militaire de 1974. L'année suivante, le souverain est assassiné dans son palais. **B. N.   > ÉTHIOPIE.**

HAÏTI   République d'Haïti. Capitale : Port-au-Prince. Superficie :   27 750 km². Population :   8 087 000 (1999).   Haïti est entrée avec peu d'atouts dans le xxᵉ siècle, isolée qu'elle était dans la région caraïbe par sa langue (le français) et par la difficulté de faire reconnaître cet État qui fut construit d'anciens esclaves ayant arraché leur liberté à la France dès 1804. Les aventuriers politiques et militaires qui se sont succédé ont semé un tel désordre que les États-Unis, inquiets de l'influence des pays européens dans la Caraïbe, ont organisé un débarquement en 1915 et occupé le pays jusqu'en 1934. Ils ont laissé des infrastructures réalisées à l'aide de la corvée, une armée plus ou moins formée et une élite mulâtre au pouvoir.   En 1946, à la suite d'une effervescence progressiste, un militant de la cause noire, Dumarsais Estimé (1900-1953), est porté à la Présidence, mais ce n'est qu'en 1957 que les institutions de l'État commencent à être ébranlées par la dictature d'un autre Noir, François Duvalier (1907-1971). Celui que l'on surnomme « Papa Doc » fait assassiner pendant son règne des milliers d'opposants, réels ou imaginaires. Il se déclare « président à vie » et marginalise l'armée pour la remplacer par sa milice privée, les « tontons macoutes ». Il fait nommer son fils de dix-neuf ans, Jean-Claude Duvalier (1951-), pour lui succéder après sa mort. Maintenu en place par toute une structure d'intérêts, « Bébé Doc » assouplit légèrement la répression et une certaine stabilité permet quelques progrès économiques.   Son mariage en 1980 à une fougueuse femme de l'élite, Michèle Bennett, sonne le glas de cette dictature familiale. Elle s'écroule sous le poids de la corruption et de l'incurie en 1986. Des régimes militaires moins oppressifs lui succèdent, mais une première tentative d'organiser des élections libres, en 1987, échoue dans le sang (intervention de l'armée). En 1990, la voix des masses se fait pour la première fois entendre avec l'élection à la présidence d'un prêtre progressiste, Jean-Bertrand Aristide (1953-). L'armée, appuyée par une élite redoutant un véritable soulèvement populaire, le renverse sept mois plus tard.   Pendant la dictature militaire, entre 1991 et 1994, environ 3 000 personnes sont mortes du fait de la répression. L'économie a été dévastée par des sanctions internationales. Des milliers de Haïtiens ont fui vers les États-Unis en bateau, à tel point qu'en 1994 21 000 soldats américains ont envahi le pays pour rétablir J.-B. Aristide dans ses fonctions. Deux ans plus tard, après avoir dissous l'armée, ce dernier a dû céder le pouvoir à un prête-nom, René Préval (1943-), pour préparer son retour aux élections de 2000. **G. C.**

HALABDJA   Ville du Kurdistan d'Irak (environ 50 000 habitants en 2000), Halabdja est devenue le symbole du martyre des populations civiles victimes d'armes chimiques.   Dans sa lutte contre la guérilla kurde, Bagdad décide, à partir de 1987, d'utiliser des armes chimiques, fabriquées à partir d'un mélange de trois gaz. Ces armes sont d'abord utilisées à Kani Masi en septembre 1987, puis à Halabdja le 16 mars 1988 où elles font 5 000 morts. Les images de ce massacre filmé par une équipe iranienne frappent l'opinion publique occidentale, mais n'aboutissent pas à des sanctions à l'égard de l'Irak. Les armes chimiques sont, par la suite, massivement utilisées dans les campagnes kurdes, dans le cadre de l'opération dite *Anfal* (« butin », du titre d'un verset du Coran). Placée sous le commandement du général Ali Hassan al-Majid, cette opération fait quelque 180 000 victimes selon les estimations de l'organisation non gouvernementale Human Rights Watch et provoque un exode massif de la population civile. Les rescapés (quelque 600 000 personnes) sont parqués dans les « cités de la victoire » constituées dans les faubourgs des grandes villes irakiennes. **H. B.   > IRAK, QUESTION KURDE.**

HAMAS   Créé en 1987 dans le cadre de l'*Intifada* (« révolte des pierres »), Hamas, principal mouvement <u>islamiste</u> de <u>Cisjorda-nie-Gaza</u>, marque l'entrée des Frères musulmans palestiniens dans le domaine de la lutte de libération palestinienne, jusque-là menée au nom du nationalisme. À l'initiative du *cheikh* Ahmad Yassin, les Frères rompent ainsi avec des décennies d'activités limitées à la seule réislamisation de la société. Sous le slogan « La Palestine est islamique de la mer au Jourdain », Hamas se propose de conjuguer mobilisation morale et lutte politique, les Brigades Izz al-Dîn al-Qassam traduisant dans le domaine militaire son refus de reconnaître toute légitimité à l'existence d'Israël. En un temps record, le mouvement devient la principale force d'opposition à l'Organisation de libération de la Palestine (<u>OLP</u>). La mise en place de l'Autorité d'<u>autonomie</u> en 1994 l'oblige pourtant à s'interroger sur l'opportunité de ses activités militaires et même politiques. Progressivement, de nombreux militants se recentrent ainsi sur le domaine caritatif et religieux. **J.-F. L.** ➤ **QUESTION PALESTI-NIENNE, TERRITOIRES OCCUPÉS.**

HAN Ceux que chacun aujourd'hui appelle Chinois (*Zhongguoren*) ont longtemps été désignés par le terme *Hanren*, hommes appartenant à la dynastie des Han (de 206 av. notre ère à 220 après). Il s'agit d'un ensemble composite, constitué au départ de plusieurs populations appartenant au vaste groupe ethnique sinitique, auquel ont été agglomérés des peuples voisins. Huit sous-groupes linguistiques encore actifs aujourd'hui permettent de les distinguer, bien qu'une langue commune ait été largement diffusée : les Yue, Cantonais (60 millions environ en 2000) ; les Wu, autour de Shanghai (90 millions) ; les Xiang dans la province du Hunan (60 millions) ; les Gan du Guangxi (30 millions) ; les Minnan du Fujian du Sud, de Taïwan et de Hainan (45 millions) ; les Minbei du Fujian du Nord (15 millions) ; les Huizhou de l'Anhui (5 millions) ; les Hakka dispersés en Chine du Sud (45 millions). C'est dire que les populations de langue et de civilisation chinoises (les Han) bloc de plus d'un milliard d'individus répartis sur un territoire immense, de Java à la Sibérie et du Pacifique occidental à l'Asie centrale, ne constituent en aucune manière un tout homogène bien qu'elles partagent nombre de coutumes, une origine ethnique et linguistique commune (le sino-tibétain), un genre de vie agricole et une organisation sociale fondée sur le lignage d'origine et le clan. Au cours des derniers six mille ans, les Han ont absorbé diverses populations voisines, souvent qualifiées par eux de « barbares », au point qu'il est impossible de les reconnaître, sauf peut-être par l'analyse génétique. **P. Ge.** ➤ **CHINE.**

HAN DONGFANG (1963-) Dissident chinois, syndicaliste. L'un des fondateurs et dirigeants de la Fédération autonome des ouvriers de Pékin, Han Dongfang vivait en 1999 à Hong Kong. Durant les semaines euphoriques du mouvement démocratique de la place <u>Tian An Men</u>, au printemps 1989, il réussit à rassembler quelque 20 000 adhérents. Aussitôt considéré comme une organisation contre-révolutionnaire, cet embryon de syndicat autonome doit entrer dans la clandestinité. Han Dongfang passe vingt-deux mois en prison sans procès et ne doit sa libération qu'à une tuberculose qui mettait ses jours en péril. Expulsé vers les États-Unis en 1993, il tente de rentrer en Chine à de nombreuses reprises mais est à chaque fois reconduit à la frontière vers Hong Kong. Il est apparu comme le principal animateur et rédacteur du Bulletin des travailleurs chinois, diffusé clandestinement à l'intérieur de la Chine à plusieurs milliers d'exemplaires. **M. H.** ➤ **CHINE, DISSIDENCE ET OPPOSITIONS (CHINE).**

HASSAN II (1929-1999) Roi du Maroc (1961-1999). Dès son jeune âge, précoce en *Realpolitik* et féru d'histoire de France, le futur Hassan II se référait volontiers à Louis XI, non pas le « roi des cages et des oubliettes » mais le bâtisseur de royaume. Lorsque, le 23 juillet 1999, à soixante-dix ans, Hassan II s'est éteint, il avait rassemblé le Maroc, tel le « petit roi de Bourges » l'Hexagone, grâce à sa longévité au pouvoir, la ruse, la terreur et l'argent. Ni la question berbère, ni les séquelles des colonisations française et espagnole, pas plus que les rémanences du « grand féodalisme » ou l'ex-

plosif dossier du Sahara occidental n'ont dis-
loqué son royaume.   Quand, à trente-
deux ans, Hassan II accède au trône, le
1ᵉʳ mars 1961, nul n'aurait prédit ce destin
au prince héritier, un play-boy, qui succède
au « père de l'indépendance », Mohammed V (1957-1961), victime d'un accident
chirurgical. Le pays est en ébullition, la
guerre d'indépendance algérienne le menaçant de contagion, sa classe politique étant
prête à la lutte armée pour arracher
l'« indépendance totale », recouvrer le
« Maroc saharien », pour imposer le parti
unique ou la révolution. Complots et vagues
de répression alternent. En octobre 1963, la
« guerre des sables » est gagnée contre l'Algérie. En mars 1965, les émeutes de Casablanca, matées, font des milliers de victimes.
En octobre 1965, Mehdi Ben Barka, chef de
file de la gauche, est enlevé à Paris. Son
corps ne sera jamais retrouvé. Hassan II s'impose par la force.   Mais l'« étudiant
couronné » jouit aussi d'une réelle popularité
jusqu'aux deux tentatives de putsch de l'armée au début des années 1970. Il la renouvelle en ordonnant, en novembre 1975, la
« marche verte » afin de faire valoir la
« marocanité » du Sahara espagnol. Jusqu'à
la fin, son prestige international d'allié sûr de
l'Occident et d'honnête courtier au Moyen-
Orient restera intact. Mais, de plus en plus
méfiant et aigri, le monarque gouverne par
la crainte. « Au cours d'un règne, il y a souvent des obligations qui sont contraires au
droit », expliquera-t-il, lapidaire, à la veille
de sa mort. Quand celle-ci survient, les pru-
dentes réformes de la dernière décennie
n'ont pas encore effacé l'image de l'homme
au chapeau pointu, geôlier de son pays. Mohammed VI lui succède. **S. S.**   **> MAROC.**

HATTA Mohammad (1902-1980)
Homme politique indonésien. Sumatranais
(Minangkabau) et musulman, Mohammad
Hatta poursuit des études d'économie aux
Pays-Bas, où il dirige en 1926 l'association
des étudiants nationalistes, Perhimpunan
Indonesia, et noue des contacts internatio-
nalistes. Brièvement arrêté et jugé aux Pays-
Bas en 1928, sa défense *L'Indonésie libre*
popularise la cause nationaliste. Revenu en
Indonésie en 1932, partisan d'un parti de

cadres et d'une action éducative, il ne parvient pas à s'entendre avec Sukarno dont il
critique l'activisme. Il est de nouveau arrêté
en 1934 et déporté à Boven Digul (Irian),
puis à Banda Neira. Libéré par l'occupant
japonais, il dirige, avec Sukarno, plusieurs
organisations de mobilisation populaire en
faveur de l'indépendance qui sera proclamée
le 17 août 1945 (et acceptée par les Pays-
Bas seulement en 1949). **S**e déclarant
défenseur de la démocratie et des droits de
l'homme, il préconise une économie socialiste fondée sur la création de coopératives.
Devenu vice-président de la république
d'Indonésie, il constitue avec Sukarno, le
président, un *duumvirat* symbole de l'unité
nationale. En janvier 1948, il prend la tête
du gouvernement qui écrasera le Parti communiste en septembre, obtenant le soutien
des États-Unis pour la lutte d'indépendance
contre les Pays-Bas. Il dirige la délégation
indonésienne qui signe les « accords de la
table ronde » (1949), réglant le transfert de
souveraineté aux États-Unis d'Indonésie.
Premier ministre en 1950, il préside au rétablissement de la République unitaire. Les
États-Unis d'Indonésie – voulus par les Pays-
Bas qui souhaitaient diviser pour régner
encore – comprenaient seize États, dont la
République ; ils redeviennent une République unitaire quand les quinze États se rallient à la République le 17 août 1950. Il est
de nouveau vice-président en août 1950,
mais quand Sukarno propose de substituer
au parlementarisme un régime autoritaire
auquel les communistes seraient associés, il
démissionne (1956). Dans son pamphlet,
intitulé *Notre Démocratie* (1960), il exprime
son désaccord.   **A**près l'arrivée au pouvoir du général Suharto, il ne peut fonder le
Mouvement démocrate musulman qu'il
souhaite, mais accepte, en 1970, de faire
partie d'une commission anticorruption.
Bientôt désabusé quant à la possibilité de
corriger les abus du régime, il devient
opposant, mais conserve une certaine discrétion. **F. C.-B.**   **> INDONÉSIE.**

**HAUT COMMISSARIAT DES NATIONS
UNIES AUX DROITS DE L'HOMME**
Créé en 1993 par une résolution de l'Assem-
blée générale de l'ONU, le Haut Commissa-

riat des Nations unies aux droits de l'homme (siège à Genève) assure, sous la direction du secrétaire général de l'organisation, la responsabilité des activités des Nations unies dans le domaine des droits de l'homme. L'Irlandaise Mary Robinson a été la première titulaire du poste de haut commissaire.
> DROITS DE L'HOMME.

HAUT-KARABAKH Ancienne province du royaume de Grande Arménie, l'Artsakh, qui a vu se succéder les invasions et la domination des Arabes, des peuples turco-mongols et des Persans, a été annexé à l'Empire russe par le traité de Gulistan (1813). Réfugiée sur les hautes terres, la population arménienne du Karabakh (Karabagh en arménien) y est restée prédominante, préservant longtemps une relative autonomie sous la direction des princes locaux, les meliks. Un siège catholicossal de l'Église arménienne y subsiste, au monastère de Gandzassar, jusqu'en 1815. Les découpages administratifs tsaristes du XIXe siècle l'incluent dans diverses formations territoriales, en évitant la constitution d'entités ethniquement homogènes. De 1867 à 1917, elle fait partie du gouvernement d'Elisavetpol (Kirovabad/Gandja). Chouchi, sa capitale régionale, est alors l'un des centres culturels des Arméniens du Caucase. De 1918 à 1920, les républiques indépendantes d'Arménie et d'Azerbaïdjan se disputent férocement le contrôle de ce territoire, considéré de part et d'autre comme un sanctuaire. Avec le Nakhitchevan et le Zanguezour, le Karabakh constitue en effet un verrou stratégique pour les Arméniens et un corridor obligé entre les nationalistes turcs et azéris qui veulent faire leur jonction contre la Russie. Pogroms et incendies anéantissent le quartier arménien de Chouchi en février 1920. Après la soviétisation et la signature du traité d'amitié soviéto-turc de Moscou (16 mars 1921), le Karabakh est attribué à l'Azerbaïdjan par Staline (1921) et doté d'un statut de région autonome en 1923. Par la suite, les Arméniens n'y ont cessé de revendiquer leur rattachement à l'Arménie, au nom de la préservation de leurs droits nationaux et de leur sécurité. En février 1988, le vote d'autodétermination du soviet

régional du Haut-Karabakh, soutenu par des manifestations massives et des grèves à Stepanakert et à Erevan, et suivi des pogroms anti-arméniens de Soumgaït (27-29 février 1988) et des affrontements avec les Azéris, provoque une grave crise entre les deux républiques, en phase d'accès à la souveraineté. Les atermoiements de Moscou, jouant d'un nationalisme contre l'autre, n'ont fait qu'envenimer la situation. À l'action militaire et à l'abolition du statut d'autonomie par les autorités azerbaïdjanaises (fin novembre 1991), les Arméniens répliquent par la proclamation de l'indépendance du Haut-Karabakh, à l'issue d'un référendum-plébiscite (10 décembre 1991). Les combats se sont intensifiés par la suite (bombardements, blocus, guerre des communiqués, réfugiés, etc.) et la crise s'est internationalisée, avec des tentatives de médiation de la Russie, de la CEI (Communauté d'États indépendants), de l'OSCE (Organisation pour la sécurité et la coopération en Europe) et de l'ONU (Organisation des Nations unies). Dans le conflit, les Arméniens du Karabakh sont apparus militairement vainqueurs et ils ont établi, par un couloir (Latchine), une continuité territoriale de leur région avec l'Arménie. Ils ont aussi occupé une portion de territoire azerbaïdjanais, tandis que les forces de Bakou se rendaient maîtresses du nord du Haut-Karabakh. Mais, malgré un cessez-le-feu entré en vigueur en mai 1994 et la médiation de l'OSCE, aucune issue politique n'avait pu être trouvée à la fin de l'an 2000, le principe de l'autodétermination s'opposant ici à celui du respect de l'intégrité territoriale. **C. M.** **> ARMÉNIE, AZERBAÏDJAN.**

HAUTE-VOLTA > BURKINA FASO.

HAVEL Václav (1936-) Dramaturge et homme politique tchécoslovaque. Né à Prague, dans une famille riche et cultivée d'entrepreneurs, dont les biens furent nationalisés après 1948, le jeune Václav Havel éprouve des difficultés pour faire des études ; il ne termine ses études supérieures qu'en 1966, par correspondance. C'est alors déjà un dramaturge renommé dont les deux pièces, *La Fête en plein air* et *Le Rapport dont* *vous êtes l'objet* ont été montées par le théâtre Sur la Balustrade, à la pointe de la création de l'époque. **D**ès 1965, il s'engage en tant qu'essayiste politique, domaine qui aura probablement été l'activité essentielle de sa vie et qui marque de son empreinte ses pièces (*Audience* en 1975, inspirée de son expérience d'ouvrier dans une brasserie). Au cours des années 1970, il joue un rôle important dans l'opposition et se trouve parmi les initiateurs et les premiers porte-parole du mouvement de la Charte 77. En 1978, il est au nombre des cofondateurs du Comité pour la défense des personnes injustement persécutées (VONS). **A**yant déjà connu la prison en 1978, il est condamné en octobre 1979 et restera détenu jusqu'au printemps 1983 (sa correspondance avec sa femme aboutira à un ouvrage, *Lettres à Olga*, en 1985). Il écrit ensuite de nombreux essais, conceptualise sa vision du régime « totalitaire » et ses conceptions pour le combattre en s'affirmant comme partisan d'une « politique apolitique », de la « vie dans la vérité » ou de la « morale pratiquée ». **À** la tête du Forum civique, mouvement né après le 17 novembre 1989, il négocie le passage du pouvoir avec les responsables du régime en faillite (révolution de Velours). Le 29 décembre 1989, il est élu président de la République par l'Assemblée nationale (communiste), et réélu à ce poste début juillet 1990. N'ayant su empêcher la partition de la Tchéco-Slovaquie, il démissionne pendant l'été 1992, mais devient président de la nouvelle République tchèque en janvier 1993, mandat qui est renouvelé en 1997. **T**rès populaire après la chute du régime communiste, V. Havel voit son aura s'estomper peu à peu à l'intérieur du pays, y compris parmi ses amis politiques de jadis. Son approche moralisante de la vie publique, bien que souvent justifiée, ne comble pas l'absence de grandes idées porteuses et d'un manque de savoir-faire tactique. **K. B.**

> DISSIDENCE ET OPPOSITIONS (EUROPE DE L'EST), TCHÉCOSLOVAQUIE.

HCR   Créé en 1951, le Haut Commissariat des Nations unies pour les réfugiés (HCR, UNHCR - United Nations High Commissioner for Refugees, siège à Genève) est un organe de l'ONU qui assure protection juridique et aide matérielle aux réfugiés sur des bases strictement humanitaires. Le HCR compte 60 bureaux dans le monde entier pour s'occuper des quelque 20 millions de réfugiés et environ 25 millions de personnes déplacées dans leur propre pays.

HEIMAT (Allemagne)   Redécouverte à la fin du XVIIIe siècle par le publiciste Justus Möser, l'idée de *Heimat* (littéralement « lieu où l'on se sent chez soi », devenu tel par la grâce de la naissance ou des circonstances) se nourrit à partir des guerres de libération napoléoniennes d'un double courant : d'une part une redécouverte de la nation par les romantiques – aidés en cela par les réalisations des frères Grimm –, illustrée par les œuvres des peintres Carl Spitzweg ou Hans Thoma ; d'autre part un retour aux valeurs simples, liées à la terre et au « pays », rassurantes dans un XIXe siècle bouleversé par l'industrialisation. Réutilisée par l'idéologie national-socialiste, la notion de *Heimat* va connaître après guerre une fortune nouvelle autant dans la chanson que dans le cinéma ouest-allemand : alliant idylles bucoliques et vues panoramiques de paysages régionaux, le *Heimatfilm* – dont *Grün ist die Heide (Verte est la lande)* ou *Der Förster vom Silberwald (Le Garde forestier de Silberwald)* constituent les plus beaux exemples – propose en effet, outre un contrepoids à une reconstruction et à une modernité envahissante, la redécouverte, après le chaos et les ruines, de valeurs telles la richesse patrimoniale et la famille, et une réponse autant qu'une consolation au malheur des rapatriés (*Heimatvertriebene*), dont l'intégration doit être ainsi facilitée. Le succès enregistré à la fin des années 1980 par la série télévisée *Heimat* confirme en dernier ressort l'importance de ce fil rouge de l'histoire allemande contemporaine. **L. B.**   **> ALLEMAGNE.**

HEINEMANN Gustav (1899-1976)
Homme politique allemand. Né dans un milieu modeste, Gustav Heinemann entame en 1919 des études de droit. Devenu juriste, il fait carrière au sein des Aciéries du Rhin (Rheinstahl-Werke) dont il reste membre du conseil de surveillance jusqu'à l'année 1950.

Ramené vers la religion par sa femme, il s'engage en 1933 dans la bataille que se livrent les Églises protestantes et le pouvoir nazi et contribue, aux côtés du théologien Karl Barth (1886-1968), à l'élaboration de la déclaration de Barmen (1934), texte fondateur de l'Église confessante. Membre en 1945 du Conseil de l'Église évangélique allemande (EKD), cofondateur de l'Union chrétienne-démocrate (CDU) à Essen dont il devient maire en 1946, il est, en 1949, ministre du gouvernement Adenauer. Il en démissionne avec éclat en 1950 pour protester contre les projets de réarmement du chancelier. Il fonde alors l'éphémère Parti du peuple allemand tout entier (Gesamtdeutsche Volkspartei) qui ne survit pas à son échec aux élections législatives de 1953. Après avoir repris ses activités en tant qu'avocat, G. Heinemann se rapproche du Parti social-démocrate (SPD) qui, en 1966, lui confie le poste de ministre de la Justice dans le gouvernement de grande coalition. Il s'emploie alors à débarrasser le Code pénal d'articles qu'il juge dépassés, tels ceux réprimant l'adultère et l'homosexualité. Élu à la présidence de la République en 1969, où il se signale par sa compréhension à l'égard des mouvements étudiants et sa conception très moderniste de la démocratie, il incarnera, avec Willy Brandt, cette volonté de renouveau, cette « ère des possibles » qui caractérisera le début des années 1970. Il meurt à Essen après avoir, en 1973, refusé de briguer un second mandat pour raisons de santé.
L. B. ➤ ALLEMAGNE.

HELSINKI (accords d')   La conférence d'Helsinki (30 juillet-1er août 1975) conclut des travaux engagés depuis 1973 et associant tous les pays européens, des régions occidentales comme orientales, les États-Unis, le Canada et l'URSS. Elle a pour but de réduire les tensions en Europe et de prévenir les situations d'affrontement entre le pacte de Varsovie et l'OTAN (Organisation du traité de l'Atlantique nord). Les accords prévoient des coopérations entre Est et Ouest, ainsi que la reconnaissance des conventions internationales concernant les droits de l'homme (mais sans véritable procédure de contrôle). Ils donnent naissance à la Conférence sur la sécurité et la coopération en Europe (CSCE).

HERZL Theodor (1860-1904)   Fondateur du sionisme politique. Né à Pest, fils de la bourgeoisie juive assimilée hongroise, Viennois depuis 1878, Theodor Herzl est d'abord attiré par le nationalisme allemand, mais celui-ci est gangrené par l'antisémitisme moderne dont la capitale austro-hongroise est un laboratoire. Toutefois, la question juive ne devient obsession chez lui qu'entre 1891 et 1895, lorsque, journaliste, il séjourne dans le Paris du scandale de Panama et des débuts de l'affaire Dreyfus. Au printemps 1895, sa vie bascule : à ses yeux, la solution du « problème juif », d'essence nationale, est étatique. Que les Juifs puissent fonder sur une terre légalement acquise – en Palestine ou en Argentine – un État garanti par le droit international, et l'antisémitisme disparaîtrait. À ce sionisme « politique » exposé dans Der Judenstaat, Versuch einer Modernen Lösung der Judenfrage (« L'État des Juifs, essai d'une solution moderne de la question juive », Leipzig, Munich, 1896) il échoue à rallier les magnats comme les grandes composantes – marxiste, « israélite » et religieuse orthodoxe – du monde juif. Seule le suit une fraction des « Amants de Sion », un petit mouvement antésioniste et philopalestinien d'Europe orientale, moyennant un compromis scellé au premier congrès sioniste (Bâle, 1897), qui laisse à T. Herzl le soin de convaincre les Puissances. Pourtant, à sa mort, c'est l'impasse : la Turquie refuse toute concession territoriale ou juridique en Terre sainte et ses tractations avec les Britanniques, notamment le projet en 1903 d'un « asile de nuit » en Ouganda – que T. Herzl concevait comme une étape vers la Palestine –, mettent à mal le mouvement. Mais l'Organisation sioniste mondiale (OSM) est déjà assez solide pour poursuivre une action qui aboutit à la création, en 1948, de l'État d'Israël.
C. N. ➤ ISRAËL, SIONISME.

HEZBOLLAH (Liban)   « Parti de Dieu », le Hezbollah est fondé au Liban en 1982 par des dissidents du mouvement chiite Amal, sous l'égide de l'Iran khomeyniste et avec le soutien de la Syrie. Il devient rapidement l'un des acteurs essentiels de la guerre civile (1975-1991) et n'hésite pas à recourir au terrorisme et à la prise d'otages. Au sortir de la guerre, l'intégration politique et sociale du parti, présent au Parlement à compter de 1992, fait passer au second plan l'objectif d'établissement d'un État islamique au Liban. Fidèle à son hostilité à Israël, le Hezbollah est la seule organisation autorisée par la Syrie à poursuivre, après 1991, la résistance armée à l'occupation israélienne du Sud-Liban. La reconnaissance du rôle déterminant du Hezbollah dans le retrait israélien (24 mai 2000) de cette zone parachève sa légitimation politique. **L. V.** **> LIBAN.**

HIROHITO (1901-1989)   **E**mpereur du Japon (1926-1989). Hirohito, devenu à sa mort l'empereur Showa, du nom de l'ère couverte par son règne, est né en 1901. Il a succédé, en 1926, à son père l'empereur Taisho (1879-1926). Le journaliste britannique Edward Behr parle à son propos d'« ambiguïté » politique. Pendant la Seconde Guerre mondiale, Hirohito règne sur un pays dont l'armée se rend coupable d'atrocités. Après la défaite, en août 1945, les opinions occidentales réclament, sinon sa tête, du moins son procès. Le Tribunal militaire international de Tokyo ne le citera même pas. Les Américains « pro-Japonais », qui s'opposent aux « pro-Chinois », l'ont emporté. Contre la promesse, implicite, de soutenir la politique d'occupation des États-Unis au Japon et, plus largement, la politique américaine en Extrême-Orient, ils ont blanchi l'empereur au nom duquel avaient pourtant été menées les différentes agressions de l'impérialisme japonais en Asie orientale, tout au moins depuis 1931. **D**evenu au fil des ans un grand-père paterne qui cultive son jardin ichtyologique secret, l'empereur Showa s'est ensuite fort bien prêté au jeu de la médiatisation qu'attendait de lui et de sa famille la société japonaise. Certains parleront de continuité entre les deux vies d'Hirohito, ce qui peut être plausible, tant il est vrai qu'avait été inventée, après la Restauration de Meiji (1868) qui fut une période d'ouverture et de

modernisation, et au contact de l'Occident, une « pompe impériale », dont on peut considérer qu'il fut aussi le produit. Mais surtout, il a été le symbole de la division de la société japonaise et de celle entre cette société et le reste du monde après avoir renoncé à sa divinité en 1946. Si « tout empire ne doit pas nécessairement périr », l'empereur Showa est, quant à lui, mort en janvier 1989, au terme du plus long « règne » qu'a connu un souverain nippon. Son entourage, notamment Kido Koichi, l'avait pourtant un moment pressé d'abdiquer, afin de « solder le passé ». Ses funérailles, auxquelles se pressèrent les représentants de presque toute la communauté internationale, et, plus largement, les succès économiques du Japon après 1945 ne le permirent cependant pas, laissant à d'autres, à commencer par son fils Akihito (1933-), le soin d'assumer le passé, ce que de nombreux pays asiatiques attendaient encore à l'aube du XXIe siècle. **C. S.**   **> JAPON.**

HIROSHIMA   **L**e 6 août 1945 à 8 h 15, un B 29 américain lâche sur la ville d'Hiroshima au sud-ouest de l'île principale de Honshu, au Japon, une bombe atomique à uranium baptisée *Little Boy*, qui éclate à 300 mètres de hauteur. Trois jours plus tard, le 9 août, une autre bombe atomique est lâchée sur Nagasaki dans l'île de Kyushu. Le 15 août, une annonce de l'empereur du Japon, Hirohito, met fin aux hostilités engagées contre les États-Unis le 7 décembre 1941 par le bombardement de la flotte américaine du Pacifique à Pearl Harbor. Entre ces deux bombardements, trois années en effet de guerre du Pacifique intense auront eu pour enjeu le contrôle de l'océan. Le programme nucléaire américain qui a mobilisé plus de 125 000 personnes causera la mort de 130 000 civils japonais à Hiroshima et de 90 000 à Nagasaki.   **L**es Japonais diront plus tard qu'ils avaient fait des offres de paix aux États-Unis que ceux-ci connaissaient lors de la conférence de Potsdam le 26 juillet 1945. Pour les Japonais, les tragédies d'Hiroshima et *a fortiori* de Nagasaki pouvaient être évitées.   Staline avait promis qu'il attaquerait le Japon trois mois après la fin de la guerre contre Hitler. Promesse tenue : le 8 août 1945, les chars soviétiques attaquent la <u>Mandchourie</u>, colonie japonaise. Les États-Unis veulent autant impressionner les Soviétiques, dont ils pensent qu'ils cherchent à obtenir une partition du Japon, que défaire les Japonais. Hiroshima et Nagasaki marquent la fin de la Seconde Guerre mondiale.   L'éclair de mort de la bombe que les Japonais nomment « *Pika-don* » (éclair et déflagration) aura détruit près de 80 % de la ville. Sur un rayon de deux kilomètres tous les habitants mourront, les autres développeront ultérieurement plusieurs types de cancer (gorge, peau, estomac, sang, glandes salivaires...).   Hiroshima, fondée en 1589, est longtemps restée un petit port de la mer intérieure du Japon. Il s'est rapidement développé du fait de la guerre sino-japonaise (1894-1895), servant de base arrière à l'armée de terre (quartier général de la 2e armée) et abritant d'importantes usines de munition près d'un port de guerre protégé. Prospérité et malheur dus à la guerre en Asie, Hiroshima se veut aujourd'hui ville symbole. Des millions de touristes ont déjà visité le mémorial de la paix ouvert en 1955. **J.-F. S.   > JAPON, SECONDE GUERRE MONDIALE.**

HITLER Adolf (1889-1945)   Chancelier puis *Führer* de l'Allemagne nazie (1933-1945). Adolf Hitler naît le 20 avril 1889 à Braunau (Autriche), à la frontière allemande (il sera naturalisé allemand en 1932). Son père exerce le métier de douanier. La Première Guerre mondiale le soustrait à une bohème viennoise impécunieuse. Lors de ses séjours en première ligne et dans l'humiliation de la défaite, il puise deux de ses certitudes majeures : le culte de la méritocratie et la croyance en la nécessité de l'éradication d'un judaïsme perçu comme désagrégateur de l'arrière. Et quand la Wehrmacht (armée) saignera sur le front russe, lui reviendra la promesse faite alors à la « juiverie mondiale » : « Toute nouvelle défaite allemande doit être payée du prix fort de l'anéantissement ».   Hitler adhère en 1919 à un groupuscule ultranationaliste, le Parti ouvrier allemand (DAP), qui est rebaptisé « Parti ouvrier allemand national-socialiste » (NSDAP, ou Parti « nazi ») et dont il

prend la direction en 1921 avec l'aide du capitaine Ernst Roehm (1887-1934). Ce dernier organise la milice paramilitaire des SA (Sturmabteilung, Section d'assaut – ou « chemises brunes »). Hitler est emprisonné à la suite d'un putsch avorté en Bavière, le 9 novembre 1923, organisé avec l'aide du général Ludendorff (1865-1937) et au cours duquel Hermann Goering (1893-1946) est blessé. Il dicte en prison à Rudolf Hess (1894-1987) son manifeste politique *Mein Kampf* (*Mon Combat*, 1924). Il entreprend, accompagné de Joseph Goebbels (1897-1945), de courtiser les industriels.   **La liquidation de la République de Weimar.** Du jour où Heinrich Brüning (1885-1970) est nommé au poste de chancelier (30 mars 1930), les gouvernement successifs ne bénéficient plus de la majorité parlementaire ; ainsi sont-ils dépendants du président. Alors que H. Brüning était resté partisan de l'État de droit, ses successeurs s'orientent de plus en plus vers une dictature présidentielle, encouragée par l'association du NSDAP au pouvoir. La crise économique et l'aggravation constante du chômage, mais aussi l'incapacité du Reichstag à faire émerger une majorité démocratique, consolident le succès des partis extrémistes. Le 31 juillet 1932, le NSDAP obtient 37,2 % des suffrages et le KPD 14,2 % ; dès lors est exclue toute coalition majoritaire démocratique.   Le NSDAP ayant le plus de députés au Reichstag, son *Führer* (guide) exige le poste de chancelier ; les « chemises brunes » sèment la terreur dans la rue. Le président von Hindenburg (1847-1934) hésite jusqu'au 30 janvier 1933 avant de le nommer. Le gouvernement d'Hitler prend ensuite prétexte de l'incendie du Reichstag, le 27 février 1933, pour suspendre les droits constitutionnels et entamer des poursuites contre les représentants de l'opposition, en particulier le Parti communiste (KPD) et le Parti social-démocrate (SPD). Après les élections du 5 mars, les 81 députés du KPD et quelques représentants du SPD sont incarcérés au mépris de toute légalité. Le Reichstag, réuni de façon tout aussi illégale le 23 mars, vote la « loi sur les pleins pouvoirs » pour une durée de quatre ans. Les suffrages du Parti du centre (Zentrum) et des libéraux sont neutralisés par un mélange de menaces et de promesses. Entre 1933 et 1934, l'État, la société et l'économie sont mis au pas au moyen de la terreur. Lorsque, le 2 août 1934, le vieux maréchal von Hindenburg meurt, Hitler prend « tout naturellement » sa place en tant que Führer et chancelier. **La marche à la guerre.** Jouant du rejet des conditions du traité de <u>Versailles</u> (le « *Diktat* » de 1919), il projette de réunir tous les Allemands et d'étendre leur espace vital (*Lebensraum*). Il engage le réarmement du pays (1935), établit avec l'Italie <u>fasciste</u> de <u>Mussolini</u> l'<u>Axe</u> Rome-Berlin (1936), envahit en 1938 l'Autriche (<u>Anschluss</u>) et prépare les conditions d'un démembrement de la Tchécoslovaquie où vit une importante minorité allemande (<u>Sudètes</u>). Les accords de <u>Munich</u>, signés en septembre 1938 avec la France et le Royaume-Uni, lui laissent les mains libres. Les pressions exercées pour récupérer le corridor de <u>Dantzig</u> aboutissent à l'invasion de la Pologne (1er septembre 1939) et à l'embrasement de la <u>Seconde Guerre mondiale</u>. Hitler s'était assuré de la neutralisation de Moscou – intéressé au dépeçage de la Pologne, parmi d'autres territoires – par le <u>Pacte germano-soviétique</u> (août 1939). Après avoir poussé ses lignes à l'ouest, l'Allemagne se retourne, en 1941, contre l'Union soviétique. Elle sera arrêtée à la bataille de <u>Stalingrad</u> (novembre 1942). Prolongement des politiques criminelles menées contre les Juifs, les Tsiganes, les « malades mentaux » et les homosexuels, la « <u>solution finale</u> » a, entre-temps, été engagée. **Les déconvenues du front de l'Est facilitent le complot contre Hitler du 20 juillet 1944. Presque jusqu'au bout, il va caresser l'espoir d'un retournement de situation. Il est décidé à demeurer à Berlin, investie par l'<u>Armée rouge</u>. Le 28 avril, la nouvelle du double-jeu anglo-saxon de Heinrich Himmler (1900-1945) constitue le coup de grâce. Lorsque le 30 avril, il se suicide, il a intronisé son successeur, le grand amiral Karl Doenitz.

> ALLEMAGNE, NAZISME.

HO CHI MINH (Nguyen Tat Thanh, dit) (vers 1894-1969) Dirigeant communiste vietnamien, chef d'État (1954-1969). Nguyen Tat Thanh – qui se fera appeler Ho Chi Minh à partir de 1942 – naît entre 1890 et 1894 au village de Hoang Tru, province du Nghe An. Son père, mandarin de district au Sud-Annam, est révoqué en 1910 pour faute grave et plonge dès lors dans l'errance. Thanh, qui n'a pas terminé ses études primaires, part pour la France en 1911. À Paris, en 1919, il rejoint la grande figure du nationalisme réformiste Phan Chan Trinh et adresse avec le groupe de Trinh, sous le nom de Nguyen Ai Quoc, les « Revendications du peuple annamite » à la Conférence de paix de 1919. Il adhère à la SFIO (Section française de l'Internationale ouvrière) en 1920, puis opte pour le PCF (Parti communiste français). L'un des premiers communistes « coloniaux », il fonde le journal *Le Paria*, puis gagne Moscou en juin 1923, après avoir écrit avec Nguyen The Truyen *Le Procès de la colonisation française*, publié en 1926. Tout en étant formé à l'Université des travailleurs d'Orient, il construit sa vision « nationale » du communisme, à laquelle, en militant un peu marginal, mal aligné, mais discret et efficace, il restera toujours fidèle. **En** Chine à partir de 1925, où il est le représentant du <u>Komintern</u> pour le Sud-Est asiatique, il crée à Canton la même année une organisation protocommuniste, le Thanh Nien Dong Chi Hoi (La Jeunesse révolutionnaire du Viet Nam) ; puis il fonde à Hong Kong en février 1930 le <u>Parti communiste vietnamien</u> (PCV), devenu un peu plus tard le Parti communiste indochinois (PCI), et enfin les partis communistes du <u>Siam</u> et de Malaisie. Condamné à mort par la justice française, arrêté en juin 1931 par les Britanniques, alors qu'éclate en Indochine la grave crise révolutionnaire de 1930-1931, il échappe de justesse à l'extradition, est libéré en janvier 1933 et gagne Moscou, qu'il quitte en 1938 à destination de Yanan, capitale de la « Chine rouge » de <u>Mao Zedong</u>. **C'**est à la frontière du Yunnan qu'il réapparaît en avril 1940 pour fonder dans la Haute-Région du Tonkin une « région libérée » et constituer une nouvelle direction du PCI avec de jeunes militants hanoiens : <u>Vo Nguyen Giap</u>, <u>Truong Chinh</u>, Pham Van Dong. Ainsi naît, en mai 1941, le front Vietminh, dont les activistes, armés grâce à l'aide américaine, s'implantent parmi

les minorités ethniques du Nord puis, après le coup de force japonais du 9 mars 1945 contre l'administration coloniale française, s'infiltrent dans le delta. La révolution d'août 1945 porte au pouvoir le Vietminh, et donc le PCI. Nguyen Ai Quoc, devenu Ho Chi Minh, forme un gouvernement provisoire le 29 août. C'est pour lui un incroyable triomphe personnel : son charisme, sa séduction, son intelligence politique font de « Bac Ho » (l'oncle Ho) le leader incontesté de la nouvelle nation. Le révolutionnaire professionnel est désormais un mythe collectif, la figure charismatique de la nation. Il gagne du temps en négociant avec les Chinois et les Français, se rend à cet effet à Paris en 1946, puis lance l'appel à la résistance quand éclate, en décembre 1946, la guerre d'Indochine. Replié avec l'appareil de la RDV (République démocratique du Vietnam) et du PCI dans l'inaccessible Haute-Région du Tonkin, il est l'inlassable animateur de la guerre de résistance. Au moment de la conférence qui débouche sur les accords de Genève, il se rend aux arguments du Chinois Zhou Enlai, qu'il rencontre secrètement du 3 au 5 juillet 1954, et sait convaincre ses compatriotes d'accepter la partition du Vietnam. Chef de l'État durant les deux décennies d'existence officielle de la RDV, il cautionne d'abord la terrible réforme agraire de 1956, puis bat en retraite et remplace Truong Chinh comme secrétaire général du Parti de 1956 à 1960. Acteur décisif de la seconde guerre du Vietnam qui s'engage au Sud en 1955, il obtient l'aide chinoise et soviétique et sait mettre la légitimité nationale du côté de la RDV et du FNL. Vers 1965, il est avec Che Guevara le héros de la jeunesse radicale dans le monde. Pourtant, dès 1965, il n'a plus guère de pouvoir réel. Il meurt le 2 septembre 1969. Le pouvoir communiste, après avoir érigé ses conceptions en doctrine officielle (la « pensée Ho Chi Minh »), fait de son image mythique le palladium idéologique et en quelque sorte le génie protecteur du régime.
D. H.   > VIETNAM.

HOME RULE   À la différence des républicains qui réclamaient l'indépendance, les nationalistes irlandais ne demandaient, au xixᵉ siècle, qu'une forme d'autonomie permettant aux Irlandais de se gouverner eux-mêmes, tout en restant au sein du Royaume-Uni. Une première campagne menée par Daniel O'Connell (1775-1847) dans les années 1840 échoua. Une deuxième, avec à sa tête Charles Stewart Parnell (1846-1891), obligea Londres à introduire un premier projet de Home Rule en 1886, soldé par un échec. Il en alla de même, en 1893, lors du vote sur le deuxième projet, présenté, tout comme le précédent, par le Premier ministre William Ewart Gladstone (1809-1898). Le troisième projet (1912), qui rencontra une opposition totale de la part des unionistes et du Parti conservateur (Tories), fut approuvé en 1914, mais son application fut aussitôt suspendue en raison du déclenchement de la Grande Guerre. Elle sera mise en œuvre dans la seule Irlande du Nord, dès sa création par la loi de 1920. **P. B.   > IRLANDE, ROYAUME-UNI.**

HOMELAND > BANTOUSTAN.

HONDURAS   République du Honduras. Capitale : Tegucigalpa. Superficie : 112 090 km². Population : 6 316 000 (1999). À partir de 1876, une série de réformes libérales permit de consolider la formation de l'État hondurien après la période d'anarchie qui succéda à l'échec de la Fédération centraméricaine en 1839. Au xixᵉ siècle, la vie politique est marquée par l'hégémonie de deux grandes formations : le Parti libéral et le Parti national, guère différenciés sur le plan idéologique, ainsi que par le poids de l'armée. Aux exportations traditionnelles, de minerais et de viande, est venu s'ajouter à la fin du xixᵉ siècle un produit bientôt hégémonique qui allait jouer un rôle central dans la vie économique et politique du pays, justifiant le qualificatif de « république bananière » et les constantes interventions des États-Unis en défense des intérêts d'entreprises comme la United Fruit qui possèdent vers 1910 80 % de la surface de plantation du pays. La guerre civile de 1924, déclenchée quand le président sortant Rafael López Gutiérrez, en l'absence de majorité absolue permettant de désigner son successeur légitime, se proclame dictateur, est le prétexte d'une de ces interventions, qui voit les *Marines* entrer à Tegucigalpa. L'essor de la monoculture bananière donne naissance à un mouvement syndical fort dont les grèves, à la suite de la <u>crise de 1929</u> et de la crise des exportations, sont durement réprimées par l'armée en 1932. Le « *caudillo* » Tiburcio Carías Andino se maintient au pouvoir de 1933 à 1948 à coups de réélections frauduleuses et de répression sanglante, comme l'illustre le massacre du 6 juillet 1944 à San Pedro Sula. Il est remplacé par l'un de ses partisans, Juan Manuel Gálvez (1949-1954), dont le régime, né d'élections auxquelles aucun parti n'accepte de participer, doit affronter la plus grande grève de travailleurs agricoles de l'histoire centraméricaine en 1954. C'est la même année que se prépare depuis le territoire hondurien le renversement du régime nationaliste guatémaltèque de Jacobo Arbenz, à l'instigation de Washington qui agite le fantasme de la menace communiste. Cette même ambiance idéologique suscite la « droitisation » puis le renversement du régime constitutionnel de Ramón Villeda Morales (1957-1963), remplacé par la dictature militaire du colonel Oswaldo López Arellano, qui gouverne de 1963 à 1975, à l'exception d'une courte parenthèse en 1972, après la défaite du Honduras dans un bref conflit contre le Salvador (1969). Les années 1980 sont marquées par le renforcement de la présence militaire des États-Unis, qui font du Honduras une plate-forme de lutte contre le régime sandiniste nicaraguayen et la guérilla salvadorienne. La fin de la <u>Guerre froide</u> et des conflits centraméricains permettent de consolider le régime démocratique réinstauré depuis 1982 et de desserrer partiellement l'emprise des militaires sur la vie publique. Mais les graves inégalités sociales, la dureté des politiques d'<u>ajustement structurel</u> néo-libéral et la persistance de frictions régionales, comme le conflit existant à propos des eaux territoriales avec le Nicaragua, sont porteurs de problèmes de gouvernabilité et de possibles rechutes dans l'autoritarisme. **J. H. A.**

HONDURAS BRITANNIQUE > BÉLIZE.

HONECKER Erich (1912-1994)
Homme politique allemand, chef de l'État est-allemand (1971-1989). Né le 25 août 1912 à Neunkirchen, Erich Honecker est apprenti couvreur lorsqu'il adhère à dix-sept ans au Parti communiste allemand (KPD). Arrêté en 1935, il reste emprisonné jusqu'à la fin de la guerre. Président de la Jeunesse libre allemande (FDJ) de 1946 à 1955, il devient membre du Bureau politique, puis secrétaire du Comité central du tout-puissant SED (Parti socialiste unifié, communiste), avant de succéder à Walter <u>Ulbricht</u> au poste de premier secrétaire du Comité central (1971). Devenu le nouvel homme fort de la <u>RDA</u>, E. Honecker entend pratiquer un strict alignement sur la politique soviétique (il signe le 7 octobre 1975 un traité d'amitié et d'assistance avec Leonid <u>Brejnev</u>), mais aussi, ramener les objectifs de production à des niveaux jugés plus raisonnables. La RDA connaît alors sous sa férule une indéniable période de stabilité, due autant à l'amélioration des conditions de vie qu'au bon voisinage avec la RFA, inauguré avec la signature du Traité fondamental de décembre 1972. Même si la répression se fait moins brutale, le régime d'E. Honecker se caractérise toutefois jusqu'au bout par un refus du compromis, condamnant en 1978 le <u>dissident</u> Rudolf Bahro, expulsant en 1976 le chanteur Wolf Biermann ou réprimant au début des années 1980 les manifestations pacifistes. L'avènement de la <u>*perestroïka*</u> à partir de 1985 devait finalement emporter ce dirigeant incapable d'ouverture. Remplacé par Egon Krenz à la tête du Comité central le 18 octobre 1989, il s'exile au Chili, après la chute du <u>Mur de Berlin</u>, en novembre, pour y mourir le 29 mai 1994. **L. B.** **> ALLE-MAGNE.**

HONG KONG Un petit territoire proche de Guandzhou (Canton), en Chine méridionale, a été attribué en 1842 à la Couronne britannique à la suite de la guerre de l'Opium. La colonie s'est progressivement étendue au rythme des conflits sino-britanniques, en 1860 et 1898, à ce qui a été appelé les « Nouveaux Territoires ». Les troubles sur le continent chinois ont peu à peu gonflé la population qui n'était que de

23 800 habitants en 1845.   Les Britanniques ont profondément marqué ce territoire par leur système éducatif, administratif et judiciaire. Des républicains comme Sun Yat-sen y ont découvert les théories de la démocratie. La victoire des communistes chinois en 1949 suscite un important flot de réfugiés, portant la population à 2,3 millions d'habitants. Parmi eux se trouvent de nombreux hommes d'affaires venus de Shanghai qui vont faire de Hong Kong un nouveau phare pour l'Asie, remplaçant celui qu'ils avaient perdu. La Chine de Mao Zedong se contente du *statu quo* avec la colonie britannique en raison des avantages substantiels qu'elle retire du commerce indirect qu'il permet. Hong Kong devient pour elle un véritable poumon. Le bail des Nouveaux Territoires arrivant à terme au bout de 150 ans, un accord (« déclaration conjointe sino-britannique ») est passé en 1984, au terme duquel la souveraineté britannique doit cesser le 1er juillet 1997. Hong Kong devient à cette date une « région sous administration spéciale » dotée d'une large autonomie et conservant son organisation économique capitaliste en vertu du principe « un pays, deux systèmes ». Elle comptait, en 1999, 6 801 000 habitants.   **> CHINE.**

HONGRIE   République de Hongrie. Capitale :   Budapest.   Superficie : 93 030 km². Population :   10 076 000 (1999).   Jusqu'au début du XXe siècle, la Hongrie était un grand pays (géographiquement parlant) occupant la totalité du bassin des Carpates sur une surface d'environ 283 000 km², presque aussi vaste que l'Italie actuelle, voire plus étendu si l'on y inclut le territoire croate qui, autonome, en faisait à l'époque partie, jusqu'en 1918. Il est vrai que, depuis le XVIe siècle, le royaume de Hongrie n'était pas indépendant : possession des Habsbourg, gouverné pendant longtemps comme l'une des nombreuses provinces de l'Empire autrichien, il a toutefois reconquis sa souveraineté intérieure dès 1867, dans le cadre de la fameuse Double Monarchie austro-hongroise, acceptée par l'empereur François-Joseph battu en Italie à Solferino (1859) par les Français et défait à Sadowa (1866) par une Prusse montante.   L'effondre-

ment. Mais tout change en 1918, à la suite de l'effondrement des « puissances centrales » (Allemagne, Empire austro-hongrois, Empire ottoman) au terme de la Grande Guerre. Celle-ci, de la Serbie à la Pologne en passant par les Tchèques et les Roumains, avait allié aux Occidentaux toutes les nations bafouées   ou   frustrées   de   l'Europe « médiane ». Pour la Hongrie, la défaite militaire entraîne un triple bouleversement. C'est la fin de l'union avec l'Autriche sous l'autorité des Habsbourg. C'est aussi le début d'une période qui verra s'enchaîner deux révolutions et une contre-révolution en moins de douze mois. C'est enfin le crépuscule et la fin de la Grande Hongrie léguée par neuf siècles d'histoire. Dès 1918 en effet, la Hongrie perd ses marches méridionales (serbo-croates, dont la Voïvodine), sa province bien chérie de l'Est montagneux (la vaste Transylvanie, déclarant son union avec la Roumanie et aussitôt occupée par des troupes roumaines), cependant que, du côté nord, elle se trouve attaquée par une armée tchèque secondée par la population locale, majoritairement slovaque, de la Hongrie septentrionale. Le traité de paix de Trianon (1920) imposé à la Hongrie par des Alliés insensibles à sa grandeur passée ne fait que préciser et légaliser toutes ces pertes en les aggravant. Aussi ce traité restera-t-il pour tous les Hongrois synonyme d'humiliation nationale et d'injustice flagrante.   À la suite de ces bouleversements, la Hongrie se retrouve donc indépendante (sa qualité d'État souverain lui étant quand même reconnue par les traités de Versailles et de Saint-Germain) et diminuée : plus des deux tiers de son territoire d'antan ont été attribués à des États ennemis anciens et nouveaux. Ces territoires abritaient 60 % de la population de la Hongrie d'avant 1918, soit plus de dix millions de personnes dont plus de trois millions de langue maternelle et de culture magyars. La majorité de ces derniers se retrouvent citoyens roumains, la nouvelle Tchécoslovaquie héritant quant à elle d'un million de Magyars et le royaume des Serbes, Croates et Slovènes (la première Yougoslavie) d'un petit demi-million. Un changement territorial de cet ordre-là aura été, convenons-en, assez insolite en Europe, du moins avant

1939. Il n'y a donc rien d'étonnant à ce que l'irrédentisme se soit installé depuis lors comme une donnée permanente de la sensibilité politique hongroise, à la fois comme leitmotiv de politique étrangère et comme obsession de quelques générations successives. Si la Hongrie de l'entre-deux-guerres commence par se tourner vers l'Italie de <u>Mussolini</u> et finit par choisir l'alliance avec <u>Hitler</u>, c'est fondamentalement à cause de la blessure reçue en 1919-1920. La descente en enfer de la Hongrie, entre 1918 et 1945, est une leçon d'histoire dans la mesure où elle démontre qu'on ne peut impunément humilier au-delà du raisonnable une nation tout entière. **Deux révolutions et une contre-révolution.** Cet itinéraire aura toutefois eu une autre cause majeure, elle aussi liée aux bouleversements de 1919-1920. Les deux révolutions de l'époque – la première, démocratique, marquée par la figure du comte de Karolyi, et la seconde, celle de Béla Kun et de sa République des conseils, communiste et sectaire – ont fini par jeter une majorité de Hongrois dans les bras d'un régime traditionaliste et autoritaire préparé par la contre-révolution blanche agissant sous l'autorité de Miklós <u>Horthy</u>. Ce régime, formellement parlementaire, mais dominé en réalité par un parti majoritaire, se dit national-chrétien, national au sens de l'irredenta et chrétien à celui d'un antisémitisme viscéral. Bien qu'il n'envisage pas de rétablir les Habsbourg sur le Trône, le régime, curieusement, se donne pour « royal » sous l'égide d'un « gouverneur », M. Horthy, un contre-amiral à la retraite, élu à vie à ce poste en 1920 par une Assemblée nationale régulièrement constituée. Horthy aura été à la fois le chef militaire de la contre-révolution et l'artisan du retour à la « normalité », cette dernière se définissant par le maintien d'une structure sociale hautement inégalitaire et d'une idéologie passéiste. Cependant, l'ambiance générale du régime favorise d'emblée, et plus encore dans les années 1930, la montée d'une opposition différente des précédentes, à savoir celle des <u>fascistes</u>, les Croix fléchées, d'abord admirateurs, puis alliés efficaces du <u>nazisme</u> allemand. Aux élections de 1939, ces derniers captent un tiers des suffrages exprimés, là où ils sont

parvenus à présenter leurs candidats, et 10 % des mandats à l'échelle nationale. L'extrême droite est par ailleurs fortement implantée dans les forces armées et la gendarmerie. **Fascisme, puis stalinisme.** Outre ses aspirations nationales, ces sympathies idéologico-politiques poussent la Hongrie dans les bras de l'Allemagne nazie et de ses alliés. Une fraction non négligeable de l'élite gouvernementale, dont les chefs de gouvernement Istvan Bethlen (1921-1931) et Pal Teleki (1939-1941), a pourtant conscience du risque que la Hongrie court et estime qu'elle doit rester sinon neutre du moins non belligérante. Mais avec la disparition de l'Autriche (1938) puis de la Tchécoslovaquie (1939) et de la Pologne (1941), annexées ou placées sous administration allemande, enfin avec l'invasion de la Yougoslavie par les forces de l'<u>Axe</u> au printemps 1941, l'étau se resserre autour de la Hongrie. Ses bons rapports avec Hitler ont permis à la Hongrie, entre 1938 et 1941, de rétablir sa souveraineté sur une partie des territoires et des populations magyarophones perdus en 1919-1920 : Slovaquie du Sud, nord de la Transylvanie, Ruthénie subcarpatique, une partie de la Voïvodine... Ce considérable gain territorial depuis 1938 aura un puissant motif de l'entrée en guerre de la Hongrie contre la Russie soviétique le 27 juin 1941. Il s'ensuivra la mort de près de 200 000 soldats et de 40 000 forçats juifs envoyés sur le front de l'Est et l'occupation militaire de la Hongrie par l'armée allemande en mars 1944, suivie de la déportation d'un demi-million de Juifs. L'extrême droite prend le pouvoir en octobre 1944 en réponse à une timide tentative de l'amiral M. Horthy de sortir son pays de la guerre (de même qu'à son refus de laisser déporter la communauté juive de Budapest). Dès l'été 1944 et jusqu'à l'occupation totale du territoire hongrois par les troupes soviétiques en avril 1945, la Hongrie est transformée en champ de guerre, le long siège de Budapest se soldant par une destruction massive et un pillage systématique. Enfin, avec le passage du pouvoir administratif aux mains de l'occupant soviétique et des forces politiques suscitées par ses faveurs, la Hongrie historique et traditionnelle, du moins ce qui en était resté après 1920, cesse d'exister. Aux termes des traités de paix, la Hongrie doit rendre à la Roumanie la Transylvanie du Nord, le sud de la Slovaquie, la Ruthénie subcarpatique. L'après-guerre commence toutefois moins mal que ce que laisse augurer l'effondrement initial. Au départ, la formule politique adoptée par Moscou pour la Hongrie n'est pas la « communisation », mais une sorte de démocratie pluraliste plaçant le Parti communiste (PC), incontestable favori de l'occupant, en coalition avec d'autres partis, certes de gauche au sens de l'antifascisme, mais non communistes. Des élections presque libres, en novembre 1945, permettent de constituer un gouvernement dirigé par un parti paysan modéré (le Parti des petits propriétaires), dans lequel les communistes sont minoritaires. Mais une offensive résolue de ces derniers – qui bénéficient de l'appui logistique d'une police politique encadrée exclusivement par les leurs – conduira en moins de dix-huit mois à la déconfiture totale du parti majoritaire, préparée par l'arrestation et parachevée par l'exil forcé de ses dirigeants les plus combatifs. Après l'élimination de toutes les autres forces politiques indépendantes (la social-démocratie, purgée de ses leaders autonomistes, s'« unifiant » avec le Parti communiste), le régime politique de la Hongrie va être, à partir de 1948, de type soviétique (« démocratie populaire ») et s'inféode quasi naturellement à l'empire de Staline sans la moindre velléité de distance. Sous la direction de deux vieux routiers du Komintern, Mátyás Rákosi et Ernö Gerö, le PC au pouvoir entreprend une transformation radicale de la Hongrie, de ses structures sociales, de sa carte économique et de sa culture. **Le soulèvement de Budapest.** La mort de Staline, en mars 1953, provoque toutefois quelques changements surprenants puisque les nouveaux locataires du Kremlin, estimant la situation hongroise catastrophique, confient le gouvernement du pays à un communiste réformateur jusque-là inconnu, Imre Nagy, autorisant ce dernier à s'engager dans une déstalinisation d'envergure. Celle-ci éveille à la fois des espoirs et une déception, l'action d'I. Nagy étant suspendue moins de deux ans après sa

mise en œuvre. Choqués par le retour de l'exécré M. Rákosi, puis ragaillardis par un second limogeage de celui-ci (juin 1956), encouragés enfin par la crise de l'Octobre polonais, les Hongrois entrent en rébellion à leur tour. Le soulèvement en masse de Budapest, fin octobre, provoque l'effondrement du régime communiste. Un gouvernement national et révolutionnaire se met en place sous la direction d'I. Nagy avec la participation de tous les courants démocratiques de l'après-guerre, ressuscités comme par miracle. Mais ce rêve ne dure que quelques jours : le 4 novembre 1956, l'armée soviétique réenvahit la Hongrie et écrase la révolution. La restauration s'organise sous la direction d'une ancienne victime de M. Rakosi, l'ouvrier communiste János Kádár – lui-même un temps membre du gouvernement révolutionnaire d'I. Nagy –, assisté par un PC réorganisé sous le nom de « Parti socialiste ouvrier ». Les trois décennies qui s'écoulent entre la restauration de l'ordre soviétique en Hongrie, fin 1956, et la crise finale de l'Empire soviétique à la fin des années 1980 se divisent en trois périodes. La première, celle de la pacification et de la « normalisation » (au sens soviétique), dure de cinq à six ans ; elle est marquée par une répression massive qui atteint son apogée avec l'exécution d'I. Nagy et de ses compagnons les plus proches en juin 1958, à l'issue d'un procès secret. Une deuxième période, couvrant approximativement les années 1960 et 1970, donne naissance à un communisme tempéré et amélioré, évoqué à l'étranger sous le vocable de « kadarisme », et vécu sur place comme un assouplissement de la dictature, mais aussi comme un rapprochement avec l'Occident, à la fois sur le plan économique et dans le domaine de la culture. Pour bien des observateurs, le kadarisme « deuxième manière » a été en quelque sorte la victoire posthume de 1956. Enfin, dans les années 1980, le « kadarisme » est entré lui-même dans une phase de crise et de décomposition, menant, cette fois encore parallèlement aux événements secouant la Pologne – à la suite des grèves ouvrières de Gdańsk et de la reconnaissance du syndicat indépendant Solidarité –, à une sorte de révolution pacifique, celle de l'année 1989.

En juin 1989, ce sont les obsèques solennelles d'I. Nagy qui ont sonné le glas du régime en place, et J. Kádár, remercié par son parti depuis mai 1988, meurt le jour même où, fin été 1989, la Cour suprême de la Hongrie prononce la réhabilitation juridique d'I. Nagy... **Aux avant-gardes de la démocratisation à l'Est.** Redevenue démocratie pluraliste et république non communiste, la Hongrie a connu dans les années 1990 trois élections générales dont chacune s'est soldée par un changement de gouvernement. Les élections de mars-avril 1990 ont couronné la révolution négociée et pacifique des douze mois précédents et propulsé aux commandes une coalition national-démocrate aux affinités traditionalistes qui a trouvé son leader incontesté en la personne de József Antall (1932-1993), fils d'un ministre (non communiste) des années 1945-1946. Les élections de 1994 ont apporté la victoire des deux principaux opposants de cette coalition : le Parti socialiste hongrois (MSzP, ex-communiste) et l'Alliance des démocrates libres (SzDSz, parti des dissidents libéraux). Sous la direction de Gyula Horn, membre du dernier gouvernement communiste et artisan de l'ouverture, en été 1989, de la frontière austro-hongroise qui a marqué le début de la levée du « rideau de fer », c'est la coalition de ces deux partis qui a gouverné la Hongrie entre 1994 et 1998. Les élections de 1998 ont enfin consacré la victoire d'une coalition proche de celle formée en 1990 par J. Antall, et néanmoins différente puisque la direction revient cette fois à un parti des jeunes (la Fédération des jeunes démocrates, FIDESz), d'orientation à la fois libérale, nationale, et pragmatique, avec, comme Premier ministre, un juriste né en 1963, Viktor Orban, qui avait tout juste terminé ses études à la chute du communisme. **A**vec l'affaiblissement de l'URSS, suivi de sa disparition, la Hongrie a aussi rétabli sa souveraineté interne et externe, perdue en 1944. Souveraine pour ses affaires intérieures, la Hongrie a opté pour l'économie de marché et un gouvernement parlementaire. Souverain pour ses affaires extérieures, après avoir dénoncé une deuxième fois le pacte de Varsovie (la première fois, c'était en 1956...), le

pays a posé sa candidature pour l'Union européenne et a adhéré (en mars 1999) à l'OTAN (Organisation du traité de l'Atlantique nord), entretenant des rapports corrects avec ses voisins. Avec plusieurs d'entre eux (plus précisément l'Ukraine, la Slovaquie, la Roumanie et la Serbie), ces rapports sont cependant restés hypothéqués par le fait qu'ils abritent tous d'importantes communautés de langue et de culture magyares, et que l'insertion de ces communautés dans un environnement administratif non magyar – un héritage du traité de Trianon – a continué de poser des problèmes. **P. K.**

HORTHY Miklós (1868-1957)   Régent de Hongrie (1920-1944). Né à Kenderes (Hongrie), issu d'une famille de la petite noblesse calviniste dont les terres ne suffisent pas assurer la subsistance, Miklós Horthy embrasse la carrière militaire et entre en 1882 à l'école des cadets de la marine impériale à Fiume (Rijeka). Il gravit dès lors les grades et, en 1909, est nommé aide de camp naval de l'empereur François Joseph Ier (1830-1916).   **L**es cinq années qu'il passera à la cour contribueront à l'affirmation de ses principes conservateurs et de son goût pour les honneurs et le décorum. Il assume divers commandements pendant la guerre et se voit promu vice-amiral. Il retourne ensuite à la vie civile, mais la République des conseils (communiste), instaurée en Hongrie en mars 1919, rassemble contre elle les forces conservatrices qui tentent de reprendre le pouvoir dans une situation de chaos engendrée par les incohérences du régime et l'occupation du territoire par les troupes des États successeurs de l'Empire austro-hongrois.   **A**u sein du gouvernement contre-révolutionnaire, M. Horthy devient ministre de la Guerre et chef d'État-Major et lance son « armée nationale » vers Budapest, dont les Roumains se sont emparés à la faveur de la chute de la République des conseils en août 1919. Il prend le pouvoir et organise contre les communistes une terreur blanche dont les principales victimes seront les Juifs, accusés d'avoir trahi les valeurs nationales. Il développe une idéologie revancharde, fondée sur le traumatisme du traité de Trianon qui a démembré la Hongrie, et dont il fera le principal fondement de son régime, rendant impossible toute négociation avec les pays voisins et précipitant le pays vers une alliance avec l'Italie et l'Allemagne. **Élu** régent du royaume de Hongrie en mars 1920, il reste à la tête du pays jusqu'en octobre 1944, imposant un régime ultraconservateur et volontiers antisémite, tout en essayant d'éviter que ne s'installe au pouvoir l'aile fasciste de ses partisans. Il est avant tout un nostalgique de l'empire et des « temps heureux de la paix » comme l'on dit alors, et a peu de sympathie pour les dirigeants fascistes et leurs excès. Malgré ses efforts pour éviter tout d'abord à la Hongrie d'entrer en guerre, puis une occupation allemande et la mise en place de la « solution finale », il doit céder à Hitler dont les troupes envahissent la Hongrie en mars 1944. Il parvient à empêcher la déportation des Juifs de Budapest, mais sa demande d'armistice à l'Union soviétique, rendue publique le 15 octobre, provoque l'intervention des Allemands et les exactions du mouvement nazi hongrois des Croix fléchées. **Emmené** en Allemagne avec sa famille, M. Horthy est libéré par les troupes américaines et déféré devant le tribunal de Nuremberg qui l'acquitte. En 1949, M. Horthy s'exile au Portugal, où il meurt, à Estoril, en 1957. Ses restes sont ré-inhumés dans sa ville natale en septembre 1993, suscitant une campagne de réhabilitation orchestrée par le gouvernement conservateur de József Antall (1932-1993), qui agita l'opinion et contribua dans une certaine mesure à l'échec de la droite aux élections de 1994. **C. H.** **> HONGRIE.**

HOUPHOUËT-BOIGNY Félix (1905-1993) **H**omme politique ivoirien, chef de l'État de 1960 à 1993. L'un des fondateurs du Rassemblement démocratique africain (RDA), Félix Houphouët-Boigny s'oppose au lobby colonial. Après l'indépendance, en 1960, il s'engage dans une coopération avec la France qui ne s'est jamais démentie. Fils d'un chef de canton baoulé, membre de l'Assemblée constituante française en 1946, il fait supprimer le travail forcé et fonde le Syndicat agricole africain. À l'indépendance, il prend la tête de la fraction modérée des leaders francophones

d'Afrique occidentale, face à son voisin guinéen Sékou Touré qui a rompu avec la France. Il poursuit une politique économique libérale (le « miracle ivoirien ») qui laisse cependant une place essentielle à l'intervention de l'État avec la création d'une Caisse de compensation pour amortir les aléas des cours du café et du cacao. Chef incontesté d'un parti unique, le Parti démocratique de Côte-d'Ivoire-Rassemblement démocratique africain (PDCI-RDA), qui, à l'image de ceux de ses voisins, se veut le creuset des tendances nationales, il veille à brider l'émergence de dauphins potentiels. À sa mort, Henri Konan Bédié lui succède. **B. N.** **> CÔTE-D'IVOIRE.**

HUME John (1937-) **H**omme politique irlandais. John Hume est né à Derry (Irlande du Nord). Il joue un rôle de premier plan dans le mouvement pour les droits civiques dans sa ville, à partir de 1968. En 1970, il est l'un des fondateurs du Parti social-démocrate et travailliste (SDLP), principale formation représentant la minorité catholique). Député à Westminster et au Parlement européen, il s'est assigné pour tâche de promouvoir le développement socio-économique local. Le prix Nobel de la paix qu'il a obtenu avec l'unioniste David Trimble en 1998 a couronné une vie publique dominée par la recherche d'une solution politique au conflit irlandais. À partir de 1972, toutes les solutions crédibles avancées ont trouvé leur origine dans des propositions de celui qui est souvent considéré comme le seul véritable homme d'État que l'Irlande du Nord ait connu depuis sa création en 1920. Il a été très tôt convaincu de la nécessité d'améliorer les relations entre protestants et catholiques par un partage du pouvoir politique et d'institutionnaliser les relations politiques entre les deux Irlandes. **P. B.** **> IRLANDE DU NORD.**

HUSRI Sati al- (1880-1969) **H**omme politique et philosophe arabe. Sati al-Husri est né de parents originaires d'Alep (Syrie). Il est l'un des théoriciens majeurs de l'arabisme. Dès le début du XXᵉ siècle, il lutte au sein d'organisations arabes contre le pouvoir ottoman et pour l'indépendance. Nommé

ministre de l'Éducation du premier gouvernement arabe formé par Fayçal Ier à Damas en 1921, il élabore le premier une définition moderne et laïque de la nation arabe, dépassant le cadre ethnique et religieux. Les fondements de l'unité arabe se trouvent, selon sa théorie, dans l'unité de la langue, de la culture, de l'histoire commune et des intérêts communs. Principaux écrits : *Qu'est-ce que le nationalisme ?* ; *L'Arabisme d'abord* ; *Autour du patriotisme et du nationalisme.*
B. G. ➤ ARABISME.

HUSSEIN Saddam (1937-) Chef de l'État irakien (1979-). Saddam Hussein naît en avril 1937 à Takrit, une petite ville arabe, de confession sunnite, située sur le Tigre à environ 150 kilomètres au nord de Bagdad. Le clan des Khayrallah Tulfah, auquel appartient sa mère, lui permet d'échapper à la misère. Très tôt orphelin, il est élevé par son oncle paternel, dont il épousera la fille, Sajida ; elle sera la mère de ses fils Oudaï et Qusay. En 1959, il fait l'auteur d'un attentat manqué contre le général Abd al-Karim Kassem (1914-1963), premier dirigeant de l'Irak républicain, dont il réprouve l'alliance avec les communistes et la politique « antinationaliste arabe ». Ce fait d'armes établit sa réputation au sein du parti Baas, avec lequel il est en contact depuis 1955. Blessé à cette occasion, il se réfugie en Syrie, où le théoricien de l'unité arabe Michel Aflak l'accueille, puis en Égypte. Il est toujours au Caire lorsqu'il apprend que le premier coup d'État baassiste a éclaté à Bagdad, le 8 février 1963, sous la direction d'un groupe d'officiers baassistes, dont le colonel Ahmed Hasan al-Bakr (1912-1982). Celui-ci est aussi un Takriti, qui plus est cousin des Khayrallah Tulfah. S. Hussein regagne aussitôt Bagdad. Dès lors, commence son ascension au sein du parti Baas. En 1964, après la défaite de l'aile civile du Baas, qui sanctionne le divorce du parti avec les chiites, il arrive à la tête du mouvement. Après l'expulsion des baassistes du gouvernement du maréchal Abdel Salam Aref (novembre 1963), il passe à la clandestinité. Et lors du second coup d'État baassiste du 17 juillet 1968, on le retrouve au premier plan. Officiellement, le premier homme du pays est le président al-Bakr et S. Hussein n'est que le second. Le tandem fonctionnera jusqu'en 1979. S. Hussein contrôle le Baas et A. H. al-Bakr l'armée. Ce qui les lie avant tout est leur parenté : grâce à leurs positions dans l'armée, les Takriti ont pris de vitesse au sein du Baas tous les autres groupes. En 1971, sous l'impulsion de S. Hussein, la Charte d'union nationale ouvre la voie à un Front patriotique, qui permet au Baas de compenser sa base politique trop étroite. Les purges et la répression sanglante sont érigées en système de gouvernement, tandis que le clan de S. Hussein contrôle le pays grâce aux services de sécurité militaire et baassiste. En 1979, S. Hussein met à la retraite A. H. al-Bakr, dont il occupe désormais toutes les fonctions : président du Conseil de commandement de la Révolution, secrétaire régional du Baas, président de la République, Premier ministre et commandant en chef des forces armées. Le 22 septembre 1980, sur son ordre, l'Irak déclenche la première guerre du Golfe en envahissant l'Iran voisin en pleine révolution islamique. Dix ans plus tard, S. Hussein lance son armée à la conquête du riche Koweït, annexé par l'Irak. La débâcle de l'armée irakienne dans cette seconde guerre du Golfe est suivie d'une insurrection chiite et kurde (mars 1991) réprimée dans le sang. Toutefois, S. Hussein réussit à rétablir son pouvoir. Diabolisé par les États-Unis, il voit son pays, mis sous tutelle internationale, perdre une à une les bases de sa souveraineté. Après dix années d'embargo et de sanctions internationales, il se trouvait toujours à la tête de l'Irak, sans que ses méthodes de gouvernement aient changé. **P.-J. L.** ➤ IRAK.

HUTU ET TUTSI Gravées dans les mémoires, les dates phares de l'histoire postcoloniale du Burundi et du Rwanda correspondent à des périodes de massacres entre populations hutu (majoritaire) et tutsi. Pour deux générations, ces dates fondent les clivages politiques et les identités ethniques exacerbés par des groupes extrémistes qui s'inspirent explicitement d'idéologies raciales. Au tournant du siècle, l'antagonisme ethnico-racial semblait avoir atteint un point de non-retour et des formes d'« apartheid spatial » se sont consolidées, opposant les zones rurales très majoritairement occupées par des paysans hutu (dans certaines régions des deux pays, des centaines de milliers d'entre eux étaient regroupés dans des camps surveillés par des militaires tutsi) et les zones urbaines à dominante tutsi, elles aussi sous protection de l'armée. De plus, au Burundi comme au Rwanda, existaient des préfectures ou des quartiers à population hutu ou tutsi presque homogène. Conflit ethnique séculaire entre Hutu et Tutsi ou ethnicisation manipulée de conflits politiques ? L'analyse de la genèse de ces clivages est en soi un enjeu politique décisif pour l'avenir de la région. Enjeu d'autant plus important qu'aucun observateur un tant soi peu rigoureux ne retrouve à l'origine du conflit hutu-tutsi ni les différences de culture (langue, religion) ou de caractéristiques physiques qui fondent habituellement les oppositions dites ethniques dans la plupart des pays du globe. Il paraît de même impossible d'obtenir des réponses satisfaisantes (c'est-à-dire vérifiées ou pour le moins étayées scientifiquement) à la question de l'origine des populations résidentes. Si la recherche scientifique révèle l'ancienneté du peuplement de la région, elle ne permet pas de connaître l'origine des Twa, une population pygmoïde, ni celle des cultivateurs hutu et des pasteurs tutsi. En effet, les trois ethnies étaient déjà coexistantes durant les deux à trois siècles précédant la colonisation et seuls accessibles à l'investigation historique. **Différenciation sociale et différenciation ethnique.** Si les clivages socio-ethniques entre Batwa, Bahutu et Batutsi, les trois ethnies représentées au Burundi et au Rwanda (les Bahutu comptant pour plus des quatre cinquièmes de l'ensemble), précèdent la colonisation allemande, puis belge (jusqu'en 1962), il reviendra à l'historiographie coloniale et à l'administration belge de consolider l'identité entre des *ensembles ethniques* remplissant des fonctions sociales différenciées (artisans twa – poterie, vannerie –, agriculteurs hutu et éleveurs tutsi) et des *groupes sociaux* hiérarchisés (correspondant aux stratifications socio-économiques d'une société moderne). En effet, les élites dirigeantes promues par les autori-

tés coloniales sont presque exclusivement d'origine tutsi et adhèrent activement à l'idéologie fondant leur suprématie dans l'histoire, la race et la religion. Les Batutsi seraient les descendants de Cham, fils de Noé, et donc des Noirs « supérieurs » (les Hamites) par rapport aux premiers occupants « bantous », les Batwa et les Bahutu. À la fin des années 1950, désireuses de s'opposer aux revendications indépendantistes des élites princières du Ruanda et de l'Urundi (graphies de l'époque), les autorités coloniales ont opéré une volte-face et apporté leur soutien aux cadres hutu militant en faveur d'une « révolution sociale ». Monarchistes indépendantistes tutsi soutenus par les leaders progressistes du tiers monde contre « serfs » hutu en quête d'émancipation sous la double tutelle de l'administration belge et de la haute hiérarchie catholique, la confusion politique et idéologique est alors totale. Ce brouillage des références explique pour une large part l'extrême simplification des formes de mobilisation partisane et la cristallisation sur l'appartenance ethnique. Les conflits « ethniques » burundais et rwandais ne relèvent donc pas de la fatalité, d'une barbarie spécifique aux hommes de cette région de l'Afrique. Ils sont constitutifs de la mise en place des États indépendants et des formes de pouvoir alors installées. Chaque crise nationale ultérieure, précisément datée et localisée, peut être très explicitement analysée au travers de stratégies politiques jouant délibérément des peurs et des fantasmes collectifs pour mobiliser les peuples, surimposer les identités ethniques à toute autre forme d'appartenance et de solidarité sociales. Si l'« ethnie » est bien le vecteur de la mobilisation partisane, l'« explication ethnique » des crises est à la fois un symptôme d'indigence intellectuelle et un paravent politique : les massacres et le génocide des Rwandais tutsi en avril 1994 constituent le dénouement programmé d'une crise politique méthodiquement portée à son paroxysme. De même, au Burundi, la montée du double totalitarisme ethnique peut être rapprochée de manière très précise des stratégies politiques mises en œuvre par des formations extrémistes s'inspirant explicitement d'idéologies raciales. **Des tentatives impuissantes à sortir de l'ethnisme.** Toutefois, malgré le statut historique bien incertain de l'origine des ethnies et la dénonciation rituelle des méfaits de l'« ethnisme, du régionalisme et du clanisme », pour reprendre l'énoncé des « maux consacrés » pour la région, les différentes « sorties de l'ethnisme » mises en pratique aussi bien au Burundi qu'au Rwanda ont jusqu'ici toutes échoué ou clairement montré leurs limites. **La démocratie du** « peuple hutu » majoritaire, instaurée au Rwanda en 1961 et stabilisée en 1973 avec l'arrivée au pouvoir du président Juvénal Habyarimana, a finalement construit la paix civile interne en institutionnalisant l'arbitraire social sur fond d'apartheid, par l'imposition de quotas ethniques dans les écoles, les universités, les entreprises, la fonction publique ou encore, et de manière plus subtile, les séminaires catholiques. Confronté à d'importants mouvements sociaux puis, à partir d'octobre 1990, à la guerre avec le FPR (Front patriotique rwandais, composé majoritairement d'exilés tutsi réfugiés en Ouganda), le régime Habyarimana a utilisé ouvertement la haine ethnique fondatrice pour dissuader toute revendication démocratique, neutraliser ses adversaires politiques et préparer un <u>génocide</u>. **Au** Burundi, après divers épisodes de massacre systématique des Hutu scolarisés (1965 et 1972), les élites tutsi ont imaginé dépasser le clivage ethnique dans le cadre d'une société modernisée où les hiérarchies sociales reposeraient sur les compétences individuelles. Ainsi, de 1976 à 1987, le régime de Jean-Baptiste Bagaza (1946-) et ses idéologues prétendront réinstaurer l'unité nationale en niant l'existence même d'un problème ethnique et le poids des appartenances régionales. Mais l'ethnicisation bien réelle des rapports sociaux du fait d'un contrôle tutsi exclusif – et proprement obsessionnel – des sphères politique, économique et intellectuelle a disqualifié durablement une position où l'appartenance ethnique définissait *de facto* les frontières de la clientèle politique du pouvoir. Au terme de près de trente ans d'hégémonie sans partage, l'arrivée au pouvoir par la voie des urnes

d'un pouvoir civil, à majorité hutu, dont le président et les plus hauts dignitaires de l'État seront presque aussitôt assassinés, a démontré, d'un côté, l'incapacité de larges secteurs du bloc au pouvoir de renoncer aux positions acquises et, de l'autre, l'efficacité mortifère du réflexe ethnique militant dans les campagnes. À partir de 1994, au Rwanda, dans une situation nationale marquée par le contrôle militaire et politique quasi total d'un groupe ethnico-politique minoritaire sur le pouvoir, les discours et plus encore la pratique de gouvernement du FPR ont présenté bien des analogies avec la démarche suivie par la Deuxième République burundaise. **Débat démocratique et question ethnique.** Le clivage ethnique posé comme *a priori* et ses usages sociopolitiques dévastateurs compromettent l'existence même d'États-nations qui figurent pourtant parmi les plus anciens d'Afrique. De même, décréter que les ethnies n'« existent pas » n'est qu'une forme perverse d'ethnisme déguisé. Accepter une telle affirmation équivaut, dans la région, à faire reculer le débat scientifique et politique d'une dizaine d'années lorsqu'il avait été enfin admis – et traduit dans les faits – que les tabous, les fantasmes et les peurs ethniques devaient être abordés de front comme des réalités bien tangibles et assumées collectivement. Les partisans de cette ligne de « confrontation démocratique » ne sont pas responsables des malheurs des années 1980 et 1990. Malgré les cruelles désillusions et le traumatisme final engendrés par les brèves transitions démocratiques de 1989-1993, rien ne permet de penser que les populations rurales de la région, désormais largement scolarisées, pourraient se laisser durablement dominer et manipuler comme au cours des décennies passées. Les régimes ethniques autoritaires, ouverts ou déguisés, qui ont toujours bénéficié de larges soutiens de la communauté internationale, prétendaient garantir à leurs populations apparemment soumises, l'ordre, le développement et la paix régionale. Ils auront engendré à la fois l'autoritarisme, la haine, la misère et la guerre. **A. G.** **> BURUNDI, GÉNOCIDE RWANDAIS, RWANDA.**

IBN SAOUD > ABDEL-AZIZ IBN SAOUD.

IDH > DÉVELOPPEMENT HUMAIN.

IDS L'Initiative de défense stratégique (IDS, encore dite « guerre des étoiles ») est lancée par le président américain Ronald Reagan le 23 mars 1983. Bouclier spatial contre les missiles nucléaires, l'IDS n'ambitionne pas moins que de rendre les armes atomiques « obsolètes ». Dans le contexte de la nouvelle guerre froide d'alors, l'annonce de ce projet ajoute à la pression sur l'Union soviétique. Il apparaîtra que l'IDS relevait encore largement de la science-fiction. Le Pentagone renoncera au projet le 13 mai 1993, le remplaçant par un nouveau projet de défense antimissiles plus limité, à partir de missiles intercepteurs au sol.

IMPÉRIALISME Le mot « impérialisme » vient du latin *imperium* (équivalent de *dominatio*, autorité absolue) ; il qualifie aujourd'hui la volonté d'une nation, d'un État ou d'un groupe de créer une hégémonie sur d'autres nations, d'autres États, d'autres groupes. Cette acception, empruntée à l'anglais, vers 1880, remplaça petit à petit en français l'ancienne signification de « doctrine des partisans du régime impérial », c'est-à-dire du régime de Napoléon. Dans son sens nouveau, il qualifia donc la conduite des puissances visant à se créer des « empires » à la fin du XIXe siècle et le mouvement d'idées qui sous-tendit cette politique au Royaume-Uni (James A. Froude, John R. Seeley, Rudyard Kipling, Joseph Chamberlain), en France (le « parti » colonial), en Allemagne (le pangermanisme), en Russie (le panslavisme), en Italie (Francisco Crispi), aux États-Unis (Theodore Roosevelt) et même au Japon (impérialisme japo-

nais). **La vulgate léniniste.** Si la supériorité technologique fut une condition nécessaire de la réussite de l'expansion impérialiste, ses motivations, ses formes et ses effets furent très différents. Les socialistes, à la suite du libéral anglais John Atkinson Hobson (*Imperialism, a Study*, 1902), en firent le centre des débats sur les rapports entre les États. Après de vives controverses entre les théoriciens socialistes Karl Kautsky (1854-1938), Rosa Luxemburg et Lénine, ce dernier publia en 1916 une célèbre brochure, *L'Impérialisme, stade suprême du capitalisme*, qui orienta toutes les discussions postérieures. Entendant par « impérialisme » le dernier stade de l'histoire avant la transformation socialiste, Lénine en expliquait le processus par les contradictions croissantes du capitalisme industriel et financier conduisant à l'exportation des capitaux à la recherche du profit « maximal », aux rivalités pour le partage du monde entre des groupes capitalistes monopolistes, et par voie de conséquence à l'exaspération des conflits entre les puissances, à la substitution de régimes autoritaires aux régimes de démocratie bourgeoise, à la « putréfaction du système » et, en définitive, à la guerre. **C**ette problématique fut critiquée par des théoriciens, des économistes et des historiens libéraux. Ils rappelèrent évidemment que l'impérialisme n'était pas né avec le capitalisme occidental et l'essor industriel du XIXe siècle, et qu'il n'était pas un phénomène exclusivement européen. Même réduit à l'expansionnisme capitaliste, rien ne prouvait que le développement monopoliste dût engendrer nécessairement des conflits armés de première grandeur plutôt que des ententes internationales d'un type nouveau. Aussi bien en ce qui concerne la Grande Guerre que les colonisations, l'explication léniniste fut remise en cause. La recherche des marchés et des zones d'investissements, la concurrence des États et des groupes capitalistes, le protectionnisme, n'étaient pas des facteurs d'explication suffisants. Il est banal de souligner que l'impérialisme répond sans doute à la tendance profonde de groupes forts à dominer les groupes faibles ; il revêt toutefois des formes diverses, pas toutes économiques. Il peut être déterminé par des raisons démographiques et sociales, la « nécessité » d'exporter un « surplus » de peuplement ou d'« épurer » telle ou telle région revendiquée pour des raisons « naturelles » ou historiques ; il peut être provoqué par le sentiment d'une supériorité culturelle ou la volonté d'imposer un modèle idéologique... Aucune des manifestations de l'impérialisme ne correspondit à l'une de ces formes à l'état pur. Le pangermanisme et le panslavisme de la fin du XIXᵉ siècle mélangèrent ainsi l'économique, le social et le culturel dans des idéologies d'essence nationaliste. Mais, en d'autres cas, le nationalisme s'opposa au contraire à l'impérialisme. Autrement dit, si tous les impérialistes sont nationalistes, l'inverse n'est pas vrai. **Des formes de « sous-impérialisme » non moins conquérantes.** Entre les deux guerres, les doctrines impérialistes « classiques » (construction d'empires coloniaux) connurent un premier déclin. Mais la volonté affichée par le régime nazi (*Weltmachtpolitik*, « politique pour une puissance mondiale » et *Lebensraum*, « espace vital ») déboucha sur un impérialisme totalitaire caractérisé par la domination absolue et l'exploitation systématique. Cet impérialisme parut s'effondrer en 1945 pour laisser la place à des formes plus subtiles de relations inégales, la Seconde Guerre mondiale ayant laissé en présence deux grands blocs, obligés d'intégrer l'impérialisme à leurs stratégies de contrôle et d'expansion géopolitiques. Comme « tout empire périra » (Jean-Baptiste Duroselle, 1981), ces nouveaux systèmes hégémoniques furent à leur tour contestés par leurs adversaires extérieurs ou intérieurs, parfois même par les alliés de l'intérieur, comme le firent les Chinois pour stigmatiser la volonté de l'URSS de leur imposer sa ligne, qu'ils qualifièrent du terme assez flou de

« social-impérialisme ». Ce terme avait déjà été employé au XIXᵉ siècle pour désigner le désir d'un État, plus ou moins clairement perçu par ses dirigeants, de réduire les problèmes sociaux intérieurs par l'expansion. Les anciens impérialismes des puissances coloniales ne s'inscrivaient plus dans ce contexte, et celles-ci ne possédaient d'ailleurs plus les moyens matériels de les pérenniser. La fin de l'URSS – et du « soviétisme » – a paru sceller le triomphe de l'impérialisme américain. Mais, on peut observer aussi que la fin du communisme et les décolonisations ont donné naissance à de multiples « sous-impérialismes » fondés sur la volonté de domination de groupes forts sur des groupes faibles. Ces « sous-impérialismes » ne sont pas un phénomène particulièrement nouveau ; en effet, beaucoup d'expansionnismes secondaires s'abritèrent derrière le paravent des grands impérialismes, ainsi l'expansion de l'Égypte ou celle des États boers (Afrique australe) vers le cœur de l'Afrique au XIXᵉ siècle. Mais ils parurent se développer encore plus au XXᵉ siècle, en profitant de l'ignorance ou de l'indifférence des opinions, aussi bien dans les Balkans qu'en Amérique centrale, au Brésil, en Asie himalayenne ou dans l'archipel indonésien. En ce sens, la « fin de l'histoire » n'a pas eu lieu. **M. Mi.** **> EMPIRE.**

IMPÉRIALISME JAPONAIS L'impérialisme japonais a d'abord été un long cheminement intellectuel avant de déboucher sur le plan politique dans les années 1930. Le déverrouillage forcé du Japon sous la pression des « bateaux noirs » américains en 1854, puis l'introduction accélérée des usages occidentaux dans les premières décennies de l'ère Meiji (1868-1912) avaient suscité chez certains un sentiment d'humiliation nationale. Entre 1880 et 1914, une thématique nationaliste composite s'élabore sous l'égide de juristes comme l'ancien samouraï Hozumi Yatsuka (1860-1912) et d'intellectuels comme Inoue Tetsujiro (1855-1944). Ils amalgament les thèses du japonisme égotiste et esthétisant fin de siècle, du panasiatisme conquérant, et de l'élitisme darwinien replacé dans le sillage du code de l'honneur samouraï *(bushidô)*. En

1881 apparaît la Société du détroit de Corée (Genyosha), puis en 1901 sa filiale la Société du fleuve Amour (Kokuryukai) connue en Occident sous la traduction erronée de « Société du dragon noir ». Elles militent pour l'expansion outre-mer et infiltrent des agents en Chine, les « Tairiku ronin » (les « aventuriers du continent »), jusque dans les cercles gouvernementaux. À partir de 1910, la Corée devient une colonie japonaise d'exploitation et de peuplement. En 1931, le Kokuryukai fonde un parti patriotique expansionniste, le Parti pour la production du Grand Japon (Dainihon seisanto). Faute d'élus, il se tourne alors vers l'activisme terroriste. Avec d'autres groupes proches de l'armée, il est à l'origine de la conquête de la Chine à partir de 1931, puis du déclenchement de la guerre du Pacifique en 1941.
R. D.   **>** IMPÉRIALISME, JAPON.

INDE   **U**nion indienne. Capitale : New Delhi. Superficie : 3 287 590 km². Population : 998 100 000 (1999).   **L'**Inde de la fin du XIXᵉ siècle, partie de l'Empire britannique, voit se mettre en place nombre d'institutions qui conditionneront son évolution pendant des décennies. Les Britanniques établissent tout d'abord à partir de 1882, avec le *Local Self-Government Act*, un système politique fondé sur l'élection qui s'étendra au niveau des provinces avec les réformes de 1909, 1919 et 1935, grâce auxquelles les régions de l'Inde acquièrent peu à peu un système protoparlementaire.   **En** 1885, le Congrès national indien est fondé par une intelligentsia hindoue soucieuse de prendre pied dans l'administration. Ce mouvement sera le premier à investir l'arène politique des institutions électives introduites par les Britanniques jusqu'à ce que Mohandas Karamchand Gandhi en prenne la tête en 1920 et le convertisse à la non-coopération. Dix ans plus tard, il anime le premier grand mouvement de désobéissance civile contre les Britanniques. Il change cependant d'opinion pour laisser le Congrès disputer les élections de 1937 et ses leaders, forts de leur victoire, gérer les provinces – une expérience qui prépare le parti à gouverner l'Inde.   **Dès** 1939, les gouvernements congressistes présentent toutefois leur démission pour pro-

tester contre la décision des Britanniques d'impliquer l'Inde dans la Seconde Guerre mondiale sans les avoir consultés. En 1942, Gandhi lance le mouvement *Quit india* (Quittez l'Inde) qui ne respectera pas autant qu'il l'eût souhaité ses consignes de non-violence. De toute façon, les Britanniques sont convaincus, au sortir de la guerre, de la nécessité de quitter l'Inde, une colonie qu'ils ne sont plus en mesure de gérer en raison de leurs propres difficultés économiques.

La Partition comme héritage. Le 15 août 1947 ne marque pas seulement l'indépendance de l'Inde, mais aussi le partage du « joyau de la Couronne britannique » entre l'Union indienne et le Pakistan. Cette « Partition » s'inscrit dans le prolongement de tendances qui sont aussi apparues au sein de la communauté musulmane à partir de la fin du XIXᵉ siècle.   **C**ibles privilégiées des Britanniques en tant que détenteurs du trône de Delhi, les musulmans se sont vite trouvés marginalisés dans le cadre colonial alors que les hindous y prospéraient, notamment grâce à leur entrée massive dans le nouveau système éducatif anglophone. Devant cette situation, les musulmans vont s'organiser au sein d'une Ligue musulmane qui parvient peu à peu à convaincre les Britanniques de la nécessité de protéger leur minorité. Cela coïncide précisément avec la volonté de Londres de diviser pour mieux régner : en 1909, la Ligue obtient un électorat séparé pour les musulmans. C'est le premier pas en direction d'une forme de séparatisme qui se cristallisera dans l'entre-deux-guerres pour donner naissance à la « théorie des deux nations » de Muhammad Ali Jinnah : selon lui, les hindous et les musulmans forment chacun une nation à laquelle il faut un territoire. En 1940, la Ligue musulmane dirigée par M. A. Jinnah revendique un État séparé, le Pakistan qui, en 1947, regroupe les provinces à majorité musulmane à l'ouest de l'Inde britannique et le Bengale oriental.   **Parlementarisme, interventionnisme économique, non-aligne-ment.** Alors que le Pakistan peine à se donner des institutions stables, l'Inde indépendante opte pour le parlementarisme auquel les Britanniques l'ont initiée. La Constitution de 1950 définit aussi la République indienne comme une fédération. En pratique, New Delhi ne laissera pas aux États de l'Union l'autonomie dont ils auraient dû jouir en théorie. **J**awaharlal <u>Nehru</u>, Premier ministre de 1947 à sa mort en 1964, est le principal artisan de la démocratie indienne, qui vit dès 1952 au rythme d'élections que son parti, le Congrès, remporte haut la main. Il est aussi responsable d'une politique économique reconnaissant à l'État un rôle prépondérant, tant à travers la planification quinquennale que par le biais des nationalisations ou de l'encadrement de l'initiative privée (c'est le fameux *Licence Raj*, qui exige que chaque entreprise souhaitant augmenter ou diversifier sa production en demande l'autorisation à l'administration). Le « modèle nehruvien » de développement économique se caractérise également par un fort protectionnisme. **C**es options économiques vont de pair, en politique étrangère, avec une grande méfiance vis-à-vis des États-Unis, puissance capitaliste volontiers taxée d'<u>impérialisme</u>. L'Inde opte pour un <u>non-alignement</u> aux accents tiers-mondiste et asiatiste dont la conférence de <u>Bandung</u>, en 1955, sera le point d'orgue. Dans un second temps, le rapprochement des États-Unis et du Pakistan, puis celui de la Chine et du Pakistan amèneront l'Inde à se tourner vers l'Union soviétique, dont le modèle économique fascine certains leaders indiens – peut-être même même Nehru en personne. **Les conflits Inde-Pakistan.** En 1971, New Delhi et Moscou signent un traité d'amitié et de coopération militaire de dix ans à la faveur de la <u>guerre d'indépendance du Bangladesh</u> qui a confirmé la force de l'axe Islamabad-Washington. **C**e conflit est le troisième entre l'Inde et le Pakistan. Le premier avait éclaté après la Partition, à propos du <u>Cachemire</u>. Alors que cette province était en majorité musulmane, son maharadjah, un hindou, avait opté pour l'Inde – ce qui avait conduit le Pakistan à déclarer une offensive lui permettant, en 1948, de s'arroger un tiers de la province. Islamabad repassa ensuite à l'attaque en 1965, toujours au Cachemire, pensant l'Inde diminuée après sa défaite contre la Chine en 1962. Mais la supériorité militaire de New Delhi était sans appel – un rapport des forces que confirma

ensuite la guerre de 1971, lorsque l'Inde vint en aide aux insurgés bengalis soucieux de s'émanciper de la tutelle du Pakistan occidental. **L**'ère Nehru ne s'achève pas avec la mort du fils spirituel de Gandhi, car son successeur, Lal Bahadur Shastri (1904-1966), l'un de ses lieutenants, poursuit une politique très comparable. La propre fille de J. Nehru, Indira Gandhi (1917-1984), qui prend le pouvoir en 1966, infléchit davantage le cours de la politique indienne. Contestée par les caciques du Congrès qui l'ont portée au pouvoir dans l'espoir de la manipuler, elle opte pour des réformes socialistes qui mécontentent les notables congressistes, d'où la scission de 1969 à l'origine du Congrès-O, (O pour Organisation, car les conservateurs en question tenaient l'appareil du parti). **Proclamation de l'état d'urgence.** Même si I. Gandhi remporte une confortable majorité aux élections de 1971, le Congrès qu'elle dirige est plus fragile que celui de son père, reposant moins sur un réseau de notables (passés au Congrès-O) que sur son pouvoir personnel et son style <u>populiste</u>. Cette dérive autoritaire conduit en 1975 à la proclamation de l'état d'urgence, une procédure d'exception par laquelle I. Gandhi met la république entre parenthèses pour se soustraire aux attaques de ses opposants – qui visent autant ses tendances centralistes que la corruption croissante de la classe politique. **L**es excès de l'état d'urgence (en particulier les stérilisations forcées de la politique de contrôle des naissances) lui aliènent cependant l'opinion publique, de sorte que le Congrès de I. Gandhi perd le pouvoir en 1977 : c'est la première alternance depuis 1947, un moment important de la maturité politique de la démocratie indienne. Les opposants de I. Gandhi, qui se sont regroupés au sein du Janata Party (Parti du peuple) pour mieux l'évincer, viennent cependant d'horizons très différents – de la gauche socialiste à la droite nationaliste hindoue – et leur coalition ne tarde pas à se fissurer. En janvier 1980, I. Gandhi revient aux affaires en faisant preuve des mêmes travers que par le passé, notamment en matière de centralisation politique. **Communalisation du jeu politique.** Le Congrès des années 1980 se rend en outre coupable d'une dérive <u>com-</u>

<u>munaliste</u>. Alors que M. K. Gandhi et J. Nehru, chacun dans un genre différent, avaient prôné un nationalisme indien fondé sur le respect de toutes les communautés religieuses – ce qu'en Inde on appelle le sécularisme –, I. Gandhi tend à jouer une communauté contre l'autre une fois de retour au pouvoir, comme si après la carte populiste elle recourrait au répertoire communaliste. Cette tactique est notamment à l'œuvre au <u>Pendjab</u> où, pour récupérer le pouvoir local, elle n'hésite pas à soutenir des extrémistes <u>sikhs</u> dans lesquels elle voit un moyen de déstabiliser les partis d'opposition qui gouvernent à Chandigarh. Elle doit ensuite déployer l'armée pour venir à bout de ces extrémistes – d'où l'opération *Blue Star* de 1984 à <u>Amritsar</u>, qui traumatise les Sikhs de l'Inde et explique son assassinat, en représailles, par ses gardes du corps sikhs. **R**ajiv Gandhi (1944-1991), son fils, qui lui succède, approfondit la communalisation du jeu politique en s'efforçant de gagner la confiance des musulmans et des hindous en alternance : en 1985, il réaffirme le statut de la *charia* comme source de droit pour les premiers ; en 1989, il fait lever les scellés sur la mosquée d'<u>Ayodhya</u> (ville d'Uttar Pradesh) que les nationalistes hindous revendiquent comme le lieu de naissance du dieu Ram et où ils peuvent désormais conduire le culte. Le Congrès, en renonçant à sa ligne séculariste dans une perspective purement électorale, prépare le terrain au Bharatiya Janata Party (BJP, Parti du peuple indien), une formation <u>nationaliste hindoue</u> qui s'empare de l'enjeu d'Ayodhya en réclamant la construction d'un temple à la place de la mosquée. L'exploitation de sentiments hindous par le BJP est un des facteurs lui permettant de devenir le premier parti d'opposition en 1991, puis la première formation à la chambre basse en 1996 et enfin de prendre le pouvoir à l'occasion d'élections anticipées en 1998. **Montée en puissance du nationalisme hindou.** Les années 1990 ne sont pas seulement celles de la montée en puissance du nationalisme hindou, elles sont aussi marquées par l'essor de tensions entre les basses castes et les hautes castes. En 1990, la deuxième alternance, qui vient de faire perdre le pouvoir à R. Gandhi

en 1989, permet au nouveau Premier ministre, Vishwanath Pratap Singh (1931-), d'annoncer la mise en œuvre des recommandations du rapport Mandal (du nom de son principal auteur) qui prévoit de réserver 27 % des postes de la fonction publique nationale aux *Other Backward Classes* – des castes inférieures – dans le cadre d'un approfondissement des mesures d'action affirmative dont les intouchables et les aborigènes bénéficient déjà depuis 1950. Les hautes castes réagissent violemment à cette amputation de leurs débouchés dans l'administration, d'où une contre-mobilisation des basses castes qui acquièrent à cette occasion une conscience politique nouvelle. Désormais, elles votent davantage pour les leurs, afin de défendre leurs intérêts, et envoient ainsi un nombre croissant d'élus de la plèbe au Parlement. **Démocratisation et libéralisation.** Les années 1990 ne sont pas seulement celles d'une démocratisation de la démocratie indienne, elles sont aussi marquées par une libéralisation économique à l'origine d'un creusement des inégalités. Le « modèle nehruvien », qui avait été infléchi par I. Gandhi dans le sens d'une étatisation accrue de l'économie, donne dans les années 1980 des signes d'essoufflement d'autant plus inquiétants que l'Asie voisine connaît une expansion rapide. En juin 1991, l'Inde se trouve au bord du piège de la dette et doit accepter un plan d'<u>ajustement structurel</u> du FMI. Elle saisit cette occasion pour renforcer son économie : le *Licence Raj* est largement démantelé et le pays s'ouvre sur le marché mondial. L'économie s'en trouve relancée, mais les plus riches s'enrichissent plus vite et les disparités régionales s'accroissent aussi, les États de l'Ouest bénéficiant pleinement de leur dynamisme traditionnel. **C**ette réorientation économique va de pair avec certains ajustements en termes de politique étrangère. L'Inde est restée proche de la Russie, d'où lui vient l'essentiel de son équipement militaire, mais les États-Unis sont les premiers à investir dans le pays à la faveur de l'ouverture et New Delhi réussit à se faire coopter par l'<u>ANSEA</u> (Association des nations du Sud-Est asiatique) en 1995 pour en devenir partenaire de dialogue complet. Sa politique extérieure est toutefois conditionnée par le conflit latent avec le Pakistan – qui prendra la forme d'un conflit ouvert au Cachemire en 1999 – et sa crainte de la domination chinoise. Ces données seront mises en avant par New Delhi au printemps 1998 pour justifier des essais nucléaires – les premiers depuis 1974 – qui reflètent bien les nouvelles ambitions de la puissance indienne et surtout sa soif de reconnaissance internationale. **C. J.**

INDES NÉERLANDAISES Dénomination des anciennes possessions néerlandaises. Les Indes néerlandaises orientales comprenaient essentiellement les îles et archipels formant l'actuelle Indonésie, dont la partie occidentale de la Nouvelle-Guinée (Irian Jaya ou Papouasie occidentale). Les Indes néerlandaises occidentales désignaient les possessions hollandaises des Amériques. **> EMPIRE NÉERLANDAIS**

INDIA ACTS Une partie des Britanniques qui gouvernaient l'Inde a très tôt manifesté le souci de reproduire dans cette colonie un système politique de type libéral et a entrepris d'établir à cette fin des institutions de type représentatif. Dès 1882, le *Local Self-Government Act* avait instauré des municipalités élues – une réforme qui n'est pas entièrement désintéressée puisqu'elle doit transférer à l'échelon local des dépenses d'infrastructure qui grèvent par trop le budget central. Les provinces sont ensuite le point d'application privilégié des réformes. En 1919, elles se voient dotées de conseils législatifs, qui acquièrent un pouvoir considérable en 1919 à l'occasion d'une nouvelle réforme, puisqu'un grand nombre des ministres provinciaux (agriculture, *local self-government*, éducation, etc.) sont désormais responsables devant eux. Enfin, la réforme de 1935 introduit un véritable protoparlementarisme à l'échelle des provinces de l'Inde britannique, puisque la plupart des portefeuilles ministériels reviennent désormais à des Indiens travaillant sous l'autorité d'un *Chief Minister* ; ces gouvernements sont responsables devant des conseils législatifs élus sur une base censitaire assouplie, puisque la proportion des électeurs inscrits passe de 2,8 % à 14,1 % des adultes de

l'Inde britannique. Ces réformes s'inscrivent clairement dans la stratégie anglaise du « diviser pour régner », comme en témoignent l'introduction d'un électorat séparé au profit des musulmans en 1909 et la systématisation de cette pratique et/ou de celle des sièges réservés pour les communautés religieuses ou les castes. **C. J.** **> EMPIRE BRITANNIQUE, INDE.**

INDIENS (Amérique latine) Les Indiens en Amérique latine, au nombre d'environ 30 millions (2000), représentent moins de 10 % de la population totale. Ils constituent un archipel de quelque quatre cents groupes ethnolinguistiques, dont les plus importants (nahua au Mexique, quiché au Guatémala, quichua en Équateur, quechua et aymara au Pérou, en Bolivie et au Chili, mapuche au Chili) rassemblent un, deux ou plusieurs millions de personnes et les moins nombreux seulement quelques individus. Le Guatémala est le seul pays du continent à majorité indienne. La Bolivie, l'Équateur, le Pérou et le Paraguay sont fortement indiens. Mais c'est au Mexique qu'on compte le plus grand nombre d'Indiens (environ dix millions), même s'ils ne représentent que le dixième de la population nationale. Tous les autres pays comptent des minorités indiennes plus ou moins importantes. Sauf l'Uruguay et la plupart des îles de la Caraïbe, où elles ont été éliminées dès l'époque coloniale ou après les indépendances, au XIXe siècle. **Une renaissance.** Dans le courant du XXe siècle, certains groupes ont continué à décliner, quelques-uns ont disparu, mais depuis les années 1950-1960 la plupart connaissent une expansion démographique et une renaissance qui s'accompagne de profondes transformations. Les Indiens ne vivent plus exclusivement dans des communautés paysannes ou des tribus de la forêt amazonienne. Ils sont de plus en plus nombreux dans les villes, y reconstruisent leur identité et exercent des activités variées. Dans les dernières décennies, des Indiens mexicains et centre-américains sont venus grossir la migration latino-américaine aux États-Unis. Le renouveau indien s'est traduit par des dynamiques économiques, sociales, culturelles et politiques. De multiples mouvements ont émergé et se sont développés depuis la création de la première organisation ethnique moderne en 1964 par les Shuar (Jivaros) d'Amazonie équatorienne. Parmi les plus marquants : le katarisme en Bolivie, le Conseil régional des indigènes du Cauca (CRIC) en Colombie, le mouvement zapotèque de l'isthme de Tehuantepec dans l'État d'Oaxaca au Mexique... Certains groupes ont été imbriqués et parfois broyés dans des conflits armés : les Mayas du Guatémala, les Miskitos au Nicaragua (années 1980), diverses communautés andines et amazoniennes au Pérou. Avec les grandes mobilisations contre la célébration du cinquième centenaire de la Découverte (en 1992 pour l'Amérique hispanophone, en 2000 pour le Brésil), les mouvements indiens sont montés en puissance et la fin du siècle les a vus faire irruption sur la scène nationale dans plusieurs pays et se projeter sur la scène internationale. **Au Mexique, en Équateur, au Chili...** Le mouvement zapatiste du Chiapas (Mexique) a condensé et exprimé avec le plus de force et le moins de langue de bois les demandes de justice sociale, d'égalité dans la différence et de démocratie qui sont au cœur de tous ces mouvements. Le projet de guérilla révolutionnaire s'est ici transformé en insurrection indienne et en une tentative de mobiliser la société civile pour changer la culture politique. En se soulevant le 1er janvier 1994, date de l'entrée en vigueur de l'Accord de libre-échange nord-américain (ALENA), et en mettant à profit les nouvelles technologies de communication, les zapatistes ont illustré l'inscription des luttes indiennes dans le nouveau contexte de la mondialisation. L'écho du mouvement s'est estompé par la suite, même s'il a contribué à déstabiliser et à faire chuter le Parti révolutionnaire institutionnel (PRI), au pouvoir depuis plus de soixante-dix ans, et à démocratiser le Mexique. **En Équateur,** depuis la naissance de la Fédération shuar, le mouvement indien n'a cessé de s'étendre et d'accumuler des forces dans les basses terres amazoniennes et parmi les Quichua des Andes. Organisé au niveau national dans une Confédération des nationalités indigènes de l'Équateur (Conaie), il est devenu le principal mouvement social dans ce pays et a animé plusieurs soulèvements et marches sur la capitale depuis l'insurrection de 1990 jusqu'aux événements de janvier 2000 qui ont vu les Indiens, alliés à des militaires, tenter de prendre le pouvoir. **Au Chili,** c'est parmi les Indiens mapuche (un million de personnes, soit environ 10 % de la population) qu'a resurgi dans les années 1990 une agitation sociale doublée de la contestation d'un modèle politique et culturel homogénéisateur. Comme dans de nombreuses autres luttes indiennes, des femmes y ont joué un rôle clé. La mobilisation s'est cristallisée dans l'opposition à un projet hydroélectrique et à des compagnies d'exploitation du bois. De l'objectif de récupération des terres, elle s'est étendue à des demandes relatives au territoire, à l'autonomie et à l'identité. **Une image renversée.** Zapatisme, mouvement indien équatorien, mouvement mapuche : ces expériences et de nombreuses autres au Brésil, en Colombie, au Vénézuela, au Panama, au Nicaragua, au Guatémala... illustrent la vivacité et la diversité, mais aussi les contradictions et les limites de la renaissance indienne. Dans la majorité des pays, des réformes constitutionnelles et de nouvelles législations ont intégré la multiculturalité. En nombre encore limité mais croissant, des Indiens occupent des postes de maires, de parlementaires, de ministres. En Bolivie, un Aymara a été vice-président de la République. L'octroi du prix Nobel de la paix 1992 à l'Indienne guatémaltèque Rigoberta Menchú (1960-) a sonné à la fois comme une reconnaissance de dette historique et comme un hommage à une lutte d'émancipation qui, dans la plupart des cas, a résisté à l'engrenage des violences politiques ou s'est efforcée d'en sortir et qui n'a jamais engendré des ethnonationalismes. **S**ouvent encore, Constitutions, accords et lois indigènes restent lettre morte et le vote indigène a du mal à se dégager des relations clientélistes. Les organisations et les personnalités indiennes n'échappent pas aux divisions et aux dérives bureaucratiques. Mais les mouvements indiens de la seconde moitié du XXe siècle ont d'ores et déjà renversé l'image qui primait auparavant, celle de l'Indien soumis, écrasé et destiné à dispa-

raître. Ils lui ont redonné visibilité et dignité.
Y. L. B.

INDIENS (Canada) Loin de constituer un peuple homogène, les 63 000 Indiens du Canada (chiffre 1998), qui se qualifient désormais de « premières nations », forment un ensemble de peuples appartenant à dix familles culturelles et linguistiques différentes, chacune regroupant plusieurs nations possédant leur langue ou dialecte propre. Certaines langues ne sont plus parlées, d'autres sont toujours vivantes malgré le fait que le petit nombre de locuteurs rende leur survie incertaine. Ces divers peuples ont exprimé leur culture propre au moyen de modes uniques et reconnus universellement pour leurs qualités artistiques. Les Indiens se retrouvent dans toutes les régions du Canada, aussi bien dans des régions isolées, qu'ils occupent seuls, que dans des zones urbaines densément peuplées, comme les villes de Montréal et Vancouver. Les Indiens et les terres qui leur sont réservées sont sous l'autorité constitutionnelle exclusive du Parlement et du gouvernement fédéral canadien depuis 1867. En 1876, le Parlement fédéral a institué un régime juridique particulier de tutelle des Indiens et des communautés toujours en vigueur. Ce régime assujettit les Indiens aux lois fédérales et à certaines lois provinciales. Il a remplacé les structures politiques traditionnelles et a presque écarté les règles de droit coutumier des communautés indiennes. Les seules entités collectives légalement reconnues sont les bandes indiennes (608 bandes), lesquelles sont dirigées par un chef et un conseil de la bande. Élus par la population d'une réserve, le chef et le conseil de la bande exercent des pouvoirs de réglementation et d'administration délégués par le gouvernement fédéral et soumis à son pouvoir de tutelle. Ils constituent l'autorité politique de la communauté tout en dirigeant une structure de décentralisation fédérale. La taille des bandes est très variable, allant d'une centaine à quelques milliers de personnes. Les nations indiennes peuvent être constituées d'une seule bande (la bande de la nation huronne-wendat) ou de plusieurs (les neuf bandes de la nation monta-gnaise). **Statut d'Indien et citoyenneté canadienne.** En général, les communautés vivent dans des réserves indiennes (ou des établissements indiens) dont l'usage leur est réservé, mais qui appartiennent, sauf exception, à la Couronne (fédérale ou provinciale). C'est le gouvernement fédéral qui a le pouvoir de créer de nouvelles réserves indiennes (2 406 réserves indiennes) et qui en assume la gestion. Le statut d'Indien s'ajoute à la citoyenneté canadienne, il ne la remplace pas. Définis dans la loi depuis le XIXᵉ siècle, les critères d'attribution de ce statut sont fondés sur l'ascendance autochtone et le rattachement à une communauté particulière. Le gouvernement du Canada tient un Registre des Indiens, dans lequel sont consignés les noms des personnes ayant le droit d'y être inscrites (environ 2 % de la population totale du Canada). C'est de ce droit à l'inscription que découlent les obligations et les droits associés au statut d'Indien. Les Indiens inscrits au Registre et vivant dans les limites d'une réserve reçoivent du gouvernement fédéral (et non du gouvernement de la province où la réserve est située) des services de logement, de santé, d'éducation et des services sociaux. Les Indiens vivant hors d'une réserve reçoivent du gouvernement provincial les mêmes services que les autres citoyens de la province. Le statut d'Indien comporte quelques règles exorbitantes du régime juridique commun : exemption de taxation (fédérale et provinciale), insaisissabilité de saisie et impossibilité d'hypothéquer les biens individuels et collectifs situés dans une réserve, négation du droit de propriété à l'intérieur d'une réserve, pouvoir ministériel d'annulation du testament d'un Indien vivant dans une réserve.
R. Du. > AUTOCHTONES (CANADA), CANADA.

INDIENS (États-Unis) En 1900, les Indiens, répartis en multiples tribus dans des réserves surtout situées dans des territoires agricoles et peu hospitaliers de l'Ouest, sont environ 250 000 ; et nombreux sont les Blancs à penser qu'ils sont sur le point de disparaître. Pourtant, la pression des colons se faisant moins forte et les conditions sanitaires s'améliorant, la natalité reprend et, en

1960, ils sont plus de 500 000, 800 000 en 1970 et presque 1 400 000 en 1980 ; au recensement de 1990, on en dénombre plus de 2 000 000 – dont la moitié vit dans cinq États : la Californie, l'Oklahoma, l'Arizona, le Nouveau-Mexique et la Caroline du Nord. En ce tournant de siècle, nombre d'Américains sont fiers d'une origine amérindienne et la revendiquent. Pourtant, la situation sociale de cette population reste inférieure aux normes américaines et elle est rarement enviable, en dépit d'incontestables progrès. **A**près avoir été marginalisés durant des siècles, les Indiens sont devenus en 1924 citoyens des États-Unis, tout en restant membres de leurs nations traditionnelles. Mais cette politique était sensée assimiler leurs communautés : les Indiens ne devaient plus avoir de caractéristiques particulières et étaient supposés vivre comme les autres Américains : accession à la propriété individuelle, à l'éducation publique, etc. En fait, la plupart des Amérindiens ont gardé leurs mœurs traditionnelles, dans leurs réserves où ils ont renouvelé leurs pratiques culturelles, comme la cérémonie de la danse du Soleil. Seule une minorité a suivi les filières de l'éducation américaine et, si certains ont pu trouver des emplois, beaucoup subissent la discrimination traditionnelle qui les cantonne dans certaines fonctions : ainsi des Mohawks ont été recrutés comme travailleurs dans la construction et l'entretien des gratte-ciel – emploi moderne – grâce à leur méconnaissance du vertige – qualité traditionnelle. **Revendications.** Dans les années 1960, les jeunes Indiens éduqués ont repris les méthodes de la lutte pour les <u>droits civiques</u> et affirmé leur identité. Le Mouvement des Indiens américains organise des séances de pêche dans des rivières dont leurs ancêtres ont été chassés, prend symboliquement possession de l'îlot d'Alcatraz (1969), qui n'est plus prison fédérale et qu'il revendique comme leur territoire, et érige une tente devant le Bureau des affaires indiennes à Washington (1972), avant de célébrer le centenaire de la tuerie de Wounded Knee (dernier massacre des guerres indiennes). Ces actions spectaculaires ont pour but de redonner leur fierté aux premiers Américains, tout en faisant honte aux Blancs. **C**es

revendications ont débouché sur l'abrogation en 1970 de la politique d'assimilation et sur le mouvement de contestation des traités inégaux conclus au XIXe siècle ; de surcroît, les tribus se dotent de leur propre système de justice. Des avocats, souvent indiens, cherchent à récupérer certaines des terres dont leurs ancêtres avaient été spoliés. Un processus d'indemnisation se met peu à peu en place, jalonné de nombreuses difficultés et de longs procès. **A**u tournant du siècle, la situation des Indiens n'était nullement homogène. Dans l'ensemble, le chômage des jeunes (jusqu'à 40 %), le taux d'alcoolisme et le nombre de suicides sont supérieurs à ceux des Blancs et les conditions de logement sont, pour 90 % d'entre eux, inférieures aux normes fédérales. Leurs terres sacrées, comme dans la Dakota, ont été ouvertes à l'exploitation par de grosses entreprises qui ne tiennent pas compte de leurs revendications. Mais certaines tribus perçoivent des revenus des ressources du sous-sol des réserves (pétrole ou charbon), d'autres ont développé un savoir-faire artistique ou gèrent des casinos avec succès ; de plus en plus de jeunes sont scolarisés et le revenu moyen des Indiens a dépassé, à partir de 1980, celui des Africains-Américains. La lutte pour l'affirmation de leur identité a eu pour résultat que des acteurs amérindiens jouent désormais le rôle de leurs ancêtres dans les films – ainsi dans *Danse avec les loups* (1991) de Kevin Costner –, des écrivains, comme Louise Erdrich ou Gerald Vizenor, des peintres, comme le Hopi Charles Loloma, et des musiciens indiens expriment leur personnalité contradictoire, entre appartenance à la nation américaine et revendication identitaire. Des Indiens, enfin, sont élus dans les assemblées d'États et jusqu'au Sénat de Washington. **J. P.** **> ÉTATS-UNIS.**

INDOCHINE (guerre d') À l'origine de cette première et décisive guerre de <u>décolonisation</u> (1945-1954), l'insurmontable incompatibilité du projet indochinois de la France en 1945 – non pas la restauration du modèle colonial ancien mais sa modernisation par la mise en place du *self-government*, des libertés politiques et syndicales dans les cinq territoires indochinois ; par leur entrée dans une Fédération indochinoise dotée d'un gouvernement central puissant, contrôlé par la France ; par l'industrialisation accélérée de l'Indochine – avec les indépendances proclamées en 1945, avant tout avec l'existence de la République démocratique du Vietnam (RDV) dirigée par Ho Chi Minh et les communistes vietnamiens (le Vietminh) depuis la révolution d'août 1945. Il n'y a pas de compromis possible : la mise en place de la Fédération indochinoise conditionne le succès du projet d'Union française mais en même temps nie l'indépendance et l'unité du Vietnam. **L'engagement du Corps expéditionnaire français.** Tout au long de la première phase du conflit (1945-1946) – marquée par le débarquement à Saigon du Corps expéditionnaire français en Extrême-Orient (CEFEO) du général Leclerc (1902-1947) en octobre 1945, par le développement des guérillas du Vietminh en Cochinchine, puis par le débarquement du CEFEO au Tonkin en mars 1946 à la suite des accords franco-vietnamiens ambigus du 6 mars –, tandis que se déroule le retrait des troupes d'occupation britanniques au sud et chinoises au nord, la RDV négocie (conférence de Dalat, avril 1946) avec le haut-commissaire de France, l'amiral Thierry d'Argenlieu (1889-1964), puis directement avec le gouvernement français (conférence de Fontainebleau à l'été 1946). En fait, il ne s'agit pour les deux adversaires que de gagner du temps pour se préparer à la guerre qui se généralise après le bombardement naval de Haïphong (23 novembre 1946) et la bataille de Hanoi (du 19 décembre 1946 à la mi-janvier 1947). **Endiguer le communisme en Asie.** Dans la deuxième phase (1947-1950), le CEFEO, qui tient solidement les villes et les routes du Sud, reconquiert celles du Nord et la zone Hué-Da Nang, mais ne parvient pas à détruire l'appareil politique et l'armée embryonnaire de la RDV repliés dans la haute région montagneuse du Tonkin. Tout change lorsque l'Armée populaire chinoise atteint en décembre 1949 la frontière indochinoise : la guerre a désormais pour but essentiel l'endiguement du communisme en Asie, l'Indochine devient le principal front chaud de la Guerre froide. Le

Vietminh dispose désormais d'une aide extérieure considérable – dès 1950, les 100 000 soldats réguliers de l'Armée populaire de libération (APL) sont organisés en 70 bataillons régionaux et en 4 divisions, sans compter 33 bataillons régionaux et 60 000 miliciens –, ce que démontre le désastre militaire français de Cao Bang (3-8 octobre 1950), véritable tournant stratégique du conflit. **« Vietnamiser » la guerre.** Dans la troisième phase (1951-1954), la France n'a plus d'autre issue que de « vietnamiser » la guerre en cherchant à opposer les régimes anticommunistes, les trois États associés – le Cambodge, le Laos et surtout l'État du Vietnam dirigé par l'ancien empereur Bao Dai –, à la RDV et d'obtenir l'aide militaire et financière américaine (elle représentera au total le tiers du coût de la guerre). En 1951, le CEFEO, repris en main par le général de Lattre de Tassigny (1889-1952), brise les offensives du Vietminh sur le delta du fleuve Rouge, sans toutefois pouvoir modifier le précaire équilibre des forces. Dès la fin de 1952, la stratégie française n'a plus pour objectif que l'amélioration de la carte de la guerre en prévision de l'inévitable négociation, ainsi que la mise sur pied de l'État du Vietnam et de son armée. C'est le sens du plan Navarre (1953-1954), mis en échec à Dien Bien Phu (1953-1954) alors que va commencer la négociation des accords de Genève, portant armistice. Ce dernier, signé le 21 juillet 1954, met fin à une guerre désastreuse (peut-être un demi-million de morts vietnamiens, 40 000 tués et 70 000 blessés dans le CEFEO, coût pour la France : 2 200 milliards de francs français 1953, soit une année de revenu national, le développement du Vietnam ajourné pour trente ans). Les troupes françaises évacuent le Nord-Vietnam en octobre 1955 et le Sud en avril 1956. **D. H.** > INDOCHINE FRANÇAISE, VIETNAM.

INDOCHINE FRANÇAISE   Issue du projet français des années 1860 de capter le commerce intérieur chinois par la prise de contrôle des grands axes fluviaux censés en commander l'accès méridional (Mékong, fleuve Rouge), l'Indochine française s'est formée en deux grandes étapes : d'une part l'annexion du sud du Vietnam entre 1858 et 1867 (prise de Saigon en 1859), la création de la colonie de Cochinchine et l'établissement du protectorat sur le Cambodge (1863) ; d'autre part la conquête de l'Annam et du Tonkin, devenus eux aussi protectorats français par le traité de 1884, et l'occupation des pays du Moyen-Mékong, regroupés dans le protectorat du Laos en 1895. En 1887 est officiellement créée l'Union indochinoise. **Colonie et protectorats.** Elle rassemble des territoires de statut différent : la colonie de Cochinchine, soumise à l'administration directe, les quatre protectorats où les résidents français, dirigés par un résident supérieur, détiennent le pouvoir réel et exercent un contrôle étroit sur les anciennes monarchies et leurs hiérarchies administratives, telle la monarchie vietnamienne, désormais privée de souveraineté, et ses mandarins. L'ensemble est subordonné au puissant appareil du gouvernement général, organisé par Paul Doumer (1857-1932) de 1897 à 1902, installé à Hanoi et doté d'une fiscalité productive (grâce aux régies de l'alcool, du sel et de l'opium). Celle-ci va permettre, par l'emprunt, le développement jusqu'en 1929 des trois principales filières de l'économie coloniale : la riziculture capitaliste du delta cochinchinois, deuxième exportatrice au monde à partir des années 1900 ; les mines (charbon de Hon Gai) et les plantations (boom de l'hévéa en 1926-1930, puis 1934) ; les premières industries de transformation nées dans la phase de croissance 1895-1930. Un capitalisme indochinois dynamique voit le jour grâce à de considérables investissements publics et privés (plus de six milliards de francs-or entre 1896 et 1940, dont trois milliards et demi à cinq milliards d'investissements privés) en partie contrôlés par la puissante Banque de l'Indochine. En 1939, l'Indochine est bien la plus rentable des colonies françaises. **L**'ébranlement des sociétés colonisées est multiple, en dépit du faible effectif des Français (34 000 en 1940), mais inégal : essor des villes coloniales (Hanoi, Saigon, Phnom Penh, Haïphong), formation dans les pays vietnamiens d'une riche bourgeoisie commerçante et, au sud, terrienne, émergence d'une intelligentsia formée en France ou dans les écoles coloniales et d'un prolétariat misérable, tandis que progressent rapidement la paupérisation de la paysannerie et le sous-développement rural, dans un contexte de vive croissance démographique (25 millions d'habitants en 1945) et de surpeuplement des deltas. **Agitation nationaliste et communiste.** Avec la grande crise de 1929 qui va durer jusqu'en 1934 et avec le mouvement des grèves ouvrières et des révoltes paysannes de 1930-1931 dans les provinces vietnamiennes, s'ouvre la crise de la colonisation indochinoise. La réponse du pouvoir colonial est triple : répression implacable de l'agitation nationaliste et communiste, coûteux sauvetage budgétaire des grandes entreprises coloniales et de la riziculture cochinchinoise, et mise en œuvre d'une stratégie de développement rural pour enrayer la crise des campagnes vietnamiennes, notamment grâce à de vastes programmes hydrauliques (plus de 600 000 hectares concernés en 1945). Complétée par les réformes sociales du Front populaire (début d'une législation ouvrière, mais refus du droit syndical), cette stratégie exclut toute réforme du statut politique de l'Indochine. En porte-à-faux avec la montée des nationalismes, elle perd toute pertinence historique lorsque les Japonais renversent, le 9 mars 1945, l'administration française restée jusqu'alors fidèle à Vichy, en prélude à la révolution vietnamienne d'août 1945 et à la prise du pouvoir à Hanoi par les communistes. Le projet français de Fédération indochinoise de 1945-1947, fondé sur l'octroi du self-government aux cinq territoires et sur le plan d'industrialisation de l'Indochine de 1947, n'est qu'une tentative de revenir sur le fait accompli des indépendances de 1945. Pendant la guerre d'Indochine, tout en faisant fonctionner les institutions économiques et financières fédérales, Paris doit finalement se résigner à l'indépendance des trois États associés (accords de 1949 avec le Vietnam de Bao Dai, de 1953-1954 pour le Cambodge et le Laos). La défaite militaire française de Dien Bien Phu (7 mai 1954) et les accords de Genève (21 juillet 1954) mettent fin à l'Indochine française. **D. H.** **> CAM-BODGE, DÉCOLONISATION (ASIE MÉRIDIO-**

NALE ET ORIENTALE), EMPIRE FRANÇAIS,
FRANCE, LAOS, VIETNAM.

INDONÉSIE République d'Indonésie. Capitale : Jakarta. Superficie :
1 904 400 km². Population : 209 255 000
(1999). Après trois cents ans d'occupation néerlandaise et trois ans d'occupation
japonaise (après la capitulation du 8 mars
1942), Sukarno et Mohammad Hatta, les
dirigeants du mouvement nationaliste, proclament le 17 août 1945 l'indépendance de
l'immense archipel que forme, en Asie du
Sud-Est, l'Indonésie, qui était le fleuron de
l'empire néerlandais. Bien que sa population
soit en majorité musulmane, la nouvelle
république n'est pas islamique. Sukarno et
M. Hatta en sont respectivement le président
et le vice-président. Les Hollandais ne reconnaissent pas cet État et veulent récupérer
leur colonie. La lutte pour l'indépendance va
durer quatre ans : de difficiles négociations
(accords de Linggajati (Cheribon), novembre
1946, et du Renville, janvier 1948) alternent
avec les « opérations de police » néerlandaises (juillet 1947, décembre 1948) qui réduisent la République à une portion de Java et
de Sumatra, les zones pétrolifères retombant
aux mains des Pays-Bas. Simultanément, la
République est déchirée par des luttes
internes : la Constitution de 1945 prévoyait
un régime présidentiel fort ; il évolue vers un
régime parlementaire ; les ultranationalistes
tentent un putsch (juillet 1946), l'armée
hésite mais choisit de rester fidèle au gouvernement et, un peu plus tard, écrase les
communistes accusés de vouloir prendre le
pouvoir (« affaire de Madiun », septembre 1948). Sous la pression de l'ONU et
des États-Unis, les Pays-Bas négocient les
« accords de la Table Ronde » (La Haye,
2 novembre 1949), qui fondent la fédération
des États-Unis d'Indonésie et une Union
hollando-indonésienne entre cette fédération et les Pays-Bas, la Nouvelle-Guinée
(Irian) occidentale restant provisoirement
sous contrôle néerlandais. Mais après le
transfert de souveraineté (27 décembre
1949), les quinze États fédérés se rallient à
la République, réunifiée le 17 août 1950.
Seule la République des Moluques du Sud
résiste jusqu'en novembre. **Démocratie
parlementaire (1950-1959).** La Constitution
provisoire de 1950 institue un régime parlementaire qui sera marqué par l'instabilité :
six gouvernements se succèdent en sept ans.
Conservateurs et dominés par les musulmans
réformistes, les trois premiers tentent en vain
d'assurer la sécurité (lutte armée du Darul-
Islam pour un État islamique, 1948-1962) et
de redresser une économie dominée par les
Hollandais et les Sino-Indonésiens. En 1952,
un putsch de l'armée contre le régime parlementaire échoue. En 1955, alors que la
montée des nationalistes favorables à
Sukarno est soulignée par la réunion de la
Conférence afro-asiatique de Bandung
(avril) qui datera l'émergence du tiers
monde, les premières élections consacrent
quatre grands partis : le PNI (Parti national
d'Indonésie de Sukarno), le Masjumi (musulman réformiste), le Nahdatul Ulama
(« Renaissance des oulémas », musulman
traditionaliste) et enfin le PKI (Parti communiste indonésien), dont le succès imprévu
inquiète les courants musulmans et militaires. Après l'abrogation des « accords de la
Table Ronde » (1956), la campagne pour
libérer l'Irian provoque la nationalisation des
biens néerlandais (1957). Dans le même
temps, les rébellions militaires, soutenues
secrètement par les États-Unis, éclatent dans
les îles autour de Java. L'état d'urgence est
déclaré. Un Gouvernement révolutionnaire
de la République d'Indonésie, constitué à
Sumatra (PRRI, 1958) avec des dirigeants du
Masjumi est mis en échec par l'armée du
général Abdul Haris Nasution (1918-), loyal
à Jakarta. Peu après, ce dernier se met
d'accord avec Sukarno pour rétablir par
décret la Constitution de 1945 et un régime
présidentiel fort (1959). **La démocratie
dirigée (1959-1965).** Sukarno, redevenu l'inspirateur idéologique, prône la révolution et
le socialisme à l'indonésienne, mais ne peut
empêcher l'armée d'étendre son influence
politique. Renonçant à remodeler le système
en créant des « groupes fonctionnels »
contre les partis politiques, il est amené à
s'appuyer sur le PKI qui progresse et soutient
sa politique nationaliste et anti-impérialiste
(campagne pour reprendre l'Irian aux Pays-
Bas jusqu'en 1962, puis (1963-1966)
« confrontation » (Konfrontasi) avec la

Malaisie à propos d'une partie de Bornéo, avec le Royaume-Uni et les États-Unis qui soutenaient Kuala Lumpur, rapprochement avec la Chine, sortie de l'ONU). L'armée s'inquiète de la radicalisation qui gagne les campagnes de Java à propos de la réforme agraire (1963-1964), tandis que l'économie se dégrade. La crise éclate en 1965 : le PKI, accusé d'avoir fomenté un coup d'État en faisant assassiner six généraux le 30 septembre, voit ses partisans et présumés sympathisants massacrés (un million de morts) par l'armée dont le général Suharto a pris la direction. Peu à peu Sukarno est contraint de transférer ses pouvoirs à ce dernier, qui interdit le PKI (1966) et se fait nommer président en mars 1968. **L'Ordre nouveau (1966-1998).** Après le bain de sang de 1965, le nouveau régime se fixe deux objectifs : la stabilité politique et le développement économique. Piloté par des économistes formés aux États-Unis, il bénéficie d'une aide annuelle occidentale croissante, de l'afflux des investissements étrangers (surtout japonais) et des deux chocs pétroliers. Sans négliger l'agriculture, de grands projets d'infrastructure sont lancés. Mais en 1975, la compagnie pétrolière nationale, Pertamina, laisse l'État éponger dix milliards de dollars de dettes. **Épurée,** recentrée, l'armée joue un rôle dominant qu'elle justifie par la doctrine de sa « double fonction » historique (militaire et politique). Elle se veut « gardienne de l'État » à la fois contre les communistes et l'islam intégriste. La Sécurité militaire entretient un climat de peur. Seules les apparences de la démocratie sont préservées : des élections ont lieu tous les cinq ans mais l'alternance est impossible (élections sous surveillance, quota de députés nommés notamment pour représenter les Forces armées, absence de libertés). Trois partis sont autorisés : le Golkar (gouvernemental), qui associe fonctionnaires et militaires et remportera régulièrement entre 62 % et 74 % des voix de 1971 à 1997 ; le Parti unité développement (PPP), qui regroupe les partis musulmans ; le Parti démocratique indonésien (PDI), constitué des partis nationaliste et chrétiens. **A**ssez vite, les étudiants et les musulmans manifestent contre la corruption, l'alliance

des généraux et des hommes d'affaires sino-indonésiens, le pillage des ressources naturelles du pays et le manque de liberté. La répression militaire est impitoyable et sanglante (1974, 1978). Face à une opposition montante, Suharto dénonce le « danger communiste », renforce son pouvoir et, en 1985, impose en « principe unique » à toutes les organisations sociopolitiques le *Pantjasila* (les Cinq Principes : croyance en Dieu, nationalisme, internationalisme, démocratie et justice sociale, énoncés en 1945 pour sceller l'unité nationale contre les revendications musulmanes). En réaction, la figure de Sukarno, mort en 1970, connaît un regain de popularité ; en 1980, la « pétition des Cinquante » (anciens parlementaires, généraux retraités) marque le mécontentement grandissant, tandis qu'en 1984 le massacre de manifestants musulmans par l'armée déclenche une série d'attentats à la bombe. Arrestations et emprisonnements musellent l'opposition. **La** chute du prix du pétrole provoque à la fin des années 1980 une libéralisation financière et économique qui favorise le développement des industries manufacturières d'exportation suivant le modèle des « dragons asiatiques ». Le succès économique (7 % de croissance annuelle entre 1987 et 1997) semble compenser auprès des nouvelles classes moyennes l'autoritarisme politique. Mais la corruption, les privilèges, l'enrichissement outrancier des proches du pouvoir (au premier rang desquels les enfants de Suharto) et de nombreux conflits sociaux (concernant la terre et le travail) marquent l'aggravation des inégalités. **L'**armée prend ses distances d'avec Suharto, lequel se tourne vers les Forces spéciales de l'armée pour le soutenir et, renversant sa politique, se rapproche des partisans de l'islam modéré : l'Association des intellectuels musulmans d'Indonésie (ICMI), créée en 1990 avec l'aval du pouvoir, redonne alors voix aux ambitions musulmanes. **La chute de Suharto.** Alors que la succession présidentielle se profile, la fille de Sukarno, Megawati Sukarnoputri (1946-), est écartée de la direction du PDI (1996) car, populaire et soutenue par le chef du Nahdatul Ulama, Abdurrahman Wahid dit « Gus Dur », connu pour être un défenseur des droits de l'homme, elle apparaît comme une menace pour Suharto. La violence s'étend : émeutes politiques, ethniques et religieuses se succèdent. La crise financière asiatique de l'été 1997 vient alors brutalement annuler les gains économiques du régime, obligé de solliciter l'aide du FMI (43 milliards de dollars). Mais Suharto renâcle devant les réformes exigées en contrepartie. Malgré un septième mandat présidentiel obtenu en mars 1998, la répression des manifestations étudiantes met Jakarta à feu et à sang. Il démissionne le 21 mai à l'immense joie de ses opposants qui réclament sa mise en jugement et la saisie de sa fortune. La réforme du système, la fin de la corruption et du rôle politique de l'armée. Le vice-président, Bacharuddin Jusuf Habibie (1936-), ingénieur et promoteur d'une industrie aéronautique ruineuse, ministre de la Recherche de Suharto pendant vingt ans, succède à ce dernier malgré les manifestations étudiantes. La crise économique et sociale se poursuit. La restructuration du secteur bancaire, condition essentielle de la reprise, piétine pour des raisons politiques qui attisent les soupçons. Des affrontements entre musulmans et chrétiens éclatent en plusieurs endroits de l'archipel. Aux élections du 7 juin 1999 où 48 partis sont en lice, le PDI-Combat de Megawati arrive en tête (34 %), suivi par le Golkar (22 %) et trois partis musulmans (Parti de l'éveil national – PKB, fondé par A. Wahid –, PPP et Parti du mandat national ou PAN d'Amien Raïs). Dans la perspective de l'élection d'un nouveau président par l'Assemblée de délibération du peuple, en octobre, les rivalités s'exacerbent entre le PDI-Combat allié au PKB et le Golkar soutenu par les autres partis musulmans. La crise de Timor oriental, où le référendum organisé par l'ONU le 30 août a tranché en faveur de l'indépendance, provoquant en retour une campagne de terreur (meurtres, déportations et destructions) orchestrée par les Forces spéciales de l'armée, suscite un sursaut nationaliste en Indonésie où l'on dénonce un complot international contre la république. Très critiqué, B. J. Habibie est écarté et, le 20 octobre 1999, A. Wahid est élu président, Megawati devant se contenter de la vice-présidence, en raison de l'opposition musulmane. Reposant sur une coalition de compromis, le nouveau gouvernement montre une volonté de contrôler l'armée qui se considère toujours comme l'arbitre du destin national. La tâche du nouveau pouvoir est lourde et urgente : relancer l'économie, réformer la vie politique (corruption) et, surtout, répondre à des mouvements indépendantistes (Atjeh, Irian) et calmer de sanglants conflits sociaux, ethniques et religieux (Moluques). **F. C.-B.**

INGÉRENCE (droit d')   Bien éloigné de l'esprit, et même de la lettre de la Charte de l'ONU (Organisation des Nations unies), un droit d'ingérence a été proposé, à partir de 1988, comme le revers actif d'un « devoir humanitaire » qui s'exprimerait face à des violations massives des droits de l'homme ou des droits des minorités au sein d'un État. On en a oublié que bien des actions de sécurité collective demeuraient possibles, ne constituant pas des actes d'ingérence, mais seulement l'application de la Charte. En réalité, le désordre des discours sur l'ingérence a pour origine le fait que la population mondiale ne s'est pas approprié le double mécanisme qui fonde le droit international : maintien de la souveraineté des États limitée par l'interdiction du recours à la force et le respect des droits de l'homme, mais mise sur pied de la sécurité collective en cas de menace contre la paix, de rupture de la paix et d'actes d'agression. Cela nécessite des moyens qui ne peuvent être fournis que par les États, mais doivent ensuite s'affranchir de la tutelle de ceux-ci pour être contrôlés collectivement. C'est précisément ce passage qui échoue à advenir depuis que la Charte a été rédigée en 1945, le discours sur l'ingérence n'étant que le prétexte de cet échec. Les pratiques de conditionnalité dans les relations économiques (inégales) entre États sont fréquemment dénoncées comme des « ingérences ».

INITIATIVE CENTRO-EUROPÉENNE

D'abord forum informel, réunissant l'Autriche, l'Italie, la Hongrie et la Yougoslavie, l'Initiative centro-européenne (ICE, CEI – Central European Initiative) a été créée en 1992 pour favoriser la coopération économique et politique. À la mi-2001, elle comptait seize membres : Albanie, Autriche, Bosnie-Herzégovine, Bulgarie, Biélorussie, Croatie, Hongrie, Italie, Macédoine, Moldavie, Pologne, République tchèque, Roumanie, Slovaquie, Slovénie et Ukraine.

INSURRECTION DE 1947 (Madagascar)

Explosion du mécontentement provoqué par les réquisitions durant la Seconde Guerre mondiale, l'insurrection qui éclate le 29 mars 1947 à Madagascar (alors sous tutelle française), précédée par plusieurs mois d'effervescence, marque surtout un tournant dans la lutte pour l'indépendance. Les membres de sociétés secrètes affiliés ou non au Mouvement démocratique de la rénovation malgache (MDRM) ont joué un rôle important dans le déclenchement de cette révolte qui, désamorcée en différents endroits, s'étend essentiellement dans la zone forestière de l'Est, recrutant parmi les paysans souvent encadrés par d'anciens combattants de la Seconde Guerre. Les troupes coloniales, comptant des tirailleurs sénégalais venus en renforts, mettront un an pour venir à bout de la guérilla dont les chefs avaient organisé un gouvernement parallèle. L'évaluation officielle du nombre des victimes de la « pacification » à 80 000 continue à faire débat, mais ne remet pas en question l'extrême violence des représailles : dissolution du MDRM, exécutions, emprisonnements, travaux forcés, peines d'exil. Nombre de personnes ayant fui les affrontements ont par ailleurs disparu, peut-être mortes de maladie ou d'inanition. La répression a poussé les nationalistes à la prudence pendant quelques années, mais l'opinion s'est mobilisée pour l'amnistie des condamnés et le pouvoir français ne pouvait ignorer la portée d'une insurrection qui fait date dans l'histoire des décolonisations. **F. R.** ▸ MADAGASCAR.

INTERNATIONALE COMMUNISTE
▸ KOMINTERN.

INTERNATIONALE SOCIALISTE

Après la dissolution de l'Association internationale des travailleurs (AIT, encore dite Pre-

mière Internationale) en 1876, un congrès socialiste réuni à Paris en 1889, à l'occasion du centenaire de la Révolution française, décide la création de la Deuxième Internationale. Le congrès de Bruxelles en 1891, auquel participent, entre autres, les Allemands August Bebel (1840-1913), Eduard Bernstein (1850-1932), Wilhelm Liebknecht (1826-1900) et Clara Zetkin (1857-1933), le Français Jules Guesde, l'Autrichien Victor Adler (1852-1918), définit l'orientation doctrinale. Dans un premier temps, socialistes marxistes et anarchistes cohabitent difficilement. Les seconds en sont exclus lors du congrès de Londres (1896). La Deuxième Internationale, où la social-démocratie allemande, du fait de sa puissance, joue un rôle déterminant, est très divisée (sur la question des rapports entre partis et syndicats, sur le refus ou non du jeu parlementaire, puis sur les thèses révisionnistes visant à adapter le marxisme). À cela s'ajoutent les scissions frappant certains partis comme le POSDR (Parti ouvrier social-démocrate de Russie). Dans un contexte d'exacerbation des nationalismes, la Deuxième Internationale ne peut empêcher la Grande Guerre. Seule une minorité révolutionnaire s'oppose en effet à l'union nationale et préconise la grève générale « contre la guerre impérialiste » – conférences de Zimmerwald (1915) et de Kienthal (1916) –, la majorité des socialistes français et allemands votant les crédits militaires. La révolution russe modifie le paysage du socialisme. À l'initiative des bolcheviks est créée en mars 1919, à Moscou, la Troisième Internationale (ou Komintern). Après l'interruption de la Seconde Guerre mondiale, la Deuxième Internationale se reconstitue au congrès de Francfort, en 1951, sous le nom d'« Internationale socialiste ». Peu unifiée, elle joue un rôle modeste dans la seconde moitié du siècle.
V. K. ▸ SOCIALISME ET COMMUNISME.

INTERVENTIONNISME

Le terme d'« interventionnisme » recouvre deux acceptions, selon qu'il s'applique à l'économie nationale ou aux relations internationales. Dans le premier cas, il désigne la doctrine consistant, pour un État, à exercer un rôle d'intervention important dans l'économie,

dans le but de l'organiser, de l'orienter, de la contrôler ou de la stimuler. Dans le second cas, l'interventionnisme qualifie le fait, pour un État, d'intervenir dans les affaires d'un autre État ou dans un conflit ou une crise extérieure. Il s'oppose à l'isolationnisme.
> ISOLATIONNISME/INTERVENTIONNISME.

INTIFADA (première) De l'arabe *intifada* (« soulèvement »). À partir du 9 décembre 1987 se produit une révolte palestinienne en Cisjordanie et dans la bande de Gaza, territoires occupés par Israël depuis 1967. Grèves, manifestations, actes de désobéissance civile se multiplient sur l'ensemble des Territoires. Aux armes à feu de l'armée israélienne, les Palestiniens opposent pierres et « cocktails Molotov ». La répression fait en six mois 250 victimes palestiniennes (dont 19 le 16 avril 1988) et des milliers de blessés. À l'été 1993, lorsque sont rendus publics les accords d'Oslo, le nombre de victimes palestiniennes est estimé à 1 300 et celui des Israéliens (civils et militaires) à 150. Il ne fait pas de doute que la « révolte des pierres » a fortement contribué à relancer les négociations israélo-palestiniennes. **A. K. > INTIFADA (DEUXIÈME), QUESTION PALESTINIENNE.**

INTIFADA (deuxième) Alors que les négociations israélo-palestiniennes sous égide américaine n'aboutissent pas, un nouveau soulèvement (intifada) éclate à partir du 28 septembre 2000 dans les territoires palestiniens. Il est baptisé « intifada Al-Aqsa » du nom de la mosquée Al-Aqsa de Jérusalem, troisième lieu saint de l'islam. Cette fois, à la différence de la première intifada, les Palestiniens utilisent des armes à feu, les mouvements activistes ayant aussi recours aux attentats-suicides, tandis que l'armée israélienne emploie hélicoptères, chars et missiles et procède à des assassinats ciblés d'activistes. Fin novembre 2001, on dénombrait 859 victimes palestiniennes et 185 israéliennes. Le Premier ministre israélien Ariel Sharon (1928-) ordonnait la destruction des infrastructures de l'Autonomie palestinienne. **> INTIFADA (PREMIÈRE), QUESTION PALESTINIENNE.**

INUITS (Canada) L'établissement des premiers Inuits dans le nord du Canada remonterait à environ 4 000 ans. Descendants des premiers peuples autrefois appelés « esquimaux », les Inuits forment une population totale d'environ 40 000 personnes au Canada. Ils vivent dans 54 communautés disséminées de l'est à l'ouest de la partie nordique du Canada située au nord du 55ᵉ parallèle, soit à l'intérieur des frontières canadiennes : Terre-Neuve (au Labrador) et Québec et de deux territoires fédéraux : les Territoires du Nord-Ouest et le Nunavut. Les Inuits forment la majorité de la population dans la plus grande partie de ces régions. La taille des communautés inuites varie de quelques centaines à quelques milliers de personnes. Ils appartiennent à la même famille linguistique, dont la langue, l'inuktitut, est parlée par la grande majorité d'entre eux. Ils sont réputés pour la qualité de leurs œuvres d'art (gravures et sculptures). Les Inuits du Canada sont sous l'autorité constitutionnelle du Parlement et du gouvernement du Canada depuis une décision de la Cour suprême du Canada de 1939. Le Parlement fédéral a toutefois décidé de les exclure du régime particulier régissant les Indiens. Contrairement à eux, les Inuits sont ainsi soumis à toute législation fédérale et provinciale. **R. Du. > AUTOCHTONES (CANADA), CANADA.**

IOR-ARC L'Association pour la coopération régionale des pays riverains de l'océan Indien (IOR-ARC – Indian Ocean Rim Association for Regional Cooperation –, secrétariat à Maurice) a été lancée par Maurice en 1995. Elle comptait dix-neuf membres à la mi-2000 : Afrique du Sud, Australie, Inde, Kénya, Maurice, Oman, Singapour, Indonésie, Madagascar, Fédération de Malaisie, Mozambique, Sri Lanka, Tanzanie, Yémen. Le Bangladesh, les Émirats arabes unis, l'Iran, les Seychelles et la Thaïlande ont adhéré en mars 1999, la France et le Pakistan restant candidats.

IRA (Irlande) L'Armée républicaine irlandaise (nom adopté lors de la guerre d'indépendance de 1919-1921) se situe dans la tradition des républicains qui, en 1798,

1848, 1867 et 1916 (soulèvement de Pâques), ont eu recours aux armes pour instaurer une république en Irlande. Après l'indépendance du Sud en 1922, l'essentiel des efforts de l'IRA a porté sur l'Irlande du Nord qu'elle cherche à réunir avec le Sud. Il s'agit d'une organisation secrète, hors la loi au Nord comme au Sud, regroupant 1 000 à 2 000 volontaires, selon les estimations, et dont le financement et l'armement sont assurés en grande partie par ses sympathisants au sein de la diaspora irlandaise aux États-Unis. L'IRA constitue la branche armée du mouvement républicain, le Sinn Féin étant considéré comme son pendant politique. Entrée en conflit armé en 1970, elle déclare un cessez-le-feu en 1994 qui dure jusqu'à 1996. Elle signe un autre cessez-le-feu en 1997 laissant penser que le mouvement républicain souhaite désormais valoriser l'action politique. Le désarmement de l'IRA allait constituer un enjeu politique important. **P. B.** **> IRLANDE.**

IRAK République irakienne. Capitale : Bagdad. Superficie : 434 924 km². Population : 22 450 000 (1999). **Au début du** XXᵉ siècle, les territoires destinés à former l'Irak actuel sont divisés en trois provinces (Bagdad, Bassorah et Mossoul) dépendant de l'Empire ottoman. Dans la partie arabe de la Mésopotamie ottomane, les chiites, majoritaires, ne reconnaissent aucune légitimité au pouvoir de la Sublime Porte, chantre du sunnisme face à la Perse voisine, chiite. La direction religieuse chiite est basée dans les quatre villes saintes du pays (Najaf, Kerbela, Kazamayn et Samarra). À partir du XIXᵉ siècle, elle s'érige en pouvoir spirituel et temporel, contestant à l'État ottoman et à ses représentants locaux tout droit de parler au nom de l'islam. Les religieux chiites se font les hérauts à la fois de la lutte contre le colonialisme européen en terre d'islam, mais aussi d'un constitutionnalisme qui triomphe avec l'adoption de Constitutions dans les deux empires musulmans, persan en 1906, et ottoman en 1908. **Rejet de la domination britannique.** La Première Guerre mondiale provoque l'effondrement de l'Empire ottoman et la Mésopotamie ottomane est occupée militairement par les troupes bri-

tanniques dans le cadre d'une campagne qui durera de 1914 à 1917. La population irakienne répond en masse à l'appel des oulémas (théologiens et juristes) chiites à combattre l'invasion britannique et à défendre l'« État musulman ». Le jihad (« guerre sainte ») de 1914-1916, qui voit les tribus chiites se battre aux côtés de l'armée ottomane, est le mouvement armé le plus massif que connaît alors la région contre une occupation militaire européenne. Les idées nationalistes arabes sont alors pratiquement inconnues en Irak même. Seuls les officiers d'origine irakienne qui ont servi le futur roi Faysal Iᵉʳ (1921-1933) dans sa révolte arabe contre les Ottomans au Levant (1916) en faisaient profession. Une fois que les forces britanniques se sont rendues maîtresses du pays, elles se retrouvent face à une direction religieuse chiite qui préconise l'établissement d'un « État arabe et musulman en Irak sans lien de dépendance envers une puissance étrangère ». L'attribution au Royaume-Uni par la SDN d'un mandat sur l'Irak en 1920 catalyse tous les mécontentements ; la lutte contre la domination britannique culmine avec un soulèvement généralisé, connu en Irak sous le nom de « révolution de 1920 ». **La construction du futur État indépendant.** L'État irakien sera une création coloniale. Sir Percy Cox (1864-1937), le résident britannique à Bagdad, proclame le premier gouvernement irakien le 23 octobre 1920. Au lendemain de la révolution intervenue la même année, réprimée dans le sang, les responsables britanniques ont pris acte de l'impossibilité de gouverner directement l'Irak. Ils décident donc de fonder une institution arabe locale, dont l'État irakien moderne est l'héritier. L'armée nationale est créée en 1921 comme corps supplétif des forces britanniques et Faysal, qui a pris part à la révolte arabe de 1916 et qui est l'un des fils du chérif Hussein ibn Ali de La Mecque (1853 ?-1931), est choisi par le Royaume-Uni pour être roi d'Irak. Le bras de fer avec la direction religieuse chiite se poursuit néanmoins. Les religieux interdisent, par des fetwas (avis juridiques), l'élection d'une Assemblée constituante devant approuver le traité anglo-irakien. **La naissance de la « question irakienne ».** L'exil forcé de Cheikh

Mahdi al-Khalisi, le grand ayatollah de l'époque, en 1923, marque l'échec du projet islamique souverainiste. La direction religieuse vaincue se replie dans les villes saintes. Tous les rouages du nouvel État sont investis par des élites arabes sunnites, *cheikhs* de confréries soufies, grandes familles sunnites, ex-officiers chérifiens ou hauts fonctionnaires de l'époque ottomane. Les chiites sont ainsi tenus à l'écart des instruments du pouvoir (essentiellement l'armée et le gouvernement), comme ils l'avaient été tout au long de la domination ottomane. À la question chiite s'ajoute, à partir de 1925, la question kurde, avec le rattachement à l'Irak du vilayet de Mossoul par la SDN. Les Kurdes, qui ont manifesté par des soulèvements et des pétitions leur refus d'être rattachés à un État se définissant comme « arabe », ne se sentiront jamais représentés par les pouvoirs successifs. Ainsi naît la « question irakienne », que l'on peut définir comme le rapport de domination confessionnelle des sunnites sur les chiites et ethnique des Arabes sur les Kurdes, occulté par un système politique calqué sur le modèle européen et qui entend être « moderne ».   De fait, la vie politique durant la monarchie (1921-1958) présente tous les attributs d'un système permettant de faire émerger une citoyenneté irakienne : un roi, un gouvernement, un Parlement, des syndicats et des partis. En 1931, l'indépendance formelle de l'Irak, qui devient membre de la SDN, ne change guère la situation.   **Sous la botte militaire.** En 1936, un premier coup d'État militaire inaugure une longue série de putschs de la part d'officiers qui prennent en otage pour longtemps la vie du pays. Face à une monarchie dotée d'une base politique faible, l'armée devient un acteur central, faisant et défaisant les gouvernements. Le roi Faysal II (1935-1958) avalise ces coups d'État, en nommant leurs auteurs à la tête du gouvernement, tandis que les Britanniques manœuvrent en sous-main. Le coup d'État nationaliste de Rashid Ali al-Gaylani (1892-1965) de 1941, abusivement présenté par les Britanniques comme proallemand, et qui aboutit à une brève guerre anglo-irakienne, fait exception. Au terme de la Seconde Guerre mondiale, la victoire des Alliés renforce la présence britannique en Irak, alors que la société adhère de plus en plus massivement aux idées communistes et nationalistes, arabes ou kurdes. En 1958, un coup d'État organisé par un groupe d'« officiers libres », sur le modèle égyptien, amène la chute de la monarchie. Une partie de la famille royale et le Premier ministre Nuri al-Saïd (1888-1958), accusés d'être des agents britanniques, sont lynchés par la foule.   **La** période républicaine s'ouvre sur un régime instable, dirigé de façon autoritaire par Abd al-Karim Kassem (1914-1963). Celui-ci élimine ses rivaux et cherche des alliés politiques auprès des communistes et du mouvement kurde. Pour la première fois, un article de la Constitution reconnaît l'existence du peuple kurde en mentionnant le « partenariat arabo-kurde ». Au nom d'une identité spécifique de l'Irak au sein du monde arabe, A. K. Kassem s'oppose aux « unionistes », baassistes et nassériens, qui veulent que l'Irak rejoigne la République arabe unie (RAU), l'union (éphémère) de l'Égypte et de la Syrie. Sous le régime de A. K. Kassem, la lutte entre « unionistes » (nationalistes arabes de toutes tendances) et adversaires de l'union (communistes, Kurdes, mais aussi un mouvement religieux chiite renaissant) prend l'allure d'une véritable guerre civile, tandis que Nasser et A. K. Kassem s'invectivent et s'accusent mutuellement de jouer le jeu de l'impérialisme. En février 1963, un premier coup d'État baassiste provoque la chute d'A. K. Kassem, qui est exécuté, tandis que la chasse à ses partisans et aux communistes fait rage. Toutefois, les exactions des milices du parti Baas poussent les officiers à les éliminer à leur tour. En novembre 1963, le maréchal Abdel Salam Aref (1921-1966) oriente l'Irak vers un panarabisme mesuré. Une période de relative stabilité s'ouvre, à peine troublée par l'accident d'hélicoptère qui coûte la vie au chef de l'État en 1966 ; il sera remplacé par son frère Abdel Rahman (1916-).   **Le clan des Takriti au pouvoir.** Le second coup d'État baassiste du 17 juillet 1968 voit resurgir certains des auteurs du putsch de 1963. Mais le Baas qui s'empare du pouvoir a radicalement changé entre-temps. La défaite de l'aile civile du parti, en

1963, a abouti au départ massif des chiites et à leur divorce définitif d'avec le Baas. Les militaires, et en premier lieu ceux originaires de Takrit, dominent désormais l'appareil du parti. L'un d'eux, le général Ahmed Hasan al-Bakr (1912-1982), devient officiellement le premier personnage du pays, cumulant toutes les fonctions. Le second du régime est un civil, mais originaire de Takrit également et apparenté en ligne directe au général al-Bakr : il se nomme Saddam Hussein. Ce dernier utilise le prestige de son aîné dans l'armée, qu'il soumet à un processus de « baassisation » forcée. En fait, l'institution militaire, après le parti Baas, est soumise à la volonté d'un clan, celui des Takriti, et plus particulièrement à celle de la famille de S. Hussein. Les services de renseignements militaires et baassistes sont au cœur du processus de prise de contrôle des institutions du pays. Sentant sa base politique se réduire, S. Hussein sacrifie à la politique des fronts nationaux alors encouragés par Moscou. Le Parti communiste et le Parti démocratique du Kurdistan (PDK) sont associés au pouvoir, alors que l'autonomie du Kurdistan est proclamée en 1970. Mais les intentions du gouvernement sont rapidement révisées : la guerre reprend sur une grande échelle au Kurdistan dès 1974 et la répression anticommuniste bat son plein. Avec le « boom » pétrolier des années 1970, la manne dont dispose le gouvernement irakien lui inspire des ambitions inédites. Le 1er juin 1972, S. Hussein annonce la nationalisation de l'Iraq Petroleum Company (IPC). Il rêve de faire de l'Irak la première puissance militaire et politique de la région. Les accords d'Alger avec le chah d'Iran (1975) lui permettent de mettre à genoux le mouvement kurde. La répression contre les communistes et contre le mouvement religieux chiite renaissant s'accentue. Au cours de cette période, le niveau de vie de la population décolle : le pays sort du sous-développement grâce au pétrole et l'Irak entame un développement rapide et une politique de puissance. **Les deux guerres du Golfe.** En 1979, S. Hussein met à la retraite A. H. al-Bakr et le remplace dans toutes ses fonctions. Les militaires sont à leur tour victimes de purges visant à supprimer tout leadership

au sein de l'armée. Plus grave pour le régime, auquel tout semblait réussir, la révolution islamique en Iran (1979) et l'accession au pouvoir des partisans de l'imam Khomeyni fait craindre un effet de contagion, alors même que les liens entre les religieux chiites d'Irak et d'Iran se renforcent. Probablement abusé sur l'état des forces nationales et sur la situation en Iran, S. Hussein lance son armée à la conquête du pays voisin en 1980, déclenchant la première guerre du Golfe. Malgré le soutien militaire des pays occidentaux et de l'Union soviétique, l'Irak ne parvient pas à l'emporter et la guerre se termine huit ans plus tard sans vainqueur ni vaincu. Des centaines de milliers d'Irakiens sont morts au combat. Privé de revenus pétroliers, du fait de la destruction de ses infrastructures, l'Irak est au bord de la faillite. En août 1990, le régime irakien envahit l'émirat du Koweït, « coffre-fort » dont il espérait tirer de quoi payer ses dettes, et le décrète dix-neuvième province de l'Irak. Une vaste coalition anti-irakienne rassemble la plupart des pays arabes et les forces alliées occidentales. La seconde guerre du Golfe commence début 1991 et aboutit à la libération du Koweït. À la débâcle de l'armée irakienne s'ajoute le soulèvement des chiites et des Kurdes (mars 1991). S. Hussein parvient, contre toute attente, à rétablir la situation au prix d'une répression sans précédent. Toutefois, dans le Nord, l'intervention alliée oblige les forces irakiennes à un retrait et ouvre la voie à la création d'une zone autonome kurde que les deux grands partis kurdes rivaux transforment rapidement en un nouveau champ de bataille. L'Irak, vaincu, se voit soumis à une nouvelle forme de tutelle internationale limitant sa souveraineté dans de nombreux domaines (nouveau tracé de la frontière avec le Koweït – défavorable à l'Irak –, contrôle de l'armement, interdiction de commercer, contrôle des ventes de pétrole, zones d'exclusion aériennes, zone kurde échappant au contrôle de Bagdad). L'embargo encore en place en l'an 2002 et les sanctions internationales ont provoqué l'effondrement de la société irakienne, ramenée plusieurs décennies en arrière, tandis que le régime, dont les méthodes demeurent brutales, semblait tirer profit de la situation. **P.-J. L.**

IRAN   République islamique d'Iran. Capitale : Téhéran. Superficie : 1 648 000 km². Population : 66 796 000 (1999).   Au XXe siècle, l'Iran apparaît comme une sorte de laboratoire de l'histoire du Moyen-Orient où s'enchaînent la première révolution constitutionnelle de la région en 1906, l'exportation du pétrole d'Abadan vingt ans avant celui de l'Arabie, la nationalisation par le Premier ministre Muhammad Hedayat Mossadegh de l'Anglo-Iranian Oil Company (AIOC) en 1951 qui servira de modèle à celle du canal de Suez (1956) et d'occasion pour la CIA (Central Intelligence Agency, États-Unis) de fomenter son premier coup d'État en 1953. La première révolution islamiste en 1979, enfin, donne le signal d'un retour de l'islam politique et instaure la plus importante théocratie du siècle.   Dès le début du siècle, l'Iran (qui s'appelle alors la Perse) marque sa singularité : au terme de puissantes manifestations de rue, un Parlement est créé et une Constitution adoptée au cours de l'année 1906. Elle demeura en vigueur jusqu'à la révolution islamique, même si elle ne fut en réalité appliquée qu'une vingtaine d'années (1911-1920 puis 1941-1953). Elle n'en constitue pas moins la première expérience de constitutionnalisme en terre d'Islam.   La révolution russe et la disparition de l'Empire ottoman laissent le champ libre aux Britanniques qui durant plus de quarante ans feront du pays un quasi-protectorat. La situation de l'immédiat après-Première Guerre mondiale marque un affaiblissement considérable du pays et l'impuissance politique du chah, lesquels contrastent singulièrement avec l'aspiration des élites à une reconnaissance internationale et à la participation de la Perse à l'histoire mondiale.   Le 21 février 1921, Reza Khan, l'un des chefs des Cosaques persans, malgré son manque à peu près complet d'instruction, prend en main le gouvernement. C'est le début d'une fulgurante ascension : successivement commandant des Cosaques, ministre de la Guerre, Premier ministre, il finit par renverser les Kadjars en 1925 et proclame la dynastie Pahlavi le 12 décembre.   **Première vague « modernisatrice ».** Le nouveau souverain, qui prend pour nom « Reza Chah Pahlavi », encourage le développement économique et l'occidentalisation tout en maintenant un pouvoir despotique et en prenant soin de ne pas s'aliéner le puissant clergé chiite par des réformes laïcisantes trop radicales. Malgré sa prudence, des divergences l'opposent à plusieurs reprises au Royaume-Uni, notamment à propos de l'exploitation de l'industrie pétrolière. À l'occasion du nouvel an iranien, en 1935, Reza Chah exige que son pays soit dorénavant appelé « Iran », c'est-à-dire « pays des Aryens », dénomination selon lui plus adaptée au modèle d'efficacité et de compétitivité internationales qu'il entend promouvoir. L'affirmation identitaire de son pays requiert également une bonne définition des frontières et des relations avec les voisins et la communauté internationale. Pour se dégager de la pesante tutelle britannique, il développe, par exemple, des relations cordiales avec l'Union soviétique et surtout avec l'Allemagne nazie, ce qui va provoquer sa chute.   Téhéran proclame en effet sa neutralité quand éclate la Seconde Guerre mondiale. Mais après l'invasion de l'URSS par les troupes nazies en juin 1941, l'Iran devient la seule voie par laquelle les Britanniques peuvent ravitailler leur nouvel allié. Devant le refus du chah d'expulser les nombreux conseillers allemands, l'Iran est envahi par les troupes soviétiques et britanniques le 25 août 1941. Quelques jours plus tard, le souverain est obligé d'abdiquer au profit de son fils Muhammad Reza.   Ce dernier, encore très jeune et sans expérience politique, ne peut en réalité guère peser sur les affaires politiques. À la fin du conflit mondial, les troubles internes, les velléités indépendantistes des populations kurdes (au nord-ouest) et de l'Azerbaïdjan iranien (au nord), la menace d'une partition entre les deux puissances dominantes traditionnelles (soviétique et britannique) ne facilitent pas l'exercice de son pouvoir. Outre leur hégémonie économique, les Britanniques sont omniprésents dans le pays. Le refus de l'AIOC de négocier une nouvelle répartition des recettes du pétrole (les redevances versées par la compagnie au pays se montent après la guerre à seulement 9 % des exportations) entraîne peu à peu une radicalisation de l'opinion publique. La question du pétrole devient politiquement centrale et se traduit par la nomination de l'intransigeant nationaliste M. H. Mossadegh au poste de Premier ministre en mars 1951. Le 15 mars, la nationalisation du pétrole est votée par le Parlement. **L'occidentalisation du souverain Muhammad Reza Chah.** Après des mois de blocage, la CIA organise deux coups d'État successifs en août 1953, mettant fin au gouvernement Mossadegh. La date est importante car elle marque à la fois l'affirmation du pouvoir dictatorial du chah et le remplacement du Royaume-Uni par les États-Unis comme puissance tutélaire de l'Iran. **L**es décennies 1960 et 1970, tout en confirmant le caractère despotique du régime, engagent l'Iran sur la voie de l'occidentalisation : dans les campagnes est mise en place la « révolution blanche » qui suscitera des émeutes en 1963, dont émergera la figure de Ruhollah Khomeyni. Les grands projets industriels connaissent, quant à eux, une réelle accélération à la suite de la hausse des prix du pétrole de 1973, mais surtout, la constitution d'une formidable machine militaire va transformer l'Iran en « gendarme du Golfe », essentiellement au profit des États-Unis. **E**ntouré d'une cour d'intrigants corrompus, le chah est de plus en plus coupé des réalités sociales de son pays et sombre dans une dangereuse mégalomanie dont le symbole sont les fastueuses fêtes de Persépolis, qui célèbrent en octobre 1971 les 2 500 ans de l'Empire perse. Certaines réformes, telles que le changement du calendrier dont l'origine n'est plus, à partir du 21 mars 1976, l'Hégire du Prophète mais la fondation de l'empire par Cyrus le Grand – faisant passer les Iraniens subitement de 1354 à 2535 – contribuent à aviver encore le sentiment religieux. Plus grave, la misère s'accroît, les campagnes se déstructurent et l'urbanisation est de plus en plus anarchique. Enfin, la présence de 30 000 conseillers militaires américains choque le nationalisme toujours à fleur de peau de la population. **La révolution islamiste khomeyniste.** Principale force survivante de la répression politique (qui s'est aussi exercée contre les courants libéraux, communistes et islamo-marxistes), le clergé chiite demeure seul à même de canaliser l'aspiration à la dignité et à la liberté. Après des mois de manifestations de plus en plus massives au cours de l'année 1978, le chah est obligé de s'exiler le 16 janvier 1979. Le 1er février, l'ayatollah Khomeyni (exilé en France) rentre à Téhéran, accueilli par une foule de près de quatre millions de personnes. L'incontestable habileté politique de ce dernier est d'avoir su concentrer et incarner tous les mécontentements qui jaillissaient de l'ensemble des catégories de la société. **A**ssez rapidement toutefois, la base du régime islamique issu de la révolution de 1979 se rétrécit. Les rapports se tendent avec les États-Unis et les milieux occidentaux avec la crise des otages. L'invasion du pays par l'Irak en septembre 1980 provoque un sursaut patriotique sur lequel l'ayatollah Khomeyni s'appuie pour éliminer ses alliés politiques de la veille. Dès 1983 les troupes irakiennes sont repoussées hors des frontières nationales, mais il faut attendre août 1988 pour qu'un cessez-le-feu soit enfin effectif. La première « guerre du Golfe » (ou « guerre Iran-Irak ») a permis aux dirigeants islamiques de masquer leurs divergences et de ne pas opérer les choix décisifs qu'exigeait le pays. En somme, si la rente pétrolière a servi à financer les importations, aucune voie de développement n'a été définie, ni libérale, ni étatiste. La guerre a laissé le pays exsangue, tant au niveau humain qu'économique. La mort du « guide de la Révolution », en juin 1989, a ouvert une phase nouvelle. **D**ix ans après, les problèmes s'étaient accumulés. Aucune réforme économique structurelle n'avait été menée. Le mécontentement social s'est manifesté au cours de plusieurs émeutes toutes sévèrement réprimées. Accusé de terrorisme, le régime était en outre très isolé sur la scène internationale d'autant qu'il était soupçonné de chercher à se doter de l'arme nucléaire. Les États-Unis, qui ont imposé un embargo sur leur commerce avec l'Iran, ont adopté, en juillet 1996, et ce malgré l'opposition des Européens favorables à un dialogue avec Téhéran, une loi menaçant de sanctions les sociétés étrangères qui aideraient au développement du secteur pétrolier iranien. **L**'élection de Muhammad Khatami, réformateur, à la présidence de la

République en mai 1997 puis les élections législatives de 1999 et sa réélection en juin 2001 ont semblé exprimer les nouvelles aspirations gagnant la société iranienne, laissant entrevoir quelques espoirs quant à la libéralisation du système politique. **D. B.**

IRANGATE L'Irangate a été le pendant du Watergate dans le domaine de la politique étrangère des États-Unis. Dans les deux cas, les présidents ne réussissaient pas à admettre le principe de la séparation des pouvoirs ; ils se refusaient à tout contrôle parlementaire et, *a priori*, à toute contrainte législative. En novembre 1986, on commence à apprendre que le président Ronald Reagan (qui a autorisé les grandes lignes de cette politique) est prêt à échanger les otages américains détenus au Proche-Orient contre la vente d'armes à l'Iran (alors en guerre contre l'Irak). Le produit de ces ventes est destiné à armer la Contra nicaraguayenne (guérilla antisandiniste), en violation de la volonté expresse du Congrès. Plus prudent que son prédécesseur Richard Nixon (1969-1974), R. Reagan n'a pas été pris en flagrant délit et n'a donc pas eu à payer le prix de sa vision très « personnelle » de la Constitution des États-Unis ; une demi-douzaine de ses comparses (dont le vice-amiral John Poindexter et le lieutenant-colonel Oliver North) ont été condamnés (4 mai 1989 et 7 avril 1990) – mais nul n'a fait un jour de prison pour cause d'Irangate. **M.-F. T.** > ÉTATS-UNIS.

IRGOUN En 1937, l'Irgun Zva'i Le'umi (IZL, « Organisation militaire nationale ») est fondée par la droite dite « révisionniste » qui a rompu avec le mouvement sioniste. Elle revendique la création d'un État juif de part et d'autre du Jourdain et organise des attentats terroristes anti-arabes au nom de la loi du talion. Pendant la Seconde Guerre mondiale, elle observe une trêve et encourage ses membres à combattre dans les rangs alliés. Sous la direction de Menahem Begin, la lutte clandestine reprend en 1944. L'Irgoun fait sauter l'hôtel King David, quartier général britannique à Jérusalem, le 22 juillet 1946, massacre les habitants palestiniens du village de Deir Yassin, le 9 avril 1948, et,

opposée au partage de la Palestine, entre en conflit ouvert avec la direction sioniste lors de l'indépendance. L'*Altalena*, un bateau chargé d'armes qui lui sont destinées, est coulé par l'artillerie israélienne. Dissoute, l'Irgoun se transforme en parti politique, le Hérout (Liberté), en juin 1948. **C. B.** > ISRAËL, PALESTINE.

IRIAN JAYA > PAPOUASIE OCCIDENTALE.

IRLANDE République d'Irlande. Capitale : Dublin. Superficie : 70 280 km². Population : 3 705 000 (1999). L'Irlande, au cours du XXᵉ siècle, a connu des changements de statuts, de sanglants conflits et un passage de la pauvreté à la prospérité. Parent pauvre au sein du Royaume-Uni depuis 1801, de fait colonie britannique, ce pays a abordé le siècle en étant profondément divisé aussi bien sur le plan religieux que sur le plan politique. La majorité catholique de l'île (75 %) souhaite l'autonomie politique (*Home Rule*), tandis que les protestants, fortement concentrés dans le nord-est du pays, veulent rester unis (unionisme) à la Grande-Bretagne. Au cours de la Première Guerre mondiale, le soulèvement-surprise d'une poignée de républicains à Dublin en 1916 (soulèvement de Pâques) introduit une nouvelle division politique dans le pays. Dorénavant, républicains, nationalistes et unionistes cherchent à faire triompher, chacun de leur côté, leur vision de l'Irlande de demain. **Guerre d'indépendance et partition.** Entre 1919 et 1921, les républicains (IRA – Armée républicaine irlandaise), sous la direction de Éamon de Valera et Michel Collins (1890-1922), dirigent une guerre d'indépendance. Londres répond en deux temps. En 1920 est créée l'Irlande du Nord, formée de six des trente-deux comtés irlandais, et en 1921 (Traité anglo-irlandais) une indépendance limitée (statut de *dominion*) lui est concédée. Cette solution satisfait la majorité de la population. En revanche, É. de Valera et les républicains la rejettent. Ils n'ont pas obtenu avec l'État libre d'Irlande l'indépendance complète et, de surcroît, le pays se trouve dorénavant divisé. La guerre civile de 1922-1923 donne la victoire aux nationalistes qui se lancent dans la création d'un nouvel État. Néanmoins, la victoire d'É. de Valera et de son parti, le Fianna Fail, aux élections législatives de 1932 lui permet de défaire les derniers liens avec le Royaume-Uni. Cela aboutit à l'adoption d'une nouvelle Constitution en 1937 et à la proclamation de la République en 1948. Reste la tâche de réunir le Nord et le Sud. Les républicains de l'IRA, hors-la-loi, tâchent en 1939 et 1956 de raviver la guerre contre l'Angleterre, sans succès. Le déclenchement de la mobilisation en faveur des droits civiques pour la minorité catholique au Nord en 1968 et surtout la réponse des autorités de Londres – envoi de l'armée en 1969 – engendrent une résurgence de l'IRA. Jusqu'à la signature de l'accord anglo-irlandais du 10 avril 1998, dit du « Vendredi saint », les trois forces politiques qui ont émergé au début du siècle continuent de poursuivre trois objectifs différents. Les républicains de l'IRA et du Sinn Féin (aile politique de l'IRA) cherchent à mettre fin à la présence britannique dans l'île et à réunir le Nord au Sud. Les nationalistes en République d'Irlande ou au sein du parti politique de John Hume, le SDLP (Parti social-démocrate et travailliste en Irlande du Nord), visent à réconcilier protestants et catholiques au Nord et à réunir le Nord et le Sud. Les unionistes, enfin, s'opposent à ces objectifs, souhaitant rester au sein du Royaume-Uni. Pendant de longues années, Londres les a appuyés militairement, politiquement et économiquement. **L'accord du « Vendredi saint ».** La poursuite de la violence et la forte pression de Washington, de Bruxelles et de Dublin ont fini par obliger le gouvernement britannique à négocier. L'accord anglo-irlandais de 1998, signé par les trois grandes forces, en a été le fruit. Il prévoit, entre autres, la réunification de l'Irlande si une majorité au Nord le souhaite et la création d'un conseil Nord-Sud permettant l'élaboration de décisions sur des questions d'intérêt commun. Ainsi, en cent ans, une partie de l'Irlande sera parvenue à obtenir son indépendance par la force des armes et l'action politique. L'idée de la nécessaire collaboration entre catholiques et protestants au Nord et entre unionistes, nationalistes et républicains sur l'ensemble de l'île semble l'avoir largement emporté. **La** République d'Irlande a connu, depuis sa création, une grande stabilité politique. Sur le plan économique, ses efforts d'ouverture sur l'Europe – adhésion à la CEE (Communauté économique européenne) en 1973 – et le monde ont porté leurs fruits dans les années 1990, le pays enregistrant un taux de croissance de 8 % par an. Membre de la Zone euro dès sa constitution au 1er janvier 1999, l'Irlande, en raison de la politique de neutralité (qui l'a tenue à l'écart de la Seconde Guerre mondiale), n'est pas membre de l'OTAN (Organisation du traité de l'Atlantique nord). **P. B.**

IRLANDE DU NORD Une des quatre provinces historiques irlandaises, l'Ulster, s'oppose, avec succès, à la conquête anglaise. Mais, une fois son grand chef, Hugh O'Neill (1540-1616), vaincu, Londres entreprend, à partir de 1610, la colonisation des terres conquises. On fera venir en Ulster des centaines de milliers de protestants anglophones d'Écosse et du nord de l'Angleterre. Leurs descendants (unionistes), au XIXe siècle, refuseront les revendications nationalistes irlandaises. La mobilisation des unionistes contre l'autonomie réclamée par les nationalistes en 1912, le soutien qui leur est prodigué par l'*establishment* britannique, ainsi que la volonté de Londres de garder un pied en Irlande expliquent comment peut être votée la loi de 1920 sur le gouvernement de l'Irlande, qui sépare l'île en deux (Traité anglo-irlandais). L'Irlande du Nord se compose des six comtés les plus protestants des neuf que compte la province historique de l'Ulster. Les unionistes se voient ainsi accorder le territoire le plus grand sur lequel asseoir une majorité électorale anglaise. Mais le nouvel « Ulster » accueille aussi une minorité catholique, qui représente environ un tiers de la population. **P. B.** **> IRLANDE, ROYAUME-UNI.**

IRRÉDENTISME Après l'intégration de Venise en 1866 et de Rome en 1870, il reste hors d'Italie des zones ressenties comme italiennes : le Trentin, l'Istrie et Zara en Dalmatie. L'opposition le réclame, mais une fois au pouvoir elle se plie au rapport de forces international : si la tension avec la

France fait ajouter Nice, ces terres *irredente* (non rachetées) sont en Autriche-Hongrie, pays contre lequel l'unité s'est faite, mais allié de Rome depuis 1882 dans la Triplice. Le mouvement, très minoritaire, qui, à Trieste, se contenterait d'autonomies locales, alarme Vienne, et sa répression violente le renforce par réaction. Quand l'Autriche annexe la Bosnie en 1908, ébranlant le *statu quo* régional, il explose, et la germanisation active de Trieste l'attise encore en 1913. En 1915, l'Entente promet ces terres à l'Italie, qui obtient le Trentin et l'Istrie en 1918. Cependant, les peuples sont trop mêlés pour appliquer le principe des nationalités, et ce n'est pas un Empire vaincu que l'Italie côtoie en Adriatique, mais la Yougoslavie, autour de la Serbie, pays allié. L'essentiel de la Dalmatie n'est pas obtenu, et Fiume, négligée en 1915, devient alors le symbole des tensions. Mais les objectifs essentiels sont atteints. Si le régime fasciste réclame la Corse, Nice et la Savoie, il s'agit d'une agitation francophobe artificielle, et si, en 1953, l'Italie s'enflamme pour Trieste, administrée par les Anglo-Saxons après 1945, rendue en 1954, ce n'est qu'une résurgence éphémère. Internationalisé, le mot « irrédentisme » demeure utilisé concernant les revendications de rattachement à base ethnique ou linguistique. **É. V.** **> EMPIRE AUSTRO-HONGROIS, ITALIE.**

ISLAMISME Le terme « islamisme » a généralement désigné, à partir du début des années 1980, les mouvements politiques radicaux dont le but est l'établissement de l'État islamique, en opposition à l'État moderne de type occidental, considéré par les idéologues de ces mouvements comme étant une structure importée, antireligieuse et défaillante. L'islamisme se distingue du fondamentalisme islamique par la place centrale qu'il attribue à la question de la prise du pouvoir, alors que l'objectif du fondamentalisme classique était de mettre en œuvre une politique sociale d'inspiration islamique répondant aux besoins immenses de réforme, en favorisant l'action multiforme : culturelle, sociale et économique (les banques islamiques par exemple). Cependant, l'islamisme hérite du fondamentalisme une grande tradition d'organisation politique. **De la Ligue musulmane à la confrérie des Frères musulmans.** La Ligue musulmane indienne aura été le premier parti islamique à être fondé (1906). À partir de 1913, son nom sera associé à Muhammad Ali Jinnah, futur fondateur du Pakistan. La Ligue se donne pour mission de faire face à un parti du Congrès dominé par les nationalistes hindous et tendant à exclure les musulmans du mouvement national indien. Elle va surtout tenter de protéger ces derniers de cette domination, du moins dans les provinces où les musulmans sont majoritaires. L'attitude de la Ligue vis-à-vis de la puissance coloniale britannique sera sensiblement identique à celle du Congrès. Cependant, certains courants islamiques n'étaient pas favorables à la partition en 1947. Le mouvement Jamiat-e Islami dirigé par Abul ala-Mawdudi s'opposait à l'idéologie du nationalisme musulman territorial au nom d'un fondamentalisme ne reconnaissant aucune frontière au sein de la communauté musulmane. **Q**uant au Jamiat al-Tabligh, il représente une autre tradition, dont l'influence est maintenant internationale, évangéliste et missionnaire, tournée vers la société et non vers le pouvoir politique d'État. **E**n Turquie, l'Union mohamadane, fondée le 5 avril 1909 à Istanbul par réaction au coup d'État moderniste de 1908 des Jeunes-Turcs, appelle à l'application de la *charia* et s'oppose au *tafarnoj* (occidentalisation). La Ligue musulmane et l'Union mohamadane ont fondé deux traditions qui, en se rejoignant, allaient donner naissance à de multiples partis frères. La première, tournée vers le prosélytisme, a reflété la condition minoritaire de l'islam indien d'avant la partition de 1947. La seconde, politisée et antipouvoir, a été le produit de l'opposition au nationalisme turc. **H**assan al-Banna, chef de l'Association des Frères musulmans d'Égypte (fondée en 1928), et A. ala-Mawdudi dans le monde indien ont tous deux développé une vision se voulant islamique des réformes politiques et sociales, s'opposant à la vision « occidentaliste » du nationalisme montant à la veille des indépendances. Leur projet est par définition international et missionnaire. Il ne s'agit pas, par exemple, de rejeter la liberté comme valeur politique, mais de prouver que l'exercice de la liberté risque de conduire à son contraire si elle n'est pas intégrée dans un cadre islamique. **Si** l'essor du nationalisme a été le fruit de modernisations, l'islamisme contemporain est le fruit amer de leur échec et, en premier lieu, celui du nationalisme qui a conduit ces modernisations au XXᵉ siècle. Il n'est pas difficile de constater en effet que l'islamisme ne prend de l'ampleur que là où la faillite d'un nationalisme vigoureux a laissé un grand vide. Les populations qui, dans le sillage des indépendances ou des révolutions nationalistes, s'enflammaient pour des idéaux chargés de promesses de lendemains meilleurs, ont pu en effet mesurer dans leur vie quotidienne et leurs frustrations sociales combien était large le fossé entre rêve et réalité. L'islamisme s'est ainsi développé sur les ruines du nationalisme avant de se poser en substitut et adversaire de ce dernier. **L'écho de la révolution islamique iranienne.** La révolution islamique dirigée par l'ayatollah Ruhollah Khomeyni en 1979 en Iran aura dans une large mesure été une réplique à la mise en échec de la révolution nationaliste qu'avait dirigée en 1953 Muhammad Hedayat Mossadegh. Même en Turquie, les difficultés rencontrées par le kémalisme allaient inciter l'État, dès les années 1950, à lever le tabou portant sur les activités religieuses et à autoriser l'émergence d'une opposition islamiste représentée par le parti Fazilet (Parti de la vertu) à la suite de l'interdiction du Refah (Parti de la prospérité) en 1997. **D**ans les pays arabes, où les régimes nationalistes vont sombrer dans la corruption, le clientélisme et l'autoritarisme, la percée des partis islamistes sera fulgurante. Mis à part le régime wahhabite saoudien qui tend davantage à exercer son influence par la distribution de sa fabuleuse rente pétrolière que par son idéologie, tous les États musulmans subissent le contrecoup de la crise du nationalisme. Le Front islamique du salut (FIS) en Algérie, comme l'indique bien son nom, se pose dès 1988 comme la seule force capable de sauver un pays tombé, économiquement et moralement, en ruine. La fin morose du « bourguibisme » dans les

années 1980, a ouvert la voie, en Tunisie, à l'émergence du mouvement Ennahda (La Renaissance, ex-Mouvement de la tendance islamique – MTI –, fondé en 1981), dirigé par Rached Ghanouchi (1939-), et fortement réprimé. Le Front national islamique (FNI) de Hassan al-Tourabi, au pouvoir à Khartoum à compter de 1989, avait hérité du régime nationaliste corrompu de Gaafar Nimeyri (1930-), après l'intermède pluraliste de Sadiq al-Mahdi (1986-1989). La stratégie de répression adoptée par les autorités égyptiennes à l'égard de l'extrémisme islamique a semblé renforcer la radicalité de ce dernier. La pression des islamistes semble continuer d'augmenter, parallèlement à l'immobilisme des gouvernants et à la rigidité des systèmes. **Luttes pour le pouvoir.** La dégénérescence du nationalisme accentue la rupture entre une élite sociale prisonnière de ses intérêts étroits et une masse populaire condamnée à la marginalisation. L'éclatement du nationalisme engendre simultanément deux conceptions antagonistes et mutuellement diabolisées : le laïcisme et l'islamisme. Ce dernier apparaît pour la première fois majoritaire, imposant les termes du débat politique face à des élites en repli, s'accrochant au pouvoir. **C**ependant, le mouvement ascendant de l'islamisme ne marque pas la fin de la sécularisation. Il ne recouvre pas le recul des revendications matérielles, sociales, culturelles, et le retour des aspirations spirituelles ou identitaires. Contrairement à certaines apparences, les enjeux fondamentaux ne sont pas religieux, mais profanes. La politisation de l'islam n'est que l'expression de l'aggravation de la lutte pour le pouvoir et, au-delà, pour le contrôle des ressources. Aussi bien au Pakistan de Zia ul-Haq (1978-1988) que dans l'Afghanistan de la guerre civile ou du régime taliban, l'introduction de la *charia* n'aura rien changé aux données fondamentales de la crise. **B. G.**

ISLANDE République d'Islande. Capitale : Reykjavik. Superficie : 103 000 km². Population : 279 000 (1999). **P**ossession danoise, l'Islande est exploitée comme une colonie jusqu'au milieu du XIXᵉ siècle. L'Althing (Parlement islandais dont les origines remontent au Xe siècle) est rétabli en 1845. En 1874, une Constitution lui accorde un pouvoir législatif. En 1904, le pays obtient son autonomie, avec des ministres responsables devant l'Althing. L'acte d'Union de 1918 établit deux États sous un même souverain (le roi de Danemark). Copenhague conserve cependant la responsabilité des Affaires étrangères et des Finances. L'occupation du Danemark par l'Allemagne nazie, en avril 1940, conduit l'Althing à désigner un régent. Les Britanniques débarquent simultanément en Islande, pour dissuader les Allemands de s'y installer. Ils sont relayés par les Américains en 1941. L'année suivante, l'Althing dénonce l'acte d'Union. L'indépendance est approuvée par un référendum en 1944 et une Constitution républicaine adoptée. En 1949, l'Islande adhère au Pacte nord-atlantique, puis accorde en 1951 aux États-Unis la base militaire de Keflavik (dont la gauche islandaise demandera ensuite l'évacuation, en vain). Pour lutter contre la surexploitation des ressources, l'Islande, en 1958, reporte de quatre à douze miles la limite de ses zones de pêche. Cela provoque avec le Royaume-Uni une « guerre de la morue ». D'autres tensions suivront, après le report de la limite à 50 miles en 1972, puis à 200 miles en 1975. À compter de janvier 1993, l'Islande est associée à l'Union européenne dans le cadre de l'Espace économique européen (EEE). **J. S.**

ISOLATIONNISME/INTERVENTIONNISME

De 1898, guerre hispano-américaine, à 1999, participation majeure à la guerre du Kosovo, les États-Unis n'ont pas cessé d'intervenir militairement hors de leurs frontières. Il suffit de mentionner les nombreuses et récurrentes opérations dans la zone caraïbe, la participation américaine décisive aux guerres mondiales, mais également à la guerre de Corée et à la guerre du Vietnam. D'ailleurs, des historiens ont souvent expliqué comment la poussée interventionniste était naturelle à ce pays, dont les élites auraient toujours cherché des marchés pour les produits américains, mais auraient aussi voulu installer dans les autres États des régimes démocratiques fondés sur des principes américaines. Une telle vision correspond à la réalité, au moins pour les territoires voisins des États-Unis – Cuba (1898), Mexique (1914), Nicaragua (1933 et 1984), Haïti (1994), République dominicaine (1909 et 1965), Grenade (1983), etc. : l'intervention y est devenue naturelle, que ce soit, au début du siècle, pour faire payer un chef d'État débiteur, comme en République dominicaine en 1905 ou, dans les années 1980, au nom de la lutte anticommuniste au Salvador et au Nicaragua. En revanche, dans le reste du monde, les choses ont pris en général une tournure assez différente. Il a toujours existé aux États-Unis un courant isolationniste – dont on situe l'origine aux débuts de la république – qui s'est manifesté de façon plus ou moins directe durant tout le XXe siècle. Après la guerre hispano-américaine de 1898, les anti-impérialistes ont vigoureusement combattu l'extension de l'empire aux Philippines. En 1915, le secrétaire d'État de Woodrow Wilson (1913-1921), William J. Bryan (1860-1925), démissionne par crainte d'une entrée en guerre. Au lendemain du premier conflit mondial, alors que le président Wilson a défendu une vision américaine cohérente d'un monde en paix (Quatorze Points), il ne parvient pas à faire ratifier par le Sénat le traité de Versailles qui en reprend certains éléments. Une fraction importante de l'opinion américaine refuse alors tout engagement politique durable à l'étranger, mais ne s'oppose nullement aux investissements américains ni aux actions des grandes banques qui gèrent le problème des dettes interalliées et des réparations allemandes. Si le président Franklin D. Roosevelt (1933-1945) ne croit possible de déclarer la guerre au Japon et à l'Allemagne qu'en décembre 1941, après Pearl Harbor, c'est qu'il doit tenir compte de la puissance du courant isolationniste qui ne considère pas que les intérêts du pays soient en cause dans cette guerre. **La rupture de 1945.** On insiste souvent à juste titre sur le changement majeur apporté par la victoire de 1945 et le début de la Guerre froide : un consensus se forme pour lutter contre le communisme, et les États-Unis participent activement à la création d'institutions internationales – ONU, OTAN (Organisation du traité de l'Atlantique nord) – sans susciter de réelle opposition dans les pays. Les engagements de la Guerre froide semblent également acceptés. Ils s'inscrivent dans la politique de _containment_ (endiguement) lancée en 1947 par le président Harry Truman (1945-1953). À y regarder de plus près, on s'aperçoit que le courant isolationniste n'a pas disparu. Les dénonciations stridentes du sénateur Joseph McCarthy (1909-1957) contre le danger communiste dans l'appareil d'État – dénonciations qui se traduisent par la « chasse aux sorcières » – ne s'apparentent-elles pas à une forme d'isolationnisme ? Sur un tout autre registre, le mouvement contre la guerre du Vietnam défend des valeurs américaines perverties par l'engagement dans le conflit. Sans doute, depuis 1945 et l'avènement des États-Unis comme super-puissance, n'existe-t-il plus de mouvement isolationniste organisé, comme dans la période précédente, néanmoins la critique par certains des agissements américains puise dans cette tradition qui n'a pas disparu. Des conflits ont été controversés : celui du Vietnam, mais aussi ceux du Nicaragua dans la décennie 1980 ou de Bosnie-Herzégovine (1992-1995) ; ils ont donné lieu à l'expression d'arguments isolationnistes, cependant il ne saurait être question d'un retrait des États-Unis de leurs positions dans le monde. Simplement, les dirigeants politiques et militaires doivent veiller, lors de chaque crise, à construire un consensus pour éviter ces oppositions : ils sont parvenus lors de la crise et de la guerre du Golfe en 1990-1991, ainsi que dans la décision d'intervenir au Kosovo en 1999 ou encore en Afghanistan en 2001. De surcroît, l'intervention américaine ne concerne pas exclusivement le Pentagone (le ministère de la Défense). Elle prend des formes diverses : financière avec le rôle majeur du dollar dans les échanges internationaux, culturelle avec les productions audiovisuelles qui se répandent dans le monde, appuyées par les moyens de la « communication internationale » qui est instrument à part entière de la politique étrangère américaine. **J. P.** **> ÉTATS-UNIS.**

ISRAËL État d'Israël. Capitale : Jérusalem (état de fait, non reconnu sur le plan international). Superficie : 20 235 km². Population : 6 101 000, dont un million d'Arabes (1999). Le 14 mai 1948, lorsque s'achève le mandat britannique, qui datait de 1922, sur la Palestine, l'État d'Israël est proclamé par David Ben Gourion. C'est l'aboutissement d'un long processus entamé lors du congrès fondateur du sionisme à Bâle en 1897. La création d'Israël repose sur une idée maîtresse, tragiquement confortée par le génocide des Juifs pendant la Seconde Guerre mondiale : la nécessité de donner un État à un peuple persécuté tout au long de l'histoire. Il revendique la Terre promise à Abraham et jouit de la légitimité internationale conférée par le vote de l'Assemblée générale de l'ONU, le 29 novembre 1947, du plan de partage de la Palestine. À peine créé, Israël est attaqué par ses voisins (première guerre israélo-arabe de 1948-1949). Plus nombreuse, mieux équipée et mieux entraînée, sa force présentée comme défensive et baptisée Tsahal parvient à triompher de cinq armées arabes (égyptienne, transjordanienne, irakienne, syrienne et libanaise). **L'exil des Palestiniens.** La victoire israélienne présente un revers. Plus de 700 000 Palestiniens ont pris le chemin de l'exil. Une partie a fui la guerre ou les massacres, dont celui de Deir Yassin, une autre a été expulsée. Leurs biens ont été confisqués, leurs villages détruits. Les 156 000 Arabes restés à l'intérieur d'Israël disposent du droit de vote, mais seront placés sous administration militaire jusqu'en 1966. C'est donc une démocratie à degrés qui s'instaure après l'indépendance. Lors des premières élections législatives, en 1949, la gauche remporte la majorité des sièges, mais renonce à rédiger une Constitution que les partis religieux jugent contraire à la loi divine. La tension entre le caractère juif et les aspirations laïques du nouvel État va devenir un problème fondamental. En 1950, le chef du gouvernement, D. Ben Gourion, fait adopter la « loi du retour » qui accorde à tout Juif le droit d'immigrer en Israël, et organise l'arrivée dans le pays de plus de 600 000 Juifs issus pour la plupart du monde arabe. Il négocie avec l'Allemagne le paiement de réparations au titre du génocide. La droite emmenée par Menaham Begin l'accuse alors de pactiser avec le diable et suscite contre lui de violentes manifestations. **En** octobre 1956, D. Ben Gourion décide de participer à l'attaque franco-britannique contre l'Égypte de Gamal Abdel Nasser. C'est la « crise de Suez ». Six mois plus tard, il doit, sous la pression soviétique et américaine, rappeler ses troupes qui occupent le Sinaï. En lutte avec son parti, le Mapai, il démissionne en 1963. La question palestinienne resurgit à partir du milieu des années 1960. Parallèlement à l'OLP (Organisation de libération de la Palestine), créée à l'initiative de l'Égypte, en 1964, un mouvement palestinien indépendant des régimes arabes, le Fatah, mène des opérations armées contre Israël à partir du 1er janvier 1965. Après chaque attentat, l'État hébreu exerce des représailles contre la Jordanie et la Syrie. Il dispute aussi à ces deux pays les eaux du Jourdain. **De la guerre de 1967 à celle de 1973.** La tension déjà vive s'accroît d'un cran lorsque l'Égypte déclare craindre une agression israélienne et place ses troupes en alerte le 17 mai 1967, puis exige le départ de la force d'urgence des Nations unies déployée dans le Sinaï et à Gaza et, enfin, ferme le golfe d'Akaba aux bateaux israéliens (22 mai). L'État-Major de Tsahal, favorable à une attaque préventive, entre en conflit avec Levi Eshkol (1895-1969), le successeur de D. Ben Gourion, qui, à la demande des États-Unis, prône la retenue. Lorsque, le 31 mai, la Jordanie rejoint le pacte militaire syro-égyptien, les partisans de la guerre, en Israël, l'emportent. Le 1er juin, L. Eshkol forme un cabinet d'union nationale avec le général Moshe Dayan (1915-1981) à la Défense. Le 5 juin, Tsahal frappe tour à tour l'Égypte, la Jordanie et la Syrie et s'empare en six jours du Sinaï, de Gaza, de la Cisjordanie et du Golan. Cette guerre restera dans l'histoire comme celle des Six-Jours. Israël qui s'identifiait à David, face à un Goliath arabe, devient une puissance occupante qui tient entre ses mains le sort d'un autre peuple. Un million de Palestiniens se retrouve sous sa domination. 300 000 habitants de Gaza et de Cisjordanie ont rejoint la masse des réfugiés. La conquête des sites les plus sacrés du judaïsme suscite au sein du sionisme la montée d'un courant messianique. Les jeunes du Parti national religieux forment le Goush Emounim (Bloc de la foi) et entament la colonisation des Territoires occupés palestiniens au nom de la Torah. **Le** Premier ministre Golda Meir rejette les solutions diplomatiques, notamment le plan Rogers présenté par les États-Unis. Elle ne voit pas venir la montée des périls ni à l'intérieur, ni à l'extérieur. Les Palestiniens, selon elle, « n'existent pas » plus que le clivage entre Séfarades (Juifs orientaux) et Ashkénazes (Juifs européens). « Ce ne sont pas de gentils garçons », déclare-t-elle à propos des jeunes déshérités originaires du monde arabe qui manifestent leur colère. Elle ne prend pas davantage au sérieux les menaces guerrières du président égyptien Anouar al-Sadate. L'offensive combinée syro-égyptienne, le 6 octobre 1973, surprend Israël en pleine fête du Kippour. Après une semaine de reculade, Tsahal reprend le dessus. La guerre dite d'Octobre ou du Kippour ou encore du Ramadan crée un profond traumatisme et engendre en 1974 le départ de G. Meir, ainsi qu'une érosion du Parti travailliste. Itzhak Rabin, le nouveau chef du gouvernement, lâché par ses alliés sionistes religieux et éclaboussé par un scandale, démissionne à son tour en 1977. Son remplaçant, Shimon Pérès (1923-), perd les élections législatives de mai. Grâce aux voix séfarades, M. Begin, le chef du Likoud, le parti de la droite nationaliste, met fin à près de trente ans d'hégémonie de la gauche. La visite surprise d'A. al-Sadate à Jérusalem, les 19-21 novembre 1977, débouche sur l'ouverture de négociations entre les deux pays à Camp David (États-Unis) et aboutit à la signature d'un traité de paix le 26 mars 1979. Si M. Begin restitue le Sinaï, il accélère parallèlement la colonisation des Territoires palestiniens et entraîne son pays dans une expédition sanglante au Liban baptisée *Paix en Galilée*. L'indignation soulevée en Israël par les lourdes pertes infligées à Tsahal et par le massacre de Sabra et Chatila le conduit à quitter le pouvoir en 1983. Itzhak Shamir (1915-), le nouveau chef du Likoud, doit en 1984 former un cabinet d'union nationale. Il procède ensuite au retrait par étapes de Tsahal du Liban. Une mesure d'autant plus urgente que le pays s'enfonce dans la crise. L'inflation dépasse les 1 000 % et le chômage atteint 13 %. Fin 1987, l'_Intifada_, la « révolte des pierres » palestinienne, met fin aux rêves d'annexion de la Cisjordanie et de la bande de Gaza et conforte les partisans d'un compromis territorial. Pendant la <u>guerre du Golfe</u> de 1991, Israël est la cible de missiles irakiens, mais laisse pour la première fois à d'autres le soin d'assurer sa défense. Les États-Unis craignent qu'une intervention militaire de sa part n'incite les pays arabes à quitter la coalition anti-irakienne. Fort de sa victoire contre le chef de l'État irakien Saddam <u>Hussein</u>, le président américain George H. Bush (1924-) oblige Israéliens et Arabes à entamer un processus de paix, à Madrid, en 1991. Les négociations ne sortent de l'impasse qu'après le retour des travaillistes aux affaires en 1992. **Les accords d'Oslo.** L'ouverture de pourparlers secrets avec l'OLP à <u>Oslo</u> aboutit à la signature en 1993 d'une Déclaration de principe israélo-palestinienne. Cet accord, le premier d'une série, ouvre la voie à un traité de paix entre Israël et la Jordanie. Une Autorité autonome palestinienne s'installe sur une partie de la bande de Gaza et de la Cisjordanie. Accusé de traîtrise par les ultranationalistes, I. Rabin est assassiné le 4 novembre 1995. Les attentats islamistes favorisent en mai 1996 le succès électoral du chef du Likoud, Benyamin Netanyahou (1949-). Le processus de paix entre alors dans une longue période de gel. Le travailliste Ehud Barak (1942-), élu en mai 1999, promet de conclure rapidement la paix avec la Syrie, le Liban et les Palestiniens, mais les négociations israélo-palestiniennes sous égide américaine n'aboutissent pas tandis qu'éclate dans les Territoires, à partir du 28 septembre 2000, un nouveau soulèvement palestinien (une _deuxième intifada_), réprimé de manière particulièrement brutale et sanglante. Aux élections anticipées pour le poste de Premier ministre, début février 2001, le général Ariel Sharon (1928-), candidat du Likoud, l'emporte. Symbole, depuis les années 1950, de la lutte contre les Arabes, il a promis de rétablir la sécurité. Les travaillistes, divisés, rejoignent un gouvernement d'union nationale. L'engagement de l'armée contre des objectifs palestiniens croît en intensité. **C. B.** **> ACCORDS ISRAÉLO-ARABES, GUERRES ISRAÉLO-ARABES, QUESTION PALESTINIENNE.**

ITALIE République italienne. Capitale : Rome. Superficie : 301 225 km². Population : 57 343 000 (1999). Unifiée depuis 1860, élargie à la Vénitie en 1866 et ayant annexé Rome en 1870, l'Italie est une jeune nation que l'<u>irrédentisme</u> dit incomplète. Malgré un début d'industrialisation, de nombreux migrants fuient sa pauvreté. Sa faiblesse limite l'<u>empire colonial italien</u>. Monarchie censitaire selon la Constitution piémontaise de 1848, parlementaire _de facto_, l'Italie est marquée par l'exiguïté du pays réel. De plus, l'<u>Église catholique</u> boycotte les scrutins, ce qui pousse à des baisses du cens, au <u>transformisme</u>, intégration d'opposants entre consensus et corruption. Si la crise économique de la fin du xixᵉ siècle entraîne des révoltes, les solutions autoritaires sont écartées, même quand un <u>anarchiste</u> tue Umberto Iᵉʳ (1844-1900) en 1900. Victor-Emmanuel III (1869-1947) soutient le libéral Giovanni Giolitti (1842-1928), qui domine la politique de 1901 à 1914. Maître en transformisme, il offre aux socialistes sa neutralité dans les conflits sociaux, poussant l'Église à soutenir les modérés contre eux, et instaure en 1912 le suffrage universel masculin. Mais il use du clientélisme et de la violence au Sud et n'intègre ni l'anarcho-syndicalisme, ni le socialisme maximaliste, ni le <u>nationalisme</u>, malgré la conquête de la Libye en 1911. Jugeant le pays trop faible pour une guerre en Europe, il le rapproche de la France sans rompre la <u>Triplice</u>, est neutraliste en 1914 comme l'Église et le PSI (Parti socialiste italien). Cependant, il est écarté. En 1915, le roi et la rue (où l'interventionnisme mêle soif de violence, francophilie et rêves de « grand soir ») imposent la guerre. **L'irruption du fascisme.** La destruction de l'<u>Empire austro-hongrois</u>, qui provoque 460 000 morts italiens, ouvre le marché danubien, mais les principes de Woodrow <u>Wilson</u> limitent les gains territoriaux. Gabriele D'Annunzio (1863-1938) parle de victoire mutilée. Tout contribue à rendre la situation explosive : cette frustration, l'instabilité politique engendrée par la division des libéraux et les poussées socialiste et catholique, la culture de guerre, le choc entre ouvriers neutralistes et officiers démobilisés, l'exemple de la révolution russe, la crise de reconversion, l'inflation, les terres promises aux ouvriers agricoles pour que le front tienne. Extrémisme verbal, grèves et violence rurale s'épuisent en 1920, mais les Faisceaux de combat, groupuscule d'interventionnistes créé en 1919 par Benito Mussolini, coagulent des milices payées pour briser syndicats et coopératives. G. Giolitti veut en user contre la gauche, puis l'absorber. En 1921, 35 députés fascistes sont élus sur les listes libérales. Mussolini crée le Parti national fasciste pour contrôler les chefs locaux. Il joue de la violence, submerge toute autorité, exige le pouvoir. Refusant d'opposer la force à la Marche sur Rome de 1922, le roi lui fait former un gouvernement de coalition. La violence continue, on vote en 1924 sous la contrainte. Le député socialiste Giacomo Matteotti (1885-1924) dénonce cela et se fait assassiner. L'opposition quitte le Parlement. Mussolini vacille, mais conserve l'appui du roi. Il se reprend devant l'impuissance d'adversaires forcés à l'exil, parfait sa dictature en 1926 sous prétexte d'attentats, mais ménage roi, Église, armée et patrons. Entre répression et arbitraire, le revenu ouvrier stagne, celui des ruraux chute, malgré l'application d'une politique sociale (santé, loisirs). La diplomatie est d'abord prudente, même si l'Italie devient leader des pays voulant obtenir la révision du traité de Versailles. Puis le projet totalitaire se radicalise avec la crise de 1929 et l'intervention massive de l'État, à quoi s'ajoutent les effets de la guerre d'Abyssinie et l'entente avec Hitler. **M**ais encadrement des masses et bellicisme verbal ne suffisent pas. Si l'Italie envahit l'Albanie en 1939 et agresse la France en juin 1940, elle échoue en Grèce, en Somalie britannique et en Égypte. Malgré l'aide allemande, elle perd ses colonies. En 1943, les Alliés sont en Sicile. Le peuple bouge. Ceux qui aident Mussolini par peur de la révolution redoutent cependant que son maintien n'y mène. **Renaissance politique.** Le roi démet le dictateur le 26 juillet, le remplace par le maréchal Pietro Badoglio (1871-1956).

Si la liesse populaire est réprimée, la vie politique renaît, illégale mais publique. Après 45 jours de confusion, l'armistice est annoncé, la Wehrmacht déferle, le roi et P. Badoglio fuient à Brindisi. Le pays est coupé en deux. Rome libérée en juin 1944, P. Badoglio laisse la place à Ivanoe Bonomi (1873-1951), chef du Comité de libération nationale (CLN), formé par six partis, dont la Démocratie chrétienne (DC), le PLI (Parti libéral italien), les socialistes et le PCI (Parti communiste italien). Au Nord, Mussolini dirige un État fantoche, la République sociale italienne, dite « de Salò », ville où est installé le ministère de la Propagande. Son discours, prônant fidélité à l'allié et réforme sociale, contraste avec la défaite inévitable, les pénuries, les crimes des nazis, des fascistes et des milices privées contre les Juifs, la Résistance, etc. La plaine du Pô est libérée en avril 1945 et le « duce » exécuté par des résistants. **C**hef de la DC, et du gouvernement dès 1945, Alcide De Gasperi retarde les élections tant que dure l'ébullition de la Libération. Un accord entre le roi et le CLN prévoyant une Constituante, il impose un référendum pour ne pas devoir se prononcer sur le régime et éviter de se couper du peuple monarchiste. Lié au fascisme, Victor-Emmanuel III abdique, Umberto II règne un mois : en juin 1946, 54,2 % de votants et votantes choisissent en effet la république, majoritaire au nord de Rome, minoritaire au sud. En 1947, l'Assemblée, où seuls pèsent DC (35 %), PSI (20 %) et PCI (19 %), ratifie le dur traité (de paix) de Paris : désarmement, réparations, perte des colonies, de Tende et La Brigue, de l'Istrie, provisoirement de Trieste. Fin décembre, 88 % des députés votent une Constitution qui met en avant les libertés, le Parlement (deux chambres élues au suffrage direct choisissent le président et contrôlent le gouvernement) et des principes sociaux. La proportionnelle fait figure de dogme. Mais les lois fascistes demeurent et des institutions clés attendront pour être installées : Cour constitutionnelle (1955), Conseil supérieur de la magistrature (1958), régions et référendum d'initiative populaire (1970). **La DC au cœur du système.** La Guerre froide est là. Après que le PCI a voté l'intégration du concordat de 1929 à la Constitution (Palmiro Togliatti veut se faire accepter par un pays catholique et conservateur), A. De Gasperi a renvoyé en juin ses ministres de gauche, à la demande du pape et des États-Unis, et pour briser l'opposition de droite. Il profite de l'aide américaine sauvant une économie sinistrée par la guerre. Les législatives de 1948 se font contre le PCI, aligné sur le Kominform et associé au PSI de Pietro Nenni. Ces deux partis obtiennent 31 % des voix, la DC 48,5 %. Pour être libre face à la Curie, A. De Gasperi s'allie aux petits partis, PLI, Parti républicain italien (PRI) et sociaux-démocrates (PSDI), qui ont quitté le PSI trop lié au PCI. Il amarre le pays aux démocraties libérales dans l'OTAN (Organisation du traité de l'Atlantique nord) et la CECA (Communauté économique du charbon et de l'acier). Si la répression des mouvements sociaux est rude (63 manifestants tués de 1948 à 1951), la réforme agraire de 1950 distribue des terres et la Caisse pour le Mezzogiorno finance l'équipement du Sud. Cela renforce les élus DC, dispensant la manne de Rome contre les notables fonciers. Pour ne pas dépendre de ses alliés, éviter l'alliance avec l'extrême droite prônée à la Curie, ou renforcer l'exécutif, A. De Gasperi imagine une prime parlementaire majoritaire. Mais en 1953, sa coalition atteint à peine les 50 %, ses alliés l'abandonnent et il perd le pouvoir. La DC gouverne toujours, mais les exigences des alliés et de ses courants internes font se succéder six chefs de gouvernement de 1954 à 1960. Amintore Fanfani veut ouvrir la majorité au PSI, qui s'éloigne un peu du PCI. Les gouvernements qui s'appuient sur les monarchistes, voire les néo-fascistes du Mouvement social italien (MSI), perdent davantage au centre. L'alliance à droite est enterrée en 1960 quand Gênes s'insurge contre la tenue d'un congrès du MSI autorisé par le gouvernement. En 1956, le rapport Khrouchtchev et le soulèvement de Budapest ont ébranlé le PSI. En même temps, bas salaires, laxisme fiscal, exportations de produits électroménagers ou d'automobiles grâce au Marché commun fondent le « miracle économique italien ». Celui-ci suscite de grandes migrations du Sud ou de la Vénétie vers Turin, Milan et Gênes, non sans problèmes sociaux d'ampleur. En 1962, une explosion ouvrière favorise des

changements, approuvés par John F. Kennedy, Jean XXIII et certains patrons. Scolarité jusqu'à quatorze ans et nationalisation de l'électricité préparent l'entrée du PSI dans le cabinet Aldo Moro de 1963, sans participation du PLI. La prudence d'A. Moro, les tensions financières après les augmentations salariales de 1962 et, en 1964, le chantage au putsch autour du général des carabiniers Giovanni De Lorenzo limiteront finalement le bilan de ce gouvernement. **De l'« automne chaud » aux « années de plomb ».** Vers 1968, à l'ensablement du centre-gauche s'ajoute la reprise économique qui relance la revendication ouvrière. L'« automne chaud » (importants mouvements sociaux) de 1969 aboutit à des augmentations et des libertés syndicales. Les partis sont critiqués, les syndicats pensent pouvoir gérer toute la société (transports, urbanisme...). Ce pansyndicalisme cesse, car les acquis sociaux freinent la mobilisation et une série de lois sont promulguées entre 1970 et 1975 : régions, divorce, référendum, majorité à dix-huit ans, égalité entre conjoints... La dissolution de 1972 n'apporte pas de majorité stable. La DC et le PSI sortent affaiblis des urnes. En 1974, un référendum contre le divorce, à l'initiative de la DC et du MSI, échoue. Une majorité de gauche apparaît imaginable avec le PCI. Celui-ci s'est rallié à la démocratie formelle à travers l'antifascisme et la défense d'une Constitution qu'il a votée et qui a été longtemps inappliquée. Après le putsch de 1973 contre l'Unité populaire au Chili, le secrétaire Enrico Berlinguer prône le compromis historique avec la DC, d'autant que de 1969 à 1975, puis sporadiquement, des néo-fascistes infiltrés par des services secrets dévoyés multiplient les attentats. Cette « stratégie de la tension » s'oppose à toute réforme. La violence d'ultra-gauche y répond. Contre l'État et le compromis historique, les Brigades rouges passent au meurtre en 1976 et tuent A. Moro en 1978. Ce sont des « années de plomb », mais aussi d'unité nationale : en 1975, le cabinet Andreotti est investi par la DC avec abstention de tout l'arc constitutionnel, du PLI au PCI. Quand A. Moro est enlevé, l'abstention devient vote positif. Mais toute réforme est gelée et le PCI cesse de cautionner cet immobilisme en

1979. **L'éclatement des vieux partis.**
Une nouvelle dissolution n'apporte pas de
solution politique, le balancier revient au
centre-gauche. La DC est secouée par l'échec
d'un référendum contre l'avortement et la
découverte de l'existence d'une puissante
société secrète nationaliste et autoritaire, la
loge P2. En 1981, le président Sandro Pertini
(1896-1990), grand résistant très populaire,
confie le gouvernement à Giovanni Spadolini
(1925-1994), homme politique du PRI. Pour
la première fois depuis 1945, la direction du
gouvernement n'est pas assurée par un
démocrate-chrétien. G. Spadolini réunit centre-gauche et droite dans le *pentapartito*,
alliance conflictuelle qui tiendra jusqu'en
1992 avec deux dissolutions et dix cabinets,
dont, de 1983 à 1987, ceux de Bettino Craxi
(1934-2000), dont l'activisme compense la
faiblesse du parti qu'il dirige, le PSI. Autoritaire, favorable au patronat, ami du magnat
Silvio Berlusconi (1936-), amputant l'échelle
mobile des salaires, il profite d'une embellie
économique, le niveau de vie rattrapant en
1986 celui des Britanniques. La DC finit par
renverser son gouvernement, mais il s'associe
à G. Andreotti pour mener une politique libérale et européenne (autonomie de la Banque
d'Italie, loi antitrust, application des directives de Bruxelles...). Le PCI, avec 33,3 % des
voix, dépasse la DC aux européennes de
1984, mais la mort d'E. Berlinguer semble le
vouer au déclin ; il éclate en 1991 entre PDS
(Parti démocratique de la gauche, social-
démocrate) et RC (Refondation communiste,
à l'orthodoxie maintenue). **Les tensions**
s'accumulent. La loge P2 et le jeu des services
secrets font évoquer un « gouvernement
occulte ». Depuis 1977, la mafia, enrichie par
le trafic de la drogue et devenue plus violente, tend à un contrôle politique direct du
Sud, tuant les fonctionnaires qui l'affrontent,
les élus qui la gênent ou s'en éloignent. La
corruption atteint un point tel que l'on parle
d'« années de boue », les pots-de-vin ponc-
tionnent l'économie. Après 1989 et l'ouverture du Mur de Berlin, l'anticommunisme
n'est plus un ciment efficace, et le Vatican se
désintéresse de la DC. Des groupes s'en déta-

chent. En 1991, autour de Mario Segni,
député DC, une étrange coalition (futur PDS,
PRI, syndicalistes chrétiens, MSI...) propose
un référendum contre le système électoral
afin de lutter contre les multiples fraudes. Le
gouvernement appelle à l'abstention : si
moins de 50 % d'électeurs votent, le scrutin
sera nul. Mais une majorité absolue d'inscrits
vote « oui ». Comme légitimés contre le pouvoir, les juges milanais lancent l'opération
« Mains propres » *(Mani pulite)* contre *Tan-
gentopoli* (Pot-de-vin-ville). Aux élections de
1992, le PSI et la DC régressent en voix, trop
pour étouffer les enquêtes. Comme eux, PRI,
PLI, PSDI changent de nom, s'effondrent ou
disparaissent. B. Craxi fuit en Tunisie et y
meurt en 2000. **Alternance au centre-
gauche.** La DC sera restée au pouvoir pendant quatre décennies, le PCI ayant
presque toujours été dans l'opposition. Vient
le temps de l'alternance. Aux élections anticipées de 1994, la DC est laminée. À gauche,
un ensemble de partis gravite autour du PDS.
À droite, Forza Italia, parti néo-libéral bâti
par S. Berlusconi, l'Alliance nationale (AN,
ex-MSI) et la Ligue Nord, régionaliste et
xénophobe, portent S. Berlusconi au pouvoir,
puis se déchirent, et le centre-gauche les
remplace aux élections anticipées de 1996.
Au poste de chef de gouvernement vont se
succéder Romano Prodi (1939-), Massimo
D'Alema (1949-) et Giuliano Amato (1949-),
venus respectivement de la DC, du PCI et du
PSI. S. Berlusconi revient au pouvoir après les
élections de mai 2001. La Constitution est
inchangée, mais une forte part de scrutin
majoritaire et le chambardement du système
des partis font dire que la 1re République est
morte, sans qu'on voie se dessiner la IIe.
L'image d'instabilité de l'Italie, qui aura
connu en quarante ans plus de quarante
gouvernements, ne doit pas faire oublier que
la démocratie s'y est adaptée et a su résister.
La fin du xxe siècle a, par ailleurs, correspondu à des initiatives majeures qui ont permis au pays, d'entrer dans la Zone euro dès
le 1re janvier 1999. É. V. **> DÉMOCRATIE
CHRÉTIENNE (ITALIE), SOCIALISME ET COM-
MUNISME (ITALIE).**

JAGAN Cheddi (1918-1997) Homme politique guyanais (Guyana), chef de l'État de 1992 à 1997, militant de l'unité de la Caraïbe. Cheddi Jagan est né au sein d'une famille issue de l'immigration indienne (massive au XIXᵉ siècle), qui a remplacé les Afro-Guyanais libérés de l'esclavage dans les plantations de canne à sucre de la Guyane britannique (Guyana indépendant à partir de 1966). Il parvient, dès les années 1950, à semer dans les esprits l'idée d'une Caraïbe moderne, indépendante et progressiste. Son engagement concret dépasse, en influence, le marxisme dont il est un inconditionnel. En 1954, moins de cinq mois après avoir été élu chef de gouvernement, il est renversé par l'armée britannique. De nouveau vainqueur aux élections de 1957, il est finalement exclu du pouvoir en 1964 par une opération de déstabilisation téléguidée par la CIA (Central Intelligence Agency) américaine et par Londres. S'ensuit une « traversée du désert » de vingt-huit ans, pendant laquelle il s'efforce sans grand succès de surmonter les divisions entre Afro-Guyanais et Hindous. Ses idéaux d'unité régionale et de solidarité tiers-mondiste n'en inspirent pas moins toute une génération d'hommes politiques et de jeunes, qui prêtent peu d'attention aux liens étroits qu'il entretient avec Moscou. Il anime le débat sur tous les enjeux post-coloniaux : politiques et économiques, voire culturels, puisqu'il est le premier à porter le « *shirtjac* », vêtement tropical plus adapté que le costume européen de l'ère colo-niale. La Guerre froide terminée, il peut être élu à la Présidence en 1992. Ses idées marxistes abandonnées ou passées sous le silence, il redresse un pays ruiné par les années de pouvoir de son grand rival afro-guyanais Forbes Burnham (1923-1985). Il meurt le même jour que l'ancien Premier ministre de la Jamaïque Michael Manley (1924-1997), autre militant régional et tiers-mondiste historique. **G. C.** **> GUYANA.**

JAMAÏQUE Capitale : Kingston. Superficie : 10 990 km². Population : 2 560 000 (1999). Colonie emblémati-que de la Grande-Bretagne dans la Caraïbe, la Jamaïque fournissait surtout du sucre et des bananes à la métropole. Dès les années 1950, l'économie s'est orientée vers le tourisme de masse et l'extraction de la bauxite, tandis que se dessinait une forte émigration vers la Grande-Bretagne. Le pays est un pôle culturel régional, étant le ber-ceau de la musique reggae incarnée par le chanteur Bob Marley (1945-1981) et par les Rastafarians, groupe culturel adepte de la cause noire inspiré par une mystique éthio-pienne et par l'Américain Marcus Garvey (natif de l'île). Les mouvements natio-nalistes se développent dans les années 1930 sous l'impulsion de deux leaders, Alexander Bustamante (1884-1977) et Norman Manley (1893-1969), tous deux issus de l'élite de cette société. À partir du scrutin de 1944, le Parti jamaïcain de travail (JLP) de A. Bustamante et le Parti national du peuple (PNP) de N. Manley alternent au pouvoir. L'indépendance est obtenue en 1962. N. Manley est le grand partisan de l'unité de la Caraïbe anglophone qui se réalise briève-ment dans la Fédération des Indes occiden-tales (1958-1962). Son fils Michael Manley (1924-1997) lui succède à la tête du PNP en 1969. Premier ministre de 1972 à 1980, il défend des positions socialistes et tiers-mondistes. Cela suscite une contre-offensive des États-Unis qui craignent l'influence grandissante des courants de gauche dans la région. Des opérations de propagande et de déstabilisation sont montées, masquées par la violence traditionnelle s'exprimant entre partisans des deux partis pendant les campagnes électorales. Dans le contexte d'une économie fragile, le leader très conservateur du JLP Edward Séaga (1930-), d'origine libanaise, triomphe aux élections de 1980. Mais la lutte contre le socialisme ne débouche pas sur la prospérité, le secteur privé du pays n'étant pas à la hauteur des caprices du capitalisme mondial. Neuf ans plus tard, la Guerre froide terminée, c'était un M. Manley reconverti en social-démocrate modéré qui bat E. Séaga aux élections. Malade, il cède son poste en 1992 à son adjoint de longue date, P. J. Patterson (1935-). **G. C.**

JAPON Capitale : Tokyo. Superficie : 377 750 km². Population : 126 500 000 (1999). **L'**histoire du Japon au xxᵉ siècle s'inscrit sous le signe de relations belliqueuses avec ses voisins : guerres contre la Russie (1905 et 1918), contre la Chine (1931-1945) et contre les États-Unis (1941-1945). L'évolution intérieure est dominée par la recherche d'un équilibre entre les ressources naturelles limitées et les besoins d'une population nombreuse. Au plan culturel, le Japon est écartelé entre, d'une part, l'affirmation de son identité et, d'autre part, un souci permanent d'adaptation aux courants extérieurs. **Les dividendes de la guerre contre la Russie.** En Extrême-Orient, le xxᵉ siècle s'ouvre par la guerre russo-japonaise (1904-1905). Dès 1902, Tokyo avait signé une alliance avec l'Angleterre pour contrer l'expansion russe en Mandchourie. Depuis 1898, les Russes occupaient Port-Arthur, futur point d'aboutissement du chemin de fer transmandchourien qui servait de vecteur à leur avancée vers les mers chaudes. Après huit mois de pourparlers pour tenter de délimiter des zones d'influence russe et japonaise en Mandchourie, les Japonais ouvrent les hostilités par surprise. Le 8 février 1904, ils torpillent trois navires russes en rade de Port-Arthur, puis débarquent des troupes en Corée et en Mandchourie où ils prennent Port-Arthur et Moukden. L'escadre russe venue de la Baltique pendant l'hiver 1904 est écrasée par l'amiral Togo en arrivant aux îles Tsushima (27 mai 1905). La Russie, aux prises avec la révolution de 1905,

accepte la médiation du président Theodore Roosevelt (1858-1919) et signe le traité de Portsmouth (septembre 1905). Elle cède au Japon Port-Arthur, le chemin de fer sud-mandchourien et la moitié méridionale de l'île de Sakhaline. Les Japonais peuvent en outre établir leur protectorat sur la Corée qu'ils annexent en 1910. Forts de leur victoire, ils s'affranchissent des traités inégaux des années 1850. Quand, l'ère Meiji (1868-1912, période d'ouverture et de modernisation du pays) s'achève par la mort de l'empereur Mutsuhito (devenu Meiji), le Japon a relevé ses tarifs douaniers au niveau de ceux des États-Unis et de l'Europe. **Des « intérêts spéciaux en Chine ».** Dès le début du premier conflit mondial, le Japon se range aux côtés des Alliés et déclare la guerre à l'Allemagne. Il en profite pour occuper les possessions allemandes en Chine (Tsingtao et Kiaotchéou dans la péninsule du Shandong) et dans le Pacifique (îles Marshall et Carolines). Le 18 janvier 1915, le gouvernement de Okuma Shigenobu (1914-1916) adresse à la Chine 21 demandes réclamant le contrôle nippon sur les mines et les voies ferrées de la Mandchourie méridionale et de la Mongolie intérieure, une participation japonaise dans les mines de Chine centrale et une vassalisation politique (« Le gouvernement central chinois utilisera des Japonais influents comme conseillers dans les affaires politiques, financières et militaires »). Le 2 novembre 1917, par l'accord Lansing-Ishii, Washington reconnaît que « le Japon a des intérêts spéciaux en Chine ». En 1918, trois divisions japonaises débarquent à Vladivostok et occupent la Sibérie orientale jusqu'au lac Baïkal pour soutenir les généraux russes blancs Sémènov et Kalminov. Le traité de Versailles (28 juin 1919) reconnaît au Japon la péninsule du Chantoung. La SDN (Société des nations) lui donne mandat pour administrer les anciennes possessions allemandes du Pacifique nord. **A**u cours des années 1920, Tokyo fait profil bas sur la scène internationale. Le Japon évacue le Chantoung et la Sibérie orientale, limite le tonnage de ses cuirassés et grands croiseurs aux trois cinquièmes du niveau des États-Unis (accord naval de Washington, 1922), et renonce à s'étendre en Chine devant le boycottage général des produits japonais. **L'ère Showa** (1926-1989) marque une reprise de l'expansion vers le continent chinois. Il s'agit de remédier à la crise économique qui frappe le Japon de 1927 à 1932 et de contourner le protectionnisme renaissant de l'Occident. Bien que le Japon réalise à peine 4 % des exportations mondiales, quarante États ont édicté en 1934 des prohibitions ou des surtaxes à l'encontre des produits japonais. Des sociétés nationalistes préconisent le développement de l'imperialisme japonais et promettent à l'opinion désemparée de compenser la perte des marchés extérieurs par l'expansionnisme. **L'expansion impérialiste.** Pour faire pression sur le gouvernement, les officiers pratiquent en Chine la politique du fait accompli. En 1928, ils assassinent le gouverneur de Mandchourie Zhang Zuolin. En 1931, ils occupent la Mandchourie bientôt transformée en État-satellite (le Mandchoukuo). En 1932, les avions japonais bombardent Shanghai. En 1933, l'armée nippone occupe la province du Jéhol puis, en 1935, les provinces contiguës du Chahar et du Hébei. Cette dernière comprend Pékin où survient le 7 juillet 1937 l'incident du pont Marco Polo ; un soldat japonais ayant disparu au cours de manœuvres, les camarades partis à sa recherche échangent des coups de feu avec des soldats chinois ; ils enclenchent la guerre sino-japonaise qui va durer huit années. La Corée, livrée aux exactions de la Kempei (police militaire) devient la principale pourvoyeuse d'esclaves sexuelles pour l'armée ; de très jeunes filles sont enrôlées de force jusque dans les écoles par un Service patriotique des femmes [*sic*]. Les Japonais occupent Pékin, Tianjin, Shanghai et Nankin où se déroulent des atrocités : les soldats chinois sont ligotés par groupes de 40 et fusillés. Les passants sont enfilés à la baïonnette, de nombreux enfants massacrés (sac de Nankin, décembre 1937). En 1938, Canton se rend ; les troupes japonaises remontent le Yangsi et prennent Hankéou où s'était réfugié Tchiang Kai-chek. **Au** Japon même, une loi de mobilisation générale (mars 1938) impose le contrôle des prix, des salaires, des investissements, du commerce extérieur et de la

presse. En 1939 est instituée une journée de travail gratuit pour l'État, le premier jour de chaque mois. L'essence est rationnée, l'économie planifiée ; syndicats et partis politiques fusionnent dans des associations patriotiques unitaires. **En 1940,** les Japonais constituent à Nankin un gouvernement-satellite présidé par Wang Jingwei (1884-1944). En 1941, ils contrôlent l'Indochine française, ce qui conduit Américains, Britanniques et Néerlandais à soumettre à embargo les produits pétroliers à destination du Japon. Ce dernier, allié depuis 1936 à l'Allemagne hitlérienne (pacte anti-Komintern), conclut un accord de non-agression avec l'URSS en 1941, en vue de conquérir les Indes néerlandaises riches en pétrole. Renouant avec la stratégie d'attaque-sur-prise pratiquée en 1904 contre Port-Arthur, le Japon bombarde la flotte américaine à Pearl Harbor (7 décembre 1941). La guerre du Pacifique commence. **De la guerre du Pacifique à l'occupation américaine.** En 1942, les troupes japonaises contrôlent Singapour, Java et les Philippines, tout en résistant aux forces australo-américaines en mer de Corail. Mais, à partir de novembre 1943, les Japonais cèdent du terrain aux troupes de Douglas MacArthur. L'aviation américaine multiplie les raids aériens sur les villes japonaises. Les Américains reprennent Manille (février 1945), Okinawa (avril) et lancent deux bombes atomiques sur Hiroshima et Nagasaki (6 et 9 août). Entre ces deux dates, les Soviétiques déclarent la guerre à Tokyo (8 août), trois mois jour pour jour après la capitulation allemande (8 mai). Le 15 août à midi, l'empereur Hirohito annonce lui-même à la radio que « la situation militaire n'a pas tourné à l'avantage du Japon » et invite ses compatriotes à « supporter l'insupportable » en leur enjoignant d'éviter tout incident. Le 2 septembre 1945, sur le cuirassé *Missouri*, en rade de Tokyo, D. MacArthur reçoit la capitulation japonaise. **L'**archipel est occupé de 1945 à 1951 et opère sous la double houlette de D. MacArthur et de Yoshida Shigeru, Premier ministre habile, une convalescence exemplaire. La Constitution de 1946 vise à éradiquer le nationalisme et le militarisme ; elle reconnaît l'égalité de tous devant la loi.

L'empereur renonce à son caractère divin et le shinto cesse d'être religion d'État. Le système éducatif est américanisé, le système judiciaire remodelé. La paix avec les États-Unis intervient en 1951 avec le traité de San Francisco, signé dans un contexte d'essor économique lié à la guerre de Corée (1950-1953). **Retour sur la scène internationale.** À partir du milieu des années 1950, le Japon retrouve peu à peu une stature internationale : création d'une mini-armée baptisée « force d'autodéfense » (1954), admission en 1955 au GATT (Accord général sur les tarifs douaniers et le commerce) et au FMI (Fonds monétaire international), en 1956 à l'ONU, en 1963 à l'OCDE (Organisation de coopération et de développement économiques), et en 1966 à l'ASPAC (Conseil asiatique et pacifique). L'apurement de ses contentieux de guerre avec l'Indonésie (1958), le Vietnam (1959), la Chine (1972, accord Zhou Enlai/Tanaka) puis la Corée du Sud (1992) améliore son image en Asie. En 1993, le Premier ministre Hosokawa Morihiro lance un programme décennal d'un milliard de dollars pour l'indemnisation des victimes des crimes de la Seconde Guerre mondiale. En 1994, le Japon pose officiellement sa candidature au Conseil de sécurité de l'ONU. Par son implication croissante dans les actions internationales de l'ONU et sa participation statutaire au G-7 (Groupe des sept pays les plus industrialisés), le Japon exerce désormais un rôle international reconnu. Mais sa latitude d'action demeure incomplète : ainsi, en 1997, lors de la réunion du G-7 à Hong Kong, il renonce sur la pression de ses partenaires à utiliser le yen pour relancer son économie, alors que sa situation intérieure ne cesse de se dégrader. **Les contraintes économiques de la politique intérieure.** La modernisation opérée sous l'ère Meiji a été financée par l'agriculture. La Première Guerre mondiale élargit les débouchés et rend la balance commerciale excédentaire. Mais dès 1918, la conjoncture s'inverse. Le manque d'espace et de ressources pénalise l'archipel dont la population passe de 50 à 70 millions d'habitants entre 1914 et 1937. La condition paysanne se dégrade ; des émeutes du riz éclatent en 1918. Le tremblement de terre de Tokyo-Yokohama (1923) aggrave la détresse et provoque dans les années suivantes un essor inflationniste des crédits destinés à accélérer la reconstruction. Il en résulte en 1927 des faillites bancaires (Banque de Taïwan) et industrielles (groupe Suzuki) qui amorcent une dépression économique deux ans avant le krach de Wall street. Quand la crise de 1929 se mondialise, la chute des cours du riz et de la soie brute plonge le Japon dans le marasme. **A**près une néfaste politique déflationniste du ministre Inoue Junnosuke (1869-1932) en 1930, le keynésien Takahashi Korekiyo (1854-1936), un autodidacte de 77 ans, opère un brillant redressement économique (abandon de l'étalon-or, rééquilibrage du commerce extérieur, reprise industrielle, essor du groupe automobile Nissan). Le Japon est le premier des pays industriels à sortir de la crise, ce qui lui vaut une vigoureuse riposte protectionniste de l'Occident. Les nationalistes, tel le général Araki Sadao (1877-1966), voient alors dans l'expansion armée (l'impérialisme japonais) le moyen de rompre l'isolement du Japon. De 1927 à 1936, les dépenses militaires passent de 27 % à 46,6 % du budget de l'État. Des attentats politiques abattent les ministres – Hamaguchi Osachi-Yuko (1870-1931), Inoue Junnosuke, Inukai Tsuyoshi (1855-1932), Takahashi Korekiyo... – qui tentent de s'opposer à cette fuite en avant. **L**'aventure s'achève à Hiroshima et Nagasaki en août 1945. Le Japon est alors un champ de ruines et la perte de l'empire colonial provoque le rapatriement de six millions de Japonais. L'indice de la production industrielle apparaît avoir chuté des trois quarts par rapport à 1936. **Créancier des États-Unis.** Cependant, l'aide alimentaire américaine, la réforme agraire de 1946, la stabilisation démographique engagée par la loi eugénique de 1948, la dévaluation du yen et l'amélioration de la qualité des produits à l'initiative des experts américains Edward Deming et J. M. Juran permettent un réamorçage de la croissance. **À** l'appel du Premier ministre Ikeda Hayato en 1960, le Japon double son revenu national en dix ans et devient créancier des États-Unis. Les booms économiques se succèdent jusqu'au choc pétrolier de 1973 vite jugulé par le Premier ministre Miki Takeo qui opère un redéploiement vers les industries de matière grise. En 1989, la mort de l'empereur Hirohito marque le passage de l'ère Showa à l'ère Heisi. Une décennie de difficultés économiques commence en 1990 quand la bulle financière et immobilière alimentée par la spéculation des années 1980 se dégonfle. Les plans de relance successifs du ministre des Finances Miyazawa Kiichi sont impuissants à enrayer la récession qui porte le chômage à 5 % en l'an 2000 et contraint les grandes entreprises à renoncer au système de l'emploi à vie. **R. D.**

JAURÈS Jean (1859-1914) Homme politique français. Issu d'une famille appartenant à la petite bourgeoisie urbaine et comptant plusieurs officiers de haut rang, reçu à l'École normale supérieure (1878), agrégé de philosophie (1881), Jean Jaurès est d'abord professeur de philosophie au lycée d'Albi (1881-1885). En 1882, il commence à préparer une thèse de doctorat qu'il ne soutiendra en Sorbonne qu'en 1892, les circonstances de sa vie l'ayant poussé vers d'autres voies. Il sait néanmoins revenir à ses chères études quand il le faut : en 1898, il lance une vaste entreprise collective, l'*Histoire socialiste de la France* dont il rédige les volumes consacrés à la Révolution (1789-1794). Encouragé par des proches, il accepte de devenir le candidat des républicains du Tarn pour les élections législatives de 1885. Il est élu dès le premier tour. Battu aux élections législatives de septembre 1889, J. Jaurès retourne à ses études de philosophie et achève sa thèse *De la réalité du monde sensible*. Durant la même période, il se met à lire les grands textes socialistes du XIXᵉ siècle. C'est dans les dernières années du siècle que la pensée socialiste de J. Jaurès s'épanouit vraiment. Fermement attaché aux valeurs de la République, telles que la Révolution française les a promues, le socialisme jaurésien n'est pas dépourvu d'autres apports. Tout en refusant toute espèce d'économisme, qui réduirait la vie de l'homme à son activité de producteur, il engage un long dialogue avec les idées de Marx qu'il retient comme critique pertinente du capitalisme. L'affaire Dreyfus, au cours de laquelle il s'engage vigoureusement en faveur de la révision du procès du capitaine (*Les Preuves*, 1898), achève de lui conférer une haute stature même s'il est de nouveau battu aux élections législatives de 1898 (il avait été réélu député en 1893). Au-delà de ses combats en faveur de la justice sociale, qui s'expriment notamment dans son journal *L'Humanité* fondé en 1904, la grande affaire de J. Jaurès reste son combat contre tous les périls de guerre. C'est comme incarnation du combat pacifiste que « Herr Jaurès » est assassiné par Raoul Villain le 31 juillet 1914 alors que le déclenchement de la Grande Guerre est imminent. Ses obsèques ont lieu le 4 août dans un climat d'Union sacrée. Le chef socialiste était déjà entré dans la légende de la République : le transfert de ses cendres au Panthéon, le 23 novembre 1924, le révélera avec pompe. **C. P.** **> FRANCE, SOCIALISME ET COMMUNISME (FRANCE).**

JEAN XXIII (Angelo Giuseppe Roncalli, dit) (1881-1963) Pape de l'Église catholique (1958-1963). Né près de Bergame (Italie), dans une famille de modestes paysans, Angelo Roncalli est ordonné prêtre en 1904. À partir de 1925, il exerce des responsabilités dans la diplomatie vaticane, d'abord en Bulgarie, en Grèce et en Turquie. De 1944 à 1953, il est nonce à Paris, puis est nommé cardinal et patriarche de Venise. En 1958, il succède à Pie XII (1938-1958). Son pontificat marque un tournant majeur dans l'histoire de l'Église avec la réunion du concile Vatican II. Ce concile procède en effet à un profond *aggiornamento*, engageant une ambitieuse adaptation au monde moderne. Jean XXIII ouvre également le dialogue œcuménique avec les autres confessions chrétiennes, rompant avec une attitude multiséculaire d'esprit dominateur de l'Église de Rome. Ses préoccupations sociales (encyclique *Mater et magistra*, 1961) et son souci de la paix (*Pacem in Terris*, 1963) reçoivent un vaste écho, dépassant largement les cercles catholiques, car ils sont porteurs de messages à caractère universel. **N. B.** **> VATICAN.**

JEAN-PAUL II (Karol Wojtyła, dit)
(1920-)   Pape de l'Église catholique
(1978-). Né à Wadowice, près de Cracovie
(Pologne), Karol Wojtyła entreprend d'étudier la philologie, puis, brièvement, fait du
théâtre. Ordonné prêtre en 1946, archevêque
de Cracovie à partir de 1964, il est fait cardinal en 1967. Premier pape non italien
depuis 450 ans, il a profondément marqué
l'Église. Accédant à sa direction quinze ans
après le concile Vatican II, il entreprend de
remobiliser une Église marquée par des évolutions et des aspirations divergentes. Il
entend engager une reconquête (la « nouvelle évangélisation »), à la fois en Europe et
dans le tiers monde. Défendant les libertés
religieuses (en fait les libertés pour l'Église
catholique) dans les pays communistes, ce
pape slave est convaincu d'avoir tenu un rôle
majeur dans l'effondrement du système
soviétique. En Amérique latine, il contribue
à réduire les bases d'appui institutionnelles
de la théologie de la libération. Les positions
qu'il défend puisent à la fois dans la doctrine
sociale de l'Église (condamnation des
méfaits du capitalisme sauvage) et dans le
conservatisme de l'ordre moral et patriarcal
(condamnations répétées de l'avortement et
de la contraception, refus de l'ordination des
femmes). Sur le plan des rapports avec les
autres confessions chrétiennes, ses vœux
d'œcuménisme ont souvent été perçus
comme empreints d'un rêve de réunification
sous égide catholique. Stratège en communication, Jean-Paul II a multiplié les voyages
de par le monde. Selon les statistiques vati-
canes, il a, entre 1978 et 1998, effectué 84
voyages hors d'Italie, reçu près de 14 millions de pèlerins à Rome et publié treize
encycliques. **N. B.**   **> VATICAN.**

JÉRUSALEM   Dans leur plan de partage de la Palestine de novembre 1947, les
Nations unies avaient préconisé l'établissement d'un *corpus separatum* internationalisé comprenant Jérusalem et ses alentours,
terre d'élection des principaux Lieux saints
juifs, chrétiens et musulmans. À l'issue de la
première guerre israélo-arabe (1948-1949),
tandis que l'armée israélienne occupe la partie occidentale de la ville, l'armée jordanienne campe dans ses quartiers Est, y compris la vieille ville. Au mépris de la légalité
internationale, Israël annexe Jérusalem-
Ouest, la proclame capitale et y établit les
principales institutions de son État. Parallèlement, le royaume hachémite de Jordanie
annexe l'ensemble de la Cisjordanie – Jérusalem-Est comprise –, mais maintient sa
capitale à Amman. Occupant militairement
l'ensemble de la Palestine en juin 1967,
Israël annexe immédiatement Jérusalem-Est,
dont il a au préalable étendu les limites
municipales, et adopte en 1980 une Loi fondamentale (qui en Israël tient lieu de Constitution) faisant de Jérusalem réunifiée la
« capitale éternelle de l'État ». Ses habitants palestiniens, dotés de passeports
jordaniens, deviennent alors de simples
résidents à titre provisoire, soumis à la
législation israélienne. De nouveaux quartiers promis aux seuls Juifs sont alors
construits à l'est, tandis qu'une politique
d'encouragement au départ des Palestiniens y est menée. En l'an 2000, la moitié
des colons israéliens vivant en Cisjordanie,
soit 200 000 environ, étaient installés à
Jérusalem-Est. **J. F. L.**   **> ISRAËL, QUES-
TION PALESTINIENNE.**

JEUNES-TURCS (Empire ottoman)
Nom donné au mouvement des jeunes officiers et intellectuels ottomans (essentiellement turcs, mais aussi albanais et autres
musulmans des Balkans) qui luttèrent contre
le régime absolutiste du sultan Abdulhamid II (1876-1909) et finirent par imposer
un régime constitutionnel en 1908. Les
espoirs de liberté et d'égalité entre les différents peuples de l'Empire ottoman que suscite la révolution de 1908 sont vite démentis
par les tendances putschistes des leaders du
mouvement Jeunes-Turcs et par la flambée
de nationalisme qui suit la première guerre
balkanique (1912-1913). Le comité Union et
progrès, nom du parti fondé par les Jeunes-
Turcs, prend le pouvoir en 1913 sous la
direction d'Enver Pacha (1881-1922) et
entraîne le pays dans la Première Guerre
mondiale. Il organise à partir de 1915 le
génocide des Arméniens et entreprend à
l'été 1918, en pleine défaite sur l'ensemble
des fronts, la conquête du Caucase contre les
Russes. Après l'armistice du 30 octobre

1918, le parti est dissous et ses leaders s'enfuirent en Allemagne et en Russie.
S. Y. **> EMPIRE OTTOMAN.**

JIANG JIESHI > TCHIANG KAI-CHEK.

JIANG QING (1913-1991) Actrice, puis femme politique chinoise. Née dans la province de Shandong, connue sous des noms différents : Li Jin, puis Li Yunhe, Lan Ping, nom d'actrice de cinéma jusqu'à son mariage en 1938 avec Mao Zedong, Jiang Qing a fait partie de 1938 à 1965 du groupe des censeurs des arts et lettres. Le déclenchement de la Révolution culturelle lui permet d'accéder au rang des principaux dirigeants, ce qu'elle n'avait pu faire auparavant malgré son mariage, en raison d'un passé mal éclairci à Shanghai avant 1938. Dès lors, elle applique avec rigueur les directives sur la culture qu'elle énonce elle-même. Son pouvoir s'étend même à l'armée. Elle accède au Bureau politique en 1969. Sa chute est celle de la « bande des quatre ». Elle est condamnée à mort à l'issue de son procès en janvier 1981, où elle est accusée de subversion, d'arrestations abusives et d'avoir fait torturer des innocents. La peine est commuée en détention à perpétuité. Jiang Qing se suicide en prison en 1991. **A. R.**
> CHINE.

JIANG ZEMIN (1926-) Dirigeant communiste chinois. Fils adoptif du « martyr révolutionnaire » Jiang Shangqing (intellectuel marxiste proche de Gu Muyuan, chef en 1938 de la zone Jiangsu-Anhui et bras droit de Zhang Aiping, futur ministre de la Défense), il est élevé dans le culte de ce « héros de la nouvelle quatrième armée ». Fier de ses antécédents familiaux, Jiang semble avoir choisi la personnalité de Mao comme modèle politique. Ainsi, Zemin, son prénom (qui signifie « bénévole pour le Peuple ») est source de nombreuses analogies tactiques avec celui du « grand timonier », Zedong, (« bénévole pour l'Est »). Sa volonté manifeste de ressembler même physiquement à ce dernier participe de cette stratégie politique. Cependant, homme d'appareil consensuel et discret, il représente l'antithèse du fondateur du régime. Né

à Yangzhou (Jiangsu), Jiang adhère au Parti communiste chinois (PCC) à vingt ans comme leader étudiant à l'Université des communications de Shanghai où il suit une formation en télémécanique. Diplômé, il est nommé ingénieur assistant grâce au soutien de Wang Daohan, chef du département de l'industrie de l'est de la Chine et proche de sa famille. C'est le début d'un long patronage. Jiang participe, après un court séjour à l'usine Staline de Moscou (1955-1956), à l'élaboration du programme d'industrie automobile chinoise : en 1963, il dirige la société d'automobiles nationale fondée à Changchun. Conseiller rattaché au ministère de l'Industrie mécanique, il présente à l'Assemblée nationale populaire (ANP) en 1980 l'important projet de création des zones économiques spéciales (ZES) du Guangdong et du Fujian. Élu au Comité central en 1982, il est muté à Shanghai en 1983 au poste de maire. À l'époque, une rumeur, fausse mais tenace, fait de lui le gendre de Li Xiannian (président de la République, 1983-1988). Dans le Sud, il a la réputation d'être favorable aux réformes économiques radicales et de soigner son image médiatique. Non dogmatique à l'égard de l'idéologie marxiste, il est toutefois perçu comme un conservateur sur le plan social. Son rôle lors de l'occupation par les étudiants de la place Tian An Men en 1989 n'est pas neutre. S'il hésite à proclamer la loi martiale à Shanghai, il est le premier responsable de province à l'approuver à Pékin et à se ranger du côté des conservateurs. Localement, il fait fermer le quotidien chinois le plus libéral du moment : La Tribune de l'économie mondiale (Shijie Jingji Dabao). Comprenant mal les aspirations de la jeunesse, il se fait l'ardent défenseur de la « grande civilisation chinoise » dans un contexte de mondialisation croissante de la société. Son conservatisme se définit par réaction à une modernité qu'il dénonce comme trop exclusivement occidentale. Lorsqu'il accède au Bureau politique en 1987, on dénonce l'existence d'une « clique de Shanghai » dont il serait le leader. De fait, s'il est le premier cadre originaire de Shanghai à occuper cette position depuis 1976, l'intégration institutionnelle de son équipe au sein du pouvoir central est une réalité. **C**ontrairement aux prévisions des observateurs, Jiang Zemin est choisi par <u>Deng Xiaoping</u> après 1989 pour remplacer <u>Zhao Ziyang</u>, limogé pour son soutien aux manifestants. Assimilé un temps à Hua Guofeng (ce cadre désigné par Mao pour assurer la relève du pouvoir et qui n'arriva jamais à s'imposer), Jiang est finalement parvenu à la tête du Parti (secrétaire général en 1989), de l'État (président de la République en 1993), et de l'armée (président de la Commission militaire centrale). Il consolide son hégémonie en novembre 1997, après la mort de Deng Xiaoping et la rétrocession de <u>Hong Kong</u>, en obtenant le limogeage de son rival de l'époque, Qiao Shi (1926-). Leader de la troisième génération des cadres communistes, ce dirigeant que l'on disait de « transition » allait désormais chercher à marquer l'histoire du Parti. **S. L.-B.** ▷ **CHINE.**

JINNAH Muhammad Ali (1876-1948) Leader politique né à Karachi, fondateur du Pakistan. Entré à la <u>Ligue musulmane</u> en 1913, Muhammad Ali Jinnah préconise d'abord un rapprochement avec le parti du <u>Congrès national indien</u>, où il a commencé sa carrière politique. Dans les années 1930, il réorganise la Ligue pour en faire la principale organisation politique des musulmans indiens. **L**es élections provinciales de 1937 sont remportées par le Congrès qui refuse de partager le pouvoir avec les musulmans dans les gouvernements provinciaux. Afin d'échapper au poids du nombre, M. A. Jinnah se rallie à la théorie des deux nations, l'une hindoue, l'autre musulmane : il fait adopter par la Ligue, en 1940, la résolution en faveur d'un Pakistan indépendant (déclaration de Lahore). La logique de la lutte contre le Congrès l'amène, alors qu'il est anglicisé et laïque, à se lier aux notables religieux. Devenue un parti de masse, la Ligue remporte les sièges musulmans des assemblées provinciales en 1946. **U**ne journée d'action directe, lancée par M. A. Jinnah en août de la même année, se transforme en émeutes sanglantes entre hindous et musulmans. La <u>Partition</u> devient inéluctable. Le « guide suprême » *(Qaid-e-Azam)* est élu président de l'Assemblée constituante du Pakistan le 11 août

1947. Le 15 août, il prête serment comme gouverneur général du nouvel État. Il meurt un an plus tard. Liaqat Ali Khan (1947-1951) lui succède. Principaux écrits : *Speeches in the Legislative Assembly of India, 1924-1930* (« Discours à l'Assemblée législative de l'Inde », 1924-1930), 1976 ; *Qaid-e-Azam Jinnah's Correspondence* (« La Correspondance du Qaid-e-Azam Jinnah »), 1977. **A. Mo.** ▷ **PAKISTAN.**

JIVKOV Todor Hristov (1911-1998) **D**irigeant communiste bulgare. Originaire de Pravets, village de la région de Botevgrad, Todor Jivkov est ouvrier dans l'imprimerie après 1932, date de son entrée au Parti communiste bulgare dont il intègre le comité régional à Sofia en 1934-1935 (et, de nouveau, en 1941-1942). En 1943, il est actif dans la résistance communiste (brigade Tchafdar) et devient, un an plus tard, vice-commandant de la zone d'opération 1 (région de Sofia). Le coup d'État du 9 septembre 1944 le voit responsable politique de la Milice nationale, une institution dont le rôle dans les purges d'après-guerre restera de triste mémoire. Premier secrétaire du comité local du Parti à Sofia en janvier 1948, il entre au Comité central lors du Ve congrès (décembre 1948), en devient le secrétaire en janvier 1950 avant d'intégrer le Bureau politique en juillet 1951. **P**ourtant, T. Jivkov est encore un apparatchik peu connu lorsqu'il est promu premier secrétaire du Comité central du PC en mars 1954 (VIe congrès), profitant de la vague de renouveau engagée après la mort de Staline. Auteur d'un discours sur le <u>rapport Khrouchtchev</u> lors du Plénum d'avril 1956, qui marque le début de la déstalinisation en Bulgarie, le leader à l'accent et à la « ruse » toute paysanne ne parviendra à s'imposer qu'en 1962, grâce au soutien appuyé de son protecteur soviétique, Nikita <u>Khrouchtchev</u>. Sous sa direction, la Bulgarie se distinguera par un prosoviétisme sans faille (contesté par certains secteurs de l'armée et d'anciens partisans lors d'une tentative de coup d'État avortée en 1965). Les retombées financières de cette politique faciliteront le décollage industriel du pays. Dépassé par les mutations des années 1980, c'est un T. Jivkov vieillissant qui entreprend une assimilation brutale des minorités (1984-1989) et finit renversé par une révolution de palais le 10 novembre 1989. Incriminé par la justice dans plusieurs procès (sur les aides aux partis frères et l'assimilation des Turcs bulgares, notamment), il est placé en résidence surveillée de 1992 à 1997, mais meurt paisiblement à Sofia le 5 août 1998, après avoir publié des mémoires apologétiques. **N. R.** **> BULGARIE.**

JORDANIE Royaume hachémite de Jordanie. Capitale : Amman. Superficie : 89 000 km². Population : 6 482 000 (1999). Au début du xxᵉ siècle, l'actuelle Jordanie n'est qu'un territoire semi-désertique relevant de l'Empire ottoman. Ce dernier s'étant engagé dans la Grande Guerre aux côtés de l'Allemagne, les Britanniques et les Français envisagent une réorganisation politique du Proche-Orient arabe en cas de victoire. C'est l'objet des accords Sykes-Picot (1916), prévoyant deux zones d'influence : française au nord, britannique au sud. En 1918-1919, les Britanniques favorisent néanmoins un projet de royaume arabe de « Grande Syrie » (incluant l'actuelle Jordanie), sur lequel régnerait Faysal, l'un des fils du chérif de La Mecque, Hussein ibn Ali (1853?-1931). Mais les Français occupent en 1919 la Syrie proprement dite et le projet échoue. En 1920, la Palestine est placée sous mandat britannique. La même année, Abdallah (1882-1951), frère de Faysal, s'installe sur la rive orientale du Jourdain. En 1921, il devient émir de Transjordanie, territoire détaché de la Palestine mais toujours sous mandat. Les Britanniques mettent sur pied une force militaire transjordanienne, la Légion arabe. Dans les années 1930, Abdallah s'intéresse à l'avenir de la Palestine, quitte à entrer en pourparlers avec les sionistes. En 1946, la Transjordanie accède à l'indépendance, un traité maintenant une présence militaire britannique dans le pays. Abdallah prend le titre de roi. Lors de la première guerre israélo-arabe (1948-1949), les Transjordaniens conquièrent la Cisjordanie et Jérusalem-Est. En 1950, ces territoires et la Transjordanie fusionnent pour former le royaume de Jor-

danie, où se sont réfugiés 400 000 Palestiniens environ, originaires des territoires conquis par Israël. À Abdallah, mort assassiné en 1951, succède son fils Talal, puis, en 1953, son petit-fils Hussein (1935-1999). En 1957, après la crise de Suez, Hussein dénonce le traité anglo-jordanien. Dix ans plus tard, il s'allie à l'Égypte contre Israël. Mais les Israéliens remportent la guerre des Six-Jours (juin 1967), s'emparant de la Cisjordanie. La Jordanie se trouve de nouveau réduite à la rive orientale du Jourdain, tout en devant accueillir 350 000 réfugiés palestiniens supplémentaires. Les relations ne tardent pas à se tendre entre Hussein et l'Organisation de libération de la Palestine (OLP). En 1970-1971, les forces jordaniennes expulsent l'OLP du pays (« septembre noir »). La Jordanie ne participe pas à la guerre dite « du Kippour » contre Israël, en 1973. Les liens se relâchent ensuite entre la population jordanienne (fût-elle pour moitié d'origine palestinienne) et la population de Cisjordanie, autrement dit des Territoires occupés. En 1988, Hussein rompt officiellement les liens juridiques entre la Jordanie et la Cisjordanie. Après l'accord d'Oslo entre Israël et l'OLP (1993), la Jordanie signe avec Israël un traité de paix (1994). À Hussein, mort en 1999, succède son fils Abdallah (né en 1962). **J. S.**

JOUHAUX Léon (1879-1954) Dirigeant syndical français. Ouvrier allumettier et anarchiste, Léon Jouhaux devient à trente ans secrétaire général de la Confédération générale du travail – CGT (1909-1947). Il se rapproche alors des socialistes et, au début de la Première Guerre mondiale, se rallie à l'« union sacrée ». Il condamne la révolution bolchevique et, en 1921, fait expulser les communistes de la CGT, entraînant la création de la CGT-Unitaire. Durant l'entre-deux-guerres, il dote la CGT d'une organisation centralisée, d'un centre de formation et d'un programme. Convaincu de la nécessité d'une organisation mondiale au service de la paix et du progrès social, il participe à la création et à l'activité du Bureau international du travail (BIT) ainsi qu'aux délégations françaises à la Société des nations (SDN). En 1936, il accepte la réunification de la CGT. Pendant l'Occupation, il condamne le régime de Vichy. Placé en résidence surveillée, il est déporté au camp de concentration de Buchenwald en 1943. À son retour, il doit partager le secrétariat général de la CGT avec Benoît Frachon (1893-1975) et se retrouve cantonné dans les relations internationales – il est vice-président de la FSM et membre de la délégation française à l'ONU. Il ne peut empêcher la prise de contrôle de la CGT par les communistes ni la scission de ses amis, qui démissionnent en décembre 1947 pour former la CGT-Force ouvrière (FO) au printemps 1948. Il en est président, laissant la réalité du pouvoir à Robert Bothereau (1901-1985). **En** 1925, il obtient la création d'un Conseil national économique – composé de personnalités qualifiées qui sont chargées d'éclairer le gouvernement de leurs avis – et en 1946, du Conseil économique et social qu'il présidera jusqu'à sa mort en 1954. **Pour son** action en faveur de la paix, il reçoit le prix Nobel en 1951. **D. L. > FRANCE, SYNDICALISME.**

JUAN CARLOS Ier (1938-) Roi d'Espagne. Né en 1938 à Rome, Juan Carlos est le petit-fils d'Alphonse XIII ; de caractère timide et peu communicatif, il a longtemps vécu dans l'ombre. Dans l'ombre de son père, le comte de Barcelone, qui se considérait comme l'héritier légitime de la Couronne ; dans l'ombre du « caudillo » Francisco Franco qui avait permis au futur souverain de faire ses études en Espagne, du collège à l'Université, et qui en a fait tardivement son successeur désigné. Le 22 novembre 1975, après la mort du « caudillo », Juan Carlos prête serment devant les Cortès (le Parlement), et proclame sa volonté de mener à bien la réconciliation nationale attendue depuis la fin de la Guerre civile (1939). Le nouveau souverain prend alors la dimension d'un véritable chef d'État, assurant la « transition » vers un régime constitutionnel, démocratique et parlementaire, dotant les différentes régions de la péninsule d'une véritable autonomie politique. Il parvient à surmonter les crises (la tentative de coup de force du lieutenant-colonel Tejero en 1981). Il légalise les partis, y compris le

Parti communiste, refusant toutes formes de haine et d'intolérance. Il accepte l'arrivée au pouvoir des socialistes du PSOE, qui demeurent plus d'une décennie au gouvernement, et assure un changement sans heurt en 1996 au profit des modérés du Parti populaire (PP). Entre-temps, l'Espagne est entrée dans la Communauté européenne (1986) et a poursuivi une profonde modernisation économique, commencée, il est vrai, sous le franquisme. **É. T. > ESPAGNE.**

JUSTICE PÉNALE INTERNATIONALE

Le droit international gouverne, en principe, les seuls rapports entre États. Il n'en prohibe pas moins certains actes susceptibles d'être commis par des personnes privées, notamment des individus. Parfois même, ses dispositions coutumières ou conventionnelles incriminent les comportements interdits à ces personnes en posant, au moins, un principe de répression. Ces dispositions créent, de la sorte, des infractions : des « crimes » et des « délits » internationaux. Toutefois, pour qu'il soit question de « justice pénale internationale », l'existence de ces crimes et délits internationaux ne suffit pas. Il faut encore que des juridictions internationales puissent être saisies de procès intentés aux personnes accusées d'avoir commis ces infractions. Or, il n'a rien existé de tel avant 1945 et ce qui a été créé ensuite, dans ce domaine, est demeuré embryonnaire. **Il faut d'abord observer qu'en dépit d'un projet de la Commission du droit international (CDI) relatif à l'ONU relatif aux délits et aux crimes engageant la responsabilité des États, le règlement juridictionnel des différends opposant ces États n'a pas de caractère pénal. **Incriminations internationales et justices nationales.** Quant aux individus soupçonnés, par exemple, de piraterie maritime, de traite des esclaves ou de violation des lois et coutumes de la guerre, avant 1945, ils relevaient exclusivement de tribunaux nationaux dans les conditions fixées par le droit de l'État dont chacun de ces tribunaux est l'organe. Pour les châtier, il fallait donc articuler des incriminations internationales sur les législations et les justices nationales. Cette articulation est, aujourd'hui encore, la solution de principe.

Elle convient, en effet, à la répression de la plupart des infractions internationales : celles qui ont des mobiles privés – comme le trafic de stupéfiants – ou celles qui ont été perpétrées au service d'un État par des agents subalternes. Les appareils répressifs nationaux sont, à cet égard, mieux armés que de lourdes machines internationales. C'est pourquoi le recours aux juges nationaux est facilité, pour certaines infractions, par un principe de « compétence universelle » qui tantôt autorise et tantôt oblige tout État dont les autorités en ont le moyen, à traduire les personnes suspectées devant ses propres tribunaux (par exemple, en matière de crimes de guerre, les quatre conventions de Genève du 12 août 1949). En réalité, la mise en œuvre de normes internationales d'incrimination devant une juridiction également internationale n'est utile pratiquement et n'a été effectivement décidée qu'en matière de crimes d'État, commis par des agents civils et militaires d'un rang relativement élevé. C'est ainsi que l'article 227 du traité de Versailles du 18 octobre 1919, à l'issue de la Première Guerre mondiale, prescrivait la comparution de l'empereur allemand Guillaume II devant un « tribunal international » pour violation de la neutralité belge et luxembourgeoise ainsi que des lois et coutumes de la guerre. Ce texte n'eut cependant aucun effet. Un projet de cour pénale permanente, formé à la même époque, n'aboutit pas davantage. Par la suite, l'accès d'individus à de véritables juridictions internationales s'est progressivement élargi (les « tribunaux arbitraux mixtes » institués par les traités de 1919 et les « commissions de conciliation » créées par les traités de 1947 ; les tribunaux administratifs chargés de régler les litiges opposant les organisations internationales à leurs fonctionnaires ; surtout, les juridictions compétentes en matière de violations des droits humains, notamment, dans le cadre du Conseil de l'Europe, la Cour européenne de Strasbourg, créée par la convention du 4 novembre 1950). Pourtant, des personnes suspectées d'avoir commis des actes incriminés par le droit international n'ont été que relativement tardivement traduites devant des juges internationaux. En effet, il ne peut

guère s'agir que d'agents civils ou militaires d'un État dont les crimes ont nécessairement une grande portée politique. Or, les gouvernements redoutent avec raison que l'intervention d'instances difficilement contrôlables – comme doivent l'être des tribunaux – n'entrave leur action diplomatique. De plus, chacun d'eux répugne à ce qu'un organe de cette sorte soit compétent pour des poursuites dirigées directement contre ses agents et donc, indirectement, contre lui-même.

Dans ces conditions, il fallait des circonstances tout à fait extraordinaires pour qu'une justice pénale internationale fût effectivement établie. Elle n'a d'ailleurs comporté que des juridictions ad hoc, conçues sur le modèle ébauché par l'article 227 du traité de Versailles, pouvant juger des crimes particuliers, et vouées à disparaître une fois leur tâche accomplie : les tribunaux militaires internationaux (TMI) de Nuremberg en 1945 et de Tokyo en 1946 ; puis, après un demi-siècle, le Tribunal pénal international (TPI) de La Haye pour l'ex-Yougoslavie (TPIY) en 1993, et celui d'Arusha pour le Rwanda (TPIR), en 1994. Quant à la juridiction permanente (CPI – Cour pénale internationale) dont le statut fait l'objet de la convention de Rome du 17 juillet 1998, elle suppose, pour être mise en place, un nombre suffisant de ratifications. **Les tribunaux de Nuremberg et de Tokyo.** Exception faite pour l'expérience avortée de 1919, la méfiance des grandes puissances envers la justice pénale internationale a cédé pour la première fois devant l'ampleur des crimes perpétrés au cours de la Seconde Guerre mondiale et grâce à la reddition complète (debellatio) du IIIe Reich et du Japon. L'accord de Londres signé le 8 août 1945 par les États-Unis, la France, le Royaume-Uni et l'Union soviétique – auquel une vingtaine d'autres États ont adhéré – a créé le Tribunal de Nuremberg afin de juger les « grands criminels des puissances européennes de l'Axe » dont les « crimes sont sans localisation géographique précise ». Les autres criminels étaient renvoyés devant les juridictions nationales « dans les pays où leurs forfaits abominables ont été perpétrés ». **C**ependant, le 19 janvier 1946, une décision du Commandement suprême des puissances alliées en Extrême-Orient, reproduisant pour l'essentiel les dispositions adoptées à Londres, a mis en place le Tribunal de Tokyo chargé de juger les grands criminels de guerre japonais. Les juges et le parquet des deux tribunaux étaient nommés par les quatre principales puissances victorieuses, parmi leurs nationaux. Ils devaient réprimer trois sortes de crimes définis dans les statuts des tribunaux : la préparation, le déclenchement et la conduite d'une guerre d'agression (crimes contre la paix) ; les violations des lois et coutumes de la guerre (crimes de guerre) ; les persécutions, les actes inhumains, commis contre les populations civiles à la suite ou en liaison avec les crimes contre la paix ou les crimes de guerre (crimes contre l'humanité). **Le** Tribunal de Nuremberg rendit son jugement le 1er octobre 1946 et celui de Tokyo le 12 novembre 1948. Puis les deux tribunaux furent dissous et la justice pénale internationale sombra dans un long sommeil. **TPI et CPI.** Les événements tragiques de Yougoslavie et du Rwanda la réveillèrent : deux résolutions du Conseil de sécurité des Nations unies instituèrent sur le même schéma un tribunal pénal international (TPI) chargé de juger les crimes commis depuis 1991 dans l'ex-Yougoslavie (TPIY, résolution 827 du 25 mai 1993) et un autre tribunal pour juger les crimes commis, en 1994, au Rwanda et dans les pays limitrophes (TPIR, résolution 955 du 9 novembre 1994). Ces résolutions sont fondées sur le chapitre VII de la Charte de l'ONU, ce qui rend la compétence et les décisions des deux TPI obligatoires pour tous les membres de l'ONU, mais instrumentalise aussi leur justice : c'est un moyen de rétablir la paix. Les deux tribunaux échappent aux reproches encourus par ceux de Nuremberg et de Tokyo : ils n'ont pas à contrevenir au principe de non-rétroactivité par l'incrimination de crime contre l'humanité qui était nouvelle en 1945 et ne l'est pas en 1993 ou 1994 ; il ne s'agit plus d'une « justice des vainqueurs » puisque ces tribunaux tiennent leur légitimité de l'ONU et que leurs juges sont élus par son Assemblée générale. Siégeant respectivement à La Haye et à Arusha en Tanzanie, les TPI étaient, au tournant du siècle, loin d'avoir terminé leur tâche. Le Conseil de sécurité de l'ONU a par ailleurs prévu, en août 2000, la création d'un tribunal spécial pour juger les crimes de guerre et les crimes contre l'humanité commis en Sierra Léone. **Enfin**, la convention de Rome du 17 juillet 1998 a fait franchir une étape considérable : pour la première fois, les statuts d'une juridiction pénale permanente – en projet depuis les traités de 1919 – ont pu être adoptés (Cour pénale internationale). La CPI sera compétente sur des faits constitutifs de génocide et de crime contre l'humanité, d'agression et de crime de guerre – pourvu que l'État sur le territoire duquel ces faits auraient été commis ou l'État dont les personnes poursuivies ont la nationalité soient liés par la convention. Mais il ne pourra s'agir que de faits commis après l'entrée en vigueur de cette dernière. **La** « prudence » traditionnelle des gouvernements a fâcheusement limité la juridiction de la CPI. Par exemple, le Conseil de sécurité pourra suspendre toute poursuite pour une période d'un an – renouvelable – s'il estime cette mesure nécessaire ; ou encore, à titre transitoire et pendant sept ans, la compétence de la Cour en matière de crimes de guerre, pourra être déclinée. Malgré ces limitations, beaucoup d'États – dont la Chine, les États-Unis et l'Inde – ont refusé de signer la convention de Rome. **Il** reste donc beaucoup de chemin à faire sur la voie de la justice pénale internationale. **G. L. P.**

K

KABILA Laurent-Désiré (1939-2001)

Homme politique congolais, président du Congo-Kinshasa (1997-). Né à Moba, au Nord-Katanga (Congo-Kinshasa), député suppléant aux premières élections du Congo indépendant, ancien acteur de second rang des rébellions congolaises des années 1963-1965, Laurent-Désiré Kabila n'est revenu sur le devant de la scène politique qu'en septembre 1996, après de longues années d'exil en Afrique orientale (Tanzanie et Ouganda), où il se livrait au commerce de l'or et de l'ivoire. Jouant sur sa réputation de maquisard, il parvient à s'insérer dans l'entourage de Yoweri Museveni (1944-), président de l'Ouganda à partir de 1986, et de Paul Kagame (1957-), « homme fort » du Rwanda à partir de 1994. **A**idé militairement par ces deux leaders anciens guérilléros issus de la « nouvelle génération politique africaine », puis par le gouvernement angolais, L.-D. Kabila est l'instrument par excellence de l'éviction du président du Zaïre, Sese Seko Mobutu, au pouvoir de 1965 à 1997. Celui-ci est ostracisé par la plupart des dirigeants occidentaux ; son régime vacille depuis 1991. Parvenu, en mai 1997, à prendre le pouvoir en quelques mois, dans le contexte d'une armée en totale débandade, L.-D. Kabila, devenu président de la République démocratique du Congo (RPC, nouveau nom du Zaïre), est confronté début août 1998, soit à peu près un an après sa prise de pouvoir, à une nouvelle rébellion, inspirée et appuyée par ses alliés d'hier, l'Ouganda et le Rwanda, auxquels il a déplu par son « ingratitude ». **A**idé par un consortium hétéroclite de nouveaux « pays amis », dont certains ont manifesté des visées économiques évidentes sur un pays ruiné désormais (Zimbabwé, Namibie, Angola), L.-D. Kabila s'est difficilement maintenu au pouvoir dans un climat d'ultranationalisme contrastant avec la faiblesse d'un État restant à reconstruire. Il a été assassiné le 16 janvier 2001 à Kinshasa. **J.-C. W.** > CONGO-KINSHASA.

KÁDÁR János (1912-1989)

Dirigeant communiste hongrois, secrétaire général du Parti socialiste ouvrier hongrois (1956-1988). Né en 1912 à Fiume (Rijeka, Croatie), János Kádár est un enfant illégitime. Adopté par un beau-père hongrois (Csermanek), il choisira le nom de Kádár durant sa vie de militant clandestin du Parti communiste. Après de courtes études, cet ouvrier adhère en 1931 au parti, déclaré illégal depuis la chute de la République des conseils (communiste) de Béla Kun (1886-1941) et l'avènement du régime de l'amiral Miklós Horthy. Il est arrêté une première fois par la police en 1933. C'est à partir de 1942, après la vague d'arrestations suivant la manifestation antifasciste du 15 mars et alors que le parti est à nouveau interdit, que J. Kádár commence à jouer un rôle important. Il fait alors partie avec László Rajk (1909-1949) des dirigeants de l'intérieur qui n'ont plus aucun contact avec le Comité central siégeant à Moscou. **A**près la dissolution du Komintern, les communistes hongrois sont en plein désarroi et J. Kádár, devenu leur chef, décide de dissoudre le parti pour le reformer aussitôt sous le nom de Parti de la paix. Cette initiative lui sera reprochée par les dirigeants communiste hongrois de Moscou et aura pour conséquence son éloignement progressif de la direction à partir de 1944. Il revient au premier plan lors du « tournant » de 1948 et devient ministre de l'Intérieur à la place de L. Rajk, nommé aux Affaires étrangères. Mais en 1949, ce dernier est arrêté, jugé et exécuté lors de la série de procès orchestrée par Mátyás Rákosi contre les communistes de l'intérieur. J. Kádár joue durant cet épisode un rôle trouble, envoyé par M. Rákosi pour extorquer à L. Rajk d'impossibles aveux ; il tombe à son tour en 1951. Il est libéré de prison à la faveur de la libéralisation instaurée par Imre Nagy et retrouve sa place au sein des instances dirigeantes du parti. Il remplace ensuite, à la tête de celui-ci, Ernö Gerö, chassé par le soulèvement de Budapest du 23 octobre 1956. Le 1er novembre, il prononce un discours glorifiant le soulèvement national et annonce une refonte du parti, puis disparaît pour resurgir le 7 novembre avec les troupes soviétiques. J. Kádár, personnage ambigu et jugé malléable par le Kremlin, a été choisi par les Soviétiques pour incarner la répression ; il a cédé à la fois à son attrait pour le pouvoir et à une foi certaine dans sa mission. Ancienne victime devenue bourreau, il va ensuite se muer en figure populaire grâce à une grande habileté politique. Après le choc provoqué dans l'opinion par l'exécution d'I. Nagy le 16 juin 1958, le régime policier se détend et des mesures d'amnistie interviennent en 1963-1964. La réforme du « nouveau mécanisme économique » permet ensuite d'atteindre un consensus que renforce une relative libéralisation politique. J. Kádár a su écarter ses opposants et favoriser l'émergence d'une nouvelle génération de dirigeants. Ces derniers seront les fossoyeurs du régime en commençant par se débarrasser de J. Kádár lui-même, dont la déchéance physique est devenue patente, remplacé en mai 1988 à la tête du parti par Károly Grósz (1930-1996). J. Kádár disparaît ensuite complètement du paysage politique hongrois et meurt, à Budapest, comme dans un symbole, le 6 juillet 1989, jour où la Cour suprême réhabilite I. Nagy. **C. H.** **> HONGRIE.**

KADHAFI Mouammar (1942-)

Militaire et homme politique libyen, chef de l'État (1969-). Mouammar Mohamed Kadhafi est le fils unique d'Abou Minyar et d'Aïcha, Bédouins de la tribu des Kadhafa, qui nomadisaient alors dans la région de Houne, à proximité de la ville de Syrte. Sa première éducation fut classiquement cora-

nique. Outre des convictions religieuses non affectées, l'empreinte perceptible de son enfance allait transparaître par un attrait marqué pour la frugalité du monde bédouin et une réticence corollaire à l'égard de la ville dont le confort est soupçonné de conduire à toutes les compromissions. **S**a première attirance politique va à l'Égypte et ses luttes et, en 1952, au message arabiste de Gamal Abdel Nasser auquel il s'identifie immédiatement. Lorsqu'il sort en 1965 de l'Académie royale militaire de Libye et part suivre un stage de perfectionnement dans les transmissions à l'Académie britannique du Buckinghamshire, il anime déjà un petit noyau d'officiers en butte à la prévarication du régime du vieux roi Idriss Senoussi et désireux de combattre une influence étrangère que symbolise notamment la présence de bases occidentales sur le sol libyen. Quatre ans plus tard, le matin du 1er septembre 1969, c'est sa voix qui, à la radio de Tripoli, annonce aux Libyens que leur « héroïque armée vient enfin d'abattre les idoles ». Le « guide de la Révolution » de Fatih (premier jour) a vingt-huit ans. À coups de nationalisations, il va entreprendre et gagner la bataille de l'indépendance pétrolière. Même si l'incohérence formelle de ses initiatives la masquera parfois, il va pendant plus de vingt ans faire preuve ensuite d'une étonnante constance idéologique au service de la cause de l'unification arabe, seul moyen à ses yeux de surmonter les séquelles de la domination coloniale. **L**'importance des résistances à son projet de « jamahirisation » dont, au lendemain du raid aérien américain de 1986 sur Tripoli, l'apathie conjointe de ses homologues arabes et de ses compatriotes lui donne la plus cruelle preuve, l'incitera à introduire à partir de 1987 un peu de pragmatisme dans le volontarisme à la fois brouillon et autoritaire de ses premières méthodes. Ce réformisme touchera vite ses limites et, en 1989, la poussée de la contestation islamiste le verra renouer avec la répression politique. L'idée qu'avec la « troisième théorie universelle » qu'expose son petit Livre vert il sortait l'humanité de la double ornière marxiste et capitaliste a paru en fait limiter dangereusement sa capacité d'analyse, lui interdisant à tout le moins de mesurer l'étendue des réformes politiques qu'il devait mettre en œuvre s'il voulait retrouver un tant soit peu de l'assise populaire qu'il avait eue, il y a bien longtemps, au matin d'un *Fatih* de septembre. **> LIBYE.**

KAMENEV, Lev Borisovitch Rosenfeld, dit (1883-1936) Révolutionnaire bolchevik et dirigeant soviétique. Étudiant à l'université de Moscou, Lev Kamenev rejoint le POSDR (Parti ouvrier social-démocrate russe) en 1901. Arrêté, il est exclu de l'Université et banni de Moscou. Il se range en 1903 aux côtés de la fraction bolchevik dirigée par Lénine. Propagandiste, il travaille à Tiflis (Tbilissi), Saint-Pétersbourg, Moscou. Il émigre en 1908 et collabore à la rédaction de plusieurs journaux révolutionnaires. En 1914, il rentre à Moscou pour diriger la *Pravda* (« vérité »). Arrêté en 1915, il est exilé en Sibérie. En 1917, il devient membre du Comité central du parti bolchevik (où il siégera jusqu'en 1927) et du Bureau politique. Après la révolution de Février 1917, comme Grigori Zinoviev, il s'oppose à l'idée d'un coup d'État immédiat (que sera la « révolution d'Octobre »), puis démissionne pour quelques jours du Comité central afin de marquer son désaccord avec la décision d'écarter les autres partis du gouvernement. Il participe en tant que ministre plénipotentiaire aux négociations aboutissant au traité de Brest-Litovsk, concluant une paix séparée avec l'Allemagne. À la mort de Lénine (1924), il forme avec Staline et G. Zinoviev ce qu'on appelle la « troïka ». En 1923-1924, il combat les positions de Trotski, avant de rejoindre l'opposition de gauche et de s'allier avec lui en 1926. Exclu pour « trotskisme » du PCUS (Parti communiste de l'Union soviétique) en 1927, il est réadmis en 1928 après s'être déjugé, puis à nouveau exclu en 1932 et réadmis en 1933, exclu pour la troisième fois en 1934 et condamné en 1935 à cinq ans d'emprisonnement. En 1936, il est rejugé, de même que G. Zinoviev, dans le procès de Moscou dit des « trotskistes-zinoviévistes ». Accusé de conspiration, il est condamné à mort et exécuté. **V. K. > RUSSIE ET URSS.**

KAMPUCHÉA DÉMOCRATIQUE
Intitulé de l'État cambodgien sous la dictature des Khmers rouges, de leur prise du pouvoir (entrée à Phnom Penh le 17 avril 1975) à l'intervention militaire viétnamienne (25 décembre 1978) qui les chasse.

KARAMANLIS Constantin (1907-1998) Homme politique grec. Premier ministre (1955-1963 ; 1974-1980), président de la République (1980-1985 ; 990-1995). En 1935-1936, Constantin Karamanlis est député de Serrès (Macédoine grecque) pour le Parti populiste. Il est à nouveau député en 1946 et 1950. Il occupe divers ministères dans plusieurs gouvernements : Travail (1946-1947), Transports (1948), Prévoyance sociale (1948-1950), Défense nationale (1950), Travaux publics et Transports (1952-1955). En 1955, le roi Paul Ier (1901-1964) le charge de former un gouvernement ; C. Karamanlis fonde, la même année, le Parti de l'union nationale radicale (ERE). Premier ministre de 1955 à 1963, il détient la majorité absolue au Parlement à la suite des élections de 1956, 1958 et 1961. Son régime, très autoritaire, se révèle efficace. La Grèce connaît un certain reprise économique fulgurante et une stabilisation de sa monnaie, ainsi qu'un développement agricole, industriel, naval et touristique. Les investissements étrangers et le PNB augmentent. D'importants travaux d'infrastructure et des efforts pour la santé et la protection sociale sont engagés. Dans le domaine de la politique extérieure, les gestes les plus marquants sont l'indépendance de Chypre (1959) et l'accord d'association de la Grèce aux Communautés européennes (1961). C. Karamanlis démissionne en 1963 à la suite d'un désaccord avec le roi (Paul Ier) et s'exile à Paris, où il restera jusqu'en 1974 et sera très influencé par de Gaulle. Après l'invasion de Chypre et la dissolution de la junte des colonels (1974), il opère un retour triomphal et préside un gouvernement d'union nationale, qui fait face à la crise chypriote et rétablit des institutions démocratiques, et il fonde le Parti de la Nouvelle République. Premier ministre de 1974 à 1980 (élections législatives de 1974, 1977), il s'attache à renforcer les institutions démocratiques, le développement économique, l'éducation, l'équipement, la défense nationale. Il est soucieux de l'intégration à une Europe unifiée (la signature du traité d'adhésion a lieu le 28 mai 1979), avec une ouverture vers les pays arabes et les pays de l'Est européen (communistes). Président de la République en 1980, il démissionne en 1985 en raison d'un désaccord avec le Premier ministre Andréas Papandréou et s'abstient de toute participation à la vie politique jusqu'en 1990, date à laquelle il est réélu président de la République pour cinq ans. Il meurt à Athènes en 1998. **E. M.-K.** **> GRÈCE.**

KATANGA Province (496 965 km²) du sud-est du Congo-Kinshasa, le Katanga (renommé « Shaba » entre 1972 et 1997) est riche en minerais (cuivre et cobalt, notamment). Ceux-ci ont été exploités dès l'occupation coloniale. En 1891 est créée la Compagnie du Katanga, qui se consacre à la reconnaissance du territoire et à la signature de traités avec les chefs locaux. En 1900 est fondé le Comité spécial du Katanga (CSK), qui fonctionnera comme un pouvoir concédant, cessionnaire et concessionnaire des terres de la province jusqu'en 1966. L'Union minière du Haut-Katanga (UMHK) naît en 1906, suivie, entre 1910 et 1929, de plusieurs autres compagnies minières. La ligne de chemin de fer Bas-Congo-Katanga (BCK), rendue nécessaire par l'exploitation minière, facilite la circulation entre le Katanga et les autres provinces du Congo, particulièrement le Kasai d'où vient une main-d'œuvre abondante. Le « nationalisme katangais » naît à l'approche de l'indépendance (1960). Il bénéficie de l'appui des colons. L'importance prise par les immigrés aux élections communales de 1957, surtout l'alliance de certains d'entre eux avec le MNC (Mouvement national congolais) de Patrice Lumumba réaniment le sentiment autonomiste dans la province. Mais le parti Conakat, dominé par les leaders du Sud, rencontre une résistance de la part de l'ethnie majoritaire du Nord regroupée dans le parti Balubakat. À l'indépendance, la Loi fondamentale consacre un pays unitaire avec de larges pouvoirs concédés aux provinces.

Mais le Katanga s'érige en État sécessionniste dès le 11 juillet 1960, sous la direction de Moïse Tshombé. Cette situation engendre une crise grave, dont les implications sont internationales. La guerre civile s'étend dans le pays. Les forces belges, ainsi que des mercenaires (les « katangais ») appuient la sécession. Les forces de l'ONU (Organisation des Nations unies) mettent un terme au mouvement en 1963. Le Katanga reçoit le même statut que les autres provinces. Son poids reste pourtant prépondérant, car le secteur minier est devenu, à travers la politique du régime postcolonial, le pilier de l'économie. Il contribue pour 24 % à 25 % au revenu national entre 1972 et 1987, représentant alors 70 % en moyenne des recettes globales d'exportation. La compagnie Gécamines (anciennement UMHK) occupe une position clé dans le secteur. Mais, si en 1990 la Gécamines représentait encore 121,4 millions de dollars (14,8 % des revenus de l'État), sa contribution avait presque disparu en 1992 à la suite de l'effondrement de la mine de Kamoto et d'un manque d'investissements. Au début des années 1960, et à nouveau au début des années 1990, caractérisées par l'« octroi » des libertés publiques et la réorganisation du pouvoir à l'échelle nationale, les populations immigrées des autres provinces du Congo ont été chassées du Katanga, particulièrement les Baluba originaires du Kasai. **J. O.** **> CONGO-KINSHASA.**

KATYN (massacre de) Katyn, où ont été tués en 1940 environ 5 000 officiers polonais sur ordre de Staline et du Bureau politique du Parti communiste de l'Union soviétique (PCUS), est devenu un symbole des massacres perpétrés par le communisme stalinien contre la Pologne. Moscou a reconnu son crime en 1990 et des recherches ont permis de mettre à jour les charniers de Dergatché, de Mednoyé et d'ailleurs, où ont été massacrés 25 000 officiers condamnés sur l'ordre de Moscou en date du 5 mars 1940. La Russie a admis que « tous les faits, tant les exécutions des prisonniers de guerre polonais des camps de Kozielsk, Starobielsk et Ostachkov que celles des détenus des prisons et que la déportation des membres des familles des fusillés, [étaient] liés entre eux. Ils [faisaient] partie du même dessein criminel et constitu[ai]ent donc un seul et même crime. Ce crime [fut] l'œuvre, en premier lieu, des membres de la direction supérieure du Parti et de l'État de l'URSS. Ce sont eux qui prirent la décision de liquider massivement et secrètement des citoyens polonais, combattants contre l'Allemagne nazie, et de déporter leurs familles », signé « lieutenant-colonel Iouri Zoria du GRU (services de renseignement de l'armée soviétique) ». A. V. **> POLOGNE.**

KAZAKHSTAN Lieu privilégié de brassage des populations dans le cadre du découpage politique des grands empires asiatiques, l'espace kazakh est, depuis le courant du IIe millénaire avant notre ère, presque entièrement voué au pastoralisme nomade. Il a été au cœur de la construction et de l'effondrement des empires des steppes. La naissance d'une politique « kazakhe » de la Russie s'organisa en deux phases principales entre 1700 et 1914 : conquête (1730-1850), avec l'allégeance formelle de la Petite (1731) et de la Moyenne Horde (1740) ; puis colonisation économique, surtout après le décret de 1889 organisant la libre installation de paysans russes. Plus d'un million de paysans slaves s'implantent au nord des steppes entre 1889 et 1914. Parallèlement, une intelligentsia nationale émerge, donnant naissance à une sensibilité politique nationale. Les tensions suscitées par la colonisation agraire et la réquisition des musulmans, jusqu'alors écartés des obligations militaires, déclenchent la grande révolte de 1916 et une sévère répression. La révolution russe intervient dans un contexte colonial complexe. Après un éphémère gouvernement nationaliste de novembre 1917, l'Armée rouge écrase les troupes blanches antibolcheviques qui occupent les steppes (1919-1920) après qu'elles eurent refusé de collaborer avec les nationalistes kazakhs (de sensibilité menchevik), obligeant ces derniers à participer à la formation de la République soviétique autonome des Kirghizes en août 1920 (capitale : Orenbourg). Celle-ci est trans-

formée en une République socialiste soviétique autonome (RSSA) kazakhe en avril 1925 (capitale : Kzyl-Orda) et ses dirigeants politiques liquidés peu après. Commence bientôt la collectivisation agraire forcée et la sédentarisation des nomades, avec un coût humain et économique très élevé (plus de deux millions de personnes périssent de famine et de déportation). La République socialiste soviétique (RSS) du Kazakhstan est fondée le 5 décembre 1936. Au cours de la Seconde Guerre mondiale, le Kazakhstan est utilisé comme base de repli des industries de l'Ouest (430 000 ouvriers et mineurs en 1941) et de relégation des peuples punis par Staline en 1943-1944 (sous l'accusation collective de collaboration avec les nazis). Cela allait accentuer son caractère pluriethnique. Les vastes plaines à tchernoziom du nord du pays ont fait l'objet de la campagne dite des « terres vierges » lancée par Nikita Khrouchtchev en 1954. La poursuite de l'immigration russe et l'industrialisation dans le cadre de l'économie planifiée de l'URSS ont pour effet de rendre la population kazakhe minoritaire dans sa république. Ainsi, tant du point de vue démographique qu'économique, le Kazakhstan est le territoire qui aura été le plus lié à la Russie. **V. F.**
Liens étroits avec Moscou après l'indépendance. Alors que l'URSS se disloque, l'indépendance du Kazakhstan est proclamée le 16 décembre 1991. Noursultan Nazarbaïev (1940-), ex-premier secrétaire du Parti communiste, est élu président le 1er décembre 1991, avec 98,6 % des voix. En dépit d'une plus grande ouverture du jeu politique (dû au caractère multiethnique du Kazakhstan) – en comparaison des pays voisins –, N. Nazarbaïev entreprend de pérenniser son pouvoir. Il dissout en mars 1995 le premier Parlement (élu en mars 1994) avec lequel il était en conflit. En avril 1995, Il fait prolonger son mandat jusqu'en décembre 2000, par référendum. Il se sépare ensuite (en septembre 1997) de son Premier ministre, Akazhan Kazhageldin, qu'il fait arrêter en décembre 1999. Pour apaiser la minorité russe, N. Nazarbaïev entretient des liens étroits avec Moscou : le Kazakhstan rejoint

la CEI (Communauté d'États indépendants) en décembre 1991, inaugurant ainsi l'ouverture de celle-ci à toutes les républiques de l'ex-URSS qui le veulent. Mais il procède en même temps à une « kazakhisation » systématique de l'appareil d'État, en jouant sur l'obligation de parler la langue nationale. La capitale est déplacée d'Almaty à Astana, dans le centre du pays (1999). Cette politique réveille le spectre d'une scission de la partie nord, à majorité russophone (découverte d'un complot en octobre 1999), même si Moscou s'est gardé de mettre de l'huile sur le feu et a continué d'utiliser la base spatiale de Baïkonour et de contrôler les gardes-frontières. **O. R.**

KEITA Modibo (1915-1977)
Homme politique malien, chef de l'État de 1960 à 1968. Entre le réformisme à la manière du Sénégalais Léopold Sédar Senghor et le socialisme à la guinéenne de Sékou Touré, Modibo Keita a vainement tenté de maintenir le Mali, pauvre et enclavé, à l'abri du clivage Est-Ouest. Musulman d'origine malinké, M. Keita exerce son métier d'instituteur dans l'ancien Soudan français (actuel Mali) jusqu'en 1947. Déjà actif dans le syndicalisme enseignant, il se lance après la guerre dans l'action politique, occupant le poste de secrétaire général de l'Union soudanaise, puis adhérant à la section locale du Rassemblement démocratique africain (RDA) en 1946. Député à l'Assemblée territoriale en 1948, puis conseiller de l'Union française en 1953, il est député à l'Assemblée nationale trois ans plus tard. Président du Grand Conseil de l'AOF (Afrique occidentale française), il se prononce pour le « oui » au référendum de 1958 sur la Communauté franco-africaine, et c'est en tant que président de la République autonome du Soudan qu'il est le plus ferme partisan d'une fédération englobant l'ancienne AOF. Les querelles de personnes font échouer tous les projets, dont celui d'une fédération du Mali entre le Sénégal et le Soudan (1959-1960). Il rejoint alors le camp dit « progressiste » et s'engage dans une politique de nationalisations. Mais la situation du pays se détériore et M. Keita ne peut freiner les débordements répressifs de la milice qui ouvre la voie au coup d'État (1968) du lieutenant Moussa Traoré. **B. N.** ▸ **MALI.**

KEMAL Mustafa Pasa, dit Atatürk (1881-1938)   **H**omme d'État turc. Né à Salonique, Mustafa Kemal mène la résistance nationale contre l'intervention des puissances occidentales pendant la Grande Guerre, à laquelle ne survivra pas l'Empire ottoman. Le sultanat et le califat seront bientôt abolis. En 1923, M. Kemal proclame la République de Turquie. Sa politique, laïque et autoritaire, est dictée par la volonté de se débarrasser du système traditionnel et de créer une nation turque de type occidental. À cette fin, il mène une politique sans concession envers les minorités nationales. L'occidentalisation généralisée de la Turquie va de pair avec la poursuite d'une politique d'indépendance nationale. Dans les dernières années de sa vie, il assume le nom d'Atatürk (« père des Turcs »). **B. G.** ▸ **KÉMALISME, NATIONALISME, TURQUIE.**

KÉMALISME   **D**u nom de Mustafa Kemal (ou Kemal Atatürk), militaire et homme politique turc (1881-1938) qui milite pour la préservation de l'indépendance et de l'intégrité territoriale de la Turquie, à la suite de la débâcle de l'Empire ottoman pendant la Grande Guerre aboutissant à son dépeçage. M. Kemal dirige aussi les opérations militaires (1919-1921) contre les Arméniens, les Kurdes, les Français en Cilicie, contre les Italiens à Konya et contre les Grecs à Inönü. Mais, au-delà de cette action de salut national, le kémalisme est le prototype d'un vaste mouvement de nationalisme musulman, répandu dès le début du XXᵉ siècle, liant du patriotisme aigu du territoire à une profonde volonté de modernisation. Il s'est illustré par la fondation de la République turque (1922) et l'abolition du califat (1924). **R**ésolument laïque et anticlérical, le kémalisme œuvre pour la construction d'un État-nation turc opposé dans tous ses aspects au modèle traditionnel de l'État ottoman, impérial et largement dépendant, dans sa culture et sa juridiction, de la religion. **P**ar des méthodes volontaristes et souvent autoritaires, le pouvoir kémaliste impose une série de mesures visant à moderniser – voire à occidentaliser – la Turquie. Il remplace les tribunaux islamiques par une justice unique et laïque. Il combat les confréries religieuses, adopte un code civil suisse (1926) et supprime les écoles et l'enseignement coraniques. Il interdit le voile islamique féminin, décrète l'usage du calendrier grégorien et de l'alphabet latin.

B. G. > NATIONALISME, TURQUIE.

KENNEDY John Fitzgerald (1917-1963)

Président des États-Unis (1960-1963). John Fitzgerald Kennedy est de souche irlandaise : son grand-père, Patrick, était tenancier de bar et politicien local ; son père, Joseph, constitua la fortune familiale dans les années 1920 (cinéma, spéculation foncière et, dit-on, vente d'alcool pendant la prohibition). Ce dernier sut réaliser ses investissements boursiers juste avant la chute de Wall Street (1929), soutint Franklin D. Roosevelt et devint ambassadeur des États-Unis au Royaume-Uni en 1937. J. F. Kennedy, diplômé de Harvard, ayant fait une guerre courageuse dans la marine, est élu au Congrès comme représentant (démocrate) du Massachusetts en 1946 : ce n'est que le début d'une brillante carrière, fortement poussée et facilitée par l'ambition et la fortune paternelles. Élu au Sénat en 1946, il fait un assez médiocre parlementaire ; il vise plus haut. Il enlève la Présidence de justesse, en 1960, face à Richard Nixon (républicain), après une dure campagne où il utilise à merveille les faiblesses de son adversaire et les nouvelles ressources électorales que sont la télévision et les sondages. Il devient le premier président catholique des États-Unis. Il propose au Congrès, sans grand succès, de nombreuses lois, mais tarde à s'engager sur la question noire et commence de fait l'embourbement de son pays dans la guerre du Vietnam : son assassinat à Dallas, en novembre 1963, ne permet pas d'établir s'il avait les qualités d'un grand président. Mais il a su galvaniser les énergies et enflammer l'imagination de ses compatriotes et du reste du monde : il laisse le souvenir nostalgique de son charme intelligent, empêché qu'il fut de réaliser, pour le meilleur ou pour le pire, ses virtualités. **M.-F. T.**
> ÉTATS-UNIS.

KÉNYA

République du Kénya. Capitale : Nairobi. Superficie : 582 640 km^2. Population : 29 549 (1999). La mainmise du pouvoir britannique sur le Kénya commence avec la construction, durant la dernière décennie du XIXᵉ siècle, du chemin de fer destiné à désenclaver l'Ouganda. Afin de rentabiliser le chemin de fer, Londres décide de faire de ce territoire une colonie de peuplement où les fermiers blancs détiennent la propriété exclusive des terres les plus fertiles. Mais leur influence ne se cantonne pas à ces territoires. Sous la houlette de quelques aristocrates venus tenter leur chance sous l'équateur, ils s'organisent en groupe de pression efficace. Dans le sillage de la Bible, les missionnaires établissent écoles et dispensaires, et suscitent un type d'habillement. Les Églises chrétiennes se révèlent de formidables instruments de socialisation et de contrôle social. Elles sont également des vecteurs de mobilité sociale pour les convertis alphabétisés, qui bénéficient de nombreuses opportunités d'emplois. Beaucoup des jeunes éduqués, formés par les Églises, deviendront les serviteurs plus ou moins zélés de l'État. L'État colonial met en place un système politico-administratif de type préfectoral, bien éloigné de l'*Indirect Rule* adopté pour gérer l'Ouganda voisin. Cette organisation centralisée n'a jamais réussi à remplir pleinement son rôle de régulateur social et des pouvoirs de plus en plus conséquents ont dû être concédés aux « chiefs » recrutés pour servir d'intermédiaires. L'insurrection Mau Mau (1952-1960), symbole de la lutte anticoloniale, constitue un événement traumatisme toujours ancré dans l'imaginaire politique des Kényans. La crise Mau Mau se présente d'abord comme un conflit nationaliste kikuyu, où plusieurs conceptions de cette nation ethnique s'affrontent, donnant lieu à une véritable guerre civile dans laquelle les Kikuyu s'entretuent. Il s'agit également d'un conflit nationaliste kényan, vécu comme l'acte fondateur du Kénya indépendant. L'État « Kenyatta ». Les conférences de Lancaster House, chargées de régler les modalités de l'accession à l'indépendance, imposent une Constitution de type fédéral. Lors du scrutin de 1963, la KANU

(Union nationale africaine du Kénya, parti de Jomo Kenyatta) remporte nettement les élections. Mais, dès 1964, la brève expérience régionaliste prend fin. Le président en revient alors à un État centralisé doté d'une administration à forts pouvoirs. Il impose un système présidentialiste, mais dans un cadre parlementaire. Les périphéries gardent, à travers leurs députés, une forte autonomie, dès lors qu'ils ne remettent pas en cause la prééminence du centre. J. Kenyatta contrôle de façon souple ses affidés, grâce à un système clientéliste lui permettant d'octroyer les postes ministériels à partir desquels les « services » sont redistribués. Il finit de verrouiller la scène politique en emprisonnant, en 1969, son concurrent luo, Oginga Odinga, et en interdisant son parti. Un régime à parti unique est ainsi instauré. Les autres segments de la société civile sont également mis au pas. Les syndicats qui ont joué un rôle important dans la lutte nationaliste sont vidés de toute substance. L'économie est strictement encadrée. Le pays a opté pour un développement capitaliste tempéré, qui tranche avec l'option socialiste adoptée par son voisin tanzanien. Pour autant, l'État est très interventionniste, faisant prospérer une élite entrepreneuriale kikuyu qui développe le secteur du café et la petite industrie. Avec la maladie de J. Kenyatta, dans les années 1970, les tendances autoritaires du régime s'accentuent ainsi que la rapacité des proches du chef de l'État qui souhaitent que la succession s'organise au sein de leur groupe. Cette tentative échoue et le vice-président, Daniel arap Moi, s'empare en douceur du pouvoir. **L'État « Moi ».** Issu d'une petite ethnie et ne jouissant pas de la même légitimité historique que son prédécesseur, D. Moi n'a de cesse de consolider par tous les moyens son assise politique. Une tentative de coup d'État, en 1982, lui donne l'occasion de purger l'armée et de se débarrasser de barons kikuyu qui l'avaient aidé à accéder aux sommets de l'État. Il élimine ainsi C. Njonjo, garde des Sceaux, qui avait tissé un très efficace réseau politique et économique. Tout au long des années 1980, D. Moi s'emploie à démanteler systématiquement les bastions économiques des entrepreneurs

kikuyu en leur retirant le soutien de l'État. Parallèlement, il s'assure du contrôle des filières céréalières, afin d'obtenir la fidélité des notables de son fief, la vallée du Rift. Les tendances autoritaires du système politique s'accentuent. Lors des élections de 1988, les manipulations sont telles qu'elles réveillent la contestation. Dans un pays où la politique se veut chrétienne, les prélats minent la légitimité du chef de l'État en le diabolisant. Dans un même temps, les avocats portent le débat sur l'État de droit. Des révoltes populaires sont provisoirement désamorcées avec l'organisation des « auditions Saitoti », qui permettent de recueillir les doléances de la population. En 1991, sous la pression des bailleurs de fonds, D. Moi accepte enfin de légaliser le multipartisme. Le scrutin de 1992 met en évidence la désunion des partis d'opposition, ce qui profite à D. Moi, alors même qu'il n'a recueilli qu'une minorité de voix. Pour rester au pouvoir, l'élite en place aurait détourné d'énormes sommes. La politique de spoliation et de massacres ethniques fait plusieurs centaines de morts et près de 500 000 déplacés dans la vallée du Rift. Les districts acquis à l'opposition sont punis, l'État se refusant à tout investissement dans ces zones. Cela n'aura pas empêché D. Moi et ses affidés de remporter à nouveau les élections en 1997. **H. Ma.**

KENYATTA Jomo (1893-1978)

Homme politique et anthropologue kényan, Premier ministre (1963-1964), chef de l'État (1964-1970). Partagé entre deux cultures (africaine et occidentale), Jomo Kenyatta (originellement Kamau Ngengi Kenyatta) utilise ses connaissances du monde traditionnel pour préparer son peuple à la lutte anticoloniale contre l'Empire britannique. En 1928, il fonde avec des camarades d'initiation l'Association centrale kikuyu opposée à la confiscation des terres. Après avoir fait la connaissance, à Londres, de l'anthropologue Bronislaw Malinowski (1884-1942), il publie en 1938 *Au pied du mont Kénya*, une étude sur les Kikuyu. Après la guerre, il prend la tête du mouvement de protestation et est élu secrétaire général de l'Union africaine du Kénya en 1948. En 1953, suspecté d'appartenir au mouvement terroriste mau-mau, il est condamné à sept ans de prison. Toutefois, devenu un interlocuteur obligé, il participe en 1961 aux discussions préparant l'autonomie interne et devient président du Kénya indépendant en 1964, poste qu'il conserve jusqu'en 1978. Autour du slogan fédérateur *Harambee !* (« en avant ! » en kiswahili), il réunit, durant sa présidence, des communautés aussi différentes et antagonistes que les agriculteurs bantous kikuyu, les pasteurs nilotiques luo, masaï et kalendjin, ainsi que les commerçants indiens de différentes obédiences. **B. N.** **> KÉNYA.**

KEYNÉSIANISME Le keynésianisme est l'ensemble hétérogène de théories et de politiques économiques qui s'inspirent – de façon plus ou moins distendue – de la pensée de John Maynard Keynes (1883-1946). Son âge d'or s'étend de l'après-guerre jusqu'au milieu des années 1970, mais, pour comprendre sa signification, il faut remonter au début des années 1930, quand le monde occidental entre dans la plus grande crise économique de son histoire. Entre 1929 et 1932, la production industrielle baisse de plus 40 % aux États-Unis et le taux de chômage atteint 25 % en 1933. Devant l'ampleur de cette catastrophe, que disent les économistes ? D'un côté, les partisans du « laisser-faire » continuent de faire confiance aux mécanismes autorégulateurs du marché et attendent que la reprise succède à la dépression : au bout d'un certain temps, la baisse des prix va relancer la demande ; au bout d'un certain temps, la baisse des salaires va inciter les entreprises à embaucher, etc. De l'autre, J. M. Keynes récuse cette thèse d'un retour automatique à l'équilibre et préconise une intervention de l'État pour briser la spirale dépressive qui entraîne l'économie capitaliste vers le gouffre. Le point commun de tous les keynésianismes se trouve ainsi dans cette idée de régulation du marché : il est de la responsabilité de l'État d'utiliser tous les instruments à sa disposition pour éviter que les récessions ne dégénèrent en crise grave. Ce principe interventionniste évoque le <u>New Deal</u>, mais Keynes, bien qu'il ait rencontré Franklin D. <u>Roosevelt</u>, en juin 1934, n'a pas inspiré cette

politique. Il faut attendre l'après-guerre pour voir le keynésianisme devenir une référence explicite des politiques conjoncturelles : au cours des années 1950 et 1960, le recours au déficit budgétaire (pour relancer la demande) et à la création monétaire (pour exercer une pression à la baisse sur les taux d'intérêt) contribuent à maintenir l'économie à proximité du plein emploi, mais au prix d'une inflation croissante. On pense alors qu'existe une relation inverse entre le chômage et l'inflation et les keynésiens préfèrent lutter contre le premier, au risque d'entretenir la seconde. Après le premier <u>choc pétrolier</u> (1974-1975), ces mêmes politiques ne parviennent plus à juguler la montée du chômage. Cette perte d'efficacité, qui s'explique pour partie par la crise du modèle productif et par la déréglementation du système monétaire et financier international, conduit, à partir des années 1980, à un renversement d'hégémonie au profit du <u>libéralisme</u>. Dans une économie en voie de <u>mondialisation</u>, la condition d'un renouveau du keynésianisme est la coopération entre les États : au niveau d'ensembles régionaux comme l'<u>Union européenne</u>, pour coordonner les politiques économiques et éviter la concurrence par la déréglementation fiscale et sociale, mais aussi au niveau international pour réguler les marchés, tout particulièrement le marché financier (règles prudentielles imposées aux banques, contrôle des « paradis fiscaux », limitation de la spéculation). **P. C.**

KGB > POLICE POLITIQUE (URSS).

KHALISTAN > PENDJAB, SIKHS.

KHAN Sayyid Ahmad (1817-1898) **H**istorien indien. Sayyid Ahmad Khan est une figure de proue du réformisme indomusulman. Après la révolte des musulmans de 1857, il cherche à les réconcilier avec les Britanniques et fonde dans ce sens la revue *Tahdhib al-akhlaq*, le Collège musulman anglo-oriental d'Aligarh (1878) et une société réformiste, la Mohamadan Educational Conference (1886). Il rejoint en 1878 le Conseil législatif du vice-roi. Au « revivalisme » des réformistes qui lui paraît dépassé, il préfère le rapprochement de la vérité de la révélation coranique avec les principes de la raison et de la nature. Selon lui, il ne peut y avoir de contradiction entre eux. Principaux écrits : *Interprétation du Coran ; Lectures ; Les règles de l'interprétation ; Articles.* **B. G.** **> RÉFORMISME MUSULMAN.**

KHATAMI Muhammad (1943-)

Dignitaire religieux et homme politique iranien. Fils de religieux, Muhammad Khatami est un *seyyed* (descendant de la lignée du Prophète). Détenteur d'un magistère d'études religieuses de l'université d'Ispahan, il fait ses armes politiques dans le giron de la gauche islamiste.   Il occupe de 1982 à 1992 le poste de ministre de la Culture et de l'Orientation islamique, fonction délicate puisque son titulaire doit faire respecter les principes de la Révolution dans des domaines aussi sensibles que l'art et la littérature. Pour avoir relâché le contrôle sur la production intellectuelle, il s'attire les foudres des conservateurs et se trouve contraint de démissionner. Il devient alors directeur de la Bibliothèque nationale et conseiller du président Ali Akbar Hachemi Rafsandjani (au pouvoir de 1989 à 1997).   Élu triomphalement comme candidat indépendant à l'élection présidentielle du 27 mai 1997, après avoir reçu l'assentiment du « guide de la Révolution » Ali Khamenei, avec près de 70 % des suffrages, grâce notamment aux voix des jeunes et des femmes, cet *hodjatoleslam* (rang intermédiaire dans le clergé chiite) voit pourtant sa politique d'ouverture dans les affaires intérieures et extérieures bloquée par la faction conservatrice qui contrôle la plupart des rouages de l'appareil d'État.   **M.** Khatami bénéficiait d'une marge de manœuvre limitée, pouvant avoir des conséquences négatives sur la politique extérieure. Malgré ces limites, l'Iran, sous l'impulsion de son président, a renoué avec une politique consistant à favoriser dans le Golfe une alliance régionale stratégique dont il serait le maître d'œuvre. Au plan intérieur, malgré toutes les rebuffades, la présidence de M. Khatami a démontré que l'Iran en était arrivé à une nouvelle étape de son histoire mouvementée. Ce processus a été largement confirmé en 2000 lors des élections législatives qui ont vu une éclatante victoire de ses partisans et la déroute des conservateurs puis lors de sa réélection en 2001. **D. B.** **> IRAN.**

KHERRATA > SÉTIF, GUELMA (8 MAI 1945).

KHMERS ROUGES (Cambodge)

Mouvement communiste cambodgien. Au milieu des années 1960, pour qualifier de manière péjorative ses opposants, le prince Norodom Sihanouk dénomme les républicains « Khmers bleus » et les communistes « Khmers rouges » (les Khmers étant le peuple majoritaire du Cambodge). Exploitant le mécontentement rural, les communistes constituent des maquis avec le soutien actif des Nord-Vietnamiens et adoptent les thèses maoïstes. En avril 1967, la rébellion prend de l'ampleur après la répression de l'insurrection des paysans de Samlaut. Accusés d'être à l'origine de la révolte, plusieurs députés (Khieu Samphan, Hou Yuon) rejoignent les maquis. Paradoxe, évincé du pouvoir en mars 1970 par un coup d'État du lieutenant-général Lon Nol (1913-1985) soutenu par les États-Unis, Norodom Sihanouk se rallie à ses adversaires et leur apporte sa notoriété dans le contexte d'une implication accrue du Cambodge dans le second conflit indochinois dit « guerre du Vietnam ». Sans illusion sur ceux-ci, il s'attend après la victoire (les Khmers rouges entrent à Phnom Penh le 17 avril 1975), à être « craché comme un noyau de cerise ». Chef de l'État du Kampuchéa démocratique (1975-1976), il n'aura en réalité aucune influence.   Les Khmers rouges ont installé une structure de pouvoir inédite. Divisée même dans son anonymat, l'Angkar Leu (l'« Organisation ») concentre tous les pouvoirs et a « des yeux comme des ananas » pour tout voir. Partout la démesure, sous couvert de révolution radicale. Les Khmers rouges se livrent à un véritable autogénocide. Les décisions qui ont le plus scandalisé les Occidentaux furent l'expulsion des populations citadines puis l'élimination des populations éduquées, la suppression de la monnaie et celle des pratiques religieuses. Une césure entre le peuple « ancien » et

« nouveau » est instituée. Il s'agit de régénérer le peuple en le rendant à son univers agricole originel, qu'il n'aurait jamais dû abandonner. À l'inverse d'autres révolutions faites au nom de la modernité, le mouvement khmer rouge se tourne résolument vers un passé lointain mythifié, symbole de pureté. Par le retour à la terre, les Cambodgiens doivent redevenir « Khmers ». Chassés du pouvoir par l'intervention des troupes vietnamiennes du 25 décembre 1978, les Khmers rouges trouvent refuge sur la frontière thaïlandaise. Forts des soutiens de Bangkok, de Pékin et de tous ceux qui s'opposent à la constitution d'un condominium soviéto-vietnamien sur l'Indochine, ils continuent d'occuper le siège du Cambodge aux Nations unies. En juin 1982, ils se joignent aux partisans de Norodom Sihanouk et à l'opposition nationaliste au sein d'un nouveau gouvernement du Kampuchéa démocratique, qui ne contrôle que quelques parcelles du territoire. Bien que signataires des accords de Paris devant mettre fin au conflit cambodgien (1991), ils boycottent les élections législatives organisées par les Nations unies (mai 1993). Acculée sur ses réduits de Pailin et d'Along Veng, la résistance khmère rouge s'affaiblit et ses chefs disparaissent : Ieng Sary est amnistié par le roi en 1996, Son Sen est assassiné par ses pairs en 1997, <u>Pol Pot</u> meurt le 15 avril 1998 peu avant que Khieu Samphan et Nuon Chea ne se rallient au gouvernement de Hun Sen (1951-) à Phnom Penh (le 25 décembre 1998) et que Ta Mok ne soit arrêté (le 6 mars 1999). **C. L. > CAMBODGE, COMMUNISME (ASIE), GÉNOCIDE CAMBODGIEN.**

KHOMEYNI Ruhollah (1902-1989)

Dirigeant religieux et politique iranien. Né en 1902 d'une famille de *seyyed* (descendants du Prophète), Ruhollah Khomeyni poursuit ses études à Qom, important centre du chiisme iranien. Devenu enseignant en 1933, il fait paraître dix ans plus tard son premier ouvrage, *La Clé des secrets*, dans lequel figurent déjà de violentes charges anti-occidentales. On y trouve également une critique du principe monarchique et l'ébauche de la thèse du *Velâyat-e faqih* (souveraineté du docteur de la loi islamique),

qui finira par triompher dans la République islamique fondée en 1979. Les décennies 1940 et 1950 semblent consacrées à la consolidation de son savoir et de son pouvoir. Une lutte sourde l'oppose à l'ayatollah Hoseyn Borujerdi (1875-1961), chef spirituel des chiites. Ce dernier résiste en effet à toute ingérence des clercs dans la vie politique, alors que pour Khomeyni, au contraire, le clergé doit avoir un rôle actif sur la scène sociale. À la mort de H. Borujerdi en 1961, R. Khomeyni ayant accédé au titre d'ayatollah commence à déployer un activisme politique inlassable. **D**evenu l'un des religieux les plus respectés du pays, il s'oppose en bloc à la « <u>révolution blanche</u> » engagée par <u>Muhammad Reza Chah</u> en 1962, qui lèse les intérêts des dignitaires chiites. Le manque de liberté qui pèse sur l'Iran depuis le coup d'État de 1953 qui a renversé <u>Mossadegh</u>, a rendu l'opposition laïque impuissante ; le clergé apparaît donc comme la seule institution où les critiques contre le chah peuvent s'exprimer. L'ayatollah Khomeyni joue un rôle essentiel dans les émeutes du 4 juin 1963, qui le mènent en prison pour quelques mois. En octobre 1964, à la suite d'une déclaration contre le statut d'extraterritorialité des militaires américains présents sur le sol du pays, il est expulsé d'Iran et se réfugie à Nadjaf, en Irak, après avoir transité par la Turquie. Devenu *persona non grata*, il se rend en France en octobre 1978 et s'installe à Neauphle-le-Château. **I**l rentre triomphalement à Téhéran le 1er février 1979. Bien que le front qui a renversé le chah soit large, ce sont les conceptions de l'ayatollah Khomeyni qui s'imposent. La thèse du *Velâyat-e faqih* constitue le centre de gravité de la Constitution de 1979 : c'est au *faqih* (docteur de la loi) qu'il revient d'être intronisé comme détenteur de l'autorité suprême de l'État. **L**'invasion du pays par l'Irak le 22 septembre 1980, qui ouvre la première <u>guerre du Golfe</u>, provoque un sursaut patriotique sur lequel s'appuie le nouveau chef de l'État pour écraser ses alliés de la veille et s'affirmer comme le maître absolu du pays, ce qui réduit la base de son régime. **L**a prolongation de cette « guerre Iran-Irak » lui aliène de nombreuses

sympathies et c'est seulement en juillet 1988 que l'Iran accepte enfin un cessez-le-feu, épreuve que le « guide de la Révolution » compare à un poison qu'il est obligé de boire. Sa mort, le 3 juin 1989, laisse l'Iran dans une situation d'affaiblissement économique et politique inquiétant. L'ayatollah Khomeyni aura été finalement plus un homme de rejet que de projet.
D. B. ➤ IRAN.

KHROUCHTCHEV Nikita Sergueievitch (1894-1971) Homme politique soviétique. Premier secrétaire du Parti communiste de l'Union soviétique (PCUS) de 1953 à 1964. Né en 1894 dans une famille de très modestes paysans de la province de Koursk (Russie, à proximité de l'Ukraine), Nikita Sergueievitch Khrouchtchev passe son enfance et sa jeunesse dans les mines du Donbass où son père est engagé. Devenu bolchevik pendant la révolution russe, il participe à la guerre civile en tant que commissaire politique. Dans les années 1920, il reçoit une formation à la faculté ouvrière du Donets et poursuit sa carrière politique comme délégué régional du Donbass, assistant à ce titre, en 1925, au XIVe congrès du Parti communiste, où il se déclare pour Staline. Installé à Moscou en 1929, il devient deuxième secrétaire du Parti de la capitale en 1932, dirige les grands travaux de Moscou au titre de secrétaire de la région à partir de 1935, puis part en Ukraine en 1938 : il est chargé de réorganiser le pouvoir à Kiev après la purge des dirigeants ukrainiens intervenue dans le contexte de la Grande Terreur stalinienne. Dans le cadre du plan de partage du Pacte germano-soviétique (1939), il préside à l'intégration de l'Ukraine occidentale polonaise dans la république soviétique d'Ukraine, dont il reste l'un des principaux dirigeants jusqu'à la fin des années 1940. En 1949, N. Khrouchtchev revient à Moscou, au secrétariat du Comité central. La lutte engagée pour la succession de Staline, en mars 1953, tourne rapidement à son avantage : en septembre, il devient le premier secrétaire du Comité central et suscite progressivement la vaste entreprise de déstalinisation, culminant avec la présentation en 1956 de son « rapport secret » au XXe congrès du Parti.

Ses ambitions en matière de réformes économiques et structurelles connaissent plusieurs revers dans la première moitié des années 1960 et exacerbent l'aile conservatrice du Parti, qui se ligue pour le destituer. Il est démis de ses fonctions en 1964 (Leonid Brejnev émerge alors comme son successeur). N. Khrouchtchev meurt à Moscou en 1971. **C. G. ➤ KHROUCHTCHEV (RAPPORT), RUSSIE ET URSS.**

KHROUCHTCHEV (rapport) Lors du XXe congrès du PCUS (Parti communiste de l'Union soviétique) qui se tient en février 1956, Nikita Khrouchtchev, premier secrétaire du Comité central, présente un rapport « secret » qui est la première dénonciation officielle des crimes du stalinisme, ouvrant la voie à la « déstalinisation ». Le choc va être immense. Cela n'empêche pas la direction soviétique de procéder, via les forces du pacte de Varsovie, à l'écrasement du soulèvement de Budapest quelques mois plus tard.

KIBBOUTZ (mouvement des) Conçu à l'origine comme le ferment d'une société nouvelle, le kibboutz ne représente plus aujourd'hui en Israël qu'une survivance du passé. Le premier groupement collectiviste *(kvoutzah)* est fondé à Deganya, dans la vallée du Jourdain, en 1909, bien avant la création de l'État d'Israël. Il réunit un groupe de travailleurs volontaires qui participent à la « construction du pays », ne touchent pas de salaire et reçoivent « selon leurs besoins ». Ce n'est qu'en 1921 que la première collectivité portant le nom de « kibboutz » apparaît à Ein Harod. Elle répond à un impératif économique, politique et militaire. Le kibboutz incarne l'idéologie sioniste socialiste du retour à la terre, d'une « régénération » du peuple juif par le travail manuel et d'un égalitarisme strict. C'est à la fois une ferme collective et une place forte. Ses habitants constituent le gros des troupes d'élite de la Hagana, l'armée clandestine juive, puis de Tsahal, la « force de défense » (l'armée) israélienne. Ils occupent une place prépondérante dans le nouvel État, disposant de 20 élus sur 120 dans l'Assemblée constituante, la première Knesset. Les deux grandes familles de kibboutzim, le Takam, affilié au Parti travailliste, et Hakibboutz ha'artzi, lié au Mapam (sioniste socialiste), ont fusionné en 1999. Le Parti national religieux dispose, lui, de son propre réseau (Hakibboutz hadati). Au nombre de 265, les kibboutzim regroupaient, à la fin des années 1990, 2 % de la population israélienne ; ils assuraient 40 % de la production agricole et 7,7 % de la production industrielle. Victimes d'une grave crise financière à la fin des années 1980, ils ont cependant dû intégrer la notion de rentabilité et notamment renoncer au principe d'égalité des salaires. **C. B.** ➤ ISRAËL, PALESTINE.

KIKUYU Peuple agriculteur de langue bantoue habitant sur les hauts plateaux du Kénya. Les Kikuyu cultivent le mil, le sorgho, le maïs, les haricots et les patates douces, ainsi que le café depuis son introduction à l'époque coloniale. Mettant à profit la fertilité du sol et les bonnes conditions climatiques des hauts plateaux, les Britanniques ont fait des environs du mont Kénya une colonie de peuplement en confisquant les terres des Kikuyu. Ces derniers ont tenté de s'y opposer en s'unissant dans une association de jeunes structurée en classes d'âges. L'action politique étant inefficace, la révolte violente qui éclate en 1952 parmi les Kikuyu est essentiellement le fait d'une société secrète de type traditionnel (Mau-mau). À la veille de l'an 2000, les tensions entre agriculteurs kikuyu et pasteurs « nilotiques » (Masaï, Kalendjin) ont été exacerbées pour des raisons politiques, le chef de l'État Daniel arap Moi (1924-), au pouvoir depuis 1978, ayant entrepris d'affaiblir la puissance des Kikuyu dans l'État et dans l'économie. **B. N.** ➤ KÉNYA.

KIM IL SUNG (Kim Sung-ju, dit) (1912 ?-1994) Dirigeant communiste de la Corée du Nord, Premier ministre de 1948 à 1972, chef de l'État de 1972 à 1994. Déifié de son vivant, le « grand leader » est décédé le 8 juillet 1994, quelques jours à peine avant la date prévue pour accueillir son homologue sud-coréen pour une rencontre historique. Dirigeant suprême de la Corée du Nord depuis sa fondation (1948), il serait né deux ans après l'annexion de la Corée par le Japon. Il s'appelle alors Kim Sung-ju, le premier des quatre enfants de Kim Hyong-jik et Kang Ban-sok. On ne sait quand il prend le nom de Kim Il-sung, résistant antijaponais célèbre avant guerre. Après avoir séjourné quelque temps en Chine, en 1926-1927, il est l'un des fondateurs de l'Union pour abattre l'impérialisme, de l'Association des enfants coréens de Jilin et de l'Union de la jeunesse communiste. Ces engagements le conduisent en prison (1929-1930). Libéré, en 1934, il fonde l'Armée révolutionnaire populaire. De cette période de combat naissent des liens privilégiés avec le Parti communiste chinois, mais c'est avec l'armée soviétique qu'il revient à Pyongyang (octobre 1945). À la création de la République populaire démocratique (Corée du Nord), il est Premier ministre, puis il conduit la guerre de Corée (1950-1953) comme président de la Commission militaire et commandant suprême. Après ce conflit de la Guerre froide qui laisse la Corée divisée, son leadership est contesté. Les purges se multiplient et la direction du pays s'articule autour de grands programmes de mobilisation politico-idéologique. En décembre 1967, Kim Il-sung annonce les « dix plates-formes principales » pour une diplomatie indépendante et une économie autosuffisante selon les idées du Juche (la doctrine officielle du « royaume ermite »). Au début des années 1970, les « trois politiques majeures » pour la réunification inaugurent un dialogue difficile avec Séoul. La mobilisation intérieure s'articule, elle, sur les Trois Révolutions (idéologique, technique, culturelle). Au même moment s'établit le lent processus de succession filiale. Jusque-là commandant suprême et président de la Commission nationale de défense, Kim Il-sung est élu président de la République en décembre 1972, peu avant que son fils aîné, Kim Jong-il, ne soit nommé secrétaire à l'organisation du Parti des travailleurs (communiste). La succession filiale est en marche pour parachever l'œuvre du « grand leader » mort en 1994. La propagande s'active ; Kim Jong-il doit convaincre l'armée et les compagnons d'armes du vieux dirigeant. Né de la deuxième épouse de Kim

Il-sung, il doit s'imposer aussi au sein de la famille, ce qui sera chose faite au début des années 1990. **C. L.** **> CORÉE.**

KING Martin Luther (1929-1968)

Militant des droits civiques aux États-Unis. Prix Nobel de la paix (1964), martyr de l'Amérique noire, Martin Luther King est devenu le symbole de la lutte pour les droits civiques aux États-Unis. Pasteur baptiste, son engagement puise dans une foi forte et profonde ; sa popularité, son charme tiennent autant à son courage qu'à son verbe, au rythme accentué de ses discours qui portent la marque des prêcheurs de son Église. C'est un homme du Sud : né à Atlanta (Georgie) en 1929, il fait ses premières armes de militant à Montgomery (Alabama) ; il sera assassiné à Memphis (Tennessee) le 4 avril 1968. Il porte un grand intérêt à la non-violence de Gandhi qu'il combine à ses convictions de baptiste sudiste, comme en témoignent, dès 1955, des initiatives comme le boycottage des autobus de Montgomery. Détermination, action de masse, non-violence sont encore les principes qui guident la marche sur Washington du 28 août 1963. Mais si M. L. King parle alors de « rêve » pour l'humanité, c'est que celui-ci n'est plus de mise. La violence déborde : violence de l'État, malgré des réformes, contre-violence noire. M. L. King s'y oppose d'abord. Il quitte le Sud, s'installe à Washington, donne à son action un tour plus radical et lutte contre la ségrégation dans le logement et l'emploi. Il retrouve des hommes jeunes qui ne partagent pas sa philosophie ; il les rencontre aussi dans son opposition farouche à la guerre du Vietnam. S'éloignant des organisations noires traditionnelles trop timorées, il se rapproche de cette nouvelle mouvance. Il prépare une marche des pauvres où celle-ci sera associée ; c'est alors qu'il est assassiné... **M.-F. T.** **> DROITS CIVIQUES, ÉTATS-UNIS, QUESTION NOIRE (ÉTATS-UNIS).**

KING William Lyon Mackenzie (1874-1950)

Homme politique canadien. Premier ministre du Canada (1921-1926, 1926-1930, 1935-1948). Issu d'une famille de tradition politique de l'Ontario (Canada), William Lyon Mackenzie King fait des études de sociologie dans les universités de Toronto et de Harvard (Massachusetts). Il est l'élu libéral de Waterloo (Ontario) en 1908, puis ministre du Travail en 1909 dans le gouvernement de Wilfrid Laurier. Il succède à W. Laurier en 1919 comme chef du Parti libéral, avant de devenir Premier ministre en 1921. Il va le rester, sauf un bref intermède, jusqu'en 1930, quand la crise économique ramène l'opposition au pouvoir. L'échec de celle-ci à trouver des solutions spécifiques – en dépit d'une pâle imitation du New Deal de Franklin D. Roosevelt – redonne le pouvoir aux libéraux en 1935. W. L. M. King conduit son pays à travers la guerre et l'après-guerre et parvient à en faire l'égal des plus grands. Préoccupé des plus pauvres, touchés par la crise, il sait limiter les effets de la fracture nationale entre Québécois et Canadiens lors du référendum de 1942 au sujet de la conscription, différend qui amènera néanmoins le retour des conservateurs nationalistes au Québec en 1944. Durant la guerre, il soutient la Grande-Bretagne dès 1939, alors que le pays n'y était pas tenu depuis le statut de Westminster de 1931. Hôte de différentes conférences internationales, dans la ville de Québec, entre F. D. Roosevelt et Winston Churchill, il a été informé des préparatifs de la bombe atomique, ce qui a contribué à rehausser le prestige international du Canada. De plus, dans les années 1940, le gouvernement King a doté le pays d'une ébauche d'État-providence – dans le domaine social et culturel – qui lui est spécifique en Amérique du Nord. **J. P.** **> CANADA.**

KIRGHIZSTAN

En Asie centrale, les Kirghizes supportèrent successivement le joug des Mongols, des Kalmouks, des Chinois, des Russes et des Kazakhs. Ils ne sont formellement incorporés à l'Empire russe qu'en 1876, qui les dénomme « Kirghizes noirs » (ou Kara-Kirghizes) pour les distinguer des Kazakhs, alors appelés « Kirghizes ». La colonisation slave des terres agricoles est brutale et suscite une révolte en 1916, durement réprimée. De nombreux Kirghizes se réfugient en Chine voisine. Dans la guerre civile qui suit la révolution russe de

1917, certains éléments de l'Armée blanche antibolchevique s'allient à des groupes armés locaux, les Basmatchis, qui mènent une révolte musulmane. La Kirghizie est incluse de 1919 jusqu'en 1924 avec le Turkestan dans la République socialiste fédérative soviétique de Russie (RSFSR). Puis est créé en 1925 l'*oblast* (région) autonome kara-kirghize au sein de la RSFSR, distinguant les Kirghizes des Kazakhs. En février 1926, l'*oblast* est transformé en République socialiste soviétique autonome (RSSA). Le 5 décembre 1936, est créée une République socialiste soviétique (RSS) kirghize, pleinement membre de l'Union soviétique. Entreprise dès les années 1920, la soviétisation se réalise sous couvert d'alphabétisation et de « progrès social » ; une langue littéraire standardisée en caractères cyrilliques est imposée. Ce processus contribue à déstabiliser le mode de vie nomade des Kirghizes. Le partage des terres et la réforme foncière commencée en 1920-1921 et parachevée en 1927-1928 sont suivis de la <u>collectivisation agraire forcée</u>. Les révoltes se multiplient. Aussi les dirigeants du Parti communiste de la république tentent-ils d'accroître le rôle des Kirghizes dans le gouvernement et dans la vie publique. Mais, soupçonnés de « national-communisme » par <u>Staline</u>, ils sont chassés du Parti, puis emprisonnés à la fin des années 1930. Les tensions nationales avec le pouvoir central réapparaissent après 1945. La grande campagne antireligieuse, de 1956 à 1964, ferme et détruit la plupart des lieux saints d'Och. Après la mort de Staline, en 1953, les intellectuels musulmans se tournent vers leur passé national dans l'espoir d'y retrouver des convictions plus familières. La recherche d'un héritage perdu se substitue ainsi à l'idéologie tiersmondiste vacillante du <u>marxisme-léninisme</u>. **K. F.**

Les années post-indépendance. L'indépendance est proclamée le 31 août 1991. Lors des élections présidentielles du 15 octobre 1991, Askar Akaïev (1944-), président de l'Académie des sciences, est élu président de la République. Il est le seul dans les républiques musulmanes de l'ex-URSS à ne pas avoir été premier secrétaire du Parti communiste. Cette particularité donne au Kirghizstan l'image d'un pays démocratique. Pourtant, A. Akaïev procède lui aussi à une concentration progressive du pouvoir et à l'élimination politique de ses rivaux, comme Félix Kulov, ancien maire de la capitale Bichkek... Les élections législatives de février 2000 sont déclarées non démocratiques par l'<u>OSCE</u> (Organisation pour la sécurité et la coopération en Europe). Le pouvoir central s'impose cependant mal dans ce pays très divisé géographiquement et où le tribalisme reste fort. Le Kirghizstan devient une plaque tournante du trafic de drogue en provenance de l'Afghanistan par le Tadjikistan. En août 2000, une incursion armée d'<u>islamistes</u> ouzbeks venus du Tadjikistan aboutit à une prise d'otages et des combats dans la région de Batken. L'armée kirghize n'a pu s'opposer aux attaquants et le gouvernement a fait appel à l'armée ouzbeke, puis a négocié. En politique étrangère le président A. Akaïev, dont le fils a épousé la fille du président kazakh Noursultan Nazarbaïev, s'est aligné sur le Kazakhstan, pays voisin. **O. R.**

KIRIBATI République de Kiribati. Capitale : Bairiki. Superficie : 728 km². Population : 82 000 (1999). Les archipels Gilbert et Ellice (Micronésie, Pacifique sud) furent découverts en 1788 par les Britanniques qui y établirent leur protectorat en 1892, transformé en colonie de la Couronne en 1916 ; l'île Chrismas y fut jointe en 1919 et certaines des Phenix en 1937 ; l'ensemble fut le théâtre de luttes acharnées lors de la <u>guerre du Pacifique</u>, en particulier à Tarawa, en 1942-1943. L'autonomie interne fut introduite à partir de 1963 ; l'île Chrismas fut rebaptisée « Kirimati », après l'expérimentation de la bombe à hydrogène britannique en 1957. La population polynésienne des îles Ellice, craignant des empiétements fonciers, revendique son autonomie et archipel obtient l'indépendance en 1975 sous le nom de « Tuvalu ». Les îles Gilbert ne deviennent indépendantes que le 12 juillet 1979, ayant adopté l'appellation de « Kiribati » (qui se prononce « Kirabass ») et ajoutant à leur territoire celles des îles de la Ligne et celles des îles Phenix sur lesquelles les États-Unis ont abandonné leurs revendications. Les gisements de phosphates étant épuisés, le gouvernement de Bairiki (dans l'île de Tarawa) encourage l'émigration de travailleurs vers la république de Nauru. **J.-P. G.**

KISSINGER Henry (1923-) Secrétaire d'État américain (1973-1977). Henry Kissinger est l'un des exemples les plus réussis d'intégration tant sociale qu'ethnique connu aux États-Unis : que l'immigrant né en Allemagne en 1923 dans une famille de la petite bourgeoisie juive soit devenu le secrétaire d'État de la plus grande puissance du monde constitue une trajectoire hors de pair. Émigré aux États-Unis en 1938 en raison des persécutions nazies, H. Kissinger devient citoyen américain en 1943. Diplômé de Harvard, puis professeur titulaire de chaire en 1962, il développe une théorie pragmatique – « metternichienne » – du système international, fondée sur les rapports de forces et diminuant le rôle des idéologies dont il se méfie. Pendant la campagne présidentielle de 1968, H. Kissinger propose un plan de retrait américain de la guerre du Vietnam dont le président Richard Nixon (1969-1974) réalisera une version légèrement modifiée. H. Kissinger devient omniprésent : il négocie à Pékin, Moscou, Paris, Jérusalem... Ses réussites sont parfois spectaculaires, comme la reconnaissance de la Chine populaire et le voyage à Pékin de R. Nixon en 1971. D'autres tentatives connaissent des succès mitigés, mais l'homme sait faire passer avec aisance des solutions provisoires pour des règlements définitifs. Il a le sens de la diplomatie, le goût du travail et possède le don de la repartie. Lorsqu'il le croit nécessaire, il peut faire abstraction des considérations humanitaires, comme le montreront les bombardements du Cambodge (1970) et ceux, sanglants, sur Hanoi et Haïphong (1972). Il obtient en 1973 le prix Nobel de la paix, conjointement avec son homologue Lê Duc Tho, pour avoir négocié une issue à la guerre du Vietnam. La défaite des républicains, en 1976, lui permet de revenir à ses chères études. Il fait le tour du globe, est convié à de nombreuses conférences, écrit ses *Mémoires*, adoptant dès lors le rôle de l'homme d'État désintéressé et détaché. **M.-F. T.** > ÉTATS-UNIS.

KOHL Helmut (1930-) Chancelier de la RFA (1982-1998). « L'unité de l'Allemagne et celle de l'Europe sont les mêmes facettes d'une même médaille. » Tel aura été l'axiome préféré d'Helmut Kohl. Le 3 octobre 1990, le chancelier préside, rayonnant, à l'union politique des deux Allemagnes. Mais il rencontre des difficultés à maîtriser les problèmes engendrés par l'absorption de la RDA, à un moment où il doit répondre à la méfiance de ses concitoyens vis-à-vis de l'Europe.
Politicien d'instinct, le « géant noir du Palatinat » a montré, tout au long de sa carrière, une capacité impressionnante à surmonter les obstacles. Ministre-président de la Rhénanie-Palatinat, chef de la CDU (Union démocrate-chrétienne) en 1973, après son échec aux élections de 1976 et son absence de celles de 1980, il est deux fois déclaré politiquement mort. Mais en 1983, le parti chrétien-démocrate n'en frôle pas moins la majorité absolue aux législatives fédérales. Devenu chancelier en 1982, H. Kohl dirige une coalition avec les libéraux, qui assure un redressement rapide de l'économie et des finances. Son credo est fondé sur la défense du mark, celle du conservatisme social et le renouveau du tandem franco-allemand. Menant une politique tournée vers l'Ouest, l'homme politique souvent raillé pour son provincialisme n'aura su éviter tous les faux pas, mais, en juillet 1990, il réussit à convaincre Mikhaïl Gorbatchev de la nécessité pour l'URSS d'abandonner la RDA. Celui qui se présente comme l'héritier du chancelier Konrad Adenauer s'imposera auprès de ses partenaires comme une « force tranquille » en Europe. **X. G.**
Au terme des législatives de 1998, il cède le poste de chancelier au social-démocrate Gerhard Schröder (1944-). L'année suivante, il sera mis en cause pour des pratiques de financement occulte de son parti, ce qui aggravera la crise de la CDU. Cela ne saurait cependant occulter le bilan politique de son long mandat. > ALLEMAGNE, DÉMOCRATIE CHRÉTIENNE (ALLEMAGNE).

KOLKHOZE Contraction de l'expression russe *kolektivnoe khoziaïstvo* (exploitation collective). Forme de production agricole soviétique, le kolkhoze est théoriquement une coopérative agricole réunissant des paysans pour l'exploitation et la gestion en commun, avec propriété collective des moyens de production. L'instauration des kolkhozes en Union soviétique date des lendemains de la révolution russe qui n'aurait pas été possible sans les mouvements de révoltes paysans. Ils n'en répondent pas pour autant aux aspirations de la majorité d'entre eux. On a traditionnellement distingué les kolkhozes comme coopératives agricoles et les sovkhozes comme exploitations d'État (jouant un rôle de modèle plus achevé). Cette distinction, qui repose sur des fondements réels au plan des statuts juridiques et de certaines formes organisationnelles et gestionnaires, est source de méprises. Kolkhozes et sovkhozes sont, dans la réalité soviétique, deux formes d'*exploitation d'État*.

Les kolkhozes n'ont en effet de coopératif que le nom et l'apparence. Selon les statistiques officielles de l'époque, ils ne regroupaient en 1928 que 1,5 % du total de la surface ensemencée, tous types d'exploitation confondus. Leur généralisation, à partir de 1929, n'a été possible que par une collectivisation agraire forcée. Il ne s'est donc aucunement agi d'une adhésion *volontaire*. Les kolkhozes sont triplement des formes d'exploitation d'État. Leur production est régie par la planification soviétique ; le marché, tant des moyens de production que des produits de l'agriculture, est fictif ; l'encadrement politico-gestionnaire est sous le contrôle du parti-État. Les kolkhoziens, dépossédés de toute autonomie de travail et de toute initiative dans l'organisation, se considèrent bientôt comme des ouvriers agricoles. Les kolkhozes auront représenté un cadre de contrôle social de la paysannerie et abouti, en soixante ans, à la faire disparaître, elle qui était considérée comme l'âme du peuple russe. Il est remarquable d'observer que la collectivisation agricole soviétique n'a jamais été revendiquée comme modèle de réforme agraire. **S. P.** **> RUSSIE ET URSS.**

KOLLONTAÏ Alexandra (1872-1952)
Féministe et révolutionnaire russe. Auteur de nombreux écrits politiques, Alexandra Kollontaï défend l'émancipation économique et surtout sexuelle des femmes : *Bases sociales de la question féminine* (1909), *La Famille et l'État communiste* (1918), *La Nouvelle Morale et la classe ouvrière* (1918). Selon elle, « la révolution doit se traduire par le bouleversement des mœurs ». Condamnant l'« esclavage conjugal », elle conçoit le couple comme l'union de deux membres égaux et indépendants, libérés des tâches domestiques par des services collectifs. Et affirme que l'amour et la sexualité ne sont pas des questions accessoires ou petites-bourgeoises ni des « affaires privées ». Avant la révolution de 1905, cette oratrice remarquable tente d'organiser les femmes. Elle doit s'exiler après sa participation au « dimanche rouge ». En 1917, elle est la première femme élue au comité exécutif du soviet de Petrograd. Commissaire du peuple à l'Assistance publique dans le premier gouvernement bolchevique, elle fait publier des décrets pour la protection de la maternité et de l'enfance. Belle, cultivée, ses écrits comme sa vie de femme libre font scandale. Après 1925, elle est nommée ambassadrice (en Norvège, puis en Suède jusqu'en 1945), ce qui l'éloigne et la protège des purges staliniennes. **M. P.-L.** **> FEMMES (ÉMANCIPATION DES).**

KOLYMA > GOULAG.

KOMINFORM Contraction, en russe, de Bureau d'information des partis communistes. Le Kominform est créé en septembre 1947 alors que s'ouvre la Guerre froide. Organe de liaison entre les directions des partis communistes soviétique, bulgare, hongrois, polonais, roumain, tchécoslovaque, yougoslave, français et italien, il paraît succéder au Komintern sabordé par Staline en 1953, mais il n'est pas à proprement parler une nouvelle Internationale. Il ne concerne d'ailleurs, outre le PCUS (Parti communiste de l'Union soviétique), que les communistes européens. La création du Kominform, sur décision de Moscou, apparaît comme une réponse au plan Marshall que Staline a fait refuser aux pays d'Europe de l'Est en voie de soviétisation. Il marque le souci de contrôler étroitement l'évolution idéologique et politique de ces États, ainsi que celle des deux principaux partis d'Europe occidentale face à la stratégie de *containment* (d'endiguement du communisme) déployée par les États-Unis de Harry Truman. En 1948, jugeant le socialisme yougoslave (titisme) déviant par rapport au dogme, le Kominform exclut Belgrade. Il est dissous en 1956 alors que la Détente Est/Ouest a succédé à la Guerre froide. **V. K.**

KOMINTERN　Formé à partir du russe, le terme « Komintern » est une abréviation d'« Internationale communiste ». Le premier congrès de la nouvelle internationale révolutionnaire s'ouvre à Moscou le 2 mars 1919. Il s'inscrit dans le cadre d'une « rupture complète et définitive avec le réformisme » de la IIe internationale, exige de ses membres un « soutien sans réserve » à la Russie soviétique, puis à l'URSS. Établi dans la capitale soviétique, le Komintern se transforme rapidement en instrument de la politique soviétique. Dès les années 1920, il a pour tâche de « discipliner » les partis communistes, de faire appliquer la ligne des maîtres du Kremlin. La « bolchévisation » des partis communistes nationaux (PC), puis les purges qui frappent de nombreux responsables étrangers réfugiés à Moscou au cours des années 1930, achèvent la mise au pas des organisations les plus récalcitrantes, tel le PC polonais, « dissous » en 1938. Le Komintern est lui-même dissous pendant la Seconde Guerre mondiale, en 1943, alors que les dirigeants soviétiques veulent donner des gages de leur engagement démocratique aux Alliés occidentaux. Il est remplacé en 1947 par le Kominform (Bureau d'information des partis communistes), qui ne résistera pas à la crise de 1956. **C. U.**

KOR (Pologne)　Entre 1956 et 1976, plusieurs affrontements avec le pouvoir communiste ont lieu en Pologne, mais les différentes composantes de la population les abordent en ordre dispersé : en 1968, les intellectuels ne parviennent pas à rallier à leur cause les ouvriers ; en 1970, les ouvriers

du Littoral, en révolte contre la vie chère, se retrouvent seuls face aux forces de répression. L'événement nouveau et capital se produit six ans plus tard : la répression antiouvrière qui suit les démonstrations de juin 1976 donne à l'opposition intellectuelle la possibilité de combler le fossé qui la séparait de la classe ouvrière. Le 23 septembre 1976, le KOR (Comité de défense des ouvriers) est fondé par plusieurs personnalités connues, comme l'écrivain Jerzy Andrzejewski (1909-1983), l'actrice Halina Mikołajska (1925-1989) ou Jacek Kuroń. Le Comité se fixe pour tâche d'assister matériellement et juridiquement les ouvriers victimes de la répression. Des socialistes, des marxistes, des démocrates-chrétiens d'avant la guerre, des prêtres y siègent. Il contribuera puissamment à la naissance du syndicat libre Solidarité (Solidarność). **G. M.** **> DISSIDENCE ET OPPOSITIONS (EUROPE DE L'EST), POLOGNE.**

KOSOVO　Le Kosovo (dont le nom officiel est Kosovo-Metohija) est une province autonome de la République de Serbie, laquelle constitue depuis 1992, avec le Monténégro, la République fédérale de Yougoslavie (RFY). Il avait déjà ce statut, depuis 1945, dans l'ancienne Yougoslavie. Son nom, abréviation de l'expression serbe *kosovo polje*, « plaine ou champ des merles », était à l'origine celui du lieu où, le 28 juin 1389, l'armée ottomane avait défait les Serbes et leurs alliés. Par extension, il a désigné la totalité de la plaine, puis toute la région. Celle-ci comprend une seconde plaine, la Metohija, ainsi que des montagnes qui les séparent et les entourent.　**Mythes mobilisateurs.** Le Kosovo représente un enjeu de premier ordre pour les nationalismes serbe et albanais. Les Serbes y situent le berceau de leur nation et leurs racines spirituelles : la région constituait aux XIIIe-XIVe siècles, avant d'être incorporée à l'Empire ottoman, le cœur du royaume serbe de la dynastie Nemanjic et garde de cette époque un important patrimoine de monastères orthodoxes. Un mythe national du Kosovo, aux fortes vertus mobilisatrices, a été construit sur les idées d'âge d'or, de défaite, de reconquête. Les Albanais sont, eux, attachés au

Kosovo, entre autres, parce qu'ils considèrent la Ligue de Prizren (1878-1881, formée pour résister à la cession au Monténégro de territoires peuplés d'Albanais, décidée par le congrès de Berlin de 1878) comme le point de départ de leur mouvement national, qui aboutit à l'indépendance de l'Albanie. Ils sont majoritaires dans la province. **La** question du Kosovo est posée dans ses termes actuels depuis la conférence de Londres (30 mai 1913). Les mois précédents, au cours de la première guerre balkanique, la Serbie, le Monténégro, la Grèce et la Bulgarie coalisés ont conquis les derniers territoires ottomans d'Europe et l'Albanie a proclamé son indépendance. La conférence, dominée par les grandes puissances, reconnaît celle-ci mais partage le Kosovo entre la Serbie et le Monténégro, qui entreront en 1918 dans le royaume des Serbes, Croates et Slovènes (Yougoslavie à partir de 1929). Dès lors, toute la question est d'apprécier comment la Serbie, puis la Yougoslavie, ont traité « leurs » Albanais et comment ceux-ci ont réagi à une situation contraire à leurs vœux. Dans l'entre-deux-guerres, les rapports sont très tendus : résistance armée initiale des Albanais, politique de colonisation agraire slave vécue comme une agression, émigration en Turquie, faiblesse des progrès économiques, absence d'instruction publique en albanais. De telle sorte que les Kosovars albanais, travaillés en outre par une propagande irrédentiste, approuvent en 1941 le démembrement de la Yougoslavie et la formation d'une Grande Albanie. Les Partisans levés par Tito recruteront largement parmi eux en suscitant l'espoir – ensuite déçu – d'une autodétermination après la Libération. **Or,** le Kosovo reste partie intégrante de la Yougoslavie, reconstituée cette fois sous la forme d'une république fédérative. Mais les conditions ont changé : pour la première fois est mis en place un enseignement de masse en albanais, alors que s'amorce un développement soutenu des villes, de l'industrie et des réseaux de transport, changements qui promettent une vie meilleure mais déstabilisent d'abord une société rurale homogène vivant en quasi-autarcie. Le régime demeure cependant très répressif à l'égard des Kosovars albanais,

attitude renforcée par la rupture de 1948 avec l'URSS (donc avec l'Albanie). Une détente ne s'instaure qu'en 1966 après le limogeage d'Alexandre Rankovic (1909-1983), responsable de la police politique. Liée au développement de l'autogestion, elle conduit à l'adoption de la Constitution de 1974, qui donne des prérogatives politiques étendues aux républiques et aux provinces autonomes. **Le nationalisme exclusionniste de Milosevic.** La mort de Tito en 1980 et l'arrêt de la croissance économique marquent la fin de cette période. L'année suivante, les Kosovars albanais réclament, dans le cadre de manifestations de masse, l'élévation de la province au rang de septième république yougoslave, donc sa sortie de la Serbie. Alors que Tito avait, en 1968, répondu à semblable revendication par un mélange de répression et de concessions, les autorités serbes et yougoslaves choisissent cette fois le « tout répressif ». Dans un climat devenu pesant, les relations se dégradent au Kosovo entre majorité albanaise et minorité serbe. En 1986, un *Mémorandum* de l'Académie serbe des sciences accuse le régime d'avoir affaibli la Serbie en conférant aux provinces une autonomie excessive et accuse les Albanais de forcer au départ la minorité serbe du Kosovo, allant jusqu'à parler de génocide. L'année suivante, Slobodan Milosevic s'empare du pouvoir à l'intérieur de la Ligue des communistes de Serbie et impose une ligne dure : quasi-suppression de l'autonomie du Kosovo et de la Voïvodine (1989), limogeage des cadres albanais, licenciements massifs, exclusion des enseignants et des élèves albanais du système d'enseignement public. **C**ette politique lui permet de triompher lors du sixième centenaire de la bataille du Kosovo, puis assure aux communistes (rebaptisés socialistes) le gain des premières élections pluripartites, alors qu'ils sont balayés en Slovénie, en Croatie et en Bosnie-Herzégovine. Mais, s'appuyant ouvertement sur le nationalisme serbe, cette politique alarme ces républiques, contribuant ainsi à l'éclatement de la Yougoslavie. Pendant les « guerres yougoslaves » de Croatie et de Bosnie, le Kosovo reste calme. Les Albanais s'auto-organisent dans l'exclusion avec l'aide financière de leur diaspora, accrue par une émigration croissante. Ils boycottent les élections officielles, choisissent l'indépendance par référendum, se donnent pour président l'écrivain Ibrahim Rugova (1945-), chef de la Ligue démocratique du Kosovo. La ligne politique de celui-ci, strictement pacifiste et pour cette raison tolérée par Belgrade, leur vaut à l'étranger un succès d'estime mais aucun soutien politique. Son échec est d'ailleurs patent lorsque les puissances, à la conférence de Dayton sur la paix en Bosnie (automne 1995), traitent avec S. Milosevic et ignorent le problème du Kosovo. **Un protectorat imposé par la guerre.** Cet échec fait émerger une ligne politique radicale qui s'exprime, entre autres, par des attentats revendiqués par une embryonnaire Armée de libération du Kosovo (UCK). La violence disproportionnée de la répression entamée, le 28 février 1998, par les forces serbes conduit à l'internationalisation du problème. Le printemps et l'été voient la montée en puissance puis la défaite militaire de l'UCK, avant que Belgrade n'accepte en octobre, sous la menace de l'OTAN (Organisation du traité de l'Atlantique nord), un dispositif de surveillance géré par l'OSCE (Organisation pour la sécurité et la coopération en Europe) et avalisé par l'ONU. La situation se dégradant à nouveau, les puissances occidentales tentent d'imposer une autonomie du Kosovo contrôlée par une présence militaire étrangère (pourparlers de Rambouillet et de Paris, février-mars 1999). Pour l'avoir refusée, la Yougoslavie est aussitôt bombardée par l'OTAN (à compter du 24 mars) et ne cède que le 3 juin, à l'issue d'un processus diplomatique où la médiation russe est essentielle. Une semaine auparavant, le Tribunal pénal international (TPI) avait inculpé S. Milosevic de crimes de guerre et crimes contre l'humanité. Le Kosovo devient alors un protectorat international contrôlé par des forces militaires occidentales avec une présence russe symbolique et géré par la Mission [civile] des Nations unies au Kosovo (Minuk, dirigée par le Français Bernard Kouchner [1940-]). **La région est ravagée et la société déstabilisée,** les forces serbes ayant réussi à expulser pendant les bombardements de l'OTAN 700 000 Albanais (essentiellement en Albanie et en Macédoine), même si la plupart sont revenus dans le sillage des forces occidentales alors que les Serbes locaux fuyaient à leur tour. La communauté internationale tente de la stabiliser, mais la contradiction est éclatante entre son intention d'y promouvoir une autonomie étendue dans le cadre de la Yougoslavie et la volonté d'indépendance des Kosovars albanais. À d'autres échelles, ce conflit a souligné les contradictions existant entre la nécessité de stabiliser les Balkans en les intégrant à l'Union européenne et la frilosité de celle-ci, entre la souveraineté des États et le droit d'ingérence humanitaire, entre les buts désintéressés revendiqués par les belligérants et les politiques de puissance que l'on soupçonne, entre l'intention de faire respecter un ordre mondial et le refus d'y risquer la vie d'un seul militaire. En outre s'est posé le problème de la légitimité du déclenchement de cette guerre conduite sans l'aval de l'ONU. Celle-ci n'a en effet été replacée dans le jeu qu'*in extremis*. Cela explique comment un conflit local a pu susciter dans le monde entier des débats aussi intenses. **M. R.** ➤ FÉDÉRALISME YOUGOSLAVE, QUESTION SERBE, SERBIE, YOUGOSLAVIE.

KOULAKS Du russe *kulak* (poing). À l'origine, le terme « koulaks » désigne, à la fin du XIXe siècle, les paysans s'enrichissant sur le dos des autres, en faisant travailler comme salariés des membres de la communauté villageoise sur des terres rachetées à des nobles et en pratiquant l'usure. S'il pouvait être synonyme de petite bourgeoisie ou de bourgeoisie rurale, le terme va prendre, après la révolution russe, divers sens. Teodor Shanin (*The Awkward Class, Political Sociology of Peasantry in Russia 1910-1925*, 1972) écrit à juste titre qu'il recouvre à la fois un mélange de définition sociologique et de jugement politique, en même temps qu'il représente une évidente insulte, lorsqu'il ne s'agit pas d'une calomnie. Des statistiques soviétiques estimaient, en 1929, les familles de koulaks à 3 % du total de la population agricole. Quand prend fin la phase de Nouvelle Politique économique (NEP) et quand est engagée la collectivisation agraire forcée (1929), le terme « koulaks » va être appliqué indistinctement à la vraie bourgeoisie rurale exploiteuse, mais aussi à la très grande majorité des paysans les plus entreprenants et compétents qui refusent de rejoindre volontairement les kolkhozes. Il est, à la campagne, synonyme d'ennemi de classe. Les récoltes et les maisons des « koulaks » sont réquisitionnées, leurs terres sont rattachées aux kolkhozes et eux-mêmes sont bannis des villages et doivent s'exiler ou sont déportés vers le Kazakhstan, la Sibérie... La « dékoulakisation » est menée selon un principe statistique vertical et bureaucratique, les différents échelons de l'appareil soviétique devant rendre compte du taux d'« ennemis » exclus. Avec cette opération est inaugurée en Union soviétique la répression systématique à grande échelle. En 1932-1933, une terrible famine, conséquence directe de la politique du pouvoir, fera près de six millions de victimes. **S. P.** **> RUSSIE ET URSS.**

KOURILES Les « Territoires du Nord » désignent au Japon, depuis le début des années 1960, un groupe d'îles situées au nord-est de Hokkaido qui constituent, au moins pour les plus grandes, la partie méridionale de la chaîne des Kouriles. Occupées par l'armée soviétique en août-septembre 1945, elles sont restées sous le contrôle de l'URSS, puis, à la disparition de celle-ci, de la Russie. Cinquante ans après la fin de la Seconde Guerre mondiale, le contentieux qui les entoure restait l'unique obstacle à la conclusion d'un traité de paix entre les deux pays. L'appellation de « Territoires du Nord » permet au Japon, qui a renoncé, en 1951, par le traité de paix de San Francisco, à tous ses droits sur les îles Kouriles, de ne pas contrevenir ouvertement à cette disposition. Longtemps niée par les dirigeants soviétiques, l'existence du problème territorial fut finalement reconnue par Mikhaïl Gorbatchev, puis confirmée par Boris Eltsine dans la déclaration de Tokyo signée en octobre 1993. Les territoires disputés sont depuis lors officiellement circonscrits aux îles d'Etorufu (Iturup en russe), Kunashiri (Kunashir), Shikotan, et aux îlots des Habomai. Ces îles étaient autrefois habitées, comme les territoires voisins, par les Aïnou, peuple

autochtone dont la plupart des descendants métissés vivent aujourd'hui à Hokkaido. Russes et Japonais n'y apparurent que vers le milieu du XVIIIᵉ siècle. En 1855, le premier traité frontalier russo-japonais les attribua au Japon, avec une partie de Sakhaline. Puis, en 1875, toutes les Kouriles devinrent japonaises, en échange de Sakhaline, cédée intégralement à la Russie. Le Japon reprit toutefois le sud de Sakhaline en 1905, à l'issue de la guerre russo-japonaise. La conférence de Yalta de février 1945 avait prévu la rétrocession du sud de la presqu'île de Sakhaline et le transfert des îles Kouriles à l'URSS après la défaite du Japon, en échange de l'engagement soviétique dans la guerre du Pacifique. En 1956, lors du rétablissement des relations diplomatiques, Moscou promit la cession au Japon des îles les plus petites (Shikotan et Habomai) après la conclusion d'un traité de paix. Les frustrations réciproques firent cependant que cet arrangement n'est pas intervenu. L'affaire des Territoires du Nord aura représenté, avec la division de la Corée, l'une des dernières scories de la Guerre froide. **T. M.** **> JAPON, RUSSIE.**

KOWEÏT Émirat du Koweït. Capitale : Koweït. Superficie : 17 811 km². Population : 1 897 000 (1999). Situé à un emplacement stratégique au fond du golfe Arabique, richement doté en pétrole mais souffrant d'un territoire exigu, le Koweït suscite les appétits. Menacé par les Ottomans, il se place en 1899 sous protection britannique. Indépendant en 1961, il est aussitôt revendiqué par Bagdad, qui renouvelle ses menaces en 1973. Cheikh Abdallah, au pouvoir à l'indépendance, instaure une vie parlementaire et promulgue une Constitution (1963) qui consacre l'autorité des al-Sabah sur l'émirat. Son successeur, Cheikh Sabah (1965-1977), consacre à l'édification des infrastructures du pays une part importante des revenus pétroliers qui permettent au Koweït, avant même la flambée des prix de 1973, de disposer de l'un des plus hauts revenus par habitant du monde. Cependant, l'agitation entretenue par les députés amène l'émir, en 1976, à dissoudre le Parlement. Cheikh Jaber, qui monte sur le trône l'année suivante, restaure la Constitution. Mais la nouvelle Chambre, élue en 1981, tout aussi remuante, est de nouveau dissoute en 1986. **La crise du Golfe de 1990-1991.** Dans la nuit du 1er au 2 août 1990, le Koweït est envahi par l'Irak. Arguant du rattachement ancien de l'émirat au gouvernorat turc de Bassorah, au sud de son territoire, Bagdad en fait sa dix-neuvième province. L'opération *Tempête du désert*, menée au début de l'année 1991 par une coalition internationale sous commandement américain, libère le Koweït et rétablit les al-Sabah sur le trône. La prudence de l'émirat, qui affecte depuis des décennies 10 % des revenus de son pétrole à un Fonds pour les générations futures, lui permet de dédommager ses « amis ». Sous leur pression, Cheikh Jaber est aussi contraint de rétablir la vie démocratique. Mais les élections, qui ont lieu en 1992, en 1996 et, de manière anticipée, en 1999 à la suite d'une dissolution de la Chambre, portent à l'Assemblée des opposants islamistes et libéraux qui se liguent pour rejeter les réformes économiques et sociales voulues par le gouvernement et pour écarter toute idée de réconciliation avec l'Irak. **I. L.** ➤ **GUERRE DU GOLFE (SECONDE).**

KRAJINA Le terme « *krajina* » (« confins » en serbo-croate) désigne les régions limitrophes de l'actuelle frontière croato-bosniaque qui, entre 1699 (traité de Karlowitz) et 1878 (congrès de Berlin), ont constitué les confins militaires de l'Empire austro-hongrois et de l'Empire ottoman. Il existe trois grandes krajinas : la krajina de Knin, située en Croatie et peuplée majoritairement de Serbes jusqu'en 1995, la Krajina bosniaque, située en Bosnie occidentale (Banja Luka) et également peuplée de Serbes, et la krajina de Cazin, enclavée entre les deux précédentes et peuplée presque exclusivement de Musulmans. Pendant la Seconde Guerre mondiale, les Serbes des krajinas, victimes du génocide oustachi, ont massivement rejoint les rangs des Partisans. Pendant les guerres yougoslaves (1991-1995), les Serbes de la krajina de Knin ont créé une « république serbe de Krajina » autoproclamée, rayée de la carte par une

offensive éclair de l'armée croate en août 1995. Les Serbes de la Krajina bosniaque ont rejoint la République serbe de Pale, reconnue comme entité constitutive de la Bosnie-Herzégovine par les accords de Dayton (14 décembre 1995). Quant aux Musulmans de la krajina de Cazin, encerclés par les forces serbes, ils ont connu de graves conflits internes (dissidence armée du notable Fikret Abdic en 1993), mais ont pu établir une continuité territoriale avec le reste de la Fédération croato-musulmane (autre entité constitutive de la Bosnie-Herzégovine) grâce aux offensives conjointes croato-musulmanes de septembre 1995. **X. B.** ➤ **BOSNIE-HERZÉGOVINE, CROATIE, QUESTION SERBE, YOUGOSLAVIE.**

KU KLUX KLAN Société secrète, le Ku Klux Klan (KKK) a été créé au Tennessee (États-Unis), au lendemain de la guerre de Sécession, pour lutter contre l'intégration des Noirs dans le Sud. Dans la première moitié du xxe siècle, les racistes encagoulés du KKK, lyncheurs et brûleurs de croix, et leurs camarades du White Citizens Council se comptaient par millions. Le changement des mentalités, depuis le début des années 1960, est en partie responsable du déclin du Klan, sans parler du pragmatisme des hommes politiques du Sud, les juges et les shérifs, qui savent que beaucoup de leurs électeurs ont la peau noire. Mais le facteur le plus important est sans nul doute économique. Le Sud est désormais une région prospère qui attire les habitants et les entreprises du Nord grâce à son climat et son art de vivre. Les mauvaises manières et les autodafés du *Old South*, désormais, ne font plus bon ménage avec ce Nouveau Sud. ➤ **ÉTATS-UNIS, QUESTION NOIRE.**

KUBITSCHEK DE OLIVEIRA Juscelino (1902-1976) Homme politique brésilien, président de la République de 1956 à 1960. Ce fils d'une émigrée de Bohême et d'un commerçant comptant nombre d'élus dans sa parenté fut quelques années médecin avant d'embrasser la politique. Député fédéral de 1935 à 1937, il est nommé maire de Belo Horizonte (capitale du Minas Gerais) en 1940, grâce au parrainage d'un allié de

Getúlio Vargas. La chute de l'Estado Novo (1945) ne l'empêche pas de siéger à l'Assemblée constituante de 1946, ni d'être élu en 1954 au gouvernorat du Minas Gerais. En menant de grands chantiers dans les transports et l'énergie, il gagne l'image d'un leader développementiste, ainsi qu'une réputation de compétence. Nationaliste, modérément anticommuniste, bénéficiant d'appuis dans les syndicats, mais aussi parmi les élites terriennes, il devient président de la République, en 1956, sur le programme « 50 ans de progrès en cinq ans de gouvernement » et fait construire Brasilia. Le pays connaît alors une croissance sans précédent. La loi lui interdisant un second mandat consécutif, il patiente au Sénat. Le putsch de 1964 qui instaure un régime militaire met fin à son rêve d'une nouvelle présidence. Sa mort survient en 1976 dans des conditions encore mal élucidées. Les militaires ont peut-être éliminé cet opposant discret, mais populaire. **S. Mo.** **> BRÉSIL.**

KUOMINTANG > GUOMINDANG.

KURDES > QUESTION KURDE.

KUROŃ Jacek (1934-) Figure emblématique de l'opposition démocratique polonaise, historien et pédagogue. Jeune, Jacek Kuroń s'engage dans la mouvance communiste. Après 1956, alors que renaît le scoutisme apolitique, en réaction au mouvement stalinien des pionniers, J. Kuroń organise celui des « scouts rouges ». Ce mouvement, antistalinien par essence, se situe dans la gauche critique (révisionniste). Nombre de ses membres suivront J. Kuroń ultérieurement dans l'opposition démocratique. La rupture avec le Parti date du début des années 1960, couronnée en 1964 par la rédaction, avec son ami Karol Modzelewski, de la *Lettre ouverte au Parti ouvrier unifié polonais*, critique radicale du socialisme bureaucratique et appel à la « révolution ouvrière contre la bureaucratie centrale politique ». Ce texte lui vaut, en 1965, un premier emprisonnement de trois ans pour « activités antisocialistes », suivi d'un autre, la veille de la révolte estudiantine de

mars 1968. Sorti de prison en 1971, il poursuit son action politique. Auteur d'une plateforme prônant l'abandon de la violence et l'auto-organisation sociale, il définit l'orientation de l'opposition. Il est cofondateur du Comité de défense des ouvriers (KOR) en 1976, puis conseiller du syndicat Solidarność (Solidarité). Arrêté le 13 décembre 1981, il passe deux ans et demi en prison, sans être jugé. Il participe activement à la « table ronde », compromis entre les communistes et les dirigeants de Solidarité jetant les bases d'une profonde refonte du système institutionnel. Il est ministre du Travail au sein du premier gouvernement non communiste dirigé par Tadeusz Mazowiecki, puis dans celui de Hanna Suchocka (1992-1993). Candidat malheureux aux élections présidentielles de 1995 – il obtient 9 % des voix –, il limite son action sociale et parlementaire. En semi-retraite de la vie politique, il restait en 2000, selon les sondages, l'homme en qui les Polonais avaient le plus confiance. **G. M.** **> DISSIDENCE ET OPPOSITIONS (EUROPE DE L'EST), POLOGNE.**

KWANGJU (massacre de) L'assassinat du président Park Chung-hee (1917-1979), le 26 octobre 1979, avait ouvert en Corée du Sud une perspective de démocratisation après dix-huit ans de dictature militaire (« printemps de Séoul »). Mais un groupe de généraux dirigé par Chun Doohwan (1931-) a perpétré un coup d'État (12 décembre 1979). Kwangju, haut lieu historique de la résistance étudiante antijaponaise, mais aussi capitale d'une région discriminée par le régime militaire, a manifesté avec opiniâtreté son opposition à la « nouvelle clique militaire ». L'armée a réprimé avec sauvagerie, massacrant non seulement les résistants, mais aussi des femmes et des enfants (18-27 mai 1980). Le gouvernement avança qu'il y aurait eu moins de 200 morts, les habitants estimant quant à eux le nombre réel des victimes à dix fois plus. Ce drame a suscité des réactions anti-américaines du fait que Washington avait donné le feu vert à Chun Doo-hwan pour envoyer à Kwangju les forces de répression. **B. Ch.** **> CORÉE.**

L

LABOUR PARTY (Royaume-Uni)

Le Parti travailliste est né entre 1900 et 1906 (date où son groupe parlementaire adopte la dénomination de « travailliste »). Il est issu de la fédération de forces de gauche : le Parti travailliste indépendant dirigé par le mineur écossais James Keir Hardie (1856-1915), la Fédération sociale-démocrate (tôt sécessionniste), la Société fabienne – son club de pensée – qui a inspiré le <u>fabianisme</u>, des coopératives et une grande majorité des syndicats confédérés au sein du Trades Union Congress (<u>TUC</u>). Relativement faible avant 1914, le parti bénéficie après le conflit mondial de l'attente de grandes réformes sociales et aussi de la division des libéraux, qu'il dépasse pour la première fois aux élections de décembre 1923. Dix mois au pouvoir, avec un gouvernement minoritaire soutenu par les votes du Parti libéral, font de lui, en 1924, un parti de gouvernement crédible, que les élections de 1929 placent au premier rang de toutes les forces politiques. En 1931, la « désertion » de Ramsay Mac-Donald (1866-1937), partisan de recourir à une union nationale pour combattre la crise économique, entraîne un grave déclin, mais 1945 est l'heure de la grande revanche : vainqueur des élections de juillet, son chef, Clement R. <u>Attlee</u>, est au pouvoir jusqu'en 1951 pour appliquer son programme d'<u>État-providence</u>. Entre 1945 et 1979, le parti aura tenu le pouvoir 17 années sur 34. Il est sorti en 1997 d'une longue traversée du désert, au prix de l'abandon de la plupart des références socialistes de son programme, d'un amoindrissement du rôle des syndicats membres et d'une « modernisation » marquée par le ralliement à un capitalisme à visage humain. Le temps du New Labour, conceptualisé sous la houlette de Tony <u>Blair</u>, était ainsi venu.

R. Ma. **> ROYAUME-UNI.**

LAÏCITÉ (à la française)

Chacun a droit à la liberté de conscience – quitte à n'avoir aucune religion – et l'État a le devoir de garantir ce droit individuel. Ce principe de 1789, défendu par le radicalisme, devient une arme contre l'Église catholique. Il se traduit un siècle plus tard (1881-1882) par l'instauration d'un enseignement primaire gratuit, laïque et obligatoire. Il est affirmé en 1905 par la loi de séparation des Églises et de l'État. La religion étant facteur de division, la liberté de conscience et de culte est garantie. La laïcité est à la base de la « République une et indivisible ». Les Constitutions de 1946 et 1958 donnent à la loi de 1905 une valeur constitutionnelle. La République assure l'égalité de tous les citoyens sans distinction d'origine ou de religion et n'autorise aucune forme d'éducation religieuse à l'école publique. Mais le système éducatif reste un terrain d'affrontement. Faut-il une école laïque et unique ou un système pluraliste avec des écoles privées confessionnelles ? Sous la Ve République (1958-), la loi Debré (1959) met en place un système d'aide pour « l'école libre » (privée). En 1981, la victoire électorale de la gauche relance l'idée d'un service public unique, qui sera abandonnée devant l'ampleur des manifestations (1984). En 1994, la question du financement des investissements scolaires privés mobilise, à leur tour, les partisans du service public. À l'aube du XXIe siècle, l'Église catholique n'est plus un contre-pouvoir – aucun parti d'inspiration chrétienne ne domine la vie politique. Elle reste un groupe de pression à travers ses relais dans la société civile (associations, presse, syndicats) hérités de son action sociale et éducative du xixᵉ siècle. Le débat sur la laïcité a tendu à se déplacer sur l'attitude à tenir devant les formes de communautarisme (port du voile islamique à l'école, pratique de l'excision...).

F. S. ▷ **FRANCE.**

LÄNDER ▷ **FÉDÉRALISME (ALLEMAGNE).**

LAOGAI *Laogai* est la contraction de deux mots chinois, *laodong gaizao*, qui signifient « réforme par le travail ». Considéré par certains comme l'équivalent chinois du Goulag, le Laogai est un système de répression et d'enfermement qui fut conçu et mis progressivement au point par le Parti communiste chinois (PCC) dès la fin des années 1930. L'originalité du Laogai par rapport au Goulag réside dans l'intense travail de propagande exercé à l'encontre des détenus, qui sont censés devenir des hommes nouveaux par le biais de l'étude, de la critique et de l'autocritique, ainsi que du travail forcé. L'absence de transparence du système carcéral chinois rend difficile l'évaluation de l'ampleur de la répression. Selon le dissident Harry Wu (1937-), qui a subi dix-neuf ans de Laogai pour avoir été considéré comme « droitier » durant le mouvement des Cent Fleurs, un total de 50 millions de Chinois auraient effectué un séjour au Laogai entre 1949 et 1999 et une vingtaine de millions de personnes y seraient mortes. Ces chiffres sont contestés par les spécialistes occidentaux qui les révisent à la baisse, mais estiment qu'il restait entre trois et six millions de Chinois au Laogai à la fin du xxᵉ siècle. Placé sous la double direction des ministères de la Justice et de la Sécurité publique, le Laogai a accueilli différents types de prisonniers en un demi-siècle. La terreur instaurée au début des années 1950 pour installer le pouvoir a surtout visé les « ennemis historiques » : anciens membres du Guomindang, propriétaires terriens, capitalistes et toutes personnes soupçonnées de vouloir restaurer l'ancien système. Durant la Révolution culturelle, le crime politique est devenu l'offense majeure et a provoqué un afflux de « contre-révolutionnaires » dans les camps. À partir de 1978, avec la mise en place des réformes économiques par l'équipe de Deng Xiaoping, la majorité des prison-

niers politiques ont été libérés. En 1994, une nouvelle loi sur les prisons a visé à améliorer le traitement des prisonniers par leurs gardiens. Il semble que cette loi n'ait entraîné que quelques modifications cosmétiques. À compter de 1997, le concept de « contre-révolutionnaire » a commencé à disparaître au profit d'une notion jugée plus acceptable aux yeux de la communauté internationale, qui est celle de « mise en danger de la sécurité de l'État ». De même, le terme de *jianyu*, prison, a tendu à se substituer progressivement à celui de Laogai, trop négativement connoté. Il restait officiellement plus de 2 000 prisonniers politiques incarcérés en 1999. Ces chiffres sont toutefois également invérifiables car il faut ajouter aux camps de Laogai les établissements de *laojiao* (« rééducation par le travail »), qui abriteraient quelque 250 000 prisonniers. Alors que les peines de Laogai sont prononcées par un tribunal et font l'objet d'un procès, celles du *laojiao* sont des peines administratives qui peuvent être arbitrairement prononcées dans n'importe quel commissariat de police. Ces peines ne doivent théoriquement pas excéder trois ans d'incarcération. Les camps de travail sont répartis sur l'ensemble du territoire chinois. Les plus importants se trouvent sur la ceinture nord-nord-ouest de la Chine, au Qinghai, au Xinjiang et en Mongolie-Intérieure. On trouve également d'importantes usines ou « fermes d'État » qui se doublent de camps de Laogai dans toutes les provinces du pays. On sait maintenant que les productions de thé au Zhejiang, de machines-outils et objets de consommation courante dans les grandes villes de Shanghai, Pékin et Tianjin, de fleurs artificielles dans la province du Guangdong, sont en partie issues du Laogai et destinées à l'exportation. Le dissident Harry Wu a aussi dénoncé le commerce des transplantations d'organes recueillis sur des condamnés à mort venant d'être exécutés. Au tournant du siècle, la Chine exécuterait en moyenne 1 500 à 2 000 personnes par an.

M. H. ▷ **CHINE, DISSIDENCE ET OPPOSITIONS (CHINE).**

LAOS République démocratique populaire lao. Capitale : Vientiane. Superficie :

236 000 km². Population : 5 297 000 (1999). **U**nifié et administré par les Français, le Laos entre en 1899 dans la Fédération indochinoise. Ses frontières s'esquissent par convention avec la Chine (1895), la Birmanie (1896) et plus difficilement par traités avec le Siam (1907, 1925, 1940). En dépit des soulèvements de l'ethnie khas (1901-1907) puis montagnards (1914-1921), le Laos est en paix pendant toute la première moitié du xxᵉ siècle. L'entrée des troupes japonaises à Luang Prabang (6 avril 1945) précipite le pays dans des dizaines d'années de troubles politiques. Alors que le roi Sisavang Vong (1885-1959) proclame à son corps défendant l'indépendance, le prince Tiao Pethsarath (1890-1959), vice-roi et Premier ministre depuis 1942, s'oppose après la défaite nippone au retour des Français. **À** la mi-octobre 1945, les troupes chinoises de Tchiang Kai-chek (Jiang Jieshi) se déploient au pays du Million-d'Éléphants, tandis que le prince constitue un « gouvernement de résistance de la patrie lao » (Lao To Tan Heng Pathet Lao), crée le mouvement des Lao Issara (Laotiens libres) et s'allie au mouvement vietminh. La France reconquiert le Laos et rétablit Sisavang Vong sur son trône en avril 1946. Les leaders issara, chassés du pouvoir, se réfugient en Thaïlande. Divisés sur leur tactique politique et affaiblis par l'échec de leur offensive militaire de mars 1947, nombre d'entre eux se rallient. **De l'Union française à l'indépendance.** Le mouvement s'accélère après la convention du 19 juillet 1949, le Laos devenant un État associé de l'Union française. Le gouvernement lao issara est dissous le 24 octobre ; Katay Don Sasorith (1907-1959), après avoir collaboré avec les Japonais et être devenu ministre des Finances issara, et le prince Souvanna Phouma rentrent à Vientiane. Quant au prince Souphanouvong, « ministre de la Défense » du gouvernement provisoire du Pathet Lao, il trouve refuge à la frontière vietnamienne et le prince Pethsarath demeure en Thaïlande. Les deux hommes se rapprochent, proclament un État laotien dissident et un mouvement politique, le Front national uni du Laos (Neo Lao Issara). Profitant de l'offensive du général vietnamien Vo Nguyen Giap en 1953

contre les troupes françaises engagées dans la guerre d'Indochine, le Pathet Lao s'installe dans la province de Sam Neua. L'extension de la guerre accélère le mouvement vers l'indépendance, celle-ci devenant pleine et entière le 22 octobre. **À** l'issue des accords de Genève (21 juillet 1954), le gouvernement de Vientiane est reconnu comme le seul gouvernement légitime, mais le Pathet Lao obtient la possibilité de maintenir ses unités combattantes dans deux provinces. En dépit de l'absence d'élections générales sur tout le territoire en 1955, un gouvernement d'union nationale est constitué le 28 décembre 1956. Le Pathet Lao devient le Neo Lao Haksat (NLH, Front patriotique des Laos) et reçoit plusieurs portefeuilles ministériels. Cette coalition incluant des décideurs communistes n'est pas sans inquiéter Washington qui s'engage toujours plus avant en Asie du Sud-Est. **Reprise de la guerre civile.** En juillet 1959, le prince Souphanouvong et les députés du NLH sont arrêtés, la guerre civile reprend. Dans la confusion, le 2 janvier 1960, l'armée prend le pouvoir. Le roi exige la formation d'un gouvernement « non militaire », qui se révèle incapable de rétablir la situation. Le 9 août 1960, le capitaine Kong Le (1934-) prend à son tour le pouvoir, mais pour le confier à Souvanna Phouma, dont il espère qu'il saura conjurer la guerre. La crise laotienne ne cesse alors de s'internationaliser. L'URSS aide directement l'insurrection dirigée par les communistes. Les États-Unis dépêchent de leur côté un nombre croissant de « conseillers » et demandent l'intervention militaire de l'OTASE (Organisation du traité de l'Asie du Sud-Est). Pour sortir de cette escalade, de nouvelles négociations se déroulent à Genève de mai 1961 à juillet 1962. Mais les combats se poursuivent. **L'**accord du 23 juillet 1962, qui prévoit le retrait de toutes les troupes étrangères, une déclaration solennelle de la neutralité du pays, la constitution d'un gouvernement tripartite sous la présidence du prince Souvanna Phouma et la mise en place d'une commission internationale de contrôle, n'offrira qu'une accalmie. L'intensification des bombardements américains contre l'axe logistique que constitue la

« piste Ho Chi Minh » qui parcourt la péninsule indochinoise plonge un peu plus encore le Laos dans la seconde guerre d'Indochine communément appelée « guerre du Vietnam ». Un accord est signé entre le gouvernement de Vientiane et le Pathet Lao (12 février 1973), peu après les accords américano-vietnamiens de Paris du 27 janvier. Ce ne sera encore qu'une étape vers la paix. **Les communistes du Pathet Lao au pouvoir.** Après la chute de Saigon et la prise de pouvoir des communistes au Sud-Vietnam (1975), c'est au tour du Pathet Lao de se saisir du pouvoir, *de facto*, le 23 août 1975 et, *de jure*, le 2 décembre, avec l'abdication du roi et la proclamation de la République populaire démocratique lao, dont le premier président sera le prince Souphanouvong. À partir de cette date, les responsables du Parti révolutionnaire du peuple lao, constitué en mars 1955, assument tous les pouvoirs et développent des relations étroites avec la République socialiste du Vietnam (avec laquelle est signé un traité d'amitié et de coopération le 18 juillet 1977). Deux cent mille Laotiens chercheront alors refuge à l'étranger. Sans renoncer au parti unique, pays parmi les moins avancés, le Laos a commencé à ouvrir son économie à ses voisins dans les années 1980 et il a intégré l'Association des nations d'Asie du Sud-Est (ANSEA) en juillet 1997. **C. L.** ➤ EMPIRE FRANÇAIS, INDOCHINE FRANÇAISE.

LAURIER Wilfrid, Sir (1841-1919)

Homme politique canadien. Premier ministre du Canada de 1896 à 1911. Né au Québec dans une famille canadienne-française aisée, Wilfrid Laurier devient avocat en 1846 après des études de droit à l'université McGill à Montréal. Il s'inscrit alors au Parti libéral du Canada, puis se fixe comme avocat et journaliste à Arthabaska, dans la région des Cantons de l'Est. En 1871, il est élu député libéral de cette circonscription à l'assemblée de la province de Québec ; en 1874, il choisit d'abandonner ce siège au profit de celui de député de la région à la Chambre des communes à Ottawa. À partir de 1877 et jusqu'à sa mort, il sera député de Québec-Est. Remarqué pour son entregent et sa finesse, il est brièvement ministre du Revenu dans le cabinet fédéral, avant de devenir chef de l'opposition en 1887. Il devient Premier ministre du Canada en 1896 – il est le premier Canadien français à occuper ces fonctions – et s'entoure de personnalités brillantes choisies dans les « deux nations » formant le pays. **D**urant ses mandats successifs, il cherche à donner un certain prestige au Canada. Il bénéficie d'une période de prospérité soutenue et d'immigration continue. Celle-ci permet de peupler l'Ouest et de fonder les dernières provinces du pays – Alberta et Saskatchewan. Il tient à faire de son pays un ensemble cohérent dans lequel les Canadiens de toutes origines, et particulièrement les Québécois, pourront trouver leur place. Pour cela, il renforce la position internationale du Canada, en le dotant d'une marine de guerre, en obtenant le droit de parole lors des conférences de l'Empire britannique et en apportant un soutien modéré à la Grande-Bretagne lors de la guerre des Boers (1899-1902). Il est battu aux élections de 1911 alors que, conscient des changements économiques, il cherche à signer un traité de réciprocité commerciale avec les États-Unis. Retourné dans l'opposition auréolé de prestige, il est favorable à l'entrée en guerre du Canada dès 1914, mais s'oppose à la conscription que le gouvernement conservateur cherche à imposer au pays et qui est vivement contestée au Québec. Il meurt en 1919, premier Premier ministre du Canada à avoir choisi une politique nationaliste. **J. P.** ➤ CANADA.

LAUSANNE (traité de)

Le traité de Lausanne, signé le 23 juillet 1923 entre les Alliés vainqueurs de la Grande Guerre et la Turquie, concerne le régime des Détroits, les conditions de la capitulation et la révision du traité de Sèvres.

LÉNINE Vladimir Ilitch Oulianov, dit (1870-1924)

Fondateur du bolchevisme et premier dirigeant de la Russie soviétique. Issu de la petite bourgeoisie intellectuelle et avocat de formation, il élabore une doctrine dont les partisans (les bolcheviks) se regroupent au sein du parti bolchevique, constitué à Prague en 1912. Lénine décide et organise la prise du pouvoir par ce parti en octobre 1917, créant le premier pays communiste. **V**enu au marxisme au début des années 1890, il s'oppose d'abord à la tradition populiste qui préconise la régénération de la Russie à partir de la commune rurale *(obchtchina)*. À ses yeux, la Russie connaît un développement capitaliste, même si l'« asiatisme » empêche l'essor d'une bourgeoisie et d'un prolétariat à l'occidentale. D'où le rôle attribué au parti. En tant que militant, Lénine s'emploie d'abord à organiser des cercles ouvriers, ce qui lui vaut une relégation en Sibérie (1897-1900), puis le contraint à l'exil. Dans *Que faire ?* (1902), il insiste sur l'importance d'avoir un journal révolutionnaire pour édifier un parti discipliné de révolutionnaires professionnels, principal point de divergence avec les mencheviks de L. Martov (1873-1923) au IIᵉ congrès du Parti ouvrier social démocrate de Russie (POSDR) en 1903. Depuis Genève, Paris, Cracovie ou Zurich, les affrontements entre révolutionnaires marxistes sont virulents et Lénine toujours très polémique. Son arme est l'écrit, même s'il estime que le parti, dont l'un des modèles est l'armée, doit d'abord établir un rapport de forces et que la parole doit viser à formuler des mots d'ordre. Aussi, lors de la révolution de 1905, incite-t-il à l'insurrection contre l'autocratie, ne considérant les élections que comme un moyen de propagande. **D**ès le début de la guerre de 1914, il condamne les socialistes qui, dans leur quasi-unanimité, ont adopté des positions patriotiques : il prône la transformation de la « guerre étrangère » en guerre révolutionnaire visant à mettre à bas les gouvernements dans chaque pays. Et, en 1916, il théorise dans *L'Impérialisme, stade ultime du capitalisme* l'arrivée du capitalisme à son terme avec la guerre qui n'est autre qu'une lutte pour le partage du monde. Après la révolution de février 1917, qui renverse le tsarisme, il rentre de Zurich *via* l'Allemagne (dans un train où voyagent des révolutionnaires de tendances diverses) et arrive à Saint-Pétersbourg en avril 1917. Immédiatement, il affirme qu'il est possible de s'engager, sans phase intermédiaire bourgeoise, dans une révolution prolétarienne. Dans *L'État et la Révolution*, rédigé à l'été 1917, il définit l'État bourgeois comme

un appareil de violence dictatorial et fait l'éloge des soviets, qu'il rapproche de la Commune de Paris. Mais peu après, dans *Les bolcheviks garderont-ils le pouvoir ?*, il énonce son objectif : la prise insurrectionnelle du pouvoir par les seuls bolcheviks. C'est ce qu'il réalise en octobre 1917, avec l'approbation enthousiaste de quelques-uns comme Léon Trotski, tandis que certains bolcheviks – Grigori Zinoviev ou Lev Kamenev – ou des intellectuels comme Maxime Gorki (1868-1936) s'inquiètent d'une telle innovation, de fait la naissance de la première dictature de parti unique, présentée comme étant la dictature du prolétariat. **La** prise du pouvoir est marquée par deux décrets célèbres, l'un sur la terre, l'autre sur la paix. Mais cette réponse aux attentes des paysans-soldats qui ont fait tomber le tsarisme et, pour une part, soutenu la radicalisation léniniste, s'accompagne de la suppression des libertés fondamentales. Dès l'automne 1917 est créée une police politique, la Tchéka (dont le dernier avatar dans l'histoire soviétique sera le KGB). La dissolution de l'Assemblée constituante (élue au suffrage universel) en janvier 1918 marque le refus de principe de la représentation politique et de toute démocratie. Mais, radical sur certains principes, Lénine sait parfois faire preuve de souplesse : il fait accepter la paix de Brest-Litovsk (mars 1918) avec l'Allemagne qui permet, au prix du sacrifice de certains territoires, de sauver la révolution. **C**ependant, les leçons qu'il a tirées de l'accumulation primitive du capital en Angleterre et de la Révolution française le décident à exporter la lutte des classes dans les campagnes, au printemps 1918, pour « épurer » la terre russe des paysans riches (koulaks), assimilés à des « parasites », croisade que le début de la guerre civile interrompt. Sur ses ordres se développe la « terreur de masse » : selon un adage auquel il attache une portée générale, il faut savoir utiliser des moyens barbares pour lutter contre la barbarie, contre les restes de l'ancienne société. À l'issue de la guerre civile, sanglante, contre les Blancs, il organise la NEP (Nouvelle Politique économique), à partir de 1921, où une place est redonnée à l'économie de marché et à la propriété privée. Mais le pouvoir reste concentré dans les mains de la direction du Parti et l'épuration de la société est toujours une priorité comme le montre en 1922 la liquidation physique de nombreux prêtres orthodoxes. **M**alade, dès la fin de 1921, Lénine est incapable d'organiser sa succession, qui reviendra à <u>Staline</u>. Il meurt à Gorki (Nijni Novgorod), près de Moscou, le 21 janvier 1924, puis il est momifié. Toujours en place, dix ans après la fin du régime communiste, mais fermé à la visite, son mausolée sur la place Rouge témoigne du poids de son héritage, et notamment de l'absence d'une croyance collective en la validité du droit et des lois, dans la société post-communiste. **D. C. > BOLCHE-VISME, RÉGIME SOVIÉTIQUE, RÉVOLUTION RUSSE, RUSSIE ET URSS, SOCIALISME ET COMMUNISME.**

LÉNINISME > BOLCHEVISME.

LÉSOTHO **R**oyaume du Lésotho. Capitale : Maseru. Superficie : 30 350 km². Population : 2 108 000 (1999). **C**olonie britannique de 1871 à 1966, le royaume du Basutoland ne fut jamais incorporé à l'Afrique du Sud, dans laquelle il est totalement enclavé. Le maintien de la monarchie a été favorisé par l'administration coloniale. En 1952, le Basotho Congress Party (BCP) est créé par Ntsu Mokhehle et regroupe aussi bien des élites traditionnelles qu'occidentalisées. Une scission aboutit à la création du Basotho National Party (BNP), dirigé par Leabua Jonathan, qui remporte les élections de 1965 et mène le pays à l'indépendance. **L**es tensions entre le roi Moeshoeshoe II et L. Jonathan, ainsi que l'annulation des résultats des élections de 1970 remportées par le BCP ouvrent une série récurrente de crises politiques. Des tentatives de réconciliation échouent et les révoltes de 1974 et 1979 sont brutalement réprimées. **L**e rapprochement de L. Jonathan avec l'<u>ANC</u> (Congrès national africain, Afrique du Sud), dont le Lésotho accueille des membres en exil, est à l'origine des raids de l'armée sud-africaine et surtout du coup d'État de janvier 1986 mené par le général Justin

Lekhanya. À la faveur des changements politiques régionaux, des élections législatives sont organisées en 1993 et remportées par le BCP. L'instabilité des forces de sécurité, le rôle du nouveau monarque Letsie III et la scission du Lesotho Congress for Democracy (LCD) d'avec le BCP alimentent la crise politique. Le rejet par l'opposition des résultats des élections de 1998, dominées par le LCD, provoquent une insurrection à laquelle une intervention militaire régionale met un terme. Un processus de réconciliation nationale a ensuite été engagé sous contrôle international. **S**ur le plan économique et monétaire, la dépendance de l'enclave, symbolisée par l'importance des migrations de travail transfrontalier, est accrue par le déclin de l'agriculture et du secteur manufacturier. **J.-M. D.**

LETTONIE **R**épublique de Lettonie. Capitale : Riga. Superficie : 64 500 km². Population : 2 389 000 (1999). **A**u début du XXᵉ siècle, la Lettonie n'existe pas. Son territoire se répartit entre la Livonie (au nord-est de Riga) et la Courlande (au sud), pays annexés à l'<u>Empire russe</u> aux XVIIᵉ-XVIIIᵉ siècles. Les Lettons sont alors, pour la plupart, des paysans. Ils parlent une langue balte (comme le lituanien), sans tradition littéraire. Du point de vue religieux, ils se partagent entre luthériens, majoritaires (dans l'ouest et le centre du pays), et catholiques (à l'est). Comme en Estonie, la noblesse (les « barons baltes »), d'origine allemande, descend des chevaliers de l'ordre des Porte-Glaive. Une importante minorité russe (surtout paysanne) s'est par ailleurs implantée dans l'est du pays aux XVIIIᵉ-XIXᵉ siècles. **L**ors de la Première Guerre mondiale, les Allemands conquièrent l'actuelle Lettonie par étapes, de 1915 à 1918. À la fin de 1918, un Conseil national proclame l'indépendance, mais la situation devient bientôt difficile. Les forces <u>bolcheviques</u> prennent Riga au début de 1919, avec le soutien de Lettons hostiles aux « barons baltes ». D'autres Lettons font alors appel à des troupes allemandes pour expulser les bolcheviks. Une armée lettone constituée avec le soutien des Alliés (Français et Britanniques) finit par libérer le territoire, après un an de guerre civile et étrangère. Au traité de Riga (1920), la Russie reconnaît l'indépendance de la Lettonie. Une Constitution démocratique est adoptée en 1922, tandis qu'une réforme agraire met fin aux privilèges des « barons baltes ». En 1934, toutefois, un coup d'État instaure un régime autoritaire. Incluse dans la sphère d'influence de l'URSS par le Pacte germano-soviétique (1939), la Lettonie est occupée par les troupes soviétiques en 1940. Elle devient alors une république socialiste soviétique (RSS), incorporée à l'URSS. Les Allemands de souche sont transférés en Allemagne, les opposants politiques déportés en Sibérie. Occupée par les Allemands à partir de 1941, la Lettonie est reprise par les Soviétiques en 1944-1945. La RSS ayant été rétablie, les autorités procèdent à de nouvelles déportations. Comme les Lituaniens et les Estoniens, mais de façon plus modérée, les Lettons revendiquent à la fin des années 1980 l'indépendance, qu'ils obtiennent en 1991. L'essentiel de la population de la Lettonie se répartit alors ainsi : 52 % de Lettons, 17 % de Russes « autochtones » (installés aux XVIIIᵉ-XIXᵉ siècles), 25 % de Russes, Biélorusses et Ukrainiens immigrés après 1940. Or, à cette dernière catégorie, les nouvelles autorités refusent de reconnaître la citoyenneté lettone. Après un référendum organisé en octobre 1998, l'accès à cette citoyenneté a cependant été assoupli. Fin 1999, l'Union européenne a décidé d'engager des négociations avec la Lettonie en vue de son adhésion. **J. S.**

LÉVESQUE René (1922-1987) Journaliste et homme politique québécois, Premier ministre du Québec de 1976 à 1985. Issu d'une famille populaire, René Lévesque devient correspondant de guerre en 1944 dans l'armée américaine. Il entre ensuite à *Radio-Canada* – réseau national de télévision et radio du Canada – où il anime un magazine d'actualité très populaire. Il forge dans ce contexte sa conviction nationaliste : le Québec doit devenir indépendant. Élu député en 1960, il est ministre, à divers postes, du Premier ministre libéral du Québec Jean Lesage (1960-1966), jusqu'à la défaite libérale de 1966. Il œuvre notamment, en

tant que ministre des Ressources naturelles, à la nationalisation du réseau hydro-électrique autour de Hydro-Québec, afin de doter le Québec de structures économiques solides. Trouvant les libéraux trop modérés, il fonde alors un mouvement nationaliste qui, en 1968, devient le Parti québécois (PQ). Son programme est l'indépendance du Québec dans le cadre d'une association avec le Canada. Le PQ, en dépit d'une réelle progression, ne parviendra au pouvoir qu'en 1976. R. Lévesque devient alors Premier ministre du Québec ; entouré d'une équipe brillante, il entreprend de moderniser la province – fonction publique, nationalisation de l'amiante – avant de lancer le processus de l'indépendance. En 1980, le référendum sur cette question est un échec (40 % de oui, 60 % de non), mais R. Lévesque, très populaire, est reconduit au pouvoir en 1981. La lutte constitutionnelle le conduit à choisir le compromis avec Brian Mulroney (1984-1993), le successeur de Pierre Elliott Trudeau, en 1984, au prix d'une division au sein de son parti. Il démissionne de son poste en 1985, usé par le pouvoir, et meurt en 1987 à Montréal. R. Lévesque est l'homme qui a incarné le renouveau nationaliste du Québec. **J. P.** ➤ CANADA, QUESTION QUÉBÉCOISE.

LI PENG (1928-) Dirigeant communiste chinois. De son nom vrai nom Li Yuanpeng, le « numéro trois » du régime est l'un des représentants les plus symboliques de la première génération du « Parti des Princes », ce groupe formé des enfants des dirigeants historiques. Né à Shanghai en 1928 (et non à Chengdu dans le Sichuan, comme l'indiquent les biographies), issu d'une famille de « martyrs révolutionnaires » (son père Li Shuoxun et son oncle Zhao Shiyan sont assassinés par le Guomindang), Li est adopté par le couple Zhou Enlai-Deng Yingchao, ami de la famille. À l'âge de douze ans, alors qu'il rejoint Yan'an (la base rouge de Mao dans le Shaanxi), il change de nom contre la promesse d'un « grand destin » *(Peng)*. Scolarisé dans les meilleures universités du pays, il entre facilement au Parti communiste chinois (PCC) à l'âge de dix-sept ans, avant son départ pour l'Institut

polytechnique de Moscou (1948-1955). Devenu ingénieur en électricité, il dirige sur place une union étudiante qui constituera la future faction dite « soviétique », au pouvoir dans les années 1980-1990. Épargné par les violences de la Révolution culturelle, il occupe tôt des fonctions techniques et administratives importantes. Principal responsable du programme électronucléaire du pays, défenseur acharné du barrage des Trois Gorges, il prend un virage politique important en accédant au poste de vice-Premier ministre (1983) puis en siégeant au Comité permanent du Bureau politique (1987), le cœur du pouvoir. Devenu Premier ministre (1988) grâce au soutien du clan conservateur (Chen Yun, Hu Qiaomu, etc.), opposant radical à Zhao Ziyang, Li obtient la responsabilité des dossiers économiques de ce dernier et prône l'austérité. Cible principale des manifestants étudiants de la place Tian An Men qui réclament sa démission (1989), il proclame la loi martiale le 20 mai à la télévision en « costume Mao ». Très impopulaire en Chine comme à l'étranger, il est alors pressenti comme le successeur de Deng Xiaoping. Cependant, la poursuite de l'ouverture économique (1992) et des problèmes de santé contraignent cet « apparatchik rigide » à déléguer ses fonctions. Confiné au poste honorifique de président de l'Assemblée nationale populaire (ANP) à partir de 1998, il tente de revitaliser cette institution. Les élections au Comité central en 1997 confirment le déclin de son groupe, composé d'hommes qui apparaissent comme des techniciens formés à l'économie planifiée, hostiles à toute forme de transition politique de type démocratique.
S. L.-B. **> CHINE.**

LIBAN République libanaise. Capitale : Beyrouth. Superficie : 10 400 km². Population : 3 236 000 (1999). Le mandat français (1920-1946) entérine la création, en 1920, d'un État libanais distinct de la Syrie et doté, en 1926, d'une Constitution républicaine qui, en instituant le « communautarisme politique », lie la représentation parlementaire au poids démographique des différentes communautés religieuses (recensement de 1932). Lors de l'indépendance

proclamée le 22 novembre 1943 (départ des dernières troupes françaises en 1946), un Pacte national, non écrit, est formulé afin d'organiser concrètement le partage du pouvoir. La répartition des charges de l'État est décidée en fonction des appartenances communautaires, ce qui encourage, au sein des forces politiques qui les représentent, immobilisme, clientélisme et corruption. Les contestations du Pacte dominent la scène intérieure et suscitent une première crise civile en 1958. Cependant, les espoirs réformateurs suscités par le chéhabisme (Fouad Chéhab [1902-1973], président de la République, 1958-1964) sont bientôt éclipsés par la montée de la question palestinienne. Avec les réfugiés de 1967 qui rejoignent ceux de 1948, le Liban devient la base d'opération des organisations de résistance palestiniennes, bientôt grossies des rescapés de la répression jordanienne (« Septembre noir », 1970). La lutte armée de l'OLP (Organisation de la Palestine), dont la présence est reconnue par les accords du Caire (1969), engendre des représailles israéliennes accrues et divise désormais la classe politique libanaise. Les chrétiens maronites conservateurs, dont les Phalanges (Kataëb), s'opposent aux « arabistes », solidaires des organisations palestiniennes. **La guerre civile (1975-1991).** Le pays s'enfonce, à partir de 1975, dans une guerre civile qui oppose les forces conservatrices, dominées par les maronites, au bloc formé du Mouvement national libanais (MNL), dirigé par le chef druze Kamal Joumblatt (1917-1977) – qualifié de « progressiste » –, de ses alliés musulmans frustrés par le partage communautaire et des Palestiniens. La « guerre de deux ans » (1975-1976) débute le 13 avril 1975 par un accrochage entre Kataëb et Palestiniens. La Syrie, qui intervient en juin 1976 à la demande de Soleiman Frangié (1910-1990, président de 1970 à 1976) et dont l'un des objectifs est d'empêcher la création d'un Liban chrétien allié d'Israël, met un terme à cette première phase de la guerre en novembre 1976. Les affrontements entre les deux blocs se déclinent ensuite sur l'ensemble d'un territoire déchiré où s'affrontent des dizaines de milices surgies de la guerre. Afin de réduire la résistance palestinienne, et en particulier l'OLP, Israël multiplie les interventions, entre au Sud-Liban en 1978 (opération *Litani*) avant d'envahir le Liban et de faire le siège de Beyrouth en juin 1982 (opération *Paix en Galilée*). Le traité de paix libano-israélien (17 mai 1983), soutenu par le président Amin Gémayel (1982-1988), concentre contre lui le front de l'opposition. Israël est contraint de se retirer en janvier 1985, mais se maintient au Sud-Liban où il affronte la guérilla du Hezbollah.

Après l'expulsion des chefs de l'OLP en 1983, les Palestiniens, éprouvés par la « guerre des camps » (1985-1988) menée par le mouvement chiite Amal allié de la Syrie, concluent une trêve en 1988. La situation s'est donc retournée en faveur de Damas qui contrôle les deux tiers du territoire. La « guerre de libération contre la Syrie » (mars-septembre 1989) du général chrétien Michel Aoun (1935-) est vouée à l'échec. Le front de l'opposition réclame la fin du communautarisme et les chrétiens refusent toute occupation étrangère. Les accords de Taëf (1989) débouchent sur un compromis, et la signature d'un « traité de fraternité » (1991) qui confirme la mainmise de la Syrie sur le Liban où elle maintient une armée de 35 000 hommes. Le rétablissement de la paix civile dans les années 1990 a été dominé par la difficile reconstruction d'un pays détruit et par la question du Sud-Liban, qu'Israël finit par évacuer le 24 mai 2000 (résolution 425 de l'ONU du 19 mars 1978). **L. V.** **> CONFESSIONNALISME LIBANAIS.**

LIBAN SUD **> SUD LIBAN.**

LIBÉRALISME De la doctrine libérale, on retient habituellement une expression : « Laisser faire » et on pense à un pays de référence : les États-Unis. Le mot « libéralisme » et la chose qu'il recouvre ne coïncident pas d'emblée. Forgé sur le latin *liber* (libre), libéralisme est utilisé depuis le xixe siècle seulement, tandis que la doctrine qu'on lui associe se construit dès le xviie siècle. À cela s'ajoute que la « doctrine libérale » peut être entendue en deux sens. Un sens politique : elle réunit d'abord sous sa bannière les hommes qui ont lutté contre l'absolutisme monarchique,

révoqué pour cause d'« arbitraire » au moment où l'on pouvait envisager de valoriser un État de droit (John Locke, 1632-1704) ; puis ceux qui ont cherché à imposer des limites constitutionnelles à l'extension d'un État moderne leur paraissant « dirigiste » au nom de la nécessité de laisser l'individu explorer lui-même les bornes de son action (Benjamin Constant, 1767-1830). Cet héritage débouche sur le primat accordé de nos jours par les libéraux contemporains au thème de la liberté (de pensée, d'association, de croyance, de propriété, de choix de l'emploi...) sur celui de l'égalité des citoyens. Un sens économique : cette doctrine défend le primat des intérêts individuels, en postulant le principe d'une harmonie spontanée et stable instaurée par le marché au cœur de l'ordre social (Adam Smith, 1723-1790), fût-ce au prix de déséquilibres sociaux dont les plus importants pourraient être compensés par des actions philanthropiques. En ce sens, les deux formes du libéralisme se conjuguent souvent. Elles trouvent leur association la plus efficace dans la politique menée par les États-Unis tout au long du xxe siècle. Mais elles font néanmoins droit à différentes formules libérales. Celle qui prône l'adoption de contraintes collectives dans les limites de l'acceptable fut défendue par le Français Raymond Aron (1905-1983). Celle dont les effets sociaux ont été les plus critiqués fut inspirée par la pensée de Friedrich von Hayek (1899-1992). Elle consiste à affirmer que l'individu-entrepreneur est la seule mesure de toutes choses. Au cours des années 1980-1990, elle a servi de fil conducteur à de nombreuses politiques « ultralibérales », marquées au sceau d'un monétarisme délibéré (Ronald Reagan aux États-Unis), visant à remettre en cause les éléments constitutifs de l'État-providence (Margaret Thatcher au Royaume-Uni), et déployées durant la fin du xxe siècle dans de nombreux pays en développement (PED) sous l'impulsion notamment du Fonds monétaire international (FMI) dans le cadre de plans d'ajustement structurel. **C. R.**

LIBÉRIA République du Libéria. Capitale : Monrovia. Superficie : 111 370 km^2. Population : 2 930 000 (1999). État souverain depuis 1847, le Libéria, ancienne Côte des graines où ont été renvoyés les « Noirs libres » d'Amérique, d'un commun accord entre esclavagistes du Sud et abolitionnistes du Nord, est le seul pays du continent à avoir été colonisé par des Africains revenus de la traite. Pendant plus d'un siècle, le Libéria, amputé en 1902 par la France d'un tiers de son territoire au profit de la Côte-d'Ivoire, a été gouverné par l'infime minorité des Afro-Américains, environ 3 % de la population. L'antagonisme entre les « *freemen* », descendus d'un bateau, et les « *natives* » s'est violemment déchargé le 12 avril 1980, lors du coup d'État du sergent-chef Samuel K. Doe (1950-1990), alors âgé de trente ans. L'exécution publique, sur la plage de Monrovia, de dignitaires de l'ancien régime a scellé cette révolution. Ensuite, le sang a été abondamment versé, d'abord sous la dictature ubuesque de S. Doe ; puis pendant les sept années d'une guerre civile, à partir de Noël 1989, qui a fait quelque 200 000 morts et chassé de leurs foyers 2,5 millions de Libériens, soit la moitié de la population ; enfin, sous la nouvelle dictature de Charles Taylor (1948-), l'ancien chef de guerre devenu président en juillet 1997 à la faveur d'un vote de résignation qu'il a remporté haut la main, avec 75 % des voix. Ces deux décennies éclipsent une longue période de stabilité et un « miracle économique ». Pendant vingt-sept ans, sous le président William Tubman (1899-1971), constamment réélu de 1944 jusqu'à sa mort en 1971, puis sous son successeur, William Tolbert (1917-1980), auparavant vice-président, un système bicaméral à l'américaine a parfaitement fonctionné, haut-de-forme et redingote étant de stricte mise dans les circonstances officielles. En 1926, la compagnie américaine Firestone a acquis une concession de 400 000 hectares pour une plantation d'hévéas. Cela a assuré de très importants revenus en devises pendant la Seconde Guerre mondiale, pendant laquelle le Libéria a d'ailleurs pris position contre les puissances de l'Axe. À partir de 1963, l'exploitation des gisements des monts Nimba par un consortium américano-suédois a fait du pays le quatrième exportateur mondial de minerai

de fer. C'est ainsi qu'entre 1944 et 1970, le Libéria a vu multiplier par 200 les investissements étrangers et qu'il a connu, entre 1950 et 1960, le taux de croissance le plus élevé du monde, 11,5 % en moyenne. Or, rattrapé par son inégalité constitutive et ruiné par une « décolonisation » sanglante, l'État libérien n'était plus guère, à la fin du XXᵉ siècle, que le symbole d'un pavillon de complaisance. **S. S.**

LIBRE-ÉCHANGISME Doctrine et pratique économiques reposant sur le principe du désarmement tarifaire (l'abaissement des barrières douanières et l'établissement de règles de réciprocité dans les échanges commerciaux). Le libre-échangisme relève du libéralisme économique et s'oppose au protectionnisme. Il a été promu successivement par le GATT (Accord général sur les tarifs douaniers et les échanges) puis par l'OMC (Organisation mondiale du commerce) qui lui a succédé en 1995.

LIBYE Jamahiriya arabe libyenne populaire et socialiste. Capitale : Tripoli. Superficie : 1 759 540 km². Population : 5 471 000 (1999). Lorsque l'Italie s'empare de la Libye (conquête de 1911-1912), c'est une confrérie, la Senoussiya, menée par le « lion du désert », Omar el-Mokhtar, qui va mener, au nom de la religion, la lutte armée jusqu'en 1931. De 1940 à 1943, les Alliés divisent le pays en trois régions. Le Fezzan (Sud-Ouest) est administré à la France tandis que la Tripolitaine (Nord-Ouest) et la Cyrénaïque (Est) reviennent au Royaume-Uni. Pourtant, grâce à l'ONU (Organisation des Nations unies) et à l'influence des compagnies pétrolières américaines qui lorgnent les richesses de son sous-sol, la Libye échappe au partage entre la France, l'Italie et le Royaume-Uni. Le 2 décembre 1950, le prince Idriss el-Senoussi (1890-1983) est élu par la première Assemblée constituante libyenne roi de l'État fédéral de Libye ; l'indépendance est proclamée le 24 décembre 1951. L'organisation fédérale est supprimée en 1963. Dès 1965, la manne pétrolière commence à irriguer le pays. Dans la nuit du 31 août au 1ᵉʳ septembre 1969, un groupe d'officiers, les Officiers libres, menés par le colonel Mouammar Kadhafi dépose le roi Idriss Ier. Le coup d'État a lieu dans le calme et aucun soulèvement des tribus bédouines, censées être fidèles au roi, n'intervient. Un État singulier va être mis en place, aux doctrines et aux institutions directement inspirées par son « guide ». Le 2 mars 1977, après une série d'épurations dans l'armée, la Libye devient ainsi la Jamahiriya arabe libyenne populaire et socialiste (JALPS). Le « socialisme libyen », mélange de marxisme et de lois musulmanes, a pour conséquence que toutes les sociétés publiques, mais aussi privées, sont transformées en entreprises « autogérées ». Seule exception de taille, le secteur pétrolier, qui assure au pays 99 % de ses revenus, n'est pas concerné par ce bouleversement. Dans le monde, les innovations de M. Kadhafi font d'abord sourire. Puis viennent les inquiétudes. La manne pétrolière permet le lancement de projets pharaoniques dont celui de la rivière artificielle, énorme réseau de tunnels d'irrigation de 1 000 km de long devant apporter l'eau fossile de Koufra et Tazerbo, dans le sud du pays, vers la partie agricole (près de la côte). Le pays finance aussi moult mouvements étrangers. « Opposant à l'échelle mondiale », selon sa propre expression, M. Kadhafi est accusé par plusieurs pays occidentaux de financer le terrorisme international. L'isolement diplomatique du pays gagne en intensité dès le milieu des années 1980. Les pays arabes se défient de ses mutiples propositions d'union politique, tandis que les pays occidentaux menacent. Dans la nuit du 14 au 15 avril 1986, l'aviation américaine bombarde les villes de Tripoli et de Benghazi (37 morts, 98 blessés, tous civils) pour punir le régime de son implication présumée dans l'attentat contre une discothèque perpétré à Berlin-Ouest (5 avril 1986, 2 morts, 204 blessés). Alors qu'il est obligé d'abandonner le « socialisme libyen » dès 1988 en autorisant à nouveau la propriété privée et qu'il doit prendre plusieurs mesures de type libéral pour attirer les investisseurs étrangers, le régime est définitivement isolé durant les années 1990 pour sa participation présumée aux attentats contre deux avions de ligne, l'un de la Panam au-dessus de Lockerbie (Écosse) en 1988 ; l'autre d'UTA au-dessus du Ténéré (Tchad) en 1989.

Instauré en 1990, et renforcé en 1992, l'embargo contre la Libye ne sera levé qu'en 1999. Le régime de M. Kadhafi a tenté de normaliser ses relations avec l'Occident comme l'a montré son rôle de médiateur dans les prises d'otages de Jolo (Philippines) à l'été 2000.   En 1994, la Cour internationale de justice de La Haye a attribué définitivement au Tchad la bande frontalière d'Aozou, occupée par la Libye pendant vingt ans. **A. B. E.**

LIECHTENSTEIN Principauté de Liechtenstein. Capitale : Vaduz. Superficie : 157 km^2. Population : 32 000 (1999).
La principauté de Liechtenstein adhère à la Confédération germanique en 1818. Toutefois, enclavée entre la Suisse et l'Autriche, elle demeure à l'écart du processus d'unification de l'Allemagne. Jusqu'en 1918, elle vit dans l'orbite de l'Empire austro-hongrois (union douanière et monétaire). En 1921, un régime démocratique se met en place, fondé sur l'alternance de deux partis (les « rouges » et les « noirs », à vrai dire peu différents politiquement). Deux ans plus tard, le Liechtenstein entre en union douanière et monétaire avec la Suisse.   Tandis que l'Autriche adhère à l'Union européenne en 1995 et que la Suisse se tient à l'écart, le Liechtenstein choisit d'entrer dans l'Espace économique européen (EEE). Son rôle dans le blanchiment des capitaux lui vaut toutefois de sévères critiques. **J. S.**

LIGUE ARABE Fondée en 1945 au Caire par l'Égypte, l'Irak, le Yémen, le Liban, l'Arabie saoudite, la Syrie et la Transjordanie, la Ligue arabe (siège au Caire) regroupait 22 membres à la mi-2000.

LIGUE MUSULMANE Parti politique. La Ligue musulmane est créée en 1906 par un groupe de musulmans indiens pour faire contrepoids au parti indien du Congrès (créé en 1885), dominé par les hindous. Elle connaît son essor sous la direction de Muhammad Ali Jinnah. En 1940, elle réclame la création du Pakistan. Après la mort de Jinnah en 1948 et celle de Liaqat Ali Khan en 1951, elle se désagrège.   Elle est reconstituée en 1986 sous le nom de

Ligue musulmane du Pakistan (PLM) par Muhammad Khan Junejo, Premier ministre (1985-1988) du président Zia ul-Haq (1977-1988), et s'impose ensuite comme l'un des principaux partis politiques du Pakistan. **A. Mo.** **> PAKISTAN.**

LITUANIE République de Lituanie. Capitale : Vilnius. Superficie : 65 200 km². Population : 3 682 000 (1999). **Au** début du XXe siècle, la Lituanie appartient à l'Empire russe, comme les autres pays baltes (Estonie et Lettonie), mais son histoire est profondément différente. Puissant au Moyen Âge, le grand-duché de Lituanie a vu son destin lié à celui du royaume de Pologne à partir du XIVe siècle. Les Lituaniens sont ensuite demeurés catholiques, comme les Polonais, tandis que leur élite adoptait peu à peu la langue polonaise, le peuple conservant l'usage du lituanien (une langue balte, comme le letton). L'annexion de la Lituanie à l'Empire russe remonte au tournant des XVIIIe-XIXe siècles, comme celle de la majeure partie de la Pologne. **En** 1915, les Allemands occupent la Lituanie. Après la défaite de l'Allemagne, les troupes russes bolcheviques prennent Vilnius (capitale historique de la Lituanie) au début de 1919, puis en sont chassées par les nationalistes lituaniens. L'année suivante, les Polonais, en guerre contre les Russes, entrent dans la ville, mais ils en sont à leur tour expulsés par ces derniers, qui reconnaissent l'indépendance de la Lituanie (1920). La même année, les Polonais reprennent néanmoins Vilnius, annexée en 1922 à la Pologne. Les relations entre les Lituaniens (qui ont établi leur capitale provisoire à Kaunas) et les Polonais deviennent dès lors détestables. Cela d'autant que le nationalisme lituanien se nourrit d'un rejet de l'hégémonie culturelle polonaise. En compensation, les Lituaniens s'emparent en 1923 de la ville auparavant allemande de Memel (en lituanien Klaipeda), qui était sous administration de la SDN (Société des Nations) depuis 1919. Dans un tel contexte, la démocratie peine à s'installer dans le pays, sous régime autoritaire à partir de 1926. **En** 1939, la Lituanie se voit contrainte par Hitler de restituer Memel à l'Allemagne. Placée dans la sphère d'intérêt allemande par le Pacte germano-soviétique (1939), la Lituanie passe bientôt dans la sphère d'intérêt soviétique. À ce titre, elle est occupée en 1940 et incorporée à l'URSS en tant que République socialiste soviétique (RSS), Vilnius redevenant la capitale. Comme dans les autres pays baltes, les opposants sont ensuite déportés en Sibérie. Les Allemands conquièrent la Lituanie en 1941 et y entreprennent l'extermination des Juifs (plus de 200 000). En 1944-1945, les Soviétiques reprennent le pays, où ils procèdent de nouveau à des déportations massives d'opposants. **En** 1988, naît une formation nationaliste, Sajudis (« le mouvement »), avec à sa tête Vytautas Landsbergis (1932-). Dès 1990, il fait proclamer l'indépendance (que l'URSS reconnaît l'année suivante), mais il est écarté du pouvoir en 1992. En Lituanie, les « immigrés depuis 1940 » (Russes et autres) ne sont pas très nombreux. Un accord avec la Russie sur la délimitation de la frontière est intervenu le 24 octobre 1997. En revanche, les Polonais, massés au sud-est de Vilnius, retiennent l'attention des autorités, qui les considèrent comme des Lituaniens « polonisés ». Le contentieux datant de 1920 n'est pas vraiment clos. L'Union européenne a décidé, fin 1999, d'engager des négociations avec la Lituanie en vue de son adhésion. **J. S.**

LLOYD GEORGE David (1863-1945)
Homme politique britannique, chancelier de l'Échiquier du Royaume-Uni (1908-1915), Premier ministre (1916-1922), David Lloyd George est né en 1863, député libéral du pays de Galles à vingt-sept ans, courageusement anti-impérialiste au temps de la guerre des Boers (1899-1902), il est chancelier de l'Échiquier d'Asquith de 1908 à 1915. Grand responsable de la « guerre aux Lords » sur la progressivité des impositions directes, il inspire les premières grandes législations sur les pensions de vieillesse et les assurances sociales. D'abord ministre des Munitions, puis de la Guerre, il prend en décembre 1916, au prix d'une scission de son parti, la tête d'un gouvernement de coalition qu'il conservera, après sa victoire électorale de décembre 1918, jusqu'en 1922. « Père la Victoire » britannique, D. Lloyd George impose nom-

bre de ses vues dans les négociations du traité de Versailles, porte à son apogée l'Empire britannique, mais sait aussi forcer les nationalistes, en décembre 1921, à accepter la partition de l'Irlande et concéder leur souveraineté extérieure aux dominions. Redevenu en 1926 le chef d'un Parti libéral réunifié, il échoue en 1929 malgré un grand programme de lutte contre le chômage, inspiré par John Maynard Keynes (1883-1946). Son parti à nouveau divisé en 1931, il se contente de diriger un groupuscule de libéraux indépendant. Il s'oppose aux accords de Munich et soutient l'entrée en guerre en 1939. Il meurt en 1945 après avoir reçu le titre de comte. **R. Ma.** ▸ ROYAUME-UNI.

LOCARNO (accords de) Signés le 1ᵉʳ décembre 1925 et garantis par la Grande-Bretagne et l'Italie, les accords de Locarno fixent les frontières occidentales de l'Allemagne vaincue dans la Grande Guerre. L'Allemagne reconnaît les démarcations territoriales avec la France et la Belgique issues du traité de Versailles. Elle pourra ainsi être admise, comme membre permanent, au Conseil de la SDN (Société des Nations).

LOI FONDAMENTALE (Allemagne) La Loi fondamentale *(Grundgesetz)*, adoptée en 1949, fait de la RFA un État fédéral démocratique et social, fondé sur les principes de démocratie, de fédéralisme, d'État social et d'État de droit. Elle ne prescrit aucun système électoral mais stipule que les 656 candidats au Bundestag (Diète fédérale) sont élus au suffrage universel, direct, libre, égal pour tous et secret, selon un mode de scrutin proportionnel uninominal. Le peuple participe directement à l'exercice du pouvoir de l'État, par les élections et par des scrutins (art. 20, § 2), mais l'utilisation du référendum est restreinte (art. 29). Les partis politiques sont fondés librement (art. 21, § 1). Ils sont tenus de respecter les principes démocratiques dans leurs statuts (art. 21, § 1, al. 3) et contribuent à l'élaboration de la volonté politique du peuple (art. 21). Les fonctions du Bundestag, Parlement élu par le peuple, consistent à élire le chancelier pour quatre ans et indirectement la moitié des juges de la Cour cons-

titutionnelle (Bunderverfassungsgericht), à contrôler l'exécutif par son droit d'interpeller et de citer le gouvernement (art. 43, § 1), à légiférer. La Loi définit le statut juridique des députés du Bundestag (art. 38, § 1, al.2), garantissant ainsi leur indépendance. Le Bundesrat (Conseil fédéral) compte 68 membres, représentants des seize *Länder*, répartis au prorata de leur population. Il donne son accord aux lois fédérales (art. 79, § 2), ainsi qu'à des décrets et des directives administratives générales. Le gouvernement fédéral composé du chancelier fédéral (Bundeskanzler) et des ministres fédéraux (art. 62) est l'instance exécutive. Le chancelier fédéral, élu pour quatre ans sur proposition du président fédéral (art. 63, § 1) avec accord de la Diète, fixe les grandes lignes de la politique (art. 65, al. 1). Les ministres sont responsables de leur domaine (art. 65, al. 2) ; ils peuvent être renvoyés à tout moment sur proposition du chancelier et leur fonction prend fin avec le mandat de ce dernier. Le gouvernement fédéral dépose les projets de loi au Bundestag, décrète les ordonnances et saisit le cas échéant la Cour constitutionnelle fédérale. Le président fédéral, chef d'État de la RFA est élu par l'Assemblée fédérale, qui rassemble des membres du Bundestag et un nombre équivalent d'autres représentants élus par les parlements des *Länder*. Il représente la Fédération au niveau du droit international mais ne prend pas de décision de politique étrangère ; il publie et promulgue les lois fédérales, examine la constitutionnalité de leur processus d'élaboration et de leur contenu. À l'écart de la confrontation politique, le président possède un rôle intégrateur. La Loi fondamentale pose le principe du fédéralisme allemand (art. 20, § 1) et délimite les compétences de la Fédération (Bund) et des *Länder*, l'une par rapport aux autres. L'essentiel de la législation incombe au Bund, l'administration est surtout l'affaire des *Länder*, ceux-ci appliquant le droit fédéral. Les constitutions des *Länder* doivent obéir aux principes de l'État de droit républicain, démocratique et social au sens de la Loi fondamentale. La Loi fondamentale caractérise l'État de droit par la séparation des pouvoirs, avec des organes distincts pour le législatif, l'exécutif et le judiciaire (art. 20, § 2), que parachève un contrôle mutuel. Le législatif est lié à l'ordre constitutionnel, l'exécutif et le judiciaire à la « loi et au droit ». La Cour constitutionnelle fédérale est un tribunal qui statue sur le respect de la Constitution. La garantie du recours en justice soumet tout acte exécutif au contrôle judiciaire. **A**près l'unification s'est posée la question d'une future Constitution allemande : finalement, même si la Loi fondamentale (art. 146) l'autorise, on s'est seulement orienté vers de timides modifications de celle-ci. **> ALLEMAGNE, QUESTION ALLEMANDE.**

LOMÉ (convention de) **C**ette convention, mise en œuvre en 1975 et renouvelée en 1979, 1984 et 1990, porte sur la coopération entre l'Union européenne et d'anciennes possessions des États membres qu'on nomme « pays ACP » (pour Afrique, Caraïbes, Pacifique). Elle fut à son origine considérée comme une voie novatrice de coopération visant à corriger le déséquilibre des échanges commerciaux, mais son contenu s'est peu à peu banalisé. Le 23 juin 2000 a été signé à Cotonou (Bénin) un accord de partenariat remplaçant la convention et constituant un nouveau cadre pour vingt ans.

LULA Luis Inácio da Silva, dit (1945-) **S**yndicaliste et homme politique brésilien. Issu d'une famille très pauvre, Luis Inácio da Silva n'entre à l'école qu'à dix ans et la quitte à douze. Après divers petits métiers, il devient ouvrier sidérurgiste. À trente ans, il est triomphalement élu président du syndicat des métallurgistes des deux principaux sites industriels du pays. En 1979, lors de la grande grève des métallurgistes, il gagne une notoriété nationale. Dénonçant le cadre corporatiste imposé depuis l'Estado Novo (1937-1945), il réclame l'instauration du pluralisme syndical. Brièvement emprisonné en 1980 par le régime militaire, il profite du rétablissement du multipartisme pour fonder le Parti des travailleurs (PT, gauche radicale). En 1986, il est le député le mieux élu du pays. Alors que le PT devient le seul parti à jouir d'une réelle implantation nationale et

conquiert peu à peu les mairies de plusieurs grandes villes et quelques gouvernorats, Lula dispute en 1989, 1994 et 1998 l'élection présidentielle. Toujours second, notamment en raison des réticences du PT à s'allier à des formations de gauche modérée, il obtient chaque fois plus de voix (33 % en 1998). Comme la majorité des dirigeants du PT, il est resté très attaché aux idées socialistes. **S. Mo.** **> BRÉSIL.**

LUMUMBA Patrice (1925-1961) **H**omme politique congolais. Né à Onalua, petit village situé au cœur du territoire tetela au centre de l'ancien Congo belge, Patrice Lumumba, d'abord connu sous le nom d'Elias Okit'Asombo, est le fils d'un paysan pauvre. Catéchiste de l'église catholique locale, seule voie d'accès à la promotion sociale, P. Lumumba devient commis des Postes à Stanleyville (aujourd'hui Kisangani) en 1944. Bénéficiant en 1954 du statut d'« immatriculé », c'est-à-dire d'« indigène ayant atteint un certain degré de civilisation », il se fait rapidement connaître non seulement au sein de l'élite africaine locale, mais aussi chez certains Européens laïques et progressistes. Actif dans de nombreuses associations, il se lance dans la vie politique embryonnaire des années 1956-1958. Il devient d'abord un chef de file et un interlocuteur privilégié des autorités coloniales, puis le président d'un des tout premiers partis congolais n'ayant pas de base ethnique, le Mouvement national congolais. Il obtient une première consécration internationale en assistant en 1958 à la conférence panafricaine d'Accra, où il est remarqué par le Premier ministre ghanéen, Kwame Nkrumah. Optant pour la voie de l'indépendance radicale et immédiate, il est arrêté en octobre 1959 à la suite de meetings interdits à Stanleyville. Libéré après trois mois, il participe à la « table ronde » belgo-congolaise de janvier-février 1960 qui mène le Congo à l'indépendance en juin de la même année. **S**on parti ayant obtenu une majorité des sièges aux élections de mai 1960, il devient le premier Premier ministre du Congo indépendant. Toutefois, devant faire face à une mutinerie de la Force publique (armée) congolaise dans tout le pays, puis à un conflit de pouvoir avec le président de la République Joseph Kasavubu (1910-1969), au pouvoir de 1960 à 1965, il adopte une attitude radicale et ultranationaliste. Ce choix lui aliène très vite à la fois une classe politique qui ne songe qu'aux privilèges du pouvoir, l'ancien colonisateur belge dépité d'une décolonisation qu'il a totalement manquée, et les États-Unis qui se montrent inquiets de son rapprochement avec l'Union soviétique. Son éviction est rapide et sans appel : « neutralisé », comme le président J. Kasavubu, en septembre 1960 par le jeune colonel Sese Seko Mobutu, arrêté en novembre après une évasion mouvementée de sa résidence surveillée, il est transféré à Élisabethville (Lubumbashi) en janvier 1961, où il est assassiné sur ordre de dirigeants katangais, entrés en sécession, et avec la complicité de spadassins belges. **J.-C. W. > CONGO-KINSHASA.**

LUXEMBOURG Grand-duché de Luxembourg. Capitale : Luxembourg. Superficie : 2 586 km². Population : 426 000 (1999). À partir du Xᵉ siècle, le comté de Luxembourg fait partie des nombreuses principautés de l'espace rhénan qui relèvent de l'Empire. À la fin du Moyen Âge, il est élevé au rang de duché et occupe une superficie bien plus vaste qu'elle ne l'est actuellement, en pays francophone et germanophone. Victime de la convoitise des grandes puissances, il doit céder des territoires à la France (1659) et surtout à la Prusse (1815). Il devient alors possession personnelle du roi des Pays-Bas (tout en étant membre de la Confédération germanique) et le restera après l'indépendance de la Belgique (1839), qui l'ampute de sa partie francophone (province belge de Luxembourg) et fixe ses limites définitives. Bien que 1839 soit la date officielle de l'indépendance du pays, il faudra attendre 1890 pour que cesse l'union personnelle avec les Pays-Bas : à la mort de Guillaume III d'Orange-Nassau, une branche collatérale, celle des Nassau-Weilburg, accède à la couronne grand-ducale (le grand-duc Jean [1921-], qui a occupé le trône de 1964 à 2000 – avant d'abdiquer au profit de son fils Henri –, est l'arrière-petit-

fils du fondateur de la dynastie). Dans l'intervalle, le petit État a échappé à une tentative d'annexion, Napoléon III ne pouvant parvenir à ses fins en raison de l'opposition de la Prusse. La neutralité du pays est alors proclamée (1867) et la forteresse de Luxembourg démantelée. C'est l'époque où commencent l'exploitation des mines de fer (prolongement du bassin lorrain) et la création d'une importante sidérurgie, qui fait appel à des travailleurs étrangers. L'avènement d'une classe ouvrière influe peu sur la vie politique, marquée par l'opposition entre libéraux et catholiques. Au XXᵉ siècle, ceux-ci domineront la plupart des gouvernements. L'occupation allemande pendant la Grande Guerre a pour conséquence la rupture de l'union économique avec l'Allemagne et la conclusion d'une Union économique et monétaire belgo-luxembourgeoise (1922), qui existe encore aujourd'hui. Après 1945, le Luxembourg abandonne sa neutralité, adhère à l'OTAN (Organisation du traité de l'Atlantique nord), entre dans le Benelux (union douanière avec la Belgique et les Pays-Bas) et participe à l'unification européenne en tant que membre fondateur de la CECA (Communauté européenne du charbon et de l'acier) et de la CEE. Sa prospérité n'est pas vraiment menacée par la crise qui s'ouvre au milieu des années 1970. On doit fermer les mines de fer et réduire l'activité sidérurgique, mais des entreprises industrielles étrangères s'installent, en relation avec l'émergence de la place financière, elle-même fortement créatrice d'emplois. Les institutions européennes (Cour de justice, Banque européenne d'investissement...) et la radio-télévision contribuent aussi au rayonnement international de ce petit État. La petite taille et la richesse du pays expliquent sans doute le calme de sa vie politique. À compter de 1945, le parti chrétien-social a dirigé le gouvernement de façon quasi continue, tantôt avec l'appui des libéraux, tantôt (et notamment dans les années 1980 et 1990) avec celui des socialistes. Jacques Santer (1937-) a été Premier ministre de 1984 à 1995, avant d'accéder à la présidence de la Commission européenne (1995-1999). Jean-Claude Juncker (1954-) lui a succédé, en coalition avec les socialistes, puis avec les libéraux après les élections législatives de 1999. **J.-C. B.**

LUXEMBURG Rosa (1870-1919)

Révolutionnaire et théoricienne socialiste allemande. Née polonaise à Lublin, alors sous occupation russe, Rosa Luxemburg devient citoyenne allemande en 1895. Elle émigre à Zürich en 1889, où elle étudie l'économie politique. Devenue marxiste, elle adhère en 1898 à la social-démocratie alle-mande et y devient dirigeante de l'aile gau-che. Elle s'oppose vivement aux thèses révi-sionnistes d'Eduard Bernstein (1850-1932) visant à adapter le marxisme. Elle s'oppose à l'union nationale lorsque se profile la Grande Guerre. La minorité du Parti social-démocrate, dont elle fait partie avec Karl Liebknecht (1871-1919), fonde le groupe « Spartacus » en 1916. Un mouvement d'insurrection se répand dans l'Allemagne défaite à partir de novembre 1918 (révolte des marins de Kiehl). Les « spartakistes » le soutiennent. L'insurrection de Berlin est écrasée dans le sang en janvier 1919 par les sociaux-démocrates majoritaires et leurs « corps francs ». R. Luxemburg est arrêtée et assassinée, de même que K. Liebknecht, le 15 janvier ; leurs corps sont jetés dans le Landwehr Canal. Grande oratrice, elle a aussi écrit de nombreux ouvrages théori-ques, ainsi que d'innombrables articles, sur l'impérialisme, l'économie politique, les for-mes d'organisation révolutionnaire. Défen-dant la grève générale comme levier de la révolution, elle considère que le rôle moteur de la lutte pour le socialisme doit être assumé par des masses organisées, politi-quement éduquées et contrôlant leur parti. En cela, elle critique les conceptions bolche-viques de Lénine (un parti de révolutionnai-res professionnels auquel il reviendrait d'imposer sa dictature au nom du proléta-riat). Elle critique aussi, dans la révolution russe, le recours à la terreur et la sup-pression des libertés publiques. **V. K.** **> ALLEMAGNE, SOCIALISME ET COMMU-NISME.**

M

MAASTRICHT (traité de) Signé le 7 février 1992 par les douze États membres des Communautés européennes, le traité de Maastricht sur l'Union européenne (UE) prévoit l'Union économique et monétaire (UEM) avec création d'une monnaie unique avant 1999 et relance l'Union politique en amorçant une Politique étrangère et de sécurité commune (PESC). Le Royaume-Uni bénéficie d'une exemption pour l'union monétaire. Après ratification du traité par ses membres, la Communauté économique européenne (CEE) se transforme en Communauté européenne et l'Union européenne est instituée le 1er novembre 1993. **> CONSTRUCTION EUROPÉENNE.**

MACAO Petit territoire d'environ 17 km² (467 000 habitants en 1999), situé en Chine méridionale, à proximité de Guandzhou (Canton) et de Hong Kong, Macao compte une péninsule et deux îles, Taipa et Coloane. Comptoir portugais depuis 1557 (premier comptoir européen ouvert en Chine), Macao a toujours été un entrepôt commercial. Son essor dans les dernières décennies du XXe siècle s'est beaucoup fondé sur les jeux et diverses activités associées, lui faisant une réputation de tripot. Macao a été restitué à la Chine le 20 décembre 1999. Comme Hong Kong avant elle (1997), l'enclave de Macao est devenue une « région sous administration spéciale » dotée d'autonomie, selon le principe « un pays, deux systèmes ». **> CHINE.**

MACARTHUR Douglas (1880-1964) Militaire américain. Né dans l'Arkansas, Douglas MacArthur est fils d'un général héros de la guerre de Sécession (1861-1865) et choisit naturellement la carrière militaire. Après être sorti de l'Académie militaire de West Point (1903), il participe aux affrontements avec le Mexique (1914), puis commande une brigade en France durant la Première Guerre mondiale où il se distingue par sa bravoure... et son ego. Il devient commandant de West Point (1919-1922) et, après un commandement au Philippines, chef d'état-major en 1930 – le plus jeune de tous. À ce titre, en 1932, il disperse l'« armée du Bonus », qui regroupait des anciens combattants demandant une prime. De 1935 à 1941, il est conseiller militaire du gouvernement des Philippines, puis commandant des forces américaines en Extrême-Orient. Lors de la guerre du Pacifique, il doit se replier en Australie. Commandant suprême des forces alliées sur le même front en 1942, il organise la contre-offensive, reçoit la capitulation japonaise le 2 septembre 1945 et devient jusqu'en 1950 gouverneur du Japon. Il fait adopter une Constitution démocratique (1946), qui donne le droit de vote aux femmes, et tente d'obtenir l'éclatement des grands conglomérats industriels (*zaibatsu*). En juillet 1950, il commande les forces des Nations unies engagées dans la guerre de Corée (1950-1953). Il mène le débarquement d'Inchon qui permet de faire reculer les troupes nord-coréennes jusqu'à la frontière chinoise. En novembre 1950, les Chinois contre-attaquent et repoussent les forces américaines. D. MacArthur demande alors l'autorisation de contrer militairement la Chine à l'aide de la bombe atomique. Le président Harry Truman refuse cette option et le limoge le 11 avril 1951. Ce désaveu public est une humiliation pour le très populaire général. D. MacArthur ne réussit pas ensuite à transformer en mouvement politique l'accueil extraordinaire qui lui est fait à son retour. Il finit sa vie comme héros national et président de la Remington Rand (fondation et cercle de réflexion spécialisé dans la défense). **J. P.** **>** ÉTATS-UNIS.

MACCARTHYSME > CHASSE AUX SORCIÈRES.

MACÉDOINE République de Macédoine. Capitale : Skopje. Superficie : 25 713 km². Population : 2 011 000 (1999). La république de Macédoine proclame son indépendance le 15 septembre 1991 et quitte pacifiquement l'ancienne Yougoslavie. Son territoire correspond à la part de la Macédoine, conquise sur l'Empire ottoman lors des guerres balkaniques (1912-1913), qui revint à la Serbie à la conférence de Londres de 1913. La première Yougoslavie (1918-1941) avait tenté de « serbiser » la Macédoine, tandis que la deuxième (1945-1991), dirigée par Tito, l'avait reconnue comme nation et république fédérée. Une langue macédonienne standard a été mise au point et un effort particulier de développement économique a été entrepris. Les Macédoniens étaient donc dans l'ensemble attachés à l'ancienne Yougoslavie, et c'est seulement la sécession de la Slovénie et de la Croatie en 1991 qui les a poussés à rechercher l'indépendance, de crainte de demeurer dans un État résiduel dominé par la Serbie. La Macédoine indépendante a rencontré des difficultés majeures dues à son environnement géopolitique. La Grèce, criant au détournement de patrimoine en revendiquant l'héritage exclusif du terme Macédoine et craignant des revendications sur sa région ainsi nommée, lui a contesté son nom même et a retardé jusqu'à 1993 son admission à l'ONU. Par ailleurs, l'embargo infligé par l'ONU à la Yougoslavie (1992-1996) a isolé la Macédoine, ensuite brièvement submergée par 250 000 réfugiés kosovars albanais fuyant la guerre au Kosovo au printemps 1999.

Gouvernée après l'indépendance par les héritiers du communisme, la Macédoine a connu en 1998 sa première alternance avec l'arrivée au pouvoir du parti nationaliste VMRO-DPMNE (Organisation révolutionnaire intérieure macédonienne-Parti démocratique pour l'unité nationale macédonienne). Dans un climat social difficile (atonie économique, chômage de masse, retard des réformes), elle a connu des tensions politiques liées à la question de sa forte minorité albanaise (un quart au moins de la population). Certains ont estimé le pays menacé d'éclatement au profit d'une Grande Albanie. Les Albanais locaux paraissaient toutefois plus soucieux de l'amélioration de leur situation en Macédoine plutôt que de sécession ; ils avaient toujours eu des représentants au gouvernement. En mars 2001, une insurrection armée albanaise a cependant éclaté sur le sol macédonien, opérant à partir de montagnes limitrophes du Kosovo. Un accord de désarmement est intervenu le 13 août et une réforme constitutionnelle a été approuvée le 15 novembre, donnant suite à diverses revendications politiques et culturelles de la communauté albanaise. **M. R.** **>** QUESTION MACÉDONIENNE, YOUGOSLAVIE.

MADAGASCAR République de Madagascar. Capitale : Antananarivo. Superficie : 15 057 000 km². Population : 15 497 000 (1999). Déclarée protectorat français le 1er octobre 1895, Madagascar devient le 6 août 1896 une colonie où la discrimination s'établit entre « citoyens » et « sujets ». Aussi, après la Grande Guerre, la contestation s'exprime-t-elle d'abord dans une campagne pour l'égalité. Mais, l'intransigeance du pouvoir, l'emprise des étrangers sur l'économie, ainsi que l'espoir suscité par l'anti-impérialisme en métropole poussent à la revendication d'indépendance qui gagne du terrain avec le nouvel effort de guerre. La victoire du Mouvement démocratique de la rénovation malgache (MDRM), aux élections de 1946-1947, et l'insurrection de 1947 en témoignent. Cependant, la répression et le démantèlement du MDRM brisent l'élan des nationalistes, alors que le Parti des déshérités de Madagascar (PADESM), soutenu par l'administration, remporte les élections de 1948. La promulgation, le 26 juin 1956, de la loi cadre qui supprime le double collège électoral (distinguant autochtones et citoyens), institue le suffrage universel et crée un organe exécutif, relance la vie politique. Le Parti social-démocrate (PSD), l'un

des héritiers du PADESM, s'impose à tous les échelons. Son fondateur, l'instituteur Philibert Tsiranana (1912-1978) accède à la vice-présidence du Conseil de gouvernement, à côté du haut-commissaire, avant d'être élu, par des conseillers provinciaux réunis en Parlement, président de la République née le 14 octobre 1958. L'État malgache, d'abord membre de la <u>Communauté franco-africaine</u>, devient indépendant le 26 juin 1960. Le PSD consolide sa position face à un seul concurrent notable, le Parti du Congrès de l'indépendance de Madagascar, hostile à un régime néocolonialiste. De fait, la critique des accords de coopération franco-malgache du 2 avril 1960 est l'un des thèmes qui fait basculer vers une contestation généralisée un mouvement lancé par des étudiants au début de 1972. Le 13 mai, la Iʳᵉ République, ébranlée depuis un an par une insurrection paysanne dans le Sud et par les dissensions qui agitent le PSD, tombe.   Le gouvernement militaire du général Ramanantsoa ouvre une période de transition. Le 5 février 1975, ce dernier remet les pouvoirs à son ministre de l'Intérieur, initiateur d'un renouveau des collectivités villageoises, le colonel Ratsimandrava, assassiné le 11 février. Le directoire militaire qui se constitue cède la place, le 13 juin, à un Conseil suprême de la Révolution, présidé par le ministre des Affaires étrangères de Ramanantsoa, le capitaine de frégate Didier Ratsiraka (1936-), l'un des négociateurs de la révision des accords de coopération en 1973. Par le référendum du 31 décembre 1975, D. Ratsiraka devient président d'une République régie par une Constitution adaptée à la Charte de la révolution socialiste dont il est l'auteur.   La IIᵉ République se tourne vers les pays socialistes, en particulier la Corée du Nord. L'étatisation de l'économie, l'effort d'investissement et la réorganisation de l'enseignement marquent les débuts de la révolution. Mais la dégradation de l'économie, l'échec de la malgachisation de l'enseignement et la contestation du droit exclusif qu'ont les membres du Front national pour la défense de la révolution (FNDR), dont l'Avant-garde de la révolution malgache (AREMA), le parti du président, de participer à la vie politique obligent à des concessions à partir de 1980. L'année de la chute du <u>Mur de Berlin</u>, D. Ratsiraka, réélu une troisième fois, dissout le FNDR. La mesure ne suffit pas. La tension entre le gouvernement et les opposants regroupés dans les Forces Vives conduit à la marche tragique du 10 août 1991. La répression signe la chute du régime.   La IIIᵉ République émerge au terme d'une transition gérée avec la médiation du Conseil œcuménique des Églises chrétiennes. La Constitution, élaborée dans un forum national et approuvée le 19 août 1992, instaure le parlementarisme. Mais les effets pervers d'un multipartisme formel nuisent à la stabilité du régime. Le chirurgien Albert Zafy, l'un des leaders des Forces vives, devenu président, fait adopter en septembre 1995 un amendement à la Constitution qui renforce les pouvoirs présidentiels. Cela n'empêche pas sa destitution par l'Assemblée nationale en juillet 1996. Les élections ramènent l'amiral Ratsiraka à la Présidence, en janvier 1997. Il propose, pour atteindre un « développement durable », une république écologiste et humaniste. En fait, les recompositions de l'échiquier politique et les changements de régime des dernières décennies du XXᵉ siècle n'auront pas résolu un problème de fond : l'appauvrissement de la grande majorité de la population malgache.
F. R.

MAHABAD (république de)   La république kurde autonome de Mahabad voit le jour dans un Iran occupé depuis 1941 par les forces anglo-soviétiques. La région de Mahabad n'est alors pas concernée par cette occupation qui n'en affaiblit pas moins le pouvoir central. Mais elle est le théâtre d'activités nationalistes kurdes : fondation du PDK-I (Parti démocratique du Kurdistan-Iran) en 1945, arrivée de Mustafa <u>Barzani</u> et de plusieurs milliers de combattants...   La constitution, dans l'Azerbaïdjan iranien, d'une république autonome d'Azerbaïdjan, encourage celle d'un Kurdistan autonome, proclamée le 22 janvier 1946 par le religieux Qadi Muhammad à Mahabad. Le gouvernement adopte d'emblée le kurde comme langue nationale, ainsi que le principe de la représentation politique par voie électorale. Réfutant les accusations de « communisme » et de « séparatisme » dont il est l'objet, Qadi Muhammad explique que les Kurdes demandent « que le gouvernement iranien applique la Constitution » et qu'ils désirent « vivre en autonomie sous le drapeau iranien ». Le retrait des forces soviétiques à la suite des traités irano-soviétiques – portant notamment sur le pétrole – affaiblit cependant la république, qui souffre également de dissensions internes (craignant une revanche de Téhéran, certaines tribus lui retirent leur allégeance). Face aux pressions militaires croissantes du pouvoir central, le gouvernement décide de ne pas recourir à la lutte armée et le président Muhammad accueille personnellement le général iranien aux portes de la ville (décembre 1946). Arrêté, il est exécuté en mars 1947 avec son frère et son cousin. En dépit de sa courte vie, la république de Mahabad occupe une place centrale dans la mémoire et l'historiographie kurdes. H. B. **> IRAN, QUESTION KURDE.**

MAI 68 La crise de Mai 68, en France, est restée comme le symbole d'un moment contestataire, à la fois phénomène de génération et confrontation sociale. Commencé au printemps 1968 par une révolte étudiante sur le campus de l'université de Nanterre, laquelle est fermée le 2 mai, le mouvement gagne rapidement toutes les facultés. La contestation touche aux conditions d'études, mais exprime aussi l'aspiration à des changements plus radicaux. De nombreux étudiants se sont « politisés » dans les luttes contre la guerre d'Algérie et contre la guerre du Vietnam. Les manifestations enflent, vivement réprimées pour certaines par les forces de l'ordre. Le 13 mai, les grandes organisations syndicales de salariés, d'enseignants et d'étudiants déclenchent une grève nationale générale « contre la répression » et « contre la politique scolaire et économique du gouvernement ». À Paris se déroule une manifestation réunissant environ un million de participants. Le général de Gaulle, revenu au pouvoir dix ans plus tôt, tente de ramener le calme par une allocution télévisée. En vain. Le pouvoir gaulliste semble désemparé. Le 27 mai, le Premier ministre

Georges Pompidou (1911-1974) signe avec l'organisation syndicale patronale et les grandes confédérations de salariés les accords dits « de Grenelle ». Le salaire minimum dans l'industrie est augmenté de 35 %, les libertés syndicales sont élargies dans l'entreprise. Mais la base ouvrière considère ces concessions comme insuffisantes. La grève générale, qui immobilise tout le pays, se poursuit. Après un sensible flottement, le chef de l'État organise la reprise en main. Le 30 mai, il annonce la dissolution de l'Assemblée nationale. Le même jour, une manifestation géante d'un million de partisans est organisée sur les Champs-Élysées à Paris et dans différentes villes de France. Les élections donnent une forte majorité à la droite conservatrice. Le mouvement de contestation s'essouffle. Mai 68 ne saurait être réduit à un mouvement étudiant libertaire, ayant aussi la dimension d'une confrontation sociale historique. Ses effets se mesureront avec retard, dans les profonds changements culturels qui marqueront bientôt la société française, et dans l'expression des aspirations nouvelles en matière sociétale. La gauche traditionnelle (socialiste et communiste) s'est trouvée largement dépassée par ces événements qu'elle n'aura pas su contrôler. Une nouvelle génération de cadres politiques va bientôt émerger. Mai 68 est resté emblématique d'une époque – par la suite mythifiée par les uns et minimisée par les autres – qui a vu fleurir d'importants mouvements dans d'autres pays avant ou après les « événements » français : sur les campus des États-Unis, dans le contexte de la contestation de la guerre du Vietnam ; en Allemagne, à l'initiative notamment de la « opposition extra-parlementaire » ; au Japon ; en Italie (l'« automne chaud » de 1969) ; au Mexique, tragiquement marqué par les massacres de la place des Trois-Cultures à Mexico. Enfin, l'année 1968 voit l'écrasement du printemps de Prague en Tchécoslovaquie. V. K. **> FRANCE.**

MALAISIE Fédération de Malaisie. Capitale : Kuala Lumpur. Superficie : 329 750 km². Population : 21 830 000 (1999). Les Britanniques affirment leur présence dans la région de l'Asie du Sud-Est à partir de la fin du XVIIIe siècle. Après avoir établi des comptoirs sur l'île de Penang en 1786, puis à Singapour en 1819, Londres se voit céder Malacca en 1824. En 1895, les sultans malais de Perak, Selangor, Negeri Sembilan et Pahang acceptent de constituer les États malais fédérés (FMS). Chaque État garde son administration, son souverain et son résident britannique, mais l'autorité réelle est transférée à Kuala Lumpur (le « confluent boueux » en malais) et au gouverneur des Établissements des détroits de Singapour. Johore, qui se voit contraint d'accepter un résident britannique en 1914, forme avec les quatre États de Perlis, Kedah, Kelantan et Trengganu, cédés par le Siam en vertu du traité de Paris (1909), les « États non fédérés ». L'exploitation de l'étain et du caoutchouc naturel font alors la richesse du pays. Elle bouleverse en profondeur les équilibres ethniques. Venus du Fukien, du Guangdong, du Guanxi et de l'île de Haïnan, les Chinois espèrent faire fortune dans les mines d'étain. La main-d'œuvre indienne, composée de nombreux Tamouls de l'État de Madras, est recrutée pour l'exploitation de l'hévéa et les travaux agricoles. Les territoires de Bornéo ne connaissent pas ces évolutions démographiques et personne n'envisage alors qu'ils puissent former un même pays avec la Malaisie péninsulaire. Au Sarawak, les rajahs blancs de la famille Brooke – James d'abord, puis son neveu Charles, puis Vyner – s'imposent, de 1841 à 1942, au détriment des sultans de Brunéi. Le Nord-Bornéo (actuel Sabah) est la propriété d'une société privée (Compagnie britannique du Nord-Bornéo) bénéficiant d'une protection de Londres, qui facilite l'évangélisation chrétienne et le retour à la paix après l'insurrection armée de 1895-1905. **De l'occupation japonaise à l'indépendance.** Le 8 décembre 1941, l'armée japonaise débarque au Kelantan. La Malaisie est placée, avec Sumatra, sous l'autorité d'un commandant nippon installé à Singapour. Une résistance armée, l'Armée antijaponaise du peuple malaisien, s'organise autour des communistes et de militants issus de la communauté chinoise. Après la guerre, le retour de la puissance tutélaire se traduit par une réorganisation institution-

nelle. En 1946, Londres propose une Union malaise regroupant sous une autorité unique les neuf États et les deux Établissements (Pehang et Malacca). Singapour doit rester, importance stratégique oblige, une colonie de la Couronne, tout comme le Sarawak et le Nord-Bornéo. **En 1948**, une fois constaté l'échec de l'Union malaise, naît la Fédération de Malaisie, mais tous les pouvoirs sont confiés aux sultans et aux Britanniques. Les Chinois sont résolument contre ; eux-mêmes sont soupçonnés de vouloir constituer une « république démocratique de Malaisie » communiste. L'état d'urgence est proclamé en juin 1948 et perdure jusqu'au 1er août 1960. Le Parti communiste malaisien a pris les armes, mais n'arrive à contrôler aucune zone habitée importante. Les élections au premier Conseil législatif fédéral (1955) donnent une majorité écrasante à l'Alliance de Tunku Abdul Rahman (1903-1990) qui regroupe l'Organisation nationale unie des Malais (UMNO), l'Association malaiso-chinoise (MCA) et le Congrès malaiso-indien (MIC). Cette alliance électorale de trois partis communautaires va durer. Nommée « Front national » (Barisan nasional) en 1974, elle monopolise le pouvoir central à partir de l'indépendance (31 août 1957). Devenue une monarchie constitutionnelle (la conférence des neuf sultans désigne en son sein un roi suprême pour cinq ans) et parlementaire, la Fédération, tout en se voulant ouverte, consacre la prépondérance des Malais. **L'échec de la Grande Malaisie.** Le 16 septembre 1963 naît un nouvel État, une Grande Malaisie, sous le nom de « Malaysia ». Le Royaume-Uni abandonne, au même moment, sa souveraineté sur Singapour, le Nord-Bornéo et le Sarawak. La Fédération n'est pas pour moins contestée. Le sultan de Brunéi, qui avait adhéré au principe de la Grande Malaisie, se récuse et opte pour une indépendance séparée. En 1962, les Philippines font valoir, au nom des sultans de Sulu, leur droit sur le nord de Bornéo, tandis que l'Indonésie se montre plus ouvertement hostile encore, de 1963 à 1966 (konfrontasi). Le 9 août 1965, c'est au tour de Singapour, dirigé par Lee Kuan Yew (1923-), de rompre. Alors qu'on tente d'asseoir les droits spéciaux des Bumi-

putra (« fils du sol », c'est-à-dire Malais), les tensions se multiplient et se traduisent, le 13 mai 1969, par des émeutes raciales. Pour y mettre un terme, le Premier ministre Tun Abdul Razak (1970-1976) lance une nouvelle politique économique destinée à accélérer le développement du pays tout en réduisant le poids de la dépendance vis-à-vis de l'étranger. Son beau-frère, Tun Hussein Onn (1922-1990), poursuit cette politique. Volontariste, le Dr Mahathir (1925-), qui lui succède le 16 juillet 1981, sera lui aussi confronté aux difficultés nées du peu d'homogénéité de la nation malaisienne. La Malaisie a par ailleurs joué un rôle actif au sein de l'Association des nations du Sud-Est asiatique (ANSEA). **C. L.**

MALAWI République du Malawi. Capitale : Lilongwé. Superficie : 118 480 km^2. Population : 10 640 000 (1999). Territoire enclavé de l'Afrique centrale sud-tropicale, le Malawi est formé de plaines autour du lac Malawi (ex-Nyassa) et de hautes terres. Il est situé dans le prolongement du fossé de la Rift Valley. Pour l'essentiel, la population est d'origine bantoue. Après des explorations de David Livingstone (1813-1873), à partir de 1858, des missions chrétiennes s'installent, protestantes puis catholiques, qui développent des écoles. En 1883, les Britanniques établissent le protectorat du Nyassaland. Ils achèvent la conquête du territoire (1904) et mettent fin au trafic des esclaves. En 1915, un soulèvement est réprimé. Les autorités britanniques, en créant en 1953 la Fédération d'Afrique centrale, associent le Nyassaland à leurs deux autres possessions régionales, la colonie de Rhodésie du Sud (actuel Zimbabwé) et le protectorat de Rhodésie du Nord (actuelle Zambie), espérant éviter que l'Afrique du Sud voisine n'étende son influence sur la Rhodésie du Sud. Dans cette colonie, les colons européens défendent en effet eux aussi la « suprématie blanche » et dominent politiquement et économiquement le pays. La fonction de réserve de main-d'œuvre noire du Nyassaland pour la Rhodésie du Sud s'accentue. Un médecin, Hastings Kamuzu Banda (1906-1997), anime la contestation contre la Fédération. Le mou-

vement nationaliste s'affirme dans un climat de montée de la violence. Lors des premières élections où les Africains ont le droit de voter (1961), le Parti du congrès du Malawi dirigé par H. Banda l'emporte. Un gouvernement noir est formé et le Nyassaland quitte la Fédération en 1963, avant de devenir indépendant en juillet 1964. Le pays prend le nom de Malawi. Une crise politique éclate aussitôt au sein du mouvement nationaliste. Elle se solde par l'exil de ses dirigeants progressistes « radicaux ». H. Banda va désormais exercer un long règne despotique et conservateur en s'appuyant sur l'ethnie dont il est issu (chewa) qui, dans l'ensemble, avait moins été touchée par l'éducation des missions chrétiennes. Le dictateur se proclame « président à vie » en 1971. Dans un contexte économique difficile, aggravé par l'immigration de centaines de milliers de Mozambicains fuyant la guerre civile dans leur pays, le verrouillage du pouvoir débouche, en mars 1992, sur des émeutes et des mouvements sociaux, suivis d'une violente répression. Sous la pression internationale, un référendum sur l'introduction du multipartisme (15 juin 1993) ouvre la voie au démantèlement du régime de parti unique. Les premières élections libres, le 17 juin 1994, donnent la victoire au Front démocratique uni. Bakili Muluzi (1943-) est élu à la tête de l'État (il sera réélu en 1999). Les prisonniers politiques sont libérés. Les défis de la reconstruction politique et économique sont gigantesques, sur fond d'extension de la pandémie de sida. La politique libérale du précédent régime est poursuivie, sous la surveillance du FMI (Fonds monétaire international). Le pays se classe aux derniers rangs mondiaux pour le revenu par habitant et pour son niveau de développement humain. **N. B.**

MALCOLM X (Malcolm Little, dit) (1925-1965) Militant noir américain. « X : mon nom est personne ; mon nom m'a été volé et y fut substitué le patronyme du propriétaire de mes pères. » L'abandon du patronyme « Little » pour X fut comme le baptême de la révolte ; l'acte de rupture qui permet de renouer avec un passé séculaire. On a créé autour de Malcolm X un mythe de la violence ; en fait, son apport essentiel au monde afro-américain aura été cette ouverture vers l'univers des opprimés qu'il manifesta à la fin de sa vie. Malcolm X avait senti que la lutte des Noirs devait s'appuyer sur l'indépendance du tiers monde ; il avait compris que l'exploitation n'était pas affaire de race. En cela, il avait évolué toute sa vie durant. **F**ils d'un pasteur baptiste à Lansing (Michigan), Malcolm voit, à l'âge de quatre ans, la maison familiale dynamitée par le Ku Klux Klan (KKK) ; il baigne dans les idées paternelles de retour en Afrique. Mais, c'est surtout un adolescent turbulent, avide de voir « autre chose » ; il s'installe à Harlem, fréquente la pègre et se retrouve en prison pour cambriolage. Il a alors vingt et un ans. **E**n détention, Malcolm rencontre des musulmans noirs, actifs prosélytes. Il se convertit. Libéré au bout de sept ans, il fait des tournées de propagande avant d'être affecté à la 7e mosquée de New York. Mais cet homme sincère découvre qu'entre l'authentique foi musulmane, les croyances propagées par le chef des Black Muslims (Nation de l'islam), Elijah Muhammad (1897-1975), et le mode de vie de celui-ci, il y a un monde. Malcolm X rompt, fonde sa propre mosquée en 1964, puis l'Organisation pour l'unité afro-américaine. Il se rend à La Mecque, d'où il revient en ayant pris comme nom El Haj Malik El Shabarr. C'est le tournant décisif, marqué par la vision d'une politique noire globale fondée sur une action de classe. Il n'aura pas le temps de la négocier jusqu'au bout. Harcelé par les sectateurs d'E. Muhammad – peut-être manipulés par le FBI (Federal Bureau of Investigation) –, il tombe finalement sous leurs balles en 1965. **D.-C. M.** **> DROITS CIVIQUES, ÉTATS-UNIS, NATION DE L'ISLAM (ÉTATS-UNIS), QUESTION NOIRE (ÉTATS-UNIS).**

MALDIVES République des Maldives. Capitale : Male. Superficie : 298 km². Population : 278 000 (1999). Ibn Battuta, le « voyageur de l'Islam », est sans doute le premier chroniqueur à avoir évoqué et décrit, au début du XIVe siècle, l'existence de ces îles. « On en compte environ 2 000, écrit-il, et elles sont au nombre des merveilles du monde. » **L**'archipel est cons-

titué d'une vingtaine d'atolls (dont 19 qualifiés d'administratifs), situés à la lisière de l'équateur et à égale distance (1 000 km) de Sri Lanka et de la pointe sud de l'Inde. Issue de brassages entre Indiens dravidiens, Cinghalais et Arabes, la population est pratiquement toute islamisée (sunnite). La pêche hauturière, le tourisme (de luxe) – et les pavillons de complaisance – fournissent les principaux revenus de ce micro-État, le plus petit de l'Asie du Sud-Est. **S**ultanat sous contrôle britannique aux XIXe et XXe siècles, l'archipel devient indépendant en 1965. Il adopte en 1968 le statut de république, choisissant un système « présidentialiste ». Il participe à toutes les organisations internationales et régionales, notamment au Commonwealth et à l'OCI (Organisation de la conférence islamique), où il s'efforce de jouer un rôle modérateur. Les Maldives bénéficient d'un taux d'alphabétisation supérieur à 90 %. Maumoon Abdul Gayoom a été élu président de la République en 1978. La stabilité du régime est contrôlée (absence de partis politiques) et surveillée (intervention de l'Inde en 1980 pour réprimer une tentative de déstabilisation). **À** l'époque de la Guerre froide, les Maldives n'ont pas été au centre de la compétition entre superpuissances, contrairement à d'autres îles de l'océan Indien (Chagos et Diego Garcia). **A**u tournant du siècle, la principale préoccupation apparaissait être d'ordre climatique. Si le réchauffement de la planète, et donc des océans, devait se confirmer, la république des Maldives pourrait bien devenir un « État naufragé ». Cette perspective a commencé à être prise au sérieux. **C. C.**

MALI **R**épublique du Mali. Capitale : Bamako. Superficie : 1 240 000 km². Population : 10 960 000 (1999). **L**e Mali emprunte son nom au prestigieux empire mandingue (XIIe-XIVe siècles) illustré par les figures de son fondateur Soundiata et du célèbre souverain Kankan Mussa, seul héritage pour ce pays issu du découpage colonial. La conquête française opposa les colonels Galliéni (1849-1916) et Archinard (1850-1932) au sultan toucouleur Ahmadou (1831-1898), à l'almami (« imam ») Samory

Touré (1830 ?-1900) et aux Touaregs. Les étapes importantes en furent la prise de Bamako (1883), de Ségou (1889) et de Tombouctou (1893), tandis qu'au nord, la convention de Niamey établit la frontière avec l'Algérie en 1909. Successivement dénommée Haut-Sénégal, Haut-Sénégal-Niger, Soudan français, la colonie connut de nombreux remaniements territoriaux jusqu'en 1944 et fut placée sous l'autorité du gouverneur général de l'Afrique occidentale française (AOF). Les résistances anticoloniales s'expriment dès la révolte touarègue de 1916, menée par Fihrun ag El Insar (1890 ?-1916), mais ne s'organisent politiquement qu'après la Seconde Guerre mondiale. Le Soudan envoie en 1945 un représentant, Fily Dabo Sissoko, à l'Assemblée constituante française, et la vie politique se cristallise en 1946 autour du Parti soudanais progressiste (PSP) – ayant les faveurs de l'administration française – et des indépendantistes rassemblés dans l'Union soudanaise (US), branche du Rassemblement démocratique africain (RDA), né au congrès de Bamako en octobre. L'US-RDA prend l'ascendant et forme en 1957 le premier Conseil de gouvernement du Soudan. **A**près l'épisode avorté de la Fédération du Mali, constituée avec le Sénégal et qui éclate en août 1960, le Soudan proclame seul son indépendance, le 22 septembre, en gardant le nom de « Mali ». Modibo Keita, qui en devient le premier président, engage le pays dans l'option socialiste, sort de la Zone franc et participe à la création de l'Organisation de l'unité africaine (OUA) en 1963. Mais les problèmes intérieurs (rébellion touarègue en 1963-1964, difficultés économiques du franc malien, bureaucratisation excessive) aboutissent au coup d'État de novembre 1968, au cours duquel M. Keita est renversé par le colonel Moussa Traoré (1936-). **C**e dernier prend la tête d'un régime militaire, appuyé par le parti unique UDPM (Union du peuple malien). Il ne parvient pas à relever l'économie, affaiblie par deux guerres avec la Haute-Volta/Burkina Faso (1974, 1985) et l'éclatement d'une nouvelle rébellion touarègue en juin 1990. Fortement contesté par la montée d'une opposition démocratique, il est à son tour renversé en mars 1991 par un militaire, Amadou Toumani Touré (1949-), qui rend le pouvoir aux civils dès l'année suivante. Alpha Oumar Konaré (1946-), fondateur de l'ADEMA (Association pour la démocratie au Mali) devient en avril 1992 le premier président démocratiquement élu du Mali. Le nouveau pouvoir réussit à ramener le calme au Nord (Pacte national en 1992, Flamme de la paix en 1996), à engager une vaste décentralisation et à redresser progressivement la situation économique. **P. Bo.**

MALOUINES (guerre des)   Le souci de grandeur du Premier ministre britannique Margaret Thatcher a débouché sur une petite guerre très désuète. Elle éclate en 1982, à propos des îles Malouines (ou îles Falkland) situées dans l'Atlantique sud, à 300 miles de la côte de Patagonie. La souveraineté de cet archipel d'environ 12 000 km² est une revendication séculaire de l'Argentine ; la junte au pouvoir depuis 1976 décide de le récupérer par la force pour détourner l'opinion publique des difficultés économiques et des atrocités du régime, et l'occupe militairement le 2 avril. Il s'ensuit la démission de Lord Carrington, secrétaire au Foreign Office, dont les services n'ont rien soupçonné. Le Royaume-Uni engage à 4 000 kilomètres de la métropole une force navale de 70 navires, dont deux porte-avions et des sous-marins atomiques, et plus de 6 000 soldats d'élite. La victoire est obtenue le 14 juin, au prix d'environ 750 vies argentines et, du côté britannique, de 254 tués. La défaite contribue à la chute de la dictature argentine. Au Royaume-Uni, les protestations des Églises et des pacifistes, et la condamnation du Labour (opposition travailliste) n'ont guère pesé face au réveil d'un chauvinisme national qui aurait contribué à la victoire électorale des Tories en 1983. Le soutien des États-Unis et la solidarité européenne avaient contribué au succès de la reconquête victorieuse. **R. Ma.**   **>** ARGENTINE, MALOUINES (ÎLES), ROYAUME-UNI.

MALOUINES (îles)   **S**ituées dans l'Atlantique sud, à proximité de l'Argentine, les îles Malouines (Falkland en anglais) comptent deux îles principales et 200 îlots. Elles couvrent plus de 12 000 km^2 au total. Visitées par des Anglais en 1592, elles sont baptisées à la fin du XVIIe siècle « Falkland ». En 1764, des Français de Saint-Malo colonisent l'île occidentale, d'où le nom de « Malouines ». L'année suivante, des Britanniques s'installent aussi. L'Espagne rachète la colonie française (1766) et chasse les Britanniques. Mais, ceux-ci n'abdiquent pas leur souveraineté qui devient continue après l'expulsion, en 1833, d'une colonie venue de l'Argentine voisine. Celle-ci, arguant de sa continuité avec l'Empire espagnol, considère ces « islas Malvinas » comme siennes. Elles sont envahies en 1982, suscitant un conflit avec le Royaume-Uni. **> MALOUINES (GUERRE DES).**

MALTE **R**épublique de Malte. Capitale : La Valette. Superficie : 316 km^2. Population : 386 000 (1999). **P**our les Britanniques, qui en ont pris possession au début du XIXe siècle, l'île de Malte, située dans la mer Méditerranée au large de la Sicile, est avant tout une base navale. Elle résiste au siège que lui imposent les forces italiennes et allemandes de 1940 à 1942. Deux formations dominent la vie politique maltaise : le Parti nationaliste, proche de l'Église catholique, puissante dans l'archipel, et le Parti travailliste, lié aux syndicats et volontiers anticlérical. Ayant remporté les élections de 1962, les nationalistes proclament l'indépendance, reconnue par le Royaume-Uni en 1964, après un référendum. Les travaillistes sont au pouvoir à partir de 1971. Ils instaurent la république (1974), puis dénoncent les accords de défense avec les Britanniques, qui évacuent la base navale en 1979. Simultanément, les travaillistes mènent une politique neutraliste, se rapprochant des pays arabes, notamment la Libye. Revenus au gouvernement en 1987, les nationalistes se tournent au contraire vers l'Europe. Bruxelles a décidé, en 1999, d'ouvrir des négociations d'adhésion à l'Union européenne. J. S.

MANDATS **T**utelle accordée à l'issue de la Première Guerre mondiale par la SDN (Société des Nations) sur les territoires d'outre-mer qui étaient allemands avant 1914 et sur les territoires non turcs de l'ex-Empire ottoman. Ils se classent en trois catégories. Mandats A : Syrie-Liban (France) ; Palestine, Transjordanie, Irak (Grande-Bretagne). Mandats B : Rwanda-Burundi (Belgique), Cameroun (France), Cameroun Nord-Ouest (Grande-Bretagne), Togo (France), Togo occidental (Grande-Bretagne), Tanganyika (Grande-Bretagne). Mandats C : Sud-Ouest africain (Union sud-africaine) ; archipel des Carolines, Mariannes, Marshall (Japon) ; Nauru (Empire britannique, administrée par l'Australie), Nouvelle-Guinée orientale (Australie), Samoa occidentales (Nouvelle-Zélande). Après la Seconde Guerre mondiale, les mandats sont formellement abrogés et l'ONU place les territoires n'ayant pas accédé à des formes de gouvernement autonome sous une tutelle qui les prolonge. **> DÉCOLONISATION.**

MANDCHOUKUO **E**n japonais *Manshu koku*. Nom de l'État fantoche pro-japonais établi en Mandchourie en mars 1932 après l'« incident mandchou » du 18 septembre 1931. Ce jour-là, la garnison japonaise qui surveillait le chemin de fer sud-mandchourien imputa aux Chinois l'explosion d'une bombe sur la voie ferrée près de Moukden. Cet attentat, en réalité ourdi par les colonels Ishiwara Kanji (1889-1949) et Itagaki Seishiro (1885-1948), servit de prétexte pour occuper toute la Mandchourie. Devenue Mandchoukuo, elle fut dirigée par Pou-yi (1934-1945), dernier empereur de Chine déposé à l'âge de six ans en 1912. **R. D.** **> IMPÉRIALISME JAPONAIS.**

MANDCHOURIE **L**'ancien pays des Mandchous est devenu un ensemble de trois provinces dites du Nord-Est chinois, le Heilongjiang au nord avec Harbin pour capitale, le Jilin et Changchun au milieu et le Liaoning dominé par Shenyang au sud. Après avoir été colonie russe jusqu'en 1905, ce qui permit la création du port de Dalian (Port-Arthur) libre de glaces en hiver, puis colonie japonaise, la Mandchourie a été le fer de lance de l'industrie lourde de la Chine maoïste à partir de 1950, sur la base de l'industrialisation engagée dans les années

1930 lors de l'occupation japonaise (Mandchoukuo). De grandes villes millionnaires en habitants (outre les trois capitales, Dalian, Anshan, Benxi, Fushun, Qiqihar), des ports et des sites pétrolifères en font encore aujourd'hui le premier ensemble chinois pour l'industrie. Avec le déclin programmé des entreprises d'État dans la production, la reconversion des usines - et surtout des ouvriers - pose des problèmes considérables. En outre, la réduction prévue du nombre des fonctionnaires met en concurrence dans une région en pleine mutation plusieurs millions de travailleurs jusqu'alors habitués à dépendre du « bol de riz en fer » assuré par l'État (emploi à vie, voire héréditaire, salaires mensuels, retraites, soins, logement, crèches, rations alimentaires et textiles...). Mais le potentiel tant énergétique que minier de la Mandchourie est tel que, joint à une agriculture mécanisée, une exploitation des forêts et des défrichements possibles de terres humides, il peut lui permettre un nouveau développement une fois surmontée la crise.
P. Ge.

MANDELA Nelson (1918-) Homme politique sud-africain, chef de l'État (1994-1999). Symbole de la résistance anti-apartheid, Nelson Mandela est resté, malgré vingt-huit ans de prison, le leader incontesté d'un mouvement nationaliste qui a su allier lutte armée et mouvements de masse sans dévier de son objectif d'instituer une Afrique du Sud multiraciale. Fils d'un chef xhosa du Transkei, il ouvre un cabinet d'avocat à Johannesburg et s'inscrit en 1944 à l'African National Congress (Congrès national africain, ANC), mouvement multiracial présidé par Walter Sisulu (1912-). Après la venue au pouvoir du Parti national du docteur Daniel (François) Malan (1874-1969), Premier ministre de 1948 à 1954, qui institutionnalise l'apartheid, N. Mandela organise le mouvement de jeunesse de l'ANC, la Ligue pour la jeunesse, et entre dans la clandestinité. Devenu vice-président de l'ANC en 1952, puis responsable de sa branche militaire en 1961, il est arrêté l'année suivante au retour d'un stage d'entraînement militaire en Algérie. À son procès, il se fait l'avocat du programme de l'ANC, plaidant pour une Afrique

du Sud multiraciale et démocratique (« un homme, une voix »). Il refuse de condamner la lutte armée tant que les revendications élémentaires de l'ANC ne seront pas acceptées. Tandis que son compagnon de toujours, Olivier Tambo (1917-1993), le représente dans les instances en exil, la répression s'intensifie (massacre de Soweto, 1976) et une campagne est lancée qui accuse N. Mandela et l'ANC de communisme. La répression est telle que les nationalistes optent pour les méthodes de non-violence, déjà utilisées par Gandhi au Natal au début du siècle. Grèves et manifestations de masse se multiplient, encadrées par les syndicats, et avec la bienveillance de la plupart des Églises et de l'évêque Desmond Tutu (1931-). Bientôt, pris entre les pressions des milieux d'affaires et le refus de N. Mandela de transiger, le pouvoir blanc s'en remet en 1989 à un libéral, Frederik De Klerk (1936-), pour négocier une sortie de l'apartheid avec celui qui est devenu un leader incontournable (1989). N. Mandela est libéré en 1990, mais il ne renonce formellement à la lutte armée qu'après la suppression des grandes mesures raciales. Nommé président de l'ANC l'année suivante, et lauréat du prix Nobel de la paix conjointement avec F. De Klerk en 1993, il est élu président de la République en 1994 à la suite d'élections multiraciales. Il se retire en 1999, Thabo Mbeki (1942-), lui aussi issu de l'ANC, étant élu à sa succession. **B. N.** ➤ **AFRIQUE DU SUD.**

MAOÏSME Après la prise du pouvoir par les communistes chinois en 1949, l'idéologie connaît un développement en deux étapes sensiblement différentes. Pendant les premières années du nouveau régime, on laïcise cette idéologie qui déjà dérapait dangereusement vers un culte. On édite les *Œuvres choisies* de Mao Zedong soigneusement corrigées et débarrassées de formules peu conformes au canon marxiste stalinien. Le dirigeant chinois devient l'auteur de référence pour tout travail, toute réflexion. Ceux qui se permettent de dénoncer cet étouffant conformisme, comme Hu Feng, un intellectuel ami de l'écrivain révolutionnaire Lu Xun (1881-1936), sont impitoyablement brisés.

Mais cependant, peu à peu, Mao Zedong voit son statut réduit. On estompe son originalité au point de voir la référence à sa pensée effacée des statuts du Parti communiste chinois (PCC) lors du VIIIᵉ congrès, en septembre 1956, sur proposition du secrétaire général Deng Xiaoping.   À partir du lancement du Grand Bond en avant, en 1958, la prise de distance avec l'URSS qui aboutit à une totale rupture en 1963, et l'affirmation d'une voie chinoise originale vers le socialisme, conduisent à une exaltation de la « pensée de Mao Zedong ». L'idéologie atteint, dans ces années qui précèdent la Révolution culturelle, son intensité maximale. C'est alors que Lin Biao met au point le célèbre Petit Livre rouge qui diffuse les idées du « grand timonier », regroupées en divers centres d'intérêt en une sorte de guide idéologique pour déjouer toutes les embûches du parcours de la vie. On atteint, avec la Révolution culturelle, à un culte. Ainsi, à Shanghai, tous les matins en 1967-1968, les locataires des immeubles, réunis devant le portrait de Mao orné de guirlandes rouges, reconnaissent en public leurs manquements à l'idéologie officielle dans leur comportement quotidien, prennent des engagements pour se réformer et psalmodient divers passages du Petit Livre rouge qu'ils brandissent. On revient, par un détour très surprenant, aux pratiques des « superstitions » populaires que l'on condamne violemment par ailleurs en dénonçant les religions traditionnelles comme terreau sur lequel se développent l'obscurantisme et la contre-révolution.   Toutefois, seul un groupe de gardes rouges particulièrement « gauchistes », au Hunan, le Shengwulian, fera de cette pensée une nouvelle théorie, parlant du « maoïsme », expression inconnue des autres sources chinoises.   Après la mort de Mao Zedong, en 1976, sous l'impulsion des réformateurs et de Deng Xiaoping, le rôle de l'idéologie est d'abord réduit, puis consolidé. Le document adopté en juin 1981 par le 6ᵉ plénum du XIᵉ congrès du PCC (Quelques questions concernant l'histoire de notre parti depuis 1949) précise que la pensée de Mao Zedong fait partie, avec le marxisme-léninisme, des fondements théoriques sur lesquels repose le Parti communiste. C'est

un des « quatre principes » fondamentaux dont on ne doit pas s'écarter sous peine d'être exclu. Mais cette pensée n'est plus que la « pensée collective du Parti tout entier » et représente l'application concrète des principes généraux du marxisme à la réalité chinoise. S'y référer signifie donc que la modernisation doit se faire dans le cadre d'un socialisme ouvert et non dogmatique. Rien de plus, rien de moins. On est loin des péans de 1945 ou du délire des années folles du maoïsme extrême. **A. R.**
> CHINE, SOCIALISME ET COMMUNISME.

MAORIS (Nouvelle-Zélande)   Les Maoris, descendants des peuples polynésiens qui ont colonisé l'archipel néo-zélandais en 800 de notre ère, étaient de 100 000 à 200 000 à l'arrivée des Européens. En 1896, un demi-siècle après que ce territoire fut devenu colonie britannique, ils n'étaient plus que 42 000. En 1999, ils étaient 523 000 (15 % de la population). La plupart (89 %) vivent dans l'île du Nord ; c'est une population très urbaine : 24 % sont installés à Auckland, 62 % dans des villes de plus de 30 000 habitants. Longtemps bien intégrés dans la société néo-zélandaise, les Maoris expriment aujourd'hui de façon de plus en plus déterminée des revendications foncières (devant le Tribunal du traité de Waitangi – ce traité déclara la Nouvelle-Zélande colonie britannique en 1840 – créé en 1975), culturelles (éducation en langue maori), économiques et politiques. Les statistiques montrent des disparités importantes avec les Pakehas (Blancs) : taux de chômage supérieur, espérance de vie inférieure de cinq ou six ans, mortalité infantile deux fois supérieure. **P. G.   > NOUVELLE-ZÉLANDE.**

MAO ZEDONG (1893-1976)   Dirigeant communiste chinois. Mao Zedong (Mao-tse-tung, Mao tsé-toung) est né le 26 décembre 1893 à Shaoshan (Hunan), dans une famille de paysans aisés ; son père était marchand de céréales, et employait plusieurs ouvriers agricoles. Rebelle, il quitte à seize ans la ferme familiale pour une école du voisinage, puis gagne en 1911 la capitale provinciale, Changsha, où il devient quelques mois soldat de la révolution. Il entre à vingt ans à l'école normale de la ville, et se retrouve en 1918 à Pékin, où il obtient un emploi à la bibliothèque de l'université. Gagné au marxisme en 1920, il représente le Hunan en juillet 1921, à Shanghai, lors de la fondation du Parti communiste chinois (PCC) par treize délégués nationaux. C'est vers 1926, comme directeur à Canton de l'Institut des cadres du mouvement paysan, qu'il acquiert la certitude que la révolution chinoise sera paysanne ou ne sera pas, comme le montre son *Enquête sur le mouvement paysan dans le Hunan* datant de 1927. De trente-quatre à cinquante-six ans, il mène une carrière de combattant révolutionnaire, justifiant la violence, nécessaire à la révolution, et appliquant sans relâche ses deux principes majeurs, la constitution d'une Armée rouge et l'enracinement local dans des bases révolutionnaires, selon lui seule stratégie adaptée à un pays « semi-colonial » arriéré. Jusqu'en 1935, il demeure minoritaire au sein du PCC. Installé dans le Jiangxi, il recueille les débris de la direction du PCC de Shanghai, décimée par Tchiang Kai-chek (Jiang Jieshi) et le Kuomintang (Guomindang). C'est à partir de la Longue Marche qu'il devient en janvier 1935 le chef de moins en moins contesté du Parti. Réfugié dans le nord-ouest de la Chine, à Yan'an, il prend le temps, installé à l'arrière des combats, de réfléchir et d'écrire. Dès cette époque, il entre dans la légende, qui lui confectionne une personnalité aussi énigmatique qu'exceptionnelle : pourvu du calme et de l'énergie à la hauteur de sa tâche de géant, simple d'allure et de goûts comme le paysan hunanais, délicat et sensible à la manière de l'artiste, etc. Après 1949, le portrait se fait encore plus favorable, encore plus éloigné de l'être de chair et d'os qui l'inspire. Et pourtant, les vingt-sept années qui lui restent à vivre correspondent peu à l'image de sérénité qui a été diffusée ultérieurement lors de la mise en place du culte de la personnalité, mélange chinois de culte stalinien et de culte impérial. Mao n'est pas resté au-dessus de la mêlée, il a participé, il a changé à plusieurs reprises de tactique ou de politique, il n'est demeuré à l'abri ni des coups, ni des échecs. Il semble avoir réussi à imposer l'essentiel de ses vues

jusqu'au lancement du Grand Bond en avant, dont il porte la responsabilité (1958), mais à partir du VIIIe congrès du PCC, réuni en 1956, Mao s'est souvent contenté de définir les grandes orientations, de secouer de temps à autre la bureaucratie du Parti. En juillet 1959, la politique maoïste fait l'objet d'une critique en règle, conduite par l'un des premiers compagnons de lutte de Mao, Peng Dehuai (1898-1974), le prestigieux ministre de la Défense. Plus que cette critique, le désastre (la famine) entraîne une sérieuse éclipse de l'autorité de Mao entre 1959 et 1962. À partir du 10e plénum du VIIIe congrès du PCC, en septembre, il tente de reconquérir le Parti, avec le soutien actif de Lin Biao (1907-1971), successeur de Peng Dehuai, et organisateur d'une « maoïsation » généralisée de l'armée. L'échec de tentatives « moins coûteuses » a pu décider Mao à déclencher la Révolution culturelle. Dès 1966, elle rétablit avec éclat Mao au premier rang et porte au pouvoir ses proches, dont sa femme Jiang Qing et son ancien secrétaire Chen Boda. Après l'élimination successive de Chen Boda (dès 1970) et de Lin Biao (en 1971), l'application sous l'égide de Zhou Enlai, puis de Deng Xiaoping revenu au pouvoir, d'une politique pour le moins en rupture avec les idéaux de la Révolution culturelle dans les dernières années de la vie de Mao, pose la question du rôle qu'il continuait à exercer. Acceptait-il de se renier en donnant son aval à une ligne proche de celle qui prévalait dix ans plus tôt et à laquelle il avait mis un terme en déclenchant la Révolution culturelle ? Ou combattait-il en sous-main Zhou, puis Deng, en soutenant les campagnes menées contre eux par Jiang Qing et ses associés ? La mise à l'écart, au lendemain de la mort du Premier ministre Zhou en janvier 1976, de son héritier naturel, le premier vice-Premier ministre Deng, fournit une première réponse (Deng n'aurait pu être écarté sans le consentement de Mao), confirmée trois mois plus tard par l'élimination officielle de Deng Xiaoping, rendu responsable des « incidents contre-révolutionnaires » de la place Tian An Men (Pékin, 5 avril 1976). Ces événements (une manifestation qui tourna à l'émeute) constituaient un désaveu sans précédent du

« vieux lion ». La disparition de Mao, quelques semaines plus tard (9 septembre 1976), montre sans ambiguïté que la survie d'un octogénaire entêté bloquait l'adaptation trop longtemps retardée du régime issu de la révolution. Débarrassé du Père fondateur, celui-ci a en effet évolué à partir de 1976 dans un sens diamétralement opposé au cap que le « grand timonier » s'acharnait à maintenir. Le maître d'œuvre de la « démaoïsation » n'était autre que le revenant Deng Xiaoping... **L. Bi.** ▷ CHINE, MAOÏSME.

MARIANNES DU NORD (îles) Territoire non souverain, sous tutelle des États-Unis. Chef-lieu : Garapan (île de Saipan). Superficie : 477 km^2. Population : 60 000 (1999). La longue chaîne des îles Mariannes s'étire du sud au nord, à partir de Guam jusqu'à Iwo Jima et les îles Bonins, situées à moins de 1 000 kilomètres des Riu Kiu japonaises (Okinawa). Les Mariannes, vendues par l'Espagne à l'Allemagne en 1899, comme l'ensemble de la Micronésie à l'exception de Guam, sont occupées par le Japon dès 1914 ; celui-ci en obtient le mandat de la SDN (Société des Nations) en 1920. Les États-Unis, à leur tour, les occupent en 1945 et en assurent la tutelle de l'ONU. Une union politique sous le nom de « Commonwealth » est établie entre le gouvernement de Washington et celui de Saipan en 1976, une Constitution promulguée en 1978. La cessation de la tutelle onusienne est votée par les États-Unis en 1986, mais n'est confirmée qu'en 1990, par crainte avant cette date d'un veto soviétique. **J.-P. G.**

MAROC Royaume du Maroc. Capitale : Rabat. Superficie : 450 000 km^2, sans le Sahara occidental. Population : 27 867 000 (1999). Trois dates échelonnent l'histoire du Maroc au XXe siècle : l'instauration du Protectorat, en 1912, l'accession à la souveraineté internationale en 1956 et, au terme d'un règne de trente-huit ans, la mort du roi Hassan II en 1999. Une forte rivalité entre puissances coloniales, notamment entre l'Allemagne de l'empereur Guillaume II, la France et l'Espagne, ne trouve qu'un règlement provisoire lors de la conférence d'Algésiras en 1906. Un an plus tard, pour affirmer sa prépondérance, la France débarque des troupes à Casablanca et le futur maréchal Louis Hubert Lyautey (1854-1934) engage depuis l'Algérie la pénétration en profondeur du sultanat. Le Protectorat est proclamé le 30 mars 1912, l'Espagne obtenant une zone d'influence au nord, Tanger acquérant un statut international en 1923. La « pacification » ne s'achève qu'en 1934, au prix de 37 000 morts français. Un protectorat transformé en colonie. Jusqu'en 1925, L. H. Lyautey, nommé résident-général, administre le « royaume exemplaire » avec quelque deux cents fonctionnaires en s'appuyant sur les autorités locales. Mais le soulèvement du Rif, écrasé en 1926 par le maréchal Pétain, provoque le rappel de Lyautey et l'administration directe du territoire. En 1934 est fondé le premier parti politique national, le Comité d'action marocaine, dirigé par Allal el-Fassi, Mohammed Hassan Ouazzani et Ahmed Balafredj. À la suite de manifestations, en 1936, A. el-Fassi est déporté au Gabon (jusqu'en 1946). Le territoire compte en 1955 35 000 fonctionnaires français. Dès lors, le pouvoir chérifien, ses chorfas, ses pachas et caïds ne sont plus que l'habillage folklorique d'un protectorat transformé en colonie. Pendant la Seconde Guerre mondiale, le débarquement allié en Afrique du Nord – l'opération *Torch* déclenchée le 8 novembre 1942 – se limite au Maroc à trois jours de combats. Avec la complicité du sultan et futur roi Mohammed V (1909-1961), qui refuse par ailleurs d'imposer à ses « protégés » juifs les mesures discriminatoires du régime de Vichy, le Maroc bascule dans le camp de la France libre. En janvier 1943, la rencontre d'Anfa réunit à Casablanca Franklin D. Roosevelt, Winston Churchill, et les généraux américains Dwight Eisenhower (1890-1969) et George Patton (1885-1945), ainsi que, côté français, les généraux Henri Giraud (1879-1949) et Charles de Gaulle. Lors d'un entretien secret, le président américain exprime au sultan son soutien à la lutte anticoloniale. Le 11 janvier 1944, l'Istiqlal – le Parti de l'indépendance – publie son *Manifeste* pour un retour à la pleine souveraineté. Mais Mohammed V déclare aux vizirs : « Le mot d'indépendance doit disparaître et des cœurs et des bouches. » En reconnaissance de sa loyauté, il est élevé à la dignité de compagnon de la Libération, le 8 mai 1945 à Paris, par Charles de Gaulle. **La marche à l'indépendance.** Les successeurs au pouvoir du Général payeront mal en retour le sultan qui, en avril 1947 à Tanger, rappelle l'aspiration de son pays à l'indépendance. Des émeutes à Casablanca, du 6 au 12 décembre 1952, sont réprimées dans le sang et, avec le soutien des « féodaux » autour du pacha de Marrakech, Thami el Glaoui (mort en 1955), Mohammed V est destitué. Le 20 août 1953, il est déporté avec sa famille, d'abord en Corse, puis à Madagascar. Le mouvement nationaliste répond par l'action armée, la guérilla urbaine. Deux ans plus tard, Mohamed Ben Arafa (mort en 1973), dit le « sultan des Français », est contraint d'abdiquer. Le 16 novembre 1955, Mohammed V rentre triomphalement d'exil. Après la défaite française de Dien Bien Phu en Indochine et le début de l'insurrection algérienne, respectivement en mai et en novembre 1954, Paris se résigne à une solution négociée. **L**e Maroc obtient son indépendance de la France, le 3 mars 1956, et de l'Espagne, le 7 avril 1956. À peine tempéré par le prestige de Mohammed V, jusqu'à la mort accidentelle du roi le 26 février 1961 à l'âge de cinquante-deux ans, l'antagonisme entre les tenants de l'absolutisme monarchique et les forces politiques nées sous le Protectorat jalonnent de violences les quinze premières années de l'indépendance. Une nouvelle révolte du Rif est matée en 1958 ; deux tentatives de coups d'État militaires échouent en 1971 et 1972 ; divers complots sont sanctionnés de procès politiques ; de nouvelles émeutes à Casablanca, le 19 mars 1965, sont derechef réprimées dans le sang ; en novembre 1965, à Paris, le principal opposant de gauche, Mehdi Ben Barka, est enlevé et disparaît. **L**e « **système Hassan II** ». Ayant accédé au trône, Hassan II décapite le mouvement national, puis enserre « l'opposition de Sa Majesté » dans un système répressif. Les maîtres d'œuvre de celui-ci seront, tour à tour, le général Mohamed Oufkir (1920-1972) jusqu'à sa tentative de régicide et son

exécution en 1972, le général Ahmed Dlimi jusqu'à sa mort suspecte en 1981 et le ministre de l'Intérieur Driss Basri (1934-), qui ne sera limogé qu'en novembre 1999 par le successeur de Hassan II. L'opposant Abraham Serfaty (1926-), prisonnier politique pendant dix-sept ans, et, enfermés dans le « jardin secret du roi », la famille Oufkir et les emmurés de Tazmamart, le bagne dans le Moyen-Atlas où des conjurés des putsch de 1971 et 1972 sont voués à une mort lente dans des cellules obscures, deviennent les symboles des « années de plomb ». Celles-ci s'imposent sous la chape d'un consensus national autour du « Sahara marocain », l'ex-colonie espagnole du Sahara occidental que le Maroc envahit pacifiquement en novembre 1975, à la faveur de la « marche verte », puis conquiert en grande partie en combattant le Front Polisario, le mouvement indépendantiste des Sahraouis, dépendant de l'Algérie et de l'aide de la Libye de Mouammar Kadhafi. **Années 1990 : une image corrigée.** La mort de Hassan II, le 23 juillet 1999, clôt une longue période de stabilité dont l'armature despotique a été prudemment desserrée par le roi, qui est aussi « commandeur des croyants », au cours de la dernière décennie de son règne, après la chute du Mur de Berlin. En 1991, A. Serfaty, la famille Oufkir et les survivants de Tazmamart ont été libérés, une « grâce royale » ayant vidé les cachots du régime. Toutefois, le 4 février 1998, la nomination comme Premier ministre d'un opposant historique, Abderrahman Youssoufi, met en place un gouvernement de succession plutôt qu'un gouvernement d'alternance. À son intronisation, le 30 juillet 1999, Mohammed VI, le fils aîné du défunt roi, a reçu du Maroc tout entier la beya, l'allégeance traditionnelle. Les premiers gestes du nouveau roi ont donné l'espoir de réformes. **S. S.**

MARONITES L'Église maronite, fondée au VIᵉ siècle, se rapproche de Rome au XIIᵉ siècle et s'intègre au groupe des Églises uniates en maintenant un rite oriental et une organisation autonome (patriarchat d'Antioche). Au XIXᵉ siècle, l'expansion démographique des maronites dans la Montagne libanaise suscite les premiers affrontements avec les druzes, notamment en 1840 et 1860. C'est la première communauté du Liban en 1932 ; aussi, le Pacte national réserve la Présidence à un maronite. L'engagement maronite, au travers des Kataëb (Phalanges), dans la guerre civile qui déchire le pays de 1975 à 1991 a été décisif jusqu'à la présidence d'Amin Gémayel (1982-1988). Affaiblis par la guerre, les maronites, sans doute troisième communauté du Liban depuis les années 1960 – après les communautés musulmanes chiite et sunnite –, ont cependant conservé leur rôle politique grâce au système confessionnel. **L. V.** **> LIBAN.**

MARSHALL (îles) République des îles Marshall (RIM). Capitale : Dalap-Uliga-Darrit. Superficie : 180 km². Population : 60 000 (1999). **S**ituées au nord-ouest de Kiribati, ces îles du Pacifique proches de l'équateur comportent deux groupes : Ralik à l'ouest, Ratak à l'est. Elles furent découvertes et occupées par les Espagnols, mais cédées en 1899 à l'Allemagne dont les compagnies commerciales étaient très actives. Le Japon s'en saisit en 1914 et en obtient le mandat de la SDN (Société des Nations) en 1920. Les États-Unis, qui les ont reconquises aux dépens du Japon (guerre du Pacifique), s'en font attribuer la tutelle par l'ONU en 1947. **D**es expérimentations nucléaires américaines sont entreprises dès 1946 à Bikini, puis à Eniwetok, engendrant des déplacements de populations, non sans contamination de certaines d'entre elles. Les essais cessent en 1958. Les Marshall refusent d'adhérer à la fédération des États de Micronésie mise en place en 1978. Un accord de libre-association est négocié avec Washington en 1983. Le régime de tutelle est officiellement levé le 31 décembre 1990, mais les États-Unis ont obtenu un bail d'une durée de quinze ans pour une base militaire, en échange de compensations financières. **J.-P. G.**

MARTINIQUE Cette colonie française des Antilles (depuis 1635) a commencé le siècle avec l'éruption volcanique de la montagne Pelée, en 1902, qui fit 30 000 morts. Devenue territoire incorporé à la France en 1946, avec le statut de département d'outre-mer (DOM), la Martinique, qui vit du tourisme et de l'exportation de bananes, a atteint – tout comme la Guadeloupe voisine – un niveau de prospérité remarquable pour la région. Les mouvements indépendantistes n'ont guère perturbé la scène politique, dominée dans la seconde moitié du siècle par Aimé Césaire (1913-), poète, chantre de la négritude, maire de la capitale Fort-de-France à partir de 1945, député au Parlement français de 1945 à 1993. La formation politique de cet ancien communiste, le Parti progressiste martiniquais (PPM), a prôné une forte autonomie vis-à-vis de la métropole, accusant la France de « génocide par la substitution » pour avoir encouragé l'émigration des Antillais vers la métropole. Cependant, les habitants ont délégué des représentants à la fois de gauche et de droite au Parlement. La vie politique est fort influencée par de vieilles familles blanches de l'île, les « békés ». **G. C.**

MARXISME **A**près la mort de Karl Marx (1818-1883), puis celle de Friedrich Engels (1820-1895), le terme « marxisme », jusque-là d'usage essentiellement polémique, acquiert un statut officiel dans l'*establishment* socialiste européen. Le « marxisme orthodoxe », défendu par Karl Kautsky (1854-1938) et les rédacteurs de la *Neue Zeit*, revue théorique officieuse de la très puissante social-démocratie allemande, s'affirme définitivement au tournant du siècle face au révisionnisme affirmé d'Eduard Bernstein (1850-1932). Sauf en Italie (Antonio Labriola, 1873-1959) et en Russie (avec la haute figure de Gueorgui Valentinovitch Plékhanov (1856-1918), le marxisme reste à la porte des universités, ce qui entretient d'ailleurs une image de doctrine subversive et lui donne souvent un caractère peu rigoureux et littéraire. Notable exception, les « austro-marxistes » viennois (Max Adler [1873-1937], Otto Bauer [1850-1932]) tentent une grandiose synthèse de Kant et de Marx. Dans certains domaines, ils accomplissent de réelles percées théoriques, tel Otto Bauer et son fameux ouvrage : *La Question des nationalités et la social-démocratie* (1907). Au départ, la social-démocratie russe ne fait pas exception. Mais en Russie l'activité politique est par définition clandestine, et l'intelligentsia révolutionnaire russe attache une importance de premier plan à la « théorie ». Les écrits de Marx, d'Engels, de Karl Kautsky sont lus et commentés comme ils ne le sont nulle part ailleurs. **Le marxisme des bolcheviks.** La véritable « canonisation » du marxisme viendra avec Vladimir Ilitch Oulianov, dit « Lénine ». Marx devient une arme dans la lutte féroce qui oppose les bolcheviks, dont tout l'effort est tendu vers un parti de révolutionnaires professionnels, centralisé et militarisé, aux autres tendances du POSDR (Parti ouvrier social-démocrate de Russie) et du mouvement révolutionnaire russe. « La théorie de Marx est toute-puissante parce qu'elle est vraie » : cette phrase, inconcevable en Europe occidentale, préfigure le marxisme-léninisme, un savoir absolu réservé à une élite d'initiés qui en tire un pouvoir sans limites sur la société, au nom de la classe ouvrière. Après le coup d'État connu sous le nom de « révolution d'Octobre », le cordon ombilical est définitivement rompu entre le marxisme des bolcheviks d'une part et le « marxisme orthodoxe » de Leipzig et de Vienne d'autre part. Karl Kautsky, le « pape » dont chaque mot était naguère un oracle, n'est plus que le « renégat Kautsky ». Les groupes d'intellectuels restés « cosmopolites », c'est-à-dire liés d'une façon ou d'une autre à la culture critique occidentale, seront bientôt marginalisés, puis rejetés par ce que Grigori Zinoviev, après la mort de Lénine, baptise « marxisme-léninisme » en 1924. **« Histmat » et « diamat ».** Ce marxisme-léninisme – internationaliste mais tout de même lié à l'État soviétique, ce que les partisans de Léon Trotski et d'Amadeo Bordiga (1889-1970), intégristes de l'internationalisme pur, dénoncent avec horreur –, que les marxistes sociaux-démocrates jugent parfaitement « imaginaire », est enseigné dans le monde entier par les écoles du Parti comme une scolastique. L'histmat (le « matérialisme historique ») et le diamat (le « matérialisme dialectique ») s'enseignent par des manuels (celui de Nicolas Boukharine d'abord, puis celui de Staline) dont l'autorité dogmatique ne saurait être mise en

cause. En Europe occidentale pourtant, des livres brillants paraissent : *Histoire et conscience de classe* (1923) de Georges Lukacs (1885-1971), *Marxisme et philosophie* de Karl Korsch (1886-1961), *Critique des fondements de la psychologie* (1930) de Georges Politzer (1903-1942), qui s'écartent du dogme. Dans ses *Aventures de la dialectique* (1955), où il consommait sa rupture avec le communisme, Maurice Merleau-Ponty (1908-1961) mit en circulation le concept, promis à un certain avenir, de « marxisme occidental ». Il entendait par là la pensée critique de certains grands théoriciens (Georges Lukacs, Ernst Bloch [1885-1977] – il aurait pu également mentionner Henri Lefebvre [1901-1991]), dont il opposait la fécondité à la stérilité du bolchevisme. Plus tard, certains auteurs, comme le Britannique Perry Anderson, rajoutèrent Antonio Gramsci à ce gotha. Mais le « marxisme occidental » n'était en réalité qu'un mythe. Tous durent en définitive choisir entre la soumission et l'exclusion. **Gramsci, Althusser, Korsch...** A. Gramsci, chef du Parti communiste italien dans les années 1920 fut, on le sait aujourd'hui, mis en quarantaine par ses propres camarades, alors même qu'il était prisonnier politique du régime fasciste, parce qu'il avait franchi la limite acceptable ; ce n'est que plus tard qu'il fut instrumentalisé par Palmiro Togliatti, dans des textes habilement caviardés. On ne redécouvrira vraiment son œuvre que dans les années 1960, lorsque le besoin se fera sentir, surtout chez les intellectuels, d'un marxisme plus subtil, ne traitant pas des phénomènes politiques et « idéologiques » comme de simples « superstructures », mais qu'on voudra au contraire leur restituer leur véritable autonomie. A. Gramsci tenta de rattacher le marxisme à ce qu'il y a de plus grand dans la culture italienne (Machiavel, Giambattista Vico, Benedetto Croce) et européenne. En France, Louis Althusser (1918-1990) suivra son exemple. Mais ces tentatives de rétablir l'orthodoxie sur une base plus solide nourriront de nouveaux révisionnismes. K. Korsch, qui refusera de se soumettre au *diamat*, terminera sa vie en remettant en cause la centralité du marxisme, après avoir nourri la réflexion de Bertolt Brecht (1898-1956) et de quelques autres. Pendant ce temps, le « marxisme de la IIe Internationale », attaqué sur sa gauche mais aussi sur sa droite (Henri de Man [1885-1953], Marcel Déat [1894-1955] et leur néo-révisionnisme « éthique »), ne se faisait pas faute de souligner le caractère « antimarxiste », « blanquiste » et terroriste de l'expérience soviétique (Karl Kautsky, *Le Bolchevisme dans l'impasse*, 1922). **1956, première année terrible du communisme.** Après la victoire de l'URSS contre l'Allemagne nazie, le prestige du marxisme soviétique est au plus haut. Pour la première fois, il imprègne la vision du monde de nombreux intellectuels, même parmi ceux qui ne sont ni communistes, ni même « compagnons de route ». En France, en Italie, mais aussi en Grande-Bretagne et aux États-Unis où les partis communistes restent très minoritaires, se développe parmi les intellectuels une véritable culture marxiste, du cinéma à l'urbanisme en passant par les études philosophiques, historiques, et naturellement, les sciences économiques et sociales. Mais cet « âge d'or » ne durera pas. L'année 1956 est décisive parce que les crimes de Staline sont révélés au monde par Nikita Khrouchtchev au XXe congrès du PCUS, et que la révolution anticommuniste hongroise est écrasée par les chars soviétiques qui pénètrent à Budapest en novembre de la même année. Le reflux des intellectuels communistes commence alors dans le monde entier, mais il prend souvent la forme trompeuse d'une nouvelle jeunesse pour le révisionnisme qui a pignon sur rue dans la Pologne de Gomułka, mais aussi en France. On recherche un Marx non pollué par le stalinisme, humaniste, démocrate, voire, à l'imitation du trotskisme, un Lénine qui aurait livré un hypothétique « dernier combat » contre l'affreux Géorgien tenu pour responsable de tout le mal. Mais une critique plus radicale apparaît déjà dans des petits groupes (comme Socialisme ou Barbarie en France animé notamment par Cornélius Castoriadis [1922-1997] et Claude Lefort [1924-]), qui mettent chaque jour davantage en cause les germes « totalitaires » du léninisme ou du trotskisme (ils voient en particulier les contradictions béantes de cette dernière idéologie). Et ce au

moment même où certaines sectes, telle celle d'A. Bordiga, ancien concurrent d'A. Gramsci à la tête du PCI, commencent à déraper dans ce qui deviendra le négationnisme par refus de prendre en compte des faits inexplicables par la Théorie, comme les génocides nazis. **1968, deuxième année terrible.** Cette critique portera ses fruits avec la deuxième « année terrible » du communisme, 1968. À Paris, en Mai 68, on pratique apparemment la surenchère « révolutionnaire », pas seulement au nom de Marx, mais aussi de Michel Bakounine (1814-1876), de Charles Fourier (1772-1832), voire d'Antonin Artaud (1896-1948) ; en Tchécoslovaquie, lors du printemps de Prague, on le rejette, mais l'effet sera le même. Alors qu'en France, le marxisme rentre massivement à l'Université, sous sa forme althussérienne, la voix des dissidents de l'Est couvre de plus en plus le « catéchisme révolutionnaire » des organisations politiques de gauche et d'extrême gauche. Le succès foudroyant de l'ouvrage d'Alexandre Soljénitsyne, *L'Archipel du Goulag* (publié – en Occident – en 1973-1974), met fin à une époque. Le marxisme universitaire est la dernière butte-témoin d'un continent englouti, mais son éclectisme pose le problème de savoir si on est toujours dans la même longue durée de l'histoire et si Marx inspire toujours le grand projet utopique auquel son nom fut lié pendant l'« âge des extrêmes ». Il apparaît plutôt comme un « grand philosophe » qui inspire de subtils commentaires, mais n'est plus le prophète de cet « islam du XXe siècle » dont s'épouvantaient certains. **D. Li.** **> SOCIALISME ET COMMUNISME.**

MARXISME-LÉNINISME Étiquette utilisée par Staline, et ceux qui se reconnaissent en lui, pour désigner la doctrine marxiste censée correspondre à « l'époque de l'impérialisme et de la dictature du prolétariat », selon les termes de Staline des conférences de 1924, Les *Principes du léninisme*. La prétention à l'orthodoxie doctrinale fut un élément clé dans la querelle pour le contrôle du parti unique qui suivit la mort de Lénine (janvier 1924) et où Staline parvint à se faire passer pour le seul héritier légitime du leader bolchevik, l'emportant sur Grigori

Zinoviev, Nicolas Boukharine ou Léon Trotski. Symbole de fidélité à l'entreprise de Staline, la formule fut reprise par les partis communistes chinois et albanais après le schisme sino-soviétique, ainsi que par leurs émules dans divers pays pour se démarquer de Nikita Khrouchtchev, qui dénonça le « stalinisme » lors du XXᵉ congrès du PCUS (Parti communiste d'Union soviétique) en 1956. N. Khrouchtchev était accusé de « révisionnisme » vis-à-vis de la théorie révolutionnaire, notamment parce qu'il prônait la « coexistence pacifique » et niait la continuation et l'accentuation de la lutte des classes après la révolution socialiste. Les communistes chinois ont adopté la « pensée Mao Zedong » comme doctrine du maoïsme au début des années 1970. « Marxisme-léninisme » est resté comme un synonyme de vision dogmatique du marxisme ou de déformation stalinienne du marxisme. **D. C.** **> MAOÏSME, MARXISME, RÉGIME SOVIÉTIQUE, RUSSIE ET URSS, SOCIALISME ET COMMUNISME, STALINISME.**

MASARYK Tomáš (Garrigue) (1850-1937) Homme politique tchécoslovaque, président de la République de 1918 à 1935. Universitaire, sociologue, Tomáš Masaryk – devenu Tomáš Garrigue Masaryk après avoir intégré le patronyme de son épouse américaine – analyse d'abord, en particulier dans ses nombreux écrits, les questions liées à l'évolution de la nation tchèque. Il n'entre vraiment en politique qu'au début du XXᵉ siècle (député d'un petit parti en 1907). Son engagement décisif a lieu fin 1914, quand il choisit l'exil et le combat contre la monarchie austro-hongroise dans le but de plus en plus précis de l'instauration d'une République tchécoslovaque. En novembre 1918, il devient le premier président de cet État et s'efforce d'y faire valoir le modèle des démocraties occidentales ; très sensible à la question sociale, il refuse toutefois, en grand connaisseur de la Russie, la pensée et la pratique bolcheviques. Remarquable par son humanisme et son intégrité morale, par sa tentative de concilier science moderne et religion (il est protestant), il n'en défend pas moins une conception erronée de la « nation

tchécoslovaque », qui conteste l'existence de la nation slovaque. Devenu très populaire, appelé « petit père », respecté même par ses adversaires, T. G. Masaryk abandonne la Présidence en 1935. Il laisse derrière lui une œuvre intellectuelle (il continue à écrire même après 1918) et un héritage politique qui interpellent les générations suivantes. Après la vaine tentative du régime communiste d'étouffer sa mémoire, sa pensée connaît un regain en Tchéco-Slovaquie après 1989. **K. B.** **> TCHÉCOSLOVAQUIE.**

MASSOUD Ahmed Shah (1956-2001) **C**hef de guerre et homme politique afghan. Ahmed Shah Massoud est né en 1956, dans une famille aisée de la vallée du Panshir (nord-ouest de Kaboul), d'un père officier. Il passe son enfance dans la capitale et poursuit sa scolarité au lycée français Istiqlal. Étudiant à la faculté polytechnique, il rejoint le mouvement islamiste au début des années 1970 et passe au Pakistan en 1974 pour fuir la répression qui frappe alors les militants de cette mouvance. Il tente de soulever le Panshir à la tête d'un petit groupe lors du coup d'État manqué de 1975. De retour au Pakistan, Massoud est accusé à tort par Gulbuddin Hekmatyar (1948-), le futur chef du Hezb-i islami, d'avoir trahi ses camarades. Arrêté, il est finalement relâché et rejoint le Panshir au printemps 1979 dans les rangs du Jamiat-i islami. Dans la guerre d'Afghanistan consécutive à l'invasion soviétique (décembre 1979), disposant d'un terrain particulièrement propice à la guérilla, Massoud, avec un talent d'organisateur remarquable, tient tête à une série d'offensives soviéto-afghanes de grande ampleur et coupe régulièrement la route entre Kaboul et Mazar-i-Charif. Loin de se contenter d'un succès local, il élargit progressivement sa zone d'influence, malgré les affrontements qui en résultent avec les autres groupes. À la tête de la Chura-i nazar (Conseil de surveillance), qui regroupe en théorie tous les commandants du Nord-Est appartenant au Jamiat-i islami, il s'impose alors comme un des commandants les plus influents du nord du pays. **A.** S. Massoud est un des

artisans majeurs de la chute de Kaboul en 1992 par son alliance avec les milices communistes du Nord. Sa longue lutte pour le contrôle de la capitale entre 1992 et 1996, qui lui a coûté beaucoup de son crédit, a finalement été rendue vaine par la victoire des taliban en septembre 1996. Replié dans les montagnes du Nord-Est, il est, après la chute de Mazar-i-Charif en 1998, le seul acteur militaire pouvant lui résister. Bien que populaire dans les milieux citadins et chez les Tadjiks du Nord-Est, A. S. Massoud ne représentait peut-être plus avant son assassinat, en septembre 2001, une alternative politique, mais l'aide de l'Iran, des pays occidentaux et de la Russie lui aura permis de résister encore aux offensives des taliban.
G. Do. **> AFGHANISTAN.**

MAURICE Capitale : Port-Louis. Superficie : 2 045 km². Population : 1 150 000 (1999). L'île Maurice appartient au monde créole de l'océan Indien et fait partie géographiquement de l'archipel des Mascareignes (Réunion, Maurice, Rodrigues). Vide d'habitants, elle est d'abord occupée par les Hollandais (1588), qui lui donnent pour nom « Mauritius », puis l'abandonnent. En 1715, elle devient colonie française sous le nom d'« île de France » et, à l'instar de la Réunion voisine, est perçue comme un jalon important pour la formation d'un empire des Indes françaises qui ne se fera pas. En 1814, l'Angleterre en acquiert la souveraineté et redonne à l'île son nom originel, « Mauritius ». Devenue colonie de la Couronne, Maurice connaît les classiques évolutions du système colonial britannique : passage graduel de l'autonomie administrative à l'autonomie politique, puis à l'indépendance (mars 1968), dans le cadre du Commonwealth. Quel doit être le régime politique du nouvel État, monarchie parlementaire ou républicaine ? Avec le temps, les tensions nationalistes s'apaisent et l'île Maurice devient république en 1992. La société mauricienne contemporaine, renforcée au XIXᵉ siècle par un flux d'immigration important (travailleurs « engagés » indiens/hindous, dans les champs de canne à sucre), est à la fois très composite et multiculturelle. Les différentes communautés ethniques et la diversité des influences religieuses (hindouisme, islam, christianisme et autres cultes), coopèrent dans un esprit de compréhension réciproque tout en défendant leurs intérêts. Le système parlementaire mauricien est largement pluraliste et prévoit des correctifs électoraux (système du *best loser*, « meilleur perdant ») qui assurent un minimum de participation aux différentes forces politiques. De fait, la société mauricienne contemporaine, dominée démographiquement par la communauté indienne/hindoue, bien que très diverse, témoigne d'une incontestable homogénéité culturelle (pluralisme linguistique et pluralisme juridique au niveau des institutions) qui trouve son illustration dans le concept de « mauricianité ». La vie politique se caractérise par une remarquable stabilité et, sur le temps long, par une alternance démocratique véritable. La scène politique comporte un pôle plutôt conservateur constitué autour du Parti travailliste mauricien (PTM), fondé par Sir S. Ramgoolam à l'époque de l'autonomie interne, et un pôle social-démocrate et même « gauchiste » autour du Mouvement militant mauricien (MMM) de Paul Bérenger, qui a connu son apogée dans les années 1980. Par son dynamisme et son savoir-faire (*know how*), l'ancienne « île à sucre » s'est transformée, en l'espace de vingt ans, en un « petit tigre économique » de l'océan Indien, très actif sur les marchés porteurs (zones franches, informatique, etc.), mais aussi condamné, pour survivre dans le cadre de la mondialisation, à l'innovation permanente. En 1965, dans le cadre des négociations en vue de la décolonisation, le gouvernement travailliste mauricien a accepté de vendre au Royaume-Uni l'îlot de Diego Garcia, un minuscule atoll de l'archipel des Chagos. L'îlot fut aussitôt loué à bail aux États-Unis pour cinquante ans, devenant leur plus puissante base militaire dans l'océan Indien. Au moment de l'indépendance, la gauche mauricienne, notamment le MMM, a fortement revendiqué la « restitution » de l'atoll. Avec la fin de la Guerre froide et face au refus obstiné de Londres, la question, toujours inscrite à l'ordre du jour de l'ONU (Organisation des Nations unies), a perdu beaucoup de son intensité. **C. C.**

MAURITANIE République islamique de Mauritanie. Capitale : Nouakchott. Superficie : 1 030 700 km². Population : 2 598 000 (1999). « **A**ccident » de l'histoire coloniale, la Mauritanie, entre Maghreb et Afrique noire occidentale, consacre une double partition : celle des Négro-Africains de part et d'autre du fleuve Sénégal, et celle des Beydanes – les « Blancs » (Arabo-Berbères et leurs anciens captifs noirs) en hassanya, l'arabe de la région – dans l'actuelle Mauritanie et dans l'ex-Sahara espagnol. En 1891, la France annexe la rive septentrionale du fleuve Sénégal pour la rattacher à sa colonie du même nom. En juin 1900, un accord entre Paris et Madrid définit la frontière méridionale de l'actuel Sahara occidental comme ligne de partage des zones d'influence. Après la mort de l'administrateur civil Xavier Coppolani en 1905, la conquête militaire sous les ordres du colonel Gouraud (1867-1946) prend le relais d'une appropriation jusqu'alors pacifique. Territoire d'outre-mer (TOM) à partir de 1945, sans capitale, car administrée depuis Saint-Louis, au Sénégal, la Mauritanie accède à l'indépendance le 28 novembre 1960. « Cendrillon de l'AOF », l'Afrique occidentale française, elle ne compte alors que 30 km de route bitumée, un faible taux de scolarisation (5 %), cinq diplômés universitaires et un seul médecin. Sa capitale, Nouakchott, n'était qu'un bourg sur un carrefour de pistes, où le premier Conseil des ministres se tient sous la tente. Premier président, l'avocat Moktar ould Daddah (1925-) est renversé à la faveur d'un putsch, le 10 juillet 1978. Par la suite, des militaires se succèdent à la tête de l'État. Tombeur du colonel Khouna ould Haïdalla, le 12 décembre 1984, le colonel Maaouya ould Sid'Ahmed Taya (1941-) s'est converti en président élu au terme d'une prudente démocratisation, amorcée en avril 1991. La domination dans toutes les sphères de la vie publique des Maures d'origine arabo-berbère a provoqué des irruptions de violence et de répression : en 1966, en réaction à l'arabisation culturelle ; en 1986, après la publication du *Manifeste du Négro-Mauritanien opprimé* ; en 1989, quand des dizaines de milliers de Négro-Africains, dépouillés de leurs biens et de leur nationalité, ont été chassés au Sénégal ; en 1990, quand un « complot » imputé à des officiers négro-africains a donné lieu à une vague d'épuration au sein de l'armée, qui a fait des centaines de victimes. **S. S.**

MAWDUDI Abul ala- (1903-1980)
Théologien pakistanais. Sayyid Abul ala-Mawdudi fonde en 1941 le mouvement Jamiat-i Islami qui s'oppose à l'idéologie nationaliste musulmane de la Ligue musulmane de Muhammad Ali Jinnah. Sa pensée, représentative du courant fondamentaliste, influence largement l'ensemble du monde musulman. Elle oppose la souveraineté divine à la souveraineté populaire – les hommes n'auraient pas le droit de légiférer à la place de Dieu. Ainsi naît la théorie de l'État islamique ayant pour seule mission d'appliquer les préceptes de Dieu. Cette théorie a ensuite été reprise par le Frère musulman Sayyid Qutb en Égypte. Principaux écrits : *Vers une compréhension de l'Islam ; Les Musulmans et le combat politique actuel ; La Théorie politique de l'islam.* **B. G.** ➤ FONDAMENTALISME ISLAMIQUE.

MAYOTTE **M**embre de l'archipel des Comores (océan Indien) sur le plan géographique et historique, l'île de Mayotte s'en est séparée politiquement en 1975. Son statut au sein de la République française n'en est pas moins resté ambigu. Mayotte est devenue colonie française en 1841-1843, en même temps que d'autres îles du nord Madagascar (Nosy Bé, etc.) ; c'est-à-dire trois quarts de siècle avant les trois autres îles de l'archipel comorien (Grande Comore, Anjouan, Mohéli). Cet antécédent historique, tout comme les particularismes locaux sur le plan religieux (musulmans) et culturel, a donné à Mayotte un profil particulier, qui s'est accentué avec le temps, comme en a témoigné le problème de la délimitation des frontières maritimes avec les autres îles. **L**ors de la proclamation de l'indépendance des Comores (1975), Mayotte refuse à une très forte majorité cette indépendance et demande son maintien dans l'ensemble constitutionnel français, malgré

les condamnations proférées par les instances internationales, dont l'ONU (Organisation des Nations unies) et l'OUA (Organisation de l'unité africaine) et les principaux pays riverains de l'océan Indien, au nom du « droit des peuples à disposer d'eux-mêmes ». Après une valse-hésitation, la France reconnaît à Mayotte le statut de « collectivité territoriale de la République », mais sans l'assimiler à un département comme le réclame alors la population mahoraise.   Le statut de « collectivité à statut départemental » « octroyé » en l'an 2000 aura été un progrès dans le sens de l'intégration, mais jugé insuffisant. En fait, la république des Comores a continué de souhaiter (sans trop y croire) le retour de Mayotte dans la fédération islamique ; les Mahorais, quant à eux, espéraient toujours, dans leur très grande majorité, une intégration ferme et définitive dans la République française ; enfin, l'État français, confronté à de multiples pressions et tensions, se satisferait, semble-t-il, de la création d'un « ensemble comorien », susceptible d'absorber toutes les aspirations et revendications identitaires.
C. C.

MAZOWIECKI Tadeusz (1927-)

Homme politique polonais, Premier ministre d'août 1989 à décembre 1991. Tadeusz Mazowiecki a été le Premier ministre non communiste de Pologne, trois mois avant la chute du Mur de Berlin. Juriste de formation, il se situe d'emblée dans l'opposition anticommuniste, comme catholique personnaliste marqué à gauche. Fondateur du mensuel Więź (lien, 1958-1981), il joue un rôle capital dans le rapprochement entre l'intelligentsia laïque et les milieux de l'Église. Animateur des clubs de l'intelligentsia catholique à partir de 1956, député indépendant à la Diète entre 1961-1971, il y défendra avec ses trois collègues du groupe Znak (signe), une option du catholicisme social.   En août 1980, il est l'initiateur du mouvement de soutien des intellectuels aux ouvriers et est naturellement porté à la tête de la commission des experts auprès du comité de grève au chantier naval de Gdańsk. Il devient rédacteur en chef de l'hebdomadaire Solidarność, organe du syndicat libre Solidarité. Interné pendant un an, à la suite de l'instauration de l'état de guerre le 13 décembre 1981, il est cofondateur du Comité des citoyens auprès du président de Solidarité, une sorte de « shadow cabinet » de l'opposition, formé peu avant la « table ronde » dont il devient aussi l'un des principaux protagonistes. Consécutivement à la revendication formulée par Adam Michnik, « À vous le président, à nous le Premier ministre », il est désigné à ce dernier poste avec l'aval des communistes. Il perd les élections présidentielles de 1990 dans un affrontement fratricide voulu par Lech Wałęsa. Député à la Diète, il est l'un des principaux dirigeants de l'Union pour la liberté (UW).
G. M.   **> DISSIDENCE ET OPPOSITIONS (EUROPE DE L'EST), POLOGNE.**

MCCA

Le Marché commun centre-américain (MCCA, CACM – Central American Common Market – , siège au Guatémala) a été créé en 1960 par le Traité général d'intégration économique signé par ses cinq fondateurs : Costa Rica, Guatémala, Honduras, Nicaragua, El Salvador. L'objectif était de réaliser une union douanière (par application de droits extérieurs communs).

MEIR Golda (1898-1978)

Femme politique israélienne. Née à Kiev sous le nom de Golda Meirson, elle émigre avec sa famille à l'âge de huit ans à Milwaukee, Wisconsin (États-Unis). Elle y devient institutrice et ardente sioniste. G. Meir rejoint la Palestine en 1921 et gravit tous les échelons de l'appareil sioniste. Elle entre au comité exécutif de la Histadrout, la centrale syndicale, et prend la tête, en 1946, du département politique de l'Agence juive, le « gouvernement » sioniste, en remplacement de Moshe Sharett qui a été arrêté par les autorités britanniques. Hostile à la partition de la Palestine (dont le plan est voté par l'ONU le 29 novembre 1947), elle soutient néanmoins David Ben Gourion et tente en vain de convaincre Abdallah de Jordanie (1948-1951) de ne pas participer à la guerre de 1948 lors de deux rencontres secrètes. En tournée aux États-Unis, elle lève 50 millions de dollars qui vont permettre l'achat d'armes. Nommée en 1948 ambassadrice d'Israël à Moscou, elle est élue députée sur la liste du Mapaï, le futur Parti travailliste, et devient ministre du Travail. À la veille de la guerre israélo-arabe (1956), D. Ben Gourion la nomme ministre des Affaires étrangères à la place de M. Sharett qu'il juge trop modéré. G. Meir orchestre la diplomatie israélienne pendant dix ans. En 1969, elle succède à Levi Eshkol (1895-1969) – mort brutalement – au poste de Premier ministre. Inflexible vis-à-vis des Arabes et guidée par des vues simples, voire simplistes, elle ne prend pas au sérieux les déclarations guerrières du président égyptien Anouar al-Sadate. L'offensive syro-égyptienne du 6 octobre 1973 la prend par surprise. Tenue pour responsable de la guerre du Kippour qui a coûté la vie à 2 350 Israéliens, elle démissionne en 1974 et meurt quatre ans plus tard. **C. B.** ➤ ISRAËL.

MENCHEVIKS (Russie) Lorsqu'en 1903 le IIᵉ congrès du POSDR (Parti ouvrier social-démocrate de Russie) est appelé à se prononcer sur sa proposition d'un parti ouvert, Léon Martov (1873-1923) obtient une large majorité des 51 délégués. Mais le départ d'une partie des modérés retourne la situation en donnant une majorité fragile aux amis de Lénine. Minoritaires (sens du mot « menchevik »), les amis de Martov refusent les orientations des bolcheviks (majoritaires). Pour ces marxistes, la Russie n'est pas mûre pour la révolution, la révolution de 1905 est une révolution démocratique bourgeoise. Divisés entre internationalistes et partisans de la guerre pendant la Première Guerre mondiale, les mencheviks, qui participent au Gouvernement provisoire issu de la révolution de Février, sont placés en porte-à-faux face à cette radicalisation. Marginalisés, ils seront bientôt mis hors la loi par les bolcheviks, puis exilés et déportés. **C. U.** ➤ RÉVOLUTION RUSSE, RUSSIE ET URSS, SOCIALISME ET COMMUNISME.

MENDÈS FRANCE Pierre (1907-1982) **H**omme politique français. Avocat et militant de gauche dès l'université, Pierre Mendès France est élu député radical-socialiste de Louviers (Eure) à vingt-cinq ans. Sous-secrétaire d'État au Trésor en 1938,

partisan de réformes économiques inspirées des théories keynésiennes, très attaché aux principes démocratiques, il veut continuer la lutte contre le nazisme en 1940. Emprisonné par les autorités de Vichy, il s'évade, rejoint Londres et combat dans l'aviation. Commissaire puis ministre de l'Économie (1943-1945), il démissionne faute de convaincre le général de Gaulle et son gouvernement d'adopter une politique financière rigoureuse. À nouveau député de l'Eure (1946-1958), il s'oppose à la politique indochinoise des gouvernements français et devient président du Conseil (juillet 1954) après la défaite de Dien Bien Phu. Son gouvernement ne dure que huit mois, mais marque l'opinion : accords de Genève et fin de la guerre d'Indochine, décolonisation engagée du Maroc et de la Tunisie, rejet du projet de Communauté européenne de défense (CED). Son gouvernement ayant été renversé en février 1955, il prend la tête du Parti radical-socialiste (1955-1957) et participe au Front républicain avec les socialistes (Guy Mollet [1905-1975]), l'UDSR – Union démocratique et socialiste de la Résistance – (François Mitterrand) et certains gaullistes (Jacques Chaban-Delmas [1915-]). Mais, opposé à la politique algérienne de G. Mollet, il démissionne dès mai 1956 de son poste de ministre d'État. Il s'oppose au retour au pouvoir du général de Gaulle en 1958, mais son refus constant des institutions de la Vᵉ République comme ses réticences face aux socialistes et à une éventuelle union de la gauche avec les communistes le marginalisent quelque peu. Il participe à la fondation du Parti socialiste unifié (PSU) qu'il quitte en 1968. Son retour à la politique active est assez momentané : il est député de Grenoble (1967-1968) et pressenti comme Premier ministre par F. Mitterrand en Mai 68 en cas de vacance du pouvoir gaulliste. En revanche, il s'impose comme conscience de la gauche et de la République par ses écrits et ses interventions en faveur de la paix, du développement et de la démocratie. **G. Ca.** ➤ FRANCE.

MERCOSUR **L**e Marché commun du sud de l'Amérique (Mercosur – Mercado Común del Sur –, secrétariat à Montevideo, Uruguay) résulte du traité d'Asunción (Paraguay) signé en mars 1991. Il est entré en vigueur le 1er janvier 1995 et regroupait à la mi-2001 les quatre pays fondateurs : Argentine, Brésil, Paraguay et Uruguay. Le Chili et la Bolivie étaient membres associés. Le traité d'Asunción a fixé comme objectifs le démantèlement des barrières tarifaires et contingentaires entravant les échanges régionaux afin de parvenir à une union douanière (application de droits extérieurs communs).

MÈRES DE LA PLACE DE MAI

Créée le 22 août 1979, l'Association des mères de la place de Mai est née de la réunion spontanée et non partisane, le samedi 30 avril 1977 sur la place de Mai à Buenos Aires, de quatorze Argentines de toutes conditions sociales, s'étant connues au cours de recherches de leurs proches arrêtés après le coup d'État du 24 mars 1976. La marche des Mères coiffées de langes blancs, tous les jeudis à 15 h 30 sur le lieu central d'expression de la citoyenneté en Argentine, manifeste la résistance et la mémoire face aux <u>disparitions</u> forcées de personnes commises par le régime militaire (1976-1983). Elles ont été connues et soutenues à l'étranger à partir de l'organisation de la Coupe du monde de football de 1978 en Argentine. Avant cette date, l'essentiel de leur action consistait à rechercher des informations sur le sort de leurs enfants. Leur notoriété internationale croît en 1979 avec leurs premiers voyages à l'étranger (États-Unis, Italie, Vatican) et avec la visite en Argentine de la Commission interaméricaine des droits de l'homme pour recueillir des témoignages sur la répression. Les Mères ont largement, mais indirectement, contribué à la condamnation des hauts responsables militaires en 1985 après le retour de la démocratie. En continuant d'exiger la transparence sur les événements de la « sale guerre » (la répression), elles participent au travail de mémoire : l'acceptation implicite de la mort des « disparus » trouve sa contrepartie dans la recherche active des enfants enlevés avec leurs parents ou nés en détention. Ces enlèvements et les adoptions illégales ne sont pas couverts par la loi de « point final ». Le travail de mémoire est également pris en charge par les *Hijos*, associa-

tion d'enfants de disparus et de persécutés.
S. J. **> ARGENTINE.**

MESSALI Hadj Ahmed (1898-1974)

Homme politique algérien. Messali Hadj est né à Tlemcen d'une famille citadine modeste. Enfant de l'école primaire française et produit d'une culture confrérique égalitaire, il voit sa vie basculer avec le service militaire accompli à Bordeaux en 1918-1919, puis sa brève vie d'ouvrier algérien à Paris. Il restera marqué par la culture communiste. Il milite aux côtés de Hadj Ali Abdelkader à l'ÉNA (Étoile nord-africaine), dont il devient vite le principal responsable. Immergé dans le monde ouvrier, il a pour compagne Émilie Busquant, fille d'un mineur anarcho-syndicaliste. Messali n'obtient pas de résultats, car le PCF (Parti communiste français) entend garder la haute main sur les révolutionnaires maghrébins. Partisan de l'indépendance et de l'autonomie de décision par rapport à la direction communiste, il s'en éloigne tout en conservant ses formes d'organisation et le principe du « centralisme démocratique » dans lequel le centre est plus décisif que la démocratie. Permanent, il est aussi un leader charismatique, à plusieurs reprises arrêté et emprisonné. Politiquement, il est aussi influencé dans les années 1930 par l'Orient arabe que lui révèle la personnalité fascinante de l'émir Chakib Arslan. **A**u moment du <u>Front populaire</u>, bien que membre du Rassemblement populaire, il s'oppose aux idées assimilatrices du Congrès musulman de l'été 1936. Une intervention remarquée au stade d'Alger fait de lui le *zaïm* adulé par les masses algériennes. L'ÉNA est interdite début 1937. En mars de la même année, Messali crée le Parti du peuple algérien (PPA) et le transfère en Algérie. C'est sous son leadership que ce parti prend de fait les rênes des Amis du Manifeste et de la liberté (AML), le deuxième front algérien après le Congrès musulman. L'exaltation libératrice mal encadrée politiquement aboutit à la répression tragique de mai 1945 (<u>Sétif, Guelma</u>) en l'absence de Messali, déporté à Brazzaville. **A**mnistié en 1946, il réintroduit le PPA dans le jeu légal sous la forme du MTLD (Mouvement pour le triomphe des libertés démocratiques). Au congrès de 1947, il laisse aussi se créer, non sans réserve, l'Organisation spéciale (OS). Pour Messali, l'action armée ne doit pas être une fin en soi, elle doit servir des buts politiques. Ce sera là une source de différend essentiel avec les fondateurs du FLN (Front de libération nationale).

Dans son parti, Messali se moule dans les pratiques bureaucratiques ambiantes. Il donne sa caution en 1949 à la mise à l'écart des activistes partisans de son rival, le Dr Lamine Debaghine (1917-), sous prétexte de berbéro-matérialisme, puis à celle de l'aile droite en 1951. Partisan, au moins verbal, d'une ligne révolutionnaire, il s'oppose violemment au Comité central dans un conflit qui provoquera en 1954 l'éclatement du parti et fera place nette pour le FLN (Front de libération nationale). Messali n'est donc pas en 1954 au rendez-vous du 1er novembre (insurrection inaugurant la guerre d'indépendance), malgré un engagement rapide de son organisation, baptisée « Mouvement national algérien » (MNA) après l'interdiction du MTLD (5 novembre 1954). La guerre contre la France sera doublée d'une guerre interne, algérienne, entre MNA et FLN. Messali manqua de vigilance en laissant nombre de ses partisans se compromettre avec le colonialisme. Pour autant, il ne fut ni le traître ni le contre-révolutionnaire qui put être dénoncé officiellement en Algérie et il marqua de sa figure toute l'histoire du mouvement indépendantiste. Messali mourut à Paris en 1974. La lutte pour sa réhabilitation a commencé à porter ses fruits. Le président Bouteflika a donné son nom à l'aéroport de Tlemcen.
M. Ha.   **> ALGÉRIE.**

METAXAS Ioannis (1871-1941)

Militaire et homme politique grec, Premier ministre et dictateur entre 1936 et 1941. Aide de camp de Eleutherios Venizelos (1864-1936) à partir de 1910, Ioannis Metaxas provoque sa première démission en 1915 et ne cessera de lutter contre lui. Exilé en Corse avec les dirigeants anti-vénizélistes en 1917, il ne reviendra qu'après leur victoire aux élections de 1920. Opposé à l'expédition d'Asie Mineure (à l'origine de la Catastrophe de 1922 – la déroute de l'armée grecque

face aux troupes de Mustafa Kemal), il n'y participe pas. Il devient ministre des Transports (1922) dans le gouvernement d'Alexandros Zaïmis et chef du nouveau Parti libéral. Le retour d'E. Venizelos en 1928 l'écarte du pouvoir, puis il devient ministre de l'Intérieur dans le gouvernement de Panagiotis Tsaldaris en 1932. Après le coup d'État du général Nicolaos Plastiras en 1933, I. Metaxas préconise une solution politique excluant le Parlement. Le roi Georges II (1890-1947) le nomme ministre des Armées en 1936 dans le gouvernement de Konstantinos Demertzis, dont la mort lui permet de devenir Premier ministre, puis, le 4 août 1936, d'instaurer la dictature avec l'accord du roi. L'idéologie officielle, « troisième culture grecque », allie l'esprit de la Grèce classique à la religiosité de Byzance. Terrorisme policier et paternalisme caractérisent le nouvel État, qui instaure les assurances sociales et permet l'établissement d'une norme de la langue démotique. Sa politique extérieure est économiquement ouverte sur l'Allemagne, mais surtout orientée vers le Royaume-Uni, principal soutien du régime. I. Metaxas préserve la neutralité de la Grèce jusqu'au 28 octobre 1940, date à laquelle il refuse de laisser passer l'armée italienne sur le sol grec (le célèbre « non »). Il jouira jusqu'à sa mort, à Athènes en 1941, d'une estime consensuelle renforcée par les victoires grecques. **E. M.-K.**   **> GRÈCE.**

MEXICO

Le cœur économique et politique du Mexique s'articule autour de la métropole de Mexico, capitale incontestée et macrocéphalique d'un pays marqué par de fortes disparités régionales. L'aire métropolitaine de Mexico (1 300 km²), composée du District fédéral (DF) et de vingt-sept communes périphériques, a vu croître sa population de façon spectaculaire au cours du xxe siècle. De 500 000 habitants en 1910, la ville est passée à près de 20 millions en 2000. Entourée de montagnes et de volcans, elle bénéficie d'un climat tempéré et s'étale dans une cuvette à 2 240 mètres d'altitude. La trop faible circulation d'air, la concentration industrielle et d'importants flux urbains font de Mexico l'une des villes les plus polluées du monde. Si la capitale mexicaine est un centre économique de première importance (le DF produit à lui seul plus d'un tiers du revenu mexicain), c'est également un centre de pouvoir. Construite sur les ruines de l'ancienne capitale aztèque, la cité lacustre de Tenochtitlan, au faîte de sa gloire lors de l'arrivée des conquistadors au XVIe siècle, Mexico est ensuite devenue la capitale de la Nouvelle-Espagne. Le pouvoir politique et religieux est resté concentré au cœur de la ville, autour de la place centrale du Zocalo. **T**our à tour perçue comme la plus grande ville du monde, puis comme laboratoire du phénomène urbain, la ville de Mexico reste avant tout le symbole du gigantisme, voire du catastrophisme à la suite des terribles tremblements de terre des 19 et 20 septembre 1985 (30 000 morts). L'image de cette ville paradoxale mêle indistinctement l'insécurité, la violence et l'extrême pauvreté à la splendeur des palais coloniaux, aux vestiges du passé précolombien et à la richesse tapageuse de certains quartiers résidentiels. **M**exico est une ville de contrastes encore assujettie au pouvoir de l'État et qui souhaiterait, afin d'acquérir une autonomie politique et financière complète (le maire de Mexico est élu depuis 1997), s'émanciper de la tutelle gouvernementale pour constituer le 32e État de la Fédération. **É. S.** **> MEXIQUE.**

MEXIQUE États-Unis du Mexique. Capitale : Mexico. Superficie : 1 967 183 km^2. Population : 97 400 000 (1999). **L**e Mexique de la fin du XIXe siècle et du début du XXe siècle est marqué par Porfirio Díaz (1830-1915) qui gouverne le pays d'une main de fer de 1876 à 1911 avec pour devise « Paix, ordre et progrès ». Pendant cette longue période de dictature et de prospérité économique, le *Porfiriato*, le pays développe ses infrastructures (chemins de fer) et les capitaux étrangers affluent. Les inégalités sociales sont cependant grandes et les paysans pauvres sont spoliés de leurs terres par les grands propriétaires des *haciendas*. Un mouvement de révolte s'amorce pour aboutir en 1910 à la Révolution. La réélection de P. Díaz en 1910 est fortement contestée et les premiers troubles obligent le dictateur à l'exil dès

1911. **La Révolution et ses suites.** La Révolution mexicaine, commencée en 1910, s'achève en 1920. Les troubles continuent pourtant jusqu'à la fin des années 1920 avec la révolte des Cristeros, paysans catholiques qui s'opposent aux persécutions d'un État fortement anticlérical. De ces longues années de guerre civile, le pays sort meurtri. Les revendications des chefs révolutionnaires tels que Emiliano Zapata sont concrétisées par la réforme agraire (1915) et par des avancées sociales significatives. Ces mesures réformatrices sont prolongées sous la présidence de Lázaro Cárdenas, de 1934 à 1940. Les industries clés du pays sont alors nationalisées (dont les compagnies étrangères de pétrole, avec la création de la société nationale PEMEX) et le sentiment d'unité nationale s'en trouve grandi. Le mythe révolutionnaire est quant à lui récupéré et institutionnalisé dans le Parti national révolutionnaire (PNR), créé en 1929 et futur Parti révolutionnaire institutionnel (PRI) le garant des acquis de la révolution. Le Parti, qui contrôle les rouages de l'État et va se maintenir au pouvoir jusqu'en 2000, donne l'image d'une continuité et d'une stabilité politiques. Pendant la Seconde Guerre mondiale, le Mexique soutient les Alliés. Le Mexique de l'après-guerre poursuit le développement dirigiste de son économie. Miguel Alemán Valdès (1903-1983), à la tête du pays de 1946 à 1952, lance une politique de grands travaux et modernise l'agriculture. Les réformes continuent durant les mandats des présidents suivants (Ruiz Cortinez : 1952-1958 ; López Mateos : 1958-1964 ; Díaz Ordaz : 1964-1970), mais les avancées économiques sont contrariées par la corruption. Le pays oscille entre la tentation d'un rapprochement avec les États-Unis et le maintien de son autonomie politique et économique dont dépend la poursuite des réformes agraires et sociales. Le PRI, assuré de conserver le pouvoir par un système clientéliste, ignore le mécontentement grandissant de la population. **L**a page la plus tragique de cette période a lieu en 1968, quelques jours avant l'ouverture des Jeux olympiques de Mexico, sur la place des Trois Cultures. Le gouvernement de Gustavo Díaz Ordaz ordonne de tirer sur la foule des étudiants, faisant 250 morts. Après cet épisode dramatique, les gouvernants vont devoir ouvrir progressivement le jeu politique sous la pression des partis d'opposition. Lors des élections législatives de 1977, des députés fédéraux d'opposition sont élus, le pays offrant ainsi une image plus respectable aux observateurs étrangers. En 1983, le PAN (Parti d'action nationale), conservateur, remporte les élections dans plusieurs régions. Aux élections présidentielles de 1988, la gauche, fédérée autour de la candidature de Cuauhtémoc Cardenas (1934-), fils de Lázaro Cardenas et lui-même ancien membre du PRI, représente pour la première fois une opposition crédible face au candidat officiel. Pourtant, malgré une ouverture démocratique progressive, les partis d'opposition contestent régulièrement les résultats des élections et accusent le PRI de fraude et de corruption. **La crise de 1982 et le tournant libéral.** Sous la présidence de José López Portillo (1976-1982), la découverte de nouvelles et substancielles réserves pétrolières (annoncées en 1980) propulse le Mexique parmi les géants du secteur. Cette rente permet d'investir dans l'économie nationale et de compenser le déficit alimentaire, tandis que les banques étrangères prêtent des fonds pour couvrir les insuffisances de liquidités. L'alourdissement de l'endettement extérieur et le détournement de sommes considérables conjugués à la baisse des cours du pétrole plongent en 1982 le pays dans une situation catastrophique. La dette s'alourdit considérablement tandis que la monnaie (peso) s'effondre. Inégalités sociales, chômage et inflation s'aggravent. Le système bancaire est nationalisé. Miguel De la Madrid Hurtado (1982-1988) doit faire face à une situation de crise et négocier avec le FMI (Fonds monétaire international) un rééchelonnement de la dette. La situation financière s'améliore temporairement alors que la ville de Mexico panse ses plaies après le terrible tremblement de terre de septembre 1985. **Le président Carlos Salinas de Gortari (1988-1994) se lance dans un programme de privatisation de l'économie. Les premières entreprises concernées sont les compagnies aériennes et les banques. L'objectif visé est alors de désengager l'État du système productif et d'associer le pays aux États-Unis et au Canada dans une zone de libre-échange commune. Depuis les années 1960, de nombreuses usines d'assemblage nord-américaines se sont implantées le long de la frontière nord, du côté mexicain ; elles bénéficient d'avantages fiscaux et d'une main-d'œuvre peu qualifiée à bon marché. Ces *maquiladoras* font de l'espace frontalier l'une des zones les plus dynamiques du Mexique, mais sans toutefois ralentir les migrations illégales des Mexicains vers le grand voisin du Nord (ils seraient plus de 15 millions aux États-Unis). La privatisation de la plupart des industries manufacturières et l'ouverture du pays aux capitaux étrangers s'accompagnent d'une remise en cause d'autres choix politiques issus de la révolution. Le monde rural est le premier pénalisé : en 1991, le système de partage des terres, issu de la révolution, est abandonné. Pourtant, une part importante des recettes des privatisations est allouée à un Programme national de solidarité (Pronasol). Ces mesures, jugées insuffisantes, n'enrayent pas le mécontentement d'une grande partie de la population. C'est précisément en réaction contre cette politique libérale et contre l'Accord de libre-échange nord-américain (ALENA) qui propulse le Mexique dans le « premier monde », que des voix s'élèvent pour rappeler que le pays souffre encore de pauvreté. Cette vague de protestations s'exprime notamment dans une région pauvre, rurale et indigène du sud du pays, le Chiapas. En situation sociale précaire, les Indiens du Mexique n'ont, pour ainsi dire, jamais accédé aux postes de responsabilité politique – à l'exception du président Benito Juárez (1806-1872) –, renvoyant l'image du paysan pauvre spolié de ses terres. Les Indiens représentent pourtant plus de 25 % de la population dans les régions du Sud-Est. **La fin de l'hégémonie du PRI.** Le 1er janvier 1994, date de l'entrée en vigueur de l'ALENA, un millier d'hommes en armes cagoulés s'emparent de San Cristobal de las Casas et de plusieurs localités du Chiapas. L'Armée zapatiste de libération nationale (EZLN), commandée par le charismatique et médiatique sous-commandant Marcos, fait alors irruption sur la scène politique nationale et internationale. Les revendications des nouveaux « zapatistes » ne sont pas neuves. Elles se fondent sur la nécessité d'un partage des terres plus équitable et sur le besoin urgent de dynamiser une région marginalisée et sous-développée. Le président C. Salinas fait taire les révoltés de façon brutale. Les affrontements et les négociations alternent. L'arrivée au pouvoir d'Ernesto Zedillo (1994-2000) ne change guère la situation. La rébellion s'organise, bénéficiant d'un appui international et national important et durable. Le Mexique sait tirer profit de l'ouverture du marché nord-américain. Il est admis à l'OCDE (Organisation de coopération et de développement économiques) en avril 1994. La croissance économique reprend malgré la crise financière qui se déclenche en décembre 1994. Le peso perd la moitié de sa valeur en quelques jours tandis que s'accélère la fuite des capitaux. Ces succès économiques sont confortés par une transition politique réelle vers la démocratie. Celle-ci progresse avec l'élection en juillet 1997 de C. Cardenas au gouvernement du district fédéral de Mexico et aboutit, le 2 juillet 2000, avec l'élection à la Présidence de Vicente Fox (1942-), candidat du PAN. L'alternance est historique, mettant fin à l'hégémonie du PRI. Cela ne doit pourtant pas masquer la persistance de lourds problèmes économiques et surtout d'une situation sociale restée très précaire pour une grande partie de la population. **É. S.**

MEZZOGIORNO Le Mezzogiorno (Midi italien) comprend cinq régions continentales (Campanie, Basilicate, Molise, Calabre, Pouilles) et les îles de Sicile et de Sardaigne, soit plus d'un tiers du territoire italien. Il contraste avec le niveau de développement du Nord et se caractérise par un tissu industriel relativement modeste, un niveau de vie faible et un fort taux de chômage. Ne bénéficiant pas de conditions géographiques favorables, son système d'exploitation agricole est longtemps resté archaïque. Après 1945, la croissance de sa population est longtemps restée très élevée. Privé le plus souvent de capitaux propres, il a bénéficié d'aides de l'État italien, comme par exemple la Caisse pour le Midi (Cassa per il Mezzo-

giorno, 1950) et connu d'importantes transformations au cours du « miracle économique italien ». Si l'aide de l'État a été déterminante, sa modernisation non endogène s'est révélée incapable de susciter un développement auto-induit de son économie. La politique d'industrialisation assistée a entraîné un gonflement excessif du secteur tertiaire, en partie parasitaire, sans créer assez d'emplois. Un décalage existe entre l'augmentation des ressources économiques et l'évolution des mœurs, et chez les jeunes, entre l'augmentation du nombre de diplômés, les facilités offertes par la société de consommation, et les possibilités mêmes de mener carrière dans le Midi. Le départ de centaines de milliers de migrants, dans les années 1950 et 1960, a privé la région des forces capables d'orienter au mieux les investissements de l'État. Ceux-ci ont également été utilisés à des fins électorales et clientélistes ou ont profité à la criminalité organisée (mafia). Avec la crise économique, la politique d'aide a ensuite connu un net recul. **F. A.** ➤ ITALIE.

MICHNIK Adam (1946-) Figure intellectuelle de l'opposition démocratique polonaise. Adam Michnik entre en politique alors qu'il est encore lycéen en organisant un club des élèves dénommé « les chercheurs de contradictions ». Vilipendé à l'âge de quinze ans pour « activités antisocialistes » par le Premier secrétaire du Parti ouvrier unifié polonais, Wladisław Gomułka en personne, il devient rapidement (1964) l'un des leaders du mouvement oppositionnel, ce qui lui vaut d'être privé deux fois de ses droits d'étudiant. Au moment de la révolte estudiantine de 1968, il est condamné à deux ans et demi de prison. À sa sortie, il est embauché comme ouvrier dans l'entreprise de fabrication des lampes électriques « Rosa Luxemburg ». En 1973, il est autorisé à poursuivre ses études d'histoire à Poznań. Membre signataire de la déclaration du KOR (Comité de défense des ouvriers), il devient conseiller pour le mouvement Solidarność (Solidarité). Il exerce une influence théorique de premier plan sur les deux organisations grâce à des écrits comme *L'Église et la Gauche, le dialogue*, ou l'article « Le nouvel évolutionnisme ». Emprisonné sous la loi martiale décrétée le 13 décembre 1981, il continue à alimenter la presse et l'édition clandestines en textes majeurs.   Fidèle à une sorte de « rationalisme moral », il about son geôlier, le général Wojciech Jaruzelski (1923-), en raison du rôle joué par ce dernier dans la sortie de la Pologne du communisme, et se fâchera avec son ami Lech Wałęsa, dont il a été, dans la seconde moitié des années 1980 un conseiller privilégié. Il ne pourra lui pardonner d'avoir cassé l'unité de Solidarité au nom de ses intérêts électoraux et d'avoir retiré au journal *Gazeta Wyborcza* qu'il dirige, le droit d'afficher le sigle syndical. *Gazeta* (dont le tirage s'élevait en 2000 à 450 000 exemplaires) est une véritable *success story* économique et intellectuelle, indissociable de son nom. A. Michnik est l'auteur de formules lapidaires qui ont modifié ou influencé le cours de l'histoire polonaise, comme « À vous le président, à nous le Premier ministre », qui a débouché sur la formation du gouvernement de Tadeusz Mazowiecki en septembre 1989, ou « Amnistie, oui, amnésie, non », qui indique une conduite morale à tenir face aux tenants de l'ancien régime, exposés aux velléités de la revanche instrumentale. **G. M.   > DISSIDENCE ET OPPOSITIONS (EUROPE DE L'EST), POLOGNE.**

MICRONÉSIE (États fédérés de)

Capitale : Palikir. Superficie : 700 km². Population : 114 000 (1999).   **P**lus de 2 000 îles minuscules du Pacifique – en général des atolls –, dispersées à l'est des Philippines et de la Nouvelle-Guinée et découvertes par les Portugais et les Espagnols, furent appelées « Micronésie ». À l'exception de Guam, enlevée à l'Espagne par les États-Unis, la totalité fut acquise par l'Allemagne entre 1885 et 1899. Le Japon occupe ces îles en 1914 et y exerce le mandat de la SDN (Société des Nations) à partir de 1920. En 1945, les États-Unis conquièrent la Micronésie (guerre du Pacifique), et en reçoivent de l'ONU la tutelle en 1947. L'archipel est alors partagé en quatre ensembles – États fédérés de Micronésie (sans Guam, qui demeure territoire des États-Unis), îles Marshall, Mariannes du Nord et

Palau.   **P**onape (Pohnpei), Truk (Chunk), Kosrae et Yap qui vont former les États fédérés de Micronésie, correspondent à l'archipel appelé « Carolines » par les Espagnols. Le pouvoir fédéral de Palikir a négocié un accord d'indépendance avec les États-Unis le 3 novembre 1986. La tutelle a officiellement cessé le 22 décembre 1990. Washington est resté responsable de la défense. **J.-P. G.**

MILLET

Dans l'Empire ottoman, le terme de « *millet* » a pu, selon les époques, désigner une communauté ethnique ou religieuse, et s'appliquer prioritairement aux musulmans ou aux non-musulmans. Le système ottoman des *millets*, qualifié par l'orientaliste français Maxime Rodinson (1915-) de « pluralisme hiérarchisé », n'a du reste reçu de traduction institutionnelle précise qu'au xixᵉ siècle : l'exercice des fonctions militaires et administratives est alors réservé aux membres du *millet* musulman, alors que les *millets* non musulmans (orthodoxe, arménien et juif), dépourvus de toute souveraineté politique, jouissent, par le biais de leurs institutions religieuses, d'une importante autonomie culturelle et judiciaire. Dans les deux cas, le terme de « *millet* » renvoie alors à une communauté religieuse, et n'est donc lié ni à un territoire, ni à une langue spécifique. Le système des *millets*, disparu en même temps que l'Empire ottoman (1923), explique la coexistence spatiale de populations de religions et de langues différentes, et les liens étroits entre identité religieuse et identité nationale qui caractérisent, au xxᵉ siècle, l'essentiel de l'espace post-ottoman (Balkans, Anatolie, Proche- et Moyen-Orient). **X. B.**

MILOSEVIC Slobodan (1941-)

Dirigeant politique serbe. Slobodan Milosevic est né le 20 août 1941 à Pozarevac (Serbie). Chef de la Ligue des communistes de la ville de Belgrade à partir de 1984, il devient en 1986 président de la Ligue des communistes de Serbie. Il est le principal artisan de la conversion idéologique du pays du communisme au nationalisme. Il adopte la cause des Serbes du Kosovo, organise un mouvement populaire en faveur de la « réunification » de la Serbie au détriment des provinces autonomes du Kosovo et de la Voïvodine. Pragmatique, il joue sur la fibre patriotique et l'héritage du communisme. Il est élu président de la Serbie en décembre 1989 dans le cadre de l'ancien système, puis en décembre 1990 dans le cadre du pluralisme politique ; il est réélu en décembre 1992. Après avoir organisé la guerre en Croatie et en Bosnie-Herzégovine, il révise à la baisse ses ambitions politiques et accepte le plan de partage de la Bosnie en une Fédération croato-musulmane et une République serbe (confédérées) en signant les accords de Dayton en décembre 1995. Il est élu au suffrage indirect président de la Yougoslavie en juillet 1997. En 1998, il prend la responsabilité de l'escalade du conflit au Kosovo et refuse le plan de paix proposé par les grandes puissances au printemps 1999. Au cours de l'opération aérienne de l'OTAN contre la Serbie (mars-juin 1999), il est inculpé de crimes contre l'humanité par le Tribunal pénal international pour l'ex-Yougoslavie de La Haye (TPIY). Il perd l'élection présidentielle du 24 septembre 2000 et est extradé le 28 juin 2001 à La Haye par le gouvernement de Serbie. **Y. T.** ➤ SERBIE, YOUGOSLAVIE.

MINORITÉS Nombre de crises et de guerres qui ont meurtri le XXᵉ siècle ont eu pour cause le statut de minorités. De multiples définitions des minorités nationales ou des minorités ethniques ont été avancées dans le cadre des organisations internationales. Ce terme désigne des groupes numériquement minoritaires dans la population d'un État, n'étant pas dominants (à la différence des Blancs dans l'Afrique du Sud de l'apartheid), possédant des caractéristiques distinctes au plan ethnique ou national et/ou culturel (langue, religion...) et exprimant leur conscience d'une identité collective. Le démantèlement des États multinationaux qu'étaient l'Empire austro-hongrois et l'Empire ottoman à la fin de la Première Guerre mondiale et leur remplacement par des États-nations créés autour d'une nation majoritaire, a engendré d'innombrables problèmes de minorités en Europe centrale, dans les Balkans et au Proche-Orient. Après la Seconde Guerre mondiale, les décolonisations des empires européens d'outre-mer ont donné naissance à une centaine de nouveaux États-nations sans grande considération pour la question des minorités. La disparition de l'URSS en 1991 et l'accession à l'indépendance de ses quinze républiques a emprunté le même chemin. Il en est résulté de nouveaux conflits, au Caucase notamment. **S. C.** ➤ AUTODÉTERMINATION DES PEUPLES, DROIT DES PEUPLES, NATIONALISME.

MITTERRAND François (1916-1996) **H**omme politique français. Venu des Charentes, François Mitterrand étudie le droit et les sciences politiques à Paris. Blessé et fait prisonnier en 1940, il s'évade fin 1941. Il travaille au sein du Commissariat des prisonniers de guerre à Vichy et constitue un réseau de résistance, le Mouvement national des prisonniers de guerre. À ce titre, il participe fin août 1944 au gouvernement dirigé par le général de Gaulle. Il s'oppose cependant autant à ce dernier qu'au « tripartisme », l'alliance constituée par le PCF (Parti communiste français), le Parti socialiste et le MRP (Mouvement républicain populaire) qui lui succède en janvier 1946. Élu député de la Nièvre en novembre 1946 au titre de l'Union démocratique et socialiste de la Résistance (UDSR), une organisation charnière située au centre gauche qu'il préside à partir de 1951, il est fréquemment ministre sous la IVᵉ République, notamment de l'Information, de l'Outre-Mer, de l'Intérieur (1954-1955) et de la Justice (1956-1957). F. Mitterrand s'affirme alors comme un homme politique d'avenir, libéral et réformiste, favorable à la construction européenne et à une émancipation progressive des colonies (mais la guerre d'Algérie, qui fait tomber la IVᵉ République, ternit cette image). Il s'oppose avec énergie en mai 1958 au retour au pouvoir du général de Gaulle, qu'il affronte comme candidat unique de la gauche à l'élection présidentielle de 1965 et qu'il contraint à un second tour. Il préside la Fédération de la gauche démocrate et socialiste – FGDS – (1965-1968) et, après quelques péripéties, devient premier secrétaire du nouveau Parti socialiste fondé en juin 1971. Il conclut l'Union de la gauche (programme commun de gouvernement avec le PCF et les radicaux de gauche, 1972), échoue de peu à l'élection présidentielle de 1974 face à Valéry Giscard d'Estaing (1926-) et aux élections législatives de 1978, mais il est enfin élu avec 52 % des voix président de la République le 10 mai 1981. Réélu en 1988 contre Jacques Chirac (1932-) par 54 % des votants, F. Mitterrand préside la Ve République pendant quatorze ans, établissant un record de durée. Mais sa majorité n'est au pouvoir que sous les deux législatures de 1981-1986 et 1988-1993. Les réformes institutionnelles ou sociales sont nombreuses : abolition de la peine de mort, décentralisation, nationalisations, RMI (Revenu minimum d'insertion), cinquième semaine de congés payés, etc., comme les réalisations culturelles. La « rigueur » économique adoptée en 1983, l'essoufflement des réformes et la hausse continue du chômage marquent toutefois les limites des transformations entreprises. La fin du second mandat présidentiel est assombrie par des « affaires » politico-financières et par la déroute de la gauche aux élections législatives de 1993. **G. Ca.** ➤ FRANCE, SOCIALISME ET COMMUNISME (FRANCE).

MOBUTU Sese Seko (1930-1997)

Homme politique congolais, chef de l'État de 1965 à 1997. On connaît peu de chose sur les premières années de la vie de Mobutu. Né à Lisala le 14 octobre 1930 de parents originaires de la province de l'Équateur, il se dénomme Joseph-Désiré Mobutu jusqu'au moment où, ayant décrété (en 1971) le rejet des noms judéo-chrétiens, il se fait appeler Mobutu Sese Seko Kuku Ngbendu wa Za Banga. Il commence des études secondaires chez les missionnaires catholiques mais il est renvoyé, ce qui le conduit à entamer une carrière militaire en 1950. En 1952, il obtient à l'École centrale de Luluabourg un brevet de secrétaire comptable. Affecté à l'état-major de la Force publique à Léopoldville (actuelle Kinshasa), il s'intéresse aussi au journalisme. C'est dans ce cadre qu'il visite la Belgique en 1958. À Bruxelles, il est chargé d'un reportage sur le Congrès de la presse coloniale. Il effectue un stage à l'École de journalisme et suit une formation à l'Institut supérieur d'études sociales. **L**es activités journalistiques de Mobutu le conduisent à rencontrer plusieurs leaders politiques parmi lesquels Patrice Lumumba, pour lequel il éprouve une grande admiration. Devenu Premier ministre à l'indépendance (1960), P. Lumumba le nomme secrétaire d'État chargé des questions politiques et administratives. Quatre jours après, alors que la Force publique se mutine, il le nomme commandant de l'armée. La confusion politique et l'opposition entre le chef de l'État, Joseph Kasavubu (1910-1969), et le Premier ministre donnent à Mobutu l'occasion d'un premier coup d'État, le 14 septembre. Il ne prend pas le pouvoir lui-même mais institue un gouvernement de commissaires généraux qui reste en place jusqu'à l'assassinat de P. Lumumba en janvier 1961. Il commande et incarne l'armée nationale confrontée à différentes rébellions. À l'issue de son deuxième coup d'État du 24 novembre 1965, il devient président de la République. Il s'est donné cinq ans pour réinstaurer l'autorité de l'État, mais il conservera le pouvoir pendant trente-deux ans. **D**ès le début, son régime se révèle monopartiste et présidentiel, empêchant ou écrasant toute contestation politique de son pouvoir personnel. Mobutu renforce son image à l'étranger en nouant des liens avec des personnalités et des États. Il est durablement soutenu par la France. Des politiques de nationalisation économique et d'africanisation culturelle sont lancées, qui, plus d'une fois, le mettront aux prises avec la Belgique. Il réussit, malgré les contestations, à se maintenir en poste en redistribuant habilement fonctions et prébendes, transformant ainsi la classe politique en clientèle personnelle. En 1990, il accepte d'ouvrir son pays au multipartisme politique, mais, une fois encore, il réussira à manipuler, désamorcer ou « bloquer » le processus de démocratisation. Terrassé par la maladie et confronté à une rébellion-invasion armée à partir de 1996, il se voit contraint d'abandonner la capitale Kinshasa la veille de sa conquête (17 mai 1997) par les troupes de son successeur, Laurent-Désiré Kabila. Il meurt le 7 septembre de la même année en exil au Maroc. **J. O.** ➤ CONGO-KINSHASA.

MOHAMMED VI (1963-) Roi du Maroc (1999-). Mohammed VI, fils de Hassan II, hérite d'un royaume séculaire, d'une dynastie dont il est le vingtième représentant régnant. Il accède au trône à trente-six ans dans un pays où les deux tiers de la population sont, comme lui, nés après l'indépendance. Cure de jouvence après le très long règne de son père, le successeur de Hassan II change la face du Maroc : réparation pour les victimes de la répression, limogeage du ministre de l'Intérieur Driss Basri, inamovible depuis 1983, sollicitude pour la masse des pauvres, la clientèle de l'islamisme, nouveau concept de l'autorité... Le parcours du prince héritier était tout tracé : nurse française, école coranique, faculté de droit à Rabat, stage à la Commission européenne et aux Nations unies, thèse de doctorat à Nice sur la coopération euro-maghrébine en 1993. Entré sur la scène diplomatique dès 1980, « coordinateur » de l'État-Major de l'armée à partir de 1985, il est nommé général de division dix ans plus tard. Devenu roi à la mort de son père, Mohammed VI surprend en s'entourant de ses anciens condisciples du Collège royal comme jeune garde rapprochée et en entamant des réformes. **S. S.** **> MAROC.**

MOLDAVIE République de Moldavie (« Moldova »). Capitale : Chisinau. Superficie : 33 700 km². Population : 4 380 000 (1999). La république de Moldavie représente une partie de la Bessarabie et de la Moldavie orientale qui fut occupée par la Russie en 1812. Proclamée par le Soviet du pays (Sfatul țării) « république démocratique fédérative moldave » le 15 décembre 1917, indépendante le 6 février 1918, elle s'unit à la Roumanie le 9 avril 1918, avec conditions, et le 10 décembre 1918, sans conditions. Occupée le 28 juin 1940 par l'URSS après la signature du Pacte germano-soviétique (23 août 1939), elle est dépecée d'environ 15 000 km² au bénéfice de l'Ukraine (au nord et au sud) et remodelée pour devenir, le 2 août 1940, la République socialiste soviétique moldave, par l'adjonction de la république autonome moldave à l'est du Dniestr (3 400 km²). Elle est réoccupée par la Roumanie en juillet 1941, puis reconquise

par l'armée soviétique en août 1944. Reconnue comme appartenant à l'URSS par l'armistice soviéto-roumain le 12 septembre 1944 et par le traité de Paris (février 1947), elle est à nouveau proclamée république soviétique le 23 avril 1947. Sa population compte 64,5 % de Moldaves (Roumains), 13,8 % d'Ukrainiens, 13 % de Russes, 3,5 % de Gagaouzes et 2 % de Bulgares. La minorité juive (205 000 personnes en 1930, 95 000 en 1959) a pratiquement disparu. En 1941, la Roumanie a déporté les Juifs de Moldavie (Bessarabie, Bucovine, Moldavie occidentale) en Transnistrie, où plus de la moitié a trouvé la mort dans les camps ou lors de tueries ponctuelles. À partir de 1940 et surtout de 1944, Moscou a entrepris une politique de dénationalisation des Moldaves (Roumains) : environ un million ont été déportés de gré ou de force entre 1944 et 1989, tandis qu'environ un million de Russes et d'Ukrainiens se sont installés en Moldavie. Avec son économie essentiellement axée sur l'agriculture (vigne, tabac) et l'agro-alimentaire, la Moldavie était une véritable colonie agricole à l'époque soviétique. Le réveil nationaliste de 1987-1988 a abouti à l'adoption du roumain comme langue officielle (31 août 1989), puis à la proclamation de l'indépendance (27 août 1991). En réaction, les Gagaouzes ainsi que les minorités russe et ukrainienne de Transdniestrie ont proclamé leur propre indépendance. La sécession de fait de la Transdniestrie n'a pu être empêchée (guerre du 1er avril au 21 juillet 1992) du fait de l'intervention de la 14e armée russe. Le territoire gagaouze s'est vu doter des attributs d'une autonomie. La Constitution de 1994 confère de larges pouvoirs au Parlement. Le président Petru I. Lucinschi (1996-2000) essaie de modifier la Constitution afin de transformer le système politique moldave en république présidentielle. La Moldavie connaissait au tournant du xxie siècle de graves problèmes énergétiques (dépendance totale de la Russie et de l'Ukraine), financiers (inflation, retards des paiements des salaires et des retraites), politiques (instabilité des partis politiques, classe politique peu structurée)... Le pays est complètement enclavé entre la Roumanie et l'Ukraine, sans accès à la mer Noire et avec un débouché de moins d'un kilomètre sur le bas-Danube. Un seul parti, le Front populaire chrétien-démocrate, a réclamé l'union avec la Roumanie, mais, en 2000, la scène politique restait dominée par le Parti communiste, vainqueur des élections en 1996 et frein au processus de privatisation de l'économie et de l'agriculture. **M. Ca.**

MONACO **P**rincipauté de Monaco. Capitale : Monaco. Superficie : 1,81 km². Population : 33 000 (1999). **P**rincipauté située au sud du département français des Alpes-Maritimes et donnant sur la mer. Monaco compte une majorité d'étrangers parmi ses habitants. Les non-résidents sont attirés par les avantages fiscaux dont ils bénéficient. C'est un centre bancaire *off shore*. La principauté est liée à la France par une union douanière (1865), un « traité d'amitié protectrice » (1918) et une convention datant de 1963. En 1962, cette enclave est devenue monarchie constitutionnelle. La principauté vit du tourisme et de ses activités financières. Ces dernières ont attiré de fortes suspicions en matière de blanchiment d'argent sale, malgré les dénégations des autorités de la principauté et les lois adoptées pour attester de leur volonté politique de lutter contre le crime organisé. **N. B.**

MONDIALISATION **D**ans les deux dernières décennies du xxᵉ siècle, nombre de commentateurs ont qualifié la période comme étant celle de la « mondialisation » (ou de la « globalisation », adaptation d'un terme anglais à la signification plus rigoureuse). L'abus d'usage de ce mot a souvent dispensé de s'interroger sur sa définition. Au plan économique, la mondialisation peut désigner tout à la fois l'émergence d'une « économie globalisée » opérant directement au niveau international et non plus à celui des États-nations, la convergence des marchés à l'échelle du monde, l'émergence des firmes multinationales globales (encadrement, investissement et recherche-développement étant « dénationalisés »). Il ne fait pas de doute que la poursuite de l'internationalisation de l'économie, de même que la constitution d'ensembles régionaux comme l'Union européenne modifient et réduisent

les conditions d'exercice de la souveraineté nationale. Au plan des technologies de l'information et de la communication et des industries culturelles, on parle aussi volontiers de mondialisation. **E**n fait, si la globalisation financière (la constitution d'un marché mondial des capitaux) est bien réelle depuis que les États des pays industriels ont abandonné le contrôle des changes dans les années 1980), et si les déréglementations et le développement des réseaux globaux de communication ont effectivement modifié l'économie mondiale, il n'est pas certain que l'internationalisation de la production et des échanges (engagée de longue date) ait vraiment changé de nature. La thèse de l'émergence d'une « culture mondiale » mérite par ailleurs discussion. Faut-il croire que la fin du xxᵉ siècle aura marqué une étape de la mondialisation plus décisive que les impérialismes européens qui se sont partagé le monde un siècle plus tôt ou que la « découverte » de l'Amérique par Christophe Colomb ? **S. C.**

MONGOLIE Capitale : Oulan-Bator. Superficie : 1 565 000 km². Population : 2 621 000 (1999). **C**'est sous la domination chinoise que la Mongolie, dont l'économie est essentiellement pastorale, entre dans le xxᵉ siècle. En 1911, cependant, les Mongols profitent de la chute de la dynastie des Qing en Chine pour proclamer leur indépendance, rapidement reconnue par la Russie. En 1915, un accord sino-russe déclare ce territoire sous souveraineté chinoise avec une autonomie interne. Néanmoins, en 1917, Pékin profite de la révolution russe pour l'occuper militairement. **L**'URSS réagit dès 1921 : l'Armée rouge entre à Ourga, qui devient peu après Oulan-Bator, et proclame l'indépendance du pays, qui devient en 1924 la République populaire de Mongolie sous la direction du Parti révolutionnaire du peuple mongol (PRPM), parti unique. La domination soviétique s'exerce dans tous les domaines et la répression est chose courante, particulièrement sous la dictature du maréchal Choybalsan (1936-1952), le « Staline mongol ». **E**n 1945, sous pression conjuguée de l'Union soviétique et de la Chine, un plébiscite est organisé. Le vote en faveur de l'indépendance l'emporte massivement. La Chine reconnaît cette Mongolie. Au sud, la « Mongolie intérieure » reste sous son contrôle. Depuis lors et jusqu'à la fin des années 1980, la Mongolie demeure un État formellement indépendant, sous la surveillance de Moscou. La relation entre les deux pays est si étroite que l'on a parfois surnommé la Mongolie, la « seizième république de l'URSS ». Le modèle politique et économique soviétique est adopté par Oulan-Bator. La Mongolie est admise aux Nations unies en 1961. La mutation de l'URSS, puis sa disparition vont avoir de lourdes conséquences à Oulan-Bator. Une transition politique est engagée en 1990-1992. Elle débouche sur une démocratie parlementaire qui parviendra à se stabiliser, malgré une crise économique et une corruption endémiques. **D. G. P.**

MONNET Jean (1888-1979) Homme politique français et européen. Fils d'un négociant en cognac, Jean Monnet commence par prospecter le marché américain. Pendant la Première Guerre mondiale, il s'occupe de transports maritimes au sein d'instances interalliées. Entré au Secrétariat de la SDN, il y veille au redressement financier de l'Autriche. Son retour aux affaires privées, en 1923, ne fait qu'accroître sa réputation d'expert : il participe en 1932 à la réorganisation des chemins de fer chinois. En 1938-1939, le gouvernement français le charge de l'achat d'avions de combat aux États-Unis. Après la défaite de la France, l'appel du 18 juin 1940 lancé par le général de Gaulle le laisse sceptique et il s'en va coopérer à l'effort de guerre américain. Bénéficiant de la confiance du président Franklin D. Roosevelt, il gagne ensuite l'Afrique du Nord, où il devient en 1943 l'un des sept membres originels du Comité français de libération nationale (CFLN) constitué à Alger. À la fin de 1945, J. Monnet convainc le général de Gaulle que, pour obtenir les crédits américains indispensables, il faut établir un « plan d'équipement et de modernisation » de la France. C'est le « plan Monnet », que les Américains jugent réaliste et qui conduit à la création du Commissariat au Plan, dirigé par J. Monnet de 1946 à 1952. Ainsi naît la « planification à la française », fondée sur la concertation entre les pouvoirs publics et les partenaires économiques et sociaux. En 1949 est instaurée la République fédérale d'Allemagne (RFA), avec pour chancelier Konrad Adenauer. Or, la France ayant détaché la Sarre de l'Allemagne, notamment pour exploiter son charbon, un contentieux est né entre les deux pays. De surcroît, le redémarrage de la puissante sidérurgie de la Ruhr suscite des inquiétudes. Simultanément s'est développée, en Europe occidentale, l'idée (imprécise) d'une « Union européenne », voire d'« États-Unis d'Europe », mais le Conseil de l'Europe, créé en 1949, reste très en deçà de telles ambitions : c'est une organisation intergouvernementale sans grand pouvoir. Quant à l'Organisation européenne de coopération économique (OECE), créée en 1948 par les États bénéficiaires du plan Marshall, elle n'a pas d'objectif politique. Pour progresser, J. Monnet et ses collaborateurs imaginent alors une autre approche. À partir de « réalisations concrètes créant d'abord une solidarité de fait », il s'agit à la fois de dépasser le contentieux franco-allemand et d'engager une véritable construction européenne. La Communauté européenne du charbon et de l'acier (CECA), réunissant la France, l'Allemagne, le Benelux et l'Italie, sera ainsi instaurée en 1951. Ses institutions préfigurent les institutions européennes : la Haute Autorité, quelque peu supranationale (aujourd'hui la Commission européenne), le Conseil des ministres, l'Assemblée de la Communauté (le Parlement européen), la Cour de justice. J. Monnet préside la Haute Autorité de la CECA de 1952 à 1955. À la tête du Comité d'action pour les États-Unis d'Europe, il ne cessera ensuite de prôner l'instauration d'un pouvoir supranational. Plus que tout autre, sans doute, J. Monnet mérite le nom de « père de l'Europe ». De son approche initiale, pratique, circonscrite et extraordinairement ambitieuse à la fois, est véritablement née la construction européenne. Il doit son succès à ses qualités d'homme de réseaux, praticien des relations internationales, rompu au pragmatisme anglo-saxon et néanmoins idéaliste, aussi attaché à la culture européenne que peu suspect de nationalisme, sachant à la fois se tenir en retrait des rivalités politiques et convaincre les hommes d'État par la force de ses analyses et projets. **J. S.** **> CONSTRUCTION EUROPÉENNE, FRANCE.**

MONTÉNÉGRO Caractérisé par une société tribale et clanique, le Monténégro dispose d'une autonomie relative au sein de l'Empire ottoman. Éloigné des principaux axes de communication de la péninsule balkanique, il développe son propre État au cours du xixᵉ siècle. L'indépendance de la principauté du Monténégro est reconnue lors du congrès de Berlin qui révise en 1878 le traité de San Stefano entre la Russie et l'Empire ottoman vaincu lors de la guerre russo-turque (1877-1878). En fait, le pays dépend financièrement de la Russie tsariste. Contre l'Empire ottoman affaibli, le Monténégro, proclamé royaume en 1910, s'allie à la Serbie lors des guerres balkaniques de 1912-1913. Il présente alors une frontière commune avec le royaume de Serbie de Petar 1 Karadjordjevic (1844-1921). Lors de la Grande Guerre, l'armée monténégrine est contrainte à la capitulation en 1916. À l'issue du conflit, Nikola 1 Petrovic-Njegos (1841-1921) perd son royaume, annexé de fait par la Serbie en 1918. Le Monténégro est alors dépossédé de son identité étatique et historique. Après avoir été occupé par l'Italie fasciste pendant la Seconde Guerre mondiale, il retrouve ses frontières dans le cadre de la Yougoslavie socialiste en 1945. En tant que région sous-développée, il bénéficie d'une importante aide économique de la part de la fédération yougoslave. En janvier 1989, de nouveaux dirigeants (Momir Bulatovic [1957-], Milo Djukanovic [1962-], etc.) arrivent au pouvoir dans le sillage de la « révolution antibureaucratique » menée par Slobodan Milosevic en Serbie en 1988-1989. Quoique consciente des intentions hégémoniques de la Serbie et se distinguant parfois de Belgrade au moment de la désintégration de la fédération yougoslave, la nouvelle élite politique monténégrine s'aligne sur la position belgradoise (le Monténégro, par voie référendaire, se prononce

pour le maintien de liens fédéraux avec la Serbie dans le cadre de la République fédérale de Yougoslavie – RFY – proclamée en avril 1992) jusqu'à la contestation massive de 1996-1997 en Serbie. Le parti dominant, le Parti démocratique des socialistes du Monténégro (DPSCG) subit alors une scission et le courant réformateur promonténégrin de M. Djukanovic l'emporte en 1998. Après la guerre du Kosovo au printemps 1999, les dirigeants monténégrins s'engagent sur la voie de l'indépendance de leur république. **Y. T.** **> FÉDÉRALISME YOUGOSLAVE, SERBIE, YOUGOSLAVIE.**

MONTSERRAT Dans cette île caraïbe qui a le statut de « territoire dépendant » de la Couronne et qui est sous souveraineté britannique depuis 1632, la culture de la canne à sucre et du coton a cédé le pas, au milieu du xxᵉ siècle, aux petites industries légères. L'île a attiré des retraités d'Amérique du Nord venant y vivre. Cette vie tranquille a été bouleversée en 1995 par le réveil du volcan de l'île, la Soufrière, qui dormait depuis des siècles. Les éruptions ont détruit la capitale Plymouth en 1996 et ont dévasté la partie sud de l'île. La population s'est réfugiée dans la partie nord. **G. C.**

MORO Aldo (1916-1978) Homme politique italien. Né dans les Pouilles, président de 1939 à 1942 de la Fédération des étudiants catholiques, professeur de droit, A. Moro est poussé à la députation en 1946 par l'évêque de Bari. Notable typique de la Démocratie chrétienne (DC) des années 1950, dispensant à ses électeurs la manne de l'État – mais avec une vraie probité personnelle – il est ministre de la Justice en 1955, de l'Instruction publique en 1957 et est élu en 1958 à la tête de la DC pour concilier Amintore Fanfani, qui veut renforcer le gouvernement en cooptant le PSI (Parti socialiste italien), et les conservateurs majoritaires, mais sans politique de rechange. S'il pilote l'ouverture avec prudence, limite les réformes concédées, il dirige toutefois trois gouvernements dont le socialiste Pietro Nenni est vice-président (1963-1968). L'épuisement de cette formule l'écarte un temps du pouvoir réel ; il est ministre des Affaires étrangères de 1969 à 1973. Des revers électoraux de son parti le ramènent à la tête du gouvernement de 1974 à 1976, pour préparer une nouvelle ouverture. Président de la DC, il laisse à Giulio Andreotti la direction d'un gouvernement bénéficiant de l'abstention du PCI (Parti communiste italien), mais quand celle-ci va devenir soutien positif, en 1978, il est enlevé par les Brigades rouges (extrême gauche), férocement hostiles au compromis historique. La police qui le cherche est noyautée par une société secrète anticommuniste, la loge P2, et son propre parti refuse de négocier. Après cinquante-cinq jours de détention, son corps est retrouvé à mi-distance des sièges de la DC et du PCI. Ce meurtre en fait un martyr. **É. V.** **> DÉMOCRATIE CHRÉTIENNE (ITALIE), ITALIE.**

MOSCOU (procès de) Les trois grands procès publics dits « de Moscou » jugeaient de hauts dignitaires bolcheviques de la première heure, dont Lev Kamenev, Grigori Zinoviev, Gueorgui Piatakov (1890-1937), Nicolas Boukharine, quatre des six principaux dirigeants bolcheviques cités par Lénine dans son Testament. Ils se déroulèrent dans la capitale soviétique en août 1936, janvier 1937 et mars 1938, et sont entrés dans l'histoire comme le prototype de la machination politique dans les régimes de type stalinien, montée par un dictateur avec l'aide d'une police politique toute-puissante. À la fin des années 1940 et au début des années 1950, ces parodies judiciaires bien rodées furent dupliquées dans les « démocraties populaires ». Fondés sur les seuls aveux des accusés, ces grands procès politiques, qui s'achevaient par la condamnation à mort des « traîtres » accusés des crimes imaginaires les plus abominables et les plus fantaisistes (avoir tenté de « restaurer le capitalisme en URSS », ou de « démembrer le pays au profit de puissances étrangères », voire « d'inoculer la peste bovine au cheptel soviétique ») ont été à la fois de gigantesques événements-spectacles et événements-écrans. Événements-spectacles, ces procès étaient l'occasion d'une exceptionnelle mobilisation idéologique, populaire et populiste, destinée à réaffirmer avec éclat l'union indéfectible du peuple avec son Guide. Parce qu'ils démasquaient le « complot », figure centrale de l'idéologie stalinienne, explication de tous les échecs et de toutes les difficultés que connaissait le régime dans sa prétendue « construction du socialisme », les grands procès politiques étaient un « formidable mécanisme de prophylaxie sociale » (selon la formule de l'historienne Annie Kriegel). Mais ces procès, face publique de la Grande Terreur stalinienne, ont aussi constitué des événements-écrans. En focalisant l'attention des contemporains, puis des historiens, sur les sensationnels et mystérieux aveux des « vieux-bolcheviks », les procès de Moscou ont durablement occulté la face cachée de la terreur de masse, avec ses millions de victimes anonymes. **N. W.** **> RÉGIME SOVIÉTIQUE, RUSSIE ET URSS, TOTALITARISME.**

MOSSAD L'Institut de renseignement et des opérations spéciales (ha-Mossad le-Modiin ule-Tafkidim Meyuhadim), couramment abrégé en « Mossad », est fondé en 1951. Il relève directement de l'autorité du Premier ministre israélien. Les premières années, il facilite l'immigration en Israël de communautés juives en provenance du monde arabe. En 1960, le service d'espionnage israélien se rend célèbre avec l'enlèvement en Argentine d'Adolf Eichmann (1906-1962), le criminel nazi organisateur de la solution finale (le génocide des Juifs). Il prend une part active à la lutte contre l'organisation palestinienne Septembre noir et assassine méthodiquement tous ceux qui ont participé de près ou de loin au massacre des athlètes israéliens aux Jeux olympiques de Munich en 1972. Le Mossad, dont un « correspondant » à Paris est devenu Premier ministre, Itzhak Shamir (1915-), a multiplié les fiascos dans les années 1990. Ses agents ont été pris sur le fait, arrêtés, puis relâchés, après des tractations diplomatiques, en Jordanie, en Suisse et à Chypre. **C. B.** **> ISRAËL.**

MOSSADEGH Muhammad Hedayat (1881-1967) Homme politique iranien. La carrière de Muhammad Hedayat Mossadegh est exemplaire par sa longévité, la diversité des responsabilités assumées mais aussi, et surtout, par sa clairvoyance politique incontestable. Très tôt conscient que l'ingérence des puissances étrangères – britannique essentiellement – entrave le développement de son pays, ce juriste francophone adopte une ligne nationaliste dont il ne déviera pas. Successivement ministre de la Justice, des Finances et des Affaires étrangères entre 1921 et 1923, il n'hésite pas, devenu député, à s'opposer à la destitution de la dynastie des Kadjars par Reza Chah Pahlavi, ce qui lui vaudra l'emprisonnement puis l'assignation à la résidence surveillée jusqu'en 1941. Au lendemain de la Seconde Guerre mondiale, la question du pétrole devient centrale en Iran, les Britanniques voulant proroger l'accord de 1933 qui leur octroie la mainmise sur l'or noir iranien. Cette volonté va se heurter à l'intransigeance de M. H. Mossadegh qui, ayant créé un parti politique, le Front national, est de nouveau élu député après une campagne électorale centrée sur la nationalisation du pétrole. La décision de mettre en œuvre celle-ci est votée le 15 mars 1951 et M. H. Mossadegh est nommé Premier ministre. C'est la première fois qu'un pays du tiers monde ose s'en prendre aux intérêts d'une puissance impérialiste ; la réaction de Londres est immédiate : l'Iran est placé sous embargo économique. La production de pétrole iranien passe de 30 millions de tonnes en 1951 à un million en 1953... En juillet 1952, confronté au refus du chah de lui confier le ministère de la Guerre, M. H. Mossadegh démissionne. Mais devant l'explosion du mécontentement populaire, le chah est obligé de le rappeler. Face aux intrigues de la cour, aux manœuvres anglo-américaines, à la prise de distance des propriétaires fonciers et des bazari (commerçants), à la défection de l'aile religieuse du gouvernement et surtout à l'aggravation des privations de la population, le Premier ministre perd peu à peu ses soutiens. Il reste impuissant devant les deux coups d'État fomentés successivement par la CIA (Central Intelligence Agency, États-Unis) en août 1953. M. H. Mossadegh est condamné à trois ans de prison et finit sa vie en résidence surveillée. Malgré son échec, le mouvement national lancé par

M. H. Mossadegh a ressemblé à une révolution par son ampleur et par les changements politiques qu'il a entraînés. Il a permis à la nation iranienne de prendre conscience de ses droits et de se sentir pour la première fois, depuis une longue période, solidaire de son gouvernement. **D. B.** ▸ IRAN.

MOULIN Jean (1899-1943) Homme politique français, unificateur de la résistance intérieure au nazisme. Né à Béziers, membre de l'administration préfectorale, ami et collaborateur de Pierre Cot (1895-1977), ministre radical-socialiste dont il fut fréquemment chef de cabinet, Jean Moulin est préfet d'Eure-et-Loir en 1940. Il s'oppose vivement aux autorités allemandes et celles de Vichy le révoquent dès novembre 1940. Il rallie la France libre et il est chargé par le général de Gaulle d'unifier la Résistance intérieure en Zone sud. Parachuté à Saint-Andiol dans la nuit du 31 décembre 1941, il crée le Comité général d'études à l'été 1942 et constitue les Mouvements unis de Résistance (MUR) le 26 janvier 1943 regroupant Combat, Franc-Tireur et Libération. Délégué général de la France libre en métropole (février 1943), il unifie l'ensemble de la Résistance intérieure dans le CNR – Conseil national de la Résistance – (mai 1943) qu'il préside. Il accepte la prise en compte des partis politiques et exprime le soutien de la Résistance intérieure au général de Gaulle (télégramme du 15 mai 1943) dans son conflit avec le général Henri Giraud (1879-1949). Arrêté à Caluire par la Gestapo, il est torturé par Klaus Barbie et meurt au cours de son transfert en Allemagne. Devenu le symbole de l'héroïsme de la Résistance, il est inhumé au Panthéon le 19 décembre 1964, salué, « pauvre roi supplicié des ombres », par un émouvant et inoubliable discours d'André Malraux (1901-1976). Son ancien secrétaire, Daniel Cordier, lui a consacré une biographie aussi réputée que monumentale. **G. Ca.** ▸ FRANCE, RÉSISTANCE FRANÇAISE.

MOUVEMENT DES NON-ALIGNÉS

Forum aux structures souples, le mouvement des non-alignés, fondé lors de la première conférence des pays non alignés à Belgrade en 1961, a regroupé après la décolonisation

les pays soucieux d'échapper à la logique des blocs Est-Ouest et de favoriser une indépendance effective pour les pays du Sud. L'impact politique du non-alignement a décliné dans les années 1970 et il ne représente plus, aujourd'hui que la bipolarité a disparu, qu'une survivance symbolique. Il comptait 114 membres à la mi-2001.
> NON-ALIGNEMENT.

MOUVEMENT DU 4 MAI 1919
Manifestations étudiantes, boycottages marchands et grèves ouvrières à Pékin, puis dans de nombreuses villes chinoises, se développent lorsque la conférence de Versailles confirme la dévolution au Japon des intérêts allemands au Shandong. Plus largement, ce mouvement se confond avec l'entreprise d'occidentalisation et de radicalisation de l'intelligentsia qui précède la fondation du Parti communiste chinois (PCC) en 1921. Il a servi de symbole à toutes les revendications des intellectuels et des étudiants, dès les années 1930 (conflit sino-japonais). **L. Bi., Y. C.** **> CHINE.**

MOZAMBIQUE **R**épublique du Mozambique. Capitale : Maputo. Superficie : 783 080 km^2. Population : 19 286 000 (1999). **E**n 1907, Lisbonne décide de déplacer la capitale de sa colonie d'Afrique orientale, l'île de Mozambique, en face de l'archipel des Comores, à Lourenço-Marques (aujourd'hui Maputo), dans l'extrême sud du pays. Ce choix qui aura, sur le long terme, des conséquences incalculables, s'explique par la volonté des colonisateurs de mettre en relation l'économie de leur territoire avec celle, en plein essor, de l'Union sud-africaine et de la Rhodésie. Lisbonne choisissait ainsi de faire du Mozambique une « colonie de services » pour l'hinterland britannique. **R**upture géographique et socio-historique. Le changement de capitale matérialise une rupture à la fois géopolitique et socio-historique : les noyaux « créoles » des vieilles élites locales descendant souvent du trafic d'esclaves se situaient sur la côte septentrionale, sur le fleuve Zambèze ou dans les prazos (genre de fiefs) de Zambézia et de la rive droite du Zambèze jusqu'à Sofala. Ces milieux sociaux vont être totale-

ment marginalisés au cours du xxe siècle, par le passage de la colonisation mercantile au capitalisme colonial des grandes compagnies. Les nouvelles élites africaines du Sud restent très faibles du fait du caractère très limité de l'alphabétisation menée par les missions catholiques (en dépit du concordat de 1940) et de l'arrivée massive de petits colons blancs monopolisant les moindres niches d'enrichissement. **E**n 1926, est publié le Statut indigène (instituant l'indigénat), base légale renouvelée du travail forcé. En 1930, avec l'Acte colonial, le Mozambique devient une colonie à la législation distincte (il était jusqu'alors une « province d'outre-mer »). Le Portugal ne participant pas à la Seconde Guerre mondiale, « son » Afrique ne connaît donc pas l'effet modernisateur que ce conflit aura sur les autres colonisations. **L**a crise est patente dès 1958, quand les cultures forcées ne parviennent plus à fournir le coton nécessaire à l'industrie textile métropolitaine cherchant à exporter vers les autres pays européens. Quelques réformes sont ébauchées, brutalement accélérées après le déclenchement des luttes armées dans l'Empire portugais à partir de 1961. L'indigénat est supprimé (1961) de même que le Code du travail indigène (1962), l'Église catholique perd le monopole de l'enseignement indigène (1964). Un Code des investissements étrangers (1965) permet une arrivée massive de capitaux et une timide africanisation des cadres s'amorce. **U**ne véritable modernisation économique s'opère, qui s'amplifiera jusqu'à la récession de 1972-1973 (Lourenço Marques est alors la « ville portugaise » qui compte la plus grande densité d'automobiles). Au plan des infrastructures économiques, le Mozambique n'est pas en retard sur les autres pays de la région lors de l'indépendance en 1975 (hors Afrique du Sud). Il reste cependant socialement archaïque, colonie de peuplement de petits Blancs empêchant l'essor de cadres africains. **Dix ans de lutte armée de libération.** La lutte armée est engagée à partir de septembre 1964, principalement dirigée par le Frelimo (Front de libération du Mozambique) sous la présidence d'Eduardo Mondlane (1920-1969). Il est le fils d'un chef traditionnel d'ethnie changane (sud du pays), éduqué par la Mission suisse (presbytérienne), devenu professeur aux États-Unis et ami de Julius Nyerere (président de la république du Tanganyika, puis de la Tanzanie), rencontré à l'ONU (Organisation des Nations unies). Seul mouvement disposant des cadres nécessaires, le Frelimo se développe, mais sa direction est principalement sudiste et urbaine, tandis que la base de la guérilla, dans l'extrême nord frontalier de la Tanzanie, est d'ethnie maconde. Même si elle étend ensuite ses zones libérées (environ 15 % du territoire) et ses actions à d'autres régions, la guérilla ne s'implante pratiquement pas en Zambézia et à Nampula. De graves crises éclatent au sein du Frelimo, sous couvert de divergences politiques qui traduisent aussi, en réalité, des différences de vécus, d'identités, d'ethnicité et de mondes qui, dans ce pays sans nation, ne se connaissaient pas. Globalement, le centre et le centre-nord du pays restent sous-représentés dans le Front de libération, puis dans le nouvel État indépendant. La dynamique de la guerre de libération permet au Frelimo de survivre à l'assassinat de son premier président, E. Mondlane, en février 1969. Elle permet également la « marxisation » progressive engagée par les dirigeants politico-militaires entraînés en Algérie, en Union soviétique ou en Chine, exprimant, par le biais du marxisme tel qu'ils l'avaient appris de leurs hôtes ou du Parti communiste portugais, un nationalisme de type très jacobin, très hostile aux cultures populaires et aux identités ethniques, exprimant par là les autres courants de modernisation autoritaire et paternaliste du tiers monde. Même si politiquement elle lutte contre le salazarisme, la petite élite qui imagine la nation future subit le poids du modèle social portugais d'une nation très homogène (une seule langue, une seule religion), très centralisée (corporatisme d'État, centralisation politique), à la fonction publique hypertrophiée... Le marxisme stalinisé affirmé par le nouveau président nommé en mai 1970, Samora Machel (1933-1986), de même que l'admiration de ce dernier pour l'État de Gaza du grand chef nguni Ngungunhana (1850-1906), ne peuvent qu'accentuer ces influences. **A**près le

dernier grand effort militaire portugais (1970), le Frelimo ne peut gagner, mais reste invaincu. Après la révolution des Œillets au Portugal (25 avril 1974), l'indépendance est accordée (25 juin 1975), sans véritable processus de décolonisation ni démocratisation. **D**ix-sept ans de guerre civile. L'immense majorité des Blancs (et donc des cadres) quitte le pays dans les deux ans qui suivent, non seulement parce qu'elle a perdu ses privilèges, mais aussi du fait de l'impossibilité de s'exprimer en tant que l'une des communautés du pays. **Le** Frelimo se proclame « parti marxiste-léniniste » en 1977 et se lance dans la villagisation autoritaire des campagnes (regroupement des paysans) en 1978. Même s'il ne s'agit pas d'une collectivisation, elle plonge la paysannerie d'habitat dispersé dans une crise sociale profonde qui permettra à la rébellion de la Renamo (Résistance nationale du Mozambique), soutenue par la Rhodésie puis par l'Afrique du Sud, d'acquérir progressivement une véritable base sociale. En effet, des communautés paysannes croient alors pouvoir se servir des « bandits armés » pour se protéger de l'État qui bouleverse leur vie sans aucun gain social. Commencée en 1977, la guerre s'étend en 1981. Quand S. Machel meurt dans un accident d'avion suspect, le 19 octobre 1986, c'est une véritable guerre civile qui ravage l'ensemble du pays, aux atrocités sans nombre, avec recours massif aux enfants soldats (le conflit aurait fait environ un million de victimes, majoritairement indirectes : femmes et enfants). Néanmoins, l'impossibilité d'une issue militaire et les changements engagés en Afrique du Sud font que sous la direction de Joaquim Chissano (1939-), président à partir de 1986 et changane comme ses deux prédécesseurs, le Frelimo abandonne le « marxisme-léninisme » en juillet 1989. Le principe du parti unique est abandonné en janvier 1990. Les négociations de Rome aboutissent, le 4 octobre 1992, à un cessez-le-feu entre le Frelimo et la Renamo. **Lors** des élections législatives et présidentielles d'octobre 1994, supervisées par l'ONU, le Frelimo (44,3 %) et J. Chissano (53,3 %) remportent le scrutin, mais les scores des « bandits armés » de la Renamo et de leur chef Afonso

Dhlakama traduisent une éclatante victoire de légitimation : ils obtiennent plus d'un tiers des voix et la majorité absolue dans le centre et le nord du pays.   **A posteriori**, cela montre que la guerre a bien été aussi civile et qu'elle n'a pas seulement été une guerre externe de déstabilisation menée par les régimes d'<u>apartheid</u>, comme le pouvoir et nombre de tiers-mondistes occidentaux la présentait. La révolution mozambicaine n'a pas seulement été vaincue par l'agression étrangère, elle a aussi implosé en raison de son paternalisme de modernisation autoritaire tourné contre les sociétés paysannes et politiquement hyperbureaucratique. Aux élections de 1999, alors que le <u>FMI</u> (Fonds monétaire international) ne tarit pas d'éloges sur le « bon élève » mozambicain, la Renamo progresse encore, durcissant le clivage régional du pays. Il est vrai que les politiques libérales appliquées tendent à aggraver les déséquilibres issus de la colonisation. Les investissements sont concentrés dans les corridors de Beira et surtout de Maputo, c'est-à-dire dans les complexes de zones franches, de ports et de chemins du fer du Sud reliant l'hinterland anglophone à l'océan Indien. Si, dans l'avenir, les ressentiments à l'égard du Sud hypertrophié s'exprimaient ethniquement, il serait alors bien tard pour crier au tribalisme. **M. C.**

MPLA (Angola)   « O MPLA é o povo », « Le MPLA (Mouvement populaire de libération de l'Angola) est le peuple » : ce slogan résume la philosophie du parti-État en Angola. Que ce soit du temps de la lutte pour la libération nationale, dans la phase la plus doctrinairement <u>marxiste</u> après sa prise de pouvoir ou, converti à l'économie de marché et, avec bien plus de réticences, au multipartisme en 1990, le MPLA prétend incarner la population, s'y substitue. Il exclut tous les « fractionnistes », de Viriato da Cruz, en 1963 (exilé en Chine), à un autre de ses membres fondateurs, Mario de Andrade, engagé en 1974 dans la tendance d'opposition Révolte active, jusqu'à l'assassinat de José van Dunem et Nito Alves en décembre 1977, au premier congrès après l'indépendance. Grâce à la rente pétrolière qu'il confisque et grâce à la guerre contre l'<u>UNITA</u> (Union nationale

pour la libération totale de l'Angola) qui justifie les privations matérielles et politiques de la population, l'ex-parti des intellectuels, devenu nomenklatura au pouvoir, s'enrichit à mesure que le pays s'appauvrit. Après le « socialisme réel » et son partage inégal, le libéralisme de l'« économie informelle » lui permet de monnayer sur le marché noir ses rentes de situation. Réfractaire à la démocratie, le MPLA tente d'étouffer la société civile qui, à la fin des années 1990, s'affirme toutefois face à un appareil politico-militaire de plus en plus concentré autour du Futungo, le palais présidentiel qu'occupe depuis 1979 José Eduardo dos Santos (1942-). **S. S. > ANGOLA.**

MUHAMMAD REZA CHAH PAHLAVI (1919-1980)   Chah   d'Iran   (1941-1979). Muhammad Reza Pahlavi succède à son père <u>Reza Chah Pahlavi</u> à l'âge de vingt-deux ans, sans y avoir réellement été préparé. Tout au long de son règne, il esquive les épreuves politiques qui se présentent, en ayant systématiquement recours à l'aide politique étrangère.   Les premières années de son règne sont difficiles : les troubles internes et la menace de partition du pays entre Britanniques et Soviétiques (crise de l'<u>Azerbaïdjan iranien</u>) ne facilitent guère une gestion rigoureuse et pacifiée. Les péripéties engendrées par la nationalisation du pétrole, votée par le Parlement en mars 1951 à l'instigation de <u>Mossadegh</u>, entraînent son exil à Rome durant quelques jours au mois d'août 1953. Le coup d'État qui lui permet de revenir au pouvoir marque l'arrêt des timides tentatives de démocratisation. Le rôle essentiel joué par la <u>CIA</u> (Central Intelligence Agency, États-Unis) dans ces événements discrédite Muhammad Reza Chah et lui fait perdre toute légitimité populaire. C'est aussi le début d'un processus d'alignement de plus en plus complet sur les États-Unis.   **P**lus sûr de lui à partir des années 1960, il recourt à des moyens coercitifs pour imposer des réformes (la « <u>révolution blanche</u> ») peu comprises par le peuple. Les succès économiques et faciles engendrés par le « boom » pétrolier à partir de 1973 accroissent son ambition en même temps que son aveuglement. L'étalage de l'opulence de celui que l'on n'appelle plus que le « roi des rois, soleil des Aryens », les formidables dépenses d'armement qui vont jusqu'à atteindre 25 % du PIB, accroissent considérablement les inégalités sociales et voient la montée des problèmes urbains. Cette situation se double d'une sorte d'autisme du chah vis-à-vis des préoccupations et du mécontentement populaires. **S**a chute se déroule ainsi avec une rapidité que peu de personnes avaient prévue. Il est obligé de s'enfuir, définitivement cette fois-ci, le 16 janvier 1979 suite aux mouvements populaires qui aboutissent à la révolution khomeyniste et meurt en exil au Caire en juillet 1980. **D. B. > IRAN.**

MULTICULTURALISME (Australie)

Le multiculturalisme est la doctrine officielle de l'Australie en matière d'immigration et de politique des populations. Inspirée par la politique canadienne, elle a été adoptée par l'Australie dans les années 1970 afin de moderniser des pratiques considérées comme discriminatoires, tant dans le pays qu'à l'étranger. En 1901, l'Australie se dote d'une loi interdisant aux non-Européens de s'installer en Australie (« Keep Australia White », l'Australie aux Blancs), afin d'arrêter l'arrivée des colons chinois, et de réglementer la traite des travailleurs mélanésiens pour les plantations ; elle ne sera abrogée qu'en 1974, par le gouvernement travailliste de Gough Whitlam (1972-1975). Après 1945, le pays ouvre ses portes à une immigration européenne non anglo-celtique (Italiens, Grecs, Slaves). La doctrine est celle de l'assimilation : les « nouveaux Australiens » doivent intégrer les valeurs de l'Australie anglo-celtique. À partir de 1974, les Asiatiques sont autorisés à s'installer, alors que les Aborigènes sont peu à peu intégrés à la population générale. De 1945 à 1997, 5,7 millions d'émigrants originaires de 150 pays ont débarqué en Australie ; en 1997, 4,3 millions d'Australiens étaient nés à l'étranger (23,3 % de la population), dont 1 million (5,3 %) en Asie. En théorie, le multiculturalisme facilite l'intégration par le respect des droits à la différence linguistique, culturelle, ethnique, religieuse ; dans les faits, la société australienne reste divisée entre,

d'une part, une majorité anglo-celtique (« anglo »), surreprésentée dans les institutions, les affaires, les arts, et d'autre part, des « communautés ethniques », dont les apports les plus reconnus concernent la cuisine et le sport. **P. G.   > AUSTRALIE.**

MUNICH (accords de)

Le nom de la capitale bavaroise et l'adjectif « munichois » sont devenus au xxᵉ siècle symboles de la politique et de la diplomatie de capitulation face à l'agressivité de la dictature. **L**a conférence de Munich s'ouvre le 29 septembre 1938 et les accords sont signés le 30 à 1 heure du matin. Sur l'invitation de l'Allemagne hitlérienne, les Premiers ministres du Royaume-Uni (Neville Chamberlain) et de la France (Édouard Daladier), ainsi que le chef de l'Italie fasciste (Benito Mussolini), donnent le « feu vert » aux revendications de Hitler : annexer dans les dix jours les territoires de Tchécoslovaquie, dont la population, habitant surtout dans la région des Sudètes, est de langue allemande à plus de 50 %. Cela représente près du tiers des pays tchèques. Cette zone est pourvue d'ouvrages fortifiés construits contre l'éventualité d'une attaque allemande. Les accords ne garantissent pas les nouvelles frontières du pays. Malgré une très forte mobilisation populaire, les hautes autorités tchécoslovaques, exclues des négociations, s'inclinent devant la décision de leurs alliés occidentaux. Le 1ᵉʳ octobre, les unités allemandes commencent à envahir la Tchécoslovaquie, suivies bientôt par celles de la Pologne et de la Hongrie. **L**a politique d'*appeasement* (apaisement) des puissances occidentales a été totalement infirmée par la suite des événements : elle a en fait précipité le déclenchement de la guerre. Le « complexe munichois » a considérablement marqué le devenir de la Tchécoslovaquie et surtout la mentalité tchèque, où demeure l'interrogation « Aurions-nous dû nous défendre et combattre ? » **K. B.   > ALLEMAGNE, SECONDE GUERRE MONDIALE, TCHÉCOSLOVAQUIE.**

MUR DE BERLIN

Comme l'image que renvoie un miroir concave, l'après-guerre berlinois résume l'après-guerre pour l'Allemagne. Ce qui se passa en Allemagne arriva tout d'abord et le plus souvent à Berlin. Menace et sauvetage, division et unité, tension et détente, tout cela, commença à Berlin, concerna Berlin, trouva là son théâtre et, la plupart du temps, son expression la plus mordante. Les réalités y furent de tout temps plus évidentes et les illusions moins faciles. Les conditions du régime d'occupation de l'Allemagne et de Berlin sont négociées lors de la conférence de Potsdam (17 juillet-2 août 1945). La ville est partagée en quatre secteurs, la zone orientale est placée sous contrôle soviétique, les trois autres sous contrôle américain, britannique et français. En 1948, le blocus de Berlin crée une situation de crise internationale et illustre les tensions de la Guerre froide. Dix ans plus tard, une nouvelle crise s'ouvre du fait de la volonté des autorités de la RDA (République démocratique allemande) – et des Soviétiques – de mettre un terme à la fuite vers Berlin-Ouest de très nombreux Allemands de l'Est. À partir du 13 août 1961 est édifié le Mur de Berlin, qui séparera de manière étanche à la fois la ville et l'Allemagne. Près de trente ans plus tard, l'unification allemande commencera à Berlin. Lorsque le 9 novembre 1989, les dirigeants de la RDA laissent ouvrir les frontières, le percement du Mur met fin à la séparation. **> ALLEMAGNE, QUESTION ALLEMANDE.**

MUSSOLINI Benito (1883-1945)

Homme politique italien, dictateur de 1922 à 1943. Inspirateur du fascisme, Benito Mussolini, né en Romagne (Italie), issu de la petite bourgeoisie, fait des études d'instituteur. Il est remarqué par le Parti socialiste (PSI) pour ses qualités de meneur de foule et d'orateur. En 1910, il prend la tête des socialistes romagnols. Sa culture politique, faite de lectures mal assimilées de Nietzsche et Georges Sorel, le rapproche de l'anarcho-syndicalisme et le conduit à mener la bataille contre les réformistes ralliés à la guerre de Libye (1912). Directeur de l'*Avanti !*, quotidien national du PSI, il est d'abord neutraliste, puis soutient brusquement la participation italienne à la Grande Guerre. Exclu du PSI, il est mobilisé. Il crée en 1919 les Faisceaux de combat (qui deviennent le Parti national fasciste en 1922), tentative de synthèse entre le socialisme révolutionnaire et le nationalisme. Le mouvement, par ses milices qui sèment la terreur, apparaît rapidement comme un garde-fou contre le danger communiste. Parvenu au pouvoir à l'issue de la Marche sur Rome en octobre 1922, Mussolini impose une dictature qui évolue vers un régime totalitaire, dont il est le chef incontesté (« *duce* »). Il est alors l'objet d'un culte qui s'appuie sur une propagande élaborée, théorise le fascisme et fascine nombre d'observateurs étrangers. Il est responsable de la radicalisation du régime (conquête de l'Éthiopie – guerre d'Abyssinie – en 1935-1936, pacte avec Hitler, antisémitisme) et de l'entrée en guerre de l'Italie en 1940. Le consensus qui entourait son régime s'effondre dès les premiers revers militaires : le Grand Conseil du fascisme vote une motion de défiance contre lui (25 juillet 1943). Il est renvoyé par le roi qui le fait arrêter. Il est libéré par les nazis, et c'est sous son contrôle qu'est fondée la République de Salò en Italie du Nord qui mène alors une répression sans pitié contre les résistants. Ceux-ci le font exécuter en 1945. **F. A.** **> FASCISMES, ITALIE.**

MUTINERIES (France, 1917) > CRAONNE (MUTINERIES DE).

MYANMAR > BIRMANIE.

NAGY Imre (1896-1958) Dirigeant communiste hongrois, président du Conseil (1953-1955, 1956). Né à Kaposvár, fils de paysans, Imre Nagy achève des études secondaires. Durant la Première Guerre mondiale, il est fait prisonnier sur le front russe et se joint aux bolcheviks. Il rentre en Hongrie et participe à la République des conseils communiste de Béla Kun (1886-1941) à un niveau local. Lorsque éclate la terreur blanche, I. Nagy émigre à Moscou ; il occupe alors des postes modestes et échappe aux purges. En 1945, il est l'un des dirigeants du Parti dans la Hongrie libérée. Ministre de l'Agriculture, il est chargé de la réforme agraire mais s'oppose à la collectivisation forcée et sera limogé du Bureau politique en 1949. Durant ces années, il apparaît comme dénué de toute ambition personnelle, communiste humain et sincère ; il n'affirmera son réel talent politique qu'à partir de 1953, lorsque après la mort de Staline, la direction soviétique impose un « nouveau cours » aux dirigeants des pays de l'Est. I. Nagy est nommé président du Conseil et met en place une politique de réformes dont les réalisations demeurent modestes. Il parvient néanmoins à élever le niveau de vie et à fermer les camps d'internement, annonce la reprise des relations économiques avec l'Ouest, promet le rétablissement de la liberté de culte et une démocratisation de la vie politique. Cependant, les tenants de la ligne stalinienne sabotent l'entreprise et le contexte international de 1955, qui voit un durcissement de la politique extérieure soviétique, fait le reste. Mátyás Rákosi, revenu au pouvoir, exclut I. Nagy du Parti en avril 1955. Mais le souvenir de l'expérience reste présent dans les esprits et la contestation de l'année 1956 réclame le retour de

I. Nagy. Au lendemain du soulèvement de Budapest, le 23 octobre 1956, I. Nagy prend la tête du gouvernement dont il fait une coalition intégrant les anciens partis. Le 28 octobre, il quitte l'immeuble du Parti pour aller s'installer au Parlement, donnant à la révolution une signification véritablement nationale et irréversible. Les décisions qu'il prend ensuite ne pourront enrayer le mécanisme de répression soviétique, enclenché dès le 30 octobre. Le 4 novembre, après un dernier appel lancé à la radio, I. Nagy et ses proches se réfugient à l'ambassade de Yougoslavie. Après d'illusoires tentatives de négociations avec le gouvernement mis en place par János Kádár, ils sont faussement autorisés à quitter l'ambassade et sont aussitôt kidnappés par les Soviétiques. Le procès qui a lieu par la suite est certes téléguidé par Moscou, mais instruit par des magistrats hongrois qui condamnent I. Nagy et quatre de ses co-accusés à la peine de mort. Ils sont pendus le 16 juin 1958 à Budapest. Après des décennies de silence, une cérémonie officielle de ré-inhumation aura lieu à Budapest le 16 juin 1989, I. Nagy est réhabilité par la Cour suprême le 6 juillet 1989.
C. H. **> HONGRIE.**

NAMIBIE République de Namibie. Capitale : Windhoek. Superficie : 824 790 km². Population : 1 695 000 (1999). Annexé en 1884 par l'Allemagne puis administré par l'Afrique du Sud après 1920, le territoire du Sud-Ouest africain (SOA) ne deviendra indépendant qu'en 1990. La colonisation allemande marque le début de l'exploitation des riches sous-sols du pays et la création de réserves afin de prendre possession de la terre. La déprivation des populations s'accompagne d'un système ségrégationniste légalement encadré. Une série de révoltes est violemment réprimée entre 1903 et 1909. La Première Guerre mondiale et la défaite allemande de Khorab (1915) permettent à l'Afrique du Sud de se voir confier par la SDN (Société des Nations) le mandat sur le protectorat. À partir de 1945, l'Afrique du Sud et l'ONU s'opposent au sujet de la souveraineté du territoire. L'ONU refuse la proposition d'intégration du SOA à l'Union sud-africaine et revendique le droit de l'administrer. L'intransigeance de Pretoria, renforcée après l'avènement de l'apartheid (1948), favorise la formation de nombreux groupes politiques comme la SWANU (Union nationale du Sud-Ouest africain), qui se scinde sur une base ethnique ovambo en 1960 pour créer la SWAPO (Organisation du peuple du Sud-Ouest africain) dirigée par Sam Nujoma (1929-). La répression de la contestation par la police, comme en 1959 à Windhoek, le projet sud-africain de division du territoire en trois parties séparées et surtout le rejet du droit de l'ONU sur le Sud-Ouest africain par la Cour internationale de justice (1966) précipitent le protectorat dans un conflit armé.   La SWAPO est la principale organisatrice de la lutte et est reconnue par l'ONU comme le représentant légitime du peuple du Sud-Ouest africain. De nombreux leaders indépendantistes sont emprisonnés. En 1973, la grève générale et le boycottage massif des élections du futur homeland de l'Ovamboland se heurtent à une forte répression qui provoque un exode massif vers les bases de la SWAPO en Zambie. L'accession à l'indépendance de l'Angola et du Mozambique en 1975 et l'accession de communistes à la direction des nouveaux États ont modifié la stratégie sud-africaine dans le Sud-Ouest africain. Celui-ci est désormais perçu comme une zone tampon. Le Premier ministre Balthazar Johannes Vorster (1915-1983) ouvre la voie d'une détente avec les organisations présentes sur le territoire. Entre 1975 et 1977, la conférence de Turnhalle définit les modalités d'accession à l'indépendance. Un gouvernement intérimaire est formé autour d'une coalition libérale, mais des désaccords persistent, notamment à propos de la restitution des terres et du statut du port de Walvis Bay. Ce dernier sera conjointement géré par les deux pays jusqu'à la fin des an-

nées 1990. En 1988, le retrait sud-africain du conflit angolais ouvre la voie à une indépendance définitive de la Nami-bie. L'ONU en supervise le processus dans un climat de violence persistant.   L'Assemblée élue lors des élections de 1989, remportées par la SWAPO, devient Constituante, et prononce l'indépendance le 21 mars 1990. Sam Nujoma est élu président. La reconstruction du pays et la réconciliation nationale se heurtent au difficile partage du pouvoir économique. L'exploitation des ressources minières et hallieutiques est modernisée, mais demeure souvent sous contrôle étranger. Le pays est resté dépendant de l'Afrique du Sud, notamment pour ses besoins en eau. Après les élections de 1994, le pouvoir de la SWAPO se renforce et la domination de l'État par les Ovambos réactive les velléités sécessionnistes, notamment dans la région de Caprivi où des affrontements éclatent en 1998. Un amendement constitutionnel permet finalement à S. Nujoma d'être réélu pour un troisième mandat en 1999, alors que le régime se crispe à l'égard des oppositions. **J.-M. D.**

NASSER Gamal Abdel (1918-1970)

Homme politique égyptien. Leader du nationalisme arabe, Gamal Abdel Nasser est fondateur, après la défaite dans la première guerre israélo-arabe (1948-1949), du Comité des officiers libres qui renversera en 1952 Farouk Ier (1920-1965), roi d'Égypte depuis 1936) et proclamera la république en 1953. Il préside le Conseil de commandement de la Révolution qui place le général Mohammed Naguib (1901-1984) à la tête de l'État (1952-1954). Nasser remplace ce dernier dans toutes ses fonctions en 1954 et est élu président de la République en 1956, par référendum. Il est l'un des principaux instigateurs du mouvement des non-alignés, fondé par des États du tiers monde à Bandung en 1955. Après la nationalisation du canal de Suez (1956) qui conduit à l'intervention tripartite (Royaume-Uni, France, Israël), on le reconnaît comme le chef du nationalisme arabe, lequel bouleverse par son caractère populaire les données politiques et géopolitiques du Moyen-Orient jusqu'à l'océan Atlantique. Ce mouvement politique (le nassérisme) a pour finalité l'unification de la « patrie arabe » (panarabisme), le socialisme, et le développement économique.   Au plan intérieur, Nasser entreprend de grandes réformes (réforme agraire, grand barrage d'Assouan, nationalisations, industrialisation) qui vont bouleverser les structures sociales de l'Égypte. La classe aristocratique et la bourgeoisie dominant la vie politique et sociale du pays depuis le début du siècle vont être progressivement disloquées au profit d'une nouvelle classe moyenne issue de milieux sociaux modestes. Nasser se comporte en autocrate ; la répression est sans concession face aux islamistes de la confrérie des Frères musulmans et aux communistes. Bien que jouant un rôle très actif dans le mouvement des non-alignés, l'Égypte de Nasser sera en partie instrumentalisée par la rivalité Est/Ouest et dépendra de plus en plus de l'Union soviétique.

La défaite dans la guerre israélo-arabe de 1967 dite « des Six-Jours » remet en cause le bilan nassérien. Il demeurera cependant, dans les pays arabes, un symbole de la lutte contre le sous-développement, la domination étrangère et pour la dignité.   Ses funérailles, en 1970, mesurent son prestige : elles suscitent une manifestation populaire rassemblant des millions de personnes. Anouar al-Sadate (1918-1981), lui aussi issu du Comité des officiers libres, lui succède à la tête de l'État. **B. G.   > ARABISME, ÉGYPTE.**

NASSÉRISME   Courant politique se réclamant de la pensée et de l'action de Gamal Abdel Nasser, chef charismatique d'un large mouvement panarabe et leader de la révolution égyptienne qui met fin à la monarchie (1953) et fonde la République.   Comme tous les nationalismes dans le monde arabe et musulman, le nassérisme est une vision et une stratégie d'émancipation. Il se constitue sur le plan doctrinal et politique au rythme de l'évolution de deux combats entremêlés qu'il mène : le premier contre la domination étrangère dans les pays arabes (soutien au Front de libération nationale [FLN] algérien et aux mouvements de décolonisation en Afrique, intervention au profit des républicains du Yémen, opposition

aux alliances imposées aux pays arabes par la Grande-Bretagne et les États-Unis, etc.) ; le second est celui qui l'opposait aux forces et structures archaïques, féodales ou semi-féodales, compradores, cléricales, héritées du passé. Il est un mélange de patriotisme, de populisme et de modernisme.   Comme le baassisme qui l'a précédé sur le même terrain, le nassérisme articule sa doctrine autour de trois thèmes majeurs : le socialisme, l'unité du monde arabe et sa liberté.   Mais, dans la pratique, c'est autour de la lutte anti-impérialiste perçue à l'échelle de la région et pour la transformation sociale et économique de l'Égypte que se déroule son action. Ainsi, le nassérisme est perçu comme un modèle de changement et de développement. Il a été associé à l'application des politiques sociales en faveur des classes moyennes et par la promotion d'une élite nouvelle issue des milieux modestes qui vient remplacer l'élite traditionnelle. Il est synonyme, dans la pensée de ceux qui s'y attachent, de la réforme agraire qui a conduit à la liquidation de la classe latifundiaire de propriétaires terriens qui contrôlait la campagne égyptienne sans partage, des nationalisations et de l'industrialisation qui donnent naissance à de nouvelles classes de prolétaires et de cadres moyens. Il est synonyme de l'abolition des titres seigneuriaux comme « pacha », « bey » et de l'établissement de l'égalité des droits, c'est-à-dire de la citoyenneté. Et, à travers la politique du non-alignement, il est la source d'un sentiment de dignité qui bourgeonne au sein d'un peuple marginalisé par des siècles de gouvernement arbitraire et de colonisation et qui se voit appelé, pour la première fois dans l'histoire moderne, à participer aux politiques mondiales, à devenir un acteur libre dans la politique internationale et à agir sur son destin.   Même s'il s'est perpétué à travers un certain nombre de mouvements politiques qui s'en réclament ici et là dans le monde arabe, son incapacité à faire face à la suprématie israélienne, l'échec relatif du décollage économique selon le modèle de développement socialiste et la dégénérescence du nationalisme arabe manipulé par des autocrates sanguinaires font que le nassérisme n'est plus actuel à l'orée du xxıᵉ siècle. Il vit encore sur le souvenir de ce grand moment de l'histoire où les Arabes avaient un leader, pouvaient espérer la réalisation de leurs rêves et une emprise certaine sur l'événement. Ce fut en effet le grand moment marquant pour les Arabes : la sortie définitive d'un long et cruel joug colonial. **B. G.** > ARABISME, ÉGYPTE, NATIONALISME.

NATION DE L'ISLAM (États-Unis)

La tradition islamique américaine remonte à la fondation en 1913 du Temple de la science maure (Moorish Science Temple) par Timothy Drew (devenu Noble Drew Ali) à Newark (New Jersey). Le mouvement de la Nation de l'islam (Nation of Islam) est créé en 1929 par un certain Wallace D. Fard (connu également sous le nom de Wallace Fard Muhammad) qui apparaît mystérieusement à Detroit, dit venir de La Mecque et être l'incarnation de Dieu (il disparaîtra tout aussi mystérieusement en 1934). C'est son successeur Elijah Muhammad (1897-1975, né Robert Poole) qui marque le mouvement de son empreinte, cherchant à encourager les Noirs à abandonner la religion chrétienne, dénoncée comme un outil de domination des Blancs. Le « messager d'Allah », comme il se présente lui-même, prône le nationalisme noir et l'autosuffisance. Conservateur sur le plan économique, il incite les mosquées à entreprendre des activités commerciales. Les Black Muslims, comme on appelle communément les membres de cette association, connaissent leur essor au cours des années 1960. Leur porte-parole le plus célèbre et le plus éloquent est alors Malcolm X. C'est en prison, que Malcolm Little (il se fait appeler Malcolm X pour marquer la perte de son « véritable nom africain ») découvre l'islam. Dans la lutte pour les droits civiques, son style et son langage se situent à l'opposé de ceux du pasteur Martin Luther King. Ses déclarations controversées – en particulier son idée que le président John F. Kennedy (1961-1963) méritait d'être assassiné –, l'éloignent du mouvement, avec lequel il rompt en 1963. Il est lui-même assassiné en février 1965 par des membres de la Nation de l'islam. Les Black Muslims font également parler d'eux en raison de la conversion à l'islam de certaines célébrités noires. Ainsi, le boxeur Cassius Clay (1942-), alors au faîte de sa gloire (il vient de remporter le titre de champion du monde de la catégorie poids lourds en 1964), se convertit à l'islam, prenant le nom de Muhammad Ali. Il justifie son refus d'effectuer son service militaire et de participer à la guerre du Vietnam en invoquant ses convictions religieuses. En 1975, à la mort d'E. Muhammad, son fils Warith Deen Muhammad prend la relève. Il cherche à orienter le mouvement vers un islam moins politisé et plus traditionnel : la Nation de l'islam prend un nouveau nom – the American Muslim Mission –, et s'ouvre aux autres groupes ethniques. La nouvelle organisation, très affaiblie par les dissensions internes, sera dissoute en 1985. La faction menée par Louis Farrakhan (né Louis Eugene Walcott en 1934), qui fut un temps le protégé de Malcolm X, reprend l'appellation de Nation of Islam. Certains de ses propos, comme « Hitler était un grand homme », suscitent des controverses, mais il sait capter le sentiment profond de colère et de frustration de la communauté noire. Il obtient son plus grand succès lorsqu'il parvient à rassembler à Washington, le 16 octobre 1995, 800 000 personnes – qui ne sont, pour la plupart, ni de son mouvement ni de la communauté islamique – pour une « marche des hommes noirs » consacrée aux thèmes du repentir et de la réforme, de la fierté et de la responsabilité individuelle. **I. A. W.** > ÉTATS-UNIS, QUESTION NOIRE (ÉTATS-UNIS).

NATIONAL-SOCIALISME
De l'allemand *Nationalsozialismus* dont est issu le mot « nazi ». > NAZISME.

NATIONALISME
Comme phénomène politique moderne très général, le nationalisme correspond à la volonté de fonder ou de renforcer une conscience nationale et un État-nation. On le distingue cependant du *sentiment national* parce qu'il entraîne des comportements individuels et collectifs de nature politique et idéologique souvent volontaristes. Comme tel, son emploi peut être laudatif, neutre ou péjoratif. En un sens

plus précis, on l'utilise pour identifier des courants idéologiques (nationalisme français, anglais ou allemand). Enfin, comme idéologie moderne à prétention totalisante, il possède des traits distinctifs : crainte du déclin national, hantise de l'ennemi suprême, mobilisation de masse et usage de la propagande. Ses formes extrêmes sont liées au racisme. **Nation et nationalisme.** D'abord il faut noter la différence de nature et de densité axiomatique entre la nation et le nationalisme. Tous les nationalismes se réclament de la nation, mais le critère unique de cette dernière fait défaut. Le nationalisme est plus facile à définir et à connaître que la nation. De même que nous savons mieux ce qu'est une religion qu'un dieu, nous voyons plus clairement les traits communs des nationalismes que la forme universelle de la nation. Le nationalisme est une idéologie qui comporte fréquemment certains caractères des gnoses et des religions. C'est avant tout un instrument de légitimation et de mobilisation politique, mais il apporte aussi des éléments de salut personnel et collectif. Par certains aspects, il touche au sacré, au contraire du libéralisme. **E**nsuite, il faut éviter deux tentations simplificatrices. La première serait de ne garder comme référence que le nationalisme et de considérer que la nation est impossible à connaître. Cette tendance, très répandue dans les pays de langue anglaise, en mettant tous les nationalismes sur un plan égal (en tant que souveraineté politique exercée au nom d'une culture nationale), ne parvient plus à expliquer les formes extrêmes du nationalisme, pourtant capitales dans l'histoire idéologique du XXᵉ siècle. Ernest Gellner (1925-1995) le reconnaît à propos du fascisme et du nazisme. Son modèle théorique n'explique pas leur virulence. **L**a seconde tentation à éviter consiste à sacrifier le nationalisme à la nation, pour trouver la bonne définition de la nation en ne considérant les nationalismes que comme des variantes pathologiques qui s'en écartent. C'est par exemple la tendance habituelle en France, où la tradition républicaine est la référence, tandis que le nationalisme ne serait qu'un excès de fureur qui inverserait le rôle bénéfique de la nation en rôle diabolique, que ce soit à l'intérieur (nationalisme français) ou à l'extérieur (germanisme, fascisme ou nazisme). **Une contrepartie de l'expansion libérale ?** Dans son appel à la mobilisation, le nationalisme se fonde sur une menace : ennemi idéologique, monde en décadence, oppression insupportable, ou besoin d'appartenance qu'il est urgent d'exprimer parce qu'il est bafoué. Beaucoup de politiques, que l'on qualifiera, pour simplifier, de nationalistes, ont été essentiellement menées contre quelque chose : contre la suprématie de l'Église en Europe, contre l'Ancien Régime, contre l'idée d'empire, contre l'impérialisme colonial, contre le communisme internationaliste, contre l'Occident modernisateur, contre le libéralisme planétaire. Ce fondement oppositionnel éclaire en partie, dans les nationalismes extrêmes, la tendance à se croire persécuté, à surestimer son malheur et à persécuter en retour. Aucun nationalisme ne se réduit cependant à ce mouvement de réaction. Le nationalisme se prête à trop d'expériences différentes pour être érigé en famille idéologique à part entière. Il n'est pas l'équivalent du libéralisme ou du socialisme dans l'histoire des idéologies. Il s'hybride avec d'autres ensembles idéologiques. **L**e nationalisme peut être confondu mais ne se confond pas avec le patriotisme. Si l'on peut distinguer le nationalisme dans le pétainisme et l'opposer à son manque de patriotisme, c'est bien parce qu'il allait, pour des raisons idéologiques (traditionnalisme, revanche contre la gauche, antisémitisme), jusqu'à renier le patriotisme en collaborant avec le pays vainqueur. Le cas inverse est celui où la composante patriotique l'emporte sur la composante nationaliste : l'Angleterre de Winston Churchill résiste à l'Allemagne de Hitler à la fois dans son propre intérêt étatique et au nom d'idéaux qui la dépassent. La bataille d'Angleterre se joue simultanément sur ces deux registres : défendre le territoire et les institutions, ce qui est infranationaliste, et défendre une forme de liberté démocratique, ce qui est supranationaliste. **P**uisqu'il n'est jamais le substrat universel d'une variété d'idéologies, le nationalisme, s'il est pris au sens large, offre un spectacle plus politique qu'idéologique et n'est vraiment compréhensible qu'en actes. **Universalisme ou particularisme.** Dans la phase de virulence impérialiste, au tournant du siècle, c'est la conflagration des nationalités européennes et de la concurrence colonialiste qui déclenche la Première Guerre mondiale. La Seconde, en dépit de certaines causes nationalistes, est dominée par un enjeu plus vaste où trois idéologies s'affrontent : libérale-démocratique, communiste et raciste. Le nationalisme n'y est pas la composante première, même si son degré va croissant depuis le camp libéral jusqu'au communiste puis au raciste. Le terme « national-socialiste » masque et soutient le thème dominant : racisme biologique et idéologique. Ensuite, la décolonisation fait rapidement apparaître des nationalismes de libération, d'émancipation et d'invention étatique. La vague nationaliste ayant émergé au tournant des années 1980 est originale puisqu'elle résulte de l'effondrement, sans précédent, du système communiste, dans lequel les rapports de force se nourrissaient en même temps de nationalisme et d'internationalisme. On y retrouve des éléments de la phase des nationalités du XIXᵉ, tels que le besoin d'autodétermination et de suffrage universel, et de la décolonisation, tels que l'invention d'un nouvel ordre étatique. On y retrouve aussi les frustrations nationalistes de la grande puissance dépossédée. **En** dépit de ses ambitions idéologiques, le nationalisme n'apparaît pas toujours là où on l'attend. Il peut aussi bien être porteur d'universalisme que de particularismes. Il faut, dans chaque cas, analyser ce qu'il porte, comment il est porté et savoir lequel de ces deux aspects est le plus accentué. En France, les Lumières sont devenues, pendant et après la Révolution, une caractéristique nationale qui alimentait parfois un nationalisme français. De façon identique, des courants philosophiques, historicistes et romantiques allemands, qui avaient une visée universelle, se sont exprimés dans les formes nationalistes. **À** l'inverse, le nationalisme, en tant que préservation active d'un peuple, draine et accumule des éléments idéologiques nouveaux. L'aspiration à l'autonomie politique et ses répercussions culturelles produisent une invention

folklorique de la tradition. La recréation surpasse alors la revitalisation. Ainsi le kilt écossais est-il un enfant du XIXᵉ siècle et non du Moyen Âge. En tant que stimulant idéologique, le nationalisme a connu quelques réussites étonnantes. Le sursaut patriotique russe, par exemple, a, pendant la Seconde Guerre mondiale, assuré le triomphe du stalinisme, devenu nationalisme russe actif sous le masque de l'internationalisme prolétarien. N'est-ce pas un nationalisme chinois qui a suscité une curieuse hybridation de capitalisme et de communisme ? **Indéfiniment, semble-t**il, les expériences nationales du nationalisme donnent et reçoivent une identité politique. **G. D.**

NATIONALISME ARABE > ARABISME.

NATIONALISME HINDOU Le nationalisme hindou s'oppose au nationalisme indien en tant qu'il présente l'identité indienne comme se résumant à la culture de la majorité hindoue et qu'il requiert des minorités qu'elles refoulent les manifestations de leur foi dans la sphère privée pour prêter allégeance aux symboles hindous. Il s'agit d'un nationalisme ethnique ou culturel, par opposition à un nationalisme territorial ou politique, qui prend non pas la communauté mais l'individu comme unité de base. **Le** nationalisme hindou s'est cristallisé dans les années 1920 avec la formation, en 1925, du Rashtriya Swayamsevak Sangh (RSS, l'Association des volontaires nationaux) à Nagpur (dans l'est de l'État du Maharashtra). Ce mouvement s'est ramifié à l'échelle du sous-continent pour devenir une force majeure au moment de la Partition. Il fut toutefois interdit en 1948 lorsqu'un de ses anciens membres assassina Mohandas Karamchand Gandhi, qu'il rendait responsable de la Partition et à qui il reprochait sa faiblesse envers les musulmans. De retour à la légalité en 1950, le RSS s'est doté de fronts syndicaux et d'un parti politique, le Jana Sangh, qui a plafonné au-dessous de 10 % des voix jusqu'en 1977, lorsqu'il fut partie prenante du Janata Party, la formation qui remporta les élections face au Congrès. **La** désintégration du Janata Party en 1980 amena l'ancien Jana Sangh à renaître sous un nouveau nom, le Bharatiya Janata Party (BJP, Parti du peuple indien), une formation qui a pris son envol en 1989 à la faveur de l'affaire d'Ayodhya pour devenir le premier parti au Parlement en 1996 et le leader de la coalition gouvernementale en 1998. **C. J.** **> INDE, NATIONALISME.**

NATIONALITÉS EN URSS (politique des) Après la Révolution russe, la politique du régime soviétique en matière de nationalités consiste, en premier lieu, à tenter de reprendre les territoires devenus indépendants pendant la guerre civile (Ukraine, Géorgie, Arménie). L'occupation militaire accomplie, l'opération se fait en deux temps : d'abord on passe des alliances bilatérales, puis on prive ces nations d'une diplomatie indépendante, de leurs forces militaires autonomes – processus achevés en 1923-1924, par conséquent avant l'époque stalinienne. Pour d'autres nationalités, on procède à la liquidation violente des instances hostiles à la réunification dans le cadre de l'URSS : socialisme panislamique de Sultan Galiev, Poale Zion, etc. Au vrai, les bolcheviks n'imaginaient pas que, devenues libres grâce à la révolution, des nations pourraient renaître comme entités et ne rejoindre la République des soviets que contraintes et forcées. Lénine mettra en cause le chauvinisme grand-russe ; cependant, les responsables de la faillite de cette politique furent rarement des Russes, mais plutôt des néo-jacobins autoritaires et centralisateurs. Pour les républiques reconquises comme pour les autres, l'action du pouvoir soviétique se manifeste par une série de mesures partout identiques. On veille à ce que ne soient pas « russifiées » les instances chargées de décider du statut de ces territoires non russes, comme le Kavkom (Comité du Caucase), le Mouskom (Comité musulman) ou le comité de la publication *Vie des nationalités*. À l'origine le Narkomnats, Commissariat du peuple aux nationalités, est composé de non-Russes bien qu'il soit difficile de trouver des bolcheviks dans chaque nationalité. La régénération des cultures nationales, victimes de la russification tsariste, va parfois jusqu'à la résurrection, en Arménie par exemple, voire la révélation de leur identité chez certains peuples du Caucase. De la sorte, il est mis fin à un certain nombre de frustrations collectives, réelles ou latentes. En ce sens, aucun régime n'aura autant agi en faveur des cultures minoritaires, les utilisant dans l'intérêt de l'État. C'est le cas par exemple pour les Kalmouks. Cette politique sert aussi ultérieurement à dresser les uns contre les autres les peuples du Turkestan. Ainsi entrent en contradiction la vision marxiste du développement des sociétés, que la soviétisation incarne, et la pratique lénino-stalinienne concernant les ethnies et les nations. Elle se révélera un demi-siècle plus tard. La constitution de toute une constellation d'entités nationales, fédérales, étatiques, s'emboîtant les unes dans les autres comme des poupées russes (républiques fédérées, républiques autonomes, régions, territoires) permet de former une intelligentsia non russe et de lui confier sur place des fonctions para-étatiques, au moins au niveau de la représentation. Mais avec le temps, celles-ci se multiplient et s'étendent, et les effets s'en font sentir pendant la *perestroïka* : à Bakou, en Azerbaïdjan, la police, azérie, est hostile aux Arméniens ; à Erevan, elle est arménienne. **Soviétisation et russification.** L'injection d'un nombre croissant de cadres non russes dans le système institutionnel fédéral, à l'échelon pansoviétique, sera une constante politique. En témoignent, après Staline (géorgien) et Anastase Mikoyan (1895-1978, arménien), les fonctions occupées par Nikita Khrouchtchev (« ukrainien »), Édouard Chevardnadzé (géorgien), etc. Cette pénétration est lente, mais irréversible et ininterrompue. Toutefois, un retournement s'opère au sommet de l'appareil d'État soviétique, à partir du milieu des années 1920, notamment au Comité central du Parti où les Russes deviennent, proportionnellement, de plus en plus nombreux. Ce contraste aura son importance dans la disparition de l'URSS en 1991. La création d'une double nationalité, fédérale et nationale, ressentie par la majorité des non-Russes comme une promotion politique, est au contraire considérée comme une mesure vexatoire par les citoyens soviétiques appartenant à des nations sans territoire reconnu, notamment

les Juifs. La liberté donnée à chacun de ces derniers de choisir sa propre nationalité reste fictive : s'ils se veulent juifs, ils ne peuvent être autre chose, s'ils se choisissent soviétiques, l'adoption d'une nationalité se heurte à l'hostilité ou à la réaction raciste des fonctionnaires de la nationalité choisie, en Ukraine et en Russie surtout. Cette situation suscitera la création du Birobidjan, en Sibérie orientale. Un district, devenu région autonome en 1934, où ne vivaient plus que 100 000 Juifs au moment du recensement de 1989. La soviétisation, par la loi, des Russes et des non-Russes égalise les statuts, et uniformise les formes de la culture politique, d'un bout à l'autre de l'URSS. Pourtant, avec la réaction stalinienne et les violences qui l'accompagnent, notamment à l'encontre des nations que la Seconde Guerre mondiale a mises en relation avec les Allemands (Tatars de Crimée, Ingouches, Allemands de la Volga, etc.), la soviétisation est ressentie, aussi bien en Ukraine que dans les pays baltes et en Moldavie, après la guerre, comme une reprise de la russification dans la mesure où les non-Russes deviennent rares dans le haut de la hiérarchie. La multiplication des lois communes à toute l'URSS mais pas nécessairement marquées du sceau de la Russie, est reçue comme telle, pour autant que l'égalisation des statuts peut être considérée comme la subversion des traits spécifiques à l'identité nationale. La baisse relative du nombre des mariages mixtes en pays d'islam, tout comme le refus de parler russe dans les pays baltes constitueront des manifestations de cette résistance. De son côté, le sentiment national russe finit par réagir à son tour à la lente colonisation des instances soviétiques (la radio, la télévision, etc.) par les nationalités, le sommet de l'État mis à part. Ce réveil du sentiment national grand-russe a ainsi été l'envers de la résistance des nationalités : il a été, en tous les cas, durant les années 1980, l'une des formes de l'opposition latente au régime. **M. F. > RUSSIE ET URSS.**

NATIONS UNIES > ONU.

NAURU République de Nauru. Capitale : Yaren. Superficie : 24 km^2. Popula-

tion : 11 000 (1999). Isolée dans le Pacifique, à 2 000 kilomètres à l'est de la Papouasie-Nouvelle-Guinée et à 1 500 kilomètres à l'ouest de Kiribati, située sur l'équateur, inhabitée sauf épisodiquement, l'île de Nauru fut annexée par l'Allemagne en 1888. Extrêmement riche en phosphates, elle est occupée dès 1914, non pas par les Japonais comme les archipels environnants, mais par les Australiens. En 1920, le mandat de la SDN (Société des Nations) est dévolu conjointement à la Grande-Bretagne, à la Nouvelle-Zélande et à l'Australie, qui se partagent les profits des phosphates. Les troupes japonaises occupent l'île de 1942 à 1945 ; elles en sont chassées par les États-Unis (guerre du Pacifique), mais la tutelle de l'ONU est attribuée à l'Australie. Celle-ci accorde l'autonomie en 1966. L'indépendance, acquise en 1968, est assortie d'indemnités compensatrices de la destruction (l'île doit en effet importer de la terre arable !). **J.-P. G.**

NAZISME Doctrine et régime politiques à caractère fasciste et totalitaire, mis en œuvre en Allemagne, à partir de 1933, par Adolf Hitler. Le mot « nazisme » est une contraction de *Nationalsozialismus* (national-socialisme). Le « comment cela fut-il possible ? » est devenu le point de départ obligé de toute réflexion sur cette monstruosité qui fit de l'Allemagne la « patrie d'Auschwitz ». Depuis 1945, les tentatives de réponse n'ont pas manqué, empruntant principalement deux directions. Pour les uns, le nazisme est un débouché logique du « chemin particulier » *(Sonderweg)* suivi par l'histoire allemande. Pour les autres, il appartient à une famille européenne de phénomènes – le totalitarisme, le fascisme, la transition modernisatrice, c'est selon - qui ont touché toutes les sociétés, quoique de manière inégale. Il est patent que la première interprétation passe au noir les particularités allemandes en prenant pour étalon une voie « normale » bien difficile à situer historiquement et que la seconde nivelle les contextes nationaux et risque d'aplatir la spécificité des crimes nazis. Sans doute, les éléments européens dans le nazisme sont-ils bien présents et mériteraient d'être davantage soulignés. Cela est vrai pour l'idéologie nazie dont les ingrédients circulent à travers le continent depuis la fin du XIXᵉ siècle, qu'il s'agisse de l'antisémitisme ou du racisme, du darwinisme social ou de l'eugénisme ; autant de courants qui rompent ainsi avec l'humanitarisme des Lumières pour concevoir une espèce humaine qui serait divisée en collectivités fermées et hiérarchisées, biologiquement fondées et, comme telles, ouvertes à des mesures drastiques d'assainissement. Cela est vrai encore des idées de puissance nationale et d'expansion impériale qui trouvent leur haut point en Europe au tournant du siècle à la faveur du processus de « nationalisation des masses », tout comme des formes de mobilisation, d'encadrement et de contrôle de la population par un parti monopolisant le pouvoir, qui se répandent au lendemain de la Grande Guerre. **Une configuration allemande.** Ces éléments se sont cependant inscrits en Allemagne dans une configuration spécifique qui a facilité l'accession au pouvoir et l'acceptation par une large partie de la population d'un mouvement comme le parti nazi (NSDAP, Parti ouvrier allemand national-socialiste). Dans le moyen terme et tout en refusant toute logique de prédétermination, il faut bien parler des fragilités de l'expérience allemande : une unité nationale tardive, à la fin du XIXᵉ siècle, et qui ne parvient pas à ancrer un consensus sur les contours définitifs de l'ensemble allemand ; une démocratisation limitée, largement manipulée d'en haut, assurant une influence considérable à des couches préindustrielles comme la noblesse et facilitant la persistance dans la population de nostalgies passéistes et la familiarité avec l'autoritarisme, qui se traduisent notamment par l'attachement à un pouvoir personnalisé ; une industrialisation aussi forte que rapide, diffusant la peur d'un bouleversement social et fortifiant l'imaginaire d'une communauté nationale à forte cohérence, enjambant les clivages régionaux et confessionnels ; enfin, une vision des relations internationales marquée par l'idée de l'encerclement et d'une conspiration des puissances visant à priver le peuple allemand de sa « place au soleil », dont l'effet est de renforcer un état d'esprit nationaliste, militariste et impérialiste. **Sans** doute, d'autres forces – le libéralisme, le socialisme, la démocratie chrétienne – œuvrent-elles à un avenir différent. Mais ces courants, d'ailleurs aux prises les uns avec les autres, peinent à s'affirmer et ne sont pas eux-mêmes exempts d'« illibéralisme ». Mis en selle par la défaite de 1918, ils rencontrent une conjoncture désastreuse qui, faisant rejouer les failles de l'expérience allemande, sera déterminante pour le succès nazi. À la défaite et au refus majoritaire d'un règlement de paix tenu pour carthaginois (« Diktat ») se combine l'ébranlement social profond produit par la crise économique – la double crise qui encadre quelques années de prospérité entre l'hyperinflation de l'immédiat après-guerre et la dépression de la fin de la décennie. Prise sous le feu croisé des extrémistes de gauche et de droite, acceptée à contrecœur par beaucoup, la démocratie de Weimar ne fut pas capable de satisfaire le souhait d'un retour à la normale et l'aspiration à une restauration, vaguement mais largement éprouvés. Paradoxalement, ce souhait de retour à la normale et ces aspirations restauratrices fonderont le succès du parti nazi qui saura se présenter, sur un mode brutal et hystérique, en agent de leur réalisation. **Une fulgurante montée en puissance.** Force marginale dans les années 1920, le nazisme devient en un temps record un puissant mouvement, accrédité par un gros tiers des électeurs (37,3 % en juillet 1932, au plus haut 43,9 % dans le cadre semi-libre des élections de mars 1933), avant tout au détriment des partis de droite et du centre, mais non sans mordre de plus en plus nettement sur l'électorat socialiste et catholique. Le pied lui fut mis à l'étrier par les conservateurs, désireux de l'utiliser pour effectuer à leur profit le passage à un régime autoritaire. Accepté entre la résignation et l'enthousiasme, bénéficiant d'un assez large préjugé favorable que n'encouragent pas peu le ralliement et le soutien des élites du pays, le gouvernement d'Adolf Hitler va non seulement monopoliser très rapidement le pouvoir, en poussant sur les bas-côtés les conservateurs, mais aussi attirer et lier à lui une grande partie de la population grâce à une politique qui propose une réponse à des attentes massives : le retour à l'ordre et la suppression de l'« agitation marxiste », la fin de l'insécurité sociale et économique grâce à une reprise tirée par le réarmement et les grands travaux, une ouverture sur la société de consommation et un espoir de plus grande mobilité sociale, enfin certaines satisfactions de fierté nationale par la revendication de l'égalité des droits avec les vainqueurs de la Grande Guerre, puis par les premiers succès extérieurs, habilement accompagnés de constantes assurances de paix. **Un pouvoir extrémiste habillé en costume traditionnel.** Tout cela présente diverses conséquences au niveau des perceptions : tendance à mettre en balance – en laissant un solde positif – les « bons » et les « mauvais » aspects du régime, inclination répandue à auréoler Hitler et à l'exempter des critiques que suscite l'action du gouvernement et du parti. Pouvoir extrémiste habillé en costume traditionnel, le régime nazi n'aurait évidemment pas réussi à susciter cette impression rassurante s'il n'y avait pas eu dans la population la base suffisante à un malentendu – le terme de « malentendu » disant aussi ici le désir de ne pas entendre – qui allait lui permettre d'avancer vers ses objectifs. Il est vrai que, au début du moins, ces objectifs furent rarement perçus dans toute leur radicalité (et à l'étranger comme en Allemagne), qu'il s'agisse de la volonté d'expansion, dépassant de loin la révision du traité de Versailles de 1919, voire la réunion de tous les Allemands dans un même État, ou de l'entreprise de remodelage racial qui devait s'étendre à l'ensemble du continent. Celle-ci commença pourtant dès l'arrivée au pouvoir et se traduisit – en même temps que par une discrimination progressive des Juifs et des Tsiganes – par l'épuration de la « race allemande » elle-même, par la stérilisation forcée de plus de 300 000 personnes souffrant de maladies déclarées héréditaires, puis, après l'éclatement de la guerre, par l'assassinat secret (un secret éventé) d'au moins 70 000 malades mentaux. Avec la guerre, le rythme de la persécution va se précipiter et son ampleur va prendre des formes aussi massives que visibles, à commencer par les déportations de centaines de milliers de

Polonais vivant sur les territoires nouvellement annexés au Reich, puis par l'organisation à l'échelle continentale de la déportation et de l'extermination des Juifs. En vérité, pour qui voulait entendre, il était possible de comprendre dès le milieu des années 1930 que la militarisation intense de la société, jointe à l'obsession raciale et aux ambitions « millénaires » des nazis, faisait système et menait droit au bain de sang. **De** la même façon qu'il pouvait faire fond sur les besoins de sécurité et les ressentiments nationalistes de beaucoup d'Allemands, le régime pouvait ici encore exploiter des valeurs et des croyances diffuses. Des préjugés populaires contre les Juifs, les Tsiganes, les Slaves, les Polonais en particulier retrouveront ainsi de la vigueur, et plus largement une xénophobie s'exprimera à l'encontre des travailleurs étrangers emmenés de force en Allemagne pendant la guerre. Des préjugés à fondement pseudo-scientifique reçus dans les milieux cultivés, tels l'eugénisme et l'« hygiène raciale » dans les professions de la santé ou encore dans les sciences sociales, des modèles de pensée inspirés par le social-darwinisme et le racisme conduiront de nombreux universitaires (géographes, démographes, économistes, etc.) à mettre au service du régime une expertise justifiant et facilitant la réalisation de sa politique raciale. **« Normalité » et monstruosité.** Le régime nazi sait mettre à profit ces éléments propices à son succès, auxquels il donne une légitimité étatique. Il ne rencontre plus d'obstacles sur son chemin après la suppression du pluralisme d'opinion en 1933 et grâce au silence craintif des Églises (le clergé catholique, qui finit par protester en 1941 contre l'« euthanasie », se tait lors de la déportation des Juifs). À l'intérieur même des institutions, la perte d'influence des conservateurs facilite la montée en puissance de la SS (Schutzstaffel) qui, devenant l'exécutant privilégié des conceptions raciales de Hitler, pousse dans la voie de la radicalisation. Une partie des formes extrêmes de cette radicalisation échappera à la perception du peuple allemand, à cause du contexte de la guerre totale qui permettra à Hitler de faire jouer à son profit, pratiquement jusqu'au bout, un nationalisme ren-

forcé par la crainte des représailles des peuples occupés d'Europe, en particulier de celles que pourrait provoquer une victoire soviétique. La monstruosité nazie, loin d'être le produit de circonstances extraordinaires, d'une conjoncture militaire défavorable, réalisait tout simplement le potentiel meurtrier originel d'une idéologie. Mais cette monstruosité, si elle interpelle la conscience européenne sur des aberrations idéologiques qui sont aussi de sa création, offre en même temps matière à réflexion sur la « normalité » qui a permis à ces aberrations de se déployer dans la réalité. La trajectoire du régime nazi, et notamment sa popularité, montre que, dans des circonstances particulières, des motivations que l'on qualifierait de « normales » en comparaison historique (l'espoir d'une vie meilleure, le souhait de solidarité et de grandeur nationales), associées à des préjugés racistes et xénophobes banalisés puis officialisés, font un très efficace tremplin pour une politique radicale qui laisse derrière elle des dizaines de millions de morts et d'incommensurables souffrances.
P. Bu. **> ALLEMAGNE.**

NÉGATIONNISME Ils s'appellent eux-mêmes « révisionnistes », terme noble dont ils sont parfaitement indignes. On les appelle désormais « négationnistes » et ce mot dit l'essentiel : ils ne cherchent pas, ne « révisent » rien – à la différence des historiens –, ils nient et mentent. L'extermination des Juifs et des Tsiganes par l'Allemagne hitlérienne a bénéficié, au moins jusqu'en 1943, du silence des uns, de l'incrédulité des autres. Les informations qui ont circulé et qu'il était difficile de contrôler se sont heurtées à une formidable résistance : les faits eux-mêmes étaient difficilement crédibles et sur eux pesait le souvenir de la propagande répandue, singulièrement contre l'Allemagne, pendant la Grande Guerre et dont il avait bien fallu reconnaître, après la guerre, qu'elle reposait sur du « bourrage de crâne ». Ces résistances se sont effondrées après la Libération et il a bien fallu constater que plusieurs millions de Juifs avaient disparu, victimes soit de techniques artisanales de massacre : les bataillons de police tel celui de Hambourg et

les *Einsatzgruppen* (groupes mobiles de tuerie) en Pologne, en Roumanie et en territoire soviétique occupé, soit de l'épuisement par le travail dans les ghettos et les camps de concentration, soit des techniques industrielles d'extermination : chambres à gaz d'Auschwitz, Belzec, Chelmno, Sobibor, Majdanek, Treblinka. À Auschwitz, les Tsiganes avaient connu un destin analogue. Le fait lui-même était admis mais résistait pourtant à l'analyse. Le marxisme, par exemple, pouvait rendre compte de la surexploitation du travail, non de l'anéantissement pur et simple d'un groupe humain lui-même difficile à définir et à identifier. **Négations relatives, puis absolues.** Aussi les premières tentatives pour nier le grand massacre, négations relatives d'abord, absolues ensuite, sont-elles venues à la fois d'anciens ou de nouveaux nazis, et de petits groupes rattachés à l'ultra-gauche. Le cas le plus remarquable est celui de Paul Rassinier (*Le Mensonge d'Ulysse*, 1950), socialiste, pacifiste, ancien déporté, qui, plaquant sur la Seconde Guerre mondiale les schémas de la première, voit dans l'accusation pesant sur l'Allemagne hitlérienne une simple répétition de la culpabilité proclamée de l'empire de Guillaume II. C'est ce qui a été démontré par des chercheurs aussi différents que Florent Brayard, Alain Finkielkraut et Nadine Fresco. **Si** le négationnisme est apparu très tôt, il n'a pris une ampleur relative qu'à la fin des années 1970 et au début des années 1980. Comment, où et pourquoi cela s'est-il passé ? Les thèses négationnistes peuvent se résumer ainsi : il n'y aurait pas eu de génocide et l'instrument qui le symbolise, la chambre à gaz, n'aurait pas existé. Elle serait née d'une « rumeur », devenue « mythe », puis « escroquerie » au bénéfice du sionisme international ». La « solution finale » n'aurait jamais été que l'expulsion des Juifs en direction de l'Est européen, aux fins de réinstallation et d'utilisation de leur force de travail. Le nombre des victimes, explicable par les difficultés de l'Allemagne, serait en tout état de cause très limité. L'Allemagne hitlérienne ne porterait pas la responsabilité de la guerre, et la coalition antifasciste n'aurait jamais eu de raison d'être. **Plusieurs ingrédients idéologi-**

ques. Le négationnisme ne relève pas de la discipline historique, même s'il peut arriver que telle ou telle démonstration d'auteur se disant « révisionniste » soit cohérente. Pour l'essentiel, la conclusion précède et explique la preuve et elle est négativité absolue. Plusieurs composantes idéologiques se retrouvent mêlées : <u>antisémitisme</u>, antisionisme (d'où l'existence d'un révisionnisme arabe), pacifisme, nationalisme allemand, anticommunisme. Ces ingrédients sont présents dans des proportions variées. Il est clair, par exemple, que le nationalisme allemand n'intéresse pas directement un pacifiste américain ou français, mais un pacifiste français peut reprendre à son compte les arguments d'un nationaliste allemand : innocentant le pays voisin, il condamne par lui-même le chauvinisme dans sa propre communauté. Géographiquement, le « révisionnisme » se retrouve un peu partout, de la Suède à la Russie, de l'Australie aux États-Unis. Les pays communistes ne lui donnèrent pas droit à l'expression. Ce qui était nié chez eux, au nom des diverses nations ou des principes du <u>marxisme-léninisme</u>, était la spécificité du génocide des Juifs.   **Si** le négationnisme couvre une aire considérable, il ne s'ensuit pas qu'il ait partout le même impact ou le même rôle. Les publications statistiquement les plus nombreuses se trouvent en Allemagne. Le négationnisme proprement dit n'est là-bas qu'une dimension d'un nationalisme extrémiste visant à faire de l'Allemagne le modèle de l'innocent persécuté. Mais ces arguments touchent un milieu très défini et très délimité et ne semblent pas en sortir beaucoup.   **Un impact très relatif.** Le groupe négationniste le plus riche, alimentant la campagne mondiale, est le centre californien qui publie le *Journal of Historical Review*. Ce groupe dépend du Liberty Lobby, organisation d'extrême droite antisémite et anti-noirs. Son influence sur les universitaires est nulle. Contrairement à ce qu'on lit souvent, ni la grande presse américaine, ni la grande presse britannique, ni la grande presse allemande, ni les autres médias de ces pays n'ont débattu des thèses pseudo-révisionnistes comme si elles étaient sérieuses. De tels débats ont eu lieu dans les pays où de petits groupes libéraux ou libertaires ont

pris en charge, soit au nom de la liberté, soit au nom de la vérité, les thèses négationnistes. Ce fut le cas notamment en Australie (affaire John Bennett, du nom de l'ancien secrétaire des « Victorian Council for Civil Liberties ») et surtout en France (affaire Faurisson, du nom d'un professeur à l'Université de Lyon-II qui annonça dans le quotidien *Le Monde* la « bonne nouvelle » de l'inexistence des chambres à gaz et fut de ce fait poursuivi et condamné en justice). Une loi visant à réprimer ces activités (loi Gayssot) a été adoptée en France en 1990. Elle était inutile et absurde, puisque donnant à ces escrocs une allure de martyre. C'est cette loi qui a fait à elle seule le succès d'un livre de Roger Garaudy, philosophe qui fit les beaux jours du stalinisme avant de se convertir, après diverses étapes, à un islam dur. Ils sévissent sur Internet où se manifeste principalement un chercheur radié fin 2000 du CNRS (Centre national de la recherche scientifique), nommé Serge Thion.   **L'**écho – très relatif – des thèses « révisionnistes » semble également lié à la diffusion massive en 1977-1978 du téléfilm *Holocauste*, qui achève de transformer Auschwitz en marchandise et en spectacle. Par contraste, certains se sont demandé si cette vérité dont on inondait les marchés était bien la vérité. Impossible enfin de ne pas tenir compte d'un autre phénomène. Nié par les uns, le génocide hitlérien est instrumentalisé par d'autres. Les autorités israéliennes faisaient, jusqu'à une époque très récente, du passé un usage très présent et très quotidien en présentant toute critique de leur politique, *a fortiori* tout affrontement militaire avec elles, comme le prolongement ou la justification du grand massacre.   **R**éfléchir sur le génocide hitlérien, en faire l'histoire, c'est aussi l'arracher aux idéologues qui l'exploitent.   **P. V.-N.   > GÉNOCIDE, GÉNOCIDE DES JUIFS, GÉNOCIDE DES TSIGANES, RÉVISIONNISME.**

NÉGRITUDE   Formulé pour la première fois en 1932 par le poète martiniquais Aimé Césaire (1913-), rejoint par le Sénégalais Léopold Sédar <u>Senghor</u>, le terme de « négritude » donna au <u>panafricanisme</u> militant ses armes d'affirmation culturelle. Tou-

tefois, née dans un milieu parisien proche du surréalisme, elle demeura confinée au cercle des intellectuels noirs francophones jusqu'à son évolution sous une forme plus politique avec les indépendances africaines en 1960. Trop associée à ses concepteurs, elle disparut du vocabulaire lorsque ces derniers retournèrent « au pays natal », A. Césaire comme élu d'une Martinique partie intégrante du territoire français, et L. S. Senghor comme président du Sénégal indépendant. Aux États-Unis, la négritude s'exprima au cours de la lutte pour les droits civiques à travers le slogan « Black is beautiful », moins abstrait et plus à même d'entraîner les foules.
B. N.

NEHRU Jawaharlal (1889-1964)
Homme politique indien, Premier ministre de l'Union indienne (1947-1964). On présente souvent Jawaharlal Nehru comme le fondateur de la lignée qui a gouverné l'Inde pendant plusieurs décennies alors qu'il est le fils d'un homme, Motilal Nehru (1861-1931), qui avait déjà joué un rôle-clé dans la politique indienne au début du siècle (au point d'être le président du Congrès en 1919 et 1928). J. Nehru fait ses études en Angleterre – notamment à Cambridge – d'où il revient en 1912 avec une formation d'avocat, ce qui lui permet de travailler au cabinet de son père. Il se montre toutefois plus radical, attiré à la fois par le socialisme – tant dans sa version travailliste et fabianiste que marxiste – et par Mohandas Karamchand Gandhi, qu'il suit dans le mouvement de non-coopération de 1920. Il connaît alors les geôles britanniques qu'il retrouvera maintes fois à l'avenir – en tout, il passera plus de neuf ans derrière les barreaux, temps qu'il consacrera pour l'essentiel à l'étude et à l'écriture. Fils spirituel de Gandhi, qui ne partageait pourtant pas son radicalisme socialisant, il est, dès les années 1920, l'un des leaders de l'aile gauche du Congrès : il le préside en 1929, puis en 1936 et en 1946, année où il devient Premier ministre par intérim. Cette charge lui revient de plein droit après l'indépendance (1947) et il ne la quittera plus jusqu'à sa mort en 1964. Il conduit en effet le Congrès à la victoire électorale en 1952, 1957 et

1962. L'œuvre de J. Nehru est immense et se confond avec l'histoire de l'Inde. Il fut à la fois l'architecte de la démocratie indienne, du sécularisme et d'un système économique combinant des principes socialistes (planification, nationalisation...) et le respect d'un secteur privé puissant. Il fut aussi l'un des fondateurs du mouvement des non-alignés et l'artisan d'un rapprochement audacieux avec la Chine. Sa politique étrangère souffrit toutefois d'un excès de confiance envers ce pays dont l'attaque surprise, en 1962, l'affecta profondément. Sa fille Indira Gandhi (1917-1984), son unique enfant, apprit à son contact les règles du jeu politique indien mais ne parvint jamais à les mettre en œuvre à la manière de son père. Elle n'hésita pas, par exemple, à promouvoir la carrière politique de ses fils, alors que J. Nehru répugnait à entrer dans une logique dynastique – au point que ce n'est pas sa fille mais Lal Bahadur Shastri (1904-1966) qui lui succéda en 1964. **C. J.**
> INDE.

NENNI Pietro (1891-1980) Homme politique italien. Né en Romagne, issu d'un milieu paysan, Pietro Nenni est militant républicain avant la guerre. Son recours à l'action directe lui vaut deux séjours en prison (dont un avec Mussolini en 1911). Partisan de l'intervention dans la Première Guerre mondiale en 1914, il effectue un bref passage au fascisme, contribuant à créer l'une de ses organisations locales, le faisceau de Bologne, en 1919. Il adhère au PSI (Parti socialiste italien) en 1921 et dirige en 1922 l'édition milanaise de l'organe du parti, l'*Avanti !* Sa lutte contre la dictature le contraint à l'exil en France en 1926. Au sein du PSI, sa volonté est de tracer une voie moyenne entre réformistes et révolutionnaires pour refaire l'unité : il y parvient en 1930 puis, devenu chef du nouveau parti, conclut en 1934 avec les communistes un pacte d'unité d'action antifasciste. Commissaire politique dans les Brigades internationales pendant la guerre civile en Espagne, il est écarté de la direction du PSI en 1939, arrêté par la Gestapo en 1943 et livré à l'Italie. Libéré à la chute de Mussolini, il reprend en 1944 les rênes du PSI qu'il fait participer aux gouvernements antifascistes, devenant lui-même vice-président du Conseil en 1945-1946, puis ministre des Affaires étrangères jusqu'au début 1947. Il suit le PCI (Parti communiste italien) dans l'opposition, en mai 1947, défend l'unité d'action malgré son neutralisme, puis s'en éloigne en 1956 pour faire entrer le PSI dans une majorité de centre gauche avec la Démocratie chrétienne en 1962. Il est vice-président du Conseil d'Aldo Moro en 1963-1968, puis ministre des Affaires étrangères de Mario Rumor en 1968-1969. Cette expérience, décevante, entraîne sa quasi-retraite dans les années 1970. **O. F.**   **> ITALIE, SOCIALISME ET COMMUNISME (ITALIE).**

NEP   Appliquée en Union soviétique de 1921 à 1928, la Nouvelle Politique économique (NEP) apparaît à la fois comme un répit ayant pour but de mettre fin à l'opposition et aux révoltes paysannes au régime des réquisitions dans le contexte du chaos créé par la guerre civile et l'instauration du régime bolchevik et comme une (vaine) tentative de nouer une alliance des ouvriers et des paysans. Quelques jours avant l'adoption de la NEP par le Xe congrès du Parti (ouvert le 8 mars 1921), avait eu lieu la révolte révolutionnaire des marins de Cronstadt, chaude alerte pour le régime, très violemment réprimée. Cette politique, qui met fin à la phase du « communisme de guerre », est voulue par Lénine et fortement encouragée par Nicolas Boukharine. Elle se traduit par le remplacement des réquisitions par un impôt en nature, la restauration d'une certaine liberté pour l'initiative économique privée et les petites entreprises. La location de terres est autorisée, de même que la tenue de marchés libres. La production agricole et industrielle s'accroît rapidement. Parallèlement, la socialisation de l'industrie se poursuit. En 1927, le Congrès des soviets décide le lancement de la planification impérative et centralisée. La NEP prend fin. Le « nepman » va devenir un « ennemi de classe », de même que le koulak (paysan aisé ou supposé tel). Le régime de Staline se sent désormais assez fort pour engager les pays dans une économie étatisée. En 1929 est engagée la collectivisation agraire forcée qui réalisera la liqui-

dation de la paysannerie en tant que groupe social et qui débouchera sur une épouvantable famine. **S. P.**   **> RUSSIE ET URSS.**

NÉPAL   Royaume du Népal. Capitale : Katmandou. Superficie : 140 797 km^2. Population : 23 385 000 (1999).   Les principautés hindoues de l'Himalaya central sont unifiées entre 1755 et 1805 par la dynastie des Shah de Gorkha. En 1845, ces souverains sont écartés de l'autorité effective au profit d'une dynastie de Premiers ministres, les Rana. Isolant consciencieusement le pays des influences extérieures, ils ménagent néanmoins les intérêts des Britanniques, qui reconnaissent l'indépendance népalaise. Katmandou autorise notamment le recrutement de Népalais, les gourkhas, dans l'armée des Indes. L'Inde de Nehru, inquiète des prétentions chinoises dans la région, soutient le roi Tribhuvan qui, au début de 1951, parvient à faire céder le régime rana. Une première expérience démocratique, que le parti du Nepali Congress tente vainement de consolider, se conclut en décembre 1960 lorsque le roi Mahendra réinstaure la monarchie absolue. S'ouvre l'époque des panchayat, une « démocratie sans partis » jugée plus adaptée aux aspirations politiques népalaises et aux nécessités du développement. Cependant, le régime se révèle vite incapable de remplir ses promesses modernisatrices, malgré une radicalisation progressive qui culmine peu après l'avènement du roi Birendra en 1972. Les oppositions internes et externes au camp panchayat obligent à l'organisation d'un référendum en 1979 : identifiant les panchayat à la monarchie, les Népalais fournissent un sursis au système. Fin 1989 pourtant, l'opposition longtemps neutralisée par le jeu des contradictions entre ses mentors soviétiques, chinois et indien, parvient à lancer une campagne de protestation qui aboutit en avril 1990 à la restauration du multipartisme. Le relatif retrait du souverain laisse place à une alternance chaotique entre les libéraux du Nepali Congress et les communistes modérés. En 1996, une faction maoïste du Parti communiste décide que la situation est mûre pour le lancement de la « guerre populaire », qui au tournant du siècle avait déjà provoqué

1 500 morts. Le 1ᵉʳ juin 2001, le roi Birendra et neuf autres membres de sa famille trouvaient la mort dans une fusillade, à l'intérieur du palais, déclenchée par le prince héritier. **P. R.**

NETTOYAGE ETHNIQUE Les expressions « purification ethnique » et « nettoyage ethnique » se sont répandues dans le monde entier lors de la guerre en Bosnie (1992-1995) et ont dès lors été étendues à d'autres contextes, y compris à propos d'événements plus anciens. L'une et l'autre sont des traductions du serbo-croate *etničko ščibčenje*, dont elles reprennent la première le sens figuré, la seconde le sens premier. Elles désignent de façon commode, mais parfois inexacte, car le critère de discrimination n'est pas toujours ethnique, un ensemble de pratiques visant à l'homogénéisation nationale forcée par élimination (expulsion, massacre) des indésirables. Dans les Balkans, où cohabitent une dizaine de nations qui se sont affirmées de façon conflictuelle au cours des deux derniers siècles, les aires de peuplement homogène sont parfois le résultat de tels processus. L'étude de ces pratiques suppose que l'on en précise le cadre, les agents, les victimes, les techniques, les justifications idéologiques. Sa difficulté vient de ce que le « nettoyage ethnique », vu l'opprobre qu'il suscite, se présente rarement comme tel. Cela existe pourtant. Ainsi, en 1937, l'académicien Vasa Cubrilovic donna à Belgrade une conférence, *L'Expulsion des Albanais*, où il expliquait pourquoi et comment chasser les Albanais du Kosovo. Mais en général, l'État purificateur avance masqué, le discours dominant peut banaliser les expulsions en les présentant comme des migrations ordinaires. Inversement, l'accusation de nettoyage ethnique peut être formulée de façon tendancieuse, soit en l'absence de migration significative, soit à propos de migrations relevant de logiques différentes. **La langue et la culture, plutôt que la citoyenneté.** Le cadre du nettoyage ethnique est l'État-nation qui cherche à homogénéiser sa population autour d'un modèle de langue et de culture - plutôt que de citoyenneté - en expulsant les groupes tenus pour irréductiblement étrangers. Il se justifie par des arguments, exacts ou spécieux, d'ordre stratégique (ces groupes se révoltent, font le jeu d'un État ennemi, veulent la sécession), démographiques (ils sont « prolifiques » et « envahissants ») ou historiques (leur arrivée est « tardive » et « illégitime », ils ont « commis des massacres »), destinés à consolider le pouvoir en place. L'alternative est l'assimilation, jugée possible pour des groupes peu assurés de leur identité nationale, peu nombreux ou dispersés (encore le pouvoir peut-il changer de projet vis-à-vis d'un groupe donné). En revanche, la notion de « purification ethnique » ne convient pas aux grands empires du passé, où le pouvoir politique ne visait pas à l'homogénéisation par expulsion, mais déportait des populations indociles, ou suspectes de l'être, d'un point à un autre de son territoire : ainsi procédèrent, entre autres, les empires byzantin et ottoman, exerçant une violence dont les actuels États-nations ont hérité. Dès la conquête de son autonomie (1815) et lors de chacun de ses agrandissements (1833, 1878, 1912), la Serbie a poussé hors de son territoire des populations islamisées, Turcs, Albanais et musulmans slavophones, mais, à partir de cette dernière date, elle tente d'assimiler les Macédoniens, que les Bulgares lui disputent. La « purification » est parfois organisée dans le cadre d'accords d'échange de population, comme entre Grèce et Turquie dans les années 1920. Unilatérale, elle est ordinairement plus violente, un paroxysme ayant été atteint dans l'État indépendant de Croatie (1941-1945) pendant la Seconde Guerre mondiale, lorsque les oustachis (militants du parti fasciste croate) exterminèrent un nombre controversé, mais de toute manière considérable, de Serbes de Croatie. Elle peut intervenir dès la lutte pour la constitution d'un État : lors de la guerre en Bosnie-Herzégovine (1992-1995), région de peuplement hétérogène, elle est apparue, du point de vue des Serbes locaux, comme la condition même de la formation du territoire de leur république lorsqu'elle fut autoproclamée (« république serbe de Bosnie-Herzégovine »). Mais elle est susceptible de reparaître longtemps après la formation de l'État, en fonction de l'évolution du pouvoir politique et de ses sources idéologiques : en Bulgarie, à la fin des années 1980, la tentative d'assimilation forcée de la minorité turque (bulgarisation des patronymes) par le régime communiste du président Todor Jivkov entraîne l'exode vers la Turquie de quelque 300 000 citoyens bulgares turcophones. Les politiques de nettoyage ethnique diffèrent entre elles par leurs moyens et leurs rythmes. Celle que les forces serbes ont pratiquée en Bosnie-Herzégovine, de 1992 à 1995, a été de haute intensité. Dans les villages et les villes de population bosniaque (musulmane) ou croate qu'elles ont occupés, les logements ont été pillés et incendiés, les femmes, les enfants et les personnes âgées généralement expulsés vers les lignes adverses, les hommes en âge de combattre souvent internés dans des camps tels Trnopolje, Keraterm, Omarska, dont les médias révélèrent l'existence durant l'été 1992. Meurtres, viols systématiques et usurpation des biens ont terrorisé et poussé à l'exode la population résiduelle. Le degré de violence a varié selon que les localités investies ont ou non résisté, selon la personnalité des chefs de guerre, selon les inflexions de la politique internationale à l'égard du camp serbe. Un sommet fut atteint lors de la prise de Srebrenica (juillet 1995), lorsque les troupes du général Ratko Mladic capturèrent et massacrèrent plusieurs milliers de Bosniaques. Dans les enclaves assiégées, l'évacuation de blessés et de civils opérée à des fins humanitaires a eu pour effet pervers de faciliter la tâche des purificateurs. Croates de Bosnie et Bosniaques (musulmans) se sont également livrés, mais « plus modestement », à des actions de « purification », soit contre les Serbes, soit les uns contre les autres. Le cas du Kosovo et de la Voïvodine. Le Kosovo a fourni de 1990 à 1997 un exemple de pratiques différentes, que les Albanais ont qualifié de « purification ethnique ». Le gouvernement de la Serbie, après avoir réduit par une réforme constitutionnelle l'autonomie de cette province en 1989, l'a placée sous un régime d'exception qui a permis le licenciement massif des Albanais employés dans le secteur public. Privés en outre de l'enseignement et des médias en langue albanaise,

inquiétés par les brutalités policières exercées à l'occasion de la recherche d'armes et de jeunes gens insoumis, les Albanais du Kosovo ont émigré en grand nombre en Europe occidentale. Dans les années 1980, c'étaient les Serbes qui dénonçaient un nettoyage ethnique, accusant la population albanaise et les autorités locales de pousser, par de sournoises pressions, les Serbes du Kosovo à émigrer. Dans un contexte économique et social moins dégradé, on a noté en 1991 en Voïvodine (autre province autonome de Serbie) des pressions à l'encontre de la minorité croate, harcelée et incitée à déguerpir afin de laisser place à des réfugiés serbes de Croatie. On pourrait parler dans ce cas de purification ethnique « de basse intensité », ou rampante. Toutefois, la purification « intensive » a fait irruption au Kosovo en mars 1998, lorsque les forces yougoslaves en lutte contre l'Armée de libération du Kosovo (UCK) ont entrepris d'expulser des civils albanais afin de couper cette guérilla rurale de ses appuis locaux. Elle est devenue torrentielle un an plus tard, lorsque les frappes de l'OTAN sur la République fédérale de Yougoslavie (RFY) ont libéré le président Slobodan Milosevic de la nécessité de se montrer « modéré » afin d'éviter des mesures de rétorsion et lui ont fourni un alibi : on ne chasse pas les Kosovars albanais, ce sont eux qui fuient les bombardements. En dix semaines, 700 000 personnes ont été expulsées vers l'Albanie et la Macédoine, avec une efficacité dénotant la préméditation. Après le retrait des forces yougoslaves et la mise du Kosovo sous tutelle de l'ONU (juin 1999), leur retour s'est accompagné de violences anarchiques, « purifiant » cette fois la région de ses non-Albanais : Serbes, mais aussi Roms (Tsiganes), Croates et musulmans slavophones. **M. R.** **> BOSNIE-HERZÉGO-VINE, CROATIE, GUERRES BALKANIQUES, QUESTION SERBE, SERBIE, YOUGOSLAVIE.**

NEUILLY (traité de) Signé le 27 novembre 1919 par la Bulgarie (vaincue) et par les Alliés de la Grande Guerre, le traité de Neuilly accorde la Dobroudja à la Roumanie et la Thrace occidentale à la Grèce. La Bulgarie perd ainsi tout accès à la mer Méditerranée.

NEW DEAL Bien qu'il représente un tournant fondamental de l'histoire des États-Unis, le New Deal n'a pas d'histoire ; il n'y en eut aucun signe avant-coureur : pas de mouvement social qui puisse expliquer l'adoption d'un tel projet et susciter un pareil soutien populaire ; aucun parti dont le programme eût quelque point commun avec ce que serait le New Deal. En soi, la « révolution Roosevelt » n'est pas difficile à expliquer ; mais qu'il n'y ait pas eu jusqu'alors de démocratie sociale en Amérique, voilà qui est moins simple à comprendre. La meilleure explication de l'avènement du New Deal se trouve dans la Constitution et le fédéralisme qu'elle établit. À l'origine, la Constitution déléguait très peu de pouvoir à l'État fédéral. Certes, la cession des terres publiques, les travaux d'intérêt public, les recettes de douane sur les produits importés, la sauvegarde du système monétaire, la protection des brevets et droits d'auteur lui revenaient. Mais le gouvernement fédéral était une république commerçante qui ne concevait de meilleure incitation à l'action que le patronage étatique et n'exerçait pratiquement aucune contrainte directe sur les citoyens. Tous les autres pouvoirs revenaient aux États fédérés. Les lois fondamentales pour les individus et les collectivités locales étaient faites et imposées par les législatures et les tribunaux des États. Il n'est donc pas étonnant que les centaines de mouvements sociaux et de groupes organisés qui se constituèrent à la fin de la guerre de Sécession (1861-1865), pour répondre aux changements économiques révolutionnaires de l'époque, se soient tournés non pas vers Washington mais vers les États.

Nationalisation du politique. Le glissement de la politique américaine vers l'échelon national n'intervient qu'après 1886, quand la Cour suprême rend son jugement dans l'un des cas les plus marquants de toute l'histoire de la législation américaine : *Wabash, St Louis, and Pacific Railway c. Illinois*. À cette occasion, elle invalide une décision de l'État d'Illinois et lui interdit de fixer un plafond aux tarifs de transport des marchandises pratiqués par les compagnies ferroviaires lors de la traversée de cet État (mesure destinée à protéger les agriculteurs),

au motif que le commerce interétatique est du ressort exclusif de l'État fédéral. Ce jugement fait apparaître une sorte de *no man's land* économique où les États n'ont pas le droit d'imposer une réglementation alors même que l'État fédéral, qui en a seul le pouvoir, ne souhaite pas réglementer. Les groupes d'intérêt se détournent presque aussitôt des États pour s'adresser à Washington. Agricoles ou patronales, la plupart des associations nationales sont créées après 1886. Quant au premier syndicat, mené par Samuel Gompers (1850-1924), il ne prend de l'importance qu'à partir de cette date. La Cour suprême vient, de fait, de nationaliser, au sens propre du terme, la politique américaine. L'État fédéral n'en reste pas moins réticent à s'occuper d'une économie en pleine révolution. Après l'arrêt *Wabash*, le Congrès adopte cependant deux lois importantes : l'*Interstate Commerce Act* de 1887 et le *Sherman Antitrust Act* de 1890. Il y a encore deux ou trois exceptions en 1914, à l'époque du président Woodrow Wilson (la création du Federal Reserve Board (Fed), pour réglementer les banques nationales, et de la Federal Trade Commission, pour réglementer la concurrence commerciale interétatique), mais en définitive, il s'agit d'efforts bien modestes eu égard à l'importance croissante de l'économie. De plus, l'échelon national demeure à peu près absent des controverses locales, d'autant plus cruciales qu'une bonne part de l'activité économique se déploie localement. Même si la crise de 1929 est la cause ultime qui déclenchera une révolution au sein du gouvernement fédéral, Franklin D. Roosevelt, en 1932, se présente aux élections en tant que conservateur. Il accuse le président Herbert C. Hoover (1929-1933) de prodigalité et promet que le New Deal comportera un budget en équilibre. À ce stade, le New Deal n'est encore qu'un artifice rhétorique de campagne électorale que la presse reprend et rend populaire. Les décisions politiques qui le constitueront, provoquant une véritable révolution constitutionnelle et gouvernementale, sont en fait l'émanation de groupes d'intérêts multiples (économiques et sociaux) ayant infiltré le Parti démocrate et trouvant là l'occasion de rédiger ou, à tout le moins, d'inspirer leur propre législation. Durant cette période, la croissance du budget s'explique à la fois par l'extension des domaines d'action de l'État fédéral (par rapport au XIXe siècle) et par l'addition, dans le giron étatique, de secteurs d'activités restés jusque-là du ressort de la société civile. Si, pour faire face à la dépression, F. D. Roosevelt avait simplement jugulé la crise en élargissant la portée des politiques traditionnelles, sa réussite aurait déjà été remarquable. Mais la « révolution Roosevelt » met en place des politiques redistributives et régulatrices, fort rares jusqu'aux années 1930 et encore entachées d'un doute constitutionnel. Ces programmes instaurent une relation totalement nouvelle entre l'État fédéral et les citoyens. **D'**un point de vue constitutionnel, la « révolution Roosevelt » représente en fait deux révolutions en une, dans la mesure où politique de redistribution sociale et politique de réglementation doivent être validées séparément par la Cour suprême. Au début des années 1930, la Cour les déclare toutes deux inconstitutionnelles en invalidant les lois les plus importantes du New Deal. Mais elle finit par céder devant la victoire écrasante de F. D. Roosevelt aux élections présidentielles de 1937. **Une révolution faite de compromis.** L'économie politique du New Deal ménage, en réalité, « la chèvre et le chou », reflétant les coalitions qui forment la base du Parti démocrate sous F. D. Roosevelt. **Les** plus importants programmes de réglementation sont nettement « corporatistes ». Ils autorisent les intérêts concernés à s'auto-organiser sous l'égide de l'État. Le *National Labor Relations Act* (ou *Wagner Act*) est, lui, clairement « syndicaliste » et concerne plus le syndicat que les syndiqués. Le *National Industrial Recovery Act* et son importante agence, la National Recovery Administration, se veulent ouvertement corporatistes. La réglementation concernant l'utilisation des terres pour soutenir les prix agricoles l'est aussi, tout comme l'assouplissement des lois antitrust dans plusieurs secteurs de l'économie. **M**ais ces politiques de réglementation sont, dans le même temps, éminemment progressistes. Les dirigeants du New Deal se montrent remarquablement tolérants

à l'égard de la puissance *(bigness)* tant des grandes entreprises que des entités publiques. Mais ils sont fortement soucieux de réformes qui contraindraient ces puissantes organisations à se montrer plus responsables et plus solidaires. Ce progressisme se manifeste dans de nombreux secteurs comme les procédures administratives et budgétaires. **P**lus tard, on attribua au New Deal une cohérence idéologique et intellectuelle qu'il n'eut jamais vraiment. Cette impression tenait en partie à la querelle de la constitutionnalité : en approuvant l'ampleur, le caractère coercitif et la portée locale des programmes rooseveltiens, la Cour suprême créa l'idée que le New Deal était un bloc. Peut-être ce sentiment de rationalité a-t-il tenu aussi à la montée, un demi-siècle plus tard, d'une opposition carrément conservatrice. Quant à savoir ce qu'était réellement le New Deal, la réponse ne peut être trouvée que dans le processus politique lui-même. **T. J. L.** ➤ **ÉTATS-UNIS.**

NGO DINH DIEM (1901-1963)

Homme politique vietnamien, dirigeant du Sud-Vietnam de 1955 à 1963. Né dans une grande famille de mandarins catholiques du Centre-Vietnam, il fait une carrière mandarinale et devient ministre de l'Intérieur de Bao Dai en 1933. Il préconise une réforme de la monarchie, mais démissionne rapidement devant la résistance du Protectorat. Profondément nationaliste, mais anticommuniste, intègre, conservateur, longtemps proche des Japonais, il noue beaucoup de contacts au Vietnam et à l'étranger, au Japon puis dans des monastères aux États-Unis, jusqu'à sa nomination comme Premier ministre de Bao Dai le 16 juin 1954. Il obtient l'abdication de ce dernier en avril 1955, proclame la République du Vietnam en octobre et bloque le processus électoral prévu lors des accords de Genève (21 juillet 1954) en vue de la réunification du Vietnam. Soutenu par les États-Unis, il essaie, avec son frère Ngo Dinh Nhu, de construire un État autoritaire et anticommuniste dans le Sud en s'appuyant sur la minorité catholique, notamment les réfugiés du Nord, la grande bourgeoisie du Sud, l'armée et les anciennes élites sociales. Ses méthodes répressives lui aliènent les grandes sectes Cao Dai et Hoa Hao, conduisent les communistes à reprendre la résistance armée dès 1957 et à créer le FNL (Front national de libération) en 1960. Il entre en conflit avec les bouddhistes en 1963, réprime brutalement leurs grandes manifestations et, isolé, noue des contacts secrets avec le Nord-Vietnam. Washington l'abandonne alors et soutient le putsch du général Duong Van Minh de novembre 1963, au cours duquel Diem est renversé et assassiné avec son frère Nhu. Nguyen Van Thieu (1923-2001) lui succède. **D. H.**   **> VIETNAM.**

NICARAGUA   République du Nicaragua. Capitale : Managua. Superficie : 130 000 km^2. Population : 4 938 000 (1999). **A**près la dislocation de la Fédération centraméricaine en 1838, l'histoire du Nicaragua est marquée par l'antagonisme entre libéraux et conservateurs, souvent plus représentatif des conflits entre caudillos régionaux que d'intérêts sociaux ou de programmes idéologiques bien définis. Grâce aux redistributions de terres et à la construction d'infrastructures entreprises par les derniers gouvernements conservateurs du XIXe siècle et surtout par le général libéral José Santos Zelaya (1893-1909), l'essor de la monoculture caféière dynamise l'économie. J. Santos Zelaya fonde une armée nationale et consolide le territoire nicaraguayen en y incorporant définitivement la côte atlantique, longtemps sous influence britannique. Bien qu'ayant ouvert le pays aux capitaux américains, il est renversé en 1909 par une rébellion conservatrice soutenue par les États-Unis, avec lesquels il s'était brouillé au sujet de la concession d'un canal interocéanique sur le territoire nicaraguayen. Entre 1910 et 1933, des troupes américaines occupent le pays tout en laissant aux conservateurs l'apparence du pouvoir. En 1914, le traité Bryan-Chamorro accorde aux États-Unis les droits exclusifs et perpétuels sur la construction de l'éventuel canal interocéanique nicaraguayen, ainsi qu'un bail de 99 ans sur le golfe de Fonseca et deux îles de la côte atlantique. Ces concessions sont confirmées en 1927, en pleine recru-

descence des conflits civils internes, tandis qu'est formée une Garde nationale chargée de maintenir l'ordre après le départ des *marines*. La mainmise économique et politique de Washington suscite la résistance de la guérilla nationaliste du général César Augusto Sandino (1895-1934), qui réussit à provoquer le départ des troupes américaines en 1933. Bien qu'ayant déposé les armes, il est trahi par le gouvernement du président Juan Bautista Sacasa (1933-1936), qui le laisse assassiner par le chef de la Garde nationale, Anastasio Somoza García (1896-1956), lequel prend le pouvoir en 1936.   **De la dynastie Somoza à la révolution sandiniste.** Dès lors et jusqu'en 1979, c'est une véritable dynastie qui règne par la terreur sur le Nicaragua, dont elle fait un allié indéfectible des États-Unis. Assassiné en 1956, « Tacho » est remplacé, jusqu'en 1963, par son fils Luis (1922-1967) puis, après un bref intermède, par le frère de celui-ci, Anastasio (1925-1980), en 1967. Sous leur règne, le coton se substitue au café à partir des années 1950, tandis que commence à se développer une industrie légère et de biens intermédiaires. Mais la famille Somoza accapare une bonne partie des ressources du pays et réprime implacablement toute opposition, y compris celle des élites traditionnelles. En témoigne l'assassinat du journaliste Pedro Joaquín Chamorro en 1978, qui donne le signal de l'offensive finale contre le régime. Très largement soutenu par la population, le Front sandiniste de libération nationale (FSLN), fondé en 1961 et rassemblant des groupes de diverses origines idéologiques, entre à Managua en juillet 1979. **M**algré sa politique sociale volontariste (réforme agraire, éducation, santé...) et sa victoire aux élections de 1984, le FSLN, initialement appuyé par la bourgeoisie nationale antisomoziste, s'enlise rapidement dans les difficultés. Minée par la fuite des capitaux et l'attitude agressive du gouvernement américain de Ronald <u>Reagan</u>, qui, s'inquiétant de l'influence cubaine et soviétique, finance la guérilla antisandiniste (Contra) et attise les conflits internes avec les élites économiques, l'Église, ou les minorités (tels les Indiens Miskitos de la côte atlantique, dont la volonté d'autonomie culturelle se heurte à l'hostilité de Managua, ce qui suscite l'affrontement), affaiblie par ses propres erreurs, la révolution sandiniste assiégée perd la partie avec l'élection en 1990 de Violeta Chamorro (1929-). **P**our le Nicaragua, frappé en 1998 par la tragédie de l'ouragan *Mitch* et gouverné à partir de 1997 par un président ultraconservateur accusé de corruption et d'inefficience, Arnoldo Alemán (1946-), la dernière décennie du siècle se caractérise par la difficulté de la reconstruction économique et l'héritage empoisonné de la guerre civile. Avec un très fort taux de chômage, d'énormes inégalités sociales et la prolifération non maîtrisée des armes à feu, le Nicaragua apparaissait, au tournant du siècle, comme l'un des pays les plus violents d'Amérique latine. **J. H. A.**

NIGER **R**épublique du Niger. Capitale : Niamey. Superficie : 1 267 000 km². Population : 10 078 000 (1999). **P**ays enclavé d'Afrique, le Niger est constitué d'un vaste plateau cristallin (l'Aïr) et de deux bassins sédimentaires (vallée du Niger et dépression du lac Tchad). L'essentiel du territoire relève du climat désertique, la population étant surtout concentrée au Sud, dans la zone sahélienne. L'ethnie principalement présente est celle des Haoussa, sédentaires, tandis qu'au Nord vivent des Touaregs, des Toubous et des Arabes pour une grande partie nomades. Les Peuls sont plus dispersés. Ne comportant pas alors de richesses naturelles susceptibles d'être exportées, le territoire présente un intérêt médiocre pour les impérialismes de la fin du XIXᵉ siècle. Un accord est passé entre la Grande-Bretagne et la France le 5 août 1890 (convention Say-Barroua) qui permet à cette dernière d'y entreprendre une conquête tardive et de faire le lien avec ses possessions d'Algérie, du Congo et du Sénégal. D'abord territoire militaire, le pays connaît soulèvements et résistances, notamment touarègues. Il ne devient colonie qu'en 1922. **L**e Niger est intégré à la fédération de l'AOF (Afrique occidentale française). En 1946, est créé le Parti progressiste nigérien, section locale du RDA (Rassemblement démocratique africain). Dans la décennie qui suit, des scissions donnent naissance à d'autres partis. En 1958, à l'occasion de la mise en place de la Communauté franco-africaine, Hamani Diori (1916-1989) est élu président du Conseil par une Assemblée constituante. L'indépendance est acquise le 3 avril 1960, sous régime de parti unique. Des liens étroits sont maintenus avec la France. La découverte de ressources d'uranium (gisement d'Arlit) dont l'exploitation commence au début des années 1970, ouvre des espoirs, d'autant que le choc pétrolier de 1973 rend ce minerai plus stratégique encore. La production quadruple entre 1974 et 1979. **U**n coup d'État mené par Seiny Kountché (1931-1987) renverse le régime corrompu d'H. Diori, le 15 avril 1974. Un pouvoir militaire autoritaire s'installe. En 1987, à la mort de S. Kountché, le colonel Ali Saïbou (1940-) lui succède. Dans les années 1980, les revenus de l'uranium s'effondrent (12 % des recettes de l'État en 1986 contre 40 % en 1982). Le multipartisme est concédé en 1990 et une transition politique laborieuse est engagée en novembre 1991, à la suite de la réunion d'une « conférence nationale souveraine ». Après l'adoption d'une Constitution démocratique en 1992 (IIIᵉ République), la transition s'achève en avril 1993 avec l'investiture à la Présidence de Mahamane Ousmane (1950-), démocratiquement élu. Le 24 avril 1995, un accord de paix est signé avec les mouvements touaregs qui met un terme au conflit meurtrier engagé depuis 1990 avec le pouvoir central. La situation politique tourne cependant à la paralysie du fait des divergences entre le chef de l'État et le Premier ministre. **L**e 27 janvier 1996, un coup d'État militaire dirigé par Ibrahim Baré Maïnassara (1949-1999) renverse les autorités démocratiquement élues. Le retour à la démocratie semblait imminent au début 1999, au terme de divers scrutins, mais le 9 avril, un nouveau coup d'État militaire (dans lequel le général Maïnassara est tué) aboutit à la dissolution de l'Assemblée. Un Conseil de réconciliation nationale fait cependant voter une nouvelle Constitution démocratique, au système semi-présidentiel. La Vᵉ République est ainsi promulguée le 9 août 1999. Les élections à la Présidence donnent la victoire à Mamadou Tanja, candidat de l'ancien parti unique. La crise politique semblait close, mais le pays était exsangue au plan économique. **N. B.**

NIGÉRIA République fédérale du Nigéria. Capitale : Abuja. Superficie : 923 768 km². Population : 108 945 000 (1999). Le Nigéria moderne voit le jour en 1914, de la réunion du protectorat du Nigéria du Nord (passé de la Compagnie royale du Niger à la Couronne britannique en 1900) et de la colonie et protectorat du Nigéria du Sud (issue de la fusion du Protectorat des rivières du pétrole – Oil Rivers Protectorate – et de la colonie de Lagos). Unies dans les termes, les régions du Nigéria conservent des administrations distinctes. Le Nord (Northern Region), l'Est (Eastern Region) et l'Ouest (Western Region) constituent des entités autonomes, très différentes politiquement et socialement. Le Royaume-Uni adopte un système d'administration indirecte (*indirect rule*), par le biais de chefs traditionnels dont le pouvoir reste presque intact. Cela favorise les différenciations et décourage le développement d'institutions étendues à l'ensemble de la nation. **La** Constitution de 1922 met en place un Conseil législatif dans les régions du Sud et ouvre la voie à des élections directes. Les premiers militants nationalistes, organisés en associations religieuses, professionnelles et ethniques, cherchent à accroître leur présence dans les trois gouvernements régionaux, plutôt qu'à obtenir l'indépendance. Les revendications pour une plus grande autonomie se font jour durant la Seconde Guerre mondiale. Londres augmente en effet les taxes pour défendre l'Empire britannique, suscitant un mécontentement qui renforce les mouvements nationalistes, en particulier dans le Sud. **Les bases régionales et ethniques des grands partis.** Trois grands partis politiques naissent dans l'après-guerre : le Conseil national du Nigéria et des Cameroun (NCNC) de Nnamdi Azikiwe, le Groupe d'action (AG) d'Obafemi Awolowo et le Congrès du peuple du Nord (NPC) d'Ahmadu Bello (1898 ?-1966). Chacun bénéficie d'une base régionale solide, respectivement, dans l'Est (à majorité ibo), dans l'Ouest (à majorité yorouba) et dans le Nord (à majorité haoussa). Les dirigeants de ces partis, Premiers ministres dans leur région, conduisent des délégations négociant un changement constitutionnel avec le Royaume-Uni. Dans chaque région existent aussi des partis représentant des minorités, mais sans représentation significative. Trois Constitutions, adoptées entre 1946 et 1954, confèrent au Nigéria une autonomie accrue et préparent à l'indépendance. Une structure fédérale est adoptée, liée à la diversité interne du pays, et le pouvoir est confié à une Chambre des représentants fédérale et à des parlements régionaux. Abubakar Tafawa Balewa (1912-1966), du NPC, est nommé Premier ministre de la fédération en 1954. Il constitue un gouvernement de large coalition en prévision de l'indépendance. Les régions de l'Est et de l'Ouest accèdent à une forme de gouvernement propre en 1957, suivies de celle du Nord en 1959. Chacune entretient un rapport d'autonomie avec le gouvernement de Lagos et se dote d'institutions sur le modèle du parlementarisme britannique. Le 1er octobre 1960, le Royaume-Uni fait abaisser les couleurs de la Couronne et N. Azikiwe devient gouverneur général de la nouvelle fédération (il sera le premier président de la République, à la naissance de celle-ci en 1963). **De l'indépendance à la guerre du Biafra.** Après l'indépendance, la discipline décline au sein des partis. Dans l'Ouest, le Parti des peuples unis (UPP de Samuel Akintola [1906 ?-1966]), soutenu par le NPC, ébranle l'AG. La création d'une nouvelle région du Centre-Ouest, en 1963, altère encore le paysage politique. Les élections fédérales de 1964 sont contestées par deux coalitions, le NPC et ses alliés, d'une part ; le NCNC, l'AG et d'autres formations d'opposition, d'autre part. Violences et boycottages, en particulier dans l'Ouest, perturbent les scrutins, et les irrégularités fréquentes dans les élections régionales qui suivent donnent lieu à de vastes protestations. La défaillance de l'ordre encourage de jeunes officiers de l'armée à s'emparer du pouvoir au terme d'un coup d'État sanglant, en janvier 1966, où sont notamment tués A. T. Balewa, S. Akintola et A. Bello. Les dirigeants de l'armée réagissent immédiatement en reprenant le pouvoir. Le général Johnson

Aguyi Ironsi [1934 ?-1966] (un Ibo, à la tête de l'État pendant six mois) tente de mettre un terme à l'arrangement fédéral et sera tué dans un nouveau coup d'État, fomenté par des officiers du Nord. Yakubu Gowon (1934-), chef de l'État de 1966 à 1975, inverse la politique unitariste en divisant la fédération en douze États. Il ne parvient cependant pas à dissuader les dirigeants ibo de proclamer, à l'Est, la « république du Biafra » (ce qui donne lieu à une guerre civile de 1967 à 1970). **Une succession de coups d'État.** Après une période de consolidation, soutenue par les revenus croissants du pétrole, Y. Gowon manque à son engagement de rendre le pouvoir à des autorités civiles et tombe lors d'un coup d'État, en 1976 (sans bain de sang, cette fois). Muritala Mohammed (1940-1976), qui lui succède, promet une transition rapide, et accentue le fédéralisme en créant sept nouveaux États. Il est assassiné au bout de huit mois et le pouvoir passe à son second, Olusegun Obasanjo. Cinq partis politiques participent aux élections de 1979, tous plus ou moins calqués sur des formations existant sous la 1re République. Le Parti national du Nigéria (NPN, de Shehu Shagari [1938 ?-]), réunissant principalement des Nigérians du Nord, gagne l'élection présidentielle et forme le nouveau gouvernement fédéral. Le Parti uni du Nigéria (UPN, successeur du 'AG) représente la population de l'Ouest et le Parti du peuple nigérian (NPP, issu d'une branche du NCNC) celle de l'Est. **Le mécontentement politique croissant, associé à des accusations de fraude et de corruption, atteint son paroxysme lors des élections ouvertement truquées de 1983, favorisant une nouvelle intervention des militaires. Le général Muhammadu Buhari (1942 ?-) prend des mesures contre la corruption et l'indiscipline, mais son autoritarisme accélère une « révolution de palais » en 1985. Ibrahim Babangida (1941-) promet un retour progressif à la loi civile, crée deux partis fantoches pour participer aux élections et adopte des mesures radicales pour consolider l'économie. L'élection présidentielle de 1993, largement considérée comme valide et remportée par Moshood Abiola (1937-1998), est annulée au nom de prétendues irrégula-

rités. De vastes protestations poussent I. Babangida à démissionner et à passer le pouvoir à un conseil intérimaire constitué de civils. Celui-ci durera trois mois, jusqu'à ce que Sani Abacha (1943-1998) s'empare du pouvoir et interdise tous les partis politiques. **La dictature de Sani Abacha.** Le régime de S. Abacha devient progressivement autoritaire et dictatorial, mettant le Nigéria au ban de la communauté internationale. L'emprisonnement et la mort inexpliquée d'opposants de premier plan s'accompagnent d'une répression de la liberté d'expression de plus en plus explicite. La pendaison de Ken Saro Wiwa (1944 ?-1996) et d'autres militants ogoni provoque l'exclusion du Commonwealth (où le pays était entré en 1960) et l'adoption de sanctions internationales. S. Abacha autorise cinq partis politiques à participer aux élections, qui le choisissent comme candidat à la présidentielle, mais il meurt, officiellement d'une crise cardiaque, en juin 1998. Son successeur, Abdulsalami Abubakar (1950 ?-), permet la réalisation d'un programme de transition rapide, qui aboutit avec la prestation de serment du président O. Obasanjo, candidat victorieux du Parti démocratique du peuple (PDP), en mai 1999. **D. J.**

NIUE (île)   Territoire non souverain, sous tutelle néo-zélandaise. Chef-lieu : Alofi. Superficie : 269 km^2. Population : 2 500 (1999). Niue est située à mi-distance des îles Cook à l'est et des Tonga à l'ouest. Occupée par les Britanniques en 1888, cette île est administrée par la Nouvelle-Zélande à partir de 1901 et rattachée par celle-ci aux îles Cook. Devant la protestation des Niuéans, une autorité distincte est mise en place en 1904. Un accord de libre-association est conclu entre Wellington et Alofi en octobre 1974. **J.-P. G.**

NIXON Richard (1913-1994)   Homme politique, président des États-Unis de 1969 à 1974. Premier président des États-Unis à être natif de Californie, Richard Nixon est issu d'une famille quaker aux mœurs rigides, mais aux moyens restés limités. Pour ces raisons, il fréquente un collège local et sans renommée avant de pouvoir faire son droit à l'université Duke. Il travaille quelque temps comme avocat avant de s'engager dans la marine (1942-1946). Animé d'une grande ambition et d'un souci de revanche sociale, il se fait élire comme représentant républicain de Californie en 1946 et s'affirme vigoureusement anticommuniste. Son rôle dans la commission d'enquête sur l'espionnage communiste le fait connaître sur le plan national. Élu sénateur en 1950, il flirte avec le maccarthysme (la « chasse aux sorcières »), mais reste prudent. Il est choisi comme vice-président par Dwight D. Eisenhower (1890-1969), président de 1953 à 1961. À ce poste majeur, il élargit sa connaissance du monde. Logiquement candidat républicain à la Présidence en 1960, il est battu de peu par John F. Kennedy, au charisme bien étudié. Il est également battu en 1962 en cherchant à devenir gouverneur de Californie, et ses échecs – qu'il reproche à la presse, laquelle l'accuse d'être un tricheur (« Tricky Dicky ») – semblent alors mettre un terme à sa carrière.

Ce politique-né parvient pourtant à s'imposer au sein d'un Parti républicain de plus en plus conservateur et il est choisi comme candidat en 1968 et élu (de justesse). Le nouveau président s'inscrit en réaction aux excès des années 1960, mais doit composer avec une majorité du Congrès restée démocrate. En dépit d'un discours vigoureux et de quelques mesures relatives à l'environnement, il doit, en catastrophe, mettre fin au système de convertibilité or-dollar et aux changes fixes (1971), alors que l'inflation s'emballe. La grande affaire de sa présidence est de mettre un terme à la guerre du Vietnam. Il pense pouvoir y arriver en faisant pression sur l'URSS et la Chine pour qu'elles contraignent le Vietnam du Nord à négocier. En dépit d'une politique d'ouverture spectaculaire à l'égard de Pékin (1972) et de Moscou, le conflit perdure alors que le président américain s'obstine à donner l'apparence de la victoire. Il faut attendre janvier 1973 pour que soient signés les accords de Paris. R. Nixon, assiégé par les opposants à la guerre, s'est entouré d'une garde secrète et rapprochée prête à toutes les basses besognes : les bureaux du Parti démocrate adverse, dans l'immeuble du Watergate, sont cambriolés lors de la campagne présidentielle de 1972. R. Nixon est facilement réélu, mais l'affaire du Watergate prend de l'ampleur en 1973 : le président apparaît comme responsable et les enquêtes menées par la justice et la presse le contraignent à la démission en août 1974. Il est le premier président à devoir le faire. Gerald R. Ford lui succède. Durant les vingt ans qui lui restent à vivre, R. Nixon parvient à redorer son image. Son bilan restera mitigé.
J. P.   **> ÉTATS-UNIS.**

NKRUMAH Kwame (1909-1972)

Homme politique ghanéen, Premier ministre de la Côte-de-l'Or (1952-1957) puis du Ghana (1957-1960), puis chef de l'État (1960-1966). Kwame Nkrumah doit son rôle de héraut du panafricanisme prôné par les théoriciens William Edward Burghardt du Bois (1868-1963) et George Padmore (1903-1959) à l'indépendance précoce du Ghana (1957), mais la démocratie qui devait l'accompagner est rapidement absorbée par la logique du parti unique. Instituteur d'origine ashanti formé à l'université noire américaine de Lincoln, K. Nkrumah retourne dans son pays après la guerre et fonde la Convention People's Party. Passant en 1951 de la prison au poste de Premier ministre de la Côte-de-l'Or (Gold Coast), il arrache l'indépendance au Royaume-Uni en 1957. Leader populiste répondant au surnom d'Osagyefo (le Rédempteur), il est l'hôte recherché des nationalistes africains qui font le voyage d'Accra. En coopération avec la Guinée de Sékou Touré, il lance un grand projet d'industrialisation par la construction du barrage d'Akosombo sur la Volta pour purifier le minerai d'aluminium guinéen et diversifier les productions. Sourd aux critiques, il emprisonne les opposants et les sceptiques, dont le docteur Joseph Kwane Danquah (1895-1965), qui lui avait suggéré d'adopter le nom prestigieux de « Ghana » (nom d'un ancien royaume africain) pour le nouvel État. Il opte pour une politique étrangère prosoviétique, bien que son pays reste lié à l'Occident dans le domaine économique. Un coup d'État militaire renverse son régime en 1966, alors qu'il fait un voyage en Chine. Joseph Arthur Ankrah lui succède (1966-1969). **B. N.**   **> GHANA.**

NKVD > POLICE POLITIQUE (URSS).

NOEI   Le Nouvel ordre économique international (NOEI) désigne le programme adopté par consensus par l'Assemblée générale des Nations unies le 6 décembre 1974, impulsé par le mouvement des non-alignés (conférence d'Alger, 5-9 septembre 1973), portant notamment sur les matières premières, le financement du développement, l'industrialisation, les transferts de technologie, le contrôle de l'activité des firmes multinationales. Le NOEI sera rapidement mis en échec par les contre-stratégies déployées par les États-Unis et leurs alliés, ainsi que par le contexte de crise au Nord.

NOIRS AMÉRICAINS > QUESTION NOIRE (ÉTATS-UNIS).

NON-ALIGNEMENT   Le mouvement des pays non alignés a émergé dans les années 1950 parmi les pays en développement (PED) à la recherche d'une position hors du système des blocs. D'une revendication d'abord politique, portant sur la généralisation et l'approfondissement de la décolonisation, il prit ensuite une dimension économique, avec notamment le projet d'instauration d'un Nouvel ordre économique international (NOEI). Le mouvement s'élargit progressivement, puis se délita à la fin des années 1970. Les principales conférences du mouvement se sont tenues à Belgrade (1961), au Caire (1964), à Lusaka (1970) et à Alger (1973).   **Non-alignement et « régimes militants ».** Le mouvement des non-alignés est fondé six ans après la conférence afro-asiatique de Bandung, lors de la conférence de Belgrade réunie en 1961 à l'initiative du Yougoslave Tito, de l'Égyptien Nasser et de l'Indien Nehru. Les rapports Est-Ouest restent fortement conflictuels. Au plan géopolitique, le tiers monde apparaît monter en puissance depuis la victoire des nationalistes vietnamiens à Dien Bien Phu (1954) et la crise de Suez (1956). La révolution cubaine est victorieuse depuis 1959, tandis que la guerre d'indépendance algérienne, engagée depuis sept ans, a enregistré de nombreux succès diplomatiques, accélérant par là même le processus des indépendances africaines. Les participants à la conférence de Belgrade sont cependant divisés sur les priorités à accorder à l'activité du mouvement : préserver la paix, comme le souhaitent Nehru et les « modérés », ou lutter d'abord et surtout contre le colonialisme, comme le réclament les représentants des régimes « militants », tels que l'Indonésien Sukarno, Nasser, le Ghanéen Nkrumah ?   **La** définition même du non-alignement demeure confuse. Un consensus s'opère cependant autour du refus de constituer un troisième bloc. Cela écarte la possibilité d'une institutionnalisation du mouvement. Une proposition de Tito, visant l'établissement d'une collaboration économique « universelle » avec les pays sous-développés, sera à l'origine de la conférence économique du Caire, laquelle donnera ultérieurement (en 1964) naissance à la CNUCED (Conférence des Nations unies pour le commerce et le développement).   **La « crise » des années 1960.** Les années qui suivent la conférence de Belgrade voient la Détente se substituer progressivement à la Guerre froide. Le processus de décolonisation se poursuit. La lutte armée est engagée dans les colonies portugaises (Angola, Guinée-Bissau, puis Mozambique). En 1963 est créée l'Organisation de l'unité africaine (OUA) qui adopte formellement le non-alignement comme principe. En Asie, le schisme sino-soviétique s'approfondit, tandis qu'en 1962, un grave conflit oppose l'Inde à la Chine. La conférence du Caire, réunie en octobre 1964, marque un net élargissement du mouvement des non-alignés, notamment en direction des États d'Afrique et d'Amérique latine. L'anticolonialisme et l'anti-impérialisme sont fortement proclamés dans les discours et les résolutions. L'aile « militante » du mouvement semble s'élargir et se renforcer. Au plan des préoccupations, l'idée de développer davantage la « solidarité économique » et la coopération progresse.   **A**près la conférence du Caire, les activités s'estompent toutefois pendant une longue période. Durant cinq ans, aucune réunion plénière ne se tient. Cette « crise d'identité » s'explique par plusieurs facteurs. D'une part, la décolonisation est désormais en grande partie réalisée (aux exceptions notables de certains pays de l'Afrique australe, de l'Afrique portugaise...) et l'élargissement considérable du mouvement – déjà fort hétéroclite – rend son unification hypothétique. D'autre part, le bilan des « politiques de développement », dans la plupart des pays, fait apparaître échecs et situations économiques difficiles. L'assise de nombreux régimes acquise dans le processus d'indépendance s'effrite. Ici ou là, des affrontements pour le pouvoir ont lieu et les coups d'État, souvent militaires, se multiplient. Plusieurs dirigeants de premier plan du mouvement sont écartés. C'est le cas de Sukarno en Indonésie en 1965, où le changement de pouvoir s'accompagne de massacres de masse au nom de la chasse aux communistes, de Ben Bella en Algérie (en 1965 également), de Nkrumah au Ghana (en 1966). **A**ux coups d'État s'ajoutent d'innombrables conflits frontaliers et des confrontations entre les membres du mouvement ; sans compter les tentatives de sécessions (guerre du Biafra en 1967). Au plan international, un certain « dialogue » entre superpuissances se substitue à la Guerre froide. La collusion dans la rivalité l'emporte sur l'affrontement. Les possibilités de non-alignement effectif n'en sont pas pour autant plus grandes (partage implicite des zones d'influence, négociations entre « grands » excluant les pays du tiers monde, etc.). **Des initiatives centrifuges.** Cette conjoncture du milieu des années 1960 se traduit par l'apparition de forces centrifuges. Des initiatives sont lancées dont les intentions anti-impérialistes plus affirmées connaissent des fortunes diverses. C'est ainsi qu'en 1965 un projet de réunion d'une nouvelle conférence afro-asiatique, soutenu notamment par Pékin et Jakarta, est préparé. Il est finalement ajourné puis annulé. En janvier 1966, Cuba réunit à La Havane la conférence Tricontinentale, qui se propose d'apporter son soutien aux mouvements et forces révolutionnaires du tiers monde et décide de la création de l'éphémère Organisation de solidarité des peuples d'Asie, d'Afrique et d'Amérique latine (OSPAAL). **L**a conférence des pays non alignés de Lusaka, tenue en septembre 1970, traduit une profonde évolution du mouvement. Ce sont désormais les préoccupations économiques qui sont au cœur des débats. Certains dénoncent le « colonialisme technologique ». La conférence adopte une résolution sur « le non-alignement et le progrès économique » qui constitue une amorce de programme. Les espoirs, de ce point de vue, s'orientent vers la IIIᵉ CNUCED qui s'ouvre en 1972 à Santiago du Chili. **Pour un Nouvel ordre économique international.** Les années 1970 vont voir se confirmer la tendance à la primauté aux revendications économiques des pays et à la restructuration des relations internationales. C'est la conférence d'Alger du mouvement non aligné (5-9 septembre 1973) qui consacre véritablement ces évolutions. **A**u plan international, la détente s'est accentuée entre États-Unis et URSS. Les accords de Paris de janvier 1973 devant mettre fin à la guerre du Vietnam laissent augurer d'une issue prochaine au conflit indochinois. La poursuite de la construction européenne, la montée en puissance de l'économie japonaise dessinent par ailleurs un nouveau contexte pour les relations entre grandes puissances. **L**es résolutions de la conférence d'Alger sont présentées comme un projet de Nouvel ordre économique international (NOEI). Elles stigmatisent le pillage des ressources naturelles et proclament le droit des États à exercer leur totale souveraineté sur celles-ci, y compris par voie de nationalisation. La déclaration de la conférence donne par ailleurs en exemple le regroupement des pays producteurs de pétrole réalisé dans le cadre de l'OPEP (Organisation des pays exportateurs de pétrole) et affirme la nécessité de réformer le SMI (Système monétaire international), de modifier les règles du commerce international et de donner les moyens aux pays dominés d'accéder à la technologie des pays industrialisés. Ces différentes orientations ont reçu un très large appui au sein du mouvement. Elles ont, de l'extérieur, le plus souvent été perçues comme une volonté de rupture, car elles nécessitaient, pour être satisfaites, de profondes transformations des relations entre pays du Nord et du Sud. Cependant, cette « rupture » peut aussi s'analyser comme la volonté de négocier le renouvellement des formes d'intégration au système économique mondial. **La fin politique du tiers monde.** Les États-Unis, s'appuyant sur les pétromonarchies du Golfe, parviennent à fissurer le front de l'OPEP et l'action concertée des pays du Nord contribue à réduire les rentes qui avaient résulté de l'augmentation des prix des matières premières. L'Union soviétique semble à l'offensive dans le monde et la seconde guerre froide, qui exacerbe les conflits dans de nombreuses régions du monde (on parle alors de guerres « par procuration » (*proxy wars*) : Amérique centrale, Afrique australe, Moyen-Orient, etc.), renforce la logique des blocs dans l'hémisphère Sud. Deux symboles forts illustrent en 1979-1980 la fin politique du tiers monde. D'une part, l'Union soviétique, qui jusqu'alors se prétendait l'alliée dudit tiers monde, envahit le 27 décembre 1979 l'un des pays fondateurs du mouvement des non-alignés, l'Afghanistan. Un an plus tôt, un pays communiste du tiers monde, le Vietnam, avait envahi un autre pays communiste du tiers monde, le Cambodge où les Khmers rouges perpétraient depuis 1975 l'un des grands génocides du siècle. En 1980 est par ailleurs déclenchée la première guerre du Golfe, laquelle oppose deux pays musulmans du tiers monde : l'Iran, où les partisans de l'imam Khomeyni viennent de prendre le pouvoir, et l'Irak de Saddam Hussein, qui est l'agresseur. Sur le plan économique, la plupart des modèles et politiques de développement montrent leurs limites et leurs échecs et l'illusion du rattrapage technologique s'évanouit. **Le tiers monde politique sera ainsi mort avant qu'il ne soit mis fin à l'ordre géopolitique issu de la Seconde Guerre mondiale. La disparition de l'URSS et du bloc soviétique signe la fin d'une époque, celle du « deuxième monde », mais le troisième est lui-même, depuis un certain temps, défunt. Une recomposition générale de l'ordre économique mondial se dessinera, dans laquelle chaque État cherchera sa voie pour réussir au mieux son insertion régionale. Dans cette quête, la constitution de marchés régionaux replacera les débats au niveau d'espaces géographiques et culturels plus homogènes. S. C. ▷ TIERS MONDE.**

NON-VIOLENCE GANDHIENNE

Mohandas Karamchand Gandhi fait la synthèse d'influences occidentales – issues du Nouveau Testament (le Sermon sur la montagne), de Léon Tolstoï (1828-1910), de John Ruskin (1819-1900) ou de Henry Thoreau (1817-1862) – et d'autres influences proprement indiennes qui restent dominantes. Il appelle d'ailleurs cette technique « Ahimsa », littéralement « l'abstention de toute violence », le nom utilisé dans le bouddhisme et surtout le jaïnisme, une religion qui le marqua beaucoup pendant son enfance, pour désigner le respect absolu de toute créature vivante (ce qui va de pair avec un strict végétarisme). **G**andhi transforme cette démarche en technique politique alors qu'il fait ses premières armes de combattant de la liberté en Afrique du Sud. Il s'agit déjà de répondre à l'oppression des Blancs, non pas par l'action agressive, mais par une non-violence délibérée visant à changer le cœur de l'autre, à lui faire prendre conscience de son indignité et à le convertir au respect de l'homme. **G**andhi met ses techniques en œuvre pour la première fois en Inde lors du mouvement de non-coopération du début des années 1920 (que des débordements de violence l'amènent toutefois à suspendre en 1922). Il y recourt à nouveau en 1930 dans le cadre du mouvement de désobéissance civile et donne le même mot d'ordre en 1942 lors de la campagne *Quit India* (Quittez l'Inde) qui est cependant à l'origine de violences plus considérables encore. En fait, le Mahatma n'est jamais parvenu à convertir ses partisans à une technique politique particulièrement exigeante, qui requérait un formidable courage physique puisque bien souvent il fallait aller au-devant des matraques. **C. J.** ▷ INDE.

NORD-CONSTANTINOIS (insurrection du)

La radicalisation du conflit franco-algérien ouvert par l'insurrection du 1er novembre 1954 commence le 20 août 1955. Désormais, il est légitime de parler de guerre. Le maître d'œuvre de l'insurrection est Youssef Zighoud (1921-1956), ancien conseiller municipal de Condé-Smendou, arrêté en 1951 pour son appartenance au bras armé du PPA (Parti du peuple algérien), l'Organisation spéciale (OS), et évadé de prison en 1951. Membre fondateur du FLN (Front de libération nationale), il a succédé en janvier 1955 à Mourad Didouche (1922-1955) à la tête de la wilaya II (région politico-militaire nord-Constantinois). Trois motifs ont présidé à l'organisation de l'insurrection : l'un d'ordre militaire, diminuer la pression de l'armée coloniale sur les Aurès ; les autres, d'ordre politique, empêcher les anciens partis, dont des représentants se sont concertés en mars 1955 avec le gouverneur général Jacques Soustelle, de se présenter en interlocuteurs du gouvernement français et inclure la population civile dans le conflit pour creuser un fossé entre Algériens et Européens. Le choix de la date, le 20 août, jour anniversaire de la déposition (1953) du sultan puis roi du Maroc Mohammed Ben Youssef (1909-1961), tend à susciter la convergence entre Maghrébins dans la lutte armée.   La préparation de l'insurrection commence lors d'une réunion qui se tient du 25 juin au 1er juillet 1955 à Zamane, dans la presqu'île de Collo. La volonté de provoquer l'ennemi et d'attirer sa réaction sur la population y est exprimée. La guerre de libération est conçue comme une guerre de type communautaire. Il est également décidé d'exécuter des dirigeants de l'UDMA (Union démocratique du Manifeste algérien) fondée par Ferhat Abbas, de l'Association des Ulama fondée par Cheikh Ben Badis et des parlementaires liés à l'administration, entre autres les députés Mostefa Ben Bahmed et Mohammed Bendjelloul. L'offensive débute le 20 août entre 11 h 30 et 12 h 30. 27 centres sont attaqués avec la participation de milliers de ruraux à qui on a fait croire à une intervention de l'armée égyptienne à leurs côtés. « Nos alliés se trompent de cible », dit-on dans la plaine de Skikda quand l'aviation mitraille les insurgés. Le bilan des victimes de l'insurrection par la direction de la Sûreté nationale, le Gouvernement général et l'état-major de la 10e région militaire ne concordent pas comme l'a établi l'historien Charles-Robert Ageron. Une chose est sûre, il y eut 69 Européens massacrés et des milliers d'Algériens tués dans des conditions atroces. Le mépris de l'existence humaine qui est le fait des chefs et des exécutants algériens est à l'origine de la popularisation du seul massacre des Européens à El Alia (Skikda). Zighoud Youssef a gagné son pari. Nonobstant les avertissements de quelques officiers, l'armée coloniale est tombée dans le piège et s'est livrée à des représailles atroces. Malgré l'assassinat des leaders de l'UDMA à Constantine sur ordre du FLN et les menaces qui ont pesé sur lui, le Dr Mohammed Bendjelloul, dont le frère a été assassiné par les militaires français, a fait contresigner par 61 élus, le 25 septembre 1955, une motion stipulant que « l'immense majorité des populations est présentement acquise à l'idée nationale ». Quant à la population rurale, elle soutiendra, malgré de nombreux aléas, la willaya II jusqu'à l'indépendance. **M. Ha.   > ALGÉRIE, GUERRE D'INDÉPENDANCE ALGÉRIENNE.**

NORD-SUD (dialogue)   La notion « Nord-Sud » est apparue connotée d'un sens géopolitique beaucoup plus fort à partir de 1974, à la suite de l'adoption par l'ONU (Organisation des Nations unies) du programme du Nouvel ordre économique international (NOEI). La proposition d'un dialogue Nord-Sud a initialement été lancée par le président français Valéry Giscard d'Estaing (1974-1981). Cette perspective a notamment été jalonnée par le rapport *Nord/Sud : un programme de survie* (1980) de la Commission indépendante sur les problèmes de développement international. Cette dernière avait été créée en 1977 à l'initiative de Robert Mc Namara (1968-1981) – à l'époque président de la Banque mondiale – et présidée par l'ancien chancelier allemand Willy Brandt.

NORDESTE   Cette région brésilienne (18 % du territoire national) regroupait, en 2000, un tiers des 27 États fédérés. Sa population, la plus métisse du pays (héritage des plantations esclavagistes), représentait 29 % du nombre total d'habitants. Florissant à l'époque coloniale, le Nordeste était déjà en décadence dans la seconde moitié du xixe siècle. Bien que les régions ne constituent pas un échelon administratif dans le fédéralisme brésilien, son manque d'intégration économique conduisit Juscelino Kubitschek à créer en 1959 une structure spécialement chargée de son industrialisation (la Sudene). Le résultat fut décevant, le Nordeste est demeuré une poche de pauvreté. D'où un exode rural massif, principalement en direction des fronts pionniers et du prospère Sud-Est. Le clientélisme politique y est demeuré courant. **S. Mo.** ➤ BRÉSIL.

NORODOM SIHANOUK (1922-)
Roi (1941-1955) puis chef de l'État du Cambodge (1960-1970, 1975-1976, 1991-1993), à nouveau roi à partir de 1993. Né le 31 octobre 1922, fils de Norodom Suramarit et Sisowath Kossamak, le prince Norodom Sihanouk, choisi par les Français, succède à son grand-père maternel, le roi Monivong, en 1941, après avoir étudié à Phnom Penh, Saigon puis Saumur. Il obtient de la France la pleine souveraineté pour son pays en utilisant les seules armes de la négociation – sa « croisade pour l'indépendance » (1952-1953). En 1955, il rétrocède à son père les fonctions rituelles de la Couronne pour assumer pleinement ses fonctions exécutives. Il ne sera à nouveau chef de l'État qu'à la mort du roi en 1960. Le pouvoir s'organise autour de sa personne et du Sangkum Reastr Niyum (Communauté socialiste populaire), son instrument. Il est destitué lors du coup d'État du 18 mars 1970 dirigé par le général Lon Nol (1913-1985) avec le soutien des États-Unis. Après plus de cinq ans d'exil à Pékin, où il préside nominalement le Gouvernement royal d'union nationale du Kampuchéa (GRUNK) dirigé par les Khmers rouges, il rentre à Phnom Penh peu après la victoire de ces derniers. Il est nommé président, sans pouvoir, du Kampuchéa démocratique, jusqu'en avril 1976, puis il vit en résidence surveillée jusqu'à l'intervention vietnamienne du 25 décembre 1978 qui chasse les Khmers rouges du pouvoir. Une fois encore, il trouve refuge à Pékin et à Pyongyang (Corée du Nord), et crée son parti, le Funcinpec (Front national pour un Cambodge indépendant, neutre, pacifique et coopératif), qu'il présidera jusqu'en 1989. Il prend formellement, à partir de 1981, la direction du gouvernement de coalition du Kampuchéa démocratique, associant « sihanoukistes », anciens adversaires républicains (partisans de Son Sann) et Khmers rouges qui combattent, à partir de la frontière thaïlandaise, le régime mis en place par les Vietnamiens à Phnom Penh. Après les accords de Paris (23 octobre 1991) mettant fin au conflit cambodgien, il préside le Conseil national suprême (1991-1993), dépositaire de la souveraineté du Cambodge, et peut enfin revenir au pays le 14 novembre 1991. À l'issue des élections organisées en mai 1993 par l'Autorité provisoire des Nations unies au Cambodge (Apronuc), le roi Norodom Sihanouk règne mais ne gouverne pas. C'est l'un de ses fils, le prince Ranariddh, et Hun Sen (1951-) qui assument conjointement les fonctions de Premier ministre jusqu'en 1997. **S**oigné en Chine populaire, « Monseigneur Papa », comme on a pris l'habitude de l'appeler, a été marié à six reprises et cinq de ses quatorze enfants ont trouvé la mort pendant la période khmère rouge. **C. L.** ➤ CAMBODGE.

NORVÈGE **R**oyaume de Norvège. Capitale : Oslo. Superficie : 324 220 km². Population : 4 442 000 (1999). **D**e la fin du XIVe siècle à 1814, le roi de Danemark étant aussi roi de Norvège, celle-ci devient, en pratique, une possession danoise. En 1814, le Danemark, allié de Napoléon, doit céder la Norvège à la Suède (ainsi dédommagée de la perte de la Finlande, annexée par la Russie en 1809). Les Norvégiens parviennent néanmoins dès 1814 à se doter d'une Constitution, acceptée par le roi de Suède. La Norvège a son propre Parlement, le Storting. Les libéraux demandent ensuite l'instauration d'un régime parlementaire, obtenu en 1884. Au XIXe siècle, l'économie norvégienne se développe, fondée sur la pêche et l'activité de la marine marchande, qui devient la troisième au monde. Les Norvégiens voulant gérer leurs affaires maritimes eux-mêmes, le Storting, en 1905, vote la création d'un service consulaire distinct. Le roi de Suède s'y étant opposé, le Storting dénonce l'Union. Les Suédois s'y résignent. Par plébiscite, les Norvégiens approuvent massivement l'indépendance. La couronne de Norvège est attribuée au prince Charles de Danemark (1872-1957), qui prend le nom de Haakon VII. En 1913, les femmes obtiennent le droit de vote (le suffrage universel masculin avait été instauré en 1898). **En** 1914, la Norvège proclame sa neutralité, comme le Danemark et la Suède. Elle perd néanmoins la moitié de sa flotte de commerce au cours de la Première Guerre mondiale. En 1939, le pays réaffirme sa neutralité, ce qui ne dissuade pas l'Allemagne <u>nazie</u> de l'envahir en avril 1940, en même temps que le Danemark. La contre-offensive franco-britannique à Narvik échoue en juin, mais elle permet au gouvernement norvégien et à toute la flotte de rallier la Grande-Bretagne. Face à une résistance très active, les Allemands installent un gouvernement pronazi, dirigé par Vidkun Quisling (1887-1945). La Norvège n'est libérée qu'en mai 1945. Quisling est exécuté. **A**bandonnant sa politique de neutralité, la Norvège adhère en 1949 au <u>pacte nord-atlantique</u>. Jusque dans les années 1960, les travaillistes dominent la scène politique. La question de l'adhésion à la <u>CEE</u> (Communauté économique européenne) divise ensuite le pays, suscitant de nombreuses crises gouvernementales, tandis qu'à partir des années 1970, l'exploitation du pétrole en mer du Nord bouleverse les données de l'économie (le pétrole devenant la principale ressource nationale). En 1972, les Norvégiens, par référendum, s'opposent à l'entrée de leur pays dans la CEE, à la différence des Danois. Vingt ans plus tard, en même temps que la Suède et la Finlande, le pays pose de nouveau sa candidature. Mais par référendum, en 1994, l'adhésion est une nouvelle fois rejetée. La Norvège fait cependant partie de l'Espace économique européen (<u>EEE</u>) depuis sa fondation en 1993. **J. S.**

NOUVELLE-CALÉDONIE **T**erritoire non souverain, sous tutelle de la France, mais disposant d'une large autonomie. Chef-lieu : Nouméa. Superficie : 18 576 km². Population : 210 000 (1999). **S**itués au sud du Vanuatu (les îlots Matthew et Hunter faisant l'objet d'un litige), la Nouvelle-Calédonie et l'archipel des Loyautés se trouvent à environ 1 500 kilomètres à l'est de l'Australie. La France prend possession de ces territoires en 1853, y implantant en 1864 une colonie pénitentiaire qui sera dissoute en 1897. Une

administration coloniale civile est mise en place en 1885. L'implantation de colons suscite des conflits pour le foncier avec les communautés autochtones (Kanaks), dont les Églises chrétiennes ont développé le dynamisme. Des violences se répètent, dont les révoltes de 1877 et de 1917 sont les plus graves. **R**allié à la France libre dès juillet 1940, le territoire est de ce fait englobé dans le dispositif stratégique allié dès le déclenchement de la <u>guerre du Pacifique</u> (7 décembre 1941). L'implantation massive des forces armées des États-Unis bouleverse l'équilibre économique, politique, ethnique et culturel du territoire. Un régime d'autonomie fort limitée est accordé en 1946, prudemment élargi en 1956. La revendication indépendantiste se fait plus pressante et les années 1979 à 1988 connaissent tensions, répressions et violences, ponctuées de tentatives de réformes. Un accord négocié et conclu à Paris en juin 1988, suivi d'une amnistie, approuvé par référendum, a contribué au retour à un calme relatif et a permis une évolution vers une répartition plus équitable des pouvoirs et des richesses (essentiellement le nickel). L'échéance de l'accession à l'indépendance prévue par une consultation qui devait se tenir en 1998 a été repoussée après un nouvel accord (à Nouméa). Dans ce cadre, d'importantes dévolutions de compétences ont été accordées au territoire par l'État français. Celui-là dispose d'une large autonomie avec un Congrès et un gouvernement. La population d'origine européenne (Caldoches) est majoritaire dans le Sud, autour de Nouméa. **J.-P. G.** **> FRANCE.**

NOUVELLE-ZÉLANDE **C**apitale : Wellington. Superficie : 268 676 km². Population : 3 828 000 (1999). **P**euplée avant l'arrivée des européens par les <u>Maoris</u>, annexée par le Royaume-Uni en 1840 et colonie britannique séparée en 1841, la Nouvelle-Zélande décline en 1901 l'offre de l'Australie de se joindre à la nouvelle fédération. Elle obtient le statut de <u>dominion</u> en 1907, accède à l'indépendance complète dans le cadre du statut de <u>Westminster</u> en 1931, mais ne ratifie ce statut qu'en 1947. La Nouvelle-Zélande pratique une alternance classique entre partis conservateurs (Liberal

Party, Reform Party, United Party et à partir de 1936, National Party) et Labour Party (fondé en 1916). Ces partis vont appliquer, tour à tour, des politiques ultraréformistes qui font du pays un laboratoire social : c'est le premier État au monde à donner le droit de vote aux femmes, dès 1893. Dans les années 1890, sa politique sociale est sans doute la plus progressiste du monde. Gravement touchée par la crise de 1929, la Nouvelle-Zélande va se doter de 1935 à 1938 d'un système de protection sociale complet unique au monde, sous l'impulsion des Premiers ministres travaillistes Michael Joseph Savage (1935-1940) puis Peter Fraser (1940-1949). C'est le *Welfare State* (État-providence), rebaptisé par ses détracteurs « État-nounou » *(Nanny State)* : santé gratuite ou subventionnée, allocations familiales, semaine de quarante heures, etc. En 1949, les nationaux, emmenés par Sidney Holland (1949-1957), gagnent les élections ; ils domineront la vie politique néo-zélandaise jusqu'à nos jours, hormis les parenthèses travaillistes de 1957 à 1960 (Walter Nash), de 1972 à 1974 (Norman Kirk) et de 1984 à 1989 (David Lange). La crise des années 1970, aggravée par l'entrée du Royaume-Uni dans le Marché commun, touche durement la Nouvelle-Zélande. Après une période de conservatisme interventionniste (Robert Muldoon, 1975-1984), les gouvernants vont démanteler l'État-providence en rivalisant de zèle doctrinaire : les travaillistes au nom du « réalisme économique » (David Lange et son ministre des Finances, Roger Douglas, de 1984 à 1989) ; les nationaux au nom de l'ultralibéralisme (Jim Bolger, 1990-1997). En 1997, Jim Bolger est remplacé par Jenny Shippley ; fin 1999, le Labour retrouve le pouvoir, sous la conduite de Helen Clark. **Politique internationale.** Aux côtés de la Grande-Bretagne, la Nouvelle-Zélande participe aux deux guerres mondiales et subit de lourdes pertes (18 000 tués sur une population de 1 million lors de la Première ; 12 000 au cours de la Seconde). La Nouvelle-Zélande est très active dans le Pacifique : elle est directement impliquée dans l'administration des îles Cook et Niue, que lui a confiées le Royaume-Uni en 1901 et avec lesquelles elle conserve des liens de libre-association (depuis 1965 et 1974) ; elle a administré jusqu'en 1962 les Samoa occidentales, enlevées à l'Allemagne en 1914 (aujourd'hui État de Samoa). Wellington est à la pointe de la bataille pour la dénucléarisation du Pacifique. En 1984, le gouvernement travailliste interdit les ports néo-zélandais à tout bâtiment porteur d'armes nucléaires, même américain, et cela malgré l'adhésion du pays à l'ANZUS (1951), le pacte militaire le liant aux États-Unis et à l'Australie. En 1985, Wellington signe par ailleurs le traité de Rarotonga pour la dénucléarisation du Pacifique sud ; la même année, les services secrets français coulent, à Auckland, le *Rainbow Warrior*, le bateau de l'organisation écologiste internationale Greenpeace, qui se préparait à se rendre à Muroroa (Polynésie française) pour protester contre les essais nucléaires français.
P. G.

NOUVELLES-HÉBRIDES > VANUATU.

NPI (nouveaux pays industriels)

L'OCDE a classé dans cette catégorie de nouveaux pays industriels, outre les pays européens du Sud dont le développement industriel et le rôle d'exportateurs de produits manufacturés étaient récents (Grèce, Portugal...) : Hong Kong, Singapour, la Corée du Sud, Taïwan, le Brésil et le Mexique. Ce sigle fut d'un usage fréquent dans les années 1970 et 1980. On s'accorda ensuite à ajouter à cette liste une « deuxième génération » : la Fédération de Malaisie, Maurice, la Thaïlande et la Chine. Au cours des années 1990, la notion de « pays émergents » a tendu à recouvrir celle de « NPI ».

NUNAVUT Le 1er avril 1999, un troisième territoire fédéral a été créé au Canada, s'ajoutant au Territoire du Yukon et aux Territoires du Nord-Ouest (T. N.-O.), le Nunavut. Également placé sous l'autorité du gouvernement fédéral, ce territoire résulte de la transformation des frontières du T. N.-O., duquel on a détaché la partie centrale et orientale pour créer le Nunavut. La superficie du territoire du Nunavut est de 2 millions de km^2 (le 1/5 de la superficie du Canada). Le Nunavut

(« notre terre » dans la langue des Inuits, l'inuktitut) est un symbole pour les Inuits du Canada, résultant d'une négociation politique conduite de 1976 à 1992 entre le Canada et les Inuits. L'accord l'instituant s'est ajouté à ceux réglant les revendications territoriales fondées sur leur titre ancestral formulées par les Inuits du Canada au XXᵉ siècle. C'est le plus important accord de ce type jamais conclu, tant par la superficie du territoire que par l'ampleur des pouvoirs gouvernementaux reconnus aux <u>Autochtones du Canada</u> et les compensations financières consenties en échange de la cession par les Inuits de leurs droits ancestraux.   Le territoire du Nunavut est dirigé par un gouvernement territorial inuit, issu d'une assemblée législative de dix-neuf députés élue par une population de 25 000 personnes (85 % sont des Inuits) vivant dans 28 communautés. Le premier accord contemporain négocié par le Canada (et le Québec qui y était partie puisque les revendications portaient sur un territoire à l'intérieur de ses frontières) a été conclu en 1975 avec les Inuits (et les Indiens Cris) vivant au Nord du Québec. Le second accord a été conclu par le Canada avec les Inuits de l'Arctique de l'Ouest en 1984 (la partie Nord-Ouest des T. N.-O.). **R. Du.** **> CANADA, INUITS (CANADA).**

NUREMBERG (tribunal de)   Le Tribunal militaire international (TMI) de Nuremberg, première juridiction pénale internationale de l'histoire, a été créée par l'accord de Londres signé le 8 août 1945 par les États-Unis, la France, le Royaume-Uni et l'URSS, qui désignèrent ses juges et son parquet. Il devait juger les seuls « grands criminels des puissances européennes de l'<u>Axe</u> » et fut saisi du cas de 22 accusés, dont Hermann Goering, Wilhelm Keitel, Rudolf Hess et, par défaut, Martin Bormann. Son statut annexé à l'accord de Londres définit trois sortes de faits punissables : les crimes contre la paix, les crimes de guerre et les crimes contre l'humanité. Le jugement rendu le 1ᵉʳ octobre 1946 prononce douze peines de mort, trois d'emprisonnement à vie, quatre d'emprison-

nement à temps, deux acquittements et déclare « criminelles » certaines organisations dont la SS (Schutzstaffel) et la Gestapo. Les motifs de ce jugement ont fait considérablement progresser le droit international pénal : les « principes de Nuremberg » forment la base des règles ultérieurement appliquées par les juridictions nationales et les autres tribunaux internationaux. **G. L. P.** **> JUSTICE PÉNALE INTERNATIONALE.**

NYASSALAND > MALAWI.

NYERERE Julius (1921-1999)   Homme politique tanzanien, président du Tanganyika puis de la Tanzanie (1962-1985). Né à Butiama (Tanganyika), figure emblématique du socialisme africain, Julius Nyerere parvient à fédérer, autour de l'idée communautaire, des populations d'origines diverses vivant sur une terre ingrate et sans grandes ressources énergétiques. Après des études à l'université d'Édimbourg (Écosse), il fonde, en 1954, une association culturelle, embryon de la future Tanganyika African National Union (TANU - Union nationale africaine du Tanganyika), formation politique qui mène le pays à l'indépendance en 1961. Lors de la révolution de <u>Zanzibar</u>, en 1964, il convainc les dirigeants de le rejoindre pour fonder un ensemble unitaire, la Tanzanie. Fasciné par le modèle chinois, mais partisan du modèle suédois pour son mode de gouvernement, il s'appuie sur les structures villageoises traditionnelles pour faire adopter par la TANU, en 1967, à Arusha, les principes d'un socialisme original faisant appel à l'esprit communautaire villageois, l'*ujamaa*. Il favorise l'unité nationale en faisant du kiswahili de Zanzibar, langue des échanges, la langue nationale. Appelé familièrement le *mwalimu* (l'instituteur), en référence à son premier métier et aux conseils que les hommes politiques ne cessent de solliciter, il démissionne en 1985 tout en gardant un œil sur les affaires du pays. Ali Hassan Mwinyi lui succède (1985-1995). En 1992, il se prononce pour l'adoption du multipartisme. **B. N.** **> TANZANIE.**

O

OACI Créée en 1947, l'Organisation de l'aviation civile internationale (OACI, ICAO – International Civil Aviation Organization –, siège à Montréal) est une institution spécialisée du système de l'ONU chargée des questions relatives à l'aviation civile : principes et techniques de la navigation aérienne internationale, développement et planification des transports aériens.

OBASANJO Olusegun (1937-)

Homme politique nigérian, chef de l'État (1976-1979, puis 1999-). Originaire de la grande cité marchande yorouba d'Abeokuta, Olusegun Obasanjo succède en 1976 à plusieurs régimes militaires. Il s'emploie à mettre fin aux séquelles de la guerre du Biafra (1967-1970), à définir une politique prooccidentale et à relancer la production agricole face aux aléas de la rente pétrolière. En 1979, il organise des élections démocratiques permettant le choix d'un civil, Shehu Shagari (1979-1983). Retiré dans sa ferme, il reste très critique envers les militaires qui n'ont pas tardé à reprendre le pouvoir. Accusé de complot sous la dictature du général Sani Abacha (1993-1998) et menacé de mort, il est élu président du Nigéria en février 1999, quelque temps après le décès de celui-ci. Seul militaire nigérian ayant remis volontairement le pouvoir aux civils (en 1979), il paraissait, vingt ans plus tard, être le seul à pouvoir faire rentrer l'armée dans les casernes et à réunifier les grandes communautés. **B. N.** **> NIGÉRIA.**

OCDE En 1948 avait été créée l'Organisation européenne de coopération économique (OECE) visant à favoriser la reconstruction de l'Europe *via* l'aide américaine. L'Organisation de coopération et de développement économiques (OCDE, OECD – Organization for Economic Cooperation and Development –, siège à Paris) a pris sa succession en 1960. Elle comptait, à la mi-2001, 30 membres : Allemagne, Australie, Autriche, Belgique, Canada, Corée du Sud, Danemark, Espagne, États-Unis, Finlande, France, Grèce, Hongrie (depuis mai 1996), Irlande, Islande, Italie, Japon, Luxembourg, Mexique (depuis 1994), Norvège, Nouvelle-Zélande, Pays-Bas, Pologne (depuis juillet 1996), Portugal, République tchèque (depuis 1995), Royaume-Uni, Slovaquie (depuis 2000), Suède, Suisse, Turquie. La Yougoslavie possédait un statut spécial. La Russie a fait acte de candidature. L'AEN (Agence pour l'énergie nucléaire de l'OCDE) a été créée en 1972. L'AIE (Agence internationale de l'énergie de l'OCDE) a été créée en 1974, après le premier choc pétrolier. Le CAD (Comité d'aide au développement de l'OCDE) a été créé en 1961. Le GAFI (Groupe d'action financière sur le blanchiment des capitaux) a été créé en 1989. Le Centre de développement de l'OCDE, créé en 1962, mène par ailleurs des activités de recherche et d'édition.

OCE L'Organisation de coopération économique (OCE, ECO – Economic Cooperation Organization –, siège à Téhéran) a été créée en 1985 par la Turquie, l'Iran et le Pakistan. Elle a aussi regroupé, depuis 1992, l'Afghanistan et six républiques héritières de l'URSS : Azerbaïdjan, Kazakhstan, Ouzbékistan, Kirghizstan, Turkménistan, Tadjikistan.

OCI L'Organisation de la conférence islamique (OCI, OIC – Organisation of the Islamic Conference –, siège à Jeddah, Arabie saoudite) a été fondée en 1969. Elle regroupait, à la mi-2000, 56 États membres, d'Afrique, du Moyen-Orient, d'Asie et d'Europe.

OCS L'Organisation de coopération de Shangaï (OCS) réunit la Chine, la Russie, le Kazakhstan, le Kirghizstan, le Tadjikistan et l'Ouzbékistan depuis 2001. Elle a pris formellement la relève du Groupe de Shangaï, créé en 1996 pour régler des problèmes frontaliers, puis de sécurité et pour favoriser les relations économiques entre membres.

OCTOBRE 1988 (Algérie) Les événements d'octobre interviennent après une série d'explosions récurrentes : Tizi Ouzou (1980), Oran (1984), Constantine et Sétif (1986). Il devient évident avec la grève de Rouiba, près d'Alger (septembre – octobre 1988), que le défi social est en voie de devenir le problème majeur du régime. Mais, en son sein, une lutte sournoise et dissimulée oppose les factions entourant le président Chadli Bendjedid (1979-1992) à l'establishment du parti unique FLN (Front de libération nationale), qui contrôle les syndicats et la toute puissante organisation des Anciens Moudjahiddin (anciens combattants de la guerre d'indépendance). Absent de la capitale de juin à septembre 1988, le président Chadli convoque une réunion des cadres le 19 septembre et prononce une allocution imputant l'immobilisme du régime au FLN et au gouvernement. Lorsque les manifestations commencent le 5 octobre à Alger et s'étendent à travers le pays, les adversaires du président diffusent des rumeurs qui lui en imputent la responsabilité sinon l'organisation. Sont visés par les manifestants descendus dans la rue après une pénurie de produits de première nécessité – provoquée disait-on, puisque les stocks étaient pleins – le siège du Parti, les édifices publics et les magasins d'État. Très vite, les actes de pillage et de destruction prennent de l'ampleur. Le 6 octobre, le président proclame l'état de siège et en confie la responsabilité au général Khaled Nezzar. Selon le Premier ministre alors en exercice Abdelhamid Brahimi (1984-1988), la cellule de crise créée le 5 octobre et à laquelle il appartient comme le responsable du FLN, Mohammed Cherif Messaadia, fonctionne sans eux. Reste que devant le danger, les factions font bloc face aux émeutes. Les représentants des classes moyennes se tai-

sent. Le 6 octobre, le colonel Mohammed Betchine, mandaté par le principal collaborateur du président, le général Larbi Belkheir, et le ministre de l'Intérieur, El Hedi Khediri, contacte les chefs islamistes Abassi Madani (1931-) et Ali Belhadj (1956-) et les appelle à prendre le contrôle de la rue. Les manifestations qu'ils organisent le 7 octobre, malgré l'opposition du leader islamiste Cheikh Sahnoun, dégénèrent sous l'effet conjugué des débordements et des provocations. L'armée tire sur la foule. On relève, selon les observateurs, entre 200 et 500 victimes. Sans le savoir et sans le vouloir, le régime venait de livrer la rue aux islamistes, dont l'ancrage dans les mosquées constituait un ensemble de réseaux sans équivalent dans la société. Pourquoi l'appel aux islamistes ? Parce qu'ils étaient les seuls à appeler sans réserve à la privatisation économique ? C'est une hypothèse qu'il est difficile de rejeter. L'instauration du pluralisme n'en est que le complément. Il était plus facile, compte tenu de la peur que les classes moyennes éprouvaient faces aux « classes dangereuses », d'en moduler les effets au gré des circonstances. **M. Ha.** **> ALGÉRIE.**

OCTOBRE POLONAIS La révolte des ouvriers de Poznań contre l'augmentation des normes de travail, en juin 1956, est le prélude à un mouvement de déstalinisation (conseils ouvriers), dont le moment culminant se situe en octobre de la même année. Il a pour toile de fond le rapport Khrouchtchev au XXe congrès du PCUS (février 1956) et la montée du « révisionnisme » intellectuel (mouvement pour la démocratisation du socialisme) au sein du bloc soviétique (principalement en Pologne et en Hongrie). Le 19 octobre 1956, alors que se déroulent des manifestations de rue, au cours d'une réunion du Comité central du Parti ouvrier unifié polonais, la direction rappelle Wladisław Gomułka, dirigeant persécuté par les staliniens. Ce dernier, auréolé par son passé de communiste national, partisan d'une voie polonaise vers le socialisme, utilise d'abord, pour consolider son pouvoir, le soutien de la rue et des « révisionnistes ». W. Gomułka esquisse alors plusieurs gestes importants : désoviétisation de l'armée, décollectivisation, amélioration des relations avec l'Église – le cardinal Stefan Wyszyński (1901-1981) est remis en liberté.   Les Soviétiques, tentés d'intervenir, s'en abstiennent pour au moins trois raisons : ils souhaitent éviter d'ouvrir un deuxième front d'hostilité, après l'intervention en Hongrie, ne pas avoir à affronter certaines unités de l'armée polonaise – qui, bien que commandée par les communistes, est restée patriotique –, et préfèrent voir la direction polonaise régler par elle-même la crise. Sur ce dernier point, ils ne se trompent pas. W. Gomułka rompt avec l'esprit d'Octobre dès 1957 (interdiction des médias et des clubs de discussion des « révisionnistes ») en instaurant un pouvoir personnel, très autoritaire. **G. M.   > DISSIDENCE ET OPPOSITIONS (EUROPE DE L'EST), POLOGNE.**

OEA   L'Organisation des États américains (OEA, OAS – Organization of American States –, siège à Washington) a été fondée en 1948. Elle regroupait à la mi-2001 les 34 États américains indépendants, à l'exception de Cuba (expulsé en 1962).

OECE   L'OECE (Organisation européenne de coopération économique) créée dans le cadre du plan Marshall le 16 avril 1948 par seize États européens pour favoriser la reconstruction européenne, avait pour fonction première de répartir l'aide américaine. Les États-Unis souhaitent que cela se traduise par la création d'une union douanière entre les États membres. C'est sans doute prématuré : ni le Royaume-Uni – qui souhaite maintenir son rang de grande puissance –, ni la France – qui ne souhaite pas que l'Allemagne se redresse trop vite – n'y sont disposés. Mais une Union européenne des paiements (UEP) est créée, premier pas du retour des monnaies européennes vers la convertibilité. En 1960, l'OECE, avec de nouvelles adhésions (États-Unis, Canada, Japon, Australie, Nouvelle-Zélande), deviendra l'OCDE (Organisation de coopération et de développement économiques). **D. Cl.**

OIM   L'Organisation internationale pour les migrations (OIM, IOM – Internatio-

nal Migration Organization –, siège à Genève) porte ce nom depuis 1989. C'est l'héritière du Comité intergouvernemental pour les mouvements migratoires d'Europe, lui-même successeur, en 1952, de l'Organisation internationale des réfugiés créée après la Seconde Guerre mondiale.

OIT   Créée en 1919 par le traité de Versailles, l'Organisation internationale du travail (OIT, ILO – International Labour Organization –, siège à Genève) est devenue, en 1946, la première institution spécialisée de l'ONU. L'OIT réunit les représentants des gouvernements, des employeurs et des travailleurs, dans le but de recommander des normes internationales minimales et de rédiger des conventions internationales touchant le domaine du travail. L'OIT comprend une conférence générale annuelle, un conseil d'administration composé de 56 membres (28 représentants des gouvernements, 14 des employeurs et 14 des travailleurs) et le Bureau international du travail (BIT) qui assure le secrétariat de la conférence et du conseil.

OLP   L'Organisation de libération de la Palestine (OLP) est créée le 28 mai 1964 par la Ligue arabe à l'initiative du président égyptien, Gamal Abdel Nasser, qui craint d'être entraîné malgré lui par des groupes palestiniens incontrôlés dans une guerre contre Israël. Il place à la tête de l'organisation Ahmed Choukeiri, un orateur véhément et un mercenaire de la diplomatie. Le congrès fondateur, qui se tient à Jérusalem, adopte une charte d'orientation panarabe qui rejette l'existence d'Israël. D'autres mouvements se développent en parallèle, dont le Fatah qui se veut indépendant des pays arabes. Ce mouvement est le premier et le plus puissant de la résistance palestinienne. En décembre 1967, discrédité par ses appels à « jeter les Juifs à la mer » lors de la guerre des Six-Jours et lâché par son protecteur, A. Choukeiri démissionne. L'OLP s'affranchit de la tutelle égyptienne, durcit sa charte et intègre les groupes armés dissidents. Le chef du Fatah, Yasser Arafat, en prend la présidence en 1969.   La centrale utilise le territoire jordanien pour lancer des attaques contre Israël. Faute de pouvoir imposer la discipline dans ses rangs, elle est entraînée par ses fractions les plus radicales dans une lutte sanglante avec la monarchie hachémite. En septembre 1970, ses troupes, mises en déroute par l'armée jordanienne, se replient sur le Liban. Ce « septembre noir » donne naissance à un groupe du même nom qui multiplie les attentats. À partir de 1974, l'OLP prend ses distances avec le terrorisme et lance une offensive diplomatique. Reconnue le 28 octobre 1974 par les pays arabes comme le « seul représentant légitime » du peuple palestinien, elle est admise un mois plus tard à l'ONU en qualité d'observateur. Elle devient l'un des principaux acteurs de la guerre civile libanaise qui éclate en 1975 et règne sur une partie du pays jusqu'à son expulsion de Beyrouth par l'armée israélienne en 1982. L'*intifada* (révolte des pierres), le soulèvement des Territoires occupés, l'oblige à chercher une solution politique. Le 15 novembre 1988, son parlement – le Conseil national palestinien – proclame l'État de Palestine et reconnaît indirectement l'existence d'Israël. Son engagement aux côtés de l'Irak pendant la crise qui conduit à la seconde guerre du Golfe de 1991 la pousse au bord de la faillite. Écartée du processus de paix, elle s'arrange pour bloquer les négociations et forcer Israël à entamer avec elle des pourparlers secrets qui déboucheront, le 13 septembre 1993, sur des accords, dits « accords d'Oslo ». Par la suite, elle a tendu à s'effacer devant le régime autonome mis en place en Cisjordanie et dans la bande de Gaza, même si ce dernier était formellement placé sous son autorité particulière. **C. B. ➤ AUTONOMIE PALESTINIENNE, QUESTION PALESTINIENNE.**

OMAN **S**ultanat d'Oman. Capitale : Mascate. Superficie : 212 457 km². Population : 2 460 000 (1999). **S**itué à l'extrémité méridionale de la péninsule Arabique et protégé par le désert du Rub al-Khali, largement ouvert sur l'océan Indien et contrôlant le détroit d'Ormuz, voie stratégique d'écoulement du pétrole du Golfe, le sultanat d'Oman occupe une position privilégiée. Au début du XXᵉ siècle, il est sous la protection

que les Britanniques lui ont imposée en 1798 pour rendre leur commerce avec les Indes plus sûr. **L**e sultan Saïd ben Taymour, qui règne à Mascate de 1932 à 1970, s'efforce de maintenir sa population à l'abri des influences extérieures, mais il doit faire face à des crises et à des velléités séparatistes parfois soutenues par ses voisins. En 1949, l'Arabie saoudite tente de s'emparer de l'oasis de Buraïmi dont elle soupçonne qu'elle recèle du pétrole. En 1955, Riyad appuie la révolte de l'imam Ghaleb, qui dirige depuis Nizwa la communauté ibadite (chiite) majoritaire dans le pays. En 1963, la province occidentale du Dhofar entre à son tour en rébellion et tente, avec le soutien armé du Yémen du Sud communiste et de l'Égypte nassérienne, d'obtenir son indépendance. **L**assés du conservatisme et de l'immobilisme de Saïd, les Britanniques poussent son fils à prendre le pouvoir. Installé sur le trône le 24 juillet 1970, le sultan Qabous (1940-) vient à bout, en 1976, avec l'aide de troupes iraniennes, jordaniennes et anglaises, des séparatistes du Dhofar. L'imam Ghaleb ayant été exilé dès 1959, il peut engager le pays réunifié sous sa seule autorité dans la voie d'une prudente modernisation. Parallèlement à la mise en exploitation des ressources pétrolières et gazières, il offre à la population une ouverture politique contrôlée. **E**n l'an 2000, le sultanat d'Oman offrait le visage d'un pays pacifique, bien intégré dans son environnement régional, mais soucieux de se protéger des évolutions brutales. Malgré les facilités militaires consenties aux États-Unis, il se montrait attentif aux menées d'une Arabie saoudite soupçonnée de n'avoir pas renoncé à se doter d'un accès direct à l'océan Indien. **I. L.**

OMC **C**réée à l'issue du dernier cycle de négociation (cycle d'Uruguay) du GATT (Accord général sur les tarifs douaniers et le commerce) par le traité de Marrakech (1994), l'Organisation mondiale du commerce (OMC, WTO – World Trade Organization), organisation intergouvernementale dirigée par ses pays membres (où un pays = une voix), voit le jour le 1ᵉʳ janvier 1995. Celle-ci a principalement pour mandat de veiller à la bonne mise en œuvre de l'accord signé à Marrakech, de devenir le lieu d'une négociation commerciale permanente et d'administrer les procédures de règlement des conflits entre pays membres. La réforme du dispositif juridique décidée lors du cycle d'Uruguay va donner à l'OMC un pouvoir de sanction considérable en matière de droit commercial, unique dans le droit international. L'OMC comptait 141 membres à la mi-2001.

OMI Née en 1975, l'Organisation maritime internationale (OMI, IMO – International Maritime Organization –, siège à Londres) est une institution spécialisée de l'ONU, qui a pris la succession de l'OMCI (Organisation intergouvernementale consultative de la navigation maritime), elle-même constituée en 1958. Elle est concernée par les questions relatives au commerce international par mer, à la sécurité maritime, aux restrictions nationales, aux pratiques déloyales des entreprises de navigation, à la préservation du milieu marin et à la lutte contre la pollution marine. À l'origine de nombreuses conventions internationales ayant trait à la navigation maritime, pour laquelle elle est censée promouvoir une politique de police internationale, l'OMI a été souvent critiquée pour sa faible efficacité, illustrée notamment par la prolifération des pavillons de complaisance (Libéria, Panama, etc.) et par la récurrence des marées noires issues de naufrages de pétroliers (*Torrey-Canyon* en 1967 au large de la Cornouaille, *Amoco-Cadiz* en 1978 à Porsall en Bretagne [France], *Exxon-Valdez* en 1989 en Alaska, *Erika* dans l'ouest de la France en 1999).

OMM Née en 1950, l'Organisation météorologique mondiale (OMM, WMO – World Meteorological Organization –, siège à Genève) est une institution spécialisée du système de l'ONU, qui organise l'échange international des rapports météorologiques et aide les pays à créer des services dans ce domaine. Il existe six associations météorologiques régionales.

OMPI En 1967, l'Organisation mondiale de la propriété intellectuelle (OMPI, WIPO – World Intellectual Property Organi-

zation –, siège à Genève) succéda au Bureau international réuni pour la propriété intellectuelle (BIRPI) fondé en 1893. L'OMPI devient une institution spécialisée de l'ONU en 1974. Elle encourage la conclusion de nouveaux traités internationaux et l'harmonisation des législations en matière de propriété intellectuelle et de patentes.

OMS Née en avril 1948, l'Organisation mondiale de la santé (OMS, WHO – World Health Organization –, siège à Genève) est une institution spécialisée de l'ONU qui a pour but d'amener tous les peuples au niveau de santé le plus élevé possible. Elle a entre autres la responsabilité de lutter contre les maladies tropicales et contre le sida, ainsi que celle des campagnes de vaccination. Avec l'UNICEF, l'OMS a adopté en 1978 à Alma-Ata (actuelle Almaty, au Kazakhstan) la stratégie dite des « soins de santé primaires », décentralisée, préventive et plus « sociale ». L'OMS a cependant été souvent critiquée pour être trop conventionnelle et trop conciliante à l'égard des multinationales dominant l'industrie pharmaceutique. L'organisation comprend une Assemblée mondiale de la santé qui se réunit annuellement et un Conseil exécutif, élu par l'Assemblée.

OMT L'Organisation mondiale du tourisme (OMT, WTO – World Tourism Organization –, siège à Madrid) bénéficie d'un statut spécial auprès de l'ONU depuis 1977. Elle est chargée des questions relatives au développement mondial du tourisme.

ONG Organismes à but non lucratif, les organisations non gouvernementales agissent notamment dans le domaine du développement et de la solidarité internationale, de l'environnement et de l'action humanitaire au sens large (des secours d'urgence à la défense des droits de l'homme). Elles relèvent juridiquement de l'économie sociale (associations et fondations de droit privé, coopératives) ou sont liées à des Églises. Toutefois, certaines associations, fondations ou agences de volontaires peuvent avoir un caractère parapublic ; d'autres agissent en application de contrats passés avec des États du Nord ou du Sud. En cela, on peut les comparer aux associations qui assurent, par dévolution de la puissance publique, des missions d'intérêt général dans le pays lui-même (éducation, santé et social, etc.). L'État, par les agréments, habilitations et reconnaissances qu'il dispense, et par les financements qu'il accorde, sous-traite des missions qu'il ne veut pas gérer directement, à charge pour l'organisme de procéder à des évaluations et de respecter un contrat. De tels principes de dévolution de compétences sont au cœur des dispositifs de coopération de nombre de pays anglo-saxons ou d'Europe du Nord. S'agissant des organismes et agences dont l'activité est financée de manière autonome de la puissance publique (dons de soutien, produits financiers de placements...), la question est autre. Il s'agit d'opérateurs privés n'ayant de « comptes » à rendre qu'à leurs propres mandants. Leur action, lorsqu'elle est orientée (au moins partiellement) vers les pays du Nord, s'apparente à celle des groupes d'intérêt, des *lobbies*, qui mobilisent des moyens et l'opinion publique pour une cause particulière. En cela, elles sont acteurs politiques. **Confusions de rôles.** La question de la légitimité et de la représentativité des ONG se pose tout autrement concernant les activités dans les pays du Sud. Il faut d'ailleurs distinguer ONG du Sud et ONG du Nord à ce sujet. Pour les premières, le problème se pose en termes proches de ce qui vient d'être évoqué : bien souvent, ces ONG suppléent les carences ou limites de l'État, et leur action peut être analysée comme une mission d'intérêt général complémentaire de celle du service public, à cela près que leurs actions respectives ne sont pas toujours articulées. Pour les secondes en revanche, l'accord passé avec les autorités publiques locales ou avec des organisations intergouvernementales ne suffit pas toujours à régler la question de la légitimité. On a vu trop souvent de fâcheuses confusions de rôles qui ont fragilisé l'organisation collective des populations et les constructions politiques et sociales locales. En tout état de cause, l'action des ONG doit dans ce cas être évaluée professionnellement dans le cadre de procédures extrêmement

rigoureuses. Cela vaut autant pour l'action sociale, sanitaire, éducative, urbaine, etc., que pour les expertises menées dans ces pays par des organismes étrangers. Ces interventions doivent être jugées en termes d'efficacité professionnelle, laquelle est source d'une certaine légitimité. Loin de l'idée reçue qui voudrait que les ONG soient *en elles-mêmes* un facteur de progrès démocratique, l'examen de leur rôle pose donc fondamentalement la question du contrat passé avec d'autres acteurs, notamment publics, du moins si l'on veut, au-delà de l'urgence, que les actions soient facteurs d'intégration et de cohésion sociales et que les différentes politiques menées localement s'inscrivent dans une certaine cohérence politique d'ensemble. **S. C.**

ONU　L'ONU (Organisation des Nations unies) s'est vu assigner des objectifs très vastes par la Charte des Nations unies signée à San Francisco le 26 juin 1945 par 51 États. Elle comporte six organes principaux : l'Assemblée générale, le Conseil de sécurité, le Conseil économique et social, le Conseil de tutelle, la Cour internationale de justice et le Secrétariat. Par ailleurs, une trentaine d'organisations spécialisées formant ce qu'on appelle le système des Nations unies couvrent pratiquement tous les champs du développement. Encore doit-on distinguer les institutions appartenant au système des Nations unies qui sont autonomes (FAO, UNESCO, FIDA, OMS, OIT, ONUDI, etc., ainsi que le FMI, le groupe de la Banque mondiale – BIRD, AID, SFI) et, d'autre part, les organes proprement dits des Nations unies (PNUD, CNUCED, UNICEF, HCR, PAM, UNITAR, FNUAP, etc.). Du fait de leur caractère et influence propres, le FMI et la Banque mondiale ont acquis une grande indépendance.
> CHARTE DE L'ONU.

ONUDI　Créée en 1967, l'Organisation des Nations unies pour le développement industriel (ONUDI, UNIDO – United Nations Industrial Development Organization –, siège à Vienne) est chargée de promouvoir le développement industriel et d'aider dans ce domaine les PED (pays en développement) qui souhaitent élaborer des politiques industrielles, créer de nouvelles industries ou améliorer des industries existantes. L'ONUDI est devenue une institution spécialisée de l'ONU en 1986. Les États-Unis s'en sont retirés le 31 décembre 1997.

OPEP   L'Organisation des pays exportateurs de pétrole (OPEP, OPEC – Organization of the Petroleum Exporting Countries, siège à Vienne) fut fondée à Bagdad en 1960 à l'initiative du Vénézuela. Membres : Algérie, Arabie saoudite, Indonésie, Irak, Iran, Qatar, Koweït, Libye, Nigéria, Émirats arabes unis, Vénézuela. L'Équateur, auparavant membre, a quitté l'Organisation en 1992, le Gabon en 1995.

OPUS DEI   L'association d'action catholique connue sous le nom d'« Opus Dei » est un institut séculier, fondé en Espagne en 1928 par José María Escrivá de Balaguer (1902-1975), et reconnu officiellement par le Vatican en 1950. Touchant des milieux aisés, l'Opus ouvre en Espagne des établissements d'enseignement, dont l'université de Navarre d'où sortirent les technocrates (souvent des économistes qui complètent leurs études à Harvard, aux États-Unis) qui participeront au pouvoir à partir de 1957.
É. T.   **> ESPAGNE.**

ORGANISATION DU PACTE CENTRAL
> CENTO.

ORGANISATION INTERNATIONALE DE LA FRANCOPHONIE   La Francophonie réunissait, à la mi-2000, 55 pays francophones (ou dont une partie de la population utilise la langue française) ou entités membres d'une fédération comme le Québec ou le Nouveau-Brunswick au Canada. L'Agence intergouvernementale de la francophonie (qui a remplacé en 1996 l'ACCT – Agence de coopération culturelle et technique – créée en 1970) est le principal opérateur de la francophonie qui a pris le nom d'Organisation internationale de la francophonie (OIF) en 1998. Tous les deux ans a lieu un « sommet des chefs d'État et de gouvernement ayant le français en partage ». Un poste de secrétaire général (cabinet à Paris) a été institué en 1997.

ORIM (Organisation révolutionnaire intérieure macédonienne)   Sigle en français de l'organisation révolutionnaire intérieure macédonienne (VMRO en macédonien) fondée en 1893 à Salonique pour œuvrer, par le verbe et la lutte armée, à l'émancipation des terres macédoniennes sous domination de l'Empire ottoman. Très vite, toutefois, deux formations se distinguent : l'ORIM à proprement parler, qui vise la réalisation, grâce à une vaste insurrection, d'une Macédoine autonome, potentiellement dans le cadre d'une fédération balkanique ; et le Comité suprême, basé en Bulgarie, qui juge une aide extérieure nécessaire et envisage plutôt un rattachement de la province à la Bulgarie. Après l'insurrection avortée d'Iliden (Saint-Élie, 2 août 1903), les « suprémistes » reprennent l'ORIM en main. L'organisation, déchirée par des querelles internes, dégénère après guerre en formation mercenaire dont les raids lancés depuis la Macédoine du Pirin (en Bulgarie) sur le sol yougoslave et les règlements de compte à coups de revolver dans les rues de Sofia alimentent l'instabilité de la région jusqu'en 1934, date de sa dissolution. Après 1989, deux formations politiques, l'une en Macédoine, l'autre en Bulgarie, ont repris le nom d'ORIM et revendiqué divers aspects d'un héritage politique complexe.
N. R.   **> BULGARIE, GRÈCE, MACÉDOINE.**

ORWELL George (1903-1950)
Essayiste et nouvelliste britannique. Né au Bengale (Indes britanniques), George Orwell (de son vrai nom Eric Arthur Blair) fait ses études à Eton (Angleterre) avant de servir pendant cinq ans dans la police impériale des Indes. Mais il rejette bientôt la vie coloniale et ses injustices. En 1928 et 1929, il vit à Paris dans la pauvreté et raconte cette expérience de la grande ville dans *Down and Out in Paris and London* (1933 ; traduction française en 1935 sous le titre *La Vache enragée*) ; plus tard, il décrit le chômage en Grande-Bretagne dans *The Road to Wigan Pier* (1937). Pendant la Seconde Guerre mondiale, il est correspondant de presse (BBC, *The Observer*...).   Il aura été l'un des observateurs les plus lucides de son siècle comme en attestent ses deux chefs-

d'œuvre *Animal Farm* (1945) et *1984* (1949). Voix dissonante au moment où tant d'intellectuels occidentaux se laissent fasciner par le communisme stalinien, il développe une satire de la tyrannie politique, du totalitarisme et de la bureaucratie. Il a pu observer dès 1937 à Barcelone, dans la guerre civile d'Espagne (voir son livre *Hommage à la Catalogne*), l'usage systématique du mensonge et la déformation des faits par le Parti communiste, et il est quasi seul à percevoir le mensonge du langage *(novlangue)* et la « dictature de la parole » qui soutient le totalitarisme. C'est au nom de la mémoire et de l'estime du langage que Winston Wynston, le héros de *1984*, résiste. Nous sommes au cœur du drame : à peine sortis d'une résistance au nazisme, faut-il avoir la lucidité et le courage d'une autre résistance, au communisme cette fois ? Du mensonge dans le langage, nous ne sommes pas encore remis. **J.-C. E.**

OSCE La Conférence sur la sécurité et la coopération en Europe (CSCE) a été lancée en 1975 par la conférence d'Helsinki (35 États parties). À l'origine processus de négociations dépourvu d'infrastructures et de réunions à périodicité fixe, elle s'est transformée en véritable organisation internationale (dotée d'organes permanents, d'un siège et d'un secrétaire général) se prévalant du statut d'organisme régional au titre du chapitre VIII de la Charte de l'ONU. La CSCE a donné naissance en décembre 1994 à l'OSCE (Organisation pour la sécurité et la coopération en Europe, Organization for Security and Cooperation in Europe, secrétariat à Vienne). À la mi-2001, elle comptait 55 membres, soit tous les États européens, avec l'adhésion de la Yougoslavie en novembre 2000, suspendue en 1992 «, ainsi que les États issus de l'ex-URSS, les États-Unis et le Canada. En mars 1995 a été adopté le Pacte de stabilité en Europe dont le suivi est confié à l'OSCE.

OSLO (accords d') Issu de la négociation secrète menée à Oslo entre Israël et l'OLP (Organisation de libération de la Palestine), le premier accord d'Oslo (dit « Gaza et Jéricho d'abord » ou Oslo I), officialisé le

13 septembre 1993 et entré en application le 4 mai 1994, a supposé en préalable la reconnaissance mutuelle des deux parties (9 septembre) et a ouvert la voie à l'instauration d'une Autonomie palestinienne, dont l'autorité s'exercerait sur des portions de territoires occupés jusqu'alors par Israël. Un nouvel accord (Oslo II) a été signé le 28 septembre 1995, qui porte sur les modalités de mise en œuvre de l'autonomie et de son extension. **> ACCORDS ISRAÉLO-ARABES, QUESTION PALESTINIENNE.**

OSTPOLITIK Depuis leur création en 1949, la RFA (République fédérale d'Allemagne) et la RDA (République démocratique allemande) n'entretenaient pas de relations officielles. La RFA considérait la RDA comme une simple « zone soviétique » et entérina cette politique en 1955 avec la « doctrine Hallstein » (du nom d'un diplomate ouest-allemand), par laquelle elle refusait d'entretenir des relations diplomatiques avec tout gouvernement qui en avait déjà avec l'autre Allemagne, exception faite de l'URSS. Au milieu des années 1960, dans un contexte de détente internationale, le gouvernement ouest-allemand craint d'être écarté des grandes négociations et doublé par ses partenaires occidentaux qui instaurent de nouvelles relations avec l'URSS et l'Europe de l'Est dans le but de fissurer le pacte de Varsovie. Pour augmenter ses marges de manœuvre et jouer un rôle d'intermédiaire dans la politique de Détente, la RFA tente alors une approche prudente des États soumis à Moscou, RDA exceptée, et ouvre des missions commerciales dans les capitales est-européennes. Mais cette première version de l'*Ostpolitik* (politique à l'Est) fait long feu, les gouvernements est-européens, et notamment celui de Walter Ulbricht, en RDA, craignant pour la cohésion du bloc socialiste. L'intervention des troupes du Pacte pour réprimer le mouvement de réforme tchécoslovaque du printemps de Prague, le 21 août 1968, met un terme provisoire à cette politique. Le second épisode commence en 1969 : cette fois, le jeu passe par Moscou. L'essence même de la seconde Ostpolitik conçue par le chancelier Willy Brandt et par Egon Bahr, son éminence grise, reconnaît les frontières en Europe et la suprématie soviétique à l'Est. Elle abandonne la politique de Guerre froide pour rassurer les États est-européens et les inciter à libéraliser leur régime : c'est le sens de la fameuse formule d'E. Bahr, « *Wandel durch Annäherung* » (« le changement par le rapprochement »). En août 1970, la RFA conclut avec l'URSS le premier traité de l'Ostpolitik, suivi par le traité germano-polonais en décembre 1970, le traité germano-tchécoslovaque en 1973, etc. Constatant l'impossibilité d'une réunification allemande dans un futur proche, W. Brandt et E. Bahr comprennent que pour réunir les familles séparées et maintenir un sentiment national, il faut reconnaître, au moins partiellement, l'autre Allemagne. Par le Traité fondamental de 1972, la RFA reconnaît la RDA en tant qu'État, tout en ne la considérant pas comme étranger (principe : « Deux États, une nation »). Elle renonce à représenter toute l'Allemagne sur la scène internationale, mais refuse l'idée d'une nationalité est-allemande, maintenant sa garantie de protection à tous les Allemands, y compris ceux vivant en RDA. En RDA, Erich Honecker réagit en éliminant de la Constitution toute référence à la nation allemande, mais voit aussi dans ce traité le moyen de gagner à la RDA la reconnaissance de la communauté internationale et des avantages économiques tangibles. L'Ostpolitik, ainsi conçue de façon dialectique, fut en réalité plus complexe et plus ambiguë. Elle devint de plus en plus dépendante de la *Deutschlandpolitik* (politique interallemande). Le 13 décembre 1981, Helmut Schmidt n'interrompit pas sa visite en RDA lorsqu'un régime d'exception fut instauré en Pologne. L'Ostpolitik favorisa la multiplication des liens de toutes sortes entre la RFA et les sociétés est-européennes. Elle contribua, en ouvrant la porte aux influences occidentales, à la chute des régimes communistes est-européens. **> ALLEMAGNE, QUESTION ALLEMANDE.**

OTAGES (crise des, Iran) En Iran, alors que le nouveau régime khomeyniste perd une partie de sa crédibilité, le 4 novembre 1979 des étudiants islamistes

pénètrent au sein de l'ambassade des États-Unis à Téhéran pour exiger l'extradition de Muhammad Reza Chah et prennent en otage toutes les personnes se trouvant à l'intérieur. Pendant 444 jours, l'ambassade devient le centre de l'activité politico-médiatique du pays : des foules immenses clament quotidiennement leur haine du « grand Satan » américain, défiant le président de la nation la plus puissante du monde, Jimmy Carter (1924-). L'Iran se retrouve au ban des nations et dans un isolement complet quand, quelques mois plus tard, le pays est envahi par l'Irak (première guerre du Golfe). Le décès du chah, le 27 juillet 1980, rend sans objet la prise d'otages, mais il faudra attendre de nombreux mois pour que la crise se dénoue. Le président Carter, humilié, est battu aux élections présidentielles et c'est le jour de l'investiture de son successeur, Ronald Reagan (1911-), le 20 janvier 1981, que les otages sont libérés. **D. B.** **> IRAN.**

OTAN L'Organisation du traité de l'Atlantique nord (OTAN, NATO – North Atlantic Treaty Organization, siège à Bruxelles) a été fondée en 1949 à Washington. Alliance militaire destinée à décourager toute agression de l'URSS conclue entre 12 États occidentaux : Belgique, Canada, Danemark, États-Unis, France, Islande, Italie, Luxembourg, Norvège, Pays-Bas, Portugal, Royaume-Uni, rejoints en 1952 par la Grèce et la Turquie, en 1954 par la RFA, en 1982 par l'Espagne, ainsi que, depuis mars 1999, par la Hongrie, la Pologne et la République tchèque. En 1994, l'OTAN a proposé à ses partenaires de l'ex-pacte de Varsovie l'adhésion au « partenariat pour la paix », dans l'attente d'un élargissement de l'Alliance. La France a réintégré le Comité militaire en 1996. Le 27 mai 1997 a été signé à Paris, entre les membres de l'Alliance et la Russie, l'Acte fondateur OTAN-Russie, et un conseil permanent conjoint a été créé. Le 29 mai 1997 a été paraphée à Sintra (Portugal) une charte de partenariat Ukraine-OTAN.

OTASE Pacte militaire pro-occidental, l'Organisation du traité de l'Asie du Sud-Est est fondée en 1954, dans le contexte de la Guerre froide et du développement du communisme en Asie, par l'Australie, la Nouvelle-Zélande, le Pakistan, les Philippines, la Thaïlande, le Royaume-Uni, la France et les États-Unis. Les membres de l'alliance se gardent d'intervenir collectivement dans la guerre du Vietnam, à l'issue de laquelle (1975) le pacte est dissous.

OTTAWA (accords d') La crise économique mondiale contraint l'Angleterre, en 1931, à remettre en question le dogme du libre-échange. Arthur Neville Chamberlain, chancelier de l'Échiquier, va être l'artisan d'un système douanier qui renvoie au rêve de son père Joseph (1863-1937) de constituer un bloc économique fondé sur des préférences réciproques avec les composantes de l'Empire — même si d'autres accords bilatéraux sont en fait recherchés et conclus. En juillet 1932, à Ottawa, les dominions, l'Inde et le Royaume-Uni, celui-ci étant représenté par Stanley Baldwin (1867-1947), en discutent. Les négociateurs semblent avoir été persuadés de la durable complémentarité des économies de la métropole et de l'outre-mer : tout repose donc sur le principe que le Royaume-Uni serait fournisseur de produits finis de haute qualité quand ses partenaires lui vendraient surtout denrées alimentaires et matières premières. Les accords d'Ottawa sont des accords bilatéraux, sans organisation générale commune. De plus, les États-Unis obligent rapidement le Canada et le Royaume-Uni à appliquer aux produits américains la clause de la nation la plus favorisée. Les accords n'auraient pas connu un effet décisif sur la réorientation du commerce du Royaume-Uni, mais celui-ci, en assurant en 1938 près de 40 % de ses échanges extérieurs avec son empire, y a gagné quelques avantages. La libéralisation mondiale des échanges sous l'égide du GATT et les accords conclus dans le cadre de la construction européenne ont peu à peu sonné, depuis la guerre, le glas des préférences impériales. **R. Ma. > EMPIRE BRITANNIQUE, ROYAUME-UNI.**

OUA Fondée en 1963 à Addis-Abéba, capitale de l'Éthiopie, seul pays africain à n'avoir pas été colonisé, l'Organisation de l'unité africaine reflète les aspirations de l'époque à l'unité des peuples d'Afrique, au panafricanisme. En dépit de profondes divergences liées au conflit Est-Ouest, les participants se sont mis d'accord sur le principe de l'intangibilité des frontières issues de la colonisation pour éviter une balkanisation du continent dont la sécession du Katanga (au sud du Congo-Kinshasa) venait de donner un exemple. Dépourvue de moyens militaires et financiers, l'OUA reste un forum de discussions qui a désamorcé des crises locales, mais sans résoudre ou prévenir les grands problèmes (Sahara occidental, guerres du Tchad, dans la région des Grands Lacs [dont le génocide rwandais de 1994] ou dans la Corne de l'Afrique). Préparée par deux réunions au niveau des ministres des Affaires étrangères, elle se réunit chaque année en assemblée plénière dans un pays différent sous la présidence du chef de l'État hôte, qui fait fonction de président en exercice jusqu'à l'assemblée générale suivante. L'OUA comptait à la mi-2000 52 États membres. L'Afrique du Sud y a été accueillie en 1994 après l'abolition de l'apartheid. Le Maroc a suspendu sa participation en 1984 pour des raisons diplomatiques liées à la crise du Sahara occidental. L'Union africaine, dont l'acte constitutif a été signé en 2000, est entrée en vigueur l'année suivante (53 membres), devant à terme se substituer à l'OUA. **B. N.**

OUGANDA République de l'Ouganda. Capitale : Kampala. Superficie : 236 040 km^2. Population : 21 143 000 (1999). Le nom d'« Ouganda » est une déformation de « Buganda », le plus puissant royaume de la région des Grand Lacs, en Afrique de l'Est, au XIXe siècle. Entre 1890 et 1900, les Britanniques créent par étapes le protectorat de l'Ouganda que les Baganda (les habitants du Buganda) vont partager avec un grand nombre d'autres populations (royautés à l'ouest et au sud, sociétés sans État au nord et à l'est), suivant le tracé frontalier réalisé par les Britanniques. Dès 1900, les bases de ce qui va caractériser la vie politique ougandaise pendant plus de huit décennies est déjà en place. Les Britanniques entretiennent en effet une relation privilégiée avec les Baganda –

principaux auxiliaires de la colonisation, représentant approximativement un quart de la population – au détriment des autres Ougandais. À partir des années 1920, la culture du caféier se développe au Buganda, puis dans le sud et dans les zones d'altitude. Au tournant du XXIe siècle, elle sera encore la principale source de devises du pays. Pour éviter de donner trop de puissance aux Baganda, l'armée coloniale recrute principalement parmi les populations moins favorisées du Nord. Il en résulte des tensions entre groupes ethniques. La polarisation religieuse entre catholiques et protestants est unique en Afrique. Le Buganda a été converti au christianisme à la fin du XIXe siècle. Entre 1888 et 1893, le royaume a connu trois guerres de religion. Dès leur conversion, les élites reproduisent la compétition religieuse dans tout le protectorat. Religion et identité ethnique vont marquer l'histoire de l'Ouganda. Trois partis s'organisent pour prendre part aux élections : le Parti démocrate (DP), catholique ; le Congrès du peuple ougandais (UPC), anti-Baganda, protestant et se définissant comme progressiste, et le Kabaka Yekka (KY, « le roi seul »), royaliste, protestant et conservateur. Ce parti, dirigé par le roi du Buganda Mutesa II (1924-1969), revendique pour le Buganda une position privilégiée à l'intérieur de l'Ouganda. Le protestantisme est un trait d'union entre le KY et l'UPC. Leur alliance leur donne la victoire à l'indépendance, en 1962. L'hostilité entre les deux partis est cependant trop grande pour durer. Le chef du gouvernement et de l'UPC, Milton Obote (1925-), est un Nordiste. Il tranche la rivalité en faisant appel à l'armée le 24 mai 1966. Mais, M. Obote ne parvient pas à stabiliser son pouvoir. À la fin des années 1960, il adopte une rhétorique de gauche (« The move to the left », le mouvement vers la gauche), qui inquiète les puissances occidentales. Le 25 janvier 1971, le chef d'État-Major de l'armée, Idi Amin Dada (1925-), qui est musulman et originaire du Nord-Ouest, prend le pouvoir, encouragé par le Royaume-Uni et Israël. Il établit un système politique fondé sur les identités ethnico-régionales, la fuite en avant et le pillage de l'économie. La communauté indienne (75 000 personnes), qui contrôle l'essentiel

de l'économie ougandaise, en est la première victime. En 1972, elle est expulsée et ses richesses spoliées. Idi Amin se brouille avec ses parrains occidentaux et développe une politique étrangère se réclamant de l'anti-impérialisme et du panislamisme. **Des centaines de milliers de morts.** En 1978, l'Ouganda occupe la rive gauche de la Kagera (Kagera salient), région frontalière appartenant à la Tanzanie, laquelle envahit en réaction l'Ouganda. Malgré l'appui militaire de la Lybie, Kampala tombe le 11 avril 1979. Idi Amin est contraint à l'exil. L'Ouganda est occupé (1979-1980). **L'**année 1980 voit le retour au pouvoir de M. Obote, non sans fraudes électorales massives. Sans légitimité, ce dernier gouverne par la force. Habile diplomate, il réussit à obtenir pour son régime sanguinaire un soutien très important, tant des pays occidentaux que de ceux du bloc communiste. Le pays, notamment le Sud et l'Ouest, est livré à la violence d'une soldatesque indisciplinée et incontrôlée. L'Armée de la résistance nationale (NRA), guérilla très disciplinée, dirigée par Yoweri Museveni (1944-), originaire de l'Ouest, prend progressivement de l'importance. Alors que le régime de M. Obote s'effondre sur fond de divisions ethniques, au sein de l'armée, Y. Museveni s'empare de la capitale, Kampala, fin janvier 1986. La conquête du reste du pays suit rapidement. Entre 1971 et 1986, des centaines de milliers d'Ougandais seront massacrés par les forces de sécurité. **D**ans un premier temps, Y. Museveni multiplie les succès. L'État est restauré, la sécurité et les libertés rétablies sur une grande partie du territoire. L'économie, assistée par une importante aide internationale, connaît une croissance exceptionnelle. La politique est séparée de la religion. En 1993, le chef de l'État apaise les Baganda en restaurant les monarchies abolies en 1966. Mais il ne parvient pas à briser le cercle répression/insurrection dans le nord du pays, ancien fief de M. Obote. À partir de 1996, des mouvements d'oppositions armés s'implantent à l'Ouest. Ils bénéficient de l'implication de l'Ouganda dans tous les conflits de la région. Dès son installation, le nouveau régime a en effet soutenu la rébellion du Sud-Soudan, s'attirant les représailles de Khartoum. Entre

1990 et 1994, Y. Museveni a facilité le retour armé dans leur pays des exilés Rwandais, réfugiés en Ouganda, qui ont pris le pouvoir à Kigali en 1994. En 1996, il engage le pays dans le bourbier congolais. Les États-Unis encouragent l'Ouganda dans son rôle de nouvelle puissance régionale. Y. Museveni incarne le premier et le plus durablement la nouvelle génération de dirigeants africains, appréciée à Washington. Une génération qui compte aussi les nouveaux hommes forts de l'Éthiopie (Méles Zenawi), de l'Érythrée (Issayas Afeworki) et du Rwanda (Paul Kagame). Mais bien que toujours porté par la vague de ses anciens succès, le régime Museveni apparaît bientôt grippé par les contradictions internes. **H. Me.**

OUÏGOURS Population musulmane d'origine turque (7 millions en 2000), les Ouïgours vivent essentiellement dans le bassin du Tarim, partie méridionale de l'ancien Turkestan chinois et protectorat de l'empire mandchou qui est devenu depuis 1955 la région « autonome » ouïgoure du Xinjiang, à l'extrême ouest de la Chine. Les Ouïgours sont d'abord des agriculteurs sédentaires qui mettent en valeur les oasis qui jalonnent les grandes chaînes de montagne au pied desquelles passaient les chemins caravaniers des échanges centre-asiatiques. Mais ils furent de vaillants guerriers qui se soulevèrent plusieurs fois contre les administrateurs chinois. Aujourd'hui, parents pauvres de la modernisation de la région soumise à une colonisation de peuplement chinoise (7 millions de nouveaux venus en cinquante ans), ils continuent de vivre selon leurs pratiques coutumières, alors qu'une petite frange urbaine de la population développe des réseaux commerciaux à travers toute la Chine. La Révolution culturelle (1966-1976) a été durement ressentie par les Ouïgours (mosquées détruites ou profanées, camps de redressement par le travail forcé). Un mouvement nationaliste autonomiste s'est développé à compter de 1979, durement réprimé par les autorités chinoises. **P. Ge.** **> CHINE.**

OUSTACHIS Le terme d'« oustachis » (transcription française du mouvement « oustacha », du verbe *ustati*, « se lever », c'est-à-dire « se révolter ») désigne le mouvement des extrémistes croates, fondé en Italie en 1930 par Ante Pavelic, avec l'aide logistique de l'Italie et de la Hongrie de Miklós Horthy, tandis que des liens sont noués avec le VMRO (Organisation révolutionnaire intérieure macédonienne), mouvement nationaliste macédonien dont les agents assassineront le roi Alexandre Ier de Yougoslavie (1888-1934) à Marseille, le 9 octobre 1934. Le 10 avril 1941, quatre jours après le début de l'invasion de la Yougoslavie par les forces de l'Axe, est proclamée à Zagreb la NDH (Nezavisna Drzava Hrvatske, État indépendant de Croatie). Cet État comprend la Croatie, mais sans la Dalmatie cédée à l'Italie en mai 1941, la Bosnie-Herzégovine et le Srem, au nord de Belgrade, considérés comme faisant partie de la Grande Croatie. Les oustachis ne sont que quelques centaines de miliciens revenus d'Italie ou d'Autriche, la plupart originaires d'Herzégovine (région de Mostar). Les massacres de Serbes d'avril à août 1941 qui ont accompagné leur arrivée, l'application des lois d'exception contre les Juifs et le camp de concentration de Jasenovac actif pendant toute la guerre font de nombreuses victimes : les recherches publiées à partir de 1985 permettent de situer leur nombre entre 110 000 et 300 000. Même à considérer l'estimation la plus basse, le régime de la NDH serait celui qui, des pays de l'Europe occupée, a fait périr le pourcentage le plus élevé sa propre population. **J. K.** **> CROATIE, SECONDE GUERRE MONDIALE, YOUGOSLAVIE.**

OUZBÉKISTAN République d'Ouzbékistan. Capitale : Tachkent. Superficie : 447 400 km². Population : 23 942 000 (1999). L'histoire de l'Ouzbékistan, plus que celle des républiques voisines d'Asie centrale, est à la croisée des forces qui sont à l'origine des identités actuelles de cette partie de l'Asie : la turquisation d'une civilisation à base iranienne, l'héritage de l'Empire mongol, l'impact de la conquête russe au xixe siècle, puis celui de la période soviétique. Les Russes soumettent Boukhara, Khiva et Kokand entre 1853 et 1873, leur imposant à tous un statut de protectorat en 1873, puis rattachent Kokand en 1876 au Gouvernement général du Turkestan créé en 1867, pour cause de rébellion endémique. L'état d'urgence décrété en 1905 n'empêche pas l'embrasement de la région en 1916, prélude aux bouleversements qui ont accompagné la chute du tsarisme et la prise de pouvoir par les bolcheviks en octobre 1917. Le mouvement intellectuel local des Djadids, qui s'était manifesté dans le cadre du réformisme musulman d'origine tatare, s'était déjà radicalisé (société secrète, partis nationalistes). Coupé du centre par l'Armée blanche qui combat les bolcheviks, le Turkestan connaît une grave famine et sort affaibli et divisé de la guerre civile. Dès lors, le choix est clair entre les partisans du régime soviétique – soit issus de l'élite réformiste dont certains vont devenir les cadres des républiques populaires de Boukhara et du Khorezm (1920-1924), soit administrateurs coloniaux reconvertis en révolutionnaires à la tête du soviet (russe) de Tachkent – et leurs adversaires, membres de l'éphémère Autonomie musulmane de Kokand dont le bombardement allait donner naissance à la longue révolte des Basmatchis (1918-1928). La République socialiste soviétique (RSS) d'Ouzbékistan est fondée le 29 octobre 1924. C'est la première fois que le mot « Ouzbékistan » est utilisé pour nommer une entité politique aux frontières bien délimitées. Mais dès 1922, le pouvoir soviétique était entré dans sa phase opérationnelle au Turkestan : découpage territorial de 1924 à 1936, campagne d'alphabétisation, *hujum* (libération de la femme), jusqu'au coup d'arrêt porté par Staline contre la « subversion nationaliste » des élites locales. L'Ouzbékistan est marqué par une explosion démographique à partir des années 1950. En 1970, les Ouzbeks prennent rang devant un groupe slave (les Biélorusses) et deviennent la troisième nation de l'URSS par sa population. Le développement, dans le cadre du volontarisme soviétique, de la monoculture du coton qui a occupé à son apogée, au début des années 1980, jusqu'à 90 % des terres cultivées, a complètement

miné l'équilibre économique et écologique du pays. La catastrophe subie par la mer d'Aral en est l'illustration. **V. F.** **Un pouvoir autoritaire après l'indépendance.** En juin 1989, alors que l'URSS se délite, Islam Karimov (1938-) est élu premier secrétaire du Parti communiste de la république soviétique d'Ouzbékistan, puis président en mars 1990. Après la proclamation de l'indépendance le 1er septembre 1991, il est de nouveau élu président en décembre, avec près de 80 % des voix, contre Mohammed Saleh, un intellectuel laïc et nationaliste, dirigeant du mouvement Erk. Après ce commencement relativement démocratique, I. Karimov s'attelle à réduire peu à peu l'ensemble des oppositions, mettant en place un régime autoritaire et répressif. En janvier 1992, il démet son Premier ministre Shukrullah Mirsaïdov et impose un contrôle absolu sur le parti présidentiel et ses épigones. Puis le président s'attaque aux oppositions laïque et islamiste. Une révolte islamiste à Namangan (vallée de Ferghana), menée par Taher Yoldashev, est réprimée en mars 1992. Le dirigeant du Parti de la renaissance islamique, Abdoullah Outaev est arrêté en décembre. Le mufti officiel de la république, Mohammed Youssouf, pas assez docile, est contraint à l'exil en mars 1993. Les partis de la mouvance nationaliste et démocrate, Erk et Birlik (dirigé par les frères Poulatov), sont interdits. Sur le plan extérieur, l'Ouzbékistan prend ses distances avec la Russie (adhésion à la CEI [Communauté d'États indépendants] et à l'Union douanière, mais départ des officiers et des gardes-frontières russes) et tente d'établir des liens directs avec les États-Unis (accord symbolique de coopération militaire en 1995). La reprise de l'agitation islamiste en décembre 1997 dans la vallée de Ferghana, suivie d'un attentat contre le président le 16 février 1999, culmine avec les attaques armées opérées à partir de l'Afghanistan et du Tadjikistan par le parti Hizb-ul Tahrir, dirigé par Taher Yoldashev et Joma Namangani. L'Ouzbékistan ferme ses frontières et est contraint de se rapprocher de la Russie. **O. R.**

P

PACIFISME CONSTITUTIONNEL (Japon)
> CONSTITUTION (JAPON).

PACTE ANDIN > COMMUNAUTÉ ANDINE.

PACTE ANTIKOMINTERN Traité militaire signé à Berlin par l'Allemagne nazie et le Japon, le 25 novembre 1936, et élargi à l'Italie en 1937, le Pacte antikomintern a pour objectif de vaincre le Komintern (Internationale communiste). Il se superpose à l'Axe Rome-Berlin.

PACTE CENTRAL > CENTO.

PACTE DE BAGDAD Traité militaire pro-occidental conclu en 1955, dans le contexte de la Guerre froide, entre la Turquie, l'Irak, l'Iran, le Pakistan et le Royaume-Uni, avec la coopération des États-Unis, le pacte de Bagdad est remplacé par le Cento en 1959, après le retrait de l'Irak, où un coup d'État vient de renverser la monarchie pro-occidentale.

PACTE DE STABILITÉ POUR L'EUROPE DU SUD-EST Le Pacte de stabilité pour l'Europe du Sud-Est (PSESE) a été lancé en juillet 1999 pour œuvrer à la reconstruction des Balkans. Coordonné par l'Union européenne, il regroupe 40 pays occidentaux et les pays de la région, dont la Yougoslavie (admise en 2000), ainsi qu'une quinzaine d'organisations internationales.

PACTE DE VARSOVIE Alliance militaire signée, dans le contexte de la Guerre froide, à Varsovie le 14 mai 1955, le pacte de Varsovie réunit l'URSS, l'Albanie (jusqu'en 1961), la Bulgarie, la Hongrie, la Pologne, la République démocratique allemande (RDA), la Roumanie et la Tchécoslovaquie. Le pacte se fonde sur le traité d'amitié, de coopération et d'assistance mutuelle dit « traité de Varsovie ». Il constitue une réponse à l'entrée de la République fédérale d'Allemagne (RFA) dans l'OTAN (Organisation du traité de l'Atlantique nord). Sous la direction des Soviétiques, le pacte de Varsovie a, de fait, un double objectif : stratégique, vis-à-vis du Pacte nord-atlantique, dirigé par les États-Unis ; politique au sein du bloc soviétique, où il servira à maintenir l'ordre, comme lors du soulèvement de Budapest, en 1956, ou du « printemps de Prague », en 1968. Le pacte de Varsovie sera dissout le 1er juin 1991, après la fin de l'URSS.

PACTE GERMANO-SOVIÉTIQUE La signature à Moscou, le 23 août 1939, par les ministres des Affaires étrangères allemand et soviétique, Joachim von Ribbentrop (1893-1946) et Viacheslav Molotov (1890-1986), du « pacte germano-soviétique de non-agression » est un coup de tonnerre dans une Europe que Hitler vient de précipiter dans la Seconde Guerre mondiale. Les deux parties ne se sont pas contentées d'une déclaration formelle ; un additif secret précise la nouvelle ligne de partage des zones d'influence des deux puissances. Elle passe par la frontière septentrionale de la Lituanie. Le sort des États baltes, ainsi que celui de la Pologne, dont l'existence même est remise en cause par le protocole, est ainsi laissé à la discrétion du Kremlin, qui obtient également un blanc-seing allemand en Bessarabie (Roumanie). En juin 1940, après 22 ans d'indépendance, les États baltes sont occupées par l'Armée rouge, puis annexées à l'URSS. Le 2 août, la Bessarabie est intégrée dans la nouvelle RSS (république socialiste soviétique) de Moldavie. Le pacte, déclare V. Molotov, « met un terme à l'animosité qui régnait entre les deux pays ».

En fait, moins d'un an après les accords de Munich, alors que l'armée est sortie exsangue et désorganisée des purges de la Grande Terreur, Staline veut gagner du temps, tandis que Hitler préfère concentrer ses forces sur le front occidental. **C. U.** **> SECONDE GUERRE MONDIALE.**

PACTE NORD-ATLANTIQUE Traité signé le 4 avril 1949 par la Belgique, le Canada, le Danemark, les États-Unis, la France, l'Islande, l'Italie, le Luxembourg, les Pays-Bas, la Norvège, le Portugal et le Royaume-Uni, le Pacte nord-atlantique considère qu'une attaque militaire (implicitement soviétique) envers l'un de ses membres en Europe ou en Amérique du Nord sera perçue comme une agression contre tous. D'autres pays signeront le Pacte : la Grèce et la Turquie en 1952, la République fédérale d'Allemagne en 1955, l'Espagne en 1982, la Hongrie, la Pologne et la République tchèque en 1999. L'OTAN (Organisation du traité de l'Atlantique nord) est mise en place en 1949 sur la base de ce traité.

PACTE TRIPARTITE Traité militaire signé le 2 septembre 1940 entre Allemagne, Italie et Japon, le Pacte tripartite prolonge le Pacte antikomintern du 25 novembre 1936, mais est dirigé contre les États-Unis.

PAKISTAN République islamique du Pakistan. Capitale : Islamabad. Superficie : 803 943km^2. Population : 152 331 000 (1999). L'histoire du Pakistan se confond avec celle de l'Inde jusqu'en 1947, date de la Partition. La crainte des élites musulmanes de subir la domination hindoue dans une Inde indépendante les conduit à revendiquer un territoire séparé pour les musulmans. En 1940, la Ligue musulmane réclame la création du Pakistan (« pays des purs ») qui voit le jour le 14 août 1947. Muhammad Ali Jinnah devient gouverneur général. Sa mort prématurée (1948) et l'assassinat de son successeur, Liaqat Ali Khan (1951) plongent le pays dans l'instabilité politique. Le général Muhammad Ayyub Khan (1907-1974) saisit l'occasion pour s'emparer du pouvoir en 1958 et instaure la loi martiale. Il promulgue une nouvelle

Constitution en 1962, celle de 1956 ayant été abrogée lors de son coup d'État. Elle stipule que les lois de l'État ne peuvent aller à l'encontre de la loi islamique (charia). Durant son « règne », le Pakistan connaît une remarquable croissance économique, tributaire cependant de l'aide étrangère. Sur le plan extérieur, le Pakistan, qui craint les visées hégémoniques de l'Inde, forme des alliances avec les grandes puissances : les États-Unis (il devient membre de l'OTASE en 1954 et du pacte de Bagdad en 1955) et la Chine (à partir de 1963). La principale pomme de discorde entre le Pakistan et l'Inde demeure le Cachemire. En 1948 déjà, une guerre a opposé les deux pays. Elle s'est soldée par une division de la région, le Pakistan établissant son protectorat sur le Nord, qu'il appellera « Azad Cachemire » (Cachemire libre). En 1965, un nouveau conflit met aux prises les deux voisins. Il est arrêté grâce à une médiation de l'ONU et de l'Union soviétique, mais la question du Cachemire n'est pas réglée. À partir de 1968, M. Ayyub Khan est confronté à une forte opposition. Il est contraint de démissionner l'année suivante, le pouvoir passant aux mains d'un autre général, Agha Muhammad Yahya Khan (1917-1980), qui instaure la loi martiale. Les élections de décembre 1970 voient la victoire de la Ligue Awami du Pakistan oriental, menée par Mujibur Rahman (1920-1975). A. M. Yahya Khan, désireux d'empêcher M. Rahman de prendre le contrôle du gouvernement central et inquiet face aux velléités autonomistes des Bengalis, lance une offensive meurtrière contre le Pakistan oriental. Avec l'aide militaire indienne, les Bengalis mènent une guerre d'indépendance et proclament la souveraineté du Bangladesh en 1971. Cette sécession contribue à battre en brèche le ciment identitaire du Pakistan, celui d'un État fondé sur le projet islamique. La défaite contraint A. M. Yahya Khan à laisser le pouvoir à Zulfikar Ali Bhutto, dont le parti, le Pakistan People's Party (Parti du peuple pakistanais, PPP), est en effet arrivé en seconde position lors des élections de 1970. Z. A. Bhutto se lance dans une politique dont l'idéologie puise dans le nationalisme, le socialisme et l'islam. Elle lui vaut le soutien des classes populaires. En 1973, il fait adopter une nouvelle Constitution. Sa hantise de voir se reproduire l'éclatement du pays l'amène à adopter une politique répressive pour mater les mouvements nationalistes régionaux au Baloutchistan et dans la NWFP – Province de la frontière du Nord-Ouest (1972-1975). Sur le plan extérieur, il tente, d'une part, de se rapprocher de l'Union soviétique et de la Chine, d'autre part, de réorienter la politique étrangère du pays vers le Proche-Orient et les pays du Golfe.   En mars 1977, à la suite d'élections contestées, le pays se trouve au bord de la guerre civile. Le général Zia ul-Haq (1924-1988), chef d'État-Major des armées, s'empare du pouvoir et instaure la loi martiale. Il fait arrêter A. Bhutto, qui est pendu dans sa prison le 4 avril 1979, après une parodie de procès. Ce régime est marqué par une islamisation plus intensive du pays et un redémarrage économique bénéficiant du renforcement de l'aide américaine (8,4 millions de dollars entre 1987 et 1992), à la suite de l'invasion de l'Afghanistan par l'Union soviétique en décembre 1979. La guerre d'Afghanistan a pour effet l'exode de millions d'Afghans qui se réfugient au Pakistan ; elle fait du « pays des purs » un véritable pôle de l'influence occidentale. En août 1988, le général Zia ul-Haq trouve la mort dans un accident d'avion, vraisemblablement dû à un attentat.   Benazir (1953-), la fille de Z. A. Bhutto, présidente du PPP, remporte les élections de novembre 1988 et devient Premier ministre. En août 1990, accusée de corruption et de népotisme, elle est destituée par le président de la République Ghulam Ishaq Khan (1915-). Mian Nawaz Sharif (1949-), dirigeant de l'IDA (Alliance démocratique islamique), lui succède. Un renversement d'alliances provoque sa chute en juin 1993 et le retour au pouvoir de B. Bhutto en octobre suivant. Les élections de février 1997 sont à nouveau remportées par M. Nawaz Sharif qui bénéficie d'une confortable majorité à l'Assemblée.   Quel que soit le Premier ministre en poste, les années 1990 ont été marquées par des tensions internes majeures : conflits ethniques, en particulier entre Sindhi et Muhajir (musulmans indiens ayant immigré au Pakistan après la Partition), violences sec-

taires entre sunnites et chiites, économie au bord de la banqueroute. Face à une telle situation, le régime a semblé s'acheminer vers une dérive autoritaire.   Sur le plan régional, le retrait soviétique d'Afghanistan, effectif en 1989, a provoqué une réorientation géopolitique du Pakistan vers l'Asie centrale, avec l'appui américain, l'objectif étant de favoriser l'accès aux richesses de la région (pétrole...). Cette stratégie s'est heurtée à celle de l'Iran qui voulait que ce désenclavement passe par son territoire. La principale zone d'affrontement est apparue être l'Afghanistan, où Islamabad a aidé les taliban à conquérir le pouvoir.   Les essais nucléaires de mai 1998 (faisant suite à des tests indiens peu avant) ont conforté le Pakistan dans sa volonté d'hégémonie économique et géopolitique. Il a cependant essuyé une défaite militaire dans la miniguerre qu'il a livrée à l'Inde en 1999, en envoyant des éléments armés au Cachemire. Il est apparu isolé lors de ce conflit, la Chine elle-même, traditionnellement son alliée contre l'Inde, ayant manifesté une prudente réserve. Le soutien aux taliban, déjà pénalisant, allait être l'objet d'enjeux politiques et diplomatiques décuplés après les attentats du 11 septembre 2001 à New York et Washington contre le World Trade Center et contre le Pentagone. Les États-Unis ont en effet immédiatement désigné les réseaux d'Oussama ben Laden (installé en Afghanistan) comme en étant les instigateurs et sommé le Pakistan de se désolidariser du régime des taliban. Les autorités d'Islamabad ont bientôt déclaré s'aligner sur les exigences de Washington.   Au tournant du siècle, alors que sa cohésion même paraissait menacée, le Pakistan était ainsi confronté à des défis majeurs, tant sur le plan interne qu'externe. **A. Mo.**

PAKISTAN ORIENTAL > BANGLADESH.

PALAU   **R**épublique de Palau. Capitale : Koror. Superficie : 490 km². Population : 19 000 (1999).   **S**itué dans le Pacifique sud entre les Philippines à l'ouest, les Mariannes au nord et les Carolines (actuels États fédérés de Micronésie) à l'est, l'archipel des Palau fut, comme l'ensemble

de la Micronésie, cédé par l'Espagne à l'Allemagne en 1899 et occupé en 1914 par les Japonais, qui en reçurent le mandat de la SDN (Société des Nations) en 1920 et le transformèrent en territoire de peuplement. Les colons furent expulsés en 1945 et la tutelle de l'ONU fut assurée par les États-Unis en 1947. Jouissant du statut de libre-association à partir de 1967, les autorités de Koror refusent d'intégrer la fédération des États de Micronésie et proclament la république de Palau (Belau) le 1er janvier 1982. De laborieuses négociations, sur fond de corruption et de violence, se déroulent alors, les États-Unis étant accusés de mainmise sur le territoire, en particulier pour y entreposer des armes nucléaires. La tutelle des Nations unies est officiellement maintenue, mais Washington assure la survie de la république tout en la considérant comme indépendante. **J.-P. G.**

PALESTINE Territoire du Proche-Orient, délimité par la mer Méditerranée à l'ouest, la Jordanie à l'est, l'actuel Liban au nord et le Sinaï (Égypte) au sud. À la fin du XIXe siècle, la Palestine est essentiellement peuplée d'Arabes, les Palestiniens. Ces derniers sont en majorité musulmans, mais aussi chrétiens. En 1880, la Palestine comptait également une communauté de 20 000 Juifs installés de longue date, qu'ont grossi des vagues successives d'immigration, d'abord russes et numériquement modestes. Le pays est, depuis des siècles, sous tutelle de l'Empire ottoman. En 1917, par la « déclaration Balfour », la Grande-Bretagne promet au mouvement sioniste qu'elle favorisera l'établissement d'un « foyer national juif en Palestine ». À la dislocation de l'Empire ottoman, cette dernière est placée sous mandat britannique. À l'issue de la Seconde Guerre mondiale marquée par le génocide des Juifs d'Europe, la création de l'État d'Israël en 1948 et le refus arabe du plan de partage de la Palestine mandataire conduisent à la première guerre israélo-arabe et à l'exode de centaines de milliers de Palestiniens. Commence alors la plus longue crise géopolitique du XXe siècle. **N. B.** ➤ QUESTION PALESTINIENNE.

PALESTINIENS ➤ QUESTION PALESTINIENNE.

PAM Le Programme alimentaire mondial (PAM, WFP – World Food Programme –, siège à Rome) a été créé en 1963 à la fois pour répondre aux besoins des pays déficitaires en produits vivriers et pour écouler les surplus céréaliers. Parrainé conjointement par l'ONU et la FAO, il aide aussi à répondre aux besoins alimentaires d'urgence créés par les catastrophes naturelles.

PANAFRICANISME Doctrine née à l'aube du XXe siècle dans les milieux intellectuels noirs antillais et américains pour lutter contre la discrimination raciale dans le Nouveau Monde et contre la colonisation. Formulée à Londres, en 1900, par un avocat de Trinidad, Sylvester Williams, l'idée panafricaine s'affine avec la tenue d'une demi-douzaine de congrès réunissant des membres de la diaspora noire, puis des nationalistes du continent. William Edward Burghardt du Bois (1868-1963) en fut le grand théoricien. Métis originaire du Massachusetts, il a lié le problème des droits civiques aux États-Unis et l'indépendance des pays d'Afrique. Son adversaire, le Jamaïcain Marcus Garvey, prônait de son côté une société noire s'opposant à celle des Blancs. Ses idées inspirèrent le mouvement rasta et le retour aux sources. Plus politique, George Padmore (1903-1959) eut une forte influence sur les nationalistes africains, comme Kwame Nkrumah dont il fut le conseiller. Aux côtés du patriarche W. E. B. du Bois, il participe à la Conférence des peuples africains à Accra, en 1958. Elle marque le triomphe du panafricanisme, mais l'émergence de dizaines d'États indépendants, jaloux de leur souveraineté, laissait entrevoir la balkanisation tant redoutée. **B. N.**

PANAMA République du Panama. Capitale : Panama. Superficie : 77 080 km². Population : 2 812 000 (1999). Depuis l'arrivée des premiers conquistadors espagnols au début du XVIe siècle jusqu'au départ des troupes américaines protégeant le canal à l'aube de l'an 2000, l'histoire de Panama a été marquée par son exceptionnelle situation

géographique, dans l'isthme centro-américain, au contact des deux grands océans de la planète. Fondée en 1519, la ville de Panama sert de base aux expéditions espagnoles qui permettront la conquête du Pérou. Important centre commercial, la colonie est la cible des pirates anglais, notamment d'Henry Morgan (1635-1688), qui pille la ville de Panama en 1671. En 1821, Panama rompt ses liens avec l'Espagne et rejoint la nouvelle république de Grande Colombie regroupant le Vénézuela, l'Équateur et la Colombie. L'inauguration en 1855 d'un chemin de fer traversant l'isthme financé par des investisseurs américains facilite la ruée vers les mines d'or de Californie et relance le projet de canal interocéanique. Après l'échec de la compagnie constituée par le Français Ferdinand de Lesseps (1805-1894), les États-Unis reprennent le projet. Mais la Colombie refuse de leur céder une bande de territoire pour la construction du canal. Le 3 novembre 1903, une junte révolutionnaire soutenue par Washington proclame l'indépendance du Panama. Les États-Unis reconnaissent le nouvel État trois jours plus tard et négocient la concession à perpétuité de la zone du canal. La construction de la voie d'eau reprend en juin 1904 et le canal est inauguré dix ans plus tard. La montée du sentiment nationaliste et anti-américain provoque de violentes émeutes en 1959, puis en janvier 1964. Quatre ans plus tard, le président Arnulfo Arias est renversé par un coup d'État et le nouvel homme fort, le colonel Omar Torrijos, renégocie le statut du canal avec les États-Unis. En 1977, il signe avec le président Jimmy Carter (1977-1981) le traité prévoyant que Panama recouvrera la souveraineté sur la zone du canal le 1er janvier 2000. À la mort de O. Torrijos dans un accident d'avion en 1981, le général Manuel Noriega (1939-) impose son pouvoir et réprime l'opposition. Cet ancien agent des services secrets américains (CIA – Central Intelligence Agency) est accusé de trafic de drogue par Washington. En décembre 1989, le président George H. Bush (1989-1993) lance l'opération *Juste cause* : plusieurs milliers de soldats américains débarquent à Panama et s'emparent de M. Noriega qui sera condamné à quarante ans de prison en 1992 par un tribunal de Miami. Officiellement chiffré à 516, le nombre de Panaméens tués à l'occasion de l'intervention américaine est par ailleurs évalué à plusieurs milliers par les organisations de défense des droits de l'homme.
J.-M. C. **> CANAL DE PANAMA.**

PANARABISME > ARABISME.

PANASIATISME Doctrine politique ayant pour objectif d'unir les peuples asiatiques et de développer les liens et les solidarités entre eux. La « sphère de coprospérité asiatique » promue par le Japon lors de la Seconde Guerre mondiale a joué sur le sentiment panasiatique qui s'était développé dans les années 1920 et a été constitutif de l'émergence du tiers monde politique.

PANGERMANISME Le pangermanisme entend réaliser l'unité politique de l'Allemagne en regroupant autant d'Allemands que possible en un seul État. S'identifiant avant la création du IIe Reich (1871) au nationalisme allemand, il inspire la création de la Ligue pangermaniste (1891), qui devient un lobby influent tant auprès du pouvoir impérial que des élites militaires, industrielles et intellectuelles. Avec à sa tête Ernst Hasse, elle diffuse une vision catastrophiste de l'histoire : selon elle, l'Allemagne, nation fragile, de création récente, serait en butte à l'hostilité de ses voisins, qui travailleraient à sa perte. Celle-ci, *pour survivre*, doit se placer au-dessus des relations internationales et tenter de réunir aussi bien les Allemands qui vivent au-delà de ses frontières (Autriche-Hongrie) que les peuples « cousins » (Flamands, Hollandais, Suisses). Par conséquent, les autres peuples (Slaves, Magyars, Latins) seraient *déportés* hors du nouveau Reich. Même s'ils ne renoncent pas à un empire colonial outre-mer (Afrique du Sud, Maroc, Asie Mineure, Pacifique), les pangermanistes privilégient l'idée d'une (re)colonisation de l'Europe centrale et orientale. La Première Guerre mondiale est censée, selon la Ligue, avec à sa tête Heinrich Class depuis 1908, réaliser les ambitions du Reich par l'annexion de territoires qu'il serait possible de (re)germaniser par assimilation ou expulsion des populations vaincues. La question allemande trouverait alors sa solution définitive. La Ligue renforce encore son influence après la défaite, car elle cristallise les idées et les revendications des nationalistes humiliés par le traité de Versailles. Son antisémitisme est alors patent : H. Class la dote d'une filiale antijuive en 1922. Toutefois, l'une de ses revendications fondamentales demeure l'Anschluss. La Ligue est ainsi à la pointe du front du refus au « Diktat » de Versailles. Néanmoins, elle n'est pas – et n'a jamais été – une organisation de masse. Elle pense donc s'appuyer sur le parti nazi qui se constitue. H. Class rencontre Hitler en 1920 : le national-socialisme lui permettrait de toucher les milieux populaires. La Ligue, dont les idées ont influencé l'auteur de *Mein Kampf*, travaille dès lors à son insu au profit du nazisme qu'elle croit utiliser. Mais Hitler, dès 1924, refuse de négocier avec elle : il a déjà dépassé, par son antisémitisme de masse, l'idée d'un Anschluss-soumission de l'Autriche et, par le choix d'alliances opportunes, le pangermanisme classique. Le rôle de médiation de la Ligue au sein de la droite demeure cependant important sous la république de Weimar. Les pangermanistes, après 1933, sont sommés de se rallier au nazisme, malgré leur antériorité historique et sa patte idéologique à leur égard. Du reste, l'Anschluss et l'annexion des Sudètes (1938) réalisent les principaux objectifs de la Ligue qui, dès lors, n'a plus de raison d'être aux yeux du « *Führer* ». Il la dissout en mars 1939. **G. Ma.** **> ALLEMAGNE.**

PANISLAMISME Doctrine politique ayant pour objectif d'unir les peuples de religion islamique (*Umma*, communauté des musulmans). Une forme relative de panislamisme consiste à développer les liens et solidarités entre sociétés islamiques. Le panislamisme est une dimension plus ou moins affirmée des courants islamistes et fondamentalistes.

PAPANDRÉOU Andréas (1919-1996) Homme politique grec, Premier ministre de 1981 à 1989 et de 1993 à 1996. Andréas Papandréou est fils de Georges Papandréou

(1888-1968) qui fut à plusieurs reprises Premier ministre de la Grèce (1944-1945 ; 1963-1965). Torturé sous la dictature de Ioannis Metaxas, il est libéré par la Sécurité en 1941. A. Papandréou part aux États-Unis, où il mène une carrière universitaire en tant qu'économiste, ainsi qu'en Suède et au Canada. De son premier mariage avec Margaret Tsant, il a quatre enfants, dont Georges Papandréou, futur ministre des Affaires étrangères grec. Il épousera en noces tardives Dimitra Liani, qui déchaîne la presse à scandales. De retour en Grèce en 1959, A. Papandréou entame une carrière politique en 1962. Il est alors élu député d'Achaïe (Parti de l'union du centre, dirigé par son père). En 1964-1965, il est ministre de la Présidence du gouvernement, vice-ministre des Finances et de l'Économie. Il est en butte à une violente hostilité des forces de droite. La dictature des colonels (coup d'État du 21 avril 1967) l'arrête puis le libère en 1968. Il s'exile en Suède, puis au Canada jusqu'en 1974. Dès le rétablissement de la démocratie, A. Papandréou rentre en Grèce et fonde le Mouvement socialiste panhellénique (PASOK), dont il est le président, et qui va devenir le premier parti d'opposition (1977), avant de remporter les élections législatives en 1981. Il forme alors un gouvernement dont il est à la fois Premier ministre et ministre de la Défense. Réélu en 1985, il est battu en 1989, échec notamment lié au scandale financier Koskotas. Il retrouve le pouvoir en 1993 et le conserve jusqu'à sa mort à Athènes en 1996. Durant ces années, il met en œuvre son programme socialiste de développement économique et social. Homme politique très populaire, nationaliste, au rayonnement international certain, A. Papandréou a dominé la vie politique de son pays pendant 35 ans, lui a assuré une voix autonome sur la scène internationale et a œuvré pour la réconciliation nationale. **E. M.-K.** **> GRÈCE.**

PAPOUASIE-NOUVELLE-GUINÉE
État indépendant de Papouasie-Nouvelle-Guinée. Capitale : Port Moresby. Superficie : 461 691 km². Population : 4 702 000 (1999). Communément appelée « P-N-G »

(phonétiquement « Piengi »), cet État du Pacifique sud, séparé de l'Australie par le détroit de Torrès – peu profond et large de 200 à 400 kilomètres –, est constitué par la moitié orientale de l'île de Nouvelle-Guinée (l'autre moitié – Papouasie occidentale – étant rattachée à l'Indonésie), l'archipel Bismarck au nord, l'archipel de Louisiade au sud-est (découvert et baptisé par La Pérouse en 1787) et l'île de Bougainville à l'est-sud-est. L'Allemagne et l'Angleterre se partagèrent cette partie orientale de la grande île en 1884. La partie britannique est confiée à l'Australie en 1906 ; celle-ci occupe la partie allemande dès 1914 et en obtient le mandat – de la SDN (Société de Nations) – en 1920. Les Japonais occupent la majeure partie de l'île début 1942, mais ils subissent en juin leur premier échec militaire dans ses eaux, en mer de Corail. Des combats acharnés détruisent les régions côtières et les îles, mais l'intérieur très montagneux demeure inaccessible. La présence des troupes alliées provoque cependant chez les populations autochtones un choc culturel profond. L'Australie se voit confier de nouveau l'administration de l'ensemble du territoire par la Commission des tutelles de l'ONU en 1946. Des élections sont organisées en 1972, l'autonomie interne est établie en décembre 1973 et l'indépendance proclamée à Port-Moresby, la capitale, le 16 septembre 1975. Le groupe ethnique principal est constitué par les Papous que l'on rattache au monde mélanésien, mais il n'existe aucune parenté linguistique entre les centaines de langues pratiquées ; des minorités importantes en provenance du monde malais et du continent asiatique occupent des fonctions actives dans le secteur politique et surtout économique, non sans suciter des tensions internes. L'île de Bougainville, siège de la majeure partie des richesses minérales (cuivre surtout), a été pour cette raison le théâtre de conflits sociaux endémiques recouvrant des tendances sécessionnistes (guerre ayant duré plus de neuf ans dans les années 1990), stérilisant cette source de revenus et rendant le pays étroitement dépendant de l'aide internationale, notamment de l'Australie. **J.-P. G.**

PAPOUASIE OCCIDENTALE À l'est de l'archipel indonésien, l'Irian n'appartient à l'Indonésie que depuis 1963. Lors du transfert de souveraineté des Pays-Bas à la République d'Indonésie en 1949, la question de la Nouvelle-Guinée occidentale est réservée pour être négociée à part. Le territoire était devenu néerlandais par un traité de 1872 passé avec le sultan de Tidore, l'Allemagne et l'Angleterre se partageant la moitié orientale de l'île de la Nouvelle-Guinée en 1885. Après la Grande Guerre, l'Australie a administré la moitié orientale de l'île jusqu'à son indépendance en 1975 (Papouasie-Nouvelle-Guinée). Devant l'échec des négociations après 1949, l'Indonésie de Sukarno fit de la libération de l'Irian l'un de ses principaux objectifs politiques. Elle frôla la guerre avec les Pays-Bas. Ces derniers restaient accrochés à ce vestige de leur empire dont ils avaient commencé à préparer l'indépendance ; ce n'est que sous la pression des États-Unis qu'ils acceptèrent en 1962 de le transférer à l'Indonésie après un an de tutelle de l'ONU. L'accord prévoyait une consultation des Papous. Elle eut lieu en 1969 ; entre-temps, le général Suharto avait remplacé Sukarno. L'« acte de libre choix » des Papous décidant l'intégration du territoire à l'Indonésie fut une parodie de consultation que l'opinion occidentale négligea. L'Organisation pour l'indépendance de la Papouasie (OPM, Organisasi Papua Merdeka) est créée en 1965. Sans grands moyens, les résistants attaquent pourtant les installations pétrolières de la Shell et, plus tard, celles de Free-port qui exploitent une énorme mine de cuivre et d'or aux monts Ertsberg et Grasberg. Ce vaste territoire (414 000 km²) au relief élevé (mont Cartensz, 4 884 m) est riche en ressources minérales et forestières. Les Papous, peu nombreux, divisés en de multiples clans, dont certains vivent encore comme à l'âge de pierre, se voient dépossédés de leur terre et de leurs richesses, victimes de la pollution minière, méprisés, tandis que la politique de transmigration menée par Jakarta provoque l'afflux de « colons » javanais, installés le plus souvent le long de la frontière avec l'État de Papouasie-Nouvelle-Guinée (qui occupe la partie orientale de l'île), où l'OPM pouvait chercher refuge. La répression militaire, brutale et sans nuances, a souvent opéré par bombardements. Les massacres ont été fréquents, toute manifestation en faveur de l'indépendance, comme le fait de hisser le drapeau papou, l'« Étoile du matin », entraînant la mort ou la prison. Une prise d'otages occidentaux en 1996 a donné quelque « publicité » au mouvement séparatiste. Après l'indépendance de <u>Timor oriental</u>, les Papous ont relancé leur revendication d'indépendance, niant toute légitimité à la consultation de 1969. Peu après sa nomination, le président indonésien Abdurrahman <u>Wahid</u> s'est rendu en Irian en décembre 1999, et il a présenté des excuses pour les atrocités passées, autorisé la province à s'appeler Papouasie, réaffirmé la liberté d'expression, mais il a aussi souligné que les négociations engagées ne pourraient porter que sur l'autonomie et en aucun cas sur l'indépendance. La répression militaire s'est poursuivie, traduction du conflit persistant au sommet entre pouvoirs civil et militaire. **F. C.-B.** ➤ **INDONÉSIE.**

PÂQUES (soulèvement de)

Le lundi de Pâques 1916 voit l'occupation, par un millier de Volontaires (indépendantistes républicains) irlandais, de plusieurs bâtiments, dont la Poste centrale, à Dublin. Patrick Pearse (1879-1916), le chef de le « soulèvement de Pâques » *(Easter Rising)*, proclame la république. Ils tiennent bon pendant une semaine avant d'être obligés de se rendre. La « trahison » de ces républicains, qui s'en étaient pris à la Grande-Bretagne en pleine guerre mondiale, vaudra à leurs chefs d'être exécutés. Ils seront rapidement déclarés martyrs de la cause irlandaise. Le flambeau sera repris par leurs partisans qui mèneront la guerre d'indépendance de 1919-1921, aboutissant à la création de l'État libre d'Irlande dans la partie sud de l'île en 1922. L'<u>IRA</u> (Armée républicaine irlandaise), prenant pour modèles les républicains de 1916, reprendra les armes entre 1970 et 1997 en vue de parachever l'œuvre des Volontaires : créer une république irlandaise étendue à l'ensemble de l'île. **P. B.** ➤ **IRLANDE, ROYAUME-UNI.**

PARAGUAY République du Paraguay. Capitale : Asuncion. Superficie : 406 752 km². Population : 5 358 000 (1999). Sans accès à la mer, le Paraguay (indépendant depuis 1811) a longtemps souffert de son isolement continental et de ses relations avec ses voisins. Argentine, Brésil et Uruguay, par ambition économique et territoriale, lui mènent de 1864 à 1870 une guerre impitoyable : 65 % de sa population est décimée, dont 85 % des hommes. Le pays ne doit alors sa survie qu'aux rivalités brésilo-argentines. Malgré l'adoption en 1870 d'une Constitution progressiste, plusieurs coups d'État se succèdent. Le Parti national républicain, dit « colorado », fondé en 1887, domine le pays jusqu'à ce qu'éclate, en 1904, une guerre civile débouchant sur un régime libéral. Les années 1920, marquées par les réformes économiques d'Eligio Ayala, forment une courte – et la seule – période de stabilité et de démocratie au xxᵉ siècle. En 1932, la convoitise de compagnies étrangères pour l'exploitation du pétrole de la région du Chaco entraîne une guerre avec la Bolivie. L'armistice de 1935 (le Paraguay gagne 120 000 km² du Chaco) donne à l'armée la légitimité qui lui manquait. En 1936, des militaires, soutenus par des pro-<u>nazis</u> et des sociaux-démocrates, s'emparent du pouvoir. Mais leurs dissensions idéologiques et leurs ambitions personnelles entretiennent une forte instabilité. En 1947, un soulèvement populaire, unissant les libéraux, les communistes et des officiers progressistes, est vite vaincu par les troupes conservatrices et les milices du Parti colorado qui reçoivent l'appui de l'Argentin Juan Domingo <u>Perón</u>. Il s'ensuit une épuration de l'armée, de la police et de l'administration. Pour y être recruté, il est nécessaire d'adhérer à un Parti colorado de plus en plus prébendier et conservateur. **La dictature d'Alfredo Strœssner.** Mais c'est l'armée qui garde la maîtrise du jeu politique et la renforce encore avec le régime de droite quasi totalitaire qu'impose en 1954 le général Alfredo Strœssner. De tous les dictateurs latino-américains et d'Europe du xxᵉ siècle, il est celui qui restera le plus longtemps au pouvoir. A. Strœssner s'empare du Parti colorado, neutralise les organisations ouvrières. En 1962, il mate une éphémère guérilla et des mouvements paysans. Des terres domaniales sont redistribuées, mais à ses seuls partisans. La corruption et la répression se généralisent. Avec les concessions minières accordées aux compagnies américaines et la construction du grand barrage d'Itaipú qui ne profite guère à l'industrialisation, la dépendance économique du pays s'accroît. Le Paraguay devient une plaque tournante du trafic de drogue. Si l'Église catholique condamne la dictature dès 1969, la société civile ne s'émancipe du Parti colorado que dans les années 1980. Un soulèvement militaire et populaire évince, sans violence, A. Strœssner en 1989 (il se réfugie au Brésil). Un civil modéré est élu président en 1993, Juan Carlos Wasmosy (1939-). Mais une tentative de coup d'État en 1996 et le nombre des assassinats politiques témoignent, malgré la manne financière qu'apporte la participation du pays au Mercosur (Marché commun du sud de l'Amérique), des difficultés de cette jeune démocratie à se consolider. **S. Mo.**

PARIS (accords de, Vietnam)

Conclusion de près de six années de négociations, les accords de Paris (27 janvier 1973), relatifs à la guerre du Vietnam, prévoient un cessez-le-feu, le maintien des armées communistes et de celles du gouvernement de Saigon dans les zones qu'elles contrôlaient et qui seront administrées provisoirement soit par le GRP (Gouvernement révolutionnaire provisoire), soit par Saigon, la création d'une Commission internationale de surveillance de l'armistice, le retrait de toutes les forces étrangères du Cambodge et du Laos et leur neutralisation, la formation d'un Conseil de réconciliation et de concorde chargé d'organiser des élections libres dans l'ensemble du Sud-Vietnam et la négociation par le gouvernement issu de ce scrutin d'une réunification pacifique du Vietnam. Éphémère compromis : dès 1974, les hostilités reprennent sporadiquement au Sud et les offensives éclairs des Nord-Vietnamiens en janvier et mars 1975 mettent fin au régime du Sud par la prise de Saigon le 30 avril, tandis que le Cambodge tombe aux mains des Khmers rouges et que le Pathet Lao l'emporte dans l'ensemble du Laos. **D. H.**

PARLEMENTARISME BRITANNIQUE

Les origines du Parlement britannique remontent au Moyen Âge. Il se compose alors déjà d'une Chambre des lords et d'une Chambre des communes (représentants élus). Son rôle s'affirme au XVIe siècle, sous la dynastie des Tudors, qui lui fait voter des crédits. Il se heurte ensuite à l'absolutisme des Stuarts, ce qui déclenche, en 1642, une guerre civile opposant les partisans du Parlement à ceux de la royauté. Le conflit se dénoue en 1688, par accord entre le Parlement et le nouveau roi Guillaume III d'Orange. **A**u XVIIIe siècle, la dynastie allemande des Hanovre, connaissant mal le pays, confie le gouvernement à un « cabinet », bientôt dirigé par un Premier ministre issu du Parlement. Simultanément s'affirment deux courants politiques : celui des Whigs (libéraux) et celui des Tories (conservateurs). Le régime parlementaire naît ensuite de la nécessité, pour le Premier ministre, de s'appuyer sur une majorité à la Chambre des communes, laquelle vote l'impôt. Le principe de l'alternance (entre conservateurs et libéraux) s'impose dans la seconde moitié du XIXe siècle. Il s'accompagne de l'institutionnalisation de l'opposition, possible majorité à venir. **L**e régime politique britannique évolue ensuite comme d'autres en Europe : extension du suffrage jusqu'à l'adoption du suffrage universel (masculin en 1917, féminin complet en 1928), réduction drastique des pouvoirs de la Chambre des lords, non élue, accroissement du rôle de l'exécutif en matière législative, etc. Par ailleurs, le mode de scrutin à un tour oblige les électeurs à trancher d'emblée, de telle sorte que les Britanniques, en votant, choisissent d'abord un Premier ministre, ce qui s'apparente à un régime présidentiel. **L**e parlementarisme britannique n'en demeure pas moins une référence pour une raison fondamentale : c'est lui qui a découvert les vertus de l'alternance politique, aujourd'hui reconnue comme le critère premier de toute démocratie. Le parlementarisme britannique a exercé une influence considérable et a inspiré les systèmes de gouvernement d'anciennes possessions de la Couronne. **J. S.** **> DÉMOCRATIE, RÉGIMES POLITIQUES, ROYAUME-UNI.**

PARTENARIAT EURO-ATLANTIQUE

Le Conseil de partenariat euro-atlantique CPEA (EAPC – Euro-Atlantic Partnership Council) a fait suite, à partir de 1997, au Conseil de coopération nord-atlantique (Cocona) créé en 1991 et rassemblant les pays de l'Alliance atlantique et ceux de l'ex-pacte de Varsovie.

PARTI COMMUNISTE DE L'UNION SOVIÉTIQUE > PCUS.

PARTI COMMUNISTE ITALIEN > SOCIALISME ET COMMUNISME (ITALIE).

PARTI COMMUNISTE VIETNAMIEN

Issu du Viet Nam Thanh Nien Cach Menh Dong Chi Hoi (Association de la Jeunesse révolutionnaire du Vietnam) qu'a fondé Nguyen Ai Quoc (le futur Ho Chi Minh) à Canton en 1925, le Parti communiste vietnamien (PCV) appartient à la seconde génération des partis communistes. Il est créé clandestinement à Hong Kong du 3 au 7 février 1930, en présence de Quoc, par l'unification de divers groupes communistes rivaux, mais doit prendre le nom de Parti communiste indochinois (PCI) pour être reconnu par le Komintern en avril 1931. Né en pleine crise révolutionnaire de l'Indochine française, il conduit les grèves et les manifestations paysannes de 1930-1931 et proclame même d'éphémères Xo Viet (« soviets » ruraux) dans deux districts de l'Annam. **O**bjet des implacables répressions du pouvoir colonial, il parvient à survivre clandestinement grâce à l'aide du Komintern et du Parti communiste français (PCF), et même à passer en 1934 à l'activité légale, en alliance avec les trotskistes, dans le cadre du groupe cochinchinois La Lutte. Entre 1936 et 1939, il anime les grèves et le mouvement pour le Congrès indochinois, crée une presse légale et peut déjà prétendre à l'hégémonie dans le mouvement national. **L**a Seconde Guerre mondiale lui donne ses chances. En 1941, quoique très affaibli par la répression, il s'engage à fond

dans la lutte pour l'indépendance et dans la stratégie des fronts nationaux. Il fonde en mai 1941, dans la Haute-Région du Tonkin, le Viet Nam Doc Lap Dong Minh (Alliance pour l'indépendance du Vietnam ou Viet-minh), structure d'accueil - qu'il contrôle étroitement - pour les divers courants et personnalités patriotiques. La révolution d'août 1945 est pour lui une prise du pouvoir réussie et, en dépit de son autodissolution formelle de novembre 1945, il est en mesure d'étendre partout un réseau ramifié d'organisations de masse et de prendre la direction de toute la vie sociale. Il recrute activement dans la jeunesse des villes et des campagnes et compte sans doute près de 20 000 membres en 1946. Il rallie la majorité des élites à sa stratégie de la libération nationale et conquiert une légitimité sociale qu'aucune force adverse ne parviendra à lui disputer. Reconstitué au congrès de février 1951 sous le nom de Lao Dong (Parti du travail), il exerce un contrôle serré sur les petits partis frères du Laos et du Cambodge. Sous le couvert de fronts patriotiques successifs, dépourvus de toute autonomie, mais qui encadrent les masses – au Vietminh succède, en 1951, le Lien Viet (Front de la patrie) et, en 1960, est créé au Sud le Front national de libération improprement appelé Vietcong (Communistes vietnamiens) –, il est, pendant les deux conflits indochinois (la guerre d'Indochine, puis la guerre du Vietnam), le cerveau et l'organisateur collectif de l'action militaire et politique, l'organisateur de la victoire. Dirigé par Truong Chinh, son secrétaire général depuis 1941, il compte 700 000 membres en 1950. **À** partir de 1975, le système de Parti-État est en place dans tout le Vietnam : centre de toutes les décisions, le Parti – rebaptisé Parti communiste vietnamien (PCV) en 1976 – est présent dans tous les appareils de l'État, dans l'armée et dans toutes les structures sociales, qu'il instrumentalise. Il se trouve du même coup investi par une myriade d'intérêts sociaux petits et grands et par les conflits qui les opposent. En 1996, il compte 1 932 000 membres et 36 360 organisations locales, mais ses effectifs sont très inégalement répartis : 56 % au Nord, 29 % au Centre et seulement 15 % au Sud, avec une très forte concentration dans les cinq provinces situées à la charnière du Centre et du Nord (20 % des membres pour 12 % de la population, huit membres du Bureau politique sur dix-neuf). En fait, il est surtout bien implanté dans la zone littorale qui va de la frontière de la Chine à Hué. S'il a aujourd'hui confisqué la totalité du politique, le PCV se trouve en fait souvent réduit à l'immobilisme par sa lourde bureaucratie interne et le jeu conflictuel des intérêts informels, des clans et des clientèles qu'il rassemble.

D. H. **> COMMUNISME (ASIE), VIETNAM.**

PARTI CONSERVATEUR (Royaume-Uni) > TORIES (ROYAUME-UNI).

PARTI TRAVAILLISTE (Royaume-Uni) > LABOUR PARTY (ROYAUME-UNI).

PARTITION (Inde-Pakistan) Division de l'Inde en deux États en 1947, l'un à majorité hindoue (l'Union indienne), l'autre à majorité musulmane (le Pakistan). La création du parti du Congrès, en 1885, fait naître chez les élites musulmanes la crainte de voir leur communauté soumise à l'hégémonie hindoue dans un système démocratique, du fait de la simple arithmétique électorale. Elles entérinent, de ce fait, la décision des Britanniques de créer en 1909 des électorats séparés pour les musulmans (réformes Morley-Minto). Une étape décisive est franchie en 1930, lorsque le poète et philosophe Muhammad Iqbal (1876-1938) émet l'idée d'un État musulman séparé. Vers la même époque, Muhammad Ali Jinnah énonce la théorie des deux nations : selon lui, musulmans et hindous forment deux nations séparées. En 1940, la Ligue musulmane se rallie officiellement à l'idée d'un Pakistan indépendant par la déclaration de Lahore. Mais elle ne représente encore qu'une fraction de l'élite musulmane indienne (originaire surtout des régions où les musulmans sont minoritaires) et n'exerce qu'une influence fort limitée sur les masses musulmanes. Dans les régions à majorité musulmane (comme le Pendjab, le Sind et le Bengale), les idées séparatistes ne se sont pas encore imposées. De 1940 à 1944, la Ligue musulmane s'emploie à se transformer

en organisation de masse, en s'appuyant notamment sur les notables religieux et en montant une propagande centrée sur le thème de « l'islam en danger ». Aux élections de 1945, alors que le Congrès l'emporte largement dans l'électorat hindou, la Ligue est plébiscitée par les électeurs musulmans. Les leaders du Congrès continuent cependant de refuser l'éventualité d'un partage du pouvoir avec la Ligue au niveau central. Ils n'entendent pas non plus laisser une large autonomie aux provinces à majorité musulmane, dans le cadre d'une fédération souple, ainsi que le souhaite M. A. Jinnah. Lors des négociations sur la composition d'un gouvernement intérimaire, où siégeraient la Ligue et le Congrès, M. A. Jinnah est déçu par l'attitude des Britanniques qui lui paraissent plus favorables au Congrès. Il annonce une journée d'action directe pour le 16 août 1946 : elle dégénère en massacre à Calcutta, où l'on déplore 10 000 morts en quelques jours. Les affrontements intercommunautaires se poursuivent tandis que l'impasse politique est totale. Le nouveau vice-roi des Indes, Lord Mountbatten (1900-1979), arrivé en mars 1947, tranche dans le vif : il consacre la division de la péninsule en deux dominions, le Pakistan et l'Union indienne, qui voient officiellement le jour respectivement le 14 et le 15 août. Alors que le Sind, la NWFP (Province de la frontière du Nord-Ouest) et le Baloutchistan sont rattachés dans leur intégralité au Pakistan, une commission, présidée par le juge britannique Radcliffe, procède hâtivement à la délimitation de la frontière au Pendjab et au Bengale. Le problème est particulièrement épineux au Pendjab du fait de l'enchevêtrement des communautés hindoue, musulmane et sikh. Le partage de la province s'accompagne d'une violence inouïe, faisant au moins 180 000 morts en quelques semaines et de très nombreux blessés. Des millions de réfugiés, abandonnant tous leurs biens, fuient leurs foyers pour échapper aux massacres. La question des compensations empoisonnera durablement les relations indo-pakistanaises. Mais surtout, la Partition, restée vivace dans les mémoires, aura provoqué un traumatisme tenace de part et d'autre de la frontière. Des transferts de

population, de moindre ampleur, ont lieu dans les autres régions du sous-continent. Au total, entre 1947 et 1950, quatorze millions de personnes émigrent vers l'Inde ou le Pakistan selon leur appartenance religieuse. Un tiers des musulmans sont restés en Inde, où ils forment encore une minorité fragilisée. Se pose également la question des États princiers. La majorité opte alors pour l'Union indienne. Trois États créeront des « difficultés » : le Junagarh, le Hyderabad et le Cachemire qui seront tous progressivement rattachés à l'Inde. L'intégration du Cachemire à l'Inde créera la source majeure de conflit avec le voisin pakistanais.
A. Mo. **> CACHEMIRE, INDE, PAKISTAN.**

PAS > AJUSTEMENT STRUCTUREL.

PATHET LAO Littéralement « pays des Lao », Pathet Lao a d'abord désigné les territoires du Laos libérés de l'occupation française par la guérilla communiste lors de la guerre d'Indochine. Plus tard, il désigna le mouvement dirigé par les communistes laotiens et, après leur prise de pouvoir en 1975, fut le nom officiel du Parti révolutionnaire du peuple lao. **V. K.** **> COMMUNISME (ASIE), LAOS.**

PAVELIC Ante (1889-1959) Dirigeant politique croate. Le *poglavnik* (de *glava*, « tête ») de la NDH (État indépendant de Croatie) en 1941-1945, originaire de Haute-Herzégovine, était avocat comme bien des notables croates. Adolescent, Ante Pavelic adhère à la fraction « *frankovci* », aile extrémiste du Parti croate du droit, dont l'idéologie s'inspire de celle de Josip Frank (1844-1911). Ce courant unit ainsi une idéologie extrémiste née à Zagreb le rude activisme des montagnards herzégoviniens. Après 1918, il prend contact avec les fascistes italiens, les hommes du gouvernement hongrois de Miklos Horthy et le VMRO (Organisation révolutionnaire intérieure) macédonien, tous mouvements opposés à la survie du nouveau royaume des Serbes, Croates et Slovènes. À la suite de l'attentat du 20 juin 1928 qui a vu, en plein Parlement de Belgrade, l'assassinat des principaux responsables du Parti paysan croate

dont Stjepan Radic (1871-1928), son leader, le climat est favorable aux extrémistes et A. Pavelic, réfugié à Sienne en 1929 et financé par Mussolini, fonde son mouvement « oustacha » (révolté) en 1930. Son but est l'indépendance de la Croatie, qui ne comporterait que des Croates, au nombre desquels A. Pavelic compte les Musulmans slavophones, « fleur de la nation croate », mais dont il exclut les Serbes orthodoxes. Commanditaire de l'attentat qui a tué Alexandre Ier de Yougoslavie (1888-1934) à Marseille en octobre 1934, il est proclamé *poglavnik* de la NDH le 10 avril 1941. Un nombre important (peut-être inférieur à 300 000) de personnes sont alors massacrées ; on retrouvera leurs corps soit dans les fosses naturelles comme dans les régions dinariques, soit dans des camps de concentration. Des dizaines de milliers de Serbes sont convertis de force au catholicisme et trois divisions croates sont envoyées sur le front de l'Est. **A.** Pavelic s'enfuit de Zagreb le 6 mai 1945. Il se réfugie en Argentine, après avoir transité par des monastères en Autriche et à Rome, bénéficiant du soutien d'une filière ecclésiastique (réseau Ratlines). Il périt après un attentat dirigé contre lui à Madrid en 1959.
J. K. **> CROATIE, EMPIRE AUSTRO-HONGROIS, SECONDE GUERRE MONDIALE, YOUGOSLAVIE.**

PAYS BASQUE > QUESTION BASQUE.

PAYS DE GALLES Demeuré pour partie indépendant, le pays de Galles, en Grande-Bretagne, est définitivement conquis par les Anglais à la fin du XIIIe siècle. En 1301, le titre de prince de Galles est attribué à l'héritier du trône, qui le porte toujours. En 1485, l'accession au trône d'Angleterre de la dynastie des Tudors, d'origine galloise, facilite l'intégration des Gallois à la vie nationale. Au XVIe siècle, les autorités anglaises entreprennent de convertir les Gallois au protestantisme et font traduire la Bible en gallois, ce qui assurera la pérennité de la langue. Dans la seconde moitié du XIXe siècle, les Gallois migrent massivement vers le riche bassin houiller du sud du pays, où se concentrent bientôt les deux tiers de la population. La crise de 1929 atteint très durement les vallées minières, qui se reconvertiront tant bien que mal après 1950. Parmi les langues celtiques, le gallois demeure aujourd'hui l'une des plus vivantes (plus d'un demi-million de locuteurs, soit 20 % de la population), mais, si les Gallois demeurent très attachés à leur identité, ils se montrent très peu autonomistes. Un premier projet d'autonomie, soumis à référendum en 1979, est repoussé. Celui présenté par Tony Blair en 1997 n'a été adopté qu'à une très courte majorité. **J. S.** **> ROYAUME-UNI.**

PAYS ÉMERGENTS Catégorie apparue au cours des années 1990 qui a recouvert la notion de « nouveaux pays industriels » (NPI) en l'élargissant d'une manière assez floue. Cette catégorie désigne généralement les pays d'Asie orientale exportateurs significatifs de produits manufacturés, les pays d'Amérique latine, ainsi qu'une partie des pays de l'ex-bloc soviétique en transition.

PAYS EN DÉVELOPPEMENT > PED.

PAYS LES MOINS AVANCÉS > PMA.

PAYS-BAS Royaume des Pays-Bas. Capitale : Amsterdam. Superficie : 40 844 km². Population : 15 735 000 (1999). L'indépendance acquise par les Provinces-Unies contre l'Espagne, au début du XVIIᵉ siècle, ouvre une période de développement économique et culturel tout à fait exceptionnel. Mais cette petite république ne défiera pas longtemps les grandes monarchies européennes : affaiblie au XVIIIᵉ siècle, prise dans la tourmente révolutionnaire, elle renaîtra en 1815 par la volonté du congrès de Vienne, sous la forme d'un royaume des Pays-Bas (comprenant alors la Belgique, qui s'en séparera en 1830). Le passage à la monarchie constitutionnelle, puis les successions au trône de mère en fille – Wilhelmine (1890-1948), Juliana (1948-1980), Beatrix (1980-) – marqueront l'histoire contemporaine d'un État tranquille, dont les traumatismes ont surtout été d'origine externe, comme la Seconde Guerre mondiale, puis, après celle-ci, la perte de sa principale colonie, l'Indonésie. Le nouveau royaume des Pays-Bas de 1815 espérait un retour à la prospérité du Siècle d'or, en s'appuyant sur les mêmes bases : commerce maritime et finance. Mais l'Angleterre s'est imposée dans ces deux domaines et a acquis une avance décisive dans la mise en œuvre de la révolution industrielle. La modernisation du système politique néerlandais (Constitution de 1848, inspirée par l'homme d'État libéral Johan Rudolphe Thorbecke) interviendra avant celle du tissu économique : vers 1865, les Pays-Bas ne possèdent encore ni grande industrie ni véritable réseau de chemin de fer. La situation change après 1870, sous l'effet de l'industrialisation de l'arrière-pays allemand. Le transit rhénan se développe, tandis que les initiatives se multiplient dans les nouvelles industries, comme en témoigne la fondation de la firme Philips en 1891. En dépit du rôle joué par Amsterdam dans l'histoire du mouvement ouvrier, les Pays-Bas ne connaîtront guère les violentes oppositions classe ouvrière-patronat qui jalonnent l'histoire des grands pays industriels. Le suffrage universel est adopté en 1917, pendant une guerre dont les Néerlandais subissent durement les conséquences économiques malgré leur neutralité. **Clivages religieux.** Dans la vie politique, les clivages religieux tiennent une grande place. Protestants et catholiques surmontent un temps leur vieille hostilité pour défendre l'enseignement chrétien (1901), puis se divisent à nouveau. Des coalitions fluctuantes dirigent le pays, avec comme axe soit les libéraux, soit l'un des partis confessionnels. Pour la première fois en 1939, des ministres socialistes figurent dans le gouvernement. Les Pays-Bas sortent alors d'une crise mondiale qui a été catastrophique pour un État dont l'économie était déjà très dépendante de l'étranger ; ils vont connaître une occupation allemande parmi les plus dures (déportation et extermination massive des Juifs) et les plus longues (reddition de l'armée allemande le 5 mai 1945). Elle laissera des traces profondes dans les esprits, outre les préjudices matériels comme la submersion d'une partie des polders et la destruction du centre de Rotterdam. Après 1945, la reconstruction mobilise la population, avec un certain consensus social qu'illustre l'association au gouvernement des catholiques et des socialistes. De grands travaux de protection du territoire sont poursuivis (poldérisation de l'ancien Zuiderzee) ou lancés (plan Delta). La constitution du Benelux (1948) permet d'espérer un élargissement des marchés et une plus grande audience internationale. Mais la décolonisation de l'Empire néerlandais se passe mal : après plusieurs années de combats, les Pays-Bas doivent reconnaître l'indépendance de l'Indonésie en 1949. **Recentrage sur l'Europe.** Les Pays-Bas sont alors conduits à un recentrage sur l'Europe et ils jouent un rôle moteur dans la fondation, puis le renforcement et l'élargissement de la CEE. Les années 1960 et le début des années 1970 sont marqués par une forte expansion économique, une augmentation sensible du niveau de vie et le parachèvement de l'État-providence. Le premier choc pétrolier (1973) brise cet élan ; en 1977, une coalition de droite accède au gouvernement et met progressivement en place une politique d'austérité qui se heurte à l'hostilité croissante des syndicats. Les années 1980 sont les plus difficiles, avec une forte montée du chômage et une dégradation du consensus politique et social. Le retour des socialistes au gouvernement (1989), sous direction chrétienne-démocrate (Ruud Lubbers [1939-]), facilite la recherche d'un compromis. Les Pays-Bas occupent la présidence tournante de la Communauté européenne lors de la préparation de l'Union économique et monétaire (UEM), symbolisée par le traité de Maastricht (1991). À défaut d'obtenir le siège de l'Institut monétaire européen puis de la Banque centrale européenne (BCE), dévolu à Francfort, les Néerlandais en assument cependant la première présidence en 1997, en la personne de Wim Duisenberg. **Le « polder model ».** Les chrétiens-démocrates, victimes de l'usure du pouvoir, passent dans l'opposition en 1994. On donne alors peu de chances de survie à la nouvelle coalition, constituée des socialistes .et des libéraux, sous la direction de l'ancien syndicaliste Wim Kok (1938-). Mais le redressement économique des Pays-Bas lui permet de passer avec succès le cap des

législatives de 1999. Au début des années 2000, les Pays-Bas offrent une image de prospérité qu'on leur envie souvent à l'étranger : dans les médias, le « modèle des polders » *(polder model)* est ainsi devenu synonyme de mondialisation apprivoisée et de chômage maîtrisé. Cette forte baisse du chômage s'est cependant accompagnée du maintien d'un taux élevé d'« inaptes au travail » et du développement considérable du travail à temps partiel (pas toujours choisi) chez les femmes. L'économie néerlandaise confirme son ouverture internationale, avec une orientation de plus en plus marquée vers les services, dans une conjoncture mondiale devenue plus favorable à la fin des années 1990. **J.-C. B.**

PAYSANS SANS-TERRES (Brésil)

Créé en 1984, à la fin du régime militaire, le mouvement des Sans-terres, implanté dans chaque État fédéré du Brésil, financé par ses membres et des ONG (organisations non gouvernementales) européennes, est internationalement connu pour sa stratégie d'occupation des terres inexploitées ou dont les titres de propriété paraissent entachés d'irrégularités. Les zones occupées (de 30 à 120 selon les années) sont défrichées, mises en culture collective. Pour y pénétrer, puis pour les défendre contre les hommes de main des grands propriétaires ou contre l'armée appelée en renfort, les Sans-terres n'excluent pas l'affrontement (plusieurs dizaines de morts par an). En cela, le mouvement des Sans-terres se différencie des autres organisations paysannes, composées de petits propriétaires, de métayers, d'ouvriers agricoles et tournées vers des revendications corporatives. Sa clientèle est beaucoup plus vaste puisqu'il tente de mobiliser tous les déminis susceptibles de vouloir s'installer en milieu rural. La plupart de ses responsables sont diplômés du supérieur et formés dans des établissements catholiques ; les autres sont plutôt d'anciens militants communistes, exilés à Cuba pendant la dictature. Il en découle une rhétorique mêlant théologie de la libération, marxisme et arguments favorables à l'insertion dans une économie de marché de forme différenciée. À partir de 1995, alors que le gouvernement de Fernando Henrique Cardoso accélérait nettement les programmes de distribution de terres publiques, le mouvement des Sans-terres a élargi ses modes d'intervention en multipliant les occupations symboliques, pour quelques heures, dans les grandes villes (banques, bâtiments officiels). Si ces actions ont suscité la curiosité des médias et aidé à rappeler à l'opinion publique la gravité de la question agraire, elles ont pu aussi brouiller l'image du mouvement, en diminuer l'originalité, au risque de le faire passer pour un simple groupe de pression. **S. Mo.** > BRÉSIL.

PCE (Parti communiste espagnol)
> SOCIALISME ET COMMUNISME (ESPAGNE).

PCF (Parti communiste français)
> SOCIALISME ET COMMUNISME (FRANCE).

PCI (Parti communiste italien)
> SOCIALISME ET COMMUNISME (ITALIE).

PCUS (Parti communiste de l'Union soviétique)
La décision de changer l'intitulé du parti bolchevik est prise en mars 1918. Il s'agit de concrétiser la rupture avec le réformisme social-démocrate. Dans une Russie qui s'enfonce dans la guerre civile, le Parti communiste de Russie (bolchevik) – PCR (b) – proscrit bientôt toutes les autres forces politiques avant d'imposer en son sein l'interdiction des tendances et des fractions (1921). Le Parti, qui se proclame parti de la classe ouvrière, adapte ses structures à l'organisation fédérale de l'ensemble soviétique ; en 1924, il devient le Parti communiste pansoviétique – VKP (b). Chaque république fédérée, à l'exclusion de la Russie, est dotée d'un PC. La mise au pas des oppositions, puis les purges des années 1930 achèvent de transformer le VKP (b) en instrument au service de Staline. En 1952, il devient Parti communiste de l'Union soviétique (PCUS). En août 1991, rendu responsable de l'organisation du coup d'État, le PCUS est interdit par Boris Eltsine et dépouillé de tous ses biens. Son héritage politique va être bientôt revendiqué par le Parti communiste de la Fédération de Russie. **C. U.** > RÉGIME SOVIÉTIQUE.

PEARSON Lester Bowles (1897-1972)
Diplomate et homme politique canadien, Premier ministre du Canada de 1963 à 1968. Fils d'une famille de pasteurs de l'Ontario (Canada), Lester Bowles Pearson fait ses études dans cette province avant de participer à la Première Guerre mondiale, durant laquelle il est blessé. En 1928, il entre comme diplomate dans l'embryon du ministère des Affaires extérieures du Canada, dont il va devenir le véritable fondateur après le statut de Westminster en 1931. Il est en poste à Londres, puis, à partir de 1941, à Washington, où il devient ambassadeur. Il rentre en 1946 à Ottawa et devient ministre des Relations extérieures du gouvernement libéral de Louis Saint-Laurent (1935-1948). En 1948, il est élu pour la première fois aux Communes et, en 1958, devient chef du Parti libéral dans l'opposition. Il est Premier ministre en 1963 et le reste jusqu'en 1968, quand il laisse la place à Pierre Elliott Trudeau. Durant les années 1950, il fonde la politique internationale du Canada sur le multilatéralisme et une présence active dans les institutions internationales que sont l'ONU (Organisation des Nations unies) et l'OTAN (Organisation du traité de l'Atlantique nord). Il préside la conférence de San Francisco, qui aboutit au traité de paix avec le Japon en 1951, et l'Assemblée générale de l'ONU en 1952-1953. Il est l'auteur du processus de paix après la crise de Suez en 1956, ce qui lui vaut le prix Nobel de la paix en 1957. Grâce à lui, le Canada peut s'enorgueillir d'un rôle éminent dans le maintien de la paix sous l'égide de l'ONU. En tant que Premier ministre, il sera témoin d'un profond mouvement de modernisation sociale et culturelle au Québec, après quarante ans de conservatisme dans ces domaines, qui se concrétise entre autres par le recul de l'influence de l'Église, la création d'un ministère de l'Éducation et l'immense popularité des chanteurs revendiquant l'identité québécoise, tels Félix Leclerc, Gilles Vigneault ou Robert Charlebois : c'est la Révolution tranquille. L. B. Pearson tente d'en contenir les effets en développant le bilinguisme canadien et en accommodant certaines demandes québécoises. Disposant d'une majorité réduite, il doit laisser leur place aux nouveaux élus du Québec et fait

rentrer P. E. Trudeau dans son gouvernement dès 1965. Lorsqu'il se retire en 1968, il est l'homme politique canadien le plus connu dans le monde. **J. P.** **> CANADA.**

PED « **P**ays en développement » est l'intitulé officiel adopté par les institutions internationales pour désigner la classe des pays n'ayant pas atteint un certain niveau de revenus. Cette notion s'est substituée à celle de « pays en voie de développement » (PVD) qui fut un temps employée (après la Iʳᵉ CNUCED de 1964), cette notion ayant elle-même succédé à celle de « pays sous-développés ». Les PED se subdivisent en pays à faibles revenus et pays à revenus intermédiaires. D'autres catégories sont également apparues, comme PMA (pays les moins avancés) et NPI (nouveaux pays industriels). La multiplication de ces intitulés souligne l'extrême diversité caractérisant les pays du tiers monde.

PÉKIN (printemps de) Le premier printemps de Pékin a duré un an, de novembre 1978 à novembre 1979 (le second restera attaché au nom de la place Tian An Men). Pour la première fois depuis la fondation du régime communiste en 1949, l'opposition chinoise s'est dotée de structures autonomes en marge du monde officiel : groupes, associations et revues. Le mouvement part d'un carrefour de Pékin, surnommé « Mur de la démocratie », sur lequel ont été apposés des textes contestataires aussi marquants que celui de Wei Jingsheng, intitulé *La Cinquième Modernisation : la démocratie*. La répression, qui débute en mars 1979, envoie des dizaines de dissidents en prison pour des peines allant de quelques mois à quinze ans de réclusion. La plupart de ces dissidents étaient restés fidèles à une analyse marxiste de la situation en Chine, mais ce mouvement permettra l'émergence d'une authentique opposition démocratique. **M. H.** **> CHINE, DISSIDENCE ET OPPOSITIONS (CHINE).**

PENDJAB Cœur du fugace empire du maharadjah Ranjit Singh (1780-1839), le Pendjab est tragiquement secoué au xxᵉ siècle par des conflits religieux doublés d'aspirations nationalistes. Vieille terre de passage entre Indus et Gange, le Pendjab voit naître en 1499 le sikhisme, religion minoritaire empruntant à l'hindouisme et à l'islam, militarisée par le gourou Gobind Singh (1666-1708). Lors de la partition de l'empire des Indes, en 1947, le Pendjab est divisé entre l'Inde et le Pakistan, dans le sang des massacres qui firent des millions de réfugiés et quelque 500 000 morts. À l'ouest, le Pendjab pakistanais (205 344 km²) compte 68 millions d'habitants, en majorité musulmans. Fort de son poids démographique, économique, militaire et religieux, il domine les autres provinces du « pays des purs » qui dénoncent son hégémonie. À l'est, l'État indien du Pendjab choisit de s'affirmer comme terre des sikhs, en abandonnant en 1966 une part de son territoire à majorité hindoue. Pris dans les contradictions économiques de la « révolution » verte transformant son agriculture, le Pendjab indien est agité après 1977 par un mouvement revivaliste sikh, tournant au sécessionnisme armé en faveur d'un Khalistan indépendant. Son quartier général, le temple d'or d'Amritsar, est investi par les troupes indiennes en juin 1984. Après l'assassinat du Premier ministre indien Indira Gandhi (1917-1984), huit ans de répression et de tractations permettent un lent retour à la normale du grenier de l'Inde. **J.-L. R.** **> INDE.**

PENTAGONE Créé en 1949 par des amendements au *National Security Act* de 1949, le ministère de la Défense (Department of Defense) des États-Unis est appelé Pentagone en référence à la forme du bâtiment qui l'abrite et qui, construit pendant la Seconde Guerre mondiale (il devait être transformé ultérieurement en hôpital...), a remplacé les sièges des ministères de la Guerre (War, créé en 1789, devenu Army en 1949) et de la Marine (Navy, créé en 1798). Les institutions, elles, sont demeurées, mais ont été placées sous son autorité suprême, avec le ministère de l'Air (Air Force, créé à la même époque). Le but de la réforme était d'éviter les rivalités entre services, mais elle a largement échoué bien qu'une coopération minimale ait été mise en place. À partir de 1949, le ministre de la Défense est nommé (comme les chefs des autres armes) par le président, avec l'avis et le consentement du Sénat ; comme tous les ministres, il peut être congédié par le président. **Le** ministre de la Défense est assisté de *joint chiefs of staff* (État-Major), nommés par le chef de l'État : un président, un vice-président, les chefs d'état-major de l'armée, de la marine et de l'air et le commandant du Marine Corps. Il siège de droit au Conseil national de sécurité (créé en 1947) qui dépend du président et le conseille pour les décisions concernant la politique étrangère et la défense. **M.-F. T.** ➤ ÉTATS-UNIS.

PERESTROÏKA Terme signifiant « restructuration ». Venant d'accéder, le 11 mars 1985, au poste de secrétaire général du PCUS (Parti communiste de l'Union soviétique), Mikhaïl Gorbatchev engage dès avril une dynamique de relance qu'il nomme « *perestroïka* » s'articulant autour de trois objectifs. Le premier consiste à réduire les dépenses militaires par une nouvelle politique de détente (la « nouvelle pensée »), le deuxième à accroître la production, le troisième à revivifier la société, notamment en lui tenant un langage de vérité (« *glasnost* »). En fait de restructuration du régime soviétique, les réformes gorbatchéviennes viennent aboutir à la déstructurer et conduire à la disparition de l'URSS. ➤ RUSSIE ET URSS, URSS (FIN DE L').

PÉRIPHÉRIE ➤ CENTRE-PÉRIPHÉRIE.

PERÓN Juan Domingo (1895-1974) Homme politique argentin. Figure dominante, haïe autant qu'adulée, de la vie politique argentine au xxᵉ siècle, Juan Domingo Perón, né le 8 octobre 1895 de parents éleveurs dans la Pampa, rejoint l'infanterie à sa sortie du Collège militaire en 1913. **Le** colonel Perón entre en politique en 1943, en participant à la « révolution militaire », nationaliste et favorable aux puissances de l'Axe, contre le gouvernement *de facto* qui avait renversé en 1930 le président radical Hipólito Irigoyen (1852-1933). **Un** séjour en Italie en 1939 lui avait permis d'observer le fascisme en action. Secrétaire

d'État au Travail et à la Prévoyance sociale fin 1943, il développe la protection sociale et jette ainsi les bases de sa popularité dans le monde ouvrier. Ministre de la Guerre, puis vice-président en 1945, sa destitution le 10 octobre provoque une grève générale. **Il** est ramené au pouvoir sous la pression populaire le soir du 17 octobre. Il quitte alors l'armée à 50 ans et épouse peu après la jeune actrice María Eva Duarte (1919-1952) dite Evita, égérie des « sans chemises » des secteurs sociaux défavorisés. Élu président de la République le 24 février 1946 avec 55 % des suffrages, en dépit d'une violente campagne ouvertement soutenue par les États-Unis, il fonde le mouvement péroniste (Parti justicialiste) et met en place un régime corporatiste et nationaliste de style populiste. La doctrine justicialiste repose sur une relation directe avec les syndicats, désormais unifiés dans la Confédération générale du travail (CGT) et acquis au pouvoir en échange de grandes avancées sociales. Réélu en 1951 dans un contexte quasi dictatorial, il est affaibli par la mort d'Evita (26 juillet 1952). Combattu par l'oligarchie agraire et industrielle et par l'Église, il est renversé par les militaires le 16 septembre 1955 et le péronisme est interdit. **D**epuis son long exil dans divers pays d'Amérique latine, puis dans l'Espagne franquiste à partir de 1960, il conserve la maîtrise du péronisme. C'est donc en rassembleur qu'il rentre définitivement le 20 juin 1973 dans une Argentine politiquement très polarisée. Réélu président avec 62 % des suffrages le 21 septembre 1973, après la démission du vainqueur péroniste à l'élection du 11 mars 1973, il décède le 1ᵉʳ juillet 1974. Sa veuve María Estela Martínez (dite Isabel, 1931-), vice-présidente sans aucune expérience politique, lui succède. Son gouvernement est finalement renversé par les militaires le 24 mars 1976. **S. J.** ➤ ARGENTINE.

PÉROU République du Pérou. Capitale : Lima. Superficie : 1 285 216 km². Population : 25 230 000 (1999). **Le** Pérou, centre de l'Empire inca aux xvᵉ et xvlᵉ siècles, obtint son indépendance en 1821. Tout au long du xixᵉ siècle, une série de *caudillos* militaires président au destin du pays. Le boom du guano, principale exportation du Pérou avec la laine et le nitrate, permet à une forte oligarchie de propriétaires terriens exploitant une main-d'œuvre semi-servile de diversifier ses investissements, entraînant un début de modernisation du pays. Cet essor économique est interrompu par la défaite du Pérou dans la guerre du Pacifique contre le Chili (1879-1883). De 1895 à 1919, période connue comme la « République aristocratique » et marquée par une très forte croissance des exportations, se succèdent une série de gouvernements constitutionnels jusqu'à la dictature civile d'Augusto Leguía (1919-1930), dont la chute ouvre une période d'instabilité politique. En cette première moitié du siècle, l'économie péruvienne est essentiellement fondée sur les exportations agricoles, le caoutchouc et la laine. Les capitaux américains, succédant aux britanniques, s'investissent surtout dans le pétrole et les mines, qui deviendront ultérieurement la principale source d'exportation. L'histoire du Pérou au xxᵉ siècle est marquée par le mouvement cyclique des prix des matières premières, dont la chute a souvent engendré de graves conflits sociaux et politiques, des coups d'État, et alimenté une corruption récurrente. À compter des années 1930, les gouvernements militaires et civils alternent au pouvoir en nombre presque égal. La crise de 1929 et les fortes inégalités sociales et régionales accentuent la polarisation politique entre, d'une part, les forces de l'oligarchie et de l'armée, liées aux intérêts latifundistes et capitalistes, et, d'autre part, les nouvelles forces de tendance socialisante, en particulier l'Alliance populaire révolutionnaire américaine (APRA) de Victor Raúl Haya de la Torre (1895-1980), qui se bat jusque dans les années 1940 pour une économie fortement planifiée et collectivisée sous l'égide d'un État fort et anti-impérialiste, avant d'évoluer vers des positions plus modérées. Après les velléités réformatrices du centriste Fernando Belaunde Terry (1963-1968), le coup d'État du général Juan Velasco Alvarado (1968-1975) rompt le pacte avec l'oligarchie en étatisant ou collectivisant une grande partie de l'économie et

en impulsant la réforme agraire la plus radicale d'Amérique latine. Le retour à la démocratie en 1980 avec l'élection de F. Belaunde, puis celle de l'apriste Alan Garcia (1985-1990) – dont le mandat s'achève sur une débâcle économique et des accusations de corruption – voit les actions terroristes de deux groupes armés, le Mouvement révolutionnaire Tupac Amaru (MRTA), guévariste, et surtout le Sentier lumineux, maoïste, mettre gravement en danger l'économie et le système politique péruviens. En 1990, un inconnu, Alberto Fujimori (1938-), triomphe aux élections. Malgré ses victoires contre le terrorisme et ses succès dans la lutte contre l'hyperinflation, sa politique d'ajustement néo-libéral aux effets fortement récessifs élargit le fossé qui sépare les riches de la majorité pauvre. En s'accrochant au pouvoir avec l'aide de l'armée et sur la base de violations de la Constitution, de fraude électorale et de persécution de ses rivaux politiques, il finit par recréer un fort climat d'instabilité. En septembre 2000, une grave affaire de corruption le contraint à convoquer des élections anticipées. **C. F. F.**

PÉTAIN Philippe (1856-1951) Militaire et homme politique français. Philippe Pétain constitue, par son parcours militaire et politique, l'une des figures françaises les plus controversées du xxᵉ siècle. Officier de carrière, il est à la veille de prendre sa retraite quand éclate la Grande Guerre. Il peut enfin mettre en application sa théorie sur l'intérêt de la guerre de position en organisant la défense de Verdun en 1916 au prix de pertes humaines énormes. Nommé commandant en chef des forces françaises après les mutineries de 1917 (Craonne), il rétablit l'ordre (54 soldats seront exécutés) mais assoit sa popularité en améliorant les conditions de la vie des troupes et surtout en renonçant aux offensives inutiles. Devenu maréchal de France en novembre 1918, il poursuit une double carrière. Après avoir réprimé en 1925 la révolte d'Abdelkrim (1882-1963) au Maroc (guerre du Rif), il joue un rôle clé dans la définition de la doctrine militaire française fondée sur la défensive. En 1934, il devient ministre de la Guerre et, en 1939, est nommé ambassadeur auprès de l'Espagne de Franco.

Le désastre militaire de 1940 le propulse au premier rang. Il appelle à un armistice tout en faisant « don de sa personne » au pays. Il utilise alors son prestige de vainqueur de Verdun pour créer l'« État français » dont il est le chef. Certain de pouvoir traiter d'égal à égal avec les Allemands, il assume l'ensemble des décisions du gouvernement de Vichy. Pourtant, à partir de 1942, il subit les exigences de plus en plus lourdes des occupants. Emmené de force en Allemagne en août 1944, il revient se livrer aux autorités françaises en avril 1945. Jugé et condamné à mort, il est gracié et interné jusqu'à son décès. **F. S.** **> FRANCE.**

PETITE ENTENTE Conclue en 1920-1921 entre le royaume des Serbes, Croates et Slovènes (la première Yougoslavie), la Tchécoslovaquie et la Roumanie, l'alliance de la Petite Entente défend les frontières issues du traité de Trianon (1920). La France, par une série d'accords et promesses, a fait de la Petite Entente, dans les années 1920 et 1930, un axe diplomatique.

PETKOV Nikola Dimitrov (1893-1947) Homme politique bulgare. Né à Sofia, dans une famille aisée et politiquement active (son père, ancien maire de Sofia et Premier ministre, avait été assassiné en 1907), Nikola Dimitrov Petkov termine ses études de droit à Paris (1922), où il travaille comme secrétaire de la légation bulgare, puis comme publiciste. Entré en 1923 à l'Union agrarienne nationale bulgare (BZNC), il se lie à l'émigration agrarienne, notamment à Alexandar Obbov (1887-1975). À son retour en Bulgarie en 1929, il rejoint la tendance « Pladne » des agrariens, puis le BNZC-Vrabtcha 1, avant de se rallier au courant de Georges Dimitrov en 1938, date de son élection à la députation. Hostile à l'alignement de la Bulgarie sur l'Allemagne, N. Petkov contribue en 1942 à la fondation du Front populaire (FP), qui rassemble les communistes, membres du Cercle Zveno (cercle élitaire technocratique hostile au régime des partis), des sociaux-démocrates et agrariens de gauche, ce qui lui vaut d'être envoyé en camp (1942-1943) par le régime du tsar Boris. Après le coup d'État du 9 septembre 1944,

le leader agrarien entre dans le cabinet de Kimon Georgiev (1882-1969) et au comité national du FP (mars 1945). En parallèle, il prend la tête du BZNC que G. Dimitrov, menacé d'arrestation, a quitté pour se réfugier à l'étranger. Dès l'été 1945, cet homme cultivé et partisan d'un retour à la démocratie prend ses distances avec le nouveau pouvoir : démissionnaire du gouvernement et du FP, il rassemble, dans le cadre d'un nouveau BZNC-Nikola Petkov, les agrariens hostiles à la soviétisation du pays et utilise la tribune de l'Assemblée, où il est député, pour dénoncer avec un talent oratoire reconnu les dérives du régime. Arrêté au Parlement même le 9 juin 1947, accusé d'espionnage, il est condamné à mort le 16 août au terme d'une parodie de procès et exécuté le 23 septembre 1947. N. Petkov a été réhabilité à titre posthume le 15 janvier 1990. **N. R.** **> BULGARIE.**

PEUPLES PUNIS Parmi les nombreuses « taches blanches » de l'histoire soviétique figura longtemps, comme un secret particulièrement bien gardé, l'épisode de la déportation, dans les années 1940, de peuples entiers soupçonnés collectivement de « diversion, espionnage et collaboration » avec l'occupant nazi pendant la Seconde Guerre mondiale. Certes, plus tard, une série de décrets (1956-1957) annula l'infamante catégorie des « déplacés spéciaux » – terme administratif qui désignait, aux côtés des paysans « dékoulakisés » lors de la collectivisation agraire forcée des années 1930, cette catégorie de citoyens « collectivement punis » –, tout en maintenant l'interdiction de retour, puis une autre rétablit progressivement (1957-1967) l'existence juridique d'un certain nombre de républiques autonomes, en reconnaissant que des « excès » et des « généralisations » avaient eu lieu dans l'accusation de « collaboration collective ». Ce n'est qu'en 1972, cependant, que les ressortissants des peuples déportés – à l'exception des Tatars de Crimée qui ne furent pleinement réhabilités qu'en 1989 – reçurent enfin l'autorisation au moins théorique de « choisir librement leur lieu de domicile ». Jusqu'au milieu des années 1960, le plus grand secret entoura la levée progressive des sanctions infligées aux « peuples punis » : les décrets antérieurs à 1964 ne furent jamais publiés. Il fallut attendre en fait la « déclaration du Soviet suprême » du 14 novembre 1989 pour que l'État soviétique reconnût enfin l'« illégalité criminelle des actes barbares commis par le régime stalinien vis-à-vis des peuples massivement déportés ». **Allemands de la Volga, Tchétchènes, Ingouches, Tatars de Crimée...** En matière d'opérations massives de déportation, la police politique (NKVD) ne manquait pas d'expérience : en 1930-1931, plus de 1 800 000 paysans « dékoulakisés » avaient été déportés, il est vrai dans la plus grande des pagailles et dans l'improvisation la plus totale. Au cours des années 1930, le NKVD perfectionna ses techniques à cet égard ; la déportation de 36 000 Polonais des zones frontalières d'Ukraine vers le Kazakhstan, réalisée en trois jours durant le mois d'avril 1936, fut un modèle du genre. De février 1940 à juin 1941, le NKVD déporta encore 380 000 Polonais d'Ukraine et de Biélorussie occidentales, rattachées à l'URSS après le partage de la Pologne entre l'Allemagne nazie et l'URSS. À la fin du mois d'août 1941, les troupes spéciales du NKVD entreprirent, alors que l'Armée rouge connaissait une débâcle sans pareille, la déportation au Kazakhstan de plus de 900 000 Allemands, descendants de colons installés de longue date principalement dans la république autonome des Allemands de la Volga, mais aussi dans d'autres régions (provinces de Toula, de Stavropol, de Krasnodar). Trois ans plus tard, c'est pour « avoir massivement collaboré avec l'occupant nazi » que six autres peuples (Tchétchènes, Ingouches, Tatars de Crimée, Karatchaïs, Balkars et Kalmouks) furent déportés, entre octobre 1943 et juin 1944, vers la Sibérie, le Kazakhstan et l'Oural. Cette vague principale de déportation fut suivie d'autres. Malheureusement, les archives exhumées n'apportent guère de précisions nouvelles sur la « collaboration » avec les nazis des peuples montagnards du Caucase, des Kalmouks et des Tatars de Crimée. Aussi en est-on réduit, sur ce point, à ne retenir qu'un certain nombre de faits isolés qui induisent seulement l'exis-

tence – notamment en Kalmoukie, dans le pays karatchaï et en Kabardino-Balkarie – de noyaux de collaborateurs, mais pas d'une collaboration générale érigée en véritable politique. C'est après la perte par l'Armée rouge de Rostov-sur-le-Don (juillet 1942) et l'occupation allemande du Caucase (été 1942-printemps 1943) que se placent les épisodes collaborationnistes les plus controversés : dans le vide du pouvoir entre le départ des Soviétiques et l'arrivée des nazis, un certain nombre de personnalités locales mirent alors sur pied des « comités nationaux » à Mikoïan-Chakhar (région autonome des Karatchaïs-Tcherkesses), à Naltchik (république autonome de Kabardino-Balkarie) et à Elitsa (république autonome des Kalmouks). L'armée allemande reconnut l'autorité de ces comités locaux qui disposèrent, quelques mois durant, d'une autonomie religieuse, politique et économique. L'expérience caucasienne ayant renforcé le « mythe musulman » à Berlin, un autre peuple, les Tatars de Crimée, fut autorisé à avoir son comité central musulman, installé à Simferopol. Cependant, par crainte de voir renaître le mouvement pantouranien (mouvement national dirigé par les Tatars de la Volga, dont le chef de file était Sultan Galiev [1880-1937]) brisé par le pouvoir soviétique au début des années 1920, les autorités nazies n'accordèrent jamais aux Tatars de Crimée l'autonomie dont bénéficièrent, quelques mois durant, Kalmouks, Karatchaïs et Balkars. En contrepartie, les autorités locales levèrent quelques troupes (six bataillons tatars en Crimée, un corps de cavalerie kalmouke) aux effectifs réduits (quelques milliers d'hommes) pour combattre les maquis de partisans locaux restés fidèles au régime soviétique. **Des rafles soigneusement préparées.** Les cinq grandes rafles-déportations, organisées durant la période allant de novembre 1943 à mai 1944, se déroulèrent selon un processus bien rodé. La phase de « préparation logistique » était soigneusement organisée, durant plusieurs semaines, avec la mise en place d'un nombre important de convois de déportation : 194 convois de 65 wagons pour la déportation, en six jours, de 521 247 Tchétchènes et Ingouches, 46 convois pour la

déportation de quelque 93 139 Kalmouks en quatre jours... Les opérations, minutées heure par heure, commençaient par l'arrestation des « éléments potentiellement dangereux » – entre 1 % et 2 % de la population – et se déroulaient, semble-t-il, très rapidement. Les résistances, face au déploiement massif, paraissent avoir été très limitées. Les opérations de déportation furent aussi mieux préparées que celles menées dans les années 1930 du point de vue des structures d'accueil des « déplacés spéciaux » : contrairement aux paysans déportés en 1930-1932 et abandonnés en pleine taïga, la majorité des personnes déportées en 1943-1945 fut rapidement « casée » dans des structures déjà existantes : ainsi, des 112 101 familles déportées du Caucase du Nord au Kazakhstan, 85 167 étaient déjà, au 1er juillet 1945, rattachées à des kolkhozes ou à des sovkhozes locaux, mais dépendaient administrativement de « commandants » du NKVD qui géraient ces « villages de travail », distincts des camps du Goulag proprement dits, même si la frontière était perméable et mouvante. Les conditions de transfert, puis d'existence de ces « déplacés spéciaux » étaient effrayantes. Sur les 89 102 enfants d'âge scolaire déportés au Kazakhstan, moins de 12 000 étaient scolarisés en 1948, quatre ans après la déportation. Les instructions stipulaient, par ailleurs, que l'enseignement des enfants de « déplacés spéciaux » devait être assuré uniquement en russe. Des 608 749 personnes déportées du Caucase du Nord, 146 892 étaient mortes au 1er octobre 1948 et seulement 28 120 étaient nées entre-temps. Des 228 392 personnes déportées de Crimée, 44 887 étaient mortes en quatre ans (6 564 naissances seulement). **N. W.**
> EMPIRE RUSSE, EMPIRE SOVIÉTIQUE, NATIONALITÉS EN URSS (POLITIQUE DES), RUSSIE ET URSS, STALINISME.

PHALANGE (Espagne) Mouvement politique de tendance fasciste, né de la fusion de la Phalange espagnole créée en 1933 par José Antonio Primo de Rivera (1903-1936) et des Juntas Ofensivas Nacional Sindicalistas. Groupe assez restreint d'activistes de droite ultranationalistes (ils multiplient les attentats individuels), les phalangistes condamnent à la fois le marxisme et les excès du capitalisme. Participant efficacement au *pronunciamiento* (coup d'État) de juillet 1936, ils attirent, malgré l'arrestation et l'exécution de leur fondateur, des dizaines de milliers d'adhérents. Le décret d'avril 1937 donne le nom de Phalange au parti unique, né de la fusion de tous les groupements politiques qui ont participé au soulèvement. Les 26 points du programme de la Phalange deviennent la doctrine officielle de l'État. La Phalange donne ses cadres au nouveau régime, contrôle les syndicats « verticaux », ainsi que (dans un premier temps) la presse et la propagande. En fait, elle est un instrument docile aux mains de Franco et perdra progressivement toute originalité. Symboliquement, elle change de nom en 1958 pour devenir le Mouvement national. **É. T.** **> ESPAGNE, FASCISMES.**

PHALANGES LIBANAISES Le parti Kataëb (Phalanges) est fondé au Liban en 1936 par Pierre Gémayel (1905-1984). Organisé sur le modèle des partis fascistes européens, le parti phalangiste mobilise les maronites autour de la défense du Liban chrétien. Soutenus par Israël, les Kataëb sont, en 1975, la plus importante milice du Liban. C'est un accrochage entre Kataëb et Palestiniens qui déclenche la guerre civile, le 13 avril 1975. À partir de 1977, les Phalanges prennent la tête du camp chrétien et des Forces libanaises (FL, alliance des milices chrétiennes) sous l'égide de Béchir Gémayel (1947-1982), élu président de la République en 1982, aussitôt assassiné et remplacé par son frère Amin (1942-), président de 1982 à 1988. À partir de la seconde moitié des années 1980 cependant, le parti Kataëb est marginalisé, au sein même du camp chrétien, par les FL. **L. V.** **> LIBAN.**

PHILIPPINES République des Philippines. Capitale : Manille. Superficie : 300 000 km². Population : 74 454 000 (1999). Influencé par José Rizal (1861-1896), auteur du roman *Noli me tangere* (« Ne me touchez pas ») qui dépeint les souffrances du peuple philippin sous la tyrannie espagnole, le mouvement nationaliste trouve ses organisateurs en Andrès Bonifacio (1863-1896), puis Emilio Aguinaldo (1869-1964). Les nationalistes déclenchent en 1896 une insurrection et proclament la République. Divisés puis battus, ils doivent cesser le combat. E. Aguinaldo s'exile à Hong Kong. Avec le déclenchement de la guerre hispano-américaine, les États-Unis font irruption sur la scène. Vaincue, l'Espagne cède l'archipel aux États-Unis par le traité de Paris (10 décembre 1898). **Les réformes et les engagements des États-Unis.** Dans la confusion, E. Aguinaldo est revenu au pays et a proclamé l'indépendance (18 juin 1898). Il fait adopter la Constitution de Malolos, sur le modèle de la Constitution cubaine de 1895, et poursuit la lutte armée contre les États-Unis. Alors que le pays n'est pas encore totalement pacifié, Washington engage de profondes réformes du système politique, administratif, éducatif et économique, qui obtiennent le soutien des *ilustrados* (« les lettrés ») qui ont fondé le Parti fédéraliste (décembre 1900). Si ces derniers militent pour que les Philippines deviennent un État de l'Union, de jeunes radicaux – Manuel Quezon y Molina (1878-1944), Sergio Osmena (1878-1961) – lancent le Parti nationaliste qui dénonce les collaborateurs. Lors des premières élections à l'Assemblée philippine (1907), les premières législatives libres d'Asie, les nationalistes l'emportent. Ils domineront la scène politique jusqu'au début de la Seconde Guerre mondiale. En 1913, l'arrivée d'un gouverneur libéral, Francis Burton Harrison (1913-1921), accélère la « philippinisation » de l'administration. L'adoption de la loi Jones ou *Philippine Autonomy Act*, le 29 août 1916, va encore plus loin en inscrivant dans son préambule que les gouvernements des États-Unis ont toujours eu « l'intention d'accorder l'indépendance aux Philippines dès qu'un gouvernement stable pourrait y être établi ». Après le retour au pouvoir des républicains à Washington, en novembre 1920, le processus d'émancipation national connaît une longue pause. Avec la crise de 1929, l'expression nationaliste renaît. En 1930, Crisanto Evangelista fonde le Parti communiste

philippin (7 novembre), Pedro Abad Santos, le Parti socialiste, et Benignol Ramos, la Sakdal (« Protestation »). La question de l'indépendance renaît dans ce contexte avec d'autant plus d'acuité que les démocrates reviennent aux affaires en 1932. **Les modalités de l'accès à l'indépendance.** En décembre 1931, S. Osmena et Manuel Roxas y Acuna (1892-1948) viennent apporter à Washington leur soutien au projet de loi d'indépendance du représentant Harry Hawes (Missouri). En dépit du veto émis par le président Herbert Hoover (1929-1933), le Congrès adopte le texte mais l'Assemblée philippine le rejette à l'initiative de M. Quezon. Le 24 mars 1934, le président Franklin D. Roosevelt promulgue une nouvelle loi (Tydings-McDuffie) qui prévoit un mandat de transition sur dix ans vers l'indépendance. Le *Philippine Independence Act* instaurera un « Commonwealth des Philippines » dès l'adoption d'une nouvelle Constitution. Une Assemblée constituante est élue le 10 juillet 1934 et son texte adopté par plébiscite l'année suivante. Le 17 septembre 1935, M. Quezon est élu à la présidence du Commonwealth et S. Osmena à la vice-présidence. En 1941, les deux hommes sont réélus. Quatre semaines plus tard, la guerre du Pacifique est déclarée. Dès le 7 décembre, les Philippines sont bombardées. Débarqués dans le golfe de Lingyayen (22 décembre), les Japonais s'emparent de Manille le 2 janvier 1942. N'ayant pu négocier sa reddition, puis la neutralité de son pays, M. Quezon se réfugie aux États-Unis, où il forme un gouvernement en exil. Avant de se replier sur l'Australie, le général américain Douglas MacArthur promet, le 17 mars 1942, de revenir (« *I shall return* »). Ayant pris le contrôle de tout l'archipel après la bataille de Corregidor (mai 1942), Tokyo accorde l'indépendance aux Philippines (14 octobre 1943) et, par l'entremise de l'Association pour le service des nouvelles Philippines qui s'est substituée aux partis politiques, le Dr José Laurel est élu président de la République. Avant que les troupes américaines ne débarquent à Leyte (20 octobre 1944), un mouvement de résistance nationale s'est développé contre l'occupation nippone et ses collaborateurs. Forte de son action pendant la guerre, l'Armée du pays philippin contre le Japon réunissant ceux qu'on appelle les « Huks » en langue tagalog, organisée par Luis Taruc et les militants communistes, se transforme en mouvement de lutte contre l'oligarchie des propriétaires fonciers et réclame un meilleur accès des paysans à la terre. Le 4 juillet 1946, l'archipel redevient indépendant. M. Roxas y Acuna devient le premier chef de l'État de la IIIᵉ République. Quelques mois après son élection, le 17 mars 1947, il signe un accord de défense avec les États-Unis permettant à ceux-ci de bénéficier pour 99 ans de bases militaires permanentes aux Philippines. À sa mort, le vice-président Elpidio Quirino (1890-1956) lui succède et négocie avec les insurgés huks. Dénoncé pour la corruption de son régime, E. Quirino est battu, en 1953, par Ramon Magsaysay (1907-1957) qui obtiendra la reddition du leader huk. Le président trouve la mort dans un accident d'avion et Carlos Garcia (1897-1971), du Parti nationaliste, prend les rênes du pouvoir. Il est réélu en novembre 1957, mais son vice-président, Diosdalo Macapagal (1910-), du Parti libéral, le bat en 1961. Bien qu'ayant fait voter la première réforme agraire du pays (1963), ce dernier est à son tour battu en 1965 par Ferdinand Marcos (1917-1989), du Parti nationaliste. **La dictature Marcos.** Tout en ayant réduit, en 1966, le bail concédé aux bases américaines à 25 ans, le président engage son pays aux côtés des États-Unis dans la guerre du Vietnam. En 1969, réélu contre Sergio Osmena Jr pour un deuxième mandat, il ne cache plus son intention anti-constitutionnelle de se maintenir au pouvoir pour lutter « contre la menace communiste » et de créer une « Nouvelle Société ». La violence se déchaîne et les manifestations anti-américaines se multiplient. Une guérilla maoïste, la Nouvelle armée du peuple (NAP), dirigée par José Maria Sison (1939-), fait son apparition en 1969, tandis que renaît également une dissidence des musulmans au sud. Un attentat orchestré par le régime contre une manifestation du Parti libéral de Benigno Aquino (1932-1983) sert de prétexte à la suspension de l'*habeas corpus* puis à l'instauration de la loi martiale. F. Marcos relance l'idée

d'une réforme agraire (1972), mais son système de gouvernement sera fondé avant tout sur le clientélisme. Nombre de monopoles publics et de sociétés d'État seront ainsi confiés aux proches du couple présidentiel. Fragilisé par la crise économique, le régime vacille après l'assassinat, à l'aéroport de Manille, du sénateur Benigno Aquino, de retour d'exil aux États-Unis (23 août 1983). La crise économique s'aggrave et, sous la pression de Washington, F. Marcos organise le 7 février 1986 une élection présidentielle. En dépit de l'annonce de sa victoire, le chef de l'État est battu par la veuve du sénateur assassiné, Corazon Aquino (1933-). Sous la pression de manifestations non violentes sur la principale artère de la capitale et avec le soutien du cardinal Sin, la « Dame en jaune » s'impose. Elle restera au pouvoir jusqu'en 1992, tandis que le président déchu et sa famille sont exilés à Hawaii. Le retour à la démocratie est l'œuvre de Cory Aquino et de son vice-président Fidel Ramos (1928-). Cet ancien officier général, longtemps fidèle de F. Marcos, est, le 1ᵉʳ juillet 1992, le premier protestant à devenir président de la République. Au cours de son mandat – la Constitution n'en permet qu'un seul –, F. Ramos met un terme à la dissidence militaire, légalise le Parti communiste, tandis que se retirent toutes les troupes américaines. En 1998, c'est son vice-président et rival malheureux de 1992, Joseph Estrada (1937-), qui lui succède. **C. L.**

PIŁSUDSKI Józef (1867-1935)   Militaire et homme politique polonais. Né dans une famille de noblesse polono-lituanienne sous l'occupation russe, grand seigneur et socialiste, Józef Piłsudski fut haï de l'extrême droite chauvine comme du communisme international, tant stalinien que trotskiste. Exilé en Sibérie par les Russes sous le tsar et prisonnier des Allemands à la fin de la Première Guerre mondiale, il connaissait ses ennemis et il chercha toute sa vie à prévenir les démocraties occidentales et à mettre la Pologne à l'abri de la connivence renaissante de la Russie soviétique et de l'Allemagne nazie. Il crée durant la Première Guerre les Légions polonaises, embryon d'un commandement et de cadres efficaces de l'armée. **C**hef politique et militaire, J. Piłsudski est le principal vainqueur de <u>Lénine</u> et <u>Trotski</u>, dont la guerre révolutionnaire de 1919-1920 (la contre-offensive dans la guerre russo-polonaise) devait opérer la jonction avec l'Allemagne « sur le cadavre de la Pologne ». Maréchal et chef d'un État polonais puissant mais encerclé, artisan de l'indépendance et de la souveraineté d'une Pologne libre, constitutionnelle et démocratique, J. Piłsudski est proclamé dictateur au sens romain, temporaire, pendant la durée du danger, cependant il ne briguera jamais la présidence de la République, même à l'issue de son coup d'État de mai 1926 contre l'anarchie parlementaire. Devant la montée du péril soviétique et nazi, cédant à son propre tempérament, il soumet la Pologne, majoritairement consentante, à un gouvernement paternaliste et autoritaire (qui fit 500 prisonniers politique dans l'entre-deux-guerres), contraire à la tradition polonaise anarchique et différent des gouvernements démocratiques libéraux de la France, de l'Angleterre ou des États-Unis. C'est cependant lui qui fait du 3 mai la fête nationale de la Pologne, pour rappeler aux extrémistes de droite comme de gauche que la Constitution démocratique du 3 mai 1791 a institué un exécutif renforcé pour protéger la nation de l'occupation étrangère. **E**n 1930, J. Piłsudski, ne l'estimant pas assez démocratique, s'oppose au projet de la future Constitution de 1935. Il signe toutefois cette Constitution sur son lit de mort (en tant que ministre des Affaires militaires), le 23 avril 1935, pour assurer la sécurité et la persistance même de l'État. Cette Constitution va permettre à la Pologne indépendante de resister en exil malgré l'invasion nazie et soviétique de 1939, malgré les occupations et l'assujettissement, car elle ne pouvait être modifiée qu'en Pologne par les représentants de la nation toute entière dans un vote libre et démocratique. Cela aura lieu en 1991 et le maréchal Piłsudski, vilipendé pendant un demi-siècle par les communistes, sera honoré en toute connaissance de cause par l'ensemble des démocrates polonais. **A. V.** ➤ **POLOGNE.**

PINOCHET UGARTE Augusto (1915-)
Militaire chilien, dictateur de 1973 à 1990. Détesté ou glorifié, Augusto Pinochet est l'homme politique déterminant de l'histoire du Chili des trois dernières décennies du XXᵉ siècle, pour son extrême longévité au pouvoir et à la tête de l'armée. Né à Valparaíso, issu de la petite bourgeoisie portuaire, il rejoint l'infanterie à sa sortie de l'École militaire en 1937 et fait une carrière sans distinction. **S**ous le gouvernement d'Unité populaire (UP) démocratiquement instauré en 1970, le général Pinochet commande la garnison de Santiago, puis devient chef d'état-major de l'armée de terre en 1972. La crise politique se traduit par des appels de l'opposition et des milieux d'affaires au coup d'État. Le commandant en chef de l'armée de terre Carlos Prats (1915-1974) est acculé à la démission ; le général Pinochet prend sa succession le 23 août 1973. Il semble loyal au président Salvador <u>Allende</u>, mais participe activement au coup d'État sanglant qui renverse le régime, le 11 septembre 1973. **E**n devenant « chef suprême de la nation » le 27 juin 1974, A. Pinochet concentre le poivoir exécutif, ne laissant à la junte des commandants en chef que le pouvoir législatif. Président de la République à partir du 17 décembre 1974, sans renoncer à ses fonctions militaires, il gouverne en s'appuyant sur la police politique (DINA, Direction nationale d'intelligence), imposant un modèle économique néolibéral et des institutions autoritaires. Il se fait ainsi reconduire pour huit ans par le référendum constitutionnel du 11 septembre 1980. En septembre 1986, il échappe de peu à un attentat. **B**attu lors du plébiscite présidentiel du 5 octobre 1988, A. Pinochet refuse la démocratisation complète. Il reste donc commandant en chef pour huit années supplémentaires à partir de l'entrée en fonction du président Patricio Aylwin (1918-) le 11 mars 1990. Avant de prêter serment comme sénateur à vie le 11 mars 1998, il reçoit le titre honorifique de commandant en chef émérite de l'armée de terre, et le général Ricardo Izurieta (1943-) lui succède (10 mars). **L**es remous provoqués par son arrivée au Sénat, le dépôt des premières

plaintes concernant sa responsabilité dans les disparitions d'opposants sous la dictature, et surtout son arrestation le 16 octobre 1998 au Royaume-Uni à la demande de la justice espagnole, puis le long procès d'extradition, ternissent l'image entretenue de « sauveur du Chili ». À son retour au pays en mars 2000, pour raisons médicales, il prend une retraite politique de fait, car son sort est désormais entre les mains de la justice. **S. J.** ➤ CHILI.

PLACE DE MAI (Buenos Aires)
➤ MÈRES DE LA PLACE DE MAI.

PLAN MARSHALL Lorsque s'ouvre l'année 1945, le monde économique a profondément changé. Son centre de gravité était européen : il est devenu américain. L'appareil de production des États-Unis domine le monde. L'or – « cette relique barbare », selon John Maynard Keynes (1883-1946) – était jusqu'alors la monnaie de référence : il est désormais remplacé par le dollar. Les accords de Bretton Woods, en juillet 1944, légitiment un état de fait : le billet vert est la seule monnaie acceptée partout, parce que c'est aussi la seule qui donne accès à un marché où l'on trouve tout. En face, l'Europe et le Japon font piètre figure : la guerre les a ruinés, saignés à blanc. Les pays belligérants n'y ont pas seulement perdu leur or, mais aussi leurs usines, une partie de leurs hommes et parfois – c'est le cas de l'Allemagne et du Japon – leur âme. Un pôle prospère, qui ne demande qu'à vendre. Un pôle exsangue, qui ne demande qu'à acheter : la différence de potentiel va engendrer un essor sans précédent des échanges internationaux. Le salut ne pouvait venir que des riches États-Unis : n'était-ce pas leur intérêt, à eux aussi, de favoriser le relèvement des pays ruinés qui deviendraient, alors, leurs clients et leurs obligés ? **Une injection massive de capitaux.** Les États-Unis sont pourtant réticents et n'apportent leur aide qu'au compte-gouttes, moyennant des conditions politiques et des contreparties économiques : concernant par exemple la France, arrêt des nationalisations, remise en cause du monopole d'État en matière de tabacs, libre accès au marché

français pour les compagnies pétrolières américaines, etc. Le *dollar gap* – le manque de dollars – freine la reconstruction de l'Europe. Le 5 juin 1947, le général George Marshall (1880-1959), secrétaire d'État aux Affaires étrangères du président Harry S. Truman, lance un appel vibrant aux pays européens : nous sommes prêts à vous aider massivement, si vous vous unissez. La proposition s'adresse à l'ensemble des États européens, y compris ceux qui gravitent dans l'orbite de l'URSS. La Guerre froide ayant commencé, la proposition américaine revient à demander à chacun de choisir son camp, avec une carotte à l'appui. Entre 1948 et 1952, les pays d'Europe occidentale recevront au total 13,6 milliards de dollars (dont 11,8 milliards sous forme de dons), soit environ 80 milliards de dollars 1994, ou encore l'équivalent de la valeur d'une demi-année de produit intérieur brut de la France de 1950. Il s'agit donc d'une injection massive de capitaux. Cette aide n'est évidemment pas sans contrepartie. Mais celle-ci est plus subtile que quelques mois auparavant : plus question d'« ingérence » – le mot n'est pas encore à la mode –, seulement de partenariat. L'aide consiste en matériels donnés par les États-Unis, mais dont la contrevaleur en marks, florins, lires, francs... doit être décidée d'un commun accord. Les négociations sont difficiles. Les États-Unis ambitionnaient donc de devenir les « gendarmes économiques » du monde capitaliste : ils ne purent y parvenir. Ce fut surtout dans le domaine international que le poids américain se fit sentir : il fallait que les États européens coopèrent. En 1948, seize pays européens – tous sauf ceux sous influence soviétique – créaient l'Organisation européenne de coopération économique (OECE), qui devait devenir, onze ans plus tard, l'Organisation de coopération et de développement économiques (OCDE). La coupure de l'Europe était officialisée, le *containment* (« endiguement ») cher à H. Truman mis en œuvre. L'OECE avait pour fonction première de répartir l'aide américaine. Ainsi l'Europe, aiguillonnée par le plan Marshall, choisissait-elle de revenir, à pas comptés, vers le libre-échangisme. Du même coup, les gouvernements des États membres tournaient le dos à l'économie dirigée. Tel fut, sans doute, le principal résultat de ce plan : ancrer fermement les pays de l'Europe occidentale à l'économie de marché. L'approvisionnement en dollars permettait de lever les freins à la croissance et au dynamisme d'un capitalisme qui avait quarante ans de retard, de destructions et de crises à combler. **D. Cl.**

PLANIFICATION (de type soviétique)

La planification comme mode de coordination économique *centralisé* et *impératif*, opposé à la coordination par le marché, est née en Union soviétique. Elle a peu à voir avec la planification *indicative* mise en œuvre à certaines époques par des pays comme la France. Le premier plan pluriannuel, *Goelro*, visant l'électrification du pays, fut lancé en 1919 et le Gosplan, l'organisme chargé de la planification, créé en 1921. Mais la planification de l'ensemble de l'économie nationale n'a vu le jour qu'avec le premier plan quinquennal (1928-1932), dont la priorité fut le développement de l'industrie lourde (notamment la sidérurgie, l'énergie et la production d'armements). Cette orientation globale, privilégiant le secteur industriel au détriment du secteur agricole et la production des biens de production au détriment des biens de consommation, ne s'est pas démentie jusqu'à la fin des années 1950. La « déstalinisation » entreprise alors par Nikita Khrouchtchev (1953-1964) comprenait entre autres une modification des priorités relatives en faveur de l'agriculture et de l'industrie légère. **« Le plan, c'est la loi ».** La structure du plan global comportait un triple aspect : géographique (régions), sectoriel (branches) et fonctionnel (production, investissement, approvisionnement des unités de production, commerce intérieur, commerce extérieur, développement de la sphère « non directement productive » – santé, éducation). Du point de vue temporel, la planification soviétique comprenait l'existence des plans à long terme (dix à vingt ans), des plans à moyen terme (en principe quinquennaux) et des plans annuels. Seuls ces derniers étaient impératifs, ce qui signifie que les objectifs fixés par le plan annuel (sous forme d'indi-

cateurs précis) étaient imposés avec force de loi à tous les agents économiques, la non-observation du plan pouvant faire l'objet de poursuites pénales. « Le plan, c'est la loi », disait Staline. À son époque, le nombre d'indicateurs obligatoires (quantité à produire en unités physiques, normes d'utilisation des matières premières et de l'énergie, nombre d'ouvriers, etc.) atteignait parfois le chiffre de 150 par unité de production. **A**près une concertation avec les entreprises, les collectivités territoriales et les ministères sectoriels, le Gosplan élaborait des plans en testant leur cohérence par la méthode des balances qui consiste à mettre en rapport, pour les facteurs de production comme pour la répartition, les ressources, d'une part, et les besoins ou l'emploi, d'autre part. Le Gosplan était également chargé de surveiller la bonne exécution des plans. **Les réformes des années 1960.** Les réformes visant à améliorer le système, afin d'assurer une croissance soutenue et une meilleure efficacité des entreprises (1965-1967), ont réduit le nombre d'indicateurs planifiés obligatoires à neuf et introduit trois fonds de stimulation en vue de permettre un autofinancement limité d'investissements de l'entreprise, le versement de primes aux travailleurs ayant contribué à la réalisation du plan et le financement de mesures sociales et culturelles (construction de logements, financement des vacances, etc.). En 1979, une nouvelle réforme économique (ou plutôt une antiréforme) a tenté de réduire cette autonomie des entreprises. **A**près la Seconde Guerre mondiale et la soviétisation de l'Europe de l'Est, la planification soviétique a été transposée aux autres économies socialistes, mais elle n'a réussi à se maintenir jusqu'à la fin des années 1980, dans des variantes plus ou moins réformées, que dans les pays regroupés dans le cadre du CAEM et en Albanie. Les autres économies socialistes telles celles de la Yougoslavie ou de la Chine, après avoir tenté d'appliquer le modèle soviétique à diverses époques, ont pris respectivement le chemin de l'« autogestion » et d'un modèle où l'économie de marché se développe au sein d'un régime politique communiste. **L**es réformes entreprises par l'URSS, la RDA et la Tchécoslovaquie dans les années 1960 et 1970 (jusqu'à l'idée de *perestroïka* – restructuration) n'ont pas remis en cause le modèle de planification centralisée et impérative, qui a également conservé la préférence de la bulgarie, de la roumanie et de l'Albanie. En revanche, la Hongrie (à partir de 1968) et la Pologne (à partir de 1982) ont essayé de combiner le plan et le marché par le biais de la décentralisation du système de planification et la déconcentration de l'appareil productif, ainsi que par l'introduction des régulateurs économiques tels que les prix, les taux de change, la fiscalité. **L. P.**

PMA Les « pays les moins avancés » sont une catégorie définie par l'ONU en 1971 à partir de trois critères : un PNB inférieur ou égal à 100 dollars au prix de 1968 ; une production industrielle représentant une part inférieure à 10 % du PIB ; un taux d'analphabétisme élevé (plus de 20 % de la population de plus de quinze ans). Hormis Haïti et certains pays du Pacifique sud (Salomon, Samoa, Vanuatu...), les PMA se situent en Afrique ou en Asie (non compris l'Inde et la Chine) : pays du Sahel et d'Afrique orientale, Afghanistan, Bangladesh, Népal... **E. A.**

PNUD Créé en 1965, le Programme des Nations unies pour le développement (PNUD, UNDP – United Nations Development Programme –, siège à New York) est le principal organe d'assistance technique du système de l'ONU. Il aide – sans restriction politique – les PED (pays en développement) à se doter de services administratifs et techniques de base, forme des cadres, cherche à répondre à certains besoins essentiels des populations, prend l'initiative de programmes de coopération régionale, et coordonne, en principe, les activités sur place de l'ensemble des programmes opérationnels des Nations unies. Le PNUD s'appuie généralement sur un savoir-faire et des techniques occidentales, mais parmi son fort contingent d'experts, un tiers est originaire du tiers monde. Le PNUD publie annuellement un *Rapport sur le développement humain*. Ce dernier se distingue nettement des approches économistes. Il classe

notamment les pays selon l'Indicateur du développement humain (IDH). **> DÉVE-LOPPEMENT.**

PNUE Créé en 1972, le Programme des Nations unies pour l'environnement (PNUE, UNEP – United Nations Environment Programme, siège à Nairobi) est un organe de l'ONU chargé de surveiller les modifications notables de l'environnement, d'encourager et de coordonner des pratiques positives en la matière.

POL POT (Saloth Sar, dit) (1928 ?-1998) Homme politique cambodgien, chef du régime génocidaire des Khmers rouges. Huitième des neuf enfants de Pen Saloth et Sok Nem, il serait né le 19 mai 1928. En dépit de médiocres études, il obtient une bourse d'études à Paris (1949-1952). Il y fréquente le Cercle marxiste des étudiants khmers et côtoie d'autres futurs dirigeants communistes comme Son Sen, Hou Youn, ou Ieng Sary. Ce dernier devient son beau-frère quand il épouse Khieu Ponnary (1956). De retour au pays, il rejoint une unité combattante sur la frontière vietnamienne et adhère au Parti communiste indochinois (PCI). Après les accords de Genève (21 juillet 1954), il regagne la capitale et devient enseignant. Secrétaire général adjoint du Parti des travailleurs du Kampuchéa, avant de succéder à Tou Samouth liquidé par la police, il reprend le maquis dans le Nord-Est (1963). Il y découvre auprès des Vietnamiens la discipline, l'organisation secrète et le travail politique. En 1965, il gagne Hanoi, puis Pékin, où il s'engage sur la voie du maoïsme. Sar est en Chine quand Norodom Sihanouk est renversé par le coup d'État du lieutenant-général Lon Nol (1913-1985) en mars 1970. Il rejoint le Gouvernement royal d'union nationale du Kampuchéa (GRUNK) et en est le chef militaire. Alors que les combats s'intensifient contre le régime de Lon Nol appuyé par les États-Unis, il liquide les Khmers Vietminh. À l'heure de la victoire, il rentre à Phnom Penh après douze ans d'absence, le 17 avril 1975. Le régime des Khmers rouges se met en place, l'État est rebaptisé Kampuchéa démocratique. Ce n'est qu'en avril 1976, après la proclamation de la Constitution et du nouveau gouvernement, que l'on apprend que le Premier ministre s'appelle Pol Pot et, encore plus tard, que celui-ci n'est autre que Saloth Sar. Il apparaît comme le principal responsable du génocide cambodgien perpétré sous sa férule. **A**près l'intervention vietnamienne de décembre 1978, qui chasse son régime de Phnom Penh en janvier 1979, il se réfugie en Thaïlande et prend le commandement militaire de la résistance khmère rouge. Les pressions extérieures, notamment américaines sur la Chine populaire et les États membres de l'ANSEA (Association des nations du Sud-Est asiatique), écartent du devant de la scène cet homme incarnant la direction d'un mouvement totalitaire. En septembre 1985, il se « retire », mais, en juin 1991, il participe en secret aux négociations de paix finalisées à Pattaya qui aboutissent aux accords de Paris. À partir de Trat et de Païlin, il gardera jusqu'au début des années 1990 une influence sur la tactique militaire et les concepts idéologiques khmers rouges. **S**érieusement malade après 1995, son emprise s'affaiblit. En 1997, il est écarté de la direction et condamné par les siens lors d'un procès « public » à la prison à vie pour « trahison ». En 1979, la République populaire de Kampuchéa (État mis en place après l'intervention militaire vietnamienne l'ayant chassé du pouvoir) l'avait déjà condamné à mort par contumace « pour des actes criminels avec intention de commettre un génocide ». Il meurt en 1998, de maladie ou assassiné, selon certaines rumeurs, par ses anciens affidés. **C. L.** ➤ CAMBODGE.

POLICE POLITIQUE (URSS) **I**nstituée dès les premières semaines du pouvoir bolchevique, la police politique fut, tout au cours de l'histoire de l'URSS (Union des républiques socialistes soviétiques), un élément central du système politique soviétique. Naturellement, le poids de cet « État dans l'État » a varié selon les périodes. De 1918 à 1922, la Tchéka, dirigée par Félix Dzerjinski (1877-1926), agit en tant que Commission extraordinaire de lutte contre la contre-révolution, la spéculation et le sabotage, sur tous les fronts de la guerre civile : contre les « bourgeois » et les « ci-devant »,

mais aussi, et surtout, pour mater impitoyablement les grèves ouvrières et les révoltes paysannes. Rebaptisée en 1922 GPU – ou Guépéou – (Direction politique d'État) puis, en 1934, NKVD (commissariat du peuple à l'Intérieur), la police politique connut son apogée sous Staline. **A**dministration tentaculaire employant, à la fin des années 1940, plus d'un million et demi de fonctionnaires civils et militaires (sans compter des millions d'indicateurs), la police politique était chargée de toutes les opérations de surveillance de la population, de l'arrestation de millions de personnes (et de l'exécution de nombre d'entre eux), de la gestion des immenses ensembles pénitentiaires du Goulag. Le NKVD (divisé, après guerre, en deux branches, l'Intérieur – MVD – et la Sécurité – MGB) était ainsi l'un des premiers employeurs et producteurs du pays. **L**a puissance sans bornes de cet « État dans l'État », au service du seul dictateur, finit par inquiéter les dirigeants du Parti communiste de l'Union soviétique (PCUS). Dès la disparition de Staline (5 mars 1953), ses successeurs se débarrassèrent du chef de la police politique, Lavrenti Beria (1899-1953), et réduisirent drastiquement les pouvoirs et les effectifs de la police politique, réorganisée et rebaptisée en 1954 KGB (Comité de sûreté de l'État). **J**usqu'à la chute de l'URSS (1991), le KGB, fort de plusieurs centaines de milliers de fonctionnaires, allait assurer, sous les ordres de la direction collégiale du Parti communiste, une fonction de surveillance, à la fois discrète et musclée, de la population, pourchasser, dans le cadre de la « légalité socialiste », les dissidents, tout en développant ses activités multiformes de renseignement, d'espionnage et de contre-espionnage à l'échelle des ambitions mondiales de l'URSS. **N. W.** ➤ RÉGIME SOVIÉTIQUE, RUSSIE ET URSS, STALINISME.

POLOGNE **R**épublique de Pologne. Capitale : Varsovie. Superficie : 312 677 km². Population : 38 740 000 (1999). **A**u XIXe siècle, la Pologne n'existe pas sur la carte du monde, dépecée depuis 1795 par la Prusse, la Russie des tsars et l'Empire austro-hongrois. Le XXe siècle voit le rétablissement de l'État polonais. La captivité, la colonisation puis la résistance ont formé une conscience nationale qui a permis aux Polonais de constituer un État moderne. La Pologne sera dorénavant un acteur dans le concert des nations, qu'il s'agisse de sa résistance aux deux totalitarismes de ce siècle, de son rôle pionnier joué dans la sortie du communisme, ou de sa mobilisation exemplaire pour surmonter le « maldéveloppement » engendré par la soviétisation. **L**ors de la Première Guerre mondiale, les dirigeants polonais cherchent à profiter de l'affrontement entre les empires pour optimaliser les conditions de la restauration de l'État (11 novembre 1918). **Deux figures, Piłsudski et Dmowski.** La naissance de la IIᵉ République (1918-1939) est marquée par la guerre polono-bolchévique (1919-1920), le nouvel État soviétique rêvant d'exporter la Révolution à l'Ouest *manu militari*, les Polonais et leur chef, le maréchal Józef Piłsudski, espérant créer une fédération des États indépendants (des pays baltes aux peuples du Caucase), solidaires dans la crainte de la Russie. Les deux projets échouent, mais la Pologne gagne au plan militaire. Le pays vit ensuite trois périodes politiques : une période constitutionnelle (1921-1926) une période où J. Piłsudski renverse la république pour instaurer un régime semi-démocratique appelé la Sanacja – du mot assainissement (1926-1935) – enfin celle, caractérisée par une certaine désorientation géopolitique (1935-1939), qui culminera avec le Pacte germano-soviétique (23 août 1939). La Pologne de l'entre-deux-guerres aura été marquée par deux hommes, J. Piłsudski et son rival, Roman Dmowski (1864-1939), que l'on qualifie parfois de père du nationalisme polonais moderne. L'historien Norman Davies caractérise ainsi cette période : « La Pologne indépendante était pauvre, faible, divisée, sans amis et prise dans le maelström de la crise européenne, elle n'a pas survécu. » **L'épreuve de la Seconde Guerre mondiale.** La Seconde Guerre mondiale est terrible pour le pays, pris en tenaille entre la Russie soviétique (déportation de dizaines de milliers de Polonais et, au printemps 1942, élimination de plus de 15 000 officiers polonais, dont 4 500 dans les forêts de Katyn) et

les armées hitlériennes. La politique de l'occupant nazi se solde par l'extermination de six millions d'habitants, soit 18 % de la population d'avant guerre. Ce total inclut la minorité juive polonaise qui, avant 1939, était forte de plusieurs millions d'individus. Sa concentration dans ce pays aura été l'une des raisons pour lesquelles la Pologne a été choisie par les Allemands pour y pratiquer la « solution finale » (camps d'Auschwitz, Majdanek, Sobibor, Treblinka...). Pendant la guerre, les Polonais réussissent à créer un État clandestin, dirigé de Londres par un gouvernement en exil. Deux soulèvements, noyés dans le sang, symbolisent les grands enjeux de cette guerre : en avril 1943, celui du ghetto de Varsovie met pendant trois semaines une poignée de jeunes combattants juifs aux prises avec une brigade de SS surarmés ; en août 1944 est déclenchée la bataille de Varsovie, qui durera 63 jours, pour devancer les armées de Staline dans la libération de la capitale. Après son échec, c'est cependant l'armée soviétique qui libère la Pologne. Le pays qui émerge de ces épreuves dispose d'un territoire modifié, puisqu'il a été déplacé de 225 km vers l'ouest. En perdant au profit de l'URSS ses régions agricoles de l'Est, la Pologne obtient des espaces qui étaient allemands, plus industrialisés, dont un long littoral sur la Baltique. Dantzig devient Gdańsk. **Soviétisation, dissidence et oppositions.** Après une période d'incertitudes (1945-1948), émaillée d'une guerre civile entre les anticommunistes irréductibles et la police politique communiste, qui pratique la terreur, la soviétisation de la Pologne (1948-1956) commence par l'élimination des élites concurrentes, y compris les communistes nationaux (Władisław Gomułka, accusé de « titisme » en septembre 1948, est écarté puis sera emprisonné). Le régime de démocratie populaire culmine avec la Constitution adoptée le 22 juillet 1952. En 1953 éclate une révolte ouvrière à Poznań puis, en 1956, un des premiers mouvements de protestation au nom des idéaux socialistes : les intellectuels révisionnistes dénoncent la « dictature du Parti sur le peuple ». Les illusions quant à la possibilité de réformer le socialisme (Octobre polonais) ramènent W. Gomułka au pouvoir (1956-

1970). Il pratique un socialisme « à la polonaise », teinté d'antisoviétisme (ce qui ne l'empêche pas de couvrir l'intervention du pacte de Varsovie contre le printemps de Prague en août 1968). En politique intérieure, il fait preuve d'un autoritarisme anti-intellectuel (révolte estudiantine de mars 1968) et anti-ouvrier (révolte du Littoral – Gdańsk, Gdynia, Szczecin – en décembre 1970). Son successeur Edward Gierek (1970-1980) propose au pays un « socialisme consumériste » grâce aux crédits occidentaux. Il se déjuge deux fois : lors de la répression des ouvriers en 1976 – et naissance du Comité de défense des ouvriers (KOR) avec comme animateurs les plus connus Jacek Kuroń et Adam Michnik –, puis, en 1980, avec la hausse des prix qui provoque une grève générale partie de Gdańsk et la naissance du syndicat indépendant Solidarnosc (Solidarité, dix millions de membres). **Le levier « Solidarité ».** Dans ce mouvement pacifiste dirigé par un leader ouvrier charismatique, Lech Wałesa, toute la société se retrouve. D'où son efficacité. Malgré le dernier sursaut violent du régime (le coup de force du général Wojciech Jaruzelski [1923-], qui déclare l'« état de guerre » le 13 décembre 1981 et interdit Solidarité), la société polonaise, soutenue spirituellement par Karol Wojtyła (1920-), « son » pape (Jean-Paul II, élu en 1978), ne se soumet guère. Après neuf ans d'une normalisation chaotique, tantôt répressive (assassinat du père Popiełuszko en octobre 1984), tantôt « douce » (tentatives de dialogue), le pouvoir communiste, dans la conjoncture permissive engendrée par la politique menée par Mikhaïl Gorbatchev, décide de passer la main (« table ronde » gouvernement-opposition, février-avril 1989), non sans offrir aux membres de la nomenklatura des positions de repli dans le secteur privé. À partir de 1990, la démocratie se consolide avec plusieurs vagues électorales et alternances réussies, y compris avec le retour des ex-communistes au gouvernement (1993) et à la présidence de la République (Aleksander Kwasniewski, 1995). Le relèvement économique de la Pologne, grâce au plan Balcerowicz, aura été un succès. Membre de l'OTAN (Organisation du traité de l'Atlantique nord) depuis 1999,

le pays a préparé son adhésion à l'Union européenne. **G. M.**
> DISSIDENCE ET OPPOSITIONS (EUROPE DE L'EST), SOVIÉTISATION DE L'EUROPE DE L'EST, POSTCOMMUNISME.

POLYNÉSIE FRANÇAISE Territoire non souverain, sous tutelle de la France, mais bénéficiant d'autonomie. Chef-lieu : Papeete. Superficie : 4 000 km^2. Population : 228 000 (1999). **S**ituée à mi-distance entre l'Australie et le Pérou, la Polynésie française rassemble cinq archipels : îles de la Société dont Tahiti à l'ouest, îles Tubuaï au sud, îles Tuamotu, îles Marquises au nord-est et îles Gambier au sud-est. Plus à l'est encore, on ne trouve plus que de rares archipels et îles. **V**isitées par de nombreux navigateurs et aventuriers au XVIIIe siècle, ces îles furent progressivement occupées par la France à partir de 1842 lorsque celle-ci imposa son protectorat au royaume de Tahiti. L'ensemble fut organisé en une colonie unique en 1880, un gouverneur s'installant à Papeete. Des militaires américains y séjournèrent de 1942 à 1945, dont la présence encouragea une évolution des populations, et une modification institutionnelle s'ensuivit : territoire d'outre-mer (TOM) selon la Constitution de 1958, la Polynésie française bénéficia, par les statuts de 1977, puis de 1984, 1990 et 1996, d'une autonomie croissante qu'une réforme constitutionnelle la transformant en POM (pays d'outre-mer) devait élargir en 2000. La vie politique interne y est assez heurtée et conflictuelle. La présence du Centre d'expérimentation nucléaire de 1963 à 1995 a créé, surtout à Tahiti, un développement artificiel, car l'activité économique productive y apparaît bien insuffisante. **J.-P. G.**

POPULISMES La notion de populisme trouve ses origines dans la doctrine du *narodnitchestvo* (de *narod* [peuple] et *narodnik* [populiste]) qui apparut après 1870 au sein de la Russie impériale : elle désignait alors un mouvement de retour de l'intelligentsia vers le peuple afin de l'aider et de l'instruire, mais aussi d'apprendre à son contact et d'équilibrer l'intellectualisme lié à une modernité faite de ruptures et d'importations. Le mouvement se voulait politique, avec notamment le socialiste Alexandre Herzen (1812-1870) et l'anarchiste Michel Bakounine (1814-1876), mais s'élargissait à la littérature, avec notamment Fedor Dostoïevski (1821-1881), et surtout Léon Tolstoï (1828-1910) ; il mobilisait des révolutionnaires de gauche, mais incluait aussi certains idéologues de droite inquiets des effets de la modernisation. **C**ette pré-histoire donne déjà la mesure du populisme : extensif, interclassiste, mêlant conservatisme et vision révolutionnaire, teinté d'anti-intellectualisme, de méfiance à l'égard de l'étranger, de flou idéologique et surtout d'idéalisation du peuple, porteur en même temps de bon sens et d'une tradition millénaire dont il convient de ne pas se couper. En cela, le populisme est en même temps composite et fortement simplificateur, d'où la difficulté de le situer dans l'éventail des doctrines et des mouvements politiques : il revendique d'ailleurs ce caractère inclassable, jusqu'à en faire l'une de ses marques essentielles. **A**u départ pratique de mobilisation politique et de contestation, il va également se compliquer d'une prétention à décrire une forme de gouvernement et même de régime politique. Ce glissement de la contestation vers le pouvoir fut favorisé par la propension précoce de certains princes à gouverner en recourant à la technique de l'appel au peuple contre les institutions médiatrices (à l'instar de Napoléon III) ou en appuyant leur domination autoritaire sur des politiques sociales hardies (à l'instar du chancelier Bismarck). Encore faut-il, dans ce dernier cas en particulier, distinguer le populisme du paternalisme, en fonction notamment du mode d'instrumentalisation des références populistes par le titulaire du pouvoir. Tout régime autoritaire tend en effet à avoir une « dimension sociale » teintée d'anti-intellectualisme (ceux de Franco, Salazar, ou Mussolini, notamment) qui ne les place que à la lisière du populisme. **Le peuple comme « entité naturelle ».** Celui-ci trouve en fait sa marque essentielle dans sa prétention d'opposer le peuple comme entité naturelle à la communauté politique contractuelle qui, depuis Rousseau et les Lumières, est au fondement même de l'État. En cela, il s'ali-

mente d'abord d'un procès du politique, des institutions et des médiations (tant parlementaires que notabiliaires) qui sont tenues pour sources de malheurs et d'échecs, dont le peuple est précisément la principale victime. Le populisme est en cela effet de contexte, c'est-à-dire d'une crise sévère affectant l'ordre politique institué et, de façon contemporaine, les institutions représentatives. À ce titre, il est intimement lié aux effets d'anomie bousculant les sociétés en transition et en urbanisation rapide (Mossadegh en Iran au début des années 1950, Nasser en Égypte, Lazaro Cárdenas dans le Mexique des années 1930, Getúlio Vargas au Brésil, Juan Perón en Argentine...) ; il s'alimente des ruptures politiques brutales, comme la décolonisation (Ahmed Sukarno en Indonésie, Kwame Nkrumah au Ghana, Ahmed Ben Bella en Algérie), l'effondrement des monarchies traditionnelles (Mustafa Kemal en Turquie, Abdulkarim Kassem en Irak, Abdallah al-Sallal au Yémen), voire des blocages institutionnels (conversion au populisme d'Indira Gandhi durant les années 1970, ou Ali Bhutto au Pakistan...), ou de l'écroulement des structures étatiques (populismes de Boris Eltsine en Russsie ou d'Alexandre Loukatchenko en Biélorussie après la disparition de l'URSS). **C**ette crise des médiations politiques conduit le populisme vers l'exaltation de vertus qu'il peut aisément leur opposer : nationalisme, voire xénophobie, unanimisme, syncrétisme, mais parfois aussi méfiance à l'égard des minorités qui divisent, culte du chef et de son entourage qui rassemble, protectionnisme et interventionnisme face au « capitalisme cosmopolite » sur le plan économique... **A**u tournant du siècle, trois situations soulignent l'actualité de ces pratiques. Les incertitudes qui pèsent encore sur la construction de l'État dans les pays de l'Est ou certains pays du Sud rejoignent la difficile intégration de certaines économies émergentes (Vénézuéla d'Hugo Chavez, poussées populistes au Mexique, tant du côté du pouvoir que de sa contestation, fièvre populiste en Asie orientale après la crise de 1997). La crise de la démocratie représentative, liée à celle de l'État-providence et à la montée du chômage, a relancé le populisme en Europe occidentale (Front national en France, Ligue Nord en Italie, Parti libéral d'Autriche (FPÖ) de Jörg Haider...). Enfin, les effets déstabilisants de la mondialisation ont suscité des formes nouvelles de mobilisation populiste. **B. B.**

PORTO RICO Cette grande île de la Caraïbe produisant café et canne à sucre était une colonie de l'Espagne avant de lui être arrachée en 1898 lors de la guerre hispano-américaine et de devenir un territoire américain de plus en plus autonome. Une montée du nationalisme dans les années 1930 fait émerger un leader modéré et acceptable par Washington, Luis Muñoz Marín (1898-1980). Il devient en 1948 le premier gouverneur élu de l'île (auparavant, le gouverneur était désigné par les États-Unis) et obtient pour le territoire le statut autonome d'« État libre associé » aux États-Unis (ou « commonwealth ») en 1950. Les habitants ont des passeports américains et sont exonérés de tout impôt fédéral. En revanche, ils ne peuvent pas voter aux élections américaines (leur unique représentant nommé au Congrès n'a pas le droit de vote) et doivent servir dans les forces armées américaines. **L.** Muñoz Marín, en lançant l'opération « Bootstrap » (démarrage), fait venir dans l'île des milliers d'entreprises américaines pour développer des activités industrielles qui font l'envie des pays voisins plus pauvres. Mais les militants indépendantistes, dirigés par Luis Albizu Campos (1891-1964), continuent de faire parler d'eux, notamment en ouvrant le feu en pleine Chambre de représentants à Washington en 1954 et en prenant d'assaut, en 1950, une résidence du président Harry Truman. Les coupables ne seront libérés que vingt-cinq ans plus tard. Les attentats contre les cibles américaines dans l'île, surtout par le groupe des Macheteros, se poursuivent jusqu'aux années 1980. Cependant, à cause notamment des avantages économiques découlant du lien avec les États-Unis, les partis indépendantistes ne recueillent pas plus de 5 % des voix lors des scrutins, malgré l'écho des revendications culturelles, surtout celles concernant la défense de la langue espagnole. Le choix entre le statut en

vigueur et l'option de devenir le 51e État des États-Unis devient le principal dilemme politique. Cette dernière position a été de peu minoritaire lors des différents référendums (comme en 1998), mais le Nouveau parti progressiste la défendant a souvent enlevé le poste de gouverneur, sans pour autant faire progresser sa cause auprès des États-Unis. En 1999, un bombardement d'entraînement de l'armée américaine sur la petite île dépendante de Vieques a tué un civil et suscité de vives réactions nationalistes. Washington a dû négocier un compromis. **G. C.**

PORTUGAL République du Portugal. Capitale : Lisbonne. Superficie : 92 080 km². Population : 9 873 000 (1999). La République est proclamée au Portugal le 5 octobre 1910, à la suite d'une insurrection contre la monarchie constitutionnelle. Le nouveau régime instaure une démocratie parlementaire et procède à la séparation de l'Église et de l'État. Mais la République hérite de graves problèmes sociaux et économiques, enracinés dans l'histoire du pays. **Un pays replié.** Installé dans les mêmes frontières depuis le XIIIe siècle, le Portugal avait assis son unité et son identité nationale sur deux piliers : un isolement méfiant vis-à-vis de l'Espagne, son seul voisin terrestre, et l'aventure de l'expansion maritime. Son empire colonial s'étendait de l'Afrique à l'Inde, de l'Extrême-Orient au Brésil. Dès le XVe siècle, l'épicentre du commerce international s'était déplacé de la Méditerranée vers l'Atlantique, et l'Espagne et le Portugal dominaient la scène internationale en véritables superpuissances. Un si vaste empire colonial aura empêché l'effondrement de l'économie portugaise à plusieurs reprises jusqu'au milieu du XXe siècle. Mais en se repliant vers les échanges avec les colonies, Lisbonne a laissé ses pays aux structures agraires et au système de production archaïques en marge de la révolution industrielle. Dès ses débuts, la République peine à s'attaquer à l'analphabétisme, à la corruption et à la pauvreté endémique. Bientôt, le Portugal devient le régime parlementaire le plus instable et le plus chaotique de l'Europe occidentale. À la veille de la Grande Guerre, Lisbonne se range aux côtés de la Grande-Bretagne et ses troupes se battent en Flandre et sur le front africain. Cependant, la Iʳᵉ République succombe dans un cycle d'insurrections et de banqueroutes. **De la dictature militaire à l'Estado Novo.** Le 28 mai 1926, un coup d'État instaure la dictature militaire, prélude à la plus longue dictature de l'Europe occidentale au xxᵉ siècle, celle d'António de Oliveira Salazar. Ce dernier parvient à intégrer les différentes droites portugaises (fasciste, catholique, intégriste, républicaine et militaire) sur la base d'une plate-forme politique et économique commune. Cette synthèse constitue la pierre angulaire de l'Union nationale, le parti unique du régime. **S**alazar met en œuvre un projet faisant l'apologie de l'État fort, de l'impérialisme colonial et d'un nationalisme corporatiste : c'est l'Estado Novo, le nom de la dictature consacrée par la Constitution de 1933. Très vite, le dictateur consolide le régime avec une police politique répressive (PIDE – Police internationale de défense d'État), interdit les libertés civiles, renforce la censure et crée un secrétariat à la Propagande nationale qui s'imposera jusque dans les livres scolaires. Après la signature d'un concordat avec le Vatican en 1940, l'Église devient le principal instrument de « légitimation » et d'encadrement idéologique du régime (Dieu, patrie, famille, travail) de l'État Nouveau. **P**ersuadé que la guerre civile en Espagne (1936-1939) constitue le premier défi au régime, Salazar soutient l'insurrection franquiste. C'est aussi à cette époque que la dictature salazariste connaît sa période la plus fasciste et répressive. Neutre au début de la Seconde Guerre mondiale, le Portugal se range du côté des Alliés fin 1943 quand les forces de l'Axe s'affaiblissent. Mais Salazar connaît un isolement progressif dans les années 1950 et 1960 qu'il résume par la devise : « Orgueilleusement seuls ». **Les guerres de libération** éclatent dans les colonies africaines, en Angola, au Mozambique et en Guinée-Bissau, à partir de 1961. Salazar résiste, ignorant les jeunes technocrates qui revendiquent une modernisation du régime. Malade, le vieux dictateur est remplacé en 1968 par un professeur en droit, Marcelo Caetano (1906-1980), qui n'assouplit en rien

la dictature. La guerre coloniale monopolise dès lors 60 % du budget national, nourrissant un mécontentement social grandissant dans un pays en état d'épuisement. **De la révolution des Œillets à la découverte de l'Europe.** Un groupe de capitaines mené par Otelo Saraiva de Carvalho constitue un mouvement de conspiration, connu sous le nom de Mouvement des forces armées (MFA), qui renverse le régime salazariste le 25 avril 1974 sans faire couler de sang. Cette révolution des Œillets, qui enflamme les imaginations au Portugal et en Europe, voit le MFA promettre la démocratie, la décolonisation et le développement. La décolonisation se fait hâtivement, en un an, et près d'un million de Portugais des ex-colonies rentrent en métropole. **U**ne tentative de contrôle du pouvoir par des forces conservatrices commence en septembre 1974, mais échoue en mars 1975 avec un putsch militaire avorté. La révolution des Œillets entre alors dans une phase radicale. Les principaux moyens de production, les banques et les médias sont nationalisés, les terres du Sud sont occupées par les ouvriers agricoles. L'instabilité culmine le 25 novembre 1975 avec une tentative de coup d'État « gauchiste » déclenchée par O. S. de Carvalho. Le coup échoue et les militaires laissent alors le pouvoir aux civils. Le pays se dote d'une nouvelle Constitution en avril 1976, les socialistes gagnent les législatives et leur leader Mário Soares est nommé Premier ministre. Une succession de coalitions gouvernementales rythme les dix années suivantes. En 1986, le Portugal devient membre de la CEE et connaît un recentrage politique durable. L'économie s'adapte au nouveau contexte et le niveau de vie moyen s'améliore très sensiblement, tandis que les aides européennes permettent une modernisation des infrastructures (système routier, Université...). Ce pays, longtemps marqué par une forte émigration, devient par ailleurs progressivement un pays d'immigration. Les gouvernements, de droite (1986-1995) comme de gauche (1995-2001), ont privatisé toutes les entreprises publiques. La dernière aventure du Portugal à la fin du xxᵉ siècle aura ainsi été la découverte de l'Europe, qu'il avait ignorée le long de son histoire. **A. N. P.**

POSDR (Russie) Le Parti ouvrier social-démocrate de Russie (POSDR) naît en 1898 à l'issue d'un congrès qui n'a rassemblé que quelques militants. Le mouvement social-démocrate a fait son apparition en 1883 lorsque Gueorgui Plékhanov (1856-1918) a fondé à Genève le groupe marxiste Libération du travail. Parti d'intellectuels, le POSDR tend à organiser la classe ouvrière dans laquelle il voit la force motrice de la société. Réformistes et révolutionnaires vont bientôt s'y affronter en un combat qui oppose marxistes légaux et économistes, d'un côté, et iskristes, de l'autre, parmi lesquels G. Plékhanov et Lénine. En 1903, le IIe congrès du POSDR voit s'opposer partisans d'une formation ouverte et partisans d'un parti à la discipline de fer. La division entre mencheviks et bolcheviks est au bout du chemin. G. Plékhanov rompra bientôt avec Lénine et deviendra leader de la fraction menchevik. **C. U.** **> RUSSIE ET URSS.**

POSTCOMMUNISME À la différence du concept de « transition » qui inclut un point de départ (1989-1991), un chemin à parcourir (privatisation, consolidation des alternances politiques) et un but à atteindre (économie de marché, démocratie) et qui, de ce fait, ne résiste pas à la critique d'être téléologique et normatif, celui de postcommunisme est neutre par son indétermination. Si l'on considère le champ spatial de l'ex-URSS et de l'Europe centrale et orientale, et si l'on considère hors de propos la boutade « Nous vivons tous dans le postcommunisme », on dispose d'un cadre simple pour observer les tendances à l'œuvre dans une région qui a subi pendant un demi-siècle, voire davantage pour la Russie, un régime politique totalitaire ou proche de l'être. **Des traits largement communs.** Les caractéristiques du postcommunisme se retrouvent dans la plupart des pays concernés. La première étape est une sorte de décolonisation (désatellisation) avec les dissolutions du pacte de Varsovie (25 février 1991) et du CAEM (Conseil d'assistance économique mutuelle, ou Comecon, 28 juin 1991), qui rendent caducs les liens de coopération militaires et économiques. Il s'agit de remplir le vide par de nouveaux marchés

et par une nouvelle division internationale du travail non plus cantonnée à un « camp » ou à un « bloc », mais en phase avec le monde entier, suivant les règles libérales. Simultanément, il faut remplir le vide de sécurité qu'a entraîné l'effondrement de la puissance militaire soviétique. Sont signés des pactes de bon voisinage, de partenariat avec l'OTAN (Organisation du traité de l'Atlantique nord), à laquelle ont adhéré trois anciens pays communistes en avril 1999 (Hongrie, Pologne et République tchèque). Enfin de vastes réformes venues d'« en haut » (dont les instigateurs sont pêle-mêle : le gouvernement, les chambres élues, l'UE – Union européenne –, le FMI – Fonds monétaire international –, etc.) sont engagées, nécessitant également l'apprentissage des nouvelles règles du jeu, aussi bien par les acteurs collectifs que par les individus. **T**outes ces mesures, légitimes au regard des modalités de leur adoption (validations électorales, débats législatifs conclus par des votes) se combinent en une sorte de révolution institutionnelle. Malgré ses effets sociaux, notamment une refonte de la structure sociale se traduisant pour certains par une ascension sociale et l'amélioration de leur niveau de vie, pour d'autres par des phénomènes d'exclusion et de précarisation, cette mutation radicale n'engendre pas de contre-révolution, si l'on excepte la pression des mineurs roumains contre ceux qui auraient « confisqué la révolution » (juin 1990, octobre 1991) ou le putsch de Moscou (août 1991). En effet, les transformations en Europe postcommuniste dépendent non seulement de réalités « objectives » comme les politiques des acteurs institutionnels ou la demande structurelle du marché, mais aussi pour beaucoup de la disponibilité des individus à recevoir des impulsions ou des signaux de leur nouvel environnement et à leur trouver des réponses personnelles adéquates. **Une hypothèse chronologique.** En ce sens, on peut formuler une hypothèse chronologique rendant intelligible le postcommunisme. Les effets des ruptures de 1989 et 1991 ont longtemps marqué les comportements des individus ou des groupes sociaux qui semblaient désorientés par le changement. De plus en plus, les individus et notamment les générations qui ont grandi à la fin du communisme ou, déjà, dans le postcommunisme, s'orientent en fonction du nouveau système économique et, tout au moins pour les pays de l'Europe centrale, assimilent la perspective de l'intégration européenne. Cependant, le label de post-communisme recouvre des trajectoires nationales très diverses. Le sociologue Ralf Darhendorf a mis en garde devant la tentation répandue de croire en une « ligne d'arrivée », ayant vertu de modèle unique : « Il y a beaucoup de capitalismes et pas seulement celui de Chicago, a-t-il rappelé, il y a beaucoup de démocraties et pas uniquement celle de Westminster. » **G. M.**

POTSDAM (conférence de) Sommet réunissant en territoire allemand, du 17 juillet au 2 août 1945 (après la capitulation du IIIᵉ Reich), les trois « grands », URSS, États-Unis et Royaume-Uni, la conférence de Potsdam fait suite à celle de Yalta. Joseph Staline, en pleine possession de ses moyens, Winston Churchill – puis Clement Attlee – et Harry Truman (qui vient de succéder à Franklin D. Roosevelt) doivent négocier les frontières de la Pologne. Dans les faits, c'est en vain : Staline, profitant de la situation créée par l'occupation de territoires par l'armée soviétique, obtient que les faits l'emportent sur les principes et que les frontières soient fixées selon ses vœux : sur la « ligne Oder-Neisse » à l'ouest, et sur la « ligne Curzon » à l'est, laissant en territoire soviétique les zones ukrainienne et biélorusse précédemment contestées. Lors de cette conférence est adopté le principe de l'expulsion des Allemands des territoires désormais polonais, tchécoslovaques et hongrois. L'Allemagne est reconnue comme entité politique et économique unique et l'occupation est conçue comme collective, mais les problèmes concrets posés par l'application de ces principes ne sont pas discutés lors de la conférence, ouvrant la voie aux différentes interprétations ultérieures. **> SECONDE GUERRE MONDIALE.**

POUM (Parti ouvrier d'unification marxiste, Espagne) > SOCIALISME ET COMMUNISME (ESPAGNE).

PRAGUE (coup de) L'expression courante « coup de Prague » laisse supposer un « coup » monté par des communistes alors minoritaires et marginaux, mais la réalité fut plus complexe : le chef des « putschistes », Klement Gottwald, occupait, en toute légalité parlementaire, le poste de Premier ministre depuis la victoire du PCT (Parti communiste de Tchécoslovaquie) aux élections de mai 1946, remportées avec 40 % des voix. La crise éclate le 20 février 1948 avec la démission des ministres de trois partis qui ne représentent pas la majorité du gouvernement ; les sociaux-démocrates et les deux ministres « sans parti » restent. L'un deux, Jan Masaryk (1886-1948), le fils du fondateur de la République Tomáš Masaryk, alors à la tête des affaires étrangères, se suicide vingt jours plus tard. La stratégie communiste se fonde sur l'acceptation de cette démission par le président de la République, le démocrate libéral Edvard Beneš, et sur la nomination de nouveaux ministres procommunistes qui compléteraient le gouvernement en place. Ce qui est fait dans l'après-midi du 25 février et avalisé ensuite par le Parlement. L'installation complète de la dictature communiste commence, malgré le maintien de Beneš, malade, qui n'abdiquera qu'en juin. La direction communiste visait le monopole du pouvoir depuis la fin de la guerre et avait déclenché l'offensive décisive à l'automne 1947, appuyée par et poussée par la direction stalinienne de Moscou, mécontente de ses lenteurs. Les forces démocratiques étaient incapables de la contrer. Pendant la crise de février, les communistes ne recourront pas seulement aux moyens parlementaires habituels et à la mobilisation de la « rue », mais utilisèrent leur implantation dans les services de sécurité et les organismes du pouvoir pour intervenir dans les locaux et les ministères tenus par les partis démissionnaires, pour entreprendre purges politiques et répression des adversaires. La crise gouvernementale s'est résolue selon les usages parlementaires. Pourtant, au vu des moyens répressifs employés avec préméditation et mis en place depuis des mois, ces journées de février 1948 auront représenté un réel coup d'État. **K. B. > DÉMOCRATIE POPULAIRE,**

SOVIÉTISATION DE L'EUROPE DE L'EST, STA-
LINISME, TCHÉCOSLOVAQUIE.

PRAGUE (printemps de) Vingt ans
après le « coup de Prague », la Tchécoslovaquie a créé l'événement en 1968 avec le
« printemps de Prague », cette tentative
d'instaurer un « socialisme à visage humain »
– selon la formule usitée pour cette révolte
pacifique contre un régime fondé sur le <u>bol-
chevisme</u>. Le pays a encore créé l'événement
dans la nuit du 20 au 21 août, lorsqu'il fut
envahi par cinq armées du <u>pacte de Varso-
vie</u>, dont le but était d'écraser cette
révolte. Le changement s'était amorcé
dès le début de l'année 1968 quand, le
5 janvier, le premier secrétaire du PCT (Parti
communiste de Tchécoslovaquie), Antonin
Novotny (1904-1975), fut remplacé par
Alexander <u>Dubček</u>. La crise qui ébranle la
direction du Parti devient peu à peu une
affaire publique. Mais la dimension historique de l'événement ne peut être limitée à
une « révolution de palais » interne au PCT.
La dynamique de l'évolution est en effet de
plus en plus impulsée par la société civile qui
renaît de ses cendres et s'impose dans la vie
politique du pays. La liberté se fraye progressivement un chemin dans les médias, où
la censure est abolie. Des associations
indépendantes du PCT apparaissent, exerçant leur pression sur les dirigeants
« réformateurs ». Dès février, Moscou
et ses alliés s'alarment : la Tchécoslovaquie
se trouverait aux prises avec la « contre-
révolution », elle risquerait d'abandonner le
« camp de la paix et du socialisme » : en
témoignent les rencontres avec Dubček (ou
d'autres dirigeants tchécoslovaques) où
celui-ci est violemment critiqué ou aimable-
ment accablé de « conseils » pour corriger la
politique du Parti, et aussi les lettres ou les
coups de téléphone. Au-delà, les dirigeants
de l'empire soviétique préparent en fait une
intervention militaire. Celle-ci est mise
en œuvre le 8 avril, quand le maréchal
Andreï Gretchko (1903-1976), ministre de la
Défense de l'URSS, signe la directive « GOU/
1/87654 » donnant l'ordre de préparer l'opération *Danube*. Le lendemain (9 avril), lors de
la session du Comité central du <u>PCUS</u> (Parti
communiste de l'Union soviétique) qui

durera jusqu'au 11 avril, le général Alexandre Lepichev, responsable de la direction
politique de l'armée, déclare : « Si un groupe
des communistes tchécoslovaques nous
demandait de leur venir en aide pour sauver
le socialisme, l'armée soviétique serait prête
à accomplir sa mission. » Le scénario se
fonde sur une « lettre d'invitation » activement préparée. L'énorme machine se
met alors en marche. Entre les 10 et 17 mai,
de grandes manœuvres préparatoires se
déroulent en Pologne et au sud de la RDA
(République démocratique allemande). Le
20 juin commencent enfin sur le territoire
tchécoslovaque des exercices d'États-Majors,
portant le nom de code de « *Sumava* ». C'est
là une répétition de l'intervention militaire
contre la Tchécoslovaquie. Les derniers participants à ces exercices quittent le territoire
tchécoslovaque vers la fin juillet. Pour revenir bientôt par les mêmes chemins et sur les
mêmes lieux. Le 17 août, l'heure de l'attaque
est approuvée par la direction du PCUS ; la
décision est avalisée le 18 à Moscou par les
dirigeants des quatre autres pays envahisseurs (Bulgarie, Hongrie, Pologne, RDA). Au
cours de la nuit du 20 au 21 août, l'opération *Danube* est déclenchée. L'essentiel des
troupes d'attaque est soviétique. Le premier
échelon est fort de 165 000 hommes et de
4 600 chars ; cinq jours plus tard, le pays de
14,3 millions d'habitants est occupé par
27 divisions équipées de 6 300 chars, 800
avions, 2 000 canons et regroupant
400 000 soldats environ (en juin 1941,
l'Allemagne avait mobilisé 3 580 chars lors
de l'attaque contre l'URSS). Les occupants ne réussiront cependant pas à réaliser
le scénario préparé – installer un « gouvernement ouvrier-paysan », composé de fidèles qui les « invitent » – ; la mobilisation de
larges couches de la population pousse à la
libération des dirigeants emprisonnés et provoque l'échec politique des envahisseurs. Ils
n'arriveront à briser la révolte qu'en 1969,
parfois assistés de certains dirigeants « réformateurs ». Après la révolte hongroise de
1956, le Printemps tchécoslovaque a prouvé
qu'en l'absence d'une crise profonde dans la
métropole de l'empire, les tentatives isolées
de mise en cause du système étaient condamnées à l'échec. **K. B.** **> DISSIDENCE ET**

OPPOSITIONS (EUROPE DE L'EST), TCHÉCOS-
LOVAQUIE.

PRAGUE (procès de) Pendant des
décennies, la formule « procès de Prague » a
curieusement évoqué le seul procès « à
grand spectacle », celui des dirigeants communistes. Il commença le 20 novembre
1952 en tant que « procès de la direction du
centre de conspiration contre l'État avec à sa
tête Rudolf Slánský », secrétaire général du
PCT (Parti communiste de Tchécoslovaquie).
Le 27 novembre, le tribunal prononça le
verdict : onze accusés étaient condamnés à
la peine capitale (ils furent pendus le
3 décembre), trois à perpétuité. Parmi les
condamnés se trouvaient des personnalités
éminentes de l'appareil communiste international. Les trois condamnés à perpétuité et
huit des onze condamnés à mort ont vu leur
« origine juive » mise en évidence. La
monstruosité de ce procès ne peut pourtant
pas occulter le fait que l'écrasante majorité
des victimes de la répression étaient non
communistes. Pour toute la période 1948-
1954, les communistes ont en effet représenté en Tchécoslovaquie environ 0,1 % des
condamnés, 5 % environ des condamnés à
mort et 1 % des morts (peines capitales exécutées, suicides provoqués par la persécution, morts dans les prisons ou dans les
camps). C'est pourquoi le terme « procès de
Prague » devrait être compris dans un sens
plus large et au pluriel. Les grands procès
politiques commencent dès avril-mai 1948.
Ils se poursuivent avec les condamnations
des démocrates, libéraux ou socialistes. Une
première vague culmine avec le procès de
Milada Horakova (31 mai au 8 juin 1950),
qui aboutit à quatre condamnations à mort,
et avec 300 procès consécutifs totalisant dix
condamnations à la peine capitale. Comme
ce fut le cas de M. Horakova, le pouvoir souvent persécute des résistants et d'anciens
prisonniers des camps nazis. Les procès touchent ensuite les représentants de l'Église
catholique et des ordres religieux. La vague
répressive s'arrête en 1954 ; les procès sont
plus rares. Le lieu préféré des procès
les plus spectaculaires fut Prague, mais ils
se sont déroulés aussi dans la capitale
morave, Brno, la capitale de la Slovaquie,

Bratislava, et dans les chefs-lieux des
régions. L'expression « procès de
Prague » revêt une nouvelle signification au
moment de la répression judiciaire du début
des années 1970, après l'écrasement de la
révolte de 1968-1969 (le printemps de Prague). K. B. > STALINISME, TCHÉCOSLO-
VAQUIE, TOTALITARISME.

PREMIÈRE GUERRE DU GOLFE
> GUERRE DU GOLFE (PREMIÈRE).

PREMIÈRE GUERRE MONDIALE
> GRANDE GUERRE.

PRI (Mexique) En 1929 est créé au
Mexique le Parti national révolutionnaire
présenté comme le garant des acquis de la
révolution mexicaine. Lázaro Cárdenas le
transforme en 1938 en Parti de la révolution
mexicaine. En 1946, il est rebaptisé Parti
révolutionnaire institutionnel (PRI). Jusqu'à
la fin du xxe siècle, tous les présidents de la
République seront issus du PRI. Il faudra
attendre le 2 juillet 2000 pour qu'une alternance historique se produise. Ce monopole
du pouvoir assimile de fait le système politique établi autour du PRI à un régime de
parti unique. Ce système a reposé sur la pratique du clientélisme et sur l'encadrement
social (syndicats, etc.). Les autres structures
politiques n'ont durablement recueilli qu'un
faible nombre de voix aux élections. Le PRI
aura été un parti-État par excellence. Son
hégémonie n'a été contestée par les classes
moyennes enrichies par la croissance économique qu'à partir des années 1960. Régulièrement accusé de fraude électorale, il n'en
est pas moins resté longtemps perçu comme
un gage de stabilité politique pour de nombreux Mexicains. É. S. > MEXIQUE.

PRIMO DE RIVERA Miguel (1870-
1930) Chef d'État espagnol (1923-
1930). Miguel Primo de Rivera naît à Cadix
dans une grande famille andalouse. Il fait
une brillante carrière dans l'armée. En 1923,
alors qu'il est capitaine général de la Catalogne, il prend le pouvoir avec l'accord du roi
Alphonse XIII. Il dissout le Parlement et gouverne par décrets, en s'appuyant sur un directoire essentiellement militaire. Il met fin à la
guerre du Rif (1921-1926) en collaborant

avec les Français. Visiblement inspiré par les « régénérationistes » du début du siècle qui souhaitaient redresser l'État et moderniser la société, il entend imposer les réformes économiques nécessaires par une intervention de l'État, ce qui heurte quelque peu les hommes d'affaires. Admirateur du dirigeant fasciste Benito Mussolini, il défend une vision « corporatiste » de l'organisation du travail. Mais il échoue dans sa tentative de créer un parti unique (Union patriotique). Les difficultés liées à la crise de 1929 lui aliènent une partie de l'opinion. Il se retire et meurt à Paris en 1930. Il appartiendra à son fils, José Antonio (1903-1936), de fonder un mouvement véritablement fasciste, la Phalange. **É. T.** > ESPAGNE.

PROPAGANDE La Grande Guerre a représenté le premier conflit dit « total », où guerre politique, guerre économique et guerre idéologique devinrent tout aussi décisives que les opérations sur le terrain des armes. Susciter l'adhésion des citoyens à la cause nationale fut dès lors une tâche prioritaire. Non seulement de plus en plus de secteurs de l'économie nationale furent appelés à contribuer à l'effort de guerre, mais les populations civiles commencèrent à être de plus en plus directement affectées dans leur vie quotidienne par cette nouvelle forme d'affrontement. La propagande y acquit ses premiers galons comme technique de gestion de l'opinion de masse, mais également comme moyen de pression sur les responsables de gouvernements étrangers. Un échantillon : deux photos sur le bureau d'un officier de renseignement ; la première représente des cadavres de soldats qui sont transportés à l'arrière des lignes pour y être enterrés ; la seconde, des dépouilles de chevaux morts que l'on convoie vers une usine pour en tirer de l'huile et du savon. L'officier substitue les légendes : « Cadavres de soldats en partance pour une fabrique de savon » et les expédie à la presse. L'officier qui, au printemps 1917 à Londres, dans les locaux du Department of Information, truque ainsi deux photos saisies sur un prisonnier allemand est le général Charteris. Son objectif : persuader la Chine de rejoindre le camp des Alliés. Les experts en propagande et contre-

propagande de l'époque raconteront après la guerre que la profanation de cadavres par l'armée allemande aurait heurté profondément les Chinois et leur culte des morts. Au point que cette dépêche aurait pesé de tout son poids dans leur décision de sortir de la neutralité. **Les handicaps allemands.** Dans ce qui devait être l'un des derniers bulletins de la 18e armée de l'Allemagne du Kaiser, on lisait : « L'ennemi nous a mis en déroute sur le front de la propagande des tracts. Nous avons pris conscience du fait que, dans cette lutte à la vie à la mort, il était nécessaire d'utiliser les propres méthodes de notre ennemi. Mais nous en avons été incapables... » À cette faiblesse du front de la propagande, trois explications. D'abord et avant tout, le dispositif allemand s'adressa à la raison, en s'efforçant de justifier l'attitude de ses compatriotes. La propagande britannique, elle, s'adressa aux affects, cherchant à indigner et à révolter. La seconde raison de cette faiblesse tient au caractère massif du recours à la propagande de la part des forces de l'Entente. Cette propagande s'intensifia à partir d'août 1917, choisissant comme objectif prioritaire de provoquer le plus de désertions possible dans les rangs ennemis. Enfin, dernier handicap de l'Allemagne, les dissensions entre le pouvoir civil et l'État-Major reléguèrent au second plan la création d'organismes de coordination des opérations de propagande. Une logique prévalut : celle des militaires. Ces derniers ne comprirent, en général, que très tardivement le changement de nature en cours d'expérimentation et qui affectait la définition même de la guerre, son caractère de « guerre totale ». **Les Alliés** réussirent donc là où leurs ennemis avaient échoué. Pour mener à bien une stratégie de persuasion, chacune des grandes puissances de l'Entente mit sur pied sa propre structure, la coordination interalliée n'intervenant que peu avant l'armistice, et pas toujours de façon très satisfaisante. **Les États-Unis** créèrent un Committee on Public Information relevant directement de la Présidence et réunissant les secrétaires à la Marine et à la Guerre, le secrétaire titulaire du département d'État et un journaliste, George Creel. Cet organisme, connu sous le nom de « comité Creel », s'efforça de mobiliser l'univers des

médias pour « vendre la guerre au public américain » et vaincre ainsi la réticence des pacifistes. L'industrie cinématographique fut mise à contribution : elle se mit à produire des films de propagande, mettant surtout à profit l'affaiblissement de la production des pays européens. Le premier conflit mondial donna ainsi lieu à de nombreuses réflexions sur les rapports de force culturels internationaux. **Vers la communication de masse.** La période de paix ramena les interrogations morales sur la fin et les moyens de la propagande, au fur et à mesure de la publication des révélations d'anciens propagandistes repentis. Quelques voix isolées essayèrent bien de secouer la surestimation dont jouissait la propagande dans les facteurs qui avaient précipité la chute de l'Empire allemand. Mais, pour ou contre, l'écrasante majorité ne contesta pas l'efficacité de la guerre des tracts et des communiqués. Le débat contribua, au contraire, à renouveler l'idée de la puissance magique des techniques modernes de persuasion. L'idée que les moyens de communication de masse pouvaient avoir un pouvoir démesuré sur le façonnement des esprits commença à se frayer un chemin. **C**'est dans ce contexte que vit le jour le premier ouvrage de recherche sur la communication de masse, *Propaganda Technique in the World War*, de l'Américain Harold D. Lasswell (1927), inventeur de la fameuse formule censée donner les clés sociologiques de la communication de masse, dite des 5 W ou des 5 Q : *« Who says What in Which channel to Whom with What effect ? »* (« Qui dit Quoi à Qui par Quel canal et avec Quel effet ? »).
A. M. **> GUERRE PSYCHOLOGIQUE.**

PROTECTIONNISME **D**octrine et pratique économiques consistant à protéger l'économie nationale de la concurrence internationale. Aux barrières tarifaires que sont les droits de douane s'ajoutent des obstacles non tarifaires (comme les normes sanitaires pour les produits agricoles par exemple). Le GATT (Accord général sur les tarifs douaniers et les échanges), puis l'OMC (Organisation mondiale du commerce), qui lui a succédé en 1995, combattent le protectionnisme au nom de l'efficacité supposée du libre-échangisme pour la croissance et le développement. Cette thèse fait débat car non vérifiée par l'histoire.

PS (Parti socialiste, France) > SOCIA-LISME ET COMMUNISME (FRANCE).

PSI (Parti socialiste italien) > SOCIA-LISME ET COMMUNISME (ITALIE).

PSOE (Parti socialiste ouvrier espagnol) > SOCIALISME ET COMMUNISME (ESPAGNE).

PURIFICATION ETHNIQUE > NET-TOYAGE ETHNIQUE.

Q

QATAR Émirat du Qatar. Capitale : Doha. Superficie : 11 000 km². Population : 589 000 (1999). **O**ccupé par les Ottomans jusqu'en 1915, puis par les Britanniques jusqu'en 1971, le Qatar, situé sur le golfe Arabique, est gouverné par les al-Thani, apparentés aux al-Khalifa du Bahreïn. En 1972, Cheikh Khalifa ben Ahmad chasse l'émir Ahmad ben Ali et s'installe au pouvoir. En 1995, son fils Hamad ben Khalifa s'empare à son tour du trône et engage des réformes démocratiques : il libéralise l'information, organise des élections municipales au suffrage universel et met en chantier une Constitution. **L**e Qatar entretient avec le Bahreïn des relations délicates, les deux pays revendiquant les îles Hawar, attribuées par les Britanniques au Bahreïn en 1939. Mais le Qatar redoute surtout l'expansionnisme de l'Arabie saoudite, à l'origine d'affrontements frontaliers récurrents, et voit dans la mainmise de Riyad sur la crique de Khor al-Udaïd, propriété d'Abu Dhabi, une volonté de l'isoler. Le Qatar est fondé à se méfier : ses eaux territoriales recèlent de fabuleuses réserves de gaz naturel, qui en font potentiellement le plus riche des États du Golfe. **I. L.**

QUATORZE POINTS **L**e message public adressé par le président américain Woodrow Wilson au Congrès le 8 janvier 1918, à l'heure où se déroulent les négociations de Brest-Litovsk, entend définir les bases d'une paix générale. **L**es cinq premiers points sont de portée générale et concernent la diplomatie « ouverte » (par opposition à la diplomatie secrète), l'abaissement des barrières douanières, le désarmement, la prise en compte des revendications coloniales. **L**e dernier point porte sur une « association générale des nations » chargée de « fournir des garanties mutuelles d'indépendance politique et d'intégrité territoriale aux grands comme aux petits États ». **L**es points 6 à 13 concernent des remaniements territoriaux : la Russie doit choisir librement ses institutions et bénéficier de tous les secours possibles ; la Belgique doit être « évacuée et restaurée » ; « le tort fait à la France par la Prusse en 1871, en ce qui concerne l'Alsace-Lorraine, qui a troublé la paix du monde pendant plus de cinquante ans, devra être réparé » ; « le rétablissement de la frontière italienne devra être effectué suivant les lignes des nationalités clairement reconnaissables » ; « développement autonome » pour les « peuples d'Autriche-Hongrie » ; révision des frontières des États balkaniques ; possibilité d'autonomie pour les nationalités non turques de l'Empire ottoman ; établissement d'un État polonais indépendant qui « devra comprendre les territoires habités par les populations incontestablement polonaises auxquelles on devra assurer un libre accès à la mer ». **B. W.**

QUÉBEC > QUESTION QUÉBÉCOISE.

QUESTION ALLEMANDE **D**e la question allemande, on peut avoir une définition large : celle d'un pays tour à tour trop faible ou trop fort au cœur de l'Europe, champ des ambitions des grandes puissances (ainsi au XVIIᵉ siècle, ou encore à la fin de la Seconde Guerre mondiale), ou, au contraire, celle d'un pays d'où partit au XXᵉ siècle une volonté de domination hégémonique sur l'Europe. Par « question allemande », on entend aussi, plus généralement, le fait qu'un État-nation s'est constitué tard en Europe et que l'Empire allemand fondé en 1871 n'a pas inclus toutes les populations allemandes ou de langue vernaculaire allemande. Enfin, on peut entendre la difficile émergence d'un État démocratique dont les institutions et les mentalités furent long-temps non libérales (le *Sonderweg*, la « voie particulière » – désormais répudiée par l'historiographie –, que l'Allemagne aurait suivi, entre Est et Ouest, ne se voulant ni occidentale ni tout à fait orientale). Dans les trois cas, l'équilibre géopolitique de l'Europe était en question ainsi que la configuration de l'Allemagne, sa constitution interne et son rôle sur le Vieux Continent. **Dissé-mination et imbrication de populations.** Alors qu'en Europe occidentale, des États-nations émergèrent progressivement à partir de la fin du Moyen Âge, aussi imparfaits et en réalité aussi multiethniques qu'ils fussent, les États modelant en quelque sorte les nations, en Europe centrale et orientale des États se constituèrent après l'éveil des nationalités au XIXᵉ siècle : les États y furent constitués par les nations sans que soit réalisé ce processus d'homogénéisation précoce caractéristique de la France ou encore de l'Angleterre. La dissémination de populations parlant la même langue sur de vastes territoires ou encore l'imbrication de populations de lan-gues différentes sur de mêmes espaces eurent pour conséquence la création d'États multiethniques ne rassemblant pas tous les locuteurs d'une même langue. Ce fut le cas notamment de l'Allemagne. L'Empire dont Bismarck (1815-1898) fut l'accoucheur à la fin du XIXᵉ siècle comportait en effet des populations différentes – avec des minorités polonaise, danoise, etc. – et n'incluait pas toutes les populations de langue allemande puisque d'une part, le chancelier avait choisi, avec la solution « petite-allemande » *(klein-deutsche Lösung)*, d'écarter l'Autriche, et que d'autre part, dès le Moyen Âge, des popula-tions de langue allemande avaient colonisé l'Europe centrale et orientale jusqu'aux step-pes d'Asie centrale. **Les règlements clô-**turant la Grande Guerre – qui sur les ruines des empires centraux constituèrent des États – ne purent apporter de garanties suf-fisantes à leurs minorités. L'Allemagne nazie exploita cette situation en prétendant proté-ger les minorités de langue allemande, y compris dans des régions qui n'avaient jamais relevé de l'Empire. Avec la défaite hit-lérienne, bon nombre d'Allemands (environ douze millions) quittèrent l'Europe centrale et orientale (dont les Allemands chassés des Sudètes). Des populations importantes sont cependant restées, par exemple en Rouma-nie ou en Russie. **RFA et RDA, la nou-velle question.** Après la Seconde Guerre mondiale, la question allemande revêt une autre signification, celle de la division de l'Allemagne, désormais amputée de territoi-res à l'Est, devenus polonais. États-Unis, Royaume-Uni et Union soviétique, auxquels la France s'adjoignit plus tard, convinrent de ne pas démembrer l'Allemagne mais ne purent s'entendre sur la constitution politi-que du futur État. Les lignes de démarcation militaire entre armée soviétique et armées occidentales se figèrent rapidement en lignes de division politique. Des trois zones occi-dentales naquit la République fédérale d'Allemagne (RFA), en mai 1949, l'Union soviétique constituant sa zone en une Répu-blique démocratique allemande (RDA). Cha-cun des deux États prétendit légitimement représenter toute l'Allemagne, la République fédérale allant, selon la doctrine Hallstein, jusqu'à rompre toutes relations diplomati-ques avec un État qui reconnaissait la RDA – exception faite de l'URSS, puissance garante du statut de l'Allemagne.

Après la construction du Mur de Berlin en 1961, la République fédérale engagea pro-gressivement un dialogue politique avec la RDA (*Ostpolitik*), afin notamment de per-mettre aux familles séparées de renouer des contacts et pariant aussi sur une évolution progressive du régime est-allemand. En 1972, les deux États allemands conclurent un traité par lequel ils se reconnaissaient mutuellement comme États d'une même nation (n'échangeant pas des ambassadeurs mais des représentants permanents). Une porte restait ouverte à la réunification dans la mesure où le préambule de la Loi fonda-mentale – Constitution de la République fédérale – prévoyait que tout serait mis en œuvre pour parfaire l'unité allemande et où, selon l'article 116, est allemande toute per-sonne ayant été admise dans les frontières du Reich du 31 décembre 1937. Ainsi, les Allemands de l'Est comme d'autres Alle-mands d'Europe centrale ou orientale devenaient automatiquement, à leur arrivée, citoyens de la République fédérale. Avec la faillite du communisme et l'implosion de l'empire soviétique, la RDA fit place à cinq *Länder* qui adhérèrent, le 3 octobre 1990, à la RFA. **« Patriotisme constitutionnel » et sentiment national.** Un État-nation s'est ainsi constitué, démocratique en sa partie occidentale depuis les lendemains de la Seconde Guerre mondiale et où les revendications revanchistes se sont plus ou moins tues – à l'exception de cercles extrêmement minoritaires. Dans les années 1960 et 1970, nombre d'intellectuels et d'hommes politiques s'étaient interrogés sur ce que pouvait être le ciment intégrateur d'un État qui ne pouvait invoquer le lien national. Le « patriotisme constitutionnel », fondé sur l'adhésion citoyenne à la Constitution, fut évoqué par les philosophes Dolf Sternberger et Jürgen Habermas, avec une fortune certaine. Il pouvait néanmoins représenter une mouture nouvelle du *Sonderweg* allemand, l'Allemagne postnationale se détachant des États nationaux qui l'entouraient. Avec la reconstitution du lien national, le patriotisme constitutionnel peut fusionner avec le sentiment national. La question allemande est close. **A.-M. L. G.** > ALLEMAGNE.

QUESTION BASQUE Les provinces basques (Euskadi) s'étendent traditionnellement de part et d'autre des Pyrénées, et recouvrent en Espagne la Biscaye, le Guipúzcoa et l'Álava. Séparées du reste de la péninsule par une barrière montagneuse, elles ont gardé longtemps un caractère original à la fois par leur langue et par la persistance de privilèges économiques, juridiques et fiscaux. La défense de ces privilèges (*fueros*) et la pratique d'un catholicisme intransigeant conduisent les Basques à se rallier au prétendant carliste (qui se dit seul héritier légitime de la couronne d'Espagne) et à soutenir une véritable guerre contre la monarchie constitutionnelle au cours du XIXᵉ siècle. La disparition du régime foral en 1875 amène une radicalisation du mouvement. En 1895, Sabino Arana Goiri (1865-1903) fonde le Parti nationaliste basque (PNV, traditionaliste et conservateur). Le rejet des revendications nationalistes par les gouvernements de

droite explique le ralliement, au moment de la Guerre civile (1936-1939), au camp républicain, ainsi que la création d'un gouvernement autonome, disposant de ses propres milices. Après la capitulation de 1937, l'autonomie est supprimée et se constitue un gouvernement en exil. La résistance au régime de Franco est évidente à l'intérieur du pays ; mais le Parti nationaliste basque est dépassé par des mouvements plus radicaux, surtout l'ETA (Euzkadi Ta Askatasuna, « Le Pays basque et sa liberté », fondé en 1959), qui s'oriente vers l'action terroriste. Action qui ne cessera pas avec la chute du franquisme et le rétablissement des libertés démocratiques, malgré l'obtention d'un large statut d'autonomie. **É. T.** > ESPAGNE.

QUESTION D'ORIENT La question d'Orient appartient au XIXᵉ siècle. Ses séquelles, qui concernent notamment le processus de formation d'États-nations à partir de l'Empire ottoman, couvrent pourtant tout le XXᵉ siècle. La question d'Orient découle d'une part de la déliquescence de l'Empire ottoman, l'« homme malade de l'Europe », et d'autre part de la lutte d'influence entre les empires russe et britannique pour la conquête et le « contrôle des hautes terres » et des rivages asiatiques. La Russie, poussant à travers le vide sibérien, atteint le Pacifique dès le XVIIᵉ siècle ; elle descend ensuite progressivement vers le sud en absorbant les États turco-mongols de l'Asie centrale et du nord de la mer Noire. La Grande-Bretagne s'installe aux Indes dans la première moitié du XIXᵉ siècle et contrôle les mers chinoises après la « guerre de l'opium » en 1840. Cette progression vers l'est – respectivement par le nord et par le sud – des deux grandes puissances prend en tenaille les vieux empires en déclin, incapables de s'adapter à l'internationalisation du commerce et à la révolution industrielle, à savoir l'Empire ottoman, l'Iran, la Chine. Ils serviront d'États-tampons, chargés d'amortir le choc d'un affrontement possible entre Russes et Britanniques, ce qui ne les empêche pas d'être progressivement grignotés par l'un et par l'autre. Ainsi la question d'Orient fait-elle partie du « grand jeu » des *impéria-*

lismes russe et britannique du XIXᵉ siècle. **L'« intégrité » de l'Empire ottoman.** L'espace occupé par l'Empire ottoman, qui va du pourtour de la mer Noire (au nord) à celui de la mer Rouge (au sud) est doublement convoité : par la progression russe vers les mers chaudes et par le contrôle britannique de la route des Indes. La Russie annexe le khanat (principauté mongole) de Crimée, vassal des Ottomans, en 1783 et amorce la conquête du Caucase qui ne s'achèvera qu'en 1859 (Daghestan) et en 1864 (Circassie). Elle entend ensuite pousser à travers l'Arménie historique vers le plateau anatolien et les hautes vallées de l'Euphrate et du Tigre. Du côté des Balkans, elle utilise son influence auprès des populations orthodoxes (Grecs, Roumains), ou à la fois slaves et orthodoxes (Serbes, Monténégrins, Bulgares), combinée à des avancées militaires jusqu'aux portes d'Istanbul, la capitale ottomane (Édirne, 1828 ; San Stefano, 1877) pour susciter la formation d'États indépendants dans les Balkans, dont elle pense qu'ils lui seront inféodés. **L'**intérêt de la Grande-Bretagne pour l'Empire ottoman vise à lui assurer d'une part le chemin des Indes et d'autre part à mettre à sa disposition un marché pour ses produits manufacturés. L'occupation d'Aden (1839), l'achat des actions du <u>canal de Suez</u> suivi par le protectorat sur l'Égypte (1882), la tutelle progressive sur les émirats du Golfe (Koweït, 1899) relèvent de la première préoccupation, la signature d'un traité de commerce avec l'Empire ottoman en 1838, libéralisant les échanges, a trait à la seconde. Ce bras de fer entre la Russie et la Grande-Bretagne se déroule avec pour fond le dogme de l'« intégrité de l'Empire ottoman », qui reflète les craintes d'un conflit inévitable entre les deux puissances au cas où l'« homme malade » viendrait à mourir. Cela n'empêche toutefois pas des amputations successives de territoires ottomans, soit directement au profit de l'une des deux puissances, soit pour constituer ou agrandir progressivement des États balkaniques. Ce morcellement suscite à son tour un second dogme, tout à fait contradictoire avec le premier, selon lequel un territoire « libéré du joug ottoman » ne doit pas le subir à nou-

veau. La gestion, le long du XIXᵉ siècle et jusqu'en 1914, de ces deux principes contradictoires constitue la question d'Orient. **L'enjeu des Détroits.** Si cette « question » porte sur les vastes étendues allant du Danube à l'océan Indien et du Caucase au Maghreb, son point central se situe à Constantinople (Istanbul), la capitale ottomane, verrou des <u>Détroits</u> : le Bosphore et les Dardanelles. Ceux-ci constituent en effet aussi bien la seule issue maritime de la Russie, utilisable en toute époque de l'année, que l'unique accès maritime du commerce britannique vers les régions limitrophes de la mer Noire. Ainsi, le principe de la liberté de navigation dans les Détroits cache-t-il les velléités de monopolisation de cette liberté par l'une des deux puissances au détriment de l'autre. En 1833, la Russie, offrant sa protection contre la révolte de Mohammed Ali Pacha (1769-1849), gouverneur d'Égypte, s'assure du monopole du passage dans les Détroits. La Grande-Bretagne rectifie le tir par la convention de Londres de 1838, qui établit la liberté de circulation. En 1853, quand la Russie menace l'Empire ottoman, Anglais, Français et Italiens s'allient au sultan pour la combattre ; c'est la guerre de Crimée (1854-1855). Enfin, quand les Russes arrivent en 1877 jusqu'aux faubourgs d'Istanbul et imposent aux Ottomans une Grande Bulgarie qui occupe tout le sud des Balkans, les grandes puissances occidentales interviennent de nouveau pour conserver à l'Empire ottoman la Thrace et la Macédoine et pour empêcher surtout qu'à travers une Bulgarie ayant accès à la mer Égée la Russie puisse accéder aux mers chaudes sans passer par les Détroits. **T**outefois, l'unification de l'Allemagne en 1871 introduit sur la scène mondiale une nouvelle puissance tout aussi désireuse de posséder ses propres aires d'influence. Les zones tampons laissées entre les impérialismes russe et britannique deviennent alors un axe de pénétration tout désigné. Ce sera l'axe Berlin-Bagdad, matérialisé par une ligne de chemin de fer construite avec des capitaux allemands. L'émergence de la puissance allemande, en entraînant l'alliance russo-britannique, sonne le glas de l'Empire ottoman. Ces deux puissances incitent en 1912 les États balka-

niques à se partager les dépouilles ottomanes dans les Balkans (première guerre balkanique, 1912-1913) afin d'empêcher la jonction des Allemands et des Austro-Hongrois avec les Ottomans. La Grande Guerre suivra, puis le traité de Sèvres... **S. Y.**
> EMPIRE OTTOMAN.

QUESTION DU CACHEMIRE Alors qu'elles apparaissaient en voie de normalisation sur le long terme après trois guerres (1947-1949, 1965 et 1971), les relations indo-pakistanaises sont devenues franchement mauvaises avec l'apparition, en 1989, d'un cycle manifestation-répression-terrorisme (18 000 à 30 000 morts, selon les sources, de 1988 à 1998) dans l'État indien du Jammu et Cachemire (J & K), dont le Pakistan occupe les deux cinquièmes depuis 1947. Ce cycle a développé une tendance séparatiste chez les musulmans (majoritaires) des trois autres cinquièmes, sous contrôle indien (estimés à 7,7 millions de personnes en 1991). L'Inde accuse le Pakistan d'armer les séparatistes et le Pakistan reproche aux forces de l'ordre indiennes de violer les droits de l'homme. Islamabad réclame la mise en œuvre du « plébiscite libre et impartial », préconisé par la résolution du 5 janvier 1949 de la Commission des Nations unies pour l'Inde et le Pakistan (CNUIP), de manière à ce que la population de cette ancienne principauté décide de son rattachement à l'un des deux pays. New Delhi invoque le ralliement à l'Union indienne du maharadjah du J & K, Hari Singh, le 26 octobre 1947, conformément au processus prévu lors de l'indépendance de l'Inde et du Pakistan, le 15 août 1947 pour régler le sort des 565 principautés du sous-continent qui ne faisaient pas partie des Indes britanniques. De plus, le retrait des forces pakistanaises de la principauté devait constituer un préalable au plébiscite (résolution de la CNUIP du 13 août 1948). Il n'a donc jamais été question d'indépendance pour les Cachemiris. Cependant, parmi les mouvements formés par les partisans de la séparation d'avec l'Inde et dont le principal est le Hezb-ul Mujahidin (Parti des combattants), prônant le rattachement au Pakistan, on trouve le Front de libération du J & K (JKLF), qui revendique une totale indépendance. **Une mosaïque géographique et ethnique.** Les régions constituant l'ancienne principauté, et séparées par la ligne de contrôle du cessez-le-feu du 1er janvier 1949, présentent une étendue (218 000 km²) et une diversité impressionnantes. À l'est, du côté indien, la région de Jammu, avec sa ville éponyme et capitale d'hiver, est de peuplement dogra (pendjabi) majoritairement hindou (4 millions de personnes en 1991) ; le Cachemire proprement dit, aussi appelé « la Vallée », celle de la rivière Jhelum avec la capitale d'été Srinagar, compte 3,8 millions d'habitants (1991), qui sont à environ 90 % musulmans sunnites, mais, en 1990, les 150 000 hindous de la classe dominante des brahmanes pandit se sont réfugiés au Jammu et au Pendjab. Le plateau aride (cours supérieur de l'Indus) accueille, plus à l'est, le Ladakh (Leh), avec 170 000 habitants de souche tibétaine, en majorité bouddhistes ; à l'ouest, côté pakistanais, l'Azad-Cachemire (Muzaffarabad, Poonch), le Baltistan (Skardu), puis la région de Gilgit et huit principautés (Hunza, Nagar, Punial, Yasin, Kuh Ghizar, Ishkoman et Chilas) comptabilisent au total environ 3,5 millions d'habitants, presque tous musulmans chiites. En 1846, le rajah hindou de Jammu, un Dogra nommé Gulab Singh, achète la vallée du Cachemire et Gilgit à l'Angleterre. Il a déjà conquis le Ladakh en 1834 et une partie du Baltistan en 1840. À la fin du XIXe siècle, les Britanniques vassalisent de force les huit principautés pour le compte des héritiers de Gulab Singh. En 1935, son arrière-petit-neveu, Hari Singh, s'approprie Poonch. Pour toutes ces populations, la dynastie dogra laissera le souvenir d'une occupation étrangère très dure. Aussi, dès août 1947, les régions de Gilgit et de Poonch se révoltent-elles, sur fond de massacre des musulmans de Jammu par des hindous et des sikhs. Le 22 octobre, 3 000 combattants irréguliers, originaires de la frontière afghane, envahissent « la Vallée », poussant Hari Singh à opter pour l'accession à l'Union indienne. Cela permet l'intervention militaire de New Delhi et, au début de 1948, celle du Pakistan. Le 24, les rebelles de Poonch créent une entité indé-

pendante, l'Azad Jammu et Cachemire
(« J & K libre »). L'Azad J & K, dont la
capitale est Muzaffarabad, dispose d'une
Constitution provisoire (24 août 1974) et
d'un Parlement élu. Son gouvernement est
« conseillé » par le gouvernement pakistanais. Par l'accord de Karachi du 28 avril
1949, son premier président, le sardar Ibrahim Khan, confie au Pakistan l'administration du Baltistan, de Gilgit et des huit principautés, réunis sous l'appellation de
« Territoires du Nord » (Northern Areas).
L'État indien du J & K est gouverné depuis
1947 par la Conférence nationale du Cachemire, mouvement nationaliste créé en 1939
contre le pouvoir dogra par Mohammad
Abdullah. Associé à l'Union indienne (laïque), mais garant de l'identité cachemiri – la
Kashmiriyat –, ce parti ratifie l'accession de
la principauté à l'Inde, le 5 février 1954, et
la dote d'une Constitution (26 janvier 1957),
entérinée par l'article 370 de celle de l'Inde.
La malheureuse alliance de Farooq, fils
d'Abdullah, avec Rajiv Gandhi, Premier
ministre de l'Inde (1984-1989), et avec le
parti de celui-ci, le Congrès-I, aux élections
truquées de 1987, entraînera les manifestations de 1989. **Un risque de guerre
indo-pakistanaise ?** D'autres contentieux
majeurs, notamment le partage des eaux de
l'Indus, ont déjà été réglés entre l'Inde et le
Pakistan. Mais la question du J & K met en
cause le principe fondateur de l'État du
Pakistan, créé sur des bases religieuses, à
l'inverse de celui de l'Union indienne à vocation
laïque. Il s'agit là de la dernière étape de
la dramatique partition de 1947 entre l'Inde
et le Pakistan, lors de la décolonisation, en
peine d'aboutissement. **A**insi, les guerres indo-pakistanaises de 1947 et 1965 ont-
elles déjà pour objet le Jammu et Cachemire.
À partir de 1983, une guerre de positions y
est engagée dans le Karakorum (au sud du
glacier du Siachen), les Indiens interdisant
aux Pakistanais l'accès au col éponyme, à la
frontière chinoise. Au tournant du siècle, les
risques de déclenchement d'une guerre de
grande ampleur entre les deux pays paraissaient
cependant faibles : par l'accord de
Simla du 2 juillet 1972, les deux pays se sont
engagés à « résoudre leurs différends par des
moyens pacifiques ». Leur accès « officiel »,

en 1998, à la maîtrise des armements
nucléaires, ne semble pas avoir aggravé ces
risques, au contraire : au cours de la bataille
de Kargil (Ladakh, printemps 1999), où des
séparatistes cachemiris, infiltrés du côté
indien avec le soutien logistique et l'appui-
feu pakistanais, ont finalement été repoussés
par les forces indiennes, Islamabad et New
Delhi ont constamment invoqué la dissua-
sion nucléaire réciproque pour éviter que le
conflit ne se généralise comme en 1965.
Cette question apparaissait décidément très
difficile à résoudre, car après cinquante
années de propagande intérieure, tout gouvernement indien ou pakistanais craignait
d'être renversé au moindre signe de faiblesse. Les gouvernements en place au tournant du siècle étaient de tendance « dure » :
militaire au Pakistan, ultranationaliste en
Inde, semblant, paradoxalement, avoir plus
de poids pour imposer un accord à leurs opinions publiques. M. Po. **> INDE, PAKIS-
TAN.**

QUESTION KURDE **P**artagés entre
quatre États – Syrie (un million), Irak (quatre millions), Iran (huit millions), Turquie
(plus de douze millions) –, les Kurdes se
composent de plusieurs groupes linguistiques (soran, zaza et kurmandj) et confessionnels (sunnites, chiites et alévis). De ce
fait, la question kurde qui émerge des
décombres de l'Empire ottoman devient une
source d'instabilité régionale. **L**a fin de
l'empire a en effet deux conséquences pour
les Kurdes. En premier lieu, aux marches
impériales poreuses elle substitue des frontières étatiques étanches, interdisant le fonctionnement du groupe comme entité. Dotés
auparavant de privilèges au titre de gardiens
des confins de l'empire, les Kurdes sont
désormais perçus comme un obstacle à
l'homogénéisation des territoires « nationaux ». En second lieu, alors qu'ils faisaient
partie de la « majorité » religieuse musulmane, ils deviennent une « minorité » sans
disposer pour autant d'une protection juridique. **La période des révoltes.** Le nationalisme kurde, culturel à ses débuts, se poli-
tise progressivement pour constituer l'un des
facteurs des révoltes des années 1919-1923
(celles de Simko en Iran, de Berzenci en Irak

et de Koçgiri en Turquie). En ce début de décennie, il est cependant marginal. Ainsi, le traité de <u>Sèvres</u> (1920), qui préconise la constitution, à terme, d'une entité kurde, ne trouve-t-il pas d'accueil favorable auprès des dirigeants kurdes : se sentant solidaires des Turcs sur le plan religieux et craignant la création d'un État arménien en même temps que celle d'un État kurde, ils soutiennent Mustafa <u>Kemal</u> (Atatürk) qui leur promet la fraternité dans l'égalité. La période qui suit la signature du traité de <u>Lausanne</u> de 1923 – qui fixe le statut de la Turquie –, et de celui de 1926 – qui entérine le statut de l'Irak – est en revanche marquée par des révoltes incessantes en Irak et en Turquie. Dans ce dernier pays, les révoltes de <u>Cheikh Said</u> (1925), d'Ararat (1927-1930) et de Dersim (1936-1938) obligent chaque fois Ankara à mobiliser plus de 50 000 soldats. Ces révoltes sont le fruit d'une double contestation : celle des tribus et des confréries qui rejettent l'État parce qu'il est centralisateur et celle de l'intelligentsia nationaliste pour qui il symbolise la domination de l'« autre », turc, persan ou irakien. **La proclamation** en 1946 d'une république autonome kurde en Iran – la « république de <u>Mahabad</u> » – est le dernier sursaut du mouvement kurde de cette époque. La répression qui s'abat sur les dirigeants kurdes de Turquie, l'exécution de Qadi Muhammad, chef de l'autonomie kurde en Iran et l'exil de Mustafa <u>Barzani</u> en URSS sont autant de signes annonçant une nouvelle période, celle du silence. **Le renouveau du nationalisme kurde.** Ce n'est qu'à la fin des années 1950 que le nationalisme kurde émerge à nouveau de ses cendres sous l'impulsion de nouvelles générations urbaines. Influencées par les contestations sociales et politiques des années 1950 et 1960 et les idées de gauche, elles vont dominer l'espace politique kurde des décennies suivantes. **En Irak**, après la chute de la monarchie (1958), M. Barzani rentre d'exil et réactive le PDK (Parti démocratique du Kurdistan). La révolte qu'il fomente en 1961 aboutit à la signature d'un accord d'autonomie (mars 1970). La non-application de cet accord par Bagdad et l'aide irano-américaine le poussent à reprendre les armes en 1974. Mais le retrait de cette aide en 1975 marque aussi la fin de la révolte. Dès cette année, cependant, une nouvelle guérilla débute, menée par le PDK et l'UPK (Union patriotique du Kurdistan). Ponctuée de guerres fratricides, elle s'amplifie durant la <u>guerre Iran-Irak</u> (1980-1988) avec l'aide de Téhéran, pour s'interrompre après le recours de Bagdad aux armes chimiques (1987-1988). Celles-ci ont fait de <u>Halabdja</u> une ville martyre. **En Turquie**, les échos de la révolte de M. Barzani et l'impact des mouvements sociaux permettent le renouveau du nationalisme kurde, qui se cantonne, dans les années 1960, à des revendications culturelles et économiques. Il se radicalise cependant à mesure qu'Ankara lui oppose une fin de non-recevoir, et surtout avec la répression qui suit le coup d'État de 1971. Dans les années 1970, plusieurs mouvements prônant la lutte armée, dont le PKK (Parti ouvrier du Kurdistan) d'Abdullah Öcalan, voient le jour. La répression mise en œuvre par le régime militaire instauré en Turquie le 12 septembre 1980 dote cette organisation d'une large audience. De plus, les soutiens logistiques trouvés en Syrie et au Liban se révèlent précieux dans la lutte armée qui commence en août 1984. En réponse à la guérilla, Ankara militarise la région kurde, administrée désormais par un préfet général, constitue des milices tribales kurdes (« protecteurs de village », au nombre de 75 000 à la fin des années 1990), et met graduellement en place une doctrine de guerre de basse intensité. **En Iran**, enfin, dans le sillage de la révolution de 1979, presque toutes les villes kurdes tombent aux mains des nationalistes kurdes. Le PDK-I (Parti démocratique du Kurdistan-Iran) d'Abdul Rahman <u>Ghassemlou</u> tente de négocier avec le nouveau pouvoir. Aux pourparlers qui achoppent sur le statut de la langue et de la région kurdes ainsi que sur la démocratie, succèdent des affrontements meurtriers, contraignant les combattants kurdes à abandonner les villes. La guérilla, soutenue par l'Irak, se poursuit tout au long de la guerre Iran-Irak. La fin de la guerre et la mort de l'ayatollah <u>Khomeyni</u> encouragent A. R. Ghassemlou à entreprendre de nouvelles négociations avec le pouvoir, interrompues par son assassinat par des

« émissaires » iraniens, à Vienne en 1989. Son successeur, Said Sharafkendi est à son tour assassiné, ainsi que trois de ses collaborateurs, à Berlin en 1992. Ensuite, la guérilla repliée pour l'essentiel au Kurdistan d'Irak s'essouffle, la priorité dans l'Iran du président Mohammad Khatami (au pouvoir à partir de 1997) étant par ailleurs donnée aux activités culturelles et à la résistance civile. **La situation après la seconde guerre du Golfe.** Si une certaine accalmie se fait jour en Iran, le Kurdistan d'Irak apparaît radicalement transformé par les conséquences de la guerre du Golfe de 1991. Au lendemain du conflit, la population civile se soulève massivement contre le régime baassiste qu'elle croit perdant. L'écrasement sanglant de la révolte par les Gardes républicains (mars 1991) provoque la fuite de deux millions de personnes. Face à l'ampleur de la tragédie, et, pressée par la Turquie et la France, la Maison-Blanche accepte de décréter le nord du 36e parallèle « zone de protection » interdite à l'armée irakienne. La résolution 688 du Conseil de sécurité de l'ONU (5 avril 1991) met en place une opération humanitaire *(Provide Confort)*, protégée par une force militaire. **Le** retour des exilés est suivi du retrait des autorités irakiennes et de l'instauration d'une administration kurde. Les élections, organisées en mai 1992 dans une atmosphère d'euphorie, sont destinées à combler le vide de pouvoir. Leurs résultats « réajustés » aboutissent à un partage du pouvoir entre le PDK de Massoud Barzani et l'UPK de Jalal Talabani. L'apparente concorde intra-kurde est cependant minée par des tensions internes (partage des ressources économiques, rivalités personnelles et partisanes) qui provoquent une nouvelle guerre fratricide (1994-1998). Le bilan humain et économique de cette guerre et ses conséquences morales – comme l'alliance ponctuelle de M. Barzani avec Bagdad en 1996 –, ainsi que les pressions américaines contraignent cependant les deux partis à signer les accords dits de Washington en 1998. S'ils apportent la paix et une amélioration économique, ils n'en entérinent pas moins le partage de la zone kurde entre le PDK (au nord) et l'UPK (au sud).

L'impact de la guerre du Golfe de 1991 se fait également sentir au Kurdistan de Turquie. L'instabilité du Kurdistan d'Irak permet en effet au PKK de se doter d'une nouvelle base arrière, prétexte à des sorties militaires turques dans cette zone. Mais c'est surtout sur le plan intérieur que la situation se dégrade : la répression de la guérilla s'intensifie (30 000 morts entre 1991 et 1999), provoquant la destruction de 3 000 villages et le déplacement d'environ trois millions de personnes. Plus de 2 000 personnes, pour l'essentiel des intellectuels, sont assassinées par des escadrons de la mort recrutés dans les rangs de la droite radicale. Le PKK à son tour se rend responsable de nombreuses violations des droits de l'homme. **Les** tentatives menées au cours des années 1990 pour sortir de cette impasse sont restées vaines. La plus audacieuse, prônée par le président Turgut Özal (1989-1993), prévoyait l'amnistie des membres du PKK et une autonomie régionale obtenue grâce à la décentralisation administrative du pays. Mais la mort du chef de l'État (avril 1993) et la rupture du cessez-le-feu unilatéralement décrété par le PKK sur l'ordre de l'un de ses chefs militaires l'ont vouée à l'échec. Quant aux initiatives politiques kurdes de l'« intérieur » exprimées par la voix des partis politiques, elles étaient parvenues à se constituer en une force électorale, mais ne semblaient pas porteuses de solution politique : cible des tribunaux et des escadrons de la mort, elles ne parvenaient pas à s'ériger en interlocuteurs crédibles. **Le** vrai tournant dans l'évolution de la question en Turquie est venu avec l'expulsion, sous la pression militaire turque, d'A. Öcalan par la Syrie (novembre 1998). Le chef du PKK avait cherché en vain à obtenir l'asile politique en Italie, avant d'être livré à la Turquie par le Kénya où il avait trouvé refuge à l'ambassade grecque. Son arrestation a suscité une vague de violence sans précédent en Turquie et au cœur de la diaspora en Europe, qui s'est toutefois estompée après son appel à la cessation de la lutte armée. Malgré cet appel, la Cour de sûreté de l'État l'a condamné à mort (sentence confirmée en appel en novembre 1999). **La** question kurde gardait toute son actualité en Turquie au tournant du siècle. Sans une politique d'ouverture au moins sur la question des droits culturels, la non-exécution d'A. Öcalan ne saurait probablement suffire à mettre un terme à la violence. **H. B.** > IRAK, IRAN, SYRIE, TURQUIE.

QUESTION MACÉDONIENNE La question macédonienne est un aspect de la question d'Orient, ensemble de problèmes géopolitiques posés au XIXᵉ siècle et au début du XXᵉ par le déclin de l'Empire ottoman miné par les nationalismes de ses peuples et menacé par les ambitions des puissances européennes. Toutefois, elle s'est prolongée au-delà de la disparition de cet empire.

Au début du XXᵉ siècle, la Macédoine fait partie de l'Empire ottoman, qui l'a conquise au XIVᵉ siècle sur les Byzantins, mais n'en constitue pas une division politique. « Macédoine » désigne simplement l'espace géographique, d'environ 65 000 km², compris entre la Sar Planina au nord et le mont Olympe au sud, la chaîne du Pinde à l'ouest et le cours de la Struma (Strymon) à l'est. Sa population se compose alors d'une majorité de Slaves d'affinités linguistiques bulgares, chrétiens orthodoxes – sauf une minorité islamisée –, de Grecs, d'Albanais, de Turcs, de Valaques, de Serbes, de Juifs, de Tsiganes. En 1878, par le traité de San Stefano, la Russie impose à l'Empire ottoman la création d'une Grande Bulgarie comprenant l'essentiel de la Macédoine, mais le congrès de Berlin, la même année, rend celle-ci aux Ottomans. En 1912, Grèce, Serbie, Bulgarie et Monténégro coalisés conquièrent la Macédoine (première guerre balkanique). En 1913, la Bulgarie la dispute à ses ex-alliés mais échoue (deuxième guerre balkanique), avant que la conférence de Londres ne la partage entre la Grèce (Macédoine de l'Égée) et la Serbie (Macédoine du Vardar), en laissant que la région du Pirin à la Bulgarie. Insatisfaite, cette dernière s'allie à l'Allemagne lors des deux guerres mondiales et s'empare alors du reste de la Macédoine, mais doit la restituer en 1945 – comme déjà en 1918. Les trois parties de la Macédoine ont évolué différemment : homogénéisation en Grèce par échanges de populations avec la Bulgarie et la Turquie dans les années 1920 et par hellénisation ; bulgarisa-

tion dans la région du Pirin. La part serbe, en Yougoslavie à partir de 1918, a seule conservé un peuplement composite. Le régime de Tito, en 1945, y a reconnu une nation macédonienne et fondé une république de Macédoine fédérée à la Yougoslavie. Il a créé ainsi sans le vouloir l'une des conditions préalables d'une indépendance que le faible mouvement national des Macédoniens slaves n'avait pu réaliser au début du XXᵉ siècle. **M. R.** > BULGARIE, GRÈCE, MACÉDOINE, SERBIE.

QUESTION NOIRE (États-Unis) En 1944, à la suite d'une commande, le sociologue suédois Gunnar Myrdal (1898-1987) publie *Le Dilemme noir* qui fait le point sur la situation des Noirs aux États-Unis. À cette époque subsiste une ségrégation féroce dans les États du Sud, alors que les Noirs venus travailler dans les usines du Nord et de l'Ouest commencent à manifester pour leurs droits. Cette contradiction est apparue dès la fin du XIXᵉ siècle. Alors que la Constitution des États-Unis avait fait des Noirs des citoyens, en 1865, ceux-ci avaient été exclus du vote et soumis aux règles étroites de la ségrégation : aucun mélange racial, aucune promiscuité dans les lieux publics. Les leaders noirs ont prôné soit la soumission en préparant des jours meilleurs, comme Booker T. Washington (1856-1915), soit la revendication de tous leurs droits, sans réel effet, sinon la formation de la NAACP (National Association for the Advancement of Colored People) en 1909. Les deux guerres mondiales apportent toutefois des changements : les Noirs qui habitaient à 90 % dans le Sud ont commencé à migrer vers le Nord à partir de 1915, puis ont participé, à une place secondaire mais réelle, à la Première Guerre mondiale, ce qui n'est pas sans expliquer une résurgence du Ku Klux Klan (KKK). Au cours du second conflit mondial, l'emploi, qui avait souffert de la crise de 1929, s'améliore, et la guerre donne ainsi aux Noirs une possibilité de promotion. En 1948, le président Harry Truman (1945-1953) ordonne la déségrégation de l'armée. Toutefois, ce n'est qu'en 1954 que la Cour suprême condamne la ségrégation scolaire, mettant à bas tout l'édifice. **Des droits**

civiques au « Black Power ». Les Noirs qui ont activement participé à cette décision poursuivent la tâche. À partir de 1960, la lutte pour les droits civiques, avec pour leader Martin Luther King, va aboutir au démantèlement total de la ségrégation dans le Sud et à l'affirmation de l'égalité des droits. Dans le même temps, des Noirs du Sud protestent contre le racisme et leur condition inférieure et prônent la lutte violente, à l'instar de Malcolm X. En dépit des mesures sociales prises par l'administration de Lyndon B. Johnson (1963-1969), les améliorations sont lentes et incomplètes ; des émeutes raciales éclatent à partir de 1965 dans les grandes villes. Le mouvement noir se radicalise, alors que M. L. King, qui aurait pu incarner une autre voie, est assassiné en 1968. La revendication du Black Power (pouvoir noir) rappelle la campagne de Marcus Garvey dans les années 1920 : les Noirs doivent compter sur leurs seules forces et s'opposer par tous les moyens au racisme blanc. Le parti des Panthères noires (Black Panther Party) adopte des positions révolutionnaires, mais subit, dans les années 1970, une vigoureuse répression policière. L'intégration pacifique n'aboutit qu'à des résultats partiels. M. L. King, avant sa mort, avait commencé à douter de ceux-ci, mais la violence et la séparation des Noirs du reste de la société sont impossibles. Si la condition des Noirs – qui choisissent dans les années 1970 de s'appeler Africains-Américains – s'améliore dans le Sud, où ils sont environ 40 % (accession aux emplois, élections de maires, etc.), la situation est plus complexe dans le reste du pays. Les mesures prises pour compenser le handicap racial, l'*affirmative action* (discrimination positive), ont permis de former des cadres noirs qui trouvent de l'emploi au gouvernement fédéral comme dans les entreprises et ont abouti à l'émergence d'une classe moyenne noire, comme à celle de politiciens africains-américains : des villes comme Chicago, New York, San Francisco, auront eu des maires noirs avant la fin du siècle. En revanche, un tiers des Noirs des villes sont restés englués dans la pauvreté, la violence et la drogue, restant à l'écart des progrès éducatifs et sociaux. Il n'y a plus d'organisation militante

pour toute la communauté, ce qui explique le renouveau de la Nation de l'islam (Nation of Islam) dirigée par Louis Farrakhan (1933-), radicale et marginale, mais seule à offrir un projet qui paraît riche de promesses à certains. **Inégalités sociales et racisme persistants.** En une trentaine d'années, les progrès accomplis par les Africains-Américains, qui représentent 12 % de la population des États-Unis, ont été considérables. La ségrégation a disparu totalement et de plus en plus de Noirs font des études supérieures et accèdent à des postes de responsabilité. Pourtant, la lutte contre la pauvreté n'est pas venue à bout des conditions inacceptables et le racisme n'a pas disparu : des églises noires ont brûlé dans le Sud en 1996, et certains Africains-Américains continuent à penser que toutes leurs difficultés sont voulues par les Blancs ; ils se révoltent contre la concurrence des immigrants récents, comme l'ont montré à New York et à Los Angeles, dans les années 1990, les violences contre les commerçants coréens. D'ailleurs, la revendication de la suppression d'une *affirmative action* qui ne servirait plus à rien a progressé dans l'opinion. La croissance économique durable enregistrée à compter de 1992 est pourtant parvenue à créer des emplois bénéficiant à certains habitants des quartiers les plus défavorisés. Le dilemme noir a sensiblement évolué, mais il subsistait encore au tournant du siècle. J. P. **➤ ÉTATS-UNIS.**

QUESTION PALESTINIENNE Traversant le XXᵉ siècle tout entier, la question de Palestine résulte de la dispute d'une même terre par deux nationalismes. Le nationalisme juif (mais dans lequel tous les Juifs ne se reconnaissent pas) a vu le jour le premier dans le cadre du développement du sionisme politique structuré à partir de 1897 par Théodore Herzl et qui a débouché sur la formation de l'État d'Israël en 1948, « aboutissement d'un processus qui s'insère parfaitement dans le grand mouvement d'expansion euro-américain des XIXᵉ et XXᵉ siècles pour peupler ou dominer économiquement et politiquement les autres peuples » (Maxime Rodinson). Un nationalisme tour à tour (et à la fois) arabe, palestinien et islamiste lui a répondu, décidé à résister à sa politique d'expulsion des Palestiniens de leur terre. Dès la fin des années 1940 quand la communauté internationale renonçait à considérer le nationalisme juif comme le témoin d'un phénomène colonial, il fut reçu que Juifs et Arabes jouissaient de droits égaux et inaliénables sur la Palestine. Cependant, devant l'impossibilité de les faire vivre ensemble, un partage entre deux États apparut comme la seule solution sensée et légitime pour mettre fin au mandat britannique (1922-1948). Le 29 novembre 1947, l'Assemblée générale des Nations unies recommandait l'établissement d'un État arabe et d'un État juif, Jérusalem et les Lieux saints étant dotés d'un statut international particulier. Le plan ne vit jamais le jour, la création unilatérale d'Israël le 14 mai 1948 et la première guerre israélo-arabe qui s'ensuivit ayant bouleversé les données du problème. **Une expulsion massive et planifiée.** Ces événements éclairent tout le passé du sionisme mais annoncent également une préoccupation israélienne constante : l'expulsion du peuple palestinien comme condition de l'existence de l'État juif. Ainsi concernant 1948, alors que l'historiographie israélienne officielle parlait du départ volontaire des Palestiniens à la demande des États arabes, la thèse arabe maintenant corroborée par les documents et défendue par les « nouveaux historiens » israéliens détaille l'expulsion massive et planifiée des Palestiniens. Commencée le 4 avril 1948 avec la mise en œuvre du « plan Dalet » qui visait à la conquête du pays par la Hagana juive, la première guerre israélo-arabe s'étend à l'ensemble de la région le 15 mai avec l'entrée en guerre des États arabes qui refusent la création de l'état d'Israël et l'éviction des Palestiniens de leur pays. Cette première guerre s'achève le 7 janvier 1949 sur la défaite arabe. L'immense majorité des Palestiniens sont dorénavant des réfugiés. Une grande partie du territoire promis par l'ONU à un État arabe de Palestine est intégrée à l'État d'Israël, quasi vidée de ses habitants. Le reste (Cisjordanie et Jérusalem-Est) est annexé par la Transjordanie ou est placé sous gouvernement militaire égyptien (bande de Gaza). Le 11 décembre 1948,

l'ONU proclame, sans suite, le droit des réfugiés au retour ou à compensation. La guerre israélo-arabe dite « des Six-Jours » (5-10 juin 1967) s'insère dans le même dessein d'expansion/expulsion. Une fois encore, l'historiographie classique avait mis en avant le caractère fondamentalement défensif de cette guerre. Lancée par Israël, elle n'aurait visé qu'à empêcher son asphyxie économique et à prévenir sa destruction armée, l'occupation de nouveaux territoires n'étant ainsi qu'une conséquence fortuite, simple atout pour une négociation ultérieure. Des témoignages rendus publics trente ans plus tard, dont celui de l'« héros » israélien de cette guerre, le général Moshe Dayan (1915-1981), infirment cette version et évoquent une politique israélienne délibérée de provocation visant à jeter les États arabes dans une guerre perdue d'avance qui permettrait cette occupation même. Dès 1967, une politique de judaïsation était d'ailleurs menée à Jérusalem-Est et dans la vallée du Jourdain (quasi vidée de ses habitants durant la guerre), ensuite étendue à l'ensemble de la Cisjordanie et de la bande de Gaza, rendant tout retrait de plus en plus utopique. Une politique d'encouragement au départ de la population palestinienne était parallèlement menée. **De la terre au territoire.** L'histoire de ce siècle en Palestine, concernant son versant palestinien, peut être lue comme celle d'un processus allant de la terre au territoire. La Palestine, terre des ancêtres, était travaillée sans être véritablement identifiée géographiquement (elle n'avait d'ailleurs jamais constitué une entité administrative unifiée dans le cadre de l'Empire ottoman) et sans être liée à l'identité de ses habitants. Celle-ci était alors vécue plutôt en termes d'appartenance communautaire, confessionnelle et/ou ethnique. La privation progressive de la jouissance de cette terre a alors fait de celle-ci le cœur d'une identité nationale en construction. Héritière des diverses structures arabes de l'époque mandataire (1922-1948), l'Organisation de libération de la Palestine (OLP) a présidé depuis sa fondation en 1964 à cette construction nationale palestinienne. Confrontée au quotidien de la privation de souveraineté sur cette terre, le peuple palestinien étant chassé en diaspora ou maintenu sous occupation, confrontée aussi aux pressions internationales dans une logique affichée comme se résumant à l'échange « la terre contre la paix », l'OLP a ainsi entamé et mené à son terme identitaire et politique un processus allant de la délimitation de la terre palestinienne en territoire construit, passage obligé pour parvenir à une renonciation raisonnée d'une partie de ce territoire au prix de la récupération de l'autre part. **La** construction du territoire s'est elle-même opérée dans un processus de différenciation nationale au sein de l'ensemble arabe. L'incapacité des États arabes à récupérer la Palestine perdue en 1948 ou même à empêcher son occupation totale en 1967, comme la répression de la présence palestinienne en Jordanie et son écrasement en septembre 1970 (dit « septembre noir ») n'avaient fait qu'accélérer cette « palestinisation » de l'identité, l'OLP ayant ainsi assis sa légitimité. **D**ès la fin des années 1970, pourtant, mais surtout à partir du milieu des années 1980, cette construction identitaire qui avait fait du lien à la terre le fondement de l'identité de la personne, de l'unité de la nation et de l'agir de l'organisation représentative, se trouvait contestée par divers mouvements islamistes, mouvance du Jihad islamique puis Hamas qui allait entraîner les Frères musulmans palestiniens dans le champ de la lutte anti-israélienne. En replaçant la Palestine au niveau eschatologique de la bénédiction divine et la lutte contre Israël à celui du combat entre le Bien et le Mal, le mouvement islamiste palestinien fait de la terre non plus la source de l'identité comme chez les nationalistes, mais le lieu naturel de son épanouissement passé, présent et futur. L'islam constitue le fondement de l'identité de l'individu comme de la société. Immédiatement disponible, il permet ainsi la reconstruction, immédiate, de l'unité du groupe qui n'est plus conditionnée par le retour au territoire. L'idée de reconquête n'est pas évacuée, mais appelée à revenir, plus tard, dans l'unité reconstruite de la nation. D'ici là, les capacités de négociation sur le quotidien seront d'autant plus fortes que le pérenne sera sauvegardé et renforcé. **A**ffaiblie sur la scène internationale par son soutien à l'Irak dans la seconde

guerre du Golfe (1991), tandis que l'Intifada (la « révolte des pierres » qui, depuis 1987, embrasait les Territoires occupés) s'essoufflait et que l'islamisme faisait figure d'alternative de plus en plus crédible, l'OLP entrait dans le « processus de paix » conduit par les États-Unis pour un « nouvel ordre régional ». Renonçant au principe de positions arabes communes, elle signait avec Israël le 13 septembre 1993 une « Déclaration de principes sur des arrangements intérimaires d'autonomie » (accords d'Oslo) destinée à mettre en place des structures politiques censées déboucher en cinq ans sur la mise en œuvre du principe de l'échange de « la terre contre la paix ». Six ans plus tard, le processus pouvait encore être lu par ses détracteurs comme une simple manœuvre israélo-américaine visant à terme à légitimer internationalement le maintien des Palestiniens en situation de privation de souveraineté réelle sur un territoire sans cesse réduit. La violence armée de la répression du nouveau soulèvement palestinien dans les Territoires, à partir du 28 septembre 2000 (70 morts la première semaine), a souligné à quel point le conflit demeurait vif. **J.-F. L.** ➤ ACCORDS ISRAÉLO-ARABES, AUTONOMIE PALESTINIENNE, GUERRES ISRAÉLO-ARABES, ISRAËL.

QUESTION QUÉBÉCOISE Le Québec, deuxième province du Canada par sa population, est aussi le principal foyer des francophones (en 1991, le Canada comptait 6,3 millions de personnes parlant le français à la maison, dont 90 % au Québec). Il exprime des revendications nationalistes qui mettent en question ses relations avec le reste du pays. **La** question québécoise a connu des transformations au cours du XXe siècle. Au début du siècle, le député Henri Bourassa (1878-1952) propose un nationalisme canadien, réclamant l'indépendance du Canada et la reconnaissance de son caractère biethnique et bilingue. Dans les années 1920 et 1930, le prêtre Lionel Groulx (1878-1967) diffuse un nationalisme spécifiquement canadien-français, réfractaire au changement social et exaltant les valeurs ancestrales, rurales et catholiques. Dans l'après-guerre, s'affirme un nouveau nationalisme, modernisateur et séculier, qui veut faire du Québec l'État national des Canadiens français, désormais désignés comme Québécois ; il connaît son heure de gloire pendant la Révolution tranquille (période de réformes accélérées réalisées par le Parti libéral, 1960-1966). À compter des années 1960, le nationalisme québécois se scinde en deux grands courants. Le premier, représenté par le Parti libéral et par l'Union nationale, veut obtenir une plus grande autonomie dans la fédération canadienne. Le second, illustré par le Parti québécois (fondé par René Lévesque en 1968), réclame l'indépendance ou la souveraineté politique du Québec, assortie d'une union économique avec le reste du Canada. Les deux courants évoluent d'un nationalisme ethnique à un nationalisme civique, affirmant que la nation québécoise intègre non seulement les Canadiens français, mais aussi toutes les minorités du Québec, y compris les anglophones. **Autonomistes et souverainistes.** Pendant la première moitié du siècle, les gouvernements québécois insistent pour que soit respecté le partage des pouvoirs établi par la Constitution et s'opposent aux mesures centralisatrices du gouvernement fédéral. À partir de la Révolution tranquille, ils réclament la reconnaissance du statut particulier ou du caractère distinct du Québec. Pour les tenants du nationalisme autonomiste et fédéraliste, cette reconnaissance passe par une modification de la Constitution afin d'établir un nouveau partage des pouvoirs et des revenus fiscaux, plus favorable au Québec. Toutes les tentatives en ce sens aboutissent à un échec et la réforme constitutionnelle de 1982 ignore les exigences québécoises. Les efforts subséquents pour en tenir compte, l'accord du lac Meech (1987) et celui de Charlottetown (1992), échouent également. Quant aux souverainistes, ils n'arrivent pas à convaincre une majorité de la population lors de deux référendums. En 1980, 60 % des électeurs rejettent la souveraineté et les francophones se partagent également entre le « oui » et le « non » ; en 1995, les résultats ont été plus serrés, 50,6 % de l'électorat s'y opposant, mais 60 % des francophones l'appuyant. À l'aube du XXIe siècle, la question québécoise n'était donc toujours pas résolue. Le

nationalisme a permis d'accroître l'emprise des francophones sur la politique intérieure et l'économie du Québec, mais il a échoué dans ses tentatives de redéfinir les rapports entre le Québec et le reste du Canada. **P.-A. L.   > CANADA.**

QUESTION SERBE   L'État médiéval serbe s'est développé dans la région de Rascie (actuelle région du Sandjak, au nord-est du Monténégro) et s'est ensuite élargi en direction du sud : Kosovo, Macédoine, mais aussi Albanie, Thessalie et Épire sous l'empereur Dusan (1331-1355). L'extension de l'Empire ottoman et sa domination sur la péninsule balkanique ont entraîné la dispersion de la population serbe dans de nombreuses régions (Bosnie, Herzégovine, Kordun, Lika, Banija, Slavonie, Voïvodine, etc.). C'est dans les territoires peuplés de Serbes que réside l'essence de la question nationale serbe, comprenant la problématique de la formation d'un territoire politique national unique à partir du XIXe siècle. La dispersion du peuple serbe dans la péninsule balkanique a entraîné l'élaboration d'un programme et d'une idéologie nationaux où l'idée d'unité ou d'unification est devenue primordiale (le programme du ministre de l'Intérieur, Ilija Garasanin, rédigé en 1844, est à ce titre éloquent).   **Unification serbe ou unification yougoslave ?** Cette idéologie guide la Serbie lors des guerres balkaniques de 1912-1913, lorsqu'elle parvient à s'élargir au sud en conquérant le Kosovo et la Macédoine du Vardar. Toutefois ses plans sont contrecarrés en Bosnie-Herzégovine, sous administration austro-hongroise depuis 1878 et finalement annexée par Vienne en 1908. Les prétentions serbes sur les territoires de Croatie et de Bosnie-Herzégovine créent des tensions avec l'Empire austro-hongrois, qui saisit l'occasion de l'attentat contre l'archiduc François-Ferdinand (1863-1914) à Sarajevo le 28 juin 1914 pour écraser militairement la Serbie. Au cours de la Grande Guerre, le gouvernement serbe adopte un programme d'unification des Serbes, des Croates et des Slovènes. L'unification yougoslave permet de réunir les Serbes dans un même État. La domination des forces politiques serbes dans la première

Yougoslavie (1918-1941) ne se réalise pas sur la base de l'idéologie nationale serbe, mais sur celle du « yougoslavisme », affirmant que les Serbes, les Croates et les Slovènes constituent une même nation. Ce n'est qu'en 1939 (accord Cvetkovic-Macek), lorsqu'une banovine (province) autonome croate est créée en Yougoslavie, que les milieux intellectuels et politiques serbes soulèvent la question de l'intégration nationale des Serbes dans une entité territoriale spécifique. Lors de la Seconde Guerre mondiale, les Serbes sont partagés entre plusieurs États (Serbie sous occupation allemande, État croate indépendant comprenant la Bosnie-Herzégovine). La population serbe est victime d'une politique de ségrégation et d'extermination dans l'État croate fantoche. À partir de 1945, les Serbes vivent dans plusieurs républiques de la fédération socialiste yougoslave : Serbie principalement, mais aussi Bosnie-Herzégovine et Croatie. Après avoir « réunifié » la Serbie en 1989-1990, les dirigeants serbes de Belgrade défendent le projet d'unification des Serbes de l'espace yougoslave dans un seul et même État en organisant la sécession des Serbes de Croatie et de Bosnie-Herzégovine, provoquant ainsi deux conflits armés successifs dans ces deux républiques. Le projet nationaliste serbe échoue et les guerres en Croatie et en Bosnie-Herzégovine avec la pratique du « nettoyage ethnique » ont pour conséquence de réduire sensiblement la dispersion de la population serbe dans l'espace yougoslave, lui-même restreint aux frontières de l'ensemble Serbie-Monténégro. Y. T. **> FÉDÉRALISME YOUGOSLAVE, GUERRES YOUGOSLAVES, SERBIE, YOUGOSLAVIE.**

R

RABIN Itzhak (1922-1995)   Militaire et homme politique israélien. Tour à tour faucon et colombe, chef de guerre et homme d'État, Itzhak Rabin incarne jusque dans sa mort violente l'histoire tumultueuse et oscillante d'Israël. Il naît à Jérusalem au sein d'une famille d'immigrants chassés d'Ukraine. Après des études d'agriculture, il rejoint en 1940 le Palmach, l'unité d'élite de l'armée clandestine juive. Pendant la première <u>guerre israélo-arabe</u> de 1948, il commande une brigade et participe à l'expulsion des Palestiniens de Lydda (Lod). Il devient chef d'État-Major en 1964 et triomphe, trois ans plus tard, de trois armées arabes en six jours de combat dans ce qu'on appellera la guerre des Six-Jours. Revenu à la vie civile en 1968, il occupe le poste d'ambassadeur d'Israël aux États-Unis au moment où les deux pays nouent des liens étroits. En 1974, il succède au Premier ministre Golda <u>Meir</u>, démissionnaire du fait de sa responsabilité dans l'impréparation militaire d'Israël lors de la guerre de 1973. Il quitte à son tour ses fonctions en 1977, après la découverte d'un compte en dollars détenu par son épouse, Leah, en violation de la loi. Ministre de la Défense lorsque l'*Intifada*, le soulèvement palestinien dans les <u>Territoires occupés</u>, éclate en 1987, il appelle les soldats à « briser les os » des lanceurs de pierres. Vainqueur des élections législatives de 1992, il autorise des négociations secrètes avec l'<u>OLP</u> à Oslo qui débouchent, le 13 septembre 1993, sur une Déclaration intérimaire, les accords d'<u>Oslo</u>. Il poursuit avec lenteur un processus de paix secoué par des attentats. Traître aux yeux des extrémistes sionistes religieux, il est assassiné par l'un d'entre eux, Yigal Amir, le 4 novembre 1995. **C. B.**   **> ISRAËL.**

RADICALISME (France)   Le radicalisme désigne au XIXᵉ siècle un courant républicain favorable à une démocratie politique et sociale fondée sur le suffrage universel et des réformes sociales, mais qui n'entend pas rompre avec l'idéal révolutionnaire de diffusion de la petite propriété. Il est animé par Ledru-Rollin (1807-1874), ministre de l'Intérieur en 1848, puis par Léon Gambetta (1838-1882), auteur du programme de Belleville (1869). Sous la IIIᵉ République (1870-1940), d'abord étiquette parlementaire ou signe d'attachement à une République avancée, critiquant la majorité « opportuniste », le radicalisme recouvre des réalités sociales et politiques fort diverses. Il accède, mais jamais seul, aux responsabilités gouvernementales à la fin du siècle – Léon Bourgeois (1851-1927), qui préconise le solidarisme et l'arbitrage international, Eugène Brisson (1835-1912), qui mène une politique anticléricale et prépare la séparation des Églises et de l'État, Georges <u>Clemenceau</u>, Joseph Caillaux (1863-1944), qui fait voter l'impôt sur le revenu... – et se retrouve, pour l'essentiel, au sein du Parti républicain radical et radical-socialiste constitué en 1901. De populaire et d'urbain, le phénomène devient de plus en plus provincial ou rural et représentatif des classes moyennes, identité revendiquée par Édouard Herriot (1872-1957), son leader le plus connu après guerre. Le radicalisme s'identifie à la République parlementaire, à ses notables et à ses comités, oscillant entre ses fidélités démocratiques et ses attaches avec le monde des affaires et de l'industrie. La Seconde Guerre mondiale marque son déclin, malgré diverses tentatives de rénovation (Pierre <u>Mendès France</u> en 1954-1957). À compter de 1972, le radicalisme français connaît une scission et est divisé entre son aile droite et son aile

gauche, alliée au Parti socialiste. **G. Ca.**
> FRANCE.

RÁKOSI Mátyás (1892-1971)   Dirigeant communiste hongrois. Né en Hongrie, issu d'une famille de la petite bourgeoisie juive, Mátyás Rákosi adhère au Parti communiste de Hongrie dès sa fondation en 1918. Il participe à la République des conseils dirigée par Béla Kun (1886-1941) en 1919 comme commissaire du peuple à l'Intérieur et commandant de l'Armée rouge hongroise. Après l'échec de la révolution communiste, il émigre en Union soviétique et devient membre du Comité exécutif du Komintern. Il revient en 1924 en Hongrie, est arrêté en 1925 et condamné en 1927 à huit ans et demi de prison, puis à la perpétuité lors d'un second procès en 1935. En 1940, il est libéré selon les termes d'un accord entre l'Union soviétique et la Hongrie qui autorise son départ en échange du retour des drapeaux de la guerre d'indépendance hongroise de 1848-1849. M. Rákosi reprend alors son ascension au sein du Komintern. Revenu en Hongrie en novembre 1944, il s'attaque aux membres du parti de l'intérieur et lance l'offensive qui mènera à la transformation de la Hongrie en démocratie populaire. Les élections du 15 mai 1949 consacrent le triomphe de la « tactique du salami » qui consiste à éliminer les partis de la coalition gouvernementale. Secrétaire général du parti unique (le Parti socialiste des ouvriers hongrois), M. Rákosi impose alors un culte de la personnalité suivant l'exemple de Staline dont il se dit le « meilleur élève » : son image est omniprésente lors des parades du régime, mais aussi dans tous les lieux publics et dans chaque foyer. Bien plus que ses trois autres principaux dirigeants du Parti, Ernö Gerö (1898-1980), József Révai (1898-1969) et Mihály Farkas (1904-1965), M. Rákosi symbolise le stalinisme en Hongrie. La mort de Staline en 1953 représente une première éclipse dans sa carrière ; il laisse la place à Imre Nagy, mais à la faveur d'un raidissement de la politique extérieure soviétique, il revient au pouvoir en 1955 pour en être à nouveau chassé en juillet 1956. De son exil en Union soviétique, il tentera d'influencer les plus conservateurs du Parti et représentera une menace pour le régime de János Kádár qu'il ne cessera de critiquer. Il meurt en 1971 en Union soviétique, sans être revenu en Hongrie. **C. H.**   **> HONGRIE.**

RAPALLO (traité de)   Le traité de Rapallo, signé le 12 novembre 1920, entre le royaume des Serbes, Croates et Slovènes et le royaume d'Italie délimite la nouvelle frontière entre les deux États. Il accorde à l'Italie la ville de Trieste, l'Istrie entière, la région de Gorizia et l'île de Cres. De plus, l'Italie reçoit l'enclave de Zadar (Zara en italien) et des îles voisines. Fiume (Rijeka) devient, pour peu de temps, une ville libre. Les nouvelles frontières placent sur le territoire italien une population de langue slovène (à Trieste, Gorizia, Capo d'Istria – Koper) et croate (dans toute l'Istrie, les îles dalmates et Zara), c'est-à-dire 700 000 Slaves du Sud. Trieste, qui appartenait à la Double Monarchie (Empire austro-hongrois) avant 1918, est rattachée à l'Italie. Certes, cela correspond au vœu des « irrédentistes » italiens, mais une partie de la population, de langue slovène, sera en butte à une politique d'assimilation mal supportée après 1922. La logique de ce traité correspond largement aux promesses faites par la France et la Grande-Bretagne à l'Italie (traité de Londres, avril 1915) pour que celle-ci s'engage dans la guerre à leurs côtés. Cependant, la doctrine du président américain Woodrow Wilson (les quatorze points, proclamés le 8 janvier 1918) souhaitait des frontières correspondant à des lignes de partage délimitées suivant le vœu des populations, ce qui n'a pas été obtenu à Rapallo. **J. K.**   **> GRANDE GUERRE, ITALIE, YOUGOSLAVIE.**

RAU   La jeune Syrie indépendante se tourne dès 1956 vers le président égyptien Gamal Abdel Nasser, incarnation de l'idéologie panarabe, pour former une union des deux États. La Syrie, sous l'influence du parti Baas, accepte les conditions émises par l'Égypte : constitution d'un gouvernement central fort, dépolitisation de l'armée syrienne, dissolution de tous les partis politiques. La RAU (République arabe unie) est donc instaurée en février 1958 sous l'hégémonie de l'Égypte, qui applique en Syrie son programme de réforme agraire et de nationalisations. Présidée par Nasser et dotée d'un gouvernement majoritairement égyptien, la RAU est dissoute à la suite d'un coup d'État en Syrie en septembre 1961. Les frustrations accumulées contre l'Égypte, notamment au sein du Baas, signent l'échec précoce de la première tentative politique panarabe. **L. V.** **> ÉGYPTE, SYRIE.**

RAZIQ Ali Abd al- (1888-1966)
Théologien et philosophe égyptien. Ali Abd al-Raziq, après des études religieuses à Al-Azhar (Le Caire), suit une formation philosophique à Oxford. Son ouvrage sur la séparation entre le religieux et le pouvoir politique publié en 1925 compromet sa carrière au sein de la plus haute institution de l'islam sunnite. Il se consacre alors à l'Académie de langue arabe du Caire. Principaux écrits : *L'Islam et les fondements du pouvoir ; L'Unanimité dans la loi religieuse.* **B. G.**

RDA La République démocratique allemande (RDA) a existé pendant quarante et un ans, du 7 octobre 1949 au 3 octobre 1990. Le Parti socialiste unitaire (SED, communiste) établit sa dictature avec l'aide de l'Administration militaire soviétique en Allemagne (SMAD) avant même que l'État ne soit créé, et perd le pouvoir au cours de la « révolution » de 1989, l'Union soviétique ne souhaitant ni ne pouvant le maintenir à la tête de l'État par la force. Ainsi le début et la fin de la domination du Parti – et aussi le destin de la RDA – furent-ils directement liés à la politique de l'URSS. Par ailleurs, l'existence, à partir de 1949, de deux États allemands n'a pas permis à la RDA de jouir d'une base nationale classique. **> ALLEMAGNE, QUESTION ALLEMANDE.**

RDC > CONGO-KINSHASA.

REAGAN Ronald (1911-) Acteur de cinéma, puis président des États-Unis (1981-1989). Né dans l'Illinois au sein d'une famille irlandaise pauvre, Ronald Reagan fait des études réduites et s'affirme comme chroniqueur sportif à la radio. Remarqué par des agents de Hollywood, il est engagé par la compagnie Warner Bros en 1936. En quelques années et grâce à de nombreux rôles, il devient un des acteurs les mieux payés de sa génération sans atteindre le tout premier plan. Il obtient la présidence du Syndicat des acteurs et se fait remarquer par son conservatisme, en restant toutefois prudent par rapport au maccarthysme. Sa prestance et sa voix font merveille à la télévision où il anime une émission populaire de 1962 à 1965, qui en fait une vedette nationale. Remarqué par des hommes d'affaires californiens, il entreprend une carrière politique ancrée dans le conservatisme et choisit le Parti républicain. En 1966 et en 1970, il est élu gouverneur de Californie et ses options restent pragmatiques. Après deux échecs, il est élu à la présidence des États-Unis en 1980, battant le démocrate Jimmy Carter (1977-1981) englué dans la crise économique et dans la crise des otages américains de Téhéran. Au cours de ses deux mandats – il est facilement réélu en 1984 –, il excelle dans la représentation politique et connaît une immense popularité. Il incarne les valeurs traditionnelles, plus qu'il ne les vit, et s'attaque à l'influence de l'État fédéral – diminution des impôts – ; il trouve son *alter ego* au Royaume-Uni en Margaret Thatcher et on évoque souvent le reaganisme. L'homme n'est pas un intellectuel, mais un excellent communicateur. Sur le plan extérieur, il s'affirme comme un anticommuniste convaincu, reprenant le vocabulaire de la Guerre froide, et, quoique en restant prudent, ne refuse pas la confrontation symbolique avec l'URSS ; il reconnaît tardivement l'ampleur des changements initiés par Mikhaïl Gorbatchev dans ce pays. Son second mandat est obscurci par le scandale de l'Irangate qui prouve que, en dépit de ses principes, le président n'a pas hésité à négocier avec l'ennemi iranien pour armer la guérilla anticommuniste au Nicaragua (la « Contra »). George H. Bush (1989-1993) lui succède en 1989. Resté un des présidents américains les plus populaires et atteint par la maladie d'Alzheimer, il se retire totalement de la vie publique. **J. P.** **> ÉTATS-UNIS.**

RÉFORMISME MUSULMAN Dans la seconde moitié du XIXᵉ siècle et dans la première moitié du XXᵉ, se développe une nouvelle pensée qui, tout en puisant dans le vocabulaire et la mémoire du religieux, tente de faire place aux valeurs de la modernité. Contre la résistance des conservateurs, qui rejettent toute innovation dans l'interprétation des textes sacrés, et contre l'inertie des confréries soufies, qui perpétuent une tradition mystique fataliste, certains *ulama* (théologiens et juristes musulmans) plaident pour la rénovation par la réforme de la religion qu'ils jugent « dénaturée » par des siècles d'ignorance et de dégénérescence. Ils posent cette réforme comme nécessaire à la survie de la communauté. De cette contestation de l'islam déformé au nom du retour aux sources de l'islam originel, supposé pur et rationnel, pratiqué par les *salaf* (grands ancêtres, ou première génération bien guidée) vient le terme *salafiyya* (salafisme ou néosalafisme). Pris comme devise, ce retour permet en effet de faire table rase de quinze siècles d'interprétation classique afin de pouvoir renouer un contact direct avec le texte fondamental, le Coran. Pour les réformistes, appelés parfois aussi les modernistes, le retour à la pureté de l'islam est considéré comme le seul moyen de régénérer la religion et la société. Ainsi naît l'idéologie de réforme musulmane *(islah)* autour de laquelle l'élite sociale et politique disloquée va se reconstituer et de nouveaux pouvoirs s'organiser. **Dans les mondes indomusulmans, perses...** Ce sont les indomusulmans dont l'empire a volé en éclats (déposition du dernier empereur en 1857) qui réagissent les premiers. Le théologien Karamat Ali Djawnpuri (m. 1873) propage l'idée que le Coran est à l'origine des découvertes scientifiques modernes. En les adoptant, les musulmans ne s'écarteraient pas de leur religion, bien au contraire. Plus modernes dans leur approche sont Sayyid Ahmad Khan (1817-1898), historien et réformateur, et le poète Muhammad Ikbal (1875 ?-1938). Au sein des communautés musulmanes de Malaisie et d'Indonésie, le réformisme est apparu sous l'influence directe des universités islamiques indiennes, arabes et iraniennes. **En Perse,** Mohammad Husayn Naini (1860-1936), poursuivant l'œuvre de Malkum et de Mirza Yusuf Khan, donne au

réformisme chiite sa forme la plus élaborée. Dans la plupart des autres communautés musulmanes de l'Asie et de l'Afrique, l'évolution de l'islam se trouve « court-circuitée » par la domination étrangère. La Chine a conquis la région de l'Ili et la Kachgarie en 1757, et réprimé plusieurs révoltes des musulmans du Turkestan (l'actuel Xinjiang). Dans les années 1860-1880, les Russes ont soumis Tachkent et Samarcande, étendu leur domination sur le Turkestan, Boukhara, Khiva, le khanat de Kokand et le pays turkmène. Après la révolution russe, transformés en républiques et réorganisés sur des bases ethniques, ces pays vont connaître la forme de laïcisme défendue par l'idéologie communiste officielle. Sultan Galiev, homme politique tatar (1880-1939), aura incarné la tentative d'adapter les valeurs du socialisme de type soviétique au milieu musulman. **La pensée de l'« islah » dans le monde arabe.** C'est cependant dans le monde arabe que la pensée de l'*islah* aura été la plus offensive. Au Caire, Djamal al-Din al-Afghani (1838-1897), homme d'État et philosophe, figure emblématique de tout le réformisme musulman, tente d'organiser un mouvement panislamique. Par des attaques véhémentes contre l'inertie des *ulama* et la corruption des gouvernants, il ouvre le réformisme à l'action politique libérale et nationaliste. Muhammad Abduh (1849-1905), théologien et doyen de la plus grande université islamique, Al-Azhar, et le *cheikh* Rachid Rida (1865-1935) au Proche-Orient, les *ulama* Fadel Ben Achour (1909-1970) et Abdelhamid Ben Badis (1889-1940) au Maghreb, donnent à l'*islah* arabe ses formes doctrinales. Ils pensent que l'islam est la première religion à avoir aboli totalement le pouvoir clérical. L'appel à l'émancipation de la raison en constituerait même l'essence. **Le** réformisme musulman est né de la fécondation du patrimoine juridico-théologique musulman par le rationalisme moderne. Face à une vision fataliste, fondée sur la convergence du formalisme juridique et du mysticisme confusionniste, prédominante jusqu'au XIXᵉ siècle, le réformisme affirme la primauté de la raison et de l'effort d'interprétation personnelle *(ijtihad)* des sources religieuses. En œuvrant pour l'adaptation de la pensée classique aux valeurs et développements scientifiques modernes, ce réformisme apparaît inséparable des bouleversements à venir de toutes les sociétés musulmanes. **B. G.**

RÉGIME SOVIÉTIQUE Le système soviétique présentait quelques caractères originaux qui tenaient à sa genèse, en octobre 1917. D'autres étaient enracinés dans un passé plus lointain... Ces traits-là ont souvent été ignorés à la fois par les traditions bolchevique et antibolchevique qui, simultanément, ont léninisé et stalinisé leur histoire. Ainsi est-il clair que la violence populaire, datée d'octobre 1917 et attribuée aux seuls bolcheviks a explosé dès l'été de la même année, et que, à la campagne, elle n'était en rien due à la propagande des partis socialistes. Elle s'était déjà manifestée aux XVIIIᵉ et XIXᵉ siècles, puis en 1905, et cette *pougatchevchina* (du nom de la révolte de Pougatchev au XVIIIᵉ siècle) n'avait fait que ressusciter en 1917, elle s'était encore levée par la suite, mais cette fois pour s'opposer au régime soviétique. De même, l'étatisation forcenée des années qui ont suivi Octobre n'a constitué que l'accélération d'un processus apparu dès avant le règne de Nicolas II, et qu'avait développé l'action du Gouvernement provisoire (février-octobre 1917), même si l'extension du champ des activités de l'État s'est traduite, de fait, par la manifestation, visible, de son impuissance. Il en est allé de même de la bureaucratisation du régime, encore que celle-ci n'ait pas recouvert la même réalité avant et après octobre 1917. Le régime soviétique a néanmoins présenté des caractères originaux qui le différenciaient clairement des autres régimes. Ceux-ci sont apparus simultanément du temps de Lénine et de Trotski, et ils se sont plus ou moins développés ensuite, mais pas nécessairement à une vitesse synchrone. La bolchévisation. Le premier de ces traits est la bolchévisation des opinions, qui se sont radicalisées dès que s'est profilée la faillite du gouvernement de Février. Incapable, à la fois, de faire la guerre et de signer la paix, le Gouvernement provisoire s'est discrédité parce qu'il a subordonné les réformes économiques et sociales

à la réunion d'une Assemblée constituante, qu'il ne donnait comme légitime qu'une fois que les soldats pourraient y participer. Ce souci démocratique cachait une autre réalité, la peur, de la part de ces dirigeants, que des réformes trop radicales ne suscitent une réaction. De fait, après la vaine tentative du général Lavr Kornilov (1870-1918) en août 1917, le soulèvement des Blancs, après Octobre, et la guerre civile qui suivit constituèrent cette réaction redoutée. Il n'en reste pas moins que les hésitations du Gouvernement provisoire – et du soviet de Petrograd, qui avait les mêmes craintes – ont radicalisé les esprits de ceux qui attendaient d'une révolution des réformes immédiates et qui ne seraient pas limitées à l'ordre politique, à l'instauration d'une vie démocratique par la liberté, gagnée enfin, de s'exprimer, de constituer des comités et autres soviets. En contestant la collaboration entre, d'une part, le soviet des députés, animé par les mencheviks et les socialistes révolutionnaires (SR), et, d'autre part, les membres de l'ancienne Douma (assemblée) devenus ministres, les bolcheviks ont révélé l'efficacité de leur tactique ; et les efforts d'Alexandre Kerenski (1881-1970, Premier ministre du Gouvernement provisoire) pour se battre sur deux fronts, celui de l'extrémisme et celui de la réaction, ont été vains. La radicalisation de l'opinion s'est ainsi faite à l'avantage des bolcheviks dont la représentation n'a cessé de croître dans les différents soviets, atteignant 61 % des élus en janvier 1918. Ce mouvement s'est accompagné d'une radicalisation d'une partie des autres formations politiques, les SR de gauche, par exemple ; mais surtout, il s'est traduit par une bolchévisation sans que ses acteurs ouvriers ou soldats ne se soient dits ou considérés comme bolcheviks : ainsi, Petrograd comptait 40 comités, 20 bureaux d'assistance, une cinquantaine de comités militaires, 60 organisations syndicales, qui ont soutenu l'insurrection d'Octobre. Ce mouvement a aidé le parti bolchevik à en assurer la coordination, puis ultérieurement, à contrôler ces organisations. Outre l'acquisition de ce pouvoir, la bolchévisation s'est faite par la manipulation d'un certain nombre de sympathisants, placés à des postes de responsabilité, tel le jeune SR Cazimir, nommé président du Comité révolutionnaire provisoire auprès du soviet de Petrograd (PVRK), et qui a finalement disparu, éliminé par les dirigeants du Parti. Itinéraire représentatif de celui que d'autres « compagnons de route », notamment du Komintern ou du Mouvement de la paix (années 1950) ont suivi ultérieurement. **L'**achèvement de la bolchevisation s'est fait par la voie autoritaire, aboutissant à la dissolution, puis à l'interdiction des partis politiques, « bourgeois » d'abord, puis socialistes, au point qu'en mars 1921, plus aucun parti politique, sauf le parti bolchevik, n'était autorisé. On a souvent considéré que la dissolution de l'Assemblée constituante, en janvier 1918, marquait la fin de la démocratie ; de fait, c'est la forme représentative de la démocratie que Lénine et les bolcheviks ont annihilée par la force à cette date-là. Or, celle-ci n'était pas forcément populaire. Les autres formes de démocratie ont également été anéanties par le régime, au point que le bolchevisme représentait non seulement la seule opinion autorisée, mais la seule jugée vraie. **Un Parti unique et infaillible.** La deuxième caractéristique du régime est l'infaillibilité que le Parti s'est attribuée et dont le champ n'a cessé de croître. Il s'est promu dès 1919 seule instance dirigeante et a ainsi colonisé toutes les institutions politiques ou sociales, telles que les soviets, les syndicats, les comités d'usine, que les syndicats avaient contribué à détruire, et les organisations de femmes. Par touches successives, l'extension de la compétence du Parti s'est accompagnée de l'extension du champ de l'infaillibilité qu'il avait décrétée. **P**our avoir « vu juste » entre février et octobre 1917, le Parti avait fasciné les révolutionnaires de tous les pays, en Europe occidentale surtout. Ayant pris le pouvoir, il l'a exercé au nom du prolétariat, mais guidé par une analyse des situations qui empruntait ses méthodes au marxisme dans sa version lénino-bolchevik. En gouvernant le pays et en contrôlant les institutions sociales — mettant ainsi fin au fonctionnement de la société civile — sa compétence s'est étendue à tous les champs, de la politique jusqu'à la conduite des opérations

militaires, à l'économie, à la culture et, bientôt, à la science elle-même. **L'**« affaire Lyssenko » a eu de ce point de vue valeur d'exemple. Le biologiste et agronome Trofim Lyssenko (1898-1976) inventa une pseudo-théorie de l'hérédité s'opposant aux thèses mendéliennes et prétendant que les caractères acquis étaient soumis à l'influence du milieu et se transmettaient. En 1948, il fit condamner par le Parti la génétique, en tant que science « bourgeoise », au bénéfice de la « biologie prolétarienne ». Les spécialistes et autres savants « bourgeois » avaient été déclarés suspects et le Parti entretenait l'idée qu'une vraie culture et un savoir prolétariens pourraient naître, qui aideraient à la naissance d'un « homme nouveau ». Ainsi, pour produire l'« homme soviétique », suffisait-il de le conditionner, ce à quoi la propagande s'est employée dès les années 1930 et plus encore durant les années 1950. **Le** jdanovisme – du nom d'Andreï Jdanov (1896-1948) –, qui consista à instaurer le contrôle du Parti sur les idées et sur la culture, prolongeait un projet plus ancien puisque, dès 1920, Anatoli Lounatcharski (1875-1933), commissaire du peuple à l'Instruction, voulait placer les enfants, dès leur plus jeune âge, dans des conditions telles qu'ils « accélèrent le processus d'organisation communiste de la vie intérieure des individus ». **Le** marxisme s'est confondu avec l'interprétation qu'en a faite Lénine, puis il est devenu ce que Staline avait dit qu'il était. En 1929, ce dernier a théorisé plus avant, en faisant connaître sa méfiance envers la prétendue spécificité des savoirs spécialisés. Autrement dit, le pouvoir politique avait qualité pour définir la vérité scientifique, et ce qui s'est produit dans le cas de la biologie s'est également produit dans celui de la linguistique et a fortiori dans celui de l'histoire, qui est devenue à son tour une discipline sous surveillance. **La « plébéianisation » du pouvoir.** Une troisième caractéristique du régime soviétique a été la constitution d'un groupe social nouveau, celui des apparatchiks, dont le noyau se constitua avant l'insurrection d'Octobre. Ce nouveau « personnel » politique s'est formé sans l'aval des partis ou des syndicats, lors de la création d'institutions autonomes telles que les comités de quartier, les soviets locaux, les organisations de garde ouvrière ou autres, les comités d'usine. On a bientôt greffé la gestion des apparatchiks sur les appareils de pouvoir, qui leur avaient préexisté (Parti bolchevik, bureaux des syndicats), dont les dirigeants ont pu survivre même une fois leurs institutions disparues ou modifiées dans leurs statuts. **C'**est ainsi qu'un sang neuf, d'origine populaire, a intégré le corps de l'État soviétique, dont l'appareil principal, le Parti, était jusqu'alors principalement dirigé par une intelligentsia d'origine bourgeoise (Lénine, Adolf Ioffé, Lev Kamenev) ou nobiliaire (Félix Dzerjinski, Alexandra Kollontaï, Nadejda Kroupskaïa) ; seuls Alexandre Chliapnikov et Mikhaïl Tomski n'avaient fait que des études primaires. Les nouveaux détenteurs du pouvoir, venus d'en bas, qui avaient éliminé les anciens « spécialistes bourgeois », ont formé une sorte de groupe social sans précédent, puisqu'ils étaient souvent d'origine plébéienne et avaient une source nouvelle de revenus. Leur activité était inédite ; ils rompaient avec leur classe sociale ou leur origine nationale pour se faire solidaires du nouveau pouvoir. Ces caractéristiques valaient aussi bien pour les apparatchiks de base que pour les dirigeants : ainsi Trotski, qui a fini par oublier que son père était considéré comme un koulak, ainsi Staline, qui n'a guère tenu compte de son origine géorgienne. Les dirigeants de l'ancien parti bolchevik ayant peu à peu été éliminés, la base de l'appareil d'État institué en 1917-1918 remonta progressivement la hiérarchie, opérant une « plébéianisation » du pouvoir. Le processus engagé par Staline était achevé à l'époque de Nikita Khrouchtchev. Il eut pour effet pervers d'aboutir à la subversion d'un certain nombre d'idées et de valeurs nées au sein de l'intelligentsia – promotion de la femme, avant-gardisme littéraire et artistique, cosmopolitisme – puis à leur élimination à la faveur de valeurs plus proprement traditionnelles qui reflétaient la mentalité paysanne de la plupart des nouveaux dirigeants. Ainsi, l'antisémitisme populaire a-t-il été ravivé, l'académisme revalorisé et le patriotisme glorifié quand on n'a pas encouragé, à proprement parler, le nationalisme,

comme cela a été le cas lors de la Seconde Guerre mondiale. Derniers possesseurs d'un capital visible, leur culture, les gens instruits ont alors perdu la capacité d'en trop user, et la liberté de penser est devenue une oppression pour autant qu'elle était interdite aux autres. « Il faut se méfier des gens qui savent, cette racaille », disait Maxime Gorki (1868-1936). **Un système bureaucratique.** Enfin, la dernière particularité du régime soviétique est son caractère bureaucratique qui, paradoxalement, a puisé ses origines dans la subversion des pratiques démocratiques, d'abord œuvre des bolchevik, a mené à son terme par les bolcheviks. **E**n vérité, le phénomène de la bureaucratie en URSS n'a pas été celui qu'a décrit Max Weber : son originalité tient à ce qu'il s'est institué comme lieu spécifique entre le pouvoir et l'administration, qui, en URSS, se confondaient du fait de la colonisation des institutions par le Parti et de la disparition de la société civile. En outre, la représentation de chaque institution au sein d'autres, par exemple la représentation des syndicats dans les soviets, a abouti à une déresponsabilisation des institutions dont les membres propres se sont souvent retrouvés minoritaires au sein de leur bureau, ou au moins ont perdu toute autonomie réelle. Cette caractéristique était liée à la surreprésentation « démocratique » des autres instances du corps social. **C**'est le besoin d'autonomie qui a provoqué les premiers craquements dans le système, chaque institution voulant avoir la capacité d'agir ; ainsi les syndicats ont-ils réussi à soustraire à l'État la gestion de l'assurance-maladie. Petit à petit, le système bureaucratique s'est « gangrené » de zones d'autonomie, dont l'existence contredisait l'idée du « centralisme bureaucratique ». **La** perestroïka (restructuration) a consacré le démantèlement d'ensemble de ce système devenu ingouvernable, tandis que le sommet de l'État, peu à peu déplébéianisé grâce aux progrès de l'instruction, opérait un revirement culturel et mettait en cause le dogme de l'infaillibilité du Parti et de sa compétence. Ce fut Mikhaïl Gorbatchev qui prit le mieux conscience de la désagrégation amorcée, espérant aménager le système sans le détruire : il a commencé par détacher la courroie qui reliait les institutions au Parti, puis a aboli l'article de la <u>Constitution de 1977</u> qui faisait du Parti la seule instance dirigeante. C'était plus qu'il n'en fallait pour que l'appareil d'État réplique. Mais ce dernier n'avait pas pris conscience, lors du coup d'État manqué d'août 1991, qu'il n'avait plus de pouvoir. **M. F.** **> BOLCHEVISME, MARXISME-LÉNINISME, RÉVOLUTION RUSSE, RUSSIE ET URSS, STALINISME, URSS (FIN DE L').**

RÉGIMES POLITIQUES

« L'homme est un animal politique », écrit Aristote. Non seulement il vit en groupe, mais il crée des institutions politiques, chargées de gérer la *polis* ou cité. Existe-t-il des sociétés sans pouvoir politique ? Certains anthropologues ont observé des sociétés sans État ou des sociétés à « gouvernement diffus ». Même les « gouvernements primitifs » sont une forme de pouvoir politique. La diversité des formes d'organisation du pouvoir politique correspond à la diversité des régimes politiques. La distinction fondamentale sépare les gouvernements <u>autocratiques</u> et <u>démocratiques</u>. Les premiers imposent l'obéissance à leurs sujets. Les seconds sont issus des citoyens et contrôlés par eux. Dans une démocratie, les citoyens obéissent à une loi à l'élaboration de laquelle ils ont participé. **Si** la distinction entre régimes autocratiques et démocratiques s'impose, il faut l'affiner. Comment isoler, au sein de chacune de ces deux grandes catégories, des ensembles homogènes, qui constituent un type de régime ? En recherchant leur ressort, leur « principe », selon Montesquieu, ce qui fait fonctionner les gouvernements. **Les fondements de la démocratie.** Les démocraties se caractérisent par la volonté des citoyens de contrôler et limiter le pouvoir politique. La diversité des démocraties tient à la diversité des moyens mis en œuvre pour limiter le pouvoir. Au XVIIIᵉ siècle, les Constitutions eurent pour fin d'organiser à la fois la séparation fonctionnelle des pouvoirs, entre pouvoir législatif, pouvoir exécutif et pouvoir judiciaire, et la division territoriale du pouvoir. Le modèle en fut la <u>Constitution</u>

américaine de 1787, qui crée des pouvoirs séparés et un système fédéral. **Au** XXᵉ siècle, ce partage se fait entre les partis politiques, dont le pluralisme est la marque de la démocratie. De ce point de vue, on peut distinguer plusieurs types de régimes. On parle de régime d'*alternance* quand des partis se succèdent au pouvoir de façon régulière. L'exemple type en est le Royaume-Uni, où parti conservateur (<u>Tories</u>) et parti travailliste (<u>Labour Party</u>) ont alterné au pouvoir après la Seconde Guerre mondiale. **Dans** le régime de *concordance*, les différents partis sont au pouvoir en même temps. Cela a été le cas en Suisse à compter de 1959 : les sept sièges du Conseil fédéral, qui est le gouvernement, sont répartis entre les principaux partis selon la *formule magique* : deux sièges pour les démocrates-chrétiens, deux pour les radicaux démocrates, deux pour les socialistes, un pour les démocrates du centre. **On** peut aussi voir un parti dominant : un seul parti monopolise le pouvoir durablement, sans être unique. La <u>Guerre froide</u> a eu cet effet en Italie et au Japon. En Italie, la <u>Démocratie chrétienne</u> a détenu la réalité du pouvoir pendant près de cinquante ans, de 1947 à 1994. Au Japon, le Parti libéral démocrate (PLD) a été au pouvoir à partir de 1955. Il n'en a été écarté, par une coalition de sept partis, qu'entre 1993 et 1994. **Un** autre critère est le sort réservé à la minorité, puisque, comme l'écrit le juriste Hans Kelsen (1881-1973), « la démocratie n'est pas la dictature de la majorité, mais un compromis entre majorité et minorité, qui se réalise dans le cadre parlementaire ». Dans le <u>parlementarisme britannique</u>, l'opposition a un statut officiel. Au Danemark, depuis 1953, la minorité parlementaire peut demander un référendum abrogatif. L'usage de telles procédures de référendum introduit une distinction entre démocratie représentative et démocratie directe, ou semi-directe. **Le caractère des gouvernements autocratiques.** Les gouvernements autocratiques se maintiennent tant qu'ils parviennent à imposer l'obéissance à leurs sujets. Ils se distinguent par la nature des moyens qu'ils utilisent pour l'obtenir. Les régimes autocratiques anciens pouvaient avoir des titres divers de légitimité pour obtenir cette obéissance. Max Weber (1864-1920) a distingué des types de domination selon la nature de la légitimité invoquée : rationnelle, traditionnelle, charismatique. Les régimes autocratiques modernes mettent en œuvre des procédés particulièrement énergiques, capables de museler les forces démocratiques nouvellement apparues. On peut ainsi les distinguer selon les moyens d'oppression qu'ils utilisent de façon privilégiée. Une force traditionnelle, l'armée, peut être associée à la police ou au parti unique, pour mater toute velléité démocratique. On peut citer, comme exemple, l'Amérique du Sud ou les États d'Afrique, après leurs indépendances. Le parti unique, outil d'endoctrinement idéologique, est un nouvel instrument d'oppression. Il est assisté, dans ses basses œuvres, par une police politique structurée et diversifiée. Le régime soviétique, en URSS, comme le régime nazi, ont assis leur pouvoir grâce à de tels moyens. Certains auteurs ont considéré qu'ils constituaient un nouveau type de régime, le régime totalitaire. Le terme de « totalitaire » est d'abord employé par Mussolini, qui, en 1925, exalte la « farouche volonté totalitaire » de son mouvement, l'opposant à la démocratie libérale, coupée de la société. L'« État total » est un État fort d'un type nouveau, qui est une réaction contre à la fois l'individualisme, le libéralisme et la démocratie. Le mouvement fasciste adopte la devise « Tout dans l'État, rien contre l'État, rien en dehors de l'État ». L'analyse du totalitarisme, si elle est née dès 1929, s'est développée avec la Guerre froide. Elle réunit dans une même catégorie les régimes apparemment opposés que furent le nazisme et le stalinisme. En 1951, Hannah Arendt, dans *Le Système totalitaire*, expose les caractères communs du stalinisme et du nazisme. Il s'agit d'un « type de régime entièrement nouveau ». On a pu poser la question de la portée explicative du concept. Les régimes qu'il réunit n'ont-ils pas une singularité qu'il ne permet pas de rendre ? Si des points communs existent, comme le fondement idéologique et la terreur organisée, les formes gouvernementales diffèrent. Le nazisme se caractérise par une absence de formes, par une « jungle

organisationnelle », tandis que le parti communiste structure durablement la vie politique. Une autre question se pose : ce concept permet-il de classer d'autres régimes que le nazisme et le stalinisme ? Le fascisme italien a été classé dans la catégorie des dictatures avec d'autres régimes de l'Europe méditerranéenne, comme le Portugal de Salazar (1932-1970), l'Espagne de Franco (1939-1975), la Grèce des colonels (1967-1974). Le concept survit-il à la Guerre froide ? Pour des régimes comme celui de la Révolution culturelle en Chine ou celui des Khmers rouges au Cambodge (1975-1979), on a pu forger le terme de « processus de radicalisation ». La mondialisation économique modifie-t-elle la donne ? Dans les années 1970, les « développementalistes » ont vu un progrès linéaire de la démocratie, s'implantant dans les pays au fur et à mesure de leur développement économique. On a daubé sur leur américano-centrisme, prétendant imposer la forme politique américaine à l'ensemble de la planète, comme terme d'une évolution. Ils reprenaient le propos de Sieyès, pour qui, après la Révolution, il ne pouvait y avoir, « chez les hommes, qu'un gouvernement légitime ». Pourtant, sans souscrire aux thèses sur la fin de l'histoire, il est difficile de discerner des raisons culturelles qui feraient que certains peuples seraient voués à une soumission sans fin. Les États qui entrent dans l'économie-monde doivent bien se plier à des règles de « gouvernance » qui sont, au fond, un minimum démocratique. Toutefois, les États constituent, entre eux, des unions régionales, comme l'Union européenne, qui ne sont pas régies par les règles de la démocratie représentative. De nouvelles formes politiques apparaissent, au-delà des États-nations. **A. H.-D.**

RÉGIONALISME (Italie) Après 1860, le souvenir des cités médiévales du Centre et du Nord ou la réalité des cinq États de 1815 font place, en Italie, à un État centralisé garant d'une unité forcée que le Mezzogiorno (le Midi) a d'abord rejetée. Malgré le poids des identités locales et les aides spécifiques concédées aux méridionalistes, comme la loi de 1904 pour développer

Naples, toute décentralisation est impensable. Le fascisme balaie le sardisme ou le subsidiarisme catholique d'après 1918 et renforce encore les préfets, jusque contre ses propres cadres locaux. Aussi, après 1943, certains antifascistes comme Altiero Spinelli sont fédéralistes et contre le jacobinisme du PSI (Parti socialiste italien) et du PCI (Parti communiste italien) ; la Démocratie chrétienne (DC) fait inscrire les régions dans la Constitution. Mais la Guerre froide inverse les positions, car le PCI dominerait la Toscane ou l'Émilie-Romagne, et seules sont créées celles dites à statut spécial : Sicile, Sardaigne, zones à minorités linguistiques (Val d'Aoste, Trentin et, en 1963, Vénétie-Julienne). Si en 1970, dans une vague réformatrice et pour que tous les problèmes ne remontent pas à Rome, toutes les régions sont mises en place, avec assemblées élues et pouvoir réglementaire, leur autonomie est limitée et le clientélisme sévit. **A**près 1989, l'effondrement de la DC permet l'essor de la Ligue Nord dans ses fiefs vénètes et lombards. Pour elle, « Rome la voleuse » et le Sud vivent aux crochets du Nord riche et laborieux et vont obérer l'intégration à l'Europe, nécessaire aux exportateurs. Entre réflexes antifiscaux, ultralibéralisme, mépris des Méridionaux et des « extra-communautaires », elle passe de 0,5 % des voix en 1987 à 8,7 % en 1992, 8,4 % en 1994, participe au gouvernement de Silvio Berlusconi (1936-) et s'y heurte aux « post-fascistes » d'Alliance nationale (AN) ancrés au Sud et tenants du *welfare state*, d'où en 1996 d'autres politiques au terme desquelles elle obtient 10,1 % des voix. Si ses menaces de sécession sont folkloriques, sa pression aboutit en 2000 à renforcer les régions, présidées par des gouverneurs élus au suffrage direct. Ces derniers peuvent couvrir à 70 % leurs dépenses par des impôts propres, choisissant le mode d'élection de leurs assemblées : le centralisme est du passé.
É. V.   **>** ITALIE.

RÉPUBLIQUE ARABE UNIE > RAU.

RÉPUBLIQUE CENTRAFRICAINE > CEN-TRAFRIQUE.

RÉPUBLIQUE DE CHINE > TAÏWAN.

RÉPUBLIQUE DE CORÉE > CORÉE DU SUD.

RÉPUBLIQUE DÉMOCRATIQUE ALLEMANDE > ALLEMAGNE, RDA.

RÉPUBLIQUE DÉMOCRATIQUE DU CONGO > CONGO-KINSHASA.

RÉPUBLIQUE DOMINICAINE   Capitale :   Saint-Domingue.   Superficie : 48 730 km^2. Population : 8 364 000 (1999).   Libéré d'abord (1821) du joug colonial espagnol puis, en 1844, de celui de Haïti (qui occupe l'autre moitié de l'île de Saint-Domingue), le pays a connu une occupation des *marines* américains entre 1916 et 1924, pour récupérer des dettes. Le commandant en chef de l'armée, le général Rafael Trujillo (1891-1961), prend le pouvoir en 1930 et va dès lors diriger une féroce dictature pendant trente et un ans. Se cachant parfois derrière des présidents fantoches – dont son propre frère Hector (1908-) –, il lègue au pays de bonnes infrastructures. Il est assassiné en 1961 par ses propres hommes, complices de la CIA (Central Intelligence Agency) américaine. Un président socialiste, Juan Bosch (1909-2001), est renversé par l'armée au bout de sept mois seulement, en 1963. En 1965, une rébellion de gauche visant à le rétablir provoque une invasion militaire américaine sous prétexte d'empêcher « un autre Cuba ». Un an plus tard, les Américains sont partis et Joaquin Balaguer (1906-), ancien homme de main de R. Trujillo, dont il a été ministre et vice-président, est élu à la Présidence.   Les élections se succèdent tous les quatre ans. Entre 1966 et 1970, des escadrons de la mort à la solde de J. Balaguer tuent plusieurs milliers de personnes. Le Parti révolutionnaire dominicain (PRD, social-démocrate) gagne lors du scrutin de 1978. Les États-Unis du président Jimmy Carter (1977-1981) forcent J. Balaguer à accepter le résultat, mais le président Antonio Guzman se suicide en 1982. Son successeur, Salvador Jorge Blanco (1926-), est battu en 1986 par le vieux J. Balaguer, dont la popularité est grande parmi les paysans à cause des affectations de terres et des programmes de travaux publics. Il se fait réélire jusqu'en 1994, mais est contraint d'écourter son mandat de moitié car la fraude électorale a privé de la victoire le PRD et son leader noir, José Francisco Peña Gómez (1937-1998) ; ce dernier ne sera pourtant pas élu président aux élections de 1996. En 2000, J. Balaguer est une dernière fois battu et le PRD, dirigé par Hipólito Mejía (1941-), gagne à nouveau la Présidence, ce qui assoit les institutions démocratiques de ce pays qui vit du tourisme et de la canne à sucre. **G. C.**

RÉPUBLIQUE DU CONGO > CONGO-BRAZZAVILLE.

RÉPUBLIQUE FÉDÉRALE D'ALLEMAGNE > ALLEMAGNE.

RÉPUBLIQUE POPULAIRE DE CHINE > CHINE.

RÉPUBLIQUE POPULAIRE DÉMOCRATIQUE DE CORÉE > CORÉE (DU NORD).

RÉPUBLIQUE SERBE DE BOSNIE > BOSNIE-HERZÉGOVINE.

RÉPUBLIQUE SLOVAQUE (1939-1945)
Proclamée le 14 mars 1939 par la diète de Bratislava, à la suite d'une intervention directe de Hitler, l'indépendance de la République slovaque, sous les auspices du « pacte de protection » signé immédiatement avec l'Allemagne nazie, fut bien relative. Son système politique, qui évolua vers une dictature de type fasciste, était fondé sur le « rôle dirigeant » (ancré dans la Constitution) du parti unique d'Andrej Hlinka (1864-1938) avec à sa tête un « *Führer* » *(Vodca)*, Mgr Tiso, président de la République, qui dirigeait aussi les organisations paramilitaires de jeunesse et la « garde de Hlinka », partiellement armée. Le système politique se fondait aussi sur l'obligation pour chaque citoyen actif d'adhérer à l'une des quatre corporations, ainsi que sur le renforcement de l'autorité de l'Église catholique. La Slovaquie a soutenu les intérêts de l'économie de guerre allemande et s'est engagée dans la guerre,

d'abord contre la Pologne, puis contre l'URSS, où ses unités ont compté le plus de déserteurs de tous les pays satellites du Reich. Le régime a mis en place dès 1939 des mesures d'« aryanisation » et il a procédé à la déportation des Juifs à partir de la fin de l'année 1941, tout en payant à l'Allemagne 500 marks pour chaque Juif « exporté » vers les camps. Plus de 70 000 Juifs slovaques furent exterminés.   Le premier État slovaque « après mille ans » a résorbé le chômage et offert une ascension sociale certaine. Il a donc trouvé un soutien assez large dans la population au cours de ses premières années. Mais en août 1944, le soulèvement contre le régime et l'occupation nazie, qu'il avait sollicitée, ont révélé une autre face de la Slovaquie pendant la guerre. **K. B.**
> FASCISMES, SECONDE GUERRE MONDIALE, TCHÉCOSLOVAQUIE.

RÉPUBLIQUE SLOVAQUE (1993-)
> SLOVAQUIE.

RÉPUBLIQUE TCHÈQUE Capitale : Prague. Superficie : 78 864 km^2. Population : 10 262 000 (1999).   Issu de l'ancienne Tchécoslovaquie, le nouvel État des Tchèques fondé le 1er janvier 1993 est presque monoethnique. Il aura symbolisé l'émergence de nouveaux États-nations dans l'Europe postcommuniste au cours de la dernière décennie du xxe siècle. Ses nouveaux gouvernants, sous la présidence de Václav Havel, ont réussi à en assurer l'évolution démocratique et à garantir des libertés fondamentales, malgré de nombreuses affaires de malversations et de corruption. En 1998, le pays a connu l'alternance au gouvernement après des élections libres, la droite étant remplacée par les sociaux-démocrates. Mais le bilan au niveau économique et social est resté plutôt désastreux. Selon les principaux critères économiques, la République se trouvait en 1999 à peu près au niveau de l'année 1990, avec une augmentation spectaculaire du chômage, peu présent à ses débuts et qui touchait en 1999 presque 10 % de la population active. Le pays a été admis à l'OTAN (Organisation du traité de l'Atlantique nord) en mars 1999, et sa politique étrangère s'est efforcée à partir de

1998 de rechercher des coopérations plus étroites avec ses voisins postcommunistes. **K. B.**

RÉSISTANCE FRANÇAISE La Résistance se définit par le refus de la défaite militaire de 1940 et de la présence allemande sur le territoire français. N'impliquant qu'une fraction de la population, elle a des visages multiples. L'appel du 18 juin 1940 du général de Gaulle depuis Londres marque la volonté de continuer le combat aux côtés des Britanniques. Une force militaire française autonome, la « France libre » rassemble, en 1941, 35 000 hommes venus essentiellement des colonies. Dans la France occupée, après les premières actions isolées, la Résistance se structure d'abord en réseaux spécialisés (renseignement, filières d'évasion) ou en mouvements tournés vers la propagande (tracts, journaux...). Malgré la répression, elle se renforce en 1941 avec l'engagement du Parti communiste qui opte pour la lutte armée et organise les premiers groupes de francs-tireurs. Ainsi naissent les premiers maquis. Le général de Gaulle n'a de cesse d'être accepté comme partenaire par les Alliés. Fort du ralliement en 1943 des forces de la Résistance intérieure aux côtés des partis et des syndicats, grâce à l'action de son envoyé en France Jean Moulin, il fait admettre l'existence d'un État clandestin légitime, établi à Alger puis à Londres. Ainsi, en 1944, s'appuyant sur les cadres de la Résistance engagés dans les combats pour la Libération, Charles de Gaulle reconstitue la souveraineté nationale et la légalité républicaine, malgré les velléités de rupture qui se manifestent un moment au sein du Parti communiste. **F. S.** **> FRANCE, SECONDE GUERRE MONDIALE.**

RÉSISTANCE ITALIENNE En septembre 1943, le gouvernement du maréchal Pietro Badoglio (1871-1956) signe l'armistice avec les Alliés débarqués au sud de l'Italie. L'Allemagne envahit le reste du pays et crée une république fantoche, dite la « république de Salò ». Contre elle, dans les maquis, se mêlent soldats fidèles au roi, antifascistes revenus d'exil, animateurs du début de vie politique à la chute de Musso-

lini, puis réfractaires au STO (Service du travail obligatoire au service de l'Allemagne) et à la conscription fasciste. Ils sont 30 000 en octobre 1944, 100 000 en juillet, 230 000 en avril 1945. Au prix de lourdes pertes, ils fixent des troupes ennemies, aidant grandement les Alliés. Ils s'unifient en juin 1944 autour du général Raffaele Cadorna (1889-1973), monarchiste, épaulé par Luigi Longo (1900-1980), communiste, et Ferruccio Parri (1890-1981), libéral-socialiste. Cependant, la reconstruction rêvée de la nation avec la participation populaire se heurte à l'inertie de la majorité et au fait que la Résistance n'a pas de sens pour le Sud déjà libéré. De plus, après juin 1944, l'Italie est un front secondaire, et, quand Staline et Churchill partagent l'Europe, les Occidentaux n'ont plus besoin de percer vers l'Est et s'arrêtent en octobre. La plaine du Pô n'est libérée qu'en avril 1945. L'impression de trahison s'accroît avec la Guerre froide : les résistants sont alors oubliés voire brimés. Par la suite, l'ouverture à gauche des années 1960 et l'unité nationale des années 1970 rappellent qu'ils sont au fondement de la République – même si l'historiographie, moins unanimiste, ajoute désormais à l'élan patriotique la guerre civile antifasciste, voire parfois une forme de brigandage social méditerranéen. **É. V.** **> ITALIE, SECONDE GUERRE MONDIALE.**

RÉSISTANCES ALLEMANDES AU NAZISME Longtemps déconsidérées par une indéniable germanophobie franco-anglaise qui, après 1945, privilégie la thèse rassurante de la culpabilité collective, les résistances allemandes au nazisme furent aussi victimes de la Guerre froide. La République fédérale d'Allemagne (RFA) préféra en effet, à l'idée gênante d'une résistance communiste, le destin jugé exemplaire d'individus issus des couches libérales et conservatrices, à l'image de l'amiral Wilhelm Canaris (1887-1945), chef de l'Abwehr (service de renseignement militaire), ou du colonel Claus von Stauffenberg (1907-1944). La République démocratique allemande (RDA) fonda quant à elle sa légitimité sur l'antifascisme de la seule classe ouvrière. Au-delà des grandes tendances sociales qui composent cette opposition intérieure au nazisme – la résistance de gauche (communiste et sociale-démocrate), celle des Églises catholique et protestante, celle de la droite libérale et nationale-conservatrice, celle, enfin, plus diffuse, de la jeunesse étudiante –, il faut insister sur l'extraordinaire variété, et donc sur l'extrême complexité, de ses motivations : simple résistance passive, révolte de la conscience, aspiration à plus de libertés, écœurement devant les massacres, peur du désastre entraînant la fin de l'Allemagne... Cette variété des justifications explique la diversité des actions entreprises, allant du refus de l'embrigadement (telle l'opposition aux Jeunesses hitlériennes des groupements de jeunes autobaptisés les « pirates-edelweiss ») ou de la distribution de tracts (ainsi l'action de la Rose blanche de Hans et Sophie Scholl) à l'organisation d'un réseau d'espionnage (tel celui des intellectuels regroupés autour de Arvid Harnack et de Hans Schulze-Boysen), en passant par la tentative de coup d'État centralisée par le général Ludwig Beck et Carl Friedrich Goerdeler. Divisées dans leurs objectifs, souvent méprisées par des Alliés qui, en exigeant une « capitulation sans condition » dès 1943, ne leur laissaient guère de chances, ces oppositions se heurtent en outre à une quadruple difficulté : tout d'abord, le loyalisme d'une population traditionnellement fidèle à l'autorité (*Obrigkeit*) et qui, jusqu'aux derniers jours de la guerre, va malgré tout conserver au « *Führer* » sa confiance ; ensuite, une coordination d'autant plus impossible qu'au-delà de leurs différences sociales, les mouvements de résistance n'ont jamais opposé un front uni dans le temps : si les Églises s'étaient opposées au nouveau régime dès 1933 par la voix de Mgr von Galen ou du pasteur Martin Niemöller (1892-1984), il faut attendre 1938 et les menaces d'une guerre jugée aventureuse pour voir un L. Beck et de nombreux officiers glisser vers l'opposition ; enfin l'existence d'un appareil répressif omniprésent, renforcé par un constant appel à la délation, et une guerre qui, selon le mot de Dietrich Bonhoeffer, allait sans cesse imposer aux conjurés un choix cornélien entre la « nation » et la « survie de la civilisation chrétienne ». L'échec de l'attentat du 20 juillet 1944 mis en œuvre par C. von Stauffenberg, dernier d'une longue série dont Hitler avait toujours réchappé et qui allait entraîner plus de 200 condamnations à mort et 7 000 arrestations, devait sonner le glas de toute opposition organisée. **L. B.**   **> ALLEMAGNE.**

RÉUNION   Possession française depuis le milieu du XVIIᵉ siècle et administrée jusqu'en 1787 par la Compagnie des Indes orientales, la Réunion s'appelait « île Bourbon », avant d'être rebaptisée par la Révolution française en 1793. À cette époque, elle apparaît avant tout comme une pièce essentielle dans la consolidation – finalement avortée – d'un empire des Indes françaises fondé autour de Pondichéry en pays tamoul. Tout au long du XIXᵉ siècle (et dans la première moitié du XXᵉ), la Réunion connaît des transformations et des crises économiques et sociales profondes. L'abolition officielle de l'esclavage (1848) perturbe le système traditionnel d'économie de « plantation » et alimente revendications et rancœurs durables. L'installation de « travailleurs engagés » (indiens et chinois) dans la monoculture de la canne à sucre et le petit commerce contribue fortement au métissage culturel. En 1946, la Réunion devient un DOM (département d'outre-mer) français, statut très proche du département métropolitain mais susceptible d'adaptations. Par-delà les problèmes de développement économique et de parité sociale, la question du statut de l'île dans l'ensemble français a dominé le débat politique durant plus de deux décennies. Dans les années 1960, le Parti communiste réunionnais (PCR) milite activement pour l'« autonomie politique », en fait pour l'indépendance, ce qui a de quoi effrayer l'opinion majoritaire et le gouvernement. Dans les années 1970, c'est la place même de la Réunion, et donc de la France en tant que « puissance riveraine de l'océan Indien », qui est violemment contestée, en vertu du principe de décolonisation, par les « États progressistes » de la région (Madagascar, Seychelles, Comores), aidés alors par la Libye. La Réunion semble avoir trouvé

son ancrage dans sa diversité, acceptée et reconnue, aussi bien dans l'ensemble français que dans l'espace océano-indien. Elle est le siège de l'état-major des Forces françaises de la zone militaire océan Indien. Elle est, enfin, une vitrine économique (artificielle ?) de la France, qui fait des envieux...
C. C.

RÉVISIONNISME   Au cours du xxe siècle, le terme « révisionnisme » a recouvert plusieurs sens. Il a qualifié l'évolution engagée par Eduard Bernstein (1850-1932) au sein de la social-démocratie allemande visant à adapter le marxisme pour transformer le capitalisme par des réformes successives faisant l'économie de la révolution. Dans les pays socialistes, les contestataires agissant au sein ou en marge du système politique et réclamant des réformes contre l'orthodoxie des partis communistes dirigeants ont également été qualifiés de « révisionnistes ». Cette acception du terme est proche de « dissidence ». Après le schisme sino-soviétique au début des années 1960, Pékin et les partisans des thèses chinoises ont dénoncé la direction soviétique comme « révisionniste ».   Dans le mouvement sioniste, le courant d'opposition animé par Vladimir Jabotinsky (1880-1940) est lui aussi appelé « révisionniste ».   Enfin, le terme « révisionnisme » désigne aussi la tentative de dégager des nouvelles interprétations dans le travail historique. Il a un temps été à tort utilisé pour qualifier les négateurs du génocide des Juifs que sont les négationnistes.

RÉVOLTE ARABE   En juin 1916, Hussein ibn Ali (1856 ?-1931), le chérif de La Mecque, déclenche une révolte armée dans les territoires arabes de l'Empire ottoman. Il se proclame roi du Hedjaz, puis roi des Arabes. Hussein avait entamé des négociations secrètes avec les Britanniques, qui lui avaient fait entrevoir qu'ils favoriseraient l'indépendance d'un royaume arabe en contrepartie de ce soulèvement contre les Ottomans. L'armée arabe, forte de dizaines de milliers d'hommes et commandée par Faysal (1883-1933), prend Damas à l'automne 1918. En fait, les Britanniques, par la « déclaration

Balfour » (2 novembre 1917), ont aussi promis au mouvement sioniste l'établissement d'un foyer national juif en Palestine, et ils exerceront, à partir de 1920, le mandat de la SDN (Société des Nations) sur la Palestine, la Transjordanie et l'Irak.

RÉVOLUTION ALGÉRIENNE > GUERRE D'INDÉPENDANCE ALGÉRIENNE.

RÉVOLUTION BLANCHE (Iran)   À partir de 1962, le chah Muhammad Reza s'emploie à coordonner, sous le nom de « révolution blanche », un train de réformes qui s'articule autour de six points : abolition de la féodalité et réforme agraire ; nationalisation des forêts et des pâturages ; réforme de la loi électorale, droit de vote aux femmes ; cession des actions des industries du secteur public privatisées en contrepartie des terres vendues par les propriétaires fonciers ; intéressement des travailleurs ; création de l'« armée du savoir » formée de conscrits chargés de participer à des campagnes d'alphabétisation.   En lançant ce programme révolutionnaire, le chah s'aliène deux soutiens traditionnels du pouvoir : les religieux et les grands propriétaires fonciers, espérant gagner le soutien des paysans et des travailleurs de l'industrie. Ce volontarisme politique du pouvoir exprime en même temps sa méconnaissance du pays réel. Les agents politiques de la « révolution du chah du peuple » raisonnent en technocrates souhaitant éviter les désordres sociaux et brisent les structures traditionnelles sans leur substituer de cadre mobilisateur. Cette « révolution blanche » se heurte à l'opposition de deux partis politiques – le Mouvement pour la libération de l'Iran (MLI) de Mehdi Bazargan (1905-1995) et le Front national (mossadeghiste) –, dont les critiques entraînent immédiatement l'arrestation de quelque quatre cents personnalités, et à celle du clergé chiite, parfaitement conscient du risque principal contenu dans les réformes : la perte des immenses domaines d'où découle une large part de ses revenus.   Le fait que, dans une période d'impasse politique, les religieux soient devenus les représentants de l'opposition au régime contribua à renverser l'image conservatrice du clergé.

L'échec de la révolte qui suit la « révolution blanche » ne décourage par ce dernier qui donnera sa pleine mesure une quinzaine d'années plus tard. **D. B.** **> IRAN.**

RÉVOLUTION CULTURELLE Après le Grand Bond en avant, Deng Xiaoping et Liu Shaoqi (1898-1969) remettent lentement le pays sur pied en laissant se développer diverses expériences qui anticipent la réforme qui sera menée après 1978 ; en cela, ils sont en totale rupture avec le maoïsme (rôle de l'exploitation familiale et des activités secondaires dans les villages, préférence aux experts sur les idéologues...). Mais Mao Zedong s'entête sur sa voie. C'est la Grande Révolution culturelle prolétarienne (1966-1976). De 1966 à 1969, Mao mobilise le peuple chinois, surtout les jeunes étudiants et lycéens, contre les cadres du Parti rendus coupables de l'échec antérieur (notamment celui du Grand Bond en avant), engagés qu'ils seraient dans la « restauration de la voie capitaliste ». Il apparaît ainsi comme le libérateur, invitant à la rébellion des millions de jeunes qui ne peuvent plus supporter la vie grise, le conformisme étouffant, la pénurie, la tyrannie des petits chefs. Les gardes rouges déferlent dans les villes et brisent les pouvoirs locaux sous la discrète surveillance de l'armée. Nouveaux drames, guerres civiles locales, le Parti communiste chinois est durablement ébranlé... et une dictature militaire menace. Le chaos s'accroît quand des millions de gardes rouges brisés sont envoyés en « rééducation » dans de lointaines campagnes. L'isolement international de la Chine est alors quasi total, à l'Albanie et à la Roumanie près. Le Parti, malgré deux congrès (le IXᵉ en 1969 et le Xᵉ en 1973) séparés par l'élimination brutale de Lin Biao en septembre 1971, ne se rebâtit pas vraiment. L'aile dogmatique regroupée autour de l'épouse de Mao, Jiang Qing, que l'on appellera la « bande des quatre », croit tenir le pouvoir. Mais les pragmatiques, regroupés autour de Zhou Enlai et de Deng Xiaoping lancent la contre-attaque dès le début des années 1970. Leur force est la lente et irrésistible pression de tout un peuple qui veut développer la production, améliorer ses conditions de vie. Ils s'appuient aussi sur la las-

situde née des massacres – un million de morts ? –, de l'insécurité généralisée, de la violence sans cesse renouvelée. La production stagne et la famine menace à nouveau. Derrière le chaos, cependant, la Chine opère enfin sa « révolution verte », et l'ouverture au monde, après la normalisation des rapports avec les États-Unis et le Japon, à partir de 1972, révèle aux cadres et aux intellectuels l'énorme retard du pays, qu'il faut combler. À la mort de Zhou Enlai, en janvier 1976, c'est le pâle Hua Guofeng qui devient président du Parti (jusqu'en 1980). Mao meurt en septembre de la même année, et Hua arrête dès octobre la « bande des quatre » ; il croit s'être assuré de l'avenir et pouvoir poursuivre un maoïsme bien tempéré. Il modifie même son aspect pour ressembler peu à peu au « grand timonier », dont il édite le cinquième tome des Œuvres et érige le mausolée. C'était ne pas comprendre le sens des manifestations du 5 mars 1976, dans les villes et notamment à Pékin, qui avaient vu des millions de Chinois proclamer leur attachement à Zhou Enlai et, par là même, à un socialisme différent de celui de Mao que Hua voulait prolonger. **A. R.** **> CHINE, MAOÏSME.**

RÉVOLUTION D'OCTOBRE 1917 **> RÉVOLUTION RUSSE.**

RÉVOLUTION DE 1905 La révolution russe de 1905 fut un spectaculaire mouvement de contestation contre l'autocratie, relayé, durant l'année 1905, par toutes les composantes de la société ; mais il s'exprima de façon très hétérogène et désordonnée, permettant finalement la reprise en main du pays par le tsar Nicolas II. Tout commence par une grève ouvrière et la manifestation du 9 janvier (selon le calendrier julien alors en vigueur en Russie ; 22 janvier selon le calendrier grégorien) qui réunit 150 000 ouvriers autour d'une supplique présentée au souverain. Accueillie par une fusillade, cette confrontation sanglante avec le pouvoir brise définitivement l'image du tsar « petit père du peuple ». Ce « dimanche rouge » déclenche une vague révolutionnaire dans la plupart des centres urbains, tandis que l'opposition libérale s'organise en de

multiples unions et réclame la mise en place d'un régime constitutionnel. Au printemps, les troubles gagnent le monde rural. Après l'accalmie de l'été, un immense mouvement de grève (devenue générale), le 14 octobre, tourne à l'épreuve de force avec le pouvoir. Face à la détermination du monde ouvrier, représenté par le nouveau soviet de Saint-Pétersbourg, puis de Moscou, Nicolas II présente, le 17 octobre, un manifeste accordant les libertés civiques fondamentales et la création d'une Assemblée législative, la Douma. Le manifeste ne met pas fin au mouvement social, qui se poursuit jusqu'à la fin de l'année, donnant lieu à de nouvelles confrontations avec un monde ouvrier très radicalisé qui a formé un modèle original d'organisation, le soviet, pierre d'angle de la stratégie des bolcheviks en vue d'une nouvelle révolution qu'ils veulent victorieuse.
C. G. **> RÉVOLUTION RUSSE, RUSSIE ET URSS.**

RÉVOLUTION DE 1956 (Hongrie)
> BUDAPEST (SOULÈVEMENT DE).

RÉVOLUTION DE FÉVRIER 1917
> RÉVOLUTION RUSSE.

RÉVOLUTION DE VELOURS
Les Tchèques, qui avaient déjà enrichi le vocabulaire du XXᵉ siècle du terme « robot » (avec l'écrivain Karel Capek), ont inventé la formule « révolution de Velours ». Celle-ci veut rendre compte du passage en douceur de la dictature à la démocratie, sans effusion de sang, et met en cause le concept même de révolution en tant que rupture brutale et violente. L'événement originel aura été une manifestation d'étudiants, organisée en dehors des mouvements oppositionnels existants, dans les rues de Prague le 17 novembre 1989, pour commémorer l'anniversaire de la répression nazie du mouvement estudiantin en 1939. Cette manifestation, brutalement réprimée – un peu de sang mais pas de morts – déclenche d'autres manifestations, à Prague et dans d'autres villes. La conjoncture internationale est alors très favorable à l'engagement de la population : « tables rondes » entre gouvernants et opposants en Pologne et en Hongrie ; Allemands de l'Est donnant l'exemple aux plus apeurés en réussissant à forcer les barbelés à la frontière austro-hongroise et en occupant par milliers l'ambassade de la RFA (République fédérale d'Allemagne) à Prague. Dans ces conditions, le chef du Kremlin, Mikhaïl Gorbatchev, laisse les dirigeants de Prague face à leurs responsabilités. Ils intègrent d'abord au gouvernement quelques ministres proposés par le Forum civique, organisation née après le 17 novembre et dirigée par d'anciens opposants, puis se résignent à la formation d'un nouveau gouvernement présidé par un ancien ministre communiste, Marian Čalfa, ainsi qu'au remaniement de l'Assemblée nationale, désormais présidée par l'homme politique symbole de 1968 (le printemps de Prague) Alexander Dubček, et enfin à l'élection de Václav Havel comme président de la République, le 29 décembre 1989. La révolution de Velours a représenté un cas rare de délégation du pouvoir par les gouvernants de l'ancien régime communiste, alors qu'ils pouvaient encore s'appuyer sur la puissance non négligeable de la police et de l'armée. Un vif débat allait chercher à comprendre comment l'ancienne nomenklatura a placé ses pions lors de cette mutation, en particulier dans le domaine économique.
K. B. **> TCHÉCOSLOVAQUIE.**

RÉVOLUTION DES ŒILLETS
Coup d'État militaire du 25 avril 1974, qui a mis fin à quarante-huit ans de dictature salazariste au Portugal. Dans la liesse populaire, une femme a donné un œillet rouge à un soldat, qui l'a gardé dans le canon de son fusil. Cette image est devenue l'emblème d'un putsch révolutionnaire qui s'était donné pour mission de rétablir la démocratie et de mettre un terme à la guerre coloniale en Afrique. Le Portugal était alors un pays anachronique. L'effort de la dictature pour maintenir le dernier empire colonial du monde occidental condamnait chaque jeune homme portugais à effectuer un service militaire de trois ans, dont deux passés à combattre en Afrique sur l'un des trois fronts de guerre coloniale (Angola, Guinée-Bissau et Mozambique). Toute opinion critique à l'égard du régime était sévèrement réprimée

par un appareil policier et une censure implacables. Les libertés fondamentales étaient bafouées ; un retard économique et culturel persistant aggravait les injustices sociales. **U**ne ébauche de révolte éclate parmi les jeunes officiers de l'armée en juin 1973 pour des raisons corporatistes. Mais, très vite, ce Mouvement des capitaines évolue clandestinement vers une réflexion en profondeur et conclut, en février 1974, à la nécessité d'une solution politique à la guerre coloniale. Quelque trois cents capitaines décident de mettre fin au régime dictatorial. Le mouvement entre alors dans la phase de conspiration en préparation du coup d'État. L'opération militaire *Fin-Régime* est déclenchée avec succès le 25 avril 1974 à minuit, sous le commandement de Otelo Saraiva de Carvalho. Quelques heures plus tard, le Mouvement des capitaines devient le Mouvement des forces armées (MFA). En effet, sa nature change avec le programme dont il s'est doté, connu sous le nom de « programme des trois D » : décoloniser, démocratiser et développer. **L**a naissance du MFA annonce en fait l'intervention de l'institution militaire dans la sphère politique pendant une période de transition devant aller jusqu'à l'élection d'une Assemblée nationale constituante en 1976. Mais l'euphorie des premiers temps cède le terrain à une radicalisation idéologique baptisée PREC (Période révolutionnaire en cours) en 1974-1975. La fracture entre les partisans d'un modèle socialiste révolutionnaire et les défenseurs d'une démocratie à l'occidentale traverse aussi l'armée. Tout se termine le 25 novembre 1975 par une tentative de putsch gauchiste dirigé par O. de Carvalho, qui sera incarcéré trois mois. L'armée retourne ensuite dans ses casernes. **A. N. P.** ➤ **PORTUGAL**.

RÉVOLUTION MEXICAINE

La Révolution mexicaine (1910-1920) est marquée par dix années de guerre civile qui laissent le pays dans un état d'épuisement absolu. En 1910, après trente-cinq ans de pouvoir personnel, Porfirio Díaz (1830-1915) se heurte à une opposition virulente dans un pays où l'injustice sociale est de plus en plus criante. Francisco Madero (1873-1913), libéral issu

de la bourgeoisie, s'oppose à la réélection du dictateur et lance un appel à la rébellion. La révolution commence alors. **A**u nord, F. Madero joint ses forces à celles de Pancho Villa, tandis que dans les États du Sud, les paysans emmenés par Emiliano Zapata se soulèvent. P. Díaz démissionne en 1911. Si la résistance du pouvoir a été faible, les désaccords entre les chefs révolutionnaires ne font que débuter. L'idéologie révolutionnaire est partagée entre les réformateurs libéraux et les chefs de guerre plus radicaux tels que E. Zapata qui souhaite une profonde réforme agraire. À la mort de F. Madero, assassiné en 1913, le général Victoriano Huerta (1845-1916), contre-révolutionnaire, s'empare du pouvoir. Son action politique se révèle complètement inefficace, tandis que la terreur règne dans les campagnes et que des milliers de civils et de militaires sont exécutés. Les chefs rebelles réunis par Venustiano Carranza (1859-1920) en 1914 font bloc contre lui et l'obligent à s'exiler. V. Carranza prend la tête du gouvernement et forme avec Alvaro Obregón (1880-1928) la Coalition des constitutionnalistes, reconnue par les États-Unis en 1915, mais E. Zapata et P. Villa poursuivent la guerre civile. En 1915, P. Villa est battu à Celaya face aux troupes d'A. Obregón. E. Zapata meurt assassiné en 1919. En 1917, la Constitution, qui aborde la question des réformes sociales, est proclamée. A. Obregón succède en 1920 à V. Carranza à la tête d'un pays épuisé. À la fin des années 1920, la révolution connaît un sanglant prolongement avec la révolte des Cristeros, paysans catholiques hostiles aux mesures anticléricales du gouvernement. **L**a révolution a en partie atteint ses buts puisque les réformes sociales en faveur des paysans et des travailleurs seront poursuivies, mais les pertes humaines ont été très lourdes : près d'un million de Mexicains y ont trouvé la mort, soit un habitant sur quinze. **É. S.** ➤ **MEXIQUE**.

RÉVOLUTION RUSSE

Fille de la guerre, comme aiment à le rappeler les historiens, la révolution de Février (23 février selon le calendrier julien – « ancien style » – alors en vigueur en Russie ; 8 mars pour le

calendrier grégorien) qui ouvre, douze ans après la révolution de 1905, l'année 1917 par la chute du tsarisme, résulte d'un mouvement spontané, largement improvisé, de mécontentement populaire lié aux difficultés d'approvisionnement de la capitale, Petrograd (Saint-Pétersbourg). Tandis que les autorités font appel à l'armée pour réprimer les manifestations, les régiments fraternisent, pour la plupart, avec le peuple. Perdant tout contrôle de la situation, Nicolas II accepte, depuis l'État-Major de Pskov où il se trouve, d'abdiquer en faveur de son frère (2-15 mars) qui refuse, le lendemain, de prendre la couronne. Dès l'annonce de l'abdication du tsar, les libéraux de la Douma (assemblée) forment un Gouvernement provisoire qui annonce la convocation à venir d'une Assemblée constituante élue au suffrage universel, laquelle se porte garante des libertés politiques et de l'égalité civile et se prononce pour la poursuite de la guerre jusqu'à la victoire. La création parallèle (2-15 mars) du soviet de Petrograd conduit à une situation de double pouvoir. Malgré le compromis passé avec le gouvernement, l'orientation plus radicale de ce soviet – il est animé par divers représentants des partis révolutionnaires et présidé par un menchevik – devient source de difficultés et de conflits.　Dès le printemps, le gouvernement est pris à partie pour son absence d'action en faveur des grandes réformes de fond attendues. Les revers accumulés sur le front favorisent le rejet massif de la guerre et la popularité croissante des bolcheviks qui, orchestrant cette contestation, font l'objet de répression (juillet). Face à cette situation chaotique, certains libéraux et conservateurs préconisent l'instauration d'un pouvoir fort dans le pays. Sous prétexte de remise en ordre face au danger révolutionnaire, le général Lavr Gueorguievitch Kornilov (1870-1918) tente un putsch (25 août-7 septembre), dont le seul effet est d'accroître brutalement le désaveu affectant l'équipe du Gouvernement provisoire dirigée depuis le 19 juillet (1er août) par Alexandre Fedorovitch Kerenski (1887-1970), suspectée d'avoir partiellement soutenu l'initiative du général. Tandis que la position des dirigeants libéraux semble de plus en plus fragile, les bolcheviks se préparent à la prise du pouvoir, se ralliant finalement aux vues de Lénine qui, malgré l'état d'« immaturité » politique et sociale de la Russie, a fait valoir, dès mars 1917, l'opportunité historique qui se présentait pour engager le pays dans une nouvelle révolution après celle, échouée, de 1905.　La création d'une milice révolutionnaire, après la tentative du général Kornilov, et le soutien de matelots et soldats gagnés à la cause de Lénine, permettent aux bolcheviks de passer à l'offensive, en occupant, dans la nuit du 24 au 25 octobre (6-7 novembre du calendrier grégorien), tous les points stratégiques de la capitale. La résistance insignifiante opposée par l'adversaire – le palais d'Hiver était défendu par un bataillon féminin – assure la victoire quasi immédiate de l'opération. Dès le lendemain, un nouveau gouvernement est constitué, composé presque exclusivement de bolcheviks, les autres partis révolutionnaires ayant condamné le coup de force. Les premiers décrets sur la paix et sur l'abolition de la propriété de la terre (27 octobre-9 novembre) soulignent le caractère radical de la rupture opérée par le nouveau pouvoir. Il faudra cependant plusieurs années de lutte acharnée, à travers une guerre civile sanglante, pour que les bolcheviks se rendent véritablement maîtres du pays. **C. G.**
➤ BOLCHEVISME, RUSSIE ET URSS, SOCIALISME ET COMMUNISME.

REZA CHAH PAHLAVI (1878-1944)

Chah d'Iran (1925-1941). La Perse ne s'est jamais trouvée aussi menacée qu'après la Première Guerre mondiale : la défense des intérêts nationaux repose sur des élites corrompues et une monarchie faible et très impopulaire.　Le lundi 21 février 1921, les Cosaques persans prennent le contrôle de la capitale sans coup férir, non pas pour renverser la monarchie impériale, mais pour prendre le contrôle du gouvernement. Ce mouvement est dirigé par un journaliste, Seyyed Ziya, et par un militaire inculte, d'origine modeste, Reza Khan. Ce dernier est promu commandant des Cosaques, puis ministre de la Guerre en 1921, Premier ministre en 1923 et en 1925, une fois la dynastie des Kadjars destituée, puis chah

d'Iran sous le nom de Pahlavi.   Son ascension n'est possible qu'avec l'accord des *bazari* (commerçants) et de la hiérarchie religieuse, fort inquiète de la montée et de la victoire du laïcisme en Turquie et en Union soviétique. Après qu'il a donné des gages au clergé, les dignitaires chiites ne font pas d'obstacle à l'instauration d'une nouvelle dynastie.   La politique de Reza Chah est une suite de mouvements contradictoires entre les gages donnés au clergé conservateur et les initiatives modernistes : il ne voudra jamais séparer la religion de l'État, mais prendra en même temps une série de mesures bouleversant les structures traditionnelles du pays.   D'incontestables efforts sont menés pour poser les bases d'une économie moderne : abolition du régime des capitulations, le 10 mai 1928 ; nouvelle politique économique fondée sur l'intervention de l'État et sur la rente pétrolière ; réalisation d'une voie ferrée transiranienne longue de 1 400 kilomètres entre la mer Caspienne et le golfe Persique, probablement la pièce maîtresse de ses réalisations, même si son coût de revient et sa validité économique ont été fortement critiqués. Le paradoxe provient aussi du fait que cette voie, qui se voulait le symbole du renouveau national, a été utilisée initialement par des armées étrangères lors de la Seconde Guerre mondiale.   Au niveau politique, l'appareil d'État est répressif et autoritaire, mais on discerne la même volonté de modernisation et de laïcisation, sans rupture entre le pouvoir et le clergé : modernisation de l'administration, mise en place d'un système éducatif moderne, instauration d'un service militaire obligatoire, création d'un ministère de la Justice selon des normes européennes, occidentalisation des comportements et des tenues vestimentaires, changement du nom du pays (la Perse devient l'Iran en 1935). Les sympathies affichées avec le régime nazi et les atermoiements du chah dans sa collaboration avec les Alliés entraînent sa chute. Le 25 août 1941, l'Iran est envahi simultanément par les Soviétiques (au nord) et par les Britanniques (au sud) ; le 16 septembre, Reza Chah abdique en faveur de son fils Muhammad Reza et meurt en Afrique du Sud en 1944.   De plus en plus détesté en Iran, cet homme joua portant un rôle essentiel pour le développement de son pays au XXᵉ siècle ; certes, il l'étouffa sous le poids des réformes (la « révolution blanche » engagée à partir de 1962), mais le pacifia et le rendit relativement prospère.
D. B.   **> IRAN.**

RFA > ALLEMAGNE.

RFY (République fédérale de Yougoslavie) > YOUGOSLAVIE.

RHODÉSIE DU NORD > ZAMBIE.

RHODÉSIE DU SUD > ZIMBABWE.

RIF (guerre du)   C'est par la défaite sanglante d'une armée espagnole forte de 20 000 hommes, à Anoual, du 21 au 26 juillet 1921, que le chef rifain Abdelkrim el-Khettabi (1882-1963) engage dans les montagnes du Rif la guerre de libération qui porte le nom de « guerre du Rif » (1921-1926). Son succès dans la zone nord, espagnole, du protectorat marocain fut rapide et presque total, seules quelques villes portuaires échappant à son emprise. Abdelkrim met alors sur pied une « république confédérée des tribus du Rif », où l'organisation tribale s'accompagne d'un souci de modernisation. L'islam demeure la référence et la question de la monarchie marocaine n'est pas posée. Le mouvement s'impose à l'opinion internationale, non seulement en Espagne où les revers militaires subis portent au pouvoir Miguel Primo de Rivera (1923), mais en France où il provoque le premier grand débat colonial. Le Parti communiste français (PCF) apporte son soutien à la cause rifaine (1923-1925). En Orient, Abdelkrim fait figure de héros.   En 1924, une offensive contre la zone française du protectorat est déclenchée. En quelques semaines, balayant tout sur leur passage, les Rifains menacent Taza et Fès, dont l'évacuation est envisagée. Le maréchal Lyautey hésite, ce qui lui vaudra d'être écarté du Maroc (1925). Le maréchal Pétain prend le commandement d'une armée forte de 160 000 hommes, avec armement lourd et soutien aérien. Il met au point, avec M. Primo de Rivera, une campagne conjointe (1925-1926) qui prendra quelque 20 000 Rifains en tenailles. L'effondrement est rapide et Abdelkrim est poussé à la reddition en mai 1926. Il sera envoyé en détention dans l'île de la Réunion où il demeurera jusqu'en 1947. Au cours d'un transfert en France, il débarque clandestinement en Égypte où il meurt en 1963. Abdelkrim, qui refusa de rentrer dans son pays tant qu'un soldat étranger demeurerait au Maghreb, est resté un haut symbole du nationalisme populaire. **M. Mo.** **> DÉCO-LONISATION (EMPIRE FRANÇAIS), MAROC.**

RIO (conférence de) À Rio de Janeiro se tient, en juin 1992, la deuxième conférence des Nations unies sur l'environnement et le développement (CNUED), vingt ans après celle de Stockholm. Rencontre Nord-Sud, ce « sommet de la Planète » a été le premier grand épisode d'une négociation devant aborder les nouveaux défis du tournant de siècle : comment élargir la question des droits de l'homme à celle, non moins cruciale, de ses devoirs à l'égard des générations futures, et également à l'égard des autres espèces et de la nature ? Au travers des grandes conventions internationales (sur le climat et la biodiversité) en discussion à Rio, la question essentielle posée aura été celle de l'instauration d'un principe d'égalité entre tous les hommes dans la jouissance de l'environnement. Les pays industrialisés, impliqués dans une compétition économique aveugle et meurtrière, ont montré leur incapacité à se rapprocher des peuples du Sud. Les ONG (organisations non gouvernementales) présentes à Rio dans le Global Forum se sont efforcées de déplacer le débat sur le seul terrain où il peut trouver une réponse correcte, celui d'un écodéveloppement préservant les ressources de la biosphère et refusant l'apartheid social et écologique planétaire qui divise le genre humain. À travers la bipolarité de la conférence de Rio s'est ainsi affirmée l'interrogation majeure qui pèse sur le devenir du développement planétaire dans un contexte de crise de l'environnement sans précédent historique. **J.-P. D.** **> ÉCOLOGIE POLITIQUE.**

ROBINSON Mary (1944-) Femme politique irlandaise, présidente de la République d'Irlande de 1990 à 1997. Mary Robinson devient, en 1969, avocate et professeur de droit à l'université de Dublin. Elle adhère au Parti travailliste, devenant le premier sénateur catholique à représenter l'université de Dublin (Trinity). Devant les cours irlandaise et européenne, elle se fait le défenseur des droits de l'homme et des causes minoritaires. Première femme candidate à ce poste, elle se présente à l'élection présidentielle de 1990, se proposant de donner un nouveau sens à cette fonction, jusqu'alors largement honorifique : se faire la voix de ceux qui en sont privés ; tendre la main aux protestants d'Irlande du Nord et représenter les 70 millions d'Irlandais de la diaspora. Élue, elle tient parole, mais écourte son mandat de quelques mois pour accéder au poste de haut-commissaire des Nations unies aux droits de l'homme en 1997. Mary McAleese lui succède. **P. B.** **> IRLANDE.**

ROME (traités de) Signés le 25 mars 1957, par la Belgique, la France, l'Italie, le Luxembourg, les Pays-Bas et la République fédérale d'Allemagne, les deux traités de Rome fondent d'une part la Communauté économique européenne (CEE) et d'autre part Euratom. Ils entrent en vigueur le 1er janvier 1958. **> CONSTRUCTION EURO-PÉENNE.**

ROOSEVELT Eleanor (1884-1962) **D**iplomate et féministe américaine. Bien plus qu'une simple Première dame, l'épouse – et cousine – de Franklin D. Roosevelt, président des États-Unis de 1933 jusqu'à sa mort en 1945, fut une personnalité politique à part entière, très populaire. Eleanor Roosevelt élève leurs cinq enfants et seconde efficacement son mari, paralysé depuis 1921, dont elle est « les yeux et les oreilles ». Elle-même est proche de militants pour les droits des Noirs, de syndicalistes et de féministes, dont elle se fait l'avocate auprès de son mari. C'est elle qui ouvre les portes de la Maison-Blanche aux femmes journalistes. Pendant la guerre, elle obtient des milliers de visas d'urgence pour des réfugiés fuyant le nazisme. Habile communicatrice, de 1935 à sa mort elle rédige une chronique quotidienne, *My Day*, publiée dans des journaux couvrant tout le pays (une pratique avec laquelle se plaira à renouer Hillary Clinton [1947-], l'épouse du président Bill Clinton). En 1945, elle est la première déléguée des États-Unis auprès des Nations unies, où elle préside la Commission des droits de l'homme chargée de rédiger la Déclaration universelle des droits de l'homme, adoptée par l'ONU en 1948. Ce texte, grâce aux pressions de la Danoise Bodil Begrup (1903-1987), présidente de la Commission de la condition de la femme, affirme l'égalité entre les femmes et les hommes dans tous les domaines (articles 1, 2, 16). E. Roosevelt déclarait : la Déclaration des droits de l'homme est « celle de mes réalisations dont je suis le plus fière ». En 1961, John F. Kennedy la nomme présidente de la Commission sur le statut de la femme, quelques années avant le renouveau du mouvement féministe, qui la reconnaîtra comme l'une des pionnières. **M. P.-L.** **> FEMMES (ÉMANCIPATION DES).**

ROOSEVELT Franklin Delano (1882-1945) Président des États-Unis investi du nombre record de trois mandats consécutifs (1933-1945). Issu d'une grande famille d'origine hollandaise, cousin du président Theodore Roosevelt (1901-1909), diplômé de Harvard, Franklin Delano Roosevelt ne pouvait qu'entrer en politique, ce qu'il fit. Sa carrière naissante semble devoir être interrompue par la poliomyélite en 1921, mais il réussit à dominer la paralysie et devient gouverneur (démocrate réformateur) de l'État de New York en 1929. C'est le tremplin idéal pour la présidence des États-Unis, qu'il conquiert en 1932, en pleine dépression (crise de 1929). Il sera le plus grand président qu'aient connu les États-Unis. Pragmatiste capable de s'entourer de gens remarquables et de tirer rapidement les leçons de l'expérience, il transforme profondément le système économique, le tissu social et les méthodes politiques américains : pendant les célèbres « cent jours » (mars-juin 1933), il réussit à faire adopter par le Congrès une étonnante série de lois qui n'épargnent ni les finances, ni l'agriculture, ni l'industrie. Il ne sera pas aisé de sortir de la crise - c'est seulement avec la guerre que

les États-Unis recouvreront une économie de plein emploi fonctionnant à pleine capacité -, mais « FDR », comme on l'appelle, saura insuffler à ses compatriotes une énergie, une vitalité, un enthousiasme dont il déborde et dont la dépression a privé les Américains. Peu à peu, les problèmes de politique étrangère occupent le devant de la scène et F. D. Roosevelt doit biaiser avec l'isolationnisme de ses concitoyens pour aider les démocraties de plus en plus menacées par l'expansionnisme nazi ou japonais. Il faudra l'attaque de Pearl Harbor (7 décembre 1941) par les Japonais pour que les États-Unis entrent dans le conflit. La machine de guerre américaine, enfin lancée à plein régime, fait la preuve de son efficacité. Mais F. D. Roosevelt ne verra pas la fin des hostilités : il meurt d'une crise cardiaque le 12 avril 1945. **M.-F. T.**
> ÉTATS-UNIS, NEW DEAL, SECONDE GUERRE MONDIALE.

ROUMANIE République de Roumanie. Capitale : Bucarest. Superficie : 237 500 km^2. Population : 22 400 000 (1999). Formée en 1859 par l'union des principautés autonomes de Valachie et de la Moldavie, la « Petite Roumanie » conquiert son indépendance vis-à-vis de l'Empire ottoman en 1877 et se proclame royaume en 1881, sous le règne de Carol Ier de Hohenzollern-Sigmaringen (1866-1914). Au début du XXe siècle, elle présente l'image d'un pays stable, avec une Constitution (1866) inspirée de celle de la Belgique et de la Déclaration française des droits de l'homme de 1789, et un système politique axé sur la rotation au pouvoir du Parti libéral (essentiellement bourgeois) et du Parti conservateur (les grands propriétaires terriens). Mais la jacquerie de 1907 (matée au prix de 11 000 morts) révèle la grave crise sociale que traverse ce pays formé à 80 % de paysans qui ne possèdent, ensemble, pas plus de terres que les 4 000 grands propriétaires. De la Petite à la Grande Roumanie. Les guerres balkaniques (1912-1913) portent la Petite Roumanie à son apogée. Elle obtient la Dobroudja du Sud. Elle s'érige en arbitre de l'Europe du Sud-Est (paix de Bucarest, 1913). Ces illusions vont bientôt être balayées par la Première Guerre mondiale. Le pays s'engage aux côtés de la Triple Entente, qui lui avait promis la Transylvanie et la Bucovine austro-hongroises. L'armée roumaine subit de graves revers et doit abandonner plus de la moitié du territoire national. À l'issue de la guerre, l'effondrement de l'Empire austro-hongrois et de l'Empire russe permet aux Roumains de Bessarabie, de Transylvanie et de Bucovine de proclamer leur union avec la Roumanie. Celle-ci doit maintenant se défendre contre les bolcheviks à l'est et en Transylvanie contre les troupes du communiste hongrois Béla Kun (1886-1941), qui préconisent l'occupation de la Roumanie par une attaque conjointe. Le roi Ferdinand (1914-1927) et son Premier ministre libéral Ioan Ion C. Bratianu (1864-1927) exaltent la contribution de la Roumanie à la lutte contre la « subversion communiste » : l'occupation de la Hongrie (1919) fait pendant à la guerre sur le Dniestr. **Les** traités de Paris, de Neuilly et de Trianon confirment la création de la Grande Roumanie qui reçoit la Transylvanie, le Banat et des territoires prélevés sur la Hongrie : le pays passe de 130 177 km^2 à 295 049 km^2, et de 7,16 millions à plus de 15,5 millions d'habitants. Mais cela s'est payé d'environ 800 000 morts. Le pays compte désormais de fortes minorités ethniques (24,6 % du total de la population), dont 1,4 millions de Magyars, 748 000 Allemands, 728 000 Juifs, 582 000 Ukrainiens, 409 000 Russes, 366 000 Bulgares, 262 000 Tsiganes... **Les** nouvelles frontières sont contestées par trois des six voisins du pays : Bulgarie, Hongrie, Russie (puis URSS). À l'extérieur, l'alliance de la Roumanie avec la France et la Grande-Bretagne constitue, jusqu'en 1940, l'axe principal de sa politique étrangère. Sa diplomatie contribue activement à la mise sur pied de la Petite Entente (1921) et de l'Entente balkanique (1934), au développement de la SDN (Société des Nations) et au concept de sécurité collective en Europe. Sur le plan intérieur, après 1918, les gouvernements réalisent une vaste réforme agraire. Une nouvelle Constitution est promulguée en 1923, qui instaure le suffrage universel masculin. Le Parti conservateur disparaît en 1925 et un puissant Parti national paysan émerge

(1926), qui alterne au pouvoir avec les libéraux. La scène politique ne se stabilise cependant pas. Des mouvements d'extrême droite nationalistes et antisémites, issus du Parti nationaliste démocrate fondé en 1910 par Nicolae Iorga et Alexandru C. Cuza (1910) se développent qui vont se cristalliser dans la Légion de l'archange Michel (1927) et dans le Parti national chrétien (1935). À gauche, le PSD (Parti social-démocrate) éclate et donne naissance à plusieurs organisations, dont un Parti communiste (1921) complètement inféodé au Komintern, qui prône le démantèlement de la Grande Roumanie. La Roumanie est frappée de plein fouet par la crise de 1929, car son économie s'appuie principalement sur l'exportation de matières premières (pétrole brut et raffiné, céréales, bois, etc.). **De la Dictature royale à celle d'Antonescu.** Les mouvements nationalistes recueillent plus du quart des suffrages exprimés lors des élections de décembre 1937. Le roi Carol II (1930-1940) abroge alors la Constitution, supprime les partis politiques et les libertés et instaure un régime autoritaire (la Dictature royale), avec un parti unique et un système corporatiste. L'écroulement du système des alliances externes entamé après les accords de Munich (septembre 1938) aboutit à l'isolement et au démantèlement de la Grande Roumanie. Elle perd un tiers de son territoire entre juin et septembre 1940 (en application du Pacte germano-soviétique, l'URSS a occupé la Bessarabie [et la Bucovine du Nord] et les arbitrages germano-italiens ont imposé la rétrocession de la Transylvanie du Nord à la Hongrie et de la Dobroudja du Sud à la Bulgarie). Le roi abdique en faveur de son fils Michel (1940-1947), mais le pouvoir est assuré à partir du 4 septembre par le général Ion Antonescu qui se fait proclamer « conducător ». Celui-ci gouverne dans un premier temps avec la Garde de fer (fasciste). Il fait adhérer la Roumanie à l'Axe (23 novembre 1940), l'engage dans la guerre à l'est, contre l'URSS, pour récupérer les territoires perdus, et organise la déportation des Juifs et des Tsiganes en Transnistrie avant d'être déposé et arrêté à la suite d'un coup d'État portant le roi Michel au pouvoir le 23 août 1944. La déportation des Juifs de

Bessarabie, de Bucovine et de Moldavie occidentale en Transnistrie (1941-1943) a touché plus de 250 000 personnes, internées dans des camps (Dalnik, Mohilev, etc.) et des villages et dont la moitié a péri à la suite des tueries perpétrées par les troupes roumaines et allemandes, ainsi que de maladie et de faim. **De Gheorghiu-Dej à Ceausescu.** L'occupation soviétique amène les communistes au pouvoir. Ceux-ci obligent le roi à abdiquer et proclament la République populaire roumaine le 30 décembre 1947. La Roumanie se montre d'abord l'un des satellites les plus fidèles de Moscou et le PC – numériquement très faible au commencement et dirigé jusqu'en 1965 par Gheorghe Gheorghiu-Dej – règne sans partage, par la terreur et par la faim (industrialisation à marche forcée et collectivisation de l'agriculture). Le creusement du canal Danube-mer Noire illustre le « goulag » roumain. Le pays est exploité par l'URSS, d'abord sous la forme de prises de guerre, puis par les sociétés mixtes qui drainent jusqu'en 1956 le pétrole, le bois, l'or, l'uranium. La Roumanie engage un ambitieux programme d'industrialisation qui bute sur les projets d'intégration économique de Nikita Khrouchtchev dans le cadre du CAEM (Conseil d'assistance économique mutuelle ou Comecon). Les dirigeants de Bucarest recherchent l'appui de la Chine, jouant la carte de l'indépendance vis-à-vis de l'URSS et du rapprochement de l'Occident. À partir de 1965 Nicolae Ceausescu, qui succède à G. Gheorghiu-Dej, continue l'ouverture extérieure amorcée. Au plan intérieur, les grèves et les manifestations sont impitoyablement réprimées. **L'étrange « révolution » de 1989.** Lorsque, dans la seconde moitié des années 1980, N. Ceausescu refuse les réformes prônées par Mikhaïl Gorbatchev, il est renversé par un coup d'État doublé d'une révolution médiatisée et manipulée (15 au 22 décembre 1989), et exécuté avec son épouse Elena après une parodie de procès. Le pouvoir est assuré par un Front de salut national (FSN) formé d'anciens communistes et de quelques dissidents et résistants qui seront vite mis à l'écart. La renaissance des partis politiques n'empêche pas le FSN d'imposer Ion Iliescu (1930-) à la Présidence (1990, 1992).

Ancien dauphin désigné de N. Ceausescu, il avait été écarté en 1983. I. Iliescu se déclare adepte d'une « troisième voie » qui se traduit par un freinage de la privatisation de l'économie, une forte corruption et une grave crise économique et sociale. Il perd le pouvoir en 1996 lorsque Emil Constantinescu (1939-) est élu à la tête d'une coalition libérale, démocrate-chrétienne et social-démocrate, qui gagne aussi les élections législatives. L'intégration à l'UE (Union européenne) et dans l'OTAN (Organisation du traité de l'Atlantique nord) allaient désormais être à l'ordre du jour, mais la situation économique est restée mauvaise. **M. Ca.**

ROYAUME DES SERBES, CROATES ET SLOVÈNES > YOUGOSLAVIE.

ROYAUME-UNI Royaume-Uni de Grande-Bretagne et d'Irlande du Nord. Capitale : Londres. Superficie : 244 046 km². Population : 58 744 000 (1999). En 1900, le Royaume-Uni présente trois caractéristiques. C'est une monarchie parlementaire dont les institutions, qui ont évolué de façon progressive, sont à la fois solides et libérales, tout en demeurant aristocratiques. (Traditionnellement, deux partis alternent au pouvoir : les conservateurs dits « Tories » et les libéraux dits « Whigs ».) C'est par ailleurs, depuis que la révolution industrielle y est née à la fin du XVIIIe siècle, un pays fortement industrialisé et urbanisé, doté d'une très nombreuse classe ouvrière, encore largement exclue de la vie politique. C'est enfin le cœur de l'Empire britannique, qui s'est affirmé au XIXe siècle comme la première puissance mondiale, capable de vivre dans un « splendide isolement », grâce à son hégémonie navale. Deux grands mouvements vont marquer l'histoire du Royaume-Uni au XXe siècle : le déclin de la puissance britannique et l'entrée de la classe ouvrière dans le jeu politique. **Du « splendide isolement » à la Première Guerre mondiale.** Au début du siècle, l'émergence de deux grandes puissances industrielles, les États-Unis et l'Allemagne, modifie les équilibres mondiaux et pousse le Royaume-Uni à rompre son isolement, en passant des accords avec le Japon (1902), la France (Entente cordiale, 1904),

ROYAUME-UNI **ROY**

puis la Russie (Triple Entente, 1907). En 1906, est fondé le Parti travailliste (Labour Party), d'emblée lié aux syndicats regroupés dans le Trades Union Congress (TUC). Cela incite le gouvernement libéral à adopter des réformes sociales et fiscales. La Chambre des lords, qui s'y est opposée, voit ses pouvoirs réduits en 1911. **L'**Allemagne ayant violé la neutralité de la Belgique, le Royaume-Uni entre en guerre le 4 août 1914 aux côtés de la France. Une « union sacrée » soude aussitôt la quasi-totalité des forces politiques, sous la direction du libéral David Lloyd George à partir de la fin de 1916. Le Royaume-Uni, ne disposant que d'une armée de métier, doit d'abord faire appel aux engagements volontaires, auxquels se joignent des contingents venus des dominions (Canada, Australie, Nouvelle-Zélande...), des Indes, etc. La conscription est introduite en 1916. La même année, les autorités britanniques font face à une insurrection nationaliste à Dublin. Quoique très minoritaire, elle amorce un processus qui conduira à la création de l'État libre d'Irlande (Irish Free State) en 1922. À la conférence de la Paix (1919), D. Lloyd George se montre intransigeant vis-à-vis de l'Allemagne. **L'entre-deux-guerres : crise industrielle et alternance politique.** En contrepartie de la conscription, le suffrage universel a été adopté en 1917. Dès 1918, il assure une percée du Parti travailliste, qui devance bientôt le Parti libéral, affaibli par ses divisions internes. Mais les travaillistes ne parviennent pas à constituer une majorité. Les gouvernements travaillistes de James Ramsay MacDonald (1866-1937), en 1924 puis en 1929-1931, sont minoritaires (et peu compétents). Lorsque, en 1931, la crise frappe brutalement le Royaume-Uni, les travaillistes sont pris de court. J. R. MacDonald change de camp et forme un gouvernement d'union nationale (1931-1935), principalement conservateur. Tandis que le chômage affecte cruellement les vieilles régions industrielles (nord de l'Angleterre, centre de l'Écosse, sud du pays de Galles), les nouveaux dirigeants travaillistes tirent les leçons des échecs : pour réformer en profondeur la société britannique, le Parti travailliste doit se montrer capable de gouverner. Au même

moment, les thèses de l'économiste John Maynard Keynes (1883-1946) semblent démontrer la possibilité d'une politique de plein emploi. **A**près la démission de D. Lloyd George en 1922, les conservateurs dominent la scène politique. Stanley Baldwin (1867-1947), Premier ministre en 1923, de 1924 à 1929, puis de 1935 à 1937, et son successeur Arthur Neville Chamberlain, Premier ministre de 1937 à 1940, recherchent avant tout l'apaisement, comme le souhaite la grande majorité de l'opinion. En politique intérieure, cela se traduit par un réformisme prudent, ne remettant pas en cause la prééminence de l'establishment. En politique extérieure, deux phases sont à distinguer. Dans les années 1920, le Royaume-Uni s'attache à établir des équilibres. La conférence de Washington (1922) instaure la parité navale avec les États-Unis, consacrant la fin de l'hégémonie britannique. En Europe, le Royaume-Uni s'efforce d'instituer un système de sécurité collective, notamment avec la France et l'Allemagne (accords de Locarno, 1925). L'empire lui-même est reconsidéré : pour donner satisfaction aux dominions, devenus indépendants dans les faits, il se transforme en 1926 en British Commonwealth of Nations, ce qu'entérine le statut de Westminster (1931). Dans les années 1930, face à l'agressivité des régimes autoritaires (Allemagne, Italie, Japon...), la politique d'apaisement se révèle inopérante. Chamberlain s'y tient néanmoins, jusqu'à la signature avec Hitler des accords de Munich (septembre 1938), qui sacrifient la Tchécoslovaquie. Son gouvernement ne se prépare résolument à une guerre que l'année suivante (instauration du service militaire obligatoire). **Seconde Guerre mondiale, l'alliance anglo-américaine.** Hitler ayant attaqué la Pologne, le Royaume-Uni déclare la guerre à l'Allemagne le 3 septembre 1939, en même temps que la France. Pour contrer l'invasion de la Norvège par les Allemands (avril 1940), des troupes anglo-françaises débarquent à Narvik, sans succès. Cela entraîne la chute de Chamberlain, remplacé le 10 mai par Winston Spencer Churchill. Le même jour, les Allemands lancent leur offensive contre les Pays-Bas, la Belgique et la France. Encerclé dans Dunkerque, le corps expéditionnaire britannique doit regagner l'Angleterre dans des conditions dramatiques. La France ayant signé un armistice le 22 juin, le Royaume-Uni se retrouve seul face à l'Allemagne. Hitler projette alors d'envahir la Grande-Bretagne, mais il n'obtient pas la suprématie aérienne : la RAF (Royal Air Force) remporte la bataille d'_Angleterre_ (août-octobre 1940), en dépit du _Blitz_ (bombardement des villes anglaises). **La** suite de la guerre résulte à la fois de la remarquable mobilisation de toute la population britannique et de l'appui, grandissant, des États-Unis. À la tête d'un gouvernement de coalition, Churchill conduit la politique internationale, tandis que les leaders travaillistes gèrent les affaires intérieures, notamment Clement _Attlee_, vice-Premier ministre à partir de 1942, et le syndicaliste Ernest _Bevin_, ministre du Travail, donc responsable de la production de guerre. Dès 1939, la loi américaine _Cash and carry_ (Payez et emportez) a permis au Royaume-Uni de s'approvisionner en armements. En mars 1941, les États-Unis instaurent le « prêt-bail », différant le paiement des armements fournis. Les agressions japonaises (contre Pearl Harbor le 7 décembre 1941, contre Singapour en février 1942) soudent l'alliance anglo-américaine, qui conduit au Débarquement en Normandie (6 juin 1944). Les Allemands ripostent en bombardant Londres avec des V1 et des V2 jusqu'en mai 1945. **S**itôt la guerre finie, les élections de juillet 1945 donnent une majorité, aussi forte qu'inattendue, aux travaillistes. C. Attlee devient Premier ministre, E. Bevin ministre des Affaires étrangères. Trois raisons expliquent ce succès : après les sacrifices de la guerre, les Britanniques aspirent à une justice sociale dont les modalités ont été définies par le rapport Beveridge (1942) ; membres du gouvernement depuis 1940, les dirigeants travaillistes ont démontré leur compétence ; en dépit du rôle de Churchill dans la victoire, les conservateurs demeurent associés pour l'opinion aux échecs des années 1930. **Réformes sociales et décolonisations**. À l'intérieur, les travaillistes mettent en œuvre leur programme : institution d'un Service national de santé (National Health Service, NHS) et d'assurances natio-

nales (sécurité sociale), démocratisation de l'enseignement, nationalisations (énergie, transports, sidérurgie, etc.). Il en résulte un accroissement de la pression fiscale qui détournera d'eux la majorité des électeurs en 1951. À l'extérieur, les travaillistes restent fidèles à l'alliance avec les États-Unis (adhésion au _Pacte nord-atlantique_ en 1949). Ils procèdent à la première grande phase de _décolonisation_ en accordant l'indépendance à l'Inde et au Pakistan en 1947 (avec l'approbation résignée de la plupart des conservateurs). Ils refusent, en revanche, de s'associer à la construction européenne lancée en 1950. Churchill revient au pouvoir en 1951, puis cède la place en 1955 à Anthony _Eden_. L'expédition franco-britannique de _Suez_ (1956) contre l'Égypte de _Nasser_ est un échec, en raison de l'opposition des États-Unis et de l'Union soviétique. Renonçant à ses prétentions _impérialistes_, le Royaume-Uni accélère dès lors la décolonisation. **D**ans les décennies suivantes, conservateurs et travaillistes alternent au pouvoir. Du côté conservateur : Harold Macmillan (1894-1986) de 1957 à 1963 et Edward Heath (1916-) de 1970 à 1974 ; du côté travailliste, Harold Wilson (1916-) de 1964 à 1970 et de 1974 à 1976, puis James Callaghan (1912-) de 1976 à 1979. Ils pratiquent, pour l'essentiel, des politiques semblables, car les conservateurs eux-mêmes ne remettent pas en cause le consensus social inauguré en 1945. Or, ces politiques achoppent sur les effets conjugués d'une croissance insuffisante (notamment par comparaison avec celle des pays du Marché commun) et de la difficulté à mettre en œuvre des mesures d'austérité face aux revendications salariales de syndicats très puissants (grève très dure des mineurs en 1974). **V**is-à-vis de la construction européenne, la position britannique fluctue. En 1959, pour tenter de contrebalancer la _CEE_ (Communauté économique européenne), le Royaume-Uni fonde avec six autres pays européens l'_AELE_ (Association européenne de libre-échange). Il s'efforce néanmoins bientôt d'adhérer à la CEE, mais se heurte par deux fois (1963 et 1967) au veto du président français Charles de _Gaulle_, qui doute du ralliement des Britanniques au projet européen. C'est le proeuropéen E. Heath qui fait entrer le Royaume-Uni dans la CEE en 1973. Cependant, il apparaîtra ensuite souvent à ses partenaires que le Royaume-Uni ne joue le jeu européen qu'avec réticence, d'autant que la majorité de l'opinion britannique demeure hostile à tout abandon de souveraineté. **Les années Thatcher.** En 1979, Margaret Thatcher conduit les conservateurs à la victoire. À la différence de ses prédécesseurs, elle ne respecte pas *a priori* le consensus de 1945 et engage la lutte contre l'inflation. Sa détermination s'affirme par ailleurs dans la guerre des Malouines (1982), qui lui vaut une grande popularité. Triomphalement réélue en 1983, elle fait alors prévaloir sa vision strictement libérale de l'économie en s'attaquant notamment aux entreprises nationalisées (privatisations) et au pouvoir syndical (elle reste inflexible face à la grande grève des mineurs de 1984-1985). Elle supprime aussi des collectivités territoriales (dont le conseil du Grand Londres) qui étaient dominées par l'aile gauche du Parti travailliste. Elle n'ose toutefois pas remettre en cause le Service national de santé, auquel la grande majorité de la population demeure attachée. Réélue en 1987, M. Thatcher voit ensuite son autorité décliner : aux difficultés économiques (que sa politique n'a finalement pas résolues) s'ajoute l'impopularité de son projet de *poll tax* (taxe locale). En 1990, elle doit laisser son poste à John Major (1943-). **La** décennie de gouvernement Thatcher conduit le Parti travailliste à une profonde remise en cause. L'aile gauche semble d'abord l'emporter, ce qui entraîne la scission de l'aile droite (formant le Parti social-démocrate, qui s'allie aux libéraux et se dissoudra en 1990). Après la défaite de 1983, Neil Kinnock (1942-) prend la tête du parti. Le nouvel échec de 1987 incite les travaillistes à réviser en profondeur leur programme (acceptation de l'économie de marché et de l'engagement européen). Cela n'évite pourtant pas une quatrième défaite face à J. Major en 1992. Ce dernier poursuit la politique de M. Thatcher tout en l'édulcorant, préparant ainsi la voie à Tony Blair qui, à la tête du Parti travailliste à partir de 1994, amplifie l'évolution inaugurée en 1987. En

1997, les travaillistes remportent une victoire écrasante. **Attachement à la souveraineté nationale.** Le « thatchérisme » fait l'objet de jugements contrastés : certains y voient une libération des énergies nationales, d'autres une irréparable déchirure du tissu social. Quoi qu'il en soit, le système établi en 1945 appartient au passé. Mais une constante plus profonde subsiste, héritée de l'« esprit de 1940 » : l'attachement viscéral des Britanniques à leur souveraineté nationale. Il s'y ajoute le fait que la langue anglaise est devenue universelle, ce qui confirme la solidarité (notamment culturelle) avec les États-Unis et prolonge, d'une autre façon, la gloire impériale. On comprend ainsi que la construction européenne ne soit, pour les Britanniques, qu'une question parmi d'autres. Aussi T. Blair, comme ses prédécesseurs, maintient-il plusieurs fers au feu : d'un côté, un engagement européen jugé économiquement inéluctable ; de l'autre, de sérieuses réserves (le Royaume-Uni ne participe pas à la création de l'euro). Sa contribution la plus originale réside peut-être dans sa gestion des questions écossaise, galloise et irlandaise, beaucoup plus ouverte que celle des conservateurs. **J. S.** ➤ **ÉCOSSE, PARLEMENTARISME BRITANNIQUE, PAYS DE GALLES.**

RSFSR **R**épublique socialiste fédérative soviétique de Russie. Intitulé institutionnel de la Russie après la révolution russe. La RSFSR, partie prenante de la création de l'URSS (Union des républiques socialistes soviétiques) le 31 décembre 1922, a disparu lorsque celle-ci a pris fin en 1991. Elle comprenait alors seize républiques fédérées (Carélie, Komis, Mordovie, Tchouvaches, Maris, Tatars, Oudmourtes, Bachkirie, Kalmouks, Kabardino-Balkarie, Ossétie du Nord, Tchétchènes-Ingouches, Daghestan, Touvas, Bouriatie, Iakoutie). Ayant repris son indépendance, la Russie s'est renommée « Fédération de Russie ». ➤ **RUSSIE ET URSS.**

RUSSIE ET URSS Fédération de Russie. Capitale : Moscou. Superficie : 17 075 400 km^2. Population : 147 196 000 (1999). **Au** début du XXe siècle, l'expansion constitutive de l'Empire russe était à peu près achevée. Ce dernier englobait d'immenses territoires qui s'étendaient d'ouest en est du grand-duché de Varsovie à l'océan Pacifique, en dépit de la perte d'une possession en Alaska vendue aux États-Unis en 1867. Il s'étirait aussi du nord au sud, des rivages orientaux de la mer Baltique à la Transcaucasie, avec la conquête sur l'Empire ottoman des régions de Batoumi, Ardahan et Kars en 1878. Il couvrait enfin une partie de l'Asie centrale depuis la transformation de l'émirat de Boukhara en protectorat en 1868, l'annexion du khanat ouzbek de Khiva en 1873 et, dernière conquête, celle de la région montagneuse du Pamir en 1895, aux confins de l'Empire perse, de l'Afghanistan et de la Chine, l'Inde britannique se trouvant alors à une portée de seize kilomètres seulement. **Les tentatives d'expansion ultérieures en Extrême-Orient** en direction de la Mandchourie et de la Corée se sont heurtées à l'impérialisme japonais. L'issue désastreuse de la guerre russo-japonaise (1904-1905), marquée par la défaite humiliante de Port-Arthur, a ébranlé l'empire déjà contesté par la montée des nationalismes en Pologne, en Finlande et au Caucase. Tout cela au moment même où la révolution de 1905 mettait en cause l'absolutisme du tsar sur cet immense empire qui amorçait à peine son développement économique. La population était massivement rurale (80 %) et peu alphabétisée, les campagnes sous-équipées. L'industrialisation avait vu apparaître les premiers entrepreneurs modernes et des ouvriers, peu nombreux mais très concentrés dans des centres urbains misérables. **La Première Guerre mondiale** entraîne la dislocation de l'empire et la chute de l'autocratie. Lorsque l'Autriche-Hongrie déclare la guerre à la Serbie, la Russie s'engage dans la guerre contre les empires centraux au nom de la solidarité slave avec le « petit frère serbe ». L'armée russe se voit infliger de sévères défaites par les troupes allemandes. La faiblesse militaire et la désorganisation croissante à l'arrière précipitent l'abdication du tsar Nicolas II le 2 mars 1917, après quelques jours de grèves et de manifestations. La révolution de Février (1917) ouvre une période de double pouvoir entre un gouvernement provisoire libéral et des soviets (conseils) où s'imposeront les éléments les plus révolutionnaires. À la faveur de la confusion, les soldats désertent massivement, les paysans entreprennent de partager les domaines de la noblesse, tandis que les peuples non russes affirment leur souveraineté, ce qui conduira à un mouvement vers l'indépendance de la Finlande (décembre 1917), de l'Ukraine (janvier 1918), de l'Estonie et de la Lituanie (février 1918), de la Géorgie, de l'Arménie et de l'Azerbaïdjan (mai 1918), de la Pologne (octobre 1918) et de la Lettonie (novembre 1918). **La révolution d'Octobre, un coup d'État.** En octobre 1917, les révolutionnaires les plus radicaux, les bolcheviks dirigés par Lénine et Léon Trotski, s'emparent du pouvoir par un coup de force qui reste connu dans l'histoire comme la révolution d'Octobre, et instaurent la « dictature du prolétariat » qui devient rapidement une dictature du seul Parti communiste de l'Union soviétique (PCUS). La décision de dissoudre l'Assemblée constituante (février 1918) déclenche une guerre civile qui durera deux ans, tandis que la Tchéka (police politique) fera régner la « terreur rouge ». Grâce à la paix de Brest-Litovsk (mars 1918) conclue avec l'Allemagne au prix de concessions territoriales, les bolcheviks disposent des coudées franches pour assurer leur pouvoir à l'intérieur et diriger un mouvement communiste international avec la création de la IIIᵉ Internationale, le Komintern (mars 1919). **Au** communisme de guerre qui étatisait l'industrie et le commerce et réquisitionnait les paysans, succède en 1921 la Nouvelle Politique économique (NEP), tandis que la création de l'Union des républiques socialistes soviétiques (URSS), en décembre 1922, entérine les premiers succès d'une reconquête impériale – avec notamment l'inclusion de la Transcaucasie et de l'Ukraine – en dépit de l'échec de l'Armée rouge devant Varsovie lors de la guerre russo-polonaise (1920). **Staline,** qui dirige le Parti depuis la mort de Lénine (1924), lance en 1929 la « construction du socialisme » avec une politique d'industrialisation forcenée et de collectivisation agraire forcée. Le coût humain en est considérable : deux millions et demi de personnes, dont les paysans réfractaires, sont déplacées, la famine qui s'ensuit en 1932-1933 fait six millions de victimes. La modernisation s'accomplit au cours des années 1930 au prix de l'instauration d'un régime totalitaire. Le Parti, dont une fraction, après avoir éliminé ses propres élites, décime celles des différentes nations de l'Union – à l'issue de la Grande Terreur et des procès de Moscou de 1936-1938 et de la grande purge de cette dernière année – tient désormais lieu d'État. À la veille de la Seconde Guerre mondiale, on estime à sept millions le nombre de personnes envoyées au Goulag. **L'**attaque allemande du 22 juin 1941 prend l'URSS au dépourvu et la plonge dans la Seconde Guerre mondiale. Les purges n'ont pas épargné les élites militaires, handicapant la préparation face à la montée du danger nazi, sous-estimé du fait de la signature du Pacte germano-soviétique de non-agression en 1939, dont les clauses secrètes établissaient un partage des zones d'influence réciproques en Europe entre les deux régimes totalitaires. **La « Grande Guerre patriotique ».** Le plan *Barbarossa* (« Barberousse ») qui sous-tend l'offensive allemande prévoit, par un effet de *Blitzkrieg*, d'atteindre Moscou, d'une part, et de s'emparer des ressources utiles de l'Ukraine et du Caucase, d'autre part. Après une phase de succès qui mène l'avancée de la Wehrmacht jusqu'à la Volga sans grande résistance hormis la défense *in extremis* de Moscou, la victoire de l'armée soviétique à Stalingrad (février 1943) marque non seulement le début des revers allemands sur le front russe, mais aussi un tournant décisif quant à l'issue de la guerre, confirmé par la victoire soviétique à Koursk en mai suivant. Dès lors, l'armée soviétique reprend définitivement l'offensive, repasse ses frontières de 1939 en juillet 1944, en direction des Balkans où elle prend le contrôle de la Roumanie, de la Bulgarie, ainsi que de la Hongrie, via la Pologne où elle laisse les nazis exterminer les insurgés de Varsovie. Après avoir fait sa jonction avec l'armée américaine le 25 avril 1945 à Torgau, sur l'Elbe, elle prend Berlin le 2 mai. **Le** bilan de la Grande Guerre patriotique, comme on nomma la Seconde Guerre mondiale en Union soviétique, est

effroyable pour les peuples de l'URSS : aux 26 millions de morts (dont 8,6 millions de pertes militaires) s'ajoutent en effet deux autres catégories de victimes ; il s'agit de 2,3 millions de prisonniers de guerre rapatriés dont seuls 20 % ont pu rentrer chez eux, la grande majorité étant transférée vers les camps du Goulag, ainsi que de ceux que l'on nommera les « peuples punis », accusés de collaboration collective et déportés. Dès avant l'attaque allemande, ce fut le cas de 400 000 Polonais d'Ukraine et de Biélorussie occidentale. Pendant la débâcle de l'été 1941, ce fut le tour d'un millier d'Allemands de la Volga et d'autres régions de la Russie. Puis, en 1943-1944, des Tchétchènes, Ingouches, Karatchaïs, Balkars, Kalmouks et Tatars de Crimée. **Consacrée superpuissance.** En revanche, le bilan politique de la guerre consacre l'URSS comme grande puissance mondiale. Lors des conférences de Yalta (où elle obtient trois sièges à la Conférence constitutive de l'ONU, dont elle sera par la suite membre permanent du Conseil de sécurité), puis de Potsdam, les Occidentaux entérinent l'extension de sa zone d'influence dans le Pacifique – avec le sud de l'île de Sakhaline et les îles septentrionales de l'archipel des Kouriles repris au Japon – mais surtout en Europe. La Roumanie, la Bulgarie, l'Albanie, la Yougoslavie, la Hongrie, la Pologne, puis la Tchécoslovaquie (1948) et la République démocratique allemande (RDA) en 1949 constitueront le « glacis soviétique ». L'Europe sera ainsi coupée en deux jusqu'en 1989. **La** création du Kominform (1947) marque la bipolarisation entre deux blocs et le début de la première Guerre froide qui verra la recherche systématique de la confrontation : à la création du Conseil d'assistance économique mutuelle (CAEM ou Comecon en russe) qui lie, en janvier 1949, l'URSS et ses satellites (baptisés en Europe de l'Est « démocraties populaires »), les Occidentaux répliquent en avril suivant par la signature du Pacte atlantique qui crée l'Organisation du traité de l'Atlantique nord (OTAN) ; les Soviétiques accélèrent les préparatifs de l'essai, en juillet, de leur première bombe atomique. De la même manière, en mai 1955, l'entrée de la République fédérale d'Allemagne (RFA) dans l'OTAN sera immédiatement suivie de la signature du Pacte d'assistance mutuelle dit « pacte de Varsovie ». **Du dégel khrouchtchévien à la perestroïka gorbatchévienne.** Néanmoins, avec la mort de Staline (1953) et l'arrivée au pouvoir de Nikita Khrouchtchev s'amorce une période de détente où sera définie la théorie de la coexistence pacifique entre les deux blocs. La nouvelle direction soviétique entame aussi un rapprochement avec la Yougoslavie de Tito qui avait été condamnée pour déviation en 1948 – ce qui n'empêchera pas une nouvelle rupture à l'intérieur du camp socialiste dix ans plus tard avec le schisme sino-soviétique qui donnera lieu à des affrontements frontaliers. Mais surtout, en dénonçant les crimes de la politique de Staline devant le XXᵉ congrès du PCUS (1956), N. Khrouchtchev annonce un assouplissement du système politique, le « dégel », qui laissera toutefois intacte l'ossature de la planification centralisée et bureaucratique. Les espoirs de libéralisation seront rapidement déçus avec la répression sanglante de l'insurrection populaire de Budapest (Hongrie) par les troupes du pacte de Varsovie en 1956. Des oppositions parviendront malgré tout à se maintenir dans les pays satellites, mais aussi à l'intérieur de l'URSS parmi les élites nationales des républiques périphériques et en Russie même sous la forme du mouvement de la dissidence, dont les figures de proue seront l'écrivain Alexandre Soljénitsyne et le physicien Andreï Sakharov. Après avoir déposé N. Khrouchtchev en 1964, Leonid Brejnev poursuivra la politique de détente entre les deux superpuissances – symbolisée par la jonction dans l'espace de deux vaisseaux, l'un soviétique, l'autre américain (1975) – ainsi que la compétition pour la conquête spatiale, qui avait été inaugurée par le vol du cosmonaute soviétique Iouri Gagarine (1934-1968) en 1961. Mais la relance de la course aux armements à partir de 1979 illustre une seconde Guerre froide. La guerre d'Afghanistan résultant de l'invasion de ce pays par les troupes soviétiques cette même année portera les tensions Est-Ouest au paroxysme. La rupture introduite par Mikhaïl Gorbatchev à partir de 1985 visera à restaurer la confiance

en engageant un processus de désarmement (signature du traité FNI sur le démantèlement des forces nucléaires intermédiaires en 1987), en annonçant le retrait des forces soviétiques d'Afghanistan (effectif en 1989) et en ne s'opposant pas à la nomination du premier gouvernement non communiste du glacis de l'après-guerre en Pologne (août 1989), prélude à la chute du Mur de Berlin en novembre suivant. Les changements engagés à l'intérieur avec les politiques de perestroïka (« restructuration ») et de glasnost (« transparence ») ne parviennent pas à réformer le pays, mais aboutissent en revanche à l'implosion de l'empire et à la fin du système communiste qui le soutenait. **Le retour de la Russie.** Dans ce processus, la Russie a joué un rôle moteur. Dissoute depuis 1922 dans l'URSS, dont elle n'était formellement que l'une des quinze républiques fédérées, la République socialiste fédérative soviétique de Russie (RSFSR), elle s'était engagée dans l'appropriation de sa souveraineté, prenant la tête du mouvement d'affirmation nationale lancé par les autres républiques. Fort de sa légitimité de premier président de la RSFSR élu au suffrage universel (juin 1991), Boris Eltsine prend le pouvoir de fait après l'échec du putsch d'août 1991 contre M. Gorbatchev jusqu'à la démission de ce dernier en décembre 1991. Cela sonne le glas de l'URSS et l'éclatement de son empire. La Russie sera immédiatement reconnue comme « État continuateur » de l'URSS jusque dans son statut de membre permanent du Conseil de sécurité de l'ONU. La création concomitante de la Communauté d'États indépendants (CEI), qui rassemblera bientôt toutes les républiques ex-soviétiques à l'exclusion des trois États baltes, apparaît comme un simple cadre destiné à amortir le choc de la rupture des anciennes relations impériales. Le fonctionnement ultérieur de ses accords se limitera effectivement à une succession d'alliances à géométrie variable dans les domaines monétaires et de défense. Au plan institutionnel, la nouvelle Russie semble suivre les règles d'une construction démocratique, en respectant en particulier le calendrier des échéances électorales : adoption par référendum d'une Constitution instituant 89 entités en 1993, tenue jugée équitable d'élections législatives (1993 et 1995), puis présidentielles en 1996 – B. Eltsine est réélu –, régionales enfin dans l'hiver 1996-1997. **Sur** fond de chaos économique persistant et de crise sociale généralisée (la moitié de la population vivant au-dessous du seuil de pauvreté), une double dérive se fait jour : d'une part les pratiques autoritaires des nouvelles élites, révélées dès 1993 avec la dissolution violente du Parlement (impliquant l'intervention de forces armées), et d'autre part leur corruption massive, mise au jour par les implications de la crise financière de 1998. Ces événements ont montré à quel point l'héritage soviétique et tsariste est demeuré vivace. De même, la première guerre en Tchétchénie (1994-1996), qui a fait 80 000 victimes et qui a été prolongée par un second conflit ouvert en 1999, a tragiquement souligné le regain des vieux réflexes impériaux, de même que le refus d'accepter pleinement que les anciens satellites puissent choisir librement leurs alliances (entrée dans l'OTAN de la Pologne, de la République tchèque et de la Hongrie en 1999). **Le** 31 décembre 1999, B. Eltsine annonçait sa démission et intronisait Vladimir Poutine (1952-) comme dauphin désigné (président par intérim). Issu des organes de sécurité (ex-police politique soviétique), celui-ci sera élu le 26 mars 2000. **M.-H. M.** **> CONSTITUTIONS (RUSSIE ET URSS), EMPIRE RUSSE, EMPIRE SOVIÉTIQUE, RÉGIME SOVIÉTIQUE, SOCIALISME ET COMMUNISME.**

RWANDA République du Rwanda. Capitale : Kigali. Superficie : 26 340 km^2. Population : 7 235 000 (1999). **Co**lonisé à la fin du XIXe siècle, le royaume du Rwanda fut placé sous protectorat allemand en 1890. En 1916, la Belgique s'en empara et forma le Ruanda-Urundi, administré à partir de Bujumbura, la nouvelle capitale administrative et économique promue par le colonisateur. Comme au Burundi, une administration indirecte de la colonie fut mise en place avec des chefs et notables locaux sous les ordres d'un administrateur belge. Avant l'accession à l'indépendance, la « révolution sociale » de 1959, les massacres et départs en exil de milliers de Tutsi, la proclamation

de la République s'accompagnèrent d'un revirement des autorités de tutelle cessant de soutenir la monarchie tutsi. C'est donc à Grégoire Kayibanda (1924-1976), leader du Parti du mouvement d'émancipation hutu, élu président de la République en 1961, que revint le pouvoir lors de l'accession du pays à l'indépendance en 1962. Jusqu'en juillet 1973, date du coup d'État du major Juvénal Habyarimana (1937-1994), des résurgences meurtrières des violences ayant accompagné le processus d'accession à l'indépendance se produisirent et, dans les faits, l'exclusive politico-ethnique demeura une arme contre les membres de l'ethnie tutsi bannie. Sans rompre avec l'idéologie ethniste de la « majorité hutu », la Seconde République mit l'accent sur la promotion du développement avec le soutien actif des pays occidentaux et des milieux associatifs souvent liés à l'Église catholique. **A**vec plus de huit millions d'habitants en 1994, le Rwanda atteignait la densité moyenne exceptionnelle en Afrique de 310 hab./km^2. Ce « monde plein » d'agriculteurs a fasciné les colonisateurs tout comme les experts des organismes internationaux après l'indépendance ; ils favorisèrent systématiquement les opportunités d'expansion démographique sur les marges frontalières peu ou moins peuplées de la Tanzanie, de l'Ouganda et du Congo-Zaïre. Avec ses anciens royaumes vassaux et les nouvelles régions de peuplement, l'espace rwandophone déborde largement les frontières du Rwanda actuel. **Le** dynamisme et les résultats atteints par le modèle rwandais de développement furent indéniables jusqu'à la fin des années 1980, où les limites de l'intensification agricole apparurent clairement après la répétition d'aléas climatiques et lorsque divers mouvements sociaux mirent en cause les inégalités, la corruption et l'autoritarisme du Parti-État. Profitant de l'affaiblissement du régime, l'attaque d'octobre 1990 par le Front patriotique rwandais (FPR), composé majoritairement d'exilés tutsi installés en Ouganda, rappela brutalement l'existence de centaines de milliers de réfugiés et réactiva les « consciences ethniques ». Il fallut l'intervention armée du Zaïre, de la Belgique puis de la France pour la repousser. **E**ntre 1990 et 1994, le régime Habyarimana lutta alors sur deux fronts : un front interne face aux nouveaux partis qui imposèrent, en avril 1992, un gouvernement pluripartite ; un front externe face au FPR qui mena régulièrement d'importantes offensives militaires dans le nord du pays. La mobilisation ethnique et la violence furent les principales ressources politiques utilisées par le régime pour se maintenir en place. Il fut impliqué dans de nombreux massacres de population tutsi et d'opposants hutu. Signés le 4 août 1993 sous la pression internationale, les accords d'Arusha (Tanzanie) prévoyaient la mise en place d'institutions de transition dominées par l'opposition interne légale et le FPR, chargées d'organiser une consultation démocratique. **Le génocide de 1994.** En avril 1994, alors que le processus de mise en place de ces institutions était bloqué et que la radicalisation politique prenait de l'ampleur, malgré la présence d'une mission militaire des Nations unies, l'avion qui transportait les présidents rwandais et burundais fut abattu. À la mi-2000, en l'absence de toute enquête nationale ou internationale, deux hypothèses sur les auteurs présumés de cet attentat continuaient à s'opposer. Elles mettaient en cause soit quelques hauts dignitaires du régime Habyarimana craignant de perdre leurs privilèges, soit les dirigeants militaires de la rébellion, et notamment Paul Kagame, qui, représentant un groupe ultraminoritaire, ne pouvaient imaginer remporter des élections démocratiques au terme de la période de transition ouverte par les accords d'Arusha. Parallèlement à la

reprise de la guerre entre les Forces armées rwandaises (FAR, gouvernementales) et le FPR, une partie des troupes régulières ainsi que les réseaux de miliciens créés par le régime organisèrent le massacre systématique des populations tutsi. La communauté internationale évacua ses ressortissants et se désengagea du conflit, refusant d'admettre l'existence d'un génocide qui l'aurait obligée à intervenir. En juillet, après la défaite des FAR et la fuite de plus de deux millions de Rwandais hutu à l'étranger, le FPR installait un gouvernement « de transition » à Kigali. Dès lors, le nouveau régime, dominé par les militaires formés en Ouganda, s'est attelé à la reconstruction du pays dévasté. En 1996, une vaste opération militaire conduite au Zaïre permit de démanteler les camps de réfugiés hutu et de rapatrier la plupart d'entre eux. Les principaux défis que doivent affronter les autorités sont ceux de la pacification (des centaines de milliers de paysans hutu du Nord-Ouest ont été regroupés autoritairement dans des camps ou des « villages »), de la relance de la production agricole, de la justice (environ 130 000 personnes en instance de jugement), de la mise en place d'un cadre politique durable et démocratique. La guerre menée au Congo-Zaïre à partir de 1997 et l'occupation des provinces de l'est du pays, justifiées par des raisons sécuritaires, ne permettaient pas de formuler des hypothèses précises sur l'issue des enjeux proprement rwandais. **A. G.** **> GÉNOCIDE RWAN-DAIS, HUTU ET TUTSI.**

S

SAARC L'Association d'Asie du Sud pour la coopération régionale (SAARC – South Asian Association for Regional Cooperation –, siège à Katmandou, Népal) a été fondée en 1985. En étaient membres à la mi-2000 le Bangladesh, le Bhoutan, l'Inde, les Maldives, le Népal, le Pakistan et Sri Lanka.

SABRA ET CHATILA En juin 1982, Israël lance l'opération militaire *Paix en Galilée*, bombardant massivement la banlieue sud de Beyrouth au Liban, les camps palestiniens de Sabra, Chatila, Borj el-Brajneh, ainsi que plusieurs localités du Sud-Liban. S'ouvre ainsi la cinquième <u>guerre israélo-arabe</u>. Il s'agit, selon les porte-parole officiels, d'« expulser » l'<u>OLP</u> (Organisation de libération de la Palestine) du Liban où sont installés de nombreux combattants palestiniens. Beyrouth-Ouest est assiégée. Dans les camps de réfugiés palestiniens de Sabra et Chatila, plus d'un millier de civils palestiniens sont tués les 16, 17 et 18 septembre 1982 par la milice des <u>Phalanges libanaises</u> introduite dans les camps par l'armée israélienne, à 200 mètres des lignes de celle-ci dans Beyrouth investie. L'émotion est considérable. Cinq mois plus tard, les conclusions de la commission d'enquête israélienne officielle sont accablantes. Elles accusent le gouvernement israélien de porter une responsabilité « indirecte » dans les massacres. Le ministre de la Défense Ariel Sharon (1928-) doit se démettre de ses fonctions (mais il est maintenu dans le cabinet). **> ISRAËL, LIBAN.**

SAC DE NANKIN En japonais *Nankin jiken*. Épisode dramatique et controversé de la <u>guerre sino-japonaise</u> (1937-1945). Les troupes japonaises pénètrent à Nankin le 13 décembre 1937. Au bout de quelques jours, elles déciment les civils de sexe masculin soupçonnés d'être des soldats chinois cherchant à se dissimuler sous des vêtements civils. Bientôt, le commandement japonais perd le contrôle de ses troupes qui, un mois durant, se livrent à des atrocités. À la fin de la guerre, le Tribunal militaire international de <u>Tokyo</u> estima à 142 000 le nombre de civils massacrés, parmi lesquels beaucoup de femmes et d'enfants. On déplore aussi 20 000 viols, 12 000 magasins saccagés et l'incendie du tiers de la ville. Le général Matsui Iwane, responsable de la prise de Nankin, sera condamné à mort en 1948. **R. D. > IMPÉRIALISME JAPONAIS.**

SACU L'Union douanière de l'Afrique australe (Southern African Customs Union, siège à Prétoria, Afrique du Sud) a été créée en 1969. Membres à la mi-2001 : Afrique du Sud, Botswana, Lésotho, Namibie, Swaziland.

SADATE Anouar al- (1918-1981) Homme politique égyptien. Membre comme Gamal Abdel <u>Nasser</u> de l'organisation secrète des Officiers libres, Anouar al-Sadate occupe sous le régime nassérien diverses fonctions politiques importantes. À la mort de Nasser (septembre 1970), Sadate, alors vice-président, s'installe aux commandes du pays avec pour ambition de relever l'Égypte de la défaite de 1967 (<u>guerre israélo-arabe</u> des Six-Jours). Le 6 octobre 1973, les troupes égyptiennes attaquent l'armée israélienne (guerre dite « du Kippour » ou « du Ramadan »). Sous la médiation des États-Unis, un cessez-le-feu est signé le 22 octobre, engageant les deux belligérants dans un processus de normalisation de leurs relations (accords de <u>Camp David</u>). Sadate

est le premier chef d'État arabe à visiter Jérusalem (1977), où il prononce un discours en faveur de la paix dans la région. À ce titre, il reçoit en 1978 le prix Nobel qu'il partage avec Menahem Begin. **S**ur le plan intérieur, Sadate s'efforce d'effacer toute trace du nassérisme : il renforce le caractère musulman de la Constitution égyptienne (1971) et amorce un processus de libéralisation économique (*infitah*, 1974) et politique (multipartisme, 1977). Aux prises avec de violentes contestations, il fait arrêter les principaux leaders de l'opposition laïque et religieuse (1981) alors que le sud du pays est agité par des conflits interconfessionnels qui opposent musulmans et coptes. Contesté pour sa politique de rapprochement avec les États-Unis et Israël, Sadate est assassiné le 6 octobre 1981 par des membres de l'organisation islamiste radicale al-Jihad. Hosni Moubarak (1928-) lui succède. **S. G.**
> ÉGYPTE.

SADC La Communauté de développement de l'Afrique australe (Southern African Development Community, siège à Gaborone, Botswana) s'appelait SADCC (Southern African Development Coordination Conference) avant d'être transformée en 1992. Elle a été créée en 1979 à Lusaka (Zambie) et comptait à la mi-2001 14 membres : Afrique du Sud (entrée en 1994), Angola, Botswana, Congo-Kinshasa (entré en 1997), Lésotho, Malawi, Maurice, Mozambique, Namibie, Seychelles (entrées en 1997), Swaziland, Tanzanie, Zambie, Zimbabwé.

SAHARA OCCIDENTAL Désert d'une superficie de 266 000 km², le Sahara occidental abrite d'importants gisements de phosphates et de minerai de fer, sa côte étant l'une des plus poissonneuses du monde. Colonie espagnole à partir de 1884 à 1976 (Sahara espagnol), ce territoire va être l'enjeu d'une lutte d'influence maghrébine qui, après l'abandon de ses prétentions par la Mauritanie en juillet 1978, oppose le Maroc au Front populaire pour la libération de la Saguia el-Hamra et du Rio de Oro (Polisario), le mouvement armé sahraoui qui dépend de l'Algérie. Sommée par l'ONU (Organisation des Nations unies), dès

décembre 1965, de décoloniser le territoire, l'Espagne n'a pas organisé l'« acte d'autodétermination » qui devait décider du futur statut de sa possession. **E**n mai 1973, dix étudiants sahraouis créent le Front Polisario. En 1974, les autorités espagnoles recensent 74 900 habitants. En octobre 1975, la Cour internationale de justice établit que « certains liens juridiques d'allégeance » avaient existé entre le Sahara occidental, d'une part, et le Maroc et la Mauritanie, d'autre part, sans toutefois fonder sur eux une revendication de souveraineté territoriale. Du 6 au 9 novembre 1975, suivant un mot d'ordre de Hassan II, lors de la « marche verte », environ 350 000 Marocains envahissent pacifiquement le territoire espagnol, « Sahara marocain » selon eux. En réaction, le Polisario proclame la République arabe sahraouie démocratique (RASD). En janvier 1977, des affrontements entre l'armée marocaine et l'armée algérienne ont lieu à Amgalla. Le mois suivant, sans permettre à la communauté internationale d'y organiser une consultation, l'Espagne se retire de sa colonie. Celle-ci, d'abord partagée entre le Maroc et la Mauritanie, sera ensuite conquise en grande partie par le Maroc et sécurisée par la construction de 2 500 km de « murs » de défense. Le Front Polisario contrôlera la zone restante, disposant de camps de réfugiés dans le sud de l'Algérie, autour de la ville de Tindouf et bénéficiant du soutien financier de la Libye. Un plan de paix ayant été proposé par l'ONU en 1988, la Mission des Nations unies pour le référendum au Sahara occidental (Minurso) est chargée, à compter de 1991, de le mettre en œuvre. Cependant, malgré un cessez-le-feu respecté, la Minurso se heurte au refus des parties au conflit d'identifier, d'un commun accord, le corps électoral appelé à voter pour l'indépendance ou le rattachement du territoire au royaume chérifien. **S. S.**

SAINT-GERMAIN (traité de)
Signé le 10 septembre 1919 entre l'Autriche et les Alliés vainqueurs de la Grande Guerre, le traité de Saint-Germain-en-Laye complète le traité de Versailles. Il organise le démembrement de l'empire des Habsbourg et reconnaît l'indépendance de la Hongrie. Il

met ainsi fin à l'Empire austro-hongrois (Double Monarchie).

SAINT-MARIN République de Saint-Marin. Capitale : Saint-Marin. Superficie : 61 km². Population : 26 000 (1999).
Vieille république libre ayant échappé à l'unification italienne, Saint-Marin est enclavée, au nord-est de l'Italie, entre l'Émilie-Romagne et les Marches. Dotée d'une Constitution à partir du XVIIᵉ siècle, le suffrage universel y est appliqué à compter de 1906 pour désigner le Grand Conseil général (renouvelé tous les quatre ans). Pleinement souveraine en matière administrative et diplomatique, Saint-Marin est liée à l'Italie par une union douanière.

SAINT-VINCENT ET LES GRENADINES Capitale : Kingstown. Superficie : 388 km². Population : 113 000 (1999).
Ce groupe d'îles caraïbes est un centre de tourisme (surtout pour les bateaux de plaisance dans les petites îles dépendantes des Grenadines). Aux bananeraies s'est ajoutée, à la fin du XXᵉ siècle, la culture de la marijuana. Colonie britannique depuis 1763, Saint-Vincent et les Grenadines sont devenus indépendants en 1979. Le pays est gouverné de 1984 à 2000 par le Premier ministre James Mitchell (1931-), pionnier en 1972 de l'idée d'un tourisme ancré dans la vie des îles, par opposition aux prix forfaitaires et aux grands hôtels. Le volcan de l'île, la Soufrière, a fait éruption en 1972, ce qui a provoqué l'évacuation d'une partie de la population. **G. C.**

SAINTE-LUCIE Capitale : Castries. Superficie : 620 km². Population : 152 000 (1999). Premier producteur de bananes parmi les petites îles anglophones de la région caraïbe, Sainte-Lucie, territoire britannique, s'est transformée en site touristique à partir des années 1960, sous le gouvernement du Premier ministre John Compton (1926-). Celui-ci a présidé l'accession à l'indépendance en 1979. Un actif mouvement de gauche s'est développé à la fin des années 1970. En 1997, son ancien leader, George Odlum (1934-), est devenu ministre des Affaires étrangères dans le gou-

vernement du Premier ministre Kenny Anthony (1951-). **G. C.**

SAKHAROV Andreï (1921-1989) Physicien soviétique et figure de la dissidence. Né à Moscou, Andreï Sakharov est physicien comme son père. En 1948, il fait partie d'une équipe de recherche travaillant sur les armes atomiques. Il joue un rôle certain dans la mise au point de la bombe à hydrogène soviétique. Membre de l'Académie des sciences en 1953, il s'oppose, à partir de 1958, aux essais nucléaires. Dans les années 1960, il s'affirme comme défenseur de la liberté intellectuelle et de la coexistence pacifique entre l'Est et l'Ouest. En 1970, il participe à la fondation d'un premier groupe pour la défense des droits de l'homme. Il épouse Elena Bonner (1923-) en 1971. Distingué en 1975 par le prix Nobel de la paix, il est désormais harcelé par la police et ses sbires. Relégué en 1980 à Gorki (actuelle Nijni Novgorod), alors « ville fermée » aux étrangers, il n'obtient de revenir à Moscou en 1986 qu'à la faveur des réformes engagées par Mikhaïl Gorbatchev. Il est élu député en 1989. Jusqu'à sa mort, il aura symbolisé un véritable contre-pouvoir. Son modeste appartement de Gorki a été transformé en musée. **V. K.** **> RUSSIE ET URSS, DISSIDENCE ET OPPOSITIONS (URSS).**

SALAZAR António de Oliveira (1889-1970) Dictateur portugais, idéologue et chef de l'État nouveau *(Estado Novo)* de 1933 à 1974. Ce régime dictatorial, qualifié de « salazariste », est une forme de fascisme qui institue la fonction totalitaire de l'État et remplace la notion de citoyenneté par le concept d'une société fondée sur les forces organiques (patrie, famille, travail). L'État nouveau inspirera d'ailleurs en France le régime de Vichy du maréchal Pétain (1940-1944). Né dans une famille modeste de l'intérieur, le jeune António de Oliveira Salazar échappe à un destin de pauvreté en entrant au séminaire de Viseu. Cette éducation catholique conservatrice marquera ses convictions et son action futures. Il se fait rapidement remarquer par une intelligence hors pair et abandonne toute idée d'une carrière religieuse. Alors qu'il finit des études de droit à l'université de Coimbra, Salazar se distingue par sa maîtrise des questions économiques. La Dictature militaire *(Ditadura Militar)*, instaurée par le coup d'État du 28 mai 1926, lui offre le ministère des Finances, qu'il quitte quatre jours plus tard parce qu'on lui refuse les pouvoirs étendus qu'il réclame. Salazar revient aux Finances en 1928. Son budget d'État de 1929 est excédentaire, alors que le monde plonge dans la grande crise économique. Auréolé de l'image d'un sauveur providentiel, le professeur d'économie réussit une synthèse des droites portugaises qui lui sert de socle à l'instauration de l'État nouveau en 1933. Selon l'historien portugais Fernando Rosas (1946-), l'art suprême du salazarisme consiste à jouer habilement sur les équilibres et les forces qui permettent au régime d'exister et donc de « savoir durer ». Salazar occupe le poste de président du Conseil en 1932 et conserve cette fonction jusqu'en 1968, date à laquelle la maladie l'éloigne du pouvoir. Marcelo Caetano (1906-1980) lui succède. Sa longévité – l'État nouveau a été la plus longue dictature d'Europe occidentale au XXᵉ siècle – s'explique par la répression implacable de toute contestation et par l'effet paralysant de la situation internationale, de la guerre civile d'Espagne (1936-1939) à la Guerre froide. **A. N. P.**

> PORTUGAL, SALAZARISME.

SALAZARISME **G**énéralement analysé comme une forme de fascisme spécifique au Portugal, ce type de dictature a été mis en place par António de Oliveira Salazar. Le salazarisme se confond dans le temps avec l'État nouveau *(Estado Novo)*, régime autoritaire et répressif fondé sur le nationalisme, le catholicisme, le corporatisme et l'anticommunisme. Établi en 1933 par Salazar, ce régime succédant à la Dictature militaire (1926-1933) perdure jusqu'à la révolution des Œillets de 1974. Un vif débat divise les historiens portugais sur les différences conceptuelles entre le régime salazariste portugais et le fascisme italien. **S**i le fascisme avait au départ valeur de dénonciation et de transformation de la société, le salazarisme a toujours porté un projet défensif et conservateur. Néanmoins, le régime de Sala-

zar s'inscrit nettement parmi les régimes de dictature de droite et partage avec le fascisme la fonction totalitaire de l'État. Un parti unique, une police politique tortionnaire – la Direction générale de sécurité-Police internationale de défense de l'État (DGS-PIDE) –, la répression féroce des libertés fondamentales des Portugais (qui a été à l'origine de la création de l'organisation Amnesty International en 1961), des milices paramilitaires comme la Légion portugaise ou la Jeunesse portugaise qui défilaient le bras levé dans le salut romain, inscrivent davantage le salazarisme dans la famille des fascismes. En revanche, le corporatisme affiché n'a jamais donné à l'État un contrôle réel de l'économie, dominée par les intérêts ruraux écrasants des classes dominantes. Salazar a résumé sa politique nationaliste par la maxime « Orgueilleusement seuls ». Mais la conception salazariste d'une société organique fondée sur la patrie, le travail et la famille, qui se substitue aux valeurs de la citoyenneté, reste le trait fondamental de la dictature. Elle sous-tend dans les années 1960 le pourrissement d'un régime incapable de s'adapter aux défis sociaux et économiques de son époque. La guerre coloniale (1961-1974) creusera la tombe du régime, car en se jetant dans la défense éperdue de l'empire, le salazarisme a peut-être failli à sa fondamentale raison d'être qui était, d'après la définition de l'historien portugais Fernando Rosas (1946-), « faire durer » et « tout faire pour durer ». **A. N. P.** **> PORTUGAL.**

SALOMON (îles) **Capitale** : Honihara. Superficie : 28 446 km². Population : 430 000 (1999). **D**écouvert par les Espagnols en 1568 et ainsi baptisé en référence aux mines d'or mentionnées dans la Bible, cet archipel du Pacifique sud qui prolonge au sud-est la Nouvelle-Guinée, fut occupé au Nord par l'Allemagne en 1883 et au Sud par l'Angleterre, dix ans plus tard. Ces îles, en particulier Guadalcanal, sont le théâtre de combats acharnés durant la Seconde Guerre mondiale (guerre du Pacifique). De retour en 1945, les Britanniques installent la capitale de ce protectorat dans cette île, près de la

base de Houilhara et introduisirent progressivement un régime d'autonomie interne qui aboutit à l'indépendance, proclamée le 7 juillet 1978. **P**euplé essentiellement de Mélanésiens, ce modeste État entretient des relations conflictuelles avec son grand voisin du nord-ouest qui détient de plus la moitié septentrionale, la plus riche, de cet archipel puisque les îles, qui avaient été possessions allemandes avant 1914, furent rattachées à la Papouasie-Nouvelle-Guinée. Celle-ci reproche à ses voisins du sud d'encourager à partir de l'île Choiseul des tendances séparatistes, particulièrement vives à Bougainville. Les eaux frontalières situées entre ces deux îles sont ainsi le siège d'incidents fréquents malgré les nombreuses tentatives d'arbitrage de l'Australie.
J.-P. G.

SALT *Strategic Arms Limitation Talks* (« entretiens sur la limitation des armes nucléaires stratégiques »). Les négociations SALT ont été ouvertes entre les États-Unis et l'Union soviétique en novembre 1959 et ont abouti à un premier accord (SALT I) en mai 1972. Les accords SALT II ont été signés à Vienne le 18 juin 1979 mais ne furent pas ratifiés par le Sénat américain, du fait de l'invasion de l'Afganistan par l'Union soviétique à partir du 27 septembre 1979, et de la nouvelle <u>guerre froide</u>. **> DÉSARMEMENT.**

EL SALVADOR République du Salvador. Capitale : San Salvador. Superficie : 21 040 km². Population :   6 154 000 (1999). **A**près l'échec de la fédération centraméricaine en 1839, le Salvador, le plus petit pays de l'isthme et le plus densément peuplé, voit se consolider un État national de type oligarchique. La Constitution libérale de 1886 scelle l'hégémonie des secteurs agro-exportateurs de café, principal produit d'exportation. En 1932, le général Maximiliano Hernández Martínez prend le pouvoir au service du groupe dit des « quatorze familles », qui devait dominer le pays jusque dans les années 1980. Il instaure un régime de terreur. La répression des paysans appauvris par la <u>crise de 1929</u> et la chute des exportations de café fait 30 000 victimes.

Cette période est marquée par l'assassinat, en 1932, du leader paysan Farabundo Martí, qui donnera son nom aux guérillas des années 1980. **P**lusieurs fois réélu dans des conditions douteuses, M. Martínez abandonne le pouvoir en 1944 sous la pression d'une grève générale, mais son successeur, le colonel Osmín Aguirre (1944-1945), poursuit la politique de répression au service des magnats du café. En 1948, un groupe de colonels réformistes renverse le général Salvador Castañeda, ouvrant une étape de croissance économique et de relative liberté d'expression, mais les élections sont systématiquement gagnées par le parti « officiel », le PRUD (Parti révolutionnaire d'unification démocratique), qui domine le pouvoir législatif et contrôle la plupart des municipalités. **L**es années 1960 voient les contradictions s'approfondir sous l'influence de la révolution cubaine et du malaise croissant provoqué par l'extrême inégalité sociale et les abus de l'armée. Le président José Maria Lemus est renversé en 1961 par les militaires qui créent un nouveau parti officiel, le PCN (Parti de conciliation nationale), lequel gagne toutes les élections suivantes malgré les accusations de fraude. **E**n 1969, le Salvador, en dépit d'une victoire militaire contre le Honduras, subit les graves conséquences économiques du rapatriement de milliers de ses travailleurs qui résidaient en territoire hondurien. Dix ans plus tard, en 1979, le renversement du général d'extrême droite Carlos Humberto Romero (1977-1979) par un coup d'État réformiste déclenche les affrontements entre, d'une part, l'armée et les paramilitaires entraînés et financés par les États-Unis, et d'autre part, diverses forces de guérilla ultérieurement réunies sous l'égide du Front Farabundo Martí de libération nationale (FMLN). Le conflit s'aggrave avec l'arrivée au pouvoir aux États-Unis de Ronald <u>Reagan</u>, qui définit le Salvador comme la « dernière frontière de la démocratie ». De nombreux religieux progressistes, comme Mgr Oscar Romero en 1980 ou des jésuites de l'Université catholique en 1989, tombent sous les balles des tueurs anticommunistes. **L**a signature des accords de paix de 1992 met fin à un conflit qui a fait 80 000 victimes. Une bonne partie de l'armée est démobilisée et des élections libres sont organisées, tandis que la justice est réformée dans le sens d'une plus grande transparence. Mais l'héritage de décennies de violence, la pression démographique et la dégradation de l'environnement persistent, tandis que nombre des réformes prévues par les accords sont restés en suspens. **J. H. A.**

SAMOA Anciennement dénommé État indépendant des Samoa. Capitale : Apia. Superficie : 2 842 km^2. Population : 177 000 (1999). Îles essentiellement volcaniques, les Samoa sont situées, dans le Pacifique, entre Tokelau au nord et Tonga au sud. Visitées par des missionnaires anglais, elles deviennent protectorat commun anglo-américain en 1899, puis exclusivement américain en 1904, en ce qui concerne les cinq îles les plus orientales. Le reste de l'archipel (Samoa occidentales) est annexé par l'Allemagne dès 1887. Cette partie est occupée dès 1914 par la Nouvelle-Zélande, qui en assurera sans discontinuer le mandat de la SDN (Société des Nations) puis de l'ONU. Mais les méthodes d'administration ayant été contestées, le gouvernement de Wellington accorde précipitamment l'indépendance, laquelle est proclamée à Apia le 1er janvier 1962. Ce pays est le premier du Pacifique sud à devenir souverain. Sa Constitution s'inspire autant de la tradition que du système démocratique. De nombreux Samoans ont émigré, en particulier en Nouvelle-Zélande. En 1997, l'État des Samoa occidentales a pris le nom d'« État indépendant des Samoa ». **J.-P. G.**

SAMOA AMÉRICAINES Territoire non souverain, sous tutelle des États-Unis. Chef-lieu : Pago Pago (île de Tutuila). Superficie : 199 km^2. Population : 60 000 (1999). À la fin du XIXe siècle, l'Allemagne, les États-Unis et la Grande-Bretagne manifestent un intérêt pour l'archipel des Samoa situé au centre du Pacifique et en garantissent la neutralité en 1899. Mais les États-Unis, qui avaient obtenu des facilités portuaires à Pago Pago dès 1872, acceptent la cession que leur font les chefs coutumiers des cinq îles les plus orientales entre 1900

et 1904. La partie orientale avait été annexée par l'Allemagne en 1887. La Grande-Bretagne renonce à toute revendication en 1899. L'administration des îles est confiée à la Marine américaine jusqu'en 1951, puis elle est assurée par le département de l'Intérieur. À partir de 1977, le gouverneur est élu, tandis qu'un système d'autonomie interne est progressivement mis en place. Les États-Unis ont rattaché aux Samoa l'île Swains appartenant au Tokelau et ont revendiqué l'ensemble de cet archipel de 1856 à 1980. **J.-P. G.**

SAN FRANCISCO (conférence de)
Réunie au printemps 1945, la conférence internationale de San Francisco adopte le 26 juin la charte de l'ONU (Organisation des Nations unies).

SAN FRANCISCO (traité de) Traité de paix de San Francisco (8 septembre 1951) faisant suite à la capitulation du Japon le 2 septembre 1945 qui a marqué la fin de la Seconde Guerre mondiale. Il est signé par 48 États ayant été en guerre avec le Japon, mais non par l'URSS ni la Chine. Le Japon recouvre son indépendance, rendue officielle l'année suivante. Il signe un traité de sécurité avec les États-Unis, et passe sous « parapluie » nucléaire américain. **> JAPON.**

SANDJAK Le Sandjak, du turc *sancak* – « étendard », puis « préfecture » –, est une région montagneuse des Balkans, partagée entre la Serbie et le Monténégro (République fédérale de Yougoslavie – RFY) et confinant à la Bosnie-Herzégovine et au Kosovo. Son nom rappelle qu'il s'agit d'une partie de l'ancien sandjak ottoman de Novi Pazar, conquis par la Serbie et le Monténégro lors de la première guerre balkanique (1912-1913), mais elle ne correspond en Yougoslavie à aucune division officielle. Sa population, de langue serbe, se partage pour moitié entre musulmans et chrétiens orthodoxes. Sa situation géographique a alimenté en Serbie, pendant les guerres yougoslaves des années 1990, le fantasme d'un « arc islamique » et la crainte d'être coupé de la mer. Les Musulmans (catégorie nationale des recensements

yougoslaves) ont alors manifesté des velléités autonomistes, dont la répression a provoqué l'émigration d'une partie d'entre eux.
M. R. > YOUGOSLAVIE.

SANS-TERRES (Brésil) > PAYSANS SANS-
TERRES.

SÃO TOMÉ ET PRINCIPE République démocratique de São Tomé et Principe.
Capitale : São Tomé. Superficie : 960 km².
Population : 144 000 (1999). **D**écouvert et colonisé par le Portugal à partir de
1471, cet archipel devient le premier producteur mondial de cacao à la fin du XIXᵉ siècle.
Province portugaise d'outre-mer en 1951,
São Tomé et Principe proclame son indépendance en 1975 avec comme président
Manuel Pinto da Costa. Le choix de l'option
marxiste-léniniste se concrétise par l'instauration du Mouvement de libération de São
Tomé et Principe (MLSTP) comme parti unique, un alignement diplomatique sur Cuba
et l'Angola et la nationalisation des plantations. Les premières élections présidentielles
pluralistes en 1991 consacrent Miguel Tro-
voada, ancien Premier ministre rentré d'exil.
Réélu en 1996, il se heurte à une cohabitation conflictuelle avec le MLSTP, vainqueur
des élections législatives de 1994 et 1998. La
longue crise institutionnelle qui s'ensuit renforce encore le marasme économique et
social dans lequel se débat ce micro-État,
pauvre et lourdement endetté. Au tournant
du XXIᵉ siècle, São Tomé et Principe fondait
ses espoirs sur la découverte de pétrole dans
ses eaux territoriales. **É. G.**

SARAJEVO L'histoire de l'Europe au
XXᵉ siècle est parfois résumée par la formule
« De Sarajevo à Sarajevo », ce qui indique
de l'importance symbolique de cette ville. La
formule fait allusion à deux événements historiques distincts : l'attentat de Sarajevo
(1914) d'une part, le siège de Sarajevo
(1992-1995) d'autre part. Le 28 juin 1914,
l'assassinat de l'archiduc d'Autriche François-Ferdinand de Habsbourg (1863-1914)
par le jeune Serbe Gavrilo Princip (1894-
1918), membre de l'organisation nationaliste
Jeune Bosnie, marque le début de la Grande
Guerre. Le 6 avril 1992 débute le siège de

Sarajevo par les forces de la « république
serbe » autoproclamée de Bosnie-Herzégovine, siège qui fera près de 10 000 morts et
ne s'achèvera que le 12 octobre 1995. Sarajevo devient alors le symbole autour duquel
se mobilisent les opinions publiques et de
nombreuses organisations internationales
(ONU), régionales (OTAN, OSCE, Union
européenne, OCI – Organisation de la conférence islamique) ou non gouvernementales.
Pour autant qu'elle soit pertinente, la formule « De Sarajevo à Sarajevo » ne doit donc
pas suggérer une répétition de l'histoire :
alors que l'attentat de Sarajevo annonce le
triomphe du principe des nationalités sur les
empires centraux, le siège de Sarajevo
signale l'émergence d'acteurs internationaux
et transnationaux opposés au retour du
nationalisme ethnique en Europe. **X. B.**
> BOSNIE-HERZÉGOVINE, GUERRES YOU-
GOSLAVES.

SARTRE Jean-Paul (1905-1980)
Philosophe et écrivain français, Jean-Paul
Sartre acquiert dès 1945 une célébrité mondiale qui ne se borne pas à sa fréquentation
du milieu artistique de Saint-Germain-des-
Prés à la fin de l'Occupation. Il est l'auteur
de formules qui, en bouleversant la définition classique de l'homme, figé dans une
essence, ont enthousiasmé des générations
entières, les libérant du même coup des
tutelles religieuses, académiques ou politiques. Concernant la liberté individuelle, dont
il s'est fait le théoricien le plus réputé du siècle, malgré les critiques des chrétiens et des
communistes, et cela dès la publication de
L'Être et le Néant en 1943 (Paris), ses formules soufflent un vent de révolte sur le monde
ancien. Elles définissent l'homme comme
sujet libre (« L'existence précède l'essence »),
dans un contexte d'athéisme conséquent
(« Il n'est pas d'ordres qui viennent d'en
haut »), parlent du corps et de la sexualité en
contrant les bien-pensants, évoquent les
rigueurs de l'engagement (« L'homme est
condamné à être libre »), non sans souligner
à chaque fois le primat accordé à l'action, à
l'effort, au combat et à la solidarité.
Parce qu'il n'existe ni nature humaine ni
divinité, l'homme est le seul être par qui les
valeurs viennent au monde. Aussi, lorsque

J.-P. Sartre fonde *Les Temps modernes*, avec Maurice Merleau-Ponty (1908-1961), il en fait une revue susceptible de juger les événements (guerre d'indépendance algérienne, guerre du Vietnam, etc.) en posant de nouvelles valeurs. Néanmoins, s'il reste longtemps un « compagnon de route » du PCF (Parti communiste français), au prix de ne saisir ni l'importance de la question du totalitarisme ni la réalité du communisme, c'est essentiellement au nom de la valeur traditionnelle de la justice que l'intellectuel aurait à sa charge de défendre. Simultanément, il se sert de la radio pour développer sa théorie de la littérature engagée, qui trouve sa réalisation majeure dans l'ouvrage intitulé *Qu'est-ce que la Littérature ?* (1948). Au cours des événements de Mai 68, il prend des positions publiques que des photos immortalisent, debout sur un tonneau, devant les usines de Renault-Billancourt, dénonçant la « justice de classe ». **C. R.**
> FRANCE.

SCHISME SINO-SOVIÉTIQUE À partir de 1960, les divergences entre les communistes soviétiques dirigés par Mao Zedong et les communistes soviétiques dirigés par Nikita Khrouchtchev s'approfondissent et conduisent à une rupture, qualifiée souvent de « schisme ». Pékin accuse Moscou de « révisionnisme » et prétend défendre le marxisme-léninisme authentique. Seule en Europe, l'Albanie adopte la ligne politique de Pékin, tandis qu'en Asie l'influence chinoise sur les partis communistes est souvent considérable. Le schisme sino-soviétique, venant après le « schisme » titiste opéré par la Yougoslavie en 1948, écorne un peu plus le mythe d'un socialisme « un et indivisible ». **> COMMUNISME.**

SCHMIDT Helmut (1918-) Chancelier de la RFA (1974-1982). Quelques années après sa retraite politique, Helmut Schmidt a été consacré, en quelque sorte, patriarche de l'Allemagne, les positions de l'ancien chancelier social-démocrate ayant trouvé un auditoire attentif au-delà de l'opposition. **C**e Hambourgeois un peu hautain a été le chef du gouvernement allemand pendant les heures difficiles. Crise économi-

que mondiale, vague d'attentats terroristes de la Fraction armée rouge (RAF), polémique autour de la modernisation des missiles de l'OTAN (Organisation du traité de l'Atlantique nord) : H. Schmidt convainc de la capacité du SPD (Parti social-démocrate) à gérer l'Allemagne fédérale. Son nom reste associé à la construction du Système monétaire européen (SME), entré en vigueur en 1979. **M**ais les revers économiques affaiblissent son autorité. En 1982, abandonné par les libéraux du FDP, et à l'issue de la crise des euromissiles dont il avait demandé à Washington l'installation sur le territoire national, son gouvernement tombe. **L**orsqu'en 1987 il quitte le Bundestag, il déclare que les sociaux-démocrates « doivent rester un mouvement de gouvernement » et critique la dérive de son parti vers les thèses écolo-pacifistes. Dès lors, il multiplie les mises en garde dans l'hebdomadaire *Die Zeit* dont il est devenu codirecteur. En 1992, son livre *Handeln für Deutschland (Agir pour l'Allemagne)*, une sorte de programme gouvernemental alternatif pour surmonter les problèmes de l'unification allemande, fait grand bruit. **X. G.**
> ALLEMAGNE, SOCIAL-DÉMOCRATIE ALLEMANDE.

SDN **V**oulue par Woodrow Wilson, la Société des Nations (SDN) s'inscrit dans la ligne d'initiatives comme la Cour permanente de La Haye de 1899 ou de projets antérieurs à la Première Guerre mondiale qui ont été repris pendant la guerre elle-même. **L**e pacte de la Société des Nations est adopté le 28 avril 1919 par la Conférence de la paix et il est incorporé à tous les traités de paix. La première réunion du Conseil de la SDN a lieu le 6 janvier 1920 et l'Assemblée est convoquée à Genève pour novembre 1920. **L**es faiblesses de l'organisation (les vaincus et la Russie bolchevique sont absents au départ) tiennent à son caractère plus européen que mondial (en particulier après le refus du Sénat américain de ratifier le traité de Versailles), à son fonctionnement (droit de veto pour chaque membre, qui souligne la volonté de ne pas faire de la SDN une organisation supranationale, mais une simple « ligue » des nations) et à la faiblesse de ses moyens d'actions (elle ne possède pas de force militaire et la notion de sanctions prévues en cas de violation des règles du pacte reste floue).   La SDN introduit néanmoins un climat nouveau dans la vie internationale et joue un rôle décisif dans plusieurs domaines (économique, monétaire, social), par l'intermédiaire des organismes (Organisation internationale du travail, Haut-Commissariat pour les Réfugiés, Organisation économique et financière, etc.) qui lui sont liés. **Y. S.**

SECONDE GUERRE DU GOLFE
> GUERRE DU GOLFE (SECONDE).

SECONDE GUERRE MONDIALE   La
Seconde Guerre mondiale puise ses origines complexes dans la situation politique, économique et territoriale héritée de la Grande Guerre et de la crise de 1929.   Épuisée et traumatisée par quatre ans de guerre, l'Europe hésite entre le pari de la paix, quel qu'en soit le prix, et celui de l'expansion, au besoin territorial. Les années 1930 voient ainsi se constituer deux camps : celui des démocraties qui offrent une réponse économique à la crise, et celui des États totalitaires, où l'armée exerce un pouvoir grandissant, qui voient dans la conquête territoriale la solution à tous les maux. Dans un cas comme dans l'autre, on développe les industries d'armement. En URSS, Staline lance la planification et la collectivisation, assurant à l'État un rôle dominant dans la transformation de la société.   Le nationalisme, ressort idéologique traditionnel des partis extrémistes, s'exprime tout naturellement, dès le début des années 1930, dans la politique des dictatures européennes.   Pour les nazis, parvenus au pouvoir en 1933 en Allemagne, la communauté germanique doit pouvoir trouver en Europe l'« espace vital » (*Lebensraum*) nécessaire à son développement et à la mesure de sa prétendue supériorité raciale. Il en va de même au Japon, qui se trouve en plein « boom » démographique et cherche une position dominante en Asie.   **Des politiques d'expansionnisme et d'agression.** L'expansionnisme, teinté de pangermanisme ou de panasiatisme, pousse l'Allemagne comme le Japon à l'agression. À la différence

de l'Europe, l'Extrême-Orient voit la guerre commencer dès le début des années 1930, provoquée par l'impérialisme japonais. En septembre 1931, la Mandchourie est militairement occupée, en dépit des protestations stériles de la SDN (Société des Nations). Le nord de la Chine, conquis par le Japon en juillet 1937, est le théâtre de multiples massacres, témoin le sac de Nankin, qui visent à terroriser la résistance chinoise.   En Europe, Hitler, allié à l'Italie fasciste de Mussolini depuis 1936 (Axe Rome-Berlin), annexe l'Autriche le 13 mars 1938 (Anschluss). Sa revendication des Sudètes fait l'objet de négociations lors de la conférence de Munich en septembre 1938. La Tchécoslovaquie n'en est pas moins sacrifiée au nom de l'espoir de la paix européenne : la région des Sudètes est annexée par l'Allemagne. Avec l'invasion de la Pologne, le 1er septembre 1939, programmée depuis la signature du Pacte germano-soviétique, la France comme le Royaume-Uni ne peuvent désormais plus reculer devant Hitler.   Les démocraties, prisonnières autant de leurs opinions publiques que de leurs options stratégiques, laissent l'initiative à la Wehrmacht (armée allemande). L'Europe de l'Ouest s'enfonce dans la « drôle de guerre », tandis que la Pologne est taillée en pièces par ses puissants voisins. Le 29 septembre 1939, elle capitule.   L'Europe du Nord est l'objet des convoitises soviétiques et allemandes : la Finlande est envahie le 30 novembre 1939 par l'Armée rouge (traité de paix le 12 mars 1940), en avril 1940 le Danemark et la Norvège sont à leur tour envahis par des troupes allemandes soucieuses de protéger la « route du fer ». Le débarquement allié (franco-britannique) à Narvik (15 avril) est de courte durée, l'offensive de l'armée allemande à l'ouest ayant débuté le 10 mai.   Pour l'invasion des Pays-Bas (capitulation le 15 mai), de la Belgique et de la France, la tactique de la *Blitzkrieg* (guerre éclair) permet aux *Panzer Divisionen* (divisions blindées) allemandes des percées fulgurantes, notamment à travers les Ardennes. En moins de dix jours, les armées alliées sont coupées en deux, encerclées dans la « poche de Dunkerque », où des milliers de soldats anglais et français sont faits prisonniers.   **L'**Italie entre en guerre le 10 juin, tandis que l'offensive allemande se poursuit vers l'ouest et le sud, poussant devant elle des milliers de réfugiés. Le gouvernement français, paralysé, demande l'armistice, qui sera signé à Rethondes le 22 juin. Durant tout l'été 1940, l'Angleterre subit d'incessantes attaques aériennes, auxquelles succèdent dès septembre des bombardements de nuit sur les villes (*Blitz*). La détermination de Churchill et l'opiniâtre résistance de la chasse aérienne anglaise durant la bataille d'Angleterre font abandonner tout espoir d'invasion à Hitler. **A**près les succès des conquêtes allemandes en Europe occidentale, Mussolini porte les combats dans les Balkans, où il annexe l'Albanie en avril 1939 et attaque la Grèce le 28 octobre 1940. Les Allemands assurent eux aussi leurs positions en ralliant aux puissances de l'axe la Hongrie, la Roumanie et la Slovaquie les 20, 23 et 29 novembre 1940, puis la Bulgarie le 1er mars 1941. Devant l'incapacité de l'Italie de se maintenir en Grèce, l'Allemagne, à partir du 6 avril 1941, envahit la Yougoslavie avant de se rendre maîtresse de la Grèce. **L**e contrôle de la Méditerranée et des zones pétrolifères du Moyen-Orient devient un enjeu pour les Alliés comme pour l'Axe : Italiens et Britanniques s'affrontent en Égypte dès septembre 1940 ; l'Afrika Korps, commandé par Erwin Rommel (1891-1944) débarque en Libye et refoule les Britanniques en avril 1941. Ceux-ci sont maîtres de l'Irak, de la Syrie et du Liban à l'été 1941 et se sont assurés de la neutralité de la Turquie. Quant à l'Iran, seule voie praticable par laquelle le Royaume-Uni peut approvisionner l'URSS attaquée, il est envahi par les Alliés du fait de son entêtement à préserver des relations commerciales avec l'Allemagne. **L'année 1941 ou la mondialisation du conflit.** Le 22 juin 1941, Hitler, rompant l'accord passé avec l'URSS, l'attaque sur un front de 1 500 kilomètres. Les enjeux de cette « poussée vers l'est » sont multiples : luttes d'influence en Europe orientale, sauvegarde antibolchevique de l'Occident, poursuite de l'élargissement de l'« espace vital ». L'*Ost Plan* prévoit l'exploitation sans vergogne des territoires et des populations conquis. La « guerre éclair » allemande fait reculer les Soviétiques qui concentrent leur

défense sur Leningrad et Moscou, mais l'hiver précoce et l'âpreté de la résistance des Partisans oblige dès décembre l'Allemagne à entamer une longue guerre d'usure. **L**e Japon négocie différentes alliances pour garantir son hégémonie dans le Pacifique. C'est ainsi qu'il signe le pacte tripartite avec l'Allemagne et l'Italie le 27 septembre 1940. **E**n avril 1941, l'empire nippon signe pourtant un pacte de neutralité avec l'URSS et, fort de ses succès en Chine, rêve de supplanter les dominateurs blancs en Asie. Il se heurte aux États-Unis, neutres, mais bien décidés à empêcher l'expansion japonaise. Dès son arrivée au gouvernement, le très militariste Tojo fait prendre un tournant décisif au conflit : le 7 décembre 1941, la flotte américaine du Pacifique est détruite par l'aviation japonaise à Pearl Harbor, précipitant l'entrée en guerre américaine (l'Allemagne et l'Italie déclarent la guerre aux États-Unis le 11 décembre). La guerre éclair japonaise permet de conquérir tout le Sud-Est asiatique de décembre 1941 à mars 1942 : les Philippines, les Indes néerlandaises, Hong Kong, la Malaisie et Singapour sont inclus à la « sphère de coprospérité asiatique ». **Dominations et collaborations.** À peine plus de deux ans ont suffi aux dictatures pour se tailler, en Europe comme en Asie, d'immenses empires. Leur contrôle et le « jusqu'au-boutisme » des Alliés dans leur reconquête confèrent au conflit tous ses aspects d'une guerre totale. **E**n Asie, le Japon, victorieux des Occidentaux dans les colonies européennes, prend des allures de libérateur et laisse entrevoir l'indépendance aux peuples de l'Est asiatique. Il encourage les mouvements nationalistes. Cependant, la « japonisation », inaugurée dès 1910 en Corée, plus tard à Formose (actuel Taïwan) et dans le Mandchoukuo, prend les mêmes formes brutales dans les territoires de la « sphère de coprospérité ». **L**es gouvernements et les parlements locaux sont placés sous contrôle (Birmanie) ou sous administration militaire, les ressortissants chinois arrêtés, déportés, massacrés. Le japonais est imposé comme langue officielle (Philippines, Indonésie, Malaisie), les droits civiques suspendus (Indonésie). **E**n Europe, différents statuts sont imposés aux États conquis par l'Allemagne, qui dépendent de la hiérarchie raciale sous-tendue par l'idéologie nazie. Ainsi, si certains se voient annexés (protectorat de Bohême-Moravie, Alsace-Lorraine...), d'autres ont un double statut, à la fois partie du Grand Reich et territoire administré, d'autres encore restent indépendants mais sont placés sous l'administration directe des nazis (Belgique, Norvège...). La France connaît l'ensemble de ces statuts, coupée en deux par une ligne de démarcation : au nord, la zone occupée par les nazis, au sud, la zone libre gouvernée par le régime de Vichy. La collaboration avec les autorités locales est recherchée ou imposée par l'occupant. Elle s'appuie sur les réseaux fascistes et nationalistes d'avant-guerre : Vidkun Quisling (1887-1945) en Norvège, Léon Degrelle (1906-1994) en Belgique, ou Anton Mussert (1894-1946) aux Pays-Bas. La collaboration d'État, au motif de « soulager » les souffrances des populations vaincues, relaie les intentions des autorités allemandes et met les fonctionnaires à leur service (régime de Vichy en France).

Exploitation et pillage économiques. L'exploitation économique de l'Europe de l'Ouest et de l'Est répond au double impératif de satisfaire aux besoins d'approvisionnement du IIIe Reich en guerre, et d'assurer l'autarcie de l'Allemagne et à plus long terme de la « nouvelle Europe ». Les nazis distinguent les pays tolérés, qui seront ultérieurement annexés et incités à produire davantage, et les pays « inférieurs », directement pillés. Quelle que soit la situation, l'Allemagne s'arroge des privilèges importants : taux de change avantageux, paiement d'un tribut comme indemnité d'occupation. Le STO (Service du travail obligatoire) constitue une importante contribution en main-d'œuvre dès 1941, déplaçant vers l'Allemagne sept millions de travailleurs venus de toute l'Europe : Norvège, Pays-Bas, France ou encore Grèce. Les Juifs sont spoliés de leurs biens et déportés, leur argent blanchi ou placé par les nazis dans quelque place financière. Hitler élabore même un projet de mise en esclavage des populations polonaises. L'Europe nazifiée subit ainsi un pillage en règle. **En Asie**, au plan économique, chacun doit concourir à l'effort de guerre nippon. Ainsi les plantations de canne à sucre sont-elles reconverties en champs de coton aux Philippines, les importations étant suspendues. En Indonésie, la population est déplacée vers les sites industriels. En Indochine, la côte orientale, région vitale, est méthodiquement exploitée. De manière générale, les ressources locales sont pillées ou détournées au profit du « libérateur ». **Systèmes de terreur.** Le nouvel ordre instauré par les nazis nécessite la mise place dans l'Europe conquise d'un système de terreur qui vise à maintenir sous la coupe allemande les pays occupés. Il s'articule autour de la double logique de briser les résistances nationales et de prolonger à l'échelle européenne la politique raciale et concentrationnaire inaugurée dans l'Allemagne des années 1930. L'exécution d'otages est fréquente et se veut dissuasive, la déportation des présumés coupables renforce le dispositif de terreur. Dans la phase offensive contre l'URSS, des centaines de milliers de prisonniers de guerre trouvent la mort. Les prisonniers européens, américains et asiatiques, dans le Pacifique, subissent des conditions tout aussi terribles : affectés à des travaux de force, victimes de sévices et de mauvais traitements quand ils ne sont pas simplement exécutés. **En Europe**, pendant la guerre, s'accélère la construction des camps de concentration nazis ; le système s'étend aux territoires conquis et leur fonction évolue au rythme du conflit : besoin en main-d'œuvre croissant, mise en place de la « solution finale ». Les nazis accélèrent leur programme eugéniste par le plan de Wannsee en janvier 1942, systématisant l'extermination des Juifs d'Europe. Depuis 1941, l'avancée de la Wehrmacht accroît le nombre de déportés juifs, l'heure est désormais à l'extermination de masse et au génocide, puisque leur émigration est désormais impossible. Aux ghettos et aux groupes mobiles de tuerie (*Einsatzgruppen*) succèdent les camps d'extermination, où périront les trois cinquièmes des communautés juives d'Europe. **Résistances nationales.** Face aux rigueurs de l'occupation, aux exactions et crimes de l'occupant nazi ou japonais, des résistances se mettent en place, spontanément d'abord, fédérées ensuite. Plusieurs chefs d'État ou de gouvernement organisent depuis la Grande-Bretagne des réseaux en vue de libérer leur territoire national : Belgique, Tchécoslovaquie, France, Grèce, Yougoslavie, Luxembourg, Pologne, Pays-Bas ou encore Norvège. La résistance italienne sera tardive, puisqu'elle coïncide avec la guerre et les sabotages menés par les Italiens contre les Allemands au moment de la république de Salò en 1944. Cependant, elle se réclame de la tradition antifasciste, beaucoup plus ancienne, et reste décisive au moment où les Alliés sont encore loin. En Asie, l'opportunité indépendantiste fait naître des mouvements antifascistes à caractère nationaliste aux visées politiques souvent contradictoires (Aung San en Birmanie, Sukarno et Sjahrir [1909-1966] en Indonésie).

L'Allemagne et le Japon fondent leur propagande sur l'idée qu'ils se font du combat à mener : croisade antibolchevique et lutte contre le « complot juif » pour l'une ; soumission absolue au chef (l'empereur japonais Hirohito) pour l'autre. Les Alliés exploitent, quant à eux, le thème des valeurs démocratiques et de l'« union des nations » contre la barbarie. Comme l'avait démontré la Grande Guerre, la capacité à produire est déterminante. Les conférences alliées de Casablanca (Churchill-Roosevelt-de Gaulle, 14-24 janvier 1943) et de Téhéran (Churchill-Roosevelt-Staline, 28 novembre-1er décembre 1943) posent le principe d'une capitulation sans condition, imposant une guerre d'usure où la production en grandes séries et l'acheminement du matériel sont primordiaux. Sur le terrain, l'industrie américaine se surpasse et constitue un atout incomparable pour les Alliés. L'effort de guerre allié a permis, à partir de 1942, d'inverser progressivement le cours du conflit. Dans le Pacifique, les Américains stoppent l'avance des Japonais par une série de batailles aéronavales (mer de Corail, Midway, Guadalcanal entre mai 1942 et février 1943). En URSS, une résistance acharnée dans l'âpre bataille de Stalingrad aboutit à la capitulation de la 6e armée allemande le 2 février 1943. La grande contre-offensive soviétique est en marche. Les premiers à entrer en résistance furent les Polonais, habitués, du fait d'invasions successives, à une réaction immédiate. Le 19 avril 1943, les Allemands commencent la liquidation totale du ghetto de Varsovie. Ils vont se heurter pendant trois semaines à une véritable insurrection civile des Polonais. La résistance la plus décisive est venue cependant de Yougoslavie où, depuis 1941, l'on s'acharne à entraver la progression des Allemands. À partir de 1941, Tito et ses Partisans, soutenu par Churchill, se lance dans la reconquête des territoires. **Nouveaux fronts et reconquêtes alliées.** La victoire britannique d'El-Alamein en Libye (juillet 1942), permet d'entrevoir la libération de l'Afrique du Nord, où des troupes américaines et britanniques débarquent le 8 novembre (Algérie et Maroc). La menace d'un débarquement allié depuis la Méditerranée pousse les autorités allemandes à envahir la Zone libre française (11 novembre). Le front sud de l'Europe est ouvert grâce au débarquement américain en Sicile (10 juillet 1943). Le roi Victor-Emmanuel III fait arrêter Mussolini et le remplace par le maréchal Badoglio (1871-1956). Le 3 septembre, ce dernier négocie en secret un accord d'armistice avec les Alliés malgré la pression des Allemands et des fascistes en Italie. Le 8 septembre, les Alliés débarquent dans la baie de Salerne et rendent public cet armistice. À la suite de la conférence de Téhéran, l'ouverture d'un nouveau front en Europe de l'Ouest est décidée. Le débarquement a lieu le 6 juin 1944 en Normandie, perçant rapidement les défenses allemandes. Le débarquement en Provence (15 août) et l'avancée des Alliés à partir de la Normandie permettent au territoire français d'être presque entièrement libéré à la fin de l'année. À l'est, les Soviétiques poursuivent leur marche vers l'Allemagne et libèrent la Roumanie, la Finlande et la Bulgarie. Sur le front asiatique, la guerre du Pacifique permet aux Américains de se rapprocher peu à peu du Japon (« saut de mouton » de l'amiral américain William Nimitz, 1885-1966), tandis que les Britanniques se battent en Birmanie. En octobre 1944, les Philippines sont reprises par le général Douglas MacArthur. En Chine, communistes et gouvernement légal (nationaliste), rassemblés depuis septembre 1937 dans un « Front uni patriotique », repoussent les Japonais. **Capitulation de l'Allemagne et du Japon.** De part et d'autre, toutes les énergies sont déployées : Volkssturm (mobilisation des hommes de 14 à 65 ans) et armes secrètes en Allemagne, kamikazes au Japon, bombardements par les Alliés de villes allemandes pour terroriser les civils comme en février 1945 à Dresde. Les Alliés réunis à Yalta en février 1945 maintiennent leur union jusqu'à la victoire totale. Churchill, inquiet de la présence soviétique en Europe, réclame une nouvelle conférence, qui s'ouvre à Potsdam le 17 juillet 1945, réunissant Staline, Truman et Attlee pour évoquer la question allemande. La tenaille alliée se referme sur Berlin, que les Soviétiques atteignent le 25 avril. Dans la semaine qui suit, Mussolini est exécuté (le 28) et Hitler se suicide (le 30). La capitulation allemande, les 7 et 8 mai 1945, met fin à la guerre à l'ouest. **D**ans le Pacifique, face à l'acharnement des combattants et malgré la nette domination américaine depuis l'invasion d'Iwo-Jima (février-mars 1945) et la prise d'Okinawa (février et juin 1945), le président Harry Truman décide d'utiliser la bombe atomique sur Hiroshima le 6 août et sur Nagasaki le 9. **L**e général MacArthur reçoit la capitulation japonaise le 2 septembre 1945. **É. L.**

50 millions de morts. Les pertes humaines de la Seconde Guerre mondiale ont été presque quatre fois plus importantes que lors de la première (50 millions environ contre 13 millions). Cet écart s'explique par l'extension considérable des théâtres d'opérations, de l'Europe vers l'Afrique et surtout vers l'Asie (sur terre, sur mer et dans les airs), et par l'implication directe de toute la population dans la guerre. En effet, l'arme aérienne, dotée de longs rayons d'action, rend obsolète la notion de front, surtout quand la population de l'adversaire est un des objets prioritaires de l'aviation stratégique ; il faut « casser » son moral par des bombardements terroristes, afin de le dissocier des gouvernements « jusqu'au-boutistes ». **D**e même, les succès foudroyants des forces de l'Axe au début de la guerre ont conduit à l'occupation de vastes territoires, en Europe et en Asie, et à ses corollaires : résistance, répression et conflits de type « guerre civile »

résultant du caractère idéologique des hostilités. L'hécatombe a été aggravée par le non-respect par certains États (Japon et URSS principalement) de la convention de Genève sur les prisonniers de guerre (1929) et par les politiques racistes d'extermination systématique menées par le IIIe Reich – avec ses millions de victimes, Juifs, Tsiganes du Grand Reich, « malades mentaux » et autres « vies indignes de vie » [*Lebensunwert*], les persécutions qui ont touché les homosexuels, le traitement infligé aux Slaves, considérés comme « sous-hommes » (*Untermenschen*)... Elle le fut aussi par les crimes commis par l'URSS (massacres de prisonniers polonais – Katyn – ou déportations de « peuples punis », accusés collectivement d'avoir collaboré. Enfin, les innovations technologiques ont multiplié la puissance de feu et révolutionné les capacités de destruction. Si le bombardement de Hiroshima, le 6 août 1945, fit environ 100 000 morts (bilan en 1946), les pilonnages de Dresde, en février 1945, en firent 135 000. Cependant, au Japon, le « résultat » fut obtenu en une fois avec un seul avion. **S**ur environ 50 millions de victimes, mortes ou disparues, moins de 20 millions sont des militaires. Toutes les générations ont donc été victimes de la guerre, sans distinction de sexe. **D**ans certains pays, les civils ont subi des pertes bien plus élevées que les militaires. En Grèce (465 000 morts), elles ont principalement résulté d'une famine qui a ravagé la population (300 000 morts). En Yougoslavie (1,5 million de morts), trois facteurs sont intervenus : la répression aveugle de la guerre des partisans par les Allemands, les luttes internes entre les partisans de Mihajlovic (royalistes) et ceux de Tito (communistes), et les massacres interethniques (200 000 Serbes et Juifs furent éliminés par les oustachis en Croatie). La Pologne, enfin, dont 95 % de la population juive (soit 3 millions de personnes) a été exterminée, a connu, de 1939 à 1945, un impitoyable régime d'occupation mêlant massacres et déportations, tant de la part de l'Allemagne que de l'URSS. Elle est la nation la plus meurtrie par la guerre (5 millions de morts). **L'hémorragie soviétique.** L'abîme qui sépare les pertes subies par les deux grands vainqueurs de la guerre, les États-Unis (300 000 morts) et l'Union soviétique (26,6 millions de morts), mérite explication. Les premiers perdent 0,2 % de leur population, les seconds 14 %, véritable hémorragie. La partie européenne de l'URSS a subi par deux fois le passage du « rouleau compresseur » des opérations militaires, la politique de terre brûlée à l'aller comme au retour, l'occupation, les massacres, la guerre des partisans et les famines (siège de Leningrad d'août 1941 à janvier 1944, qui a fait 500 000 morts selon les sources soviétiques). Se sont ajoutées la mortalité et la répression, conséquences des déportations, ordonnées par Staline, de « peuples punis », comme les Allemands de la Volga, les Tchétchènes ou les Tatars de Crimée. Quant aux pertes des États-Unis, elles sont restées relativement limitées (300 000 morts) malgré la guerre du Pacifique, la bataille de l'Atlantique et les débarquements à l'Ouest. En effet, les combats ne concernent pas le territoire américain. Le commandement américain a mené une guerre de matériels et de plus stricte économie des effectifs ; il a doté ses armées d'une incontestable supériorité de moyens techniques, qui a permis, avant l'attaque, d'écraser sous un déluge de feu l'adversaire et ses itinéraires présumés. La reprise des îles du Pacifique a ainsi coûté la vie à environ 90 000 Américains et à dix fois plus de défenseurs japonais. Il est resté cependant dangereux pour des populations civiles d'être dans l'axe de progression de forces américaines : sur les 66 000 victimes françaises des bombardements dénombrées entre 1940 et 1945, 14 000 sont tombées en Basse-Normandie pendant l'été 1944, dont la moitié entre le 6 et le 14 juin. Les pertes du côté français (580 000 morts) s'équilibrent entre civiles et militaires. Ces dernières comprennent celles des forces régulières (192 000), des combattants de l'ombre (Forces françaises de l'intérieur [FFI], résistants fusillés ou morts en déportation) et les 31 000 Alsaciens morts incorporés de force dans la Wehrmacht. Parmi les pertes civiles, on compte 75 000 déportés raciaux. Environ 40 000 Nord-Africains et tirailleurs de l'ex-Empire français ont été tués dans les rangs de l'armée française et 50 000 origi-

naires des Indes dans l'armée britannique. Les pertes civiles japonaises (680 000 morts), très inférieures aux pertes militaires (1,9 million de morts), connaissent une croissance exponentielle quand le Japon devient la cible de l'aviation stratégique après la conquête des îles Mariannes. Le 10 mars 1945, les bombes incendiaires font à Tokyo 84 000 morts, davantage que la bombe atomique de Nagasaki.   À partir du 12 juin 1944, les Allemands lancent les V1 puis les V2. Ils provoquent 8 500 victimes civiles et ouvrent de nouvelles perspectives de destruction à distance et sans risques pour l'agresseur. Cependant, les effets des bombes atomiques des 6 et 9 août 1945 sont tels qu'ils arrêtent les hostilités et le massacre qui, contre toutes règles du droit de la guerre, a ensanglanté l'Europe et l'Asie. Si des sinologues, « philosophes », constatent que les pertes chinoises dues à la guerre, mal connues, n'excéderont jamais les pertes des épidémies endémiques, l'hécatombe connue par certains pays européens est l'un des événements les plus tragiques du XXᵉ siècle.   **Le sort des prisonniers de guerre.** La fin des hostilités ne libère pas tous les prisonniers de guerre. Les quelque 375 000 Allemands en captivité aux États-Unis sont rapatriés au printemps 1946. Leurs compatriotes internés en Union soviétique (plus d'un million) ne reviennent que de longues années plus tard ou disparaissent dans les camps sibériens (seulement 6 000 survivants sur l'ensemble des 100 000 prisonniers de Stalingrad).   Les 3,5 millions de Japonais qui se livrent aux Américains lors de la capitulation du Japon sont libérés presque immédiatement ; en revanche, les 600 000 Japonais capturés en Mandchourie en août 1945 par les Soviétiques sont internés en Sibérie. Seuls 100 000 en reviendront. Quant aux 2 270 000 prisonniers soviétiques libérés après la guerre et rapatriés en URSS, beaucoup d'entre eux furent dès leur retour envoyés dans des camps. La durée de détention fut de l'ordre de dix ans, pour ceux qui en supportèrent le régime. **J. D.**

SECRÉTARIAT (ONU)   Le Secrétariat assume les fonctions administratives de l'ONU, sous la direction d'un secrétaire général nommé par l'Assemblée générale sur recommandation du Conseil de sécurité pour une période de cinq ans. Il peut attirer l'attention du Conseil de sécurité sur toute affaire pouvant mettre en danger le maintien de la paix et de la sécurité internationales. Le secrétaire général nomme le personnel de l'administration des Nations unies et présente chaque année un rapport sur l'activité de l'organisation. Depuis sa fondation, l'ONU a connu comme secrétaires généraux successifs : Trygve Lie (Norvège) de 1946 à 1953 ; Dag Hammarskjöld (Suède) de 1953 à 1961 ; U Thant (Birmanie) de 1961 à 1971 ; Kurt Waldheim (Autriche) de 1972 à 1981 ; Javier Perez de Cuellar (Pérou) de 1982 à 1991 ; Boutros Boutros-Ghali (Égypte) de 1991 à 1996 ; Kofi Annan (Ghana) à compter de 1997 (second mandat à partir de 2002). **> ONU.**

SÉNÉGAL République du Sénégal. Capitale : Dakar. Superficie : 196 200 km². Population : 9 240 000 (1999). **L**e territoire de l'actuel Sénégal s'inscrit dans un vaste espace issu des échanges économiques, culturels et politiques de l'ère précoloniale. D'importants mouvements migratoires ont façonné pendant des siècles une population qui ne compte pas moins de dix-neuf groupes ethniques parmi lesquels prédominent les Wolof. **Citoyens et sujets.** En 1659, les Français fondèrent Fort Saint-Louis dans l'île de Ndar, à l'embouchure du fleuve Sénégal. Dans le courant du XIXᵉ siècle les Français entreprennent la conquête de l'intérieur et développent la culture de l'arachide en s'assurant la fidélité des marabouts musulmans wolof qu'ils avaient autrefois combattus. Dakar, fondée en 1857, devient la capitale de la fédération de l'Afrique occidentale française (AOF) créée en 1895. C'est l'apogée de l'influence sénégalaise à travers toute l'Afrique française. Alors que l'ensemble de la population de la colonie est soumise au code de l'indigénat, la minorité citadine originaire des « quatre communes » (Saint-Louis, Gorée, Dakar et Rufisque) possède la citoyenneté française et les privilèges y afférant. L'année 1914 voit ainsi pour la première fois un Noir, Blaise Diagne, élu député à l'Assemblée nationale. Ce statut exceptionnel dans l'histoire de la colonisation française a profondément marqué les consciences sénégalaises et la distinction faite entre citoyens et sujets a alimenté bien des rivalités politiques au XXᵉ siècle. **Le** 18 juin 1960, l'indépendance du Sénégal est acquise. Née en janvier 1959, la Fédération du Mali qui regroupe le Sénégal et le Soudan français (actuel Mali) est dissoute en août, minée par des querelles internes et des problèmes de leadership. Léopold Sédar Senghor, chantre de la négritude, du socialisme africain et de la francophonie, préside aux destinées du Sénégal jusqu'à sa démission en décembre 1980. Après l'éviction en 1962 de Mamadou Dia (1910-) à la suite d'une tentative de coup d'État, L. S. Senghor et le Parti socialiste dirigent le pays depuis Dakar en maintenant les pratiques clientélistes – les réseaux de l'arachide et les confréries musulmanes, notamment les Mourides – inaugurées par l'administration coloniale. Le régime de L. S. Senghor se libéralise progressivement dans les années 1970, sous la pression sociale. Néanmoins, ce n'est qu'avec l'accession de son dauphin Abdou Diouf (1935-) à la magistrature suprême en 1981 que le multipartisme intégral est autorisé. **Abdou Diouf, héritier de Senghor.** La présidence d'Abdou Diouf est marquée par le règne des technocrates. Le mécontentement s'étend. En 1989, un conflit éclate à la frontière mauritanienne dans la région du fleuve Sénégal, entre éleveurs mauritaniens et agriculteurs sénégalais, qui engendre des massacres de Sénégalais en Mauritanie et des émeutes anti-Maures au Sénégal. Il s'ensuit un exode massif des Sénégalais installés en Mauritanie et des Mauritaniens installés au Sénégal. À partir de 1982, le Mouvement des forces démocratiques de Casamance réclame l'indépendance de la région sud (la Casamance), séparée du territoire sénégalais par l'enclave de la Gambie. Née du sentiment éprouvé par les populations diola d'être les exclus de la construction nationale, cette lutte révèle violemment la faillite du modèle centralisateur de l'État sénégalais et témoigne assurément de la crise du lien social. La Confédération de Sénégambie, qui a lié le Sénégal et la Gambie de 1982 à 1989 n'a pas permis une meilleure intégration de la Casamance. De manière générale, la paupérisation et le chômage grandissant ont renforcé le climat d'agitation sociale et politique. Les médias indépendants qui se développent à la fin des années 1980 se font l'écho des contestations exprimées principalement dans les grands centres urbains. À la tête du Parti démocratique sénégalais (PDS), Abdoulaye Wade (1926-) cristallise les espoirs d'une population majoritairement désireuse de changement. Son élection à la présidence (mars 2000) est un tournant pour le Sénégal qui rompt avec quarante ans de domination du Parti socialiste. **S. A. D.**

SÉNÉGAMBIE Présentée comme la réunion naturelle de deux espaces séparés par la colonisation, la Confédération sénégambienne (1982-1989) aura surtout été une réponse rapide à des problèmes de sécurité interne. Pour Banjul, elle garantissait la survie politique du président Dawda Jawara (1924-). Pour Dakar, elle permettait de neutraliser les indépendantistes de Casamance, la région sud, séparée du territoire sénégalais par la Gambie. Minée par des problèmes de souveraineté, la Confédération est officiellement dissoute en décembre 1989. **S. A. D.   > GAMBIE, SÉNÉGAL.**

SENGHOR Léopold Sédar (1906-2001) Homme d'État et écrivain sénégalais, chef de l'État de 1960 à 1980. Chantre de la négritude, Léopold Sédar Senghor est le chef de file parfois trop exclusif de la littérature africaine francophone. Fils de commerçant venu du petit port de pêche de Joal, il fait les études au lycée Louis-le-Grand, à Paris, au début des années 1930, et obtient l'agrégation. À la veille de la guerre, sa rencontre avec le Martiniquais Aimé Césaire (1913-), qui vient de formuler le concept de négritude, est à l'origine de la revue *L'Étudiant noir*. En 1946, il participe au lancement par le Sénégalais Alioune Diop de la revue politique et culturelle *Présence africaine*. Il écrit la majeure partie de son œuvre poétique après la Seconde Guerre mondiale. Parallèlement, il s'affirme comme un homme politique partisan d'une fédération de territoires liés à la France. Chef de l'État du Sénégal à l'indépendance, son action politique en tant que président du Sénégal indépendant n'est pas dénuée d'autoritarisme. Après l'éclatement de la Fédération du Mali et un bras de fer avec son adversaire Mamadou Dia (1916-), partisan du non-alignement, il voit dans la tenue à Dakar du premier Festival mondial des arts nègres (1966) un aboutissement à son œuvre culturelle. Réélu à plusieurs reprises dans le cadre rigide du Parti socialiste sénégalais, parti unique, il remet le pouvoir en 1981 à Abdou Diouf (1935-), un dauphin préparé de longue date. En 1983, il est élu à l'Académie française pour son œuvre poétique (*Chants d'ombre*, 1945 ; *Hosties noires*, 1948 ; *Éthiopiques*, 1956 ; *Nocturnes*, 1961 ; *Lettres d'hivernage*, 1973). Il s'éteint le 20 décembre 2001. **B. N.   > SÉNÉGAL.**

SEPTEMBRE NOIR Le nom de « septembre noir » désigne à la fois les violents affrontements jordano-palestiniens de septembre 1970 et la branche secrète de l'OLP qui, en représailles des massacres, a commis une vague d'attentats terroristes. Depuis la guerre israélo-arabe des Six-Jours (1967), la Jordanie, affaiblie par sa défaite militaire, est devenue un sanctuaire pour les combattants palestiniens. Ces derniers, appelés *fedayin* (ceux qui sont prêts au sacrifice), défient chaque jour un peu plus le Palais. Le 6 septembre 1970, une fraction radicale de l'OLP, le FPLP (Front populaire de libération de la Palestine) détourne sur une piste située au nord d'Amman, trois avions de ligne. Le 17 septembre, le roi Hussein (1935-1999) décide de restaurer son autorité par la force. Ses troupes, bien équipées, l'emportent facilement, mais au prix de milliers de morts civils palestiniens et d'une crise devenue internationale. La Syrie qui a envoyé une colonne de chars au secours des Palestiniens, recule sous la menace d'un raid israélien. L'OLP, mise en déroute, fuit vers le Liban. Par vengeance et désespoir, elle se lance dans le terrorisme international. Sous l'étiquette de Septembre noir, elle fait assassiner au Caire, en septembre 1971, le Premier ministre jordanien Wasfi al-Tall qui avait été partisan de l'écrasement des Palestiniens. Un an plus tard, l'un de ses commandos provoque la mort de onze athlètes israéliens lors des Jeux olympiques de Munich. La plupart des dirigeants de Septembre noir seront tués les années suivantes par le Mossad, les services secrets israéliens. **C. B.** **> JORDANIE, QUESTION PALESTINIENNE.**

SERBES > QUESTION SERBE.

SERBIE Au début du XIXᵉ siècle, à la suite de deux insurrections (1804-1813 et 1815), la Serbie s'est émancipée de l'Empire ottoman. Elle a obtenu le statut de principauté vassale de ce dernier en 1830, puis a été reconnue indépendante en 1878, lors du congrès de Berlin qui révise le traité de San Stefano entre la Russie et l'Empire ottoman vaincu lors de la guerre russo-turque (1877-1878). Dès les années 1840, ses dirigeants ont manifesté la volonté de réunir dans le même État les Serbes demeurés sous les régimes ottoman et de l'Empire austro-hongrois. La Bosnie-Herzégovine étant passée sous administration austro-hongroise en 1878, la Serbie a réorienté sa politique nationale vers le sud, plus précisément vers les régions du Kosovo et de la Macédoine, selon l'axe nord-sud des vallées de la Morava et du Vardar, véritable épine dorsale autour de laquelle le pays s'est développé au XIXᵉ et au début du XXᵉ siècle. Ces territoires sont conquis par la Serbie lors des guerres balkaniques de 1912-1913. Jusqu'à la Première Guerre mondiale, les élites politiques et culturelles belgradoises développent des revendications nationales exclusivement serbes. Mais au cours du conflit, le principal objectif de guerre que se fixe le royaume de Serbie est l'union des Serbes, des Croates et des Slovènes. La Serbie donne au royaume des Serbes, Croates et Slovènes (fondé le 1ᵉʳ décembre 1918 et rebaptisé « royaume de Yougoslavie » en 1929) sa dynastie (Karadjordjevic), ses cadres administratifs et militaires. Les frontières de la Serbie s'effacent au profit de celles du nouvel État. En avril 1941, la Yougoslavie est écrasée par l'Allemagne hitlérienne : la Serbie, où un régime de collaboration est institué sous l'autorité du général Milan Nedic (1877-1946), est occupée par l'Allemagne. Belgrade est libérée par les Partisans communistes de Tito en octobre 1944. **Le statut de la Voïvodine et du Kosovo.** La Ser-

bie devient en 1945 l'une des six républiques de la Fédération populaire socialiste de Yougoslavie. Elle comprend en son sein deux régions autonomes : la Voïvodine au nord et le Kosovo-Metohija au sud. Ces dernières se sont vu attribuer un statut particulier en raison de l'existence de minorités nationales sur leur territoire (Magyars, Slovaques, Roumains, etc., en Voïvodine ; Albanais, Turcs au Kosovo). La réforme de la fédération socialiste yougoslave entre 1967 et 1974 assure la transformation de ces provinces autonomes en unités fédérales à part entière. La République socialiste de Serbie se retrouve alors divisée en trois unités politiques aux liens faibles. Cette situation mécontente les dirigeants politiques de Belgrade qui, dès 1976, tentent de remédier à la fragmentation de cette république. Mais les résistances sont nombreuses, tant dans les provinces qu'au sein du pouvoir fédéral. De surcroît, les Albanais revendiquent pour le Kosovo le statut de république : des manifestations, sévèrement réprimées par les forces de l'ordre yougoslaves, se produisent en novembre 1968 et au printemps 1981. À partir de l'année suivante, un mouvement de contestation de Serbes du Kosovo revendique la suppression de l'autonomie de cette province. En 1987, il est récupéré par le président de la Ligue des communistes de Serbie, Slobodan Milosevic, qui assoit son autorité en Serbie en écartant ses détracteurs, dont le président de la Serbie, Ivan Stambolic (1936-). En 1988, il lance un mouvement de masse aux accents populistes pour la réunification de la Serbie et sa centralisation politique et administrative ; l'autonomie des provinces de Voïvodine et du Kosovo est réduite par des amendements constitutionnels en mars 1989, puis par la nouvelle Constitution serbe en septembre 1990. **D**ans le contexte de la désintégration de la fédération socialiste yougoslave, les dirigeants de Belgrade ont opté pour la défense et le droit à l'autodétermination des Serbes de Croatie et de Bosnie-Herzégovine. Ils ont appuyé militairement la sécession de la population serbe dans ces deux pays. La Serbie a maintenu des liens fédéraux avec la république du Monténégro dans le cadre de la République fédérale de

Yougoslavie (RFY), instituée en avril 1992. Dans les années 1990, le pays n'a connu ni transition démocratique ni transformation significative de son économie toujours contrôlée par l'État. Sa politique répressive dans la province du Kosovo lui a valu d'être bombardé au printemps 1999, dans le cadre de la campagne aérienne menée par l'OTAN (Organisation du traité de l'Atlantique nord), ce qui entraîna la destruction de ses infrastructures de transport et de son économie. Une administration provisoire de l'ONU a été mise en place au Kosovo. **Y. T.** **> FÉDÉRALISME YOUGOSLAVE, GUERRES YOUGOSLAVES, QUESTION SERBE, YOUGOSLAVIE.**

SÉTIF, GUELMA (8 mai 1945) Que s'est-il passé exactement le 8 mai 1945 dans l'Est algérien ? S'agit-il d'une provocation coloniale ou d'une insurrection nationaliste ? Aucune des deux versions ne correspond à la réalité, l'historien algérien Mahfoud Kaddache distingue trois niveaux dans les origines des événements. Les dirigeants du PPA (Parti du peuple algérien, nationaliste) voulaient faire plébisciter le programme de leur parti en organisant des défilés, malgré les morts de la manifestation du 1er mai. Ici et là, des chefs et des comités locaux estimaient la situation mûre pour l'action armée, cela était très net en Kabylie. Enfin, les masses rurales vivaient, l'éveil politique au cours de la guerre aidant, dans l'attente d'un *jihad* (d'une « guerre sainte »). À Sétif comme à Guelma, la consigne de manifester pacifiquement à l'occasion de la capitulation de l'Allemagne nazie ne fait pas de doute. Partout où les autorités locales n'ont pas cherché à s'emparer des banderoles portant des inscriptions nationalistes, il n'y eut pas d'incident. Là où elles sont intervenues, elles ont favorisé l'intervention d'éléments incontrôlés, parfois armés et décidés à en découdre. Qui de la police ou des manifestants a tiré le premier ? Avant l'indépendance, les nationalistes imputaient les premiers tirs à la police. Après 1962, des témoignages sont venus nuancer leurs affirmations. Il reste que la répression dans les villes, loin de brider les mouvements ruraux, leur a donné l'allure furieuse d'une jacquerie imprégnée de xénophobie. Le chiffre le plus élevé de victimes

européennes a été évalué à 103 personnes (rapport d'enquête du général Tubert). **La** répression menée par l'armée et les milices européennes selon le principe de la responsabilité collective sera impitoyable. L'aviation et la marine bombarderont la région de Kherrata. Des prisonniers fusillés seront jetés dans les fours à chaux d'Héliopolis près de Guelma. Les autorités civiles avouent 1 500 victimes, les milieux militaires 6 000 à 8 000 morts, le consul américain 35 000. La machine judiciaire ne sera pas en reste. Il y eut 4 560 arrestations, dont 3 696 dans le Constantinois, 1 307 condamnations, dont une centaine à mort et 20 à 28 exécutions. De retour du front, les soldats algériens du Sétifois et de Guelma ne retrouveront pas les leurs. **Les** événements de mai 1945 pèseront lourdement sur le devenir du nationalisme. Ferhat Abbas et l'Association des ulama, qui s'étaient unis au PPA dans le cadre des Amis du Manifeste algérien et de la liberté (AML), s'en sépareront et exigeront de lui le renoncement à la lutte armée. **Le** PPA, dont la direction avait donné un ordre d'insurrection pour le 23 mai avant de revenir sur sa décision, sera accusé de faiblesse par les chefs de la Kabylie et devra au congrès de février 1947 accepter la création d'une organisation paramilitaire. Ce sera l'Organisation spéciale (OS). Le PCA (Parti communiste algérien), qui avait commencé par attribuer les événements aux nationalistes en les traitant d'hitlériens avant de se raviser, suscitera des haines tenaces. Aux yeux des générations nouvelles, le 8 mai deviendra un mythe mobilisateur. Le général Duval, qui avait mené d'une main de fer la répression, a averti ses compatriotes qu'il leur donnait dix ans de répit. Il ne s'est pas trompé. Le 1er novembre 1954, les Algériens abandonnaient « l'arme de la critique pour la critique des armes ». **M. Ha.** **> ALGÉRIE.**

SÈVRES (traité de) La crainte du conflit que provoquerait le partage de l'Empire ottoman – laquelle contribua à son maintien tout au long du XIXe siècle – devient un souci mineur lorsqu'éclate la Grande Guerre. L'alliance russo-britannique, même si elle n'est pas dénuée d'arrière-pensées, met en branle, dès le début de la guerre, les projets de partage définitif de l'empire. **P**endant les préparatifs de l'opération des <u>Dardanelles</u> (février-mars 1915), les Alliés promettent Constantinople et les <u>Détroits</u> à la Russie en échange de la poursuite de l'effort de guerre par celle-ci et de l'élargissement de la zone d'influence britannique en Iran. De son côté, le Royaume-Uni décide de s'approprier la basse Mésopotamie et entre en pourparlers avec Cherif Hussein ibn Ali de La Mecque (1853 ?-1931), en vue de la constitution d'un royaume arabe sous protection britannique. Les revendications françaises sur la Syrie et le Liban entraînent des négociations qui aboutissent à l'accord <u>Sykes-Picot</u> sur le partage anglo-français du Proche-Orient ottoman (16 mai 1916). Lors de son entrée en guerre du côté des Alliés, l'Italie demande sa part du gâteau et les accords de Saint-Jean-de-Maurienne (18 avril 1917) lui allouent une zone importante à l'ouest et au sud de l'Anatolie. Enfin, la « déclaration <u>Balfour</u> » (2 novembre 1917) promet l'établissement d'un foyer national juif en <u>Palestine</u>. **L**a sortie de la guerre de la Russie, après la <u>révolution d'octobre</u> 1917, et l'entrée en guerre des États-Unis entraînent la dénonciation de l'ensemble de ces accords au nom de l'anti-impérialisme (gouvernement soviétique) et au nom du libre-échange (gouvernement américain). De plus, arguant du fardeau qu'ils ont dû y assumer tout seuls pour la conquête du Proche-Orient, les Britanniques refusent le partage prévu avec la France. Toutefois, la charge financière de l'occupation et les difficultés locales, dont le mouvement national turc, mené par Mustafa <u>Kemal</u> à partir de l'automne 1919, font revenir Londres sur sa position. **L**e traité chargé de liquider l'Empire ottoman n'est mis en chantier qu'après les accords signés avec les autres États vaincus. Les travaux débutent en janvier 1920 à Londres. Il est décidé de maintenir le pouvoir turc à Constantinople sous un contrôle international qui assurerait en même temps la liberté de navigation dans les Détroits. Pour le reste, le partage des territoires ottomans s'opère plus ou moins conformément aux accords secrets signés pendant la guerre, à cette différence près

que l'intervention de la Grèce, dont les armées ont débarqué le 15 mai 1919 à Smyrne (Izmir) et qui se trouvent en 1920 en charge de la répression du mouvement national turc en Anatolie, entraîne la cession du littoral égéen autour de Smyrne à cette puissance. De même, la disparition de la Russie et le refus du Sénat américain d'assurer un protectorat sur l'Arménie posent la question de l'avenir des provinces orientales ottomanes fermement revendiquées par le mouvement national turc. **L**es pourparlers continuent en avril à San Remo, où est réglé le partage des pétroles de Mossoul et les zones d'influence sur ce qui restera de la Turquie. Une partie de l'Anatolie orientale serait indépendante et une entité kurde autonome créée. Le traité est signé le 10 août 1920 à Sèvres. Le mouvement national turc refuse de le reconnaître. Il occupe pendant l'automne de la même année les provinces arméniennes, sous juridiction ottomane avant 1914, et mène la guerre contre les forces grecques qui sont expulsées d'Anatolie en septembre 1922. **A**insi le traité de Sèvres, qui ne fut ratifié par aucun de ses signataires, resta lettre morte, au moins en ce qui concerne l'avenir de la Turquie. Il sera remplacé par le traité de <u>Lausanne</u> (24 juillet 1923), qui posa les bases de la république de Turquie (Smyrne, Andrinople [Édirne] et les Détroits étaient abandonnés par la Grèce et rendus à la Turquie). **S. Y.** **> DÉCOLONISATION (PROCHE ET MOYEN-ORIENT), EMPIRE OTTOMAN, QUESTION D'ORIENT, TURQUIE.**

SEYCHELLES **R**épublique des Seychelles. Capitale : Victoria. Superficie : 280 km^2. Population : 77 000 (1999).

Archipel de l'océan Indien formé d'une centaine d'îlots et d'îles, granitiques ou coralliens, les Seychelles sont réparties sur une immense superficie maritime. La capitale Victoria est située sur l'île de Mahé qui abrite la quasi-totalité de la population du pays. Occupé d'abord par la France (1750), il passe en 1813 sous souveraineté britannique comme « dépendance » de l'île Maurice jusqu'en 1904. À cette date, Londres érige les Seychelles en colonie de la Couronne. L'accès des Seychelles à la vie internationale commence véritablement dans les années 1940 et dans un système politique interne étroitement inspiré du parlementarisme britannique. À un parti conservateur fidèle à l'orthodoxie du Commonwealth britannique s'oppose un parti socialiste très favorable à l'indépendance et appuyé par les États d'Afrique de l'Est les plus progressistes, notamment, à cette époque, la Tanzanie du président Julius Nyerere. L'indépendance est proclamée en 1976, au bénéfice du parti conservateur. En 1977, il est renversé par un coup d'État (pacifique) du vice-président, France-Albert René, leader du Parti du peuple seychellois (SPP). Désormais, et jusqu'en 1991, le régime politique seychellois s'affirme socialiste révolutionnaire et adopte un présidentialisme marxisant (parti unique, réformes économiques et sociales au profit de la population la plus défavorisée). Le président F. A. René est réélu sans discontinuité à des quinquennats successifs, son dernier mandat présidentiel devant s'achever, normalement, en 2003. Le soutien actif du président René à la doctrine du droit des peuples à disposer d'eux-mêmes et sa diplomatie tiers-mondiste – en rapport étroit à l'époque avec celle de Madagascar et celle des Comores – ont entraîné, au tournant des années 1980, des réactions plus ou moins violentes (plusieurs tentatives de complots sont dénoncées, échec du débarquement de mercenaires en 1981 pour renverser le régime). La petite république des Seychelles apparaît alors comme un enjeu de la seconde guerre froide, sans doute surestimé. Il convient toutefois de nuancer l'aspect idéologique du régime issu de la « révolution » de 1977. Adhérent de toutes les organisations internationales, l'État insulaire des Seychelles a toujours été un membre actif du Commonwealth et un acteur convaincu de la francophonie. De même, la politique linguistique officielle qui donne une place équilibrée aux trois langues en vigueur (le créole en premier lieu, l'anglais et le français), et le rôle reconnu à l'Église (catholique) témoignent d'une ouverture d'esprit (et de pédagogie) qui n'est pas le signe d'une société « bloquée ». À partir de 1991, le régime constitutionnel seychellois revient à la démocratie parlementaire et au multipar-

tisme. Ce micro-État insulaire, le plus petit de l'océan Indien, est aussi le plus vaste du point de vue du « droit de la mer » par les dimensions de sa ZEE (zone économique exclusive). C'est pour les Seychelles un atout économique et géopolitique à ne pas sous-estimer. **C. C.**

SFIO (Section française de l'Internationale ouvrière) > SOCIALISME ET COMMUNISME (FRANCE).

SHABA > KATANGA.

SHOAH > GÉNOCIDE DES JUIFS.

SIAM > THAÏLANDE.

SIERRA LÉONE République de Sierra Léone. Capitale : Freetown. Superficie : 71 740 km². Population : 4 717 000 (1999). Terre d'accueil d'anciens prisonniers, d'esclaves affranchis et de « nègres marrons » de la Jamaïque, le pendant britannique du Libéria voisin a été une colonie de Londres jusqu'au 27 avril 1961. Pendant trente-cinq ans, la Sierra Léone – la « montagne des lions » qui doit son nom italo-portugais à la publication, en italien, du récit de voyage du premier explorateur, le Portugais Pedro da Sintra (fin du XVe siècle) – a vécu sous un régime de parti unique, de fait ou de droit. La figure dominante de la période post-coloniale aura été Siaka Stevens, ex-secrétaire général du syndicat des mineurs. À la tête du Parti de tout le peuple, il règne sans partage sur le pays entre 1967 et 1973, à la faveur de l'état d'exception. Après des élections (1973) qui renvoient au Parlement une chambre monocolore, il légitime le monopartisme, d'abord par une loi, puis par référendum. Mais, à partir de 1985, la domination des « Créoles » et des « Afro-Libanais », maîtres du commerce du diamant, la principale richesse du pays, tourne au pillage généralisé sous son successeur débonnaire, le général Joseph Momoh. Ce dernier est renversé en 1992 par une junte conduite par Valentine Strasser, âgé de vingt-sept ans, et qui s'érige en Conseil militaire de rédemption. Contre la nouvelle confiscation des libertés, des cadres au chômage obligés de quitter les villes – des « citadins re-ruralisés » – fondent un mouvement de rébellion, le Front révolutionnaire uni (RUF). Leur leader, Foday Sankoh (1936-), ex-caporal issu de la West African Volunteer Force britannique, a passé six ans en prison pour « complot » avant de devenir photographe itinérant dans les villes minières de l'Est, où il recrute à partir de 1982 pour le RUF. Ayant été pendant deux ans lieutenant du chef de guerre et futur président libérien Charles Taylor (1946-), F. Sankoh déclenche la lutte armée en Sierra Léone, quand il y retourne en mars 1991. Combattant les juntes qui se succèdent à Freetown, mais aussi le président élu en 1996, Ahmed Tejan Kabbah, ancien fonctionnaire de l'ONU (Organisation des Nations unies) pendant vingt et un ans, le RUF se distingue par son extrême cruauté. Alliés aux putschistes du major Johnny Paul Koroma, les combattants du RUF portent la terreur jusque dans la capitale, entre mai 1997 et mars 1998. Délogés de Freetown par la Force ouest-africaine d'interposition (Ecomog), à dominante nigériane, ils amputent plus d'un millier de civils des bras ou des jambes. Le pouvoir élu rétabli, les Nations unies prennent le relais de l'Ecomog en mai 2000 pour veiller au respect d'un accord de paix, signé en juillet 1999 au Togo. Un demi-millier de « casques bleus » étant pris en otage par le RUF, le Royaume-Uni vient militairement à la rescousse, en juin 2000, de l'ONU et du gouvernement sierra-léonais. **S. S.**

SIHANOUK > NORODOM SIHANOUK.

SIKHS **A**deptes d'un courant religieux – le sikhisme – apparu au XVIe siècle. Son fondateur, Guru Nanak (1469-1539), lui donne un Livre, l'*Adi Granth*. Les neuf autres fondateurs du sikhisme qui lui succèdent y ajoutent chacun un symbole ou une institution nouvelle – comme l'invention des caractères dont ils se servent pour écrire leur langue, le pendjabi –, jusqu'à Guru Gobind Singh qui instaure la Khalsa – communauté martiale interne à la secte visant à résister aux musulmans – à la fin du XVIIe siècle. **C**oncentrés au Pendjab, les Sikhs voient leur territoire coupé en deux par la Partition. La grande majorité d'entre eux migre alors en Inde où l'Akali Dal, le parti se présentant comme leur représentant attitré, s'est efforcé de faire de l'État du Pendjab indien une zone qu'il dominerait. La stratégie électorale n'ayant guère porté ses fruits, un courant extrémiste s'affirme au cours des années 1980 pour revendiquer le Khalistan, un État séparé. Sa guérilla est violemment réprimée par New Delhi qui s'efforce ensuite de ramener les Sikhs dans le processus institutionnel, avec succès au cours des années 1990. **C. J.** > AMRITSAR, INDE.

SINAÏ **L**a péninsule désertique du Sinaï (61 000 km²) a servi à trois reprises de champ de bataille aux armées israéliennes et égyptiennes. Elle a ensuite été démilitarisée, symbolisant la paix et non plus la guerre entre l'Égypte et Israël. Pont entre l'Afrique et l'Asie, bordé à l'ouest par le canal et le golf de Suez, à l'est par le golf d'Akaba, le Sinaï est conquis par l'Égypte à l'époque des pharaons. C'est là que, selon la tradition biblique, Moïse reçoit l'alliance de Dieu, ainsi que les Dix Commandements. Le Sinaï recèle de ressources pétrolières. Israël l'occupe à trois reprises, lors des guerres israélo-arabes de 1956, 1967 et 1973. La visite surprise du président égyptien Anouar al-Sadate à Jérusalem du 19 au 21 novembre 1977 ouvre la voie à la signature, deux ans plus tard, d'un traité de paix (26 mars 1979), consécutif aux accords de Camp David du 17 septembre 1978. En échange de la normalisation des rapports entre les deux pays, Israël évacue le Sinaï. Le retrait s'achève en 1982 malgré la résistance des habitants de la colonie de Yamit. L'enclave de Taba n'est restituée à l'Égypte qu'en 1989 à l'issue d'un arbitrage international. **C. B.** > ÉGYPTE, ISRAËL, TERRITOIRES OCCUPÉS.

SINGAPOUR **R**épublique de Singapour. Capitale : Singapour (cité-État). Superficie : 618 km². Population : 3 522 000 (1999). **L**e nom de Sir Stamford Raffles (1781-1826) demeure étroitement associé au développement moderne de Singapour. C'est en effet sous la gouverne éclairée de cet administrateur britannique, arrivé en 1819, que ce port stratégique du détroit de

Malacca, où la communauté chinoise est très importante, a connu son premier décollage économique. **A**u début du siècle, le centre administratif de Singapour s'affirme comme entrepôt incontournable pour le reste du territoire malais et pour l'Asie du Sud-Est. La prospérité attire l'immigration. Ainsi, 227 000 Chinois y débarquent en 1907 et 270 000 autres en 1911. La crise de 1929-1932 ralentit le commerce du caoutchouc et de l'étain dans l'avant-péril britannique, mais à la veille de la Seconde Guerre mondiale, Singapour figure fièrement, comme base navale, sur les cartes britanniques. **L**'invasion japonaise, en février 1942, se traduit par de lourdes pertes civiles : quelque 10 000 morts. Après la victoire des Alliés, les années 1950 et 1960 sont marquées par la difficile neutralisation de la menace communiste dans toute la péninsule malaise. **D**ans le cadre du processus de la décolonisation et de l'autonomie interne en préparation, Lee Kuan Yew (1923-), avocat diplômé de Cambridge, fait élire 1955 des députés de son Parti de l'action du peuple (PAP), formation qui restera durablement dominante. Après l'échec de 23 mois d'union politique entre Singapour et la Fédération de Malaisie, Lee Kuan Yew doit se résigner à proclamer l'indépendance de la cité-État en 1965. **L**e souci constant de Lee Kuan Yew et de son successeur à partir de 1990, le Premier ministre Goh Chok Tong (1941-), aura consisté à maintenir l'harmonie raciale et à éviter la répétition de conflits interethniques comme celui de 1964, qui se solda par 21 victimes. Les Chinois forment 77 % de la population, les Malais 14 % et les Indiens 7 %. Les différentes religions cohabitent d'un quartier à l'autre. L'anglais a été imposé comme langue commune. **A**utoritaire, ne tolérant aucune forme d'opposition, Lee Kuan Yew a fait de ce petit territoire de 618 km^2 un pays prospère. Appelé « ministre émérite » après sa retraite, il a mis en avant l'idée des « valeurs asiatiques » (par opposition aux libertés universelles) pour justifier une presse docile et une justice sévère. Les régies d'État et les technocrates surveillent de près le port, les banques, les télécommunications, l'aéroport de Changi et Singapore Airlines.

Les Singapouriens, totalement urbanisés et hautement scolarisés, jouissent du meilleur revenu moyen par habitant (corrigé du pouvoir d'achat), devant le Japon. **L**a réussite incontestable de la cité-État de Singapour, sa maîtrise des services de pointe et sa haute technologie ont toutefois fait émerger le besoin d'une libéralisation pour laisser plus de place à l'esprit d'initiative et à la créativité face aux défis du xxie siècle. **J. N.**

SINN FÉIN (Irlande) Créé en 1906, le Sinn Féin devient le parti des républicains irlandais après le soulèvement de Pâques de 1916. Lors des élections législatives de décembre 1918, il obtient la majorité des sièges et met sur pied le premier Parlement de la république, le Dáil. S'ensuit la guerre d'indépendance entre 1919 et 1921. L'Irlande du Nord est créée en 1920. Le Sinn Féin se divise au sujet du Traité anglo-irlandais de 1921 qui n'accorde qu'une indépendance limitée à l'Irlande du Sud (statut de dominion, État libre d'Irlande). Dès lors, le parti défend la cause de la république et de la réunification de l'île sur la base de positions socialistes (notamment en Irlande du Nord). Le Sinn Féin, parti politique, a pour pendant militaire l'IRA (Armée républicaine irlandaise). **P. B. > IRLANDE, IRLANDE DU NORD.**

SIONISME Parmi les nationalismes juifs, territoriaux ou de la diaspora, nés en Europe orientale à la fin du xixe siècle (par exemple celui du Bund), le sionisme est le seul à s'être « réalisé ». Fondé sur l'antique nostalgie juive pour Sion, il s'agit d'un projet politique, né dans le sillage du mouvement des nationalités, visant à « normaliser » la situation des Juifs en créant un État en « Terre d'Israël ». Son « inventeur » est le Viennois Theodor Herzl qui l'a doté d'une structure politique démocratique (Organisation sioniste mondiale – OSM, 1897) et de ses bases doctrinales selon lesquelles les Juifs, minoritaires et partout victimes des persécutions antisémites, forment un peuple dont la situation, anormale et injuste, doit être corrigée par la création, reconnue en droit international, d'un État où ils pourraient se rassembler. **S**urtout attirées par les solutions marxistes ou religieuses, les judaïcités orientales ont néanmoins connu avant T. Herzl un « protosionisme » d'inspiration rabbinique, puis un « présionisme » professé tant par des religieux que par des « laïques » (souvent socialistes), des artisans de la renaissance de l'hébreu (pris comme un moyen, à la différence du yiddish méprisé, de renforcer la conscience nationale) et des « Amants de Sion » désireux de régénérer la « Terre d'Israël » par le travail juif. Issu de ce vivier, le mouvement, uni autour du programme de Bâle (1897), compte ainsi avant 1914 des sionistes « culturels », « herzliens » (partisans de la seule diplomatie), « pratiques » (attachés avant tout à l'œuvre de colonisation), « synthétiques » (partisans des trois approches réunies), « religieux » (regroupés dans le Mizrahi en 1902) et « socialistes » (Poalei Zion [Les ouvriers de Sion], 1906), qui s'affrontent durement lors des congrès. **D**isloquée par la Première Guerre mondiale, l'OSM obtient du gouvernement britannique, en dépit de l'hostilité des Juifs occidentaux attachés au projet émancipateur, la Déclaration Balfour (2 novembre 1917) en faveur de la création d'un « foyer national juif » en Palestine. Haïm Weizmann (1874-1952), ancien « sioniste synthétique », est désormais à la tête des forces du centre – laïque, libéral et probritannique – dit « sioniste général ». Il conserve les rênes du sionisme mondial grâce à son alliance avec les partis sionistes-socialistes, notamment le Mapai, parti unitaire formé en 1930 sous l'égide de David Ben Gourion, dont l'influence dans le mouvement croît avec celle des Juifs de Palestine. À droite, Vladimir Zeev Jabotinsky (1880-1940) conduit une opposition dite « révisionniste », attachée au libéralisme économique, partisane d'une ligne dure à l'endroit des Britanniques et des Arabes, encline enfin à un culte du chef qui lui vaut l'accusation de fascisme. La querelle débouche sur une scission en 1935, puis sur l'apparition, à la marge du révisionnisme, de groupes terroristes activistes. **L'entrée dans le post-sionisme.** Par les armes et la propagande, les organisations sionistes, « officielles » ou non, ont concouru, malgré

leurs rivalités, à la création de l'État d'Israël (14 mai 1948), au sein duquel les partis anciens ou nouveaux (Mizrahi, Mapai, Likoud – héritier du révisionnisme –, etc.) animent une vie politique agitée. Dans les premières années, particulièrement difficiles, du jeune État, les valeurs sionistes jouent un rôle unificateur et mobilisateur fondamental pour la nation israélienne en formation, tandis que, la Shoah aidant, elles font la conquête de la diaspora. Mais l'usure du temps et des idéologies, l'épreuve des guerres israélo-arabes de 1973 et de 1982, les travaux décapants des « nouveaux historiens » entraînent et nourrissent une crise souvent interprétée comme marquant l'entrée dans le « post-sionisme ». Signe d'une érosion pernicieuse du ciment social ou d'une crise de maturité normale, ces débats reflètent le « désenchantement » et l'hétérogénéité grandissante de la société israélienne. **C. N.** **> ISRAËL.**

SLOVAQUIE République slovaque. Capitale : Bratislava. Superficie : 49 016 km². Population : 5 382 000 (1999). État issu de l'ancienne Tchécoslovaquie, la République slovaque, fondée le 1er janvier 1993, compte une forte minorité magyare (600 000 personnes environ en 2000). Après le gouvernement aux penchants autoritaires de Vladimir Mečiar (1942-), les législatives de septembre 1998 ont conduit à une alternance. La nouvelle coalition, où figuraient des représentants de la minorité magyare, a nettement amélioré les relations avec ses voisins. Au niveau économique, la Slovaquie a enregistré de meilleurs résultats que son voisin tchèque quant à la croissance économique, mais le chômage, hérité de l'ancienne Tchéco-Slovaquie, ne diminuait pas et touchait en 1999 environ 14 % de la population. Le nouveau gouvernement a engagé plusieurs réformes pour que la candidature du pays à l'entrée dans l'Union européenne (UE) soit plus favorablement considérée. **K. B.**

SLOVÉNIE République de Slovénie. Capitale : Ljubljana. Superficie : 20 251 km². Population : 1 989 000 (1999). **La Slo**vénie a accédé à l'existence politique au

XXe siècle. Au début de cette période, la Slovénie a conservé une langue parlée par les paysans et écrite par certains écrivains, mais elle est, de fait, partie de la Cisleithanie (partie autrichienne de l'Empire austro-hongrois). Sans statut juridique propre, sans droit d'État historique, elle se contente d'envoyer des députés au Parlement de Vienne. Tous sont issus du Parti du peuple slovène (Ljudska stranska slovenije), parti catholique dirigé par l'abbé Anton Korosec (1878-1940). Au cours de la guerre de 1914-1918, les Slovènes sont de loyaux soldats de l'empire. Le 1er décembre 1918, la Slovénie est déclarée partie du royaume des Serbes, Croates et Slovènes. A. Korosec joue sous la monarchie yougoslave de 1918-1941 un jeu subtil de force d'appoint, au point de devenir en 1928 le seul Premier ministre de la monarchie qui ne soit pas serbe.   Pendant la Seconde Guerre mondiale, le pays est partagé entre l'Italie, l'Allemagne et la Hongrie. Le 27 avril 1941, un front de libération se constitue, totalement contrôlé par les Partisans communistes, à compter du 1er avril 1943. La guerre se termine par un dernier massacre : 10 000 Slovènes des armées opposées aux Partisans sont renvoyés à ces derniers et fusillés, en particulier à Kocevski rog, au sud de la Slovénie, le 16 juin 1945.   Au lendemain du conflit, alors que la Yougoslavie socialiste se met en place, la Slovénie accède au statut de république fédérée et les communistes slovènes vont jouer un rôle important. Edvard Kardelj (1910-1979) est le théoricien du régime. D'autres Slovènes influencent la politique de la fédération dans le sens de la décentralisation économique et politique. La réforme de 1965 qui s'ensuit est en partie leur œuvre. La république slovène (8,5 % de la population) assure 25 % des exportations fédérales. La contradiction entre la volonté slovène de s'ancrer en Occident et la logique d'intégration fédérale devient évidente dès 1969 avec la démission forcée du gouvernement slovène de Stane Kavcic (1919-), qui désirait construire une autoroute de liaison avec l'Italie, ce que la fédération interdit. La mort de Tito, slovène par sa mère, le 4 mai 1980, à la polyclinique de Ljubljana, la plus moderne de la fédération, symbolise la fin de

l'union entre Slovénie et Yougoslavie.   Des étapes essentielles de la crise yougoslave concernent la Slovénie : le départ des communistes slovènes de la Ligue des communistes de Yougoslavie, le 21 janvier 1990, achève le vieux parti de Tito ; les premières élections libres ont eu lieu en Slovénie (avril 1990), les premières bombes après la proclamation de l'indépendance, le 25 juin 1991, tombent sur l'aéroport de Ljubljana. L'accord de Brioni du 7 juillet 1991, négocié par la Communauté européenne, comprend notamment comme clause le départ de l'armée fédérale yougoslave de Slovénie. **J. K.**   **> FÉDÉRALISME YOUGOSLAVE, YOUGOSLAVIE.**

SME   (Système monétaire européen)   Dans le cadre de la CEE (Communauté économique européenne) est institué, le 13 mars 1979, le Système monétaire européen (SME). Le Serpent monétaire mis en place en 1972 pour stabiliser les différentes devises des pays membres n'a pas atteint son objectif. Depuis 1976, l'instabilité monétaire est extrême. À l'initiative du président français Valéry Giscard d'Estaing (1974-1981) et du chancelier allemand Helmut Schmidt (1974-1982), les États membres décident, le 8 avril 1978, d'instaurer une unité de compte commune (l'écu) et d'instituer un mécanisme de change interne. Une grille des parités est établie. Chaque devise ne peut s'en écarter que dans une étroite marge. Les fluctuations des monnaies qui participent au SME sont ainsi très limitées. L'écu, qui n'est pas une monnaie commune mais une unité de compte, représente une étape importante dans la coopération monétaire européenne. Une seconde étape aboutira à l'institution de la Zone euro, le 1er janvier 1999.

SMI   (Système monétaire international)   Un Système monétaire international (SMI) désigne des relations monétaires entre les États. La notion de système suppose qu'il s'agit de relations organisées. Trois fonctions caractérisent un tel système : l'échange et la circulation des monnaies nationales (convertibilité et système de change) ; l'ajustement des balances des paiements ; l'alimentation en liquidités internationales. Le SMI issu de la conférence de Bretton Woods (1944) est entré en crise au début des années 1970, ce qui a conduit au flottement généralisé des changes. Des taux de change flexibles ont remplacé les taux de change fixes. Le marché des changes est un marché comme les autres, avec une offre, une demande et un prix. L'augmentation des endettements publics et privés a donné un poids croissant aux créanciers. La logique spéculative des capitaux a fini par s'imposer lors des années 1990, ajoutant à l'instabilité. L'affaiblissement et l'instabilité des relations monétaires internationales doublées de l'importance croissante du marché des capitaux ont relativisé la notion de SMI. On parle plus volontiers de « système monétaire et financier international ». **> DOLLAR.**

SOARES Mário (1924-) **H**omme politique portugais. Fondateur du Parti socialiste (PS) portugais en exil en 1973. Juriste de formation, Mário Soares est reconnu comme l'un des principaux artisans de la consolidation de la démocratie au Portugal après la révolution des Œillets qui mit fin à 48 ans de dictature salazariste le 25 avril 1974. Né en 1924 dans une famille de la grande bourgeoisie de Lisbonne, le jeune M. Soares participe dès 1943 à des actions de résistance contre le régime autoritaire de António de Oliveira Salazar. Avocat, il défend des prisonniers politiques. Il est arrêté à plusieurs reprises par la police politique du régime salazariste, la DGS-PIDE (Direction générale de sécurité – Police internationale de défense de l'État) et déporté sans jugement vers l'ancienne colonie portugaise de São Tomé et Principe en 1968. Il opte pour l'exil en France en 1970, où plusieurs universités l'accueillent comme professeur. Il rentre à Lisbonne le 27 avril 1974 dans un train en provenance de Paris surnommé le « train de la liberté ». Trois fois ministre des Affaires étrangères (1974-1975), trois fois Premier ministre (1976-1977, 1978, 1983-1986), M. Soares aura été le timonier de l'adhésion du Portugal à la Communauté économique européenne (concrétisée le 1er janvier 1986). Il gagne les

élections présidentielles de 1986, et sera réélu en 1991. Il reste dans l'histoire portugaise comme une figure clé dans l'acheminement du pays vers une société ouverte et intégrée dans le projet de construction européenne. **A. N. P. > PORTUGAL.**

SOCIAL-DÉMOCRATIE Lorsque va s'ouvrir le XXe siècle, le qualificatif « social-démocrate » désigne des courants socialistes marxistes, au premier rang desquels la puissante social-démocratie allemande (SPD – Parti social-démocrate d'Allemagne), mais aussi le Parti ouvrier social-démocrate de Russie (POSDR). Après la Première Guerre mondiale, qui divise les socialistes (union nationale ou maintien de l'option révolutionnaire internationaliste), le vocable reste l'apanage des courants socialistes réformistes ayant refusé d'adhérer aux conditions du Komintern fondé par les bolcheviks et leurs partisans. La social-démocratie au XXe siècle a été principalement incarnée par les socialismes allemand et scandinave. Certains courants socialistes, pourtant eux aussi parlementaristes, se sont longtemps refusés à être qualifiés de « social-démocrates », prétendant incarner une ligne moins réformiste (Italie, France par exemple). À la fin du XXe siècle, des partis issus du communisme en faillite se sont rebaptisés « socialistes », revendiquant l'étiquette social-démocrate. **V. K. > SOCIALISME ET COMMUNISME.**

SOCIAL-DÉMOCRATIE ALLEMANDE
Au début du XXe siècle, la social-démocratie allemande désigne un parti, le Parti social-démocrate d'Allemagne (SPD) fondé en 1875 par August Bebel (1840-1913) et Wilhelm Liebknecht (1826-1900), mais aussi un mouvement syndical puissant et un vaste réseau d'associations de chant, de sport, d'éducation, de théâtre... Alors qu'elle affiche un programme marxiste dont Karl Kautsky (1854-1938) se porte le garant, elle se distingue par son légalisme destiné à préserver les acquis. Ce positionnement est ébranlé par des débats de fonds sur la révision du marxisme voulue par Eduard Bernstein (1850-1932) ou sur la grève de masse préconisée par Rosa Luxemburg. Avec plus d'un million d'adhérents majoritairement

ouvriers, ses élus et son organisation (finances, presse, unité), le SPD d'avant 1914 est alors le parti socialiste le plus puissant au monde. **Le ralliement à l'Union sacrée** en août 1914 et son rôle dans l'écrasement des mouvements révolutionnaires insurgés en 1918 changent l'image de la social-démocratie allemande. Les opposants à la guerre sont exclus et fondent en 1917 le Parti social-démocrate indépendant (USPD). Les militants les plus radicaux de ce dernier, dont les « spartakistes » avec R. Luxemburg, font scission et créent en 1919 le Parti communiste d'Allemagne (KPD). Pendant la République de Weimar, le SPD devient un parti de gouvernement qui vieillit et stagne. Son modérantisme est appuyé par la Ligue générale des syndicats allemands (ADGB). Il s'ouvre davantage aux classes moyennes et aux agriculteurs en renonçant progressivement à l'idée d'un bouleversement révolutionnaire. De nombreuses organisations parallèles forment encore les éléments d'une communauté culturelle social-démocrate. Par le biais de l'urbanisme (Bauhaus), les élus locaux SPD soutiennent des réalisations profitant aux classes populaires. **Face au** nazisme, les sociaux-démocrates, forts d'une adhésion ouvrière assez large mais légalistes, affaiblis par des rapports destructeurs avec les communistes qui les traitent de « social-fascistes », abandonnent la <u>résistance</u> clandestine à quelques groupes minoritaires et aux organisations de l'exil. **Dès** mai 1945, Kurt Schumacher (1895-1952) reconstitue le parti, élément actif dans la mise en place des institutions provisoires. Dans la zone orientale, sous la pression des autorités soviétiques, SPD et KPD fusionnent en un seul parti, le Parti socialiste unitaire (SED), dont Walter <u>Ulbricht</u> est le premier secrétaire général. En 1949, le SPD ouest-allemand entre dans une longue phase d'opposition pendant laquelle il opère une mutation profonde. Avec le programme de Bad Godesberg en 1959, il abandonne le marxisme et s'affirme parti du peuple attaché à l'égalité et la justice. Il participe au pouvoir, d'abord dans le cadre d'une « grande coalition » avec la <u>démocratie chrétienne</u> (1966-1969), puis avec les libéraux. Willy <u>Brandt</u> (1969-1974), alors chancelier,

développe des relations avec l'Est (*Ostpolitik*). Helmut <u>Schmidt</u> lui succède (1974-1982). Le parti qui affirme s'intégrer pleinement dans l'<u>économie sociale de marché</u> et qui participe à la <u>construction européenne</u> peine à faire aboutir des réformes sociales comme la <u>cogestion</u> dans les entreprises. La contestation vient des Jeunesses socialistes (Jusos), mais aussi d'« alternatifs » et d'écologistes. Le chancelier Gerhard Schröder (1944-), élu en 1998 après une nouvelle période d'opposition de seize ans, est représentatif d'une social-démocratie qui, sans renier la régulation sociale, se veut « moderne » en favorisant le libéralisme économique. **M.-L. G.** **> ALLEMAGNE, SOCIALISME ET COMMUNISME.**

SOCIAL-DÉMOCRATIE RUSSE > POSDR.

SOCIALISME ET COMMUNISME

Les termes de « socialisme » et de « communisme » sont liés de deux façons différentes. Dans le discours des dirigeants communistes du XXe siècle (Nikita <u>Khrouchtchev</u> par exemple), le socialisme est présenté comme une première phase de mise en place de la société nouvelle où s'appliquerait la règle : « À chacun selon son travail », devant être suivie d'une seconde phase proprement communiste où le principe serait : « À chacun selon ses besoins ». L'effondrement du communisme européen, le développement du « capitalisme sous dictature » du Parti communiste en Chine ont ôté toute pertinence effective à cette distinction, même si l'idéal d'une société communiste – où la propriété privée des moyens de production a été abolie, où la division du <u>travail</u>, l'aliénation par l'argent et par la religion ont été dépassées, etc. – conserve une valeur d'utopie critique et mobilisatrice pour quelques groupes se réclamant de Karl Marx (1818-1883) ou de l'anarcho-communisme. **La question du parti unique.** La signification principale de l'opposition socialisme/communisme est liée à l'histoire des mouvements révolutionnaires se réclamant de Marx au XXe siècle. Le communisme pouvant se définir par la valorisation de l'entreprise conduite par <u>Lénine</u> et les <u>bolcheviks</u>, le socialisme par le refus d'admettre la dictature du parti unique, le recours à la coercition de masse contre les ennemis du peuple et la valeur exemplaire du communisme soviétique. À l'intérieur de ces deux mouvements, on peut souligner de grandes différences : le communisme du Parti communiste italien (PCI), dans les années 1970, impliqué dans les combinaisons parlementaires, et celui, génocidaire, du leader cambodgien Pol Pot ont peu à voir entre eux. Même le socialisme du Français Lionel Jospin (1937-) devenu Premier ministre en 1997, qui accepte pleinement l'économie de marché et les grandes tendances de la mondialisation, diffère de celui de Léon Blum qui, pendant la brève période du Front populaire, avait donné priorité à la satisfaction de revendications sociales. La coupure socialisme/communisme ne peut pourtant pas être considérée comme une contradiction secondaire. Elle est d'abord voulue par les communistes russes au début des années 1920. Pour eux, les socialistes français ou allemands comme leurs homologues russes, les mencheviks, ont trahi en se ralliant à la politique de défense nationale : leur rejet de la dictature du prolétariat s'inscrit dans cette même peur d'une lutte des classes menée radicalement, c'est-à-dire jusqu'à la guerre civile s'il le faut. **La IIIe Internationale et la rupture.** Sous l'impulsion de Lénine, des communistes de différents pays se regroupent, en 1919, pour former la IIIe Internationale, l'Internationale communiste (ou Komintern). Les communistes sont incités à créer des organisations spécifiques. C'est ainsi, en France, que le congrès de Tours, en décembre 1920, conduit à la naissance d'un Parti communiste acceptant le cadre proposé par les vingt et une conditions d'adhésion à la IIIe Internationale, et notamment la nécessité d'un parti centralisé dans une période de guerre civile universelle. L'un des dirigeants de la IIIe Internationale, Grigori Zinoviev, avait publiquement regretté, lors de la préparation de ce congrès, qu'il n'existât pas de poudre insecticide pour se débarrasser de la vermine sociale-démocrate. À ce moment, les socialistes sont en effet considérés par les communistes comme des contre-révolutionnaires pas meilleurs que d'autres, les fascistes italiens par exemple. Quant aux socialistes,

ils voient dans les communistes des frères égarés dans la violence et la dictature. Il faudra attendre le milieu des années 1930 pour que l'attitude des communistes change : devant la menace nazie, Staline n'exclut plus un rapprochement avec les démocraties occidentales. La politique des fronts populaires, en Espagne et en France notamment, où les communistes soutiennent des gouvernements socialistes, trouve là sa racine. La signature du pacte germano-soviétique, en 1939, rouvre la déchirure. Enfin, l'unanimisme que provoque l'attaque de l'URSS par l'Allemagne nazie en juin 1941 disparaît avec la Guerre froide. Les partis socialistes sont alors favorables au Pacte nord-atlantique, comme ils seront des artisans actifs du Marché commun et de l'Union européenne, tandis que les communistes font de la défense de l'URSS une nécessité première, mettant en avant les intérêts nationaux qui seraient aussi ceux de la classe ouvrière. Les partis communistes pratiquent le culte de Staline, tandis que certains partis socialistes, comme celui de la République fédérale d'Allemagne (RFA), renoncent officiellement au marxisme en tant que référence doctrinale. **L'**opposition communiste/socialiste, très forte en Europe, n'a cependant pas une portée universelle : les conflits politiques sont d'un tout autre ordre aux États-Unis ou dans l'Union indienne, par exemple. Et en tout état de cause, à partir des années 1980-1990, les partis communistes doivent quitter le pouvoir en Europe centrale et orientale sans que leur succèdent de puissants partis socialistes. Les socialistes gouvernent cependant dans de nombreux pays, développés ou non, mais leur unité (ils sont regroupés au sein d'une Internationale socialiste sans grande cohésion) est faible. **De nouveaux courants critiques.** L'opposition entre socialisme et communisme ne peut masquer certaines ressemblances : défense de la laïcité, rejet affirmé du racisme et du sexisme, mais aussi privilège accordé au militantisme professionnel, subordination des syndicats au parti, méfiance à l'égard des mouvements sociaux échappant au contrôle du parti, respect de l'autorité. Dans les années 1960 apparaissent des courants refusant tout à la fois le

communisme de type européen qui mélange mode d'organisation léniniste et primat de l'électoralisme, et le socialisme qui s'est montré peu énergique dans la lutte contre le colonialisme et rassemble d'abord des professionnels de la politique. Se réclamant parfois du communisme des conseils ou de certaines formes de l'anarchisme, ces mouvements – en France, en Allemagne et en Italie notamment – prendront des formes diverses, mais sans savoir ou vouloir se transformer en acteurs politiques permanents, sinon, dans certains cas, en des mouvements écologistes. La figure de Daniel Cohn-Bendit aura été emblématique de ce type de trajectoire conduisant du gauchisme à l'écologie politique et coopérant avec les socialistes et les communistes. À la fin du XXᵉ siècle, le communisme apparaît en tout état de cause comme nettement plus dévalorisé que le socialisme, en raison de la forme totalitaire qu'il a revêtu en URSS ou en Chine, mais le socialisme rencontre des difficultés à organiser et représenter les espérances et les protestations de groupes démunis ou désorientés, en Europe particulièrement. Quoi qu'il en soit, l'idée d'une société où la production économique ne serait plus dépendante du marché semble relever d'une utopie qui a perdu sa pertinence. Le projet communiste, tel qu'il avait été formulé au XIXᵉ siècle par Marx, a été comme vidé de sa force mobilisatrice : ce qui était dénoncé dans le capitalisme relevait pour une large part des caractères mêmes de toute société industrielle, alors que certains très graves dangers (symbolisés par l'accident nucléaire de Tchernobyl) n'avaient pas été anticipés et que certains effets redoutés (paupérisation absolue du prolétariat industriel) avaient été mal appréhendés. **D. C.**
> COMMUNISME, MARXISME, SOCIAL-DÉMOCRATIE, SOCIAL-DÉMOCRATIE (ALLEMAGNE), SOCIALISME ET COMMUNISME (ESPAGNE, FRANCE, ITALIE).

SOCIALISME ET COMMUNISME (Espagne)
Face à un mouvement ouvrier dominé par les anarchistes, un certain nombre de dissidents créent, sous l'influence du gendre de Karl Marx (1818-1883), Paul Lafargue (1842-1911), un groupe d'inspiration marxiste. C'est l'origine première du PSOE (Parti socialiste ouvrier espagnol), fondé en 1879, organisé en 1881, et dont Pablo Iglesias devient un secrétaire très influent. S'appuyant sur les militants syndicalistes de l'Union générale des travailleurs (UGT), le Parti socialiste adopte une tactique électoraliste qui jusqu'en 1910 n'a pas beaucoup de résultats. Après la révolution russe et la victoire des bolcheviks, il repousse en 1920 l'adhésion à la IIIᵉ Internationale (Komintern), ce qui l'oppose à la minorité communiste. Le Parti communiste espagnol (PCE, créé en 1920), pauvre en effectifs, se trouve encore affaibli par les scissions de la gauche communiste d'Andrès Nin (1892-1937) et du Bloc ouvrier et paysan, qui vont s'unir dans le POUM (Parti ouvrier d'unification marxiste), dont l'activisme inquiète les communistes « orthodoxes ». Le Parti socialiste, qui a considérablement renforcé le nombre de ses adhérents, est toléré sous la dictature de Miguel Primo de Rivera (1923-1930) ; il entre dans le premier gouvernement républicain en 1931, mais est ensuite rejeté dans l'opposition. Divisé entre une tendance réformiste incarnée par Indalecio Prieto (1883-1962) et une tendance révolutionnaire représentée par Francisco Largo Caballero (1869-1946), il participe avec les communistes à la coalition de Front populaire victorieuse aux élections législatives de 1936. Dans les premiers mois de la Guerre civile (1936-1939), F. Largo Caballero apparaît seul capable de redonner une autorité à l'État républicain. En mai 1937, cependant, il refuse de briser l'insurrection anarchiste et de dissoudre le POUM, comme le réclament les communistes, qui ont réussi à regrouper autour d'eux un grand nombre de nouveaux adhérents. Il doit céder la place. Le socialiste Juan Negrín (1887-1956, Premier ministre de 1937 à 1939), soutenu par les communistes, restaure une unanimité de façade mais les divisions subsistent. Elles s'aggraveront encore avec la défaite. Divisions dans l'exil qui reproduisent les antagonismes du passé et de la guerre, les communistes étant de plus en plus isolés, mais représentent une forme dynamique de résistance (on les retrouvera notamment dans

l'action syndicale efficace des commissions ouvrières) ; divisions entre les groupes de l'exil et les partis de l'intérieur, qui aboutissent à une véritable scission dans le PSOE. À la mort du général Franco (1975), le retour à un processus électoral se fera au profit du parti socialiste de l'intérieur, celui de Felipe González, qui abandonne toute référence au marxisme pour se rallier à un réformisme social-démocrate et revient au pouvoir dans le cadre de la monarchie constitutionnelle de Juan Carlos Ier. É. T. **> ESPAGNE, SOCIALISME ET COMMUNISME.**

SOCIALISME ET COMMUNISME (France)

À l'aube du XXe siècle, les tenants de la tradition égalitariste héritée de la Révolution française puis de la Commune de 1871 revendiquent majoritairement l'appellation de « socialistes ». Fascinés, à l'image de Jules Guesde, par les capacités explicatives et prédictives du marxisme, ils sont parfois sensibles au populisme, au christianisme social ou aux droits de l'homme. Internationalistes, admiratifs devant la puissance de la social-démocratie allemande, leur patriotisme revendique sa filiation jacobine. Leur principal tribun, Jean Jaurès, s'essaie depuis l'affaire Dreyfus à faire la synthèse entre parlementarisme et socialisation de l'économie. Fondée en 1905, la Section française de l'Internationale ouvrière (SFIO) fait passer au premier plan, en 1914, la solidarité nationale face à l'offensive allemande. Cette attitude est dénoncée par Lénine : la guerre est injuste (« impérialiste ») pour tous les camps et les marxistes doivent mettre à profit le traumatisme du conflit pour se saisir du pouvoir, scénario exécuté en Russie en 1917. La « trahison » des socialistes suppose à ses yeux la création en 1919 d'une nouvelle Internationale (la IIIe ou Komintern) regroupant les communistes, reconnaissant la supériorité du modèle d'organisation bolchevik (parti révolutionnaire centralisé) et la nécessité de la défense de la Russie soviétique. Qualifié de « socialiste » afin d'ancrer la « dictature du prolétariat » dans la tradition ouvrière, le nouvel État se veut modèle et recours des travailleurs. Au congrès de Tours (1920) qui voit la naissance du PCF (Parti

communiste français), seule une minorité repousse, avec Léon Blum, les moyens préconisés par les communistes. Refusant de condamner la démocratie représentative, ouverte au réformisme social, la SFIO n'en affiche pas moins ses prétentions révolutionnaires et son extériorité par rapport aux institutions. Opposant radical à la IIIe République, le PCF entend démontrer la duplicité des « sociaux-traîtres ». En retour, ceux-ci alimentent un anticommunisme centré sur la dénonciation du monde soviétique. Après 1933, Hitler contribue au rapprochement des deux branches du marxisme français sous la forme du Front populaire. Après le Pacte germano-soviétique, l'assaut nazi contre l'URSS de Staline (1941) réintègre les communistes dans le camp démocrate. Conquise au prix du sang des martyrs de la Résistance, cette légitimité antifasciste va leur permettre de persévérer, quel qu'en soit le coût, dans une attitude globalement approbatrice de l'URSS. La menace du totalitarisme soviétique fournit au contraire un mobile à l'attitude des socialistes tout au long de la Guerre froide. De Guy Mollet (1905-1975) à François Mitterrand, les socialistes appuient la plupart des initiatives prises par le « camp américain ». La constitution d'une culture politique européenne rend d'autant plus remarquable le maintien en France d'une perspective gouvernementale associant les socialistes défenseurs de l'OTAN (Organisation du traité de l'Atlantique nord) à un parti saluant, de Maurice Thorez à Georges Marchais (1920-1997), l'expansion du système communiste mondial. Ayant tourné la page peu glorieuse des conflits coloniaux (guerre d'Indochine et guerre d'Algérie), intégrant, malgré une rhétorique anticapitaliste, les aspirations individualistes, recueillant les fruits d'une évolution vers la gauche de courants chrétiens, le nouveau Parti socialiste (1971) reconquiert en dix ans le terrain perdu sur son rival. Lorsque le « socialisme réel » s'effondre en 1991, le Parti socialiste français demeure seul à incarner ce pôle d'encadrement de l'économie autour de la figure de l'État dans lequel Émile Durkheim (1858-1917) voyait, à la veille du XXe siècle, l'essence du socialisme contemporain. **Y. S.** **> FRANCE, SOCIA-LISME ET COMMUNISME.**

SOCIALISME ET COMMUNISME (Italie)

Créé en 1892 par Antonio Labriola (1843-1904) et Filippo Turati (1857-1932), le PSI (Parti socialiste italien) se réclame du marxisme. Mais il est aussi marqué par une tradition empreinte d'anarchisme, opposée aux réformistes (F. Turati) et s'incarnant dans le maximalisme, dont certains de ses représentants (au nombre desquels Mussolini), partisans de l'intervention dans la Première Guerre mondiale, sont exclus du parti en 1914. L'antagonisme réformisme/maximalisme perdure après la guerre, tandis qu'une troisième tendance, favorable aux thèses de Lénine et du bolchevisme, fonde en 1921 le PCI (Parti communiste italien) au congrès de Livourne. Dans l'exil, le PSI retrouve son unité sous la houlette de Pietro Nenni en 1930 et conclut en 1934 un pacte d'unité d'action avec le PCI. Après la Résistance et la participation aux gouvernements antifascistes (jusqu'en 1947), les divisions resurgissent : les réformistes de Giuseppe Saragat (1898-1988), hostiles à l'alliance avec le PCI, font scission début 1947 et créent un Parti social-démocrate italien (PSDI), membre de la coalition gouvernementale dominée par la Démocratie chrétienne (DC). Après s'être éloigné du PCI en 1956, le PSI de P. Nenni forme une politique de centre gauche avec la DC de 1962 à 1969, puis dans les années 1980, sous la direction de Bettino Craxi (1934-2000, président du Conseil de 1983 à 1988). Compromis dans les affaires de corruption, le parti disparaît en 1992 dans l'opération « Mains propres » (*Mani pulite*) des juges milanais. À côté du PSI existe un courant original, le « socialisme libéral » – fondé par Piero Gobetti (1901-1926) et Carlo Rosselli (1900-1937) et dont le dépositaire est devenu Norberto Bobbio (1909-) –, cherchant à concilier réformes sociales et libéralisme politique ; dépourvu de représentation politique solide, comme en témoigne l'échec du Parti d'action (1942-1947), il est fécond du point de vue de la réflexion politique. Après Amadeo Bordiga (1921-1924) et Antonio Gramsci (1924-1926), le PCI est dirigé par Palmiro Togliatti jusqu'à la mort de celui-ci en 1964. La stalinisation du PCI demeure inachevée, une partie de ses cadres se formant dans la Résistance à laquelle le PCI prend une part active. Avec le « tournant de Salerne » (avril 1944), P. Togliatti choisit l'unité d'action antifasciste et la participation au pouvoir (jusqu'en mai 1947). Il construit aussi un « parti nouveau », formation de masse, dotée, grâce à la pensée d'A. Gramsci, d'un solide patrimoine idéologique, relativement ouverte et accordant un rôle significatif aux intellectuels. Mais cette souplesse, comme la distance par rapport à Moscou, sont toujours contenues dans d'étroites limites et le PCI n'échappe pas au durcissement de la Guerre froide. P. Togliatti s'empare de la déstalinisation en 1956 pour défendre l'idée d'une voie italienne vers le socialisme (le « polycentrisme ») sans affronter la solidarité avec l'URSS. Sous Luigi Longo (1964-1972), et sous l'effet de la contestation étudiante et ouvrière (l'« automne chaud » de 1969), le PCI est confronté au développement de groupes « gauchistes » dont, Il Manifesto, intellectuellement influent, qui naît en son sein avant d'être exclu de l'organisation en 1969. C'est Enrico Berlinguer qui dirige le parti jusqu'en 1984. Il le porte à son apogée électoral (34,4 % des voix en 1976), l'intègre davantage aux institutions démocratiques (« compromis historique » en 1976-1979) et le rend autonome par rapport à Moscou. Mais les années 1980 sont synonymes de déclin et Achille Occhetto (1936-), secrétaire général du PCI de 1989 à 1994, en 1991, transforme le PCI en un parti social-démocrate (PDS – Parti des démocrates de gauche) abandonnant la référence au communisme, tandis qu'une minorité, Refondation communiste, lui reste fidèle mais subit à son tour une scission en 1998 (création du Parti des communistes italiens). Le PDS de Massimo D'Alema ([1949-], président du Conseil de 1998 à avril 2000) apparaît alors comme le dépositaire d'un socialisme rénové. **O. F.** **> ITALIE.**

SOLIDARITÉ (Pologne)

Comme en 1956 (Octobre polonais), 1970 (révolte du Littoral) et 1976 (manifestations d'Ursus et de Radom), le facteur économique, les hausses des prix au 1er juillet 1980 ont été le détonateur d'une grève générale, dont l'épicentre devient très vite les chantiers navals de Gdańsk avec son leader charismatique, Lech Wałesa. Le 31 août se produit l'impensable : le pouvoir communiste signe des accords avec les grévistes, entérinant de *jure* l'idée d'un syndicat libre dans l'univers totalitaire. Gdańsk devient le berceau de Solidarité (Solidarność), qui marque une étape cruciale dans le déclin de l'empire soviétique. Tout au long de son existence légale (500 jours), la stratégie de Solidarité, issue de la réflexion des théoriciens du KOR (Comité de défense des ouvriers), vise à éviter la confrontation avec les autorités, à qui on n'entend pas disputer le monopole du pouvoir mais seulement réclamer le pluralisme syndical. Sa force sera de réunir dix millions de membres en transcendant les clivages de la société autour de trois axes : la lutte pour les droits civiques (liberté d'expression), la lutte pour les droits sociaux (liberté d'auto-organisation sociale) et la lutte pour les droits nationaux (pour obtenir le plus grand espace de souveraineté tolérable par les Soviétiques). Mais le système soviétique ne peut tolérer un mouvement soutenu par l'Église, auquel commencent à se joindre les membres du Parti communiste. La loi martiale du 13 décembre 1981, proclamée par le général Wojciech Jaruzelski (1923-), met provisoirement un terme à la « déviance » polonaise, mais la répression ne désarme pas une résistance semi-clandestine. En 1989, le pouvoir communiste est obligé, pour éviter un affrontement, de s'asseoir à la table de négociation avec Solidarité, signant la fin du communisme en Pologne. **G. M.** **> DISSIDENCE ET OPPOSITIONS (EUROPE DE L'EST), POLOGNE.**

SOLJÉNITSYNE Alexandre (1918-)

Écrivain russe, prix Nobel de littérature. Né à Kislovodsk (Caucase), élevé pauvrement par sa mère, issue d'une famille de riches paysans ruinés par la révolution russe et restée veuve, Alexandre Soljénitsyne fait ses études à Rostov-sur-le-Don. Marxiste-léniniste convaincu, il est professeur de mathématiques et jeune marié lorsque l'Allemagne attaque l'URSS en 1941. Mobilisé, promu capitaine, il est arrêté sur le front, en 1945, pour des lettres imprudentes à un ami et condamné à huit ans de travaux forcés, qu'il effectue dans un chantier de Moscou, une briqueterie, une prison-laboratoire (*charachka*) et un camp au Kazakhstan. Il a retrouvé la foi. Libéré en 1953, avant la mort de Staline, et devenu instituteur, il commence un roman autobiographique (*Le Premier Cercle*). À peine guéri d'un cancer, il rentre en Russie où il continue à enseigner. *Une Journée d'Ivan Dénissovitch*, le récit de la vie au camp d'un simple paysan, est sa première œuvre publiée, en 1962, grâce à Nikita Khrouchtchev. Son retentissement est mondial. Mais de *La Maison de Matriona* (1963) à *Zakharie l'escarcelle* (1966), chaque nouvelle publication doit forcer la censure, aggravée, en 1964, par l'arrivée au pouvoir de Leonid Brejnev. Écrivain titanesque, styliste incomparable, redoutable publiciste, il mène de front l'écriture de *l'Archipel du Goulag*, avec l'aide de 200 rescapés des camps, sur le système concentrationnaire soviétique, de la *Roue Rouge*, fresque romanesque de la Russie prérévolutionnaire, de ses mémoires *(Le Chêne et le Veau)* et de libelles incendiaires. Interdit dans les bibliothèques, exclu de l'Union des écrivains en 1969, mais épaulé par sa nouvelle épouse, il devient avec Andreï Sakharov la figure emblématique de la dissidence. Après l'obtention du prix Nobel (1970) et la publication de ses œuvres à l'étranger (*Le Pavillon des cancéreux, Le Premier Cercle, Août 14, L'Archipel du Goulag*), le harcèlement policier *ira crescendo* jusqu'à son expulsion, en 1974, vers l'Allemagne. Installé dans le Vermont (États-Unis), il se consacre à *La Roue Rouge*, sa *magna opera* restée inachevée. Après la chute du communisme dont il a été un des artisans – on lui doit l'universalité du mot « goulag » – il revient en Russie en 1994 et y publie, outre ses œuvres qui étaient interdites, la suite de ses mémoires *(Le Grain tombé entre deux meules)* et un pamphlet *(La Russie sous l'avalanche)* contre les oligarques en place. **M. P.**

SOLUTION FINALE **> GÉNOCIDE DES JUIFS.**

SOMALI Peuple de la Corne de l'Afrique (Somalie, Djibouti, Éthiopie, Kénya) composé de clans homogènes du point de vue culturel. Islamisés, mais restés très marqués par les coutumes traditionnelles, les Somali se donnent pour ancêtres des immigrants du Yémen dont les chefs auraient été originaires d'Arabie. On distingue six grandes confédérations de clans, parfois appelés tribus (Issak, Darod, Hawiyé, Rahanwein, Dir, Digil), divisés en sous-clans. Pasteurs issus des plateaux du sud-est de l'Éthiopie, les Somali ont étendu leur territoire en éventail vers le sud, repoussant les agriculteurs galla. À l'indépendance de la Somalie (1960), État né de l'union de la Somalia italienne et du Somaliland britannique, les Somali ont vainement tenté d'intégrer leurs frères de Djibouti, d'Éthiopie (Ogaden) et du Kénya, déclenchant une guerre avec l'Éthiopie (1975). En 1991, le pouvoir sans partage du président Siyad Barre (1919-1995), de la confédération des Darod, déclenche une interminable guerre clanique qui aboutit à la désintégration de l'État et à la reprise par le Somaliland de son indépendance (non reconnue par la communauté internationale). **B. N.**

SOMALIE Capitale : Mogadiscio. Superficie : 637 660 km^2. Population : 9 700 000 (1999). **La** Somalie contemporaine naît en juillet 1960 de la fusion de deux territoires. Le Somaliland, au nord-ouest, est une colonie britannique où l'influence du colonisateur a été minime. En effet, Londres, en y prenant pied, veut sécuriser l'approvisionnement d'Aden et faire pièce aux ambitions coloniales françaises (la France prend contrôle de la Côte française des Somali – actuelle Djibouti – en 1884-1885). L'ancienne colonie italienne, la Somalia, dont les frontières coloniales ne sont fixées qu'en 1920 lorsque les Britanniques abandonnent aux Italiens le Jubaland, est quant à elle la zone la plus riche, aux terres fertiles, et la plus peuplée. C'est dans ce territoire que l'État a eu l'influence la plus grande. **La** classe politique exige dès les années 1940 la réunification de toutes les populations somali, qu'elles résident dans l'Ogaden éthiopien, dans le nord du

Kénya ou à Djibouti, quitte à oublier que d'autres groupes ethniques y vivent également. Cet irrédentisme provoque en 1963 et 1964 des crises avec l'Éthiopie et le Kénya. Si le gouvernement de Mohamed Ibrahim Egal, de 1967 à 1969, s'efforce d'adopter une politique plus mesurée, sa corruption atteint de tels niveaux que le coup d'État réalisé par Mohamed Siyad Barre (1919-1995) en octobre 1969 est salué par la population. **La guerre de l'Ogaden.** Après avoir déjà flirté avec le bloc soviétique dans les années 1960, l'adoption du « socialisme scientifique » par un pouvoir militaire qui mise radicalement sur la Grande Somalie permet d'obtenir des ressources pour construire l'appareil militaire nécessaire à la conquête de l'Ogaden éthiopien. En 1977, M. Siyad Barré, profitant de la confusion consécutive à la révolution éthiopienne (1974), lance une offensive d'ampleur. Mais après quelques mois, une intervention cubano-soviétique provoque une retraite en désordre de l'armée somalienne alors que les États-Unis se décident à appuyer avec une grande modération Mogadiscio. **L'é**volution intérieure dès avant la guerre et la défaite incitent des oppositions divisées à prendre les armes grâce au soutien éthiopien et un temps libyen. Dans l'ancien Somaliland, la répression contre le Mouvement national somalien (MNS) conduit l'armée à détruire la deuxième ville du pays à la suite d'une offensive surprise au printemps 1988 qui permet à l'opposition de contrôler sa capitale. L'essentiel de la population du Nord-Ouest bascule alors dans la guerre et dans le soutien au MNS. Dans le Sud, la situation est plus confuse : dans l'ex-Jubaland, un front armé prend forme à partir de la mutinerie de militaires mécontents de l'accord tardif signé avec l'Éthiopie en mai 1988. La situation dégénère également dans le Centre-Sud. **La** Guerre froide avait créé une véritable rente pour l'État somalien, qui réussit à subsister grâce à l'aide internationale octroyée sans conditions par les pays occidentaux, en particulier l'Italie. Cette aide développe la corruption à un niveau jamais atteint auparavant et bien au-delà de l'élite dirigeante. **Guerre civile et fragmentation.** Le soulèvement de la capitale en décembre 1990 et la guerre civile qui la déchire de novembre 1991 à mars 1992 n'inaugurent aucun règlement, bien au contraire, d'autant que tous les fronts armés se divisent et s'affrontent. L'intervention internationale d'avril 1992 à mars 1995 (*Restore Hope*) conduit à l'un des échecs les plus cinglants de l'ONU en Afrique et explique pour une part son désengagement lors du génocide rwandais en 1994. Le MNS opte unilatéralement en mai 1991 pour la sécession du Somaliland, décision acceptée alors par ses opposants pour éviter de nouveaux affrontements. Ceux-ci pourtant reprennent, au sein des partisans du MNS, de la fin 1991 à 1993 et de novembre 1994 à la mi-1996. Malgré une corruption à tous les niveaux, un semblant d'administration se met très lentement en place. Dans le sud du pays, la situation est apparue autrement plus complexe : malgré des affrontements sporadiques, un état de « ni paix ni guerre » s'est instauré, donnant une grande latitude aux entrepreneurs politico-militaires, qu'ils soient issus des factions ou d'une société pour le moins « incivile ». R. M.

SOMALILAND Nom de l'ancienne colonie britannique correspondant au nord-ouest du territoire de la Somalie. Après la sécession intervenue en 1991, le Somaliland désigne le même territoire (autoproclamé). **> SOMALIE.**

SOMME (bataille de la) Pendant le premier conflit mondial, à l'été 1916, les Alliés lancent une grande offensive sur la Somme (France) afin d'épuiser les réserves allemandes et d'enfoncer le front adverse : c'est la guerre d'usure. Le 1er juillet, premier jour des combats, l'armée anglaise se heurte à la puissance des défenses souterraines allemandes malgré un pilonnage d'artillerie intense plusieurs jours auparavant. C'est l'hécatombe : elle perd en effet près de 60 000 hommes. Les attaques vont toutefois se succéder pendant six mois, sans résultat décisif. En novembre, le front n'a reculé que d'une dizaine de kilomètres. La violence et l'intensité des combats ont coûté la vie à 620 000 hommes du côté allié et 450 000 du côté allemand. Les batailles de la Somme représentent pour la mémoire anglaise ce que peut représenter Verdun pour les Français. **M. J., A. L. > GRANDE GUERRE.**

SOMMETS IBÉRO-AMÉRICAINS

Depuis 1991 se tient une réunion annuelle des chefs d'État et de gouvernement d'Amérique centrale et du Sud, d'Espagne et du Portugal, sur la coopération politique et le développement économique.

SOUDAN République du Soudan. Capitale : Khartoum. Superficie : 2 505 810 km². Population : 28 883 000 (1999). Le XIXe siècle a une influence fondamentale sur l'histoire du Soudan. Ce dernier est colonisé à partir de 1821 par les Égyptiens désireux de remonter aux sources du Nil. Le soulèvement du Mahdi contre la domination égyptienne en 1883 et son écrasement en 1899 vont configurer le champ politique tout au long du XXe siècle. À cette date, le Soudan est placé sous condominium anglo-égyptien. L'affrontement des deux grands partis politiques au Nord-Soudan s'enracine dans cette période. L'un, qualifié d'unioniste, se construit autour d'une confrérie religieuse, la Khatmiyya ou Mirghaniyya (nom de la famille qui la dirige), et entretient des relations privilégiées avec l'Égypte. L'autre, le parti Oumma, se structure au milieu du XXe siècle avec le discret soutien britannique autour des descendants du Mahdi et de ses fidèles dans l'opposition au nationalisme égyptien et à ses partisans locaux. Cette polarisation religieuse et politique s'accompagne d'un versant social et économique. Les appuis du premier parti se trouvent pour l'essentiel dans l'Extrême-Nord, l'Est et dans les milieux urbains et commerçants. Le second, plus rural, possède une base économique dans les grandes exploitations agricoles de la vallée du Nil, spécialement dans la région du Nil Blanc. Le Sud-Soudan, après avoir souffert du commerce des esclaves au XIXe siècle, est tenu dans une position marginale et isolé des grandes mutations culturelles et économiques jusqu'à la fin de la Seconde Guerre mondiale. **Affrontements entre unionistes et Oumma.** En effet, le condominium anglo-égyptien relève dès 1924 de la seule autorité britannique inquiète de voir le nationalisme égyptien susciter des émules et des révoltes anticoloniales. À l'issue de la Seconde Guerre mondiale, au Soudan comme ailleurs, le débat sur l'indépendance, qui prend alors forme, se concluant avec le départ des Britanniques le 1er janvier 1956, est un affrontement entre unionistes, partisans d'un rattachement à l'Égypte, et parti Oumma nationaliste, préférant les Britanniques aux Égyptiens. Le poids des quelques cadres sudistes – vaguement consultés en 1947 – sur la vie politique à Khartoum n'est aucunement significatif. La compétition de ces deux grands partis traditionnels, incapables de s'entendre sur des politiques communes, et un contexte international marqué par le modèle nassérien et les tensions Est/Ouest fournissent les conditions de l'intervention dans la vie politique de l'armée sous la direction du général Aboud entre 1958 et 1964 et du général Gaafar Nimeyri (1930-) entre 1969 et 1985. De l'indépendance au coup d'État islamiste de juin 1989, la classe politique nord-soudanaise doit assumer deux problèmes récurrents. **Le premier** de ces problèmes porte sur la Constitution islamique au Soudan, ostracisant ainsi plus d'un tiers de la population qui n'est pas musulmane. La compétition entre les deux grands partis religieux traditionnels est aiguillonnée par le développement du Parti communiste soudanais dans les années 1960 (le plus important du monde arabe, qui sera décimé par la répression en 1971) et par l'émergence de courants fondamentalistes derrière Hassan al-Tourabi, avec d'abord le Front de la Charte islamique à partir de 1965, puis le Front national islamique (FNI) fondé en 1985. **Le conflit du Sud-Soudan.** Le second problème concerne le statut du Sud-Soudan. Une mutinerie en 1955 mène à un véritable conflit dans les années 1960 qui s'achève avec la signature d'accords de paix à Addis-Abéba en 1972. La fragile autonomie accordée au Sud connaît rapidement des problèmes, d'autant que la classe politique sudiste reproduit le factionnalisme existant au Nord. La découverte de gisements pétroliers radicalise l'interventionnisme de Khar-

toum qui ne peut accepter de laisser leur exploitation aux Sudistes. Ces derniers commencent à penser à une indépendance soudain viable économiquement. La guerre reprend en 1983 et est menée par l'Armée pour la libération du Soudan (APLS) dirigée par John Garang. Ce conflit provoque la mort de plus d'un million et demi de personnes et le déplacement de trois millions de Sud-Soudanais. Il s'est poursuivi malgré la division du mouvement insurgé sudiste.

Le coup d'État de 1989 et l'arrivée au pouvoir des islamistes lient définitivement ces deux questions récurrentes. La réputation sulfureuse du Soudan, liée à son aide aux organisations islamistes radicales, conduit le Conseil de sécurité de l'ONU à adopter des sanctions après la tentative d'assassinat contre le chef d'État égyptien Hosni Moubarak (1928-) en juin 1995. Le régime réagit par des réformes formelles (Constitution en 1998, loi sur les partis en 1999) qui ont d'autant plus d'impact sur la communauté internationale que l'exploitation du pétrole débute en juin 1999 et apparaît prometteuse. L'opposition, regroupant à partir de 1990 tant les grands partis du Nord que l'APLS, apparaît incapable de s'adapter aux changements régionaux (guerre entre Érythrée et Éthiopie, division du régime entre son président et Hassan al-Tourabi) et de peser sur le devenir du pays. **R. M.**

SOUDAN FRANÇAIS > MALI.

SOUPHANOUVONG, prince (1909-1995) Homme politique laotien, chef de l'État (1975-1986). Le prince « rouge », ainsi surnommé en raison de ses origines aristocratiques, est la figure emblématique de la génération révolutionnaire qui mena la lutte aux côtés des Nord-Vietnamiens contre les armées françaises puis américaines. Il est né en 1909 à Luang Prabang. Éduqué à Hanoi puis à Paris, il fonda en 1945 le Comité pour la libération du Sud-Laos, qui devait fusionner avec le mouvement nationaliste Lao Issara, dirigé par son demi-frère Pethsarath (1890-1959). Partisan de la voie radicale contre la France, il prit le maquis et participa à la création du Pathet Lao (« pays des Lao », mouvement de résistance à direction communiste). Premier président de la République populaire démocratique en décembre 1975 à l'issue de la seconde guerre d'Indochine, il fut l'artisan du pacte d'amitié avec le Vietnam (1976). Paraplégique depuis 1983, il dut démissionner de la Présidence lors du IVᵉ congrès du Parti populaire révolutionnaire (1986) avant de se retirer de la vie publique, en 1991, et d'occuper le poste honorifique de conseiller du Comité central. **C. L.** **> LAOS.**

SOUVANNA PHOUMA, prince (1901-1984) **H**omme politique laotien, Premier ministre (1951-1954, 1956-1958, 1960, 1962-1973). Né à Luang Prabang, Souvanna Phouma est le fils du prince Boun Khong, mais également le neveu du roi Sisavang Vong (1885-1959), le frère du prince Pethsarath et le demi-frère du prince Souphanouvong. Éduqué en France, il collabore avec les Japonais pendant l'occupation, puis détient le portefeuille de ministre des Travaux publics du gouvernement issara (mouvement nationaliste des Lao Issara, « Laotiens libres »), hostile au retour des Français. En avril 1946, il fuit en Thaïlande. Dirigeant modéré de l'opposition nationaliste, il rentre à Vientiane en 1949 et devient Premier ministre en 1951, fonction qu'il exercera presque sans discontinuer jusqu'à la victoire finale du Pathet Lao en 1975, à l'issue du second conflit indochinois communément nommé « guerre du Vietnam ». Partisan de la faction « neutraliste », au lendemain de la victoire des communistes, il est nommé conseiller du gouvernement, fonction qu'il exercera jusqu'à sa mort. **C. L.** **> LAOS.**

SOUVARINE Boris Lifschitz, dit (1895-1984) **R**évolutionnaire et intellectuel antistalinien. Né dans une famille karaïte (secte juive) russe convertie à l'orthodoxie, Boris Lifschitz adhère très jeune au Parti socialiste SFIO (Section française de l'Internationale ouvrière) de Jean Jaurès. Très marqué par la lecture de *Germinal* d'Émile Zola, il adopte dès cette époque le pseudonyme « Souvarine ». C'est sous ce nom qu'il sera, après la révolution russe, l'un des premiers propagandistes de la IIIᵉ Internationale

(Komintern) et le véritable fondateur du Parti communiste français (PCF). Mais il est rapidement mis sur la touche pour esprit critique incurable. Le jeune révolutionnaire, « exclu, mais communiste », continue à croire en une révolution à la fois morale et sociale et, pour ce faire, anime le Cercle Marx et Lénine (ou un peu plus tard Cercle communiste démocratique), dont la vitrine est une revue de très haute tenue, *La Critique sociale*, où l'on retrouve Georges Bataille, Raymond Queneau, Simone Weil... Après avoir fait paraître, dès 1929, une critique très acérée, *La Russie nue*, sous la signature de l'écrivain roumain Panaït Istrati (1884-1935), les catastrophes des années 1930 le conduisent à désespérer du système soviétique, sur lequel il écrit un nouveau livre aujourd'hui classique (*Staline*, 1935). Après avoir passé la guerre aux États-Unis, Souvarine revient dans une France dominée intellectuellement par le stalinisme. C'est pour lutter contre la menace représentée par ce dernier qu'il crée avec d'autres rescapés du mouvement ouvrier le célèbre BEIPI (Bureau d'études, d'information et de presse internationales), qui se veut un centre de recherches et d'information sur le communisme où se côtoient d'anciennes figures du communisme et de la social-démocratie au passé souvent tumultueux, et la revue *Est & Ouest*, qui en est l'organe (Souvarine gardant, pour sa part, une certaine estime pour Marx et même Lénine). En 1957, il crée une nouvelle revue, *Le Contrat social*. Dans les années 1970, Souvarine, dont le grand public avait oublié jusqu'à l'existence, reparaît, son *Staline* est réédité par Champ libre, il polémique avec Alexandre Soljénitsyne. À la toute fin de son existence, il préparait un livre sur S. Weil et un autre sur... la lecture de la Bible. Cette figure inclassable, très critique des mœurs intellectuelles françaises a trouvé en Jean-Louis Panné, son dernier secrétaire, son biographe (*Boris Souvarine*, 1993). **D. Li.**

SOUVERAINETÉ **C**aractère suprême et inconditionné d'une puissance qui n'est soumise à aucune autre et se trouve investie des compétences les plus élevées. L'ordre international reconnaît dans la souveraineté un attribut essentiel de l'État. Dans la théorie du régime représentatif, la souveraineté est l'attribut d'un être, nation ou peuple, qui fonde l'autorité des organes suprêmes de l'État parce que c'est en son nom qu'est exercée par eux en dernière instance la puissance publique. Selon Georg Jellinek (1851-1911), théoricien allemand de la fin du XIXe siècle, la souveraineté est « compétence des compétences », tandis que le Français Carré de Malberg (1861-1935) y voit un organe et une fonction. **P**our le concept de souveraineté, le XXe siècle a été l'âge des paradoxes. En un sens, il y a connu un triomphe. Le nombre d'États titulaires de la souveraineté a quadruplé, passant d'une cinquantaine vers 1900 à près de deux cents en l'an 2000. Mais ce triomphe quantitatif n'est pas allé sans une dilution qualitative. **L**es mouvements des nationalités du XIXe siècle en Europe, avec l'unité italienne et l'unité allemande, avaient abouti à des regroupements étatiques. Sur les autres continents, la même réduction s'était opérée du fait de la colonisation européenne, sauf en Amérique latine où le nombre d'États s'était accru par morcellement de l'empire espagnol et accessions aux indépendances. **L**e XXe siècle a vu le mouvement inverse. La fin des empires austro-hongrois, ottoman, russe (démantèlement seulement partiel) et allemand a abouti à la création ou à la renaissance d'États comme la Pologne, la Lituanie, l'Estonie, la Lettonie, la Tchécoslovaquie et le royaume des Serbes, Croates et Slovènes (première Yougoslavie en 1929). La soviétisation de l'Europe de l'Est a retardé la « balkanisation » de ces États en intégrant les Pays baltes à l'URSS et en donnant une légitimité nouvelle aux fédérations tchécoslovaque et yougoslave. Les empires européens d'Asie, du Pacifique, du Moyen-Orient et d'Afrique se sont désintégrés au rythme de la décolonisation, sans compter le cas particulier de l'Empire russe. Ce processus a fait passer le nombre d'États souverains à plus de cent cinquante. La fin du communisme européen a encore augmenté ce nombre, du fait de la désintégration des fédérations soviétique (15 États successeurs) et yougoslave (5 États successeurs), et de la scission tchéco-slovaque du 1er janvier

1993. **Autodétermination des peuples, intangibilité des frontières.** Toutes les revendications de souveraineté se fondent sur le principe de l'autodétermination des peuples. Dans le mouvement de décolonisation, ce principe a toutefois été contrebalancé par celui de respect de l'intégrité territoriale des nouveaux États (principe de l'intangibilité des frontières, dit de l'« *uti posidetis juris* »), réaffirmée en 1963 à la conférence d'Addis-Abéba fondatrice de l'OUA (Organisation de l'unité africaine), et la sécession a été exclue par l'Assemblée générale de l'ONU en 1960, ce que l'échec de la guerre du Biafra (1967-1970) a traduit en actes. La guerre d'indépendance du Bangladesh en 1971, rendue possible par l'intervention de l'Inde et l'appui soviétique, aura été un cas exceptionnel. En Europe balkanique, ce principe a trouvé son point d'application dans la règle d'intangibilité des frontières entre républiques d'une fédération affirmée par les avis de la commission Badinter le 11 janvier 1992. Cela a signifié que Slovénie, Croatie, Bosnie-Herzégovine, Macédoine, Monténégro et Serbie pouvaient se séparer de la fédération yougoslave, mais que les Serbes de Croatie ne pouvaient pas vivre dans une entité distincte de la Croatie, pas plus que les Croates de Bosnie-Herzégovine ne pouvaient se détacher de cette dernière ou que les Albanais du Kosovo ne pouvaient faire sécession d'avec la Serbie (du fait que leur statut, avant le 23 mars 1989, avait été celui d'une république autonome [Constitution de 1974] et non d'une république). La suppression de cette autonomie et les persécutions infligées aux Albanais passés à la lutte armée en 1998 ont abouti à l'intervention militaire de l'OTAN du 24 mars au 10 juin 1999, qui s'est conclue par l'occupation de ce territoire, au nom de l'ONU, par une armée surtout composée de soldats de l'OTAN, tandis que le principe de la souveraineté de la République fédérale de Yougoslavie (Serbie-Monténégro) était réaffirmé par la résolution 1244 du 9 juin 1999. **Vers un monde sans souveraineté.** La souveraineté étatique et le principe du respect de l'intégrité territoriale ont ainsi été relativisés, prolongeant une évolution que les pratiques d'ingérence avaient déjà largement amorcée.

L'adoption du principe d'institution d'une Cour pénale internationale (CPI) à Rome en juillet 1998 d'une part, le point de vue moral qui valorise, en Europe et aux États-Unis, le droit à l'autodétermination au détriment de l'intégrité territoriale - laquelle est perçue comme la loi des États et de la *Realpolitik* - d'autre part, concourent à cette relativisation. En Afrique et surtout en Asie, la crise du Kosovo a été perçue par les gouvernants comme une régression néo-coloniale. Des pays comme la Chine (Tibet), l'Inde ou la Birmanie ont tout à craindre d'un basculement définitif de l'équilibre ancien dans le sens de l'autodétermination des peuples. Les sécessions traduisent une volonté d'autonomie, contre l'hétéronomie des empires et des États multinationaux. Il n'est pas étonnant que ce soit d'Asie, continent des hiérarchies et des traditions sacralisées, qu'émanent les plus fortes résistances à cette évolution. Cela ne va pas sans tentation d'abandon de la solidarité envers les régions pauvres, malgré les incantations moralistes des mouvements réclamant l'autodétermination. Ainsi en Europe occidentale, en Catalogne, en Flandre et en Piémont-Lombardie (d'où était parti le mouvement d'unité italienne et où a resurgi une forme de régionalisme italien), des formations ont déclaré ne plus vouloir supporter les charges de régions plus pauvres. — L'évolution du système international - intégration régionale dans des ensembles comme l'Union européenne, négociations multilatérales sur des questions allant de l'environnement au commerce international, mondialisation économique - limite en droit et en fait, l'exercice de la souveraineté de chaque État. La montée en puissance de l'Inde et de la Chine a semblé freiner la venue de ce monde sans souveraineté, où le nombre d'États sans puissance prolifère et où le concept de souveraineté se dilue dans l'économisme et l'individualisme, le droit d'ingérence, le juridisme des droits de l'homme, tandis que le clivage entre les anciens colonisés et les anciens colonisateurs continue de se manifester. **J. K.**

SOVIET Mot russe signifiant conseil, comité, assemblée. Le premier soviet est celui qui se forme à Saint-Pétersbourg pendant la révolution de 1905. C'est un comité de grève constitué de délégués ouvriers, visant à assurer des tâches d'organisation pour rendre la grève générale efficace. D'autres soviets apparaissent dans les grands centres industriels. Lors de la révolution russe de 1917, les soviets renaissent. À Petrograd (ex-Saint-Pétersbourg), les courants politiques y rivalisent. Les bolcheviks l'emportent. Ils font du soviet de Petrograd un lieu de pouvoir rival de l'Assemblée nationale élue (la Douma) et déclenchent le coup d'État qui leur donne le pouvoir. Les soviets vont formellement constituer des unités politiques de l'État qui se met en place, la « Russie des soviets », qui deviendra l'Union des républiques socialistes soviétiques (URSS) en 1922. **V. K.** **> RUSSIE ET URSS.**

SOVIÉTISATION DE L'EUROPE DE L'EST Le destin de l'Europe de l'Est après la Seconde Guerre mondiale se confond avec deux objectifs poursuivis simultanément par Staline : une extension de l'empire par la satellisation des nouveaux pays à l'Ouest (Pologne), au Centre (Tchécoslovaquie, Hongrie) et au Sud européens (Albanie, Bulgarie, Roumanie, Yougoslavie), et une généralisation à ces pays du régime politique de type soviétique dit de « démocratie populaire ». Avec la présence de l'Armée rouge, et en maniant la terreur policière et la manipulation électorale des prosoviétiques locaux, mais aussi sous l'effet du pouvoir de séduction de l'idée communiste, le bloc soviétique se constitue à la fin des années 1940, même si certains pays visés se dérobent plus tard, comme la Yougoslavie (1948-1949) ou, à l'occasion du schisme sino-soviétique, comme l'Albanie. Des notions diverses ont été appliquées au régime que Staline imposa : socialisme d'État, totalitarisme, bureaucratie politique et État ouvrier dégénéré, socialisme réel et système de type soviétique. L'avantage du dernier était de décrire un processus, celui de la réalisation du projet de soviétisation, et non de désigner un régime hypothétique. Selon Jacek Kuroń, célèbre dissident devenu ministre du Travail dans plusieurs gouvernements postcommunistes en Pologne, un régime politique parfaitement soviétisé se caractérisait par trois éléments : « 1. Le pouvoir centralisé, c'est-à-dire la soumission de toutes les organisations et institutions au pouvoir absolu du Bureau politique ; 2. La terreur et la puissance de la police politique, s'appuyant sur la délation de masse, la torture et la justice aux ordres du pouvoir ; 3. Le gouvernement sous la dictée de Staline et des milliers de "conseillers" soviétiques présents dans chaque pays du bloc. » Une telle conjonction d'éléments n'existe qu'un bref moment en Europe de l'Est, à l'apogée du stalinisme (1948-1953). En fait, la domination imposée par l'URSS à l'Europe de l'Est entraîne inévitablement la mise en œuvre d'un ensemble de mécanismes visant à aligner des sociétés différentes sur le modèle de la société soviétique. Dans l'ordre chronologique, il s'agit d'abord de soviétiser les élites. Pour ce faire, il faut éliminer les élites représentatives de l'ancien régime, les militaires et les hommes politiques, les syndicalistes et les intellectuels récalcitrants. On objectera qu'il n'y a pas eu d'éliminations physiques systématiques ; c'est parfois exact, mais celles-ci ne s'imposaient pas toujours, la reconversion idéologique pouvait suffire si elle contribuait à l'objectif principal : éliminer toutes prémices favorables à l'existence de l'alternance politique. **La reconstruction économique.** Au lendemain de la guerre, la scène politique des pays de l'Europe centrale et orientale a changé. Les mouvements de droite sont affaiblis, défaits, ou interdits pour cause de collaboration avec les nazis, tandis que le poids des communistes croît. Dans tous les pays de la région, ces derniers clament la nécessité de la reconstruction nationale. Il est réducteur de prétendre que leur victoire n'a été le fait que d'une position de force ou le résultat d'une politique de ruse. Les réalités du régime soviétique ne sont alors connues que d'une minorité et les jeunes s'enrôlent dans les partis communistes ou leurs organisations sociales pour mettre en œuvre un « effort égal pour tous », sans distinction d'origine ou de situation ; l'évident besoin de remettre à neuf leur pays fait passer au second plan les questionnements sur le comportement des appareils d'obéissance

soviétique. Les partis communistes ont d'abord pour consigne de former des « fronts nationaux » dans le cadre du système démocratique, de mettre sur pied une réforme agraire (pour désamorcer la méfiance des paysans qui redoutent une collectivisation immédiate) et de nationaliser les industries, à commencer par les entreprises qui appartenaient aux Allemands et à leurs alliés.   L'irruption du culte de la planification administrative annonce la prise du contrôle de l'ensemble du système économique : la collectivisation suivra, à partir de 1948, dans la plupart des pays de l'Europe de l'Est. Par l'absolue maîtrise des ressources et par le pouvoir quasi total d'allocation de moyens et de redistribution, une couche sociale particulière (la nomenklatura) va obtenir du système ainsi soviétisé une rente de situation se traduisant par des privilèges divers et sans commune mesure avec la situation du reste de la population, notamment avec celle des ouvriers que cette couche est censée guider vers un avenir meilleur. Avec le refus opposé, en juillet 1947, par les gouvernements esteuropéens (sous pression soviétique), au plan Marshall d'aide américaine, les prémisses de la vassalisation économique se trouvent réunies. Selon l'historien François Fejtö, la soviétisation politique devient irréversible à l'automne 1947 lorsque se tient à Szklarska Poreba (Pologne) la conférence de neuf partis communistes (yougoslave, polonais, soviétique, tchécoslovaque, bulgare, roumain, hongrois, français et italien) au terme de laquelle est proclamée la naissance du Kominform, organisme de substitution à l'ancien Komintern. « Il s'agissait de mettre en application une nouvelle ligne, adoptée en fonction des intérêts immédiats de l'URSS et qui impliquait en fait le transfert à l'Union soviétique de la souveraineté des pays de l'Est. » Ce même Kominform servira Staline pour combattre l'insoumission yougoslave.   Dans l'ensemble de l'Europe soviétisée, il reste à Staline à se débarrasser de ceux parmi ses camarades qui pouvaient incarner, volontairement ou non, l'idée de l'indépendance et de polycentrisme de l'idéologie socialiste. L'ère des procès intercommunistes est ouverte (László Rajk en

Hongrie, 1949 ; Traicho Kostov en Bulgarie, 1949 ; emprisonnement de Władysław Gomułka en Pologne, 1949 ; Rudolf Slánský en Tchécoslovaquie, 1952 ; Anna Pauker en Roumanie, 1952). La soviétisation politique (élimination des partis d'alternance et de leurs dirigeants, fusion des partis ouvriers, purges internes aux partis communistes et établissement du monopole politique des dirigeants totalement dévoués à l'URSS) s'accompagne de la création des appareils de coercition – dont les effectifs atteignent, au début des années 1950, 1 % de la population de chaque pays –, ainsi que la constitution de corps d'officiers totalement soumis aux conseillers soviétiques. **Fin du pluralisme.** L'instauration du nouveau régime nécessite une obéissance aussi parfaite que possible des différents secteurs de la société, qu'il faut par conséquent désarticuler en dissolvant les liens traditionnels marqués par le passé présoviétique. Tous les groupes d'appartenance ou de référence aux racines identitaires autres que le communisme doivent disparaître. Cela concerne surtout le monde du travail car l'ouvrier est la source de légitimité d'un pouvoir dont l'assise est constituée par la doctrine marxiste-léniniste. L'une des premières mesures est la « pacification » des syndicats autres que ceux inféodés au parti communiste. Le pluralisme syndical présent dans la plupart des pays de l'Europe centrale et orientale (tendances sociale-démocrate, anarcho-syndicaliste, bundiste qui encadrait le prolétariat juif, démocrate-chrétienne, agrarienne) est soigneusement gommé par la répression contre les syndicalistes non communistes et par l'unification, entreprise par entreprise, des sections syndicales en une centrale unique, gérée par le mécanisme de la nomenklatura, ce qui finit par faire du syndicat une « courroie de transmission » du Parti au pouvoir. Dès lors toutes les organisations sociales dominées par les communistes reçoivent pour directive de pénétrer les différents secteurs de la population (unions professionnelles, organisations de jeunesse ou de loisir, etc.) en tant que représentants et communicateurs de la politique du Parti. Enfin, la politique du Parti touche l'éducation, la culture, la recherche, considérés comme des domaines où se joue la soviétisation des mentalités et l'élaboration des moyens de propagation de la nouvelle légitimité. Sur le plan international, la mise au pas de l'Europe de l'Est par le biais d'une « coopération » économique au sein du CAEM (Conseil d'assistance économique mutuelle, ou Comecon, 1949) et par l'interdépendance militaire au moyen du pacte de Varsovie (1955) achève l'homogénéisation de l'espace soviétique avec l'URSS en son centre.

Les crises de la désoviétisation. En fait, si la soviétisation était un acte politique délibéré et une contrainte imposée par la doctrine déjà testée en URSS, celle-ci engendre ses propres anticorps. C'est l'effet « pervers », donc inattendu, de la mise en œuvre du projet social d'origine soviétique : au lieu de créer une société supranationale homogène, il a favorisé les conditions de la désoviétisation. À partir de 1953 (année marquée par la mort de Staline et le soulèvement de la population de Berlin-Est et de Plzen en Tchécoslovaquie) et surtout 1956 (xxᵉ congrès du Parti communiste de l'Union soviétique (PCUS) avec la mise en accusation du stalinisme, l'Octobre polonais et l'insurrection de Budapest), ce sont les crises successives de la désoviétisation qui jalonnent l'histoire du bloc soviétique. Si la soviétisation était le synonyme de l'empire soviétique, la désoviétisation en soi n'induisait pas la sortie de l'empire. Paradoxalement, elle contribua à prolonger la vie du système, en mettant en place des mécanismes d'adaptation aux dysfonctionnements de ce dernier.
G. M.   **> DÉMOCRATIE POPULAIRE, DISSIDENCE ET OPPOSITIONS (EUROPE DE L'EST), POSTCOMMUNISME, RÉGIME SOVIÉTIQUE, SOCIALISME ET COMMUNISME.**

SOYINKA Wole (1934-)   Écrivain et dramaturge nigérian d'expression anglaise, Wole Soyinka est né à Abeokuta. Contrairement à la plupart des écrivains africains de sa génération, qui ont surtout montré leur trouble face à l'irruption de la civilisation occidentale, son discours abandonne vite la critique anticoloniale pour celle de la nouvelle société nigériane apparue avec l'indépendance (1960). Né dans un milieu yorouba plutôt privilégié (son père était pasteur), il étudie le théâtre à Londres, où il monte sa première pièce en 1957. De retour au Nigéria en 1960, il dénonce la corruption dans une émission radiophonique pirate qui lui vaut la prison (1965). La même année, à Londres, il publie *Les Interprètes*, roman dans lequel plusieurs personnages s'interrogent sur leur place dans la société. La guerre du Biafra (1967-1970) et les dictatures militaires qui se succèdent au Nigéria lui font opérer un retour sur le royaume de l'enfance et la mythologie yorouba, tandis qu'exilé à l'étranger il récuse la légitimité des castes au pouvoir à travers de nombreux articles. Il reçoit le prix Nobel de littérature en 1986. **B. N.**   **> NIGÉRIA.**

SPAAK Paul Henri (1899-1972)

Homme politique belge et européen. Bruxellois et avocat, Paul Henri Spaak milite au Parti ouvrier belge (socialiste). Élu député en 1932, il est nommé ministre des Affaires étrangères dès 1936. Premier ministre en 1938-1939, il revient ensuite aux Affaires étrangères et y demeurera jusqu'en 1957. En 1940, il rejoint Londres avec d'autres membres du gouvernement belge en exil. Il y est l'un des artisans de la création, en 1943-1944, du Benelux, qui deviendra une union douanière entre la Belgique, les Pays-Bas et le Luxembourg.   **A**près la guerre, il préside en 1946 la première Assemblée générale de l'ONU, puis joue un rôle de premier plan dans toutes les négociations européennes. En 1948, il préside le Conseil des ministres de l'OECE (Organisation européenne de coopération économique) ; en 1949-1952, l'Assemblée consultative du Conseil de l'Europe ; à partir de 1952, l'Assemblée de la Communauté européenne du charbon et de l'acier (CECA). Il se montre un fervent défenseur de la Communauté européenne de défense (CED), laquelle échoue en 1954, puis un non moins ferme partisan du Marché commun européen (à l'origine préconisé par les Néerlandais). À ce titre, il préside en 1956-1957 le « comité Spaak », qui prépare les traités de Rome (1957) instituant la Communauté économique européenne (CEE) et l'Euratom. Atlantiste convaincu, il est secrétaire général de l'OTAN (Organisation du

traité de l'Atlantique nord) de 1957 à 1961. Il revient ensuite à la vie politique belge, occupant de nouveau le poste de ministre des Affaires étrangères de 1961 à 1966.   **P**ar la voix de P. H. Spaak, la Belgique a grandement contribué à la construction européenne et ce n'est sans doute pas un hasard si sa ville natale est devenue, en quelque sorte, la capitale de l'Europe. **J. S.**   **> BELGIQUE, CONSTRUCTION EUROPÉENNE.**

SPD > SOCIAL-DÉMOCRATIE ALLEMANDE.

SPHÈRE DE COPROSPÉRITÉ ASIATIQUE

En japonais *Dai toa kyoeiken*. L'expression désigne les pays que le gouvernement japonais entend regrouper, à partir de 1940, en une entité politique et économique (Japon, Chine, Mandchoukuo, Indochine française, Indes néerlandaises). La sphère de coprospérité dérive du concept de Nouvel ordre en Asie orientale *(Toa shinchitsujo)* énoncé le 3 novembre 1938 par le premier gouvernement de Konoe Fumimaro. Il propose une gestion unifiée sous leadership nippon de la Chine, du Mandchoukuo et du Japon pour résister au communisme et à l'impérialisme occidental. Le *nouvel* ordre s'oppose à l'*ancien* ordre colonial (politique de la canonnière, traités inégaux,   concessions,   exterritorialité).   **M**algré le refus chinois, Matsuoka Yosuke (1880-1946), ministre des Affaires étrangères du second cabinet Konoe, reprend l'idée en août 1940, en l'étendant à tous les États asiatiques convoités par le Japon. En novembre 1942 est créé un ministère de la Grande Asie chargé d'unifier l'armée, la marine et la police à l'intérieur de la sphère.   **L**es 5 et 6 novembre 1943, le nouveau Premier ministre Tojo Hideki réunit à Tokyo une conférence de la Grande Asie orientale avec des délégués du Mandchoukuo, du gouvernement projaponais de Nankin, de la Thaïlande, des Philippines, de la Birmanie et du Gouvernement provisoire pour la libération de l'Inde. La rencontre s'achève par une déclaration de coexistence harmonieuse avec les pays tiers et une dénonciation de la discrimination raciale. **R. D.**   **> JAPON.**

SPINELLI Altiero (1907-1986)

Homme politique italien et européen. Altiero Spinelli, membre du Parti communiste italien (PCI) en 1924, s'engage dans l'antifascisme. Arrêté en 1927, il est condamné à la relégation. Dénonçant le stalinisme, il quitte le PCI en 1937. L'échec de la Société des Nations (SDN) le conduit à imaginer une organisation fédérale européenne comme base de reconstruction et de rapprochement des pays européens. En 1941, ses amis et lui rédigent le *Manifeste pour une Europe libre et unie* connu sous le nom de « Manifeste de Ventotene ». Après la guerre, il fonde le Mouvement fédéraliste européen (MFE) qui devient une section italienne de l'Union européenne fédéraliste. En Italie, le mouvement connaît un succès auprès des élites politiques et intellectuelles libérales. Le MFE voit en l'aide américaine l'occasion de construire l'Europe. A. Spinelli est cependant critique à l'égard de l'optique fonctionnaliste choisie par Jean Monnet (intégration européenne par secteurs économiques). Après l'échec de la Communauté européenne de défense (CED) en 1954, il crée le Congrès du peuple européen qui prévoit l'élection au suffrage universel d'une Assemblée constituante européenne (1957). Malgré quelques succès initiaux, le projet échoue. Critique à l'égard de ce qu'il appelle la « dérive technocratique » de la Commission européenne de Bruxelles, il accepte pourtant d'y être nommé en 1970. Élu député à la Chambre sur la liste du PCI en 1976, il entre au Parlement européen la même année, y défend l'idée d'un renforcement de ses pouvoirs et la nécessité de préparer l'union politique de l'Europe. Il élabore un ambitieux « traité pour l'Union européenne ». Celui-ci n'est pas retenu en l'état, mais débouche malgré tout sur l'adoption, en 1986, de la première réforme du traité de Rome, l'Acte unique. **F. A.** ➤ **CONSTRUCTION EUROPÉENNE.**

SR (socialistes révolutionnaires, Russie) C'est en 1894 qu'apparaît la première Union des socialistes révolutionnaires (SR) russes. Au cours des années suivantes, de nombreux groupes se forment en Russie. Créés sous l'impulsion de militants révolu-tionnaires d'orientation populiste, ces groupes se fédèrent au sein d'un parti au début du XXe siècle. Dominés par la figure de Victor Tchernov (1873-1952), les SR tentent une synthèse entre la Russie paysanne, perçue comme fondamentalement révolutionnaire, et le monde ouvrier et industriel. En 1917, Alexandre Kerenski (1881-1970), président du Gouvernement provisoire, vient de leurs rangs. Mais de nombreux militants rêvent d'une révolution plus radicale. Un mois après la prise du pouvoir par les bolcheviks, les SR emportent la majorité à l'Assemblée constituante (qui est aussitôt dissoute par Lénine) avant d'être emportés par la révolution bolchevique. **C. U.** ➤ **RÉVOLUTION RUSSE, RUSSIE ET URSS.**

SREBRENICA Petite ville minière située en Bosnie orientale (37 000 habitants en 1991), Srebrenica est devenue le symbole des violences perpétrées au cours du conflit bosniaque (avril 1992-décembre 1995). Assiégée par les forces serbes dès les premiers mois de la guerre et gonflée par le flux de dizaines de milliers de réfugiés musulmans originaires des villes voisines, Srebrenica est déclarée « zone de sécurité » par le Conseil de sécurité de l'ONU le 16 avril 1993, après l'intervention du général Philippe Morillon (1935-), commandant de la Forpronu (Force de protection des Nations unies). Mais cela n'empêche pas les forces serbes de s'en emparer par la force le 11 juillet 1995 et d'y perpétrer le plus important massacre commis en Europe depuis la Seconde Guerre mondiale (responsable de la mort de 7 000 à 10 000 personnes selon les différentes estimations). Ce massacre a entraîné l'inculpation pour génocide des chefs politique (Radovan Karadzic [1945-]) et militaire (Ratko Mladic [1943-]) serbes par le Tribunal pénal international (TPI) de La Haye, et provoqué de nombreuses polémiques sur la passivité, à la fois, du contingent néerlandais déployé sur place, des responsables civils et militaires de l'ONU en ex-Yougoslavie, et des dirigeants musulmans bosniaques eux-mêmes. **X. B.** ➤ **BOSNIE-HERZÉGOVINE, GUERRES YOUGOSLAVES, NETTOYAGE ETHNIQUE, YOUGOSLAVIE.**

SRI LANKA République démocratique socialiste de Sri Lanka. Capitale : Colombo. Superficie : 65 610 km². Population : 18 639 000 (1999). Île de l'océan Indien, Sri Lanka, ancienne Ceylan (jusqu'en 1972), se situe dans le prolongement direct de la péninsule indienne, au plan géographique comme civilisationnel et culturel. La colonisation européenne commence avec les Portugais, au XVIᵉ siècle, qui se contentent de fonder des comptoirs. L'arrivée des Hollandais, au milieu du XVIIᵉ siècle, transforme l'île en colonie d'exploitation. Mais, c'est la colonisation britannique commencée en 1796 qui opère le changement décisif. **Possession britannique.** Dès 1815, le nouveau colonisateur réussit à conquérir le célèbre royaume cinghalais de Kandy – et à le conserver malgré une grande insurrection en 1817-1818. L'expansion des cultures d'exportations (cannelle, café et surtout thé – le toujours fameux « thé de Ceylan » – puis, au XXᵉ siècle, l'hévéa, sans oublier la culture du cocotier) va de pair avec le développement du commerce et la concentration des capitaux. De grandes compagnies sont créées, sises en Europe. Leur gestion financière est assurée par des agences (*managing agencies*) installées à Colombo et en Inde. Cet incontestable développement économique s'effectue au prix de bouleversements sociaux. Pour entretenir et cultiver les immenses plantations de thé, de l'Inde du Sud, du pays tamoul en particulier, les propriétaires font venir des travailleurs immigrés qui, chassés de chez eux par la famine, acceptent les conditions proches de la servitude que refusaient précisément les Cinghalais. Cette population tamoule « immigrée » représentait au moment de l'indépendance (1948) environ 12 % de la population de l'île. Elle constitue un peuple tamoul « différent », qui sera pris en étau dans le conflit qui opposera, à partir de 1983, le pouvoir cinghalais aux Tamouls cinghalais « historiques ». La colonisation britannique a forgé, comme ce fut le cas en Inde, une élite intellectuelle de bonne classe à majorité bouddhiste et cinghalaise qui s'imposera progressivement comme classe politique dirigeante. L'accès à l'autonomie interne avec un système représentatif fondé sur le suffrage universel (1931) constitue une évolution politique déterminante. La Seconde Guerre mondiale – où Ceylan sert de point d'appui stratégique dans la guerre du Pacifique – ouvre la voie de l'indépendance, laquelle est proclamée en février 1948. La nouvelle république, qui emprunte au style du parlementarisme britannique, s'inscrit dans la continuité d'une politique de développement (agriculture, éducation), engagée à l'époque de l'autonomie interne sous la direction du Premier ministre Don Stephen Senanayake (1884-1952), leader du Parti de l'unité nationale (UNP), lequel incarne à l'époque un conservatisme « éclairé ». **L'option socialiste.** En 1956 est opéré un brutal changement politique à la suite de la victoire de la gauche aux élections. Salomon Bandaranaïke (1899-1959) devient Premier ministre avec l'appui de la communauté bouddhiste cinghalaise. Il a fait des concessions à cette dernière, notamment sur le plan culturel : le cinghalais remplace l'anglais comme langue officielle et devient prioritaire dans les programmes scolaires. À la suite de son assassinat (1959), sa veuve, Sirimavo Bandaranaïke (1916-2000), prend le relais avec une énergie et une compétence qui, dans les années 1960 et 1970, font d'elle l'une des grandes femmes « régnantes » dans l'Asie du Sud-Est. Sri Lanka s'inscrit alors dans une option socialiste et nationaliste radicale : réforme agraire, nationalisations, etc. Sur le plan international, le pays se montre très actif au sein du mouvement des non-alignés, tout comme l'Inde voisine avec laquelle persistent toutefois des tensions, à propos notamment du « problème tamoul ». Battue aux élections de 1965, Mme Bandaranaïke reprend le pouvoir en 1970 avec l'appui des mouvements de la gauche socialiste marxiste. Mais le choc pétrolier de 1973 aggrave la situation économique et elle perd les élections de 1977. La situation politique se détériore aussi. Élu président, Junius Richard Jayawardene (1978-1989), nationaliste et conservateur, relance la privatisation de l'économie, fait adopter (1978) une Constitution de type présidentiel, et s'efforce d'atténuer les discriminations contre les Tamouls (la langue

tamoule devient langue officielle, au même
titre que le cinghalais). Mais, à ce moment,
les tensions ethniques et linguistiques
entre la majorité cinghalaise bouddhiste et la
minorité tamoule hindouiste (et chrétienne)
– représentant 18 % de la population totale –
sont telles qu'aucune médiation n'apparaît
possible. **Le séparatisme tamoul.** Une
véritable et très violente guerre civile éclate
en 1983. La guérilla séparatiste des LTTE
(Tigres de libération de l'Eelam tamoul) et les
forces gouvernementales s'affrontent sans
merci. Offensives et contre-offensives se
succèdent. Le 30 juillet 1987, avec l'accord
des deux parties, l'Inde envoie une « force de
maintien de la paix » dans la presqu'île de
Jaffna. Les troupes indiennes seront retirées
en septembre 1989, ayant échoué. Le 1er mai
1993, le chef de l'État Ranasinghe Prema-
dasa est assassiné dans un attentat attribué
aux séparatistes. Selon un porte-parole militaire, le conflit aurait fait 4 000 morts pour
la seule année précédente. Des négociations engagées le 31 août 1994 aboutissent à un accord de cessez-le-feu (6 janvier
1995), mais la trêve est rompue dès avril.
L'élection anticipée de 1994 voit la victoire
de la coalition de gauche et ramène la
famille Bandaranaïke au pouvoir. Mme
Chandrika Kumaratunga, fille de Sirimavo
Bandaranaïke, est en effet élue présidente
(elle sera réélue en décembre 1999). Malgré
son grand âge, Mme Sirimavo Bandaranaïke
redevient Premier ministre sur proposition de
sa fille présidente et le restera jusqu'à sa
mort, en 2000. Il s'agit là moins d'un népotisme (inversé) que d'une volonté d'affirmer
la continuité d'une politique, nationaliste
mais aussi démocratique, toujours menacée
sur le plan interne (forte rivalité des forces
politiques). Sur le plan économique, Sri
Lanka apparaît relativement avancée et
dynamique. Sur le plan diplomatique international et régional, sa situation a semblé
s'être stabilisée. La pression démographique
ainsi que la forte insécurité politique sont à
l'origine de flux permanents d'émigration
(régulière ou illégale) vers les pays développés ou supposés tels. **A**u tournant du
siècle, le projet de Constitution fédérale
engagé depuis plusieurs années par la présidente de la République était toujours blo-

qué. Il était contesté par les partis cinghalais
souhaitant le maintien d'un État unitaire et
violemment repoussé par les séparatistes
tamouls, notamment les LTTE, partisans
d'un État tamoul indépendant. **C. C.**

ST. KITTS ET NEVIS   Fédération de
St. Kitts et Nevis (Saint-Christophe et Nié-
vès). Capitale : Basseterre. Superficie :
267 km². Les îles sœurs de Saint Chris-
topher (St. Kitts) et Nevis, orientées vers la
culture de la canne à sucre et autrefois du
coton (pour la seconde), ont connu, dans les
années 1930, une rébellion contre la tutelle
britannique. Robert Bradshaw (1916-1978),
qui dirigea le syndicat des ouvriers du sucre,
gouverne le pays jusqu'à sa mort. L'indépendance est obtenue en 1983. Nevis n'a pas pu
se séparer et a dû s'accommoder d'un État
fédéral. À la fin du XXe siècle, le pays a de
plus en plus été impliqué dans le réseau
régional du trafic de drogue, mais il vit aussi
du tourisme. **G. C.**

STALINE   Joseph   Vissarionovitch
Djougachvili, dit (1879-1953)
Dirigeant de l'Union soviétique. De tous les
titres que Staline (en russe, *stal* : acier) a portés, celui de secrétaire général du Comité
central du Parti communiste de l'Union
soviétique (PCUS), qu'il conserva de 1922 à
1953, est le plus significatif. Il s'appuya sur
cette fonction bureaucratique pour asseoir ce
qui apparaîtra comme une volonté de pouvoir total, ancré dans la terreur, tout en provoquant enthousiasme et amour.   **N**é à
Gori (Géorgie), dans une famille pauvre, il fait
des études au séminaire où il devient
marxiste révolutionnaire à dix-neuf ans.
Rapidement, il est l'un des chefs des révolutionnaires professionnels bolcheviks du Caucase. Il organise des grèves, des vols à main
armée au profit du parti et écrit notamment
Anarchisme et socialisme, en 1907 : le ton
dogmatique, polémique et répétitif annonce
le style qui s'imposera au Parti soviétique et
à tous ses épigones, français ou chinois. Il est
arrêté sept fois et s'enfuit cinq fois entre
1902 et 1917. Il entre à la direction du parti
en 1912. Après la révolution de février 1917,
il regagne Moscou depuis la Sibérie et
retrouve la direction du parti. À la suite

d'octobre 1917, il se voit confier deux commissariats du peuple (des ministères), dont celui aux nationalités. Il est vrai qu'en 1913, Lénine l'avait qualifié de « merveilleux Géorgien » pour son texte *Le Marxisme et la question nationale*, qui attaquait les théories des austro-marxistes et du Bund. Il est superviseur politique sur différents fronts pendant la guerre civile et devient l'un des dirigeants du Parti, à la fois au Politburo (Bureau politique) et à l'Orgburo (Bureau d'organisation). Son accès au poste de secrétaire général est lié à la multiplication des effectifs et des fonctions au sein du Parti qui joue le rôle d'un appareil d'État, y compris dans sa dimension policière. Sa carrière aurait pu s'arrêter là car il entre en conflit avec Lénine qui dénonce, en privé, son « chauvinisme grand-russe » et sa « grossièreté » dans ses rapports avec les autres bolcheviks. Mais à la mort de Lénine (janvier 1924), il se présente en fidèle successeur et invente le « marxisme-léninisme ». Il joue du manque de résolution et des conflits entre ses rivaux pour s'installer, en quelques années, seul aux commandes du Parti, qui lui conféreront aussi celles du mouvement communiste international. Il soutient que l'on peut « construire le socialisme dans un seul pays » et, en 1929, met un terme à la NEP (Nouvelle Politique économique), lancée par Lénine en 1921, avec le premier plan quinquennal qui privilégie l'industrie lourde et impose la collectivisation agraire, laquelle entraîne des millions de mort par famine et répression. Le système concentrationnaire s'étend. À l'épuration de la société est liée celle du Parti. Les vastes purges sanglantes de la société pendant la Grande Terreur, les procès de Moscou en 1936-1938 contre les « vieux-bolcheviks », l'assassinat de Léon Trotski témoignent de la volonté de se débarrasser d'ennemis considérés comme des nuiseurs ou des saboteurs. Cette politique de transformation de l'histoire par la force pourrait s'interpréter comme le produit des caprices de Staline ou de son habileté à jouer des contradictions entre factions au sein du Parti pour en conserver la tête. Staline n'est cependant pas une sorte de despote : il est inséparable du système de parti unique qui l'a engendré et qu'il a fait prospérer. Il

incarne jusqu'à l'extrême l'« unité de la volonté » que Lénine avait placée au cœur du dispositif communiste et, comme le fondateur du bolchevisme, il pense que le communisme doit reposer sur la « terreur de masse ». **A**près avoir encouragé les communistes européens à conduire une politique de classe contre classe, il se rapproche des démocraties (pacte Laval-Staline en 1935). Mais il n'hésite pas à s'allier avec Hitler pour se partager l'Europe (pacte germano-soviétique en 1939). L'attaque allemande du 21 juin 1941 et la victoire en 1945, au prix de 26 millions de morts soviétiques, confèrent au maréchal Staline et au régime une légitimité patriotique, d'autant que sont devenus communistes une série de pays satellites par soviétisation de l'Europe de l'Est et que la Guerre froide va bientôt commencer, alors que l'URSS acquiert l'arme nucléaire. Le renforcement de son autorité charismatique mobilise toutes les ressources de la propagande. Et la dictature ne faiblit pas : une campagne antisémite est lancée, interrompue par sa mort en mars 1953. La figure de Staline sera utilisée dès 1956 par Nikita Khrouchtchev pour dénoncer le « culte de la personnalité » qui l'entourait et montrer le contraste avec le « communisme authentique », incarné par Lénine. Mais traiter Staline en facteur explicatif, positif ou négatif, de l'histoire soviétique des années 1920 aux années 1950, c'est négliger l'appareil au sommet duquel il siégeait, le système dont il incarnait l'unité et la violence. **D. C.**
> RÉGIME SOVIÉTIQUE, RUSSIE ET URSS, STALINISME, TOTALITARISME.

STALINGRAD **A**vant 1925, cette ville industrielle soviétique, située sur la Volga au nord du Caucase, s'appelait Tsaretsine ; après 1961, elle a été rebaptisée Volgograd. Pendant la Seconde Guerre mondiale, la bataille de Stalingrad, qui commence en septembre 1942 après que les troupes allemandes ont lancé une vaste offensive vers le Caucase, va apparaître comme décisive du sort des armes sur le front est. Située à un carrefour stratégique au nord-est de la mer Caspienne, Stalingrad, en portant le nom de Staline, est aussi un enjeu symbolique. La 6ᵉ armée de von Paulus (1890-1957) et la

4e armée blindée, poursuivant sur leurs succès de l'opération *Barbarrosa* de l'été 1942
qui leur a permis de pénétrer en profondeur
en Russie et en Ukraine, atteignent, début
septembre, Stalingrad qu'ils commencent à
conquérir, quartier par quartier. La ville va
subir un terrible et interminable siège. La
résistance acharnée de ses défenseurs permet
à l'Armée rouge d'organiser des contre-
offensives d'ampleur et de prendre la
6e armée allemande en tenailles. Subissant
les bombardements soviétiques, victimes du
froid glacial et du gel, von Paulus désobéit à
Hitler et capitule le 31 janvier 1943. La victoire soviétique, obtenue au prix d'énormes
pertes, dans une ville totalement détruite,
constitue un tournant de la guerre. On
estime à 150 000 le nombre de victimes allemandes et roumaines et à 90 000 le nombre
des prisonniers. La victoire soviétique gal-
vanise les Alliés. En Union soviétique, elle
consolide le patriotisme populaire et va être
largement invoquée pour nourrir le culte de la
personnalité de Staline. **V. K.** **> SECONDE
GUERRE MONDIALE.**

STALINISME Le terme « stalinisme »
désigne la période (1929-1953) où Staline
concentre tout le pouvoir en URSS, selon
une doctrine et une méthode mises en
œuvre par lui-même et ses émules. Le stalinisme pose une série de questions. Nikita
Khrouchtchev le considère comme une
déviation du communisme qui aurait violé la
« légitimité » léniniste. Mais Lénine avait
défini la dictature du prolétariat comme un
régime qui se donne ses propres lois et
repose sur la violence et, en 1922, après la
fin de la guerre civile, il incitait à l'extermination massive du clergé. Cependant Lénine
avait choisi en 1921, avec la NEP (Nouvelle
Politique économique), de laisser une place
au marché. Staline n'a, pour justifier la collectivisation agraire forcée, en 1929, qu'à
reprendre les mots d'ordre d'extermination
des koulaks que Lénine avait formulés en
1918, année où il ordonna, en août, l'ouverture du premier camp de concentration.
Épuration de la société et du Parti naissent
avec le communisme, mais le stalinisme les
pousse à une intensité maximale à partir de
1933-1934 : en 1936-1937, le NKVD (police

politique héritière de la Tchéka) procède à
1 370 000 arrestations et 680 000 exécutions sur les ordres du Parti. **V**ision
tout autre : Staline aurait réalisé une mission
historique ; il ne pouvait qu'être brutal pour
moderniser la Russie, transformer à marche
forcée un pays agraire en société industrielle,
permettant à ses successeurs d'exercer une
dictature adoucie, post-totalitaire. Et l'on
sauve le marxisme de l'accusation d'avoir
engendré, même involontairement, le stalinisme ou le maoïsme, en reprenant les analyses de Karl Marx (1818-1883) sur le despotisme oriental : violence massive permettant
l'accumulation primitive aux dépens des
paysans, légitimée par le culte de l'Un. Le
stalinisme relèverait d'un schéma hégélien :
il aurait, par une ruse de l'histoire, accompli
la rationalité en réalisant, sans le savoir, une
révolution bourgeoise, au sens économique
et technique. Une interprétation en termes
de classes peut aussi souligner que le stalinisme serait l'effet de la montée dans le
Parti-État de groupes moins prolétariens que
les premiers bolcheviks. Viennent alors les
analyses culturalistes : Staline, nouvel Ivan le
Terrible, serait une figure répétitive dans
l'histoire russe. Pourtant, le stalinisme ne
peut être considéré comme spécifiquement
russe : le régime de Mao Zedong a également mis sur pied un système concentrationnaire et industrialisé le pays. La
controverse la plus vive naît de l'analogie
entre communisme stalinien et nazisme : la
guerre contre une race ou contre une classe,
le désir de créer un homme nouveau par
l'eugénisme ou par le travail collectif, le système concentrationnaire, le culte du chef, la
haine de l'individualisme, sont-ils des ressemblances secondaires ou deux versions
d'un même phénomène, le totalitarisme,
qui dominerait l'histoire du court xxe siècle
(octobre 1917-1991) ? **D. C.** **> MAR-
XISME-LÉNINISME, RÉGIME SOVIÉTIQUE,
RUSSIE ET URSS, TOTALITARISME.**

**STAMBOLIISKI Alexandre Stoimenov
(1879-1923)** **H**omme politique bulgare, Premier ministre de 1919 à 1923. Un
des principaux leaders du mouvement agrarien en Bulgarie, Alexandre Stamboliiski naît
dans une famille paysanne à Slavovitsa

(région de Pazardjik). À vingt ans, il participe au congrès fondateur de ce qui deviendra, en 1901, l'Union agrarienne nationale bulgare (BZNC). Contraint en 1902 par la tuberculose de rentrer en Bulgarie après des études d'agronomie à Halle, il met ses qualités de tribun et d'organisateur au service du BZNC, dont il dirige le quotidien *Zemedelsko Zname* (drapeau paysan) après 1906, et élabore la philosophie politique : une philosophie égalitariste, teintée d'anti-urbanisme, qui se démarque du marxisme par son refus de la lutte des classes, l'importance qu'elle accorde à l'autonomie du monde paysan et le rôle donné à l'État dans la gestion des effets de l'industrialisation.   Hostile à la participation de la Bulgarie à la Première Guerre mondiale, A. Stamboliiski, député de la XVIIᵉ Assemblée nationale, passe la guerre en prison (1915-1918). Libéré au moment de la retraite, il prend brièvement la tête des troupes mutinées de Radomir qu'il était censé rappeler à l'ordre (27 septembre 1918), ce qui lui vaut une nouvelle disgrâce. Amnistié en décembre 1918, A. Stamboliiski est élu président du BZNC en 1919 (un poste qu'il occupera jusqu'à sa mort). Il devient Premier ministre peu après (6 octobre 1919) et fait partie cette même année de la délégation signataire du traité de Neuilly. Ses quatre années au gouvernement représentent une tentative de rupture sans équivalent dans l'histoire de la Bulgarie moderne. Rupture diplomatique d'abord : le leader agrarien renonce à l'irrédentisme et tente une réconciliation avec la Yougoslavie voisine qui se solde, en 1923, par la signature d'un accord bilatéral par lequel Sofia s'engage à limiter les opérations terroristes de l'ORIM (Organisation révolutionnaire intérieure macédonienne). Rupture politique, ensuite, avec une redistribution des terres (de portée finalement limitée), un encouragement au développement des coopératives agricoles, une lutte contre les monopoles, une redéfinition des relations État/Église et la création de « brigades nationales de la jeunesse » *(trudovatsi)*. Ces mesures, appliquées avec l'aide de la Garde orange, bras armé paramilitaire du BZNC, sur fond de corruption rampante et d'autoritarisme croissant après les élections de mai 1920,

valent à A. Stamboliiski l'inimitié de l'armée, de l'ORIM, des partis conservateurs, de l'Église et du trône. Renversé par un coup d'État sanglant, le 9 juin 1923, le leader agrarien est sauvagement assassiné près de son village natal, le 14 juin. **N. R.**   **> BULGARIE.**

START   *Strategic Arm Reduction Talks* (« entretiens sur la réduction des armes stratégiques »). Les négociations START ouvertes à Genève le 29 juin 1982 avaient pour objectif de réduire de moitié les arsenaux nucléaires stratégiques des États-Unis et de l'Union soviétique. Un premier accord (START I), signé en juillet 1991, prévoit une réduction de 25 % à 30 %. Le traité START II, signé le 3 janvier 1992, a couronné ces longs pourparlers entre Moscou et Washington.   **> DÉSARMEMENT.**

SUBSIDIARITÉ   Principe selon lequel le droit de décision est réservé au niveau de compétence le plus approprié à la réalisation efficace des objectifs, que ce soit entre les différents échelons de la puissance publique (État central, collectivités régionales par exemple) ou entre la sphère publique et la sphère privée (Églises, entreprises, associations, etc.). Un tel principe de subsidiarité est au cœur du fédéralisme allemand. Il a aussi été introduit dans la construction politique de l'Union européenne pour délimiter les compétences respectives de celle-ci et celles des États membres.   **> ALLEMAGNE.**

SUDÈTES   Ce terme géographique désignant les monts du nord de la Bohême et de la Moravie s'est vu au XXᵉ siècle connoté au déclenchement et aux conséquences de la Seconde Guerre mondiale et au destin des minorités nationales. Dans ces Sudètes vit depuis des siècles une population allemande majoritaire (comptant environ 3 100 000 personnes, représentant 22 % de la population tchécoslovaque au recensement de 1930), dont plus de 60 % appartenait aux couches laborieuses. Au cours des années 1930, l'essentiel de cette minorité a peu à peu adhéré au mouvement nationaliste antitchèque, puis aux idées du nazisme hitlérien, qui a utilisé les problèmes des

minorités en Tchécoslovaquie pour conquérir cet État. Après les accords de <u>Munich</u>
(septembre 1938), l'Allemagne a intégré les
Sudètes au III⁰ Reich. À l'issue de la guerre,
2,9 millions d'Allemands ont été expulsés
avec l'autorisation d'emporter au maximum
35 kilos de bagages avec eux. Quand s'est
terminé le XX⁰ siècle, il n'y avait plus d'Allemands des Sudètes en République tchèque,
mais la plaie de leur histoire est restée
ouverte dans les mémoires. **K. B.**
**> SECONDE GUERRE MONDIALE, TCHÉCOS-
LOVAQUIE.**

SUD LIBAN   Au début de 1978, Israël
occupe une bande de territoire libanais au
sud du Liban, la constituant, au mépris du
droit international, en « zone de sécurité ».
La résolution 425, votée le 8 mars par le
<u>Conseil de sécurité</u> de l'ONU, exige le retrait
israélien. En vain. Une milice supplétive libanaise, l'Armée du Liban sud (ALS), créée par
Israël, va compléter, depuis ce territoire, la
défense des frontières de l'État hébreu. Ce
n'est que le 24 mai 2000, après 22 ans
d'occupation, que s'opère le retrait israélien,
en application tardive de la résolution 425 et
dans le contexte d'un jeu tactique avec la
Syrie. En effet, celle-ci se voit ainsi privée
d'un très utile moyen de pression sur son
adversaire régional, car elle reste la seule
puissance étrangère présente au Liban.
> ISRAËL, LIBAN.

SUD-OUEST AFRICAIN > NAMIBIE.

SUÈDE   Royaume de Suède. Capitale :
Stockholm.   Superficie :   449 960 km².
Population :   8 892 000   (1999).   La
Suède, qui avait conquis la Finlande au
Moyen Âge, doit la céder en 1809 à la Russie. En 1810, le maréchal français Jean-Baptiste Bernadotte (1763-1844) est désigné
comme prince héritier de Suède. Ayant lutté
aux côtés des Alliés contre Napoléon, il
obtient en 1814 que le Danemark cède la
Norvège à la Suède. Sous le nom de
Charles XIV, il règne de 1818 à sa mort (et
fonde la dynastie toujours régnante à Stockholm). Les institutions politiques suédoises
se libéralisent progressivement au cours du
XIX⁰ siècle. En 1866 est institué un Parlement

(Riksdag) formé de deux chambres (qui
seront ramenées à une seule en 1971). Le
suffrage universel masculin est introduit en
1907, le vote des femmes en 1921. Entre-
temps, les Norvégiens, qui refusaient toute
idée d'intégration, ont fini par obtenir leur
indépendance (1905). La politique de
neutralité adoptée au XIX⁰ siècle se poursuit
au XX⁰, permettant au pays de se tenir à
l'écart des deux guerres mondiales, non sans
quelques concessions à l'Allemagne <u>nazie</u>
(livraisons de minerai de fer, transit de troupes en 1940 et 1941). À la différence du
Danemark et de la Norvège, la Suède
n'adhère pas au <u>Pacte nord-atlantique</u> en
1949, mais elle mène une politique étrangère active, notamment au sein de l'<u>ONU</u>,
dont le Suédois Dag Hammarskjöld (1905-
1961) est secrétaire général de 1953 à sa
mort, à l'époque de la <u>décolonisa-
tion</u>. La politique intérieure suédoise
est marquée par l'hégémonie du Parti social-
démocrate, créé en 1889. Sa première
grande figure, Hjalmar Branting (1860-
1925), devient chef du gouvernement au
début des années 1920. Les sociaux-démocrates restent au pouvoir sans interruption
de 1932 à 1976. Ils dotent la Suède de la
législation sociale la plus avancée d'Europe
(le « modèle suédois »). La « crise de l'État-
providence » affecte ensuite la Suède comme
les autres pays d'Europe occidentale, ce qui
se traduit par un affaiblissement du Parti
social-démocrate, à diverses reprises supplanté au pouvoir par la droite.   Membre fondateur de l'<u>AELE</u> (Association européenne de libre-échange, 1959), la Suède, en
raison de sa neutralité, se tient à l'écart de la
<u>CEE</u> (Communauté économique euro-
péenne), tandis que le Royaume-Uni et le
Danemark y entrent en 1973. En revanche,
après l'effondrement de l'URSS, elle présente
sa candidature, en même temps que la Finlande, et devient membre de l'<u>Union euro-
péenne</u> en 1995. Elle ne s'associe toutefois
pas à la mise en place de la monnaie unique
(euro) en 1999. **J. S.**

SUEZ (crise de) Face au refus des
États-Unis et du Royaume-Uni de financer la
construction du très ambitieux barrage
d'Assouan, Gamal Abdel <u>Nasser</u> décide, dans

un grand éclat de rire (discours d'Alexandrie, 26 juillet 1956), de nationaliser la Compagnie du canal de Suez, contrôlée par les Britanniques. Anthony Eden, Premier ministre du Royaume-Uni, annonce une intervention militaire afin de contrer « ce nouvel Hitler ». La France et Israël se rallient à Londres. La première croit y trouver un moyen de neutraliser le soutien égyptien au Front de libération nationale (FLN) algérien insurgé. Le second espère maintenir et protéger ses accès maritimes, mais surtout affaiblir l'Égypte qui vient de recevoir du matériel militaire soviétique par l'intermédiaire de la Tchécoslovaquie. Malgré les appels à la conciliation de la part de l'ONU et de Foster Dulles (1888-1959), ministre des Affaires étrangères américain, les troupes israéliennes, couvertes par une armada conjointe franco-britannique, attaquent et occupent la zone du canal (29 octobre 1956). L'ONU condamne l'opération alors que l'URSS menace la coalition tripartite de « représailles massives ». Le conflit prend subitement une tournure aiguë, avec un risque inquiétant d'internationalisation. Inscrit dans le contexte de la Guerre froide, il met directement en jeu les deux puissances américaine et soviétique. Pourtant, celles-ci, via l'ONU, font pression sur les belligérants pour mettre fin à un conflit qui n'aura pas duré plus de 24 heures. Les troupes militaires se retirent de la zone du canal et les casques bleus prennent la relève. La crise de Suez constitue une victoire éclatante pour le nassérisme et le mouvement arabe. Surtout, venant après la défaite française à Dien Bien Phu (1954), elle inaugure une nouvelle période de l'histoire des relations internationales, à savoir celle de l'avènement d'un tiers monde dont le non-alignement joue sur les rapports de force entre les deux superpuissances. La crise de Suez marque la fin de l'hégémonie française et britannique : le jeu des pouvoirs est dorénavant orchestré depuis Moscou et Washington. **S. G.** **> ÉGYPTE.**

SUFFRAGETTES Le terme « suffragettes » désigne les militantes revendiquant le droit de vote pour les femmes. En Grande-Bretagne au début du XXᵉ siècle, parmi les très nombreuses sociétés qui militent pour le vote des femmes, la Women's Social and Political Union (WSPU) apparaît la plus radicale. Elle a été fondée à Manchester en 1903 par Emmeline Pankhurst (1858-1928) et ses filles, Christabel (1880-1958) et Sylvia (1882-1960). Devant l'échec du combat législatif, les suffragettes passent à l'action violente : elles brisent des vitrines, s'enchaînent aux grilles, envahissent le Parlement. Des centaines d'entres elles sont jetées en prison, où elles font la grève de la faim pour obtenir le statut de prisonnier politique, subissant l'alimentation de force. La mort de l'une d'elles, qui aux courses se jette sous le cheval portant les couleurs du roi, impressionne l'opinion. Sylvia Pankhurst, socialiste, fonde avec des ouvrières la Fédération des suffragettes de l'Est londonien. Elle relie les questions de classe et de genre, ce qui l'éloigne de la WSPU. Elle en est exclue en 1914 quand éclate la Grande Guerre, car elle ne suit pas Emmeline et Christabel qui abandonnent la revendication suffragiste pour s'investir dans l'effort de guerre. Les femmes britanniques de 30 ans et plus obtiennent le droit de vote en 1918. En 1928, l'âge de ce droit est abaissé à 21 ans, comme pour les hommes. **M. P.-L.** **> FEMMES (ÉMANCIPATION DES).**

SUHARTO (1921-) Militaire et homme politique indonésien. Né le 8 juin 1921 à Java-Centre, Suharto connaît une enfance villageoise imprégnée du mysticisme local. À dix-neuf ans, il s'engage dans l'armée coloniale. Pendant l'occupation japonaise, il entre à la police (Keibuho) puis rejoint le corps des « défenseurs de la patrie » (PETA), formé en 1943. Lorsque l'indépendance est proclamée en 1945, il devient lieutenant-colonel dans l'armée républicaine ; apprécié du commandant en chef, il se mêle prudemment aux luttes politiques de l'époque ; le président Sukarno le juge « entêté ». Il épouse Siti Hartinah (Tien), apparentée à la famille princière de Solo (ville de Java-Centre et, celle de Djogjakarta, l'une des deux principautés qui subsistent à Java), avec laquelle il aura six enfants. Après 1950, sa carrière se poursuit à Java-Centre. En 1959, il est envoyé à l'École de guerre, promotion-sanction pour trafic financier ? Devenu général en 1960, il intègre l'État-Major de l'armée. En 1962, commandant de l'Indonésie de l'Est, il dirige la campagne pour la libération de l'Irian (moitié occidentale de l'île de la Nouvelle-Guinée qui restera néerlandaise jusqu'en 1963). Le commandement de l'armée lui échappe de peu, mais il se voit confier la Réserve stratégique, corps d'élite. Commandant de la « confrontation » contre la Malaisie en 1965, il noue cependant des contacts secrets avec Kuala Lumpur. Le 1er octobre, des putschistes ayant éliminé la direction de l'armée (était-il au courant comme l'un des conjurés l'a affirmé ?), il rétablit l'ordre en quelques heures. Dès lors, c'est l'affrontement feutré avec Sukarno, qui refuse d'interdire le Parti communiste indonésien (PKI) que l'armée accuse de tentative de putsch. Le « général souriant » organise le massacre de centaines de milliers de communistes et sympathisants présumés à Java et ailleurs. En mars 1966, un coup de force déguisé lui permet d'obtenir de Sukarno un transfert de pouvoir. Mais il observe les formes constitutionnelles pour l'évincer et ne lui succède finalement à la Présidence qu'en 1968. Fondé sur la répression militaire sous une apparence de démocratie (élections tous les cinq ans), l'Ordre nouveau qu'il dirige jusqu'en 1998 se fixe pour objectifs le développement économique et la stabilité politique. Grâce à l'aide occidentale et à l'argent du pétrole, Suharto obtient des résultats sur le plan économique et, à la fin des années 1980, il suit le modèle des « dragons asiatiques », déréglemente et développe les industries manufacturières d'exportation. Néanmoins, son autoritarisme, sa corruption, les privilèges accordés à ses proches, et notamment à ses enfants qui édifient des fortunes colossales, suscitent un mécontentement croissant. Lorsque l'armée prend à son tour ses distances, il s'assure une véritable garde prétorienne et se rapproche de l'islam. La crise financière asiatique de 1997 annule brusquement les acquis économiques du pays. Suharto obtient l'aide du FMI, mais renâcle à appliquer les réformes prescrites. En mars 1998, il obtient son septième mandat présidentiel. Cependant, lâché par ses derniers partisans alors que la répression de manifestations se fait sanglante à Jakarta, il doit démissionner le 21 mai. Protégé par le chef des forces armées et par son immédiat successeur, Bacharuddin Jusuf Habibie (1936-), il met rapidement à l'abri sa fortune que les manifestants voulaient voir rendue à la nation. **F. C.-B.** **> INDONÉSIE.**

SUISSE Confédération suisse. Capitale : Berne. Superficie : 41 288 km^2. Population : 7 344 000 (1999). **T**rois traits caractérisent la Confédération suisse : l'autonomie des cantons, la diversité linguistique et religieuse, la neutralité. La Suisse naît au Moyen Âge de l'alliance entre divers cantons (petites républiques) luttant contre les autorités du Saint Empire romain germanique. Au XVIe siècle, certains cantons passent à la Réforme, d'autres non. Pour préserver leur alliance, les cantons se tiennent à l'écart des guerres de religion, inaugurant ainsi une politique de neutralité. Dans ce contexte se développe ensuite un sentiment national (l'« helvétisme »), concevant la Suisse comme la patrie du consensus, de la paix et d'une vie saine au cœur des Alpes. En 1815, le congrès de Vienne reconnaît la neutralité perpétuelle du pays. Elle demeurera inviolée, notamment lors des deux guerres mondiales. Il est vrai que le pays s'est doté d'une force militaire très bien équipée et fondée sur la possibilité de mobiliser rapidement tous les citoyens âgés de 20 à 50 ans. Son statut de pays neutre permet aussi à la Suisse de jouer un rôle international. En 1864, le Suisse Henry Dunant (1828-1910) fonde la Croix-Rouge. Dix ans plus tard naît à Berne l'Union postale universelle (UPU), la plus ancienne des organisations internationales. De 1920 à la Seconde Guerre mondiale, la Société des Nations (SDN) siège à Genève. La Suisse n'est cependant pas membre de l'Organisation des Nations unies (ONU). Si la neutralité demeure un principe fondamental, l'autonomie cantonale voit au XIXe siècle son champ se restreindre. La Confédération suisse restaurée en 1815 ne dispose pas d'un gouvernement central, mais simplement d'une Diète, réunissant les représentants des 22 cantons. Face aux conservateurs, attachés à ce système, se dresse bientôt une opposition libérale, puis radicale, souhaitant à la fois une modernisation (« régénération ») de la vie publique et la mise en place d'institutions fédérales. La tension monte entre les cantons protestants, volontiers réformateurs, et les cantons catholiques, très réticents. En 1845, sept cantons catholiques signent un pacte de défense, le Sonderbund. Deux ans plus tard, la Diète, où les radicaux sont devenus majoritaires, exige la dissolution du pacte puis, ayant essuyé un refus, engage des opérations militaires. Les cantons du Sonderbund doivent s'incliner.

La démocratie helvétique. La Constitution de 1848 instaure un État fédéral, les cantons conservant néanmoins une grande autonomie. Le pouvoir législatif appartient à une Assemblée composée de deux chambres : le Conseil national (élu au suffrage direct par le peuple suisse) et le Conseil des États (deux représentants par canton). Un Conseil fédéral de sept membres, élu par l'Assemblée, exerce le pouvoir exécutif. Berne est promue capitale fédérale. Des réformes systématisent ensuite le recours au référendum, constitutionnel (« obligatoire ») ou d'initiative populaire (« facultatif »). La démocratie suisse connaît toutefois longtemps une restriction : il faut attendre 1971 pour que le droit de vote des femmes soit approuvé à l'échelle fédérale. Les citoyens suisses se répartissent en quatre groupes linguistiques : alémanique (allemand), 75 % ; romand (français), 20 % ; tessinois (italien), moins de 5 % ; romanche, moins de 1 %. L'allemand, le français et l'italien sont langues officielles fédérales. L'enseignement, de la compétence des cantons, est partout dispensé dans la langue locale, certains cantons étant partagés en deux zones linguistiques (Berne, Fribourg, Valais), voire trois (Grisons). La question linguistique n'a soulevé de réelles difficultés que dans le canton de Berne. Au milieu du XXᵉ siècle, en effet, un mouvement sécessionniste s'est développé dans la population francophone du nord du canton. Il a abouti en 1979 à la création d'un 23ᵉ canton, celui du Jura. **À l'écart de la construction européenne.** Dans les dernières décennies du XXᵉ siècle, les principaux partis se répartissent les tâches au Conseil fédéral, de sorte que la Suisse ne connaît pas d'alternance politique.

Deux courants tendent néanmoins à s'opposer dans l'opinion : l'un favorable à un rapprochement économique et politique avec les pays d'Europe occidentale, l'autre attaché au particularisme suisse. Le premier courant est dominant dans la classe politique, les milieux d'affaires et en Suisse romande. Le second continue de prévaloir dans la population alémanique, majoritaire. En 1992, les autorités fédérales présentent une demande d'admission à la CEE (Communauté économique européenne) et signent le traité de Porto instituant l'Espace économique européen (EEE). Mais, la même année, un référendum rejette la ratification de ce traité, de telle sorte que la Suisse demeure à l'écart de la construction européenne. Elle ne s'en trouve pas moins totalement enclavée dans l'Union européenne depuis l'adhésion de l'Autriche à cette dernière, en 1995. **J. S.**

SUKARNO (1901-1970) Homme politique indonésien. Javanais par son père instituteur, balinais par sa mère, Sukarno naît à Surabaya (Java-Est). Alors qu'il étudie encore au lycée hollandais, il côtoie déjà les chefs du mouvement nationaliste. Diplômé ingénieur du Collège technique de Bandung, il se lance dans la lutte politique en fondant en 1927 le Parti national d'Indonésie (PNI) et tente en vain d'unifier le mouvement nationaliste très divisé (musulmans, communistes et nationalistes). Excellent orateur, partisan de l'action de masse et de la non-coopération, sa campagne pour l'indépendance lui vaut la prison en 1930, puis l'exil à Flores et à Sumatra. En 1942, il accepte, au nom de l'espoir d'une future indépendance, de collaborer avec les Japonais qui occupent l'archipel. En 1945, il définit les *Pantjasila* ou Cinq Principes (nationalisme, internationalisme, démocratie, justice sociale et croyance en Dieu), qui fondent la philosophie politique de l'Indonésie, coupant court à la revendication d'un État islamique, avant de proclamer l'indépendance le 17 août. Devenu président de la nouvelle République, il laisse prévaloir un régime parlementaire à l'occidentale, très instable, pendant les quatre années de lutte contre le retour des Hollandais, puis jusqu'en 1959. En 1952, il fait échec à un coup militaire contre le Parlement, mais reste, lui-même, peu favorable au régime des partis. La Conférence afro-asiatique de Bandung de 1955 en fait une grande voix du tiers monde. En 1959, alors que le pays a basculé dans la guerre civile à la suite de la rébellion de commandants militaires régionaux soutenus secrètement par les États-Unis, il restaure par décret, avec l'appui de l'armée, le régime présidentiel de la Constitution de 1945 : la « démocratie dirigée » est plus conforme selon lui aux mentalités indonésiennes. Il redevient alors le « porte-parole de la nation », proclame le « retour à la Révolution », le socialisme à l'indonésienne, et entend faire de l'Indonésie le phare de la lutte anti-impérialiste (campagne contre les Pays-Bas pour récupérer l'Irian occidental, puis contre le projet de Grande Malaisie soutenu par le Royaume-Uni et les États-Unis). Pour contrer l'armée conservatrice dont l'ambition politique s'affirme, Sukarno s'appuie sur le Parti communiste indonésien (PKI) qui paraît alors en pleine ascension. Les luttes sociales et politiques s'exacerbent à propos de la réforme agraire, la situation économique se dégrade encore : Sukarno envoie au diable l'aide américaine, se rapproche de la Chine populaire et fait « sortir » l'Indonésie de l'ONU (1965), tout en projetant la création d'une ONU révolutionnaire. Mais sa santé chancelle et la crise annoncée entre l'armée et le PKI éclate le 30 septembre 1965 : six généraux sont tués, la tentative de coup d'État est attribuée au PKI par l'armée du général Suharto, qui prend peu à peu le pouvoir en déconsidérant Sukarno, accusé d'avoir fait le jeu des communistes. Ceux-ci et leurs sympathisants supposés sont massacrés par centaines de milliers. Assigné à résidence, malade, le père de l'indépendance meurt en 1970. Une dizaine d'années plus tard, il devient le populaire symbole de l'opposition à Suharto. **F. C.-B.**   **> INDO-NÉSIE.**

SUN YAT-SEN (1866-1925)   Homme politique chinois. Sun Zhongshan (Sun Yatsen) est le fondateur de la République chinoise et du Kuomintang (Guomindang), auxquels il a légué son idéologie : les « trois principes du peuple ».   Né le 12 novem-bre 1866 dans une famille de paysans pauvres à quelques lieues de Macao, au cœur d'une région traditionnellement ouverte sur l'extérieur, il n'a que treize ans lorsqu'on l'envoie rejoindre son frère aîné établi à Hawaii. L'adolescent y acquiert une admiration sans bornes pour les méthodes occidentales qui font la prospérité de la communauté chinoise d'Honolulu ; il peut constater l'impéritie et l'injustice des méthodes chinoises lorsque son frère le renvoie au village natal.   Le contraste entre le monde relativement américanisé où il vient de passer quatre années décisives (1878-1882) et l'univers traditionaliste qu'il retrouve se révèle assez vite insupportable : dès 1883, le jeune homme décide de s'installer à Hong Kong. Il se convertit aussitôt au christianisme et, dans le même temps, prend langue avec la puissante Triade (Sansehui), organisation secrète antimandchoue. Il obtient en 1892 un diplôme de « licencié en médecine et chirurgie ». La politique le sollicite, le radicalise. Il en fera son métier, et, ce faisant, inaugure un type encore plus nouveau dans la société chinoise en transition que celui de l'intellectuel frotté de techniques occidentales : celui du révolutionnaire professionnel, qui est au brigand ou au lettré de la tradition ce que le docteur, l'ingénieur ou le professeur sont au bachelier et au médecin.   De 1896 à 1911, Sun Yat-sen mène l'existence errante du proscrit. Il ne remettra pas le pied sur le sol chinois avant d'être proclamé président de la République, à la fin de l'année 1911. Ayant coupé sa natte dès 1895 – le geste symbolise le refus d'obéissance aux Mandchous honnis –, il s'habille désormais à l'occidentale.   Lorsqu'il résume l'expérience d'une décennie en une vaste somme (Sanmin Zhuyi, Les Trois Principes du peuple ou Le Triple Démisme, 1905), Sun Yat-sen rallie à son programme les divers groupes révolutionnaires ; il combine nationalisme, démocratie et socialisme (minsheng, ou « bien-être du peuple »). La formule continuera d'inspirer les générations révolutionnaires jusqu'en 1949, puis le régime nationaliste réfugié à Taïwan par la suite. **Y. C.**   **> CHINE, TAÏWAN.**

SUN ZHONGSHAN > SUN YAT-SEN.

SURINAME République du Suriname. Capitale : Paramaribo. Superficie : 163 200 km². Population : 415 000 (1999). Cette colonie américaine peu peuplée des Pays-Bas, située au nord du Brésil, a été une source de riz, de bois et de café et, à partir de 1915, de bauxite. En 1954, Amsterdam lui donne une large autonomie dans le cadre du Royaume tripartite (avec les Pays-Bas et les Antilles néerlandaises). Jusqu'à l'indépendance en 1975, Johan Pengel (mort en 1970) et Henck Arron (1936-) président des gouvernements de coalition fragiles. L'importance de l'aide néerlandaise annoncée en 1975 (1,2 milliard de dollars américains) démobilise les autorités et encourage la corruption. H. Arron est renversé en 1980 par un coup d'État militaire. Un colonel s'affichant comme « progressiste », Desi Bouterse (1945-), gouverne jusqu'en 1988. En 1982, quinze personnalités de l'opposition sont froidement exécutées en sa présence à la suite de manifestations contre la dictature. La pression des Pays-Bas, qui coupent toute aide après cette tuerie, et, de 1986 à 1989, celle d'une guérilla dans l'est du pays dirigée par un ancien militaire, Ronnie Brunswijk, et soutenue par Amsterdam, provoquant un fort mouvement d'émigration. D. Bouterse n'en reste pas moins aux commandes, s'appuyant sur le narcotrafic. Une reprise du pouvoir par des civils, en 1988, ne dure pas ; ils sont renversés par D. Bouterse en 1990. Cependant, des élections sont autorisées en 1991 et remportées par une coalition centriste dirigée par Ronald Venetiaan (1936-) qui devient président. En 1996, D. Bouterse réussit à installer un fantoche au pouvoir, Jules Wijdenbosch (1941-), à la suite de la défaite électorale de la coalition dirigée par R. Venetiaan. Celui-ci l'emporte en revanche en 2000 et redevient président. L'ancien dictateur est cependant resté l'homme fort du pays, bien que condamné par la justice néerlandaise pour trafic de drogue. **G. C.**

SWAZILAND Royaume du Swaziland. Capitale : Mbabane. Superficie : 17 360 km². Population : 980 000 (1999). Ancien protectorat britannique (1906-1968), le Swaziland constituait à la fin du XXᵉ siècle l'une des dernières monarchies absolues du monde. Le long règne de Sobhuza II (1921-1982) a durablement marqué le système politique et l'organisation sociale du pays. Militant successivement pour la restitution des terres concédées aux Blancs, puis pour l'indépendance du royaume, Sobhuza a su ancrer le pouvoir royal en écartant toute opposition institutionnelle. L'interdiction en 1972 du multipartisme, sous la forme d'une abolition du Parlement, s'est appuyée sur un discours affirmant l'incompatibilité de la démocratie avec le système traditionnel swazi. En 1984, après une période de régence et de rivalités entre clans au sein de la famille royale, Mswati III prend le pouvoir. La création d'une Commission de réformes n'enraye pas l'intransigeance royale à l'égard de la presse et de l'opposition. La contestation se radicalise à la fin des années 1990, ouvrant une période d'agitation sociale. Sans ressources minérales et demeurant économiquement dépendant de l'Afrique du Sud, le royaume doit également affronter l'explosion du sida qui menace à moyen terme son équilibre démographique. **J.-M. D.**

SYKES-PICOT **(accord)** Négocié entre deux diplomates, l'un français (Georges Picot), l'autre britannique (Mark Sykes), l'accord (secret) Sykes-Picot du 16 octobre 1916 partage les influences de la France et de la Grande-Bretagne sur les futures dépouilles de l'Empire ottoman. La première se verra confier, notamment, les intérêts de la Syrie, du Liban et de la haute Mésopotamie, la seconde ceux de la basse Mésopotamie et des territoires à l'est du Jourdain. La France et la Grande-Bretagne se déclarent disposées à reconnaître un État ou une confédération d'États arabes sous leur influence. Deux lettres échangées en mai entre autorités françaises et britanniques entérinent ces accords, par la suite soumis à la Russie dans le cadre d'un arrangement tripartite.

SYNDICALISME L'entrée dans le XXᵉ siècle est marquée par les dernières manifestations spectaculaires du syndicalisme révolutionnaire : déclarations enflammées, attentats, tentatives de grève générale insurrectionnelle. La répression fait disparaître certaines des organisations qui s'en réclamaient, comme les Chevaliers du travail en Amérique du Nord. D'autres, comme la Confédération générale du travail (CGT) en France, adoptent une ligne plus réformiste. Dès lors, le syndicalisme révolutionnaire ne jouera plus qu'un rôle marginal, sauf en Espagne dans les années 1930. **Syndicalisme de métier et syndicalisme d'industrie.** Le syndicalisme a rarement occupé le devant de la scène à cause de ses divisions qui tiennent d'abord à l'affrontement en son sein de deux logiques d'organisation : le métier et l'industrie. Les salariés qualifiés monopolisent le syndicat de métier. Ils cherchent à contrôler l'embauche et négocient au niveau de l'entreprise, d'où leur puissance dans les secteurs proches de l'artisanat : Samuel Gompers (1850-1924), « patron » de la Fédération américaine du travail – American Federation of Labor (AFL), principale confédération d'Amérique du Nord, de 1886 à 1924 – est un ouvrier de la confection ; en France, la logique du métier domine le syndicalisme dans le livre et la presse, le spectacle, les ports et docks... À l'inverse, le syndicat d'industrie est ouvert à tous (en fait, les salariés sans qualification y sont majoritaires). Il privilégie le contrat et la négociation collective au niveau de la branche. C'est pourquoi il s'est développé là où l'industrie était fortement cartellisée, comme en Allemagne ou en Europe du Nord. **Le** syndicalisme de métier, pour préserver l'unité de la profession, répugne à l'engagement politique : jusqu'en 1936, l'AFL refuse de donner une consigne de vote à ses membres ; en France, le Syndicat du livre est hostile au syndicalisme révolutionnaire et à l'engagement politique. À l'opposé, le syndicalisme d'industrie compense sa faiblesse sociologique par l'action politique. En Allemagne comme dans les pays scandinaves, les syndicats dominants sont sociaux-démocrates. Mais, dès avant 1914, ils obtiennent leur autonomie : dans leur sphère de compétence, les contrats collectifs et la gestion des institutions sociales notamment, ils décident

sans en référer au parti. Ainsi deviennent-ils de véritables institutions sociales. Le Congrès des trade-unions britanniques (TUC) est un compromis entre ces deux tendances. Au début du XIXᵉ siècle, la majorité des syndicats britanniques se résolvent à la création du Parti travailliste (Labour Party), mais le modèle du métier continue à dominer : autonomie des sections d'entreprise et pouvoir quasi illimité de leurs responsables *(shop stewards)*, contrats collectifs reconnaissant les qualifications et réservant l'embauche aux syndiqués... Le syndicalisme britannique se maintient ainsi jusqu'aux années 1970, non sans qu'on l'ait rendu en partie responsable du déclin économique précoce de la Grande-Bretagne. À cette première fracture se sont ajoutés tous les chocs du siècle. Dans les années 1900-1920, l'opposition entre les laïcs et les chrétiens, et l'émergence d'une pensée sociale chrétienne conduisent à la création de syndicats confessionnels en Allemagne, en Belgique, en France, en Italie, aux Pays-Bas... **Lors** de la Première Guerre mondiale, les principaux leaders se rallient à l'union nationale, au contrôle des prix, des salaires et à l'intensification de la production. Mais ils ne peuvent empêcher le développement du pacifisme. En contrepartie, ils obtiennent une législation sociale plus ou moins développée (en France, lois sur la journée de huit heures et sur les conventions collectives). **La rupture de la Révolution russe.** La Révolution russe introduit la deuxième grande coupure. En Union soviétique, après 1922, le syndicat est un organe d'État et un instrument d'encadrement des salariés. Pour le reste du monde, une Internationale syndicale « rouge » est fondée sur le modèle du Komintern. Les communistes doivent former des « noyaux » clandestins dans les syndicats existants pour en prendre la direction, y développer la propagande et le recrutement. Lorsque ces militants sont expulsés des syndicats, comme en France en 1921, ils forment un « syndicat rouge » (la CGT-Unitaire, ou CGT-U). **Ce** nouveau clivage politique épouse souvent les oppositions traditionnelles : dans les années 1920, le communisme remporte plus de succès auprès des ouvriers de la grande industrie que chez les salariés qualifiés, les employés du tertiaire ou les fonctionnaires. De même, au sein de l'AFL, les sympathisants de la Révolution russe jouent un grand rôle dans l'émergence du Congrès des organisations industrielles – Congress of Industrial Organizations (CIO) – qui se sépare de l'AFL en 1938. **D**ans les années 1920, ces affrontements affaiblissent les syndicats alors que des majorités conservatrices tentent de revenir sur les concessions du temps de guerre. Ainsi, en Allemagne, dans la république de Weimar, le compromis passé en 1919 entre les <u>sociaux-démocrates</u> et le patronat, reconnaissant le pouvoir syndical dans les entreprises, reste-t-il lettre morte. Dans toute l'Europe, la négociation collective régresse, la législation sociale est démantelée, le pouvoir syndical recule.

Dans l'entre-deux-guerres, le syndicalisme est limité aux pays industriels du Nord et à l'Australie. Dans le reste du monde, son poids n'est pas significatif, sauf au Mexique, en Argentine et au Chili ou dans certaines colonies : salariés européens du Maghreb français, travailleurs blancs d'Afrique du Sud... **L**a <u>crise de 1929</u> réduit presque à néant le syndicalisme. Pourtant, on assiste à sa renaissance à la fin des années 1930. L'avènement de <u>Hitler</u> – qui détruit les syndicats allemands en mai 1933 – conduit à la formation de fronts populaires et à la réunification des syndicats. En France, on assiste, au printemps 1936, à une vague d'adhésions dans le contexte du <u>Front populaire</u> : pour la seule fois dans l'histoire du pays, plus de la moitié des salariés français sont syndiqués. En Suède, l'avènement au pouvoir du Parti social-démocrate, en 1932, conduit à l'élaboration d'un véritable modèle social nouveau. La syndicalisation s'y développe et atteint 80 % dans les années 1960-1980. **L**a renaissance du syndicalisme, à la fin des années 1930, s'explique également par les nouvelles politiques économiques, dont le modèle est le <u>New Deal</u> de Franklin D. <u>Roosevelt</u>. La relance par les salaires conduit à encourager la négociation collective. La loi permet notamment la syndicalisation obligatoire dans les entreprises où le syndicat a obtenu un vote d'accréditation. En Amérique du Nord, le taux de syndicali-

sation passe de 10 % en 1932 à 40 % en 1947. **L**e <u>Pacte germano-soviétique</u> (août 1939) entraîne l'expulsion des communistes hors des syndicats. L'unité se reforme après juin 1941 : en France ou en Italie occupée, la CGT et la CGIL (Confédération générale italienne du travail) sont réunifiées dans la clandestinité. En 1945 est fondée la Fédération syndicale mondiale (<u>FSM</u>). **L**a fin de la Seconde Guerre mondiale s'accompagne d'une vague d'adhésions, plus pérenne que celle de 1918-1920. Cette solidité nouvelle s'explique aussi par la mise en place de l'<u>État-providence</u> et la création de régimes généraux de sécurité sociale. Les syndicats étant associés à leur gestion, ils en tirent des ressources ainsi qu'une reconnaissance institutionnelle, sauf aux États-Unis où une législation restrictive, l'offensive patronale et la découverte de la pénétration de certains syndicats par la mafia entraînent, à partir de 1947, un lent déclin qui amène le taux de syndicalisation au-dessous de 20 % dans la décennie 1980. **Les divisions de la Guerre froide.** La <u>Guerre froide</u> entraîne le retour des divisions – en 1948, scission de la CGT aboutissant à la création de la CGT-FO (Force ouvrière) en France, ainsi que des socialistes et des chrétiens en Italie – qui se répercutent au niveau international : les non-communistes quittent la FSM et fondent la Confédération internationale des syndicats libres (<u>CISL</u>). Dans leur zone d'influence, les Soviétiques imposent leur modèle. **D**ans le tiers monde émergent des syndicats liés au mouvement d'émancipation nationale, mais leur influence est surtout limitée à la fonction publique et aux grandes entreprises multinationales ; ils touchent peu de petites entreprises et pas du tout l'immense secteur de l'économie informelle. Dans ces pays, le syndicat est souvent instrumentalisé en courroie de transmission du parti unique ou dominant : péronisme argentin, <u>PRI</u> (Parti révolutionnaire institutionnel) au Mexique, <u>FLN</u> (Front de libération nationale) en Algérie, partis-États africains... Une place particulière doit cependant être faite au syndicalisme sud-africain, notamment celui des mineurs. **Les** années 1960-1970 sont celles de la contestation du modèle libéral. En Grande-Bretagne, le mouvement des *shop stewards* fait trébucher le pouvoir travailliste. En France (Mai 68), en Italie, en Allemagne et dans les pays scandinaves, des mouvements sociaux de grande ampleur remettent en cause le contenu et les conditions du travail, ainsi que l'institutionnalisation des syndicats. Ils conduisent à l'émergence de nouveaux acteurs (jeunes, femmes, minorités ethniques). Toutefois, après 1974, la crise économique marque la fin de ce mouvement. **Du syndicat au groupe de pression.** Dans les années 1980 s'amorcent les deux ruptures significatives de la fin du siècle. Dans les pays du bloc soviétique, un syndicalisme indépendant apparaît dont le symbole est le syndicat polonais Solidarité, né lors des grèves de Gdańsk en 1980, avec Lech Wałęsa comme porte-drapeau. Cependant, le syndicalisme officiel se transforme. En Pologne, adossé à de nombreuses institutions sociales, il est parvenu à conserver une position forte face à Solidarité. L'autre évolution significative se produit à l'Ouest et particulièrement en Grande-Bretagne, berceau du syndicalisme moderne. Le mouvement travailliste se défait sur le plan politique – retour au pouvoir des conservateurs avec Margaret Thatcher notamment, adoption d'une législation restrictive – et social : échec des grandes grèves, comme celle des mineurs en 1984-1985. Mais le syndicalisme britannique enraye son déclin au prix d'une profonde mutation : abandon de sa plate-forme politique radicale, création de « syndicats généraux » centrés sur les entreprises et ouverts à tous les salariés, compromis avec les employeurs. Dans une certaine mesure, les syndicats scandinaves et allemands connaissent la même révolution silencieuse. Le syndicalisme français, profondément marqué par les affrontements idéologiques, semble également s'y résoudre dans les dernières années du siècle. De même, au Japon et dans les nouveaux pays industriels, le syndicaliste devient un organisateur professionnel, salarié, occupé à rendre des services aux adhérents et dont le but, plus ou moins avoué, est d'obtenir un monopole de la représentation. Partout, l'engagement militant, le bénévolat et

la philosophie sociale tendent à laisser place au professionnalisme, aux valeurs de l'entreprise et de la société libérale. Devenus de simples groupes de pression, les syndicats semblent incapables de fournir des réponses à la montée des inégalités, de la pauvreté et de l'exclusion. **D. L.**

SYRIE **R**épublique arabe syrienne. Capitale : Damas. Superficie : 185 180 km^2 (incluant le Golan). Population : 15 725 000 (1999). **Le** mandat français entérine, en 1920, la création distincte de la Syrie et du Liban. Les Français entrent à Damas en juillet 1920 après en avoir chassé Fayçal al-Saoud, fils du chérif de La Mecque, proclamé roi d'une Grande Syrie de 1919 à 1920. Cette brève indépendance a cristallisé l'aspiration panarabe, thème majeur des indépendances à venir. La promulgation d'une Constitution républicaine (1930) est suivie de la proclamation de l'indépendance (1941), qui ne prend effet qu'avec le départ de l'armée française (1946). **La** défaite arabe de 1948-1949 marque la première crise du jeune État. Les coups d'État qui se succèdent ensuite sont dominés par l'armée. L'ascension des partis de gauche, en particulier du Baas (Parti socialiste de la résurrection arabe, fondé par Michel Aflak), amorce la longue alliance avec l'URSS (1957) et met à jour la rivalité croissante entre le Baas et le Parti communiste. Les troubles politiques de 1957-1958 accélèrent la création de la République arabe unie (RAU, février 1958) entre la Syrie et l'Égypte de Nasser, qui a tôt fait de susciter le désenchantement : un coup d'État met fin à cette brève union (1961). **Le** parti Baas prend le pouvoir en 1963. Le conflit interne entre la vieille garde panarabe et la jeune garde militaire prosyrienne (Salah Jedid [1926-1993] et Hafez al-Assad) se développe jusqu'au « Coup de la jeune garde » (1966). En son sein, après la défaite arabe de 1967, l'opposition se radicalise entre une aile idéologique (S. Jedid, dirigeant du Baas) et une aile pragmatique (H. al-Assad). Le coup d'État d'H. al-Assad contre le tandem Salah Jedid-Noureddine Atassi (président), le 12 novembre 1970, est présenté comme un « mouvement de correction ». **L'ère**

Assad (1971-2000). Plébiscité président en mars 1971, H. al-Assad instaure un pouvoir autocratique assis sur l'armée et les services de sécurité, largement investis par ses coreligionnaires alaouites, et développe, *via* le Baas, des structures d'encadrement à chaque échelon de la société. La coalition du Front national progressiste, qui rassemble autour du Baas des partis nationalistes et progressistes, montre vite les limites de son ouverture, tandis que les mouvements d'opposition sont victimes d'une sévère répression policière. Sous H. al-Assad, la Syrie devient un acteur essentiel de la scène proche-orientale en prenant la tête du front de la fermeté arabe face à Israël. La guerre israélo-arabe de 1973, menée avec l'Égypte, est un échec malgré le retour d'une partie des territoires de 1967 : le plateau du Golan (annexé en 1981) reste sous occupation israélienne. La « parité stratégique » avec Israël, obtenue grâce au soutien de l'URSS, devient l'élément central de la politique militaire de Damas. L'engagement de la Syrie dans la guerre civile libanaise (1975-1991), dès 1976, a plusieurs objectifs : maintenir le glacis libanais face à Israël ; empêcher toute création d'un Liban chrétien allié d'Israël ; ne pas laisser à la seule résistance palestinienne la responsabilité d'une stratégie arabe globale face à Israël. La Syrie entend maintenir l'équilibre entre les différents camps. Malgré l'enlisement du conflit dans les années 1980, les accords de Taëf (1989), qui mettent fin à la guerre, signent sa victoire : la *pax syriana* au Liban est formalisée par un « traité de fraternité » (1991) et la présence de l'armée syrienne est maintenue. Cherchant à rompre son isolement, confrontée à la chute de l'URSS, la Syrie, aux côtés des Alliés dans la guerre du Golfe (1991), opte pour un « objectif stratégique de paix ». Se ralliant au principe de « la terre contre la paix », elle participe à la conférence de Madrid (1991) en posant comme condition première à toute négociation la restitution du Golan dans ses frontières du 4 juin 1967. Cette exigence territoriale est à l'origine de la rupture des négociations avec Israël en 1996 puis en 2000. Se posant comme la gardienne du principe de solidarité de tous les pays arabes engagés dans des négociations avec l'État

hébreu, elle manifeste son hostilité aux accords israélo-palestiniens d'Oslo (1993), puis aux accords israélo-jordaniens (1994). Interlocuteur incontournable pour toute solution régionale, la Syrie des années 1990 présente, à l'intérieur, un bilan économique médiocre et un paysage politique dévasté par trente ans de dictature. La mort de H. al-Assad (10 juin 2000), auquel succède son fils Bachar, inaugure une figure jusqu'alors inédite au Proche-Orient : la république héréditaire. **L. V.**

SYSTÈME CONCENTRATIONNAIRE

En 1945-1946, le Français David Rousset (1912-1997), alors trotskiste, ancien interné des camps de Buchenwald, de Neuengamme (Allemagne) et de divers *Kommandos*, publiait un ouvrage intitulé *L'Univers concentrationnaire*. Il inventait l'adjectif « concentrationnaire » et faisait connaître auprès du grand public la notion de « camp de concentration », non en tant que simple outil de répression, comme la prison ou le bagne, mais comme monde à part régi par ses propres lois. Il permettait ainsi de penser globalement le système concentrationnaire, de dégager, au-delà des témoignages sur les camps nazis, publiés dès l'avant-guerre et fort nombreux après 1945, des principes communs d'organisation et de réfléchir sur leur lien avec la société allemande. Il ne s'agissait plus de l'évocation de tragédies individuelles, d'aperçus limités sur tel camp – Dachau ou Buchenwald –, mais d'une réflexion globale. Même si les analyses de D. Rousset peuvent aujourd'hui paraître obsolètes sur certains points, et s'il n'a pas saisi un élément fondamental, à savoir qu'au sein de cet univers existait un autre système, celui de la mise à mort systématique des Juifs, on lui doit un mode de réflexion opératoire. La notion d'« univers concentrationnaire » permit à D. Rousset de s'interroger sur le système des camps soviétiques. Dès la prise du pouvoir par les bolcheviks, on sut qu'il existait des camps en Union soviétique, grâce notamment aux écrits de Raymond Duguet (*Un bagne en Russie rouge : Solovki, l'île de la faim, des supplices et de la mort*, paru en 1928) et à ceux signés par l'écrivain roumain Panaït Istrati (1884-1935)

– écrits en réalité par Boris <u>Souvarine</u> (*La Russie nue*, paru en 1929). Cependant, rares étaient ceux capables de les penser comme un univers faisant système. En 1949, D. Rousset créait une commission internationale sur les « camps concentrationnaires », dans laquelle les anciens déportés des camps nazis devaient jouer un rôle déterminant : « Nous sommes, nous, des professionnels, des spécialistes. C'est le prix que nous devons payer le surplus de vie qui nous a été accordé. Nous ne pouvons ni boucher les oreilles ni fermer les yeux », écrivait-il. En utilisant l'adjectif « concentrationnaire », D. Rousset, indiquant qu'il pouvait y avoir des camps non concentrationnaires, des camps où l'on internait, mais qui ne faisaient pas système. Pourtant, nul

n'appliquait encore cette réflexion globale à d'autres régimes que le <u>nazisme</u>. Malgré un travail considérable, la commission Rousset ne connut qu'un succès mitigé ; ses analyses ne pénétrèrent pas la conscience commune. Il fallut une autre intervention, celle d'Alexandre <u>Soljénitsyne</u> intitulant sa vaste enquête *L'Archipel du Goulag* (paru en 1973-1974), pour que le phénomène concentrationnaire soviétique pénétrât à son tour la conscience universelle. **A. W.** **> CAMPS DE CONCENTRATION, GOULAG, LAOGAI.**

SYSTÈME MONÉTAIRE EUROPÉEN > SME.

SYSTÈME MONÉTAIRE INTERNATIONAL > SMI.

T

TADJIKISTAN **R**épublique du Tadjikistan. Capitale : Douchanbé. Superficie : 143 100 km². Population : 6 104 000 (1999). **C**'est de l'époque de l'islamisation de l'Asie centrale (VIIIᵉ au Xᵉ siècle) que date l'apparition du terme « tadjik ». Il ne s'appliquait pas comme aujourd'hui au principal groupe iranophone de l'Asie centrale, mais était un terme des annales chinoises, « Ta Dzi » désignant les marchands musulmans de Transoxiane, les Arabes ou les islamisés. Cette étymologie est généralement acceptée, mais elle est encore discutée, comme l'est le processus de fixation de ce terme en tant qu'ethnonyme. **Ce** territoire d'Asie centrale a le plus souvent été disputé. Dans les cinquante années précédant la conquête russe s'est déroulé une lutte incessante entre le khanat ouzbek de Kokand et l'émirat de Boukhara. Après l'imposition par la Russie d'un traité de protectorat à ces deux États en 1873, l'ensemble du Tadjikistan méridional est attribué au protectorat de Boukhara, le reste de son territoire passant sous administration directe de la Russie au sein du Gouvernement général du Turkestan. C'est de cette époque que date l'apparition du réformisme musulman, auquel participent certains intellectuels tadjiks. **A**près la révolution russe, l'émir de Boukhara réussit à se maintenir jusqu'en septembre 1920, puis, durant les quatre années de la République populaire de Boukhara qui remplace le régime de l'émir, le Tadjikistan méridional devient une zone troublée, plus ou moins tenue par les groupes armés antibolcheviques Basmatchis. **A**près la suppression de la république de Boukhara, le Tadjikistan est créé, le 1 octobre 1924, en tant que République autonome de l'Ouzbékistan. Il devient République socialiste soviétique autonome (RSSA) le 15 mars 1925. En 1929, il est reconnu

comme République socialiste soviétique (RSS) à part entière, comportant en son sein la « région autonome du Gorno Badakhchan » qui réclamera en 1991 un statut plus libre. **V. F.**

L'indépendance et la guerre civile. Premier secrétaire du Parti communiste tadjik depuis 1985, Qahhar Mahkamov se fait élire président en novembre 1990. Mais, cas exceptionnel dans les ex-républiques soviétiques, il est contraint à la démission le 31 août 1991, pour avoir soutenu la tentative de putsch contre Mikhaïl Gorbatchev (19-21 août). L'indépendance est proclamée le 9 septembre 1991. Aux élections présidentielles de novembre 1991, un ancien dirigeant du Parti communiste, Rahman Nabiev, est élu contre le représentant de l'opposition nationaliste et pro-démocratique, Dawlat Khodanazarov. Mais, début mai 1992, une guerre civile éclate, opposant d'un côté les ex-communistes appuyés par les Russes et de l'autre une coalition de nationalistes (Parti démocratique), de démocrates (Parti Rastakhiz) et d'islamistes (Parti de la renaissance islamique) discrètement soutenus par l'Iran. Mais ce clivage politique recoupe en fait des oppositions régionalistes : les ex-communistes ont pour bastion la province de Koulab et celle de Léninabad, tandis que les « islamo-démocrates » recrutent parmi les gens originaires de la vallée de Gharm et du Pamir. En décembre 1992, à la suite de combats très sanglants, les islamistes sont contraints de fuir en Afghanistan et les Koulabis prennent le pouvoir à Douchanbé. Imamali Rahmanov est élu président. La Russie maintient un corps expéditionnaire à Douchambe et contrôle les gardes-frontières. Mais les islamistes reprennent la guérilla à partir de l'Afghanistan. En juin 1997, un accord est signé sous l'égide de l'ONU et avec le parrainage de la Russie et de l'Iran. L'Opposition tadjike unifiée, dirigée par Mollah Nouri, entre au gouvernement avec promesse d'un tiers des portefeuilles ministériels. Les réfugiés reviennent d'Afghanistan. Une paix précaire s'installe, malgré la dissidence larvée de groupes armés qui tiennent des maquis dans la haute vallée de Gharm. **O. R.**

TAËF (accords de) **P**our mettre fin à la guerre civile libanaise (1975-1991), les députés votent, le 22 octobre 1989, les accords dits « de Taëf » (Arabie saoudite). Ratifiés par le Parlement le 21 août 1990, ces accords maintiennent le <u>confessionnalisme</u> comme système d'organisation politique (qui devra être ultérieurement aboli), prévoient le renforcement des pouvoirs du Premier ministre (sunnite) et l'égalité entre députés chrétiens et musulmans au Parlement. Ils confirment la mainmise syrienne sur le Liban : le « traité de fraternité et de coopération », signé le 22 mai 1991, implique une harmonisation de la politique libanaise avec celle de Damas et autorise le maintien de l'armée syrienne au Liban jusqu'au retrait israélien du <u>Sud-Liban</u> et à l'application des réformes constitutionnelles, dont la suppression du confessionnalisme. **L. V.** **> LIBAN.**

TAÏWAN « **R**épublique de Chine ». Capitale : Taipei. Superficie : 35 980 km². Population : 22 113 000 (1999). **T**erritoire longtemps négligé par la Chine au cours de son histoire, Taïwan a subi l'occupation des puissances européennes, mais c'est le Japon qui a fait entrer l'Ilha Formosa dans l'ère moderne. Le traité de Shimonoseki (1895) en a fait une possession japonaise pendant cinquante ans, période de développement sans précédent. L'administration coloniale y a stimulé l'agriculture et l'éducation tout en déployant une structure bureaucratique efficace et soucieuse du maintien de l'ordre. **À** la conférence du Caire (1943), décision politique jamais entérinée par un traité international, les Alliés (Franklin D. <u>Roosevelt</u> et Winston <u>Churchill</u>) conviennent de remettre l'île de Formose au gouvernement nationaliste (<u>Kuomintang</u>) du généralissime <u>Tchiang Kaï-chek</u> dès la fin du conflit mondial. L'arrivée des troupes du continent et l'administration nationaliste corrompue du gouverneur Chen Yi (?-1950)

mènent à la tragédie du 28 février 1947, au cours de laquelle des milliers de Taïwanais sont tués. Après que les communistes de <u>Mao Zedong</u> eurent obligé Tchiang Kaï-chek à se réfugier dans la province insulaire avec deux millions de ses partisans à la fin de 1949, le contrôle de Formose par le Kuomintang est devenu absolu. **L**a seconde moitié du siècle est caractérisée par une aide américaine déterminante et un véritable « miracle économique ». Les administrateurs venus du continent procèdent d'abord à une réforme agraire (1951), puis au développement de l'industrie légère. À la mort de Tchiang Kaï-chek, en 1975, il est devenu évident pour le président Chiang Ching-kuo (1910-1988), son fils, que le rêve de reconquérir la Chine continentale est irréalisable, raison supplémentaire pour consolider l'industrialisation locale. **P**endant les douze ans (1988-2000) de la présidence de Lee Teng-hui (1923-), Taïwan se hisse au treizième rang des puissances commerciales. Le secteur manufacturier est transféré sur le continent où les investisseurs taïwanais injectent 20 milliards de dollars (américains) de capitaux. Le chef du Kuomintang parvient à rajeunir le système politique et à faire éclore la liberté de la presse et la démocratie. Mais l'isolement diplomatique s'est accru. Et les relations avec ce que Pékin estime être l'« île rebelle » demeurent dans l'impasse malgré des rencontres à haut niveau. Après le retour dans le giron de <u>Hong Kong</u> (1997) et de <u>Macao</u> (1999), les dirigeants de Pékin ont clairement affirmé que c'était maintenant au tour de Taïwan de réintégrer la mère patrie et de parachever l'unification – malgré les réticences très ouvertes de Lee Teng-hui. **L**'arrivée au pouvoir du président Chen Shui-bian (1950-) par suite de la défaite historique des nationalistes du Kuomintang aux élections du 18 mars 2000 a creusé le fossé entre une Chine autoritaire et une province démocratique. En dépit du commerce bilatéral dynamique, Pékin a multiplié pressions et menaces en faveur de la réunification. Partisan avoué de la thèse séparatiste, Chen Shui-bian a paradoxalement hérité de la tâche difficile d'ouvrir le grand dialogue avec les maîtres de Pékin, qui brandissent encore le recours à la force. **J. N.**

TALIBAN (Afghanistan) L'émergence des taliban (« étudiants en religion ») sur la scène politique et militaire afghane, en 1994, est due à la conjonction de deux phénomènes. D'une part, la population afghane, lassée par les affrontements entre les différents groupes de combattants, aspirait au rétablissement de l'ordre. Les taliban ont effectivement mis fin aux combats et rétabli la paix civile dans les régions qu'ils contrôlent. D'autre part, ils ont été initialement utilisés par le Pakistan pour ouvrir la route vers le Turkménistan. Devant leur succès inattendu, le gouvernement pakistanais a choisi de soutenir le mouvement, ce qui explique en partie la série de victoires qui leur permettait de contrôler jusqu'à l'été 2001 environ 80 % du territoire afghan, l'opposition militaire étant alors limitée à la résistance du seul commandant Ahmed Shah Massoud. Les taliban ne sont pas l'expression d'un phénomène tribal, même s'ils recrutent essentiellement dans les régions pachtounes et tribalisées du sud du pays, mais un mouvement religieux. La totalité des cadres de ce dernier (qui allait largement se confondre avec l'État) sont des *ulama* (savants religieux) souvent passés dans les mêmes écoles théologiques *(dini madrasa)* au Pakistan pendant la guerre. Tous les religieux ayant été intégrés dans l'administration, ils forment un soutien important pour le régime. Celui-ci est organisé, de façon inédite dans le monde musulman, autour de Mollah Muhammad Omar (1961 ?-), élu Commandeur des croyants *(amir al-mominin)* en 1996 et disposant de tous les pouvoirs. Les différents Conseils *(chura)* n'ont qu'un rôle consultatif et tous les partis politiques sont interdits. Le caractère religieux du mouvement s'est confirmé dans un projet de société qui repose sur une lecture très stricte de la *charia* (loi coranique). Ainsi, la plupart des divertissements sont interdits (télévision, cinéma, musique, etc.), les hommes doivent porter la barbe. Assister à la prière est obligatoire. La situation des femmes s'est dégradée, au moins dans les villes, leur condition restant largement inchangée dans les campagnes. Les étudiantes ont été exclues de l'Université et il est rare que des filles soient scolarisée au-delà du primaire. Le travail hors de la maison est généralement interdit, sauf dans les hôpitaux. Les taliban, outre leur incapacité à vaincre Massoud (assassiné en septembre 2001), ont dû faire face à un rejet marqué de la communauté internationale avec laquelle les tensions se sont cristallisées autour de trois questions : les droits de l'homme, la production de drogue et le soutien à Oussama ben Laden (1957-), accusé d'actes de terrorisme international par les États-Unis. Après les attentats perpétrés le 11 septembre 2001 contre le World Trade Center de New York et contre le Pentagone, ce dernier a été immédiatement accusé par les autorités américaines. Elles ont engagé une opération militaire « antiterroriste » contre le régime taliban qui est tombé en décembre, après deux mois de bombardements du pays. **G. D.o** ▷ **AFGHANISTAN, ISLAMISME.**

TALL AL-ZAATAR Au Liban, le camp de Tall al-Zaatar (« colline du thym ») est le théâtre d'un des épisodes les plus sanglants de la guerre civile libanaise (1975-1991). Il abrite 50 000 réfugiés, palestiniens pour l'essentiel, mais aussi chiites libanais chassés par les combats le long de la frontière avec Israël. Situé à Beyrouth-Est, en plein territoire chrétien, Tall al-Zaatar est encerclé dès janvier 1976. À partir du 22 juin, il subit les assauts répétés des milices chrétiennes maronites qui ont reçu trois semaines plus tôt l'appui militaire des troupes syriennes. Défendu par une poignée de combattants de l'OLP (Organisation de libération de la Palestine), il capitule le 12 août après un siège de 52 jours. Malgré un accord conclu par l'intermédiaire de la Ligue arabe et qui garantit l'évacuation pacifique de ses habitants, plus de 1 000 civils sont massacrés lors de sa conquête, dont des femmes et des enfants. La chute de Tall al-Zaatar parachève l'homogénéisation confessionnelle de Beyrouth et implique un peu plus l'OLP dans la guerre civile aux côtés des milices musulmanes. **C. B.** ▷ **LIBAN, QUESTION PALESTINIENNE, SYRIE.**

TAMOULS ET CINGHALAIS (Sri Lanka) La population de Sri Lanka (anciennement Ceylan) comporte une majorité (environ 75 % en 2000) de Cinghalais (ou Cingalais), une forte minorité (environ 18 %) de Tamouls (ou Tamils) et d'autres minorités. L'origine indienne et hindouiste des Cinghalais est historiquement attestée. En témoignent l'épopée mythologique du *Ramayana* qui relate les « parcours » du dieu Ram (Vishnu) du nord de l'Inde à son extrême sud, ainsi que la langue cinghalaise qui est indo-aryenne, proche du sanskrit (Inde du Nord) et du prakrit.   Dès le IIIᵉ siècle avant notre ère, le bouddhisme – né en Inde, puis développé dans sa périphérie (Tibet, Chine, Siam [actuelle Thaïlande], Birmanie) – est introduit dans l'île de Ceylan. C'est la véritable origine d'un vaste mouvement de civilisation, avec brassages de populations et migrations intérieures en fonction des ressources agraires (zones sèches et zones humides) et hydrauliques ; avec aussi installation durable de communautés dans le cadre de royaumes (celui de Kandy dans la région centrale des hauts-plateaux ayant résisté à tous les assauts et transformations).   Au milieu du deuxième millénaire, les influences sud-indiennes se renforcent avec la création de royaumes tamouls (tels Pandya, puis Colo). C'est aussi de cette époque que datent les visites commerçantes d'Arabes qui vont faire souche avec implantation de l'islam, ainsi que d'autres mouvements de population. Pour des raisons à la fois politiques et économiques, une répartition territoriale s'opère. Les communautés cinghalaises bouddhistes s'installent plutôt dans l'Ouest et le Sud, autour de future capitale Colombo ; la communauté (historique) tamoule se fixant principalement dans le nord de l'île (presqu'île de Jaffna) et sur la côte est. Du XIVᵉ au XVIIIᵉ siècle s'y maintient un royaume tamoul indépendant. À partir du XVIᵉ siècle, la colonisation, principalement britannique, ouvre l'île à la modernité, ce qui intègre son économie dans les circuits mondiaux et rend plus complexe sa structure socio-culturelle, même s'il y règne un incontestable et fort sentiment cinghalais d'unité nationale.   Les structures socio-culturelles et confessionnelles contemporaines de Sri Lanka reposent sur la distinction de plusieurs catégories de populations qui, s'opposant ou cohabitant, se respectent dans la diversité sociologique et religieuse, tout en s'affrontant sur le plan politique. La plus grande partie de l'île est sous l'influence du bouddhisme et de la langue cinghalaise. La forte minorité tamoule se subdivise en Tamouls indiens et Tamouls ceylanais, hindouistes ou en partie christianisés, et différenciés par le système des castes. Les Tamouls indiens sont principalement issus des basses castes et des intouchables. Une minorité musulmane (1,2 million en 2000), bien implantée à l'Est, cohabite avec les Tamouls. La minorité chrétienne (catholique) « traverse » les ethnies. D'autres minorités ethniques et linguistiques sont présentes, très faibles en nombre, mais reconnues, tels les Malais, les Burghers (descendants de colons hollandais), et les Chinois. À partir de 1983, une longue guerre civile s'est ouverte entre séparatistes tamouls et forces gouvernementales. **C. C.**   **> SRI LANKA**

TANGANYIKA > TANZANIE.

TANNENBERG (bataille de)   Sur le front oriental du premier conflit mondial, à la fin de l'été 1914, les Russes tiennent leurs engagements et surprennent les Allemands par une offensive en Prusse orientale. Les armées du tsar Nicolas II sont pourtant insuffisamment préparées et mal encadrées. Les généraux allemands Paul von Hindenburg (1847-1934) et Erich Ludendorff (1865-1937), disposant de troupes nouvelles venant de l'Ouest, ripostent et remportent une victoire décisive à Tannenberg entre le 27 et le 30 août 1914. Les armées russes devront désormais combattre sur leur sol, mais elles ont soulagé la pression pesant sur le front ouest (bataille de la Marne). **M. J., A. L.   > GRANDE GUERRE.**

TANZANIE   République unie de Tanzanie. Capitale : Dodoma. Superficie : 945 090 km². Population : 32 793 000 (1999).   La Tanzanie est née le 26 avril 1964 de l'union du Tanganyika, vaste État continental indépendant depuis le 9 décembre 1961, et de l'ancien sultanat de Zanzibar et Pemba, indépendant le 10 décembre 1963, mais théâtre un mois plus tard d'une révolution vaguement marxiste, chassant du pouvoir l'aristocratie d'origine omanaise qui régnait depuis plus d'un siècle sur les îles. Cette union déséquilibrée, territorialement et démographiquement, est née de la volonté de deux chefs d'État, le Tanganyikais Julius Nyerere et le Zanzibarite Abeid Karume (1906-1972). **Le temps colonial.** À la veille du XXᵉ siècle, le sultanat, protectorat britannique depuis 1890, profite depuis un siècle de la rente tirée du girofle. Plus artificiel, le Tanganyika réunit plus d'une centaine de chefferies et royaumes bantous troublés par des invasions ngoni, puis ravagés par des épidémies (1890-1900). Après la conférence de Berlin (1884-1885), la compagnie à charte de Carl Peters, la Deutsche Ostafrikanische Gesellschaft (DOAG), se voit confier la colonie du Tanganyika. Mais très vite, la DOAG perd son privilège (1891). La brutalité de l'administration allemande provoque des révoltes, notamment entre 1905 et 1907 (révolte *Maji-Maji* dont la répression fera environ 100 000 morts), tandis que des colons s'installent sur les terres prometteuses du Nord-Est. Les Allemands recrutent des autorités locales parmi les minorités arabes ou swahili et construisent des voies ferrées et des routes desservant les grandes plantations (sisal, café, hévéa). Missionnaires catholiques et protestants s'installent à l'intérieur du pays resté peu islamisé. Sur les îles, le principal événement est l'abolition définitive de l'esclavage en 1897. **E**n 1919, après le traité de Versailles, le Tanganyika devient territoire sous mandat de la Société des Nations (SDN), géré par la Grande-Bretagne. Dar es-Salam succède à Bagamoyo comme capitale, Sir D. Cameron expérimente une *Indirect Rule* (1925-1931) assez artificielle. Au sein de l'Afrique orientale britannique, le Tanganyika est le parent pauvre (faiblesse des investissements) et s'épargne l'implantation de colons européens ; des petits paysans participent aux cultures de rente (café, coton, thé), s'organisent en coopératives, mais de vastes espaces sont mis en réserves naturelles d'où les éleveurs sont exclus. **D**ans ce contexte, les premières mobilisations africaines s'organisent. Des petits employés jettent les bases de la Tanganyika African Association (1929) intégrant salariés et commerçants. En 1954, sous l'impulsion d'un jeune enseignant, J. Nyerere, elle devient un vrai parti politi-

que, la Tanganyika African National Union (TANU). Si, après 1946, la tutelle de l'ONU, régime international plus effectif, succède au mandat, sur le plan économique, les handicaps d'une économie primaire rurale s'alourdissent. La constitution du bloc de l'Est, l'extension de l'anticolonialisme encouragent l'entreprise nationaliste au Tanganyika, comme à Zanzibar, où les populations africaines se sont aussi organisées sur des bases ethnico-corporatives (associations « africaine », « shirazi »...). **Le temps de l'indépendance.** Le pouvoir colonial réagit avec pragmatisme, mettant en place, entre la fin des années 1920 et le début des années 1960, des conseils aux compétences et surtout à la représentativité progressivement élargies, si bien que l'agitation nationaliste, enrichie par le mouvement syndical (Tanganyika Federation of Labour, 1955), trouve son exutoire dans les élections consacrant la représentativité de la TANU et sa position de monopole (1958-1960). L'indépendance peut ainsi être négociée sans drame (1961). En revanche, dans les îles, l'aristocratie, tant arabe que coloniale, manipule le système électoral pour conserver le pouvoir : en 1963, l'Afro-Shirazi Party (ASP), avec la majorité absolue des voix, n'obtient que le tiers des sièges. Un mois après avoir retrouvé son indépendance, le sultan omani est chassé des îles, bienheureux d'échapper aux massacres raciaux qui accompagnent la révolution. Jusqu'à son départ volontaire (1985), J. Nyerere, président de la République et du parti, dirige le pays. Sa méfiance à l'égard du système capitaliste, son socialisme humaniste (l'*ujamaa*, formalisé dans la déclaration d'Arusha, 1967) se traduisent par la priorité donnée à l'action sociale (éducation, santé), un dirigisme économique étendu et, en zone rurale, la recomposition de villages (1973-1976). Mal conçue, mal acceptée, menée autoritairement, celle-ci est un échec. Les faibles résultats de l'économie obligent son successeur Ali Hassan Mwinyi (1925-) à accepter les conditions du Fonds monétaire international (FMI) : libéralisation, privatisations (1986), avec pour effet l'activation de la corruption. J. Nyerere a mieux réussi en termes d'intégration nationale (au moins sur le continent), assurant la stabilité politique, que ce soit lors de la fusion de la TANU et de l'ASP au sein du Chama Cha Mapinduzi (Parti de la révolution, 1977), lors des échéances présidentielles (après A. H. Mwinyi, Benjamin Mpaka en 1995) ou lors du passage au pluripartisme (1992). Bénéficiant d'un grand prestige international, il a pu drainer vers son pays une aide importante, même si son attachement aux principes l'a amené à prendre des positions radicales, comme l'intervention armée en Ouganda pour renverser la dictature d'Idi Amin (1978). Jusqu'à sa mort (1999), il a conservé le rôle d'éminence grise en Tanzanie et celui de sage appelé à régler des conflits régionaux en Afrique (Grands Lacs). Mais après son effacement de la scène politique officielle, la Tanzanie n'apparaît plus que comme un pays banalement pauvre. Ce serait oublier que c'est aussi un pays qui, depuis son indépendance, aura connu une paix civile somme toute appréciable. **F. C.**

TATARS DE CRIMÉE Jusqu'en 1944, la Crimée, connue dans l'Antiquité sous le nom de Chersonèse Taurique, colonisée par les Grecs (à partir du VIᵉ siècle av. J.-C.), puis occupée successivement par les Goths, les Huns, les Khazars et les Slaves, fut aussi le territoire des Tatars, installés dans cette région depuis le XIVᵉ siècle. De 1475 à 1775, la Crimée fut un « khanat » tatar indépendant, reconnaissant formellement la suzeraineté ottomane. Après la première guerre russo-turque (1768-1774), la presqu'île fut annexée par la Russie, qui y développa la puissante base navale de Sébastopol, objet des principaux affrontements entre les Franco-Anglais et les Russes lors de la « guerre de Crimée » (1854-1856). Lors de la Seconde Guerre mondiale, la Crimée fut occupée par les nazis d'octobre 1941 (à l'exception de Sébastopol, qui résista jusqu'en juillet 1942) à mai 1944. Accusés collectivement d'avoir « collaboré » avec l'occupant, la totalité des Tatars de Crimée (près de 400 000 personnes), comme d'autres peuples punis dans les mêmes circonstances, fut déportée en Sibérie et en Ouzbékistan. À leur place s'installèrent des « colons » ukrainiens et russes, qui représentaient, lors du recensement de 1989, respectivement 25 % et 65 % de la population de la région. À partir de 1985-1986, les Tatars de Crimée ont pu enfin faire parler d'eux et réclamer ouvertement le droit au retour sur leur terre. Les autorités locales comme le gouvernement central ont tout fait pour les dissuader de rentrer chez eux ; néanmoins, environ 300 000 d'entre eux se sont réinstallés en Crimée. Le problème tatar n'en a pas pour autant été résolu. **N. W.** ➤ **CRIMÉE, RUSSIE ET URSS, UKRAINE.**

TAYLORISME Apparu pour désigner la « méthode d'organisation scientifique du travail » (OST) préconisée par Frederick Winslow Taylor (1856-1915) dans son ouvrage *Shop Management* (1902), le terme de taylorisme a pris une signification de plus en plus large, au fur et à mesure de sa diffusion. Il est devenu synonyme, à partir des années 1970, de division de la conception et de l'exécution du travail, que la parcellisation des tâches, qu'il a lui a été attribuée, aurait porté à son paroxysme. La renommée grandissante du taylorisme et, corrélativement, sa dérive sémantique ont résulté de la conjonction de nombreux facteurs de nature différente. Prétendant réconcilier les intérêts des patrons et des salariés sur la base d'études scientifiques du travail indiscutables, le taylorisme a bénéficié du développement rapide de la catégorie des ingénieurs, dans laquelle il trouva des propagandistes zélés. Fondamentalement scientiste et technocratique, semblant guidé par la Raison, il a séduit les milieux syndicaux et politiques de gauche, jusqu'à Lénine lui-même qui en demanda la mise en œuvre pour accélérer la formation des ouvriers et l'introduction d'une indispensable discipline dans le travail. À la suite de la crise de 1929, il a été l'objet d'une double critique : gestionnaire d'un côté, en raison de son ignorance de l'importance des « relations humaines » dans le travail, sociale de l'autre, en raison de la déshumanisation du travail dont il serait responsable. **Un mot utilisé dans de multiples sens.** Ce faisant, le taylorisme connut dès lors une extension considérable de sens, étant assimilé, non seulement au système Ford, mais bien au-delà à la rationalisation industrielle et même à la civilisation industrielle. La crise du travail et de la productivité au tournant des années 1970 relança spectaculairement le débat. Des sociologues, reprenant et développant l'analyse de la division du travail faite par Marx un siècle plus tôt, traitèrent le taylorisme comme une des formes du processus de division de l'intelligence du travail, prises à un moment de l'histoire du rapport capital-travail. Des dirigeants et des gestionnaires accusèrent le taylorisme d'être à l'origine de la désaffection du travail chez les salariés et de la difficulté à répondre à une demande de plus en plus diversifiée. Les économistes « régulationnistes » le considérèrent comme un des constituants essentiels du <u>fordisme</u>, par lequel ils ont désigné tout à la fois le mode de régulation macro-économique et le modèle industriel dominant des Trente Glorieuses. Les expériences socio-techniques, les degrés différents de division du travail constatés suivant les pays, les entreprises et les ateliers, la découverte du <u>toyotisme</u>, auquel a été attribuée la capacité de réduire la division de la conception et de l'exécution, ont eu le mérite de convaincre que d'autres voies étaient possibles. La diffusion de la micro-électronique et de l'automatisation flexible, les exigences d'un marché de plus en plus concurrentiel et diversifié amenèrent certains à prophétiser l'avènement d'un mode de production réconciliant production de masse et production personnalisée, production industrielle et accomplissement personnel des salariés. L'« après-taylorisme » fut annoncé. **Des assimilations abusives.** Ainsi, une équation s'est imposée dans de nombreux esprits : taylorisme = division de la conception et de l'exécution = parcellisation du travail. Or le taylorisme n'est, dans sa spécificité historique, ni la division de la conception et de l'exécution, qui a commencé un siècle et demi plus tôt et s'est développée ensuite sous de multiples formes, ni la parcellisation du travail, conséquence du travail à la chaîne apparu postérieurement. La méthode Taylor a été conçue en fait pour résoudre un problème typique de la production diversifiée, en petites et moyennes séries, à savoir la « flânerie ouvrière », que Taylor expliquait principalement par la pratique patronale consistant à baisser le tarif payé par pièce produite et à réduire les effectifs, dès que l'accroissement du rendement horaire paraissait possible. Il a proposé de concilier salaire élevé et main-d'œuvre bon marché en augmentant la valeur ajoutée, au lieu d'en discuter le partage. Il affirmait que la production journalière pouvait être augmentée de deux à quatre fois, les ouvriers étant prêts, assurait-il, à travailler selon des modalités et en des temps « scientifiquement » donc impartialement établis par un service spécialisé, chargé de l'analyse et du chronométrage des opérations élémentaires dont se composent les différentes tâches, si les employeurs acceptaient de les payer « de 30 % à 100 % plus que la moyenne des travailleurs de leur classe ». Ce sont la possibilité d'une production de masse, le coût élevé des études et la discipline relative des ouvriers obtenue par la méthode Taylor ainsi que le prix de la main-d'œuvre qualifiée qui firent préférer, partout où cela a été possible, la contrainte mécanique de la chaîne et la parcellisation du travail, c'est-à-dire la réduction du nombre d'opérations élémentaires à faire et leur répartition arbitraire entre les postes de travail, dans le seul but d'en saturer le temps de cycle. **M. Fr.** **> TRAVAIL.**

TAZMAMART Le 7 avril 1973, 58 conjurés de deux putschs successifs, celui des fantassins ayant fait une sanglante irruption lors de la garden-party d'anniversaire du roi du Maroc <u>Hassan II</u>, le 9 juillet 1971, et celui des aviateurs ayant tenté d'abattre en vol le Bœing royal, le 16 août 1972, sont « enlevés » sur ordre du roi de la prison centrale de Kenitra, où ils purgeaient leur peine. Ils sont conduits dans une caserne militaire à Tazmamart, dans le Moyen-Atlas. À peine nourris, jamais autorisés à sortir ni à revoir la lumière du jour, les militaires restent enfermés dans ce bagne secret pendant dix-huit ans. Trente d'entre eux succomberont. Trente et un, au nombre desquels les frères Boureqat, trois Franco-Marocains expédiés dans le mouroir en 1981, seront libérés le 15 septembre 1991, à la suite d'une campagne de dénonciation alimentée par Christine Daure-Serfaty, l'épouse française de l'opposant marocain Abraham Serfaty. **S. S.** **> MAROC.**

TCHAD **R**épublique du Tchad. Capitale : N'Djamena. Superficie : 1 284 200 km^2.

Population : 7 458 000 (1999). Le 22 avril 1900, à Kousséri (actuel Cameroun au voisinage de la capitale N'Djamena), la défaite du conquérant soudanais Rabah (1840 ?-1900) face aux troupes de l'officier François Lamy (1858-1900) ouvre la période d'occupation coloniale française et marque le déclin définitif des empires et royaumes musulmans du Kanem, du Baguirmi, du Bornou et du Ouaddaï, définitivement soumis en 1911. Le Tchad fera partie de la fédération d'Afrique équatoriale française (AEF). Les colonisateurs développent, dès la fin des années 1920, la culture du coton dans le sud du pays, où les missions chrétiennes étaient actives. Ils ont écarté la communauté musulmane, pourtant présente au Sud, d'une administration encore embryonnaire et des réseaux économiques nouveaux. Enclavé au cœur de l'Afrique, traversé par la bande sahélienne où les minorités arabes sont dynamiques, le Tchad, pays de pasteurs et d'agriculteurs, une terre de transition, marquée par l'Islam des anciens empires, où se sont mêlées les influences culturelles occidentales et orientales du continent africain. La situation stratégique de ce vaste pays (1 284 000 km²) lui a conféré, dès la période coloniale, une sorte de statut de territoire militaire. Le tiers septentrional, peuplé par des nomades, a été administré par l'armée française au cours des cinq premières années qui ont suivi l'indépendance (proclamée le 11 août 1960). Instaurant dès 1963 le système du parti unique, le premier président du Tchad, l'ancien instituteur François N'Garta Tombalbaye (1918-1975), originaire du Sud, a fait appel à la France en 1968 pour tenter d'endiguer les rébellions armées engagées en 1965 au centre du pays, puis en 1968 dans l'Extrême-Nord, et qui étaient coordonnées par le Front de libération nationale du Tchad (Frolinat), créé le 22 juin 1966 à Nyala au Soudan. À la tête de la Libye à partir de 1969, le colonel Mouammar Kadhafi, affirmant ses visées expansionnistes sur une partie du territoire tchadien, la bande d'Aozou (114 000 km²), a contribué à affaiblir un président Tombalbaye enfermé dans son repli ethnique et en rupture avec la France. Un coup d'État militaire, le 13 avril 1975, a libéré le Tchad du dictateur (assassiné), mais

l'a maintenu pendant un quart de siècle dans une situation de guerre civile, ouverte ou larvée, où la France, la Libye et parfois le Soudan ont noué et dénoué des alliances au gré de leurs propres intérêts. À compter de 1979, le Tchad a été dirigé par des hommes du Nord : Goukouni Weddeye (1979-1982), Hissène Habré (1982-1990), dont la dictature a fait des dizaines de milliers de victimes, puis Idriss Déby (1990-). Ils ont conquis le pouvoir par la force et l'ont exercé en s'appuyant sur leurs ethnies d'origine, très minoritaires dans le pays. Réconcilié avec la Libye en 1994, le Tchad a connu à partir de 1993 une démocratie pluraliste en trompe l'œil en rêvant de l'exploitation prochaine de son pétrole. **G. L.**

TCHÉCOSLOVAQUIE L'État qui, dirigé par Tomáš G. Masaryk, en 1918 est entré sous ce nom dans la communauté européenne, a disparu deux fois au cours du XXᵉ siècle : d'abord en 1939 quand l'Allemagne nazie, après l'annexion des régions des Sudètes début octobre 1938, a occupé le reste des pays tchèques, créant ainsi le Protectorat de Bohême et de Moravie, et a aidé à la naissance de la République slovaque (1939-1945) ; ensuite fin 1992, où il fut remplacé par la République tchèque et la Slovaquie. À sa naissance, la Tchécoslovaquie fut une république multiethnique. Deux peuples, le tchèque et le slovaque, formaient la majorité de sa population, mais de fortes minorités y vivaient, en premier lieu allemande, puis hongroise en Slovaquie et ruthène dans sa partie orientale, appelée alors Russie subcarpatique. L'histoire du pays a été rythmée par les contradictions entre ces divers peuples possédant langues, cultures et mémoires différentes. **Une rare moisson d'expériences.** Le XXᵉ siècle a offert à cette contrée une moisson d'expériences rarement vue : Empire austro-hongrois libéral puis autoritaire lors de la Grande Guerre, république démocratique parlementaire, occupation allemande et totalitarisme national-socialiste, république parlementaire socialisante entre 1945 et début 1948, régime communiste totalitaire ; tentative de grande réforme du socialisme à la soviétique, occupation soviétique, régime communiste autoritaire et, enfin, démocratie parlementaire après 1989. Le poids de la discontinuité et la mémoire amputée servant à opprimer et à humilier auront représenté le lot de la population. Le pays, qui appartenait plutôt aux « petits » de l'Europe et du monde (un peu plus de treize millions d'habitants en 1918, environ quinze millions et demi en 1992), s'est pourtant inscrit plusieurs fois dans la grande histoire européenne du siècle. D'abord comme îlot de démocratie parlementaire dans les années 1930, sous la présidence d'Edvard Beneš à partir de 1935, offrant refuge aux démocrates persécutés, surtout à partir de 1933 ; Prague représentait alors le centre culturel de l'Europe centrale, son enseignement supérieur, par exemple, était recherché par les Slaves des Balkans. Puis comme victime des accords de Munich, signés après la conférence des 29 et 30 septembre 1938 sous la pression de Hitler par les dirigeants de l'Allemagne, de l'Italie, de la Grande-Bretagne et de la France, qui ont dépecé la Tchécoslovaquie et ouvert grand la porte à d'autres agressions et à la Seconde Guerre mondiale. Ou encore comme élément de déclenchement, au niveau international, de la Guerre froide, avec le « coup de Prague » de 1948, qui installa le monopole du pouvoir du Parti communiste tchécoslovaque (PCT) avec Klement Gottwald à la Présidence ; il permettait, entre autres, de justifier la création de l'OTAN (Organisation du traité de l'Atlantique nord). Et enfin, comme étape importante dans la décomposition du mouvement communiste international et l'autodestruction des régimes communistes avec la révolte de 1968 (le printemps de Prague) qui voulait instaurer, sous la direction d'Alexander Dubček, un « socialisme à visage humain », tentative écrasée par l'empire soviétique via le pacte de Varsovie. La Tchécoslovaquie eut la chance d'hériter d'environ 70 % du potentiel industriel de la monarchie austro-hongroise défunte, concentré dans quelques régions des pays tchèques, et figurait, malgré la crise très dure des années 1930, parmi les pays les plus industrialisés du monde. Elle a vu l'émergence et l'épanouissement de l'entreprise du Morave Tomáš Baťa (1876-1932), le Henry Ford européen, et était aux premiers rangs mondiaux des exportateurs d'armes. Ce potentiel n'a été, lors de la guerre, que peu touché par les bombardements ou les combats. **Fascisme et stalinisme.** Mais l'évolution « normale » de la société, certes conflictuelle et parfois dramatique pour les couches les plus démunies, n'a plus suivi son cours à partir de 1938. D'abord, les régimes d'occupation et l'État slovaque pronazi de Mgr Tiso ont pratiquement anéanti la minorité juive du pays par la pratique génocidaire de la « solution finale ». Ensuite, les nouveaux gouvernants de 1945, imprégnés par un fort nationalisme, ont procédé à l'expulsion de trois millions d'Allemands, résidant dans ces contrées depuis des siècles. Enfin, après 1948, l'économie a été totalement subordonnée aux besoins du camp soviétique. Ce camp se préparant à une guerre imminente, la Tchécoslovaquie est devenue une grande « usine d'armement » et son économie a été profondément militarisée. La Bohême étant l'un des territoires les plus riches au monde en gisements d'uranium, l'URSS, dans son escalade nucléaire, a procédé à une exploitation ultra-intensive de ses mines, à l'aide d'esclaves modernes, les prisonniers politiques. Le déchirement du tissu social s'est poursuivi avec la répression des couches moyennes et la liquidation des organismes de la société civile. En 1948, il y avait dans le pays 247 404 ateliers d'artisanat et petits commerces (dans 60 % d'entre eux travaillaient seulement le propriétaire et les membres de sa famille) ; en 1958, il n'en restait plus que 6 553. Entre 1949 et 1955, 248 645 exploitants agricoles ont cessé leur activité, la majorité des autres étant entrée dans les coopératives étatisées. En 1948, le pays enregistra une nouvelle vague d'émigration, après celles de 1938-1939 et de 1945, composée essentiellement de travailleurs qualifiés, suivie d'une autre vague après 1968. Entre 1948 et 1989, plus de 400 000 personnes sont ainsi parties vers l'Ouest. Pourtant, sous le régime communiste, le pays n'a pas connu de misère matérielle et la Slovaquie est devenue un pays industrialisé, où s'est développée une intelligentsia nationale nouvelle. **Divorce sans référendum.** Le monopole du pouvoir communiste s'est effondré fin 1989 du fait, surtout, de l'environnement extérieur. Les changements introduits en URSS par Mikhaïl Gorbatchev ont en effet paralysé la volonté des dirigeants, de plus en plus désorientés, et suscité la mobilisation de la « masse silencieuse ». Ainsi, au terme de ce qu'on a appelé la « révolution de Velours » dirigée par Václav Havel, le passage vers une démocratie parlementaire s'est passé paisiblement, sans effusion de sang, et le pouvoir a été à la fois « conquis », mais surtout « transmis ». **La** restauration de l'économie capitaliste et l'instauration progressive de la démocratie n'ont pas empêché le divorce entre les deux entités nationales du pays. L'État qui figurait sur la carte de l'Europe en tant que République fédérative tchèque et slovaque ou Tchéco-Slovaquie a ainsi disparu sans que les dirigeants responsables de sa dissolution respectent les règles démocratiques en consultant la population par un référendum, pourtant demandé par un million et demi de signataires. **K. B.** **> DÉMOCRATIE POPULAIRE, POSTCOMMUNISME, RÉPUBLIQUE TCHÈQUE, SLOVAQUIE, SOCIALISME ET COMMUNISME, SOVIÉTISATION DE L'EUROPE DE L'EST.**

TCHÉKA > POLICE POLITIQUE (URSS).

TCHERNOBYL Dans la prise de conscience des problèmes soulevés par l'emprise croissante de la technologie sur le développement des sociétés au XX⁰ siècle, l'explosion du quatrième réacteur de la centrale nucléaire de Tchernobyl (Ukraine) le 26 avril 1986 marque une rupture qui détermine un « avant » et un « après » Tchernobyl. **Par** l'ampleur de ses conséquences, l'explosion de Tchernobyl est la plus grande catastrophe de l'histoire du nucléaire civil au XX⁰ siècle. **Le** bilan direct fait apparaître 30 morts dans les jours qui ont suivi, victimes de fortes doses de radiations ; 350 000 personnes évacuées, dont 135 000 qui vivaient dans un rayon de 30 kilomètres autour de la centrale, la « zone interdite » ; 600 000 personnes au moins présentes sur le site pour participer à la décontamination, à la construction du sarcophage dont a été recouvert le réacteur accidenté, à la remise en état et au redémarrage des autres tranches de la centrale. Ces « liquidateurs » ont été exposés à des doses de rayonnement considérables quoique mal évaluées. Le rejet de radioacti-

vité qui a suivi l'explosion et l'incendie du réacteur a été estimé entre 50 et 200 millions de curies. Il s'est dispersé en « taches de léopard » sur plus de 140 000 km², affectant le nord de l'Ukraine, les régions occidentales de la Russie et surtout la Biélorussie sur le quart de sa superficie. En tout, cinq millions de personnes vivaient sur le territoire contaminé. Poussé vers l'ouest, le « nuage » radioactif a traversé la plupart des pays d'Europe. **À** la fin du XX⁰ siècle, les conséquences sanitaires de la catastrophe à moyen et long terme n'étaient toujours pas établies avec certitude : une augmentation des cas de cancer de la thyroïde chez les enfants était attestée, alors que la surmortalité parmi les « liquidateurs » ou la survenue de modifications génétiques étaient toujours controversées. **Les** rapports de l'Agence internationale pour l'énergie atomique (AIEA) sur les causes de l'accident font état de déficiences de conception du réacteur soviétique de type RBMK et évoquent la violation des procédures de fonctionnement d'autre part. **À** l'intérieur de l'URSS, l'explosion du réacteur a constitué un formidable révélateur de tous les maux du système impérial et du régime communiste qui le sous-tendait, accélérant l'implosion de l'Union soviétique intervenue cinq ans plus tard. **Les** dirigeants et la population des « nouveaux » États indépendants, désemparés et démunis, n'ont pu faire face aux conséquences de ce Tchernobyl « qui n'en finit pas ». Au terme d'un long marchandage avec les pays du G-7 (Groupe des sept pays les plus industrialisés) et l'Union européenne, les autorités s'étaient engagées à fermer les trois tranches restantes de la centrale avant la fin 2000, en échange d'une aide financière supplémentaire de 800 millions de dollars. **Le** traumatisme a également affecté la filière de l'énergie électronucléaire, la plupart des pays décrétant un moratoire sur la mise en service de nouvelles centrales, tandis que les opinions publiques exigeaient davantage de transparence et de garanties quant à la sûreté et que, sous la pression des écologistes, la question de la sortie du nucléaire se trouvait posée. **Le** XXI⁰ siècle restera confronté aux conséquences de l'explosion du réacteur de Tchernobyl mais un mythe n'aura pas survécu à la catastrophe, celui du « risque zéro ». **M.-H. M.**

TCHÉTCHÈNES Les Tchétchènes constituent l'une des populations les plus anciennes du Caucase. Islamisés tardivement, ils ont établi des confréries soufies maintenues jusqu'à nos jours. Composée traditionnellement d'agriculteurs en plaine et d'éleveurs en montagne, la société tchétchène n'a jamais connu de cadre étatique autochtone et est de tradition égalitaire. Son organisation sociale, qui repose sur les *teip*, des clans dirigés par des conseils d'anciens, ainsi que le caractère tragique de leur histoire, l'a empêchée de fonder une tradition étatique.   La conquête russe du Caucase s'était heurtée à une farouche résistance dès la seconde moitié du XVIIIᵉ siècle. Au XIXᵉ siècle, Tchétchènes et populations du Daghestan infligent aux troupes tsaristes d'humiliantes défaites. Née à la suite de l'effondrement de l'Empire russe (1917), la République de la Montagne, confédération de peuples du Caucase créée en 1918, se heurte à l'hostilité des bolcheviks. Dès 1922, la Tchétchénie en est séparée pour former une région autonome de Tchétchénie, avant d'être transformée en 1934 en région autonome tchétchène-ingouche, puis en république autonome en 1936. À la fin des années 1920, persécutions antireligieuses et répression massive frappent la population. Il s'agit de détruire la capacité de résistance d'un peuple toujours fortement structuré par ses clans et ses confréries. **L'un des « peuples punis ».** Brièvement occupée en 1942 lors de l'offensive allemande, la république répond peu aux sollicitations des nazis. En juin 1941, lors de l'attaque allemande contre l'URSS, les Tchétchènes avaient été massivement mobilisés dans l'Armée rouge et s'étaient distingués par leur bravoure. Pourtant, accusés collectivement par Staline d'avoir collaboré avec les nazis, ils vont être en 1944 au nombre des « peuples punis » et déportés en Asie centrale. Le 25 juin 1946, un décret abroge la République tchétchène-ingouche. Un autre décret la rétablit le 9 janvier 1957. Les Tchétchènes, qui avaient réussi à survivre en s'appuyant sur leurs solidarités traditionnelles, prennent le chemin du retour. Privée de

beaucoup de ses cadres disparus au cours des purges, pénalisée par les longues années d'exil, la Tchétchénie doit compter avec les nombreux Russes qui occupent souvent les postes les plus qualifiés. Dans cette république largement rurale (59 % en 1989), à la forte natalité, l'émigration reste souvent l'unique solution, l'environnement régional étant marqué par un sous-emploi chronique et par la corruption. Mais de nombreux Tchétchènes s'insèrent dans le tissu économique et social soviétique, y compris au sein de l'armée.   **Les** effets de la tentative de putsch du 19 août 1991 à Moscou (organisé par un groupe de dirigeants soviétiques conservateurs) déstabilisent la nomenclature locale. Accusé de « complicité » avec les putschistes, le président du parlement tchétchène doit démissionner. Un parti indépendantiste créé en 1990, le Congrès national du peuple tchétchène, s'empare du pouvoir. Son chef, Djokhar Doudaev, un général de l'armée de l'air soviétique, est élu président de la République le 27 octobre 1991. Le 2 novembre, Moscou décrète cette élection et l'autoproclamation de l'indépendance « illégales ». Pour le Kremlin, la Tchétchénie est devenue une zone de « non-loi ». D. Doudaev se veut l'artisan de l'unité des peuples du Caucase. Mais l'indépendance tchétchène ne trouve pas l'écho espéré. La République d'Ingouchie est créée le 1ᵉʳ décembre 1991. Dans la République d'Itchkéria (Tchétchénie) des divisions apparaissent rapidement. Le Parlement est dispersé en 1993, après avoir affirmé son opposition au régime. Moscou tente de tirer parti de ces divisions et de la lassitude de la population.   **D'une guerre à l'autre.** Au cours de l'été 1994, des groupes armés se réclamant de l'opposition lancent leurs premières opérations. Elles se soldent par un échec complet ; en s'alliant avec la Russie, les adversaires de D. Doudaev se sont compromis aux yeux de la population. En décembre, l'entrée des blindés russes marque le début de la première guerre de Tchétchénie. Un an et demi plus tard, l'accord de Khassaviourt (31 août 1996), qui met fin à la guerre, marque la défaite humiliante des troupes russes. Moscou ne tient cependant pas ses engagements et laisse se développer un chaos engendrant désordre et criminalité. L'élection, en 1997, d'Aslan Maskhadov à la tête de l'Itchkéria, fait renaître l'espoir pour les nationalistes tchétchènes. Mais le nouveau président, à la tête d'un pays désorganisé et étranger à la notion d'État, et où la toute-puissance des chefs de guerre s'est imposée, ne dispose pas des moyens de sa politique. Il ne peut plus s'appuyer sur une société traditionnelle gangrenée par une crise économique et sociale aiguë et par l'intégrisme. La deuxième guerre de Tchétchénie est lancée par le Kremlin en octobre 1999. Elle prend pour prétexte les attentats meurtriers perpétrés à l'été 1999 en Russie ainsi que les incursions d'islamistes « wahhabites » venus de Tchétchénie dans la république voisine du Daghestan. **C. U.** > CAUCASE DU NORD (PEUPLES DU), RUSSIE ET URSS.

TCHIANG KAI-CHEK (1887-1975)

Homme politique chinois. Tchiang Kai-chek (Jiang Jieshi) est né dans une famille de négociants à Fenghua (Zhejiang). Il apprend le métier des armes à l'Académie militaire de Tokyo et retourne en 1911 à Canton organiser la rébellion républicaine en s'appuyant sur les sociétés secrètes antimandchoues. Il commande bientôt l'armée du Guangdong, noyau de la force militaire du Guomindang, et choisit de suivre Sun Yat-sen. Le rapprochement de Sun avec Moscou permet à Tchiang d'aller se former à l'école de l'Armée rouge pendant tout le début des années 1920. Il rencontre Trotski et les responsables du Komintern. Séduit par la force du régime bolchevique de parti unique, il revient à Canton en 1924 diriger l'Académie militaire de Whampoa, où il travaille avec les conseillers russes et les communistes chinois comme Zhou Enlai, tout en surveillant particulièrement la propagande. Après la mort de Sun Yat-sen en 1925, les luttes internes lui permettent d'abord de chasser les Russes, dès mars 1926, puis de décimer les communistes à Shanghai en avril 1927. Il fonde alors à Nankin un régime nationaliste et réactionnaire pour le seul parti du Guomindang, épouse une des filles de la très riche famille de banquiers Song et se convertit au méthodisme. Il acquiert le surnom de Gemo (généralissime) lors des cinq campagnes contre les communistes, dont celle de 1934, qui les contraint à la Longue Marche pour

éviter l'encerclement. Il est cependant obligé en 1936 de s'allier à eux pour lutter contre l'invasion japonaise. Lors de la Seconde Guerre mondiale, les alliés anglo-américains s'appuient sur lui alors que Staline n'a pas confiance en Mao Zedong. Dès 1943, il est associé aux grandes conférences internationales et passe pour le maître de la Chine. En 1945, il rompt le front uni avec les communistes. Pendant quatre ans, il assiste à la décomposition de son régime et une série de défaites militaires le contraint à abandonner la présidence de la République chinoise le 21 janvier 1949 et à se réfugier à Taïwan, avec 30 000 hommes environ. Mal accueilli par les Taïwanais, abandonné par les États-Unis, il doit au déclenchement de la guerre de Corée de reprendre du service. Les Américains ont en effet besoin de lui : il s'en sert pour conquérir le pouvoir. Il met alors en place un régime dictatorial, ultralibéral, et rêve d'une reconquête militaire du continent. Il meurt en 1975, laissant le pouvoir à son fils, Tchiang Ching-kuo (1910-1988), président de 1978 à 1988). **P. Ge.**
> CHINE, TAÏWAN.

TERRITOIRE DES AFARS ET DES ISSAS
> DJIBOUTI.

TERRITOIRES OCCUPÉS
Dénomination des territoires occupés par l'État hébreu à l'issue de la guerre israélo-arabe des Six Jours (juin 1967), à savoir le Sinaï égyptien, la Cisjordanie et Jérusalem-Est qui étaient annexés par la Jordanie depuis 1950, la bande de Gaza (qui était sous administration militaire égyptienne depuis 1949) et le Golan syrien. > ACCORDS ISRAÉLO-ARABES, QUESTION PALESTINIENNE.

THAÏLANDE
Royaume de Thaïlande. Capitale : Bangkok. Superficie : 514 000 km^2. Population : 60 900 000 (1999). Après que le roi Chulalongkorn (Rama V, 1868 à 1910) a entrepris sa réforme administrative à la fin du XIXe siècle, les nouvelles élites administratives et militaires s'emparent durablement du pouvoir. Premier monarque siamois à se rendre en Europe, il réussit à maintenir son royaume indépendant mais doit céder face aux ambitions coloniales françaises et britanniques.

Aux premiers, il donne en 1907 les provinces cambodgiennes de Siem Reap et Battambang et aux seconds, en 1909, les États malaisiens vassaux de Kedah, Kelantan, Perlis et Trengganu. À la mort de Rama V, l'un de ses 77 enfants, Vajiravudh (Rama VI, 1910 à 1925), lui succède. À sa mort, son plus jeune frère, Prajadhipok (Rama VII), monte sur le trône. Son règne est le plus court et l'un des plus controversé de la dynastie des Chakri. **Le 24 juin 1932**, un coup d'État militaire sans effusion de sang met un terme à la monarchie absolue. L'ambition des nouveaux dirigeants est d'instaurer un régime constitutionnel garantissant l'égalité des droits et la représentativité du gouvernement. C'est un conservateur qui est désigné pour diriger le gouvernement, Phraya Manopakorn. Le nouveau pouvoir est divisé entre civils – représentés par Pridi Phanomyong (1901-1983) – et militaires, et contesté par une opposition monarchique. Désormais, la lutte pour le pouvoir ne se résume plus à une rivalité entre princes mais oppose une oligarchie de cadres supérieurs, civils et militaires. Le pouvoir exécutif n'en reste pas moins instable. Le pays connaît douze coups d'État, cinq « révolutions de palais », onze tentatives de putsch et pas moins de cinquante gouvernements. Seul facteur invariable, les militaires exercent le pouvoir presque sans discontinuité. **Sentiment national fort et anticommunisme profond.** Avant la Seconde Guerre mondiale, le projet de nationalisation des industries et de l'agriculture est l'occasion du vote (avril 1933) de la première loi anticommuniste du royaume. Un jeune officier formé en France, Phibun Songkhram (1897-1964), s'impose en mettant un terme à la rébellion rurale menée par le prince Bowaradet, ancien ministre de la Défense de l'ère monarchique, et devient Premier ministre en décembre 1938. Entre temps, le roi a abdiqué (2 mars 1935) et c'est son neveu, Ananda Mahidol (1925-1946), encore enfant, qui lui a succédé. Phibun consolide son pouvoir par une répression meurtrière et un nationalisme exacerbé. Le 24 juin 1939, le Siam devient la Thaïlande et son chef ne cache pas qu'il veut faire de son pays une puissance régionale qui regroupe toutes les ethnies thaï. Pour combattre l'influence des Chinois et des Occidentaux, Phibun s'allie aux Japonais. En échange, ceux-ci lui apportent leur soutien contre la France et le Royaume-Uni. Pridi, devenu régent, organise le groupe des « Thaï libres », résistance clandestine en contact avec les Alliés. Grâce à eux, après la défaite japonaise de 1945, la Thaïlande est en mesure de négocier avec les vainqueurs pour échapper au sort des vaincus, mais pas de garder les territoires khmers et laotiens reconquis sur la France en 1941. **Succession de dictatures militaires.** En 1946, le royaume connaît les premières élections libres de son histoire. La gauche regroupée autour de Pridi obtient la majorité sur les partis centristes et conservateurs du Premier ministre sortant, Seni Pramoj (1905-) et de son frère Kukrit (1911-). Cette même année, le jeune roi meurt subitement. Son frère cadet, Rama IX (Bhumibol « Force de la terre » Adulyadej [1927-]) lui succède le 9 juin. Accusé de régicide, Pridi doit céder le pouvoir à l'amiral Thamrongnawasawat. Les partisans de Phibun renversent le gouvernement (novembre 1947), mais nomment à sa tête un dirigeant du Parti démocrate, Khuang Aphaiwong. Il obtient la majorité absolue lors des élections législatives de janvier 1948 mais est aussitôt renversé (avril) par le maréchal Phibun. La réalité du pouvoir est entre les mains du général Sarit Thanarat (1908-1963) qui contrôle l'armée et le chef de la police, le général Phao Siyanon. **Face à la montée du communisme en Asie**, Bangkok resserre ses relations avec les États-Unis. La Thaïlande s'engage dans la guerre de Corée et devient la première nation à ratifier le pacte de Manille établissant l'OTASE (Organisation du traité de l'Asie du Sud-Est, 1954). Écarté du pouvoir en 1957, le général Sarit instaure une nouvelle dictature militaire. À sa mort, en 1963, le général Thanom Kittichakorn (1911-) offre de nombreuses facilités à l'armée américaine engagée dans la guerre du Vietnam. **Du soulèvement de 1973 aux manifestations de 1992.** Le 14 octobre 1973, la dictature est renversée à la suite d'un soulèvement étudiant (300 morts). Le roi confie le pouvoir à un universitaire, Sanya Dharmasakti (1973-1975). Le 26 janvier 1975, Kukrit Pramoj remporte les premières élections libres à être organisées depuis 1946. À l'heure où les communistes s'imposent sur la péninsule indochinoise, Bangkok établit des liens diplomatiques avec Pékin (juillet) puis Phnom Penh (octobre) et Hanoï (août 1976). Confronté à de très sérieuses difficultés, le Premier ministre dissout le Parlement et convoque de nouvelles élections. Le Parti démocrate forme une coalition de centre-droit, dirigée par Seni Pramoj. **A**lors que des centaines de manifestants de l'université Thammasat sont massacrés (6 octobre 1976), l'amiral Sagnad s'empare du pouvoir avec l'accord tacite du roi. Thanin Kraivichen devient Premier ministre mais doit céder le pouvoir, le 20 octobre, au général Kriangsak Choomanan et à la faction des « jeunes turcs ». En 1980, celle-ci impose un nouveau Premier ministre en la personne du général Prem Tinsulanond (1920-) qui restera au pouvoir jusqu'en 1988 en dépit de deux tentatives de putsch (1981, 1985). Il saura établir de nouvelles relations avec le Laos, le Cambodge et le Vietnam et rendre le pouvoir aux civils. Le 2 août 1988, un civil, Chatichai Choonhavan (1922-), gagne les élections et devient Premier ministre. Le 23 février 1991, le général Sunthorn Konsompong met un terme à cette expérience et rétablit la loi martiale. Toutefois, les militaires choisissent un civil pour conduire les affaires du pays, Anand Panyarachun (1932-). Lors des élections de mars 1992, l'achat massif des voix dans les zones rurales permet aux partis proches des milieux militaires de s'imposer. Le choix du général Suchinda Krapayoon (1933-) au poste de Premier ministre suscite de violentes manifestations (450 morts) à l'appel du Palang Dharma (Parti de la force morale). Le roi intervient, le général Suchinda se démet et Anand Panyarachun est rappelé. Après de nouvelles élections (13 septembre 1992), le pouvoir revient au leader du Parti démocrate, Chuan Leekpai (1938-). Par la suite, l'instabilité gouvernementale demeure, mais elle se fonde sur des combinaisons parlementaires changeantes et non plus sur de nouveaux coups d'État militaires. La Thaïlande aura connu d'incontestables succès économiques dans les dernières décennies du XXe siècle, étant considérée comme un pays émergent. **C. L.**

THATCHER Margaret (1925-) Premier ministre britannique (1979-1990). Cette fille d'épiciers est âgée de cinquante ans lorsqu'elle succède, en 1975, à l'ancien Premier ministre Edward Heath (1970-1974) à la tête des Tories, le Parti conservateur. Premier ministre en 1979, elle le demeure jusqu'en décembre 1990. **E**n économie, Margaret Thatcher s'inspire de Friedrich von Hayek (1899-1992), auteur en 1944 de La Route de la servitude, et de Milton Friedman (1912-), chantre de l'école de Chicago, auteur en 1962 de Capitalism and Freedom et monétariste convaincu. Mais elle n'est pas une théoricienne et entend créer un véritable « populisme » conservateur en offrant aux humbles d'acheter leurs logements sociaux et de devenir les actionnaires des nombreuses sociétés privatisées. **A**u désengagement de la puissance publique dans la vie économique s'ajoutent la diminution des aides aux déshérités, invités à « s'aider eux-mêmes », la mise au pas des syndicats (TUC), la diminution des budgets de l'éducation, du logement social, de l'urbanisme. **M**éfiante envers la construction européenne, elle se résout pourtant à l'élargissement de la Communauté à des pas décisifs vers l'unité économique et monétaire. Mais M. Thatcher est aussi soucieuse de l'indépendance du Royaume-Uni, des liens spéciaux avec les États-Unis, et elle ordonne la guerre des Falkland pour sauver l'archipel d'une mainmise argentine (1982). **L**'autoritarisme croissant du Premier ministre provoque en 1990 une révolution de palais au profit de John Major (1943-) qui la remplace à la tête du gouvernement. Devenue membre en 1992 de la Chambre haute, la baronne Thatcher est restée un ardent défenseur des causes qu'elle avait fait avancer. **R. Ma.** ➤ **ROYAUME-UNI.**

THÉOLOGIE DE LA LIBÉRATION

Apparus à la suite du concile Vatican II (1962-1965) réuni par le pape Jean XXIII et dans le contexte de vifs débats sur le développement du tiers monde, les discours et les mouvements connus, dans l'Église latino-américaine, sous le nom de « théologie de la libération » couvrent une palette très variée de thèses et d'engagements. Ils ont en commun l'élaboration d'une pensée liée au développement des communautés de base (l'« Église des pauvres », par opposition à l'Église hiérarchique). Mettant en avant le caractère libérateur – voire révolutionnaire – des Évangiles, la théologie de la libération met en question l'Église comme puissance et la foi comme dogme immuable. La revendication de la justice sociale, la reconnaissance du conflit et l'engagement politique plus ou moins radical empruntent volontiers aux interprétations marxistes. Le prêtre péruvien Gustavo Gutierez (1928-), auteur de *La Théologie de la libération* (1969-), et le franciscain brésilien Leonardo Boff (1938-), auteur de *Église, charisme et pouvoir* sont généralement considérés comme les principaux théologiens de ce courant. Le pape Jean-Paul II (1978-) n'aura de cesse que de combattre cette « dissidence », essentiellement en veillant à réduire ses assises institutionnelles. **N. B.**

THÉORIE DES DOMINOS   « Sur le plan stratégique, la prise du Sud-Vietnam par les communistes les ferait avancer de plusieurs centaines de kilomètres dans une région encore libre. Les autres pays du Sud-Est asiatique seraient menacés sur leurs flancs par ce grand mouvement. » Cette déclaration du futur président américain Lyndon B. Johnson (1963-1969) en 1959 résume l'axiome fondateur de la stratégie américaine d'endiguement (*containment*) du communisme en Asie du Sud-Est suivie jusqu'en 1973 : l'interdépendance étroite des devenirs politiques des différents pays de la région.   **C**et axiome remonte en fait aux années 1920-1930, lorsque le Komintern coordonnait depuis son Far Eastern Bureau clandestin de Shanghai les activités et les soulèvements communistes en Asie orientale, tandis que les polices coloniales anglaise, française et néerlandaise concertaient secrètement leur lutte contre les partis communistes. La victoire des communistes chinois a bien semblé le valider en 1949. Il est systématisé par les concepteurs de la politique américaine en Asie : en février 1950, un document du Conseil national de sécurité des États-Unis expose l'impérieuse nécessité de défendre l'Indochine pour prévenir le basculement de toute l'Asie du

Sud-Est dans le camp communiste. « La frontière des États-Unis se prolonge jusqu'au 17e parallèle... », déclarera Ngo Dinh Diem le 13 mai 1957. Après 1975, les conflits entre les nouveaux États communistes d'Asie devaient finalement infirmer ce postulat. **D. H.**

THOREZ Maurice (1900-1964)
Homme politique français. Né à Noyelles-Godault (Pas-de-Calais), Maurice Thorez occupe des emplois divers dont celui de mineur de fond, ce qui contribuera à asseoir sa légitimité populaire. Adhérent à la SFIO (Section française de l'Internationale ouvrière) en 1919, permanent du PCF (Parti communiste français) en 1923, il se rallie à la « bolchévisation » stalinienne. « Numéro un » dès 1927, il devient en juillet 1930 secrétaire général d'un parti en déclin. M. Thorez reçoit alors le renfort du kominternien Eugen Fried avec lequel il prend (1934-1936) le tournant politique du Front populaire. En 1937, son autobiographie *Fils du peuple* adapte pour la France le culte du chef en vogue en URSS. Il est surpris par le Pacte germano-soviétique (1939), mais ne s'oppose pas. Au déclenchement de la Seconde Guerre mondiale, il déserte et rejoint Moscou, sans prise sur la situation française. Gracié le 6 novembre 1944 par le général de Gaulle, il reconquiert son autorité sur le PCF. Ministre de la République, il jette son prestige ouvrier dans la bataille de la production. Chassé avec les autres ministres communistes du gouvernement en mai 1947, il conduit, à partir de septembre, l'adaptation de la stratégie du PCF dans le contexte de la Guerre froide. Réticent devant la déstalinisation, M. Thorez interdit, en 1956 (soulèvement de Budapest), toute concession au dogme. Favorable aux thèses chinoises, il se range aux côtés de Nikita Khrouchtchev lorsque l'unité du communisme international est en jeu (schisme sino-soviétique). Sensibilisé aux mutations de la société française et aux possibilités tactiques offertes par le gaullisme à partir de 1958, il entend conduire personnellement le changement au sein du PCF. Intronisant Waldeck-Rochet (1905-1983) au secrétariat général (1964), il demeure président du PCF, mais, malade, meurt le 12 juillet 1964 en route

vers son lieu de villégiature soviétique.
Y. S. **> FRANCE, SOCIALISME ET COM-
MUNISME (FRANCE).**

TIAN AN MEN (place, 1989) Le
mouvement de la place Tian An Men, à
Pékin, a provoqué les plus importantes
manifestations en faveur de la démocratie
qu'ait connu la République populaire de
Chine. Lancé le 15 avril 1989, à l'occasion de
la mort d'un dirigeant réformiste, Hu Yaobang (1915-1989), le mouvement se répand
dans toutes les grandes villes du pays et se
termine tragiquement dans la nuit du 3 au
4 juin. La répression provoque le massacre
de plus d'un millier d'étudiants, ouvriers, ou
simples passants. Les personnalités les plus
marquantes du mouvement n'ont pas vingt-
cinq ans. Chai Ling, l'égérie des étudiants, le
Ouïgour Wuer Kaixi, <u>Wang Dan</u>, considéré
comme le plus stratège d'entre eux, ont
organisé des grèves de la faim, exigé l'ouverture d'un dialogue avec les dirigeants chinois
et participé à l'occupation de la place Tian
An Men pendant les quelque 50 jours que
durèrent les manifestations. Ils ont réussi à
fuir la Chine, vivant en exil à compter de
1989 pour Wuer Kaixi, 1990 pour Chai Ling
et 1998 pour Wang Dan. **M. H.** **> CHINE,
DISSIDENCE ET OPPOSITIONS (CHINE).**

TIBÉTAINS De quatre à six millions de
Tibétains occupent d'immenses espaces de
hautes chaînes et des hauts plateaux arides
(plus de 3 500 mètres) entre Chine et Inde.
Ils y vivent pour quelques-uns d'une agriculture à céréales pauvres (orge, seigle, sarrasin)
associée à l'élevage du yak, du cheval, du
mouton et parfois du bœuf. Les autres pratiquent soit un élevage transhumant de
montagne, soit un nomadisme semblable à
celui des steppes. Entièrement acquis à un
bouddhisme particulier, dit « tantrique », ils
apparaissent dans l'histoire vers l'an 600,
bien que leurs origines soient certainement
bien plus lointaines. Organisés en un
royaume guerrier puissant au VIIIᵉ siècle, ils
vivent ensuite isolés dans leurs montagnes
en communautés rivales, fondées sur une
organisation aristocratique, le servage et le
monachisme. À partir des années 1500 le
Tibet excite la convoitise de ses voisins. Une
armée chinoise installe en 1720 un protec-

torat à Lhassa qui dure jusqu'en 1911, dont
les Britanniques tentent en vain de s'emparer en 1914. De 1911, date de la chute
de la dernière dynastie chinoise jusqu'en
1949, année de la prise de pouvoir des communistes à Pékin, le « pays des neiges » est
indépendant de fait, sinon de droit. Les
Tibétains battent monnaie, impriment leurs
timbres et ouvrent même un Bureau des
Affaires étrangères. En 1950, l'armée chinoise entre à nouveau au Tibet qui est
annexé en 1957. Le servage est aboli, les
domaines seigneuriaux partagés. L'échec, le
10 mars 1959, d'une rébellion contre la présence chinoise à Lhassa précipite le départ en
exil du <u>dalaï-lama</u>. Cent mille fidèles le suivent en Inde. La révolte est noyée dans le
sang, et le Tibet est alors soumis à une communisation brutale qui connaît son apogée
avec la Révolution culturelle, dix années de
désastre absolu jusqu'en 1976. La presque
totalité de ses 6 000 monastères sont pillés
et détruits par les « gardes rouges », des milliers de moines et de lamas sont persécutés.
Au total, 1,2 million de Tibétains, soit un sur
cinq ou six, seraient morts de mort non
naturelle du fait de la présence chinoise
entre 1950 et 1983, selon les estimations
des autorités tibétaines en exil en Inde. Ce
chiffre est certes invérifiable, mais il donne
une idée de l'ampleur de la catastrophe. Le Tibet a connu un certain répit
avec les changements politiques et économiques intervenus avec le retour au pouvoir de
<u>Deng Xiaoping</u> à partir de 1978. Oublié du
monde, il s'est cependant brusquement rappelé à l'opinion internationale en 1987, date
des premières émeutes antichinoises à
Lhassa depuis la fin de la Révolution culturelle. Bien que durement réprimées, celles-ci
se sont répétées jusqu'en 1989, le temps
pour Pékin – pris par surprise – de renforcer
considérablement ses moyens de surveillance
et ses capacités d'intervention policière. Une
vague de répression très dure, à l'image du
massacre de la place <u>Tian An Men</u> de
juin 1989, a imposé un « calme » relatif
jusqu'en 1994. Cette année voit renaître un
cycle de manifestations sporadiques mais
violentes, les opposants tibétains réagissant
avec désespoir à une nouvelle politique
d'assimilation culturelle plus sournoise que
les purges maoïstes d'antan, mais terrible-

ment efficace. Celle-ci repose sur deux axes : la transformation progressive des mentalités avec l'afflux continu de milliers de colons chinois qui apportent avec eux leur matérialisme conquérant et une opération politique à long terme dont l'objectif est de réduire le plus possible l'influence de la religion. **> CHINE.**

TICE   Approuvé par l'ONU (Organisation des Nations unies) le 10 septembre 1996, le Traité d'interdiction complète des essais nucléaires (TICE, CTBT – Comprehensive Test Ban Treaty) a vu sa ratification repoussé par le Sénat américain le 13 octobre 1999 alors que l'administration Clinton y était favorable. À cette date, 153 pays avaient donné leur aval.

TIERS MONDE   L'invention du terme « tiers monde » revient au grand démographe français Alfred Sauvy (1898-1990). Il désigne par là, dans un article publié le 14 août 1952 par L'Observateur, « l'ensemble de ceux qu'on appelle, en style Nations unies, les pays sous-développés » (c'est-à-dire les pays en développement [PED] dans le langage actuel de l'ONU). A. Sauvy oppose ce troisième monde aux deux premiers (les blocs Est et Ouest qui s'affrontent dans la Guerre froide). Il écrit : « Ce tiers monde ignoré, exploité, méprisé comme le tiers état, veut, lui aussi, être quelque chose. » Le terme va rapidement s'imposer dans les représentations géopolitiques.   Il est de coutume, dans les livres consacrés à l'histoire politique du tiers monde, de faire remonter son acte de baptême non pas à la première conférence qui fonde le mouvement des non-alignés à Belgrade (1961), mais à la conférence « afro-asiatique » de Bandung (1955). Il est également d'usage de souligner que l'émergence de ce mouvement politique a été en quelque sorte le produit « en creux » du système des blocs qui marquait alors les relations internationales.   Tout cela est parfaitement vrai. Pour autant, le processus historique qui a abouti à la naissance du tiers monde s'explique-t-il uniquement par la Guerre froide et le système des blocs ? Ses prémices remontent-elles seulement aux lendemains de la Seconde Guerre mondiale et aux décolonisations, comme on a pris l'habitude de l'affirmer ? Le tiers monde a-t-il été essentiellement une construction politique répondant à des considérations et à un contexte géostratégiques ?   **Discours de l'altérité.** La décolonisation a été plus précoce en Asie et au Moyen-Orient qu'en Afrique noire où elle n'intervient qu'au tournant des années 1960. À Bandung, c'est ainsi davantage une conférence arabo-asiatique qu'afro-asiatique qui est réunie. Au-delà des décalages chronologiques qui ont marqué les mouvements de décolonisation des différents continents et régions, on peut s'interroger sur ce qui motiva cette volonté d'organisation « régionaliste » de l'Asie de l'Est et du Sud d'une part, et du Moyen-Orient d'autre part. On remarquera dès l'abord que ces deux régions du monde correspondent à des foyers de civilisations très anciennes (l'Indus, la Chine, l'Asie Mineure), où furent inventées les écritures et où se sont développées de riches cultures.   À considérer l'histoire des relations internationales, l'on constate que les premiers pas du « tiers-mondisme » ne sont peut-être pas seulement à rechercher dans la conjoncture des lendemains de la Seconde Guerre mondiale, mais sans doute aussi une génération plus tôt, dans les suites du premier conflit mondial qui a vu s'accélérer nombre de maturations politiques. Les fameux Quatorze Points du président américain Woodrow Wilson, qui entendaient servir de base au règlement de paix, stipulaient déjà que « les peuples disposent d'un droit d'autodétermination » et le mouvement libéral américain s'est efforcé de développer ces thèses. C'est ainsi que furent organisés, à Paris (1920) puis à Londres (1923), deux « congrès pour le progrès des peuples opprimés ». On a également souvent évoqué que se tint en 1920 à Bakou, dans le Caucase, un « congrès des peuples d'Orient », réuni à l'initiative du Komintern et qui proclama le jihad (la « guerre sainte ») contre l'impérialisme. Cette initiative était fortement instrumentalisée par les stratèges bolcheviks et poursuivait des objectifs à la fois internes et internationaux. À Bruxelles se tiendra en 1927, le « congrès des peuples opprimés », avec la participation de l'Indien Nehru, de l'Indonésien Mohammad Hatta, du Vietnamien Ho Chi Minh, de l'Africain Léopold

Sédar Senghor... **Panasiatisme, panarabisme...** Dans les années 1920 et 1930, c'est dans les pays d'Asie de l'Est et du Sud et dans ceux du Moyen-Orient qu'il faut davantage rechercher l'origine des dynamiques régionalistes. Dans ces deux régions du monde, des mouvements politiques se sont en effet épanouis, qui cherchaient à susciter des mouvements d'émancipation anticolonialistes et anti-impérialistes en s'appuyant sur la conscience d'une communauté civilisationnelle, d'une altérité. **Déjà**, lors du « meeting de Kobe » tenu en 1924, le Chinois Sun Yat-sen, invité, s'était fait l'apôtre de l'union des Asiatiques : « La Grande Asie doit être l'idéal des peuples d'Extrême-Orient. Le principal facteur d'infériorité pour les Asiatiques réside dans la soumission aux Traités imposés par l'étranger [...]. Si les Asiatiques s'unissent, ils pourront aisément se libérer. » Le « congrès de Nagasaki » tenu en 1926 se déroulera sous le signe du panasiatisme. Plus tard, lors de la Seconde Guerre mondiale, les militaristes nippons tenteront d'utiliser cette thématique en la retournant dans l'intérêt de l'impérialisme japonais dont la propagande tentera de promouvoir l'idée d'une « sphère de coprospérité asiatique ». **Au** Moyen-Orient, l'effondrement de l'Empire ottoman favorise la maturation de certains projets politiques mobilisateurs et modernisateurs qui étaient en voie d'émergence depuis la fin du xixe siècle. Des thèses préconisent le réveil de la nation arabe, arguant que l'histoire et la langue fondent une identité politique commune. Elles sont le ciment du nationalisme arabe (arabisme). D'autres courants utilisent la religion comme levier anticolonial et fondement de projets de transformation sociale. C'est dans cette catégorie qu'il faut ranger les mouvements se réclamant de l'islamisme et du fondamentalisme. La confrérie des Frères musulmans est ainsi créée en 1928 par l'Égyptien Hassan al-Banna, qui préconise la constitution d'un État islamique. Les conférences et initiatives se multiplient entre les deux guerres mondiales, qui visent à promouvoir les unes le panasiatisme, les autres le panarabisme ou le panislamisme... Enfin, il convient de ne pas sous-estimer la progression, depuis la fin du xixe siècle, du constitutionnalisme libéral et, plus tard, celle des courants socialistes (dans diverses variantes) se présentant, eux aussi, comme universalistes. **Le Sud, une force géopolitique nouvelle**. Le mouvement de décolonisation, dans les deux décennies qui suivent la fin de la Seconde Guerre mondiale, voit émerger des dizaines de nouveaux États en Asie, au Proche et Moyen-Orient, dans le Pacifique, en Afrique et dans les Caraïbes. L'affirmation du non-alignement, dans le contexte des rapports entre Est et Ouest, semble correspondre à l'émergence d'une force géopolitique nouvelle. **Le** tiers monde paraît alors s'exprimer d'une seule voix et être appelé à peser progressivement davantage dans l'ordre mondial, à mieux faire entendre sa voix face au « Nord ». L'affirmation des revendications en faveur d'un Nouvel ordre économique international (NOEI) vient étayer cette conviction. L'ONU n'adopte-t-elle pas, par consensus, en 1974, une déclaration proclamant la nécessité d'en finir avec le colonialisme économique et reconnaissant la légitimité des revendications des pays du Sud ? L'Occident industrialisé est alors en proie à une crise économique durable, inaugurée en 1971 par la suspension de la convertibilité en or du dollar ; et l'utilisation de l'arme du pétrole par les pays arabes producteurs dans la guerre contre Israël de 1973 (premier « choc pétrolier ») a souligné les potentialités stratégiques des matières premières. Après leur défaite dans la guerre du Vietnam, les États-Unis ont engagé un repli général et semblent psychologiquement en doute sur leur puissance. Le contexte de détente Est-Ouest semble pouvoir ménager la possibilité d'un rééquilibrage Nord/Sud négocié, d'un « New Deal » planétaire. Mais la perspective de négociations globales va rapidement s'éloigner. Les velléités manifestées dans le cadre de la CNUCED (Conférence des Nations unies pour le commerce et le développement) ne se concrétisent pas. La seconde guerre froide va, par ailleurs, encore accentuer les divisions au sein des pays non alignés. **Ruptures générationnelles**. D'importantes évolutions sont observables au sein des sociétés du tiers monde. Dans certains pays, passé un temps où les idéaux des indépendances pouvaient tenir lieu de morale collective, de nouvelles différenciations sociales se font jour. L'exemple de carrières empruntant des raccourcis de promotion trop faciles, notamment dans les appareils d'État, nourrit la tentation de brûler les étapes et de transgresser des légitimités établies fragilement, voire bientôt de voler des biens collectifs. Corruption, népotisme et autres comportements cyniques seront le lot de bien des pays en mal d'État de droit. Il en naît bien souvent d'immenses frustrations sociales qui nourriront, une génération plus tard, une soif de revanche. Dans certains pays en mal de développement, les effets combinés de l'« explosion démographique », du marasme économique et du discrédit des valeurs au nom desquelles a été fondé le régime politique ouvrent la porte à des formes variées de ruptures. Violences sociales et politiques, voire guerres civiles seront les produits de cette histoire. **D**ans d'autres pays, d'autres régions du monde, le chemin semble bien différent : aux régimes autoritaires et aux guérillas qui ont longtemps caractérisé l'Amérique latine succèdent, dans les années 1980, des ouvertures démocratiques. En Asie orientale, la situation est très différenciée, mais d'une manière générale, le rôle de l'État est resté très fort. **Une peau de chagrin.** En une dizaine d'années, le poids du tiers monde dans les relations internationales se réduit considérablement et plus encore l'idée que l'on se faisait de son rôle politique futur. Le mouvement des non-alignés continue certes à réunir des conférences. Mais, faute d'une doctrine et d'une stratégie dynamiques, ses résolutions apparaissent de plus en plus formelles. Ses divisions apparaissaient par ailleurs « irréparables », certains pays ayant pris fait et cause pour l'URSS, perçue par eux comme un « allié naturel » (c'est la position de Fidel Castro), tandis que nombre d'autres sont depuis longtemps alignés sur les États-Unis. **L'**endettement croissant de nombreux États devient préoccupant et rend plus fragiles les gouvernements en place, limitant peu à peu leurs capacités de négociations politiques sur la scène internationale. Quand les années 1980 se terminent, l'avenir du monde semble ainsi se jouer au sein de la triade que constituent l'Amérique du Nord, l'Europe occidentale et le Japon, alors que la décennie précédente avait été celle d'une affirmation des « pays du Sud ».

L'administration américaine qui, en 1980, avait retrouvé une pugnacité nouvelle avec l'élection de Ronald Reagan, s'est opposée fermement à toute négociation multilatérale, allant jusqu'à remettre en cause la participation des États-Unis dans certaines institutions de l'ONU – participation suspendue à l'UNESCO (Organisation des Nations unies pour l'éducation, la science et la culture) en 1985 – et donnant la primauté aux organes sur lesquels ils assurent un contrôle plus direct (Banque mondiale, FMI – Fonds monétaire international –, GATT – Accord général sur les tarifs douaniers et le commerce –...). **La loi de l'ajustement structurel.** En même temps qu'un décentrage de l'axe Nord-Sud et qu'une modification des rapports de forces, c'est un changement dans la nature même des tractations entre Nord et Sud qui s'opère. Désormais, c'est en effet de la crise de la dette qu'on discute, et le Nord impose sa loi, qui se traduit par les politiques d'ajustement structurel promues par le FMI. Hier, on se représentait le tiers monde riche de ses matières premières, en reconquête de souveraineté ; maintenant on le voit comme un immense propriété hypothéquée. Dans la même période s'opère une certaine marginalisation des pays du Sud dans le commerce international. Cette marginalisation masque cependant de fortes différenciations régionales. **L**es grilles de classement ont elles aussi changé. Le tiers monde avait toujours été pluriel, multiple. Mais alors qu'on avait pris l'habitude de considérer comme « premiers de la classe » les pays qui exerçaient un leadership *politique* (comme l'Inde, l'Égypte ou l'Algérie), ce sont maintenant les « gagneurs » *économiques* qui sont distingués, au premier rang desquels les NPI (nouveaux pays industriels) et singulièrement les « dragons asiatiques » (Taïwan, Corée du Sud, Hong-Kong, Singapour) et, avant le retournement du marché, le « contre-choc » de 1986, les pays pétroliers. Désormais, au sein des pays en développement (PED), on distingue les « pays les moins avancés » (PMA) et les « pays émergents ». L'apparition et le succès du terme « mondialisation », à la fin du XXᵉ siècle, souligne la considérable évolution des représentations du monde qui vient de s'opérer. **S. C.**

TIMISOARA C'est de cette ville universitaire et pluriethnique de l'ouest de la Roumanie (Banat) que sont partis les événements de décembre 1989 qui ont mis fin au régime de Nicolae Ceausescu. C'est en effet à Timisoara qu'éclate, le 15, une première manifestation de solidarité en faveur d'un pasteur protestant d'origine hongroise, Laszlo Tökes, menacé de mutation par le régime. Le mouvement s'amplifie les jours suivants. Les forces de l'ordre tirent sur la foule. Le chiffre, très surévalué, de plusieurs milliers de morts est avancé, et des rumeurs alarmantes sont relayées par différentes agences de presse. Il est annoncé qu'un charnier de 4 630 corps a été découvert le 22 décembre, résultant d'un massacre attribué à la Securitate (police politique). Les images qui s'étalent sur les écrans de télévision et font le tour du monde sont en fait un montage. Cette manipulation médiatique donnera naissance à l'expression « syndrome de Timisoara ». **A. L.-L.** **> ROUMANIE.**

TIMOR ORIENTAL Capitale : Dili. Superficie : 14 475 km². Population : 820 000 (1999). Faisant commerce de bois de santal, les Portugais arrivent à Timor, petite île de la Sonde, en Asie du Sud-Est, au début du XVIᵉ siècle, bientôt suivis des Hollandais. La frontière entre la colonie portugaise (Timor oriental) et les Indes néerlandaises (Timor occidental) sera fixée par la Cour internationale de justice en 1914. Au cours de la Seconde Guerre mondiale, les Timorais aident des commandos australiens et les Japonais le leur font payer cher. Alors que l'Indonésie proclame son indépendance en 1945, Timor reste une petite colonie assoupie jusqu'à la révolution des Œillets de 1974 qui déclenche un processus d'indépendance dans l'empire portugais. Trois voies s'offrent alors : l'autonomie, en association avec le Portugal que soutient l'UDT (Union démocratique de Timor) ; l'indépendance, revendiquée par l'Association sociale-démocrate de Timor qui regroupe des intellectuels catholiques auxquels vont se joindre des étudiants, revenus prochinois du Portugal, et qui formeront le Fretilin (Front révolutionnaire pour l'indépendance de Timor oriental) ; l'intégration à l'Indonésie, défendue par une minorité largement manipulée par les autorités de Jakarta. **Après le retrait précipité du Portugal.** Après un conflit armé avec l'UDT et tandis que le Portugal se retire précipitamment, le Fretilin proclame l'indépendance le 28 novembre 1975. Les généraux de Suharto, encore sous le coup de la victoire communiste en Indochine, craignent ce « nouveau Cuba » aux portes de l'Indonésie. En décembre 1975, le lendemain même de la visite du président Gerald Ford (1974-1977) à Jakarta, ils engagent une invasion déguisée de Timor oriental. La résistance imprévue des Timorais va les obliger à mener une longue guerre d'occupation. Le 12 décembre 1975, l'ONU exige le retrait des troupes indonésiennes : la résolution reste lettre morte et Timor oriental devient en 1976, la « 27ᵉ province de l'Indonésie ». Menée par l'armée, une féroce répression (200 000 morts sur une population de 600 000), ignorée par l'opinion internationale, lamine le Fretilin qui trouve pourtant un nouvel élan en 1979, sous la direction d'Alexandre Gusmao dit « Xanana ». En 1987, il forme le Conseil national de la résistance de Timor oriental (CNRT), regroupant tous les indépendantistes. L'armée indonésienne, durcissant ses positions, a acquis des privilèges (monopole du commerce du café, richesse de l'île). Le mouvement indépendantiste tente d'attirer l'attention internationale (visite du pape en 1989, massacre de Santa Cruz en 1991, demandeurs d'asile à l'ambassade américaine lors de la visite du président américain Bill Clinton en 1994), l'évêque Carlos Belo défend « son peuple » et réclame un référendum. Il reçoit le prix Nobel de la paix en 1996, avec José Ramos-Horta, ambassadeur en exil de la cause timoraise. La diplomatie indonésienne, embarrassée, essaie de détourner l'attention internationale et met l'accent sur les importants efforts financiers consentis à Timor oriental. Xanana est capturé en 1992. **Un référendum suivi de massacres.** Après la chute de Suharto, en 1998, son successeur, Jusuf Habibie (1936-), propose un référendum timorais sur le statut du territoire. Il a lieu sous l'égide de l'ONU, le 30 août 1999, et malgré la terreur que font régner l'armée et ses milices anti-indépendantistes, 78,5 % des électeurs choisissent l'indépendance. Aussitôt l'armée déclenche une violente action punitive, tuant, violant, pillant, détruisant tout. 250 000 Timorais emmenés à Timor occidental y deviennent des otages. Les États occidentaux ménagent l'Indonésie qui, raidie sur des positions nationalistes, doit pourtant accepter l'envoi (20 septembre) d'une Force de paix internationale pour Timor oriental (Interfet) sous commandement australien.   Le 20 octobre, le nouveau régime indonésien présidé par Abdurrahman Wahid, plus démocratique, entérine l'indépendance de Timor oriental (Timor Loro Sae). Le Conseil de sécurité de l'ONU vote à l'unanimité la mise en place, le 1er janvier 2000, d'une administration onusienne de 11 000 hommes (UNTAET, Administration transitoire des Nations unies à Timor oriental) pour au moins un an. Xanana est accueilli en triomphe, mais le pays est en ruines, tout est à reconstruire et ses ressources limitées (pétrole, café) rendent nécessaire une importante aide internationale. **F. C.-B.**   **> INDONÉSIE, PORTUGAL.**

TISO Jozef (1887-1947) Prêtre catholique, chef de l'État slovaque pro-nazi (1939-1945). Ordonné en 1910, Jozef Tiso s'est engagé dans les années 1920 dans le Parti populaire slovaque d'Andrej Hlinka (1864-1938), partisan de l'autonomie slovaque. Ministre de la Santé publique et de l'Éducation physique du gouvernement tchécoslovaque (1927-1929), député à l'Assemblée nationale (1925-1939), l'apogée de sa carrière politique se situe à la suite des accords de Munich (septembre 1938). Après la mort d'A. Hlinka, il préside non seulement son parti, mais aussi un gouvernement slovaque autonome dans le cadre de la Tchéco-Slovaquie amputée en particulier des Sudètes (octobre 1938 - mars 1939), puis celui de la République slovaque, État créé sous la pression de l'Allemagne. D'octobre 1939 jusqu'à sa fuite en Autriche, puis en Bavière (début avril 1945), J. Tiso préside cette « République des curés » (titre d'une nouvelle de Dominik Tatarka), partisan de la dictature du parti d'A. Hlinka et coresponsable de la persécution des Juifs. Découvert dans un monastère par la CIA (Central Intelligence Agency) américaine, J. Tiso est remis à la Tchécoslovaquie dont le Tribunal national le condamne à mort. Sa demande de grâce est rejetée. Dans les années 1990, certains milieux liés au nationalisme et au cléricalisme slovaques ont tenté la réhabilitation de ce chef de l'État « cléricalo-fasciste » slovaque. **K. B.**   **> TCHÉCOSLOVAQUIE**

TITISME Le titisme n'est pas une idéologie : Tito ne chercha jamais à être, comme Mao ou Staline, à la fois dirigeant politique et idéologue. Si le maréchal fut certes secondé par des idéologues, dont Edvard Kardelj (1910-1979) qui constitua son plus durable soutien, le titisme fut contraint à l'« originalité » après la déclaration du Kominform (28 juin 1948) condamnant la politique de l'équipe titiste comme non conforme au marxisme-léninisme de Staline. En effet, les communistes sur lesquels comptait Staline n'ayant pas réussi à renverser Tito, ce dernier dut inventer une voie originale.   **L'autogestion** en fut la première expression. Une loi du 25 juin 1950 instaura les conseils ouvriers dans les entreprises, mais jusqu'en 1965, ceux-ci furent peu influents, car la planification centrale affectait les deux tiers des investissements (la réforme économique de 1965 supprime l'essentiel de cette planification). La Constitution du 21 février 1974, ainsi qu'une loi de décembre 1976 sur l'autogestion généralisée instaurèrent un système d'une grande complexité, où les conseils furent étendus aux secteurs des services ; ces deux réformes visaient à freiner toute dérive vers le libéralisme économique.   **Le non-alignement** fut la seconde originalité titiste. Le mouvement des non-alignés fut fondé en septembre 1961 à la conférence de Belgrade, mais les rencontres de Tito avec les chefs d'État du tiers monde, dont la conférence de Brioni (26 juillet 1956) avec Nasser et Nehru fut emblématique, dessinèrent la pratique d'une politique non-alignée. Cependant, celle-ci ne devint la règle qu'après la répression de Budapest (1956), où Tito, consulté par Khrouchtchev, avait fini, dans le discours de Pula (11 novembre 1956) par reconnaître que l'intervention soviétique « valait mieux » que la contre-révolution.   **Si** Tito a pu, contraint et forcé par l'exclusion de la Yougoslavie du

Kominform, inventer une pratique originale du communisme, il le doit à la circonstance d'avoir pu apparaître comme le symbole de la résistance antinazie pendant la Seconde Guerre mondiale. L'enracinement du titisme dans beaucoup de régions de Bosnie, dans le sud de la Slovénie, dans la Dalmatie croate, dans le Monténégro et initialement dans le sud de la Serbie créa pendant plus de quarante-cinq ans des réseaux de fidélité suffisants pour empêcher toute prise du pouvoir par des prosoviétiques de stricte obéissance ou des anticommunistes. **J. K.** **> SOCIALISME ET COMMUNISME, YOUGOSLAVIE.**

TITO Josip Broz, dit (1892-1980)

Dirigeant communiste de la Yougoslavie. Josip Broz est né dans le Zagorje, une région de collines au nord de Zagreb, d'un père croate et d'une mère slovène – il ne sera jamais un nationaliste croate. Sergent dans l'armée de l'Empire austro-hongrois, il combat face à l'armée serbe défendant Belgrade de septembre à décembre 1914. Transféré sur le front de Galicie, en face des troupes russes, il est fait prisonnier en mars 1915 ; cette période de sa vie en Russie orientera durablement ses choix. Le spectacle de la révolution soviétique, la rencontre avec des communistes, dont Sabic, collaborateur de Trotski, rentré comme lui en Croatie, détermine son adhésion au nouveau Parti communiste de Yougoslavie après 1920. La carrière communiste de J. Broz bénéficie d'une conjonction de facteurs favorables. Activiste pris par la police royale en 1928, son procès le fait connaître et les six années qu'il passe en prison lui permettent de se former au marxisme grâce à son compagnon de cellule, le philosophe Mosa Pijade (1890-1957). Il échappe ainsi également aux controverses entre trotskistes et staliniens. Sa sortie en 1934 lui permet, grâce à la complicité des autorités croates locales opposées au régime royal à tendance dictatoriale, de quitter la région, adoptant une série de pseudonymes, dont « Tito » sera le plus durable, probablement d'après Tito Brezobravski, un écrivain croate du Zagorje du XVIIIe siècle. Sa nomination au poste de secrétaire général du Komintern en 1937 s'explique par la purge dont a été l'objet, tout autant que le parti polonais, le parti yougoslave à Moscou. Le

nouveau Comité central s'installe pour quelques mois à Paris, dans le cadre d'une politique d'envoi de volontaires yougoslaves dans les Brigades internationales appuyant les républicains dans la guerre civile d'Espagne. Quelques centaines de communistes yougoslaves ont l'occasion de s'initier à la guerre comme Koca Popovic (1908-1993) ; ils formeront les cadres militaires des Partisans luttant contre l'État oustachi et les forces d'occupation. L'invasion de la Yougoslavie par les puissances de l'Axe en 1941 noue l'avenir de Tito. Le mouvement des Partisans, seul à recruter dans toutes les nationalités, manque, à un moment, de disparaître militairement (bataille de la Sutjeska en juin 1943), notamment à cause d'initiatives hasardeuses de Tito lui-même. Il est, en effet, un militaire sans génie mais non sans courage. Lors de la capitulation de l'Italie en septembre 1943, les Partisans récupèrent les armes de l'armée italienne et les territoires qu'elle occupait : le sort de la guerre est scellé. La déclaration du Kominform (28 juin 1948) condamnant la politique de Tito, alors qu'il s'était efforcé d'être le plus stalinien des communistes, mais en gardant le contrôle de sa police politique, l'amène, après un an d'hésitation, à construire un nouveau modèle politique (autogestion, rencontres avec les États du tiers monde, fondateurs en 1961 du non-alignement). La grande réforme économique de 1965 et celles de 1974-1976 seront, elles, supervisées par d'autres. L'automne du patriarche Tito sera marqué par de nombreux voyages diplomatiques. Ses interventions de décembre 1971 destituant les dirigeants communistes croates trop favorables au maspok (« printemps croate ») et d'octobre 1972 destituant les dirigeants serbes « libéraux » prouvent son attachement désespéré à une Yougoslavie fédérale et communiste, laquelle tombera au terme d'un processus de désagrégation qui commence à sa mort en 1980 et s'achève dans les convulsions des guerres yougoslaves à partir de 1991. **J. K.** **> TITISME, YOUGOSLAVIE.**

TMI Les tribunaux militaires internationaux, institutions fondatrices de la justice pénale internationale, ont été institués à l'issue de la Seconde Guerre mondiale pour

juger les grands criminels de guerre.
> NUREMBERG (TRIBUNAL DE), TOKYO (TRIBUNAL DE).

TNP Le traité de non-prolifération nucléaire (TNP) a été signé le 1er juillet 1969 par les États-Unis, l'Union soviétique et le Royaume-Uni. La Chine et la France, puissances nucléaires avérées, s'en sont tenues à l'écart jusqu'aux années 1990. Le TNP a été reconduit pour une durée illimitée en 1995. Il était alors signé par 178 États.

TOGLIATTI Palmiro (1893-1964)

Homme politique italien. Né à Gênes, fils d'un petit comptable, Palmiro Togliatti effectue des études de droit à l'université de Turin et adhère au PSI (Parti socialiste italien) en 1914. Il entre en 1918 à la rédaction turinoise de l'*Avanti !* et fonde, avec Umberto Terracini (1895-1983) et Antonio Gramsci, l'hebdomadaire *Ordine nuovo* (1919). Les mêmes hommes contribuent à la scission du congrès de Livourne en 1921, qui donne naissance au PCI (Parti communiste italien). Membre du comité central (1922) puis du comité exécutif (1923) du parti, il fonde en 1922 *Il Comunista* et en 1924, avec A. Gramsci, *L'Unità*, nouvel organe du PCI. Contraint à l'exil en 1926, il prend la direction du parti (secrétaire général en 1931) et devient en URSS l'un des responsables et théoriciens du Komintern, développant la nouvelle stratégie frontiste d'alliance avec les socialistes pour combattre le fascisme. En 1936, il est envoyé en Espagne pendant la guerre civile (Brigades internationales), puis il retourne à Moscou avant de rentrer en Italie pour prononcer, en avril 1944, le discours du « tournant de Salerne », qui conduit le PCI à l'unité antifasciste pour libérer l'Italie, et à la participation au pouvoir pour reconstruire le pays. Lui-même ministre de la Justice en 1944-1946, il s'occupe surtout de la création d'un « parti nouveau », faisant du PCI une organisation de masse, solidement implantée dans la société, héritière de la pensée d'A. Gramsci, ouverte aux intellectuels et aux autres forces de gauche. Mais il conçoit cette ouverture, avec la relative autonomie par rapport à l'URSS, dans des limites étroites, tel que l'illustre le durcissement

qu'il imprime au parti après son éviction du pouvoir en mai 1947 et jusqu'en 1956. S'emparant de la déstalinisation, il se fait l'avocat en 1956 du « polycentrisme » qui vise à promouvoir la pluralité des voies d'accès au socialisme ; mais son approbation de l'intervention soviétique en Hongrie montre que l'autonomisation par rapport à Moscou demeure limitée. Doué d'un sens politique aigu, surnommé « le Meilleur », cet intellectuel a marqué durablement le PCI.
O. F. > ITALIE, SOCIALISME ET COMMUNISME (ITALIE).

TOGO République du Togo. Capitale : Lomé. Superficie : 56 000 km^2. Population : 4 512 000 (1999). **A**ncienne colonie allemande (1885-1914), le Togo est placé sous mandat français et britannique par la Société des Nations (SDN), puis sous tutelle de l'Organisation des Nations unies (ONU). Le Togo britannique intègre le Ghana à la suite du référendum de 1956, alors que la partie administrée par la France se constitue en République avant d'accéder à l'indépendance (1960). Doté d'une géographie variée (monts du Togo à l'ouest, forêt tropicale humide au sud, savane au centre et au nord) et peuplé d'une quarantaine d'ethnies, son territoire s'allonge sur près de 700 km et est large d'à peine 100 km. **L**a violence marque la vie politique togolaise. Le premier président, Sylvanus Olympio (1902-), au régime autoritaire, est renversé et tué (1963), puis remplacé par son rival Nicolas Grunitzky (1913-). La dictature militaire instaurée en 1967 par le coup d'État du général Étienne Gnassingbé Eyadéma (1937-), avec pour façade civile le Rassemblement du peuple togolais (1969), est confrontée à plusieurs tentatives de déstabilisation, sources de tensions avec les voisins (Ghana). L'instauration du multipartisme et la tenue d'une « conférence nationale » (1991) débouchent sur une « démocratie virtuelle » et ne mettent pas fin aux violences (tentatives d'assassinats d'opposants contraints au ralliement ou à l'exil, exécutions extrajudiciaires...) dont le caractère ethnique s'affirme (Nord dominé par les Kabyé contrôlant l'armée – loin d'être monolithique mais opposée à la démocratisation – contre Sud majoritairement éwé dans lequel l'opposition, bien que divisée, recrute surtout). G. Eyadéma est réélu en 1998 lors d'élections contestées. Fondée sur l'agriculture (produits vivriers, coton, cacao, café) et le phosphate, l'économie du Togo connaît à compter du milieu des années 1980 une croissance négative ou très faible. Le gel des engagements internationaux en réaction à l'impasse politique et aux violences n'a pas été compensé par l'élargissement de la coopération. L'image extérieure du Togo – pays d'accueil de la signature des premiers accords entre la Communauté européenne et les États ACP (Afrique-Caraïbe-Pacifique) – est tributaire de son instabilité politique. Pour la restaurer, G. Eyadéma multiplie les missions de bons offices dans les conflits (Cameroun-Nigéria) et les crises en Afrique (Guinée-Bissau, Côte-d'Ivoire). **M. E.**

TOGO Heihachiro (1847-1934) Militaire japonais. Intimement lié à l'histoire moderne du Japon, le devenir de Togo Heihachiro se noue à Kagoshima, dans le fief méridional de Satsuma. De ce dernier – qui a « fait » avec ceux de Choshu et Hizen la Restauration de Meiji (1868) – sont issus la Marine japonaise moderne et la plupart de ses officiers. Entre 1871 et 1878, Togo Heihachiro parfait sa formation militaire à l'école de marine britannique, modèle de la jeune Marine japonaise. L'opportunisme militaire japonais sert ensuite son ascension. Il se distingue lors de la guerre sino-japonaise (1894-1895), aux commandes du *Naniwa*, puis au cours de la guerre des Boxeurs (Chine, 1900), à la tête de la flotte de bataille japonaise. En 1904-1905, pendant la guerre russo-japonaise, il met en place le blocus de Port-Arthur et obtient la reddition de la place (2 janvier 1905), puis il anéantit, à Tsushima en mai suivant, la flotte russe venue de la mer Baltique. Directeur du Collège naval depuis 1896, il se voit en outre confiées la responsabilité de l'État-Major de la Marine et, à partir de 1914, jusqu'en 1924, l'éducation de Hirohito (1901-1989), le futur empereur Showa (1926-1989). Togo Heihachiro meurt en 1934. Mais, tout comme dans la guerre russo-japonaise qui l'avait rendu célèbre, la guerre du Pacifique (1941-1945) commencera le 7 décembre 1941, sans déclaration de guerre, par une attaque surprise sur Pearl Harbour. **C. S.** ▶ JAPON.

TOKELAU Territoire non souverain, sous tutelle néo-zélandaise. Chef-lieu : Fale (atoll de Fakaofo). Superficie : 12,2 km². Population : 1 700 (1999). Les Britanniques imposèrent leur protectorat en 1877 sur les trois atolls, situés entre Kiribati au nord et les Samoa au sud qui forment Tokelau. L'administration en est confiée par mandat de la SDN (Société des Nations) à la Nouvelle-Zélande en 1925. Celle-ci l'annexe en 1948 puis engage un processus devant mener à l'autonomie interne et au statut de libre-association. Les États-Unis pour leur part renoncent en 1980 à leurs revendications, qui remontaient à 1856, sur ces trois îles. Ils occupent cependant toujours quelques atolls ayant une importance stratégique dans les îles Phenix et les îles de la Ligne, à quelques centaines de kilomètres de Tokelau : Howland, Baker, Canton, Palmyre et Jarvis. **J.-P. G.**

TOKYO (tribunal de) Le Tribunal militaire international de Tokyo a été créé, sur le modèle de celui de Nuremberg, par une « décision du Commandement suprême des puissances alliées en Extrême-Orient » du 19 janvier 1946. Il avait pour mission le jugement des grands criminels de guerre japonais. Son statut, définissant notamment les faits punissables (crimes contre la paix ; crimes de guerre ; crimes contre l'humanité) reproduit pour l'essentiel celui du TMI de Nuremberg. Saisi du cas de 25 accusés, il a rendu son jugement le 12 novembre 1948 en prononçant sept condamnations à mort, seize à l'emprisonnement perpétuel et deux à l'emprisonnement temporaire. **G. L. P** ▶ JUSTICE **PÉNALE INTERNATIONALE.**

TONGA Royaume de Tonga. Capitale : Nuku'Alofa. Superficie : 699 km². Population : 98 000 (1999). L'archipel des Tonga est situé dans le Pacifique, au sud des Saoma, mais la ligne internationale de changement de date (méridien 180) a été déplacée vers l'est, en faveur du seul Tonga et à la demande de celui-ci pour des raisons religieuses ! Ce royaume fut unifié avec l'aide des missions protestantes anglaises et doté d'une Constitution dès 1875. Il se place sous protectorat britannique en 1900, mais garde une autonomie de gouvernement. Le royaume amorce une modernisation qui se poursuit après l'indépendance (proclamée le 4 juin 1970). La vie politique connaît ensuite des crises dues à des pratiques de corruption, en particulier la vente de passeports. **J.-P. G.**

TORIES (Royaume-Uni) Le Parti conservateur et unioniste est l'héritier des Tories (1680). Depuis les années 1870 et le tournant amorcé par son chef d'alors, Benjamin Disraeli (1804-1881), il se veut porteur de traditions et de valeurs morales, mais aussi ouvert à la réforme sociale dans le respect de la propriété privée et soucieux de la grandeur et de l'unité du Royaume-Uni ; surtout, il a accepté la démocratie en espérant qu'une élite, soutenue par la déférence des autres, guide les changements. Seule Margaret Thatcher, à partir de 1979, affichera sa méfiance envers l'*establishment*. Doté d'une machine électorale de premier ordre, soutenu financièrement par les grands intérêts privés, il a dominé la vie politique britannique depuis 1922, détenant le pouvoir plus souvent qu'aucun autre, grâce à de brillants Premiers ministres : Stanley Baldwin (1867-1947) et Neville Chamberlain dans l'entre-deux-guerres, Winston Churchill ensuite, avant Anthony Eden, Harold Macmillan (1894-1986), Alec Douglas-Home (1903-1995), Edward Heath (1916-), M. Thatcher et John Major (1943-). Converti entre 1950 et 1975 à un « consensus » social sur l'État-providence, il est revenu, à partir de 1979 avec M. Thatcher, à son vieux credo libéral et a dénoncé le « trop d'État », la puissance syndicale, l'« excès » des programmes sociaux, tout en exaltant l'initiative privée et le profit. L'effondrement de ses espoirs d'un Commonwealth fort et uni et la controverse sur le degré d'adhésion à la construction européenne ont miné le parti, vaincu en 1997, que son nouveau leader, William Hague, allait avoir quelque mal à redresser dans une période où le nouveau Labour Party de Tony Blair enregistrait des succès de popularité. **R. Ma.** ➤ PARLEMENTARISME BRITANNIQUE, ROYAUME-UNI.

TORRES RESTREPO Camilo (1929-1966) Prêtre catholique, universitaire, dirigeant social et politique colombien. Né à Bogota, en Colombie, dans une famille de la grande bourgeoisie citadine, il meurt dans le département de Santander dans les rangs de la guérilla de gauche (ELN – Armée de libération nationale), lors d'un accrochage avec l'armée gouvernementale. La clé de cette trajectoire réside dans sa rencontre avec des éléments progressistes de l'Église, soucieux de concilier l'Évangile et la modernité par la justice sociale. Inquiète de le voir influencé par des dominicains français, sa mère l'oriente vers le conformiste grand séminaire de Bogota, où il est ordonné prêtre en 1954. Son cardinal-archevêque l'envoie faire des études de sociologie à l'Université catholique de Louvain (Belgique). Il y acquiert les outils qui lui permettront d'analyser la société colombienne et s'intéresse à des expériences de dynamisation des exclus (en France, il fréquente l'abbé Pierre). De retour à Bogota, en 1958, il est nommé aumônier de l'Université nationale et professeur à la faculté de sociologie. Son travail intellectuel intense lui vaut une audience grandissante : cours, conférences, communications à des congrès scientifiques, publications sur la violence, la réforme agraire, le développement communal, la misère des bidonvilles, la structure sociale du pays, etc. Il est cependant démis de ses fonctions en 1962, à la suite d'un conflit entre les étudiants, qu'il soutient, et le recteur. Commence alors une période politique, brève mais fulgurante, au cours de laquelle il devient extrêmement populaire dans les milieux qui aspirent au changement, notamment chez les déshérités des grandes villes. Il crée des coopératives en quartier ouvrier et une ferme modèle à la campagne. Surtout, il rédige, au début de 1965, une *Plate-forme pour un mouvement d'unité populaire*, à laquelle tous les mouvements et partis progressistes se rallient. Il devient ainsi le rassembleur et la figure emblématique du Front uni du peuple colombien qui soulève un espoir considérable. Mais des désaccords au sujet des élections prévues pour mars 1966 font rapidement éclater ce mouvement. Estimant alors qu'il n'y a de chance de succès, pour une révolution, qu'en dehors des voies légales, il rejoint en octobre 1965 les maquis de l'ELN, d'orientation castriste, où il est tué quatre mois plus tard, à l'âge de 37 ans. **Sa** mort le fait connaître bien au-delà de la Colombie. Associée à celle du « Che » Guevara dans toute l'Amérique latine, sa figure y symbolise l'unité stratégique, qui marqua la décennie suivante, entre révolutionnaires marxistes et chrétiens. Dans le monde chrétien, l'hostilité qu'il suscita de la part de la hiérarchie conservatrice (elle l'accula à demander finalement sa réduction à l'état laïc), et l'alliance qu'il réalisa entre travail scientifique et Évangile ont fait de lui un témoin majeur de ce qu'il appelait « un amour efficace ». **P. Bl.** **> COLOMBIE.**

TOTALITARISME Phénomène politique typique du XXᵉ siècle, qui a vu naître avec le communisme et le nazisme des systèmes politiques qui se proposaient, au nom d'une idéologie, de changer, en recourant à la terreur généralisée, l'histoire de l'humanité et l'homme lui-même. Le mot, fortement polémique, est utilisé à la fois par des personnages politiques et par des théoriciens. Son histoire concerne le « bref XXᵉ siècle », celui qui va de la Première Guerre mondiale à la fin du communisme européen. **Au** début des années 1920, le terme est utilisé en Italie, d'abord par des opposants au fascisme qui lui reprochent de vouloir dominer « totalement » le système politique, puis Benito Mussolini, qui proclame sa volonté de créer un « État total », le reprend à son compte. Dans les années 1930, « totalitaire » est utilisé par le socialiste français Léon Blum, entre autres, pour désigner les fascismes, alors qu'il parle de dictature pour le régime soviétique. Mais, dès avant la Seconde Guerre mondiale, des théoriciens rapprochent le système stalinien et le nazisme, que ce soient des communistes antibolcheviks, comme Otto Rühle (1874-1943), ou des libéraux, par exemple Karl Popper (1902-1994) : pour celui-ci, le totalitarisme nie l'individu comme le faisait la République imaginée par Platon. Le pacte germano-soviétique de 1939 offre aux yeux de certains une forme de démonstration de la proximité entre les deux régimes. **L'**attaque de l'URSS par Hitler

(21 juin 1941) et l'alliance entre gouvernements démocrates et pouvoir soviétique suspend l'assimilation entre les deux régimes, alors que certains auteurs approfondissent la notion dans leur analyse de l'Allemagne nazie. Ce sont, pour une bonne part, des intellectuels l'ayant fuie qui, dans les années 1950, vont théoriser l'existence d'un nouveau type de régime qui ne correspond à aucun de ceux décrits par la pensée politique des Grecs ou du XVIIIᵉ siècle (monarchie, aristocratie, démocratie, despotisme). Les régimes totalitaires ne reposent pas sur la volonté arbitraire d'un tyran, mais ils mobilisent, comme pour une guerre, toute la société. Ils ne sont pas destinés à maintenir un ordre établi comme les régimes autoritaires, qui s'appuient souvent sur les Églises. Surtout, ils établissent une forme inédite de relation entre le pouvoir et la population : tous les régimes totalitaires considèrent que certaines fractions de la population sont des catégories nuisibles qu'il faut détruire. **Six caractéristiques.** Une série de travaux de politistes et philosophes, notamment des Américains (nés en Europe) Carl J. Friedrich (1901-1984), Zbigniew Brzezinski (1928-) et Hannah Arendt, établit les six traits d'un syndrome du totalitarisme dont le Français Raymond Aron (1905-1983) diffuse l'essentiel en France. Aucune des six caractéristiques du totalitarisme n'est en elle-même spécifique, mais le tout définit une réalité nouvelle : 1. Une idéologie que tous doivent accepter au moins passivement et qui a un contenu millénariste ; 2. Un parti unique plus ou moins fusionné avec l'État et comprenant un noyau dévoué d'activistes ; 3. Un monopole des moyens de violence ; 4. Un monopole des moyens de communication ; 5. Une direction centralisée de l'économie, dont la planification est la forme habituelle ; 6. La détermination d'« ennemis objectifs » (une formule utilisée par Lénine) qui doivent être détruits. Ces différents éléments – le monopole de la violence légitime sur un territoire, telle est la définition de l'État en général par Max Weber). D'autres sont des innovations, comme le parti unique dont le premier au monde fut le parti bolchevik. Certains résultent – l'économie dirigée – d'un élément doctrinal (Lénine veut que la rationalité qui

s'applique dans l'usine capitaliste soit aussi mise en œuvre à l'échelon de la société tout entière), renforcé par une expérience sociale (la planification de l'économie de guerre en Allemagne). Ce seul trait suffit à établir la modernité et la spécificité du totalitarisme par rapport à des systèmes de domination brutale liés à d'autres époques. L'islam radical est bien une idéocratie, mais il ne vise pas à un contrôle total de la sphère économique. Les croisés entrant à Jérusalem ont bien exterminé les infidèles comme s'ils étaient en dehors de l'humanité, mais ils n'ont pas créé de régime politique ou économique. L'Allemagne nazie et l'URSS correspondent, avec des variations, au modèle totalitaire. Car on peut parler de système totalitaire sans que le système corresponde exactement au syndrome : dans l'URSS de Lénine et de Staline, il y eut des résistances et des révoltes, mais dont la légitimité ne fut jamais reconnue ; une partie de l'armée allemande n'adhéra par aux idéaux du nazisme, même si elle ne s'y opposa pas. Bien plus, on peut montrer que le totalitarisme ne peut aboutir aux buts qu'il s'assigne : le développement accéléré de l'économie est, en URSS, freiné par l'impossibilité d'innovations, l'absence de responsabilité personnelle, l'importance de la bureaucratie du Parti qui prétend tout contrôler. Finalement, le système industriel a une faible productivité et ne peut adopter les nouvelles technologies telles que l'informatique. La théorie du totalitarisme ne prétend pas faire l'histoire du système, mais en saisir la logique spécifique. En rapprochant l'URSS et l'Allemagne nazie, elle se propose de revaloriser la démocratie libérale et représentative que les deux régimes ont également condamnée. Ainsi, après la Seconde Guerre mondiale, Staline puis ses successeurs ont tenté d'imposer la pertinence de la seule opposition fascisme (ou impérialisme) contre socialisme (ou mouvement de libération des nations). L'usage du « totalitarisme » dans cette période est lié à la Guerre froide : la notion permet de dévaloriser le système communiste, mais n'implique nullement une idéologie réactionnaire. Léon Trotski lui-même, dans un de ses derniers textes, avait évoqué le totalitarisme de Staline. **Épuration et système concentrationnaire.** La réflexion sur le totalitarisme a été relancée par des enseignements tirés de l'expérience des pays satellites de l'URSS et par l'apport de l'œuvre d'Alexandre Soljénitsyne, *L'Archipel du Goulag*. Au milieu des années 1970, le philosophe polonais Lesek Kolakowski (qui émigra au Royaume-Uni) présente le totalitarisme comme une volonté de fusion entre l'État et la société civile dont les racines peuvent être trouvées chez Karl Marx (1818-1883). A. Soljénitsyne sera privé de la nationalité soviétique et contraint à l'exil dès la publication de *L'Archipel du Goulag* à Paris en 1973. « Goulag » est l'abréviation du nom de l'Administration centrale des camps, qui a en charge le système concentrationnaire soviétique. Celui-ci n'est pas un accident du communisme, mais correspond à la volonté déjà affirmée par Lénine de « nettoyer la terre russe » des « insectes nuisibles », « poux », « parasites », dont les koulaks (paysans supposés riches) sont la catégorie la plus nombreuse. Après une première campagne de « destruction des koulaks en tant que classe », au printemps 1918, interrompue par la guerre civile en Russie (1918-1921) puis par la NEP (Nouvelle Politique économique, 1921-1929), Staline reprend cette entreprise de destruction d'un groupe ni insurgé, ni en rébellion contre le régime, mais qui est défini comme dangereux et néfaste par son existence même. L'épuration et le système concentrationnaire ne relèvent pas d'une théorie de la lutte des classes, mais d'une forme d'« hygiène sociale » qui expulse et détruit des êtres humains d'abord réduits, symboliquement et pratiquement, à l'« animalité ». Le rapprochement possible entre extermination d'une classe et d'une race est ce qui fait l'intérêt de la notion de totalitarisme et qui, en même temps, est la principale raison de son rejet par certains. **En** effet, une multitude de questions, qui mettent en cause l'appréciation que l'on peut porter sur le XXᵉ siècle, sont débattues. Ainsi, pour le philosophe allemand Martin Heidegger (1889-1976), le totalitarisme est-il le résultat de la rationalisation technicienne du monde poussée à son extrême, tandis que des historiens y voient l'effet du retard de l'URSS (dans son développement économique) et de l'Allemagne (dans sa construction en nation unifiée).

Certains auteurs, H. Arendt par exemple, considèrent que le totalitarisme est lié à Staline, alors que pour d'autres il existe une continuité entre Lénine et son successeur, ce qui fait débuter le totalitarisme soviétique en 1917. On peut discuter la mise en parallèle d'un régime qui a duré moins de quinze ans et d'un autre qui s'est maintenu et s'est étendu pendant soixante-dix ans. D'autres estiment que l'existence de partis politiques (communistes ou fascistes) adhérant aux idéaux et aux principes organisationnels du totalitarisme était une menace pour les démocraties, si bien que le totalitarisme a une portée qui dépasse celle des régimes totalitaires. Au contraire, certains auteurs avancent que les démocraties sont des totalitarismes, mais plus habiles puisqu'elles légitiment la domination sans recourir à la seule force brute. Qu'on puisse le dire publiquement montre cependant que les démocraties ne sont pas des totalitarismes plus sophistiqués.   Postcommunisme et postnazisme. Le destin des sociétés postcommunistes permet de répondre à certaines interrogations : le communisme en URSS ne fut pas une superstructure qu'il n'y aurait qu'à déblayer après son écroulement. C'est l'ensemble de la société, et tout d'abord la croyance en la validité des normes juridiques, qui doit être recomposée. Le nazisme en Allemagne avait été vaincu là où il prétendait l'emporter (l'expansion territoriale et la force), mais sa défaite militaire et l'occupation ont été des contraintes à l'édification démocratique en République fédérale d'Allemagne. L'URSS est pour sa part morte de n'avoir pu remplir son ambition de prospérité économique ; mais la société post-totalitaire soviétique, pauvre, démoralisée, sans repères sinon les ombres du passé et les rancœurs du présent, n'a pas semblé posséder en elle-même les moyens de dépasser sa situation, comme si pesait toujours sur elle, plus de quatre-vingts ans après le coup d'État d'octobre 1917, le poids d'un projet millénariste qui impliquait la montée à l'extrême de la violence d'un pouvoir contre une société jugée barbare par ses nouveaux maîtres. **D. C.**

TOURÉ Ahmed Sékou (1922-1984)
Homme d'État guinéen. D'origine malinké, né de père inconnu à Faranah, Ahmed Sékou

Touré adopte le nom de son beau-père, faisant remonter sa généalogie au conquérant dioula l'*almamy* (le « guide ») Samory Touré, mort en déportation en 1900 après sa capture par les Français. Il ancre son combat contre le colonialisme dans l'action de cet ancêtre prestigieux et fonde en 1945 le syndicat des postiers guinéens affilié à la CGT (Confédération générale du travail) française. Protégé de Félix Houphouët-Boigny, créateur du Rassemblement démocratique africain (RDA), il crée sa section guinéenne, le Parti démocratique de Guinée (PDG), ce qui lui vaut, par la suite, d'être loué dans les manifestations orchestrées en sa faveur comme le « PDG » de la Guinée. Contrairement au leader ivoirien qui œuvre pour la défense des petits planteurs africains, Sékou Touré, qui se méfie du monde rural, s'appuie sur les employés et les dockers et adopte un langage marxiste. Son succès dans la grande grève de 1952 pour faire appliquer le Code du travail le mènera au poste de secrétaire général de l'Union générale des travailleurs d'Afrique noire (UGTAN) en 1956. Il est élu maire de Conakry en 1955 et député à l'assemblée locale l'année suivante.   En 1957, en application de la loi-cadre sur l'autonomie des territoires d'outre-mer, il se trouve à la tête du gouvernement guinéen. Contrôlant le parti et les syndicats, bénéficiant du soutien actif de son voisin ghanéen Kwame Nkrumah, dont le pays vient d'accéder à l'indépendance, il lance (à la différence de ses pairs de l'Afrique noire française – AOF et AEF) le fameux « non » à de Gaulle et refuse l'entrée de la Guinée dans la Communauté franco-africaine, préférant pour son peuple « la pauvreté dans la liberté à la richesse dans l'esclavage ». Aux premières années d'euphorie, marquées par un retrait total de la France et par la mise en place d'un « socialisme guinéen », succède un profond désenchantement. Le renversement de K. Nkrumah par l'armée, en 1966, puis celui du Malien Modibo Keita, en 1968, accentuent son isolement. La crainte de complots, réels ou supposés, l'amène à faire le vide autour de lui (exécutions de Diallo Telli et Keita Fodeba) et à accentuer encore le caractère dictatorial de son régime, faisant fuir à l'étranger plus du tiers de la population. En 1984, il meurt dans un hôpital de Cleveland, aux États-Unis, le pays dont des compagnies privées exploitaient la bauxite guinéenne, lui permettant de se maintenir au pouvoir. **B. N.** > GUINÉE.

TOYOTISME Le terme « toyotisme » s'est imposé internationalement pour désigner le modèle industriel inventé par le constructeur automobile japonais Toyota. Par extension, simplification et déformation, il est devenu synonyme de « modèle de gestion japonais », censé caractériser les firmes de ce pays. Les succès qui lui ont été attribués l'ont fait considérer comme le probable modèle industriel du XXIᵉ siècle. Il serait en effet capable tout à la fois de répondre au meilleur prix à une demande diversifiée, changeante et exigeante, et de mobiliser l'intelligence des salariés pour améliorer les produits et les procédés. La crise du travail que Toyota a connue en 1990 et la stagnation prolongée de l'économie japonaise tout au long de la décennie suivante ont conduit à reconsidérer la représentation du toyotisme qui prévalait et, ce faisant, la diffusion et les vertus qui lui ont été prêtées. **Une réduction permanente des coûts.** Le « système de production Toyota » a été une réponse à une double contrainte : l'impossibilité d'appliquer le modèle fordien comme en rêvaient ses dirigeants sur un marché automobile qui est resté jusqu'au milieu des années 1960 très limité et diversifié, et l'engagement pris par la direction de ne pas licencier, à la suite d'un conflit social très dur au début des années 1950. À défaut de pouvoir faire du profit par le volume, Toyota a décidé de réduire continuellement les coûts à volume constant. En contrepartie de la garantie de l'emploi pour les salariés, puis de celle des commandes pour les fournisseurs, il leur a demandé de participer directement à cette contraction permanente des coûts. La firme a poursuivi cette stratégie de profit après qu'il lui a été possible de faire du volume, d'élargir son offre et de faire payer la qualité. **La diminution des coûts à volume constant a été essentiellement, pendant plus de quarante ans, la réduction continue des temps standard, c'est-à-dire des temps prévus initialement par les services techniques pour réaliser les différentes opérations

d'usinage et d'assemblage, et prenant en compte différents temps d'arrêt. Pour ce faire, outre la recherche de la répartition optimale et flexible des opérations entre les postes de travail, l'effort a été porté sur l'élimination des causes d'arrêt du processus de production et des défauts affectant le produit. Cette démarche a été à l'origine de nombreuses innovations organisationnelles auxquelles le nom de l'ingénieur de production, Taichi Ohno, est attaché. Une des principales a été l'instauration progressive du flux tendu, c'est-à-dire la réduction puis la disparition des stocks intermédiaires, ce qui devait empêcher de masquer les problèmes et obliger à les résoudre durablement sans retard. Les salariés ont pu et ont dû contribuer à la réduction des temps standard, non seulement en raison du compromis passé avec la direction, mais aussi en raison d'un système de salaire unique, faisant dépendre la rémunération mensuelle de la réalisation mois après mois des objectifs fixés à chaque équipe de travail, et grâce à un système d'horaires permettant de prolonger la journée de travail pour que le programme journalier de production soit réalisé en tout état de cause. **Ce** modèle industriel a été profondément révisé à compter de 1990. Toyota n'a pu faire face à l'accroissement brutal de la demande consécutif à la « bulle spéculative » que le Japon connaissait alors, en raison de l'impossibilité de trouver des jeunes acceptant de travailler dans les conditions qui sont celles de l'entreprise, et du refus des salariés d'accroître encore les heures supplémentaires. La firme, tout en maintenant sa stratégie de réduction des coûts à volume constant, a dû abandonner son système de salaire et d'horaires, renoncer à demander aux opérateurs de réduire eux-mêmes les temps standard, et réintroduire des stocks intermédiaires. Si nombre d'entreprises ont emprunté certaines techniques toyotiennes, aucune dans l'automobile n'était parvenue à mettre en œuvre le modèle toyotian au tournant du siècle. **M. Fr.** > FORDISME, TAYLORISME, TRAVAIL.

TPIR La résolution 955 du 9 novembre 1995 du Conseil de sécurité de l'ONU a créé, sur le même modèle que le TPIY

(Tribunal pénal international pour l'ex-Yougoslavie), un autre Tribunal pénal international siégeant à Arusha (Tanzanie), chargé de juger les crimes commis en 1994 au Rwanda et dans les pays limitrophes. **G. L. P. > GÉNOCIDE RWANDAIS, JUSTICE PÉNALE INTERNATIONALE.**

TPIY La résolution 827 du 25 mai 1993 du Conseil de sécurité de l'ONU institue le Tribunal pénal international de La Haye, compétent pour les cas des « personnes présumées responsables de violations graves du droit humanitaire international commises sur le territoire de l'ex-Yougoslavie depuis 1991 ». **G. L. P > GUERRES YOUGOSLAVES, JUSTICE PÉNALE INTERNATIONALE.**

TRAITÉ DE L'ATLANTIQUE NORD > PACTE NORD-ATLANTIQUE.

TRANSCAUCASIE Dénomination (russe) des territoires du Caucase du Sud (par distinction avec la Ciscaucasie ou Caucase du Nord). La Transcaucasie comprend l'Arménie, l'Azerbaïdjan et la Géorgie. En 1922, après l'établissement du pouvoir bolchevik, une Fédération socialiste soviétique de Transcaucasie est créée, à laquelle il est mis fin en 1936. Elle laisse place à trois républiques socialistes soviétiques (RSS). **> ARMÉNIE, AZERBAÏDJAN, GÉORGIE.**

TRANSDNIESTRIE La Transdniestrie correspond à l'ancienne république autonome moldave créée en URSS en 1924 sur la rive gauche du Dniestr et réunie à la République socialiste soviétique de Moldavie en 1940-1941 et à nouveau à partir de 1947. Pendant la période soviétique (1944-1991), la Transdniestrie a connu une industrialisation poussée et un important afflux d'ouvriers russes et ukrainiens. Lors de l'effondrement de l'URSS, en réplique à la proclamation d'indépendance de la république de Moldavie, la Transdniestrie proclame sa propre indépendance (1er décembre 1991) comme « république socialiste soviétique moldave de Transdniestrie », puis, en 1992, comme « république moldave du Dniestr », avec pour capitale Tiraspol. Lors de la guerre contre les autorités de Chișinău (avril-juillet

1992), les séparatistes, soutenus par la 14e armée russe, occupent la ville de Bender (Tighina) sur la rive droite du Dniestr. En dépit de plusieurs accords et d'intenses négociations, les rapports de la république sécessionniste avec Chișinău sont restés tendus, la Moldavie considérant la Transdniestrie comme partie intégrante de son territoire. Le retrait des troupes russes de la région (3 000 hommes) a été promis pour 2002 par Boris Eltsine (novembre 1999) et confirmé par Vladimir Poutine. La Transdniestrie a maintenu intact le système soviétique, utilisant le rouble avec l'effigie du général Aleksandr Vasilievitch Souvorov (1730-1800) – général russe qui s'illustra dans les guerres contre les Turcs en Moldavie (1768-1774 ; 1787-1791) – en surimpression, et représente une plaque tournante du trafic d'armes et de drogue de l'ex-URSS vers l'Europe. **M. Ca. > MOLDAVIE.**

TRANSFORMISME Pratique politique italienne, le transformisme (*trasformismo*) permet au groupe au pouvoir d'élargir sa base en intégrant d'autres forces politiques selon la logique personnelle du président du Conseil et celle des réseaux de clientèle associés aux affaires de l'État. Les blocs ainsi formés, nés de pactes personnels et non de compromis politiques clairs, sont exposés aux crises, fragilité palliée par le recours aux remaniements ministériels permettant une circulation à l'intérieur du groupe au pouvoir. Mais la mobilité apparente cache l'absence de véritable alternance politique. Le transformisme marque toute la période libérale (1861-1922) et resurgit en 1948, lorsque la Démocratie chrétienne (DC), parti dominant, intègre dans sa majorité les petits partis laïques, puis le PSI – Parti socialiste italien – (1962-1969 et années 1980), forces trop faibles pour qu'il y ait alternance. Le « compromis historique » (1976-1979), en intégrant à la majorité le PCI (Parti communiste italien), seul capable de faire contrepoids à la DC, aura été l'unique tentative pour sortir du système, mais elle fut bloquée par la stratégie terroriste des « années de plomb ». À la suite de l'ébranlement de la vie politique au début des années 1990, l'Italie a semblé s'acheminer vers une IIe République avec une alternance entre la droite (1994) et le centre gauche (1996-2000). Mais les chutes, en 1998, du gouvernement de Romano Prodi (1939-) et, en 2000, de celui de Massimo D'Alema (1949-), ainsi que l'inachèvement de la réforme constitutionnelle (absence de scrutin majoritaire) ont indiqué que la IIe République n'était pas encore née et que le transformisme perdurait. **O. F.** **> ITALIE.**

TRANSJORDANIE Territoire situé sur la rive orientale du Jourdain, distinct de la Cisjordanie (sur la rive occidentale), la Transjordanie est sous tutelle de l'Empire ottoman jusqu'à la Première Guerre mondiale. Elle est placée sous mandat britannique par la SDN (Société des Nations) en 1920. Elle accède à l'indépendance en 1946 et annexe la Cisjordanie et Jérusalem-Est à la suite de la première guerre israélo-arabe (1948-1949). En 1950 est proclamé le royaume de Jordanie unissant la Transjordanie et les territoires acquis. **> JORDANIE.**

TRANSNISTRIE En créant, le 12 octobre 1924, la république autonome de Moldavie sur la rive gauche du Dniestr – 7 516 km² (par la suite 8 434 km²), capitale Balta, ensuite Tiraspol (1928) –, l'URSS fonde « le berceau de la Roumanie soviétique », un Piémont conçu sur le même modèle que les républiques carélo-finnoise et tadjike, et destiné à préparer le rattachement de la Bessarabie, voire de la Roumanie toute entière, à l'URSS. La république autonome comporte une forte minorité (30,3 %) moldave (roumaine), mais 48,8 % de sa population est ukrainienne et 8,6 % russe. Une partie de son territoire (3 400 km²) est réunie à la Bessarabie pour former (2 août 1940) la République socialiste soviétique de Moldavie. Cette Moldavie « transnistrienne » (1935) est appelée « Transnistria » à partir de 1936 par les Moldaves réfugiés en Roumanie, qui défendent le caractère roumain de cette province conquise par la Russie sur les Ottomans (traité de Iași, 1792). Occupée par les armées allemande et roumaine en juillet 1941, la Transnistrie, entre la mer Noire au sud et les rivières Nemija, Ljadova et Riv au nord (environ 40 000 km², capitale Odessa), est administrée de 1941 à 1943 au nom de

la Roumanie par un civil nommé gouverneur, George Alexianu (1897-1946). Durant cette période, elle sert de lieu de déportation à plus de 200 000 Juifs et à environ 25 000 Tsiganes de Roumanie que le régime Antonescu installe dans des camps (Dalnik, Mohilev), sans les livrer aux autorités allemandes. Plus de la moitié des déportés ont péri à la suite de maladies, de faim ou des massacres perpétrés par les troupes roumaines et allemandes en 1941-1942. Reconquise par l'armée soviétique en août 1944, elle est à nouveau rattachée à l'Ukraine, à l'exception de 4 200 km² réunis à la Moldavie soviétique (23 avril 1947). **M. Ca.** **> MOLDAVIE, ROUMANIE, UKRAINE.**

TRANSYLVANIE Territoire situé au pied des Carpates, peuplée pendant des siècles par trois communautés – roumaine, magyare et allemande –, la Transylvanie constitue une des principales pommes de discorde dans les relations roumano-hongroises. Hongrois et Roumains y voient en effet le berceau même de leur civilisation. Les deux États n'ont ainsi cessé de se disputer ce territoire, investi d'une fonction politique mythique : intégrée à la Hongrie lors du compromis austro-hongrois de 1867 (qui marque l'émancipation de celle-ci par rapport à Vienne dans le cadre de l'Empire austro-hongrois), la Transylvanie est annexée par la Roumanie en 1918, puis derechef rattachée (pour sa partie septentrionale) à la Hongrie de Miklós Horthy à la suite de l'arbitrage de Vienne d'août 1940 avant d'être restituée à la Roumanie après 1945. Dans l'entre-deux-guerres, les dirigeants roumains y mènent une politique d'homogénéisation ethnique poursuivie, après 1947, par le régime communiste. Ces différents épisodes expliquent les griefs historiques accumulés de part et d'autre, à l'origine d'un climat de méfiance réciproque qui n'a cessé, après 1989, de compliquer les relations entre les deux États, même si Budapest ne nourrit plus de velléité irrédentiste sur la province, comme le précise le traité bilatéral signé en septembre 1996. En Roumanie même, les relations entre la majorité roumaine et l'Union démocratique des Magyars de Roumanie (UDMR), le parti de la minorité hongroise, forte de 1,6 million de personnes,

demeurent tendues, sans être explosives.
A. L.-L. **> ROUMANIE, HONGRIE.**

TRAVAIL La division du travail, les
conflits et les débats qu'elle a provoqués,
auront marqué les relations entre
employeurs et salariés, et les sciences sociales au XXᵉ siècle, tout autant qu'au XIXᵉ siècle.
Avec la création des manufactures capitalistes était apparue une forme nouvelle. Les
métiers complets, correspondant généralement à un produit, y étaient divisés en
métiers particuliers, organisés et coordonnés
par un maître ouvrier, sous l'autorité de
l'entrepreneur. Adam Smith (1723-1790)
n'avait vu toutefois dans cette division du
travail que le prolongement logique de la
division en métiers indépendants, résultant
de la propension humaine universelle à
échanger. Pour Karl Marx (1818-1883) en
revanche, la division du travail au sein des
entreprises capitalistes introduisait, écrivait-
il, une division durable, et toujours plus
importante, entre la partie manuelle et la
partie intellectuelle du travail. Dans les fabri-
ques mécanisées, le maître ouvrier, maîtri-
sant la fabrication du produit en son entier,
était remplacé par l'ingénieur et le contre-
maître, et l'ouvrier de métier particulier par
l'ouvrier professionnel sur machine et par le
manœuvre. En dépossédant progressivement
les salariés de l'intelligence et de l'organisation de leur travail, elle permettait à l'entrepreneur de faire prévaloir ses objectifs et ses
priorités et s'expliquait en définitive par
l'émergence et la diffusion d'un nouveau
rapport social, le rapport capital-travail. À la
fin du XXᵉ siècle, le débat sur la nature, l'origine, l'évolution et les conséquences de la
division du travail n'était toujours pas tranché, bien qu'il eût sensiblement progressé. **Capitalisme et division du travail.** Émile Durkheim (1858-1917) et Max
Weber (1864-1920) critiquèrent l'interprétation « économiste » de la division du travail,
mettant en avant la singularité de l'Occident
par rapport aux sociétés « primitives » ou
aux autres civilisations. Pour É. Durkheim, la
division du travail social, en spécialisant et
en différenciant les individus, créait entre
eux un système de droits et de devoirs
débordant largement la sphère économique.
Elle leur imposait un lien social, caractéristi-

que des sociétés modernes, qui les rendait
tout à la fois autonomes et solidaires.
M. Weber, au contraire, a essayé de comprendre la spécificité de la division du travail
dans les sociétés occidentales modernes. La
typologie des « rapports au monde » qu'il a
élaborée à partir des grandes religions l'a
conduit à conclure que seul l'Occident avait
développé un type de rationalité visant la
prévisibilité des actions humaines comme
des phénomènes physiques, grâce à l'édic-
tion de lois, de procédures et de règlements
impersonnels, s'imposant à tous. L'organisation capitaliste du travail et la bureaucratie
administrative n'étaient pour lui que des
sous-ensembles d'une culture particulière. **Les limites de la rationalisation
taylorienne.** Ces vastes interprétations perdi-
rent de leur actualité devant l'accélération
considérable de la division du travail à partir
de la Première Guerre mondiale, avec la diffusion des machines-outils spécialisées, le
développement des méthodes dites
d'« organisation scientifique du travail »
(OST), impulsées par Frederick Winslow Taylor (1856-1915), et la généralisation du travail à la chaîne à la suite du succès d'Henry
Ford (1863-1947). L'ingénieur généraliste a
alors été remplacé par le bureau d'études des
produits et le bureau des méthodes de production, composés d'ingénieurs spécialisés,
de dessinateurs, de techniciens et de prépa-
rateurs du travail. Les ouvriers professionnels
sur machine et les manœuvres disparurent
au profit des ouvriers qualifiés d'entretien et
des opérateurs sans qualification. La sociologie du travail naissante a cherché à montrer les limites de l'efficacité de la rationalisation taylorienne et ses conséquences sur
les salariés. **L'euphorie moderniste,** qui
s'est emparée d'une partie de la population
avec le développement de la consommation
de masse après la Seconde Guerre mondiale,
a toutefois fait prévaloir jusqu'au milieu des
années 1960 une thèse optimiste fondée sur
les nécessaires bienfaits, à terme, du progrès
technique. La décomposition des tâches en
opérations élémentaires serait une étape
nécessaire pour éliminer l'empirisme et pour
recomposer ensuite le travail rationnelle-
ment, notamment sous forme de machines.
Celles-ci libéreraient les travailleurs des opérations sans intérêt et physiquement épui-

santes et permettraient de leur donner des tâches plus intellectuelles de surveillance, de conduite et d'entretien. Déjà, au xixᵉ siècle, certains penseurs (notamment Pierre Joseph Proudhon, 1809-1865) avaient espéré de la mécanisation un tel miracle. Bien que leurs prévisions aient été infirmées, elles ont été reprises un siècle plus tard à propos de l'automatisation. **Les régimes commu-** nistes de l'Europe de l'Est partagèrent le même optimisme scientiste, important massivement, à partir des années soixante, techniques et méthodes de production des pays capitalistes. Mais les ruptures constantes d'approvisionnement et l'absence de maîtrise par les directeurs d'usines des investissements de la masse salariale et du recrutement ne permirent pas d'atteindre des résultats comparables en termes de coûts, de qualité et de productivité. Les techniques et les méthodes n'ont pas d'efficacité intrinsèque sans le rapport social qui va avec et pour lequel elles ont été conçues. **L'évolution des recherches et des débats.** La crise du travail et de la productivité, qui a marqué les pays industrialisés au tournant des années 1970, a de nouveau relancé recherche et réflexion sur la division du travail. Il est possible d'identifier trois positions majeures. **La première** a mis en cause le « productivisme » qui aurait inspiré entrepreneurs, syndicalistes, dirigeants politiques, scientifiques et une bonne partie de la population, les poussant à promouvoir ou à accepter la production de masse indifférenciée et donc une division du travail toujours plus forte. Seul le passage à une production de qualité, diversifiée, respectueuse de l'environnement et socialement contrôlée pourrait inverser la division du travail et dégager du temps pour des activités créatives et relationnelles. **La deuxième** position est issue d'une relecture de Marx. Le rapport capital-travail ne serait pas un rapport « économique », mais un rapport social, transformant toutes sortes d'activités, et les capacités humaines qui leur sont liées, en marchandise. La division de la conception et de l'exécution qui le caractériserait serait au principe des techniques productives comme de l'organisation du travail. L'automatisation capitaliste, loin de redonner une compréhension et une maîtrise du processus de production au plus grand nombre des salariés, réduirait au contraire leur pouvoir d'appréciation et d'intervention. La division de l'intelligence du travail n'aurait pas de fin, tant que perdurerait le rapport capital-travail, malgré la disparition d'emplois d'« exécution » avec l'automatisation. En effet, les travailleurs « surqualifiés », nés de la phase précédente de la division du travail, connaîtraient à leur tour un processus de déqualification des uns par surqualification des autres, notamment dans le secteur tertiaire et le tertiaire supérieur. À cette thèse, ont été opposés les degrés différents de division du travail observables à une époque donnée, toutes choses étant plus ou moins égales par ailleurs. **La troisième** position rassemble précisément tous ceux qui considèrent que ces variations interdisent de dégager un quelconque sens à l'évolution du travail. Le degré de division entre la conception et l'exécution dans les entreprises varierait selon les rapports de force sociaux et politiques, les choix socio-techniques des entreprises, la structuration des sociétés, la culture nationale, le type de demande, le modèle industriel dominant, taylorisme *versus* toyotisme, ou selon des conventions sociales. Ces auteurs n'en concluent toutefois pas que la division de l'intelligence du travail a été supprimée ; ils font l'hypothèse qu'elle pourrait l'être si certaines des tendances qu'ils décèlent étaient prolongées. La crise du toyotisme au début des années 1990, auquel a été prêté le mérite d'avoir dépassé le taylorisme et le fordisme, réputés avoir porté à son paroxysme la division du travail, montre cependant qu'il convient d'analyser attentivement le contenu effectif du travail et de la relation salariale. **Une** nouvelle analyse a émergé de recherches traitant des transformations que les firmes automobiles ont connues depuis la fin des années 1960 (travaux du réseau international GERPISA – Groupe d'études et de recherche sur l'industrie et les salariés de l'automobile). Il en ressort des variations de la division du travail observables au sein de ces firmes ne seraient ni culturelles, ni sociétales, ni relevant de conventions sociales, mais dépendraient des « compromis de gouvernement d'entreprise » construits entre direction, syndicats, salariés, actionnaires et fournisseurs pour mettre en œuvre de manière cohérente les « stratégies de profit » possibles dans un environnement donné. Ces variations se feraient toutefois dans des limites imposées par les machines, telles qu'elles sont conçues, ou par le rapport capital-travail lui-même. **Débat sur l'origine et la fin du travail.** Les enquêtes menées sur les formes de division du travail observables sous d'autres rapports sociaux ont abouti à un résultat inattendu. La réalité moderne du travail aurait été en fait projetée sur des activités qui pouvaient lui ressembler dans d'autres sociétés ou à d'autres époques, alors que l'on n'y trouve ni le mot pour le désigner, ni même la notion pour le penser. De fait, on peut quotidiennement constater qu'une même activité peut être considérée dans nos sociétés comme du travail ou du non-travail, selon le rapport social sous lequel cette activité est effectuée : rapports domestique, associatif, marchand, capitaliste, par exemple. Tout laisse à penser que le travail est en fait une réalité récente, apparue avec le salariat et s'étant généralisé avec lui, au point d'en être naturalisé et universalisé, et de désigner un nombre toujours plus grand d'activités qui ne relèvent pas du rapport social qui l'a fait naître. L'instauration en Europe, au XVIIIᵉ siècle, de deux nouvelles libertés dans certains domaines de la vie en société : la liberté d'acheter et la liberté de vendre non seulement des biens et des services, mais surtout des capacités individuelles et collectives pour les réaliser, a transformé les activités concernées en travail et les moyens pour les effectuer en capital à valoriser. Mais ces deux libertés portaient en elles l'incertitude du marché et l'incertitude du travail, et les rendaient interdépendantes. Le capitaliste ne peut en effet être assuré d'obtenir de ses salariés la production voulue en temps, qualité, coût et délais en toutes circonstances, ni de vendre ce qu'il a fait produire. La gestion capitaliste a pour objet en définitive la réduction de ces deux incertitudes, afin d'obtenir le niveau de profit visé. Concernant l'incertitude du travail, il n'est que deux voies pour la réduire : établir un contrat de confiance durable avec les salariés, leur laissant le pouvoir de coopérer librement, ou bien diviser socialement

l'intelligence du travail, afin de limiter la part d'appréciation des salariés, en faisant du salarié un appendice de la machine et non de la machine une aide au déploiement de ses capacités personnelles (sauf dans la partie de la conception non encore divisée). Force est de constater que c'est la seconde qui a historiquement prévalu dans tous les secteurs et pays où le capitalisme a été diffusé, au point que la première paraisse totalement « irréaliste » et contraire à la « modernité » industrielle. **Compromis de gouvernement d'entreprise et stratégies de profit.** Si le marché « libre » et le capital à valoriser ont donné une impulsion considérable au changement technique, le travail « libre » et l'incertitude qui l'accompagne ont conduit à des techniques productives dont les formes matérielles successives ont progressivement imposé et consacré la division de l'intelligence du travail. Ce processus de matérialisation n'atteint pas toujours immédiatement son but et il n'est jamais achevé. Outre qu'il engendre des dysfonctionnements coûteux dans la phase de mise au point des nouvelles techniques, il affecte ensuite le travail qualifié, né de la déqualification d'une partie du travail antérieur. Il reste donc toujours, pour le capitaliste, de l'intelligence et par conséquent de l'incertitude à gérer au quotidien. C'est cette part qui fait l'objet d'une plus ou moins grande division, selon l'organisation du travail choisie. Le choix relève du « compromis de gouvernement d'entreprise ». Or, celui-ci ne se construit pas seulement à propos de l'organisation du travail, mais concerne l'ensemble des moyens à trouver pour mettre en œuvre de manière cohérente la stratégie de profit de la firme : à savoir la politique produit, l'organisation productive et la relation salariale. **Les firmes** ne font en effet pas toutes leur profit de la même façon. Elles combinent les sources de profit (volume, diversité, qualité, innovation, flexibilité, réduction des coûts) dans des proportions différentes, selon les stratégies profitables et les « compromis » possibles. La pertinence des différentes stratégies dépend *in fine* des modes de croissance et de distribution des revenus nationaux, selon qu'ils privilégient la consommation interne, l'investissement ou les exportations et selon qu'ils répartissent le revenu obtenu de manière coordonnée, contractuelle et prévisible ou bien en fonction des rapports de force locaux, sectoriels et professionnels. Les acteurs de l'entreprise n'ont, dès lors, d'autre solution pour en assurer la pérennité que de s'entendre sur les moyens temporairement acceptables par tous pour mettre en œuvre de manière cohérente une des stratégies possibles. Ils ont en revanche à veiller à ce que les solutions adoptées préservent ou favorisent les perspectives qui leur sont propres : la reproduction du rapport capital-travail pour les uns, son dépassement ou son élimination pour les autres. Le travail, comme la division de son intelligence, n'aurait dès lors de fin possible qu'avec la disparition du rapport social qui les a engendrés. **M. Fr.** ➤ CROISSANCE ÉCONOMIQUE ET CRISES, FORDISME, TAYLORISME, TOYOTISME.

TRIANON (traité de) À l'issue de la Grande Guerre, le traité de Trianon (4 juin 1920), imposé à la Hongrie par les Alliés vainqueurs, organise le démantèlement de ce pays. Celui-ci doit céder la Slovaquie et d'autres territoires à la Tchécoslovaquie, ainsi que la Croatie au royaume des Serbes, Croates et Slovènes (première Yougoslavie) et la Transylvanie à la Roumanie. Le traité de Trianon, qui ôte à la Hongrie les trois cinquièmes de sa population d'avant-guerre, crée un traumatisme durable.

TRIBUNAL MILITAIRE INTERNATIONAL ➤ NUREMBERG (TRIBUNAL DE), TOKYO (TRIBUNAL DE).

TRIBUNAL PÉNAL INTERNATIONAL Le Conseil de sécurité de l'ONU a créé deux tribunaux pour juger les crimes commis en Yougoslavie et au Rwanda, respectivement le TPIY (Tribunal pénal international pour l'ex-Yougoslavie) et le TPIR (Tribunal pénal international pour le Rwanda). Les deux tribunaux ont le même procureur et une chambre d'appel commune qui est celle du Tribunal de La Haye. Leurs juges sont élus par l'Assemblée générale de l'ONU. Les faits punissables sont définis par les résolutions. Il s'agit des « infractions graves »

aux conventions de Genève de 1949 ; des violations des lois et coutumes de la guerre ; du génocide et des crimes contre l'humanité. La peine de mort ne peut être prononcée. Fin 2000, les cas de plusieurs dizaines de personnes étaient pendants devant chaque tribunal, mais très peu de jugements avaient encore été rendus. **G. L.** ➤ JUSTICE PÉNALE INTERNATIONALE, TPIR, TPIY.

TRIESTE Le sort particulier de Trieste au XXᵉ siècle se noue dans la crise diplomatique de 1945-1954 entre la Yougoslavie de Tito, l'Italie et les trois alliés occidentaux de cette dernière (France, Royaume-Uni, États-Unis). L'armée des Partisans de Tito, victorieuse, entre dans la ville le 2 mai 1945, s'y livrant à des violences contre des Italiens accusés de « fascisme », terme pris dans un sens très large. Les troupes anglo-américaines du général Harold George Alexander (1891-1969) forcent la Yougoslavie à abandonner la ville le 15 juin 1945. Cependant, son armée se maintient dans une « zone B », c'est-à-dire une partie de l'Istrie. Les Italiens faisaient valoir que la majorité des habitants de Trieste était linguistiquement italienne, alors que les Yougoslaves soutenaient que c'était là le résultat d'une « italianisation » des Slovènes et que les habitants des environs de Trieste parlaient toujours le slovène. La situation se pérennise, non sans rebondissements, comme l'octroi du statut de « territoire libre » (1946-1954) ou la crise diplomatique de 1953, où l'armée yougoslave procède à une mobilisation générale ; l'accord final n'intervenant qu'en 1954, confirmé par le traité d'Osimo (1975). En vertu de cet accord, la ville de Trieste reste à l'Italie, la « zone B » revient à la Slovénie (dont Capo d'Istria ou Koper) et à la Croatie. Pendant l'été 1991, l'évacuation de l'armée fédérale yougoslave de Slovénie n'a pu se faire par la ville de Trieste, la municipalité ayant invoqué le souvenir des violences de 1945 pour refuser tout contact avec ces troupes. **J. K.** ➤ ITALIE, YOUGOSLAVIE.

TRINIDAD ET TOBAGO Déjà pôle économique et industriel des Caraïbes grâce à ses plantations de canne à sucre, le Trinidad est devenu un grand producteur de pétrole dans les années 1930, puis de gaz naturel. Avec la hausse du prix mondial de pétrole dans les années 1970 (chocs pétroliers), le pays est devenu riche. Tout au long du siècle, sa vie politique est animée par des immigrés venus des autres îles. Dans les années 1930, des grèves et des actions violentes organisées contre la tutelle britannique ont inspiré des soulèvements ailleurs dans la région. L'historien Eric Williams (1911-1981) lance le Mouvement national du peuple en 1956 ; il devient Premier ministre la même année et mènera le pays à l'indépendance six ans plus tard, proclamée en 1976. Il restera au pouvoir jusqu'à sa mort. Les tensions persistantes entre les communautés hindoue et africaine contribuent à susciter une rébellion avortée en 1970. Celle-ci marque le lancement d'un mouvement régional de « nouvelle gauche ». Le parti des hindous, le Congrès national uni dirigé par Basdeo Panday (1932-), accède au pouvoir pour la première fois aux élections de 1995. **G. C.**

TRIPLE ALLIANCE > TRIPLICE.

TRIPLE ENTENTE En 1907, des accords entre la Grande-Bretagne et la Russie, s'ajoutant aux alliances diplomatiques entre la Grande-Bretagne et la France (Entente cordiale) et entre la France et la Russie, forment la Triple Entente face à la Triplice, constituée depuis 1882 par l'Allemagne, l'Autriche et l'Italie.

TRIPLICE L'adhésion de l'Italie, en 1882, à l'accord militaire conclu à l'initiative de Bismarck (1815-1898) par l'Allemagne et l'Autriche-Hongrie en 1879 (Duplice) et renouvelé à plusieurs reprises, face à la France et à la Russie, constitue la Triple Alliance ou Triplice.

TROTSKI Lev Davidovitch Bronstein, dit (1879-1940) Dirigeant communiste soviétique et international. Leïba Bronstein naît en Ukraine dans une famille juive atypique ; son père, David, est à la tête d'une importante exploitation agricole. Une fois achevées ses études secondaires, Lev Davidovitch se lance dans l'action révolutionnaire. En 1897, il cofonde L'Union des travailleurs du sud de la Russie. En janvier 1898, il est condamné à quatre ans d'exil en Sibérie. Réfugié à Londres après son évasion, il participe à la publication de l'*Iskra*, journal fondé par Lénine. Il a adopté le nom de l'un de ses anciens geôliers, un certain Trotski. Animateur de courant, journaliste, correspondant de guerre, Trotski s'investit dans le combat politique. En 1904, le fossé entre bolcheviks et mencheviks s'élargit au sein de la social-démocratie russe. Trotski s'attaque aux conceptions de Lénine sur le Parti. Dans *Nos tâches politiques*, il débusque vivement les dérives autoritaires, voire totalitaires auxquelles pourrait conduire le centralisme léninien. Président du Soviet de Petersbourg lors de la révolution de 1905, il ébauche alors la théorie de la « Révolution permanente ». « Internationaliste » pendant la Première Guerre mondiale, il rejette le « défaitisme révolutionnaire » prôné par les bolcheviks. Rentré en Russie à la suite de la révolution de février 1917, il se place dans une position médiane entre mencheviks et bolcheviks avant de rejoindre les amis de Lénine. Élu au comité central du POSDR (Parti ouvrier social-démocrate de Russie), il est bientôt porté à la présidence du Soviet de Pétrograd. Président du Comité militaire révolutionnaire, il joue un rôle essentiel dans la prise du pouvoir par les bolcheviks. Nommé commissaire aux Affaires étrangères, il se distingue par une position « centriste » sur la question de la poursuite de la guerre. Tenant du « ni guerre ni paix », il n'en négocie pas moins la paix de Brest-Litovsk. En mars 1918, il démissionne de ses fonctions pour prendre la direction du commissariat à la Guerre. En 1921, il est à la tête des troupes qui écrasent la Commune de Cronstadt. Le créateur de l'Armée rouge est perçu par beaucoup comme l'*alter ego* de Lénine. La mort de ce dernier met à nu les divergences qui opposent les « héritiers », lesquels affichent des conceptions contradictoires sur l'avenir de la « révolution mondiale ». La « construction du socialisme dans un seul pays » prônée par Staline, le compromis avec la paysannerie souhaité par Nicolas Boukharine, provoquent l'hostilité de celui qui se considère désormais détenteur de l'héritage léniniste. Contraint d'abandonner le commissariat à la Défense, il incarne bientôt un nouveau courant, le « trotskisme », qui conteste globalement les choix internes et externes d'un pouvoir de plus en plus personnifié par Staline. En 1926-1927, Trotski est privé de toutes ses responsabilités. Peu après, il est déporté en Asie centrale avant d'être banni d'Union soviétique. Commence une longue errance à travers l'Europe. Le proscrit, qui a été déchu de sa citoyenneté soviétique en 1932, présente le système stalinien comme une « trahison » du bolchevisme : pour Trotski, l'URSS est désormais un « État ouvrier dégénéré ». L'idée d'une IVe Internationale alternative, capable de remplacer un Komintern aux mains du Kremlin sera concrétisée en 1938. Deux ans plus tôt, Trotski a trouvé refuge au Mexique. Le 21 août 1940, il meurt assassiné par un agent soviétique, Ramon Mercader. En Union soviétique, sa famille a été décimée par les purges, tandis que son fils, Leon Sedov, est mort dans des conditions mystérieuses à Paris, en 1937. **C. U.**   **> RUSSIE ET URSS.**

TROTSKISME   Le trotskisme apparaît en URSS peu après la mort de Lénine sous la forme d'un quolibet. Léon Trotski fait alors entendre sa différence face à un Staline qui proclame la nécessité de construire le socialisme dans un seul pays. L'« opposition de gauche » qu'il anime devient rapidement une fraction organisée qui s'oppose aux « choix droitiers » de la direction, prônant un internationalisme intransigeant. La compétition qui oppose les héritiers de Lénine se durcit ; les divergences se multiplient, touchant tous les domaines de la politique intérieure et extérieure de l'État soviétique. À la fin des années 1920, l'écrasement des oppositions au sein même du PCUS (Parti communiste de l'Union soviétique) ne laisse plus d'espace à l'expression des différences. Jusqu'alors, la répression avait frappé les autres courants politiques. Elle s'abat désormais sur tous ceux qui osent contester la ligne officielle. L'exil de Trotski, la montée des tensions internationales, les purges qui déciment les rangs du parti au pouvoir radicalisent le discours de la direction soviétique ; le trotskisme est désormais dénoncé comme étant hitlériste. La chasse aux trotskistes déborde bientôt les frontières de l'URSS. La créa-

tion, en 1938, d'une IVe Internationale destinée à reprendre le flambeau de la IIIe n'a pas les effets escomptés. Dans le monde, le trotskisme reste marginal. Composée d'une myriade de petits groupes et partis, la nouvelle Internationale se remet mal des querelles provoquées par une interprétation quasi talmudique des textes. La thèse, défendue par Trotski, selon laquelle l'URSS resterait un État ouvrier (soit-il « dégénéré ») et la revendication intransigeante de l'héritage léniniste (le bolchevisme) relativisent la critique *a priori* radicale du stalinisme. Dernier avatar du léninisme ou ultime exutoire des déceptions engendrées par l'expérience soviétique, le trotskisme aura des difficultés à assumer son héritage malgré un certain regain de vitalité en Europe et dans le tiers monde dans les années 1960 et 1970. **C. U.**
> SOCIALISME ET COMMUNISME.

TRUDEAU Pierre Elliott (1919-2000)
Homme politique canadien, Premier ministre du Canada de 1968 à 1979 et de 1980 à 1984. Issu d'une riche famille de Montréal, québécoise et canadienne-anglaise, Pierre Elliott Trudeau fait de brillantes études de droit et de sciences politiques aux universités de Montréal, de Londres, de Harvard et à la Sorbonne, à Paris. Avocat en 1943, il se spécialise dans le droit du travail et défend les travailleurs de l'amiante en grève au Québec en 1949. Prenant la tête d'un groupe d'intellectuels et de syndicalistes, il incarne le modernisme face au gouvernement rétrograde de Maurice Duplessis (1936-1939). Après avoir enseigné, il choisit la politique fédérale, car il estime le nationalisme étroit du Québec sans issue. En 1967, il devient ministre de la Justice de Lester Bowles Pearson et Premier ministre fédéral en 1968. L'homme est encore jeune et incarne un dynamisme qui tranche avec la réserve de son prédécesseur : il voyage, parle beaucoup, aime la musique de son temps et suscite un mouvement d'enthousiasme parmi les jeunes.   **P. E.** Trudeau arrive au pouvoir avec un grand projet : faire du Canada un pays moderne, indépendant sur le plan international et au sein duquel le nationalisme québécois n'aurait plus de raison d'être. Il conduit une politique extérieure active et mène à son terme, en 1969, la poli-

tique du bilinguisme et du biculturalisme qui doit donner leur place aux Canadiens francophones. La victoire des nationalistes du Parti québécois à Québec en 1976 est un coup dur. Il cherche alors à isoler le Québec et à doter le pays d'une Constitution rénovée qui assure le respect des <u>droits de l'homme</u>. En mai 1979, alors que la crise économique affaiblit le pays, les libéraux perdent le pouvoir, mais ils le regagnent dès février 1980. P.E. Trudeau participe à la campagne contre le référendum québécois de 1980 et parvient à rapatrier la Constitution canadienne en 1982, malgré l'opposition du Québec. Il quitte la vie politique en 1984, sans que son grand projet ait atteint tous ses buts, mais après avoir changé et rénové son pays. **J. P.** > CANADA.

TRUMAN Harry (1884-1972)   Homme politique américain, président de 1945 à 1952. Né à Lamar (Missouri), fils d'agriculteur, Harry S. Truman s'engage lors de la Première Guerre mondiale, exerce divers métiers et étudie le droit. Il est élu sénateur démocrate du Missouri en 1935. Appelé à la vice-présidence des États-Unis en 1944, il devient chef de l'État en avril 1945, à la mort de Franklin D. <u>Roosevelt</u>. Peu expérimenté, il participe aux côtés de <u>Staline</u> et Roosevelt à la conférence de <u>Potsdam</u> (17 juillet-2 août). Il assume la décision des bombardements atomiques de <u>Hiroshima</u> et Nagasaki (6 et 8 août). **S**a politique extérieure se montrera très active car liée à l'épreuve de force avec l'Union soviétique marquant l'entrée dans la <u>Guerre froide</u>. Le 12 mars 1947, il énonce devant le Congrès américain les principes de ce qui sera nommé la « doctrine Truman ». Celle-ci repose sur le refus de l'<u>isolationnisme</u> et sur la politique de <i>containment</i> visant à endiguer l'expansion du communisme dans le monde. Il annonce qu'il aidera les « pays libres » à résister à la « subversion » de minorités ou à des pressions extérieures. Cette politique se traduit à la fois sur le plan économique et militaire. Le <u>plan Marshall</u> d'aide aux pays européens est annoncé le 5 juin 1947, tandis qu'une série de pactes militaires seront bientôt conclus, notamment l'<u>OTAN</u> (Organisation du traité de l'Atlantique nord) et l'<u>OTASE</u> (Organisation du traité de l'Asie du

Sud-Est). H. Truman engage en 1950 l'armée américaine dans la <u>guerre de Corée</u>. Il y relèvera en 1951 Douglas <u>MacArthur</u> de son commandement, craignant les conséquences de son extrémisme.   **A**u plan intérieur, entendant prolonger le <u>New Deal</u> par un <i>Fair Deal</i> en développant l'<u>État-providence</u>, H. Truman s'est heurté au Congrès où les républicains étaient majoritaires. Il ne peut par ailleurs empêcher le déclenchement de la « chasse aux sorcières » contre les communistes, réels ou supposés. En 1953, le républicain Dwight D. Eisenhower (1890-1969) lui succède.

TRUONG CHINH (1907-1988)   Dirigeant communiste vietnamien, chef de l'État (1981-1986). Élève instituteur né à Hanh Chien (province de Nam Dinh), Truong Chinh participe à l'agitation de la jeunesse scolarisée en 1926-1927, puis entre dans le mouvement communiste. Arrêté en 1930, il bénéficie de l'amnistie du gouvernement français du <u>Front populaire</u> en 1936, collabore en 1937 au journal <i>Le Travail</i>, couverture légale du PCI (Parti communiste indochinois) à Hanoi, et publie avec <u>Vo Nguyen Giap</u> la brochure <i>La Question paysanne</i> en 1938. Clandestin en 1939, il prend part à la fondation du front Vietminh en mai 1941 dans la Haute-Région du Tonkin, entre dans la nouvelle direction du PCI constituée autour de <u>Ho Chi Minh</u>, devient secrétaire général du PCI à partir de cette date et le reste jusqu'en 1956. Il perd alors ses fonctions en raison des violences et des excès de la réforme agraire. Président de l'Assemblée nationale en 1960, il passe pour être le chef de file de l'aide prochinoise du Lao Dong (Parti du travail, nom du <u>Parti communiste vietnamien</u> de 1951 à 1976). Chef de l'État de 1981 à 1986 il redevient secrétaire général du PCV (Parti communiste vietnamien) en 1986 et lance le <i>doi moi</i> (rénovation), nouveau cours du régime. **D. H.**   > VIETNAM.

TUC (Royaume-Uni)   Depuis 1868, le Trades Union Congress (TUC), ou Confédération intersyndicale, rassemble l'immense majorité des syndiqués britanniques. Le nombre de ses adhérents passe de 1,2 million en 1900 à 2, 6 millions en 1914, culmine une première fois en 1919 à 6,5 millions pour retomber à moins de 3,3 millions en 1933. L'ascension a été ensuite impressionnante : on a retrouvé dès 1943 les niveaux de 1919 et l'apogée de l'organisation se situe en 1979 avec plus de 12 millions de membres. Depuis lors, la crise, les lois antisyndicales du cabinet Thatcher (1979-1990), et notamment la disparition du monopole syndical d'embauche, l'érosion du prolétariat industriel et la relève numérique insuffisante assurée par les syndicats de cols blancs, ont fait tomber l'organisation aux environs de 6 à 7 millions de membres à l'aube de l'an 2000. Coordonnateurs des revendications générales, le TUC et son secrétaire général sont pourtant loin de dominer un ensemble discipliné, les gros syndicats menant leurs propres actions – ainsi les transporteurs et, longtemps, les mineurs de charbon – et les délégués d'atelier organisant parfois des grèves sauvages. Pourtant, au cours des guerres, puis au temps de l'État-providence, la Confédération a été l'interlocuteur naturel des autorités publiques et du patronat dans la concertation sur les prix et les salaires. Surtout, son poids est considérable dans le Labour Party (Parti travailliste), auquel il fournit effectifs et moyens financiers ; prépondérant dans les années 1980, il tend toutefois à s'amoindrir sous Tony Blair. Hostile au communisme comme au syndicalisme révolutionnaire, le TUC a été un instrument de socialisation de la classe ouvrière. **R. Ma.** **> ROYAUME-UNI, SYNDICALISME.**

TUNISIE République de Tunisie. Capitale : Tunis. Superficie : 163 610 km^2. Population : 9 460 000 (1999). Comme pour les autres pays du Maghreb, la Tunisie aura connu au cours du xxe siècle quatre grandes périodes. D'abord, celle de l'ancrage de l'emprise coloniale consécutive à l'instauration, le 12 mai 1881, du protectorat français. Officiellement gouvernée par un bey de la dynastie ottomane des Husseinites, la Tunisie fut en réalité sous la domination totale de la France. Mais cette période de l'« emprise totale » n'a en réalité que très peu duré. Ainsi, dès 1910, débute une deuxième grande phase avec le mouvement des Jeunes-Tunisiens, qui influence les élites musul-

manes et ose réclamer des réformes (novembre 1911). Cela consacre la montée en puissance du mouvement nationaliste avec ses convergences entre bourgeoisie des villes et populations rurales. En 1920 est créé le Parti libéral constitutionnaliste tunisien ou Destour (« Constitution »). L'indépendance est son objectif, mais très vite sa jeune garde s'impatiente et provoque une scission (1934). Créé à l'initiative de Habib Bourguiba, le Néo-Destour va devenir le fer de lance de l'agitation nationaliste. Manifestations, arrestations et bannissements seront le lot de centaines de militants entraînés par un seul objectif : mettre fin au Protectorat. La Seconde Guerre mondiale marque une pause dans ce combat. La Tunisie est un champ de bataille et le Néo-Destour décide de ne pas céder aux chants de sirènes des nazis. En septembre 1949, H. Bourguiba revient d'un exil volontaire. Les événements se précipitent. D'un côté, la France traîne des pieds pour mettre en œuvre de véritables réformes, et, de l'autre, un mouvement armé, les « fellaghas », apparaît dans les campagnes, tandis que plusieurs attentats ont lieu à Tunis et dans les grandes villes du pays. Commence alors la troisième période, celle de la lutte armée. Certes, elle n'atteint pas la dimension de la guerre d'indépendance algérienne, mais c'est bien d'opérations de guerre qu'il s'agit. Le 31 juillet 1954, le président du Conseil Pierre Mendès France reconnaît dans un discours à Carthage l'autonomie interne « sans restriction » de la Tunisie, à laquelle succède l'indépendance totale le 20 mars 1956. La République tunisienne est proclamée le 25 juillet 1957 et H. Bourguiba en est le premier président. Débute alors la quatrième phase, celle de la construction d'un État moderne, où l'enthousiasme initial né de l'indépendance va être affecté, dans un second temps, par un profond désenchantement. Luttes de sérail (Salah Ben Youssef [1910-1961] est exclu en 1955), échec de la tentative de collectivisation de l'économie (1963-1969) menée par Ahmed Ben Salah (1926-) et procès pour « haute trahison » de ce dernier, musellement de l'opposition et culte de la personnalité (H. Bourguiba sera désigné président à vie en 1975) vont caractériser les années de pouvoir du « combattant suprême ». À son actif néanmoins, une véritable clairvoyance en matière de politique étrangère et le code du statut personnel qui offre une réelle émancipation aux femmes tunisiennes (1956). Marqué par de sanglants événements (émeutes de Tunis en 1978 et 1984, attaque de Gafsa en 1980) et par la mise au pas de l'Union générale des travailleurs tunisiens (UGTT, qui incarne alors l'opposition), la « fin de règne » de H. Bourguiba voit aussi l'émergence du mouvement islamiste radical (Mouvement de la tendance islamique – MTI –, qui deviendra Ennahda après son interdiction). Le 7 novembre 1987, le « combattant suprême » est destitué pour « incapacité physique et mentale » par son Premier ministre Zine el-Abidine Ben Ali (1936-). Débute alors le « printemps tunisien », mais dès 1989, la parenthèse démocratique tourne court. L'opposition légale, la Ligue tunisienne des droits de l'homme (LTDH) et les intellectuels sont mis au pas et la presse assujettie. En dix ans, le nouveau président tunisien va mener son pays vers la croissance économique, tout en le dirigeant d'une poigne de fer qui ne tolère aucune contestation. En 2000, le régime est néanmoins forcé d'offrir quelques concessions à ses opposants. **A. B. E.**

TUOL SLENG Ce lieu restera emblématique du génocide cambodgien perpétré par les Khmers rouges à partir de 1975. Il désigne le centre S21 de torture et d'extermination installé dans une école secondaire de la banlieue de Phnom Penh. On estime que 17 000 personnes y périrent après avoir été systématiquement photographiées. Le centre de Tuol Sleng a été reconverti en musée du génocide. **V. K.** **> GÉNOCIDE CAMBODGIEN.**

TUPAMAROS – MOUVEMENT DE LIBÉRATION NATIONALE (Uruguay)
Le Mouvement de libération nationale (MLN) est fondé en 1962 dans le sillage du guévarisme par des étudiants uruguayens sous la houlette du socialiste Raúl Sendic (1925-1989). En 1965, en hommage aux *gauchos* des troupes du libérateur José Gervasio Artigas (1764-1850), il reçoit l'épithète de « tupamaros », qualificatif péjoratif appliqué par les colonisateurs espagnols aux

rebelles, forgé sur le nom de l'Inca Tupac Amaru qui dirigea la dernière révolte indigène au Pérou au XVIIIe siècle. Face à la dégradation de l'économie et à la suspension des libertés publiques par le président Jorge Pacheco (1920-1998), les premières opérations de cette guérilla urbaine en 1968 mettent en évidence l'épuisement du modèle social et politique uruguayen. Elles dénoncent la corruption, conduisent des opérations d'expropriation et de redistribution, et surtout cultivent un sens du geste qui ridiculise la police. L'enlèvement et l'assassinat du conseiller américain Dan Mitrione en août 1970 entraîne l'arrestation de la direction historique du MLN, remplacée par de nouveaux dirigeants plus radicaux, puis l'évasion trop facile des premiers le 5 septembre 1971 débouche sur la militarisation de la sécurité intérieure. Face au peu légitime Juan María Bordaberry (1928-), élu président avec seulement un cinquième des voix en novembre 1971, le MLN et les forces armées apparaissent comme les protagonistes majeurs de la politique uruguayenne. L'offensive tupamara d'avril 1972 contre l'extrême droite déclenche une répression qui aboutit au démantèlement du mouvement en moins de six mois, ouvrant aux militaires la voie du pouvoir. Après le rétablissement de la démocratie en 1985, les Tupamaros amnistiés reforment le MLN, légalisé et transformé en Mouvement de participation populaire en 1989. Ils rejoignent ainsi leur famille d'origine, en s'intégrant à la coalition de gauche du Front élargi – Rencontre progressiste. **S. J.** **> URUGUAY.**

TURKESTAN OCCIDENTAL En Asie centrale, les territoires situés entre la mer Caspienne et le massif du Pamir, majoritairement turcophones ont été conquis au XIXe siècle par l'Empire russe. Tachkent, prise en 1865, devient en 1867 le siège d'un gouvernorat général du Turkestan (« pays des Turcs »). Au début du XXe siècle on favorise l'installation de colons slaves, russes et ukrainiens. Après la prise du pouvoir par les bolcheviks, une république socialiste soviétique autonome du Turkestan est créée, partie de la République socialiste fédérative soviétique de Russie

(RSFSR), de même que deux « républiques populaires », celles de Boukhara et de Khiva. En 1924 est entrepris un « découpage national » qui transformera ces territoires en républiques socialistes soviétiques (RSS) et aboutira aux frontières du Kazakhstan, de l'Ouzbékistan, du Turkménistan, du Kirghizstan et du Tadjikistan actuels. Au-delà du Pamir, le Turkestan oriental est aussi turcophone, mais chinois (Xinjiang).

TURKESTAN ORIENTAL Situé en Asie centrale, le Turkestan oriental a représenté, au XIXᵉ siècle, un enjeu géopolitique majeur entre l'Empire russe (création du Turkestan russe en 1865) et l'Empire britannique, contrôlant déjà les Indes. La Chine envisage un temps d'abandonner à leur sort ces terres lointaines, peuplées de Ouïgours rebelles qu'elle pense ne plus pouvoir contrôler. Il n'en sera finalement rien. Elle reconquiert le Turkestan oriental (actuel Xinjiang). **P. Ge.**

TURKMÉNISTAN Capitale : Achkabad. Superficie : 488 100 km². Population : 4 384 000 (1999). Les Turkmènes sont en majorité descendants des tribus oghouz (turques) qui se déplacèrent en Asie centrale vers le VIIIᵉ siècle. C'est seulement au XVᵉ siècle qu'ils se constituèrent en un groupe distinct, vivant aux confins de l'Iran et de l'Afghanistan. Au XIXᵉ siècle, les Russes, au terme de violents combats, firent de ces territoires des protectorats. Un accord anglo-russe fut conclu en 1895, délimitant les zones d'influence respectives dans la région. Dès 1860, la Russie avait transformé cet espace en « région transcaspienne du Turkestan », au détriment des intérêts britanniques déjà présents en Afghanistan. La Turkménie fut, avant le Pamir, l'un des derniers territoires d'Asie centrale à passer sous le contrôle tsariste et Achkhabad devint le carrefour ferroviaire et administratif de l'ensemble de la région. Différentes factions d'un mouvement nationaliste turkmène se créèrent pour tenter, sans succès, de renverser le pouvoir russe en 1916. La révolution russe apparut localement comme un phénomène calqué et décalé. Le Turkestan est proclamé socialiste en avril 1918 et en juillet un Gouvernement provisoire russe (et antibolchevique) entre en fonction dans cette région de la Transcaspie, avec l'aide militaire britannique. Différentes composantes nationalistes du Congrès turkmène, alliées aux armées blanches, mènent des combats contre les forces bolcheviques venues de Tachkent. Envahi par l'Armée rouge après le retrait des Britanniques en 1920, le Turkménistan devient, le 27 octobre 1924, la République socialiste soviétique (RSS) de Turkménie. La résistance aux troupes soviétiques persiste jusqu'en 1936, avec une vigueur particulière juste après la collectivisation agraire forcée de 1929. En 1984, on ne compte que quatre mosquées en activité (500 recensées en 1917). L'intelligentsia turkmène comme l'*establishment* officiel musulman ont été réprimés sinon déportés en masse. Les confréries soufies, clandestines, sont cependant restées particulièrement actives. La russification des cadres a été entreprise dès les années 1920, parallèlement à un projet de développement économique de type colonial. Les tentatives de réappropriation du pouvoir par les Turkmènes se soldèrent par des échecs. Parallèlement à cette répression, les autorités soviétiques se sont efforcées de développer des campagnes d'alphabétisation-scolarisation des populations, d'implanter des activités économiques et d'irriguer de manière intensive, sans souci de préservation des équilibres naturels. L'assèchement de la mer d'Aral, au nord, est représentatif du désastre écologique. Ce développement forcé a aussi conduit à une spécialisation économique très marquée (hydrocarbure, coton), remise en cause dans les années 1980. **K. F.**

L'indépendance et la question du gaz. Separmourad Niazov, premier secrétaire du Parti communiste turkmène depuis 1985, est élu président avant l'indépendance, qui est proclamée le 27 octobre 1991. Il instaure d'emblée un régime dictatorial, fondé sur le culte de la personnalité. Il est constamment réélu avec des scores de 99 %. Soucieux de se détacher de l'influence russe, S. Nyazov proclame la neutralité du Turkménistan, renvoie les militaires et les gardes-frontières russes, refuse tout accord régional avec les autres républiques, se rapproche des taliban afghans dès 1995, tout en entretenant de bons rapports avec l'Iran. Le Turkménistan est la première république musulmane de l'ex-URSS à adopter l'alphabet latin en remplacement du cyrillique (1993). Mais cette indépendance dépend des revenus du gaz naturel. Or, l'exportation de celui-ci vers les marchés européens, turc et asiatiques rencontre des difficultés : abandon du projet américain devant traverser l'Afghanistan (1998), sanctions américaines contre l'Iran, retard dans la mise en place d'un gazoduc transcaspien, parrainé par Washington. À cela s'ajoutent les critiques américaines de plus en plus virulentes sur le non-respect des droits de l'homme. Les relations se tendent avec les États-Unis en 1999. Fin 1999, le Turkménistan s'est rapproché de la Russie avec laquelle un accord d'exportation du gaz a été signé. Boris Sheykhmuradov, ministre des Affaires étrangères et symbole du rapprochement avec l'Occident, a démissionné en juillet 2000, remplacé par Batyr Berdyev, plus proche de Moscou. **O. R.**

TURKS ET CAICOS Ce groupe d'une trentaine d'îles au nord de Haïti (Caraïbes) dépend de la colonie britannique de la Jamaïque jusqu'en 1959. Depuis, un gouverneur britannique veille sur un gouvernement local plus ou moins autonome. L'économie est fondée sur la production du sel, jusqu'à la transformation du territoire, dans les années 1960, en un centre de tourisme de luxe et de finance *off shore*. Le problème du trafic de la drogue a été révélé en 1985 avec l'arrestation en flagrant délit du « ministre en chef de l'époque, Norman Saunders (1943-), dans un hôtel à Miami. **G. C.**

TURQUIE République de Turquie. Capitale : Ankara. Superficie : 780 576 km². Population : 65 546 000 (1999). Lorsque s'ouvre le XXᵉ siècle, l'Empire ottoman poursuit son déclin ; la colonisation européenne s'est emparée de l'essentiel de ses possessions africaines, et les peuples des Balkans, à la suite de la Grèce (1830), ont accédé les uns après les autres à l'indépendance. À la fin du règne d'Abdulhamid II (1876-1909), la révolution des Jeunes-Turcs (1908) instaure une monarchie constitutionnelle mais ne parvient pas à freiner la désagrégation : la Libye (conquête italienne, 1911-1912), puis les Balkans (première

guerre balkanique, 1912-1913) sont perdus. Engagé dans la Première Guerre mondiale aux côtés des puissances centrales, l'Empire peut résister à l'assaut des Alliés aux Dardanelles (1915) grâce à l'énergie du général Mustafa Kemal, futur Atatürk. La même année, en avril, est organisé le massacre systématique des Arméniens, accusés d'entente avec les Russes qui pénètrent en Anatolie orientale ; le génocide des Arméniens, qui fait plusieurs centaines de milliers de victimes, sera tout au long du siècle nié par la Turquie. Vaincu comme les autres puissances centrales, l'Empire doit dissoudre son armée, placer les Détroits et tous ses équipements militaires sous le contrôle des Alliés, et reconnaître à ces derniers un droit d'occupation militaire. **La fin de l'Empire ottoman.** Cette humiliation provoque un sursaut militaire et politique, conduit par M. Kemal. Rompant avec le pouvoir, refusant de reconnaître l'autorité des occupants alliés, il débarque à Samsun le 19 mai 1919 et s'allie avec les autorités locales d'Anatolie ; lors des congrès d'Erzurum et de Sivas (juillet-septembre 1919), les grands principes de la souveraineté nationale sont posés, et M. Kemal devient président d'une délégation qui rompt avec Constantinople. Le 23 avril 1920, une Assemblée nationale est proclamée à Ankara et prépare une Constitution, promulguée en janvier 1921. Entre-temps, le gouvernement de Constantinople signe le traité de Sèvres (août 1920) qui devait partager l'Anatolie entre les vainqueurs. Avec une armée réorganisée, M. Kemal engage alors une contre-offensive en direction de l'Arménie au nord-est, de l'armée d'occupation française au sud-est, et de l'armée grecque, qui a envahi l'Anatolie de l'Ouest en 1919. Ces combats aboutissent le 9 septembre 1922 à la prise d'Izmir et à la défaite totale des Grecs. Les populations musulmanes des Balkans sont « échangées » contre les populations orthodoxes d'Anatolie, ce qui fait de la nouvelle Turquie un pays presque exclusivement musulman. Un nouveau traité est signé à Lausanne en 1923, rendant à cette nouvelle Turquie la totalité de l'Anatolie et la Thrace orientale. La République est proclamée le 29 octobre 1923. **Occidentalisation et laïcisation.** La révolution kémaliste et le régime de parti unique (CHP, Parti républicain du peuple) transforment le pays par des mesures d'occidentalisation et de laïcisation : abolition du califat, émancipation des femmes, promulgation d'un Code civil et d'un Code pénal fondés sur des modèles européens, réforme vestimentaire (à l'occidentale), abolition des confréries religieuses, adoption de l'alphabet latin (1928), épuration de la langue de milliers de mots arabes et persans, révision et correction de l'histoire de manière à réhabiliter la culture turque... Les mesures de laïcisation instaurent en fait un étroit contrôle de la religion par l'État ; dans la pratique, les adeptes des religions « minoritaires » (Arméniens, Grecs orthodoxes, Juifs) restent des citoyens de second plan ; enfin, une révolte kurde d'ampleur est matée en 1925. Avant sa mort (1938), M. Kemal, qui avait pris le nom d'Atatürk, était parvenu à une réconciliation avec la Grèce et avait instauré de bons rapports avec l'URSS. En 1939, contre promesse faite à la France de rester neutre en cas de conflit mondial, la Turquie annexe encore le Sandjak d'Alexandrette (Iskenderun), acquérant ses frontières définitives. Ismet Inönü (1884-1973), compagnon d'armes d'Atatürk, lui succède et le pays subit jusqu'en 1945 la dictature du parti unique. Adoptant une position de neutralité ambiguë, avec de fortes sympathies pour l'Allemagne nazie, la Turquie ne prend pas part à la Seconde Guerre mondiale. La dictature d'Inönü se saborde elle-même par l'instauration, en 1945, du pluripartisme ; en 1950, le CHP perd les élections législatives au profit du Parti démocrate. Celui-ci est ancré dans le monde rural et religieux et dirigé par Adnan Menderes (1899-1961), lequel devient Premier ministre et permet un important recul de la laïcité. Mais cette période voit aussi l'adhésion de la Turquie à l'OTAN (Organisation du traité de l'Atlantique nord) et sa participation à la guerre de Corée, tandis que le plan Marshall accélère la modernisation. En 1955, la Turquie est impliquée dans le processus de décolonisation de Chypre. Le nationalisme s'empare de la question chypriote et, en septembre 1955, de graves violences visant les Grecs d'Istanbul aboutissent à leur émigration. Le gouvernement prend alors une tournure très autoritaire et est renversé par l'armée (mai 1960) ; A. Menderes et deux ministres sont pendus en 1961. **Montée des extrémismes.** La période suivante voit la montée des affrontements entre extrémistes. L'année 1968 connaît une grande violence et l'armée intervient à nouveau en 1971. Les gouvernements de coalition se succèdent alors, parvenant difficilement à gérer les crises, souvent au prix d'alliances « contre nature », incluant parfois les islamistes. À Chypre, une tentative de coup d'État motive en été 1974 ; la population turcophone est regroupée dans le tiers nord de l'île, qui restera occupé par l'armée turque, tandis que les Chypriotes grecs sont expulsés au sud. En Turquie, les troubles et la violence politique se sont encore aggravés, avec en 1978 des massacres d'alevis, une minorité musulmane hétérodoxe. Ces grandes violences et les difficultés politiques sont prétexte à un troisième coup d'État militaire, en septembre 1980. La plupart des dirigeants politiques sont emprisonnés, les partis interdits et les groupes islamistes et d'extrême gauche durement frappés. Les militaires remettent l'accent sur l'héritage d'Atatürk, tout en favorisant les islamistes pour faire barrage aux forces « communistes ». Il en résultera l'émergence d'un nationalisme intégrant les valeurs de l'islam : la « synthèse turco-islamique ». Atatürk, seule référence officielle, est devenu l'objet d'un culte figé, tandis que l'extrême droite tenait le haut du pavé. **La** promulgation d'une Constitution en 1982, puis l'accession au pouvoir de Turgut Özal (président de la république de 1989 à 1993), ont ouvert la voie à une normalisation. Les partis se sont reconstitués, la vie politique et parlementaire a repris. L'économie du pays s'est développée rapidement, grâce notamment à l'abandon de l'étatisme qui prévalait jusqu'alors. Néanmoins, les écarts entre riches et pauvres, et entre l'Est agro-pastoral et l'Ouest industriel n'ont cessé de se creuser, alimentant une migration intérieure massive et une urbanisation incontrôlée. En août 1984, le Parti des travailleurs du Kurdistan (PKK), formation clandestine d'extrême gauche, engage une lutte armée contre l'État turc, à partir de la région majoritairement kurde du Sud-Est. Quinze ans plus tard, les combats et la répression menée par l'armée et les milices avaient fait 30 000 victimes, accélérant l'émigration vers l'ouest, malgré le gigantesque plan d'aménagement hydraulique du haut Euphrate. Le danger de sécession a fait peser sur la vie turque une lourde pression (assassinats, censure, tortures, emprisonnements de journalistes, d'écrivains). **Les confréries, interdites par Atatürk**, ont repris une importance capitale dans la vie religieuse, politique et culturelle à partir des années 1980, par leurs écoles et leurs médias. Mais l'armée, qui se veut gardienne de la laïcité, a renforcé le contrôle de ces mouvements. Agissant par le biais du Conseil de sécurité nationale (MGK) qui émet des « recommandations » au gouvernement, elle a mis en échec le gouvernement de coalition islamiste dirigé par Necmettin Erbakan en 1996-1997. **Les rapports avec l'Union européenne.** Durant la seconde moitié du siècle, sur le plan international, la Turquie s'est placée dans le camp occidental, avant-garde du libéralisme pendant la <u>Guerre froide</u>. Après l'entrée dans l'OTAN, elle est devenue membre du Conseil de l'Europe, et candidate dès 1963 à l'entrée dans la <u>CEE</u> ; le rejet de cette candidature en décembre 1997 a été ressenti avec amertume. Fin 1999, la « candidature à l'adhésion » a été cependant jugée recevable. Lors de la dissolution de l'URSS, la Turquie a « redécouvert » les turcophones du Caucase et d'Asie centrale, entrevoyant la possibilité de devenir un modèle politique, économique et culturel pour les nouvelles républiques ; ce mouvement a été fortement favorisé par l'État et les cercles nationalistes (en 1999, la Turquie ne réalisait cependant que 5 % de son commerce extérieur avec cette région du monde). Par ailleurs, les relations avec les proches voisins ont été compliquées par des problèmes structurels (partage des ressources hydrauliques avec la Syrie, problème chypriote, statut de la mer Égée). À compter des années 1970, la Turquie a nourri une forte émigration vers l'Europe de l'Ouest, notamment l'Allemagne, où vivent deux millions de ses ressortissants. **À** la fin du siècle, la Turquie apparaissait marquée par de fortes aspirations au changement ; la société civile se développait et les organisations patronales elles-mêmes réclamaient une démocratisation ; en 1999, l'arrestation du leader du PKK, Abdullah Öcalan, et les appels au cessez-le-feu de celui-ci ont renforcé l'espoir d'un règlement du conflit kurde. Les relations avec la Grèce, très tendues depuis 1955, semblaient devoir s'améliorer. Mais plusieurs questions capitales, comme le rôle de l'armée dans la vie politique, la présence turque à Chypre, la recherche d'une solution pacifique à la question kurde, ou encore la reconnaissance du génocide des Arméniens restaient exclues du débat public. **É. Co.** **> DÉCOLONISATION (PROCHE ET MOYEN-ORIENT), EMPIRE OTTOMAN, QUESTION D'ORIENT.**

TUTSI > HUTU ET TUTSI.

TUVALU **R**épublique de Tuvalu. Capitale : Funafuti. Superficie : 158 km². Population : 11 000 (1999). **E**ntouré (à environ 1 000 kilomètres) du Kiribati au nord-est, du Vanuatu au sud-ouest, de Fidji, du Tonga au sud et des Samoa au sud-est, le Tuvalu est le plus petit (presque à égalité avec Nauru), mais surtout le plus pauvre et le moins peuplé, des micro-États du Pacifique sud. L'archipel des Ellice, protectorat de la Grande-Bretagne en 1892, fut englobé par celle-ci dans une administration coloniale commune avec l'archipel des Gilbert en 1916. Sans parenté ethnique et très minoritaire par rapport à ce dernier, l'archipel des Ellice obtient un statut d'autonomie interne séparé des Gilbert en 1975 et l'indépendance le 1er octobre 1978, sous le nom de « Tuvalu ». Tuvalu est le 189e et dernier État à adhérer à l'<u>ONU</u> au XXe siècle. **J.-P. G.**

U

UE > UNION EUROPÉENNE

UEMOA L'Union économique et monétaire ouest-africaine a remplacé, le 1er août 1994, l'UMOA (Union monétaire ouest-africaine, siège de la commission Ougadougou), qui avait été créée en 1962. Membres à la mi-2001 : Bénin, Burkina Faso, Côte-d'Ivoire, Guinée-Bissau, Mali, Niger, Sénégal, Togo. L'UEMOA a la BCEAO (Banque centrale des États d'Afrique de l'Ouest) pour banque centrale.

UEO L'Union de l'Europe occidentale (UEO, WEU – Western European Union –, siège à Londres) a été créée en 1955 dans le but de promouvoir l'intégration de l'Europe, la défense collective et la sécurité. Elle a fait suite au traité de Bruxelles de 1947. Membres à la mi-1999 : Allemagne, Belgique, Espagne, France, Grèce, Italie, Luxembourg, Pays-Bas, Portugal, Royaume-Uni. Membres associés : Hongrie, Islande, Norvège, Pologne, République tchèque, Turquie. Observateurs : Autriche, Danemark, Finlande, Irlande, et Suède. Partenaires associés : Bulgarie, Estonie, Lettonie, Lituanie, Roumanie, Slovaquie, Slovénie. En 2000, la « dissolution » de l'UEO a été décidée du fait de la mise en place des institutions de la Politique étrangère et de sécurité commune (PESC) de l'UE (Union européenne).

UGT (Union générale des travailleurs, Espagne) > SOCIALISME ET COMMUNISME (ESPAGNE).

UIT Fondée en 1865 à Paris (sous le nom d'Union télégraphique internationale), l'Union internationale des télécommunications (UIT, ITU – International Telecommu-

nication Organization –, siège à Genève) est devenue une institution spécialisée de l'ONU en 1947. Son objectif est de promouvoir la coopération internationale en matière de télégraphie, téléphonie et radiocommunications. En particulier, l'UIT attribue les fréquences de radiocommunications et enregistre les assignations de fréquences.

UKRAINE Capitale : Kiev. Superficie : 603 700 km^2. Population : 50 658 000 (1999). **Au** début du xxe siècle, dans l'Empire russe, trois Ukraine commencent à s'individualiser : une Ukraine industrielle, regroupant, de Kharkov (Kharkiv) jusqu'au Donets, une forte minorité russe ; une Ukraine agricole, avec pour capitale Kiev, qui rassemble à la fois la bourgeoisie locale et les élites intellectuelles ukrainiennes, auxquelles le pouvoir tsariste, depuis les fameuses lois de 1863 et 1876 (prohibition de la langue ukrainienne en tant que langue scolaire, puisque selon le circulaire du ministre Petr Valuev, « la langue ukrainienne n'existait pas, n'avait jamais existé et ne pouvait pas exister »), interdit toute expression nationale ; une Ukraine occidentale « périphérique » (Podolie, Volhynie, Ruthénie subcarpatique), intégrée à l'Empire austrohongrois, où s'exprime avec le plus de force – et avec la bénédiction des autorités locales – le sentiment national ukrainien. La situation ethno-politique de l'Ukraine est rendue encore plus complexe par l'existence, dans les villes, d'une forte minorité juive, immortalisée par les nouvelles d'Isaac Babel *(Contes d'Odessa)*, une partie de l'Ukraine étant – à l'instar de la Biélorussie – « zone de résidence » pour les Juifs de l'empire. **Révolution sociale et nationale.** Les révolutions de 1917 libèrent, ici aussi, les aspirations nationales, et révèlent l'extraordinaire complexité des données ukrainiennes. Durant quatre années (1917-1921), l'Ukraine est un véritable « laboratoire expérimental » de toutes les émancipations politiques, sociales et nationales comme de toutes les oppositions au nouveau régime bolchevique. Coexistent, au moment même où la région est successivement occupée par les Allemands, puis par les Polonais, un mouvement national, la Rada, mené par l'intelligentsia, mais rassemblant un éventail très large d'Ukrainiens, qui proclame – contre Moscou – l'autodétermination de l'Ukraine ; un mouvement paysan, dirigé aussi bien contre les Rouges que contre les Blancs, et dont l'anarchiste Nestor Makhno (1889-1935) incarne les aspirations libertaires les plus extrêmes ; un mouvement ouvrier bolchevique, russifié et très minoritaire, mais réclamant, lui aussi, une certaine autonomie par rapport à Moscou. **Au** terme d'une révolution à la fois sociale et nationale d'une extrême complexité, qui ne saurait être réduite à un appendice de la révolution russe, l'Ukraine, pour s'être appuyée sur une Allemagne vaincue, sur une France trop lointaine, sur la Pologne à l'heure où la Russie sortait finalement victorieuse, mais aussi, et surtout, parce qu'elle était la région la plus riche de l'ancien empire, perd définitivement une indépendance qu'elle semblait avoir acquise avec la signature du traité de Brest-Litovsk entre la Russie et l'Allemagne en 1918, et que la direction du Parti communiste de Russie (bolchevique) avait fait un temps miroiter (fin 1919) en s'engageant à « convoquer le Congrès constituant des soviets d'Ukraine, qui déciderait démocratiquement si l'Ukraine soviétique serait indépendante ou non ». **La collectivisation forcée et l'invasion nazie** Après une brève période d'accalmie, marquée par une reconnaissance – limitée – de l'identité ukrainienne (politique d'ukrainisation des cadres dans les années 1920, et tentative, sous la direction du bolchevik ukrainien Mikhaïlo Skrypnyk (1880-1938), de construire un véritable État national ukrainien au sein de l'Union), l'Ukraine est, plus que toute autre région, frappée à partir de 1929 par la collectivisation forcée des campagnes que le gouvernement central veut exemplaire dans ce grenier à céréales de l'Union. Pour briser une résistance paysanne plus forte ici que nulle part ailleurs, le pouvoir central organise dans les kolkhozes ukrainiens récalcitrants une véritable famine, qui fait plus de cinq millions de victimes (1932-1933). Ensuite, la direction stalinienne liquide les cadres locaux du Parti comme ce qu'il restait de l'intelligentsia ukrainienne, accusée de « nationalisme ». **En** septembre 1939, l'URSS annexe l'Ukraine occidentale qui était, aux termes du traité de Riga (mars 1921), revenue à la Pologne. L'histoire de l'accueil favorable réservé, dans les premiers temps de l'invasion nazie, aux Allemands par une partie des Ukrainiens des régions rattachées de force à l'Union soviétique à la fin de 1939 restera sans doute longtemps une des « pages blanches » de l'histoire soviétique. Seule la barbarie nazie, traitant les Ukrainiens en « sous-hommes », allait ressouder Russes et Ukrainiens dans les combats contre l'ennemi commun. La vigueur du nationalisme ukrainien et de l'opposition au bolchevisme se manifestent principalement en Ukraine occidentale, où, dès juin 1941, l'Organisation des nationalistes ukrainiens (OUN), dirigée par Stepan Bandera (1909-1950), s'engage contre l'« impérialisme moscovite bolchevique », et proclame à Lvov (Lviv) un État ukrainien. Néanmoins, dans la mesure où les nationalistes aspiraient à faire de l'Ukraine un État indépendant, alors que les nazis entendaient en faire une colonie de l'impérialisme allemand, l'action de l'OUN, dans l'Ukraine occupée, était vouée à l'échec. En fait, dès 1942, l'Armée insurrectionnelle ukrainienne (UPA) mène une lutte armée sur trois fronts – contre le pouvoir colonial nazi, contre Moscou, contre la résistance polonaise antinazie. Après la fin de la guerre, cinq années seront nécessaires au régime bolchevique pour « pacifier » l'Ukraine occidentale où résistent des maquis armés. La réincorporation de ce territoire au sein de l'Union soviétique s'accompagne de persécutions religieuses contre les uniates, contraints de fusionner avec l'Église orthodoxe, de déplacements de populations et de déportations massives. À la mort de Staline, en 1953, les Ukrainiens occidentaux constituent, avec les Baltes, l'un des plus importants contingents « nationaux » du <u>Goulag</u>. En 1954, à l'occasion du tricentenaire de l'accord de Pereiaslavl qui a placé l'État cosaque (ukrainien) de Bogdan Khmelniski sous la protection de l'État russe, la République socialiste fédérative soviétique de Russie (RSFS) « donna » la <u>Crimée</u> à la République socialiste soviétique (RSS) d'Ukraine, en souvenir de l'« Acte historique qui a scellé la lutte éternelle du peuple ukrainien attaché à sa liberté contre les oppresseurs étrangers, pour la réunification avec le peuple russe dans un État unique, l'URSS ». Les quelque 400 000 <u>Tatars</u> qui habitaient la presqu'île en avaient été chassés par le pouvoir soviétique en 1944, accusés collectivement, comme d'autres <u>peuples punis</u>, d'avoir collaboré avec l'occupant nazi. **N. W.**

Dissidence pour les droits nationaux. Durant la période <u>khrouchtchévienne</u>, la russification ne connaît pas de répit. Mais la relative libéralisation consécutive au XXᵉ congrès du <u>PCUS</u> (Parti communiste de l'Union soviétique) permet un renouveau identitaire qui privilégie la défense de la langue et de la culture ukrainiennes. À Kiev et à Lviv, écrivains, étudiants et universitaires tentent de lui donner un contenu plus politique ; le mouvement rencontre bientôt un écho favorable non seulement au sein de l'intelligentsia, mais également au sein de certains cercles proches du pouvoir. L'écrasement du printemps de Prague, puis le limogeage en 1971, du « patron » du Parti communiste (PC) d'Ukraine, Petro Chelest (1919-1990), fragilise le processus en accélérant la russification, tandis que la répression s'abat sur une <u>dissidence</u> (Ivan Dziouba [1931-], Leonid Pliouchtch [1939-], Viatcheslav Tchornovil [1937-1999]) qui paie un lourd tribut à sa lutte pour les droits nationaux et démocratiques. En dépit du nombre important de cadres qu'elle a fournis à l'appareil du PCUS, la deuxième république de l'Union est maintenue dans un statut subalterne, marginalisée sur le plan culturel. Sous la férule de Vladimir Chtcherbitski (1918-1990), l'Ukraine est appelée à une « union indissociable » avec la Russie. Alors que la connaissance de la langue russe est devenue

le vade-mecum de la réussite, beaucoup, parmi les plus dynamiques de ses enfants, choisissent de s'exiler en Russie. **Les fractures d'un État souverain.** Aux yeux de plus d'un Ukrainien, la catastrophe nucléaire de <u>Tchernobyl</u> (1986) a consacré une histoire tragique. Au cours des premières années de la <u>perestroïka</u>, écologie, lutte pour les droits démocratiques et nationaux sont étroitement mêlés. L'arrivée à la tête du PC (1989) de Léonid Kravtchouk (1934-), la proclamation, dans la foulée de la Russie, de la « souveraineté ukrainienne » (1990) inscrivent un peu plus la république dans le mouvement qui remet en cause les bases mêmes de l'Union. Mais en Ukraine, la contestation reste modérée. Créé au début de 1989, le Roukh (Mouvement populaire d'Ukraine) devient rapidement un mouvement de masse qui rassemble nationalistes et communistes réformateurs, du moins à ses débuts. Se voulant l'aiguillon des réformes, il ne parviendra pourtant pas à jouer un rôle majeur au cours des années décisives. Conscients des divisions de l'Ukraine et hantés par son unité, ses responsables, en particulier Viatcheslav Tchornovil, feront preuve d'un sens du compromis que leur reprocheront les plus radicaux. Avant que les citoyens ne se prononcent massivement en faveur de l'indépendance, proclamée le 24 août 1991 (1ᵉʳ décembre 1991), une large majorité s'était dégagée en faveur de l'Union (mars 1991). En fait, l'espoir de pouvoir jouir enfin de toutes les richesses du pays –supposées immenses et pillées par Moscou –, emporta la décision des électeurs. Mais bientôt l'unité affichée avec insolence face à une Russie « instable et désordonnée » ne peut plus cacher les profondes fractures d'un pays. Celui-ci découvre avec inquiétude ses fragilités : présence d'une importante minorité russophone, en particulier dans sa partie orientale (environ 40 % de la population totale de la république) ; faiblesse d'une économie marquée par l'épuisement des réserves de houille et la présence massive du complexe militaro-industriel ; épineuse question de la Crimée et de la flotte de la mer Noire qui y mouille... Face à une Russie qui accepte mal l'irruption de ce nouveau voisin, longtemps considéré comme faisant partie intégrante des « terres russes », l'Ukraine tente de s'inscrire dans une Europe médiane dont elle aurait été artificiellement isolée. **C. U.**

ULBRICHT Walter (1893-1973)

Homme politique allemand, chef de l'État est-allemand (1960-1971). Né à Leipzig le 30 juin 1893, ce menuisier de formation rejoint le Parti communiste allemand (KPD) dès sa fondation en 1919. Il en devient rapidement l'un des principaux responsables. Après avoir quitté l'Allemagne en 1933 puis assuré en Espagne la fonction de commissaire politique (1936-1938), il gagne l'URSS où son soutien sans faille à <u>Staline</u> lui vaut de dominer le KPD en exil. Fondateur du Comité national Allemagne libre en 1943, il rentre à Berlin en avril 1945 afin d'aider l'Armée rouge et de préparer la reconstruction sous l'égide d'un parti communiste qui, selon le témoignage de Wolfgang Leonhard, devait « sous des apparences démocratiques tout avoir en main ». Personnalité dominante de la jeune <u>RDA</u>, cumulant peu à peu tous les pouvoirs – secrétaire général du Parti socialiste unifié (SED, communiste) en 1950, premier secrétaire du Comité central (1953-1971), président du Conseil d'État en 1960 –, W. Ulbricht impose jusqu'à la fin des années 1960 un dirigisme et un centralisme ne souffrant aucune opposition (en témoignent les procès contre le <u>révisionnisme</u> d'un Wolfgang Harich ou d'un Karl Schiderwann en 1957-1958), ainsi qu'une fidélité indéfectible à l'URSS. Sa tentative en 1967-1968 de faire de la RDA le pays phare – et donc traitant d'égal à égal avec l'URSS – d'un socialisme considéré désormais non plus comme une étape vers le communisme mais comme une forme historique en soi, autant que son refus de l'ouverture à l'Ouest, laquelle a été inaugurée par l'*Ostpolitik* et acceptée par les Soviétiques, devaient précipiter sa chute : en mai 1971, il est ainsi remplacé par Erich Honecker. Il meurt à Berlin le 1ᵉʳ août 1973. **L. B.** **> ALLEMAGNE.**

ULSTER L'Ulster historique, en Irlande, est composée de neufs comtés. Le traité anglo-irlandais de 1920 qui crée l'<u>Irlande du Nord</u> sépare six d'entre eux au

l'Irlande du Sud. On appelle fréquemment cette Irlande du Nord « Ulster », même si elle ne recouvre pas toute l'Ulster historique. **> IRLANDE.**

UMA L'Union du Maghreb arabe (AMU – Arab Maghreb Union –, siège à Rabat, Maroc) a été créée en février 1989 par le traité de Marrakech signé entre l'Algérie, la Libye, le Maroc, la Mauritanie et la Tunisie. Elle a ensuite été mise en sommeil du fait, notamment, de l'aggravation de la crise politique en Algérie à partir de 1992.

UNESCO Créée en 1945, l'Organisation des Nations unies pour l'éducation, la science et la culture (UNESCO – United Nations Educational, Scientific and Cultural Organization –, siège à Paris) est une institution de l'<u>ONU</u> qui vise à diffuser l'éducation, à établir les bases scientifiques et techniques nécessaires au développement, à encourager et préserver les valeurs culturelles nationales, à développer les communications dans un échange équilibré et à promouvoir les sciences sociales. L'UNESCO comprend une conférence générale se réunissant tous les deux ans et un Conseil exécutif élu pour quatre ans qui se réunit au moins deux fois par an. Les États-Unis ont quitté l'organisation le 31 décembre 1984 parce qu'en défendant un (équivoque) Nouvel ordre mondial de l'information et de la communication (NOMIC), elle heurtait directement l'ordre Nord-Sud établi. Le Royaume-Uni, qui en était sorti pour les mêmes raisons le 31 décembre 1985, l'a réintégrée en juillet 1997.

UNICEF Créé en 1946, le Fonds des Nations unies de secours d'urgence à l'enfance (FISE ou UNICEF – United Nations Children's Emergency Fund –, siège à New York) est un organe de l'<u>ONU</u> qui avait à l'origine pour but d'apporter d'urgence un secours massif aux enfants et adolescents victimes de la Seconde Guerre mondiale. Le Fonds aide aujourd'hui les gouvernements à mettre au point des " services de base " dans les domaines de la santé, de la nutrition, de l'hygiène, de l'éducation, du contrôle des naissances, etc. Avec l'<u>OMS</u>, l'UNICEF a contribué à la mise au point de la stratégie des « soins de santé primaires » adoptée en 1978 par la conférence d'Alma-Ata (actuelle Almaty, Kazakhstan). Dépendant entièrement de contributions volontaires, l'UNICEF peut aussi intervenir rapidement en cas de catastrophe naturelle, conflit civil ou épidémie. Son Conseil d'administration est composé de représentants de 30 pays désignés par le Conseil économique et social de l'ONU.

UNION EUROPÉENNE L'Union européenne (UE) a été instituée par le traité de Maastricht, entré en vigueur le 1er novembre 1993. Elle regroupe la CECA (Communauté européenne du charbon et de l'acier), Euratom, la Communauté européenne (« premier pilier »), la Politique étrangère et de sécurité commune – PESC (« deuxième pilier ») et la coopération en matière de justice et d'affaires intérieures – JAI (« troisième pilier »). La Commission de l'UE siège à Bruxelles et son Parlement se trouve à Luxembourg. Au tournant du xxıe siècle, l'UE comptait quinze membres : Allemagne, Belgique, Danemark, Espagne, France, Grèce, Irlande, Italie, Luxembourg, Pays-Bas, Portugal, Royaume-Uni et, depuis le 1er janvier 1995, Autriche, Suède et Finlande. Début 2000, un processus d'élargissement était officiellement engagé avec douze pays : Bulgarie, Chypre, Estonie, Hongrie, Lettonie, Lituanie, Malte, Pologne, République tchèque, Roumanie, Slovaquie et Slovénie, la Turquie étant quant à elle reconnue candidate. Les principales institutions de l'UE sont la Commission européenne, formée de commissaires nommés pour cinq ans (présidents de la Commission : Walter Hallstein 1958-1967 [RFA], Jean Rey 1967-1970 [Belgique], Franco Maria Malfatti 1970-1972 [Italie], Sicco Mansholt 1972-1973 [Pays-Bas], François-Xavier Ortoli 1973-1977 [France], Roy Jenkins 1977-1981 [Royaume-Uni], Garton Thorn 1981-1985 [Luxembourg], Jacques Delors 1985-1994 [France], Jacques Santer 1995-1999 [Luxembourg], Romano Prodi nommé en 1999 [Italie]) ; le Parlement européen (626 députés élus pour cinq ans) élu au suffrage universel depuis 1979 (présidents des législatures : Simone Veil 1979-1982 [France, libérale], Peter Domkert 1982-1984 [Pays-Bas, socialiste], Pierre Pflimlin 1984-1987 [France, démocrate-chrétien], Lord Plumb 1987-1989 [Royaume-Uni, conservateur], Enrique Baron Crespo 1989-1992 [Espagne, PSE – Parti socialiste européen], Egon A. Klepsh 1992-1994 [Allemagne, PPE – Parti populaire européen], Klaus Hänsch 1994-1997 [Allemagne, PSE], José Maria Gil-Roblès 1997-1999 [président sortant, Espagne, PPE], Nicole Fontaine 1999- [France, PPE]) ; le Conseil européen (réunion des chefs d'État et de gouvernement qui se tient au moins deux fois par an) ; le Conseil de l'Union européenne (réunion des ministres) et la Cour européenne de justice. Autres institutions : Banque centrale européenne (BCE), Cour des comptes, Comité économique et social, Comité des régions, Banque européenne d'investissement, Haut Représentant de la Politique étrangère et de sécurité commune (PESC), Médiateur européen. **> CONSTRUCTION EUROPÉENNE.**

UNION FRANÇAISE En 1946, la nouvelle Constitution française nomme « Union française » l'ensemble que constituent, d'une part, la République française, c'est-à-dire, la Métropole, ses départements d'outre-mer (DOM) nouvellement instaurés (Guadeloupe, Martinique, Guyane française et Réunion) et bénéficiant de la citoyenneté française et ses trois départements d'Algérie, et, d'autre part, les États et territoires associés de l'Empire français. Ultime replâtrage colonial, l'Union française sera remplacée, en 1958, par la Communauté franco-africaine. **> EMPIRE FRANÇAIS.**

UNION MONÉTAIRE EUROPÉENNE > ZONE EURO.

UNION SOVIÉTIQUE L'Union des républiques socialistes soviétiques (URSS, encore appelée « Union soviétique », a été créée en décembre 1922. Elle a de fait cessé d'exister en décembre 1991. Pendant soixante-neuf ans, l'histoire de l'URSS s'est superposée à celle de la Russie. **> RUSSIE ET URSS, URSS (CRÉATION DE L'), URSS (FIN DE L').**

UNION SUD-AFRICAINE > AFRIQUE DU SUD.

UNIONISME IRLANDAIS L'unionisme irlandais est fondé sur la défense de la place de l'Irlande du Nord au sein du Royaume-Uni, sur le protestantisme et sur la résistance aux prétentions de la minorité nationaliste et à l'unification irlandaise. À partir de 1920, les unionistes se servent de la discrimination anti-catholique pour maintenir une unité protestante. La violence politique à partir de 1969 amène Londres à supprimer, en 1972, le Parlement de l'Irlande du Nord, mis sur pied en 1920 (Home Rule). Ils s'opposaient à toute réforme de fond jusqu'à la signature, en avril 1998, de l'accord du « vendredi saint » visant à trouver une issue politique au conflit. **P. B.** **> IRLANDE DU NORD.**

UNITA (Angola) L'UNITA (Union nationale pour l'indépendance totale de l'Angola), appareil politico-militaire qui n'a pas réussi à s'emparer du pouvoir central, apparaît comme le pendant par opposition du MPLA (Mouvement populaire de libération de l'Angola). Depuis sa création en 1966, elle a été dirigée d'une main de fer par Jonas Malheiro Savimbi (1934-2002). « Chef suprême », Ovimbundu né à Munhango, sur le plateau central, ce dernier est issu d'un collège de frères maristes et diplômé polyglotte de sciences politiques à Lausanne. L'UNITA, s'est « tribalisée » à mesure de sa persistante exclusion du pouvoir à Luanda, prétendument détenu par des « métis » et, en réalité, par l'élite créole. Résultat de ses longues années d'isolement à Jamba, dans les « terres du bout du monde », dans l'extrême sud-est de l'Angola, le mouvement, formé au maoïsme par Pékin, soutenu par le régime d'apartheid sud-africain et subventionné par les États-Unis, porte les traces de son enfermement. Incapable de nouer des alliances, sinon de faire de la politique, il a privilégié l'« option militaire » en toute circonstance. Proche de la victoire par les armes en 1991, il s'est discrédité auprès de la communauté internationale en relançant la guerre civile après avoir perdu les élec-

tions en septembre 1992. D'autant qu'à la terreur dans ses rangs, dénoncée à compter de 1987, s'est ajoutée par la suite une mise en question de l'autorité d'un Savimbi vieillissant. **S. S.** **> ANGOLA.**

UNITAR L'Institut des Nations unies pour la formation et la recherche (UNITAR – United Nations Institute for Training and Research –, siège à Genève depuis 1993), créé en 1965, est un organisme autonome de l'ONU financé par des contributions volontaires. L'Institut prépare des fonctionnaires nationaux, en particulier des PED (pays en développement), aux travaux dans le domaine de la coopération internationale. Il anime aussi un vaste programme de recherches, notamment sur l'instauration d'un Nouvel ordre économique international (NOEI).

UNRWA L'Office des secours et des travaux des Nations unies pour les réfugiés de Palestine au Proche-Orient (UNRWA – United Nations Relief and Works Agency for Palestine Refugees in the Near East –, siège à Amman et Gaza depuis 1996) est un organe de l'ONU créé en 1949 pour venir en aide aux réfugiés victimes de la guerre israélo-arabe de 1948. Il étend son action à la Jordanie, au Liban, à la Syrie et aux Territoires occupés – Cisjordanie et Gaza. **> QUESTION PALESTINIENNE.**

UNU Instituée en 1973 sous le patronage conjoint de l'ONU et de l'UNESCO, l'Université des Nations unies (UNU – United Nations University) a ouvert ses portes en septembre 1976, à Tokyo. L'UNU ne forme pas d'étudiants, elle est surtout une communauté de recherche visant à trouver des solutions aux problèmes mondiaux de la survie, du développement et du bien-être de l'humanité.

UPU Créée en 1874, l'Union postale universelle (Universal Postal Union, siège à Berne) est devenue une institution spécialisée de l'ONU en 1948. L'Union vise à former un seul espace postal pour l'échange réciproque des correspondances entre les pays membres.

URSS (création de l') Cinq ans après la prise du pouvoir en Russie par les bolcheviks, presque deux ans après la fin des dernières opérations militaires qui ont permis la reconquête des territoires perdus de l'ex-Empire russe, des conceptions contradictoires s'affrontent au sein du PCR (b), le Parti communiste de Russie (bolchevik). Dans les périphéries nationales, où la soviétisation doit compter avec l'héritage des indépendances, les bolcheviks sont divisés : les uns aspirent à une large autonomie, les autres, au nom de l'efficacité et de la lutte contre la déviation nationaliste, privilégient des solutions centralistes. À Moscou, la direction hésite ; Staline, commissaire aux Nationalités, propose en septembre 1922 un projet d'autonomisation qui prévoit d'intégrer les républiques soviétiques au sein de la Fédération de Russie. Devant l'hostilité des Géorgiens et des Ukrainiens, Lénine privilégie la solution de l'Union. C'est cette dernière qui est choisie le 31 décembre 1922 lorsque la RSFSR (République socialiste fédérative soviétique de Russie), l'Ukraine, la Biélorussie et la Fédération transcaucasienne créent l'Union des républiques socialistes soviétiques (URSS). Pendant soixante-neuf ans (jusqu'au 25 décembre 1991), l'histoire de la Russie et celle de l'URSS se confondent. Avant son démantèlement, l'Union soviétique comptait quinze républiques qui deviendront autant d'États indépendants : Arménie, Azerbaïdjan, Biélorussie, Estonie, Géorgie, Kazakhstan, Kirghizstan, Lettonie, Lituanie, Moldavie, Ouzbékistan, Russie, Tadjikistan, Turkménistan, Ukraine.
C. U. > RUSSIE ET URSS, URSS (FIN DE L').

URSS (fin de l') Le 11 mars 1985, lorsque le Bureau politique choisit Mikhaïl Gorbatchev pour diriger le Parti communiste de l'Union soviétique (PCUS), il sait qu'il doit rajeunir la direction du pays qui, depuis le milieu des années 1970, est gouverné par des secrétaires généraux âgés et malades : les décès de Leonid Brejnev (1906-1982), Iouri Andropov (1914-1984) et Konstantin Tchernenko (1911-1985) se succèdent en trente mois. Mais une partie des membres du Bureau politique est aussi consciente qu'une crise économique, sociale et morale se développe : la croissance perd de la vitesse, l'inflation devient endémique et le budget militaire ponctionne une part exorbitante du PNB. En 1984, un rapport confidentiel avertit le Gosplan que l'URSS risque de ne plus être, en l'an 2000, qu'une puissance de second ordre, voire de rejoindre le tiers monde. **A**ussi l'ambition du noyau réformateur qui soutient le nouveau secrétaire général est-elle d'enrayer ce déclin en impulsant, dès avril 1985, une dynamique de relance, la perestroïka (restructuration), s'articulant autour d'un triple objectif : réduire les dépenses militaires par une politique dynamique de détente ; accroître la production par une mobilisation intensive des ressources matérielles et technologiques ; revivifier la société en lui tenant un langage de vérité (glasnost, « transparence ») sur la « stagnation » du pays (formulation désignant la situation léguée par L. Brejnev) ; l'accident nucléaire de Tchernobyl (Ukraine) en mai 1986 est l'occasion d'inaugurer cette politique de transparence. Enfin, en rappelant le physicien dissident Andreï Sakharov d'exil (décembre 1986), M. Gorbatchev entend nouer une alliance avec l'intelligentsia qui investit les médias pour y dénoncer le stalinisme avec de plus en plus de virulence. **Réformer le Parti sans perdre le pouvoir.** C'est cependant au PCUS, parti dirigeant et seule force politique organisée comptant quelque dix-neuf millions de membres, que le secrétaire général réserve la conduite de la modernisation du régime soviétique. Comme le « parti-monolithe » est hétérogène, deux stratégies sont envisagées : l'une, qui consiste à tirer les conséquences de la division idéologique, présenterait l'avantage de mettre à la disposition du pouvoir une formation acquise aux réformes, mais ouvrirait la voie au multipartisme ; l'autre – celle qui va prévaloir – tend à revivifier le PCUS en modifiant progressivement le rapport de forces interne. **O**n constate, au début de 1987, que la politique économique menée, loin d'avoir produit le redressement escompté, a précipité la dégradation de l'économie. La direction du Parti s'engage, en juin 1987, dans une réforme de l'entreprise qui, sans remettre fondamentalement en question le système de l'économie administrée ni les relations de pouvoir, accorde davantage de place au « facteur humain » ; puis elle adopte, en juin 1988, une loi sur les coopératives. Et, pour vaincre les résistances des cadres intermédiaires du Parti, M. Gorbatchev met en mouvement la base du Parti, plus réformiste que l'appareil. La XIXe conférence du PCUS (28 juin-1er juillet 1988), dont les délégués sont élus au scrutin secret, lui permet d'engager une réforme politique qui entend donner davantage de poids à la société civile et au pouvoir représentatif et s'attache à fixer des limites à celui du Parti. M. Gorbatchev compte aussi lui donner une véritable légitimité. Paradoxalement, les élections constitutives du Congrès des députés du peuple de l'URSS (26 mars 1989) – les premières à candidatures multiples – ont l'effet contraire. Si elles permettent au secrétaire général d'éliminer du Comité central une centaine de caciques désavoués par la population en avril 1989, cette « épuration » incite surtout l'opposition interne à passer à la contre-offensive dans la perspective des futures échéances électorales. Elle fera définitivement basculer « à droite » le PCUS, contraignant le secrétaire général-président du Soviet suprême à recevoir sa légitimité directement du peuple (élu président du Soviet suprême par le 1er congrès des députés, le 25 mai 1989, M. Gorbatchev fera adopter une réforme constitutionnelle instituant un poste de président de l'URSS élu au suffrage universel ; toutefois, il fera pour lui une exception en se faisant élire par le IIIe congrès, le 15 mars 1990) et à accepter, en mars 1990, le multipartisme qu'il avait jusqu'alors refusé. Mais la dérive réactionnaire du Parti accélère l'hémorragie de ses forces vives et, la situation économique empirant, amplifie la réaction de rejet exprimée par la population, qui se rallie au mouvement démocratique. **Démocratie et nationalisme.** Dans les républiques fédérées, la consultation du 26 mars 1989 en vue de constituer le Congrès des députés du peuple [de l'URSS] a catalysé les aspirations démocratiques, mais surtout les aspirations nationales. En accédant au pouvoir dans les républiques baltes, les « fronts populaires » en

sont les vecteurs. Le passage des revendications en matière de décolonisation et de reconnaissance des violences historiques à l'affirmation de sa volonté d'indépendance est rapide en raison des résistances des structures impériales de l'Union et du déphasage permanent des solutions proposées par le pouvoir central. La rupture advient avec les élections du printemps 1990 : en mars, la Lituanie proclame son indépendance et partout ailleurs les nationalismes progressent. En RSFSR (République socialiste fédérative soviétique de Russie), elles portent à la tête du Soviet suprême, malgré l'obstruction de M. Gorbatchev, un leader sorti de l'appareil du PCUS : Boris Eltsine. Dès lors, mouvement national et mouvement démocratique convergent vers le même objectif : éliminer le « Centre ». Au début de 1990, alors que le pouvoir central semble enfin décidé à s'engager dans l'économie de marché, l'accession d'équipes nouvelles à la tête de la plupart des républiques va modifier les données de sa démarche. S'appuyant sur leur légitimité nouvellement acquise, les dirigeants décident de conduire eux-mêmes la réforme économique, proclamant la primauté des lois des républiques sur celles de l'URSS et la propriété nationale sur les richesses locales. Telles sont les exigences fondamentales exprimées dans les déclarations de souveraineté qui se succèdent après que la Russie a ouvert la voie, le 11 juin 1990. En acceptant, en août, le plan des « cinq cents jours » avancé par B. Eltsine, M. Gorbatchev paraît d'abord soutenir une telle évolution. À l'automne, l'examen au Parlement fédéral du programme de passage à l'économie de marché montre qu'il n'en était rien. L'obstruction du gouvernement central, soutenu par une bureaucratie hostile à cette évolution qui menace de se réaliser au bénéfice des républiques, la forte pression exercée par le complexe militaro-industriel conduisent le président à abandonner le plan des « cinq cents jours » et à céder toujours plus de terrain aux forces impériales qui lui reprochent en outre de sacrifier la sécurité du pays (traité de Washington sur les FNI – forces nucléaires intermédiaires – du 8 décembre 1987 et

abandon du glacis est-européen) à l'entente avec l'Occident. **« L'URSS a cessé d'exister ».** L'intervention des forces de l'ordre soviétiques à Vilnius, en janvier 1991 (13 morts), illustre la situation dans laquelle le « Centre » s'est enlisé : faute d'avoir su imposer son pouvoir aux républiques, il recourt à la violence. Seules la montée d'un fort mouvement social exigeant, en mars 1991, la démission du gouvernement – quand ce n'est pas celle de M. Gorbatchev –, et la popularité grandissante de B. Eltsine (il sera élu triomphalement président de la Russie au suffrage universel le 12 juin 1991) parviennent à modifier suffisamment le rapport des forces pour que le président de l'URSS change d'alliés et passe, le 23 avril à Novo-Ogarevo, avec les dirigeants de neuf des quinze républiques, un compromis préludant à l'élaboration d'un traité de l'Union. Le 19 août, à la veille de sa signature, une junte, dirigée par les responsables des institutions clés (KGB, Défense, Intérieur) et bénéficiant de l'assentiment tacite du Parti, tente de déposer M. Gorbatchev et d'empêcher le nouveau partage du pouvoir. Trois jours plus tard, les divisions internes au sein de l'armée, du KGB et de la milice, la détermination du président de la Russie B. Eltsine et des forces démocratiques, l'opposition de la plupart des représentants légitimes des autres républiques précipitent la déroute des factieux et, avec elle, la dislocation de l'empire qu'ils voulaient maintenir à tout prix : le pouvoir central moribond accepte la sécession des pays baltes tandis que, les unes après les autres, les républiques proclament leur indépendance. Ni la mise en place d'institutions provisoires, ni la relance du projet de traité fédéral ne parviendront à préserver l'Union puisque, le 8 décembre, les trois républiques slaves (Russie, Ukraine et Biélorussie) proclament que l'« URSS a cessé d'exister », entraînant, le 25 décembre, la démission du premier et dernier président de l'URSS. Conçue par ses instigateurs comme une modernisation du régime, la *perestroïka* a partiellement atteint son objectif puisqu'une partie des élites s'est reconvertie, mais cette modernisation a eu pour prix la disparition du régime. En mettant en mouvement des forces qui se sont toutes retournées contre elle, elle a cependant conduit à l'effondrement de ce qu'il lui importait avant tout de préserver : l'URSS.
R. B.-H. > CEI, EMPIRE RUSSE, EMPIRE SOVIÉTIQUE, RUSSIE ET URSS.

URUGUAY République orientale de l'Uruguay. Capitale : Montevideo. Superficie : 176 215 km². Population : 3 313 000 (1999). La petite République de l'Uruguay, peuplée essentiellement par des Européens, naît en 1828 et adopte sa première Constitution en 1830. L'Uruguay moderne est l'œuvre de José Batlle y Ordóñez (1856-1929), président de 1903 à 1907, puis de 1911 à 1915. Leader du parti Colorado, vainqueur du dernier grand soulèvement *blanco* de 1904, il bâtit une société démocratique et libérale et le premier État-providence du continent, reposant sur les exportations de viande et de laine. La Constitution de 1917 instaure un mode de scrutin proportionnel et institue, à côté du président, un exécutif collégial associant les deux grands partis, les *Colorados* et les *Blancos*, les premiers liés aux négociants de Montevideo, les seconds plutôt aux éleveurs. Les deux partis renoncent aux affrontements armés pour le pouvoir. Le pays passe d'un million d'habitants en 1908 à 1,9 million en 1930. Face à la montée de l'agitation sociale provoquée par la crise de 1929, Gabriel Terra (1873-1942), élu en 1931, organise un coup d'État civil le 31 mars 1933. En 1943, l'Uruguay renoue avec la démocratie et soutient les Alliés, son principal débouché. Le retour de la prospérité, prolongé par le boom engendré par la guerre de Corée qui stimule les exportations de laine et de viande, permet de nouvelles avancées sociales sous le mandat (1947-1951) de Luis Batlle Berres (1897-1964). La réforme constitutionnelle de 1952 rétablit l'exécutif collégial. La victoire sur le Brésil lors de la coupe du monde de football de 1950 symbolise la « restauration batlliste », alors que la « Suisse des Amériques » vit artificiellement de prix agricoles temporairement élevés, sans moderniser sa production. Dans les années 1960, les tensions sociales, le fractionnement des partis traditionnels, l'apparition du Mouvement de libération nationale <u>Tupamaro</u>, puis l'unification de la gauche en 1971 dans le Front élargi fragilisent ce régime modèle, que la Constitution de 1966 a de nouveau rendu présidentiel. Le *colorado* Jorge Pacheco Areco (1920-1998) suspend les libertés individuelles et les Tupamaros passent à la lutte armée (1967-1972). Juan María Bordaberry (1928-), tout aussi réactionnaire, est maintenu en place après le coup d'État du 27 juin 1973. Exerçant pour la première fois le pouvoir, les militaires suspendent le Parlement et interdisent partis et syndicats, mais leur Constitution est massivement rejetée le 30 novembre 1980. **La** crise financière de 1982 accélère le délabrement de l'économie, transformée en « paradis fiscal ». Les militaires négocient avec les représentants des partis les conditions de leur retrait de la scène politique par le pacte du Club naval du 3 août 1984. Les élections semi-ouvertes de novembre ramènent les civils au pouvoir. **Le** président *colorado* « batlliste » (1985-1989) Julio María Sanguinetti (1936) rétablit la démocratie, au prix d'une loi d'amnistie, confirmée par un référendum d'initiative populaire en avril 1989. Son successeur Luis Alberto Lacalle Herrera (1941-), de l'aile libérale et conservatrice du Parti Blanco, fait adhérer en 1991 l'Uruguay au <u>Mercosur</u> (Marché commun du sud de l'Amérique), considéré comme la seule voie de salut. Réélu en 1994, J. M. Sanguinetti associe les *blancos* à son gouvernement, face au Front élargi soutenu par le tiers des électeurs. Une réforme constitutionnelle de décembre 1996 modifie le système électoral créé au début du siècle pour les partis traditionnels, en dissociant élections nationales et locales. Le *colorado* Jorge Batlle Ibañez (1927-) n'obtient cependant la victoire aux élections présidentielles de novembre 1999 que grâce à une alliance avec les *blancos*, car la gauche progresse désormais dans les secteurs ruraux. Libéral en économie et en politique, mais héritier d'une identité nationale largement modelée par son grand-oncle et son père, il lui revient la lourde tâche de moderniser le pays. **S. J.**

V

VANUATU République de Vanuatu. Capitale : Port-Vila. Superficie : 12 189 km². Population : 186 000 (1999). Situé dans le Pacifique sud entre les Salomon au nord-ouest et la Nouvelle-Calédonie au sud, l'archipel des Nouvelles-Hébrides a été administré sous forme de condominium par un accord conclu entre la France et la Grande-Bretagne en 1906. Les Mélanésiens se sont mobilisés contre la concession des terres à des intérêts étrangers, jouant des incohérences d'une double administration. La conférence de Paris de juillet 1977 amorce le processus vers l'indépendance. Celle-ci est proclamée le 3 juillet 1980, le pays adoptant une appellation précoloniale. La cohésion nationale est incertaine compte tenu de la dispersion géographique et de la multiplicité linguistique. L'île de Spiritu Santo, la plus étendue, tente de faire sécession en 1980. Les seules ressources étant halieutiques, le gouvernement de Port-Vila a joué des rivalités entre États-Unis et Union soviétique. Par la suite, il s'est surtout appuyé sur l'aide australienne. **J.-P. G.**

VARGAS Getúlio (1883-1954)

Homme politique brésilien. Pour tous les historiens, Getúlio Vargas est au Brésil le grand personnage politique du XXᵉ siècle. Fils d'une riche famille d'éleveurs, de formation militaire puis juridique, il est député fédéral en 1924. Ministre de l'Économie en 1926 puis gouverneur de l'État du Rio Grande do Sul (dont il est originaire) en 1928, il critique les jeux régionalistes des oligarchies de la première République. Son pragmatisme et son charisme le font désigner, en 1930, chef du gouvernement provisoire du pays. Surmontant les menaces séparatistes, il est élu en 1934 président de la République par le Congrès. En 1937, il se fait dictateur d'un État dit « nouveau » (Estado Novo). En 1945, après quinze ans de pouvoir, il est contraint de démissionner sous la pression des États-Unis et d'une coalition hétéroclite regroupant des officiers libéraux, des élites terriennes et la gauche communiste. Mais en 1950, à peine la démocratie restaurée, il est élu, cette fois-ci au suffrage universel direct, à la tête du Brésil. Cependant, plus habitué à l'autoritarisme qu'au pluralisme, il fédère moins qu'auparavant les élites et les couches urbaines. Affaibli par la révélation de la corruption de certains politiciens de son entourage, il perd le soutien de l'armée. Plusieurs généraux demandant sa démission, il se suicide en 1954 après avoir laissé une lettre – véritable testament politique – disant sa fierté d'avoir « lutté contre la spoliation du Brésil et contre la spoliation du peuple », et soulignant la nécessité de poursuivre ce combat. **S. Mo.** ➤ BRÉSIL.

VARSOVIE (bataille de)

Reconstituée après la Première Guerre mondiale, la Pologne entend se battre pour de meilleures frontières à l'Est. C'est ainsi que l'Armée rouge trouve les armées polonaises en face d'elle en arrivant sur le fleuve Bug, en Ukraine. Dans la guerre russo-polonaise (1919-1921), l'été 1920 apparaît comme un moment critique, l'Armée rouge ayant engagé une contre-offensive. Une mission militaire franco-britannique se trouve à Varsovie. Le général français Weygand (1867-1965) joue un rôle important dans la préparation de la bataille en assurant à la Pologne l'arrivée par Gdansk du matériel de guerre malgré les difficultés créées par l'Allemagne et la Tchécoslovaquie. Cependant, sur le plan stratégique et tactique, Józef Piłsudski, plus familier de l'adversaire et de l'environnement, s'écarte du plan français pour imposer le sien, et il remporte une victoire difficile et décisive le 15 août 1920. Lord d'Abernon, qui qualifiera ce fait d'armes, baptisé « le miracle sur la Vistule », de « dix-huitième bataille décisive du monde », écrira, concernant le coup d'audace de Piłsudski : « La victoire a été remportée avant tout grâce au génie stratégique d'un seul homme, et parce que celui-ci avait mené une action si périlleuse qu'elle demandait plus que du talent, de l'héroïsme. » Poursuivant la campagne militaire jusqu'à la victoire du Niemen en octobre 1920, l'armée polonaise fait capituler <u>Lénine</u>, et amène la Russie bolchevique à signer avec la Pologne, en mars 1921, le traité de Riga. Cette seule guerre perdue par la future URSS, fera de la Pologne le « rempart de l'Occident ». Un rempart que les deux <u>totalitarismes</u> européens du XXᵉ siècle, l'encerclant, feront tomber en septembre 1939, mais sans réussir à l'abattre. **A. V.** **> POLOGNE.**

VARSOVIE (insurrection de) La bataille de Varsovie a été un « second <u>Stalingrad</u> », annonce le communiqué allemand au moment de la défaite polonaise, après 63 jours de terribles combats (1ᵉʳ août – 2 et 5 octobre 1944). Le général Heinz Guderian (1888-1954) note : « L'<u>Armée rouge</u> s'est arrêtée au bord de la Vistule [...] Certes, les insurgés représentent les milieux conservateurs polonais d'orientation occidentale. On peut supposer que l'URSS ne souhaitait pas laisser ces sphères se renforcer par une bataille victorieuse et la prise de la ville. » Selon le général von Mellenthin, « l'insurrection de Varsovie se présentait très mal pour nous. Mais, au moment où l'Armée rouge a décidé de ne pas nouer de contact avec les soldats polonais, notre tension s'est relâchée [...] L'Armée rouge n'a rien fait pour aider l'armée polonaise ». Pourtant, le plan *Tempête* (plan Burza), élaboré par le Commandement en Pologne et accepté à Londres, consistait, pour l'armée de l'Intérieur (Armia Krajowa – AK), à répondre à l'appel – qui fut bel et bien lancé par l'Armée rouge – a engager la bataille pour ouvrir la voie et faciliter l'avance de l'allié soviétique. Certes, ce plan comportait d'énormes risques pour la résistance

polonaise, découlant à la fois de ses obligations et des actes d'hostilité soviétique. <u>Staline</u> arrête son armée pour des raisons tactiques. Les services de renseignement ont informé le Kremlin que pour installer le Comité de Lublin polonais de Moscou à Varsovie, il faut éliminer l'armée de l'Intérieur fidèle au gouvernement légitime qui a l'appui majoritaire de la nation. À défaut, une guerre civile risque d'éclater, dont l'issue pourrait contrecarrer les plans de Staline. Les forces communistes ou apparentées n'ont en effet que 2 000 hommes à Varsovie, tandis que l'AK peut en aligner 50 000. Dans le pays tout entier, sont présents 18 000 partisans communistes et 360 000 partisans de l'AK. La <u>police politique</u> soviétique pourchassa ces derniers et les empêcha à toute force de parvenir à temps dans la capitale pour la bataille de Varsovie. **A. V.** **> POLOGNE.**

VATICAN État de la cité du Vatican. Superficie : 0,44 km². Population : 860 (1999). L'État du Vatican, enclave située à Rome, en Italie, exerce une souveraineté temporelle depuis la signature, le 11 février 1929, des accords du Latran. Ce concordat, signé par Benito <u>Mussolini</u> pour l'Italie et par le pape Pie XI (1922-1939) pour le Saint-Siège, a mis un terme aux conflits entre l'Église catholique et l'État italien. Les deux parties ont fait des concessions réciproques : l'Église a renoncé à récupérer les deux tiers des États pontificaux qui avaient été perdus lors de l'unification italienne, tandis que Mussolini acceptait notamment de reconnaître l'instruction religieuse obligatoire dans les écoles. **N. B.** **> ÉGLISE CATHOLIQUE (ITALIE).**

VATICAN II (concile) De 1962 à 1965 se déroule à Rome, convoqué par le pape <u>Jean XXIII</u>, le deuxième concile du Vatican (ou Vatican II). Il rassemble tous les évêques catholiques du monde, près d'un siècle après Vatican I (1869-1870). Jean XXIII meurt en cours de concile. Son successeur au poste pontifical, Paul VI (1963-1978), préside les trois dernières sessions. Le concile Vatican II revêt une très grande importance pour l'histoire de l'Église en cela qu'il signe un *aggiornamento* qui va l'engager dans une adaptation aux sociétés modernes du XXᵉ siècle. **V**atican II libère des forces d'initiatives considérables, mobilisatrices et inventives, qui étaient jusque-là bridées par des rites et des pratiques au conservatisme désuet. Un des aspects majeurs de Vatican II, hors cette mise en mouvement de l'Église pour tenter d'être de son temps, est l'ouverture du dialogue œcuménique avec les autres confessions chrétiennes. Cette ouverture vise à mettre un terme à des siècles d'attitude hautaine et d'esprit dominateur. Après le concile, les institutions de l'Église apparaissent relativement moins centralisatrices. Vatican II est également marqué, parmi d'autres thèmes, par les préoccupations sociales et la question de la paix. **N. B.**

VÉNÉZUELA **R**épublique bolivarienne du Vénézuela. Capitale : Caracas. Superficie : 910 250 km². Population : 23 706 000 (1999). « **J**'ai labouré la mer », se lamente sur son lit de mort le père de l'indépendance du Vénézuela, Simón Bolívar (1783-1830). De fait, après la disparition, en 1830, du *« Libertador »* dont les rêves d'unification d'une Amérique andine inspirée du siècle des Lumières ont échoué, le pays est livré à l'anarchie et à la férule de petits tyranneaux. À l'« autocrate civilisateur » Antonio Guzmán Blanco (1870-1888) succède en effet un cycle de dictatures venues des Andes – celles de Joaquín Crespo en particulier jusqu'en 1897. En 1908 parvient au pouvoir Juan Vicente Gómez qui dirigera le Vénézuela pendant vingt-huit ans comme son *hacienda* personnelle. Mais un événement va bouleverser l'histoire du pays : la découverte des premiers gisements de pétrole en 1922. Cela provoque une véritable ruée vers l'or noir dont la population ne perçoit guère les dividendes, cependant que les grandes compagnies pétrolières étrangères et l'élite politique locale s'enrichissent sans scrupules. Après la chute du dernier dictateur Marcos Pérez Jiménez (1950-1958), le rétablissement de la démocratie au début des années 1960 et l'installation du bipartisme ne font qu'accentuer cette césure. **Bipartisme COPEI – AD.** Les sociaux-démocrates de l'Action démocratique (AD) et les démocrates-chrétiens du COPEI se partagent en quelque sorte le butin en engrangeant en l'espace de vingt ans quelque 250 milliards de dollars, dont près de la moitié « émigre » à l'étranger sur les comptes bancaires des dirigeants des deux partis. Deux figures charismatiques – les derniers *« caudillos »* vénézuéliens – dominent ces quarante années, celles de Carlos Andrés Pérez (AD) et de Rafael Caldera (COPEI). Élus l'un et l'autre deux fois à la présidence de la République à la fin des années 1970 et dans la dernière décennie du siècle, ils négocient habilement, chacun de leur côté, deux des virages essentiels dans l'histoire politique et économique du pays. R. Caldera, au cours de son premier mandat en 1968, neutralise la guérilla procastriste implantée au Vénézuela en offrant à ses chefs d'être réintégrés dans l'honneur au sein de la vie politique. Cette amnistie donne naissance à une troisième force, le MAS (Mouvement vers le socialisme), sans pour autant mettre en péril la prédominance du bipartisme. Quant à C. A. Pérez, il nationalise le pétrole – lui aussi au cours de son premier mandat, le 1ᵉʳ janvier 1976 – en prenant garde toutefois de ne pas rompre avec les États-Unis, qui restent les premiers importateurs de l'or noir du Vénézuela et leur premier partenaire commercial. Leurs seconds mandats, en revanche, constituent peut-être, pour l'un comme pour l'autre, le combat de trop. C. A. Pérez est destitué en 1993, accusé de malversation relative à des fonds publics. R. Caldera, pour sa part, à près de quatre-vingts ans, se fait réélire en 1994 pour finalement ne (mal) gérer que l'écroulement du système bancaire qui ruine des millions de petits épargnants, sur fond de corruption. Ces deux événements engendrent l'effondrement annoncé des sociaux-démocrates et des démocrates-chrétiens. Dès 1992 en effet, deux tentatives de coup d'État, en février notamment, menées par un lieutenant-colonel de parachutistes Hugo Chávez (1954-), ébranlent les fondements du bipartisme. C. A. Pérez n'échappe que de justesse à la mort, pour être, *in fine*, écarté du pouvoir par les siens. **Le « style Chávez ».** H. Chávez, emprisonné pendant deux ans, est libéré sans jugement et amnistié par R. Caldera. L'ex-putschiste en profite. Surfant sur la vague anticorruption et sur le désaveu des partis traditionnels, il se fait élire, démocratiquement cette fois, président de la République en décembre 1998 et réélire en juillet 2000, pour six ans, après avoir fait adopter une nouvelle Constitution taillée à sa mesure. Le premier militaire jamais désigné par les urnes fait entrer avec fracas le Vénézuela dans le xxɪᵉ siècle. Mais le nouveau maître de Caracas fait naître nombre d'interrogations. Partisan d'une troisième voie économique, contempteur déclaré de la mondialisation, H. Chávez entend faire jouer à nouveau un rôle offensif à l'OPEP, l'Organisation des pays producteurs de pétrole dont le Vénézuela a été l'un des cofondateurs trente ans plus tôt. Et il déploie une nouvelle politique étrangère perçue avec inquiétude à Washington, d'autant qu'elle s'accompagne d'un rapprochement avec le régime cubain de Fidel Castro. L'ancien officier parachutiste se rêve en Bolívar du xxɪᵉ siècle ; il puise abondamment dans les citations de ce dernier pour émailler ses discours fleuves dont l'Amérique latine est la princesse. **C. Pe.**

VERDUN (bataille de) Dès 1914, dans le premier conflit mondial, la place forte de Verdun, sur les bords de la Meuse, est un point d'appui défensif du front français. Le 21 février 1916, le général allemand Erich von Falkenhayn (1861-1922) lance l'assaut ; il cherche à « saigner à blanc » l'armée française et à saper le moral des Français. La bataille va durer jusqu'en décembre, mais à partir de la fin juin, les Allemands savent qu'ils ont perdu la partie. Le général français Philippe Pétain, qui a pris le commandement du secteur, réorganise la défense et assure par la « voie sacrée » le ravitaillement des régiments qui se succèdent à tour de rôle sur le champ de bataille. Par ailleurs, les Allemands doivent faire face à l'offensive alliée sur la Somme et cessent d'alimenter Verdun en troupes et en munitions. Au début d'octobre, les Français reprennent l'offensive pour reconquérir les positions perdues. L'« enfer » de Verdun aura coûté la vie à plus de 500 000 hommes

et symbolise l'horreur, les souffrances (ossuaire de Douaumont) mais aussi le sacrifice des soldats. **M. J., A. L.** **> GRANDE GUERRE.**

VERSAILLES (traité de) Signé le 28 juin 1919, le traité de Versailles impose à l'Allemagne : - Des cessions territoriales au profit de la France (Alsace-Lorraine), de la Belgique (Eupen, Malmédy) et de la Pologne (Prusse occidentale, Posnanie, Haute-Silésie). La Prusse orientale est séparée de l'Allemagne. Danzig constitue une « ville libre » sous tutelle de la SDN (Société des Nations). Pour une période de quinze ans, la Sarre, dont les mines de charbon deviennent propriété française, est administrée par la SDN. L'Allemagne perd toutes ses colonies, placées sous mandat allié confié par la SDN, et doit renoncer à l'Autriche. - Des clauses militaires, prévoyant la démobilisation rapide de l'armée et l'abandon du service militaire. Contrairement aux vœux de Ferdinand Foch (1851-1929), Lloyd George a imposé l'idée d'une armée de métier (100 000 hommes) qui va se révéler un vivier de cadres opérationnels. Les armes lourdes et modernes sont proscrites et la rive gauche du Rhin est démilitarisée. Ces clauses sont présentées comme le premier pas vers le désarmement général. - Des obligations économiques, telles que l'internationalisation des grands fleuves allemands et, surtout, les réparations dues au titre des dommages de guerre. L'estimation des sommes en jeu est laissée à une Commission interalliée qui rendra son verdict, en dehors de toute représentation allemande, avant le 1ᵉʳ mai 1921. Ce traité se fonde, en particulier en ce qui concerne les réparations, sur la reconnaissance de la responsabilité de l'Allemagne dans le déclenchement du conflit (article 231). Cette dernière est tenue de livrer aux Alliés l'ex-empereur Guillaume II (1888-1918), ainsi que les militaires allemands accusés de crimes de guerre. **Y. S.** **> GRANDE GUERRE.**

VICHY (régime de) Régime autoritaire né de la défaite de la France en 1940. Convaincu de la victoire de l'Allemagne nazie, le maréchal Philippe Pétain négocie l'armistice (22 juin 1940) qui partage le pays en deux zones. Installé à Vichy, dans la zone dite « libre » (car non occupée jusqu'en novembre 1942), il se fait attribuer les pleins pouvoirs avec le titre de « chef de l'État français » (10 et 11 juillet 1940). Rendant la République responsable de la défaite, le gouvernement de Vichy supprime le suffrage universel, interdit les partis et les syndicats. Il exclut les Juifs de la nation dès octobre 1940. Afin de « régénérer » la France, il prône une « révolution nationale » avec comme devise « Travail, famille, patrie ». La propagande exalte la figure du chef, le maréchal, et appelle au retour des traditions, comme le travail de la terre. Passéiste, le régime compte pourtant de jeunes technocrates qui préparent pour l'après-guerre un projet moderniste et planificateur. Dès octobre 1940, le choix est fait de collaborer avec l'Allemagne. Vichy incite les entreprises à travailler pour le Reich. La police française est mise au service des occupants pour arrêter les Juifs. Vichy fournit à l'Allemagne de la main-d'œuvre en instaurant la Relève, puis le Service du travail obligatoire (STO), et crée la Milice, chargée de traquer les résistants. Le régime s'écroule à la Libération avec le repli des troupes nazies qui emmènent P. Pétain et son entourage en Allemagne. **F. S.** **> FRANCE, SECONDE GUERRE MONDIALE.**

VIERGES AMÉRICAINES (îles)

Le Danemark, qui a gouverné ces îles pendant deux siècles, a mis fin à sa modeste aventure dans la région caraïbe en 1917 en les vendant pour la somme de 25 millions de dollars aux États-Unis. Dans les années 1950, elles sont devenues un grand centre touristique (surtout pour des bateaux de croisière), ce qui a attiré des milliers d'immigrés des îles avoisinantes plus pauvres. Les îles Vierges américaines, qui ont le statut de « territoire non incorporé » des États-Unis, possèdent une grande raffinerie de pétrole et une usine d'aluminium. **G. C.**

VIERGES BRITANNIQUES (îles)

Attachées à la colonie britannique des îles Sous-le-Vent jusqu'en 1956, les îles vierges britanniques ont pris ensuite le statut de « territoire dépendant » du Royaume-Uni, dirigé par un gouverneur britannique avec une administration locale autonome. L'archipel vit du tourisme de luxe, des activités financières *offshore* et de la pêche. **G. C.**

VIETNAM

République socialiste du Vietnam. Capitale : Hanoi. Superficie : 333 000 km^2. Population : 78 705 000 (1999). Dans le delta du fleuve Rouge, foyer historique du Vietnam, apparaissent à l'âge du bronze diverses principautés viet (Van Lang, Au Lac), incorporées en – 208 dans le Nam Viet, royaume tributaire de l'Empire han, puis en – 111 dans ce dernier. Avec l'occupation han, qui dure un millénaire et s'étend jusqu'au Centre-Nord actuel, l'écriture idéographique et le système administratif, culturel et agricole chinois se trouvent transférés chez les Viet. Après l'expulsion des Chinois en 938, à la faveur de la crise finale de l'empire Tang, le nouvel État, le Dai Viet, reste tributaire de la cour de Chine, mais les dynasties nationales successives vont s'affirmer par la « vietnamisation » du modèle chinois et par la conquête des deltas côtiers ainsi que de leur hinterland (la « marche vers le Sud »). Divisé du XVIe au XVIIIe siècle en deux « seigneuries » rivales, le Dai Viet est réunifié au terme des guerres civiles de la fin du XVIIe siècle par le dernier des Nguyen, l'empereur Gia Long, investi par Pékin en 1804. Dénommé Viet Nam, mais plus souvent An Nam par les Chinois, Dai Nam (« Grand État du Sud ») par ses souverains Nguyen, le nouvel État est une puissance régionale en voie de centralisation sur le modèle chinois, administrée par une bureaucratie de fonctionnaires (les mandarins) recrutés par les concours littéraires. Il tributarise le Cambodge et les principautés lao jusqu'à la conquête française (annexion de la Cochinchine en 1862 puis protectorat sur le reste du pays en 1884), qui entraîne son démembrement dans le cadre de l'Indochine française. **L'Indochine française.** Prise dans les structures coloniales, l'identité vietnamienne survit par l'usage de la langue et de la tradition culturelle, par la vitalité de la civilisation paysanne et de la communauté villageoise (xa), mais surtout elle se renouvelle profondément : romanisation de l'écriture, création d'une littérature et d'un vocabulaire modernes, scolarisation limitée mais réelle, formation de nouvelles élites, d'une société civile urbaine dynamique, d'un projet national cohérent dès les années 1900 et d'un nationalisme diversifié, démocratique ou révolutionnaire. Après l'échec du soulèvement de Yen Bay (1930), le nationalisme se réinvestit dans un communisme national combatif : le Parti communiste indochinois (PCI) créé en 1930 encadre et anime, en dépit des répressions, les soulèvements de 1930-1931 et les grands mouvements politiques et sociaux de 1936-1938. À la suite de l'effondrement de la IIIe République française en 1940, de l'occupation de l'Indochine par les Japonais la même année et du renversement par ces derniers de l'administration coloniale du 9 mars 1945, la révolution d'août 1945 éclate. C'est l'heure du Salut de la nation *(Cuu quoc)*. Les esprits sont acquis au nationalisme, la colonisation est devenue intolérable. À la fois proclamation de l'indépendance par Ho Chi Minh (2 septembre 1945), proclamation de la République démocratique du Vietnam (RDV) et prise du pouvoir par le PCI sous la façade du front Vietminh, ce moment est l'événement fondateur du Vietnam contemporain. **La première guerre d'Indochine.** D'octobre 1945 à décembre 1946, le nouveau régime met à profit le répit que lui procure la négociation avec les Chinois et les Français pour généraliser dans tout le pays les structures de base de son contrôle politique et pour mettre sur pied les premières unités de l'Armée populaire de libération (APL). Celles-ci vont lui permettre, dans la guerre d'Indochine, de tenir jusqu'à ce que l'aide de la Chine populaire lui permette de l'emporter en 1954. Dans cette « première résistance », la RDV conquiert la légitimité nationale. Le projet français de lui opposer l'État du Vietnam, construit autour de l'ex-empereur Bao Dai sur le ralliement d'une partie des anciennes élites, des catholiques, de la bourgeoisie urbaine et sur la formation d'une nouvelle armée, n'a pu être mis en œuvre que dans certaines régions et grâce à l'aide massive des États-Unis. Pourtant, en mai-juillet 1954, lors des négociations qui

aboutissent aux accords de Genève, la RDV doit accepter, sous la pression chinoise et soviétique, le partage de fait du pays au 17e parallèle, le Sud restant aux mains du gouvernement Ngo Dinh Diem imposé à Bao Dai par Washington. **Le partage du 17e parallèle.** Dès lors, la RDV, réduite au Nord-Vietnam, où sont mises en place de 1954 à 1960 – au prix de la brutale et sanglante réforme agraire de 1955-1956 – les structures stalino-maoïstes du Parti-État et de l'économie planifiée, va mener le combat de la réunification au nom de la résistance nationale à l'impérialisme américain et aux « fantoches » de la République du Vietnam (Sud-Vietnam). Celle-ci, proclamée en 1955, à la fois anticommuniste et nationaliste, est d'abord dirigée, entre 1955 et 1963, par la famille de Ngo Dinh Diem soutenue par ses clientèles régionales et par Washington. **A**près l'assassinat de Diem en 1963 et près de deux années de putschs militaires, le pouvoir, à Saigon, tombe aux mains du groupe de généraux et de technocrates rassemblés autour de Nguyen Van Thieu (1923-2001). Entre les communistes, qui ont créé, avec diverses personnalités, en 1960, le Front national de libération (FNL), et le régime militaire du Sud, appuyé par l'intervention massive des États-Unis à partir de 1965, c'est une lutte inexpiable pour le contrôle des campagnes et des villes. Dans cette « guerre du Vietnam », après l'offensive du Tet 1968, le FNL, très affaibli, est en fait relayé par l'envoi au Sud des troupes de la RDV, laquelle exploite le conflit entre l'URSS et la Chine pour obtenir leur aide massive qui interdit aux États-Unis et au Sud de gagner la guerre au sol. **Victoire sur les États-Unis.** Il faut négocier. L'Amérique se désengage militairement à partir de 1969, les accords de Paris (1973) ne sont qu'une trêve et en 1975 une ultime offensive de l'armée nord-vietnamienne vient à bout, en l'absence de riposte américaine, du régime de Saigon, qui tombe le 30 avril. Le Vietnam est réunifié et la République socialiste du Vietnam (RSV) est proclamée le 2 juillet 1976. **V**ictorieux dans la guerre, le communisme vietnamien se trouve rapidement mis en situation d'échec lorsqu'il tente, dès 1975, de généraliser par la force

(1,5 million de personnes « rééduquées », 500 000 déplacées dans les « nouvelles zones économiques »), à l'ensemble d'un pays exsangue, les structures bureaucratiques et policières du Parti-État, de l'économie administrée, de la culture épurée et sous contrôle idéologique. Il se heurte à la résistance larvée mais tenace de la paysannerie – qui l'avait pourtant largement soutenu dans la guerre – et de la société du Sud. C'est l'exode de 1,3 million de personnes de 1975 à 1989 (dont plus de 700 000 boat people), tandis que le quinquennat 1976-1980 s'achève par la catastrophe alimentaire de 1979-1980. Par ailleurs, la guerre reprend avec le Cambodge des Khmers rouges, soutenus par Pékin. Le Vietnam entre dans le bloc soviétique, adhère au CAEM (Conseil d'assistance économique mutuelle ou Comecon) en 1978, envahit le Cambodge en décembre 1978, renverse le régime de Pol Pot, mais doit faire face, en représailles, à une attaque chinoise en février 1979 sur sa frontière nord. Enfin, l'aide soviétique, dont le régime tire l'essentiel de ses ressources, diminue à partir de 1986 pour cesser en 1992, d'où la mise en œuvre de réformes économiques à partir de 1979 et d'une certaine détente politique. Elles sont systématisées à l'été 1986 dans la politique du doi moi (rénovation) : décollectivisation de l'agriculture, restauration de l'exploitation paysanne familiale, libéralisation du marché, ouverture croissante aux capitaux et à l'aide de Taïwan, de la Corée du Sud, du Japon et des pays occidentaux, règlement de la question du Cambodge que l'armée vietnamienne finit d'évacuer en septembre 1989 en prélude au traité international de 1991, normalisation des relations avec la Chine en 1991 et avec les États-Unis en 1994-1995, enfin adhésion à l'ANSEA (Association des nations du Sud-Est asiatique) en juillet 1995. C'est le prix que la bureaucratie des cadres (can bo), divisée sur le contenu et le rythme des réformes, a dû payer pour préserver son monopole politique. Même si la réforme est souvent restée à mi-chemin des objectifs officiels, comme en témoigne par exemple le poids économique et financier des 6 000 entreprises d'État (1998), le Vietnam est entré au cours de la décennie 1990,

quoique tardivement, dans l'espace économique des nouveaux capitalismes asiatiques et dans l'ère de la croissance (taux de croissance annuel moyen de 1987 à 1997 : 7,7 %) ; les exportations (pétrole brut, riz, textile) ont connu un réel développement, sans que pour autant on puisse parler d'une véritable industrialisation du pays. Si une nouvelle classe de dirigeants d'entreprises publiques, de capitalistes privés, de bureaucrates plus ou moins reconvertis dans les affaires a commencé à prendre corps, la pauvreté (près de la moitié de la population), la surpopulation rurale en dépit de la lente décrue des taux de fécondité (bientôt plus de 100 millions d'habitants contre environ 22,2 millions en 1943), la corruption et la spéculation, la dévastation des écosystèmes, le délabrement des équipements publics, l'indifférence politique, constituent, à l'aube du XXIe siècle, de redoutables défis pour le régime. **D. H.**

VIETNAM (guerre du) La guerre du Vietnam (1955-1975), qui implique principalement les États-Unis comme puissance d'intervention, fait suite à la guerre d'Indochine (1945-1954) conduite par la France. La guerre du Vietnam, s'étendant à toute la région, deviendra une seconde guerre d'Indochine. En Indochine, le gouvernement français de Pierre Mendès France abandonne délibérément l'initiative, en 1954-1955, aux États-Unis, politiquement et financièrement engagés dans le conflit indochinois depuis l'accord franco-américain du 8 mai 1950, en vertu de la politique du containment (endiguement) anticommuniste en Asie. Washington, qui n'a pas signé les accords de Genève, est déterminé à faire du Sud-Vietnam une nouvelle Corée du Sud et le pivot de l'OTASE (Organisation du traité de l'Asie du Sud-Est), créée le 8 septembre 1954 à Manille pour faire barrage au communisme et au neutralisme dans la région. Les administrations Eisenhower (1953-1961) puis Kennedy (1961-1963) entendent consolider la République du Vietnam, créée en 1956 par Ngo Dinh Diem, à laquelle ils fournissent 60 % de ses ressources budgétaires de 1955 à 1960 ; ils instruisent et équipent son armée, sa police et sa bureaucratie. La répression anticommuniste lancée par Diem dès 1955 met fin au projet d'élections libres prévu à Genève pour réunifier le Vietnam ; elle amène également les communistes à réactiver la guérilla (le Vietcong) à partir de 1956 et à créer le 20 décembre 1960 le Front national de libération (FNL), façade frontiste dans le Sud du Lao Dong (Parti du travail, nom du Parti communiste vietnamien (PCV) de 1951 à 1976). En 1960-1961, la guerre a repris au Centre et au Sud, de même qu'au Laos l'affrontement entre l'armée royale et le Pathet Lao communiste. **Vers une intervention militaire directe.** L'incapacité du régime de Diem à venir à bout de la nouvelle résistance que soutient une partie de la paysannerie du Sud, les contacts secrets qu'il prend à Hanoï à l'été 1963, la répression implacable qu'il mène contre l'opposition bouddhiste et son isolement conduisent les États-Unis à appuyer son renversement par les généraux sud-vietnamiens le 1er novembre 1963. Ces derniers ne font que se déchirer d'un putsch à l'autre jusqu'à l'établissement, le 11 juin 1965 de la dictature du général Nguyen Van Thieu (1923-2001). Cela conduit à l'intervention militaire directe et massive des États-Unis (premiers bombardements au nord du 17e parallèle le 7 février et débarquement des *marines* le 8 mars 1965). C'est l'escalade, au lieu de la guerre courte escomptée par le président Lyndon B. Johnson (1963-1969), car l'Amérique s'enlise dans une guerre d'usure où elle engage jusqu'à 500 000 hommes (chiffre de 1968). La RDV (République démocratique du Vietnam) et le FNL sont ravitaillés par la Chine et l'URSS *via* la « piste Ho Chi Minh » laotienne et cambodgienne, tandis que la guerre s'étend au Laos et au Cambodge, où, après le renversement du roi Norodom Sihanouk par le général Lon Nol en 1970, la guérilla des Khmers rouges gagne du terrain. **Une guerre « pour l'exemple ».** Pour Robert McNamara (secrétaire d'État américain à la Défense, 1961-1968) et les stratèges américains, c'est une guerre pour l'exemple, pour le devenir du tiers monde, destinée à y prévenir de nouvelles révolutions communistes. En fait, c'est un conflit sans issue, où s'opposent d'une part la stratégie vietnamienne de la guerre au sol « du faible au fort », combinant guérilla, opérations conventionnelles, mobilité maximum, et d'autre part la stratégie américaine des bombardements intensifs sur la RDV et le Sud. Les unités du FNL et celles de la RDV infiltrées au Sud infligent de sérieux revers à l'armée du Sud, peu combative et non motivée, ainsi qu'aux troupes américaines, tandis que s'amplifient aux États-Unis la révolte des campus et le mouvement antiguerre. Le tournant du conflit est l'offensive du Tet lancée en janvier-février 1968 par les troupes communistes sur les villes du Sud. C'est un lourd échec militaire pour le FNL, mais un immense succès politique dans la bataille pour l'opinion américaine et mondiale. **De** toute évidence, l'Amérique, si elle n'est pas militairement vaincue, ne peut gagner la guerre. **Des accords de Paris à la réunification.** Elle envisage un désengagement progressif. C'est l'ouverture des négociations de Paris (Henry Kissinger-Lê Duc Tho) le 13 mai 1968 en même temps que l'adoption par l'administration Nixon (1969-1974) de la « vietnamisation » du conflit préconisée en 1969 par H. Kissinger : militarisation totale du Sud, renforcement de l'armée « sudiste » qui comptera jusqu'à un million d'hommes, soutenue par l'intensification des bombardements de l'US Air Force (au total, l'Indochine aura reçu plus de bombes que les puissances de l'Axe de 1940 à 1945). La conférence de Paris aboutit péniblement au compromis des accords de Paris (27 janvier 1973). Simple trêve à peine observée quelques mois. Le 1er juillet 1973, le Congrès américain interdit toute nouvelle opération militaire américaine en Indochine. Les Khmers rouges font leur entrée à Phnom Penh le 17 avril 1975 et une offensive éclair est déclenchée par les Nord-Vietnamiens le 9 mars. Saigon tombe le 30 avril, le Pathet Lao prend Vientiane le 30 août. Washington, paralysé depuis le scandale du Watergate (1971), a laissé faire. Le 2 juillet 1976, le Vietnam est réunifié sous l'égide du Nord. **La** seconde guerre indochinoise, plus atroce encore que la première, a fait de deux à trois millions de morts, deux millions et demi de blessés et d'invalides, et des destructions incalculables (2,8 millions d'hectares ravagés à l'aide de défoliants par l'US Air Force, etc.). Vingt années de retard supplémentaire ont été prises dans la lutte contre le sous-développement de la péninsule... Coût incalculable qu'en ce tournant de siècle les peuples d'Indochine n'en finissent pas de payer. **D. H.**   **> CAMBODGE, ÉTATS-UNIS, LAOS, VIETNAM.**

VILLA Pancho Doroteo Arango, dit (1878-1923)   Chef   révolutionnaire mexicain. Ancien petit propriétaire foncier du nord du Mexique devenu général de cavalerie, Pancho Villa se construit une image de Robin des Bois. Ses troupes, assez hétéroclites, comptent des ouvriers agricoles appauvris, des petits paysans, des mineurs, des bourgeois partisans de la réforme sociale mais également des bandits de grand chemin. C'est grâce au soutien de P. Villa que Francisco Madero (1873-1913) triomphe du dictateur Porfirio Díaz (1830-1915) dans les premières années de la <u>Révolution mexicaine</u>. Après une tentative manquée de prise du pouvoir avec Emiliano <u>Zapata</u> en 1914, P. Villa entreprend un voyage interminable dans le nord du pays. Pour payer son armée et façonner sa légende, il va jusqu'à passer un contrat en 1914 avec une compagnie de cinéma américaine, s'engageant à être filmé durant ses batailles. C'est la grande époque des attaques de trains, de banques et des pillages. En 1915, les hommes de P. Villa sont battus à la bataille de Celaya par les troupes constitutionnalistes d'Alvaro Obregón (1880-1928) et de Venustiano Carranza (1859-1920). Considéré comme un bandit par les hommes de son temps, P. Villa est ensuite embarqué dans diverses aventures et escarmouches dans les États du nord du Mexique et le sud des États-Unis. Il échappe pendant plusieurs années aux poursuites des Américains et des Mexicains qui ont mis sa tête à prix. Il se retire en 1920 et meurt assassiné trois ans plus tard. **É. S.**   **> MEXIQUE.**

VILLAGE GLOBAL   Quelle société, quel monde annonce l'avènement de l'information et de la communication électroniques ? Cette question a, depuis la fin de la Seconde Guerre mondiale, suscité de nombreuses hypothèses auprès des scientifiques de diverses disciplines, chercheurs ou grands commis de l'État. Le résultat en a été que la théorie s'est enrichie d'une multitude de termes et de néologismes qui ont essayé de rendre compte des changements présents et à venir dans le statut social, économique et culturel de ces technologies. En scrutant les différents intérêts qui ont présidé à leur production et à leurs usages, la généalogie de ces concepts, théories et doctrines permet de comprendre quels ont été et quels sont toujours les enjeux de ces bouleversements des modes de penser la communication. Des bouleversements qui se sont opérés dans des ruptures marquées ou de progressifs glissements de sens qui ont fait passer la « communication » d'une signification réduite aux médias à une définition à prétention totalisante, du confinement dans un secteur industriel à sa promotion en tant que socle d'une société nouvelle. Pour arriver, en bout de course, au déplacement de l'« idéologie du progrès » par l'« idéologie de la communication ». Dans cette genèse, un homme est devenu, à lui seul, un paradigme : le Canadien Marshall McLuhan (1911-1980). Il fait remonter la véritable « révolution de l'information » au 17 octobre 1957, date du lancement de *Spoutnik* : « À la vitesse de l'instant, écrit-il en 1974, l'audience se transforme en acteur, et les spectateurs deviennent des participants. Sur le vaisseau Terre ou dans le théâtre global, l'audience et l'équipage deviennent des acteurs, des producteurs plutôt que des consommateurs [...]. La possibilité de la participation publique devient une sorte d'impératif technologique qui a été appelé " loi du Lapon " : " Si cela peut être fait, cela doit l'être " – une sorte de chant des sirènes de l'appétit d'évolution. » Un point de vue qu'il avait développé plus largement cinq ans auparavant, avec la collaboration de Quentin Fiore, dans un ouvrage intitulé *War and Peace in the Global Village* (*Guerre et paix dans le village planétaire*, 1968). La <u>guerre du Vietnam</u> battait alors son plein. Le monde entier, affirmaient-ils, vivait la « première guerre de la télévision », car il s'agissait de la première guerre qu'on pouvait suivre au jour le jour à

la télévision. Une guerre qui « signifie la fin de la dichotomie entre civils et militaires. Le public participant maintenant à chacune des phases de la guerre, et ses combats les plus importants étant livrés par le foyer américain lui-même ». Il suffisait de « suivre la vague du changement comme un sportif du surf ». Cette « participation en profondeur » dans ce nouvel environnement qui agit de façon permanente sur le *sensorium* expliquait, selon les deux auteurs, pourquoi « tous les territoires non industrialisés, comme la Chine, l'Inde et l'Afrique, progressent à grands pas grâce à la technologie électrique ». Dans cette vision du « village planétaire », tout advenait par la seule vertu de l'impératif technologique. De là à gommer la complexité des cultures et des sociétés dans lesquelles ces messages atterrissaient et agissaient, il n'y avait qu'un pas. Un pas que franchirent d'autres analystes immergés dans la lutte des idées. Se saisissant de cette conception déterministe, ils y lurent ce dont ils étaient déjà convaincus depuis longtemps : les nouvelles technologies de communication signifiaient la fin des idéologies, la montée d'une nouvelle idée du changement social qui rendait définitivement caduque la vieille obsession des révolutions politiques. Car la « révolution des communications » avait déjà commencé, selon eux, à résoudre des problèmes qu'étaient loin d'avoir résolus ses dernières. Force est de constater, cependant, que les espoirs égalitaristes de M. McLuhan pour la communauté humaine, qui retrouverait l'« état cohésif de la vie de village », étaient vains. L'avènement des médias globaux, qu'on voulait transparents, n'a pas entraîné le « rattrapage du retard » des pays en voie de développement (PED) ni la fin des conflits. Ces représentations auront surtout permis aux grandes entreprises de mettre en œuvre la conquête du marché mondial.
A. M. ▸ CULTURE MONDIALE.

VILNA, VILNÈ, WILNO, VILNIUS

Ville des confins, au carrefour de l'est et de l'ouest de l'Europe, Vilnius fut fondée au XIVe siècle par les Lituaniens qui en firent leur capitale. Les Juifs y furent appelés en raison de leurs compétences commerciales et artisanales. Multiethnique, multiconfessionnelle et multiculturelle, Wilno pour les Polonais, Vilna pour les Russes et Vilnè pour les Juifs fut une ville cosmopolite, chaque communauté enrichissant le patrimoine de la cité en dépit d'une cohabitation guère harmonieuse. Centre religieux juif prestigieux, grâce à une lignée de grands rabbins dont le gaon de Vilna opposé aux hassidim, elle fut surnommée la « Jérusalem de Lituanie ». Elle fut le bastion du socialisme juif, le bundisme, et une place forte du sionisme. Après avoir subi diverses dominations et occupations, Wilno devint, dans la république polonaise de l'entre-deux-guerres, un pôle intellectuel et culturel par l'essor de la langue et de la culture yiddish ; ses écrivains, l'institut du Yivo, les réseaux scolaires, sa presse, les beaux-arts, peintres, théâtre, compositeurs, etc. Un grand nombre d'entre eux ont connu une renommée internationale. Le génocide organisé par les nazis et leurs auxiliaires locaux a exterminé la quasi-totalité du judaïsme vilnois, c'est-à-dire 70 000 Juifs. 5 000 survivants, sur 600 000 habitants, s'efforcent à grand-peine de maintenir un judaïsme vivant dans un pays qui n'a pas encore digéré son passé.
H. M. ▸ LITUANIE.

VILNIUS ▸ VILNA, VILNÈ, WILNO, VILNIUS.

VMRO ▸ ORIM.

VOÏVODINE
Ancienne province de l'Empire austro-hongrois, la Voïvodine est située au nord de la république de Serbie. Dans cette région faiblement peuplée jusqu'au XVIIe siècle, les Habsbourg implantent des colons de nationalités diverses (Allemands, Slovaques, Tchèques, Ruthènes, Serbes, etc.), créant une véritable mosaïque ethnique. Les Serbes y sont devenus majoritaires au lendemain de la Seconde Guerre mondiale, après l'expulsion massive des Allemands de Yougoslavie. Les Magyars en constituent la principale minorité nationale (17 % de la population en 1999). Lors de la désintégration de l'Empire austro-hongrois en 1918, les représentants de la province se sont prononcés pour le rattachement à la Yougoslavie naissante. La

Voïvodine a retrouvé ses frontières et des institutions politiques autonomes après 1945 lorsqu'elle est devenue une « province autonome socialiste » de la république socialiste de Serbie. Son autonomie a été nettement réduite en 1989 et 1990 à l'initiative du mouvement national serbe conduit par Slobodan Milosevic. **Y. T.**   **> SERBIE, YOUGOSLAVIE.**

VO NGUYEN GIAP (1911-) **C**hef militaire et homme politique vietnamien. Né au village de An Xa, province de Quang Binh, dans une famille de lettrés et de petits propriétaires fonciers, Vo Nguyen Giap prend part à des activités révolutionnaires clandestines dès 1929. Arrêté, puis libéré, il passe sa licence en droit à l'université de Hanoi. Professeur dans un établissement privé de la ville, il participe aux activités du groupe Le Travail, façade légale du PCI en 1937-1938, et publie avec Truong Chinh une courte étude sur *La question paysanne*, puis, en 1939, *Le Meilleur Chemin : la question de la Libération nationale en Indochine*. En 1939, alors qu'il est passé dans la clandestinité, sa jeune épouse meurt dans une prison française. Il rejoint Ho Chi Minh en Chine du Sud, est l'un des fondateurs du Vietminh en mai 1941, étudie dans une école militaire chinoise en 1942 et met sur pied les Brigades de propagande, premières unités de l'Armée de salut national, future Armée populaire de libération, créée en décembre 1944. Elles entrent dans Hanoi le 19 août 1944. **M**inistre de l'Intérieur dans le gouvernement de Ho Chi Minh, il

devient l'année suivante président du Conseil militaire de la RDV (République démocratique du Vietnam) et joue un rôle déterminant dans l'élimination des nationalistes du VNQDD (Parti national du Vietnam) en juillet. Il est l'organisateur de l'Armée populaire dont il devient, dès 1946, le commandant en chef. Théoricien de la « guerre populaire », il en définit dans *Guerre du peuple, Armée du peuple* les principes : guerre totale, à la fois politique et militaire, mobilisation permanente et instrumentalisation des masses paysannes, utilisation savante et réaliste du temps et de l'espace destinée à épuiser l'adversaire. C'est une « guerre du faible au fort ». Il est victorieux à Cao Bang (octobre 1950), mais ses offensives de 1951 sur le delta du fleuve Rouge échouent. Il est le stratège vietnamien de la bataille de Dien Bien Phu (20 novembre 1953-7 mai 1954), où il met l'État-Major français échec et mat. Vice-premier ministre de 1954 à 1991, le général Giap se fait l'artisan de la réforme de l'armée sur le modèle soviétique en 1957 et joue un rôle de premier plan dans la conduite militaire de la guerre contre les États-Unis (la guerre du Vietnam), en particulier lors de l'offensive du Tet en 1968. Après 1975, il perd la direction de l'armée. Membre du Bureau politique jusqu'en 1982, souvent considéré comme un possible leader pour les réformateurs du PCV (Parti communiste vietnamien), il est écarté de sa direction en 1982 et affecté aux fonctions symboliques de président du Conseil de la science et de la technologie. **D. H.**   **> VIETNAM.**

WAFD, NÉO-WAFD (Égypte) Créé par Saad Zaghloul (1860-1927) en 1918, le parti Wafd (« délégation ») est le fer de lance de la lutte d'indépendance de l'Égypte de l'entre-deux-guerres. Parti de la bourgeoisie foncière et financière, il est interdit par Gamal Abdel Nasser en 1954. Il réapparaît en 1978 à la faveur du multipartisme instauré par Anouar al-Sadate. Placé sous la direction de Fouad Serageddin (1910-2000), il est conduit par une nouvelle génération de wafdistes. Grâce aux alliances passées avec les Frères musulmans, le Néo-Wafd devient la première force d'opposition lors des élections de 1984. En 1987, il obtient seulement 35 sièges, les Frères musulmans ayant préféré s'allier au Parti du travail. La capacité de mobilisation du parti ne cesse de s'affaiblir tout au long des années 1990. Durant la seconde guerre du Golfe (1990-1991), le Néo-Wafd soutient la position de l'Égypte aux côtés de la coalition occidentale. Il a appelé au vote en faveur de Hosni Moubarak (1928-) pour la reconduction d'un nouveau mandat présidentiel, le quatrième, en 1999. À la mort de F. Serageddin (août 2000), Noamane Gomaa lui succède.
S. G.   > ÉGYPTE.

WAHID Abdurrahman, dit Gus Dur (1940-) Homme religieux et politique indonésien. Né à Java-Est, Abdurrahman Wahid est petit-fils du fondateur (Kjai Hadji Hasyim Asyari) et fils du premier dirigeant (K. H. Wahid Hasyim) du Nahdlatul Ulam (NU), organisation musulmane comptant environ 35 millions de membres. Celle-ci représente l'islam traditionaliste face à l'islam réformiste de la Muhammadiyah (créée en 1912). Après des études au Caire et à Bagdad, A. Wahid fonde sa *posantren* (institut coranique) à Ciganjur, près de Jakarta,

au lieu de reprendre celle, pourtant prestigieuse, de sa famille à Tebuireng. En 1984, il accède à la direction du NU qu'il met en retrait de la scène politique. Après un bref rapprochement avec le régime de Suharto, il en devient l'un des principaux opposants. Lorsque celui-ci crée l'Association des intellectuels musulmans d'Indonésie (ICMI) en 1990, il refuse d'y entrer, dénonce le danger du sectarisme religieux pour l'unité de l'Indonésie et préfère s'affirmer comme défenseur de la démocratie et des libertés en fondant le Forum Demokrasi. Se maintenant à la tête du NU malgré les efforts de Suharto pour l'en écarter, il se rapproche de Megawati Sukarnoputri (1947-), la populaire fille de l'ancien président Sukarno, que Suharto fait évincer de la présidence du Parti démocrate d'Indonésie (PDI) en 1996. Après la chute de Suharto en 1998, il accède à la Présidence en octobre 1999. Il est presque aveugle et de santé fragile. Il entreprend de repousser le pouvoir de l'armée mais doit simultanément affronter des mouvements séparatistes (Atjeh, Irian), des conflits intercommunautaires sanglants aux Moluques et assurer une relance économique entravée par des intérêts de l'ancien régime. Ses efforts pour rétablir une justice bafouée par le régime Suharto et la répression militaire suscitent beaucoup de résistances. Destitué en juillet 2001, il est remplacé par Megawati Sukarnoputri. **F. C.-B.   > INDONÉSIE.**

WAŁĘSA Lech (1943-) Dirigeant syndical polonais, puis chef de l'État de 1990 à 1995. Monteur électricien, Lech Wałęsa n'émerge pas spontanément comme porte-parole de la grève des chantiers navals « Lénine » de Gdańsk de 1980 qui va avoir des conséquences considérables sur l'histoire de la Pologne. En janvier 1971, lors des grè-

ves du Littoral (Gdańsk, Gdynia, Sopot), il a déjà représenté les grévistes lors d'une rencontre avec Edward Gierek (1970-1980), nouveau chef du parti communiste qui dirige la Pologne. À la fin des années 1970, il est membre du Comité constitutif des syndicats libres du Littoral. Il est arrêté à de multiples reprises. Durant la grève de 1980, il négocie au nom des ouvriers avec la commission gouvernementale et signe les accords du 31 août. Le syndicat indépendant Solidarité est fondé et il en devient président. Ainsi donc, par la lutte ouvrière, un responsable syndical se retrouve à la tête d'une organisation de masse anticommuniste dans un pays dirigé par les communistes « au nom de la classe ouvrière ». À la suite de la déclaration de l'« état de guerre » par le pouvoir, le 13 décembre 1981, il est emprisonné. Relâché en 1982, il se voit décerner le prix Nobel de la paix en 1983. Solidarité est finalement légalisé en 1989 et représente un contre-pouvoir considérable, non sans dissensions internes quant aux options politiques futures et aux formes de direction. L. Wałęsa est élu président en 1990. Son comportement à tendance populiste, mis au service d'une politique libérale sur le plan économique et conservatrice sur les questions de société, ses liens étroits avec l'Église catholique polonaise et l'autoritarisme personnel de son style de direction l'éloignent de nombre de ses anciens collaborateurs et soutiens, notamment parmi les intellectuels. Il est battu lorsqu'il tente de se représenter pour un second mandat. L'ex-communiste Aleksander Kwasniewski lui succède en 1995. En 2000, une nouvelle candidature à la Présidence lui vaut un score insignifiant.
V. K. **> DISSIDENCE ET OPPOSITIONS (EUROPE DE L'EST), POLOGNE.**

WALLIS ET FUTUNA Territoire non souverain, sous tutelle de la France. Chef-lieu : Mata-Utu. Superficie : 274 km². Population : 15 000 (1998). La France avait pris possession de ces îles du Pacifique sud en 1842, mais elle n'officialisa son protectorat sur le royaume de Wallis et sur les deux royaumes de Futuna (Alo et Sigave) qu'en 1888. Elles sont situées à peu près à égale distance de Tuvalu au nord, de Fidji au

sud-ouest et des Samoa à l'est (moins de 1 000 kilomètres). Leur administration fut longtemps rattachée à la Nouvelle-Calédonie. Les autorités traditionnelles ont revendiqué le statut de territoire d'outre-mer prévu par la Constitution de 1958, qui fut massivement approuvé en décembre 1959. Sans aucun débouché économique moderne, ce territoire se vide de sa population active qui émigre massivement en Nouvelle-Calédonie, où les originaires de Wallis et Futuna sont plus nombreux que dans leurs propres îles.
J.-P. G.

WALLONS > FLAMANDS ET WALLONS.

WANG DAN (1969-) Dissident chinois. L'un des principaux leaders des manifestations estudiantines qui se sont déroulées à Pékin au printemps 1989 (mouvement de la place Tian An Men), Wang Dan est placé en tête de la liste des vingt et une personnes les plus recherchées durant la répression qui s'ensuivit. Étudiant du Département d'histoire de l'université de Pékin quand éclate le mouvement démocratique chinois de 1989, Wang Dan est l'un des militants les plus actifs à défendre une démarche « rationnelle, légale et non violente ». La notoriété mondiale qu'il acquiert à cette occasion lui vaudra, après son arrestation, une condamnation relativement légère de quatre ans de prison. Libéré en février 1993, Wang Dan « disparaît » à nouveau durant dix-sept mois à partir du 21 mai 1995, avant d'être condamné une seconde fois, cette fois-ci à onze ans de prison. Il lui est reproché d'avoir accepté une bourse d'études de l'université de Californie, d'avoir publié des articles « antigouvernementaux » à l'étranger et de s'être associé à d'autres dissidents, notamment Wei Jingsheng, pour mettre sur pied une antenne d'entraide aux Chinois persécutés pour leurs convictions politiques. Expulsé de Chine pour « raisons médicales » en avril 1998, Wang Dan a poursuivi ses études à l'université de Harvard aux États-Unis.
M. H. **> CHINE, DISSIDENCE ET OPPOSITIONS (CHINE).**

WATERGATE En juin 1972, aux États-Unis, à quelques mois de l'élection présidentielle, des hommes envoyés par les républicains, porteurs de matériels d'écoute, pénètrent par effraction dans les locaux du Parti démocrate, installés dans l'immeuble du Watergate à Washington. En août 1974, Richard Nixon (1969-1974), sous la menace d'une procédure législative d'*impeachment*, est le premier président des États-Unis à devoir démissionner. Si le scandale se limitait à cette infraction, on ne comprendrait pas les raisons de la démission. Mais le Watergate n'est que la partie visible de l'iceberg. R. Nixon avait tenté de pervertir l'ensemble du processus politique en monnayant (pour sa réélection) des décisions favorables à certains intérêts particuliers, en pratiquant le secret de façon maladive pour éviter le contrôle public, en monopolisant le pouvoir parce qu'il s'estimait seul légitime, en écrasant par tous les moyens toute opposition à ses décisions et en s'opposant au cours de la justice. La situation était devenue impossible : le judiciaire, le législatif et, dans une bien moindre mesure, la presse ont rétabli, provisoirement, l'équilibre constitutionnel. **M.-F. T.** **> ÉTATS-UNIS.**

WEI JINGSHENG (1950-) Dissident chinois. Reconnu comme le précurseur de la lutte en faveur des droits de l'homme et de la démocratie en République populaire de Chine, Wei Jingsheng a payé son engagement politique de dix-huit ans de privation de liberté. Né à Pékin dans une famille de cadres du Parti communiste chinois (PCC), Wei Jingsheng est l'un des principaux animateurs du premier « printemps de Pékin » en faveur de la démocratie, qui se déroule au cours de l'hiver 1978-1979. Son trait de génie est de trouver la formule La *Cinquième Modernisation : la démocratie*, titre d'un texte qu'il appose à l'époque sur un mur du carrefour de Xidan à Pékin. Il y affirme l'impossibilité pour la Chine de se moderniser sans réformer son système politique. En employant cette expression, il s'oppose de front à Deng Xiaoping, dont le programme de réformes se limite aux « Quatre Modernisations » : industrie, agriculture, défense nationale, sciences et techniques. Condamné à quinze ans de prison le 16 décembre 1979, Wei Jingsheng

refusera toujours fermement d'« admettre ses crimes », comme l'exige l'usage politique en Chine. Libéré en septembre 1993, il ne bénéficie que de sept mois de liberté relative durant lesquels il démontre, à travers ses écrits et quelques entretiens accordés à des journalistes, qu'il n'a pas fléchi dans ses convictions. Arrêté en avril 1994, il est de nouveau condamné à quatorze ans de prison en décembre 1995. Entre-temps, sa santé s'est dégradée, ce qui permet au gouvernement chinois de l'expulser vers les États-Unis le 16 novembre 1997 sous prétexte de le faire soigner à l'étranger. En fait, pressenti trois années de suite comme un potentiel prix Nobel de la paix, Wei Jingsheng était devenu une épine gênante dans les relations diplomatiques de la Chine avec l'Occident, et notamment avec les États-Unis, le président Bill Clinton s'étant pratiquement engagé à obtenir sa libération. Accepté comme l'un des principaux chefs de file de l'opposition démocratique chinoise, Wei Jingsheng a poursuivi son action en tentant de fédérer les opposants chinois en exil et d'influencer les gouvernements démocratiques en leur faveur. **M. H.** **> CHINE, DISSIDENCE ET OPPOSITIONS (CHINE).**

WELFARE STATE > ÉTAT-PROVIDENCE.

WESTMINSTER (statut de) Nées des rencontres de 1887 et 1897 entre les Premiers ministres britanniques et ceux des colonies autonomes, les conférences « coloniales » deviennent « impériales » en 1907 et se tiennent à un rythme en principe quadriennal à partir de cette date. Elles ont pour objet de renforcer la solidarité entre les participants, particulièrement en matière de défense. L'évolution des dominions vers une pleine souveraineté, les nouvelles idées sur les « nations sœurs » et sur l'utilité d'un « Commonwealth » amènent la conférence impériale de 1926 à adopter des principes nouveaux, celle de 1930 à préciser les rapports entre monarque et gouverneurs généraux, et le Parlement de Westminster à voter en 1931 le « statut de Westminster », loi organique définissant le Royaume-Uni et les dominions comme des entités égales et pleinement indépendantes, dans une commune

allégeance à la Couronne britannique au sein du Commonwealth britannique des nations. Ce statut, pour être valide dans un État, doit avoir été ratifié par son Parlement.
R. Ma. > EMPIRE BRITANNIQUE.

WILSON Thomas Woodrow (1856-1924) Président des États-Unis (1913-1921). Avocat, professeur d'économie politique, en particulier à Princeton, Thomas Woodrow Wilson devient gouverneur du New Jersey et se fait connaître nationalement par le succès de sa politique réformiste : il est élu président (démocrate) des États-Unis contre l'ancien président Theodore Roosevelt (1901-1909). Le nouveau chef de l'État procède à de nombreuses réformes qui entraînent en particulier un renforcement des pouvoirs fédéraux. Mais les nuages s'amoncellent et la Grande Guerre éclate en 1914. T. W. Wilson réussit à maintenir la neutralité américaine et se fait réélire en 1916 avec le slogan : « Il nous a épargné la guerre. » Cependant, les menées allemandes poussent les États-Unis à l'engagement en avril 1917 : ils contribueront de façon importante au succès allié, envoyant des millions d'hommes en Europe. Mais T. W. Wilson veut qu'une pareille boucherie ne se reproduise plus et propose les fameux Quatorze Points pour promouvoir la paix et la démocratie : s'il ne réussit pas à convaincre les Alliés d'épargner l'Allemagne, il obtient la création de la Société des nations (SDN)... qui ne sera pas ratifiée par le Sénat. C'est alors un infirme, paralysé en 1919, qui a cependant la consolation d'obtenir en 1920 le prix Nobel de la paix. **M.-F. T.** > ÉTATS-UNIS.

X

XINJIANG Littéralement la « nouvelle marche », le Xinjiang correspond au Turkestan chinois (ou Turkestan oriental). Pays des Ouïgours, il est constitué d'un ensemble de hautes montagnes et de déserts. Sur 1 600 000 km², il regroupe une population de 17 millions d'habitants (1999), dont la moitié sont des Chinois han, venus s'y installer à partir de 1950. C'est une zone frontière aux ressources naturelles abondantes (pétrole) et permettant à la Chine d'intervenir en Asie centrale, comme le faisait déjà l'Empire chinois des Tang au VIIIᵉ siècle de, bien avant, celui des Han (route de la Soie).
P. Ge. > CHINE.

XU WENLI (1943-) Dissident chinois. Après deux peines successives de quinze et treize ans de prison, Xu Wenli détenait au tournant de l'an 2000 le record des condamnations pour un prisonnier politique chinois. Il est l'un des fondateurs de la revue parallèle *Tribune du 5 avril* qui est diffusée pendant près d'un an à partir de novembre 1978. Le premier à soulever la question du pluralisme politique, Xu Wenli se montre adepte d'une réforme politique graduelle, dans une société dirigée par les principes du marxisme. L'un des organisateurs les plus actifs du mouvement pour la résistance de la dissidence au niveau national, il est arrêté le 9 avril 1981 pour sa participation au premier printemps de Pékin de l'hiver 1978-1979, et condamné à quinze ans de réclusion, comme Wei Jingsheng. Après sa libération anticipée en mai 1993, il se lance à nouveau dans le combat pour la démocratie à partir de mai 1997. Xu Wenli annonce, en novembre 1998, la création d'un « comité national du Parti démocrate chinois ». Arrêté quelques jours plus tard, il est condamné à treize ans de réclusion le 21 décembre 1998.
M. H. > CHINE, DISSIDENCE ET OPPOSITIONS (CHINE).

Y

YALTA (conférence de) Tenue du 4 au 11 février 1945 dans la station balnéaire de Yalta (Crimée), ce sommet réunit les trois « grands » représentés par Franklin D. Roosevelt (très malade, il mourra le 12 avril), Winston Churchill et Joseph Staline. Il faut faire justice d'une légende tenace. Le « partage du monde » ne s'est pas fait à Yalta, qui au contraire représente une tentative de revenir à une conception universelle des relations internationales. Les zones d'influence des trois grandes puissances, définies dans deux entretiens bilatéraux, soviéto-britannique sur l'Europe (9 octobre 1944) et soviéto-américain sur l'Extrême-Orient (14 décembre 1944), dépendaient très largement de la position respective des armées à la fin de 1944 et, pour l'Extrême-Orient, de la nécessité de s'assurer le concours de l'URSS. Parmi les sujets discutés à Yalta, celui auquel Roosevelt tenait probablement le plus était le projet d'Organisation des Nations unies (ONU), fondée sur le principe de démocratie universelle défini par la charte de l'Atlantique du 14 août 1941. La conférence aboutit à un compromis avec Staline. La Charte de l'ONU pourra être signée à San Francisco, le 24 mai suivant par les représentants de 51 pays. Sur l'Europe également les trois Grands aboutissent à un compromis respectant, au moins en théorie, les droits de la démocratie telle que les Occidentaux la conçoivent. En effet, la déclaration sur l'Europe libérée prévoit d'organiser dès la fin des hostilités des élections ouvertes à tous les partis démocratiques, sous le contrôle de représentants des trois grandes puissances. Le terme de démocratie ne revêt cependant pas la même signification pour Roosevelt et pour Staline et cette partie de l'accord va rester lettre morte dès lors que chacune des puissances occupantes réorganisera les institutions à l'intérieur de la zone qui lui est dévolue. Le principe du découpage des zones d'occupation de l'Allemagne et de l'Autriche a été adopté, de même que le fait de ménager une zone pour la France. Le délicat problème des frontières est et ouest de la Pologne ne fait pas l'objet d'accord (il sera inscrit à l'ordre du jour de la conférence de Potsdam [17 juillet au 2 août 1945]). Staline a promis d'engager l'URSS dans la guerre d'Extrême-Orient trois mois après la capitulation de l'Allemagne. **> SECONDE GUERRE MONDIALE.**

YÉMEN République du Yémen. Capitale : Sanaa. Superficie : 527 968 km^2. Population : 17 488 000 (1999). Au début du xxe siècle, le Yémen du Nord se soulève contre les Ottomans qui l'occupent depuis près de 400 ans. En 1918, il obtient son indépendance, mais tombe aussitôt dans la sphère d'influence de l'Arabie dont Abdel-Aziz Ibn Saoud mène alors la reconquête. L'imam Yahya, chef religieux zaydite qui règne à Sanaa, doit concéder aux Saoudiens par le traité de Taëf (1934) les trois provinces yéménites de l'Asir, Najran et Jizan ; son fils Ahmed ben Yahya ne doit qu'à ces mêmes Saoudiens de monter sur le trône après l'assassinat de son père en 1948. Grâce aux Saoudiens encore, son successeur, Badr ben Ahmed, parvient à résister à la guerre civile qu'un républicain, le colonel Abdallah Sallal, déclenche contre lui dès son accession au pouvoir en 1962 et qu'il mène pendant près de sept ans avec l'aide de l'armée égyptienne. **Yémen du Sud et Yémen du Nord.** En 1967, le Yémen du Sud s'émancipe de la protection que les Britanniques lui imposent depuis 1839 et devient, sous le nom de République populaire et démocratique du Yémen, un État se réclamant du socialisme sous influence soviétique et, occasionnellement, chinoise. Trois ans plus tard, la République arabe du Yémen voit le jour dans le nord du pays. Associant au pouvoir chefs de tribus, notables bourgeois et militaires, le nouvel État bénéficie aussitôt de la reconnaissance des puissances occidentales et de l'Arabie saoudite. De 1972 à 1990, les relations entre les deux voisins se caractérisent par une alternance de périodes de tensions, d'affrontements, de guerres ouvertes et de détente. Plusieurs tentatives d'union échouent. Chacun des deux États est par ailleurs secoué par des luttes intestines récurrentes. Ces dernières ont pour origine, au Sud, les réformes autoritaires (du foncier, de l'administration...) et les difficultés économiques engendrées par la fermeture du canal de Suez, et, au Nord, l'irrédentisme des tribus et le désaccord sur la nature des relations à entretenir avec le régime socialiste de l'« autre Yémen ». En 1980, Ali Nasser Mohammed prend le pouvoir à Aden, interrompt le soutien de son pays aux rebelles omanais du Dhofar, amorce une détente avec les monarchies de la péninsule Arabique et, par la signature de divers accords économiques et culturels, engage une normalisation avec le Yémen du Nord qui a pour président, depuis 1978, le colonel Ali Abdallah Saleh (1942-). **L'unification de 1990.** En 1990, affaiblie par les luttes idéologiques et isolée par le délitement de l'empire soviétique, la République populaire et démocratique du Yémen consent finalement à s'unir à la République arabe du Yémen, ce qui se réalise à son détriment. Lors de l'invasion du Koweït par l'Irak, début août 1990, la jeune république yéménite prend parti pour Bagdad. Le pouvoir saoudien, qui n'a pas vu d'un bon œil se constituer sur son flanc sud un État à la fois plus démocratique et plus peuplé que le royaume, interrompt son soutien financier à Sanaa, renvoie chez eux près de un million de travailleurs yéménites, et finance les séparatistes sudistes lors de la guerre civile qui éclate en 1994. Mais cette politique est un fiasco car le Yémen parvient, au prix d'une sévère répression, à préserver

son unité. Par rétorsion, Sanaa refuse de renouveler le traité de Taëf qui est venu à échéance en 1992. Mais économiquement exsangue, provoqué sur ses frontières et déstabilisé par l'agitation de tribus à la solde de Riyad, le Yémen est contraint, en février 1995, puis de nouveau en juin 2000, à rechercher une solution de compromis avec son puissant voisin. **I. L.**

YOSHIDA Shigeru (1878-1967)

Homme d'État japonais. Né à Yokohama, Yoshida Shigeru est le cinquième fils de Takenouchi Tsuna, qui avait été un militant pour la paix et les droits du peuple. Il fut adopté par Yoshida Kenzo dont il prit le nom. Après des études de droit à l'université impériale de Tokyo, il embrasse la carrière diplomatique et épouse la fille de Nobuaki Makino qui fut ambassadeur et ministre. Yoshida Shigeru est en poste en Chine, puis ambassadeur en Italie (1931) et à Londres avant la guerre. Il ne peut devenir ministre des Affaires étrangères en 1936, les militaires jugeant son beau-père comme trop proche des Britanniques et des Américains. Durant les derniers mois de la guerre, il est de ceux qui, autour de l'ancien Premier ministre Konoe Fumimaro, essaient d'élaborer un plan pour mettre fin au conflit. Mais celui-là échoue et il est emprisonné en avril 1945. L'aura libérale et pro-anglo-saxonne de son beau-père ainsi que son bref emprisonnement le font considérer comme un libéral sur lequel les États-Unis peuvent compter. Il devient ministre des Affaires étrangères en 1945, puis Premier ministre en mai 1946. C'est après sa rencontre avec le général Douglas MacArthur en 1945 que ce dernier décide de soutenir Hirohito et non de le compter au nombre des criminels de guerre. Tout au long des années d'occupation, il est l'interlocuteur privilégié des Américains et travaille à la reconstruction de son pays. Années amères de l'après-défaite, mais années de construction. Il est considéré comme le père de la nation nouvelle. C'est lui qui négocie et signe le traité de paix de San Francisco en 1951. Homme rusé, il reste au pouvoir sept années, un record au Japon, grâce à de multiples alliances dans le camp conservateur. Mais il se fait aussi de solides adversaires. Alors qu'il essaie en vain d'expliquer son projet, sorte de plan Marshall pour l'Asie, aux États-Unis, ceux-là se mobilisent. Il est renversé en novembre 1954 mais vit assez longtemps pour voir son pays devenir le « troisième grand économique ». Homme politique très écouté, il aura été celui qui, dans l'ombre, faisait et défaisait les carrières. Il fut le premier à qui le Japon fit des funérailles nationales après la guerre. **J.-F. S.**

YOUGOSLAVIE   République fédérale de Yougoslavie. Capitale : Belgrade. Superficie : 102 200 km^2. Population : 10 637 000 (1999).   **La** Yougoslavie naît de l'idée de proximité linguistique ou ethnique des Slaves du Sud qui a été élaborée par des intellectuels et propagée au xixe siècle, surtout en Croatie au travers du mouvement illyrien. Dès 1914, le gouvernement du royaume de Serbie annonce que son principal objectif de guerre est la création d'un État unifiant les Serbes, les Croates et les Slovènes. Le 29 octobre 1918, les Slaves du Sud de l'Empire austro-hongrois en déliquescence proclament   leur   indépendance.   Le 1er décembre 1918, une délégation les représentant et le prince-régent de Serbie, Alexandre Ier Karadjordjevic (1888-1934), fondent le royaume des Serbes, Croates et Slovènes.   **La première Yougoslavie.** Les années 1920 sont une période d'instabilité politique dans le nouveau royaume. Les institutions du nouvel État (monarchie parlementaire) tardent à se mettre en place. La Constitution   n'est   proclamée   qu'en juin 1921. La vie politique est dominée par les partis favorables au centralisme et à l'unitarisme yougoslaves : le Parti démocrate et le Parti radical serbe. Les crises gouvernementales se succèdent. La question croate domine la vie politique : les principales forces politiques croates rejettent jusqu'en 1925 la Constitution du pays. Le 20 juin 1928, Stjepan Radic (1871-1928), le chef du Parti paysan croate, périt victime d'un attentat en pleine séance de l'Assemblée nationale. Au bout de dix années de vie commune, les élites politiques des différents groupes nationaux ne sont pas parvenues à trouver un consensus sur l'organisation et la forme de l'État.   **Les** années 1930 sont

marquées par l'instauration de la dictature et un glissement du pays vers les puissances fascistes. Le 6 janvier 1929, le roi Alexandre Ier proclame la dictature en s'appuyant sur l'armée. Il prend le contrôle des pouvoirs exécutif et législatif, suspend la Constitution de 1921, interdit les partis politiques et les associations se réclamant d'une identité particulariste et renforce la loi sur la sécurité de l'État. Il tente d'imposer l'idée d'une nation yougoslave unitaire, à l'encontre de la diversité nationale. En octobre 1929, il modifie le nom de l'État qui devient le « royaume de Yougoslavie ». N'ayant pas une base populaire solide, le souverain tente de consolider son assise en accordant une Constitution en septembre 1931. Alors que le pays est affaibli par la crise économique mondiale, que les États fascistes se renforcent et que les menaces extérieures se précisent (Italie, Hongrie), le roi Alexandre Ier est assassiné à Marseille le 9 octobre 1934 par un terroriste macédonien de l'Organisation révolutionnaire intérieure macédonienne (VMRO) au service des nationalistes croates du mouvement oustacha et macédoniens. En 1939, une banovine (province) croate autonome (pays croates et une partie de la Bosnie-Herzégovine) au sein de la Yougoslavie est créée, ouvrant la perspective d'une évolution   fédéraliste   du   pays.   **La Seconde Guerre mondiale : occupations, guerres civiles et résistances.** Pour la Yougoslavie démembrée en 1941, le conflit mondial a plusieurs dimensions : à la guerre contre les forces de l'Axe – puissances d'occupation (Allemagne, Italie) – succède une guerre civile opposant les communautés nationales les unes aux autres, mais aussi chaque communauté contre elle-même. Consécutivement au putsch du 27 mars 1941 orienté contre l'Axe, Hitler déclenche le 6 avril 1941 une offensive rapide et brutale contre la Yougoslavie : le pays capitule officiellement le 17 avril. Le gouvernement issu du putsch quitte le pays avec le jeune roi Pierre II (1923-1970) pour se replier au Royaume-Uni. Les vainqueurs se partagent le territoire yougoslave en fonction de leurs intérêts stratégiques ou de leurs prétentions nationales.   **L'**État indépendant de la Croatie (Nezavisna Drzava Hrvatske, NDH) est proclamé le 10 avril 1941 par le mouvement oustacha (le mot signifie « insurgé »), créé en 1929 en réaction à la dictature du roi Alexandre 1er. L'État oustacha met en place des camps d'extermination, dont le plus tristement célèbre est celui de Jasenovac. Des manifestations de résistance, sporadiques, se font jour en différentes zones de l'espace yougoslave dès la fin du printemps de 1941. Les premières actions armées se produisent parmi les Serbes de la NDH, menacés de génocide. Le mouvement tchetnik (de « četa », signifiant en serbe « bande », sous-entendu « armée » ou « peloton »...) se constitue autour d'un noyau d'officiers serbes de l'armée yougoslave, animé par le colonel Dragoljub (Draza) Mihajlovic (1893-1946). Il mène des actions de guérilla contre un adversaire croate ou musulman sur le territoire de la NDH, ainsi que contre les Partisans communistes menés par Tito. Le mouvement de résistance communiste déclenche une insurrection armée dès juillet 1941 au Monténégro et en Serbie. Les Partisans connaissent un échec au Monténégro et à la suite d'une opération de pacification entreprise en Serbie à l'automne, ils se replient sur le Sandjak et la Bosnie orientale. La capitulation de l'Italie en septembre 1943 permet aux Partisans de récupérer un matériel de guerre important. Le 29 novembre 1943 se déroule à Jajce la seconde session du Conseil antifasciste de libération nationale (AVNOJ), qui se veut un forum politique représentatif de la Yougoslavie engagée dans la lutte antifasciste. Un Comité national de libération, sorte de gouvernement provisoire, dont Tito assure la présidence, est constitué. Le principe de l'organisation fédérale de la future Yougoslavie est proclamé. En 1944, la défaite du IIIe Reich paraît assurée, les Partisans ne cessent de conforter leurs positions, ils étendent leur contrôle sur la Macédoine. Fin septembre 1944, l'Armée rouge atteint la frontière yougoslave sur le Danube et opère sa jonction avec les unités de Partisans. Belgrade est libérée le 20 octobre 1944. Il faut attendre mai 1945 pour voir la partie occidentale de l'espace yougoslave libérée. **La Yougoslavie socialiste de Tito.** Les Partisans communistes, constituant une force transnationale opposée aux différents nationalismes, parviennent au pouvoir en 1944-1945, Tito prenant la tête de la nouvelle Yougoslavie qui a retrouvé ses frontières d'avant la guerre. Le socialisme yougoslave manifeste une surprenante diversité : du modèle soviétique de construction du socialisme suivi jusqu'en 1953 à la libéralisation économique de 1965 à 1971, avant de revenir à une économie contrôlée dans un cadre autogestionnaire dans les années 1970, le régime titiste expérimente plusieurs voies et oscille entre des réformes libérales et des contre-réformes autoritaires. L'originalité du titisme n'a pu se développer qu'en raison du caractère endogène du communisme yougoslave, contrairement au sort de la plupart des démocraties populaires d'Europe centrale et orientale qui ont vu leur histoire déterminée par le passage de l'Armée rouge. C'est la rupture avec l'URSS de Staline en juin 1948 qui conduit les dirigeants communistes yougoslaves à élaborer une nouvelle voie vers le socialisme : ils instaurent les premiers conseils ouvriers en 1950. Ce sont les débuts de l'autogestion ouvrière qui sera élargie et systématisée dans les années 1970. La Yougoslavie connaît un développement économique significatif : de pays agricole, elle se transforme en pays moyennement industrialisé. Toutefois les inégalités de développement ne s'atténuent pas entre le nord du pays, plus industrialisé et plus riche, et le sud rural. L'originalité du titisme réside également dans le non-alignement en politique étrangère qui contribue au prestige de la Yougoslavie parmi les pays du tiers monde. La vie politique est dominée par le Parti communiste, rebaptisé en 1952 « Ligue des communistes de Yougoslavie » et par le maréchal Tito, proclamé président à vie en 1963. À l'inverse du royaume de Yougoslavie qui reposait sur le principe d'une seule nation (yougoslave), le Parti communiste yougoslave reconnaît le pluralisme national et organise l'État sur une base fédérale. La République socialiste fédérative de Yougoslavie (RSFY) comprend désormais six républiques : la Bosnie-Herzégovine, la Croatie, la Macédoine, le Monténégro, la Serbie et la Slovénie. La Serbie est l'unique république à compter deux provinces autonomes : la Voïvodine et le Kosovo.

L'option fédérale est censée apporter une solution durable aux conflits nationaux qui ont affecté le royaume de Yougoslavie. Les minorités nationales sont déclarées égales en droits aux peuples slaves constitutifs de la fédération. En réalité, au sortir de la guerre, l'autonomie des républiques est limitée et la Yougoslavie apparaît comme un État centralisé jusqu'à la seconde moitié des années 1960. De 1967 à 1971, un mouvement de contestation se développe en Croatie contre le centralisme ; en décembre 1968 (puis au printemps 1981), les étudiants albanais du Kosovo réclament le statut de république pour leur province (dont la population est très majoritairement albanaise). La réforme constitutionnelle entre 1967 et 1974 accorde plus de prérogatives aux républiques et provinces autonomes et limite les interventions du centre fédéral. La Constitution yougoslave de 1974 contient de nombreux éléments de confédéralisme. **L'éclatement.** Lorsque Tito, symbole vivant de l'unité yougoslave, meurt le 4 mai 1980, le pays plonge dans une grave crise économique, les divergences politiques se multipliant entre les dirigeants de la Ligue des communistes de Yougoslavie. La Slovénie, et dans une moindre mesure la Croatie, s'opposent à une recentralisation de la Yougoslavie et remettent en question leur aide économique aux régions les moins développées du sud de la fédération. En Serbie, le mécontentement contre l'ordre constitutionnel de 1974 s'élargit dans la seconde moitié des années 1980. La Ligue des communistes de Serbie présidée par Slobodan Milosevic récupère le mouvement de contestation des Serbes du Kosovo se déclarant victimes de persécutions de la part des Albanais. Les dirigeants de Belgrade imposent la centralisation politique de la Serbie en 1988-1989 et utilisent les masses populaires pour faire aboutir leurs revendications auprès du pouvoir fédéral. En supprimant les autonomies provinciales du Kosovo et de la Voïvodine en 1989-1990, et en gagnant à sa cause la république du Monténégro, les dirigeants serbes ébranlent le rapport de forces entre les différentes entités fédérales tel qu'institué par la Constitution de 1974. Des manifestations de protestation des Albanais contre la suppression de l'autonomie de la province du Kosovo sont sévèrement réprimées en 1989 et 1990. En janvier 1990, la Ligue des communistes de Yougoslavie tient son XIVe (et dernier) congrès : les délégations slovènes et croates abandonnent le Parti. La même année, des élections pluralistes sont organisées dans toutes les républiques du pays. Les dirigeants de ces dernières tentent, en 1990-1991, de redéfinir les rapports entre la fédération yougoslave et les républiques fédérées. La Slovénie et la Croatie défendent un projet confédéral menant à terme au démantèlement de la Yougoslavie ; la Serbie et le Monténégro soutiennent un modèle fédéral renforçant les institutions centrales et signifiant, en fait, une domination du pays par la Serbie. La Bosnie-Herzégovine et la Macédoine tentent de proposer un compromis pour maintenir une forme d'union yougoslave. Les présidents des républiques fédérées ne parvenant à s'entendre sur l'avenir de la Yougoslavie, la Slovénie et la Croatie décident de proclamer leur indépendance le 25 juin 1991. Le pays plonge dans la guerre. **La RFY, une petite Yougoslavie.** Après la sécession de la Slovénie et de la Croatie de la RSFY, et après la proclamation de l'indépendance de la Macédoine (septembre 1991) et de la Bosnie-Herzégovine (mars 1992), la Serbie et le Monténégro formalisent leurs liens en proclamant, en avril 1992, la République fédérale de Yougoslavie (RFY) se réclamant l'unique héritière de l'ex-Yougoslavie. Cette nouvelle fédération lie deux unités de taille inégale : en 1991, le Monténégro ne comptait que 615 000 habitants, soit seize fois moins que la Serbie (9 779 000 habitants). De fait, elle est dominée par cette dernière. Impliquée dans les conflits armés en Croatie et en Bosnie-Herzégovine, la RFY n'est pas reconnue sur le plan international avant la signature des accords de Dayton en décembre 1995. Ayant fait le choix de l'escalade de la violence et ayant rejeté tout compromis à propos du Kosovo, la RFY, présidée à partir de juillet 1997 par Slobodan Milosevic, subit au printemps 1999 une guerre aérienne menée par l'OTAN. À l'issue du conflit, la souveraineté de la RFY sur le Kosovo n'est plus que virtuelle. Avec l'arrivée au pouvoir des réformateurs au Monténégro en 1997-1998, les relations entre la Serbie et le Monténégro se tendent : les dirigeants serbes menacent de renverser le régime du président monténégrin, Milo Djukanovic (1962-), et les dirigeants monténégrins de proclamer l'indépendance de leur république. Les amendements à la Constitution yougoslave, adoptés en juillet 2000, modifiant le mode d'élection du président fédéral et des députés de la Chambre des républiques, marginalisent encore davantage le Monténégro au sein de cette fédération disproportionnée dominée par la Serbie. Cependant, l'échec de S. Milosevic à l'élection présidentielle du 24 septembre 2000, remportée par Vojislav Kostunica, allait modifier la donne intérieure comme internationale. Au plan intérieur, les relations entre la Serbie et le Monténégro ne se sont pas améliorées et, le 28 juin 2001, S. Milosevic a été extradé à La Haye, par le gouvernement de la Serbie, pour comparaître devant le TPIY. Au plan extérieur, le pays a réintégré toutes les organisations internationales. **Y. T. > BOSNIE-HERZÉGOVINE, CROATIE, FÉDÉRALISME YOUGOSLAVE, GUERRES YOUGOSLAVES, MACÉDOINE, MONTÉNÉGRO, SERBIE, SLOVÉNIE.**

Z

ZAMBIE République de Zambie.
Capitale : Lusaka. Superficie :
752 610 km². Population : 8 976 000
(1999). Conquise à la fin du XIXᵉ siècle
par les Britanniques de Cecil Rhodes (1853-
1902), la Rhodésie du Nord, future Zambie,
est rapidement perçue comme étant « sans
grand intérêt ». La Compagnie britannique
d'Afrique du Sud (BSA) qui contrôle la
région constate qu'il n'y a pas d'or à extraire.
Néanmoins, la présence d'importants gisements de cuivre l'incite à rester. Elle impose
à l'origine une réglementation très stricte de
la répartition des terres et des concessions
minières, si bien que les colons sont d'abord
peu attirés. En 1924, le Colonial Office se
substitue à la BSA. Une phase de protectorat
débute et dure jusqu'en 1953. L'effort est
axé principalement sur les mines de cuivre.
La population blanche augmente très rapidement, de même que le nombre de travailleurs africains embauchés dans les mines
(22 000 en 1930). Ils sont recrutés pour de
courtes périodes afin d'éviter une trop forte
assimilation. En effet, l'administration coloniale est fondée sur un système d'autorité
indirecte *(indirect rule)* qui s'appuie sur les
instances autochtones. Dès 1912 pourtant,
des Zambiens constituent des groupes
d'intérêt, plates-formes d'expression des
aspirations africaines. Les profits retirés des
mines ne profitent guère à la Rhodésie du
Nord et cette région paraît très en retard par
rapport à d'autres territoires britanniques.
Certains de ces groupes se montrent particulièrement activistes dans les années 1930, au
point d'être interdits par le gouvernement. Après la Seconde Guerre mondiale, les Britanniques souhaitent se désen-
gager. Ils prônent l'unification avec la
Rhodésie du Sud (futur Zimbabwé). Une
Fédération des deux Rhodésies et du Nyassaland (futur Malawi) est constituée en
1953. Au sein du Parlement mis en place, le
Sud est mieux représenté que le Nord, ce qui
accentue les craintes des Zambiens qui
redoutent une éventuelle fusion. Le natio-
lisme zambien croît sous l'impulsion de Kenneth Kaunda (1924-), qui finit par avoir raison du système britannique. Des élections au
suffrage universel sont organisées en
janvier 1964 et l'indépendance est proclamée en octobre. Fondée sur un système
parlementaire pluraliste, la Iʳᵉ République de
K. Kaunda prend vite des accents autoritaires. Les pouvoirs sont massivement concentrés entre les mains du président et un
régime de parti unique se dessine. En 1973,
la IIᵉ République consacre cet autoritarisme.
Mais la férule de K. Kaunda vacille du fait de
l'effondrement des cours du cuivre. Il doit
faire appel aux bailleurs internationaux et
accepte de se plier à leurs exigences de rétablissement du pluralisme politique. La présence simultanée d'une opposition structurée autour d'un syndicalisme puissant et
conduite par Frederick Chiluba (1943-)
amène K. Kaunda à accepter le principe
d'élections libres en 1991. Il est battu par
son rival. Saluée comme une nouvelle
libération par les Zambiens, l'élection de
F. Chiluba est suivie de désillusions. Outre les
difficultés à succéder au « père de la décolonisation », lequel s'était taillé de surcroît une
réputation flatteuse de négociateur dans les
conflits régionaux, F. Chiluba doit concilier
sa politique de réforme avec des impératifs
économiques drastiques. Le système qu'il
institue ne diffère pas de celui qu'il a voulu
briser. Bien que réélu en 1996 faute d'opposants véritables, il continue de mener une
politique d'austérité peu populaire.

K. Kaunda, bien que peu épargné (harcèlement politique constant, assassinat de l'un de ses fils), restait son adversaire le plus direct au tournant du siècle. **J. L.**

ZANZIBAR (sultanat de) > TANZANIE.

ZAPATA Emiliano (1879-1919)
Chef révolutionnaire mexicain. Emiliano Zapata incarne la lutte des petits paysans et des villages indiens face à l'expansion des grands propriétaires des *haciendas*. Son cri de ralliement, *« Tierra y Libertad ! »* (« La terre et la liberté ! »), est resté célèbre. D'origine métisse et paysanne, E. Zapata se bat toute sa vie pour faire triompher ses idées sur la question agraire. Bien qu'illettré, il fait rédiger son plan de réforme, le plan d'Alaya. Il y revendique notamment le démantèlement des *haciendas* et la redistribution des terres villageoises aux paysans. Durant les premières années de la Révolution mexicaine, il occupe les terres de l'État de Morelos, au sud de Mexico, et se rallie au président Francisco Madero (1873-1913). Déçu dans ses attentes, il finit par se révolter contre le pouvoir. Avec ses paysans en armes, il s'oppose ensuite aux hommes qui refusent de ou tardent à mettre en œuvre la réforme agraire dans un Mexique en pleine insurrection. Tour à tour vainqueur et vaincu, E. Zapata se retrouve en 1914 aux côtés de Pancho Villa à Mexico. La situation anarchique du pays et le manque de plan pour gouverner mettent fin à cette rencontre. Les années suivantes, E. Zapata se retranche dans ses terres du Sud et continue le combat. En 1919, victime d'une traîtrise, il est assassiné sur ordre du président Venustiano Carranza (1859-1920) qui veut mettre fin aux excès de la révolution. Figure mythique, E. Zapata a donné naissance à un mouvement de revendication des terres par les plus pauvres. **É. S.   >** MEXIQUE.

ZHAO ZIYANG (1919-)   **D**irigeant de la république populaire de Chine. La carrière très classique de Zhao Ziyang n'annonçait pas son éviction au terme des manifestations de 1989 sur la place Tian An Men. **N**é en 1919 au Henan, Zhao Ziyang adhère au Parti communiste chinois dès 1938, puis occupe des postes secondaires dans les bases rouges de Chine du Nord. Transféré au Guangdong en 1950, il s'impose bientôt par sa fermeté et ses qualités de gestionnaire comme le patron de la province et le « numéro deux » de Chine du Sud. Éliminé par la Révolution culturelle, mais réhabilité dès 1971, il prend la direction du Guangdong puis, surtout, du Sichuan, province natale de Deng Xiaoping, où il démontre son efficacité et son ouverture aux réformes. Aussi est-il appelé à Pékin pour devenir l'un des adjoints de Deng.   **E**ntré au Bureau politique en 1977, Premier ministre en 1980, il montre un réalisme qui contraste avec les foucades de Hu Yaobang (1915-1989), qu'il accepte de remplacer à la tête du Parti après les manifestations étudiantes survenues pendant l'hiver 1986. Mais, l'homme est aussi un partisan des réformes et ses convictions s'affermissent à mesure que se renforce l'offensive des conservateurs rangés derrière Li Peng.   **D**e moins en moins sûr du soutien de Deng Xiaoping, écarté du domaine économique en 1988, Zhao Ziyang semble avoir volontairement accentué sa position réformiste à mesure que la situation se tendait. Face aux manifestations citadines d'avril et mai 1989, il prône le dialogue ; il se rend même au chevet des grévistes de la faim de la place Tian An Men : Deng Xiaoping devra l'écarter le 19 mai pour proclamer la loi martiale, puis écraser le mouvement. Chassé de tous ses postes mais demeuré membre du Parti, Zhao Ziyang est resté le symbole de plus en plus vieilli d'une époque où il avait paru possible de concilier communisme et démocratie. **J.-L. D.   >** CHINE.

ZHOU ENLAI (1898-1976)   **D**irigeant communiste chinois. Né à Huai'an (Jiangsu) dans une famille de notables originaire de Shaoxing (Zhejiang), Zhou Enlai est le seul responsable chinois qui ait appartenu sans interruption à la direction du Parti communiste chinois (PCC) pendant près d'un demi-siècle (de 1927 à sa mort, en 1976). Chargé des relations extérieures du régime et Premier ministre pendant plus d'un quart de siècle (1949-1976), Zhou a exercé sans relâche un rare talent de diplomate et d'administrateur.   **A**rrêté à l'issue des manifestations patriotiques de 1919, il passe une centaine de jours en prison au début de 1920, puis, relâché, s'embarque pour la France en octobre 1920, dans le cadre du mouvement « travail-étude ». Il adhère au mouvement communiste au début de l'année 1921. Lorsqu'il quitte l'Europe au cours de l'été 1924, sa réputation d'organisateur efficace le précède en Chine. À vingt-six ans, il devient secrétaire du comité régional du PCC pour la province du Guangdong et surtout directeur adjoint de la section politique de l'Académie militaire de Huangpu, fondée quelques mois plus tôt par le Kuomintang (Guomindang) et commandée par Tchiang Kai-chek (Jiang Jieshi). En mars 1927, il figure parmi les organisateurs de l'insurrection de Shanghai, après laquelle Tchiang Kai-chek rompt avec les communistes et les fait massacrer. On ignore comment il a échappé à l'exécution. Dès les derniers jours d'avril, Zhou Enlai assiste à Wuhan au Vᵉ congrès du PCC qui l'élit au Comité central et au Bureau politique. Quelques mois plus tard, il organise avec d'autres le soulèvement de Nanchang (1ᵉʳ août 1927), célébré aujourd'hui en Chine populaire comme l'acte de naissance de l'Armée rouge. Après avoir plusieurs années durant (1930-1935) lutté contre Mao Zedong, il se rallie à lui en 1935. Pendant la guerre sino-japonaise, il est le représentant attitré du communisme chinois auprès du gouvernement nationaliste basé à Chongqing. En mars 1949, il entre aux côtés de Mao dans Pékin libéré. Dorénavant, il négociera avec le monde entier en tant que ministre des Affaires étrangères et Premier ministre de la nation la plus peuplée de la terre. En 1972, la maladie (un cancer) le frappe. Lors du Xᵉ congrès du PCC (août 1973), il fait réhabiliter de nombreux cadres critiqués pendant la Révolution culturelle. Le plus important d'entre eux, Deng Xiaoping, apparaît en 1975 comme le successeur désigné du Premier ministre. Zhou fait référence aux « Quatre Modernisations » dans un discours de janvier 1975. Il meurt le 8 janvier 1976. **L. Bi.** **> CHINE.**

ZHU RONGJI (1928-) Dirigeant communiste chinois. Adulé par les Occidentaux et la communauté des Chinois d'outre-mer, le « numéro deux » du régime chinois et principal responsable des grands dossiers économiques de la fin du XXᵉ siècle, souffre au plan interne d'une popularité chancelante. Né dans la ville natale de Mao Zedong (Changsha, capitale du Hunan) en 1928 au sein d'une famille aux « bonnes origines de classe », il est très jeune imprégné de l'histoire du communisme et de ses héros. Ingénieur diplômé de la prestigieuse université Qinghua, il adhère au Parti (1949) en tant que président de l'Union des étudiants quelques jours avant la fondation de la République populaire de Chine (RPC). Partisan du modèle yougoslave, il est expulsé du Parti communiste chinois (PCC) en 1957 comme « droitier ». Réhabilité en 1979, Zhu est nommé vice-ministre de la Commission nationale de l'économie (1983). Affecté à Shanghai lorsque le pouvoir central octroie plus de liberté financière à la métropole du Sud, il impressionne la direction du Parti en revitalisant l'économie de la ville dont il est maire après le départ de Jiang Zemin (1988). Localement, les campagnes anticorruption lui valent le surnom de « juge Bao Qingtian », magistrat légendaire de la dynastie des Song. Surnommé le « tsar de l'économie », il dirige en 1991 le Bureau d'économie et des finances puis accède au Bureau politique (1992). Devenu premier vice-Premier ministre (1993), il supplante Li Peng victime d'une crise cardiaque, en s'installant à ses fonctions ainsi qu'au poste de gouverneur de la Banque centrale. De stature athlétique, Zhu est un personnage charismatique. Parlant couramment l'anglais, il dispose des ressources politiques d'un leader moderne aux yeux des jeunes technocrates. Son ascension rapide s'explique aussi par la protection dont il bénéficie de la part de dirigeants comme Chen Yun ou Deng Xiaoping et sa bonne connaissance des économistes de tous bords. Dès 1951, Zhu est formé par des personnalités aussi différentes que Gao Gang, Li Fuchun ou l'intellectuel Ma Hong. Étiqueté « neutraliste », l'axe Jiang Zemin-Zhu Rongji représente à partir de 1992 le groupe majoritaire au sein du pouvoir. Libéraux en économie, critiques à l'égard de la mondialisation, conservateurs

sur le plan social, ils se présentent avant tout comme des experts. L'objectif de « bonne gouvernance » et une meilleure efficacité de l'État constituent leur unique projet politique. Zhu a fait irruption sur la scène internationale à la suite de la crise financière asiatique ouverte à la mi-1997, afin d'accélérer l'entrée de la Chine à l'OMC. Devenu Premier ministre (1998), sa popularité s'est trouvée mise à l'épreuve alors que lui incombait la responsabilité du démantèlement de facto du système socialiste. **S. L.-B**
> CHINE.

ZIMBABWÉ République du Zimbabwé. Capitale : Hararé. Superficie : 390 580 km². Population : 11 377 000 (1999). Les ruines du Grand Zimbabwé témoignent de l'ancienneté des royaumes shona, mais les frontières actuelles du pays ne remontent qu'à la fin du XIXᵉ siècle. La Compagnie britannique d'Afrique du Sud, compagnie à charte commanditée par Cecil Rhodes (1853-1902), fonde Salisbury (future Hararé) en 1890. Elle réduit les royaumes africains et délimite la Rhodésie du Sud. Le territoire obtient de la Grande-Bretagne un statut de colonie autonome en 1923. Un Parlement élu composé de 30 membres détient l'essentiel des pouvoirs. Durant les années 1930, le United Party propose aux colons européens (51 000 en 1929) une politique fondée sur le principe du développement séparé des races. Sur le modèle sud-africain, des textes législatifs partagent le pays entre terres blanches (50 % des terres agricoles) et réserves africaines (tout Africain devait être muni d'un *pass* pour en sortir) et protègent les travailleurs blancs de la concurrence des Africains. De 1953 à 1963, la Rhodésie du Sud est intégrée dans la Fédération de Rhodésie-Nyassaland qui réunit les territoires des actuels Malawi, Zimbabwé et Zambie. La Rhodésie du Sud profite de cette union, car elle draine les richesses minières de Zambie et agricoles du Malawi pour financer son propre développement. En 1965, après l'éclatement de la fédération sous la pression des mouvements nationalistes africains, le Front rhodésien, après de massives victoires électorales, déclare, pour maintenir le pouvoir blanc,

l'indépendance de la Rhodésie. La *Déclaration unilatérale d'indépendance* (UDI) se traduit par un durcissement de l'attitude envers les Noirs : le gouvernement calque sa politique sur le modèle de l'apartheid. Les sanctions internationales échouent : la situation d'autarcie du pays a pour résultat un accroissement de la production agricole et le développement d'une industrie de substitution. Deux mouvements armés de guérilla se développent à partir du début des années 1970 : la ZAPU (Union du peuple africain du Zimbabwé), appuyée par l'Union soviétique et dirigée par Joshua Nkomo (1917-1999), un Ndebele, et la ZANU (Union nationale africaine du Zimbabwé), appuyée par la Chine populaire et dirigée par Robert Mugabe (1924-). La guerre civile intérieure et la disparition des soutiens régionaux au milieu des années 1970 (surtout le retrait du Portugal du Mozambique) vient à bout du régime du Premier ministre Ian Smith (1919-). À la suite des accords de Lancaster House (1979), des élections sont organisées sous l'égide du Royaume-Uni, la ZANU l'emporte largement (son implantation rurale et l'appartenance de R. Mugabe à l'ethnie shona majoritaire ont été décisives). La ZAPU tentera de maintenir ses bases dans le sud du pays, mais au début des années 1980, une répression d'une extrême violence lancée dans cette région réduira l'opposition ndebele. Après l'indépendance, en 1980, les clauses des accords de Lancaster sont respectées : maintien d'un quota de députés blancs au Parlement jusqu'en 1990 et non-expropriation des fermiers blancs. Dans le même temps, écoles et dispensaires se multiplient et le rattrapage social est une priorité réelle. Mais c'est l'absence de changement et une dégradation progressive de la situation économique qui auront caractérisé le Zimbabwé indépendant, en zone rurale en particulier, où 4 000 fermiers blancs détenaient encore en l'an 2000 30 % des terres. L'euphorie consécutive à l'indépendance a été vite oubliée. L'opposition politique s'est développée. L'appareil économique n'a pas été modernisé. Les tentatives de réformes économiques des années 1990 ont échoué, la libéralisation et l'ouverture aux marchés mondiaux, sous l'égide du FMI (Fonds monétaire international), ont provoqué inflation (70 % par mois en 1999) et chômage (50 % dans le secteur formel). Le président R. Mugabe, toujours au pouvoir en 2000, est apparu de plus en plus rejeté par une population qui a vu s'enrichir une élite âgée refusant les changements. Sur le plan international, la dépendance vis-à-vis de l'Afrique du Sud s'est accrue et le poids du Zimbabwé dans la SADC (Communauté de développement de l'Afrique australe) a diminué (malgré une intervention militaire coûteuse au Congo-Kinshasa à compter d'août 1998). La dernière carte du gouvernement R. Mugabe aura été en 1999-2000 de soutenir l'invasion violente des fermes blanches par un mouvement se réclamant des anciens combattants de la guerre de libération. Dans ce contexte général de crise, les élections de juin 2000 ont conduit pour la première fois au Parlement 58 députés de l'opposition (membres du Mouvement pour le changement démocratique) et le président R. Mugabe a annoncé sa décision de se retirer en 2002. **P. G.-L.**

ZINOVIEV Grigori Yevseievitch Rado-mylski, dit (1883-1936) Révolutionnaire bolchevik et dirigeant soviétique. Né dans la province de Kherson (Ukraine), Grigori Zinoviev rejoint le POSDR (Parti ouvrier social-démocrate russe) en 1901 et se range, en 1903, aux côtés de sa fraction bolchevik dirigée par Lénine. Émigré à plusieurs reprises, il suit des études à Berne et collabore à la rédaction de divers journaux révolutionnaires, dont la *Pravda* (« vérité »). Après la révolution de Février 1917, il retourne en Russie. Il s'oppose à l'idée d'un coup d'État bolchevik immédiat (« révolution d'Octobre »). Comme Lev Kamenev, il démissionne pour quelques jours du Comité central du parti, désavouant la décision d'écarter les autres partis politiques du gouvernement. Il préside de 1919 à 1926 le Komintern, fait partie de la « troïka » avec Staline et L. Kamenev après la mort de Lénine (1924), est élu au Bureau politique du PCUS (Parti communiste de l'Union soviétique) en 1925 et s'allie à Trotski en 1926, après l'avoir combattu en 1923-1924.

Il est chassé du Bureau politique, puis du Parti (1927). Réadmis en 1928 après s'être déjugé, il est à nouveau exclu en 1932 comme « contre-révolutionnaire ». Il écrit une lettre reconnaissant ses « erreurs » et se trouve à nouveau admis en 1933. Il est cependant arrêté et condamné à dix ans de prison, en 1935. Il est rejugé en 1936 dans le cadre du procès de Moscou dit des « trotskistes-zinoviévistes ». Condamné à mort sous l'accusation de participation à un « complot terroriste », il est exécuté. **V. K.** **> RUSSIE ET URSS.**

ZLEA Le projet de Zone de libre-échange des Amériques (ZLEA, FTAA – Free Trade Area of the Americas), lancé en décembre 1994 lors du « sommet des Amériques » à Miami, concerne tous les pays du continent américain, à l'exclusion de Cuba.

ZONE EURO La Zone euro, concrétisation de l'Union économique et monétaire (UEM) prévue par le traité de Maastricht, est entrée en vigueur dans le cadre de l'Union monétaire de l'UE (Union européenne) le 1er janvier 1999, réunissant douze des quinze pays membres : Allemagne, Autriche, Belgique, Espagne, Finlande, France, Grèce (depuis 2001), Irlande, Italie, Luxembourg, Pays-Bas, Portugal. Le SEBC, Système européen de banques centrales (ESCB – European System of Central Banks), mis en place en juin 1998, regroupe les banques centrales des pays, sous l'autorité de la Banque centrale européenne (BCE, ECB – European Central Bank –, siège à Francfort). L'euro comme monnaie d'usage a été mis en circulation le 1er janvier 2002, remplaçant bientôt les monnaies nationales. **> CONSTRUCTION EUROPÉENNE.**

ZONE FRANC La Zone franc aménage les relations monétaires entre la France et certaines de ses anciennes possessions coloniales. Elle est caractérisée par la parité fixe des monnaies des pays membres, par la convertibilité, c'est-à-dire la liberté de transfert entre les monnaies de la Zone, et par la mise en commun des réserves de change. Le franc CFA (à l'origine franc des « comptoirs français d'Afrique », rebaptisé franc de la Communauté financière africaine) est lié au franc français. La Zone franc regroupait en 2001 la France, les huit États africains membres de l'UEMOA, les six États membres de la CEMAC ainsi que les Comores. Le 1er janvier 1999, l'euro a remplacé le franc français comme référence du franc CFA et du franc comorien.

ZOULOUS, ZULU Peuple d'Afrique du Sud né de l'unification de plusieurs clans par le conquérant Chaka à l'aube du XIXe siècle. Alors que les fermiers boers entreprennent leur lente montée vers les terres fertiles des plateaux d'Afrique du Sud, Chaka, un jeune chef nguni du petit clan des Ababtetwa, unifie par la force son peuple de pasteurs. Il brise les structures traditionnelles, forçant ses partisans et ses captifs à abandonner leurs noms de clan. Les Zoulous (de *Ama Zoulou*, « peuple du ciel ») sont voués à la conquête militaire, la sagaie remplaçant la lance et l'arc pour obliger les combattants à aller au contact direct de leurs adversaires. En 1818, l'empire zoulou s'étend du Botswana à l'océan Indien, mais les ravages occasionnés par les conquêtes de Chaka aux dépens des autres peuples, dont les Xhosa, sont tels que Chaka est assassiné par l'un de ses demi-frères. Dans les années 1980, à la veille de la suppression de l'apartheid, le parti zoulou Inkhata, adversaire de l'ANC (Congrès national africain) de Nelson Mandela (lui-même xhosa), structure ses militants en *impi* (régiments) en référence à l'armée de Chaka. Petit-fils du roi Dinizulu et oncle du roi Goodwill Zwelithini en fonction lors de la libéralisation, le leader de l'Inkhata Freedom Party, Mangosuthu Gatsha Buthelezi (1928-), organise de grands rassemblements où les *impi* portent sagaies et boucliers sous couvert de manifestation folklorique, affrontent leurs adversaires, au rang desquels on compte aussi des Zoulous partisans de l'ANC. **B. N.** **> AFRIQUE DU SUD.**

Index des entrées du dictionnaire

Cet index indique, pour toutes les entrées du *Dictionnaire*, les pages où l'on peut trouver des corrélats correspondant à ces entrées, qu'ils apparaissent au fil du texte (mots soulignés) ou en fin de notice (après le signe >). Les pages correspondant à l'entrée elle-même sont signalées en **gras**. Cet index ne retient donc que les occurrences principales, afin de rendre la recherche plus efficace. On trouvera page **755** un index complet des noms de personnes.

ABANE Ramdane (1920-1957), **11**, 310

ABBAS Ferhat (1899-1985), **11**, 25, 310, 497, 616

ABDEL-AZIZ IBN SAOUD (1876-1953), **12**, 43, 258, 725

ABDUH Muhammad (1849-1905), **12**, 17, 126, 571

ABORIGÈNES (Australie), **12**, 54, 281, 469

ABYSSINIE (guerre d'), **13**, 61, 220, 228, 237, 251, 257, 327, 376, 470

ACCORD DE LIBRE-ÉCHANGE CENTRE-EUROPÉEN, **13**

ACCORDS ISRAÉLO-ARABES, **14**, 59, 137, 280, 321, 375, 509, 565, 667

ACP (Afrique, Caraïbes, Pacifique), **15**, 427, 679

ADAMS Gerry (1948-), **15**

ADENAUER Konrad (1876-1967), **16**, 28, 191, 333, 406, 462

AEC, **16**, 111, 142, 145

AEF, **16**, 41, 186, 230, 271, 276, 663, 683

AELE, **17**, 159, 181, 221, 592, 645

AFGHANI Djamal al-Din al- (1838-1897), **17**, 571

AFGHANISTAN, **17**, 19, 448, 658

AFGHANISTAN (guerre d'), **18**, 94, 290, 316, 447, 517, 596

AFLAK MICHEL (1910-1989), **19**, 64, 344, 653

AFRICAINS-AMÉRICAINS > QUESTION NOIRE (ÉTATS-UNIS)

AFRIQUE DU SUD, **19**, 33, 42, 69, 85, 439, 736

AFRIQUE ÉQUATORIALE FRANÇAISE > AEF

AFRIQUE OCCIDENTALE FRANÇAISE > AOF

AIEA, **21**, 665

AÏNOU, **21**, 411

AJUSTEMENT STRUCTUREL, **22**, 99, 112, 148, 165, 223, 269, 338, 351, 422, 674

ALAOUITES, **22**, 51, 654

ALBANIE, **22**

ALENA, **23**, 115, 129, 250, 353, 455

ALGÉRIE, 11, 12, **23**, 74, 75, 90, 91, 93, 254, 268, 311, 453, 497, 503, 616

ALLEMAGNE, 16, **26**, 37, 77, 88, 94, 139, 191, 199, 220, 224, 228, 259, 290, 332, 333, 336, 338, 406, 427, 429, 469, 470, 481, 510, 520, 556, 570, 580, 606, 624, 644, 703

ALLENDE GOSSENS Salvador (1908-1973), **30**, 130, 177, 538

ALLIANCE ATLANTIQUE > PACTE NORD-ATLANTIQUE

ALSACE-LORRAINE, **30**, 271, 300, 554, 609, 713

AMÉRINDIENS (Amérique latine) > INDIENS (AMÉRIQUE LATINE)

AMÉRINDIENS (Canada) > INDIENS (CANADA)

AMÉRINDIENS (États-Unis) > INDIENS (ÉTATS-UNIS)

AMRITSAR, **31**, 351, 530, 619

AMSTERDAM (traité d'), **31**, 159

ANARCHISME, **32**, 33, 132, 322, 626

ANARCHISME (Italie), **32**, 37, 375, 628

ANARCHISME (Espagne), **32**, 238, 264, 308, 626

ANARCHISME (Russie), 32, **33**, 174

ANC (Afrique du Sud), 20, **33**, 42, 419, 439, 736

ANDORRE, **34**

ANDREOTTI GIULIO (1919-), **34**, 77, 148, 191, 378, 464

ANGLETERRE > ROYAUME-UNI

ANGLETERRE (bataille d'), **34**, 475, 592, 608

ANGOLA, **35**, 107, 468, 705

ANGUILLA, **36**

ANNAN Kofi (1938-), **36**, 613

ANNÉES DE PLOMB (Italie), **36**, 148, 685

ANSCHLUSS, 28, **37**, 59, 336, 520, 607

ANSEA, **37**, 82, 101, 111, 202, 270, 351, 417, 435, 542, 716

ANTIFASCISME (Italie), **37**, 172, 258, 377, 483, 577, 579, 610, 628, 639, 678

ANTIGUA ET BARBUDA, **38**

ANTILLES NÉERLANDAISES, **38**, 51, 230, 650

ANTISÉMITISME, **38**, 65, 104, 212, 257, 287, 333, 343, 470, 475, 479, 482, 520, 574, 589, 620

ANTONESCU Ion (1882-1946), **40**, 101, 121, 258, 589, 686

ANZUS, **40**, 54, 160, 314, 500

AOF, 16, **40**, 111, 124, 145, 186, 230, 264, 271, 323, 396, 437, 449, 490, 613, 683

APARTHEID, 20, 33, **41**, 69, 89, 183, 216, 344, 439, 458, 468, 472, 511, 705, 734, 736

APD, **42**, 197

APEC, **42**, 55

ARABIE SAOUDITE, 12, **43**, 259

ARABISME, 19, **43**, 65, 222, 344, 392, 473, 474, 673

ARAFAT Yasser (1929-), **45**, 59, 504

ARAL (mer d'), **46**, 514, 696

ARENDT HANNAH (1906-1975), 38, **46**, 576, 681

ARGENTINE, **47**, 203, 437, 452, 531

ARMÉE ROUGE (URSS), **49**, 62, 63, 157, 234, 278, 293, 309, 336, 395, 461, 515, 594, 607, 635, 643, 666, 691, 696, 710, 711, 728

ARMÉNIE, **49**, 331, 685

ARUBA, 38, **51**, 230

ASSAD Hafez al- (1930-2000), 22, **51**, 653

ASSAM, **51**, 68

ASSEMBLÉE GÉNÉRALE (ONU), **52**, 57, 127, 152, 161, 166, 194, 212, 282, 330, 390, 494, 507, 564, 613, 638, 690

ATATÜRK > KEMAL MUSTAFA PASA

ATJEH, **52**, 360, 721

ATTLEE Clement Richard (1883-1967), **52**, 81, 414, 549, 592, 611

AUSCHWITZ, **52**, 113, 125, 286, 287, 478, 481, 543

AUSTRALIE, 13, **53**, 281, 469

AUSTRO-MARXISME, **55**, 444, 642

AUTOCHTONES (Canada), **55**, 115, 260, 354, 362, 501

AUTOCHTONES (Russie du Nord), **56**

AUTOCRATIE, **57**, 86, 418, 575, 582, 594, 654

AUTODÉTERMINATION DES PEUPLES, 25, 55, **57**, 67, 212, 215, 233, 311, 409, 458, 476, 615, 634, 672, 701

AUTOGESTION, 25, **58**, 74, 91, 102, 409, 676, 677, 728

AUTONOMIE PALESTINIENNE, 15, **58**, 137, 280, 329, 362, 505, 509, 565

AUTRICHE, 37, **59**

AUTRICHE-HONGRIE > EMPIRE AUSTRO-HONGROIS

AWOLOWO Obafemi (1909-1987), **60**, 63, 491

AXE, 12, 40, **61**, 318, 336, 340, 389, 423, 501, 513, 515, 531, 547, 589, 727

AYODHYA, **61**, 351, 477

AZAÑA Y DÍAZ Manuel (1880-1940), **61**, 238

AZERBAÏDJAN, **61**, 331, 685

AZERBAÏDJAN IRANIEN (crise de l'), **63**, 366, 468

AZIKIWE Nnamdi (1904-1996), **63**, 491

BÂ Amadou Hampaté (1901-1991), **64**

BAASSISME, 19, 44, 51, **64**, 344, 364, 473, 569, 653

BABY YAR, **65**

BAD, **65**

BAHAMAS, **65**

BAHREÏN, **65**

BAIE DES COCHONS, **66**, 170, 176

BALFOUR (déclaration), **66**, 518, 581, 617, 621

BANDE DES QUATRE, **66**, 385, 582

BANDUNG (conférence de), 44, **66**, 133, 184, 195, 199, 350, 358, 472, 494, 649, 672

BANGLADESH, **67**, 312

BANGLADESH (guerre du) > GUERRE D'INDÉPENDANCE DU BANGLADESH

BANNA Hassan al- (1906-1949), **68**, 269, 274, 370, 673

BANQUE MONDIALE, 22, 46, **68**, 97, 196, 247, 269, 278, 497, 507, 674

BANTOUS, BANTU, **69**, 149, 435

BANTOUSTAN, 21, 42, **69**

BAO DAI (1913-1997), **70**, 281, 357, 488, 715

BARBADE, **70**

BARZANI Mustafa (1903-1979), **70**, 432, 561

BAsD, **71**

BASQUES > QUESTION BASQUE

BASUTOLAND > LÉSOTHO

BEAUVOIR Simone de (1908-1986), **71**, 265

BEGIN Menahem (1913-1992), **71**, 112, 368, 374, 600

BELGIQUE, **72**, 227, 260, 268, 638

BÉLIZE, **73**, 338

BEN BADIS Abdelhamid (1889-1940), 25, **73**, 75, 497, 571

BEN BARKA Mehdi (1920-1965), **74**, 330, 443

BEN BELLA Ahmed (1916-), 11, 12, 25, 58, **74**, 90, 91, 92, 268, 310, 495, 545

BEN GOURION David Gryn, dit (1886-1973), 14, **75**, 236, 373, 450, 621

BENES Edvard (1884-1948), **76**, 549

BÉNIN, **76**

BERD, **77**

BERLIN (blocus de), 28, **77**, 314, 470

BERLINGUER Enrico (1922-1984), **77**, 147, 377, 628

BERMUDES, **78**

BESOINS FONDAMENTAUX, **78**

BESSARABIE, **78**, 101, 460, 515, 589, 686

BEVAN Aneurin (1897-1960), **78**

BEVIN Ernest (1881-1951), 52, **79**, 592

BHOUTAN, **79**

BHUTTO Zulfikar Ali (1928-1979), **79**, 516, 545

BIAFRA (guerre du), 58, 63, **79**, 492, 495, 502, 634, 638

BID (Banque interaméricaine de développement), **80**, 165

BID (Banque islamique de développement), **80**

BIÉLORUSSIE, **80**

BIRMANIE, **80**

BIT (Bureau international du travail) > OIT

BLACK MUSLIMS > NATION DE L'ISLAM (ÉTATS-UNIS)

BLACK POWER (États-Unis), **82**, 563

BLAIR Anthony Charles Lynton (Tony) (1953-), **83**, 220, 414, 527, 593, 680, 694

BLOODY SUNDAY, **83**

BLUM Léon (1872-1950), **84**, 86, 199, 271, 275, 625, 627, 681

BOCHIMANS, BUSHMEN, 42, **84**

BOERS (guerres des), 19, 41, 54, **84**, 113, 417, 425

BOLCHEVIKS (Russie), 33, 50, 57, 62, **85**, 90, 97, 104, 145, 156, 157, 233, 235, 240, 285, 292, 301, 309, 361, 393, 402, 407, 417, 419, 425, 429, 445, 447, 451, 464, 477, 484, 514, 529, 542, 548, 572, 583, 585, 589, 594, 623, 624, 626, 627, 635, 639, 641, 643, 654, 666, 667, 672, 681, 685, 691, 695, 701, 706, 735

BOLCHEVISME, 32, 55, **85**, 157, 198, 199, 408, 419, 445, 550, 575, 585, 628, 642, 670, 692

BOLIVIE, **87**

BONGO Omar (1935-), **87**, 276

BONHOEFFER Dietrich (1906-1945), **88**, 580

BOSNIE-HERZÉGOVINE, **88**, 181, 322, 412, 486, 605, 639, 730

BOSPHORE > DÉTROITS

BOTSWANA, **89**

BOUDIAF Mohamed (1918-1992), 11, 26, 75, **90**, 268, 310

BOUKHARINE Nicolas (1888-1938), **90**, 139, 156, 445, 447, 464, 484, 692

BOUMEDIÈNE Houari (1932-1978), 12, 25, 75, **91**, 92, 268, 311

BOURGUIBA Habib (1903-2000), **91**, 186, 327, 694

BOUTEFLIKA Abdelaziz (1937-), 26, 75, **92**, 453

BOXEURS (révolte des), **93**, 131, 319, 679

BRANDT Willy (1913-1992), 28, **93**, 194, 290, 333, 497, 509, 624

BRASILIA, **94**, 96, 413

BRAZZAVILLE (conférence de), 16, **94**, 143, 185

BREJNEV Leonid Ilitch (1906-1982), 18, **94**, 194, 207, 234, 315, 338, 402, 596, 629, 706

BRÉSIL, **95**, 100, 110, 240, 275, 281, 413, 427, 498, 529, 710

BREST-LITOVSK (traité de), 27, 90, **97**, 301, 309, 393, 418, 554, 594, 691, 701

BRETTON WOODS, 68, **97**, 174, 196, 211, 247, 269, 278, 539, 623

BRI, **99**

BRIAND Aristide (1862-1932), 27, **99**, 201, 271

BRIGADES INTERNATIONALES, 38, **99**, 239, 309, 483, 677, 678

BRIZOLA Leonel (1922-), 96, **100**

BRUNDTLAND (rapport), **100**, 197

BRUNÉI, **100**

BUCOVINE DU NORD, 78, **101**, 589

BUDAPEST (soulèvement de), **101**, 123, 206, 295, 315, 341, 377, 392, 402, 446, 471, 515, 596, 637, 670, 676

BULGARIE, **102**, 210, 387, 508, 533, 562, 644

BUND, 55, **104**, 620, 637, 642, 719

BUREAUCRATIE, 58, **104**, 140, 240, 241, 413, 437, 441, 509, 572, 574, 635, 641, 682, 687

BURKINA FASO, **105**

BURUNDI, **105**, 227, 289, 346

CABINDA, **107**

CABRAL Amilcar (1924-1973), **107**, 116, 324

CACHEMIRE > QUESTION DU CACHEMIRE

CAEM, **108**, 118, 176, 234, 295, 314, 540, 548, 590, 595, 637, 716

CALIFAT, **108**, 128, 396, 698

CAMARA dom Helder (1909-1999), 96, **109**

CAMBODGE, **110**, 282, 283, 357, 401, 498, 542, 718

CAMEROUN, **111**

CAMP DAVID (accords de), 15, 71, **112**, 222, 374, 599, 619

CAMPS D'EXTERMINATION NAZIS, 53, **112**, 113, 286, 288, 609

CAMPS DE CONCENTRATION, 19, 31, 85, **113**, 388, 481, 526, 643, 655

CANADA, 56, **113**, 261, 354, 362, 404, 417, 420, 501, 530, 566, 693

CANAL DE PANAMA, **115**, 519

CANAL DE SUEZ, **115**, 187, 221, 227, 320, 472, 557, 646

CAP-VERT, 108, **116**

CÁRDENAS Lázaro (1895-1970), **116**, 454, 545, 551

CARDOSO Fernando Henrique (1931-), 96, **116**, 529

CARICOM, **117**

CARVALHO Otelo Saraiva de (1937-), **117**, 547

CASAMANCE, 107, **117**, 324, 613, 614

CASTRISME, **118**, 119, 141, 145, 681

CASTRO Fidel (1927-), 66, **118**, 170, 175, 315, 323, 674, 713

CATALOGNE/CATALANISME, 32, **119**, 238, 309, 635

CAUCASE DU NORD (peuples du), **120**, 136, 667

CAYMAN, **121**

CCG, **121**

CDU (Union chrétienne démocrate) > DÉMOCRATIE CHRÉTIENNE (ALLEMAGNE)

CE > COMMUNAUTÉ EUROPÉENNE

CEAUSESCU Nicolae (1918-1989), **121**, 295, 317, 590, 675

CECA, 28, **122**, 144, 158, 377, 428, 462, 638, 704

CED, **122**, 158, 220, 451, 638, 639

CEDEAO, **122**

CEE, **122**, 144, 158, 181, 194, 211, 240, 254, 266, 305, 306, 369, 428, 430, 499, 528, 547, 587, 592, 622, 638, 645, 648, 699

CEEAC, **122**

CEI (Communauté d'États indépendants), 50, **122**, 235, 293, 317, 331, 396, 514, 596, 708

CEMAC, **123**, 736

CENT FLEURS (campagne des), **123**, 133, 203, 415

CENTO, **123**, 160

CENTRAFRIQUE, **124**, 577

CENTRE-PÉRIPHÉRIE, **124**, 196

CEYLAN > SRI LANKA

CHALAMOV Varlam (1907-1982), **124**, 208

CHAMBERLAIN Arthur Neville (1869-1940), **125**, 135, 469, 511, 591, 680

CHARIA ISLAMIQUE, 18, **125**, 269, 351, 370, 516, 658

CHARTE DE L'ONU, **127**, 152, 184, 212, 214, 360, 390, 507, 509, 604, 725

CHARTE 77 (Tchécoslovaquie), **126**, 207, 332

CHASSE AUX SORCIÈRES, **127**, 247, 314, 373, 431, 493, 693

CHEIKH SAID MUHAMMAD (?- 1925), **128**, 560

CHEMIN DES DAMES, **128**, 167, 301

CHIAPAS, **128**, 353, 455

CHILI, 30, **129**, 539

CHINE, 66, 93, 123, **130**, 193, 205, 256, 300, 320, 325, 329, 339, 385, 386, 415, 421, 430, 440, 442, 466, 513, 530, 582, 649, 667, 671, 672, 722, 723, 724, 732, 733, 734

CHOCS PÉTROLIERS, 28, 43, 54, 88, 98, 105, **134**, 174, 258, 290, 359, 383, 399, 490, 502, 528, 640, 673, 691

CHURCHILL Winston Spencer (1874-1965), 34, 52, 125, **135**, 220, 247, 314, 404, 442, 475, 549, 579, 591, 608, 657, 680, 725

CHYPRE, **135**

CIA, 30, **136**, 160, 170, 308, 318, 323, 326, 379, 465, 468

CISCAUCASIE, **136**

CISJORDANIE, 45, **136**, 236, 280, 320, 329, 362, 374, 387, 505, 564, 667, 686, 705

CISL, **137**, 327, 652

CLÉMENCEAU Georges (1841-1929), **137**, 211, 225, 271, 301, 568

CLINTON William Jefferson (Bill) (1946-), **138**, 205, 249, 588, 672, 675, 723

CMA, **138**

CNT (Confédération nationale du travail) > ANARCHISME (ESPAGNE)

CNUCED, 98, **138**, 195, 306, 494, 507, 530, 673

CNUED > RIO (CONFÉRENCE DE)

COGESTION ALLEMANDE, **139**, 624
COLLECTIVISATION AGRAIRE FORCÉE (URSS), 57, 91, **139**, 234, 304, 395, 405, 407, 410, 484, 533, 594, 642, 643, 696, 701
COLOMBIE, **140**, 681
COLONISATION, **141**, 182, 184, 187, 188, 201, 224, 227, 228, 229, 230, 232, 241, 347, 473
COMECON > CAEM
COMESA, **143**
COMMISSION DE L'OCÉAN INDIEN, **143**
COMMISSIONS OUVRIÈRES (Espagne), **143**
COMMONWEALTH, 20, 52, 69, 79, 80, 81, 112, **143**, 184, 186, 220, 228, 266, 436, 448, 492, 591, 618, 680, 723
COMMUNALISME, **144**, 350
COMMUNAUTÉ ANDINE, **144**
COMMUNAUTÉ DES ÉTATS SAHÉLO-SAHARIENS, **144**
COMMUNAUTÉ DU PACIFIQUE, **144**
COMMUNAUTÉ EURO-PÉENNE, 122, **144**, 159, 430, 704
COMMUNAUTÉ EUROPÉENNE DE L'ÉNERGIE ATOMIQUE > EURATOM
COMMUNAUTÉ FRANCO-AFRICAINE, 16, 41, 76, 105, **145**, 186, 276, 323, 396, 432, 490, 683, 704
COMMUNISME, 52, **145**, 475, 606, 626, 643, 681, 694
COMMUNISME (Asie), 40, **145**, 184, 203, 234, 315, 356, 401, 510, 525, 526, 668
COMMU-NISME (Europe de l'Est) > SOVIÉTISATION DE L'EUROPE DE L'EST
COMMUNISME (URSS) > RÉGIME SOVIÉTIQUE, RUSSIE ET URSS
COMORES, 145, **147**
COMPROMIS HISTORIQUE, 34, 37, 77, **147**, 377, 464, 628, 685
CONDITIONNALITÉ, **148**, 166, 360
CONFESSIONNALISME LIBANAIS, **148**, 216, 422, 444, 657
CONGO BELGE > EMPIRE BELGE
CONGO-BRAZZAVILLE, **148**

CONGO-KINSHASA, **149**, 227, 391, 394, 428, 459
CONGO-LÉOPOLDVILLE > CONGO-KINSHASA
XXe CONGRÈS DU PCUS > KHROUCHTCHEV (RAPPORT)
CONGRÈS NATIONAL INDIEN, 144, **151**, 277, 299, 349, 370, 386, 424, 476, 483, 525
CONSEIL DE L'EUROPE, 51, **152**, 171, 198, 389, 462, 638
CONSEIL DE SÉCURITÉ (ONU), 14, 127, **152**, 164, 166, 202, 312, 382, 390, 507, 561, 596, 613, 632, 639, 645, 676, 684, 685, 690
CONSEIL DE TUTELLE (ONU), 127, **152**, 507
CONSEIL DES ÉTATS DE LA MER BALTIQUE, **152**
CONSEIL ÉCONOMIQUE ET SOCIAL (ONU), 127, **152**, 507, 704
CONSEIL NORDIQUE, **153**
CONSTITUTION (Allemagne) > LOI FONDAMENTALE (ALLEMAGNE)
CONSTITUTION (États-Unis), **153**, 250, 260, 262, 368, 487, 562
CONSTITUTION (France, **1958**), 50, 145, **154**, 273, 279, 544, 722
CONSTITUTION (Inde, **1950**), **155**, 349
CONSTITUTION (Japon), **155**, 381, 430
CONSTITUTION (Russie, **1918**), **156**, 157, 597
CONSTITUTION (URSS, **1924**), **157**, 597
CONSTITUTION (URSS, **1936**), **157**, 158, 597
CONSTITUTION (URSS, **1977**), 156, **158**, 575, 597
CONSTRUCTION EUROPÉENNE, 17, 32, 122, 144, **158**, 188, 243, 272, 315, 430, 458, 463, 495, 511, 587, 624, 638, 639, 669, 680, 704, 735
CONTAINMENT, **160**, 291, 314, 373, 408, 539, 670, 693, 716
COOK (îles), **160**, 500
COOPÉRATION ÉCONOMIQUE DE LA MER NOIRE, **160**
CORÉE, **160**, 164, 404, 413
CORÉE (guerre de), 28, 54, 67, 114, 129, 133, 146, 161, **163**, 184, 248, 315, 372, 382, 403, 430, 667, 668, 693, 698, 708

CORÉE DU NORD (République populaire démocratique de Corée), **164**
CORÉE DU SUD (République de Corée), **164**
COSTA RICA, **164**
CÔTE-D'IVOIRE, **165**, 343
CÔTE FRANÇAISE DES SOMALIS > DJIBOUTI
COUR INTERNATIONALE DE JUSTICE (ONU), 110, 127, **166**, 472, 507
CPI (Cour pénale internationale), **166**, 389, 635
CPLP, **166**
CRAONNE (mutineries de), 128, **167** 532
CRIMÉE, 109, **167**, 534, 661, 702
CRIMES CONTRE L'HUMANITÉ > GENÈVE (CONVENTIONS DE), JUSTICE PÉNALE INTERNATIONALE
CRIMES CONTRE LA PAIX > GENÈVE (CONVENTIONS DE), JUSTICE PÉNALE INTERNATIONALE
CRIMES DE GUERRE > GENÈVE (CONVENTIONS DE), JUSTICE PÉNALE INTERNATIONALE
CRISE DE 1929, 47, 54, 59, 72, 97, 114, 129, 132, **167**, 172, 175, 201, 247, 260, 264, 271, 338, 357, 376, 382, 487, 500, 511, 527, 532, 536, 562, 588, 589, 602, 603, 607, 620, 652, 661, 708
CRISE DES FUSÉES, **170**, 176, 193, 313
CROATIE, **170**, 181, 322, 412, 486, 513, 526, 730
CROCE Benedetto (1866-1952), **172**, 445
CROISSANCE ÉCONOMIQUE ET CRISES, 170, **172**, 270, 553, 690
CRONSTADT (insurrection de), 86, **174**, 484, 691
CSCE, 29, **174**, 194, 201, 209, 316, 333, 509
CTBT > TICE
CUBA, 66, 118, 119, 170, **175**, 323
CULTURE MONDIALE, **177**, 461, 719

DAHOMEY > BÉNIN
DALAÏ-LAMA, 79, **180**, 205, 671
DANEMARK, **180**
DANTZIG > GDANSK/DANTZIG

DARDANELLES, 54, 135, **181**, 195, 301, 617

DAYTON (accords de), 89, 171, **181**, 321, 410, 412, 458, 729

DE GASPERI Alcide (1881-1954), 34, **181**, 191, 255, 376

DE VALERA Éamon (1882-1975), **182**, 368

DÉCLARATION UNIVERSELLE DES DROITS DE L'HOMME > DROITS DE L'HOMME

DÉCOLONISATION, 14, 42, 58, 143, **182**, 184, 189, 198, 224, 227, 228, 229, 232, 245, 348, 438, 458, 465, 476, 528, 547, 634, 645

DÉCOLONISATION (Afrique noire), **182**, 290

DÉCOLONISATION (Asie méridionale et orientale), 52, 182, **183**, 357

DÉCOLONISATION (Empire britannique), 52, 182, **184**, 228, 592

DÉCOLONISATION (Empire français), 182, **185**, 230, 272, 279, 355, 587

DÉCOLONISATION (Pacifique sud), 182, **186**

DÉCOLONISATION (Proche et Moyen-Orient), 182, **187**, 232, 617, 699

DELORS Jacques (1925-), 72, 159, **188**

DÉMOCRATIE, 32, 37, 77, 147, 155, 158, 181, **188**, 191, 196, 198, 221, 243, 244, 246, 257, 302, 322, 330, 347, 447, 520, 524, 545, 547, 548, 573, 575, 583, 607, 664

DÉMOCRATIE CHRÉTIENNE (Allemagne), 30, **190**, 406, 624

DÉMOCRATIE CHRÉTIENNE (Italie), 34, 37, 77, 147, 182, **191**, 221, 256, 378, 464, 484, 575, 628, 685

DÉMOCRATIE POPULAIRE, 50, 104, 122, 145, 189, **191**, 194, 198, 199, 207, 234, 314, 315, 341, 464, 543, 549, 569, 595, 637, 665, 728

DENG XIAOPING (1904-1997), 123, 131, 146, **192**, 204, 256, 386, 415, 421, 440, 441, 582, 671, 723, 732, 733

DÉPENDANCE, **193**, 197

DÉPENDANCE (théories de la), 116, **193**, 196

DÉSARMEMENT, **193**, 269, 316, 603, 644

DÉTENTE, 28, 60, 137, **193**, 201, 208, 248, 315, 317, 408, 509, 596, 673

DÉTROITS, **195**, 232, 417, 557, 617, 697

DÉVELOPPEMENT/DÉVELOP-PEMENTISME, 67, 74, 98, 100, 139, 142, 193, **195**, 197, 322, 367, 413, 495, 506, 541, 547, 553, 576, 669, 705

DÉVELOPPEMENT AUTOCEN-TRÉ, **197**

DÉVELOPPEMENT DURABLE, 174, 196, **197**

DÉVELOPPEMENT HUMAIN, 78, **197**, 347, 435, 541

DHOFAR > OMAN

DICTATURE, 37, **198**, 240, 256, 453, 469, 470, 576, 583, 602, 607, 642, 681

DICTATURE DU PROLÉTA-RIAT, 86, 157, 158, 192, **198**, 418, 446, 594, 625, 643

DIEN BIEN PHU (bataille de), 67, 185, **199**, 272, 281, 315, 356, 357, 443, 451, 494, 646, 720

DIKTAT, 27, **199**, 302, 336, 479, 520

DIMITROV Georges Mihajlov (1882-1949), 103, **199**, 533

DIOP Cheikh Anta (1923-1986), **200**

DIPLOMATIE, **200**, 292

DISPARUS (Argentine), 48, **202**, 452

DISSIDENCE, **203**, 205, 207, 581

DISSIDENCE ET OPPOSITIONS (Chine), 134, **203**, 256, 329, 415, 530, 671, 722, 723, 724

DISSIDENCE ET OPPOSITIONS (Europe de l'Est), 102, 127, 203, **205**, 332, 338, 408, 413, 446, 450, 457, 504, 544, 550, 629, 637, 702, 722

DISSIDENCE ET OPPOSITIONS (URSS), 125, 203, **207**, 234, 542, 596, 601, 629

DIVISION DU TRAVAIL > TRAVAIL

DJIBOUTI, **209**

DOBROUDJA, 103, **210**, 486, 588

DOLLAR, **210**, 623

DOMINION, 20, 81, 113, 182, 184, 186, **211**, 220, 228, 368, 426, 499, 511, 525, 591, 620, 723

DOMINIQUE, **211**

DOUBLE MONARCHIE > EMPIRE AUSTRO-HON-GROIS

DREYFUS (affaire), 39, 75, 84, 137, **211**, 271, 322, 333, 383, 627

DROIT DES FEMMES > FEM-MES (ÉMANCIPATION DES)

DROIT DES PEUPLES, 57, 67, **212**, 458, 618

DROITS CIVIQUES, 82, **212**, 248, 355, 404, 436, 483, 518, 563

DROITS DE L'HOMME, 18, 57, 109, 126, 130, 194, 202, 205, 207, 209, 212, **214**, 244, 271, 330, 331, 333, 360, 506, 587, 588, 601, 627, 635, 658, 693, 697

DRUZES, 148, **216**, 421, 444

DUBCEK Alexander (1921-1992), **217**, 550, 583, 664

EAC, **218**

EAU > ÉMIRATS ARABES UNIS

ÉCOLOGIE POLITIQUE, 32, 100, 197, **218**, 587, 626

ÉCONOMIE SOCIALE DE MARCHÉ, 28, 173, **219**, 624

ÉCOSSE, **220**, 593

EDEN Anthony (1897-1977), 135, **220**, 592, 646, 680

EEE, 159, **221**, 372, 424, 499, 648

ÉGLISE CATHOLIQUE (Espagne), **221**, 238, 274, 308

ÉGLISE CATHOLIQUE (Italie), **221**, 375, 711

ÉGYPTE, 112, **221**, 274, 473, 474, 570, 600, 619, 646, 721

EL SALVADOR, **603**

ELTSINE Boris Nicolaïe-vitch (1931-), **223**, 235, 317, 411, 529, 545, 596, 685, 707

ÉMIRATS ARABES UNIS, 218, **224**

EMPIRE, 58, 143, 182, 224, 235, 241, 245, 348, 475, 634

EMPIRE ALLEMAND, **224**

EMPIRE AMÉRICAIN, 187, **224**, 247

EMPIRE AUSTRO-HONGROIS, 55, 59, 88, 170, 224, **225**, 230, 245, 267, 300, 320, 339, 342, 370, 375, 412, 424, 458, 526, 542, 566, 569, 589, 601, 615, 622, 663, 677, 686, 700, 719, 727

EMPIRE BELGE, 72, 106, **226**

EMPIRE BRITANNIQUE, 17, 113, 135, 142, 184, 187,

188, 211, 220, 221, 224, **227**, 229, 230, 349, 352, 398, 417, 426, 491, 511, 590, 696, 724

EMPIRE COLONIAL ALLE-MAND, 106, 187, 224, **228**, 519

EMPIRE COLONIAL ITALIEN, **228**, 375

EMPIRE ESPAGNOL, **228**, 237

EMPIRE FRANÇAIS, 16, **41**, 94, 142, 145, 185, 187, 188, 224, 229, 230, 271, 358, 417, 704

EMPIRE ITALIEN > EMPIRE COLONIAL ITALIEN

EMPIRE NÉERLANDAIS, 187, **230**, 352, 358, 528

EMPIRE OTTOMAN, 23, 43, 49, 61, 75, 88, 103, 108, 109, 135, 181, 187, 201, 224, 228, **230**, 236, 245, 284, 300, 320, 363, 366, 385, 387, 396, 408, 412, 431, 438, 457, 458, 463, 485, 508, 518, 554, 558, 559, 562, 564, 566, 581, 588, 615, 617, 650, 673, 686, 699

EMPIRE PORTUGAIS, **232**, 466, 546, 675

EMPIRE RUSSE, EMPIRE SOVIÉTIQUE, 49, 56, 61, 141, 224, 230, **232**, 240, 292, 300, 320, 331, 419, 425, 535, 597, 634, 666, 695, 696, 700, 706, 708

ENTENTE CORDIALE, 50, 172, **235**, 370, 552, 590, 691

ENVER PACHA (1881-1922), **235**, 285, 384

ÉQUATEUR, **236**

ERETZ ISRAËL, **236**

ÉRYTHRÉE, **236**, 252

ESPAGNE, 32, 61, 100, 120, 221, 229, **237**, 274, 297, 308, 309, 317, 388, 508, 535, 552, 556, 627

ESTADO NOVO (Brésil), 96, **240**, 413, 427, 710

ESTONIE, **240**

ÉTAT, 189, 224, **241**, 243, 245, 246, 255, 257, 259, 280, 545, 634

ÉTAT DE DROIT, 158, 171, 190, 198, 239, 241, **243**, 398, 426, 674

ÉTAT FRANÇAIS > VICHY (RÉGIME DE)

ÉTAT INDÉPENDANT DE CROATIE, 61, 171, **244**, 485, 526

ÉTAT INDÉPENDANT DU CONGO > EMPIRE BELGE

ÉTAT-NATION, 38, 58, 230, 232, **245**, 396, 474, 485

ÉTAT-PROVIDENCE, 52, 78, 114, 165, 170, 173, 189, 224, 241, 242, 244, **245**, 249, 260, 272, 279, 404, 414, 458, 461, 528, 545, 556, 576, 652, 680, 693, 694, 708

ÉTATS-UNIS, 83, 128, 136, 138, 154, 160, 214, 225, **246**, 262, 278, 313, 317, 355, 368, 373, 397, 404, 406, 412, 431, 436, 474, 488, 493, 531, 563, 570, 588, 718, 723, 724

ÉTHIOPIE, 13, **250**, 255, 328

EUGÉNISME, 27, **252**, 479, 609, 643

EURATOM, 144, 158, **254**, 587, 638, 704

EURO > ZONE EURO

EUROPE > CONSTRUCTION EUROPÉENNE

ÉVIAN (accords d'), 25, 91, **254**, 279, 311

FABIANISME, **255**, 414, 483

FAI (Fédération anarchiste ibérique) > ANARCHISME (ESPAGNE)

FALASHA, **255**

FALKLAND > MALOUINES (ÎLES)

FANFANI Amintore (1906-1999), 191, **255**, 377, 463

FANG LIZHI (1936-), 204, **256**

FAO, **256**, 507, 518

FASCISMES, 23, 33, 38, 47, 61, 87, 94, 96, 142, 172, 181, 189, 198, 200, 221, 228, 237, 238, 240, 242, 243, 245, 255, **256**, 264, 267, 274, 304, 327, 336, 340, 343, 370, 376, 445, 463, 470, 475, 478, 485, 526, 531, 535, 576, 577, 578, 589, 601, 602, 607, 621, 625, 678, 681, 690, 727

FAYSAL BEN ABDEL-AZIZ AL-SAOUD (1904-1975), 43, **258**

FÉDÉRALISME, 72, 191, **259**, 426, 487, 644

FÉDÉRALISME (Allemagne), 30, **259**

FÉDÉRALISME (Belgique), **259**, 268

FÉDÉRALISME (Canada), 56, 114, **260**, 566

FÉDÉRALISME (États-Unis), 154, 250, **261**

FÉDÉRALISME YOUGOSLAVE, 171, **262**, 410, 463, 567, 616, 622, 730

FÉDÉRATION D'AFRIQUE CENTRALE, **263**, 435

FÉDÉRATION DE BOSNIE-HERZÉGOVINE (croato-musulmane) > BOSNIE-HERZÉGOVINE

FÉDÉRATION DES INDES OCCIDENTALES, 70, **263**, 306, 379

FÉDÉRATION DU MALI, 183, **263**, 437, 613, 614

FEMMES (émancipation des), 71, **264**, 407, 588, 646

FÉROË (îles), 180, **266**

FIDA, **266**, 507

FIDJI (îles), **266**

FINLANDE, **266**

FISE (Fonds des Nations unies de secours d'urgence à l'enfance) > UNICEF

FIUME, **267**

FLAMANDS ET WALLONS, 72, 260, **267**

FLANDRE (Belgique) > FLA-MANDS ET WALLONS

FLN (Algérie), 11, 12, 25, 74, 75, 90, 91, 186, 198, **268**, 310, 453, 473, 497, 646, 652

FMI, 22, 68, 97, 148, 165, 196, 210, 247, **269**, 278, 294, 360, 382, 422, 435, 455, 468, 507, 548, 647, 660, 674

FNI (forces nucléaires inter-médiaires), 193, **269**, 316, 596, 707

FNUAP, **269**, 507

FONDAMENTALISME ISLA-MIQUE, 17, 68, **269**, 274, 370, 449, 520, 632, 673

FORDISME, **269**, 302, 662, 684, 690

FORMOSE > TAÏWAN

FORUM DU PACIFIQUE SUD, **270**

FRA, **270**

FRANCE, 71, 84, 99, 138, 155, 186, 188, 212, 230, **270**, 275, 279, 280, 282, 311, 322, 358, 383, 388, 415, 433, 451, 459, 463, 465, 499, 533, 569, 579, 606, 628, 671, 714

FRANCO BAHAMONDE Fran-cisco (1892-1975), 57, 120, 221, 229, 238, 258, **273**, 296, 308, 388, 532, 535, 545, 556, 576, 627

FRANCOPHONIE > ORGANI-SATION INTERNATIONALE DE LA FRANCOPHONIE

FRÈRES MUSULMANS (Égypte), 45, 68, 222, **274**, 370, 449, 473, 673, 721

FREYRE Gilberto (1900-1987), **274**

FRONT POPULAIRE (France), 84, 271, **275**, 357, 452, 627, 652, 670, 693

FSM, 137, **275**, 327, 388, 652

G-7, G-8, 115, 202, **276**, 382, 665

G-**15, 276**

GABON, 88, **276**

GAGAOUZES, 210, 235, **276**, 460

GAMBIE, **277**, 614

GANDHI Mohandas Karamchand (1869-1948), 33, 151, **277**, 349, 439, 476, 483, 496

GARVEY Marcus (1887-1940), **277**, 379, 518, 563

GATT, 42, 138, 174, 179, **278**, 382, 423, 505, 511, 553, 674

GAULLE Charles de (1890-1970), 16, 25, 84, 94, 143, 159, 185, 194, 256, 272, **278**, 279, 311, 393, 433, 442, 451, 458, 462, 465, 579, 592, 610, 670, 683

GAULLISME (France), 155, 188, 273, **279**, 433, 670

GAZA (bande de), 222, 236, **280**, 320, 329, 362, 374, 505, 564, 667, 705

GDANSK, DANTZIG, 206, **280**, 341, 450, 629, 653, 721

GEISEL Ernesto (1907-1996), 96, **281**

GÉNÉRATION VOLÉE (Australie), 13, **281**

GENÈVE (accords de), 70, 185, 199, **281**, 337, 356, 357, 416, 451, 488, 541, 716

GENÈVE (conventions de), **282**, 389, 690

GÉNOCIDE, 110, 113, 147, 253, **282**, 283, 285, 288, 289, 295, 346, 390, 409, 446, 481, 482, 496, 598, 609, 625, 639, 664, 690, 719, 728

GÉNOCIDE CAMBODGIEN, **282**, 401, 542, 695

GÉNOCIDE DES ARMÉNIENS, 49, 232, 282, **283**, 302, 384, 697

GÉNOCIDE DES JUIFS, 39, 53, 113, 282, **285**, 288, 373, 464, 482, 518, 581

GÉNOCIDE DES TSIGANES, 113, 282, **287**, 482

GÉNOCIDE RWANDAIS, 106, 282, **288**, 346, 511, 598, 631, 685

GENSCHER Hans-Dietrich (1927-), **289**

GÉOPOLITIQUE, 202, **290**

GÉORGIE, **292**, 685

GHANA, **293**, 493

GHASSEMLOU Abdul Rahman (1930-1989), **294**, 560

GHEORGHIU-DEJ Gheorghe (1901-1965), 121, **294**, 590

GHETTO DE VARSOVIE, 93, 104, 287, **295**, 543, 610

GIAP > VO NGUYEN GIAP

GLASNOST, 57, 209, **295**, 297, 315, 531, 596

GLOBALISATION > MONDIALISATION

GOLAN, 51, **296**, 320, 374, 653, 667

GOMULKA Wladislaw (1905-1982), 280, **296**, 446, 456, 503, 543, 637

GONZÁLEZ MÁRQUEZ Felipe (1942-), 240, **296**, 627

GORBATCHEV Mikhaïl Sergueievtch (1931-), 18, 19, 29, 145, 158, 207, 209, 223, 234, 269, 290, 293, 296, **297**, 315, 406, 411, 531, 544, 570, 574, 583, 590, 596, 601, 656, 665, 706

GORÉE, **297**, 613

GOTTWALD Klement (1896-1953), **297**, 549, 664

GOULAG, 113, 125, 133, **298**, 303, 415, 535, 542, 590, 595, 655, 682, 702

GPU > POLICE POLITIQUE (URSS)

GRAMSCI Antonio (1891-1937), **299**, 445, 628, 678

GRAND BOND EN AVANT, 123, 133, 146, **299**, 440, 441, 582

GRANDE FAMINE (URSS) > COLLECTIVISATION AGRAIRE FORCÉE

GRANDE GUERRE, 31, 52, 59, 97, 125, 128, 137, 167, 168, 181, 199, 201, 224, 225, 227, 228, 230, 241, **300**, 309, 339, 347, 361, 383, 387, 396, 417, 426, 428, 429, 463, 479, 481, 486, 521, 532, 551, 552, 555, 558, 566, 569, 600, 605, 607, 616, 631, 659, 690, 713

GRANDE TERREUR STALINIENNE, **303**, 402, 464, 516, 595, 642

Grande-Bretagne > ROYAUME-UNI

GRÈCE, **304**, 394, 453, 508, 520, 562

GRENADE, 211, **306**

GROENLAND, 180, **306**

GROUPE DE RIO, **306**

GROUPE DES 77, 196, **306**

GUADELOUPE, 145, 186, 229, **306**, 444, 704

GUAM, 187, 224, 228, 237, **307**, 317, 442

GUATÉMALA, **307**

GUÉPÉOU > POLICE POLITIQUE (URSS)

GUERNICA, **308**, 309

GUERRE CIVILE (Espagne), 32, 33, 38, 61, 84, 99, 275, **308**, 388, 483, 509, 547, 556, 602, 626, 677, 678

GUERRE CIVILE (Russie), 49, 85, 86, 120, 221, 229, 238, 308, **309**, 402, 404, 418, 477, 484, 514, 529, 542, 572, 585, 594, 642, 643, 682

GUERRE D'AFGHANISTAN > AFGHANISTAN (GUERRE D')

GUERRE D'ALGÉRIE > GUERRE D'INDÉPENDANCE ALGÉRIENNE

GUERRE D'ESPAGNE > GUERRE CIVILE (ESPAGNE)

GUERRE D'INDÉPENDANCE ALGÉRIENNE, 11, 12, 25, 145, 182, 186, 230, 254, 268, 272, 279, **310**, 330, 433, 453, 458, 494, 497, 503, 606, 627, 694

GUERRE D'INDÉPENDANCE DU BANGLADESH, 67, 79, **311**, 350, 516, 634

GUERRE D'INDOCHINE > INDOCHINE (GUERRE D')

GUERRE DE CORÉE > CORÉE (GUERRE DE)

GUERRE DU GOLFE (première), 43, 290, 294, **312**, 344, 365, 367, 401, 496, 510, 560

GUERRE DU GOLFE (seconde), 15, 43, 45, 51, 118, 222, 248, 290, **312**, 344, 365, 373, 375, 412, 505, 561, 565, 654, 721

GUERRE DU PACIFIQUE, 160, 247, **313**, 334, 349, 381, 405, 411, 430, 444, 457, 478, 499, 536, 602, 610, 640, 679

GUERRE DU VIETNAM > VIETNAM (GUERRE DU)

GUERRE FROIDE (première), 14, 16, 17, 20, 28, 33, 40, 57, 63, 67, 77, 122, 128, 129, 160, 161, 163, 165, 184, 191, 193, 195, 202, 215, 221, 237, 239, 272, 274, 275, 305, 306, **313**, 317, 326, 356, 372, 376, 403, 407, 411, 436, 470, 494, 510, 515, 539, 570, 575, 577,

579, 595, 602, 625, 627, 628, 630, 642, 646, 652, 670, 672, 693, 699

GUERRE FROIDE (seconde), 18, 57, 191, 193, 195, 202, 215, 247, 248, 290, 297, 306, **315**, 338, 347, 379, 380, 411, 436, 448, 496, 570, 575, 596, 603, 618, 630, 673, 699

GUERRE HISPANO-AMÉRI-CAINE, 175, 187, 224, 228, 237, 247, 307, **317**, 372, 536, 546

GUERRE IRAN/IRAK > GUERRE DU GOLFE (PRE-MIÈRE)

GUERRE PSYCHOLOGIQUE, 314, **317**, 553

GUERRE RUSSO-JAPONAISE, 160, **319**, 380, 411, 594, 679

GUERRE SINO-JAPONAISE, 133, **319**, 325, 381, 599, 733

GUERRES BALKANIQUES, 22, 103, 210, 231, 300, 304, **320**, 384, 409, 431, 463, 486, 558, 562, 566, 588, 604, 615, 697

GUERRES ISRAÉLO-ARABES, 15, 51, 76, 112, 115, 136, 222, 280, 290, 296, **320**, 375, 384, 387, 472, 518, 565, 568, 599, 614, 619, 621, 654, 667, 686, 705

GUERRES MONDIALES > GRANDE GUERRE, SECONDE GUERRE MON-DIALE

GUERRES YOUGOSLAVES (1991-1995), 23, 159, 171, 181, 253, 290, 305, **321**, 409, 412, 567, 604, 605, 616, 639, 677, 685, 730

GUESDE Jules Bazile, dit (1845-1922), 39, 84, **322**, 361, 627

GUEVARA Ernesto, dit Ché (1928-1967), 66, 87, 118, 176, 199, **322**, 337, 681

GUINÉE, **323**, 684

GUINÉE-BISSAU, 108, **324**

GUINÉE ÉQUATORIALE, **324**

GUOMINDANG, KUOMIN-TANG, 132, 204, **325**, 415, 420, 441, 649, 667, 733

GUSMAO José Alexandre, dit Xanana (1946-), **325**, 675

GUUAM, **325**

GUYANA, **326**, 379

GUYANE FRANÇAISE, 145, 186, 229, **326**, 704

HACHED Ferhat (1914-1952), **327**

HAILÉ SÉLASSIÉ Iᵉʳ (1892-1975), 251, **327**

HAÏTI, **328**

HALABDJA, 312, **328**, 560

HAMAS, **328**, 565

HAN, 133, 205, **329**, 724

HAN DONGFANG (1963-), 205, **329**

HASSAN II (1929-1999), 74, **329**, 443, 460, 600, 662

HATTA Mohammad (1902-1980), **330**, 358, 672

HAUT COMMISSARIAT DES NATIONS UNIES AUX DROITS DE L'HOMME, **330**

HAUTE-VOLTA > BURKINA FASO

HAUT-KARABAKH, 50, 62, **331**

HAVEL Václav (1936-), 126, 317, **331**, 578, 583, 665

HCR, **332**, 507

HEIMAT (Allemagne), **332**

HEINEMANN Gustav (1899-1976), **332**

HELSINKI (accords d'), 29, 126, 174, 193, 207, 209, **333**, 509

HERZL Theodor (1860-1904), 75, **333**, 563, 620

HEZBOLLAH (Liban), **333**, 422

HIROHITO (1901-1989), **334**, 381, 610, 679, 726

HIROSHIMA, 247, 313, **334**, 381, 611, 693

HITLER Adolf (1889-1945), 13, 27, 37, 38, 47, 59, 112, 125, 135, 180, 190, 205, 228, 239, 244, 253, 258, 274, 280, 286, 296, 334, **335**, 340, 343, 376, 423, 469, 470, 475, 478, 515, 520, 578, 580, 591, 607, 627, 642, 652, 664, 681, 727

HO CHI MINH (Nguyen Tat Thanh, dit) (vers 1894-1969), 70, 143, 185, 281, **336**, 356, 417, 524, 672, 693, 715, 717, 720

HOME RULE, **337**, 368, 705

HOMELAND > BANTOUSTAN

HONDURAS, **337**

HONDURAS BRITANNIQUE, **338**

HONECKER Erich (1912-1994), 29, 317, **338**, 510, 703

HONG KONG, 132, 184, **338**, 386, 430, 657

HONGRIE, 102, **339**, 343, 392, 471, 569, 687

HORTHY Miklós (1868-1957), 340, **342**, 391, 513, 526, 686

HOUPHOUËT-BOIGNY Félix (1905-1993), 165, 186, **343**, 683

HUME John (1937-), 16, **343**, 369

HUSRI Sati al- (1880-1969), 44, **343**

HUSSEIN Saddam (1937-), 45, 312, **344**, 365, 375, 496

HUTU ET TUTSI, 106, 226, 289, **344**, 598

IDH > DÉVELOPPEMENT HUMAIN

IDS, 29, 315, **347**

IMPÉRIALISME, 17, 62, 86, 118, 125, 132, 182, 199, 224, 228, 229, 230, 231, 232, 235, 258, **347**, 349, 350, 364, 429, 446, 475, 479, 547, 556, 592, 627, 638, 672, 682

IMPÉRIALISME JAPONAIS, 247, 320, 334, 347, **348**, 381, 438, 599, 607, 673

INDE, 31, 52, 152, 155, 277, **349**, 352, 477, 483, 496, 526, 530, 559, 619

INDES NÉERLANDAISES, 313, **352**, 381, 608, 638

INDIA ACTS, 151, 155, **352**

INDIENS (Amérique latine), **352**

INDIENS (Canada), 56, **354**

INDIENS (États-Unis), 248, **354**

INDOCHINE (guerre d'), 70, 133, 146, 184, 185, 199, 230, 272, 281, 315, 337, **355**, 357, 416, 451, 524, 526, 627, 633, 715, 716

INDOCHINE FRANÇAISE, 182, 185, 199, 229, 271, 313, **356**, 381, 417, 443, 524, 638, 714

INDONÉSIE, 52, 230, 330, **358**, 522, 647, 649, 676, 721

INGÉRENCE (droit d'), 141, 202, 291, **360**, 410, 634

INITIATIVE CENTRO-EURO-PÉENNE, **360**

INSURRECTION DE 1947 (Madagascar), 185, **361**, 431

INTERNATIONALE COMMU-NISTE > KOMINTERN

INTERNATIONALE SOCIA-LISTE, **361**

INTERVENTIONNISME, 169, 245, **361**

INTIFADA (deuxième), **362**, 375

INTIFADA (première), 45, 328, **362**, 505, 565, 568

INUITS (Canada), 56, **362**, 501

IOR-ARC, **362**

IRA (Irlande), 15, **362**, 368, 522, 620

IRAK, 71, 312, 313, 328, 344, **363**, 562

IRAN, 63, 294, 312, **366**, 400, 402, 433, 465, 469, 510, 562, 582, 586

IRANGATE, **368**, 570

IRGOUN, 71, **368**

IRIAN JAYA > PAPOUASIE OCCIDENTALE

IRLANDE, 182, 337, 363, **368**, 369, 522, 587, 620, 703

IRLANDE DU NORD, 16, 83, 337, 343, 363, 368, **369**, 587, 620, 703, 705

IRRÉDENTISME, 103, **369**, 375, 569, 644

ISLAMISME, 18, 67, 68, 125, 128, 222, 237, 265, 269, 290, 329, **370**, 392, 405, 412, 447, 460, 510, 514, 520, 565, 600, 632, 656, 658, 667, 673, 698

ISLANDE, **371**

ISOLATIONNISME/INTER-VENTIONNISME, 250, 362, **372**, 588, 693

ISRAËL, 15, 72, 76, 112, 137, 236, 255, 280, 296, 333, 368, **373**, 384, 403, 451, 464, 565, 568, 599, 619, 621, 645

ITALIE, 13, 33, 34, 37, 38, 77, 148, 172, 182, 191, 221, 228, 256, 267, 299, 370, **375**, 456, 464, 470, 484, 569, 577, 579, 628, 678, 686, 690

JAGAN Cheddi (1918-1997), **379**

JAMAÏQUE, 278, **379**

JAPON, 22, 156, 313, 319, 320, 334, 335, 349, **380**, 411, 604, 638, 679

JAURÈS Jean (1859-1914), 84, 99, 211, 271, 322, **383**, 627, 633

JEAN XXIII (Angelo Giuseppe Roncalli, dit) (1881-1963), 221, 377, **383**, 669, 711

JEAN-PAUL II (Karol Wojtyla, dit) (1920-), 207, 316, **384**, 544, 670

JÉRUSALEM, 59, 136, 280, **384**, 564, 667

JEUNES-TURCS (Empire ottoman), 43, 49, 231, 235, 284, 370, **384**, 697

JIANG JIESHI > TCHIANG KAI-CHEK

JIANG QING (1913-1991), 66, **385**, 441, 582

JIANG ZEMIN (1926-), 134, 193, 205, **385**, 733

JINNAH Muhammad Ali (1876-1948), 311, 349, 370, **386**, 424, 449, 516, 525

JIVKOV Todor Hristov (1911-1998), 103, **386**, 486

JORDANIE, **387**, 615, 686

JOUHAUX Léon (1879-1954), **387**

JUAN CARLOS Iᵉʳ (1938-), 239, 274, **388**, 627

JUSTICE PÉNALE INTERNA-TIONALE, 166, **388**, 501, 677, 679, 685, 690

KABILA Laurent-Désiré (1939-2001), 151, **391**, 459

KÁDÁR János (1912-1989), 102, 341, **391**, 471, 569

KADHAFI Mouammar (1942-), 45, 294, **392**, 424, 443, 663

KAMENEV, Lev Borisovitch Rosenfeld, dit (1883-1936), **393**, 418, 464, 574, 735

KAMPUCHÉA DÉMOCRA-TIQUE, **393**

KARAMANLIS Constantin (1907-1998), 305, **393**

KATANGA, 36, 72, **394**, 428, 511

KATYN (massacre de), **394**, 543, 611

KAZAKHSTAN, **395**

KEÏTA Modibo (1915-1977), **396**, 437, 683

KEMAL Mustafa Pasa, dit Atatürk (1881-1938), 11, 50, 128, 264, 285, 302, 304, **396**, 453, 545, 560, 617, 697

KÉMALISME, 17, 50, **396**, 697

KENNEDY John Fitzgerald (1917-1963), 66, 170, 201, 213, 249, 315, 377, **397**, 474, 493, 588, 716

KENYA, **397**, 399, 403

KENYATTA Jomo (1893-1978), **398**

KEYNÉSIANISME, **399**, 451

KGB > POLICE POLITIQUE (URSS)

KHALISTAN > PENDJAB, SIKHS

KHAN Sayyid Ahmad (1817-1898), 144, **399**, 571

KHATAMI Muhammad (1943-), 367, **400**

KHERRATA > SÉTIF, GUELMA (8 MAI 1945)

KHMERS ROUGES (Cam-bodge), 110, 146, 282, 315, 393, **400**, 496, 498, 523, 541, 576, 695, 716, 717

KHOMEYNI Ruhollah (1902-1989), 43, 121, 123, 135, 265, 294, 312, 333, 365, 367, 371, **401**, 469, 496, 510, 560

KHROUCHTCHEV Nikita Ser-gueievitch (1894-1971), 29, 65, 94, 102, 123, 146, 158, 170, 201, 293, 297, 315, 377, 386, 395, **402**, 446, 447, 477, 503, 540, 574, 590, 596, 606, 624, 629, 642, 643, 670, 676, 702

KHROUCHTCHEV (rapport), **402**, 386

KIBBOUTZ (mouvement des), 76, **402**

KIKUYU, 397, 398, **403**

KIM IL SUNG (Kim Sung-ju, dit) (1912 ?-1994), 161, **403**

KING Martin Luther (1929-1968), 82, 213, 248, **404**, 474, 563

KING William Lyon Macken-zie (1874-1950), 114, **404**

KIRGHIZSTAN, **404**

KIRIBATI, **405**

KISSINGER Henry (1923-), 71, 194, 290, 291, 296, **406**, 717

KOHL Helmut (1930-), 29, 191, 290, **406**

KOLKHOZE, 139, 298, **407**, 411, 701

KOLLONTAÏ Alexandra (1872-1952), 264, **407**, 574

KOLYMA > GOULAG

KOMINFORM, 191, 314, 377, **407**, 595, 636, 676, 677

KOMINTERN, 62, 85, 90, 175, 200, 234, 298, 299, 336, 341, 391, 407, **408**, 515, 524, 569, 573, 589, 594, 623, 625, 626, 627, 633, 636, 651, 667, 670, 672, 677, 678, 692, 735

KOR (Pologne), 206, **408**, 413, 456, 544, 629

KOSOVO, 23, 30, 36, 58, 118, 122, 159, 202, 248, 263, 290, 305, 372, **408**, 431, 457, 463, 485, 566, 604, 615, 634, 728

KOULAKS, 86, 139, 298, 304, **410**, 418, 484, 643, 682

KOURILES, 22, **411**, 595

KOWEÏT, **411**

KRAJINA, 171, 321, **412**

KU KLUX KLAN, **412**, 436, 562

KUBITSCHEK DE OLIVEIRA Juscelino (1902-1976), 94, 96, **412**, 497

KUOMINTANG > GUOMIN-DANG

KURDES > QUESTION KURDE

KURON Jacek (1934-), 408, **413**, 544, 635

KWANGJU (massacre de), 162, **413**

LABOUR PARTY (Royaume-Uni), 52, 78, 79, 184, 255, 271, **414**, 437, 575, 591, 651, 680, 694

LAÏCITÉ (à la française), 271, **414**

LÄNDER (Allemagne) > FÉDÉRALISME (ALLEMAGNE)

LAOGAI, 133, 203, 298, **415**, 655

LAOS, 282, 358, **415**, 526, 633, 718

LAURIER Wilfrid, Sir (1841-1919), 113, 404, **417**

LAUSANNE (traité de), 50, 135, 285, 304, **417**, 560, 617, 697

LÉNINE Vladimir Ilitch Oulianov, dit (1870-1924), 47, 55, 57, 85, 90, 97, 104, 124, 156, 157, 158, 198, 301, 347, 393, **417**, 429, 445, 446, 451, 464, 477, 484, 538, 548, 572, 585, 594, 624, 627, 628, 633, 639, 642, 643, 681, 691, 692, 706, 711, 735

LÉNINISME > BOLCHEVISME

LÉSOTHO, **419**

LETTONIE, **419**

LÉVESQUE René (1922-1987), 115, **420**, 566

LI PENG (1928-), 134, 192, **420**, 732, 733

LIBAN, 148, 334, **421**, 422, 444, 535, 599, 645, 657, 658

LIBAN SUD > SUD LIBAN

LIBÉRALISME, 245, 269, 399, **422**, 475, 722

LIBÉRIA, **422**

LIBRE-ÉCHANGISME, 179, **423**, 539, 553

LIBYE, 393, **423**

LIECHTENSTEIN, **424**

LIGUE ARABE, 44, 222, 258, **424**, 504, 658

LIGUE MUSULMANE, 144, 349, 370, 386, **424**, 449, 516, 525

LITUANIE, 104, **425**, 719

LLOYD GEORGE David (1863-1945), 301, **425**, 591, 713

LOCARNO (accords de), 27, 99, 125, **426**

LOI FONDAMENTALE (Allemagne), 16, 28, 259, **426**

LOMÉ (convention de), 15, 185, **427**

LULA Luis Inácio da Silva, dit (1945-), 96, 100, **427**

LUMUMBA Patrice (1925-1961), 150, 394, **427**, 459

LUXEMBOURG, **428**

LUXEMBURG Rosa (1870-1919), 86, 347, **429**, 623

MAASTRICHT (traité de), 31, 122, 144, 159, 181, 188, **430**, 528, 704, 735

MACAO, 134, 184, 232, **430**, 657

MACARTHUR Douglas (1880-1964), 54, 164, 313, 320, 381, **430**, 536, 610, 693, 726

MACCARTHYSME > CHASSE AUX SORCIÈRES

MACÉDOINE, **431**, 508, 562, 730

MADAGASCAR, 361, **431**

MAHABAD (république de), 70, **432**, 560

MAI 68, 174, 188, 273, 279, **433**, 446, 451, 606, 653

MALAISIE, **433**

MALAWI, **435**

MALCOLM X (Malcolm Little, dit) (1925-1965), 248, **435**, 474, 563

MALDIVES, **436**

MALI, 396, **436**

MALOUINES (guerres des), 58, **437**, 438, 593

MALOUINES (îles), 48, **437**

MALTE, **438**

MANDATS, 20, 22, 41, 54, 66, 111, 186, 187, 226, 228, 230, 320, 363, 373, 380, 387, 421, **438**, 442, 444, 457, 472, 478, 518, 521, 564, 581, 604, 653, 660, 678, 679, 686, 713

MANDCHOUKUO, 325, 381, **438**, 439, 608, 638

MANDCHOURIE, 133, 313, 319, 325, 335, 380, **438**, 594, 607

MANDELA Nelson (1918-), 21, 33, 42, 106, 216, **439**, 736

MAO ZEDONG (1893-1976), 54, 66, 123, 133, 146, 163, 184, 192, 194, 203, 299, 336, 339, 385, 439, **440**, 582, 606, 643, 657, 667, 676, 733

MAOÏSME, 96, 90, 123, 134, 192, 300, 400, **439**, 442, 447, 484, 532, 537, 541, 582, 643, 705

MAORIS (Nouvelle-Zélande), **440**, 499

MARIANNES DU NORD (îles), **442**

MAROC, 74, 330, **442**, 460, 587, 662

MARONITES, 148, 217, 421, **443**, 535, 658

MARSHALL (îles), **444**

MARTINIQUE, 145, 186, 229, 306, **444**, 483, 704

MARXISME, 55, 77, 85, 104, 116, 145, 149, 189, 196, 199, 255, 290, 299, 361, 379, 392, 418, 424, 429, 440, 441, **444**, 447, 451, 467, 468, 483, 528, 535, 548, 573, 618, 621, 623, 626, 627, 628, 643, 644, 677, 724

MARXISME-LÉNINISME, 23, 107, 119, 134, 146, 203, 306, 405, 440, 445, **446**, 467, 482, 575, 605, 606, 637, 642, 643, 676

MASARYK Tomáš (Garrigue) (1850-1937), 76, 225, **447**, 549, 663

MASSOUD Ahmed Shah (1956-2001), 18, 19, **447**, 658

MAURICE, **448**

MAURITANIE, **449**

MAWDUDI Abul ala- (1903-1980), 67, 269, 370, **449**

MAYOTTE, 147, 186, 229, **449**

MAZOWIECKI Tadeusz (1927-), 413, **450**, 457

MCCA, **450**

MEIR Golda (1898-1978), 374, **450**, 568

MENCHEVIKS (Russie), 55, 85, 292, 304, 395, 418, **451**, 548, 585, 625, 691

MENDÈS FRANCE Pierre (1907-1982), 272, 281, 310, **451**, 568, 694, 716

MERCOSUR, 48, 96, 202, **451**, 523, 709

MÈRES DE LA PLACE DE MAI, 48, **452**

MESSALI Hadj Ahmed (1898-1974), 11, 24, 90, 186, 268, 310, **452**

METAXAS Ioannis (1871-1941), 304, **453**, 520

MEXICO, 116, **453**, 455

MEXIQUE, 116, 129, **454**, 551, 584, 718, 732

MEZZOGIORNO, 34, 181, 299, 377, **456**, 576

MICHNIK Adam (1946-), 450, **456**, 544

MICRONÉSIE (États fédérés de), **457**

MILLET, **457**

MILOSEVIC Slobodan (1941-), 409, **457**, 463, 486, 615, 720, 729

MINORITÉS, 22, 225, 234, 245, 293, 300, 360, 396, **458**, 589, 644, 686

MITTERRAND François (1916-1996), 179, 188, 273, 279, 310, 451, **458**, 627

MOBUTU Sese Seko (1930-1997), 72, 150, 391, 428, **459**

MOHAMMED VI (1963-), 330, 443, **460**

MOLDAVIE, 78, 277, **460**, 685, 686

MONACO, **461**

MONDIALISATION, 96, 115, 130, 179, 202, 242, 291, 353, 385, 399, **461**, 528, 576, 625, 635, 674, 713, 733

MONGOLIE, **461**

MONNET Jean (1888-1979), 158, 272, **462**, 639

MONTÉNÉGRO, **463**, 567, 604, 677, 730

MONTSERRAT, **463**

MORO Aldo (1916-1978), 34, 37, 77, 147, 256, 377, **463**, 484

MOSCOU (procès de), 37, 91, 303, 393, **464**, 595, 642, 735

MOSSAD, **464**, 615

MOSSADEGH Muhammad Hedayat (1881-1967), 366, 371, 401, **464**, 468, 545, 581

MOULIN Jean (1899-1943), **465**, 579

MOUVEMENT DES NON-ALIGNÉS, **465**, 483, 640

MOUVEMENT DU 4 MAI 1919, 132, **466**

MOZAMBIQUE, **466**

MPLA (Angola), 35, 107, 151, **468**, 705

MUHAMMAD REZA CHAH PAHLAVI (1919-1980), 366, 401, **468**, 510, 581, 586

MULTICULTURALISME (Australie), 54, **469**

MUNICH (accords de), 28, 76, 125, 135, 220, 336, **469**, 516, 589, 591, 607, 645, 664, 676

MUR DE BERLIN, 16, 29, 94, 177, 275, 290, 315, 317, 338, 432, 443, 450, **469**, 555, 596

MUSSOLINI Benito (1883-1945), 13, 33, 37, 59, 181, 191, 221, 239, 244, 256, 274, 327, 336, 340, 376, 469,

470, 483, 526, 545, 552, 576, 579, 607, 628, 681, 711

MUTINERIES (France, 1917) > CRAONNE (MUTINERIES DE)

MYANMAR > BIRMANIE

NAGY Imre (1896-1958), 101, 341, 392, **471**, 569

NAMIBIE, **471**

NASSER Gamal Abdel (1918-1970), 44, 64, 115, 188, 198, 220, 222, 258, 274, 310, 320, 364, 374, 392, **472**, 473, 494, 504, 545, 569, 592, 599, 645, 653, 676, 721

NASSÉRISME, 25, 43, 44, 64, 92, 222, 315, **473**, 505, 600, 632

NATION DE L'ISLAM (États-Unis), 436, **474**, 563

NATIONAL-SOCIALISME, 189, 242, 243, 332, **474**

NATIONALISME, 65, 79, 88, 172, 185, 195, 232, 245, 256, 279, 300, 348, 357, 361, 375, 384, 396, 397, 457, 458, 465, 467, 470, **474**, 477, 479, 519, 545, 547, 563, 574, 589, 602, 607, 707, 728

NATIONALISME ARABE > ARABISME

NATIONALISME HINDOU, 61, 68, 277, 351, 370, **476**

NATIONALITÉS EN URSS (politique des), 157, 235, **477**, 535, 642

NATIONS UNIES > ONU

NAURU, **478**

NAZISME, 16, 23, 28, 37, 41, 46, 59, 61, 65, 84, 88, 100, 104, 113, 169, 180, 190, 199, 247, 253, 256, 264, 287, 288, 295, 296, 313, 333, 336, 340, 348, 372, 376, 395, 446, 451, 464, 470, 474, 475, **478**, 499, 515, 520, 522, 533, 543, 555, 576, 578, 579, 587, 588, 595, 607, 625, 636, 644, 645, 655, 663, 666, 681, 694, 701, 713, 719

NÉGATIONNISME, 40, 287, 446, **481**, 581

NÉGRITUDE, 444, **482**, 613, 614

NEHRU Jawaharlal (1889-1964), 144, 152, 350, **483**, 484, 494, 672, 676

NENNI Pietro (1891-1980), 377, 463, **483**, 628

NEP, 86, 91, 174, 410, 418, **484**, 594, 642, 643, 682

NÉPAL, **484**

NETTOYAGE ETHNIQUE, 89, 284, 293, 302, 321, **485**, 567, 639

NEUILLY (traité de), 103, 210, 301, **486**, 589, 644

NEW DEAL, 114, 170, 173, 245, 247, 399, 404, **487**, 588, 652, 693

NGO DINH DIEM (1901-1963), 70, 281, **488**, 670, 715, 716

NICARAGUA, **489**

NIGER, **490**

NIGÉRIA, 61, 63, 80, **491**, 502, 638

NIUE (île), **492**, 500

NIXON Richard (1913-1994), 134, 194, 211, 249, 368, 397, 406, **492**, 723

NKRUMAH Kwame (1909-1972), 67, 183, 186, 294, 427, **493**, 494, 518, 545, 683

NKVD > POLICE POLITIQUE (URSS)

NOEI, 98, 195, **494**, 497, 673, 705

NOIRS AMÉRICAINS > QUESTION NOIRE (ÉTATS-UNIS)

NON-ALIGNEMENT, 67, 107, 133, 184, 222, 306, 315, 350, 466, 472, 473, **494**, 646, 673, 676, 677, 728

NON-VIOLENCE GAND-HIENNE, 33, 183, 277, 349, 404, 439, **496**

NORD-CONSTANTINOIS (insurrection du), 310, **496**

NORDESTE, 95, 109, 274, **497**

NORD-SUD (dialogue), 94, **497**

NORODOM SIHANOUK (1922-), 110, 400, **498**, 541, 717

NORVÈGE, **498**

NOUVELLE-CALÉDONIE, 145, 186, 187, 229, **499**

NOUVELLES-HÉBRIDES > VANUATU

NOUVELLE-ZÉLANDE, 440, **499**

NPI (nouveaux pays industriels), 162, 172, 173, **500**, 527, 530, 674

NUNAVUT, 362, **500**

NUREMBERG (tribunal de), 113, 253, 287, 343, 389, **501**, 678, 679

NYASSALAND > MALAWI

NYERERE Julius (1921-1999), 106, 467, **501**, 618, 660

OACI, **502**

OBASANJO Olusegun (1937-), 492, **502**

OCDE, 163, 173, 197, 456, 500, **502**, 504, 539

OCE, **502**

OCI, 436, **502**, 605

OCS, **503**

OCTOBRE 1988 (Algérie), 26, **503**

OCTOBRE POLONAIS, 123, 296, 341, **503**, 543, 628, 637

OEA, **504**

OECE, 314, 462, 502, **504**, 539, 638

OIM, **504**

OIT, 78, **504**, 507

OLP, 14, 45, 59, 72, 329, 374, 387, 421, **504**, 509, 564, 568, 599, 614, 658

OMAN, **505**

OMC, 179, 197, 202, 250, 278, 423, **505**, 553, 734

OMI, **506**

OMM, **506**

OMPI, **506**

OMS, 36, 78, **506**, 507, 703

OMT, **506**

ONG, **506**, 587

ONU, 14, 21, 23, 36, 52, 80, 89, 98, 100, 111, 127, 138, 139, 143, 150, 152, 153, 161, 166, 181, 184, 193, 195, 198, 202, 214, 218, 237, 239, 247, 256, 266, 269, 313, 321, 325, 330, 331, 332, 373, 382, 388, 394, 410, 422, 423, 431, 438, 442, 444, 448, 450, 457, 467, 472, 486, 497, 502, 504, 506, **507**, 508, 516, 518, 521, 529, 541, 564, 595, 600, 604, 605, 613, 619, 631, 634, 645, 646, 647, 660, 672, 675, 678, 699, 703, 705, 725

ONUDI, **507**

OPEP, 495, **508**, 713

OPUS DEI, 221, 239, **508**

ORGANISATION DU PACTE CENTRAL > CENTO

ORGANISATION INTERNA-TIONALE DE LA FRANCO-PHONIE, **508**

ORIM (Organisation révolu-tionnaire intérieure macé-donienne), 103, **508**, 644

ORWELL George (1903-1950), **508**

OSCE, 174, 331, 405, 410, **509**, 605

OSLO (accords d'), 46, 58, 236, 362, 375, 387, 505, **509**, 565, 568, 654

OSTPOLITIK, 28, 93, 194, 290, **509**, 555, 624, 703

OTAGES (crise des, Iran), 249, 367, **510**, 570

OTAN, 16, 28, 36, 72, 89, 118, 122, 123, 136, 160, 181, 193, 194, 248, 291, 305, 306, 314, 316, 321, 333, 342, 369, 373, 377, 410, 428, 458, 486, **510**, 515, 516, 529, 544, 548, 578, 590, 595, 605, 606, 616, 627, 638, 664, 693, 698

OTASE, 54, 67, 123, 160, 314, 416, **510**, 516, 668, 693, 716

OTTAWA (accords d'), **511**

OUA, 212, 327, 437, 450, 494, **511**, 634

OUGANDA, **511**

OUÏGOURS, 134, **513**, 696, 724

OURAL, **513**

OUSTACHIS, 88, 171, 244, 287, 412, 485, **513**, 611, 677, 727

OUZBÉKISTAN, **513**

PACIFISME CONSTITUTION-NEL (Japon) > CONSTITU-TION (JAPON)

PACTE ANDIN > COMMU-NAUTÉ ANDINE

PACTE ANTIKOMINTERN, **515**, 516

PACTE CENTRAL > CENTO

PACTE DE BAGDAD, 67, 314, **515**, 516

PACTE DE STABILITÉ POUR L'EUROPE DU SUD-EST, 202, **515**

PACTE DE VARSOVIE, 94, 121, 193, 194, 217, 234, 314, 316, 333, 342, 402, 509, 510, **515**, 524, 548, 550, 596, 637, 664

PACTE GERMANO-SOVIÉTI-QUE, 78, 240, 266, 336, 402, 420, 425, **515**, 543, 589, 595, 607, 625, 627, 652, 670, 681

PACTE NORD-ATLANTIQUE, 180, 194, 314, 372, 499, 515, **516**, 592, 625, 645

PACTE TRIPARTITE, 103, **516**

PAKISTAN, 79, 312, 386, 425, **516**, 526, 559

PAKISTAN ORIENTAL > BAN-GLADESH

PALAU, **517**

PALESTINE, 14, 44, 71, 75, 137, 188, 227, 236, 280, 368, 373, 384, 387, 403, **518**, 563, 581, 617, 621

PALESTINIENS > QUESTION PALESTINIENNE

PAM, 150, 200, 294, 323, 482, 493, 507, 511, **518**

PANAFRICANISME, **518**

PANAMA, 115, **518**

PANARABISME > ARABISME

PANASIATISME, **519**, 607, 673

PANGERMANISME, 26, 347, **519**, 607

PANISLAMISME, 109, **520**

PAPANDRÉOU Andréas (1919-1996), 305, 394, **520**

PAPOUASIE-NOUVELLE-GUINÉE, **520**

PAPOUASIE OCCIDENTALE, 230, 352, **521**

PÂQUES (soulèvement de), 182, 363, 368, **522**, 620

PARAGUAY, **522**

PARIS (accords de, Vietnam), 417, 493, 495, **523**, 715, 717

PARLEMENTARISME BRI-TANNIQUE, 155, 349, 491, **523**, 575, 593, 618, 640, 680

PARTENARIAT EURO-ATLAN-TIQUE, **524**

PARTI COMMUNISTE DE L'UNION SOVIÉTIQUE > PCUS

PARTI COMMUNISTE ITA-LIEN > SOCIALISME ET COMMUNISME (Italie)

PARTI COMMUNISTE VIET-NAMIEN, 336, **524**, 693, 717, 720

PARTI CONSERVATEUR (Royaume-Uni) > TORIES (ROYAUME-UNI)

PARTI TRAVAILLISTE (Royaume-Uni) > LABOUR PARTY (ROYAUME-UNI)

PARTITION (Inde-Pakistan), 67, 182, 277, 311, 349, 386, 476, 516, **525**, 559, 619

PAS > AJUSTEMENT STRUC-TUREL

PATHET LAO, 281, 523, **526**, 633, 717

PAVELIC Ante (1889-1959), 171, 244, 258, 513, **526**

PAYS BASQUE > QUESTION BASQUE

PAYS DE GALLES, **526**, 593

PAYS ÉMERGENTS, 500, **527**, 669, 674

PAYS EN DÉVELOPPEMENT > PED

PAYS LES MOINS AVANCÉS > PMA

PAYS-BAS, 230, **527**

PAYSANS SANS-TERRES (Brésil), 95, 109, **528**

PCE (Parti communiste espa-gnol) > SOCIALISME ET COMMUNISME (ESPAGNE)

PCF (Parti communiste français) > SOCIALISME ET COMMUNISME (FRANCE)

PCI (Parti communiste italien) > SOCIALISME ET COMMUNISME (ITALIE)

PCUS (Parti communiste de l'Union soviétique), 29, 94, 123, 157, 158, 170, 208, 223, 234, 293, 295, 297, 299, 317, 393, 394, 402, 407, 446, 447, 503, **529**, 531, 542, 550, 594, 637, 641, 692, 702, 706, 735

PEARSON Lester Bowles (1897-1972), 114, 127, **529**, 692

PED, 22, 42, 98, 138, 148, 189, 241, 266, 269, 276, 306, 422, 494, 507, **530**, 541, 672, 674, 705, 719

PÉKIN (printemps de), 204, **530**, 723, 724

PENDJAB, 31, 144, 351, 525, **530**, 619

PENTAGONE, 249, 347, 373, **530**

PERESTROÏKA, 30, 50, 62, 80, 209, 234, 296, 297, 315, 338, 477, **531**, 541, 574, 596, 702, 706

PÉRIPHÉRIE > CENTRE-PÉRIPHÉRIE

PERÓN Juan Domingo (1895-1974), 47, 258, **531**, 522, 545

PÉROU, **531**

PÉTAIN Philippe (1856-1951), 84, 128, 167, 272, 279, 442, **532**, 586, 601, 713

PETITE ENTENTE, **533**, 589

PETKOV Nikola Dimitrov (1893-1947), 103, **533**

PEUPLES PUNIS, 120, 234, 395, **533**, 595, 611, 661, 666, 702

PHALANGE (Espagne), 238, 274, 308, 421, 444, **535**, 552

PHALANGES LIBANAISES, **535**, 599

PHILIPPINES, **535**

PILSUDSKI Józef (1867-1935), **537**, 543, 710

PINOCHET UGARTE Augusto (1915-), 77, 130, 147, 258, **538**

PLACE DE MAI (Buenos Aires) > MÈRES DE LA PLACE DE MAI

PLAN MARSHALL, 28, 42, 98, 108, 160, 173, 272, 305, 314, 407, 504, **539**, 636, 693, 698, 727

PLANIFICATION (de type soviétique), 58, 108, 161, 407, 484, **540**, 596, 636, 681

PMA, 530, **541**, 674

PNUD, 99, 197, 507, **541**

PNUE, 46, **541**

POL POT (Saloth Sar, dit) (1928 ?-1998), 110, 283, 401, **541**, 625, 716

POLICE POLITIQUE (URSS), 157, 293, 303, 418, **542**, 594, 643, 711

POLOGNE, 104, 295, 296, 395, 408, 413, 450, 457, 504, 538, **542**, 629, 711, 722

POLYNÉSIE FRANÇAISE, 145, 186, 187, 500, **544**

POPULISMES, 47, 79, 100, 119, 129, 165, 198, 350, 418, 493, 531, **544**, 627, 639, 722

PORTO RICO, 224, 228, 237, 317, **546**

PORTUGAL, 117, 232, **546**, 584, 602, 623, 676

POSDR (Russie), 85, 361, 393, 418, 445, 451, **548**, 623, 691, 735

POSTCOMMUNISME, 544, **548**, 578, 635, 637, 665, 683

POTSDAM (conférence de), 28, 313, 334, 470, **549**, 595, 611, 693, 725

POUM (Parti ouvrier d'unification marxiste, Espagne) > SOCIALISME ET COMMUNISME (ESPAGNE)

PRAGUE (coup de), 76, 298, 314, **549**, 664

PRAGUE (printemps de), 94, 118, 121, 126, 176, 194, 207, 217, 433, 446, 509, 515, 544, **550**, 551, 583, 664

PRAGUE (procès de), **551**

PREMIÈRE GUERRE DU GOLFE > GUERRE DU GOLFE (PREMIÈRE)

PREMIÈRE GUERRE MONDIALE > GRANDE GUERRE

PRI (Mexique), 129, 353, 454, **551**, 652

PRIMO DE RIVERA Miguel (1870-1930), 238, **551**, 586, 626

PROPAGANDE, 97, 303, 317, 470, 475, 481, 535, **552**, 642

PROTECTIONNISME, 348, 423, **553**, 545

PS (Parti socialiste, France) > SOCIALISME ET COMMUNISME (FRANCE)

PSI (Parti socialiste italien) > SOCIALISME ET COMMUNISME (ITALIE)

PSOE (Parti socialiste ouvrier espagnol) > SOCIALISME ET COMMUNISME (ESPAGNE)

PURIFICATION ETHNIQUE > NETTOYAGE ETHNIQUE

QATAR, **554**

QUATORZE POINTS, 301, 372, **554**, 569, 672, 724

QUÉBEC > QUESTION QUÉBÉCOISE

QUESTION ALLEMANDE, 30, 427, 470, 510, 520, **554**, 570

QUESTION BASQUE, **556**

QUESTION D'ORIENT, 181, 195, 232, **556**, 562, 617, 699

QUESTION DU CACHEMIRE, **558**

QUESTION KURDE, 71, 128, 294, 328, 364, 433, **559**

QUESTION MACÉDONIENNE, 320, 431, **562**

QUESTION NOIRE (États-Unis), 83, 214, 248, 278, 397, 404, 412, 436, 474, **562**

QUESTION PALESTINIENNE, 15, 40, 46, 59, 112, 137, 280, 329, 362, 375, 384, 421, 505, 509, **563**, 615, 658, 667, 705

QUESTION QUÉBÉCOISE, 260, 420, **565**

QUESTION SERBE, 89, 181, 322, 410, 412, 486, **566**, 616

RABIN Itzhak (1922-1995), 374, **568**

RADICALISME (France), 84, 273, **568**

RÁKOSI Mátyás (1892-1971), 101, 192, 341, 392, 471, **569**

RAPALLO (traité de), 267, **569**

RAU, 19, 44, 64, 222, 364, **569**, 653

RAZIQ Ali Abd al- (1888-1966), **570**

RDA, 28, 93, 108, 220, 290, 338, 406, 509, **570**, 579, 703

RDC > CONGO-KINSHASA

REAGAN Ronald (1911-), 29, 248, 269, 306, 316, 347, 368, 422, 489, 510, **570**, 603, 674

RÉFORMISME MUSULMAN, 12, 17, 126, 269, 400, 514, **570**, 656

RÉGIME SOVIÉTIQUE, 87, 91, 145, 157, 158, 199, 209, 235, 299, 304, 419, 447,

464, 529, 542, **572**, 576, 597, 637, 642, 643, 681, 706
RÉGIMES POLITIQUES, 57, 190, 192, 198, 224, 524, **575**
RÉGIONALISME (Italie), 378, **576**, 635
RÉPUBLIQUE ARABE UNIE > RAU
RÉPUBLIQUE CENTRAFRICAINE > CENTRAFRIQUE
RÉPUBLIQUE DE CHINE > TAÏWAN
RÉPUBLIQUE DE CORÉE > CORÉE DU SUD
RÉPUBLIQUE DÉMOCRATIQUE ALLEMANDE > ALLEMAGNE, RDA
RÉPUBLIQUE DÉMOCRATIQUE DU CONGO > CONGO-KINSHASA
RÉPUBLIQUE DOMINICAINE, **577**
RÉPUBLIQUE DU CONGO > CONGO-BRAZZAVILLE
RÉPUBLIQUE FÉDÉRALE D'ALLEMAGNE > ALLEMAGNE
RÉPUBLIQUE POPULAIRE DE CHINE > CHINE
RÉPUBLIQUE POPULAIRE DÉMOCRATIQUE DE CORÉE > CORÉE DU NORD
RÉPUBLIQUE SERBE DE BOSNIE > BOSNIE-HERZÉGOVINE
RÉPUBLIQUE SLOVAQUE (1939-1945), **578**, 663, 676
RÉPUBLIQUE SLOVAQUE (1993-) > SLOVAQUIE
RÉPUBLIQUE TCHÈQUE, **578**, 665
RÉSISTANCE FRANÇAISE, 272, 279, 465, **579**, 627, 714
RÉSISTANCE ITALIENNE, 33, 38, 77, 191, 258, 376, 470, **579**, 628
RÉSISTANCES ALLEMANDES AU NAZISME, 88, 258, **579**, 624
RÉUNION, 145, 186, 229, **580**, 587, 704
RÉVISIONNISME, 71, 85, 203, 236, 296, 300, 361, 368, 413, 429, 444, 447, 482, 503, 543, **581**, 606, 703
RÉVOLTE ARABE, 363, **581**
RÉVOLUTION ALGÉRIENNE > GUERRE D'INDÉPENDANCE ALGÉRIENNE
RÉVOLUTION BLANCHE (Iran), 367, 401, 468, **581**, 586

RÉVOLUTION CULTURELLE, 66, 134, 146, 192, 204, 256, 385, 415, 421, 440, 441, 513, 576, **582**, 732, 733
RÉVOLUTION D'OCTOBRE 1917 > RÉVOLUTION RUSSE
RÉVOLUTION DE 1905, 57, 80, 85, 86, 104, 156, 233, 292, 319, 380, 407, 418, 451, **582**, 585, 594, 635, 691
RÉVOLUTION DE 1956 (Hongrie) > BUDAPEST (SOULÈVEMENT DE)
RÉVOLUTION DE FÉVRIER 1917 > RÉVOLUTION RUSSE
RÉVOLUTION DE VELOURS, 217, 317, 332, **583**, 665
RÉVOLUTION DES ŒILLETS, 35, 107, 116, 117, 183, 232, 324, 467, **583**, 623, 675
RÉVOLUTION MEXICAINE, 116, 454, 551, **584**, 718, 732
RÉVOLUTION RUSSE, 49, 78, 85, 87, 97, 104, 124, 139, 174, 235, 241, 264, 309, 361, 366, 376, 395, 402, 404, 407, 410, 419, 429, 451, 461, 477, 571, 575, 583, **584**, 593, 626, 629, 633, 635, 639, 651, 656, 696, 701
REZA CHAH PAHLAVI (1878-1944), 366, 465, 468, **585**
RFA > ALLEMAGNE
RFY (République fédérale de Yougoslavie), **586**
RHODÉSIE DU NORD > ZAMBIE
RHODÉSIE DU SUD > ZIMBABWE
RIF (guerre du), 272, 442, 532, 551, **586**
RIO (conférence de), 219, **587**
ROBINSON Mary (1944-), 331, **587**
ROME (traités de), 28, 122, 158, 254, 272, **587**, 638
ROOSEVELT Eleanor (1884-1962), 265, **587**
ROOSEVELT Franklin Delano (1882-1945), 43, 98, 153, 170, 245, 247, 313, 372, 397, 399, 404, 442, 462, 487, 536, 549, 587, **588**, 610, 652, 657, 693, 725
ROUMANIE, 40, 78, 101, 122, 210, 295, **588**, 675, 686, 687
ROYAUME DES SERBES, CROATES ET SLOVÈNES > YOUGOSLAVIE
ROYAUME-UNI, 35, 52, 79, 83, 125, 135, 185, 220, 228, 337,

369, 414, 426, 437, 511, 522, 524, 527, **590**, 669, 680, 694
RSFSR, 234, **593**, 596
RUSSIE ET URSS, 49, 57, 80, 85, 87, 91, 94, 104, 133, 140, 145, 157, 158, 167, 174, 201, 209, 224, 235, 296, 299, 304, 309, 319, 393, 402, 407, 408, 411, 419, 447, 451, 464, 478, 484, 531, 535, 542, 548, 575, 583, 585, **593**, 601, 635, 639, 642, 643, 661, 667, 692, 704, 706, 708, 735
RWANDA, 106, 227, 289, 346, **597**

S

SAARC, **599**
SABRA ET CHATILA, 374, **599**
SAC DE NANKIN, 381, **599**, 607
SACU, 143, **599**
SADATE Anouar al- (1918-1981), 14, 71, 112, 222, 374, 451, 473, **599**, 619, 721
SADC, **600**, 735
SAHARA OCCIDENTAL, 229, 330, 443, 449, 511, **600**
SAINT-GERMAIN (traité de), 59, 301, 339, **600**
SAINT-MARIN, **601**
SAINT-VINCENT ET LES GRENADINES, **601**
SAINTE-LUCIE, **601**
SAKHAROV Andreï (1921-1989), 207, 596, **601**, 629, 706
SALAZAR António de Oliveira (1889-1970), 107, 239, 258, 545, 547, 576, **601**, 602, 623
SALAZARISME, 35, 109, 117, 324, 467, 547, 583, **602**, 623
SALOMON (îles), **602**
SALT, 193, 194, 316, **603**
SAMOA, **604**
SAMOA AMÉRICAINES, **604**
SAN FRANCISCO (conférence de), **604**
SAN FRANCISCO (traité de), 382, 411, **604**, 726
SANDJAK, 566, **604**, 728
SANS-TERRES (Brésil) > PAYSANS SANS-TERRES
SÃO TOMÉ ET PRINCIPE, **605**
SARAJEVO, 300, 566, **605**
SARTRE Jean-Paul (1905-1980), 71, **605**
SCHISME SINO-SOVIÉTIQUE, 108, 111, 114, 118, 127, 133, 145, 194, 300, 315, 447, 494, 581, 596, **606**, 635, 670
SCHMIDT Helmut (1918-), 28, 290, 510, **606**, 624

SDN, 13, 20, 27, 41, 54, 66, 99, 187, 201, 220, 226, 228, 230, 251, 280, 302, 327, 363, 380, 387, 425, 426, 438, 442, 444, 457, 472, 478, 518, 521, 581, 589, 604, **606**, 607, 639, 647, 660, 678, 679, 686, 713, 724

SECONDE GUERRE DU GOLFE > GUERRE DU GOLFE (SECONDE)

SECONDE GUERRE MONDIALE, 35, 63, 65, 168, 183, 184, 185, 241, 309, 313, 318, 334, 335, 336, 366, 412, 463, 469, 481, 513, 516, 526, 533, 549, 574, 578, 579, 588, 595, **607**, 643, 645, 667, 675, 714, 725

SECRÉTARIAT (ONU), 127, 507, **612**

SÉNÉGAL, 118, **613**, 614

SÉNÉGAMBIE, 277, 613, **614**

SENGHOR Léopold Sédar (1906-2001), 186, 396, 482, 613, **614**, 673

SEPTEMBRE NOIR, 45, 387, 421, 464, 505, 565, **614**

SERBES > QUESTION SERBE

SERBIE, 321, 410, 458, 463, 486, 562, 567, 594, 604, **615**, 720, 730

SÉTIF, GUELMA (8 mai 1945), 12, 185, 452, **616**

SÈVRES (traité de), 50, 232, 301, 417, 558, 560, **616**, 697

SEYCHELLES, **617**

SFIO (SECTION FRANÇAISE DE L'INTERNATIONALE OUVRIÈRE) > SOCIALISME ET COMMUNISME (FRANCE)

SHABA > KATANGA

SHOAH > GÉNOCIDE DES JUIFS

SIAM > THAÏLANDE

SIERRA LÉONE, **618**

SIHANOUK > NORODOM SIHANOUK

SIKHS, 31, 144, 351, 525, 530, **619**

SINAÏ, 15, 112, 222, 320, 374, **619**, 667

SINGAPOUR, **619**

SINN FÉIN (Irlande), 16, 363, 369, **620**

SIONISME, 44, 71, 75, 104, 236, 333, 368, 373, 387, 402, 450, 481, 518, 563, 581, **620**, 719

SLOVAQUIE, 578, **621**, 665

SLOVÉNIE, 322, **621**, 730

SME (Système monétaire européen), 29, 159, 211, 606, **622**

SMI (Système monétaire international), 97, 210, 495, **622**

SOARES Mário (1924-), 547, **623**

SOCIAL-DÉMOCRATIE, 285, 292, **623**, 626, 633, 652

SOCIAL-DÉMOCRATIE ALLE-MANDE, 30, 199, 361, 429, 444, 581, 606, **623**, 626, 627, 638

SOCIAL-DÉMOCRATIE RUSSE > POSDR

SOCIALISME ET COMMU-NISME, 23, 55, 58, 85, 87, 104, 118, 134, 145, 157, 158, 181, 192, 199, 242, 255, 297, 308, 361, 419, 429, 433, 440, 446, 447, 451, 585, 597, 623, **624**, 627, 628, 637, 665, 677, 692, 728

SOCIALISME ET COMMU-NISME (Espagne), 143, 297, **626**, 700

SOCIALISME ET COMMU-NISME (France), 84, 273, 275, 322, 383, 459, 626, **627**, 671

SOCIALISME ET COMMU-NISME (Italie), 77, 148, 299, 378, 484, 626, **628**, 678

SOLIDARITÉ (Pologne), 137, 206, 281, 316, 341, 408, 413, 450, 456, 544, **628**, 653, 722

SOLJÉNITSYNE Alexandre (1918-), 125, 207, 298, 446, 596, **629**, 633, 655, 682

SOLUTION FINALE > GÉNO-CIDE DES JUIFS

SOMALI, 630

SOMALIE, **630**, 631

SOMALILAND, 630, **631**

SOMME (bataille de la), 54, 128, 301, **631**, 713

SOMMETS IBÉRO-AMÉRI-CAINS, **631**

SOUDAN, **631**

SOUDAN FRANÇAIS > MALI

SOUPHANOUVONG, prince (1909-1995), 416, **632**, 633

SOUVANNA PHOUMA, prince (1901-1984), 416, **633**

SOUVARINE Boris Lifschitz, dit (1895-1984), **633**, 655

SOUVERAINETÉ, 143, 171, 182, 193, 202, 234, 241, 245, 260, 360, 410, 461, 475, 593, 596, **633**

SOVIET, 86, 145, 156, 157, 174, 418, 572, 585, 594, **635**, 701

SOVIÉTISATION DE L'EUROPE DE L'EST, 23, 192, 203, 206, 207, 234, 408, 533, 540, 544, 549, 634, **635**, 642, 665

SOYINKA Wole (1934-), **637**

SPAAK Paul Henri (1899-1972), 158, **638**

SPD > SOCIAL-DÉMOCRATIE ALLEMANDE

SPHÈRE DE COPROSPÉRITÉ ASIATIQUE, 183, 519, 608, **638**, 673

SPINELLI Altiero (1907-1986), 577, **639**

SR (socialistes révolutionnai-res, Russie), 572, **639**

SREBRENICA, 321, 486, **639**

SRI LANKA, **640**, 659

ST. KITTS ET NEVIS, **641**

STALINE Joseph Vissariono-vitch Djougachvili, dit (1879-1953), 23, 29, 47, 55, 63, 65, 77, 85, 91, 94, 101, 104, 120, 123, 124, 139, 156, 157, 164, 192, 198, 200, 293, 296, 298, 303, 313, 334, 341, 393, 394, 395, 402, 405, 419, 445, 446, 471, 477, 484, 514, 516, 529, 540, 542, 543, 549, 569, 573, 579, 594, 607, 625, 627, 629, 635, **641**, 642, 643, 667, 676, 682, 691, 692, 693, 701, 703, 706, 711, 725, 728, 735

STALINGRAD, 336, 595, 610, **642**, 711

STALINISME, 101, 140, 158, 299, 304, 402, 446, 447, 476, 509, 535, 537, 542, 550, 551, 569, 575, 576, 633, 636, 639, 642, **643**, 692, 706

STAMBOLIISKI Alexandre Stoimenov (1879-1923), 103, **643**

START, 193, 316, **644**

SUBSIDIARITÉ, 219, 259, **644**

SUDÈTES, 28, 125, 225, 336, 469, 520, 555, 607, **644**, 663, 676

SUD LIBAN, 202, 334, **645**, 657

SUD-OUEST AFRICAIN > NAMIBIE

SUÈDE, **645**

SUEZ (crise de), 14, 44, 115, 127, 144, 182, 188, 220, 222, 254, 310, 315, 320, 366, 374, 387, 494, 592, **645**

SUFFRAGETTES, 264, **646**

SUHARTO (1921-), 325, 330, 359, 521, **646**, 649, 675, 721

SUISSE, **647**

SUKARNO (1901-1970), 330, 358, 494, 521, 545, 610, 646, **648**, 721

SUN YAT-SEN (1866-1925), 131, 325, 339, **649**, 667, 673

SUN ZHONGSHAN > SUN YAT-SEN

SURINAME, **650**

SWAZILAND, **650**

SYKES-PICOT (accord), 44, 187, 387, 617, **650**

SYNDICALISME, 137, 275, 388, 637, **650**, 694

SYRIE, 22, 51, 296, 562, 570, **653**, 658

SYSTÈME CONCENTRATION-NAIRE, 53, 113, 125, 287, 288, 629, 642, 643, **654**, 682

SYSTÈME MONÉTAIRE EURO-PÉEN > SME

SYSTÈME MONÉTAIRE INTERNATIONAL > SMI

TADJIKISTAN, **656**

TAËF (accords de), 148, 422, 654, **657**

TAÏWAN, 133, 325, 649, **657**, 667

TALIBAN (Afghanistan), 18, 19, 249, 371, 448, 517, **658**, 696

TALL AL-ZAATAR, **658**

TAMOULS ET CINGHALAIS (Sri Lanka), 640, **658**

TANGANYIKA > TANZANIE

TANNENBERG (bataille de), 301, **659**

TANZANIE, 501, **659**, 732

TATARS DE CRIMÉE, 167, 234, 478, 533, 595, 612, **661**, 702

TAYLORISME, 173, 269, 302, **661**, 684, 690

TAZMAMART, 443, **662**

TCHAD, **662**

TCHÉCOSLOVAQUIE, 76, 127, 217, 298, 332, 447, 469, 550, 551, 578, 583, 621, 645, **663**, 676

TCHÉKA > POLICE POLITI-QUE (URSS)

TCHERNOBYL, 80, 626, **665**, 702, 706

TCHÉTCHÈNES, 120, 223, 232, 534, 597, 612, **666**

TCHIANG KAI-CHEK (1887-1975), 132, 319, 325, 381, 416, 441, 657, **667**, 733

TERRITOIRE DES AFARS ET DES ISSAS > DJIBOUTI

TERRITOIRES OCCUPÉS, 14, 45, 59, 71, 137, 280, 296, 320, 329, 362, 374, 387, 505, 509, 565, 568, 619, **667**

THAÏLANDE, **667**

THATCHER Margaret (1925-), 422, 437, 570, 593, 653, **669**, 680, 694

THÉOLOGIE DE LA LIBÉRA-TION, 384, 528, **669**

THÉORIE DES DOMINOS, **670**

THOREZ Maurice (1900-1964), 627, **670**

TIAN AN MEN (place, 1989), 134, 192, 203, 256, 329, 385, 421, 530, **671**, 722, 732

TIBÉTAINS, 133, 141, 180, 205, 635, **671**

TICE, **672**

TIERS MONDE, 26, 62, 67, 74, 93, 98, 109, 118, 182, 183, 184, 193, 197, 199, 201, 203, 222, 228, 234, 265, 306, 315, 326, 358, 436, 467, 496, 519, 530, 618, 646, 649, 669, **672**, 692, 706, 717, 728

TIMISOARA, **675**

TIMOR ORIENTAL, 52, 184, 202, 232, 325, 360, 522, **675**

TISO Jozef (1887-1947), 61, 258, 578, 664, **676**

TITISME, 408, 606, **676**, 677, 728

TITO Josip Broz, dit (1892-1980), 58, 89, 102, 145, 171, 263, 409, 431, 494, 562, 596, 610, 615, 622, 676, **677**, 690, 728

TMI, **677**

TNP, 163, 193, **678**

TOGLIATTI Palmiro (1893-1964), 299, 376, 445, 628, **678**

TOGO, 380, **678**

TOGO Heihachiro (1847-1934), **679**

TOKELAU, **679**

TOKYO (tribunal de), 334, 389, 599, 678, **679**

TONGA, **679**

TORIES (Royaume-Uni), 125, 184, 337, 437, 523, 575, 590, 669, **680**

TORRES RESTREPO Camilo (1929-1966), **680**

TOTALITARISME, 32, 39, 47, 87, 145, 146, 157, 189, 192, 242, 243, 245, 256, 271, 303, 304, 323, 348, 376, 464, 470, 509, 543, 548, 551, 576, 595, 602, 606, 607, 626, 627, 635, 642, 643, **681**, 711

TOURÉ Ahmed Sékou (1922-1984), 107, 145, 183, 323, 343, 396, 493, **683**

TOYOTISME, 270, 662, **684**, 690

TPIR, 390, **684**, 690

TPIY, 390, 458, 684, **685**, 690

TRAITÉ DE L'ATLANTIQUE NORD > PACTE NORD-ATLANTIQUE

TRANSCAUCASIE, 61, 120, 136, 233, 285, 292, 594, **685**

TRANSDNIESTRIE, 460, **685**

TRANSFORMISME, 375, **685**

TRANSJORDANIE, 187, 227, 387, 564, 581, **686**

TRANSNISTRIE, 40, 78, 101, 460, 589, **686**

TRANSYLVANIE, 101, 207, 210, 226, 339, 589, **686**, 690

TRAVAIL, 58, 174, 270, 624, 662, 684, **687**

TRIANON (traité de), 226, 301, 339, 342, 533, 589, **690**

TRIBUNAL MILITAIRE INTER-NATIONAL > NUREMBERG (TRIBUNAL DE), TOKYO (TRIBUNAL DE)

TRIBUNAL PÉNAL INTERNA-TIONAL, 171, 389, 410, 639, 685, **690**

TRIESTE, 569, **690**

TRINIDAD ET TOBAGO, **690**

TRIPLE ALLIANCE > TRI-PLICE

TRIPLE ENTENTE, 235, 589, 591, **691**

TRIPLICE, 235, 370, 375, **691**

TROTSKI Lev Davidovitch Bronstein, dit (1879-1940), 49, 85, 104, 124, 393, 418, 445, 447, 538, 572, 594, 642, 667, 677, 682, **691**, 692, 735

TROTSKISME, 393, 446, 537, **692**

TRUDEAU Pierre Elliott (1919-2000), 114, 260, 420, 529, **692**

TRUMAN Harry (1884-1972), 127, 164, 245, 247, 313, 373, 408, 430, 539, 546, 549, 562, 611, **693**

TRUONG CHINH (1907-1988), 336, 524, **693**, 720

TUC (Royaume-Uni), 275, 414, 591, 651, 669, **693**

TUNISIE, 92, 327, **694**

TUOL SLENG, 283, **695**

TUPAMAROS – MOUVE-MENT DE LIBÉRATION NATIONALE (Uruguay), **695**, 709

TURKESTAN OCCIDENTAL, 234, 477, 514, 656, **695**, 696
TURKESTAN ORIENTAL, 205, 513, **696**, 724
TURKMÉNISTAN, **696**
TURKS ET CAICOS, **697**
TURQUIE, 128, 232, 396, 397, 562, 617, **697**
TUTSI > HUTU ET TUTSI
TUVALU, **699**

UE > UNION EUROPÉENNE
UEMOA, **700**, 736
UEO, 220, **700**
UGT (Union générale des travailleurs, Espagne) > SOCIALISME ET COMMUNISME (ESPAGNE)
UIT, 319, **700**
UKRAINE, 78, 101, 167, 661, 686, **700**
ULBRICHT Walter (1893-1973), 29, 338, 509, 624, **703**
ULSTER, **703**
UMA, **703**
UNESCO, 64, 507, 674, **703**, 705
UNICEF, 78, 506, 507, **703**
UNION EUROPÉENNE, 31, 60, 152, 159, 179, 188, 202, 220, 221, 241, 242, 267, 399, 410, 420, 424, 425, 430, 438, 461, 544, 548, 576, 605, 621, 625, 635, 644, 645, 648, 665, **704**, 735
UNION FRANÇAISE, 16, 41, 94, 145, 148, 184, 185, 356, 396, 416, **704**
UNION MONÉTAIRE EUROPÉENNE > ZONE EURO
UNION SOVIÉTIQUE, **704**
UNION SUD-AFRICAINE > AFRIQUE DU SUD
UNIONISME IRLANDAIS, 337, 343, 368, 369, **705**
UNITA (Angola), 35, 468, **705**
UNITAR, 507, **705**
UNRWA, **705**
UNU, **705**
UPU, 647, **705**
URSS (création de l'), 593, 594, 635, 704, **706**
URSS (fin de l'), 18, 19, 29, 60, 120, 122, 145, 224, 235, 241, 248, 245, 259, 296, 297, 315, 317, 348, 458, 496, 514, 515, 531, 575, 704, **706**
URUGUAY, 695, **708**

VANUATU, **710**
VARGAS Getúlio (1883-1954), 96, 100, 240, 413, 545, **710**
VARSOVIE (bataille de), 157, 543, **710**
VARSOVIE (insurrection de), 595, **711**
VATICAN, 181, 191, 221, 383, 384, **711**
VATICAN II (concile), 109, 221, 383, 384, 669, **711**
VÉNÉZUELA, **712**
VERDUN (bataille de), 128, 271, 301, 532, 631, **713**
VERSAILLES (traité de), 27, 31, 114, 132, 138, 169, 180, 199, 201, 247, 301, 336, 339, 372, 376, 380, 389, 426, 466, 480, 504, 520, 600, 606, 660, **713**
VICHY (régime de), 110, 188, 212, 228, 258, 272, 357, 388, 442, 451, 458, 465, 533, 601, 609, **713**
VIERGES AMÉRICAINES (îles), **714**
VIERGES BRITANNIQUES (îles), **714**
VIETNAM, 70, 693, **714**, 718, 720
VIETNAM (guerre du), 28, 35, 40, 54, 83, 110, 146, 177, 184, 194, 248, 282, 290, 315, 337, 356, 358, 372, 397, 400, 404, 406, 417, 433, 474, 489, 493, 495, 511, 523, 524, 525, 537, 606, 633, 673, 693, 715, **716**, 718, 720
VILLA Pancho Doroteo Arango, dit (1878-1923), 584, **718**, 732
VILLAGE GLOBAL, 178, **718**
VILNA, VILNÈ, WILNO, VILNIUS, 104, 425, **719**
VMRO > ORIM
VOÏVODINE, 226, 262, 339, 409, 458, 486, 615, **719**, 728
VO NGUYEN GIAP (1911-), 336, 416, 693, **720**

WAFD, NÉO-WAFD (Égypte), 221, **721**
WAHID Abdurrahman, dit Gus Dur (1940-), 52, 359, 522, 676, **721**
WALESA Lech (1943-), 280, 450, 457, 544, 629, 653, **721**
WALLIS ET FUTUNA, 145, 186, 187, **722**

WALLONS > FLAMANDS ET WALLONS
WANG DAN (1969-), 204, 256, 671, **722**
WATERGATE, 35, 249, 368, 493, 717, **722**
WEI JINGSHENG (1950-), 204, 530, 722, **723**, 724
WELFARE STATE > ÉTAT-PROVIDENCE
WESTMINSTER (statut de), 114, 228, 404, 499, 529, 591, **723**
WILSON Thomas Woodrow (1856-1924), 57, 66, 138, 201, 247, 301, 372, 375, 487, 554, 569, 606, 672, **724**

XINJIANG, 134, 205, 513, 571, 696, **724**
XU WENLI (1943-), 204, **724**

YALTA (conférence de), 163, 313, 411, 549, 595, 611, **725**
YÉMEN, **725**
YOSHIDA SHIGERU (1878-1967), 381, **726**
YOUGOSLAVIE, 89, 171, 181, 263, 267, 322, 410, 412, 431, 458, 463, 486, 513, 526, 562, 567, 569, 586, 605, 616, 622, 639, 677, 690, 720, **727**

ZAÏRE > CONGO-KINSHASA
ZAMBIE, **731**
ZANZIBAR (sultanat de) > TANZANIE
ZAPATA Emiliano (1879-1919), 454, 584, 718, **732**
ZHAO ZIYANG (1919-), 134, 386, 421, **732**
ZHOU ENLAI (1898-1976), 192, 281, 337, 382, 420, 441, 582, 667, **732**
ZHU RONGJI (1928-), 134, **733**
ZIMBABWÉ, **734**
ZINOVIEV Grigori Yevseievitch Radomylski, dit (1883-1936), 393, 418, 445, 447, 464, 625, **735**
ZLEA, **735**
ZONE EURO, 159, 181, 211, 306, 369, 622, **735**
ZONE FRANC, 324, 325, **735**
ZOULOUS, ZULU, 21, 84, **736**

Index des noms des personnes

Abacha, Sani 80, 492, 502
Abane, Ramdane **11**, 310
Abbas, Ferhat **11**, 12, 25, 310, 497, 616
Abdallah (émir du Koweït) 411
Abdallah Ibn Ben-Aziz (prince d'Arabie saoudite) 43
Abdallah Ier (roi de Jordanie) 387, 450
Abdallah II (roi de Jordanie) 387
Abdallah, Ahmed 147
Abd al-Raziq, Ali **570**
Abdel-Aziz Ibn Saoud (roi d'Arabie saoudite) **12**, 43, 258, 725
Abdelkader (émir) 24
Abdelkrim el-Khettabi 586, 587
Abdesslam, Belaïd 93
Abdic, Fikret 412
Abduh, Muhammad **12**, 17, 73, 126, 571
Abdul Rahman (Tunku) 101, 434
Abdul Rahman Khan (roi) 17
Abdul Razak, Tun 435
Abdulhamid II (sultan) 17, 49, 109, 231, 284, 384, 697
Abdullah, Farooq 559
Abdullah, Mohammad 559
Abernon, d' (Lord) 711
Abiola, Moshood 492
Abou Amar 45
Abou Minyar 392
Aboud, Ibrahim 632
Abraham 373
Abubakar, Abdulsalami 492
Acheampong, Ignatius Kutu 294
Adams, Gerry **15**
Adams, Grantley 70, 263
Adams, Tom 70
Addams, Jane 264
Adenauer, Konrad **16**, 28, 191, 333, 406, 462
Adler, Max 444
Adler, Victor 361
Adorno, Theodor 178
Adulyadej, roi 668
Afeworki, Issayas 237, 513
Afghani, Djamal al-Din al- **17**, 571
Aflak, Michel **19**, 64, 344, 653
Ageron, Charles-Robert 497
Aguinaldo, Emilio 536
Aguirre, Osmín 603

Aguyi Ironsi, Johnston 63, 80, 491
Ahidjo, Amadou 111, 112
Ahmad ben Ali (émir du Qatar) 554
Ahmad Tajuddin (sultan) 101
Ahmad, Ghulam 311
Ahmadou (sultan) 436
Ahmed, Kaïd 91
Ahomadegbé, Justin 76
Aït Ahmed, Hocine 25, 75, 90, 268, 310
Akaïev, Askar 405
Akihito (empereur) 334
Akintola, Samuel 491
Albert Ier (roi) 72
Albert II (roi) 73
Albizú Campos, Luis 546
Alemán Valdès, Miguel 454
Alemán, Arnoldo 490
Alessandri Palma, Arturo 129
Alessandri Rodríguez, Jorge 130
Alexander, Harold George 690
Alexandre Battenberg de Hesse (prince) 103
Alexandre Ier Karadjordjevic (roi) 171, 513, 526, 727, 728
Alexianu, George 686
Alfaro, Eloy 236
Alfonsín, Raúl 48
Algren, Nelson 71
Ali Khan, Liaqat 386, 424, 516
Ali Pacha, Mohammed 557
Ali, Muhammad 474
Ali, Noble Drew 474
Alia, Ramiz 23
Aliev, Heïdar (Geïdar) 62
Allende Gossens, Salvador **30**, 130, 177, 538
Alphonse XIII (roi) 238, 239, 552
Althusser, Louis 445
Alvarado, Juan Velasco 532
Alves, Nito 468
Amanoullah (roi) 17
Amato, Giuliano 378
Amin, Samir 124, 197
Amir, Yigal 568
Amouri (colonel) 91
Anand Panyarachun 669
Ananda Mahidol 668
Andrade, Mario de 35, 107, 468
Andreotti, Giulio **34**, 77, 148, 191, 377, 378, 464

Andropov, Iouri 95, 297, 706
Andrzejewski, Jerzy 408
Angoulvant, Gabriel 165
Ankrah, Joseph Arthur 493
Annan, Kofi **36**, 613
Antall, József 342, 343
Antelme, Robert 125
Anthony, Kenny 601
Antonescu, Ion **40**, 101, 121, 258, 589, 686
Antonio, José 552
Aoun, Michel 422
Apithy, Sourou 76
Aptidon Gouled, Hassan 209, 210
Aquino, Benigno 537
Aquino, Corazon 537
Arafat, Yasser **45**, 59, 504
Araki Sadao 382
Aramayo (famille) 87
Arana Goiri, Sabino 556
Arbaoui (capitaine) 91
Arbenz Guzmán, Jacobo 307, 338
Archinard, Louis 436
Aref, Abdel Salam 344, 364
Arendt, Hannah 38, 39, **46**, 576, 681, 683
Arévalo, Juan José 307
Argenlieu, Thierry d' 356
Arias, Arnulfo 519
Arias, Oscar 165
Aristide, Jean-Bertrand 328
Aron, Raymond 200, 422, 681
Arron, Henck 650
Artaud, Antonin 446
Arthur, Owen 70
Arzú Irigoyen, Alvaro 308
Ashford, Douglas 245
Assad, Bachar al- 51, 654
Assad, Hafez al- 22, **51**, 653, 654
Assad, Rifaat al- 51
Asturias, Miguel Angel 307
Atassi, Noureddine 51, 654
Attlee, Clement Richard **52**, 81, 414, 549, 592, 611
Aung Gyi 82
Aung San 81, 610
Aung San Suu Kyi 82
Awolowo, Obafemi **60**, 63, 491
Ayala, Eligio 522
Aylwin, Patricio 130, 538

Ayyub Khan, Muhammad 516
Azahari, A. M. 101
Azam, Muhammad 17
Azaña y Díaz, Manuel **61**, 238
Azikiwe, Nnamdi **63**, 491
Aznar, José María 240, 297
Azouri, Najib 43

Bâ, Amadou Hampaté 64
Ba Maw 81
Babangida, Ibrahim 492
Babel, Isaac 700
Badinter, Robert 634
Badoglio, Pietro 376, 579, 610
Badr, Ahmed ben 725
Bagaza, Jean-Baptiste 106, 346
Bahr, Egon 509, 510
Bahro, Rudolf 338
Bakaric, Wladimir 171
Bakary, Djibo 183
Bakounine, Michel 32, 33, 322, 446, 545
Bakr, Ahmed Hasan al- 344, 365
Balafredj, Ahmed 442
Balaguer, Joaquin 577, 578
Balaguer, José María Escrivá de 508
Baldwin, Stanley 511, 591, 680
Balewa, Abubakar Tafawa 80, 491
Balfour, Arthur James 66
Balladur, Édouard 273
Balmaceda, José Manuel 30, 129
Balzac, Honoré de 48
Banda, Hastings Kamuzu 435
Bandaranaïke (famille) 641
Bandaranaïke, Salomon 640
Bandaranaïke, Sirimavo 640, 641
Bandera, Stepan 701
Banna, Hassan al- **68**, 269, 274, 370, 673
Banzer, Hugo 87
Bao Dai **70**, 281, 357, 488, 715
Bao Qingtian 733
Barak, Ehud 375
Barbie, Klaus 465
Baron Crespo, Enrique 704
Barré, Siyad Muhammad 251, 630
Barrientos René 87
Barrios, Justo Rufino 307
Barth, Karl 88, 333
Barzani, Massoud 561
Barzani, Mustafa **70**, 71, 432, 560
Basri, Driss 443
Basri, Mohammed el- 74
Bata, Tomáš 664
Bataille, Georges 633
Batista y Zaldívar, Fulgencio 118, 119, 176, 322
Batlle Berres, Luis 708
Batlle Ibañez, Jorge 709

Batlle y Ordóñez, José 708
Batthyány, Lajos 102
Baudouin Ier (roi) 72 ,73, 150
Bauer, Otto 55, 444
Bazargan, Mehdi 581
Beatrix (reine) 527
Beauvoir, Simone de **71**, 265
Bebel, August 361, 623
Beck, Ludwig 580
Bédarida, François 34
Bedford Bennett Richard 114
Bédié, Henri Konan 166, 343
Begin, Menahem **71**, 112, 368, 374, 600
Begrup, Bodil 588
Behr, Edward 334
Belaunde Terry, Fernando 532
Belhadj, Ali 503
Belhoucect, Abdallah 92
Belkacem, Krim 90, 268
Belkheir, Larbi 503
Bello, Ahmadu 491
Belo, Carlos 675
Belouizdad, Mohammed 90
Ben Abdallah, Abdelkrim 74
Ben Achour, Fadel 327, 571
Ben Ali, Zine el-Abidine 92, 695
Ben Arafa, Mohamed 443
Ben Badis, Abdelhamid 25, **73**, 74, 75, 497, 571
Ben Bahmed, Mostefa 497
Ben Bella, Ahmed 11, 12, 25, 58, **74**, 75, 90, 91, 93, 268, 310, 495, 545
Ben Boulaïd, Mostefa 310
Ben Gourion, David Gryn dit 14, **75**, 76, 236, 373, 374, 450, 451, 621
Ben Laden, Oussama 18, 19, 249, 517, 658
Ben M'hidi, Larbi 90, 91
Ben Salah, Ahmed 695
Ben Seddik, Mahjoub 74
Ben Yahya, Ahmed 725
Ben Youssef, Salah 694
Bendjelloul, Mohammed 25, 497
Beneš, Edvard **76**, 549
Bennett, John 482
Bennett, Michèle 328
Bentobbal, Lakhdar 91, 268
Berdyev, Batyr 697
Bérenger, Paul 448
Beria, Lavrenti 293, 542
Berisha, Sali 23
Berlinguer, Enrico **77**, 147, 148, 377, 378, 628
Berlusconi, Silvio 378, 577
Bernstein, Eduard 361, 429, 444, 581, 623
Bessis, Juliette 327
Betchine, Mohammed 503
Bethlen, Istvan 340

Beureueh, Daud 52
Bevan, Aneurin **78**
Beveridge, William Henry 245, 592
Bevin, Ernest 52, **79**, 592
Bey, Lamine 327
Bhindranwale, Sant Jarnail 31
Bhutto, Benazir 79, 517
Bhutto, Zulfikar Ali **79**, 516, 517, 545
Biermann, Wolf 338
Bignone, Reynaldo 48
Biko, Steve 21
Binger, Louis Gustave 165
Bird (famille) 38
Bird, Vere 38
Birendra, Bir Bikram Shah (roi) 484, 485
Bishop, Maurice 306
Bismarck, Otto von 26, 44, 245, 545, 555, 691
Bitar, Salah 19
Bitat, Rabah 310
Biya, Paul 112
Blagoev, Dimitar 200
Blair, Anthony Charles Lynton (Tony) **83**, 220, 414, 527, 593, 680, 694
Blair, Eric Arthur 508
Blanco, Salvador Jorge 577
Bleck, W. C. 69
Bloch, Ernst 445
Blum, Léon **84**, 86, 199, 271, 275, 625, 627, 681
Bobbio, Norberto 628
Boff, Leonardo 670
Boganda, Barthélemy 16, 124
Bois, William Edward Burghardt du 493, 518
Boka, Ernest 166
Bokassa, Jean Bedel 124
Bolger, Jim 500
Bolívar, Simón 87, 140, 712, 713
Bonaparte, Napoléon 115
Bongo, Omar **87**, 88, 276
Bonhoeffer Friedrich Karl 88
Bonhoeffer, Dietrich **88**, 580
Bonhoeffer, Karl 88
Bonifacio, Andrès 536
Bonner, Elena 601
Bonomi, Ivanoe 376
Bordaberry, Juan María 695, 709
Borden, Robert Laird 114
Bordiga, Amadeo 299, 445, 446, 628
Boris III (tsar) 103, 533
Bormann, Martin 501
Borujerdi, Hoseyn 401
Bosch, Juan 577
Botha, Louis 20
Botha, Pieter W. 21
Bothereau, Robert 388
Boudiaf, Mohamed 11, 26, 75, **90**, 268, 310

Boukharine, Nicolas **90**, 91, 139, 156, 445, 447, 464, 484, 692
Boukovski, Vladimir 207
Boumediène, Houari 12, 25, 26, 75, **91**, 92, 93, 268, 311
Boun Khong (prince) 633
Bourassa, Henri 565
Bourbons (dynastie) 237
Bourgeois, Léon 568
Bourguiba, Habib **91**, 92, 186, 327, 694, 695
Boussouf, Abdelhafid 91, 268
Bouteflika, Abdelaziz 26, 75, **92**, 93, 453
Bouterse, Desi 650
Boutros-Ghali, Boutros 36, 613
Bowaradet (prince) 668
Bradshaw, Robert 641
Brahimi, Abdelhamid 503
Branco, Castelo 281
Brandt, Willy 28, **93**, 94, 194, 290, 333, 497, 509, 510, 624
Branting, Hjalmar 645
Bratianu, Ioan Ion C. 589
Brayard, Florent 481
Brecht, Bertolt 445
Brejnev, Leonid Ilitch 18, **94**, 194, 207, 234, 315, 338, 402, 596, 629, 706
Bresci, Gaetano 32
Brezobravski, Tito 677
Briand, Aristide 27, **99**, 201, 271
Brisson, Eugène 568
Brizola, Leonel 96, **100**
Brooke – James (famille) 434
Brooke, Charles 100, 434
Brooke, Vyner 434
Brundtland, Gro Harlem 100
Brüning, Heinrich 335
Brunswijk, Ronnie 650
Bryan, William J. 372
Brzezinski, Zbigniew 681
Buhari, Muhammadu 492
Bulatovic, Momir 463
Burdeau, Georges 189
Burnham, Forbes 326, 379
Bush, George H. 138, 249, 316, 317, 375, 519, 570
Bush, George W. 249
Busquant, Émilie 452
Bustamante, Alexander 379
Buthelezi, Mangosuthu Gatsha 21, 736
Buyoya, Pierre 106
Bzrezinski, Zbigniew 291

Cabral, Amilcar **107**, 108, 116, 324
Cabral, Luis 116, 324
Cadorna, Raffaele 579
Caetano, Marcelo 547, 602
Caillaux, Joseph 568

Caldera, Rafael 712, 713
Calderón Guardia, Rafael 165
Calfa, Marian 583
Callaghan, James 592
Camara, dom Helder 96, **109**
Cameron, D. 660
Campo, Carlos Ibáñez del 129
Cámpora, Hector 48
Canaris, Wilhelm 88, 579
Canguilhem, Georges 252
Capek, Karel 583
Cárdenas, Cuauhtémoc 116, 455, 456
Cárdenas, Lázaro **116**, 454, 545, 455, 551
Cardoso, Fernando Henrique 96, 97, 116, 117, 529
Carias Andino, Tiburcio 338
Carmichael, Stokeley 82
Carnot, Sadi 32
Caro, Miguel Antonio 140
Carol Iᵉʳ (roi) 588
Carol II (roi) 40, 589
Carranza, Venustiano 584, 718, 732
Carré de Malberg 634
Carrel, Alexis 252
Carrero Blanco, Luis 239
Carrington, Peter Alexander 437
Carter, James E. (Jimmy) 316, 510, 519, 570, 577
Carvalho, Otelo Saraiva de **117**, 547, 584
Caserio, Sante 32
Castañeda, Salvador 603
Castillo Armas, Carlos 308
Castillo, Ramón 47
Castoriadis, Cornélius 446
Castro, Fidel 66, **118**, 119, 170, 175, 176, 177, 315, 323, 674, 713
Cavallo, Domingo 48, 49
Cazimir 573
Ceausescu (famille) 121
Ceausescu, Elena 121, 122, 590
Ceausescu, Nicolae **121**, 122, 295, 317, 590, 675
Cerda, Pedro Aguirre 129
Cerezo Arévalo, Vinicio 308
Césaire, Aimé 444, 482, 483, 614
Cespedes, Carlos Manuel de 175
Chaabani, Mohammed 25
Chaban-Delmas, Jacques 188, 451
Chadli, Bendjedid 12, 26, 90, 92, 93, 503
Chai Ling 671
Chaka 736
Chakhbout ben Sultan al-Nahayan (émir d'Abou Dhabi) 224
Chakib Arslan (émir) 452
Chakri (dynastie) 668

Chalamov, Varlam **124**, 125, 208
Challe, Maurice 311
Cham 39
Chamberlain, (Joseph) Austen 125
Chamberlain, Arthur Neville **125**, 135, 469, 511, 591, 680
Chamberlain, Houston Stewart 39, 257
Chamberlain, Joseph 125, 347, 511
Chamil 61
Chamorro, Pedro Joaquín 489
Chamorro, Violeta 490
Charlebois, Robert 529
Charles de Danemark (prince) 498
Charles Iᵉʳ (empereur de Hongrie) 225
Charles XIV, Jean-Baptiste Bernadotte (roi) 645
Charles, Eugenia 211
Charteris (général) 552
Chatichai Choonhavan 669
Chávez, Hugo 545, 712, 713
Chéhab, Fouad 421
Cheikh Hamaloullah dit Cherif Hamallah 64
Cheikh Mahdi al-Khalisi 364
Cheikh Sahnoun 523
Cheikh Said, Muhammad **128**, 560
Chelest, Petro 702
Chen Boda 441
Chen Duxiu 132
Chen Shui-bian 657
Chen Yi 657
Chen Yiyang 204
Chen Yun 421, 733
Chervenkov, Vulko 103
Chevardnadzé, Édouard 293, 477
Chiang Ching-kuo 657
Chiluba, Frederick 731
Chirac, Jacques 273, 280, 459
Chissano, Joaquim 467
Chliapnikov, Alexandre 574
Choi Kyu-hah 162
Choukeiri, Ahmed 504
Choybalsan (maréchal) 461
Chrétien, Jean 115
Chtcherbitski, Vladimir 702
Chuan Leekpai 669
Chun Doo-hwan 162, 163, 413, 414
Churchill, Winston Spencer 34, 52, 125, **135**, 220, 247, 314, 404, 442, 475, 549, 579, 591, 592, 608, 610, 611, 657, 680, 725
Cixi (impératrice) 131, 325
Clark, Helen 500
Class, Heinrich 519, 520

Clay, Cassius 474
Clemenceau, Georges **137**, 138, 211, 225, 271, 301, 568
Clinton, Hillary 138, 588
Clinton, William Jefferson (Bill) **138**, 205, 249, 250, 588, 672, 675, 723
Coard, Bernard 306
Cohn-Bendit, Daniel 626
Collins, Michel 368
Collor, Fernando 96
Colomb, Christophe 461
Compaoré, Blaise 105
Compton, John 601
Constant, Benjamin 422
Constantinescu, Emil 590
Conté, Lansana 323
Cook, James 160
Coolidge, Calvin 278
Coppolani, Xavier 449
Cordier, Daniel 465
Costa, Lúcio 94
Costner, Kevin 355
Cot, Pierre 465
Coty, René 279
Coutinho, Rosa 35
Cox, Percy 363
Craxi, Bettino 34, 378, 628
Creel, George 553
Crespo, Joaquín 712
Crispi, Joseph Francisco 347
Croce, Benedetto **172**, 445
Cruz, Viriato da 468
Csermanek 391
Cubrilovic, Vasa 485
Curtin, John 54
Cuza, Alexandru C. 589
Cyrus le Grand (empereur) 367

D'Alema, Massimo 378, 628, 686
D'Annunzio, Gabriele 267, 375
Dabcevic-Kucar, Savka 171
Dacko, David 124
Daddah, Moktar ould 449
Daladier, Édouard 469
Daniel, Iouri 208
Danquah, John B. 294
Danquah, Joseph Kwane 493
Daoud, Ali Muhammad 18
Darhendorf, Ralf 549
Darwin, Charles 252, 254
Daure-Serfaty, Christine 662
Davies, Norman 543
Dayan, Moshe 374, 564
De Gasperi, Alcide 34, **181**, 191, 255, 376, 377
De Klerk, Frederik W. 21, 42, 439
De la Madrid Hurtado, Miguel 455
De Lorenzo, Giovanni 377
De Valera, Éamon **182**, 368, 369
Déat, Marcel 446
Debaghine, Lamine 11, 453

Déby, Idriss 663
Defferre, Gaston 272
Degni-Segui, René 289
Degrelle, Léon 609
Dehaene, Jean-Luc 73
Delors, Jacques 72, 159, 188, 704
Demertzis, Konstantinos 453
Deming, Edward 382
Deng Xiaoping 123, 131, 134, 146, **192**, 193, 204, 256, 386, 415, 421, 440, 441, 442, 582, 671, 723, 732, 733
Deng Yingchao 420
Dénikine, Anton 309
Dhlakama, Afonso 468
Dia, Mamadou 613, 614
Diamacoune, Augustin 118
Díaz Ordaz, Gustavo 454
Díaz, Porfirio 454, 584, 718
Didouche, Mourad 90, 310, 497
Diefenbaker, John George 114
Dieterlen, Germaine 64
Dimitrov, Georges Mihajlov 103, **199**, 200, 533
Dinizulu (roi) 736
Diop, Alioune 614
Diop, Cheikh Anta **200**
Diori, Hamani 183, 490
Diouf, Abdou 613, 614
Disraeli, Benjamin 680
Dix, Otto 27
Djawnpuri, Karamat Ali 571
Djeghloul, Abelkader 268
Djemal Pacha 285
Djukanovic, Milo 463, 730
Dlimi, Ahmed 443
Dmowski, Roman 543
Dobrotich (prince) 210
Doe, Samuel K. 423
Doenitz, Karl 336
Dolisie, Albert 124
Dolisie, Michel 124
Dollfuss, Engelbert 59, 318
Domkert, Peter 704
Donath, Ferenc 102
Doriot, Jacques 258
Dos Santos, José Eduardo 36, 468
Dostoïevski, Fedor 545
Doudaev, Djokhar 666
Douglas, Roger 500
Douglas-Home, Alec 680
Doumer, Paul 357
Draïa, Ahmed 92
Drew, Timothy 474
Dreyfus, Alfred 137, 211, 212, 271, 322, 333, 627
Drumont, Édouard 39
Duarte, María Eva dite Evita 47, 531
Dubček, Alexander **217**, 550, 583, 664
Duclaux, Émile 211

Duguet, Raymond 655
Dühring, Eugène 39
Duisenberg, Wim 528
Dulles, Foster 646
Dumarsais, Estimé 328
Dumézil, Georges 120
Dunant, Henry 647
Dunem, José van 468
Duong Van Minh 489
Duplessis, Maurice 260, 692
Durkheim, Émile 627, 687
Duroselle, Jean-Baptiste 348
Dutroux, Marc 73
Duval, Raymond 616
Duvalier, François 328
Duvalier, Jean-Claude 328
Dzerjinski, Félix 542, 574
Dziouba, Ivan 234, 702

Ebert, Friedrich 27
Eden, Anthony 135, **220**, 592, 646, 680
Édouard VIII (roi) 135
Egal, Mohamed Ibrahim 630
Eichmann, Adolf 464
Eisenhower, Dwight D. 442, 493, 693, 716
El Haj Malik El Shabarr 436
El Ibrahimi, Bachir 25, 268
El Insar, Fihrun ag 437
Élisabeth Ire (reine) 227
Eltchibey, Abdoulfaz 62
Eltsine, Boris Nicolaïevitch **223**, 235, 317, 411, 529, 545, 596, 597, 685, 707, 708
Engels, Friedrich 198, 444, 445
Enver Pacha **235**, 285, 384
Erbakan, Necmettin 699
Erdrich, Louise 355
Erhard, Ludwig 28
Ershad, Muhammad 67
Erzberger, Matthias 27
Eshkol, Levi 374, 451
Estrada Cabrera, Manuel 307
Estrada Palma, Tomás 175
Estrada, Joseph 537
Evangelista, Crisanto 536
Evtouchenko, Evgueni 65
Eyadéma, Étienne Gnassingbé 678, 679

Fabius Maximus 255
Fahd (roi d'Arabie Saoudite) 43
Falkenhayn, Erich von 713
Fanfani, Amintore 191, **255**, 377, 463
Fang Lizhi, 204, **256**
Fard, Wallace D. 474
Farkas, Mihály 569
Farouk Ier (roi d'Égypte) 68, 222, 472
Farrakhan, Louis 474, 563
Fassi, Allal el- 442
Faure, Edgar 310

Faurisson, Robert 482
Faysal ben Abdel-Aziz al-Saoud
(roi d'Arabie saoudite) 43, **258**
Faysal Ier (roi d'Irak) 344, 363,
387, 581
Faysal II (roi d'Irak) 364
Fejtö, François 636
Ferdinand de Saxe-Cobourg-
Gotha (prince) 103
Ferdinand Ier (roi de Roumanie)
589
Ferrer Guardia, Francisco 32
Ferry, Jules 142
Fichte, Johann 44
Figueiredo, Joas Baptista de 281
Figueres, José « Pepe » 165
Finkielkraut, Alain 481
Fiore, Quentin 718
Foch, Ferdinand 138, 301, 713
Fodeba, Keita 684
Fontaine, Nicole 704
Ford, Gerald R. 493, 675
Ford, Henry 269, 270, 687
Fouad (roi d'Égypte) 109
Foucault, Michel 254
Fourier, Charles 39, 446
Fox, Vicente 456
Frachon, Benoît 388
Frahm, Herbert Karl 93
Franco Bahamonde, Francisco
57, 120, 221, 229, 238, 239,
258, **273**, 274, 296, 308, 388,
532, 535, 545, 556, 576, 627
Franco, Itamar 117
François-Ferdinand de Habs-
bourg (archiduc) 225, 300,
566, 605
François-Joseph Ier (empereur)
225, 339, 342
Frangié, Soleiman 421
Frank, Josip 526
Fraser, Malcolm 13, 54, 55
Fraser, Peter 500
Frédéric III de Hollenzollern
(empereur) 26
Frei, Eduardo 30, 130
Fresco, Nadine 481
Freyre, Gilberto **274**
Fried, Eugen 670
Friedan, Betty 265
Friedrich, Carl J. 681
Froude, James A. 347
Fujimori, Alberto 532

Gagarine, Iouri 596
Gairy, Éric 306
Gaitán, Jorge Eliécer 140
Galanskov, Georguï 208
Galen von (Mgr) 580
Galiev, Sultan 477, 534, 571
Galliéni, Joseph 436
Galtieri, Leopoldo 48
Galton, Francis 252
Gálvez, Juan Manuel 338

Gambetta, Léon 568
Gamsakhourdia, Zviad 293
Gandhi, Indira 31, 33, 152, 155,
350, 351, 483, 530, 545
Gandhi, Mohandas Karamchand
33, 151, **277**, 349, 350, 351,
404, 439, 476, 483, 496
Gandhi, Rajiv 152, 351, 559
Gao Gang 733
Garang, John 632
Garasanin, Ilija 566
Garaudy, Roger 482
García Márquez, Gabriel 140
García Meza, Luis 87
Garcia, Alan 532
Garcia, Carlos 537
Garvey, Marcus **277**, 278, 379,
518, 563
Gaulle, Charles de 16, 25, 84,
94, 143, 159, 185, 194, 272,
273, **278**, 279, 311, 393, 433,
442, 443, 451, 458, 462, 465,
579, 592, 610, 670, 683
Gaylani, Rashid Ali al- 364
Gayoom, Maumoon Abdul 436
Gbagbo, Laurent 166
Geisel, Ernesto 96, **281**
Gellner, Ernest 475
Gémayel, Amin 422, 444, 535
Gémayel, Béchir 535
Gémayel, Pierre 535
Gendun Choekyi Nyima 180
Genscher, Hans-Dietrich **289**,
290
Gentile, Giovanni 257
Georges II (roi de Grèce) 453
Georgescu, Teohari 295
Georgiev, Kimon 533
Gerö, Ernö 101, 102, 341, 392,
569
Gervasio Artigas, José 695
Ghaleb (imam) 505
Ghanouchi, Rached 371
Ghassemlou, Abdul Rahman
294, 560
Gheorghiu-Dej, Gheorghe 121,
294, 295, 590
Gia Long (empereur) 714
Gierek, Edward 722
Gil-Roblès, José Maria 704
Gimes, Miklós 102
Giolitti, Giovanni 172, 375, 376
Giraud, Henri 442, 465
Giscard d'Estaing, Valéry 29,
124, 160, 273, 280, 459,
497, 622
Gladstone, William Ewart 337
Glaoui, Thami el 443
Gobetti, Piero 628
Gobineau, Joseph de 39, 257
Godse, Nathuram 277
Goebbels, Joseph 335
Goerdeler, Carl Friedrich 580
Goering, Heinrich Ernst 41

Goering, Hermann 41, 335, 501
Goh Chok Tong 620
Goldman, Emma 33
Gomaa, Noamane 721
Gómez, Juan Vicente 712
Gompers, Samuel 487, 651
Gomułka, Wladisław 280, **296**,
446, 456, 503, 504, 543, 544,
637
González Márquez, Felipe 240,
296, 297, 627
Goodwill Zwelithini (roi) 736
Gorbatchev, Mikhaïl Sergueïe-
vitch 18, 19, 29, 145, 158,
207, 223, 234, 269, 290, 293,
296, **297**, 315, 316, 317, 406,
411, 531, 544, 570, 574, 583,
590, 596, 601, 656, 665, 706,
707, 708
Gordon, Pamela 78
Gore, Albert 249
Gorki, Maxime 418, 574
Gottwald, Klement **297**, 298,
549, 664
Goulart, João 96, 100
Gouraud, Henri (colonel) 449
Gowon, Yakubu 80, 492
Gramsci, Antonio **299**, 445,
446, 628, 678
Gretchko, Andreï 550
Grigorenko, Piotr 207
Grimm (frères) 332
Grivas, Gheorghios 136
Grósz, Károly 392
Groulx, Lionel 565
Grunitzky, Nicolas 678
Gu Muyuan 385
Guangxu (empereur) 131
Guardia, Tony de la 177
Guderian, Heinz 711
Gueï, Robert 166
Guelle, Ismael Omar 210
Guerra, Alfonso 297
Guesde, Jules Bazile dit 84,
322, 361, 627
Guevara, Ernesto dit Che 66, 87,
118, 176, 177, 199, **322**, 323,
337, 681
Guillaume II de Hollenzollern
(empereur) 26, 27, 303, 442,
481, 713
Guillaume III d'Orange (roi
d'Angleterre) 523
Guillaume III d'Orange-Nassau
(roi des Pays-Bas et grand-
duc du Luxembourg) 428
Guillaume, Günter 94
Guinzbourg, Alexandre 208
Guiteras, Antonio 176
Guo Hongzhi 204
Gusmao, José Alexandre dit Xa-
nana **325**, 675, 676
Gutierez, Gustavo 670
Guzmán Blanco, Antonio 712

Guzman, Antonio 577
Gyaltsen Norbu 180

Haakon VII (roi) 498
Habermas, Jürgen 190, 556
Habibie, Bacharuddin Jusuf
360, 647, 675
Habiboullah 17
Habré, Hissène 663
Habsbourg (dynastie) 59, 60,
225, 339, 600, 719
Habyarimana, Juvénal 288,
346, 597, 598
Hached, Ferhat 327
Hadj Ahmed (bey) 24
Hadj Ali, Abdelkader 452
Hague, William 680
Haïdalla, Khouna ould 449
Haider, Jörg 60, 546
Hailé Sélassié Ier (empereur)
251, 327
Hajek, Jiri 127
Halévy, Élie 211
Hallstein, Walter 704
Hamad ben Khalifa (émir du
Qatar) 554
Hamaguchi Osachi-Yuko 382
Hammarskjöld, Dag 127, 613,
645
Hamrouche, Mouloud 26
Han Dongfang 205, 329
Hannibal 255
Hanovre (dynastie) 523
Hänsch, Klaus 704
Haqqani, Jallaludine 19
Hardie, James Keir 414
Harich, Wolfgang 703
Harnack, Arvid 580
Harrison, Francis Burton 536
Hashim Jalilul Alam Aqamaddin
(sultan) 100
Hassan II (roi) 74, 329, 330,
442, 443, 460, 600, 662
Hassanal Bolkiah (sultan) 101
Hasse, Ernst 519
Hasyim Asyari, Kjai Hadji 721
Hatta, Mohammad 330, 358,
672
Haushofer, Karl 291
Havel, Václav 126, 127, 317,
331, 332, 578, 583, 665
Hawes, Harry 536
Hawke, Bob 13, 55
Haya de la Torre, Victor Raúl 532
Hayek, Friedrich von 422, 669
Heath, Edward 592, 593, 669,
680
Hegel, Friedrich 257
Heidegger, Martin 46, 682
Heinemann, Gustav 332, 333
Hekmatyar, Gulbuddin 447
Heller, Michel 125
Helms, Richard 170
Heng Samrin 110

Henri (grand-duc) 428
Herder, Johann 44
Herriot, Édouard 568
Hertzog, James B. M. 20
Herzen, Alexandre 545
Herzl, Theodor 75, 76, 333,
563, 620, 621
Hess, Rudolf 53, 335, 501
Hilberg, Raul 112, 113
Himmler, Heinrich 53, 287, 288,
295, 336
Hindenburg, Paul von 27, 301,
335, 336, 659
Hirohito (empereur) 334, 381,
610, 679, 726
Hitler, Adolf 13, 27, 37, 38, 47,
59, 112, 125, 135, 180, 190,
228, 239, 244, 253, 258, 274,
286, 296, 334, 335, 336, 340,
343, 376, 425, 469, 470, 474,
475, 478, 479, 480, 515, 516,
520, 578, 580, 591, 592, 607,
608, 609, 611, 627, 642, 643,
652, 664, 681, 727
Hlinka, Andrej 578, 676
Ho Chi Minh, Nguyen Tat
Thanh dit 70, 143, 185, 281,
336, 337, 356, 417, 524, 672,
693, 715, 717, 720
Hobson, John Atkinson 347
Hochschild (famille) 87
Holland, Sidney 500
Honecker, Erich 29, 317, 338,
510, 703
Hoover, Herbert C. 487, 536
Horakova, Milada 551
Horkheimer, Max 178
Horn, Gyula 342
Horthy, Miklós 340, 342, 343,
391, 513, 526, 686
Hosokawa Morihiro 382
Hou Youn 541
Houphouët-Boigny, Félix 165,
166, 186, 343, 683
Hourani, Akram 64
Howard, John 13, 55
Hozumi Yatsuka 348
Hu Feng 439
Hu Qiaomu 421
Hu Yaobang 134, 192, 671,
732
Hua Guofeng 386, 582
Huerta, Victoriano 584
Hughes, Langston 82
Hugo, Victor 58
Hume, John 16, 343, 369
Hun Sen 110, 111, 283, 401,
498
Huntington, Samuel 291
Husák, Gustáv 217
Husri, Sati al- 44, 343
Hussein (roi de Jordanie) 45,
387, 614

Hussein ibn Ali (cherif de La
Mecque) 109, 363, 387, 581,
617
Hussein, Oudaï 344
Hussein, Saddam 45, 312, 344,
365, 375, 496
Hussein, Sajida 344
Hussein, Taha 44
Husseinites (dynastie) 694
Hwang Chang-yop 163

Ibañez, Carlos 30
Ibn Seoud Diaf (famille) 90
Ibrahim, Abdallah 74
Idi Amin Dada 512, 661
Idriss Ier el-Senoussi (roi) 392,
423, 424
Iejov, Nikolaï 304
Ieng Sary 401, 541
Iglesias, Pablo 626
Ikbal, Muhammad 571
Ikeda Hayato 382
Iléo, Joseph 150
Iliescu, Ion 590
Ingraham, Hubert 65
Inönü, Ismet 698
Inoue Junnosuke 382
Inoue Tetsujiro 348
Inukai Tsuyoshi 382
Ioffé, Adolf 574
Iorga, Nicolae 589
Iqbal, Muhammad 525
Irigoyen, Hipólito 47, 531
Ishaq Khan, Ghulam 517
Ishiwara Kanji 438
Issa bin Salman (émir du Ba-
rhein) 65
Istrati, Panaït 633, 655
Itagaki Seishiro 438
Iwane, Matsui 599
Izurieta, Ricardo 539

Jaber (émir du Koweït) 412
Jabotinsky, Vladimir Zeev 71,
581, 621
Jacques Ier (roi d'Angleterre)
220
Jacques VI (roi d'Écosse) 220
Jagan, Cheddi 326, 379
Jagan, Janet 326
Jagdeo, Bharrat 326
Jammeh, Yaya 277
Jánosi, Ferenc 102
Japhet 39
Jaruzelski, Wojciech 457, 544,
629
Jaspers, Karl 46
Jaurès, Jean 84, 99, 211, 271,
322, 383, 627, 633
Jawara, Dawda 277, 614
Jayawardene, Junius Richard
640
Jdanov, Andreï Alexandrovitch
314, 573

Jean (grand-duc) 428
Jean XXIII (pape), Angelo Giuseppe Roncalli dit 221, 377, **383**, 669, 711
Jean-Paul II (pape), Karol Wojtyła dit 103, 207, 316, **384**, 544, 670
Jedid, Salah 51, 653, 654
Jelev, Jeliou 104
Jellinek, Georg 634
Jenkins, Roy 704
Jiang Jieshi 132, 319, 325, **385**, 416, 441, 667, 733
Jiang Qing 66, **385**, 441, 582
Jiang Shangqing 385
Jiang Zemin 134, 193, 205, **385**, 386, 733
Jinnah, Muhammad Ali 349, 370, **386**, 424, 449, 516, 525
Jivkov, Todor Hristov 103, 104, **386**, 387, 486
Joffre, Joseph 300
Johnson, Lyndon B. 213, 248, 563, 670, 717
Jonathan, Leabua 419
Jordania, Noé 292
Jospin, Lionel 273, 625
Jouhaud, Édmond 311
Jouhaux, Léon **387**
Joumblatt, Kamal 45, 216, 421
Joumblatt, Walid 216
Juan Carlos Ier (roi) 239, 274, **388**, 627
Juárez, Benito Pablo 455
Juliana (reine) 527
Julien, Charles-André 327
Juncker, Jean-Claude 429
Junejo, Muhammad Khan 425
Juran, Joseph M. 382
Justin, Eva 287
Justo, Agustín P. 47

Kabbah, Ahmed Tejan 619
Kabila, Laurent-Désiré 151, **391**, 459
Kádár, János 102, 341, 342, **391**, 392, 471, 569
Kaddache, Mahfoud 616
Kadhafi, Mouammar 45, 294, **392**, 424, 443, 663
Kagame, Paul 391, 513, 598
Kalminov (général) 380
Kalondji, Albert 150
Kamenev, Lev Borissovitch Rosenfeld dit **393**, 418, 464, 574, 735
Kang Ban-sok 403
Kang Kek Ieu, dit Deuch 283
Kang Youwei 131
Kankan Mussa (roi) 436
Kant, Emmanuel 444
Kapp, Wolfgang 27
Karadjordjevic (dynastie) 615
Karadzic, Radovan 639

Karamanlis, Constantin 305, **393**
Kardelj, Edvard 192, 622, 676
Karimov, Islam 514
Karolyi (comte de) 340
Karume, Abeid 660
Kasavubu, Joseph 150, 151, 428, 459
Kassem, Abdul Karim 70, 344, 364, 545
Katay Don Sasorith 416
Kaunda, Kenneth 731, 732
Kautsky, Karl 86, 199, 255, 347, 444, 445, 446, 623
Kavcic, Stane 622
Kawakibi, Abdal Rahman al- 43
Kayibanda, Grégoire 227, 597
Kazhageldin, Akazhan 395
Keating, Paul 55
Keita, Modibo **396**, 437, 683
Keitel, Wilhelm 501
Kekkonen, Urho 267
Kelsen, Hans 575
Kemal, Mustafa Pasa dit Atatürk 11, 50, 128, 264, 285, 302, 304, **396**, 453, 545, 560, 617, 697, 698, 699
Kemal, Nemik 44
Kennan, George 160, 291
Kennedy, John Fitzgerald 66, 170, 201, 213, 249, 315, 377, **397**, 474, 493, 588, 716
Kennedy, Joseph Fitzgerald 397
Kennedy, Robert Fitzgerald 249
Kenyatta, Jomo 397, **398**
Kérékou, Mathieu 76, 77
Kerenski, Alexander Fedorovitch 572, 585, 639
Kerr, John 54
Keynes, John Maynard 97, 98, 170, 399, 426, 539, 591
Khai Dinh 70
Khaled (roi d'Arabie saoudite) 43
Khalifa ben Ahmad (émir du Qatar) 554
Khama, Seretse 89
Khamenei, Ali 400
Khan, Ayub 79
Khan, Ibrahim 559
Khan, Ismaïl 19
Khan, Sayyid Ahmad 144, **399**, 571
Khatami, Muhammad 367, **400**, 561
Khediri, El Hedi 503
Khemisti, Mohammed 93
Khider, Mohammed 25, 310
Khieu Ponnary 541
Khieu Samphan 283, 400, 401
Khmelniski, Bogdan 702
Khodanazarov, Dawlat 656
Khomeyni, Ruhollah 43, 121, 135, 265, 294, 312, 333, 365, 367, 371, **401**, 402, 469, 496, 510, 560

Khrouchtchev, Nikita Sergueievitch 29, 65, 94, 102, 123, 146, 158, 170, 201, 293, 315, 377, 386, 395, **402**, 446, 447, 477, 503, 540, 574, 590, 596, 606, 624, 629, 642, 643, 670, 676, 702
Khuang Aphaiwong 668
Khung Sa 82
Kido Koichi 334
Kiesinger, Kurt 28
Kim Dae-jung 162, 163
Kim Hyong-jik 403
Kim Il-sung, Kim Sung-ju dit 161, 162, 163, **403**, 404
Kim Jong-il 146, 163, 403, 404
Kim Young-sam 163
King, Martin Luther 82, 83, 213, 248, **404**, 474, 563
King, William Lyon Mackenzie 114, **404**
Kinnock, Neil 83, 593
Kipling, Rudyard 347
Kirk, Norman 500
Kissinger, Henry 71, 194, 290, 291, 296, **406**, 717
Kitchener, Herbert 19, 85
Klepsh, Egon A. 704
Kohl, Helmut 29, 30, 191, 290, **406**
Kojong (roi) 160
Kok, Wim 528
Kolakowski, Lesek 682
Kolélas, Bernard 149
Kollontaï, Alexandra 264, **407**, 574
Koltchak, Alexander 309
Konaré, Alpha Oumar 437
Kong Le 416
Konoe Fumimaro 313, 638, 726
Kopácsy, Sándor 102
Kornilov, Lavr Gueorguievitch 572, 585
Koroma, Johnny Paul 619
Korosec, Anton 340
Korsch, Karl 445
Kostov, Ivan 104
Kostov, Traicho 103, 637
Kostunica, Vojislav 730
Kouchner, Bernard 410
Kountché, Seiny 490
Kravtchouk, Léonid 702
Kreisky, Bruno 60
Krenz, Egon 338
Kriangsak Choomanan 669
Kriegel, Annie 464
Kropotkine, Pierre 32, 33
Kroupskaïa, Nadejda 574
Kruger, Paul 19, 41, 85
Kubitschek de Oliveira, Juscelino 94, 96, **412**, 497
Kukrit Pramoj 668
Kulov, Félix 405
Kumaratunga, Chandrika 641

Kun, Béla 340, 391, 471, 569, 589
Kuroń, Jacek 408, **413**, 544, 635
Kwasniewski, Aleksander 544, 722

La Pérouse, Jean François Galaup comte de 521
Labriola, Antonio 444, 628
Lacalle Herrera, Luis Alberto 709
Lacheraf, Mostefa 310
Lacoste, Robert 310
Lacouture, Jean 74, 283
Lafargue, Paul 626
Lagos, Ricardo 130
Lambruschini, Armando 48
Lamizana, Sangoulé 105
Lamy, François 663
Lan Ping 385
Landsbergis, Vytautas 425
Lang, Fritz 27
Lange, David 500
Lanusse, Alejandro 48
Largo Caballero, Francisco 308, 626
Lassen, Adolphe 39
Lasswell, Harold D. 553
Lattre de Tassigny, Jean-Marie de 356
Laurel, José 536
Laurier, Wilfrid 113, 404, **417**
Laval, Pierre 13
Le Bon, Gustave 257
Le Corbusier, Charles Edouard Jeanneret dit 94
Lê Duc Tho 406, 717
Leclerc, Félix 529
Leclerc, Philippe de Hauteclocque dit 356
Ledru-Rollin, Alexandre Auguste Ledru dit 568
Lee Kuan Yew 434, 620
Lee Teng-hui 134, 657
Lefebvre, Henri 445
Lefort, Claude 446
Leguía, Augusto 532
Lekhanya, Justin 419
Lemkin, Raphael 282
Lemus, José María 603
Lénine, Vladimir Ilitch Oulianov dit 47, 55, 58, 85, 86, 90, 91, 97, 104, 124, 156, 157, 158, 198, 301, 347, 393, **417**, 148, 419, 429, 445, 446, 451, 464, 477, 484, 538, 548, 572, 573, 574, 585, 594, 624, 625, 627, 628, 633, 639, 642, 643, 661, 681, 682, 683, 691, 692, 706, 711, 735
Leonhard, Wolfgang 703
Léopold Ier de Saxe-Cobourg (roi) 72
Léopold II (roi) 72, 107, 142, 149, 226

Léopold III (roi) 72
Lepichev, Alexandre 550
Lepsius, Johannes 285
Leroy-Beaulieu, Paul 142
Lesage, Jean 420
Lesseps, Ferdinand de 115, 519
Letsie III (roi) 419
Lévesque, René 115, **420**, 566
Levi, Primo 125
Li Fuchun 733
Li Jin 385
Li Peng 134, 192, **420**, 421, 732, 733
Li Shuoxun 420
Li Xiannian 385
Li Yizhe, 204
Li Yuanpeng 420
Li Yunhe 385
Li Zhengtian 204
Liani, Dimitra 520
Lie, Trygve 613
Liebknecht, Karl 429
Liebknecht, Wilhelm 361, 623
Lin Biao 300, 440, 441, 582
Lin Xiling 203
Lissouba, Pascal 149
Litvinov Pavel 208
Liu Binyan 203
Liu Shaoqi 582
Livingstone, David 149, 435
Lloyd, George David 301, **425**, 426, 591, 713
Lobato, Nicolau 325
Locke, John 422
Loloma, Charles 355
Lon Nol 110, 400, 498, 541, 717
Longo, Luigi 77, 579, 628
López Arellano, Oswaldo 338
López Gutiérrez, Rafael 337
López Mateos, Adolfo 454
López Portillo, José 455
López, Alfonso 140
Louis XI (roi de France) 329
Loukachenko, Alexandre 81, 545
Lounatcharski, Anatoli 573
Lu Xun 439
Lubbers, Ruud 528
Luca, Vasile 295
Luce, Henry 247
Lucinschi, Petru I 460
Ludendorff, Erich 301, 335, 659
Lukacs, Georges 445
Lula, Luis Inácio da Silva dit 96, 100, **427**
Lumumba, Patrice 150, 394, **427**, 459
Luxembourg, Rosa 86, 347, **429**, 623, 624
Lyautey, Louis Hubert 442, 586
Lyssenko, Trofim 573

Ma Hong 733
Ma Yinchu 204
Macapagal, Diosdalo 537

MacArthur, Douglas 54, 164, 313, 320, 381, **430**, 536, 610, 611, 693, 726
MacDonald, James Ramsay 52, 414, 591
Macek, Vlado 171
Machado, Gerardo 175, 176
Machel, Samora 467
Machiavel, Niccolo Machiavelli dit 445
Mackinder, Halford 291
Macmillan, Harold 592, 680
Madani, Abassi 503
Madero, Francisco 584, 718, 732
Maga, Hubert 76
Magsaysay, Ramon 537
Mahathir ben Mohammad 435
Mahdi, Sadiq al- 371
Mahendra, Bir Bikram Shah (roi) 484
Mahkamov, Qahhar 656
Mahsas, Ahmed 75
Maïnassara, Ibrahim Baré 490
Maizière, Lothar de 30
Majid, Ali Hassan al- 328
Major, John 593, 669, 680
Makarios III (Mgr) 136
Makhno, Nestor 33, 701
Makonnen (prince) 327
Maktoum (dynastie), Al 224
Malan, Daniel François 20, 41, 42, 439
Malatesta, Errico 32, 33
Malcom X, Malcom Little dit 248, **435**, 436, 474
Maléter, Pál 102
Malfatti, Franco Maria 704
Malinowski, Bronislaw 398
Malkum Khan, Mirza 571
Malraux, André 465
Man, Henri de 446
Mandela, Nelson 21, 33, 42, 106, 216, **439**, 736
Manley, Michael 379, 380
Manley, Norman **379**
Mann, Heinrich 27
Mannerheim, Carl 266, 267
Mansholt, Sicco 704
Mao Zedong 54, 66, 123, 133, 134, 146, 163, 184, 192, 194, 203, 204, 299, 300, 336, 339, 385, 420, 439, **440**, 441, 442, 447, 582, 606, 643, 657, 667, 676, 733
Marchais, Georges 627
Marchand, Jean-Baptiste 124
Marcos (sous-commandant) 455
Marcos, Ferdinand 537
Markov, Georgi 103
Marley, Bob 379
Marr, Wilhelm 39
Marryshow, T. A. 306
Marshall, George 314, 539

Martchenko, Alexandre 208
Martens, Wilfried 73
Martí, Farabundo 603
Marti, José 175
Martínez, María Estela dite Isabel 48, 531
Martínez, Maximiliano Hernández 603
Martov, Léon 418, 451
Marx, Karl 38, 39, 85, 104, 198, 322, 383, 444, 445, 446, 624, 626, 633, 643, 662, 682, 687, 688
Masaryk, Jan 549
Masaryk, Tomáš Garrigue 76, 225, **447, 549, 663**
Mascarenhas Monteiro, Antonio 116
Masire, Quett 89
Maskhadov, Aslan 667
Massemba-Débat, Alphonse 149
Massera, Emilio 48
Massoud, Ahmed Shah 18, 19, **447**, 448, 658
Massu, Jacques 310
Matsuoka Yosuke 638
Matswa, André 148
Matteotti, Giacomo 376
Mawdudi, Abul ala- 68, 269, 370, **449**
Mazowiecki, Tadeusz 413, **450**, 457
Mazzini, Guiseppe 58
Mba, Léon 88, 276
Mbeki, Thabo 21, 33, 439
McAleese, Mary 587
McCarthy, Joseph 128, 373
McLuhan, Marshall 718, 719
McNamara, Robert 497, 717
Medem, Vladimir 104
Medvedev, Jaurès 208
Medvedev, Roy 208
Mečiar, Vladimir 621
Mehmed VI (sultan) 109, 301
Meinecke, Friedrich 88
Meir, Golda 374, **450**, 451, 568
Mejía, Hipólito 578
Mellenthin, Friedrich Wilhelm von 711
Menchú, Rigoberta 353
Menderes, Adnan 698
Mendès France, Pierre 272, 281, 310, **451**, 568, 694, 716
Mendjili, Ali 91
Ménélik II (empereur) 250, 327
Menem, Carlos 48, 49
Mengistu Hailé Mariam 251
Menzies, Robert 54
Mercader, Ramon 692
Merleau-Ponty, Maurice 179, 445, 606
Mesic, Stipe 172
Messaadi, Abdallah el- dit Abbès 74

Messaadia, Mohammed Cherif 92, 503
Messali Hadj, Ahmed 11, 24, 90, 186, 268, 310, **452**, 453
Metaxas, Ioannis 304, **453**, 520
Meynier, Gilbert 24
Michaux-Chevry, Lucette 307
Michel (roi de Roumanie) 40, 589
Michelet, Jules 38
Michnik, Adam 450, **456**, 457, 544
Michombero, Michel 227
Mihajlovic, Dragoljub (Draza) 611, 728
Miki Takeo 383
Mikoyan, Anastase 102, 477
Mikołajska, Halina 408
Millett, Kate 265
Milosevic, Slobodan 263, 409, 410, **457**, 463, 486, 615, 720, 729, 730
Miro Cardona, José 66
Mirsaïdov, Shukrullah 514
Mitchell, James 601
Mitrione, Dan 695
Mitterrand, François 179, 188, 273, 279, 310, 451, **458**, 459, 627
Miyazawa Kiichi 383
Mladic, Ratko 486, 639
Mobutu, Sese Seko 36, 72, 151, 391, 428, **459**,
Modzelewski, Karol 413
Moeshoeshoe II (roi) 419
Mogae, Festus 89
Mohammed V (roi) 11, 74, 90, 186, 330, 442, 443, 497
Mohammed VI (roi) 443, **460**
Mohammed, Ali Nasser 726
Mohammed, Muritala 492
Moi, Daniel arap 398, 403
Moïse 38
Mokhehle, Ntsu 419
Mokhtar, Omar el- 423
Mollah Omar, Omar Muhammad dit 18, 658
Mollet, Guy 310, 451, 627
Molotov, Viacheslav 515
Momoh, Joseph 618
Mondlane, Eduardo 107, 466, 467
Monet, Claude 211
Monge, Luis Alberto 165
Monivong (roi) 110, 498
Monnet, Jean 158, 159, 272, **462**, 639
Monod, Théodore 64
Morgan, Henry 519
Morillon, Philippe 639
Moro, Aldo 34, 37, 77, 147, 148, 256, 377, **463**, 484
Mosley, Oswald 258

Mossadegh, Muhammad Hedayat 366, 367, 371, 401, **464**, 465, 468, 545, 581
Moubarak, Hosni 222, 223, 600, 632, 721
Moulin, Jean **465**, 579
Moumié, Félix 183
Mountbatten, Louis (amiral) 313, 525
Mouskos, Mikhail 136
Mpaka, Benjamin 661
Mswati III (roi) 650
Mugabe, Robert 734, 735
Muhammad (prophète) 108, 125
Muhammad Jamalul Alam II (sultan) 101
Muhammad Reza Chah Pahlavi 366, 367, 401, **468**, 510, 581, 586
Muhammad, Elijah 436, 474
Muhammad, Wallace Fard 474
Muhammad, Warith Deen 474
Muldoon, Robert 500
Mulroney, Brian 115, 261, 420
Muluzi, Bakili 435
Muñoz Marin, Luis 546
Mus, Paul 143
Museveni, Yoweri 391, 512, 513
Mussert, Anton 609
Mussolini, Benito 13, 33, 37, 59, 181, 191, 221, 239, 244, 256, 257, 258, 274, 327, 336, 340, 376, 469, **470**, 483, 526, 545, 552, 576, 579, 607, 608, 610, 611, 628, 681, 711
Mutesa II (roi) 512
Mutsuhito (empereur) 380
Mwinyi, Ali Hassan 501, 660, 661
Myrdal, Gunnar 562
Mzilikazi 85

Naba, Moro 105
Nabiev, Rahman 656
Nader Shah 17
Naguib, Mohammed 472
Nagy, Imre 101, 102, 341, 342, 392, **471**, 569
Nahayan, al- (dynastie) 224
Naini, Mohammad Husayn 571
Najibullah, Muhammad 19
Namangani, Joma 514
Nanak, Guru 619
Napoléon Ier (empereur) 347, 498, 645
Napoléon III (empereur) 137, 428, 545
Nariño, Antonio 140
Nash, Walter 500
Nasreen, Taslima 68
Nasser, Gamal Abdel 44, 45, 64, 115, 188, 198, 220, 222, 258, 274, 310, 320, 364, 374, 392, **472**, 473, 494, 504, 545, 569,

570, 592, 599, 645, 653, 676, 721

Nasution, Abdul Haris 358
Navarre, Henri 199
Nawaz Sharif, Mian 517
Nazarbaïev, Noursultan 395, 405
Ndadaye, Melchior 106
Ne Win, Shu Maung dit 81, 82
Nedic, Milan 615
Negrin, Juan 626
Neguib, Mohammed 222
Nehru, Jawaharlal 144, 152, 350, 351, **483**, 484, 494, 672, 676
Nehru, Motilal 483
Nehru-Gandhi (lignée) 152
Nenni, Pietro 377, 463, **483**, 628
Netanyahou, Benyamin 15, 375
Neto, Agostinho 35, 36, 107
Newton, Huey 83
Nezzar, Khaled 503
Nganwa (clan) 226
Ngawang Namgyal 79
Ngendandumwe, Pierre 106
Ngo Dinh Diem 70, 281, 282, **488**, 489, 670, 715, 716, 717
Ngo Dinh Nhu 488, 489
Ngouabi, Marien 149
Nguema Mbasogo, Teodoro Obiang 324
Nguema, Macias 324
Ngungunhana 467
Nguyen (dynastie) 714
Nguyen Ai Quoc (Ho Chi Minh) 336, 337, 524
Nguyen The Truyen 336
Nguyen Van Thieu 489, 715, 717
Niazov, Separmourad 696
Nicolas II (tsar) 57, 103, 319, 572, 583, 585, 594, 659
Niemeyer, Oscar 94
Niemöller, Martin 88, 580
Nietzsche, Friedrich 257, 470
Nikola Ier Petrovic-Njegos (roi du Monténégro) 463
Nimeyri, Gaafar 371, 632
Nimitz, Chester William 313, 610
Nin, Andrès 626
Nivelle, Robert 128, 303
Nixon, Richard 35, 134, 194, 211, 249, 368, 397, 406, **492**, 493, 717, 723
Nizami 62
Njonjo, Charles 398
Nkomo, Joshua 734
Nkrumah, Kwame 67, 183, 186, 294, 427, **493**, 494, 495, 518, 545, 683
Nobuaki Makino 726
Noé 39
Noriega, Manuel 519

Norodom Sihanouk (roi) 110, 111, 400, 401, **498**, 717
Norodom Suramarit 498
North, Oliver 368
Nouaoura (colonel) 91
Nouri, Mollah 657
Novotny, Antonín 217, 550
Nujoma, Sam 472
Nuñez, Rafael 140
Nuon Chea 283, 401
Nyerere, Julius 106, 467, **501**, 618, 660
Nyiginya (clan) 226

O'Connell, Daniel 337
O'Neill, Hugh 369
Obasanjo, Olusegun 492, **502**
Obbov, Alexandar 533
Obote, Milton 512
Obregón, Alvaro 584, 718
Öcalan, Abdullah 560, 561, 562, 699
Occhetto, Achille 628
Ochoa, Arnaldo 119, 177
Odinga, Oginga 398
Odlum, George 601
Oduduwa Egbe Omo 60
Ojukwu, Odumegwu 80
Okit'Asombo, Elias 427
Okuma Shigenobu 380
Olympio, Sylvanus 678
Omar Ali Saifuddien III (sultan) 101
Onganía, Juan Carlos 48
Onn, Hussein 435
Orban, Viktor 342
Ordjonikidzé, S. 293
Orlando, Vittorio Emanuele 301
Ortega y Gasset, José 177
Ortoli, François-Xavier 704
Orwell, George **508**
Osmena, Sergio 536
Osmena, Sergio (Jr) 537
Ouamrane, Omar 11
Ouattara, Alassane 166
Ouazzani, Mohammed Hassan 442
Ouédraogo, Jean-Baptiste 105
Oufkir (famille) 443
Oufkir, Mohamed 443
Ousmane, Mahamane 490
Outaev, Abdoullah 514
Özal, Turgut 561, 698

Paasikivi, Juho 267
Pacheco Areco, Jorge 695, 709
Padmore, George 493, 518
Panday, Basdeo 691
Pankhurst, Christabel 646
Pankhurst, Emmeline 264, 646
Pankhurst, Sylvia 646
Panné, Jean-Louis 633
Papadopoulos, Giorgios 305

Papandréou, Andréas 305, 306, 394, **520**
Papandréou, Georges 520
Papon, Maurice 311
Park Chung-hee 162, 413
Park, Rosa 213
Parnell, Charles Stewart 337
Parri, Ferruccio 579
Pasic, Nikola 171
Pasternak, Boris 125
Patassé, Ange Félix 124
Patiño (famille) 87
Patocka, Jan 126, 127
Patterson, P. J. 380
Patton, George 442
Pauker, Anna 295, 637
Paul (régent) 171
Paul Ier (roi de Grèce) 393
Paul VI (pape), Giovanni Battista Montini dit 34, 711
Paulme, Denise 64
Paulus, Friedrich von 643
Pavelic, Ante 171, 244, 258, 513, **526**
Paz Estenssoro, Victor 87
Pearse, Patrick 522
Pearson, Lester Bowles 114, 127, **529**, 692
Pelloutier, Fernand 32
Pen Saloth 541
Peña Gómez, José Francisco 578
Peng Dehuai 299, 441
Pengel, Johan 650
Pereira, Aristides 116
Pérès, Shimon 374
Perez de Cuellar, Javier 613
Pérez Jiménez, Marcos 712
Pérez, Carlos Andrés 712
Perón, Juan Domingo 47, 48, 258, 522, **531**, 545
Pertini, Sandro 38, 378
Pétain, Philippe 84, 128, 167, 272, 279, 442, **532**, 586, 601, 713, 714
Petar Ier Karadjordjevic (roi de Serbie) 463
Peters, Carl 660
Pethsarath (prince) 632, 633
Petkov, Nikola Dimitrov 103, **533**
Pflimlin, Pierre 704
Pham Quynh 70
Pham Van Dong 336
Phan Chan Trinh 336
Phao Siyanon 668
Phibun Songkhram 668
Phraya Manopakorn 668
Piatakov, Gueorgui 464
Picado, Teodoro 165
Picasso, Pablo 308
Picot, Georges 650
Pie XI (pape), Achille Rati dit 221, 711